LAROUSSE
DICTIONNAIRE

Français Anglais
Anglais Français

LAROUSSE

DICTIONNAIRE
DE POCHE

Français Anglais
Anglais Français

LAROUSSE

21, rue du Montparnasse 75283 Paris Cedex 06

Direction de la publication
Line Karoubi

Direction éditoriale
Ralf Brockmeier

pour cette édition

Coordination éditoriale
Beata Assaf

Rédaction / Lectures
Lucy Bowe, Marie Chochon, Nathalie Da Silva, Christy Johnson,
Marie Ollivier Coudray, Mathilde Pyskir, Sandrine Tetard, Garret White

Composition
APS Chromostyle à Tours

pour les éditions précédentes

Direction de la rédaction
Giovanni Picci

Rédaction
Chloé Bourbon, Leslie Bry, Marie Chochon, Rozenn Etienne, Verena Mair,
Mery Martinelli, Marie Ollivier Coudray, Donald Watt, Garret White

pour la grammaire
Keith Wycherley

© Larousse 2008
21, rue du Montparnasse
75283 Paris cedex 06

Poche
ISBN 978-2-03-584206-0
Poche Plus
ISBN 978-2-03-584207-7

Au lecteur

Cette nouvelle édition du dictionnaire Larousse français-anglais a été réalisée pour répondre aux besoins spécifiques des apprenants francophones. Elle est en effet destinée aux débutants et aux « faux-débutants » qui, dans le cadre d'un parcours scolaire ou d'auto-apprentissage, veulent entreprendre ou reprendre l'étude de la langue anglaise.

Aboutissement d'un travail collectif visant à rendre toute la richesse de la langue, à l'écrit comme à l'oral, ce nouveau dictionnaire privilégie les expressions les plus courantes d'aujourd'hui et vous aide à fixer les bases de l'anglais au niveau du vocabulaire et de la grammaire. Il a été complètement remis à jour à la lumière des nouveaux programmes qui s'appuient sur le *Cadre européen commun de référence pour les langues* (CECR) du Conseil de l'Europe. La contribution d'enseignants d'anglais en contexte francophone a été précieuse, car elle a permis de prendre en compte les difficultés spécifiques de l'apprenant francophone.

Avec ses 55 000 mots et expressions, ses 80 000 traductions, ses exemples de constructions grammaticales, ses tournures idiomatiques, ses indications de sens et collocations soulignant la ou les traductions appropriées, ce dictionnaire couvre le vocabulaire général ainsi que certains domaines très présents dans la vie de tous les jours, tels que les nouvelles technologies, la cuisine, le sport…
Il constitue votre premier dictionnaire de référence de l'anglais et, grâce à ses nombreux encadrés et à sa riche contextualisation, il vous deviendra vite indispensable dès que vous voudrez parler ou écrire en anglais. Il vous permettra de vous exprimer de manière simple et sans hésitation, et vous ne risquerez plus de faire des contresens.

Sa nouvelle présentation graphique rend sa consultation plus aisée et plus efficace.

N'hésitez pas à nous faire part de vos observations, questions ou critiques éventuelles : cet ouvrage n'en sera que meilleur !

■ L'ÉDITEUR

Sommaire

Table phonétique

	anglais	français	commentaires		anglais	français	commentaires
[æ]	pat/bag/mad		son entre le a et le e	[ŋ]	song/finger	parking/camping	
[ɑː]	bar/laugh	lac/papillon		[ɒ]	dog/sorry	poche/roc/sol	
[aɪ]	buy/light	paille/aïe		[ɔː]	lawn	drôle	
[aʊ]	now/shout/town		se prononce comme ao	[əʊ]	no/road/blow	sot/pot	
[b]	bottle/bib	bateau/rosbif		[ɔɪ]	boy/foil	coyote	
[d]	dog/did	dalle/ronde		[ʊ]	put/full	outil/goût	
[dʒ]	jig/fridge	gin/jeans		[uː]	loop/moon		son ou long
[e]	pet, bet	pays, année		[ʊə]	poor/sure/tour	touriste/pour	
[ə]	mother/suppose	cheval/je		[p]	pop/people	papa/prendre	
[ɜː]	burn/learn/bird/	ailleurs		[r]	right/carry	arracher/sabre	
[eə]	pair/share	fer/mer		[s]	seal/peace	cela	
[eɪ]	bay/late/great	paye		[ʃ]	sheep/machine	charrue/schéma	
[f]	fib/physical	fort/physique		[t]	train/tip	théâtre/temps	
[g]	gag/great	garder/épilogue		[tʃ]	chain/wretched	tchèque/tchador	
[h]	how/perhaps		son h aspiré	[θ]	think/fifth		se prononce comme un s, mais en pointant la langue contre les incisives.
[ɪ]	pit/big/rid		son i bref				
[iː]	bean/weed	riz, fille/île		[ð]	this/with		se prononce comme un z, mais en pointant la langue contre les incisives.
[ɪə]	peer/fierce/idea	mieux	son i long				
[j]	you/spaniel	yeux		[ʌ]	cut/sun		son o tirant sur le a
[k]	come/kitchen	coq/quatre					
[kv]	quarter		se prononce comme kw	[v]	vine/livid	voir/rive	
[l]	little/help	halle/lit		[w]	wet/why/twin	ouest/oui	
[m]	metal/comb	mât/drame		[z]	zip/his	zébu/zéro	
[n]	night/dinner	nager/trône		[ʒ]	usual/measure	bijou	

abr	abréviation		*ÉLECTRON*	électronique
adj	adjectif, adjectival		*euphém*	euphémisme
ADMIN	administration		*excl*	exclamatif
adv	adverbe, adverbial		*f*	féminin
AÉRON	aeronautique		*fam*	familier
AGRIC	agriculture		*fig*	figuré
ANAT	anatomie		*FIN*	finance
ARCHÉOL	archeologie		*gén*	généralement
ARCHIT	architecture		*GÉOGR*	geographie
arg crime	argot milieu		*GÉOL*	géologie
arg drogue	argot drogue		*GÉOM*	géometrie
arg mi	argot militaire		*GRAMM*	grammaire
arg scol	argot scolaire		*HIST*	histoire
art	article		*hum*	humoristique
ASTROL	astrologie		*impers*	impersonnel
ASTRON	astronomie		*indéf*	indéfini
att	attributif		*INDUST*	industrie
AUTO	automobile		*INFORM*	informatique
aux	auxiliaire		*injur*	injurieux
BIOL	biologie		*insép*	inséparable
BOT	botanique		*interj*	interjection
CHIM	chimie		*interr*	interrogatif
CINÉ	cinéma		*inv*	invariable
COMM	commerce		*iron*	ironique
compar	comparatif		*LING*	linguistique
conj	conjonction, conjonctif		*litt*	sens propre
CONSTR	construction		*LITTÉR*	littérature
COUT	couture		*loc*	locution
CULIN	cuisine		*m*	masculin
déf	défini		*m ou f*	masculin OU féminin - nom dont le genre est flottant : ex. un arobase OU une arobase
dém	démonstratif			
DR	droit			
ÉCON	économie		*MATH*	mathématiques
ÉLECTR	électricite		*MÉD*	médecine

MÉTÉOR	météorologie
mf	masculin et féminin - même forme pour le masculin et le féminin : ex. démocrate
MIL	militaire
MUS	musique
MYTHOL	mythologie
n	nom
NAUT	nautique
nm ou nf	nom dont le genre est flottant : ex. un arobase OU une arobase
nm, f	nom masculin, nom féminin - avec une désinence féminine : ex. menteur, euse
nmf	nom masculin et féminin - même forme pour le masculin et le féminin : ex. démocrate
npr	nom propre
num	numéral
o.s.	oneself
péj	péjoratif
pers	personnel
PHILO	philosophie
PHOTO	photographie
PHYS	physique
pl	pluriel
POLIT	politique
poss	possessif
pp	participe passé
p prés	participe présent
préf	préfixe
prép	préposition, prépositionnel
prés	présent
pron	pronom

prov	proverbe
PSYCHO	psychologie
qqch	quelque chose
qqn	quelqu'un
recomm off	mot officiel
rel	relatif
RELIG	religion
s.o.	someone
sb	somebody
SCOL	scolaire
sép	séparable
sing	singulier
sout	soutenu
sthg	something
suj	sujet
superl	superlatif
TECHNOL	technologie
TÉLÉCOM	télécommunications
tfam	très familier
TV	télévision
TYPO	typographie
UK	anglais du Royaume Uni
UNIV	université
US	anglais des États Unis
v	verbe
vi	verbe intransitif
vp	verbe pronominal
vpi	verbe pronominal intransitif
vpt	verbe pronominal transitif
vt	verbe transitif
vulg	vulgaire
ZOOL	zoologie

Comment utiliser ce dictionnaire

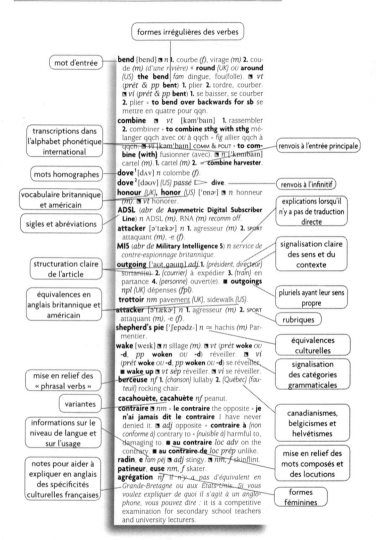

formes irrégulières des verbes

mot d'entrée

bend [bend] **■** *n* **1.** courbe (*f*), virage (*m*) **2.** coude (*m*) (*d'une rivière*) • **round** (*UK*) *ou* **around** (*US*) **the bend** *fam* dingue, fou(folle). **■** *vt* (*prét & pp* **bent**) **1.** plier **2.** tordre, courber. **■** *vi* (*prét & pp* **bent**) **1.** se baisser, se courber **2.** plier • **to bend over backwards for sb** se mettre en quatre pour qqn.

transcriptions dans l'alphabet phonétique international

combine ■ *vt* [kəm'baɪn] **1.** rassembler **2.** combiner • **to combine sthg with sthg** mélanger qqch avec *ou* à qqch • *fig* allier qqch à qqch. **■** *vi* [kəm'baɪn] COMM & POLIT • **to combine (with)** fusionner (avec). **■** *n* ['kɒmbaɪn] cartel (*m*) **1.** cartel (*m*) **2.** = **combine harvester**.

renvois à l'entrée principale

mots homographes

dove[1] [dʌv] *n* colombe (*f*).

dove[2] [dəʊv] (*US*) *passé* ⯈ **dive**.

renvois à l'infinitif

vocabulaire britannique et américain

honour (*UK*), **honor** (*US*) ['ɒnər] **■** *n* honneur (*m*). **■** *vt* honorer.

sigles et abréviations

ADSL (*abr de* **Asymmetric Digital Subscriber Line**) *n* ADSL (*m*), RNA (*m*) *recomm off.*

attacker [ə'tækər] *n* **1.** agresseur (*m*) **2.** SPORT attaquant (*m*), -e (*f*).

explications lorsqu'il n'y a pas de traduction directe

MI5 (*abr de* **Military Intelligence 5**) *n* service de contre-espionnage britannique.

signalisation claire des sens et du contexte

structuration claire de l'article

outgoing ['aʊtˌɡəʊɪŋ] *adj* **1.** (*président, directeur*) sortant(e). **2.** (*courrier*) à expédier **3.** (*train*) en partance **4.** (*personne*) ouvert(e). **■ outgoings** *npl* (*UK*) dépenses (*fpl*).

pluriels ayant leur sens propre

équivalences en anglais britannique et américain

trottoir *nm* pavement (*UK*), sidewalk (*US*).

attacker [ə'tækər] *n* **1.** agresseur (*m*) **2.** SPORT attaquant (*m*), -e (*f*).

rubriques

shepherd's pie ['ʃepədz-] *n* ≈ hachis (*m*) Parmentier.

équivalences culturelles

wake [weɪk] **■** *n* sillage (*m*). **■** *vt* (*prét* **woke** *ou* **-d**, *pp* **woken** *ou* **-d**) réveiller. **■** *vi* (*prét* **woke** *ou* **-d**, *pp* **woken** *ou* **-d**) se réveiller. **■ wake up ■** *vt sép* réveiller. **■** *vi* se réveiller.

signalisation des catégories grammaticales

mise en relief des « phrasal verbs »

berceuse *nf* **1.** (*chanson*) lullaby **2.** (*Québec*) (*fauteuil*) rocking chair.

variantes

cacahouète, cacahuète *nf* peanut.

contraire ■ *nm* • **le contraire** the opposite • **je n'ai jamais dit le contraire** I have never denied it. **■** *adj* opposite • **contraire à** (*non conforme à*) contrary to • (*nuisible à*) harmful to, damaging to. **■ au contraire** *loc adv* on the contrary. **■ au contraire de** *loc prép* unlike.

canadianismes, belgicismes et helvétismes

informations sur le niveau de langue et sur l'usage

radin, e *fam péj* **■** *adj* stingy. **■** *nm, f* skinflint.

patineur, euse *nm, f* skater.

mise en relief des mots composés et des locutions

notes pour aider à expliquer en anglais des spécificités culturelles françaises

agrégation *nf* Il n'y a pas d'équivalent en Grande-Bretagne ou aux États-Unis. Si vous voulez expliquer de quoi il s'agit à un anglophone, vous pouvez dire : it is a competitive examination for secondary school teachers and university lecturers.

formes féminines

Français

Anglais

a¹, A *nm inv* a, A ▪ **de A à Z** from A to Z.

a² *(unité de mesure)* (*abr écrite de* **are**) a.

à *prép*

1. INTRODUIT UN COMPLÉMENT D'OBJET INDIRECT
   ▪ **elle a donné de l'argent à son fils** she gave her son some money *ou* she gave some money to her son
   ▪ **il lui a parlé de son problème** he talked to her about his problem

2. INDIQUE LE LIEU OÙ L'ON EST
   ▪ **nous sommes à la maison/au bureau** we are at home/at the office
   ▪ **il habite à Paris/à la campagne** he lives in Paris/in the country

3. INDIQUE LE LIEU OÙ L'ON VA
   ▪ **ce week-end, je vais à Paris/à la campagne/en Italie** this weekend, I'm going to Paris/to the country/to Italy

4. INTRODUIT UN COMPLÉMENT DE TEMPS
   ▪ **je t'appelle à onze heures** I'll call you at eleven o'clock
   ▪ **je vous verrai au mois de février** I'll see you in February *ou* in the month of February
   ▪ **à lundi !** see you (on) Monday!
   ▪ **à plus tard !** see you later!
   ▪ **de huit à dix heures** from eight to ten o'clock

5. EXPRIME LA DISTANCE
   ▪ **notre maison se situe à une heure/à 10 kilomètres de l'aéroport** our house is (situated) an hour/10 kilometres (away) from the airport
   ▪ **Londres est à 400 km de Paris** London is 400 km from Paris
   ▪ **c'est à 3 km d'ici** it's 3 km away (from here)

6. INDIQUE L'APPARTENANCE
   ▪ **c'est à moi/toi/lui/elle** it's mine/yours/his/hers *ou* it belongs to me/your/him/her
   ▪ **ce vélo est à ma sœur** this bike is my sister's *ou* belongs to my sister
   ▪ **une amie à moi** a friend of mine

7. EXPRIME LA MANIÈRE, LE MOYEN
   ▪ **elle lisait à haute voix** she was reading out loud *ou* aloud
   ▪ **je l'ai entendu rire aux éclats** I heard him roar with laughter
   ▪ **elle agit toujours à son gré** she always does as she pleases
   ▪ **je n'aime pas acheter à crédit** I don't like buying on credit
   ▪ **ils y sont allés à pied/à cheval** they went there on foot/on horseback

8. INDIQUE UNE CARACTÉRISTIQUE
   ▪ **c'est une fille aux cheveux longs** she's a girl with long hair *ou* she's a long-haired girl
   ▪ **j'ai encore vu l'homme à l'imperméable** I saw the man with the raincoat again
   ▪ **je me suis acheté une robe à manches courtes** I bought a short-sleeved dress

9. INDIQUE UNE APPROXIMATION
   ▪ **il te faut 4 à 5 pommes pour faire ce gâteau** you need 4 to 5 apples to make this cake

10. INTRODUIT UN CHIFFRE
    ▪ **ils sont venus à dix** ten of them came
    ▪ **un livre à 10 euros** a 10-euro book, a book costing 10 euros
    ▪ **la vitesse est limitée à 50 km à l'heure** the speed limit is 50 km per *ou* an hour

11. INDIQUE LE BUT
    ▪ **il nous faut des coupes à champagne** we need champagne glasses
    ▪ **le courrier à poster est sur la table** the the mail to be posted is on the table
    ▪ **appartement à vendre/louer** flat for sale/to let.

AB¹ (*abr écrite de* **assez bien**) fair grade (as assessment of schoolwork), ≃ B-.

AB² (*abr écrite de* **agriculture biologique**), *si vous voulez expliquer de quoi il s'agit à un anglophone, vous pouvez dire* it is an official label guaranteeing that a product conforms to national standards for organic food.

abaisser vt 1. *(rideau, voile)* to lower 2. *(levier, manette)* to push ou pull down 3. *(diminuer)* to reduce, to lower.
■ **s'abaisser** vp 1. *(descendre - rideau)* to fall, to come down • *(- terrain)* to fall away 2. *(s'humilier)* to demean o.s. • **s'abaisser à faire qqch** to lower o.s. to do sthg.

abandon nm 1. *(désertion, délaissement)* desertion • **à l'abandon** *(jardin, maison)* neglected, in a state of neglect 2. *(renonciation)* abandoning, giving up 3. *(nonchalance, confiance)* abandon.

abandonner vt 1. *(quitter - femme, enfants)* to abandon, to desert • *(- voiture, propriété)* to abandon 2. *(renoncer à)* to give up, to abandon 3. *(se retirer de - course, concours)* to withdraw from 4. *(céder)* • **abandonner qqch à qqn** to leave sthg to sb, to leave sb sthg.

abasourdi, e adj stunned.

abat-jour nm inv lampshade.

abats nmpl 1. *(d'animal)* offal *(indénombrable)* 2. *(de volaille)* giblets.

abattement nm 1. *(faiblesse physique)* weakness 2. *(désespoir)* dejection 3. *(déduction)* reduction • **abattement fiscal** tax allowance *(UK)*, tax exemption *(US)*.

abattis nmpl giblets.

abattoir nm abattoir *(UK)*, slaughterhouse.

abattre vt 1. *(faire tomber - mur)* to knock down • *(- arbre)* to cut down, to fell • *(- avion)* to bring down 2. *(tuer - gén)* to kill • *(- dans un abattoir)* to slaughter 3. *(épuiser)* to wear out 4. *(démoraliser)* to demoralize.

abbaye nf abbey.

abbé nm 1. *(prêtre)* priest 2. *(de couvent)* abbot.

abc nm basics pl.

abcès nm abscess.

abdiquer ◨ vt *(renoncer à)* to renounce. ◨ vi *(roi)* to abdicate.

abdomen nm abdomen.

abdos nmpl 1. *(muscles)* abs, stomach muscles 2. *(exercices)* stomach exercises, abs *(exercises)* • **faire des abdos** to do abs ou stomach exercises.

abeille nf bee.

aberrant, e adj absurd.

abime nm abyss, gulf.

abimer vt *(détériorer - objet)* to damage • *(- partie du corps, vue)* to ruin.
■ **s'abimer** vp 1. *(gén)* to be damaged 2. *(fruits)* to go bad.

abject, e adj despicable, contemptible.

aboiement nm bark, barking *(indénombrable)*.

abolir vt to abolish.

abominable adj appalling, awful.

abondance nf 1. *(profusion)* abundance 2. *(opulence)* affluence.

abondant, e adj 1. *(gén)* plentiful 2. *(végétation, chevelure)* luxuriant 3. *(pluie)* heavy.

abonder vi to abound, to be abundant • **abonder en qqch** to be rich in sthg • **abonder dans le sens de qqn** to be entirely of sb's opinion.

abonné, e nm, f 1. *(à un journal, à une chaîne de télé)* subscriber 2. *(à un théâtre)* season-ticket holder 3. *(à un service public)* consumer.

abonnement nm 1. *(à un journal, à une chaîne de télé)* subscription 2. *(à un théâtre)* season ticket 3. *(au téléphone)* rental 4. *(au gaz, à l'électricité)* standing charge.

abonner ■ **s'abonner** vp • **s'abonner à qqch** *(journal, chaîne de télé)* to subscribe to sthg, to take out a subscription to sthg • *(service public)* to get connected to sthg • *(théâtre)* to buy a season ticket for sthg.

abord nm • **être d'un abord facile/difficile** to be very/not very approachable. ■ **abords** nmpl 1. *(gén)* surrounding area sing 2. *(de ville)* outskirts. • **d'abord** loc adv 1. *(en premier lieu)* first 2. *(avant tout)* • **(tout) d'abord** first (of all), in the first place.

abordable adj 1. *(lieu)* accessible 2. *(personne)* approachable 3. *(de prix modéré)* affordable.

aborder ◨ vi to land. ◨ vt 1. *(personne, lieu)* to approach 2. *(question)* to tackle.

aborigène adj aboriginal. ■ **Aborigène** nmf *(Australian)* aborigine.

abouti, e adj *(projet, démarche)* successful.

aboutir vi 1. *(chemin)* • **aboutir à/dans** to end at/in 2. *(négociation)* to be successful • **aboutir à qqch** to result in sthg.

aboyer *vi* to bark.

abrasif, ive *adj* abrasive.

abrégé, e *adj* abridged.

abréger *vt* **1.** *(visite, réunion)* to cut short **2.** *(discours)* to shorten **3.** *(mot)* to abbreviate.

abreuvoir *nm* **1.** *(lieu)* watering place **2.** *(installation)* drinking trough.

abréviation *nf* abbreviation.

abri *nm* shelter ◦ **se mettre à l'abri** to shelter, to take shelter ◦ **abri de jardin** garden shed. ◼ **à l'abri de** *loc prép* **1.** *(pluie)* sheltered from **2.** *fig* safe from.

Abribus ® *nm* bus shelter.

abricot *nm* & *adj inv* apricot.

abricotier *nm* apricot tree.

abriter *vt* **1.** *(protéger)* ◦ **abriter qqn/qqch (de)** to shelter sb/sthg (from) **2.** *(héberger)* to accommodate. ◼ **s'abriter** *vp + prép* ◦ **s'abriter (de)** to shelter (from).

abroger *vt* to repeal.

abrupt, e *adj* **1.** *(raide)* steep **2.** *(rude)* abrupt, brusque.

abruti, e *fam nm, f* moron.

abrutir *vt* **1.** *(abêtir)* ◦ **abrutir qqn** to deaden sb's mind **2.** *(accabler)* ◦ **abrutir qqn de travail** to work sb into the ground.

abrutissant, e *adj* **1.** *(bruit, travail)* stupefying **2.** *(jeu, feuilleton)* moronic.

absence *nf* **1.** *(de personne)* absence **2.** *(carence)* lack.

absent, e ◼ *adj* **1.** *(personne)* ◦ **absent (de)** *(gén)* away (from) ◦ *(pour maladie)* absent (from) **2.** *(regard, air)* vacant, absent **3.** *(manquant)* lacking. ◼ *nm, f* absentee.

absenter ◼ **s'absenter** *vp* ◦ **s'absenter (de la pièce)** to leave (the room).

absinthe *nf* **1.** *(plante)* wormwood **2.** *(boisson)* absinth.

absolu, e *adj* **1.** *(gén)* absolute **2.** *(décision, jugement)* uncompromising.

absolument *adv* absolutely.

absorbant, e *adj* **1.** *(matière)* absorbent **2.** *(occupation)* absorbing.

absorber *vt* **1.** *(gén)* to absorb **2.** *(manger)* to take.

abstenir ◼ **s'abstenir** *vp* **1.** *(ne rien faire)* ◦ **s'abstenir (de qqch/de faire qqch)** to refrain (from sthg/from doing sthg) **2.** *(ne pas voter)* to abstain.

abstention *nf* abstention.

abstentionnisme *nm* abstaining.

abstinence *nf* abstinence.

abstraction *nf* abstraction ◦ **faire abstraction de** to disregard.

abstrait, e *adj* abstract.

absurde *adj* absurd.

absurdité *nf* absurdity ◦ **dire des absurdités** to talk nonsense *(indénombrable)*.

abus *nm* abuse ◦ **abus de confiance** breach of trust ◦ **abus de pouvoir** abuse of power.

abuser *vi* **1.** *(dépasser les bornes)* to go too far **2.** *(user)* ◦ **abuser de** *(autorité, pouvoir)* to overstep the bounds of ◦ *(femme)* to take advantage of ◦ *(temps)* to take up too much of ◦ **abuser de ses forces** to overexert o.s..

abusif, ive *adj* **1.** *(excessif)* excessive **2.** *(fautif)* improper.

acabit *nm* ◦ **du même acabit** *péj* of the same type.

acacia *nm* acacia.

académicien, enne *nm, f* **1.** academician **2.** *(de l'Académie française)* member of the French Academy.

académie *nf* **1.** SCOL & UNIV ≃ regional education authority *(UK)*, ≃ school district *(US)* **2.** *(institut)* academy ◦ **l'Académie française** the French Academy *(learned society of leading men and women of letters)*.

acajou *nm* & *adj inv* mahogany.

acariâtre *adj* bad-tempered, cantankerous.

acarien *nm* **1.** *(gén)* acarid **2.** *(de poussière)* dust mite.

accablant, e *adj* **1.** *(soleil, chaleur)* oppressive **2.** *(preuve, témoignage)* overwhelming.

accabler *vt* **1.** *(surcharger)* ◦ **accabler qqn de** *(travail)* to overwhelm sb with ◦ **accabler qqn d'injures** to shower sb with abuse **2.** *(accuser)* to condemn.

accalmie *nf* *litt* & *fig* lull.

accéder ◼ **accéder à** *vt* **1.** *(pénétrer dans)* to reach, to get to **2.** *(parvenir à)* to attain **3.** *(consentir à)* to comply with.

accélérateur *nm* accelerator.

accélération *nf* **1.** *(de voiture, machine)* acceleration **2.** *(de projet)* speeding up.

accélérer ◼ *vt* to accelerate, to speed up. ◼ *vi* AUTO to accelerate.

accent *nm* **1.** *(signe graphique)* accent ▪ **accent aigu/grave/circonflexe** acute/grave/circumflex (accent) **2.** *(intonation)* tone ▪ **mettre l'accent sur** *litt* to stress.

accentuation *nf* **1.** *(à l'écrit)* accenting **2.** *(en parlant)* stress.

accentuer *vt* **1.** *(insister sur, souligner)* to emphasize, to accentuate **2.** *(intensifier)* to intensify **3.** *(à l'écrit)* to put the accents on **4.** *(en parlant)* to stress. ◼ **s'accentuer** *vp* to become more pronounced.

acceptable *adj* acceptable.

acceptation *nf* acceptance.

accepter *vt* to accept ▪ **accepter de faire qqch** to agree to do sthg ▪ **accepter que** *(+ subjonctif)* : **accepter que qqn fasse qqch** to agree to sb doing sthg ▪ **je n'accepte pas qu'il me parle ainsi** I won't have him talking to me like that.

acception *nf* sense.

accès *nm* **1.** *(entrée)* entry ▪ **avoir/donner accès à** to have/to give access to ▪ '**accès interdit**' 'no entry' **2.** *(voie d'entrée)* entrance **3.** *(crise)* bout ▪ **accès de colère** fit of anger.

accessible *adj* **1.** *(lieu, livre)* accessible **2.** *(personne)* approachable **3.** *(prix, équipement)* affordable.

accession *nf* ▪ **accession à** *(trône, présidence)* accession to ▪ *(indépendance)* attainment of.

accessoire ◼ *nm* **1.** *(gén)* accessory **2.** *(de théâtre, cinéma)* prop. ◼ *adj* secondary.

accident *nm* accident ▪ **par accident** by chance, by accident ▪ **accident de la route/de voiture/du travail** road/car/industrial accident.

accidenté, e ◼ *adj* **1.** *(terrain, surface)* uneven **2.** *(voiture)* damaged. ◼ *nm, f (gén pl)* ▪ **accidenté de la route** accident victim.

accidentel, elle *adj* accidental.

acclamation *nf (gén pl)* cheers *pl*, cheering *(indénombrable)*.

acclamer *vt* to cheer.

acclimatation *nf* acclimatization, acclimation *(US)*.

acclimater *vt* **1.** to acclimatize, to acclimate *(US)* **2.** *fig* to introduce. ◼ **s'acclimater** *vp* ▪ **s'acclimater à** to become acclimatized OU acclimated *(US)* to.

accolade *nf* **1.** TYPO brace **2.** *(embrassade)* embrace.

accommodant, e *adj* obliging.

accommodement *nm* compromise.

accommoder *vt* CULIN to prepare.

accompagnateur, trice *nm, f* **1.** MUS accompanist **2.** *(guide)* guide.

accompagnement *nm* MUS accompaniment.

accompagner *vt* **1.** *(personne)* to go with, to accompany **2.** *(agrémenter)* ▪ **accompagner qqch de** to accompany sthg with **3.** MUS to accompany.

accompli, e *adj* accomplished.

accomplir *vt* to carry out. ◼ **s'accomplir** *vp* to come about.

accomplissement *nm* **1.** *(d'apprentissage)* completion **2.** *(de travail)* fulfilment *(UK)*, fulfillment *(US)*.

accord *nm* **1.** *(gén)* agreement **2.** LING agreement, concord **3.** MUS chord **4.** *(acceptation)* approval ▪ **donner son accord à qqch** to approve sthg. ◼ **d'accord** ◼ *loc adv* OK, all right. ◼ *loc adj* ▪ **être d'accord (avec)** to agree (with) ▪ **tomber** OU **se mettre d'accord** to come to an agreement, to agree.

accordéon *nm* accordion.

accorder *vt* **1.** *(donner)* ▪ **accorder qqch à qqn** to grant sb sthg **2.** *(attribuer)* ▪ **accorder qqch à qqch** to accord sthg to sthg ▪ **accorder de l'importance à** to attach importance to **3.** *(harmoniser)* to match **4.** GRAMM ▪ **accorder qqch avec qqch** to make sthg agree with sthg **5.** MUS to tune. ◼ **s'accorder** *vp* **1.** *(gén)* ▪ **s'accorder (pour faire qqch)** to agree (to do sthg) ▪ **s'accorder à faire qqch** to be unanimous in doing sthg **2.** *(être assorti)* to match **3.** GRAMM to agree.

accoster ◼ *vt* **1.** NAUT to come alongside **2.** *(personne)* to accost. ◼ *vi* NAUT to dock.

accotement *nm (de route)* shoulder ▪ **accotement non stabilisé** soft verge *(UK)*, soft shoulder *(US)*.

accouchement *nm* childbirth ▪ **accouchement sans douleur** natural childbirth.

accoucher *vi* ▪ **accoucher (de)** to give birth (to).

accouder ▪ **s'accouder** *vp* to lean on one's elbows ▪ **s'accouder à** to lean one's elbows on.

accoudoir *nm* armrest.

accouplement *nm* mating, coupling.

accourir *vi* to run up, to rush up.

accoutré, e *adj péj* ▪ **être bizarrement accoutré** to be strangely got up.

accoutrement *nm péj* getup.

accoutumer *vt* ▪ **accoutumer qqn à qqn/ qqch** to get sb used to sb/sthg ▪ **accoutumer qqn à faire qqch** to get sb used to doing sthg.
▪ **s'accoutumer** *vp* ▪ **s'accoutumer à qqn/qqch** to get used to sb/sthg ▪ **s'accoutumer à faire qqch** to get used to doing sthg.

accréditer *vt* (*rumeur*) to substantiate ▪ **accréditer qqn auprès de** to accredit sb to.

accro *fam* ▪ *adj* ▪ **accro à** hooked on. ▪ *nmf* ▪ **c'est une accro de la planche** she's a windsurfing freak.

accroc *nm* 1. (*déchirure*) tear 2. (*incident*) hitch.

accrochage *nm* 1. (*accident*) collision 2. *fam* (*dispute*) row.

accroche *nf* COMM catch line.

accrocher *vt* 1. (*suspendre*) ▪ **accrocher qqch (à)** to hang sthg up (on) 2. (*déchirer*) ▪ **accrocher qqch (à)** to catch sthg (on) 3. (*attacher*) ▪ **accrocher qqch (à)** to hitch sthg (to).
▪ **s'accrocher** *vp* 1. (*s'agripper*) ▪ **s'accrocher (à)** to hang on (to) ▪ **s'accrocher à qqn** *fig* to cling to sb 2. *fam* (*se disputer*) to row, to have a row 3. *fam* (*persévérer*) to stick at it.

accroissement *nm* increase, growth.

accroître *vt* to increase.
▪ **s'accroître** *vp* to increase, to grow.

accroupir ▪ **s'accroupir** *vp* to squat.

accueil *nm* 1. (*lieu*) reception 2. (*action*) welcome, reception.

accueillant, e *adj* welcoming, friendly.

accueillir *vt* 1. (*gén*) to welcome 2. (*loger*) to accommodate.

accumulateur *nm* 1. BANQUE & INFORM accumulator 2. ÉLECTR (storage) battery.

accumulation *nf* accumulation.

accumuler *vt* 1. to accumulate 2. *fig* to store up.
▪ **s'accumuler** *vp* to pile up.

accusateur, trice ▪ *adj* accusing. ▪ *nm, f* accuser.

accusation *nf* 1. (*reproche*) accusation 2. DR charge ▪ **mettre en accusation** to indict ▪ **l'accusation** the prosecution.

accusé, e *nm, f* accused, defendant. ▪ **accusé de réception** *nm* acknowledgement (of receipt).

accuser *vt* 1. (*porter une accusation contre*) ▪ **accuser qqn (de qqch)** to accuse sb (of sthg) 2. DR ▪ **accuser qqn de qqch** to charge sb with sthg.

acerbe *adj* acerbic.

acéré, e *adj* sharp.

achalandé, e *adj* (*en marchandises*) ▪ **bien achalandé** well-stocked.

acharné, e *adj* 1. (*combat*) fierce 2. (*travail*) unremitting.

acharnement *nm* relentlessness.

acharner ▪ **s'acharner** *vp* 1. (*combattre*) ▪ **s'acharner contre** OU **après** OU **sur qqn** (*ennemi, victime*) to hound sb ▪ (*suj : malheur*) to dog sb 2. (*s'obstiner*) ▪ **s'acharner (à faire qqch)** to persist (in doing sthg).

achat *nm* purchase.

acheminer *vt* to dispatch.
▪ **s'acheminer** *vp* ▪ **s'acheminer vers** (*lieu, désastre*) to head for ▪ (*solution, paix*) to move towards (UK) OU toward (US).

acheter *vt litt & fig* (*cadeau, objet, produit*) to buy ▪ **acheter qqch à qqn** (*pour soi*) to buy sthg from sb ▪ (*pour le lui offrir*) to buy sb sthg, to buy sthg for sb ▪ **acheter qqch pour qqn** to buy sthg for sb, to buy sb sthg.

acheteur, euse *nm, f* buyer, purchaser.

achevé, e *adj sout* ▪ **d'un ridicule achevé** utterly ridiculous.

achèvement *nm* completion.

achever *vt* 1. (*terminer*) to complete, to finish (off) 2. (*tuer, accabler*) to finish off.
▪ **s'achever** *vp* to end, to come to an end.
Voir encadré page suivante.

achever

Attention à ne pas traduire le verbe « achever » par *to achieve*, qui signifie « accomplir », « réaliser » (*she achieved her ambition*, « elle *a réalisé* son ambition »). Lorsque « achever » a le sens de « finir », on le traduit le plus souvent par *to finish*. Par exemple : « laisse-le achever sa phrase », *let him finish what he's saying*. Dans son sens de « tuer », « achever » se traduit par *to destroy* ou *to finish off* : « ils décidèrent d'achever la pauvre bête », *they decided to destroy the poor animal*.

achoppement ▷ **pierre**.

acide ◼ *adj* **1.** *(saveur)* sour **2.** *(propos)* sharp, acid **3.** CHIM acid. ◼ *nm* CHIM acid.

acidité *nf* **1.** CHIM acidity **2.** *(saveur)* sourness **3.** *(de propos)* sharpness.

acidulé, e *adj* slightly acid.

acier *nm* steel ▪ **acier inoxydable** stainless steel.

aciérie *nf* steelworks *sing*.

acné *nf* acne.

acolyte *nm péj* henchman.

acompte *nm* deposit.

à-côté *nm* **1.** *(point accessoire)* side issue **2.** *(gain d'appoint)* extra.

à-coup *nm* jerk ▪ **par à-coups** in fits and starts.

acoustique *nf* **1.** *(science)* acoustics *(indénombrable)* **2.** *(d'une salle)* acoustics *pl*.

acquéreur *nm* buyer.

acquérir *vt (gén)* to acquire.

acquiescement *nm* approval.

acquiescer *vi* to acquiesce ▪ **acquiescer à** to agree to.

acquis, e *adj* **1.** *(caractère)* acquired **2.** *(droit, avantage)* established. ◼ **acquis** *nmpl (connaissances)* knowledge *(indénombrable)*.

acquisition *nf* acquisition.

acquit *nm* receipt ▪ **pour acquit** COMM received ▪ **faire qqch par acquit de conscience** *fig* to do sthg to set one's mind at rest.

acquittement *nm* **1.** *(d'obligation)* settlement **2.** DR acquittal.

acquitter *vt* **1.** DR to acquit **2.** *(régler)* to pay **3.** *(libérer)* ▪ **acquitter qqn de** to release sb from.

âcre *adj* **1.** *(saveur)* bitter **2.** *(fumée)* acrid.

acrobate *nmf* acrobat.

acrobatie *nf* acrobatics *(indénombrable)*.

acrylique *adj & nm* acrylic.

acte *nm* **1.** *(action)* act, action ▪ **faire acte d'autorité** to exercise one's authority ▪ **faire acte de candidature** to submit an application **2.** THÉÂTRE act **3.** DR deed ▪ **acte d'accusation** charge ▪ **acte de naissance/de mariage/de décès** birth/marriage/death certificate ▪ **acte de vente** bill of sale **4.** RELIG certificate ▪ **faire acte de présence** to put in an appearance ▪ **prendre acte de** to note, to take note of. ◼ **actes** *nmpl (de colloque)* proceedings.

acteur, trice *nm, f* actor *(f* actress).

actif, ive *adj (gén)* active ▪ **la population active** the working population. ◼ **actif** *nm* FIN assets *pl* ▪ **avoir qqch à son actif** to have sthg to one's credit.

action *nf* **1.** *(gén)* action ▪ **sous l'action de** under the effect of **2.** *(acte)* action, act ▪ **bonne/mauvaise action** good/bad deed **3.** DR action, lawsuit **4.** FIN share.

actionnaire *nmf* FIN shareholder *(UK)*, stockholder *(US)*.

actionner *vt* to work, to activate.

activement *adv* actively.

activer *vt* to speed up. ◼ **s'activer** *vp* to bustle about.

activiste *adj & nmf* activist.

activité *nf (gén)* activity ▪ **en activité** *(volcan)* active.

actualisation *nf (d'un texte)* updating.

actualiser *vt* to update, to bring up to date.

actualité *nf* **1.** *(d'un sujet)* topicality **2.** *(événements)* ▪ **l'actualité sportive/politique/littéraire** the current sports/political/literary scene. ◼ **actualités** *nfpl* ▪ **les actualités** the news *sing*.

actuel, elle *adj (contemporain, présent)* current, present ▪ **à l'heure actuelle** at the present time.

À PROPOS DE... **actuel**

Il est facile de confondre « actuel » et *actual*. Le sens de ces deux mots est pourtant très différent : *actual* signifie « véritable », « exact » ou encore « concret » (*what were her actual words?*, « quelles ont été ses paroles exactes ? »). C'est donc plutôt *present* ou *current* qu'il faudra utiliser pour traduire « actuel », comme dans : « à l'heure actuelle », *at the present time*.

actuellement *adv* at present, currently.

À PROPOS DE... **actuellement**

Le même problème se pose pour « actuellement » : il ne faut pas le traduire par *actually*, qui a le sens de « en fait », mais plutôt *currently* ou *at present*. Comparez, par exemple, *she's actually working on a new novel*, « en fait, elle travaille à un nouveau roman », et *she's currently working on a new novel*, « elle travaille *actuellement* à un nouveau roman ».

acuité *nf* acuteness.

acupuncture, acuponcture *nf* acupuncture.

adage *nm* adage, saying.

adaptateur, trice *nm, f* adapter. ■ **adaptateur** *nm* ÉLECTR adapter.

adaptation *nf* adaptation.

adapter *vt* 1. *(gén)* to adapt 2. *(fixer)* to fit. ■ **s'adapter** *vp* • **s'adapter (à)** to adapt (to).

additif *nm* 1. *(supplément)* rider, additional clause 2. *(substance)* additive.

addition *nf* 1. *(ajout, calcul)* addition 2. *(note)* bill, check *(US)*.

additionner *vt* 1. *(mélanger)* • **additionner une poudre d'eau** to add water to a powder 2. *(chiffres)* to add up.

adepte *nmf* follower.

adéquat, e *adj* suitable, appropriate.

adhérence *nf* *(de pneu)* grip.

adhérent, e *nm, f* • **adhérent (de)** member (of).

adhérer *vi* 1. *(coller)* to stick, to adhere • **adhérer à** *(se fixer sur)* to stick ou adhere to • *fig (être d'accord avec)* to support, to adhere to 2. *(être membre)* • **adhérer à** to become a member of, to join.

adhésif, ive *adj* sticky, adhesive. ■ **adhésif** *nm* adhesive.

adhésion *nf* 1. *(à une idée)* • **adhésion (à)** support (for) 2. *(à un parti)* • **adhésion (à)** membership (of).

adieu ⬦ *interj* goodbye!, farewell! • **dire adieu à qqch** *fig* to say goodbye to sthg. ⬦ *nm (gén pl)* farewell • **faire ses adieux à qqn** to say one's farewells to sb.

adipeux, euse *adj* 1. *(tissu)* adipose 2. *(personne)* fat.

adjectif *nm* GRAMM adjective.

adjoint, e ⬦ *adj* deputy *(avant nom)*, assistant *(avant nom)*. ⬦ *nm, f* deputy, assistant • **adjoint au maire** deputy mayor.

adjonction *nf* addition.

adjudant *nm (dans la marine)* warrant officer.

adjuger *vt* • **adjuger qqch (à qqn)** *(aux enchères)* to auction sthg (to sb) • *(décerner)* to award sthg (to sb) • **adjugé!** sold!

admettre *vt* 1. *(tolérer, accepter)* to allow, to accept 2. *(autoriser)* to allow 3. *(accueillir, reconnaître)* to admit.

administrateur, trice *nm, f* 1. *(gérant)* administrator • **administrateur judiciaire** receiver 2. *(de conseil d'administration)* director 3. INFORM • **administrateur de site (Web)** webmaster.

administratif, ive *adj* administrative.

administration *nf* 1. *(service public)* • **l'Administration** ≃ the Civil Service 2. *(gestion)* administration.

administrer *vt* 1. *(gérer)* to manage, to administer 2. *(médicament, sacrement)* to administer.

admirable *adj* 1. *(personne, comportement)* admirable 2. *(paysage, spectacle)* wonderful.

admiratif, ive *adj* admiring.

admiration *nf* admiration.

admirer *vt* to admire.

admissible *adj* 1. *(attitude)* acceptable 2. SCOL eligible.

admission *nf* admission.

ADN (*abr de* **acide désoxyribonucléique**) *nm* DNA.

ado (*abr de* **adolescent**) *nmf fam* teen, teenager.

adolescence *nf* adolescence.

adolescent, e *nm, f* adolescent, teenager.

adonner ■ **s'adonner** *vp* • **s'adonner à** (*sport, activité*) to devote o.s. to • (*vice*) to take to.

adopter *vt* **1.** (*gén*) to adopt **2.** (*loi*) to pass.

adoptif, ive *adj* **1.** (*famille*) adoptive **2.** (*pays, enfant*) adopted.

adoption *nf* adoption • **d'adoption** (*pays, ville*) adopted • (*famille*) adoptive.

adorable *adj* adorable, delightful.

adoration *nf* **1.** (*amour*) adoration **2.** RELIG worship.

adorer *vt* **1.** (*personne, chose*) to adore **2.** RELIG to worship.

adosser *vt* • **adosser qqch à qqch** to place sthg against sthg.
■ **s'adosser** *vp* • **s'adosser à** *ou* **contre qqch** to lean against sthg.

adoucir *vt* **1.** (*gén*) to soften **2.** (*chagrin, peine*) to ease, to soothe.
■ **s'adoucir** *vp* **1.** (*temps*) to become *ou* get milder **2.** (*personne*) to mellow.

adoucissant, e *adj* soothing. ■ **adoucissant** *nm* softener.

adoucisseur *nm* • **adoucisseur d'eau** water softener.

adresse *nf* **1.** (*gén* & INFORM) address • **adresse électronique** e-mail address **2.** (*habileté*) skill.

adresser *vt* **1.** (*faire parvenir*) • **adresser qqch à qqn** to address sthg to sb **2.** (*envoyer*) • **adresser qqn à qqn** to refer sb to sb.
■ **s'adresser** *vp* • **s'adresser à** (*parler à*) to speak to • (*être destiné à*) to be aimed at, to be intended for.

Adriatique *nf* • **l'Adriatique** the Adriatic.

adroit, e *adj* skilful (US), skillful (US).

ADSL (*abr de* **asymmetric digital subscriber line**) *nm* ADSL • **passer à l'ADSL** to switch *ou* upgrade *ou* go over to ADSL.

aduler *vt* to adulate.

adulte *nmf* & *adj* adult.

adultère ◼ *nm* (*acte*) adultery. ◼ *adj* adulterous.

advenir *v impers* to happen • **qu'advient-il de... ?** what is happening to…? • **qu'est-il advenu de... ?** what has happened to *ou* become of…?

advenu *pp* ⊳ **advenir**.

adverbe *nm* adverb.

adversaire *nmf* adversary, opponent.

adverse *adj* (*opposé*) opposing • ⊳ **parti**.

adversité *nf* adversity.

aération *nf* **1.** (*circulation d'air*) ventilation **2.** (*action*) airing.

aéré, e *adj* **1.** (*pièce*) well-ventilated • **mal aéré** stuffy **2.** *fig* (*présentation*) well-spaced.

aérer *vt* **1.** (*pièce, chose*) to air **2.** *fig* (*présentation, mise en page*) to improve.

aérien, enne *adj* **1.** (*câble*) overhead (*avant nom*) **2.** (*transports, attaque*) air (*avant nom*) • **compagnie aérienne** airline (company).

aérobic *nm* aerobics (*indénombrable*).

aérodrome *nm* airfield.

aérodynamique *adj* streamlined, aerodynamic.

aérogare *nf* **1.** (*aéroport*) airport **2.** (*gare*) air terminal.

aéroglisseur *nm* hovercraft.

aérogramme *nm* aerogramme (*UK*), aerogram (*US*), air letter.

aéronautique *nf* aeronautics (*indénombrable*).

aéronaval, e *adj* air and sea (*avant nom*).

aérophagie *nf* abdominal wind.

aéroport *nm* airport.

aéroporté, e *adj* airborne.

aérosol *nm* & *adj inv* aerosol.

aérospatial, e *adj* aerospace (*avant nom*). ■ **aérospatiale** *nf* aerospace industry.

affable *adj* **1.** (*personne*) affable, agreeable **2.** (*parole*) kind.

affaiblir *vt litt* & *fig* to weaken.
■ **s'affaiblir** *vp litt* & *fig* to weaken, to become weaker.

affaire *nf* **1.** (*question*) matter **2.** (*situation, polémique*) affair **3.** (*marché*) deal • **faire une affaire** to get a bargain *ou* a good deal **4.** (*entreprise*) business **5.** (*procès*) case • **avoir affaire à qqn** to deal with sb • **vous aurez affaire à moi !** you'll have me to deal with! • **faire l'affaire** to do nicely. ■ **affaires** *nfpl* **1.** COMM business *(indénombrable)* **2.** *(objets personnels)* things, belongings **3.** *(activités)* affairs.

affairé, e *adj* busy.

affairer ■ **s'affairer** *vp* to bustle about.

affairisme *nm* racketeering.

affaisser ■ **s'affaisser** *vp* **1.** *(se creuser)* to subside, to sink **2.** *(tomber)* to collapse.

affaler ■ **s'affaler** *vp* to collapse.

affamé, e *adj* starving.

affecter *vt* **1.** *(consacrer)* ■ **affecter qqch à** to allocate sthg to **2.** *(nommer)* ■ **affecter qqn à** to appoint sb to **3.** *(feindre)* to feign **4.** *(émouvoir)* to affect, to move.

affectif, ive *adj* emotional.

affection *nf* **1.** *(sentiment)* affection ■ **avoir de l'affection pour** to be fond of **2.** *(maladie)* complaint.

affectionner *vt* to be fond of.

affectueusement *adv* affectionately.

affectueux, euse *adj* affectionate.

affichage *nm* **1.** *(d'un poster, d'un avis)* putting up, displaying **2.** ÉLECTRON ■ **affichage à cristaux liquides** LCD, liquid crystal display.

affiche *nf* **1.** *(gén)* poster **2.** *(officielle)* notice.

afficher *vt* **1.** *(liste, poster)* to put up **2.** *(vente, réglementation)* to put up a notice about **3.** *(laisser transparaître)* to display, to exhibit.

affilée ■ **d'affilée** *loc adv* ■ **trois jours d'affilée** three days running.

affiler *vt* to sharpen.

affiner *vt litt & fig* to refine.

affinité *nf* affinity.

affirmatif, ive *adj* **1.** *(réponse)* affirmative **2.** *(personne)* positive. ■ **affirmative** *nf* ■ **nous aimerions savoir si vous serez libre mercredi ; dans l'affirmative, nous vous prions de...** we'd like to know if you are free on Wednesday; if you are *ou* if so, please... ■ **répondre par l'affirmative** to reply in the affirmative.

affirmation *nf* assertion.

affirmer *vt* **1.** *(certifier)* to maintain, to claim **2.** *(exprimer)* to assert.

affliction *nf* affliction.

affligeant, e *adj* **1.** *(désolant)* saddening, distressing **2.** *(lamentable)* appalling.

affliger *vt sout* **1.** *(attrister)* to sadden, to distress **2.** *(de défaut, de maladie)* ■ **être affligé de** to be afflicted with.

affluence *nf* crowd, crowds *pl*.

affluent *nm* tributary.

affluer *vi* **1.** *(choses)* to pour in, to flood in **2.** *(personnes)* to flock **3.** *(sang)* ■ **affluer (à)** to rush (to).

afflux *nm* **1.** *(de liquide, dons, capitaux)* flow **2.** *(de personnes)* flood.

affolement *nm* panic.

affoler *vt* *(inquiéter)* to terrify. ■ **s'affoler** *vp* *(paniquer)* to panic.

affranchir *vt* **1.** *(lettre - avec timbre)* to stamp ■ *(- à la machine)* to frank **2.** *(esclave)* to set free, to liberate.

affreux, euse *adj* **1.** *(repoussant)* horrible **2.** *(effrayant)* terrifying **3.** *(détestable)* awful, dreadful.

affriolant, e *adj* enticing.

affront *nm* insult, affront.

affrontement *nm* confrontation.

affronter *vt* to confront.

affubler *vt péj* ■ **être affublé de** to be got up in.

affût *nm* ■ **être à l'affût (de)** to be lying in wait (for) ■ *fig* to be on the lookout (for).

affûter *vt* to sharpen.

Afghanistan *nm* ■ **l'Afghanistan** Afghanistan.

afin ■ **afin de** *loc prép* in order to. ■ **afin que** *loc conj* (+ subjonctif) so that.

a fortiori *adv* all the more.

africain, e *adj* African. ■ **Africain, e** *nm, f* African.

Afrique *nf* ■ **l'Afrique** Africa ■ **l'Afrique du Nord** North Africa ■ **l'Afrique du Sud** South Africa.

agacer *vt* to irritate.

âge *nm* age ■ **quel âge as-tu ?** how old are you? ■ **prendre de l'âge** to age ■ **l'âge adulte** adulthood ■ **l'âge ingrat** the awkward *ou* difficult age ■ **âge d'or** golden age ■ **le troisième âge** *(personnes)* the over-sixties, senior citizens.

âgé, e *adj* **1.** *(vieux)* old ■ **elle est plus âgée de moi** she's older than I am **2.** *(de tel âge)* ■ **être âgé de 20 ans** to be 20 years old *ou* of age ■ **un enfant âgé de 3 ans** a 3-year-old child.

agence *nf* agency • **agence immobilière** estate agent's (UK), real estate agency (US) • **agence matrimoniale** marriage bureau • **Agence nationale pour l'emploi** ≃ Jobcentre (UK) • **agence de publicité** advertising agency • **agence de voyages** travel agency, travel agent's (UK).

agencer *vt* 1. to arrange 2. *fig* to put together.

agenda *nm* diary.

agenouiller ■ **s'agenouiller** *vp* to kneel.

agent *nm* agent • **agent de change** stockbroker • **agent de police** police officer • **agent secret** secret agent.

agglomération *nf* (ville) conurbation.

aggloméré *nm* chipboard.

agglomérer *vt* to mix together.

agglutiner *vt* to stick together.
■ **s'agglutiner** *vp* (foule) to gather, to congregate.

aggraver *vt* to make worse.
■ **s'aggraver** *vp* to get worse, to worsen.

agile *adj* agile, nimble.

agilité *nf litt* & *fig* agility.

agios *nmpl* FIN bank charges.

agir *vi* 1. (faire, être efficace) to act 2. (se comporter) to behave 3. (influer) • **agir sur** to have an effect on.
■ **s'agir** *v impers* • **il s'agit de...** it's a matter of... • **de quoi s'agit-il ?** what's it about?

agissements *nmpl péj* schemes, intrigues.

agitateur, trice *nm, f* POLIT agitator.

agitation *nf* 1. agitation 2. (politique, sociale) unrest.

agité, e *adj* 1. (gén) restless 2. (enfant, classe) restless, fidgety 3. (journée, atmosphère) hectic 4. (mer) rough.

agiter *vt* 1. (remuer - flacon, objet) to shake • (- drapeau, bras) to wave 2. (énerver) to perturb.
■ **s'agiter** *vp* 1. (personne) to move about, to fidget 2. (mer) to stir 3. (population) to get restless.

agneau *nm* 1. (animal, viande) lamb 2. (cuir) lambskin.

agonie *nf* 1. (de personne) mortal agony 2. *fig* death throes *pl*.

agoniser *vi* 1. (personne) to be dying 2. *fig* to be on its last legs.

agrafe *nf* 1. (de bureau) staple 2. MÉD clip.

agrafer *vt* (attacher) to fasten.

agrafeuse *nf* stapler.

agrandir *vt* 1. (élargir - gén & PHOTO) to enlarge • (- rue, écart) to widen 2. *fig* (développer) to expand.
■ **s'agrandir** *vp* 1. (s'étendre) to grow 2. *fig* (se développer) to expand.

agrandissement *nm* 1. (gén & PHOTO) enlargement 2. *fig* (développement) expansion.

agréable *adj* pleasant, nice.

agréé, e *adj* (concessionnaire, appareil) authorized.

agréer *vt sout* 1. (accepter) • **veuillez agréer mes salutations distinguées** *ou* **l'expression de mes sentiments distingués** yours faithfully 2. (convenir) • **agréer à qqn** to suit *ou* please sb.

agrégation *nf* il n'y a pas d'équivalent en Grande-Bretagne ou aux États-Unis. Si vous voulez expliquer de quoi il s'agit à un anglophone, vous pouvez dire it is a competitive examination for secondary school teachers and university lecturers.

agrégé, e *nm, f* holder of the **agrégation**.

agrément *nm* 1. (caractère agréable) attractiveness 2. (approbation) consent, approval.

agrès *nmpl* SPORT gym apparatus (indénombrable).

agresser *vt* 1. (suj : personne) to attack 2. *fig* (suj : bruit, pollution) to assault.

agresseur *nm* attacker.

agressif, ive *adj* aggressive.

agression *nf* 1. attack 2. MIL & PSYCHO aggression.

agricole *adj* agricultural.

agriculteur, trice *nm, f* farmer.

agriculture *nf* agriculture, farming.

agripper *vt* 1. (personne) to cling *ou* hang on to 2. (objet) to grip, to clutch.

agroalimentaire ■ *adj* • **industrie agroalimentaire** food-processing industry • **les produits agroalimentaires** processed foods *ou* foodstuffs. ■ *nm* • **l'agroalimentaire** the food-processing industry.

agronomie *nf* agronomy.

agrotourisme *nm* agrotourism.

agrume *nm* citrus fruit.

aguets ■ **aux aguets** *loc adv* • **être/rester aux aguets** to be *ou* keep on the lookout.

ahuri, e *adj* • **être ahuri (par qqch)** to be taken aback (by sthg).

ahurissant, e *adj* astounding.

aide *nf* **1.** *(gén)* help • **appeler (qqn) à l'aide** to call (to sb) for help • **venir en aide à qqn** to come to sb's aid, to help sb • **aide ménagère** home help *(UK)*, home helper *(US)* **2.** *(secours financier)* aid • **aide sociale** social security *(UK)*, welfare *(US)*. ■ **à l'aide de** *loc prép* with the help *ou* aid of.

aide-éducateur, trice *nm, f* SCOL teaching assistant.

aide-mémoire *nm inv* **1.** aide-mémoire **2.** *(pour examen)* revision notes *pl (UK)*.

aider *vt* to help • **aider qqn à faire qqch** to help sb to do sthg. ■ **s'aider** *vp* **1.** *(s'assister mutuellement)* to help each other **2.** *(avoir recours)* • **s'aider de** to use, to make use of.

aide-soignant, e *nm, f* nursing auxiliary *(UK)*, nurse's aide *(US)*.

aïe *interj (exprime la douleur)* ow!, ouch!

aïeul, e *nm, f* sout grandparent, grandfather (*f* grandmother).

aïeux *nmpl* ancestors.

aigle *nm* eagle.

aigre *adj* **1.** *(gén)* sour **2.** *(propos)* harsh.

aigre-doux, aigre-douce *adj* **1.** CULIN sweet-and-sour **2.** *(propos)* bittersweet.

aigrelet, ette *adj* **1.** *(vin)* vinegary **2.** *(voix)* sharpish.

aigreur *nf* **1.** *(d'un aliment)* sourness **2.** *(d'un propos)* harshness. ■ **aigreurs d'estomac** *nfpl* heartburn *(indénombrable)*.

aigri, e *adj* embittered.

aigu, uë *adj* **1.** *(son)* high-pitched **2.** *(objet, lame)* sharp **3.** *(angle)* acute **4.** *(douleur)* sharp, acute **5.** *(intelligence, sens)* acute, keen. ■ **aigu** *nm* high note.

aiguillage *nm* (RAIL - *manœuvre*) shunting, switching *(US)* • *(- dispositif)* points *pl (UK)*, switch *(US)*.

aiguille *nf* **1.** *(gén)* needle • **aiguille à tricoter** knitting needle • **aiguille de pin** pine needle **2.** *(de pendule)* hand.

aiguiller *vt* **1.** RAIL to shunt, to switch *(US)* **2.** *(personne, conversation)* to steer, to direct.

aiguilleur *nm* **1.** RAIL pointsman *(UK)*, switchman *(US)* **2.** AÉRON • **aiguilleur du ciel** air-traffic controller.

aiguiser *vt* litt & fig to sharpen.

ail *nm* **1.** garlic *(indénombrable)* **2.** • **ail des bois** *(Québec)* wild leek.

aile *nf* *(gén)* wing.

aileron *nm* **1.** *(de requin)* fin **2.** *(d'avion)* aileron.

ailier *nm* winger.

ailleurs *adv* elsewhere, somewhere *ou* someplace *(US)* else • **nulle part ailleurs** nowhere *ou* noplace *(US)* else • **partout ailleurs** everywhere *ou* everyplace *(US)* else. ■ **d'ailleurs** *loc adv* moreover, besides. ■ **par ailleurs** *loc adv* moreover.

aimable *adj* kind, nice.

aimablement *adv* kindly.

aimant[1]**, e** *adj* loving.

aimant[2] *nm* magnet.

aimer *vt*

1. POUR EXPRIMER DES GOÛTS
• **il aime le football** he likes football *ou* he is fond of football *ou* he is keen on football
• **il aime jouer au football** he likes *ou* is fond of *ou* is keen on playing football
• **je n'aime pas que tu rentres seule le soir** I don't like you coming home alone at night
• **j'aime à croire que...** I like to think that...

2. POUR EXPRIMER UN SOUHAIT

• **j'aimerais (bien) que tu viennes avec moi** I'd like you to come with me
• **j'aimerais une autre tasse de café** I wouldn't mind another cup of coffee
• **j'aimerais vraiment venir** I'd love to come
• **je n'aimerais pas travailler dehors en hiver** I wouldn't want ou like to work outside in winter

3. POUR EXPRIMER UNE PRÉFÉRENCE

• **le bleu n'est pas mal, mais j'aime mieux le vert** the blue one isn't bad but I prefer the green one
• **j'aime mieux lire que regarder la télévision** I prefer reading to watching television
• **j'aime mieux rester ici** I'd rather stay here ou I prefer to stay here

4. ÉPROUVER DE L'AMOUR POUR

• **Amélie dit qu'elle aime Cédric** Amélie says she loves Cédric.

■ **s'aimer** vp

EMPLOI RÉCIPROQUE

• **ils s'aiment depuis des années** they've been in love for years ou they've loved each other for years
• **ils s'aiment bien** they like each other.

aine nf groin.

aîné, e ■ adj **1.** (plus âgé) elder, older **2.** (le plus âgé) eldest, oldest. ■ nm, f **1.** (plus âgé) older ou elder child, older ou eldest son/daughter **2.** (le plus âgé) oldest ou eldest child, oldest ou eldest son/daughter • **elle est mon aînée de deux ans** she is two years older than me.

ainsi adv **1.** (manière) in this way, like this **2.** (valeur conclusive) thus • **et ainsi de suite** and so on, and so forth • **pour ainsi dire** so to speak. ■ **ainsi que** loc conj (et) as well as.

air nm **1.** (gén) air • **en plein air** (out) in the open air, outside • **en l'air** (projet) (up) in the air • fig (paroles) empty • **air conditionné** air-conditioning **2.** (apparence, mine) air, look • **il a l'air triste** he looks sad • **il a l'air de bouder** it looks as if he's sulking • **il a l'air de faire beau** it looks like being a nice day **3.** MUS tune **4.** (à l'opéra) aria.

Airbag® nm airbag.

aire nf (gén) area • **aire d'atterrissage** landing strip • **aire de jeu** playground • **aire de repos** lay-by (UK), rest area (US) • **aire de stationnement** parking area.

aisance nf **1.** (facilité) ease **2.** (richesse) • **il vit dans l'aisance** he has an affluent lifestyle.

aise nf sout pleasure • **être à l'aise** ou à **son aise** (confortable) to feel comfortable • (financièrement) to be comfortably off • **mettez-vous à l'aise** make yourself comfortable • **mettre qqn mal à l'aise** to make sb feel ill at ease ou uneasy. ■ **aises** nfpl • **aimer ses aises** to like one's (home) comforts • **prendre ses aises** to make o.s. comfortable.

aisé, e adj **1.** (facile) easy **2.** (riche) well-off.

aisselle nf armpit.

ajourner vt **1.** (reporter - décision) to postpone • (- réunion, procès) to adjourn **2.** (candidat) to refer.

ajout nm addition.

ajouter vt to add • **ajouter foi à qqch** sout to give credence to sthg. ■ **s'ajouter** vp • **s'ajouter à qqch** to be in addition to sthg.

ajuster vt **1.** (monter) • **ajuster qqch (à)** to fit sthg (to) **2.** (régler) to adjust **3.** (vêtement) to alter **4.** (tir, coup) to aim. ■ **s'ajuster** vp to be adaptable.

alarme nf alarm • **donner l'alarme** to give ou raise the alarm.

alarmer vt to alarm. ■ **s'alarmer** vp to get ou become alarmed.

albanais, e adj Albanian. ■ **albanais** nm (langue) Albanian. ■ **Albanais, e** nm, f Albanian.

Albanie nf • **l'Albanie** Albania.

albâtre nm alabaster.

albatros nm albatross.

albinos nmf & adj inv albino.

album nm album • **album (de) photo** photo album.

alchimiste nmf alchemist.

alcool nm alcohol • **alcool à brûler** methylated spirits pl • **alcool à 90 degrés** surgical spirit.

alcoolique nmf & adj alcoholic.

alcoolisé, e adj alcoholic.

alcoolisme nm alcoholism.

Alc(o)otest® *nm* ≃ Breathalyser® *(UK)*, ≃ Breathalyzer® *(US)*.

alcôve *nf* recess.

aléatoire *adj* **1.** *(avenir)* uncertain **2.** *(choix)* random.

alentour *adv* around, around about. ■ **alentours** *nmpl* surroundings ∘ **aux alentours de** *(spatial)* in the vicinity of ∘ *(temporel)* around.

alerte ◪ *adj* **1.** *(personne, esprit)* agile, alert **2.** *(style, pas)* lively. ◪ *nf* alarm, alert ∘ **donner l'alerte** to sound *ou* give the alert ∘ **alerte à la bombe** bomb scare.

alerter *vt* to warn, to alert.

algèbre *nf* algebra.

Alger *npr* Algiers.

Algérie *nf* ∘ **l'Algérie** Algeria.

algérien, enne *adj* Algerian. ■ **Algérien, enne** *nm, f* Algerian.

algue *nf* seaweed *(indénombrable)*.

alibi *nm* alibi.

aliénation *nf* alienation ∘ **aliénation mentale** insanity.

aliéné, e ◪ *adj* **1.** MÉD insane **2.** DR alienated. ◪ *nm, f* MÉD insane person.

aliéner *vt* to alienate.

alignement *nm* alignment, lining up.

aligner *vt* **1.** *(disposer en ligne)* to line up, to align **2.** *(adapter)* **aligner qqch sur** to align sthg with, to bring sthg into line with. ■ **s'aligner** *vp* to line up ∘ **s'aligner sur** POLIT to align o.s. with.

aliment *nm* *(nourriture)* food *(indénombrable)*.

alimentaire *adj* **1.** *(gén)* food *(avant nom)* ∘ **c'est juste un travail alimentaire** I'm doing this job just for the money **2.** DR maintenance *(avant nom)*.

alimentation *nf* **1.** *(nourriture)* diet ∘ **magasin d'alimentation** grocer's *(UK)*, food store *(US)* **2.** *(approvisionnement)* ∘ **alimentation (en)** supply *ou* supplying *(indénombrable)* (of).

alimenter *vt* **1.** *(nourrir)* to feed **2.** *(approvisionner)* ∘ **alimenter qqch en** to supply sthg with.

alinéa *nm* **1.** *(retrait de ligne)* indent **2.** *(dans un document officiel)* paragraph.

aliter *vt* ∘ **être alité** to be bedridden. ■ **s'aliter** *vp* to take to one's bed.

allaitement *nm* **1.** *(d'enfant)* breast-feeding **2.** *(d'animal)* suckling.

allaiter *vt* **1.** *(enfant)* to breast-feed **2.** *(animal)* to suckle.

alléchant, e *adj* mouth-watering, tempting.

allécher *vt* ∘ **il a été alléché par l'odeur/la perspective** the smell/prospect made his mouth water.

allée *nf* **1.** *(dans un jardin)* path **2.** *(dans une ville)* avenue **3.** *(trajet)* ∘ **allées et venues** comings and goings **4.** *(Québec)* *(golf)* fairway.

allégé, e *adj* *(régime, produit)* low-fat.

alléger *vt* **1.** *(fardeau)* to lighten **2.** *(douleur)* to relieve.

allégorie *nf* allegory.

allègre *adj* **1.** *(ton)* cheerful **2.** *(démarche)* jaunty.

allégresse *nf* elation.

alléguer *vt* ∘ **alléguer une excuse** to put forward an excuse ∘ **alléguer que** to plead (that).

Allemagne *nf* ∘ **l'Allemagne** Germany ∘ **l'(ex-)Allemagne de l'Est** (the former) East Germany ∘ **l'(ex-)Allemagne de l'Ouest** (the former) West Germany.

allemand, e *adj* German. ■ **allemand** *nm* *(langue)* German. ■ **Allemand, e** *nm, f* German ∘ **un Allemand de l'Est/l'Ouest** an East/a West German.

aller *nm*

1. TRAJET
∘ **l'aller m'a paru plus long que le retour** the outward journey seemed longer that the return journey

2. BILLET
∘ **un aller pour Londres, s'il vous plaît** a single ticket for London, please
∘ **un aller pour New York, s'il vous plaît** a one-way ticket for New York, please.

aller *vi*

1. SE DÉPLACER
∘ **où allez-vous pour les vacances ?** where are you going for the holidays?
∘ **il est allé deux fois en Italie** he's been to Italy twice
∘ **je vais à la piscine tous les dimanches** I go to the swimming pool every Sunday

• **ce bus va au centre-ville** this bus goes to the town centre
• **allons-y !** let's go!
• **allez !** come on!
• **vas-y !** go on!

2. EXPRIME UN ÉTAT
• **comment vas-tu ?** how are you?
• **je vais bien** I'm very well, I'm fine
• **comment ça va ?** how are you?, how are things?
• **ça va** fine *ou* all right
• **il va mieux maintenant** he's better now

3. SUIVI D'UN INFINITIF, EXPRIME LE BUT
• **peux-tu aller chercher les enfants à l'école, s'il te plaît ?** can you go and pick up the children from school, please?
• **il est allé se renseigner** he went to get some information
• **il est allé se promener** he went for a walk

4. CONVENIR
• **ce climat ne me va pas du tout** the climate here doesn't suit me at all *ou* doesn't agree with me at all
• **cette robe te va très bien** this dress really suits you *ou* fits you perfectly
• **ces chaussures ne vont pas avec cette robe** these shoes don't go with this dress
• **ces couleurs ne vont pas ensemble** these colours don't go well together
• **ce type de clou ne va pas pour ce travail** this kind of nail won't do *ou* isn't suitable for this job

5. ROULER, POUR LES VOITURES
• **cette voiture va à 200 km/h** this car goes up to 300 mph

6. DANS DES EXPRESSIONS
• **cela va de soi** *ou* **cela va sans dire** that goes without saying
• **il en va de même pour lui** the same goes for him

aller *v aux*

SUIVI D'UN INFINITIF, EXPRIME LE FUTUR PROCHE
• **je vais arriver en retard** I'm going to arrive late, I'll arrive late
• **nous allons bientôt avoir fini** we'll soon have finished

■ **s'en aller** *vp*

1. PARTIR
• **allez-vous-en !** go away!
• **bon, je m'en vais** I'm off *ou* I'm going

2. DISPARAÎTRE
• **cette tache s'en ira au lavage** this stain will wash out *ou* will come out in the wash

3. MOURIR
• **il s'en est allé paisiblement** he passed away peacefully.

À PROPOS DE... aller

Be going to sert à exprimer le futur, mais d'une manière un peu particulière. Il peut exprimer l'intention ; dans ce cas, le sujet est presque toujours une personne, et la phrase décrit ce que cette personne a l'intention de faire (*we're going to have a party*). *Be going to* peut également indiquer un événement auquel le locuteur s'attend parce que les causes en sont déjà présentes. Il est probable qu'un tel événement se produise dans un avenir proche (*you're going to drop those plates! ; he's going to be angry*). Voir aussi *go* dans le côté anglais-français du dictionnaire.

allergie *nf* allergy.

allergique *adj* • **allergique (à)** allergic (to).

aller-retour *nm* return *(UK)* *ou* round-trip *(US)* (ticket).

alliage *nm* alloy.

alliance *nf* **1.** *(union - stratégique)* alliance • *(- par le mariage)* union, marriage • **cousin par alliance** cousin by marriage **2.** *(bague)* wedding ring.

allié, e ■ *adj* • **allié (à)** allied (to). ■ *nm, f* ally. ■ **Alliés** *nmpl* • **les Alliés** the Allies.

allier *vt (associer)* to combine.
■ **s'allier** *vp* to become allies • **s'allier qqn** to win sb over as an ally • **s'allier à qqn** to ally with sb.

alligator *nm* alligator.

allô *interj* hello!

allocation *nf* **1.** *(attribution)* allocation **2.** *(aide financière)* • **allocation chômage** unemployment benefit *(indénombrable)* *(UK)* *ou* compensation *(indénombrable)* *(US)* • **allocation logement** housing benefit *(indénombrable)* *(UK)*, rent subsidy *(in-*

dénombrable) *(US)* ◊ **allocations familiales** family credit *(indénombrable)* *(UK)*, welfare *(indénombrable)* *(US)*.

allocs *(abr de* **allocations familiales)** *fam* *nfpl* ◊ **les allocs** family credit *(indénombrable)* *(UK)*, welfare *(indénombrable)* *(US)*.

allocution *nf* short speech.

allongé, e *adj* **1.** *(position)* ◊ **être allongé** to be lying down *ou* stretched out **2.** *(forme)* elongated.

allonger *vt* **1.** *(gén)* to lengthen, to make longer **2.** *(jambe, bras)* to stretch (out) **3.** *(personne)* to lay down. ◊ **s'allonger** *vp* **1.** *(gén)* to get longer **2.** *(se coucher)* to lie down.

allopathique *adj* allopathic.

allumage *nm* **1.** *(de feu)* lighting **2.** *(d'appareil électrique)* switching *ou* turning on **3.** *(de moteur)* ignition.

allume-cigares *nm inv* cigar lighter.

allume-gaz *nm inv* gas lighter.

allumer *vt* **1.** *(lampe, radio, télévision)* to turn *ou* switch on ◊ **allume dans la cuisine** turn the kitchen light on **2.** *(gaz)* to light **3.** *(cigarette)* to light (up) **4.** *fam (personne)* to turn on.

allumette *nf* match.

allumeuse *nf fam péj* tease.

allure *nf* **1.** *(vitesse)* speed ◊ **à toute allure** at top *ou* full speed **2.** *(prestance)* presence ◊ **avoir de l'allure** to have style **3.** *(apparence générale)* appearance.

allusion *nf* allusion ◊ **faire allusion à** to refer *ou* allude to.

almanach *nm* almanac.

aloi *nm* ◊ **de bon aloi** *(mesure)* of real worth ◊ **de mauvais aloi** *(gaîté)* not genuine ◊ *(plaisanterie)* in bad taste.

alors *adv*

1. FAIT RÉFÉRENCE À UNE PÉRIODE PASSÉE, SOUVENT TRÈS ÉLOIGNÉE DU PRÉSENT
◊ **les femmes d'alors n'avaient pas le droit de divorcer** women in those days *ou* in *ou* of that time were not allowed to divorce
◊ **il était alors soldat** he was a soldier then *ou* at that time *ou* in those days

2. EXPRIME LA CONSÉQUENCE
◊ **j'étais fatigué, alors j'ai décidé de rester à la maison** I was tired so I decided to stay at home

3. DANS DES EXPRESSIONS
◊ **et alors, qu'est-ce qui s'est passé ?** so what happened?
◊ **alors, qu'est-ce qu'on fait ?** well, what are we doing?
◊ **il va se mettre en colère – et alors ?** he'll be angry – so what?
◊ **ça alors !** well fancy that!

■ alors que *loc conj*

1. EXPRIME LA SIMULTANÉITÉ
◊ **le téléphone a sonné alors que je prenais un bain** the phone rang while *ou* when I was having a bath

2. EXPRIME L'OPPOSITION
◊ **elle est sortie alors que c'était interdit** she went out even though it was forbidden
◊ **ils aiment le café alors que nous, nous buvons du thé** they like coffee, whereas we drink tea.

alouette *nf* lark.

alourdir *vt* **1.** *(gén)* to weigh down, to make heavy **2.** *fig (impôts)* to increase.

aloyau *nm* sirloin.

Alpes *nfpl* ◊ **les Alpes** the Alps.

alphabet *nm* alphabet.

alphabétique *adj* alphabetical.

alphabétiser *vt* ◊ **alphabétiser qqn** to teach sb (how) to read and write ◊ **alphabétiser un pays** to eliminate illiteracy from a country.

alpin, e *adj* alpine.

alpinisme *nm* mountaineering.

Alsace *nf* ◊ **l'Alsace** Alsace.

altérer *vt* **1.** *(détériorer)* to spoil **2.** *(santé)* to harm, to affect **3.** *(vérité, récit)* to distort. ■ **s'altérer** *vp* **1.** *(matière - métal)* to deteriorate ◊ *(- aliment)* to go off, to spoil **2.** *(santé)* to deteriorate.

altermondialiste *adj & nmf* alterglobalist.

alternance *nf* **1.** *(succession)* alternation ◊ **en alternance** alternately **2.** POLIT change of government party.

alternatif, ive *adj* **1.** *(périodique)* alternating **2.** *(parallèle)* alternative. ■ **alternative** *nf* alternative.

alternativement *adv* alternately.

alterner *vi (se succéder)* ◊ **alterner (avec)** to alternate (with).

altier, ère *adj* haughty.

altitude *nf* altitude, height ◦ **en altitude** at (high) altitude.

alto *nm* (MUS - *voix*) alto ◦ (- *instrument*) viola.

alu *fam* ◼ *nm* **1.** (*métal*) aluminium (UK), aluminum (US) **2.** (*papier*) aluminium (UK) *ou* aluminum (US) foil, tinfoil. ◼ *adj* ◦ **papier alu** aluminium (UK) *ou* aluminum (US) foil, tinfoil.

aluminium *nm* aluminium (UK), aluminum (US).

alvéole *nf* **1.** (*cavité*) cavity **2.** (*de ruche, poumon*) alveolus.

amabilité *nf* kindness ◦ **avoir l'amabilité de faire qqch** to be so kind as to do sthg.

amadouer *vt* **1.** (*adoucir*) to tame, to pacify **2.** (*persuader*) to coax.

amaigrir *vt* to make thin *ou* thinner.

amaigrissant, e *adj* slimming (*avant nom*) (UK), reducing (*avant nom*) (US).

amaigrissement *nm* loss of weight.

amalgame *nm* **1.** TECHNOL amalgam **2.** (*de styles*) mixture **3.** (*d'idées, de notions*) ◦ **il ne faut pas faire l'amalgame entre ces deux questions** the two issues must not be confused.

amalgamer *vt* to combine.

amande *nf* almond.

amandier *nm* almond tree.

amant *nm* (male) lover.

amarre *nf* rope, cable.

amarrer *vt* **1.** NAUT to moor **2.** (*fixer*) to tie down.

amas *nm* pile.

amasser *vt* **1.** (*objets*) to pile up **2.** (*argent*) to accumulate.

amateur *nm* **1.** (*connaisseur - d'art, de bon café*) ◦ **amateur de** lover of **2.** (*non-professionnel*) amateur ◦ **faire qqch en amateur** to do sthg as a hobby **3.** *péj* (*dilettante*) amateur.

amazone *nf* horsewoman ◦ **monter en amazone** to ride sidesaddle.

Amazonie *nf* ◦ **l'Amazonie** the Amazon (Basin).

amazonien, enne *adj* Amazonian ◦ **la forêt amazonienne** the Amazon rain forest.

ambassade *nf* embassy.

ambassadeur, drice *nm, f* ambassador.

ambiance *nf* atmosphere.

ambiant, e *adj* ◦ **température ambiante** room temperature.

ambidextre *adj* ambidextrous.

ambigu, uë *adj* ambiguous.

ambiguïté *nf* ambiguity.

ambitieux, euse *adj* ambitious.

ambition *nf* **1.** *péj* (*arrivisme*) ambitiousness **2.** (*désir*) ambition ◦ **avoir l'ambition de faire qqch** to have an ambition to do sthg.

ambivalent, e *adj* ambivalent.

ambre *nm* **1.** (*couleur*) amber **2.** (*matière*) ◦ **ambre (gris)** ambergris.

ambré, e *adj* (*couleur*) amber.

ambulance *nf* ambulance.

ambulant, e *adj* travelling (UK), traveling (US) (*avant nom*).

âme *nf* **1.** (*esprit*) soul ◦ **avoir une âme de comédien** to be a born actor **2.** (*personne*) ◦ **âme sœur** soulmate **3.** (*caractère*) spirit, soul.

amélioration *nf* improvement.

améliorer *vt* to improve.
◼ **s'améliorer** *vp* to improve.

amen *adv* amen.

aménagement *nm* **1.** (*de lieu*) fitting out **2.** (*de programme*) planning, organizing.

aménager *vt* **1.** (*pièce*) to fit out **2.** (*programme*) to plan, to organize.

amende *nf* fine.

amendement *nm* POLIT amendment.

amender *vt* **1.** POLIT to amend **2.** AGRIC to enrich.
◼ **s'amender** *vp* to mend one's ways.

amener *vt* **1.** (*mener*) to bring **2.** (*inciter*) ◦ **amener qqn à faire qqch** (*suj : circonstances*) to lead sb to do sthg ◦ (*suj : personne*) to get sb to do sthg **3.** (*occasionner, préparer*) to bring about.

amenuiser *vt* **1.** (*rendre plus petit*) ◦ **ses cheveux amenuisent son visage** her hair makes her face look thinner **2.** (*réduire*) to diminish, to reduce.
◼ **s'amenuiser** *vp* to dwindle, to diminish.

amer, ère *adj* bitter.

américain, e *adj* American. ◼ **américain** *nm* (*langue*) American English. ◼ **Américain, e** *nm, f* American.

américanisme *nm* Americanism.

Amérique *nf* ◦ **l'Amérique** America ◦ **l'Amérique centrale** Central America

* **l'Amérique du Nord** North America
* **l'Amérique du Sud** South America
* **l'Amérique latine** Latin America.

amertume *nf* bitterness.

améthyste *nf* amethyst.

ameublement *nm* **1.** *(meubles)* furniture **2.** *(action de meubler)* furnishing.

ami, e ◼ *adj* friendly. ◼ *nm, f* **1.** *(camarade)* friend ▪ **petit ami** boyfriend ▪ **petite amie** girlfriend **2.** *(partisan)* supporter, friend.

amiable *adj (accord)* friendly, informal. ◼ **à l'amiable** *loc adv* & *loc adj* out of court.

amiante *nm* asbestos.

amibe *nf* amoeba, ameba *(US)*.

amical, e *adj* friendly. ◼ **amicale** *nf* association, club.

amicalement *adv* **1.** *(de façon amicale)* amicably, in a friendly way **2.** *(dans une lettre)* yours (ever), (with) best wishes.

amidon *nm* starch.

amidonner *vt* to starch.

amincissant *adj* slimming.

amiral *nm* admiral.

amitié *nf* **1.** *(affection)* affection ▪ **prendre qqn en amitié** to befriend sb **2.** *(rapports amicaux)* friendship ▪ **faire ses amitiés à qqn** to give sb one's good *ou* best wishes.

ammoniac, aque *adj* CHIM ammoniac. ◼ **ammoniac** *nm* ammonia. ◼ **ammoniaque** *nf* ammonia (water).

amnésie *nf* amnesia.

amniocentèse *nf* amniocentesis.

amnistie *nf* amnesty.

amnistier *vt* to amnesty.

amoindrir *vt* to diminish.

amonceler *vt* to accumulate.

amont *nm* upstream ▪ **en amont de** *(rivière)* upriver *ou* upstream from ▪ fig prior to.

amoral, e *adj* **1.** *(qui ignore la morale)* amoral **2.** fam *(débauché)* immoral.

amorce *nf* **1.** *(d'explosif)* priming **2.** *(de cartouche, d'obus)* cap **3.** *(à la pêche)* bait **4.** fig *(commencement)* beginnings *pl*.

amorcer *vt* **1.** *(explosif)* to prime **2.** *(à la pêche)* to bait **3.** fig *(commencer)* to begin, to initiate.

amorphe *adj (personne)* lifeless.

amortir *vt* **1.** *(atténuer - choc)* to absorb ▪ *(- bruit)* to deaden, to muffle **2.** *(dette)* to pay off **3.** *(achat)* to write off.

amour *nm (gén)* love ▪ **faire l'amour** to make love. ◼ **amours** *nfpl (vie sentimentale)* love-life.

amoureux, euse ◼ *adj* **1.** *(personne)* in love ▪ **être/tomber amoureux (de)** to be/ fall in love (with) **2.** *(regard, geste)* loving. ◼ *nm, f* **1.** *(prétendant)* suitor **2.** *(passionné)* ▪ **amoureux de** lover of ▪ **un amoureux de la nature** a nature lover.

amour-propre *nm* pride, self-respect.

amovible *adj (déplaçable)* detachable, removable.

ampère *nm* amp, ampere.

amphétamine *nf* amphetamine.

amphi *nm* fam lecture hall *ou* theatre *(UK)* ▪ **cours en amphi** lecture.

amphibie *adj* amphibious.

amphithéâtre *nm* **1.** HIST amphitheatre *(UK)*, amphitheater *(US)* **2.** *(d'université)* lecture hall *ou* theatre *(UK)*.

ample *adj* **1.** *(vêtement - gén)* loose-fitting ▪ *(- jupe)* full **2.** *(projet)* extensive ▪ **pour de plus amples informations** for further details **3.** *(geste)* broad, sweeping.

amplement *adv (largement)* fully, amply.

ampleur *nf* **1.** *(de vêtement)* fullness **2.** *(d'événement, de dégâts)* extent.

ampli *(abr de* **amplificateur***) nm* fam amp.

amplificateur, trice *adj* ÉLECTR amplifying ▪ **un phénomène amplificateur de la croissance** fig a phenomenon which increases growth. ◼ **amplificateur** *nm* **1.** *(gén)* amplifier **2.** PHOTO enlarger.

amplifier *vt* **1.** *(mouvement, son)* to amplify **2.** *(image)* to magnify, to enlarge **3.** *(scandale)* to increase **4.** *(événement, problème)* to highlight.

amplitude *nf* **1.** *(de geste)* fullness **2.** *(d'onde)* amplitude **3.** *(de température)* range.

ampoule *nf* **1.** *(de lampe)* bulb **2.** *(sur la peau)* blister **3.** *(médicament)* ampoule, vial, phial *(UK)*.

amputation *nf* MÉD amputation.

amputer *vt* **1.** MÉD to amputate **2.** fig *(couper)* to cut (back *ou* down) ▪ **son article a été amputé d'un tiers** his article was cut by a third.

amulette *nf* amulet.

amusant, e *adj* 1. *(drôle)* funny 2. *(distrayant)* amusing • **c'est très amusant** it's great fun.

amuse-gueule *nm inv fam* cocktail snack, (party) nibble.

amusement *nm* amusement *(indénombrable)*.

amuser *vt* to amuse, to entertain.
■ **s'amuser** *vp* to have fun, to have a good time • **s'amuser à faire qqch** to amuse o.s. (by) doing sthg.

amygdale *nf* tonsil.

an *nm* year • **avoir sept ans** to be seven (years old) • **en l'an 2000** in the year 2000 • **le nouvel an** the New Year.

anabolisant *nm* anabolic steroid.

anachronique *adj* anachronistic.

anagramme *nf* anagram.

anal, e *adj* anal.

analgésique *nm & adj* analgesic.

anallergique *adj* hypoallergenic.

analogie *nf* analogy.

analogique *adj* analog, analogue *(UK)*.

analogue *adj* analogous, comparable.

analphabète *nmf & adj* illiterate.

analyse *nf* 1. *(étude)* analysis 2. CHIM & MÉD test, analysis 3. *(psychanalyse)* analysis *(indénombrable)* 4. INFORM analysis.

analyser *vt* 1. *(étudier, psychanalyser)* to analyse *(UK)*, to analyze *(US)* 2. CHIM & MÉD to test, to analyse *(UK)*, to analyze *(US)*.

analyste *nmf* analyst.

analyste-programmeur, euse *nm, f* systems analyst.

analytique *adj* analytical.

ananas *nm* pineapple.

anarchie *nf* 1. POLIT anarchy 2. *(désordre)* chaos, anarchy.

anarchique *adj* anarchic.

anarchiste *nmf & adj* anarchist.

anatomie *nf* anatomy.

anatomique *adj* anatomical.

ancestral, e *adj* ancestral.

ancêtre *nmf* 1. *(aieul)* ancestor 2. fig *(forme première)* forerunner, ancestor 3. fig *(initiateur)* father (f mother).

anchois *nm* anchovy.

ancien, enne *adj* 1. *(gén)* old 2. *(avant nom)* *(précédent)* former, old 3. *(qui a de l'ancienneté)* senior 4. *(du passé)* ancient.

anciennement *adv* formerly, previously.

ancienneté *nf* 1. *(d'une tradition)* oldness 2. *(d'un employé)* seniority.

ancre *nf* NAUT anchor • **jeter l'ancre** to drop anchor • **lever l'ancre** to weigh anchor • fam *(partir)* to make tracks.

ancrer *vt* 1. *(bateau)* to anchor 2. fig *(idée, habitude)* to root.

Andes *nfpl* • **les Andes** the Andes.

Andorre *nf* • **(la principauté d')Andorre** (the principality of) Andorra.

andouille *nf* 1. *(charcuterie)* si vous souhaitez expliquer de quoi il s'agit à un anglophone, vous pouvez dire il is a type of sausage made of pig's intestines. You usually eat it cold. 2. fam *(imbécile)* dummy.

âne *nm* 1. ZOOL ass, donkey 2. fam *(imbécile)* ass.

anéantir *vt* 1. *(détruire)* to annihilate 2. fig to ruin, to wreck 3. *(démoraliser)* to crush, to overwhelm.

anecdote *nf* anecdote.

anecdotique *adj* anecdotal.

anémie *nf* 1. MÉD anaemia *(UK)*, anemia *(US)* 2. fig enfeeblement.

anémié, e *adj* anaemic *(UK)*, anemic *(US)*.

anémique *adj* anaemic *(UK)*, anemic *(US)*.

anémone *nf* anemone.

ânerie *nf* fam *(parole, acte)* • **dire/faire une ânerie** to say/do something stupid.

ânesse *nf* she-ass, she-donkey.

anesthésie *nf* anaesthesia, anesthesia *(US)* • **anesthésie locale** local anaesthetic ou anesthetic *(US)* • **anesthésie générale** general anaesthetic ou anesthetic *(US)*.

anesthésier *vt* to anaesthetize, to anesthetize *(US)*.

anesthésique *nm & adj* anaesthetic, anesthetic *(US)*.

anesthésiste *nmf* anaesthetist, anesthetist *(US)*, anesthesiologist *(US)*.

anfractuosité *nf* crevice.

ange *nm* angel • **ange gardien** guardian angel • **être aux anges** fig to be in seventh heaven.

angélique *adj* angelic.

angélus *nm* *(sonnerie)* angelus (bell).

angine *nf* **1.** *(pharyngite)* pharyngitis **2.** *(amygdalite)* tonsillitis.

anglais, e *adj* English. ■ **anglais** *nm (langue)* English. ■ **Anglais, e** *nm, f* Englishman *(f* Englishwoman*)* • **les Anglais** the English. ■ **anglaises** *nfpl* ringlets.

angle *nm* **1.** *(coin)* corner **2.** MATH angle • **angle droit/aigu/obtus** right/acute/obtuse angle **3.** *(aspect)* angle, point of view.

Angleterre *nf* • **l'Angleterre** England.

anglican, e *adj* & *nm, f* Anglican.

anglophone ■ *nmf* English-speaker. ■ *adj* English-speaking, anglophone.

anglo-saxon, onne *adj* Anglo-Saxon. ■ **anglo-saxon** *nm (langue)* Anglo-Saxon, Old English. ■ **Anglo-Saxon, onne** *nm, f* Anglo-Saxon.

angoisse *nf* anguish.

angoisser *vt (effrayer)* to cause anxiety to.
■ **s'angoisser** *vp* **1.** *(être anxieux)* to be overcome with anxiety **2.** *fam (s'inquiéter)* to fret.

anguille *nf* eel.

anguleux, euse *adj* angular.

anicroche *nf* hitch.

animal, e *adj* **1.** *(propre à l'animal)* animal *(avant nom)* **2.** *(instinctif)* instinctive. ■ **animal** *nm (bête)* animal • **animal sauvage/domestique** wild/domestic animal.

animateur, trice *nm, f* **1.** RADIO & TV host, presenter *(UK)* **2.** *(socioculturel, sportif)* activities organizer.

animation *nf* **1.** *(de rue)* activity, life **2.** *(de conversation, visage)* animation **3.** *(activités)* activities *pl* **4.** CINÉ animation.

animé, e *adj* **1.** *(rue)* lively **2.** *(conversation, visage)* animated **3.** *(objet)* animate.

animer *vt* **1.** *(mettre de l'entrain dans)* to animate, to liven up **2.** *(présenter)* to host, to present *(UK)* **3.** *(organiser des activités pour)* to organize activities for.
■ **s'animer** *vp* **1.** *(visage)* to light up **2.** *(rue)* to come to life, to liven up.

animosité *nf* animosity.

anis *nm* **1.** BOT anise **2.** CULIN aniseed.

ankylosé, e *adj* **1.** *(paralysé)* stiff **2.** *(engourdi)* numb.

annales *nfpl* **1.** *(d'examen)* past papers *(UK)* **2.** *(chronique annuelle)* chronicle *sing,* annals.

anneau *nm* **1.** *(gén)* ring **2.** *(maillon)* link.

année *nf* year • **souhaiter la bonne année à qqn** to wish sb a Happy New Year • **année bissextile** leap year • **année scolaire** school year.

année-lumière *nf* light year.

annexe ■ *nf* **1.** *(de dossier)* appendix, annexe *(UK)*, annex *(US)* **2.** *(de bâtiment)* annexe *(UK)*, annex *(US)*. ■ *adj* related, associated.

annexer *vt* **1.** *(incorporer)* • **annexer qqch (à qqch)** to append *ou* annex sthg (to sthg) **2.** *(pays)* to annex.

annexion *nf* annexation.

LES ANIMAUX

- l'âne the donkey
- la baleine the whale
- le canard the duck
- le cerf the stag
- le chat the cat
- la chauve-souris the bat
- le cheval the horse
- la chèvre the goat
- le chien the dog
- le cochon the pig
- le crocodile the crocodile
- le dauphin the dolphin
- l'écureuil the squirrel
- l'éléphant the elephant
- la girafe the giraffe
- la grenouille the frog
- l'hippopotame the hippopotamus
- le kangourou the kangaroo
- le lama the lama
- le lapin the rabbit
- le lion the lion
- le loup the wolf
- le mouton the sheep
- l'oiseau the bird
- l'ours the bear
- le perroquet the parrot
- le pingouin the penguin
- le poisson the fish
- la poule the hen
- le requin the shark
- le rhinocéros the rhinoceros
- le serpent the snake
- le singe the monkey
- la souris the mouse
- le tigre the tiger
- la tortue the tortoise *(UK)*, the turtle *(UK)*
- la tortue marine the turtle
- la vache the cow
- le zèbre the zebra

annihiler *vt* (*réduire à néant*) to destroy, to wreck.

anniversaire ⬛ *nm* **1.** (*de mariage, mort, événement*) anniversary **2.** (*de naissance*) birthday ▪ **bon** *ou* **joyeux anniversaire!** happy birthday! ⬛ *adj* anniversary (*avant nom*).

annonce *nf* **1.** (*déclaration*) announcement **2.** *fig* sign, indication **3.** (*texte*) advertisement ▪ **petite annonce** classified advertisement, small ad (*UK*), want ad (*US*).

annoncer *vt* **1.** (*faire savoir*) to announce **2.** (*prédire*) to predict.

annonciateur, **trice** *adj* ▪ **annonciateur de qqch** heralding sthg.

annoter *vt* to annotate.

annuaire *nm* annual, yearbook ▪ **annuaire téléphonique** telephone directory, phone book.

annuel, **elle** *adj* **1.** (*tous les ans*) annual, yearly **2.** (*d'une année*) annual.

annuité *nf* **1.** (*paiement*) annual payment, annual instalment (*UK*) *ou* installment (*US*) **2.** (*année de service*) year (of service).

annulaire *nm* ring finger.

annulation *nf* **1.** (*de rendez-vous, réservation*) cancellation **2.** (*de mariage*) annulment.

annuler *vt* **1.** (*rendez-vous, réservation*) to cancel **2.** (*mariage*) to annul **3.** INFORM to undo.
⬛ **s'annuler** *vp* to cancel each other out.

anoblir *vt* to ennoble.

anodin, **e** *adj* **1.** (*blessure*) minor **2.** (*propos*) harmless **3.** (*détail, personne*) insignificant.

anomalie *nf* anomaly.

ânon *nm* young donkey *ou* ass.

ânonner *vt* & *vi* to recite in a drone.

anonymat *nm* anonymity.

anonyme *adj* anonymous.

anorak *nm* anorak.

anorexie *nf* anorexia.

anormal, **e** ⬛ *adj* **1.** (*inhabituel*) abnormal, not normal **2.** (*intolérable, injuste*) wrong, not right **3.** (*handicapé*) mentally handicapped. ⬛ *nm, f* mentally handicapped person.

ANPE (*abr de* **Agence nationale pour l'emploi**) *nf* ≃ Jobcentre (*UK*).

anse *nf* **1.** (*d'ustensile*) handle **2.** GÉOGR cove.

antagoniste *adj* antagonistic.

antan ⬛ **d'antan** *loc adj littéraire* of old, of yesteryear.

antarctique *adj* Antarctic ▪ **le cercle polaire antarctique** the Antarctic Circle. ⬛ **Antarctique** *nm* **1.** (*continent*) ▪ **l'Antarctique** Antarctica **2.** (*océan*) ▪ **l'Antarctique** the Antarctic (Ocean).

antécédent *nm* (*gén pl*) (*passé*) history *sing*.

antenne *nf* **1.** (*d'insecte*) antenna, feeler **2.** (*de télévision, de radio*) aerial (*UK*), antenna (*US*) ▪ **antenne parabolique** dish aerial *ou* antenna (*US*), satellite dish **3.** (*succursale*) branch, office.

antenne-relais *nf* TÉLÉCOM mobile phone mast (*UK*).

antérieur, **e** *adj* **1.** (*dans le temps*) earlier, previous ▪ **antérieur à** previous *ou* prior to **2.** (*dans l'espace*) front (*avant nom*).

antérieurement *adv* earlier, previously ▪ **antérieurement à** prior to.

anthologie *nf* anthology.

anthracite ⬛ *nm* anthracite. ⬛ *adj inv* charcoal grey (*UK*) *ou* gray (*US*).

anthropologie *nf* anthropology.

anthropophage *nmf* cannibal.

antiacarien ⬛ *adj* antimite ▪ **traitement** *ou* **shampooing antiacarien** antimite treatment *ou* shampoo. ⬛ *nm* antimite treatment.

anti-âge *adj. inv. et n.m. inv* anti-aging ▪ **crème anti-âge** anti-aging cream.

antialcoolique *adj* ▪ **ligue antialcoolique** temperance league.

antibactérien, **enne** *adj* antibacterial.

antibiotique *nm* & *adj* antibiotic.

antibrouillard *nm* & *adj inv* ▪ (**phare** *ou* **feu**) **antibrouillard** fog light, fog lamp (*UK*).

antichambre *nf* antechamber ▪ **faire antichambre** *fig* to wait patiently (*to see somebody*).

anticipation *nf* LITTÉR ▪ **roman d'anticipation** science fiction novel.

anticipé, **e** *adj* early.

anticiper ⬛ *vt* to anticipate. ⬛ *vi* ▪ **anticiper (sur qqch)** to anticipate (sthg).

anticonformiste *adj* & *nmf* (*gen*) nonconformist.

anticorps *nm* antibody.

anticyclone *nm* anticyclone.

antidater *vt* to backdate.

antidémarrage *adj inv* • **système anti-démarrage** immobilizer.

antidépresseur *nm* & *adj m* antidepressant.

antidopage, antidoping *adj inv* • **contrôle antidopage** drugs test.

antidote *nm* antidote.

antigel *nm inv* & *adj inv* antifreeze.

antillais, e *adj* West Indian. ■ **Antillais, e** *nm, f* West Indian.

Antilles *nfpl* • **les Antilles** the West Indies.

antilope *nf* antelope.

antimilitariste *nmf* & *adj* antimilitarist.

antimite *adj inv* • **boule antimite** mothball.

anti-mondialisation *adj inv* anti-globalization.

antimondialiste *adj* antiglobalization.

antipathie *nf* antipathy, hostility.

antipathique *adj* unpleasant • **elle m'est antipathique** I dislike her, I don't like her.

antipelliculaire *adj* • **shampooing antipelliculaire** antidandruff shampoo.

antiquaire *nmf* antique dealer.

antique *adj* **1.** (*de l'antiquité - civilisation*) ancient • (*- vase, objet*) antique **2.** (*vieux*) antiquated, ancient.

antiquité *nf* **1.** (*époque*) • **l'Antiquité** antiquity **2.** (*objet*) antique.

antirabique *adj* • **vaccin antirabique** rabies vaccine.

antiraciste *adj* & *nmf* antiracist.

antirides *adj inv* antiwrinkle.

antirouille *adj inv* **1.** (*traitement*) rust (*avant nom*) **2.** (*revêtement, peinture*) rustproof.

antisèche *nf arg scol* crib (sheet), cheat sheet (*US*), pony (*US*).

antisémite ■ *nmf* anti-Semite. ■ *adj* anti-Semitic.

antiseptique *nm* & *adj* antiseptic.

antisismique *adj* earthquake-proof.

antislash *nm* INFORM backslash.

antiterrorisme *nm* anti-terrorism.

antithèse *nf* antithesis.

antitranspirant, e *adj* antiperspirant.

antiviral *nm* antivirus.

antivirus *nm* INFORM antivirus software.

antivol *nm inv* antitheft device.

antre *nm* den, lair.

anus *nm* anus.

anxiété *nf* anxiety.

anxieux, euse ■ *adj* anxious, worried • **être anxieux de qqch** to be worried *ou* anxious about sthg • **être anxieux de faire qqch** to be anxious to do sthg. ■ *nm, f* worrier.

aorte *nf* aorta.

août *nm* August. • *voir aussi* **septembre**

apaisement *nm* **1.** (*moral*) comfort **2.** (*de douleur*) alleviation **3.** (*de tension, de crise*) calming.

apaiser *vt* **1.** (*personne*) to calm down, to pacify **2.** (*conscience*) to salve **3.** (*douleur*) to soothe **4.** (*soif*) to slake, to quench **5.** (*faim*) to assuage. ■ **s'apaiser** *vp* **1.** (*personne*) to calm down **2.** (*besoin*) to be assuaged **3.** (*tempête*) to subside, to abate **4.** (*douleur*) to die down **5.** (*scrupules*) to be allayed.

apanage *nm sout* privilege • **être l'apanage de qqn/qqch** to be the prerogative of sb/sthg.

aparté *nm* **1.** THÉÂTRE aside **2.** (*conversation*) private conversation • **prendre qqn en aparté** to take sb aside.

apartheid *nm* apartheid.

apathie *nf* apathy.

apathique *adj* apathetic.

apatride *nmf* stateless person.

apercevoir *vt* (*voir*) to see, to catch sight of. ■ **s'apercevoir** *vp* • **s'apercevoir de qqch** to notice sthg • **s'apercevoir que** to notice (that).

aperçu, e *pp* ▷ **apercevoir**. ■ **aperçu** *nm* general idea.

apéritif, ive *adj* whetting the appetite. ■ **apéritif** *nm* aperitif • **prendre l'apéritif** to have an aperitif, to have drinks (*before a meal*).

apesanteur *nf* weightlessness.

à-peu-près *nm inv* approximation.

aphone *adj* voiceless.

aphrodisiaque *nm* & *adj* aphrodisiac.

aphte *nm* mouth ulcer.

apiculteur, **trice** *nm, f* beekeeper.

apitoyer *vt* to move to pity.
■ **s'apitoyer** *vp* to feel pity ▪ **s'apitoyer sur** to feel sorry for.

ap. J.-C. *(abr écrite de* **après Jésus-Christ)** AD.

aplanir *vt* **1.** *(aplatir)* to level **2.** *fig (difficulté, obstacle)* to smooth away, to iron out.

aplatir *vt* **1.** *(gén)* to flatten **2.** *(couture)* to press flat **3.** *(cheveux)* to smooth down.

aplomb *nm* **1.** *(stabilité)* balance **2.** *(audace)* nerve, cheek *(UK)*. ■ **d'aplomb** *loc adv* steady.

APN *nm abrév de* **appareil photo numérique**.

apocalypse *nf* apocalypse.

apogée *nm* **1.** ASTRON apogee **2.** *fig* peak.

apolitique *adj* apolitical, unpolitical.

apologie *nf* justification, apology.

apoplexie *nf* apoplexy.

apostrophe *nf (signe graphique)* apostrophe.

apostropher *vt* ▪ **apostropher qqn** to speak rudely to sb.

apothéose *nf* **1.** *(consécration)* great honour *(UK)* ou honor *(US)* **2.** *(point culminant - d'un spectacle)* grand finale ▪ *(- d'une carrière)* crowning glory.

apôtre *nm* apostle, disciple.

apparaître ◼ *vi* **1.** *(gén)* to appear **2.** *(se dévoiler)* to come to light. ◼ *v impers* ▪ **il apparaît que** it seems ou appears that.

apparat *nm* pomp ▪ **d'apparat** *(dîner, habit)* ceremonial.

appareil *nm* **1.** *(gén)* device **2.** *(électrique)* appliance **3.** *(téléphone)* phone, telephone ▪ **qui est à l'appareil ?** who's speaking? **4.** *(avion)* aircraft. ■ **appareil digestif** *nm* digestive system. ■ **appareil photo** *nm* camera ▪ **appareil photo numérique** digital camera.

appareillage *nm* **1.** *(équipement)* equipment **2.** NAUT getting under way.

appareiller ◼ *vt (assortir)* to match up. ◼ *vi* NAUT to get under way.

apparemment *adv* apparently.

apparence *nf* appearance. ■ **en apparence** *loc adv* seemingly, apparently.

apparent, **e** *adj* **1.** *(superficiel, illusoire)* apparent **2.** *(visible)* visible.

apparenté, **e** *adj* ▪ **apparenté à** *(personne)* related to ▪ *fig (ressemblant)* similar to ▪ *(affilié)* affiliated to.

appariteur *nm* porter *(UK)*, campus policeman *(US)*.

apparition *nf* **1.** *(gén)* appearance **2.** *(vision - RELIG)* vision ▪ *(- de fantôme)* apparition.

appart *(abr de* **appartement)** *nm fam* flat *(UK)*, apartment *(US)*.

appartement *nm* flat *(UK)*, apartment *(US)*.

appartenir *vi* **1.** *(être la propriété de)* ▪ **appartenir à qqn** to belong to sb **2.** *(faire partie de)* ▪ **appartenir à qqch** to belong to sthg, to be a member of sthg **3.** *fig (dépendre de)* ▪ **il ne m'appartient pas de faire...** *sout* it's not up to me to do...

appartenu *pp inv* ▷ **appartenir**.

apparu, **e** *pp* ▷ **apparaître**.

appâter *vt litt & fig* to lure.

appauvrir *vt* to impoverish.
■ **s'appauvrir** *vp* to grow poorer, to become impoverished.

appel *nm* **1.** *(gén)* call ▪ **faire appel à qqn** to appeal to sb ▪ **faire appel à qqch** *(nécessiter)* to call for sthg ▪ *(avoir recours à)* to call on sthg ▪ **appel (téléphonique)** (phone) call **2.** DR appeal ▪ **faire appel** to appeal ▪ **sans appel** final **3.** *(pour vérifier - gén)* roll-call ▪ SCOL registration **4.** COMM ▪ **appel d'offres** invitation to tender **5.** *(signe)* ▪ **faire un appel de phares** to flash ou blink *(US)* one's headlights.

appelé *nm* conscript, draftee *(US)*.

appeler *vt* **1.** *(gén)* to call **2.** *(téléphoner)* to ring *(UK)*, to call **3.** *(faire venir)* to call for.
■ **s'appeler** *vp* **1.** *(se nommer)* to be called ▪ **comment cela s'appelle ?** what is it called? ▪ **il s'appelle Patrick** his name is Patrick, he's called Patrick **2.** *(se téléphoner)* ▪ **on s'appelle demain ?** shall we talk tomorrow?

appendice *nm* appendix.

appendicite *nf* appendicitis.

appentis *nm* lean-to.

appesantir *vt (démarche)* to slow down.
■ **s'appesantir** *vp* **1.** *(s'alourdir)* to become heavy **2.** ▪ **s'appesantir sur qqch** to dwell on sthg.

appétissant, **e** *adj (nourriture)* appetizing.

appétit *nm* appetite • **bon appétit!** enjoy your meal!

applaudir ■ *vt* to applaud. ■ *vi* to clap, to applaud • **applaudir à qqch** *fig* to applaud sthg • **les gens applaudissaient à tout rompre** there was thunderous applause.

applaudissements *nmpl* applause *(indénombrable)*, clapping *(indénombrable)*.

applicable *adj* • **applicable (à)** applicable (to).

application *nf* (GÉN & INFORM) application.

applique *nf* wall lamp.

appliquer *vt* **1.** *(gén)* to apply **2.** *(loi)* to enforce.
■ **s'appliquer** *vp* **1.** *(s'étaler, se poser)* • **cette peinture s'applique facilement** this paint goes on easily **2.** *(se concentrer)* • **s'appliquer (à faire qqch)** to apply o.s. (to doing sthg).

appoint *nm* **1.** *(monnaie)* change • **faire l'appoint** to give the right money **2.** *(aide)* help, support • **d'appoint** *(salaire, chauffage)* extra • **lit d'appoint** spare bed.

appointements *nmpl* salary *sing.*

apport *nm* **1.** *(gén & FIN)* contribution **2.** *(de chaleur)* input.

apporter *vt* **1.** *(gén)* to bring • **ça m'a beaucoup apporté** *fig* I got a lot from it **2.** *(raison, preuve)* to provide, to give **3.** *(mettre - soin)* to exercise • *(- attention)* to give.

apposer *vt* **1.** *(affiche)* to put up **2.** *(signature)* to append.

apposition *nf* GRAMM apposition.

appréciable *adj* **1.** *(notable)* appreciable **2.** *(précieux)* • **un grand jardin, c'est appréciable !** I/we really appreciate having a big garden.

appréciation *nf* **1.** *(de valeur)* valuation **2.** *(de distance, poids)* estimation **3.** *(jugement)* judgment **4.** SCOL assessment.

apprécier *vt* **1.** *(gén)* to appreciate **2.** *(évaluer)* to estimate, to assess.

appréhender *vt* **1.** *(arrêter)* to arrest **2.** *(craindre)* • **appréhender qqch/de faire qqch** to dread sthg/doing sthg.

appréhension *nf* apprehension.

apprendre *vt* **1.** *(étudier)* to learn • **apprendre à faire qqch** to learn (how) to do sthg **2.** *(enseigner)* to teach • **apprendre qqch à qqn** to teach sb sthg • **apprendre à qqn à faire qqch** to teach sb (how) to

do sthg **3.** *(nouvelle)* to hear of, to learn of • **apprendre que** to hear that, to learn that • **apprendre qqch à qqn** to tell sb of sthg.

apprenti, e *nm, f* **1.** *(élève)* apprentice **2.** *fig* beginner.

apprentissage *nm* **1.** *(de métier)* apprenticeship **2.** *(formation)* learning.

apprêter *vt* to prepare.
■ **s'apprêter** *vp* **1.** *(être sur le point)* • **s'apprêter à faire qqch** to get ready to do sthg **2.** *(s'habiller)* • **s'apprêter pour qqch** to dress up for sthg.

appris, e *pp* ▷ **apprendre.**

apprivoiser *vt* to tame.

approbateur, trice *adj* approving.

approbation *nf* approval.

approchant, e *adj* similar.

approche *nf* *(arrivée)* approach • **à l'approche des fêtes** as the Christmas holidays draw near • **il a pressé le pas à l'approche de la maison** he quickened his step as he approached the house.

approcher ■ *vt* **1.** *(mettre plus près)* to move near, to bring near • **approcher qqch de qqn/qqch** to move sthg near (to) sb/sthg **2.** *(aborder)* to go up to, to approach. ■ *vi* to approach, to go/come near • **approchez !** come nearer! • **n'approchez pas !** keep *ou* stay away! • **approcher de** *(moment, fin)* to approach.
■ **s'approcher** *vp* to come/go near, to approach • **s'approcher de qqn/qqch** to approach sb/sthg.

approfondir *vt* **1.** *(creuser)* to make deeper **2.** *(développer)* to go further into.

approprié, e *adj* • **approprié (à)** appropriate (to).

approprier *vt* **1.** *(adapter)* to adapt **2.** *(Belgique)* to clean.
■ **s'approprier** *vp* *(s'adjuger)* to appropriate.

approuver *vt* *(gén)* to approve of.

S'EXPRIMER...

approuver quelqu'un
• Yes, exactly! **Oui, exactement !**
• I think so too! **C'est aussi ce que je pense !**
• That's what I believe too! **C'est aussi ce que je crois !**
• Good idea! **Bonne idée !**
• That's a really good idea! **C'est une excellente idée !**
• Fantastic! **Merveilleux !**

approvisionnement *nm* supplies *pl*, stocks *pl*.

approvisionner *vt* **1.** *(compte en banque)* to pay money into **2.** *(magasin, pays)* to supply.

approximatif, ive *adj* approximate, rough.

approximation *nf* approximation.

approximativement *adv* approximately, roughly.

appt *abrév de* **appartement**.

appui *nm* *(soutien)* support.

appui-tête *nm* headrest.

appuyer ◼ *vt* **1.** *(poser)* • **appuyer qqch sur/contre qqch** to lean sthg on/against sthg, to rest sthg on/against sthg **2.** *(presser)* • **appuyer qqch sur/contre** to press sthg on/against **3.** *fig (soutenir)* to support. ◼ *vi* **1.** *(reposer)* • **appuyer sur** to lean *ou* rest on **2.** *(presser)* • **appuyer sur** *(bouton)* to press **3.** *fig (insister)* • **appuyer sur** to stress **4.** *(se diriger)* • **appuyer sur la** *ou* **à droite** to bear right.
◼ **s'appuyer** *vp* **1.** *(se tenir)* • **s'appuyer contre/sur** to lean against/on, to rest against/on **2.** *(se baser)* • **s'appuyer sur** to rely on.

âpre *adj* **1.** *(goût, discussion, combat)* bitter **2.** *(ton, épreuve, critique)* harsh **3.** *(concurrence)* fierce.

après ◼ *prép* **1.** *(gén)* after • **après avoir mangé, ils...** after having eaten *ou* after they had eaten, they... • **après cela** after that • **après quoi** after which **2.** *(indiquant l'attirance, l'attachement, l'hostilité)* • **soupirer après qqn** to yearn for sb • **aboyer après qqn** to bark at sb. ◼ *adv* **1.** *(temps)* afterwards *(UK)*, afterward *(US)* • **un mois après** one month later • **le mois d'après** the following *ou* next month **2.** *(lieu, dans un ordre, dans un rang)* • **la rue d'après** the next street • **c'est ma sœur qui vient après** my sister's next. ◼ **après coup** *loc adv* afterwards *(UK)*, afterward *(US)*, after the event. ◼ **après que** *loc conj (+ indicatif)* after • **je le verrai après qu'il aura fini** I'll see him after *ou* when he's finished • **après qu'ils eurent diné,...** after dinner *ou* after they had dined,... ◼ **après tout** *loc adv* after all. ◼ **d'après** *loc prép* according to • **d'après moi** in my opinion • **d'après lui** according to him. ◼ **et après** *loc adv* *(employée interrogativement)* **1.** *(questionnement sur la suite)* and then what? **2.** *(exprime l'indifférence)* so what?

après-demain *adv* the day after tomorrow.

après-guerre *nm* post-war years *pl* • **d'après-guerre** post-war.

après-midi *nm inv & nf inv* afternoon.

après-rasage *nm & adj inv* aftershave.

après-ski *nm (chaussure)* snow-boot.

après-soleil *adj inv* after-sun *(avant nom)*.

après-vente ▷ **service**.

à-propos *nm inv (de remarque)* aptness • **faire preuve d'à-propos** to show presence of mind.

APS *(abr de* **Advanced Photo System***) nm* APS.

apte *adj* • **apte à qqch/à faire qqch** capable of sthg/of doing sthg • **apte (au service)** MIL fit (for service).

aquagym *nf* aquarobics *(indénombrable)*.

aquarelle *nf* watercolour *(UK)*, watercolor *(US)*.

aquarium *nm* aquarium.

aquatique *adj* **1.** *(plante, animal)* aquatic **2.** *(milieu, paysage)* watery, marshy.

aqueduc *nm* aqueduct.

aqueux, euse *adj* watery.

aquilin ▷ **nez**.

arabe ◼ *adj* **1.** *(peuple)* Arab **2.** *(désert)* Arabian. ◼ *nm (langue)* Arabic. ◼ **Arabe** *nmf* Arab.

arabesque *nf* **1.** *(ornement)* arabesque **2.** *(ligne sinueuse)* flourish.

Arabie *nf* • **l'Arabie** Arabia • **l'Arabie Saoudite** Saudi Arabia.

arabophone ◼ *adj* Arabic-speaking. ◼ *nmf* Arabic speaker.

arachide *nf* peanut, groundnut.

araignée *nf* spider. ◼ **araignée de mer** *nf* spider crab.

arbalète *nf* crossbow.

arbitrage *nm* **1.** *(SPORT - gén)* refereeing • *(- au tennis, cricket)* umpiring **2.** *DR* arbitration.

arbitraire *adj* arbitrary.

arbitre *nm* **1.** *(SPORT - gén)* referee • *(- au tennis, cricket)* umpire **2.** *(conciliateur)* arbitrator.

arbitrer vt **1.** (SPORT - gén) to referee ◦ (- au tennis, cricket) to umpire **2.** (conflit) to arbitrate.

arbre nm **1.** fig & BOT tree ◦ **arbre généalogique** family tree **2.** (axe) shaft.

LES ARBRES
- l'abricotier the apricot tree
- le bambou the bamboo
- le cerisier the cherry tree
- le chêne the oak tree
- l'érable the maple
- le hêtre the beech tree
- l'olivier the olive tree
- l'oranger the orange tree
- le palmier the palm tree
- le pêcher the peach tree
- le pin the pine
- le platane the plane tree
- le poirier the pear tree
- le pommier the apple tree
- le sapin the fir tree.

arbrisseau nm shrub.

arbuste nm shrub.

arc nm **1.** (arme) bow **2.** (courbe) arc ◦ **arc de cercle** arc of a circle **3.** ARCHIT arch.

arcade nf **1.** ARCHIT arch ◦ **arcades** arcade sing **2.** ANAT ◦ **arcade sourcilière** arch of the eyebrows.

arc-bouter ■ s'arc-bouter vp to brace o.s..

arceau nm **1.** ARCHIT arch **2.** (objet métallique) hoop.

arc-en-ciel nm rainbow.

archaïque adj archaic.

arche nf ARCHIT arch.

archéologie nf archaeology.

archéologique adj archaeological.

archéologue nmf archaeologist.

archet nm MUS bow.

archevêque nm archbishop.

archipel nm archipelago.

architecte nmf architect ◦ **architecte d'intérieur** interior designer.

architecture nf **1.** architecture **2.** fig structure.

archives nfpl **1.** (de bureau) records **2.** (de musée) archives.

archiviste nmf archivist.

arctique adj Arctic ◦ **le cercle polaire arctique** the Arctic Circle. **■ Arctique** nm ◦ **l'Arctique** the Arctic.

ardemment adv fervently, passionately.

ardent, e adj **1.** (soleil) blazing **2.** (soif, fièvre) raging **3.** (passion) burning.

ardeur nf **1.** (vigueur) fervour (UK), fervor (US), enthusiasm **2.** (chaleur) blazing heat.

ardoise nf slate.

ardu, e adj **1.** (travail) arduous **2.** (problème) difficult.

are nm 100 square metres.

arène nf arena. **■ arènes** nfpl **1.** (romaines) amphitheatre sing (UK), amphitheater sing (US) **2.** (pour corridas) bullring sing.

arête nf **1.** (de poisson) bone **2.** (du nez) bridge.

argent nm **1.** (métal, couleur) silver **2.** (monnaie) money ◦ **argent liquide** (ready) cash ◦ **argent de poche** pocket money (UK), allowance (US).

argenté, e adj silvery, silver.

argenterie nf silverware.

Argentine nf ◦ **l'Argentine** Argentina.

argile nf clay.

argileux, euse adj clayey.

argot nm slang.

argotique adj slang, slangy.

argument nm argument.

argumentation nf argumentation.

argus nm ≃ Glass's Motoring Guide (UK), ≃ Blue Book (US) ◦ **coté à l'argus** listed in the guide to secondhand car prices.

aride adj **1.** litt & fig arid **2.** (travail) thankless.

aristocrate nmf aristocrat.

aristocratie nf aristocracy.

arithmétique nf arithmetic.

armateur nm ship owner.

armature nf **1.** fig & CONSTR framework **2.** (de parapluie) frame **3.** (de soutien-gorge) underwiring.

arme nf litt & fig weapon ◦ **arme blanche** blade ◦ **arme à feu** firearm. **■ armes** nfpl **1.** (armée) ◦ **les armes** the army **2.** (blason) coat of arms sing ◦ **partir avec armes et bagages** to leave taking everything.

armée *nf* army • **l'armée de l'air** the air force • **l'armée de terre** the army. ■ **Armée du salut** *nf* • **l'Armée du salut** the Salvation Army.

armement *nm* (MIL - *de personne*) arming • (- *de pays*) armament • (- *ensemble d'armes*) arms *pl* • **la course aux armements** the arms race.

Arménie *nf* • **l'Arménie** Armenia.

armer *vt* **1.** (*pourvoir en armes*) to arm • **être armé pour qqch/pour faire qqch** *fig* (*préparé*) to be equipped for sthg/to do sthg **2.** (*fusil*) to cock **3.** (*appareil photo*) to wind on **4.** (*navire*) to fit out.

armistice *nm* armistice.

armoire *nf* **1.** (*gén*) cupboard (UK), closet (US) **2.** (*garde-robe*) wardrobe • **c'est une armoire à glace!** *fam* *fig* he's built like the side of a house! • **armoire à pharmacie** medicine cabinet.

armoiries *nfpl* coat of arms *sing*.

armure *nf* armour (UK), armor (US).

armurier *nm* **1.** (*d'armes à feu*) gunsmith **2.** (*d'armes blanches*) armourer (UK), armorer (US).

arnaque *nf* *fam* rip-off.

arnaquer *vt* *fam* to rip off • **se faire arnaquer** to be had.

arobase *nm* INFORM 'at', @ • **l'arobase** the "at" symbol *ou* sign.

aromate *nm* **1.** (*épice*) spice **2.** (*fine herbe*) herb.

arôme *nm* **1.** (*gén*) aroma **2.** (*de fleur, parfum*) fragrance **3.** (*goût*) flavour (UK), flavor (US).

arpège *nm* arpeggio.

arpenter *vt* (*marcher*) to pace up and down.

arqué, e *adj* **1.** (*objet*) curved **2.** (*jambe*) bow (*avant nom*), bandy **3.** (*nez*) hooked **4.** (*sourcil*) arched.

arr. *abrév de* **arrondissement**.

arrache-pied ■ **d'arrache-pied** *loc adv* • **travailler d'arrache-pied** to work away furiously.

arracher *vt* **1.** (*extraire - plante*) to pull up *ou* out • (- *dent*) to extract **2.** (*déchirer - page*) to tear off *ou* out • (- *chemise, bras*) to tear off **3.** (*prendre*) • **arracher qqch à qqn** to snatch sthg from sb **4.** (*susciter*) • **arracher qqch à** (*milieu, lieu*) to drag sb away

from • (*lit, sommeil*) to drag sb from • (*habitude, torpeur*) to force sb out of • (*mort, danger*) to snatch sb from.

arrangeant, e *adj* obliging.

arrangement *nm* **1.** (*gén*) arrangement **2.** (*accord*) agreement, arrangement.

arranger *vt* **1.** (*gén*) to arrange **2.** (*convenir à*) to suit **3.** (*régler*) to settle **4.** (*améliorer*) to sort out **5.** (*réparer*) to fix.

■ **s'arranger** *vp* to come to an agreement • **s'arranger pour faire qqch** to manage to do sthg • **arrangez-vous pour être là à cinq heures** make sure you're there at five o'clock • **cela va s'arranger** things will work out.

arrdt. *abrév de* **arrondissement**.

arrestation *nf* arrest • **être en état d'arrestation** to be under arrest.

arrêt *nm* **1.** (*d'un mouvement*) stopping • **à l'arrêt** (*véhicule*) stationary • (*machine*) (switched) off • **tomber en arrêt devant qqch** to stop dead in front of sthg **2.** (*interruption*) interruption • **sans arrêt** (*sans interruption*) non-stop • (*sans relâche*) constantly, continually • **être en arrêt maladie** to be on sick leave • **arrêt du travail** stoppage **3.** (*station*) • **arrêt (d'autobus)** (bus) stop **4.** DR decision, judgment.

arrêté *nm* ADMIN order, decree.

arrêter ■ *vt* **1.** (*gén*) to stop **2.** INFORM (*ordinateur*) to shut down **3.** (*cesser*) • **arrêter de faire qqch** to stop doing sthg • **arrêter de fumer** to stop smoking **4.** (*voleur*) to arrest. ■ *vi* to stop.

■ **s'arrêter** *vp* to stop • **s'arrêter à qqch** . il ne s'arrête pas à ces détails he's not going to dwell on these details • **s'arrêter de faire** to stop doing.

arrhes *nfpl* deposit *sing*.

arrière ■ *adj inv* back, rear • **roue arrière** rear *ou* back wheel • **marche arrière** reverse gear. ■ *nm* **1.** (*partie postérieure*) back • **à l'arrière** at the back (UK), in back (US) **2.** SPORT back. ■ **en arrière** *loc adv* **1.** (*dans la direction opposée*) back, backwards • **faire un pas en arrière** to take a step back *ou* backwards **2.** (*derrière, à la traîne*) behind • **rester en arrière** to lag behind.

arriéré, e *adj* (*mentalité, pays*) backward. ■ **arriéré** *nm* arrears *pl*.

arrière-boutique *nf* back shop.

arrière-garde *nf* rearguard.

arrière-goût *nm* aftertaste.

arrière-grand-mère *nf* great-grandmother.

arrière-grand-père *nm* great-grandfather.

arrière-pays *nm inv* hinterland.

arrière-pensée *nf (raison intéressée)* ulterior motive.

arrière-plan *nm* background.

arrière-saison *nf* late autumn.

arrière-train *nm* hindquarters *pl.*

arrimer *vt* 1. *(attacher)* to secure 2. NAUT to stow.

arrivage *nm (de marchandises)* consignment, delivery.

arrivée *nf* 1. *(venue)* arrival 2. TECHNOL inlet.

arriver ◼ *vi* 1. *(venir)* to arrive ◦ **j'arrive!** (I'm) coming! ◦ **arriver à Paris** to arrive in *ou* reach Paris ◦ **l'eau m'arrivait aux genoux** the water came up to my knees 2. *(parvenir)* ◦ **arriver à faire qqch** to manage to do sthg, to succeed in doing sthg ◦ **il n'arrive pas à faire ses devoirs** he can't do his homework 3. *(se produire)* to happen. ◼ *v impers* to happen ◦ **il arrive que** (+ subjonctif) . il arrive qu'il soit en retard he is sometimes late ◦ **il arrive à tout le monde de se décourager** we all get fed up sometimes ◦ **il arrive à tout le monde de se tromper** anyone can make a mistake ◦ **il lui arrive d'oublier quel jour on est** he sometimes forgets what day it is ◦ **quoi qu'il arrive** whatever happens.

arrivisme *nm péj* ambition.

arrobas, arobas *nf* = **arobase**.

arrogance *nf* arrogance.

arrogant, e *adj* arrogant.

arroger ◼ **s'arroger** *vp* ◦ **s'arroger le droit de faire qqch** to take it upon o.s. to do sthg.

arrondi *nm (de jupe)* hemline.

arrondir *vt* 1. *(forme)* to make round 2. *(chiffre - au-dessus)* to round up ◦ *(- en dessous)* to round down.

arrondissement *nm* ADMIN arrondissement *(administrative division of a département or city).*

arroser *vt* 1. *(jardin)* to water 2. *(rue)* to spray 3. *fam (célébrer)* to celebrate.

arrosoir *nm* watering can.

arsenal, aux *nm* 1. *(de navires)* naval dockyard 2. *(d'armes)* arsenal.

arsenic *nm* arsenic.

art *nm* art ◦ **le septième art** the cinema. ◼ **arts** *nmpl* ◦ **les arts et métiers** *si vous souhaitez expliquer à un anglophone de quoi il s'agit, vous pouvez dire* it is a higher education institution that provides courses in commerce, manufacturing, construction and design ◦ **arts martiaux** martial arts.

art. *abrév de* **article.**

artère *nf* 1. ANAT artery 2. *(rue)* arterial road *(UK)*, main road *(US).*

artériel, elle *adj* arterial.

artériosclérose *nf* arteriosclerosis.

arthrite *nf* arthritis.

arthrose *nf* osteoarthritis.

artichaut *nm* artichoke.

article *nm* 1. *(gén)* article ◦ **article de fond** feature 2. *(sujet)* point ◦ **à l'article de la mort** at death's door.

articulation *nf* 1. ANAT & TECHNOL joint 2. *(prononciation)* articulation.

articuler *vt* 1. *(prononcer)* to articulate 2. ANAT & TECHNOL to articulate, to joint.

artifice *nm* 1. *(moyen astucieux)* clever device *ou* trick 2. *(tromperie)* trick.

artificiel, elle *adj* artificial.

artillerie *nf* MIL artillery.

artisan, e *nm, f* craftsman (*f* craftswoman).

artisanal, e *adj* craft *(avant nom).*

artisanat *nm* 1. *(métier)* craft 2. *(classe)* craftsmen.

artiste *nmf* 1. *(créateur)* artist ◦ **artiste peintre** painter 2. *(interprète)* performer.

artistique *adj* artistic.

as[1] ▷ **avoir.**

as[2] *nm* 1. *(carte)* ace 2. *(champion)* star, ace.

ascendant, e *adj* rising. ◼ **ascendant** *nm* 1. *(influence)* influence, power 2. ASTROL ascendant.

ascenseur *nm* 1. *(in a building)* lift *(UK)*, elevator *(US)* 2. INFORM scroll bar.

ascension *nf* 1. *(de montagne)* ascent 2. *(progression)* rise. ◼ **Ascension** *nf* ◦ **l'Ascension** Ascension (Day).

ascète *nmf* ascetic.

asiatique *adj* 1. *(de l'Asie en général)* Asian 2. *(d'Extrême-Orient)* oriental. ◼ **Asiatique** *nmf* Asian.

Asie *nf* ◦ **l'Asie** Asia ◦ **l'Asie du Sud-Est** Southeast Asia.

asile nm 1. (refuge) refuge 2. POLIT » **demander/accorder l'asile politique** to seek/to grant political asylum 3. vieilli (psychiatrique) asylum.

asocial, e ▪ adj antisocial. ▪ nm, f social misfit.

aspect nm 1. (apparence) appearance » **d'aspect agréable** nice-looking » **cette couleur donne à la pièce un aspect terne** this colour makes the room look dull 2. LING aspect.

asperge nf (légume) asparagus.

asperger vt » **asperger qqch de qqch** to spray sth with sth » **asperger qqn de qqch** (arroser) to spray sb with sth » (éclabousser) to splash sb with sth.

aspérité nf (du sol) bump.

asphalte nm asphalt.

asphyxier vt 1. MÉD to asphyxiate, to suffocate 2. fig (économie) to paralyse (UK), to paralyze (US).

aspic nm (vipère) asp.

aspirant, e adj » **hotte aspirante** cooker hood (UK), extractor hood » **pompe aspirante** suction pump. ▪ **aspirant** nm 1. (armée) ≃ officer cadet 2. (marine) ≃ midshipman.

aspirateur nm Hoover® (UK), vacuum cleaner » **passer l'aspirateur** to do the vacuuming ou hoovering (UK).

aspiration nf 1. (souffle) inhalation 2. TECHNOL suction. ▪ **aspirations** nfpl aspirations.

aspirer ▪ vt 1. (air) to inhale 2. (liquide) to suck up 3. TECHNOL to suck up, to draw up. ▪ vi (désirer) » **aspirer à qqch/à faire qqch** to aspire to sth/to do sth.

aspirine nf aspirin.

assagir vt to quieten down.

assaillant, e nm, f assailant, attacker.

assaillir vt to attack, to assault » **assaillir qqn de qqch** fig to assail ou bombard sb with sth.

assainir vt 1. (logement) to clean up 2. (eau) to purify 3. ÉCON to rectify, to stabilize.

assaisonnement nm 1. (sauce) dressing 2. (condiments) seasoning.

assaisonner vt 1. (salade) to dress 2. (viande, plat) to season.

assassin, e adj provocative. ▪ **assassin** nm 1. (gén) murderer 2. POLIT assassin.

assassinat nm 1. (gén) murder 2. POLIT assassination.

assassiner vt (tuer - gén) to murder » POLIT to assassinate.

assaut nm (attaque) assault, attack » **prendre d'assaut** (lieu) to storm » (personne) to attack.

assécher vt to drain.

ASSEDIC, Assedic (abr de **Association pour l'emploi dans l'industrie et le commerce**) nfpl pour expliquer à un anglophone de quoi il s'agit, vous pouvez utiliser cette définition : it is the national agency that runs the French unemployment insurance system » **toucher les ASSEDIC** to get unemployment benefit (UK) ou welfare (US).

assemblage nm (gén) assembly.

assemblée nf 1. (réunion) meeting 2. (public) gathering 3. ADMIN & POLIT assembly » **l'Assemblée nationale** the French National Assembly, ≃ the House of Commons (UK), ≃ the House of Representatives (US).

assembler vt 1. (monter) to put together 2. (réunir - objets) to gather (together) 3. (personnes - gén) to bring together, to assemble.
▪ **s'assembler** vp to gather.

assener, asséner vt » **assener un coup à qqn** (frapper) to strike sb, to deal sb a blow.

assentiment nm assent.

asseoir ▪ vt 1. (sur un siège) to put 2. (fondations) to lay 3. fig (réputation) to establish. ▪ vi » **faire asseoir qqn** to seat sb, to ask sb to take a seat.
▪ **s'asseoir** vp to sit (down).

assermenté, e adj (fonctionnaire, expert) sworn.

assertion nf assertion.

assesseur nm assessor.

assez adv 1. (suffisamment) enough » **assez grand pour qqch/pour faire qqch** big enough for sth/to do sth » **assez de** enough » **assez de lait/chaises** enough milk/chairs » **en avoir assez de qqn/ qqch** to have had enough of sb/sth, to be fed up with sb/sth 2. (plutôt) quite, rather.

assidu, e adj 1. (élève) diligent 2. (travail) painstaking 3. (empressé) » **assidu (auprès de qqn)** attentive (to sb).

assiduité *nf* 1. (zèle) diligence 2. (fréquence) • **avec assiduité** regularly. ■ **assiduités** *nfpl* péj & sout attentions.

assiéger *vt* litt & fig to besiege.

assiette *nf* 1. (vaisselle) plate • **assiette creuse** OU **à soupe** soup plate • **assiette à dessert** dessert plate • **assiette plate** dinner plate 2. (d'impôt) base 3. CULIN • **assiette anglaise** assorted cold meats *pl* (UK), cold cuts *pl* (US).

assigner *vt* DR • **assigner qqn en justice** to issue a writ against sb.

assimiler *vt* 1. (aliment, connaissances) to assimilate 2. (confondre) • **assimiler qqch (à qqch)** to liken sthg (to sthg) • **assimiler qqn à qqn** to compare sb to sb.

assis, e ■ *pp* ▷ asseoir. ■ *adj* sitting, seated • **place assise** seat. ■ **assise** *nf* (base) seat, seating. ■ **assises** *nfpl* 1. DR • **(cour d')assises** crown court (UK), circuit court (US) 2. (congrès) conference *sing*.

assistance *nf* 1. (aide) assistance • **l'Assistance publique** *si vous voulez expliquer à un anglophone de quoi il s'agit, vous pouvez dire* it is the body that runs social services and state-owned hospitals in France 2. (auditoire) audience.

assistant, e *nm, f* 1. (auxiliaire) assistant • **assistante sociale** social worker 2. UNIV assistant lecturer.

assister ■ *vi* • **assister à qqch** to be at sthg, to attend sthg. ■ *vt* to assist.

À PROPOS DE...

assister

« Assister » et *to assist* sont en quelque sorte de vrais-faux amis, ou plutôt ils ne sont des faux amis que dans l'un des deux sens du verbe « assister ». En effet, lorsqu'il signifie « aider », il peut se traduire par *to assist* (« je l'ai assisté pendant l'opération », *I assisted him during the operation*). En revanche, si c'est le sens d'« être présent » que l'on veut traduire, il faut veiller à ne pas se laisser influencer par les apparences, et utiliser *to attend* ou *to be at*. Par exemple : « le président a assisté au gala de bienfaisance », *the president attended the charity gala*.

association *nf* 1. (gén) association 2. (union) society, association • **association humanitaire** charity organization • **association sportive** sports club 3. COMM partnership.

associé, e ■ *adj* associated. ■ *nm, f* 1. (collaborateur) associate 2. (actionnaire) partner.

associer *vt* 1. (personnes) to bring together 2. (idées) to associate 3. (faire participer) • **associer qqn à qqch** (inclure) to bring sb in on sthg • (prendre pour partenaire) to make sb a partner in sthg. ■ **s'associer** *vp* 1. (prendre part) • **s'associer à qqch** (participer) to join OU participate in sthg • (partager) to share sthg 2. (collaborer) • **s'associer à** OU **avec qqn** to join forces with sb.

assoiffé, e *adj* 1. thirsty 2. • **assoiffé de pouvoir** fig power-hungry.

assombrir *vt* 1. (plonger dans l'obscurité) to darken 2. fig (attrister) to cast a shadow over. ■ **s'assombrir** *vp* 1. (devenir sombre) to grow dark 2. fig (s'attrister) to darken.

assommer *vt* 1. (frapper) to knock out 2. (ennuyer) to bore stiff.

Assomption *nf* • **l'Assomption** the Assumption.

assorti, e *adj* (accordé) • **bien assorti** well-matched • **mal assorti** ill-matched • **une cravate assortie au costume** a tie which matches the suit.

assortiment *nm* assortment, selection.

assortir *vt* (objets) • **assortir qqch à qqch** to match sthg to OU with sthg.

assoupi, e *adj* (endormi) dozing.

assoupir *vt* sout (enfant) to send to sleep. ■ **s'assoupir** *vp* (s'endormir) to doze off.

assouplir *vt* 1. (corps) to make supple 2. (matière) to soften 3. (règlement) to relax.

assourdir *vt* 1. (rendre sourd) to deafen 2. (amortir) to deaden, to muffle.

assouvir *vt* littéraire to satisfy.

assujettir *vt* 1. (peuple) to subjugate 2. (soumettre) • **assujettir qqn à qqch** to subject sb to sthg.

assumer *vt* 1. (fonction - exercer) to carry out 2. (risque, responsabilité) to accept 3. (condition) to come to terms with 4. (frais) to meet.

assurance *nf* 1. (gén) assurance 2. (contrat) insurance • **assurance maladie** health insurance ▪ **assurance tous risques** AUTO comprehensive insurance ▪ **assurance-vie** life assurance *(UK)*, life insurance *(US)*.

assuré, e *nm, f* policy holder ▪ **assuré social** National Insurance contributor *(UK)*, Social Security contributor *(US)*.

assurément *adv sout* certainly.

assurer *vt* 1. *(promettre)* ▪ **assurer à qqn que** to assure sb (that) ▪ **assurer qqn de qqch** to assure sb of sthg 2. *(permanence, liaison)* to provide 3. COMM to insure.
▪ **s'assurer** *vp* 1. *(vérifier)* ▪ **s'assurer que** to make sure (that) ▪ **s'assurer de qqch** to ensure sthg, to make sure of sthg 2. COMM ▪ **s'assurer (contre qqch)** to insure o.s. (against sthg) 3. *(obtenir)* ▪ **s'assurer qqch** to secure sthg.

astérisque *nm* asterisk.

asthme *nm* MÉD asthma.

asticot *nm* maggot.

astiquer *vt* to polish.

astre *nm* star.

astreignant, e *adj* demanding.

astreindre *vt* ▪ **astreindre qqn à qqch** to subject sb to sthg ▪ **astreindre qqn à faire qqch** to compel sb to do sthg.

astreint, e *pp* ▷ **astreindre**.

astringent, e *adj* astringent.

astrologie *nf* astrology.

astrologue *nm* astrologer.

astronaute *nmf* astronaut.

astronautique *nf* astronautics *(indénombrable)*.

astronomie *nf* astronomy.

astronomique *adj* astronomical.

astrophysicien, enne *adj* astrophysicist.

astuce *nf* 1. *(ruse)* (clever) trick 2. *(ingéniosité)* shrewdness *(indénombrable)*.

astucieux, euse *adj* 1. *(idée)* clever 2. *(personne)* shrewd.

asymétrique *adj* asymmetric, asymmetrical.

atelier *nm* 1. *(d'artisan)* workshop 2. *(de peintre)* studio.

athée ▪ *nmf* atheist. ▪ *adj* atheistic.

Athènes *npr* Athens.

athlète *nmf* athlete.

athlétisme *nm* athletics *(indénombrable) (UK)*, track and fields *(US)*.

atlantique *adj* Atlantic. ■ **Atlantique** *nm* ▪ **l'Atlantique** the Atlantic (Ocean).

atlas *nm* atlas.

atmosphère *nf* atmosphere.

atome *nm* atom.

atomique *adj* 1. *(gén)* nuclear 2. CHIM & PHYS atomic.

atomiseur *nm* spray.

atone *adj (inexpressif)* lifeless.

atout *nm* 1. *(carte)* trump ▪ **l'atout est à piques** spades are trumps 2. *fig (ressource)* asset, advantage.

âtre *nm littéraire* hearth.

atroce *adj* 1. *(crime)* atrocious, dreadful 2. *(souffrance)* horrific, atrocious.

atrocité *nf* 1. *(horreur)* atrocity 2. *(calomnie)* insult.

atrophier ■ **s'atrophier** *vp* to atrophy.

attabler ■ **s'attabler** *vp* to sit down (at the table).

attachant, e *adj* lovable.

attache *nf (lien)* fastening. ■ **attaches** *nfpl* links, connections.

attaché, e *nm, f* attaché ▪ **attaché de presse** *(diplomatique)* press attaché ▪ *(d'organisme, d'entreprise)* press officer.

attaché-case *nm* attaché case.

attachement *nm* attachment.

attacher ▪ *vt* 1. *(lier)* ▪ **attacher qqch (à)** to fasten OU tie sthg (to) ▪ *fig (associer)* to attach sthg (to) 2. *(paquet)* to tie up 3. *(lacet)* to do up 4. *(ceinture de sécurité)* to fasten. ▪ *vi* CULIN ▪ **attacher (à)** to stick (to).
■ **s'attacher** *vp* 1. *(émotionnellement)* ▪ **s'attacher à qqn/qqch** to become attached to sb/sthg 2. *(se fermer)* to fasten ▪ **s'attacher avec** OU **par qqch** to do up OU fasten with sthg 3. *(s'appliquer)* ▪ **s'attacher à qqch/à faire qqch** to devote o.s. to sthg/to doing sthg, to apply o.s. to sthg/to doing sthg.

attaquant, e *nm, f* attacker.

attaque *nf* 1. *(gén & MÉD)* attack 2. *fig* ▪ **attaque contre qqn/qqch** attack on sb/sthg.

attaquer *vt* 1. *(gén)* to attack 2. *(DR - personne)* to take to court ▪ *(- jugement)* to contest 3. *fam (plat)* to tuck into.

■ **s'attaquer** *vp* 1. *(combattre)* ▪ **s'attaquer à qqn** to attack sb 2. *fig* ▪ **s'attaquer à qqch** *(tâche)* to tackle sthg.

attardé, e *adj* 1. *(idées)* outdated 2. *(passants)* late 3. *vieilli (enfant)* backward.

attarder ■ **s'attarder** *vp* ▪ **s'attarder sur qqch** to dwell on sthg ▪ **s'attarder à faire qqch** to stay on to do sthg, to stay behind to do sthg.

atteindre *vt* 1. *(situation, objectif)* to reach 2. *(toucher)* to hit 3. *(affecter)* to affect.

atteint, e ▪ *pp* ▷ **atteindre**. ▪ *adj (malade)* ▪ **être atteint de** to be suffering from. ■ **atteinte** *nf* 1. *(préjudice)* ▪ **porter atteinte à** to undermine ▪ **hors d'atteinte** *(hors de portée)* out of reach ▪ *(inattaquable)* beyond reach 2. *(effet)* effect.

attelage *nm (chevaux)* team.

atteler *vt* 1. *(animaux, véhicules)* to hitch up 2. *(wagons)* to couple.

attelle *nf* splint.

attenant, e *adj* ▪ **attenant (à qqch)** adjoining (sthg).

attendre ▪ *vt* 1. *(gén)* to wait for ▪ **le déjeuner nous attend** lunch is ready ▪ **attendre que** (+ *subjonctif*) ▪ **attendre que la pluie s'arrête** to wait for the rain to stop ▪ **faire attendre qqn** *(personne)* to keep sb waiting 2. *(espérer)* ▪ **attendre qqch (de qqn/qqch)** to expect sthg (from sb/sthg) 3. *(suj : surprise, épreuve)* to be in store for. ▪ *vi* to wait ▪ **attends!** hang on!
■ **s'attendre** *vp* ▪ **s'attendre à** to expect. ■ **en attendant** *loc adv* 1. *(pendant ce temps)* meanwhile, in the meantime 2. *(quand même)* all the same.

attendrir *vt* 1. *(viande)* to tenderize 2. *(personne)* to move.
■ **s'attendrir** *vp* ▪ **s'attendrir (sur qqn/qqch)** to be moved by sb/sthg.

attendrissant, e *adj* moving, touching.

attendu, e *pp* ▷ **attendre**. ■ **attendu que** *loc conj* since, considering that.

attentat *nm* attack ▪ **attentat à la bombe** bomb attack, bombing.

attentat-suicide *nm* 1. suicide attack 2. *(à la bombe)* suicide bombing.

attente *nf* 1. *(station)* wait ▪ **en attente** in abeyance 2. *(espoir)* expectation ▪ **répondre aux attentes de qqn** to live up to sb's expectations.

À PROPOS DE...

attendre

Il serait très ennuyeux de commettre une grosse faute en traduisant un verbe aussi élémentaire qu'« attendre ». En effet, si on se fie à la ressemblance entre les deux mots, on pourrait être tenté d'utiliser *to attend* comme traduction. Or, *to attend* signifie le plus souvent « assister à », comme dans *will you be attending the seminar?*, « allez-vous assister au séminaire ? » C'est donc *to wait for* ou *to expect* qui traduiront le plus fidèlement « attendre ». Par exemple : « tu peux m'attendre ? », *can you wait for me?* ; « j'attends un coup de téléphone », *I'm expecting a phone call.*

attenter *vi* ▪ **attenter à** *(liberté, droit)* to violate ▪ **attenter à ses jours** to attempt suicide ▪ **attenter à la vie de qqn** to make an attempt on sb's life.

attentif, ive *adj (auditoire)* ▪ **attentif (à qqch)** attentive (to sthg).

attention ▪ *nf* 1. *(concentration)* attention ▪ **faire attention à** to pay attention to 2. *(prudence)* attention ▪ **à l'attention de** for the attention of ▪ **faire attention à** to be careful of. ▪ *interj* watch out!, be careful!

attentionné, e *adj* thoughtful.

attentivement *adv* attentively, carefully.

atténuer *vt* 1. *(douleur)* to ease 2. *(propos, ton)* to tone down 3. *(lumière)* to dim, to subdue 4. *(bruit)* to quieten.
■ **s'atténuer** *vp* 1. *(lumière)* to dim, to fade 2. *(bruit)* to fade 3. *(douleur)* to ease.

atterrer *vt* to stagger.

atterrir *vi* to land ▪ **atterrir dans qqch** *fig* to land up in sthg.

atterrissage *nm* landing.

attestation *nf (certificat)* certificate.

attester *vt* 1. *(confirmer)* to vouch for, to testify to 2. *(certifier)* to attest.

attirail *nm fam (équipement)* gear.

attirance *nf* attraction.

attirant, e *adj* attractive.

attirer *vt* 1. *(gén)* to attract 2. *(amener vers soi)* • **attirer qqn à/vers soi** to draw sb to/towards one 3. *(provoquer)* • **attirer des ennuis à qqn** to cause trouble for sb.
■ **s'attirer** *vp* • **s'attirer qqch** to bring sthg on o.s..

attiser *vt* 1. *(feu)* to poke 2. *fig (haine)* to stir up.

attitré, e *adj* 1. *(habituel)* usual 2. *(titulaire - fournisseur)* by appointment • *(- représentant)* accredited.

attitude *nf* 1. *(comportement, approche)* attitude 2. *(posture)* posture.

attouchement *nm* caress.

attractif, ive *adj* 1. *(force)* magnetic 2. *(prix)* attractive.

attraction *nf* 1. *(gén)* attraction 2. *(force)* • **attraction magnétique** magnetic force. ■ **attractions** *nfpl* 1. *(jeux)* amusements 2. *(spectacle)* attractions.

attrait *nm* 1. *(séduction)* appeal 2. *(intérêt)* attraction.

attrape-nigaud *nm* con.

attraper *vt* 1. *(gén)* to catch 2. *fam (gronder)* to tell off 3. *fam (avoir)* to get.

attrayant, e *adj* attractive.

attribuer *vt* 1. *(tâche, part)* • **attribuer qqch à qqn** to assign *ou* allocate sthg to sb, to assign *ou* allocate sb sthg • *(privilège)* to grant sthg to sb, to grant sb sthg • *(récompense)* to award sthg to sb, to award sb sthg 2. *(faute)* • **attribuer qqch à qqn** to attribute sthg to sb, to put sthg down to sb.
■ **s'attribuer** *vp* 1. *(s'approprier)* to appropriate (for o.s.) 2. *(revendiquer)* to claim (for o.s.).

attribut *nm* 1. *(gén)* attribute 2. GRAMM complement.

attribution *nf* 1. *(de prix)* awarding, award 2. *(de part, tâche)* allocation, assignment 3. *(d'avantage)* bestowal.
■ **attributions** *nfpl* *(fonctions)* duties.

attrister *vt* to sadden.
■ **s'attrister** *vp* to be saddened.

attroupement *nm* crowd.

attrouper ■ **s'attrouper** *vp* to form a crowd, to gather.

au ⊳ **à**.

aubade *nf* dawn serenade.

aubaine *nf* piece of good fortune.

aube *nf (aurore)* dawn, daybreak • **à l'aube** at dawn.

aubépine *nf* hawthorn.

auberge *nf (hôtel)* inn • **auberge de jeunesse** youth hostel.

aubergine *nf* 1. BOT aubergine (UK), eggplant (US) 2. *péj (contractuelle)* traffic warden (UK), meter maid (US).

aubergiste *nmf* innkeeper.

auburn *adj inv* auburn.

aucun, e ■ *adj indéf* 1. *(sens négatif)* • **ne... aucun** no • **il n'y a aucune voiture dans la rue** there aren't any cars in the street, there are no cars in the street • **sans faire aucun bruit** without making a sound 2. *(sens positif)* any • **il lit plus qu'aucun autre enfant** he reads more than any other child. ■ *pron indéf* 1. *(sens négatif)* none • **aucun des enfants** none of the children • **aucun d'entre nous** none of us • **aucun (des deux)** neither (of them) 2. *(sens positif)* • **plus qu'aucun de nous** more than any of us.

aucunement *adv* not at all, in no way.

audace *nf* 1. *(hardiesse)* daring, boldness 2. *(insolence)* audacity 3. *(innovation)* daring innovation.

audacieux, euse *adj* 1. *(projet)* daring, bold 2. *(personne, geste)* bold.

au-dedans *loc adv* inside. ■ **au-dedans de** *loc prép* inside.

au-dehors *loc adv* outside. ■ **au-dehors de** *loc prép* outside.

au-delà ■ *loc adv* 1. *(plus loin)* beyond 2. *(davantage, plus)* more. ■ *nm* • **l'au-delà** the hereafter, the afterlife. ■ **au-delà de** *loc prép* beyond.

au-dessous *loc adv* below, underneath. ■ **au-dessous de** *loc prép* below, under(neath).

au-dessus *loc adv* above. ■ **au-dessus de** *loc prép* above, over.

au-devant *loc adv* ahead. ■ **au-devant de** *loc prép* • **aller au-devant de** to go to meet • **aller au-devant du danger** to court danger.

audible *adj* audible.

audience *nf* 1. *(public, entretien)* audience 2. DR hearing.

Audimat *nm* audience rating, ≃ Nielsen® ratings (US).

audioguide *nf* audio guide, headset.

audionumérique *adj* digital audio.

audiovisuel, elle *adj* audiovisual. ■ **audiovisuel** *nm* TV and radio.

audit *nm* audit.

auditeur, trice *nm, f* listener. ■ **auditeur** *nm* **1.** UNIV ▪ **auditeur libre** auditor *(US), si vous voulez expliquer à un Britannique de quoi il s'agit, vous pouvez dire* it is someone who is allowed to go to lectures without being registered as a student **2.** FIN auditor.

audition *nf* **1.** *(fait d'entendre)* hearing **2.** DR examination **3.** THÉÂTRE audition **4.** MUS recital.

auditionner *vt & vi* to audition.

auditoire *nm (public)* audience.

auditorium *nm* **1.** *(de concert)* auditorium **2.** *(d'enregistrement)* studio.

auge *nf (pour animaux)* trough.

augmentation *nf* ▪ **augmentation (de)** increase (in) ▪ **augmentation (de salaire)** rise (UK) *ou* raise (US) (in salary).

augmenter ◼ *vt* **1.** to increase **2.** *(prix, salaire)* to raise **3.** *(personne)* to give a rise (UK) *ou* raise (US) to. ◼ *vi* to increase, to rise ▪ **le froid augmente** it's getting colder ▪ **la douleur augmente** the pain is getting worse.

augure *nm (présage)* omen ▪ **être de bon/mauvais augure** to be a good/bad sign.

aujourd'hui *adv* today.

aumône *nf* ▪ **faire l'aumône à qqn** to give alms to sb.

auparavant *adv* **1.** *(tout d'abord)* first (of all) **2.** *(avant)* before, previously.

auprès ◼ **auprès de** *loc prép* **1.** *(à côté de)* beside, next to **2.** *(comparé à)* compared with **3.** *(en s'adressant à)* to.

aurai, auras ⊳ **avoir.**

auréole *nf* **1.** ASTRON & RELIG halo **2.** *(trace)* ring.

auriculaire *nm* little finger.

aurore *nf* dawn.

ausculter *vt* MÉD to sound.

auspice *nm (gén pl)* sign, auspice ▪ **sous les auspices de qqn** under the auspices of sb.

---

aussi *adv*

1. PAREILLEMENT
▪ **je suis fatigué et lui aussi** I am tired and he is too *ou* so is he
▪ **j'étais en retard – Fabien aussi**

I was late – so was Fabien
▪ **lui aussi parle allemand** he speaks German *ou* as well
▪ **moi aussi** me too
▪ **j'y vais aussi** I'm going too *ou* as well

2. EN PLUS
▪ **elle parle aussi chinois** she also speaks Chinese
▪ **est-ce que tu veux aussi de la salade ?** do you want some salad too? *ou* do you want some salad as well?

3. À CE POINT
▪ **je n'ai jamais rien vu d'aussi beau** I've never seen anything so *ou* as beautiful
▪ **aussi incroyable que cela puisse paraître** incredible though *ou* as it may seem

4. INTRODUIT UNE COMPARAISON
▪ **maintenant, elle est aussi grande que sa sœur** she is as tall as her mother now
▪ **il n'est pas aussi intelligent que son frère** he's not as clever as his brother
▪ **viens aussi vite que tu peux !** come as soon as you can!

◼ **(tout) aussi bien** *loc adv*

just as easily, just as well
▪ **j'aurais pu (tout) aussi bien refuser** I could just as easily have said no.

◼ **aussi bien... que** *loc conj*

as well... as
▪ **tu le sais aussi bien que moi** you know as well as I do.

---

aussi bien que *conj*

EXPRIME LA CONSÉQUENCE
▪ **il est très fatigué, aussi a-t-il besoin de dormir beaucoup** he is very tired, therefore he needs to sleep a lot
▪ **cet appartement est très bien situé, aussi est-il très cher** this flat is very well located, consequently it is very expensive.

---

aussitôt *adv* immediately. ■ **aussitôt que** *loc conj* as soon as.

austère *adj* **1.** *(personne, vie)* austere **2.** *(vêtement)* severe **3.** *(paysage)* harsh.

austérité *nf* **1.** *(de personne, vie)* austerity **2.** *(de vêtement)* severeness **3.** *(de paysage)* harshness.

austral, e *adj* southern.

Australie *nf* ▪ **l'Australie** Australia.

australien, enne *adj* Australian. ■ **Australien, -enne** *nm, f* Australian.

autant *adv*

1. INTRODUIT UNE COMPARAISON
• **ce livre coûte autant que l'autre** this book costs as much as the other one
• **il y a autant de neige que l'année dernière** there is as much snow as last year
• **il a dépensé autant d'argent que moi** he spent as much money as I did
• **il y a autant de femmes que d'hommes** there are as many women as men

2. MARQUE L'INTENSITÉ, LE NOMBRE ÉLEVÉ
• **je ne savais pas qu'il y avait autant de travail à faire** I had no idea there was so much work to do
• **tu ne devrais pas travailler autant** you shouldn't work so much *ou* so hard
• **il peut pleurer autant qu'il veut, je ne l'aiderai pas** he can cry as much as he likes, I won't help him
• **je n'ai jamais vu autant de gens ici** I've never seen so many people here

3. IL VAUT MIEUX
• **autant dire la vérité** we/you may as well tell the truth

4. DANS DES EXPRESSIONS
• **j'aimerais bien en faire autant** I wouldn't mind doing the same
• **il ne peut pas en dire autant** he can't say the same.

■ **autant... autant** *loc corrélative*

• **autant l'histoire la passionne, autant la géographie l'ennuie** she is as passionate about history as she is bored by geography.

■ **d'autant mieux... que** *loc adv*

all the better
• **il a d'autant mieux compris qu'elle le lui avait déjà expliqué** he understood all the better given that she had already explained it to him once before.

■ **d'autant plus... que** *loc adv*

• **il est d'autant plus content qu'il ne s'attendait pas à une telle nouvelle** he was all the happier as he hadn't been expecting such good news.

■ **d'autant que** *loc conj*

• **je ne comprends pas cet accident, d'autant que la voiture était neuve** I don't understand this accident, especially seeing that the car was new.

■ **pour autant** *loc adv*

• **il a eu beau m'expliquer, je n'ai pas compris sa réaction pour autant** for all his explanations I still don't understand.

■ **pour autant que** *loc conj*

• **(pour) autant que je sache, il n'est pas encore arrivé** as far as I know he hasn't arrived yet.

autel *nm* altar.

auteur *nm* **1.** (*d'œuvre*) author **2.** (*responsable*) perpetrator.

authentique *adj* authentic, genuine.

autiste *adj* autistic.

auto *nf* car.

autobiographie *nf* autobiography.

autobronzant, e *adj* self-tanning.

autobus *nm* bus.

autocar *nm* coach (UK), bus (US).

autochtone *nmf & adj* native.

autocollant, e *adj* self-adhesive, sticky. ■ **autocollant** *nm* sticker.

autocouchettes *adj inv* • **train autocouchettes** car-sleeper train.

autocritique *nf* self-criticism.

autocuiseur *nm* pressure cooker.

autodéfense *nf* self-defence (UK), self-defense (US).

autodétruire ■ **s'autodétruire** *vp* (*machine, person*) to self-destruct.

autodidacte *nmf* self-taught person.

auto-école *nf* driving school.

autofinancement *nm* self-financing.

autofocus *nm & adj inv* autofocus.

autogestion *nf* (workers') self-management.

autographe *nm* autograph.

automate *nm* (*robot*) automaton.

automatique ■ *nm* **1.** (*pistolet*) automatic **2.** TÉLÉCOM ≃ direct dialling (UK) *ou* dialing (US). ■ *adj* automatic.

automatisation *nf* automation.

automatisme *nm* **1.** *(de machine)* automatic operation **2.** *(réflexe)* automatic reaction, automatism.

automédication *nf* self-medication.

automne *nm* autumn, fall *(US)* • **en automne** in the autumn, in the fall *(US)*.

automobile ◼ *nf* car, automobile *(US)*. ◼ *adj* **1.** *(industrie, accessoires)* car *(avant nom)*, automobile *(avant nom)* *(US)* **2.** *(véhicule)* motor *(avant nom)*.

automobiliste *nmf* driver, motorist.

autonettoyant, e *adj* self-cleaning.

autonome *adj* **1.** *(gén)* autonomous, independent **2.** *(appareil)* self-contained.

autonomie *nf* **1.** *(indépendance)* autonomy, independence **2.** AUTO *(aviation)* range **3.** POLIT autonomy, self-government.

autonomiste *nmf* & *adj* separatist.

autoportrait *nm* self-portrait.

autopsie *nf* post-mortem, autopsy.

autoradio *nm* car radio.

autorail *nm* railcar.

autorisation *nf* **1.** *(permission)* permission, authorization • **avoir l'autorisation de faire qqch** to be allowed to do sthg **2.** *(attestation)* pass, permit.

autorisé, e *adj* *(personne)* in authority • **milieux autorisés** official circles.

autoriser *vt* to authorize, to permit • **autoriser qqn à faire qqch** *(permission)* to give sb permission to do sthg • *(possibilité)* to permit *ou* allow sb to do sthg.

autoritaire *adj* authoritarian.

autorité *nf* authority • **faire autorité** *(ouvrage)* to be authoritative • *(personne)* to be an authority.

autoroute *nf* **1.** motorway *(UK)*, freeway *(US)* **2.** • **autoroute de l'information** INFORM information highway *ou* superhighway.

auto-stop *nm* hitchhiking, hitching.

auto-stoppeur, euse *nm, f* hitchhiker, hitcher.

autour *adv* around, round *(UK)*. ◼ **autour de** *loc prép* **1.** *(sens spatial)* around, round *(UK)* **2.** *(sens temporel)* about, around.

autre ◼ *adj indéf* **1.** *(distinct, différent)* other, different • **je préfère une autre marque de café** I prefer another *ou* a different brand of coffee • **l'un et l'autre projets** both projects • **autre chose** something else **2.** *(supplémentaire)* other • **tu veux une autre tasse de café?** would you like another cup of coffee? **3.** *(qui reste)* other, remaining • **les autres passagers ont été rapatriés en autobus** the other *ou* remaining passengers were bussed home. ◼ *pron indéf* • **l'autre** the other (one) • **un autre** another (one) • **les autres** *(personnes)* the others • *(objets)* the others, the other ones • **l'un à côté de l'autre** side by side • **d'une semaine à l'autre** from one week to the next • **aucun autre, nul autre, personne d'autre** no one else, nobody else • **quelqu'un d'autre** somebody else, someone else • **rien d'autre** nothing else • **l'un et l'autre sont venus** they both came, both of them came • **l'un ou l'autre ira** one or other (of them) will go • **ni l'un ni l'autre n'est venu** neither (of them) came.

À PROPOS DE... **autre**

Lorsque *other* est un adjectif au pluriel, il est invariable, comme les autres adjectifs anglais (*other people* ; *other towns*). Lorsque c'est un pronom, en revanche, il prend un "*-s*" (*where are the others?*).
Quand *other* est précédé de *a* ou *an*, les deux mots se fondent en un seul : *another*.

autrefois *adv* in the past, formerly.

autrement *adv* **1.** *(différemment)* otherwise, differently • **je n'ai pas pu faire autrement que d'y aller** I had no choice but to go • **autrement dit** in other words **2.** *(sinon)* otherwise.

Autriche *nf* • **l'Autriche** Austria.

autrichien, enne *adj* Austrian. ◼ **Autrichien, enne** *nm, f* Austrian.

autruche *nf* ostrich.

autrui *pron indéf inv* others, other people.

auvent *nm* canopy.

aux ⮕ **à**.

auxiliaire ◼ *nmf* *(assistant)* assistant. ◼ *nm* GRAMM auxiliary (verb). ◼ *adj* **1.** *(secondaire)* auxiliary **2.** ADMIN assistant *(avant nom)*.

av. *abrév de* **avenue**.

avachi, e *adj* **1.** *(gén)* misshapen **2.** *(personne)* listless • **il était avachi dans un fauteuil** he was slumped in an armchair.

aval, als *nm* backing *(indénombrable)*, endorsement. ■ **en aval** *loc adv litt & fig* downstream.

avalanche *nf litt & fig* avalanche.

avaler *vt* **1.** *(gén)* to swallow **2.** *fig (supporter)* to take • **dur à avaler** difficult to swallow.

avance *nf* **1.** *(progression, somme d'argent)* advance **2.** *(distance, temps)* lead • **le train a dix minutes d'avance** the train is ten minutes early • **le train a une avance de dix minutes sur l'horaire** the train is running ten minutes ahead of schedule • **prendre de l'avance (dans qqch)** to get ahead (in sthg). ■ **avances** *nfpl* • **faire des avances à qqn** to make advances towards sb. ■ **à l'avance** *loc adv* in advance. ■ **d'avance** *loc adv* in advance. ■ **en avance** *loc adv* • **être en avance** to be early • **être en avance sur qqch** to be ahead of sthg. ■ **par avance** *loc adv* in advance.

avancement *nm* **1.** *(développement)* progress **2.** *(promotion)* promotion.

avancer ■ *vt* **1.** *(objet, tête)* to move forward **2.** *(date, départ)* to bring forward **3.** *(main)* to hold out **4.** *(projet, travail)* to advance **5.** *(montre, horloge)* to put forward **6.** *(argent)* • **avancer qqch à qqn** to advance sb sthg. ■ *vi* **1.** *(approcher)* to move forward **2.** *(progresser)* to advance • **avancer dans qqch** to make progress in sthg **3.** *(faire saillie)* • **avancer (dans/sur)** to jut out (into/over), to project (into/over) **4.** *(montre, horloge)* • **ma montre avance de dix minutes** my watch is ten minutes fast **5.** *(servir)* • **ça n'avance à rien** that won't get us/you anywhere. ■ **s'avancer** *vp* **1.** *(s'approcher)* to move forward • **s'avancer vers qqn/qqch** to move towards sb/sthg **2.** *(s'engager)* to commit o.s..

avant ■ *prép* before. ■ *adv* before • **quelques jours avant** a few days earlier *ou* before • **tu vois le cinéma ? ma maison se situe un peu avant** do you know the cinema? my house is just this side of it. ■ *adj inv* front • **les roues avant** the front wheels. ■ *nm* **1.** *(partie antérieure)* front **2.** SPORT forward. ■ **avant de** *loc prép* • **avant de faire qqch** before

doing sthg • **avant de partir** before leaving. ■ **avant que** *loc conj* (+ *subjonctif)* • **je dois te parler avant que tu partes** I must speak to you before you leave. ■ **avant tout** *loc adv* above all • **sa carrière passe avant tout** his career comes first. ■ **en avant** *loc adv* forward, forwards.

avantage *nm* *(gén & TENNIS)* advantage • **se montrer à son avantage** to look one's best.

avantager *vt* **1.** *(favoriser)* to favour (UK), to favor (US) **2.** *(mettre en valeur)* to flatter.

avantageux, euse *adj* **1.** *(profitable)* profitable, lucrative **2.** *(flatteur)* flattering.

avant-bras *nm inv* forearm.

avant-centre *nm* centre (UK) *ou* center (US) forward.

avant-coureur ▷ **signe**.

avant-dernier, ère *adj* second to last, penultimate.

avant-garde *nf* **1.** MIL vanguard **2.** *(idées)* avant-garde.

avant-goût *nm* foretaste.

avant-hier *adv* the day before yesterday.

avant-première *nf* preview.

avant-projet *nm* pilot study.

avant-propos *nm inv* foreword.

avant-veille *nf* • **l'avant-veille** two days earlier.

avare ■ *nmf* miser. ■ *adj* miserly • **être avare de qqch** *fig* to be sparing with sthg.

avarice *nf* avarice.

avarie *nf* damage *(indénombrable)*.

avarié, e *adj* *(aliment)* rotting, bad.

avatar *nm* *(transformation)* metamorphosis. ■ **avatars** *nmpl fam (mésaventures)* misfortunes.

avec ■ *prép* **1.** *(gén)* with • **avec respect** with respect, respectfully • **c'est fait avec du cuir** it's made from leather • **et avec ça ?, et avec ceci ?** *fam (dans un magasin)* anything else? **2.** *(vis-à-vis de)* to, towards (UK), toward (US). ■ *adv fam* with it/him *etc* • **tiens mon sac, je ne peux pas courir avec !** hold my bag: I can't run with it!

Ave (Maria) *nm inv* Hail Mary.

avenant, e *adj* pleasant. ■ **avenant** *nm* DR additional clause. ■ **à l'avenant** *loc adv* in the same vein.

avènement *nm* **1.** *(d'un roi)* accession **2.** *fig (début)* advent.

avenir *nm* future ∘ **avoir de l'avenir** to have a future ∘ **d'avenir** *(profession, concept)* with a future, with prospects. ∎ **à l'avenir** *loc adv* in future.

Avent *nm* ∘ **l'Avent** Advent.

aventure *nf* **1.** *(gén)* adventure **2.** *(liaison amoureuse)* affair.

aventurer *vt (risquer)* to risk. ∎ **s'aventurer** *vp* to venture (out) ∘ **s'aventurer à faire qqch** *fig* to venture to do sthg.

aventureux, euse *adj* **1.** *(personne, vie)* adventurous **2.** *(projet)* risky.

aventurier, ère *nm, f* adventurer.

avenu, e *adj* ∘ **nul et non avenu** DR null and void.

avenue *nf* avenue.

avérer ∎ **s'avérer** *vp* ∘ **il s'est avéré (être) à la hauteur** he proved (to be) up to it ∘ **il s'est avéré (être) un musicien accompli** he proved to be an accomplished musician.

averse *nf* downpour ∘ **averse de neige** snowflurry.

averti, e *adj* **1.** *(expérimenté)* experienced **2.** *(initié)* ∘ **averti (de)** (well-)informed (about).

avertir *vt* **1.** *(mettre en garde)* to warn **2.** *(prévenir)* to inform ∘ **avertissez-moi dès que possible** let me know as soon as possible.

avertissement *nm* **1.** *(gén)* warning **2.** *(avis)* notice, notification.

avertissement

Bien qu'« avertissement » et *advertisement* soient très proches en apparence, ils possèdent des sens très différents, et il faudra bien faire attention à ne pas traduire l'un par l'autre. Par exemple, si l'on dit *there are too many advertisements on television*, cela signifie qu'il y a trop de *publicité(s)* à la télévision. En revanche, si l'on veut traduire une phrase telle que « le professeur lui a donné un avertissement », il faudra dire *she got a warning from the teacher*.

avertisseur, euse *nm* **1.** *(Klaxon)* horn **2.** *(d'incendie)* alarm.

aveu *nm* confession.

aveugle ∎ *nmf* blind person ∘ **les aveugles** the blind. ∎ *adj litt & fig* blind.

aveuglement *nm* blindness.

aveuglément *adv* blindly.

aveugler *vt litt & fig (priver de la vue)* to blind.

aveuglette ∎ **à l'aveuglette** *loc adv* ∘ **marcher à l'aveuglette** to grope one's way ∘ **avancer à l'aveuglette** *fig* to be in the dark.

aviateur, trice *nm, f* aviator.

aviation *nf* **1.** *(transport aérien)* aviation **2.** MIL airforce.

avide *adj* **1.** *(vorace, cupide)* greedy **2.** *(désireux)* ∘ **avide (de qqch/de faire qqch)** eager (for sthg/to do sthg).

avidité *nf* **1.** *(voracité, cupidité)* greed **2.** *(passion)* eagerness.

avilir *vt (personne)* to degrade. ∎ **s'avilir** *vp* **1.** *(personne)* to demean o.s. **2.** *(monnaie, marchandise)* to depreciate.

aviné, e *adj* **1.** *(personne)* inebriated **2.** *(haleine)* smelling of alcohol.

avion *nm* plane, aeroplane *(UK)*, airplane *(US)* ∘ **en avion** by plane, by air ∘ **par avion** *(courrier)* airmail ∘ **avion à réaction** jet (plane).

aviron *nm* **1.** *(rame)* oar **2.** SPORT ∘ **l'aviron** rowing.

avis *nm* **1.** *(opinion)* opinion ∘ **changer d'avis** to change one's mind ∘ **être d'avis que** to think that, to be of the opinion that ∘ **à mon avis** in my opinion **2.** *(conseil)* advice *(indénombrable)* **3.** *(notification)* notification, notice ∘ **sauf avis contraire** unless otherwise informed ∘ **avis de recherche** *(d'un criminel)* wanted poster ∘ *(d'un disparu)* missing person poster.

Voir encadré page suivante.

avisé, e *adj (sensé)* sensible ∘ **être bien/mal avisé de faire qqch** to be well-advised/ill-advised to do sthg.

aviser ∎ *vt (informer)* ∘ **aviser qqn de qqch** to inform sb of sthg. ∎ *vi* to reassess the situation. ∎ **s'aviser** *vp* **1.** *sout (s'apercevoir)* ∘ **s'aviser de qqch** to notice sthg **2.** *(oser)* ∘ **s'aviser de faire qqch** to take it into one's head to do sthg ∘ **ne t'avise pas de répondre !** don't you dare answer me back!

À PROPOS DE...

avis

Étant donné la ressemblance orthographique entre ces deux mots, il serait tentant de traduire « avis » par *advice*, d'autant qu'il existe aussi une certaine similitude de sens. En effet, *advice* se traduit par « conseils », ou « conseil » pris dans son sens général : *he asked his father for advice*, « il a demandé conseil à son père ». Pour traduire « avis » au sens d'« opinion », on utilisera justement le mot anglais *opinion* : « quel est ton avis sur la question ? », *what's your opinion on the matter?* Si « avis » est le sens d'« annonce », son équivalent est *notice, announcement* : « tous les vols sont suspendus jusqu'à nouvel avis », *all flights are suspended until further notice.*

av. J.-C. (*abr écrite de* **avant Jésus-Christ**) BC.

avocat, e *nm, f* DR barrister *(UK)*, attorney-at-law *(US)* • **avocat de la défense** counsel for the defence *(UK)*, defense counsel *(US)* • **avocat général** ≃ counsel for the prosecution *(UK)*, ≃ prosecuting attorney *(US)*. ■ **avocat** *nm (fruit)* avocado.

avoine *nf* oats *pl.*

avoir *nm* **1.** *(fortune, biens)* • **il a investi tout son avoir dans cette affaire** he invested all his assets in this business **2.** *(document)* • **vous pouvez me faire un avoir?** can you give me a credit note?

avoir *v aux*

• **j'ai fini** I have finished
• **il a attendu pendant deux heures** he waited for two hours.

avoir *vt*

1. POSSÉDER

• **il a une nouvelle voiture** he has got a new car
• **as-tu un vélo?** have you got a bike? *ou* do you have a bike?
• **il a deux enfants** he has (got) two children
• **je n'ai pas beaucoup d'amis** I haven't got many friends *ou* I don't have many friends

• **la maison a un grand jardin** the house has (got) a large garden

2. INDIQUE UNE CARACTÉRISTIQUE

• **il a les cheveux bruns** he has (got) brown hair
• **il a de l'ambition** he has (got) ambition *ou* he is ambitious

3. ÊTRE ÂGÉ DE

• **il a 20 ans** he is 20 (years old)
• **il a deux ans de plus que son frère** he is two years older than his brother

4. OBTENIR

• **il a eu son permis de conduire** he got his driver's licence
• **il a eu une montre pour son anniversaire** he got a watch for his birthday

5. ÉPROUVER

• **j'ai faim/soif** I'm hungry/thirsty
• **j'ai de la sympathie pour cet homme** I have a liking for this man
• **j'ai sommeil** I feel sleepy *ou* I'm sleepy

6. PORTER, EN PARLANT D'UN VÊTEMENT

• **aujourd'hui, elle a une jupe grise et un pull noir** today she's wearing a grey skirt and a black pullover

7. EN PARLANT D'UNE MALADIE

• **il a la rougeole** he's got measles
• **Delphine a la grippe** Delphine has (got) flu

8. FAIRE

• **il eut un geste d'agacement** he made an irritated gesture
• **elle eut un sourire timide** she smiled shyly *ou* she gave a shy smile

9. DANS DES EXPRESSIONS

• **se faire avoir** to be had *ou* conned
• **en avoir assez (de qqch/de faire qqch)** to have had enough (of sthg/of doing sthg)
• **j'en ai pour cinq minutes** it'll take me five minutes
• **en avoir après qqn** to have (got) it in for sb.

■ **avoir à** *v + prép*

DEVOIR

• **tu n'avais pas à lui parler sur ce ton** there was no need to speak to him like that, you shouldn't have spoken to him like that
• **tu n'avais qu'à me demander** you only had to ask me
• **tu n'as qu'à y aller toi-même** just go (there) yourself, why don't you just go (there) yourself?

■ **il y a** *v impers*

1. PRÉSENTATIF
- **il y a un problème** there's a problem
- **il y avait des problèmes** there were (some) problems
- **qu'est-ce qu'il y a ?** what's the matter?, what is it?

2. TEMPOREL
- **il est mort il y a trois ans** he died three years ago
- **il y a longtemps de cela** that was a long time ago
- **il y a longtemps qu'il est parti** he left a long time ago.

À PROPOS DE...

il y a

Les expressions *there is* et *there are* correspondent toutes deux à "il y a". N'oubliez pas, toutefois, que *there is* s'applique uniquement aux noms singuliers (*there's a large white cat in the window*) et *there are* aux noms au pluriel (*there are only four cookies left*). Cette règle est valable pour tous les temps (*there have been a few changes recently*).

avoisinant, e *adj* • **1.** *(lieu, maison)* neighbouring *(UK)*, neighboring *(US)* **2.** *(sens, couleur)* similar.

avortement *nm* MÉD abortion.

avorter *vi* **1.** MÉD • **(se faire) avorter** to have an abortion **2.** *(échouer)* to fail.

avorton *nm péj (nabot)* runt.

avouer *vt* **1.** *(confesser)* to confess (to) **2.** *(reconnaître)* to admit.

avril *nm* April. • *voir aussi* **septembre**

axe *nm* **1.** GÉOM & PHYS axis **2.** *(de roue)* axle **3.** *(prolongement)* • **dans l'axe de** directly in line with.

axer *vt* • **axer qqch sur qqch** to centre *(UK)* ou center *(US)* sthg on sthg • **axer qqch autour de qqch** to centre *(UK)* ou center *(US)* sthg around sthg.

axiome *nm* axiom.

azalée *nf* azalea.

azimut ■ **tous azimuts** *loc adj (défense, offensive)* all-out.

azote *nm* nitrogen.

azur *nm littéraire* **1.** *(couleur)* azure **2.** *(ciel)* skies *pl*.

b, B *nm inv* b, B. ∎ **B** *(abr écrite de* **bien)** ≃ B + .

BA *(abr de* **bonne action)** *nf fam* good deed.

babiller *vi* to babble.

babines *nfpl* chops.

bâbord *nm* port ∘ **à bâbord** to port, on the port side.

babouin *nm* baboon.

baby-sitter *nmf* baby-sitter.

baby-sitting *nm* baby-sitting ∘ **faire du baby-sitting** to baby-sit.

bac *nm* **1.** *fam* SCOL ≃ A levels *(UK)*, ≃ high school diploma *(US)* ∘ **bac +** *pour expliquer à un anglophone de quoi il s'agit, vous pouvez dire* this indicates how many years of higher education you have completed after leaving school. For example, bac + 2 means you have done 2 years at college or university **2.** *(bateau)* ferry **3.** *(de réfrigérateur)* ∘ **bac à glace** ice-cube tray ∘ **bac à légumes** vegetable drawer **4.** *(d'imprimante, de photocopieuse)* ∘ **bac à papier** paper tray.

baccalauréat *nm* ≃ A levels *(UK)*, ≃ high school diploma *(US)*.

bâche *nf (toile)* tarpaulin.

bacille *nm* bacillus.

bâcler *vt* to botch.

bactérie *nf* bacterium.

badaud, e *nm, f* **1.** *(curieux)* curious onlooker **2.** *(promeneur)* stroller.

badge *nm* **1.** *(insigne)* badge **2.** *(document d'identité)* swipe card.

badgeuse *nf* swipe card reader.

badigeonner *vt (mur)* to whitewash.

badiner *vi sout* to joke ∘ **ne pas badiner avec qqch** not to treat sthg lightly.

badminton *nm* badminton.

baffe *nf fam* slap.

baffle *nm* speaker.

bafouiller *vi & vt* to mumble.

bâfrer *fam vi* to guzzle.

bagage *nm* **1.** *(gén pl) (valises, sacs)* luggage *(indénombrable)*, baggage *(indénombrable)* ∘ **faire ses bagages** to pack ∘ **bagages à main** hand luggage **2.** *(connaissances)* (fund of) knowledge ∘ **bagage intellectuel/culturel** intellectual/cultural baggage.

bagagiste *nmf* **1.** *(chargement des avions)* baggage handler **2.** *(à l'hôtel)* porter **3.** *(fabricant)* travel goods manufacturer.

bagarre *nf* brawl, fight.

bagarrer *vi* to fight.
∎ **se bagarrer** *vp* to fight.

bagatelle *nf* **1.** *(objet)* trinket **2.** *(somme d'argent)* ∘ **acheter qqch pour une bagatelle** to buy sthg for next to nothing ∘ **la bagatelle de X euros** *iron* a mere X euros **3.** *(chose futile)* trifle.

baggy *nm* baggy pants *pl*.

bagnard *nm* convict.

bagne *nm (prison)* labour *(UK)* ou labor *(US)* camp.

bagnole *nf fam* car.

bague *nf* **1.** *(bijou, anneau)* ring ∘ **bague de fiançailles** engagement ring **2.** TECHNOL ∘ **bague de serrage** clip.

baguer *vt (oiseau, arbre)* to ring.

baguette *nf* **1.** *(pain)* baguette, French stick *(UK)* **2.** *(petit bâton)* stick ∘ **baguette magique** magic wand ∘ **baguette de tambour** drumstick ∘ **mener qqn à la baguette** to rule sb with a rod of iron **3.** *(pour manger)* chopstick **4.** *(de chef d'orchestre)* baton.

bahut *nm* **1.** *(buffet)* sideboard **2.** *arg scol (lycée)* secondary school.

baie *nf* **1.** *(fruit)* berry **2.** GÉOGR bay **3.** *(fenêtre)* ∘ **baie vitrée** picture ou bay window.

baignade *nf (action)* swimming *(indénombrable)*, bathing *(indénombrable)* ∘ **'baignade interdite'** 'no swimming/bathing'.

baigner ∎ *vt* **1.** *(donner un bain à)* to bath *(UK)*, to bathe *(US)* **2.** *(tremper, remplir)* to

bathe ▪ **baigné de soleil** bathed in sunlight. ◼ *vi* ▪ **baigner dans son sang** to lie in a pool of blood ▪ **les tomates baignaient dans l'huile** the tomatoes were swimming in oil.
◼ **se baigner** *vp* **1.** *(dans la mer)* to go swimming, to swim **2.** *(dans une baignoire)* to have *(UK)* ou take a bath.

baigneur, euse *nm, f* swimmer, bather. ◼ **baigneur** *nm (poupée)* baby doll.

baignoire *nf* bath *(UK)*, bathtub *(US)*.

bail *nm* DR lease.

bâillement *nm* yawning *(indénombrable)*, yawn.

bâiller *vi* **1.** *(personne)* to yawn **2.** *(vêtement)* to gape.

bailleur, eresse *nm, f* lessor ▪ **bailleur de fonds** backer.

bâillon *nm* gag.

bâillonner *vt* to gag.

bain *nm* **1.** *(gén)* bath ▪ **prendre un bain** to have *(UK)* ou take a bath ▪ **bain moussant** foaming bath oil ▪ **bain à remous** spa bath, whirlpool bath ▪ **bains-douches** public baths **2.** *(dans mer, piscine)* swim ▪ **bain de mer** swimming ou bathing in the sea ▪ **prendre un bain de soleil** to sunbathe.

bain-marie *nm* ▪ **au bain-marie** in a bain-marie.

baïonnette *nf* **1.** *(arme)* bayonet **2.** ÉLECTR bayonet fitting.

baiser *nm* kiss.

baisse *nf* **1.** *(gén)* ▪ **baisse (de)** drop (in), fall (in) ▪ **en baisse** falling **2.** ÉCON falling off ▪ **la tendance est à la baisse** there is a downward trend.

baisser ◼ *vt* **1.** *(gén)* to lower **2.** *(radio)* to turn down. ◼ *vi* **1.** *(descendre)* to go down ▪ **le jour baisse** it's getting dark **2.** *(santé, vue)* to fail **3.** *(prix)* to fall.
◼ **se baisser** *vp* to bend down.

bajoues *nfpl* jowls.

bal *nm* ball ▪ **bal masqué/costumé** masked/fancy-dress ball ▪ **bal musette** dance with accordion music.

balade *nf fam* stroll.

balader *vt* **1.** *fam (traîner avec soi)* to trail around **2.** *(emmener en promenade)* to take for a walk.
◼ **se balader** *vp fam (se promener - à pied)* to go for a walk ▪ *(- en voiture)* to go for a drive.

baladeur, euse *adj* wandering. ◼ **baladeur** *nm* personal stereo.

balafre *nf* **1.** *(blessure)* gash **2.** *(cicatrice)* scar.

balafré, e *adj* scarred.

balai *nm* **1.** *(de nettoyage)* broom, brush **2.** *fam (an)* ▪ **il a 50 balais** he's 50 years old.

balai-brosse *nm* (long-handled) scrubbing *(UK)* ou scrub *(US)* brush.

balance *nf* **1.** *(instrument)* scales *pl* **2.** COMM & POLIT balance. ◼ **Balance** *nf* ASTROL Libra.

balancer *vt* **1.** *(bouger)* to swing **2.** *fam (lancer)* to chuck **3.** *fam (jeter)* to chuck out.
◼ **se balancer** *vp* **1.** *(sur une chaise)* to rock backwards and forwards **2.** *(sur une balançoire)* to swing **3.** *fam* ▪ **se balancer de qqch** not to give a damn about sthg.

balancier *nm* **1.** *(de pendule)* pendulum **2.** *(de funambule)* pole.

balançoire *nf* **1.** *(suspendue)* swing **2.** *(bascule)* seesaw.

balayage *nm* **1.** *(gén)* sweeping **2.** TECHNOL scanning.

balayer *vt* **1.** *(nettoyer)* to sweep **2.** *(chasser)* to sweep away **3.** *(suj : radar)* to scan **4.** *(suj : projecteurs)* to sweep (across).

balayette *nf* small brush.

balayeur, euse *nm, f* roadsweeper *(UK)*, street cleaner. ◼ **balayeuse** *nf (machine)* roadsweeper *(UK)*, street cleaner.

balbutier ◼ *vi (bafouiller)* to stammer. ◼ *vt (bafouiller)* to stammer (out).

balcon *nm* **1.** *(de maison - terrasse)* balcony ▪ *(- balustrade)* parapet **2.** *(de théâtre, de cinéma)* circle.

balconnet *nm* ▪ **soutien-gorge à balconnet** half-cup bra.

baldaquin *nm* ▷ **lit.**

baleine *nf* **1.** *(mammifère)* whale **2.** *(de corset)* whalebone **3.** *(de parapluie)* rib.

balise *nf* **1.** NAUT marker (buoy) **2.** AÉRON runway light **3.** AUTO road sign **4.** INFORM tag.

baliser *vt* to mark out.

balivernes *nfpl* nonsense *(indénombrable)*.

Balkans *nmpl* ▪ **les Balkans** the Balkans.

ballade *nf* ballad.

ballant, e *adj* ▪ **les bras ballants** arms dangling.

ballast *nm* **1.** *(chemin de fer)* ballast **2.** NAUT ballast tank.

balle *nf* **1.** *(d'arme à feu)* bullet ▪ **balle perdue** stray bullet **2.** *(de jeu)* ball **3.** *(de marchandises)* bale.

ballerine *nf* **1.** *(danseuse)* ballerina **2.** *(chaussure)* ballet shoe.

ballet *nm* **1.** *(gén)* ballet **2.** fig *(activité intense)* to-ing and fro-ing.

ballon *nm* **1.** *(jeux & sport)* ball ▪ **ballon de football** football *(UK)*, soccer ball *(US)* **2.** *(montgolfière, de fête)* balloon **3.** AÉRON (hot-air) balloon **4.** CHIM round-bottomed flask.

ballonné, e *adj* ▪ **avoir le ventre ballonné, être ballonné** to be bloated.

ballot *nm* **1.** *(de marchandises)* bundle **2.** vieilli *(imbécile)* twit.

ballottage *nm* POLIT second ballot ▪ **en ballottage** standing for a second ballot *(UK)*, running in the secound round *(US)*.

ballotter ■ *vt* to toss about. ■ *vi (chose)* to roll around.

ballottine *nf* ▪ **ballottine de foie gras** *si vous souhaitez expliquer à un anglophone de quoi il s'agit, vous pouvez dire* it is a meat roll made with foie gras.

ball-trap *nm* clay pigeon shooting.

balluchon = **baluchon**.

balnéaire *adj* ▪ **station balnéaire** seaside resort.

balourd, e *adj* clumsy.

balte *adj* Baltic. ■ **Balte** *nmf* person from the Baltic states.

Baltique *nf* ▪ **la Baltique** the Baltic (Sea).

baluchon, balluchon *nm* bundle ▪ **faire son baluchon** fam to pack one's bags (and leave).

balustrade *nf* **1.** *(de terrasse)* balustrade **2.** *(rambarde)* guardrail.

bambin *nm* kiddie.

bambou *nm (plante)* bamboo.

ban *nm (de mariage)* ▪ **publier** *ou* **afficher les bans** to publish *ou* display the banns ▪ **être/mettre qqn au ban de la société** to be outlawed/to outlaw sb (from society) ▪ **le ban et l'arrière-ban** the whole lot of them.

banal, e *adj* commonplace, banal.

banaliser *vt (véhicule)* to remove the markings from.

banalité *nf* **1.** *(caractère banal)* banality **2.** *(cliché)* commonplace.

banane *nf* **1.** *(fruit)* banana **2.** *(sac)* bumbag *(UK)*, fanny pack *(US)* **3.** *(coiffure)* quiff *(UK)*.

bananier, ère *adj* banana *(avant nom)*. ■ **bananier** *nm* **1.** *(arbre)* banana tree **2.** *(cargo)* banana boat.

banc *nm (siège)* bench ▪ **le banc des accusés** DR the dock ▪ **banc d'essai** test-bed ▪ **être au banc d'essai** fig to be at the test stage ▪ **banc de sable** sandbank.

bancaire *adj* bank *(avant nom)*, banking *(avant nom)*.

bancal, e *adj* **1.** *(meuble)* wobbly **2.** *(théorie, idée)* unsound.

bandage *nm (de blessé)* bandage.

bande *nf* **1.** *(de tissu, de papier)* strip ▪ **bande dessinée** comic strip **2.** *(bandage)* bandage ▪ **bande Velpeau**® crepe bandage **3.** *(de billard)* cushion ▪ **par la bande** fig by a roundabout route **4.** *(groupe)* band ▪ **en bande** in a group **5.** *(pellicule de film)* film **6.** *(d'enregistrement)* tape ▪ **bande magnétique** (magnetic) tape ▪ **bande originale** CINÉ original soundtrack ▪ **bande vidéo** video(tape) **7.** *(voie)* ▪ **bande d'arrêt d'urgence** hard shoulder *(UK)*, shoulder *(US)* **8.** RADIO ▪ **bande de fréquence** waveband **9.** NAUT ▪ **donner de la bande** to list.

bande-annonce *nf* trailer.

bandeau *nm* **1.** *(sur les yeux)* blindfold **2.** *(dans les cheveux)* headband.

bandelette *nf* strip (of cloth).

bander ■ *vt* **1.** MÉD to bandage ▪ **bander les yeux de qqn** to blindfold sb **2.** *(arc)* to draw back **3.** *(muscle)* to flex. ■ *vi* vulg to have a hard-on.

banderole *nf* streamer.

bande-son *nf* soundtrack.

bandit *nm (voleur)* bandit.

banditisme *nm* serious crime.

bandoulière *nf* bandolier ▪ **en bandoulière** across the shoulder.

banlieue *nf* suburbs *pl*.

banlieusard, e *nm, f* suburbanite.

bannière *nf (étendard)* banner.

bannir *vt* ▪ **bannir qqn/qqch (de)** to banish sb/sthg (from).

banque *nf* **1.** *(activité)* banking **2.** *(établissement, au jeu)* bank ▪ **Banque centrale européenne** European Central Bank **3.** INFORM ▪ **banque de données** data bank **4.** MÉD ▪ **banque d'organes/du sang/du sperme** organ/blood/sperm bank.

banqueroute *nf* bankruptcy ▪ **faire banqueroute** to go bankrupt.

banquet *nm* **1.** (celebration) dinner **2.** *(de gala)* banquet.

banquette *nf* seat.

banquier, ère *nm, f* banker.

banquise *nf* ice field.

baptême *nm* **1.** RELIG baptism, christening **2.** *(première fois)* ▪ **baptême de l'air** maiden flight.

baptiser *vt* to baptize, to christen.

baquet *nm* *(cuve)* tub.

bar *nm* **1.** *(café, unité de pression)* bar **2.** *(poisson)* bass.

baraque *nf* **1.** *(cabane)* hut **2.** *fam (maison)* house **3.** *(de forain)* stall, stand.

baraqué, e *adj fam* well-built.

baraquement *nm* camp *(of huts for refugees, workers etc).*

baratin *nm fam* smooth talk ▪ **faire du baratin à qqn** to sweet-talk sb.

baratiner *fam* ◼ *vt* **1.** *(femme)* to chat up *(UK)*, to sweet-talk **2.** *(client)* to give one's sales pitch to. ◼ *vi* to be a smooth talker.

barbare ◼ *nm* barbarian. ◼ *adj* **1.** *péj (non civilisé)* barbarous **2.** *(cruel)* barbaric.

barbe *nf* beard ▪ **se laisser pousser la barbe** to grow a beard ▪ **barbe à papa** candyfloss *(UK)*, cotton candy *(US)* ▪ **quelle** OU **la barbe !** *fam* what a drag!

barbelé, e *adj* barbed. ◼ **barbelé** *nm* barbed wire *(indénombrable).*

barbiche *nf* goatee (beard).

barbiturique *nm* barbiturate.

barboter *vi* to paddle.

barboteuse *nf* rompers *pl*, romper suit *(UK).*

barbouillé, e *adj* ▪ **être barbouillé, avoir l'estomac barbouillé** to feel sick *(UK)* OU nauseous *(US).*

barbouiller *vt (salir)* ▪ **barbouiller qqch (de)** to smear sthg (with).

barbu, e *adj* bearded. ◼ **barbu** *nm* bearded man.

bardé, e *adj* ▪ **il est bardé de diplômes** he's got heaps of diplomas.

barder ◼ *vt* CULIN to bard. ◼ *vi fam* ▪ **ça va barder** there'll be trouble.

barème *nm* **1.** *(de référence)* table **2.** *(de salaires)* scale.

baril *nm* barrel.

bariolé, e *adj* multicoloured *(UK)*, multicolored *(US).*

barjo(t) *adj inv fam* nuts.

barmaid *nf* barmaid.

barman *nm* barman *(UK)*, bartender *(US).*

baromètre *nm* barometer.

baron, onne *nm, f* baron *(f* baroness).

baroque *adj* **1.** *(style)* baroque **2.** *(bizarre)* weird.

barque *nf* small boat.

barquette *nf* **1.** *(tartelette)* pastry boat **2.** *(récipient - de fruits)* basket, punnet *(UK)* ▪ *(- de crème glacée)* tub.

barrage *nm* **1.** *(de rue)* roadblock **2.** CONSTR dam.

barre *nf* **1.** *(gén & DR)* bar ▪ **barre fixe** *(gymnastique)* high bar ▪ **barre des témoins** DR witness box *(UK)*, stand *(US)* **2.** NAUT helm **3.** *(trait)* stroke **4.** INFORM ▪ **barre d'espacement** space bar ▪ **barre de défilement** scroll bar ▪ **barre d'état** status bar.

barreau *nm* bar ▪ **le barreau** DR the Bar.

barrer *vt* **1.** *(rue, route)* to block **2.** *(mot, phrase)* to cross out **3.** *(bateau)* to steer. ◼ **se barrer** *vp fam* to clear off.

barrette *nf* *(pince à cheveux)* (hair) slide *(UK)*, barrette *(US).*

barreur, euse *nm, f* **1.** NAUT helmsman **2.** *(à l'aviron)* cox.

barricade *nf* barricade.

barrière *nf litt & fig* barrier.

barrique *nf* barrel.

baryton *nm* baritone.

bas, basse *adj* **1.** *(gén)* low **2.** *péj (vil)* base, low **3.** MUS bass. ◼ **bas** ◼ *nm (partie inférieure)* bottom, lower part ▪ **avoir/connaître des hauts et des bas** to have/go through ups and downs. ◼ *adv* low ▪ **à bas... !** down with...! ▪ **parler bas** to speak in a low voice, to speak softly ▪ **mettre bas** *(animal)* to give birth. ◼ **en bas** *loc adv* **1.** at the bottom **2.** *(dans une maison)* downstairs. ◼ **en bas de** *loc prép* at the bottom of ▪ **attendre qqn en bas**

de chez lui to wait for sb downstairs. ■ **bas de gamme** ◼ *adj* downmarket. ◼ *nm* bottom of the range.

basalte *nm* basalt.

basané, e *adj* tanned *(UK)*, tan *(US)*.

bas-côté *nm* *(de route)* verge *(UK)*, shoulder *(US)*.

bascule *nf* *(balançoire)* seesaw.

basculer ◼ *vi* **1.** to fall over, to overbalance **2.** *(benne)* to tip up ■ **basculer dans qqch** *fig* to tip over into sthg. ◼ *vt* to tip up, to tilt.

base *nf* **1.** *(partie inférieure)* base **2.** *(principe fondamental)* basis ■ **à base de** based on ◦ **une boisson à base d'orange** an orange-based drink ◦ **sur la base de** on the basis of **3.** INFORM ■ **base de données** database. ■ **base de loisir** *nf* (outdoor) leisure *ou* sports complex.

baser *vt* to base. ◦ ■ **se baser** *vp* ◦ **sur quoi vous basez-vous pour affirmer cela ?** what are you basing this statement on?

bas-fond *nm* *(de l'océan)* shallow. ■ **bas-fonds** *nmpl* *fig* **1.** *(de la société)* dregs **2.** *(quartiers pauvres)* slums.

basilic *nm* *(plante)* basil.

basilique *nf* basilica.

basique *adj* basic.

basket ◼ *nm* = basket-ball. ◼ *nf* *(chaussure)* trainer *(UK)*, sneaker *(US)* ◦ **lâche-moi les baskets !** *fam* fig get off my back!

basket-ball *nm* basketball.

basque ◼ *adj* Basque ◦ **le Pays basque** the Basque country. ◼ *nm* *(langue)* Basque. ◼ *nf* *(vêtement)* tail *(of coat)* ◦ **être toujours pendu aux basques de qqn** *fam* fig to be always tagging along after sb. ■ **Basque** *nmf* Basque.

bas-relief *nm* bas-relief.

basse *nf* MUS bass.

basse-cour *nf* **1.** *(volaille)* poultry **2.** *(partie de ferme)* farmyard.

bassement *adv* despicably.

basset *nm* basset hound.

bassin *nm* **1.** *(cuvette)* bowl **2.** *(pièce d'eau)* (ornamental) pond **3.** *(de piscine)* ◦ **petit/ grand bassin** children's/main pool **4.** ANAT pelvis **5.** GÉOL basin ◦ **bassin houiller** coalfield ◦ **le Bassin parisien** the Paris basin.

bassine *nf* bowl, basin.

bassiste *nmf* bass player.

basson *nm* **1.** *(instrument)* bassoon **2.** *(personne)* bassoonist.

bastide *nf* **1.** *(maison)* si vous souhaitez expliquer à un anglophone de quoi il s'agit, vous pouvez dire it is a traditional farmhouse or country house in southern France **2.** HIST si vous souhaitez expliquer à un anglophone de quoi il s'agit, vous pouvez dire it is a walled town in south-west France.

bastingage *nm* (ship's) rail.

bastion *nm* litt & fig bastion.

baston *nf* tfam punch-up *(UK)*, brawl.

bas-ventre *nm* lower abdomen.

bataille *nf* **1.** MIL battle **2.** *(bagarre)* fight **3.** *(jeu)* ◦ **la bataille** ≃ beggar-my-neighbour *(UK)* ◦ **en bataille** *(cheveux)* dishevelled *(UK)*, disheveled *(US)*.

bataillon *nm* **1.** MIL battalion **2.** *fig* horde.

bâtard, e ◼ *adj* **1.** *(enfant)* illegitimate **2.** *péj (style, solution)* hybrid. ◼ *nm, f* illegitimate child. ■ **bâtard** *nm* **1.** *(pain)* small loaf **2.** *(chien)* mongrel.

batavia *nf* Webb lettuce *(UK)*, iceberg lettuce.

bateau *nm* **1.** *(embarcation - gén)* boat ◦ *(- plus grand)* ship ◦ **bateau à moteur** motor boat ◦ **bateau à voile** sailing boat *(UK)*, sailboat *(US)* ◦ **bateau de pêche** fishing boat ◦ **mener qqn en bateau** *fig* to take sb for a ride **2.** *(de trottoir)* driveway entrance *(low kerb)* **3.** *(en apposition inv) (sujet, thème)* well-worn ◦ **c'est bateau!** it's the same old stuff!

bateau-bus *nm* riverbus ◦ **prendre le bateau-bus** to take the riverbus.

bateau-mouche *nm* riverboat *(on the Seine)*.

bâti, e *adj* **1.** *(terrain)* developed **2.** *(personne)* ◦ **bien bâti** well-built. ■ **bâti** *nm* **1.** COUT tacking **2.** CONSTR frame, framework.

batifoler *vi* to frolic.

bâtiment *nm* **1.** *(édifice)* building **2.** *(dans l'industrie)* ◦ **le bâtiment** the building trade **3.** NAUT ship, vessel.

bâtir *vt* **1.** CONSTR to build **2.** *fig (réputation, fortune)* to build (up) **3.** *(théorie, phrase)* to construct **4.** COUT to tack.

bâtisse *nf* house.

bâton nm **1.** (gén) stick • **bâton de ski** ski pole **2.** fam fig 10,000 francs • **mettre des bâtons dans les roues à qqn** to put a spoke in sb's wheel • **à bâtons rompus** (conversation) rambling • **parler à bâtons rompus** to talk of this and that.

bâtonnet nm rod.

batracien nm amphibian.

battage nm • **battage (publicitaire** ou **médiatique)** (media) hype.

battant, e adj • **sous une pluie battante** in the pouring ou driving rain • **le cœur battant** with beating heart. ⬛ nm, f fighter. ⬛ **battant** nm **1.** (de porte) door **2.** (de fenêtre) half **3.** (de cloche) clapper.

battement nm **1.** (mouvement - d'ailes) flap, beating (indénombrable) • (- de cœur, pouls) beat, beating (indénombrable) • (- de cils, paupières) flutter, fluttering (indénombrable) **2.** (intervalle de temps) break • **une heure de battement** an hour free.

batterie nf **1.** ÉLECTR & MIL battery • **recharger ses batteries** fig to recharge one's batteries **2.** (attirail) • **batterie de cuisine** kitchen utensils pl **3.** MUS drums pl **4.** (série) • **une batterie de** a string of.

batteur nm **1.** MUS drummer **2.** CULIN beater, whisk **3.** (SPORT - de cricket) batsman • (- de base-ball) batter.

battre ⬛ vt **1.** (gén) to beat • **battre en neige** (blancs d'œufs) to beat until stiff **2.** (cartes) to shuffle. ⬛ vi (gén) to beat • **battre des cils** to blink • **battre des mains** to clap (one's hands). ⬛ **se battre** vp to fight • **se battre contre qqn** to fight sb.

battu, e adj **1.** (tassé) hard-packed • **jouer sur terre battue** TENNIS to play on clay **2.** (fatigué) • **avoir les yeux battus** to have shadows under one's eyes. ⬛ **battue** nf **1.** (chasse) beat **2.** (chasse à l'homme) manhunt.

baume nm litt & fig balm • **mettre du baume au cœur de qqn** to comfort sb.

bavard, e ⬛ adj talkative. ⬛ nm, f **1.** chatterbox **2.** péj gossip.

bavardage nm **1.** (papotage) chattering **2.** (gén pl) (racontar) gossip (indénombrable).

bavarder vi **1.** to chatter **2.** péj to gossip.

bave nf **1.** (salive) dribble **2.** (d'animal) slaver **3.** (de limace) slime.

baver vi **1.** (personne) to dribble **2.** (animal) to slaver **3.** (limace) to leave a slime trail **4.** (stylo) to leak • **en baver** fam to have a hard ou rough time of it.

bavette nf **1.** (bavoir, de tablier) bib **2.** (viande) flank • **tailler une bavette (avec qqn)** fam to have a chat (with sb).

baveux, euse adj **1.** (bébé) dribbling **2.** (omelette) runny.

bavoir nm bib.

bavure nf **1.** (tache) smudge **2.** (erreur) blunder.

bayer vi • **bayer aux corneilles** to stand gazing into space.

bazar nm **1.** (boutique) general store **2.** fam (désordre) jumble, clutter.

bazarder vt fam to chuck out, to get rid of.

BCBG (abr de **bon chic bon genre**) ⬛ nmf ≃ Sloane (Ranger) (UK), ≃ preppie (US). ⬛ adj ≃ Sloaney (UK), ≃ preppie (US).

BCE (abr de **Banque centrale européenne**) nf ECB.

bcp abrév de **beaucoup**.

bd abrév de **boulevard**.

BD, bédé (abr de **bande dessinée**) nf • **une BD** a comic strip.

beach-volley nm beach volleyball • **jouer au beach-volley** to play beach volleyball.

béant, e adj **1.** (plaie, gouffre) gaping **2.** (yeux) wide open.

béat, e adj (heureux) blissful.

beau, belle adj (**bel** devant voyelle ou **h** muet) **1.** (joli - femme) beautiful, good-looking • (- homme) handsome, good-looking • (- chose) beautiful **2.** (temps) fine, good **3.** (toujours avant le nom) (important) fine, excellent • **une belle somme** a tidy sum (of money) **4.** iron (mauvais) • **une belle grippe** a nasty dose of the flu • **c'est du beau travail!** a fine mess this is! **5.** (sens intensif) • **un beau jour** one fine day • **elle a beau jeu de dire ça** it's easy ou all very well for her to say that. ⬛ **beau** ⬛ adv • **il fait beau** the weather is good ou fine • **j'ai beau essayer...** however hard I try..., try as I may... • **j'ai beau dire...** whatever I say... ⬛ nm • **être au beau fixe** to be set fair • **avoir le moral au beau fixe** fig to have a sunny disposition • **faire le beau** (chien) to sit up and beg. ■ **belle** *nf* **1.** *(femme)* lady friend **2.** *(dans un jeu)* decider. ■ **de plus belle** *loc adv* more than ever.

beaucoup *adv*

1. INDIQUE UN GRAND NOMBRE
• **beaucoup de gens sont venus à la fête** a lot of *ou* many people came to the party
• **il y en a beaucoup** there are many *ou* a lot (of them)

2. INDIQUE UNE GRANDE QUANTITÉ
• **ce travail demande beaucoup d'énergie** this work requires a lot of energy
• **il n'a pas beaucoup de temps** he hasn't a lot of *ou* much time
• **il n'en a pas beaucoup** he doesn't have much *ou* a lot (of it)

3. MODIFIE UN VERBE
• **il boit beaucoup** he drinks a lot *ou* a great deal
• **il ne parle pas beaucoup** he doesn't talk much *ou* a lot *ou* a great deal
• **le film ne m'a pas beaucoup plu** I didn't like the film very much

4. MODIFIE UN ADJECTIF COMPARATIF
• **c'est beaucoup mieux** it's much *ou* a lot better
• **c'est beaucoup plus rapide en avion** it's a lot faster by plane.

beaucoup *pron inv*

• **nous sommes beaucoup à penser que...** many of us think that...

■ de beaucoup *loc adv*

by far
• **il est de beaucoup le plus jeune** he is the youngest by far.

beauf *nm* **1.** *péj pour expliquer cette expression à un anglophone, vous pouvez dire* it is a typical narrow-minded lower-middle-class French man **2.** *fam (beau-frère)* brother-in-law.

beau-fils *nm* **1.** *(gendre)* son-in-law **2.** *(de remariage)* stepson.

beau-frère *nm* brother-in-law.

beau-père *nm* **1.** *(père du conjoint)* father-in-law **2.** *(de remariage)* stepfather.

beauté *nf* beauty • **de toute beauté** absolutely beautiful • **en beauté** *(magnifiquement)* in great style • *sout (femme)* ravishing.

beaux-arts *nmpl* fine art *(indénombrable)*. ■ **Beaux-Arts** *nmpl* • **les Beaux-**Arts *pour expliquer à un anglophone de quelle école il s'agit, vous pouvez dire* it is the French national art college in Paris.

beaux-parents *nmpl* **1.** *(de l'homme)* husband's parents, in-laws **2.** *(de la femme)* wife's parents, in-laws.

bébé *nm* baby.

bébé-bulle *nm* bubble baby.

bébé-éprouvette *nm* test-tube baby.

bébête *adj* silly.

bec *nm* **1.** *(d'oiseau)* beak **2.** *(d'instrument de musique)* mouthpiece **3.** *(de casserole)* lip • **bec de gaz** *(réverbère)* gaslamp *(in street)* • **bec verseur** spout **4.** *fam (bouche)* mouth • **ouvrir le bec** to open one's mouth • **clouer le bec à qqn** to shut sb up.

bécane *nf fam* **1.** *(moto, vélo)* bike **2.** *(machine, ordinateur)* machine.

bécasse *nf* **1.** *(oiseau)* woodcock **2.** *fam (femme sotte)* silly goose.

bec-de-lièvre *nm* harelip.

bêche *nf* spade.

bêcher *vt* to dig.

bécoter *vt fam* to snog *(UK)* *ou* smooch with. ■ **se bécoter** *vp* to snog *(UK)*, to smooch.

becquée *nf* • **donner la becquée à** to feed.

becqueter, béqueter *vt* to peck at.

bedaine *nf* potbelly.

bédé = **BD**.

bedonnant, e *adj* potbellied.

bée *adj* • **bouche bée** open-mouthed.

bégayer ■ *vi* to have a stutter *ou* stammer. ■ *vt* to stammer (out).

bégonia *nm* begonia.

bègue ■ *adj* • **être bègue** to have a stutter *ou* stammer. ■ *nmf* stutterer, stammerer.

béguin *nm fam* • **avoir le béguin pour qqn** to have a crush on sb.

beige *adj & nm* beige.

beignet *nm* fritter.

bêler *vi* to bleat.

belette *nf* weasel.

belge *adj* Belgian. ■ **Belge** *nmf* Belgian.

Belgique *nf* • **la Belgique** Belgium.

bélier nm **1.** *(animal)* ram **2.** *(poutre)* battering ram. ■ **Bélier** nm ASTROL Aries.

belladone nf deadly nightshade.

belle-famille nf **1.** *(de l'homme)* husband's family, in-laws pl **2.** *(de la femme)* wife's family, in-laws pl.

belle-fille nf **1.** *(épouse du fils)* daughter-in-law **2.** *(de remariage)* stepdaughter.

belle-mère nf **1.** *(mère du conjoint)* mother-in-law **2.** *(de remariage)* stepmother.

belle-sœur nf sister-in-law.

belligérant, e adj & nm, f belligerent.

belliqueux, euse adj **1.** *(peuple)* warlike **2.** *(humeur, tempérament)* aggressive.

belvédère nm **1.** *(construction)* belvedere **2.** *(terrasse)* viewpoint.

bémol adj & nm MUS flat.

bénédiction nf blessing.

bénéfice nm **1.** *(avantage)* advantage, benefit ▪ **au bénéfice de** in aid of **2.** *(profit)* profit.

bénéficiaire ◪ nmf **1.** *(gén)* beneficiary **2.** *(de chèque)* payee ◪ adj **1.** *(marge)* profit *(avant nom)* **2.** *(résultat, société)* profit-making.

bénéficier vi ▪ **bénéficier de** *(profiter de)* to benefit from ▪ *(jouir de)* to have, to enjoy ▪ *(obtenir)* to have, to get.

bénéfique adj beneficial.

Bénélux, Benelux nm ▪ **le Bénélux** Benelux.

benêt nm clod.

bénévole ◪ adj voluntary. ◪ nmf volunteer, voluntary worker.

bénin, igne adj **1.** *(maladie, accident)* minor ▪ **une forme bénigne de rougeole** a mild form of measles **2.** *(cancer)* benign.

bénir vt **1.** *(gén)* to bless **2.** *(se réjouir de)* to thank God for.

bénitier nm holy water font.

benjamin, e nm, f **1.** *(de famille)* youngest child **2.** *(de groupe)* youngest member.

benne nf **1.** *(de camion)* tipper **2.** *(de téléphérique)* car **3.** *(pour déchets)* skip (UK), Dumpster® (US).

benzine nf benzine.

béotien, enne nm, f philistine.

BEP, Bep *(abr de* **brevet d'études professionnelles)** nm *pour expliquer à un anglophone ce qu'est le BEP, vous pouvez dire it* is a school-leaving certificate in technical subjects. You take it at the age of 18.

BEPC, Bepc *(abr de* **brevet d'études du premier cycle)** nm *pour expliquer ce qu'était le BEPC à un anglophone, vous pouvez dire it* was a school-leaving certificate that you took at the age of 16.

béquille nf **1.** *(pour marcher)* crutch **2.** *(d'un deux-roues)* stand.

berceau nm cradle.

bercer vt *(bébé, bateau)* to rock.

berceuse nf **1.** *(chanson)* lullaby **2.** *(Québec)* *(fauteuil)* rocking chair.

béret nm beret.

berge nf **1.** *(bord)* bank **2.** fam *(an)* ▪ **il a plus de 50 berges** he's over 50.

berger, ère nm, f shepherd (f shepherdess). ■ **berger allemand** nm German shepherd, Alsatian (UK).

bergerie nf sheepfold.

berk interj fam ugh, yuk.

Berlin npr Berlin.

berline nf saloon (car) (UK), sedan (US).

berlingot nm **1.** *(de lait)* carton **2.** *(bonbon)* boiled sweet.

berlue nf ▪ **j'ai la berlue !** I must be seeing things!

bermuda nm bermuda shorts pl.

berne nf ▪ **en berne** ≃ at half-mast.

À PROPOS DE...

bénévole

L'adjectif français « bénévole » et l'adjectif anglais *benevolent* ont, malgré leur ressemblance orthographique, des sens différents, et il faut veiller à ne pas les confondre. *Benevolent* signifie « bienveillant » (*she had a warm and benevolent smile*, « elle avait un sourire chaleureux et bienveillant »). Pour traduire, par exemple, « elle fait du travail bénévole pour la Croix-Rouge », on dira *she does voluntary work for the Red Cross*. Quant au nom « bénévole », il se traduit par *volunteer* ou *voluntary worker*, comme dans : « l'association compte deux cents bénévoles », *the association has two hundred volunteers ou voluntary workers*.

berner *vt* to fool.

besogne *nf* job, work *(indénombrable)*.

besoin *nm* need • **avoir besoin de qqch/ de faire qqch** to need sthg/to do sthg • **au besoin** if necessary, if need *ou* needs be. ∎ **besoins** *nmpl (exigences)* needs • **faire ses besoins** to relieve o.s..

bestial, e *adj* bestial, brutish.

bestiole *nf* (little) creature.

bétail *nm* cattle *pl*.

bête ∎ *nf* **1.** *(animal)* animal **2.** *(insecte)* insect • **bête de somme** beast of burden. ∎ *adj (stupide)* stupid.

bêtise *nf* **1.** *(stupidité)* stupidity **2.** *(action, remarque)* stupid thing • **faire/dire une bêtise** to do/say something stupid.

béton *nm (matériau)* concrete • **béton armé** reinforced concrete.

bétonnière *nf* cement mixer.

betterave *nf* beetroot *(UK)*, beet *(US)* • **betterave sucrière** *ou* **à sucre** sugar beet.

beugler *vi (bovin)* to moo, to low.

beurk *fam* = **berk**.

beurre *nm (aliment)* butter.

beurrer *vt* to butter.

beurrier *nm* butter dish.

beuverie *nf* drinking session.

bévue *nf* blunder.

Beyrouth *npr* Beirut.

biais *nm* **1.** *(ligne oblique)* slant • **en** *ou* **de biais** *(de travers)* at an angle • *fig* indirectly **2.** COUT bias **3.** *(moyen détourné)* expedient • **par le biais de** by means of.

biaiser *vi fig* to dodge the issue.

bibande *adj* dual-band.

bibelot *nm* trinket, curio.

biberon *nm* baby's bottle.

bible *nf* bible.

bibliographie *nf* bibliography.

bibliophile *nmf* book lover.

bibliothécaire *nmf* librarian.

bibliothèque *nf* **1.** *(meuble)* bookcase **2.** *(édifice, collection)* library • **la Bibliothèque nationale de France** the French national library.

biblique *adj* biblical.

bicarbonate *nm* • **bicarbonate (de soude)** bicarbonate of soda.

biceps *nm* biceps.

biche *nf* ZOOL hind, doe.

bicolore *adj* two-coloured *(UK)*, two-colored *(US)*.

bicoque *nf péj* house.

bicorne *nm* cocked hat.

bicyclette *nf* bicycle • **rouler à bicyclette** to cycle.

bide *nm fam* **1.** *(ventre)* belly **2.** *(échec)* flop.

bidet *nm* **1.** *(sanitaire)* bidet **2.** *hum (cheval)* nag.

bidon ∎ *adj inv fam (faux)* phony, phoney *(UK)*. ∎ *nm* **1.** *(récipient)* can **2.** *fam (ventre)* belly.

bidonville *nm* shantytown.

bielle *nf* connecting rod.

---

bien *adj inv*

mieux *est le comparatif et le superlatif de* **bien**

1. SATISFAISANT
• **il est bien comme prof** he's a good teacher
• **il est bien, ce dictionnaire** this is a good dictionary

2. À L'AISE
• **tu es bien dans ce fauteuil ?** are you comfortable in that armchair?
• **il est bien partout** he is *ou* feels at home anywhere

3. POUR PARLER DE L'APPARENCE PHYSIQUE good-looking
• **tu ne trouves pas qu'elle est bien, comme ça ?** don't you think she looks good *ou* nice like that?
• **il était très bien quand il était jeune** he was very attractive *ou* handsome *ou* good-looking when he was young

4. POUR PARLER DE LA SANTÉ
• **je ne me sens pas bien** I am not feeling well
• **Anna n'est pas très bien en ce moment** Anna isn't very well at the moment
• **est-ce que tu te sens bien ?** are you feeling OK?

5. POUR INDIQUER QUE QQCH EST MORALEMENT BIEN
• **c'est bien de l'avoir aidé** it was nice *ou* good of you to help him
• **ce n'est pas bien de dire des gros mots !** it's not nice *ou* right to swear!

---

bien *nm*

1. SENS MORAL
• **il faut savoir discerner le bien du mal** one must be able to tell good from evil *ou* right from wrong

2. INTÉRÊT

• **je te dis ça pour ton bien** I'm telling you this for your own good

3. RICHESSE, PROPRIÉTÉ

• **il a des biens aux États-Unis** he has property in the United States
• **dans son testament, il a légué tous ses biens à sa femme** in his will, he left all his goods ou possessions to his wife

4. DANS DES EXPRESSIONS

• **faire du bien à qqn** to do sb good
• **dire du bien de qqn/qqch** to speak well of sb/sthg

bien adv

1. DE MANIÈRE SATISFAISANTE

• **on mange bien ici** the food's good here
• **cette porte n'est pas bien fermée** this door isn't shut properly
• **le lave-vaisselle ne fonctionne pas bien** the dish-washer isn't working properly ou right
• **elle parle bien anglais** she speaks English well

2. DE MANIÈRE CONFORME À LA MORALE, AUX CONVENANCES

• **il ne s'est pas bien conduit** he didn't behave well
• **tu as bien fait** you did the right thing
• **vous avez bien fait de me le dire !** you did well to tell me! ou it's a good thing you've told me!
• **tu ferais bien d'y aller** you would be wise to go

3. AVEC UN SENS INTENSIF

• **on a bien ri** we had a good laugh
• **en es-tu bien sûr?** are you quite sure (about it)?
• **nous sommes bien contents d'être en vacances** we're very ou awfully happy to be on holiday
• **j'espère bien qu'il viendra** I do hope that he will come
• **il y a bien trois heures que j'attends** I've been waiting for at least three hours
• **c'est bien aimable à vous** it's very kind ou good of you

4. RENFORCE UN COMPARATIF

• **il est parti bien plus tard** he left much later
• **on était bien moins riches** we were a lot worse off ou poorer

5. RENFORCE UN JUGEMENT

• **c'est bien lui** it really is him
• **c'est bien ce que je disais** that's just what I said
• **je savais bien qu'il viendrait** I knew perfectly well that he would come
• **c'est bien une erreur** it's certainly ou definitely a mistake

6. EXPRIME UN SOUHAIT

• **j'irais bien au Mexique** I would love to go to Mexico
• **je l'aiderais bien mais je n'ai pas le temps** I would like to help him but I haven't got time

7. DANS DES EXPRESSIONS

• **c'est bien fait !** it serves him/her etc right!

bien interj

• **eh bien !** oh well!
• **eh bien, qu'en penses-tu ?** well, what do you think?
• **bien, je t'écoute** well, I'm listening
• **bien, où en étions-nous ?** right, where were we?
• **bien, alors on se retrouve demain à cinq heures** so, we'll meet up tomorrow at five.

■ **biens** nmpl

property

indénombrable

• **biens de consommation** consumer goods.

■ **bien de, bien des** loc adj

• **il a bien de la chance** he's very ou really lucky
• **il a eu bien de la peine à me convaincre** he had quite a lot of trouble convincing me
• **bien des gens sont venus** quite a lot of people came.

■ **bien entendu** loc adv

of course

• **tu viens avec nous ? – bien entendu !** are you coming with us? – of course!

■ **bien que** loc conj

• **je vais accepter, bien que je ne sois pas convaincue** I'll accept though ou although I'm not convinced.

■ **bien sûr** *loc adv*

of course, certainly • **tu peux m'aider ? – bien sûr !** can you help me? – of course!

bien-aimé, e *adj & nm, f* beloved.

bien-être *nm inv (physique)* wellbeing.

bienfaisance *nf* charity.

bienfaisant, e *adj* beneficial.

bienfait *nm* **1.** *(effet bénéfique)* benefit **2.** *(faveur)* kindness.

bienfaiteur, trice *nm, f* benefactor.

bien-fondé *nm* validity.

bienheureux, euse *adj* **1.** RELIG blessed **2.** *(heureux)* happy.

bientôt *adv* soon • **à bientôt !** see you soon!

bienveillance *nf* kindness.

bienveillant, e *adj* kindly.

bienvenu, e ■ *adj (qui arrive à propos)* welcome. ■ *nm, f* • **être le bienvenu/la bienvenue** to be welcome • **soyez le bienvenu !** welcome! ■ **bienvenue** *nf* welcome • **souhaiter la bienvenue à qqn** to welcome sb.

bière *nf* **1.** *(boisson)* beer • **bière blonde** lager • **bière brune** brown ale • **bière pression** draught (UK) ou draft (US) beer **2.** *(cercueil)* coffin.

bifidus *nm* bifidus • **yaourt au bifidus** bio ou bifidus yoghurt.

bifteck *nm* steak.

bifurcation *nf* **1.** *(embranchement)* fork **2.** *fig* new direction.

bifurquer *vi* **1.** *(route, voie ferrée)* to fork **2.** *(voiture)* to turn off **3.** *fig (personne)* to branch off.

bigamie *nf* bigamy.

bigoudi *nm* curler.

bijou *nm* **1.** *(joyau)* jewel **2.** *fig (chef-d'œuvre)* gem.

bijouterie *nf (magasin)* jeweller's (UK) ou jeweler's (US) (shop).

bijoutier, ère *nm, f* jeweller (UK), jeweler (US).

Bikini® *nm* bikini.

bilan *nm* **1.** FIN balance sheet • **déposer son bilan** to declare bankruptcy **2.** *(état d'une situation)* state of affairs • **faire le bilan (de)** to take stock (of) • **bilan de santé** checkup.

bilatéral, e *adj* **1.** *(stationnement)* on both sides (of the road) **2.** *(contrat, accord)* bilateral.

bile *nf* bile • **se faire de la bile** fam to worry.

biliaire *adj* biliary • **calcul biliaire** gallstone • **vésicule biliaire** gall bladder.

bilingue *adj* bilingual.

billard *nm* **1.** *(jeu)* billiards *(indénombrable)* **2.** *(table de jeu)* billiard table.

bille *nf* **1.** *(d'enfant)* marble **2.** *(de bois)* block of wood.

billet *nm* **1.** *(lettre)* note **2.** *(argent)* • **billet (de banque)** (bank) note, bill (US) • **un billet de 100 euros** a 100-euro note **3.** *(ticket)* ticket • **billet de train/d'avion** train/plane ticket • **billet de loterie** lottery ticket.

billetterie *nf* **1.** *(à l'aéroport)* ticket desk **2.** *(à la gare)* booking office ou hall **3.** BANQUE ATM, cash dispenser (UK).

billion *nm* billion (UK), trillion (US).

bimensuel, elle *adj* fortnightly (UK), twice monthly. ■ **bimensuel** *nm* fortnightly review (UK), semimonthly (US).

bimoteur *nm* twin-engined plane.

binaire *adj* binary.

biner *vt* to hoe.

bingo ■ *nm (jeu)* bingo. ■ *exclam* bingo!

binocle *nm* pince-nez. ■ **binocles** *nmpl* fam vieilli specs.

bio *adj inv* organic • **aliments bio** organic food.

biocarburant *nm* biofuel.

biochimie *nf* biochemistry.

biodégradable *adj* biodegradable.

biographie *nf* biography.

biologie *nf* biology.

biologique *adj* **1.** *(sciences)* biological **2.** *(naturel)* organic.

biométrique *adj* biometric.

biopsie *nf* biopsy.

biorythme *nm* biorhythm.

bioterrorisme *nm* bioterrorism.

bip *nm* **1.** *(signal)* tone, beep • **parlez après le bip (sonore)** please speak after the beep ou tone **2.** *(appareil)* beeper, bleeper (UK).

biréacteur *nm* twin-engined jet.

bis[1], **e** *adj* greyish-brown *(UK)*, grayish-brown *(US)* ◦ **pain bis** brown bread.

bis[2] *adv* **1.** *(dans adresse)* ◦ **5 bis** 5a **2.** *(à la fin d'un spectacle)* encore.

bisannuel, elle *adj* biennial.

biscornu, e *adj* **1.** *(difforme)* irregularly shaped **2.** *(bizarre)* weird.

biscotte *nf pour expliquer de quoi il s'agit à un anglophone, vous pouvez dire* it is a piece of toasted bread that you buy in packets. French people often have them for breakfast.

biscuit *nm* **1.** *(sec)* biscuit *(UK)*, cookie *(US)* **2.** *(salé)* cracker **3.** *(gâteau)* sponge.

bise *nf* **1.** *(vent)* north wind **2.** *fam (baiser)* kiss ◦ **grosses bises** love and kisses.

biseau *nm* bevel ◦ **en biseau** bevelled *(UK)*, beveled *(US)*.

bison *nm* bison.

bisou *nm fam* kiss.

bissextile ⟹ **année**.

bistouri *nm* lancet.

bistrot, bistro *nm fam* cafe, bar.

bit *nm* INFORM bit.

bivouac *nm* bivouac.

bivouaquer *vi* to bivouac.

bizarre *adj* strange, odd.

bizutage *nm* ≃ ragging *(UK)*, ≃ hazing *(US)*.

black-out *nm* blackout.

blafard, e *adj* pale.

blague *nf (plaisanterie)* joke.

blaguer *fam vi* to joke.

blagueur, euse *fam* ◼ *adj* jokey. ◼ *nm, f* joker.

blaireau *nm* **1.** *(animal)* badger **2.** *(de rasage)* shaving brush **3.** *fam péj* ◦ *(homme)* ≃ Essex man *(UK)* ≃ Joe Sixpack *(US)* ◦ *(femme)* ≃ Essex girl *(UK)*.

blâme *nm* **1.** *(désapprobation)* disapproval **2.** *(sanction)* reprimand.

blâmer *vt* **1.** *(désapprouver)* to blame **2.** *(sanctionner)* to reprimand.

blanc, blanche *adj* **1.** *(gén)* white **2.** *(non écrit)* blank **3.** *(pâle)* pale. ◼ **blanc** *nm* **1.** *(couleur)* white **2.** *(personne)* white (man) **3.** *(linge de maison)* ◦ **le blanc** the (household) linen **4.** *(sur page)* blank (space) **5.** *(de volaille)* white meat **6.** *(vin)* white

(wine). ◼ **blanche** *nf* **1.** *(personne)* white (woman) **2.** MUS minim *(UK)*, half note *(US)*. ◼ **blanc d'œuf** *nm* egg white.

blancheur *nf* whiteness.

blanchir ◼ *vt* **1.** *(mur)* to whitewash **2.** *(linge, argent)* to launder **3.** *(légumes)* to blanch **4.** *(sucre)* to refine **5.** *(décolorer)* to bleach. ◼ *vi (d'émotion)* ◦ **blanchir (de)** to go white (with).

blanchissage *nm (de linge)* laundering.

blanchisserie *nf* laundry.

blasé, e *adj* blasé.

blason *nm* coat of arms.

blasphème *nm* blasphemy.

blasphémer *vt & vi* to blaspheme.

blatte *nf* cockroach.

blazer *nm* blazer.

blé *nm* **1.** *(céréale)* wheat, corn *(UK)* **2.** *fam (argent)* dough.

blême *adj* ◦ **blême (de)** pale (with).

blennorragie *nf* gonorrhoea *(UK)*, gonorrhea *(US)*.

blessant, e *adj* hurtful.

blessé, e *nm, f* wounded *ou* injured person.

blesser *vt* **1.** *(physiquement - accidentellement)* to injure, to hurt ◦ *(- par arme)* to wound ◦ **ses chaussures lui blessent les pieds** his shoes make his feet sore **2.** *(moralement)* to hurt. ◼ **se blesser** *vp* to injure o.s., to hurt o.s. ◦ **elle s'est blessée au bras** she injured *ou* hurt her arm.

blessure *nf litt & fig* wound.

blet, blette *adj* overripe.

bleu, e ◼ *adj* **1.** *(couleur)* blue **2.** *(viande)* very rare. ◼ *nm, f fam (novice - généralement)* newcomer ◦ *(- à l'armée)* raw recruit ◦ *(- à l'université)* fresher *(UK)* freshman *(US)*. ◼ **bleu** *nm* **1.** *(couleur)* blue **2.** *(meurtrissure)* bruise **3.** *(fromage)* blue cheese **4.** *(vêtement)* ◦ **bleu de travail** overalls *pl (UK)*, coveralls *pl (US)*.

bleuet *nm* **1.** cornflower **2.** *(Québec) (fruit)* blueberry.

bleuir *vt & vi* to turn blue.

bleuté, e *adj* bluish.

blindé, e *adj* **1.** *(véhicule)* armoured *(UK)*, armored *(US)* **2.** *(porte, coffre)* armour-plated *(UK)*, armor-plated *(US)*. ◼ **blindé** *nm* armoured *(UK)* *ou* armored *(US)* car.

blinder vt **1.** *(véhicule)* to armour *(UK)*, to armor *(US)* **2.** *(porte, coffre)* to armour-plate *(UK)*, to armor-plate *(US)*.

blizzard nm blizzard.

bloc nm **1.** *(gén)* block • **faire bloc avec/contre qqn** to stand (together) with/against sb **2.** *(assemblage)* unit • **bloc opératoire** *(salle)* operating theatre *(UK)* ou room *(US)* • *(locaux)* surgical unit • **bloc sanitaire** toilet block.

blocage nm **1.** ÉCON freeze, freezing *(indénombrable)* **2.** *(de roue)* locking **3.** PSYCHO (mental) block.

blockhaus nm blockhouse.

bloc-notes nm notepad, scratchpad *(US)*.

blocus nm blockade.

blog nm blog.

blogueur, euse nm, f blogger.

blond, e ■ adj fair, blond. ■ nm, f fair-haired ou blond man, fair-haired ou blonde woman. ■ **blond** nm • blond cendré/vénitien/platine ash/strawberry/platinum blond. ■ **blonde** nf **1.** *(cigarette)* Virginia cigarette **2.** *(bière)* lager.

blondeur nf blondness, fairness.

bloquer vt **1.** *(porte, freins)* to jam **2.** *(roues)* to lock **3.** *(route, chemin)* to block **4.** *(personne)* • **être bloqué** to be stuck **5.** *(prix, salaires, crédit)* to freeze **6.** PSYCHO • **être bloqué** to have a (mental) block. ■ **se bloquer** vp *(se coincer)* to jam.

blottir ■ **se blottir** vp • **se blottir (contre)** to snuggle up (to).

blouse nf *(de travail, d'écolier)* smock.

blouson nm bomber jacket, blouson.

blue-jean nm jeans pl.

blues nm inv blues.

bluffer fam vi & vt to bluff.

blush nm blusher.

BNF nf abrév de **Bibliothèque nationale de France**.

boa nm boa.

bobard nm fam fib.

bobine nf **1.** *(cylindre)* reel, spool **2.** ÉLECTR coil.

bobo *(abr de **Bourgeois bohème**)* fam nmf *pour expliquer de qui il s'agit à un anglophone, vous pouvez dire* left-leaning yuppie.

bobsleigh nm bobsleigh *(UK)*, bobsled *(US)*.

bocage nm GÉOGR bocage.

bocal nm jar.

body-building nm • **le body-building** body building *(indénombrable)*.

bœuf nm **1.** *(animal)* ox **2.** *(viande)* beef • **bœuf bourguignon** boeuf ou beef bourguignon.

bof interj **1.** fam *(exprime le mépris)* so what? **2.** fam *(exprime la lassitude)* I don't really care.

bogue, bug nm INFORM bug • **le bogue de l'an 2000** the millennium bug.

bohème adj bohemian.

bohémien, enne nm, f **1.** *(tsigane)* gipsy **2.** *(non-conformiste)* bohemian.

boire ■ vt **1.** *(s'abreuver)* to drink **2.** *(absorber)* to soak up, to absorb. ■ vi to drink.

bois ■ nm wood • **en bois** wooden. ■ nmpl **1.** MUS woodwind *(indénombrable)* **2.** *(cornes)* antlers.

boisé, e adj wooded.

boiserie nf panelling *(indénombrable)* *(UK)*, paneling *(indénombrable)* *(US)*.

boisson nf *(breuvage)* drink.

boîte nf **1.** *(récipient)* box • **boîte de conserve** can, tin *(UK)* • **boîte aux lettres** *(pour la réception)* letterbox • *(pour l'envoi)* postbox *(UK)*, mailbox *(US)* • **boîte à musique** musical box *(UK)*, music box *(US)* • **boîte postale** post office box • **en boîte** canned, tinned *(UK)* **2.** AUTO • **boîte à gants** glove compartment, glove box • **boîte de vitesses** gearbox *(UK)*, transmission *(US)* **3.** INFORM • **boîte aux lettres électronique** electronic mailbox • **boîte vocale** voice mail **4.** fam *(entreprise)* company, firm **5.** fam *(lycée)* school **6.** fam *(discothèque)* • **boîte (de nuit)** nightclub, club.

boiter vi *(personne)* to limp.

boiteux, euse adj **1.** *(personne)* lame **2.** *(meuble)* wobbly **3.** fig *(raisonnement)* shaky.

boîtier nm **1.** *(boîte)* case **2.** TECHNOL casing.

bol nm **1.** *(récipient)* bowl **2.** *(contenu)* bowl, bowlful • **prendre un bol d'air** to get some fresh air.

bolet nm boletus.

bolide nm (véhicule) racing (UK) ou race (US) car.

Bolivie nf • **la Bolivie** Bolivia.

bombance nf • **faire bombance** fam to have a feast.

bombardement nm bombardment, bombing (indénombrable).

bombarder vt 1. MIL to bomb 2. (assaillir) • **bombarder qqn/qqch de** to bombard sb/sthg with.

bombardier nm 1. (avion) bomber 2. (aviateur) bombardier.

bombe nf 1. (projectile) bomb 2. fig bombshell • **bombe atomique** atom ou atomic bomb • **bombe à retardement** time bomb 3. (casquette) riding hat 4. (atomiseur) spray, aerosol.

bombé, e adj bulging, rounded.

bomber nm bomber jacket.

bon, bonne adj 1. (gén) good 2. (généreux) good, kind 3. (utilisable - billet, carte) valid 4. (correct) right 5. (dans l'expression d'un souhait) • **bonne année !** Happy New Year! • **bonne chance !** good luck! • **bonnes vacances !** have a nice holiday (UK) ou vacation (US)! • **être bon pour qqch/pour faire qqch** fam to be fit for sthg/for doing sthg • **tu es bon pour une contravention** you'll end up with ou you'll get a parking ticket • **bon à** (+ infinitif) fit to • **c'est bon à savoir** that's worth knowing. ■ **bon** ◨ adv • **il fait bon** the weather's fine, it's fine • **sentir bon** to smell good • **tenir bon** to stand firm. ■ interj 1. (marque de satisfaction) good! 2. (marque de surprise) • **ah bon!** really? ◨ nm 1. (constatant un droit) voucher • **bon de commande** order form 2. FIN • **bon du Trésor** FIN treasury bill ou bond 3. (gén pl) (personne) • **les bons et les méchants** good people and wicked people. ■ **pour de bon** loc adv seriously, really.

bonbon nm 1. (friandise) sweet (UK), piece of candy (US) 2. (Belgique) (gâteau) biscuit.

bonbonne nf demijohn.

bonbonnière nf (boîte) sweet-box (UK), candy box (US).

bond nm 1. (d'animal, de personne) leap, bound 2. (de balle) bounce • **faire un bond** to leap (forward).

bonde nf 1. (d'évier) plug 2. (trou) bunghole 3. (bouchon) bung.

bondé, e adj packed.

bondir vi 1. (sauter) to leap, to bound • **bondir sur qqn/qqch** to pounce on sb/ sthg 2. (s'élancer) to leap forward.

bonheur nm 1. (félicité) happiness 2. (chance) (good) luck, good fortune • **par bonheur** happily, fortunately • **porter bonheur** to be lucky, to bring good luck.

bonhomme nm 1. fam péj (homme) fellow 2. (représentation) man • **bonhomme de neige** snowman.

bonification nf 1. (de terre, de vin) improvement 2. SPORT bonus points pl.

bonjour nm 1. (félicité) hello 2. (avant midi) good morning 3. (après midi) good afternoon.

bonne nf maid.

bonnet nm 1. (coiffure) (woolly) hat (UK), (wooly) hat (US) • **bonnet de bain** swimming cap 2. (de soutien-gorge) cup.

bonneterie nf (commerce) hosiery (business ou trade).

bonsoir nm 1. (en arrivant) hello, good evening 2. (en partant) goodbye, good evening 3. (en se couchant) good night.

bonté nf 1. (qualité) goodness, kindness • **avoir la bonté de faire qqch** sout to be so good ou kind as to do sthg 2. (gén pl) littéraire (acte) act of kindness.

bonus nm (prime d'assurance) no-claims bonus.

booléen, enne adj Boolean.

booster vt to boost.

bord nm 1. (de table, de vêtement) edge 2. (de verre, de chapeau) rim • **à ras bords** to the brim 3. (de rivière) bank 4. (de lac) edge, shore • **au bord de la mer** at the seaside 5. (de bois, jardin) edge 6. (de route) edge, side 7. (d'un moyen de transport) • **passer par-dessus bord** to fall overboard. ■ **à bord de** loc prép • **à bord de qqch** on board sthg. ■ **au bord de** loc prép 1. litt at the edge of 2. fig on the verge of.

bordeaux ◨ nm 1. (vin) Bordeaux 2. (couleur) claret. ◨ adj inv claret.

bordel nm vulg 1. (maison close) brothel 2. (désordre) shambles sing.

border vt 1. (vêtement) • **border qqch de** to edge sthg with 2. (être en bordure de) to line 3. (couverture, personne) to tuck in.

bordereau nm 1. (liste) schedule 2. (facture) invoice 3. (relevé) slip.

bordure nf 1. (bord) edge • **en bordure de** on the edge of 2. (de fleurs) border.

borgne *adj (personne)* one-eyed.

borne *nf* **1.** *(marque)* boundary marker **2.** *(limite)* limit, bounds *pl* ▪ **dépasser les bornes** to go too far ▪ **sans bornes** boundless **3.** *fam (kilomètre)* kilometre (UK), kilometer (US) **4.** INFORMATIQUE ▪ **borne interactive** *ou* **multimédia** electronic *ou* interactive kiosk, interactive terminal.

borné, e *adj* **1.** *(personne)* narrow-minded **2.** *(esprit)* narrow.

borner *vt* **1.** *(terrain)* to limit **2.** *(projet, ambition)* to limit, to restrict. ▪ **se borner** *vp* ▪ **se borner à qqch/à faire qqch** *(suj : personne)* to confine o.s. to sthg/to doing sthg.

bosniaque *adj* Bosnian. ▪ **Bosniaque** *nmf* Bosnian.

Bosnie *nf* ▪ **la Bosnie** Bosnia.

bosquet *nm* copse.

bosse *nf* **1.** *(sur tête, sur route)* bump **2.** *(de bossu, chameau)* hump.

bosser *vi fam* to work hard.

bossu, e ▪ *adj* hunchbacked. ▪ *nm, f* hunchback.

bot ▷ **pied**.

botanique ▪ *adj* botanical. ▪ *nf* ▪ **la botanique** botany.

botte *nf* **1.** *(chaussure)* boot **2.** *(de légumes)* bunch **3.** *(en escrime)* thrust, lunge.

botter *vt* **1.** *(chausser)* ▪ **être botté de cuir** to be wearing leather boots **2.** *fam (donner un coup de pied à)* to boot **3.** *fam vieilli (plaire à)* ▪ **ça me botte** I dig it.

bottier *nm* **1.** *(de bottes)* bootmaker **2.** *(de chaussures)* shoemaker.

Bottin® *nm* phone book.

bottine *nf* (ankle) boot.

bouc *nm* **1.** *(animal)* (billy) goat ▪ **bouc émissaire** *fig* scapegoat **2.** *(barbe)* goatee.

boucan *nm fam* row, racket.

bouche *nf* **1.** ANAT mouth **2.** *(orifice)* ▪ **bouche d'incendie** fire hydrant ▪ **bouche de métro** metro entrance *ou* exit.

bouché, e *adj* **1.** *(en bouteille)* bottled **2.** *fam (personne)* dumb, thick.

bouche-à-bouche *nm inv* ▪ **faire du bouche-à-bouche à qqn** to give sb mouth-to-mouth resuscitation.

bouchée *nf* mouthful.

boucher[1] *vt* **1.** *(fermer - bouteille)* to cork ▪ *(- trou)* to fill (in *ou* up) **2.** *(passage, vue)* to block.

boucher[2]**, ère** *nm, f* butcher.

boucherie *nf* **1.** *(magasin)* butcher's (shop) **2.** *fig (carnage)* slaughter.

bouche-trou *nm* **1.** *(personne)* ▪ **servir de bouche-trou** to make up (the) numbers **2.** *(objet)* stopgap.

bouchon *nm* **1.** *(pour obturer - gén)* top ▪ *(- de réservoir)* cap ▪ *(- de bouteille)* cork **2.** *(de canne à pêche)* float **3.** *(embouteillage)* traffic jam.

boucle *nf* **1.** *(de ceinture, soulier)* buckle **2.** *(bijou)* ▪ **boucle d'oreille** earring **3.** *(de cheveux)* curl **4.** *(de fleuve, d'avion* & INFORM*)* loop.

bouclé, e *adj* **1.** *(cheveux)* curly **2.** *(personne)* curly-haired.

boucler *vt* **1.** *(attacher)* to buckle **2.** *(ceinture de sécurité)* to fasten **3.** *(fermer)* to shut **4.** *fam (enfermer - voleur)* to lock up ▪ *(- malade)* to shut away **5.** *(encercler)* to seal off **6.** *(terminer)* to finish.

bouclier *nm litt* & *fig* shield.

bouddhiste *nmf* & *adj* Buddhist.

bouder ▪ *vi* to sulk. ▪ *vt* **1.** *(chose)* to dislike **2.** *(personne)* to shun ▪ **elle me boude depuis que je lui ai fait faux bond** she has cold-shouldered me ever since I let her down.

boudeur, euse *adj* sulky.

boudin *nm* CULIN blood pudding (UK) *ou* sausage (US).

boue *nf* mud.

bouée *nf* **1.** *(balise)* buoy **2.** *(pour flotter)* rubber ring ▪ **bouée de sauvetage** lifebelt.

boueux, euse *adj* muddy.

bouffe *nf fam* grub.

bouffée *nf* **1.** *(de fumée)* puff **2.** *(de parfum)* whiff **3.** *(d'air)* breath **4.** *(accès)* surge ▪ **bouffées délirantes** mad fits.

bouffer *vt fam (manger)* to eat.

bouffi, e *adj* ▪ **bouffi (de)** swollen (with).

bouffon, onne *adj* farcical. ▪ **bouffon** *nm* **1.** HIST jester **2.** *(pitre)* clown.

bouge *nm péj* **1.** *(taudis)* hovel **2.** *(café)* dive.

bougeoir *nm* candlestick.

bougeotte *nf* ▪ **avoir la bougeotte** to have itchy feet.

bouger ■ vt (déplacer) to move. ■ vi 1. (remuer) to move 2. (changer) to change 3. (s'agiter) • **ça bouge partout dans le monde** there is unrest all over the world.

bougie nf 1. (chandelle) candle 2. (de moteur) spark plug, sparking plug (UK).

bougon, onne adj grumpy.

bougonner vt & vi to grumble.

bouillant, e adj 1. (qui bout) boiling 2. (très chaud) boiling hot.

bouillie nf baby's cereal • **réduire en bouillie** (légumes) to puree • **réduire en bouillie** (personne) to reduce to a pulp.

bouillir vi (aliments) to boil • **faire bouillir** to boil.

bouilloire nf kettle.

bouillon nm 1. (soupe) stock 2. (bouillonnement) bubble • **faire bouillir à gros bouillons** to bring to a rolling boil.

bouillonner vi 1. (liquide) to bubble 2. (torrent) to foam 3. fig (personne) to seethe.

bouillotte nf hot-water bottle.

boul. abrév de **boulevard.**

boulanger, ère nm, f baker.

boulangerie nf 1. (magasin) bakery, baker's (shop) (UK) 2. (commerce) bakery trade.

boule nf 1. (gén) ball 2. (de loto) counter 3. (de pétanque) bowl • **boule de neige** snowball. ■ **boules** nfpl 1. (jeux) boules 2. tfam • **avoir les boules** (être effrayé) to be scared stiff • (être furieux) to be pissed off tfam • (être déprimé) to be feeling down.

bouleau nm silver birch.

bouledogue nm bulldog.

boulet nm 1. (munition) • **boulet de canon** cannonball 2. (de forçat) ball and chain 3. fig (fardeau) millstone (around one's neck).

boulette nf 1. (petite boule) pellet 2. (de viande) meatball.

boulevard nm 1. (rue) boulevard 2. THÉÂTRE light comedy (indénombrable).

bouleversant, e adj distressing.

bouleversement nm disruption.

bouleverser vt 1. (objets) to turn upside down 2. (modifier) to disrupt 3. (émouvoir) to distress.

boulgour nm bulgar ou bulgur wheat.

boulier nm abacus.

boulimie nf bulimia.

boulon nm bolt.

boulonner ■ vt to bolt. ■ vi fam to slog (away).

boulot nm fam 1. (travail) work 2. (emploi) job.

boum nf fam vieilli party.

bouquet nm 1. (de fleurs - gén) bunch (of flowers) 2. (de vin) bouquet 3. (de feu d'artifice) crowning piece 4. TV • **bouquet de programmes** multi-channel package • **bouquet numérique** channel package, channel bouquet.

bouquin nm fam book.

bouquiner vi & vt fam to read.

bouquiniste nmf secondhand bookseller.

bourbier nm 1. (lieu) quagmire, mire 2. fig mess.

bourde nf fam (erreur) blunder.

bourdon nm (insecte) bumblebee.

bourdonnement nm (d'insecte, de voix, de moteur) buzz (indénombrable).

bourdonner vi 1. (insecte, machine, voix) to buzz 2. (oreille) to ring.

bourgeois, e ■ adj 1. (valeur) middle-class 2. (cuisine) plain 3. péj (personne) bourgeois. ■ nm, f bourgeois.

bourgeoisie nf ≃ middle classes pl.

bourgeon nm bud.

bourgeonner vi to bud.

Bourgogne nf • **la Bourgogne** Burgundy.

bourlinguer vi fam (voyager) to bum around the world.

bourrade nf thump.

bourrage nm (de coussin) stuffing. ■ **bourrage de crâne** nm fam 1. (bachotage) cramming (UK) 2. (propagande) brainwashing.

bourrasque nf gust of wind.

bourratif, ive adj stodgy.

bourreau nm HIST executioner.

bourrelet nm (de graisse) roll of fat.

bourrer vt 1. (remplir - coussin) to stuff • (- sac, armoire) • **bourrer qqch (de)** to cram sthg full (of) 2. fam (gaver) • **bourrer qqn (de)** to stuff sb (with).

bourrique nf 1. (ânesse) she-ass 2. fam (personne) pigheaded person.

bourru, e adj (peu aimable) surly.

bourse nf 1. (porte-monnaie) purse 2. (d'études) grant 3. (au mérite) scholarship. ■ **Bourse** nf (marché) stock exchange, stock market • **la Bourse de Paris** the Paris Stock Exchange • **jouer en Bourse** to speculate on the stock exchange *ou* stock market • **Bourse de commerce** commodity market.

boursier, **ère** *adj* **1.** *(élève)* on a grant *ou* scholarship **2.** FIN stock-exchange *(avant nom)*, stock-market *(avant nom)*.

boursouflé, **e** *adj* *(enflé)* swollen.

bousculade *nf* **1.** *(cohue)* crush **2.** *(agitation)* rush.

bousculer *vt* **1.** *(faire tomber)* to knock over **2.** *(presser)* to rush **3.** *(modifier)* to overturn.

bouse *nf* • **bouse de vache** cow dung.

bousiller *vt fam (abîmer)* to ruin, to knacker *(UK)*.

boussole *nf* compass.

bout *nm* **1.** *(extrémité, fin)* end • **au bout de** *(temps)* after • *(espace)* at the end of • **d'un bout à l'autre** *(de ville)* from one end to the other • *(de livre)* from beginning to end **2.** *(morceau)* bit • **être à bout** to be exhausted • **à bout portant** at point-blank range • **pousser qqn à bout** to drive sb to distraction • **venir à bout de** *(personne)* to get the better of • *(difficulté)* to overcome.

boutade *nf (plaisanterie)* jest.

boute-en-train *nm inv* live wire • **il était le boute-en-train de la soirée** he was the life and soul of the party.

bouteille *nf* bottle.

boutique *nf* **1.** *(gén)* shop **2.** *(de mode)* boutique.

bouton *nm* **1.** COUT button • **bouton de manchette** cuff link **2.** *(sur la peau)* pimple, spot *(UK)* **3.** *(de porte)* knob **4.** *(commutateur)* switch **5.** *(bourgeon)* bud.

bouton-d'or *nm* buttercup.

boutonner *vt* to button (up).

boutonneux, **euse** *adj* pimply, spotty *(UK)*.

boutonnière *nf (de vêtement)* buttonhole.

bouton-pression *nm* press-stud *(UK)*, snap fastener *(US)*.

bouture *nf* cutting.

bovin, **e** *adj* bovine. ◼ **bovins** *nmpl* cattle.

bowling *nm* **1.** *(jeu)* bowling **2.** *(lieu)* bowling alley.

box *nm* **1.** *(d'écurie)* loose box **2.** *(compartiment)* cubicle • **le box des accusés** the dock **3.** *(parking)* lockup garage *(UK)*.

boxe *nf* boxing.

boxer[1] ◼ *vi* to box. ◼ *vt fam* to thump.

boxer[2] *nm (chien)* boxer.

boxeur *nm* SPORT boxer.

boyau *nm* **1.** *(chambre à air)* inner tube **2.** *(corde)* catgut **3.** *(galerie)* narrow gallery. ◼ **boyaux** *nmpl (intestins)* guts.

boycotter *vt* to boycott.

BP *(abr de* **boîte postale)** *nf* PO Box.

bracelet *nm* **1.** *(bijou)* bracelet **2.** *(de montre)* strap.

bracelet-montre *nm* wristwatch.

braconner *vi* to go poaching, to poach.

braconnier *nm* poacher.

brader *vt* **1.** *(solder)* to sell off **2.** *(vendre à bas prix)* to sell for next to nothing.

braderie *nf* clearance sale.

braguette *nf* fly, flies *pl (UK)*.

braille *nm* Braille.

brailler *vi* to bawl.

braire *vi (âne)* to bray.

braise *nf* embers *pl*.

bramer *vi (cerf)* to bell.

brancard *nm* **1.** *(civière)* stretcher **2.** *(de charrette)* shaft.

brancardier, **ère** *nm, f* stretcher-bearer.

branchage *nm* branches *pl*.

branche *nf* **1.** *(gén)* branch **2.** *(de lunettes)* arm.

branché, **e** *adj* **1.** ÉLECTR plugged in, connected **2.** *fam (à la mode)* trendy.

branchement *nm (raccordement)* connection, plugging in.

brancher *vt* **1.** *(raccorder &* INFORM*)* to connect • **brancher qqch sur** ÉLECTR to plug sthg into **2.** *fam (orienter)* to steer • **brancher qqn sur qqch** to start sb off on sthg **3.** *fam (plaire)* to appeal to.

branchies *nfpl (de poisson)* gills.

brandir *vt* to wave.

branlant, **e** *adj* **1.** *(escalier, mur)* shaky **2.** *(meuble, dent)* wobbly.

branle-bas *nm inv* pandemonium *(indénombrable)*.

braquage *nm* **1.** AUTO lock **2.** *(attaque)* holdup.

braquer ◼ *vt* **1.** *(diriger)* • **braquer qqch sur** *(arme)* to aim sthg at • *(regard)* to fix sthg on **2.** *fam (attaquer)* to hold up. ◼ *vi* to turn (the wheel).
◼ **se braquer** *vp (personne)* to take a stand.

bras *nm* **1.** *(gén)* arm • **bras droit** right-hand man *ou* woman • **bras de fer** *(jeu)* arm wrestling • *fig* trial of strength • **avoir le bras long** *(avoir de l'influence)* to have pull **2.** *(de cours d'eau)* branch • **bras de mer** arm of the sea.

brasier *nm (incendie)* blaze, inferno.

bras-le-corps ◼ **à bras-le-corps** *loc adv* bodily.

brassage *nm* **1.** *(de bière)* brewing **2.** *fig (mélange)* mixing.

brassard *nm* armband.

brasse *nf (nage)* breaststroke • **brasse papillon** butterfly (stroke).

brassée *nf* armful.

brasser *vt* **1.** *(bière)* to brew **2.** *(mélanger)* to mix **3.** *fig (manier)* to handle.

brasserie *nf* **1.** *(usine)* brewery **2.** *(café-restaurant)* brasserie.

brasseur, euse *nm, f (de bière)* brewer.

brassière *nf* **1.** *(de bébé)* (baby's) vest *(UK) ou* undershirt *(US)* **2.** *(Québec) (soutien-gorge)* bra.

bravade *nf* • **par bravade** out of bravado.

brave ◼ *adj* **1.** *(après un nom) (courageux)* brave **2.** *(avant un nom) (honnête)* decent **3.** *(naïf et gentil)* nice. ◼ *nmf* • **mon brave** my good man.

braver *vt* **1.** *(parents, règlement)* to defy **2.** *(mépriser)* to brave.

bravo *interj* bravo! ◼ **bravos** *nmpl* cheers.

bravoure *nf* bravery.

break *nm* **1.** *(voiture)* estate (car) *(UK)*, station wagon *(US)* **2.** *fam (pause)* break • **faire un break** to take a break **3.** SPORT • **faire le break** *(tennis)* to break service • *fig* to pull away.

brebis *nf* ewe • **brebis galeuse** black sheep.

brèche *nf* **1.** *(de mur)* gap **2.** MIL breach.

bredouiller *vi* to stammer.

bref, brève *adj* **1.** *(gén)* short, brief • **soyez bref !** make it brief! **2.** LING short. ◼ **bref** *adv* in short, in a word. ◼ **brève** *nf* PRESSE brief news item.

brelan *nm* • **un brelan** three of a kind • **un brelan de valets** three jacks.

Brésil *nm* • **le Brésil** Brazil.

Bretagne *nf* • **la Bretagne** Brittany.

bretelle *nf* **1.** *(d'autoroute)* access road, slip road *(UK)* **2.** *(de pantalon)* • **bretelles** braces *(UK)*, suspenders *(US)* **3.** *(de bustier)* strap.

breuvage *nm (boisson)* beverage.

brevet *nm* **1.** *(certificat)* certificate • **brevet de secouriste** first-aid certificate **2.** *(diplôme)* diploma • **brevet des collèges** ≃ GCSE *(UK)*, *pour expliquer de quoi il s'agit à un anglophone, vous pouvez dire* it is a school certificate that you take after four years of secondary education **3.** *(d'invention)* patent.

breveter *vt* to patent.

bréviaire *nm* breviary.

bribe *nf* **1.** *(fragment)* scrap, bit **2.** *fig* snippet • **bribes de conversation** snatches of conversation.

bric ◼ **de bric et de broc** *loc adv* any old how.

bric-à-brac *nm inv* bric-a-brac.

bricolage *nm* **1.** *(travaux)* do-it-yourself, DIY *(UK)* **2.** *(réparation provisoire)* patching up.

bricole *nf* **1.** *(babiole)* trinket **2.** *(chose insignifiante)* trivial matter.

bricoler ◼ *vi* to do odd jobs (around the house). ◼ *vt* **1.** *(réparer)* to fix, to mend *(UK)* **2.** *(fabriquer)* to make, to knock up *(UK)*.

bricoleur, euse *nm, f* do-it-yourselfer, home handyman *(f* handywoman*)*.

bride *nf* **1.** *(de cheval)* bridle **2.** *(de chapeau)* string **3.** COUT bride, bar **4.** TECHNOL flange.

bridé ⊳ œil.

brider *vt* **1.** *(cheval)* to bridle **2.** *fig* to rein (in).

bridge *nm (jeu & MÉD)* bridge.

briefer *vt* to brief.

briefing *nm* briefing.

brièvement *adv* briefly.

brièveté *nf* brevity, briefness.

brigade *nf* **1.** *(d'ouvriers, de soldats)* brigade **2.** *(détachement)* squad • **brigade volante** flying squad *(UK)*.

brigand *nm (bandit)* bandit.

brillamment *adv* **1.** *(gén)* brilliantly **2.** *(réussir un examen)* with flying colours *(UK)* ou colors *(US)*.

brillant, e *adj* **1.** *(qui brille - gén)* sparkling • *(- cheveux)* glossy • *(- yeux)* bright **2.** *(remarquable)* brilliant. ■ **brillant** *nm (diamant)* brilliant.

briller *vi* to shine.

brimer *vt* **1.** *(tracasser)* to victimize, to bully **2.** *arg scol* to rag *(UK)*, to haze *(US)*.

brin *nm* **1.** *(tige)* twig • **brin d'herbe** blade of grass **2.** *(fil)* strand **3.** *(petite quantité)* • **un brin (de)** a bit (of) • **faire un brin de toilette** to have a quick wash.

brindille *nf* twig.

bringuebaler, brinquebaler *vi (voiture)* to jolt along.

brio *nm (talent)* • **avec brio** brilliantly.

brioche *nf* **1.** *(pâtisserie)* brioche **2.** *fam (ventre)* paunch.

brioché, e *adj (pain)* brioche-style.

brique *nf* **1.** *(pierre)* brick **2.** *(emballage)* carton **3.** *fam (argent)* 10,000 francs.

briquer *vt* to scrub.

briquet *nm (cigarette)* lighter.

briquette *nf (conditionnement)* carton.

brisant *nm (écueil)* reef. ■ **brisants** *nmpl (récif)* breakers.

brise *nf* breeze.

brise-glace(s) *nm inv (navire)* icebreaker.

brise-lames *nm inv* breakwater.

briser *vt* **1.** *(gén)* to break **2.** *fig (carrière)* to ruin **3.** *(conversation)* to break off **4.** *(espérances)* to shatter. ■ **se briser** *vp* **1.** *(gén)* to break **2.** *fig (espoir)* to be dashed **3.** *(efforts)* to be thwarted.

briseur, euse *nm, f* • **briseur de grève** strike-breaker.

britannique *adj* British. ■ **Britannique** *nmf* British person, Briton • **les Britanniques** the British.

broc *nm* jug.

brocante *nf* **1.** *(commerce)* secondhand trade **2.** *(objets)* secondhand goods *pl*.

brocanteur, euse *nm, f* dealer in secondhand goods.

broche *nf* **1.** *(bijou)* brooch **2.** CULIN spit • **cuire à la broche** to spit-roast **3.** ÉLECTR & MÉD pin.

broché, e *adj* **1.** *(tissu)* brocade *(avant nom)*, brocaded **2.** TYPO • **livre broché** paperback (book).

brochet *nm* pike.

brochette *nf* **1.** *(ustensile)* skewer **2.** *(plat)* kebab **3.** *fam fig (groupe)* string, row.

brochure *nf (imprimé)* brochure, booklet.

broder *vt* & *vi* to embroider.

broderie *nf* **1.** *(art)* embroidery **2.** *(ouvrage)* (piece of) embroidery.

bromure *nm* bromide.

bronche *nf* bronchus • **j'ai des problèmes de bronches** I've got chest problems.

broncher *vi* • **sans broncher** without complaining, uncomplainingly.

bronchite *nf* bronchitis *(indénombrable)*.

bronzage *nm (de peau)* tan, suntan.

bronze *nm* bronze.

bronzé, e *adj* tanned *(UK)*, tan *(US)*, suntanned.

bronzer *vi* **1.** *(peau)* to tan **2.** *(personne)* to get a tan.

brosse *nf* brush • **brosse à cheveux** hairbrush • **brosse à dents** toothbrush • **avoir les cheveux en brosse** to have a crew cut.

brosser *vt* **1.** *(habits, cheveux)* to brush **2.** *(paysage, portrait)* to paint. ■ **se brosser** *vp* • **se brosser les cheveux/les dents** to brush one's hair/ teeth.

brouette *nf* wheelbarrow.

brouhaha *nm* hubbub.

brouillard *nm* **1.** *(léger)* mist **2.** *(dense)* fog • **brouillard givrant** freezing fog • **être dans le brouillard** *fig* to be lost.

brouille *nf* quarrel.

brouillé, e *adj* **1.** *(fâché)* • **être brouillé avec qqn** to be on bad terms with sb • **être brouillé avec qqch** *fig* to be hopeless ou useless at sthg **2.** *(teint)* muddy **3.** ▷ **œuf**.

brouiller *vt* **1.** *(désunir)* to set at odds, to put on bad terms **2.** *(vue)* to blur **3.** (RADIO - *accidentellement*) to cause interference to • *(- délibérément)* to jam **4.** *(rendre confus)* to muddle (up). ■ **se brouiller** *vp* **1.** *(se fâcher)* to fall out • **se brouiller avec qqn (pour qqch)** to fall out with sb (over sthg) **2.** *(se troubler)* to become blurred **3.** MÉTÉOR to cloud over.

brouillon, onne *adj* careless, untidy. ▪ **brouillon** *nm* rough copy, draft.

broussaille *nf* ▪ **les broussailles** the undergrowth ▪ **en broussaille** *fig (cheveux)* untidy ▪ *(sourcils)* bushy.

brousse *nf* GÉOGR scrubland, bush.

brouter ▪ *vt* to graze on. ▪ *vi* **1.** *(animal)* to graze **2.** TECHNOL to judder, to shudder.

broutille *nf* trifle.

broyer *vt* to grind, to crush.

bru *nf sout* daughter-in-law.

brugnon *nm* nectarine.

bruine *nf* drizzle.

bruissement *nm* **1.** *(de feuilles, d'étoffe)* rustle, rustling *(indénombrable)* **2.** *(d'eau)* murmur, murmuring *(indénombrable)*.

bruit *nm* **1.** *(son)* noise, sound ▪ **bruit de fond** background noise **2.** *(vacarme &* TECHNOL*)* noise ▪ **faire du bruit** to make a noise ▪ **sans bruit** silently, noiselessly **3.** *(rumeur)* rumour *(UK)*, rumor *(US)* **4.** *(retentissement)* fuss ▪ **faire du bruit** to cause a stir.

bruitage *nm* sound effects *pl.*

brûlant, e *adj* **1.** *(gén)* burning (hot) **2.** *(liquide)* boiling (hot) **3.** *(plat)* piping hot **4.** *fig (amour, question)* burning.

brûle-pourpoint ▪ **à brûle-pourpoint** *loc adv* point-blank, straight out.

brûler ▪ *vt* **1.** *(gén)* to burn **2.** *(suj : eau bouillante)* to scald ▪ **la fumée me brûle les yeux** the smoke is making my eyes sting **3.** *(feu rouge)* to drive through **4.** *(étape)* to miss out. ▪ *vi* **1.** *(gén)* to burn **2.** *(maison, forêt)* to be on fire **3.** *(être brûlant)* to be burning (hot) ▪ **brûler de** *fig* to be consumed with ▪ **brûler de faire qqch** to be longing *ou* dying to do sthg ▪ **brûler de fièvre** to be running a high temperature.

▪ **se brûler** *vp* to burn o.s..

brûlure *nf* **1.** *(lésion)* burn ▪ **brûlure au premier/second/troisième degré** first-degree/second-degree/third-degree burn **2.** *(sensation)* burning (sensation) ▪ **avoir des brûlures d'estomac** to have heartburn.

brume *nf* mist.

brumeux, euse *adj* **1.** misty **2.** *fig* hazy.

brun, e ▪ *adj* **1.** brown **2.** *(cheveux)* dark. ▪ *nm, f* dark-haired man *(f* woman*)*.

▪ **brun** *nm (couleur)* brown. ▪ **brune** *nf* **1.** *(cigarette)* cigarette made of dark tobacco **2.** *(bière)* brown ale.

brunir *vi* **1.** *(personne)* to get a tan **2.** *(peau)* to tan.

Brushing® *nm* ▪ **faire un Brushing à qqn** to give sb a blow-dry, to blow-dry sb's hair.

brusque *adj* abrupt.

brusquement *adv* abruptly.

brusquer *vt* **1.** to rush **2.** *(élève)* to push.

brusquerie *nf* abruptness.

brut, e *adj* **1.** *(pierre précieuse, bois)* rough **2.** *(sucre)* unrefined **3.** *(métal, soie)* raw **4.** *(champagne)* extra dry ▪ **(pétrole) brut** crude (oil) **5.** *fig (fait, idées)* crude, raw **6.** ÉCON gross. ▪ **brute** *nf* brute.

brutal, e *adj* **1.** *(violent)* violent, brutal **2.** *(soudain)* sudden **3.** *(manière)* blunt.

brutaliser *vt* to mistreat.

brutalité *nf* **1.** *(violence)* violence, brutality **2.** *(caractère soudain)* suddenness.

Bruxelles *npr* Brussels.

bruyamment *adv* noisily.

bruyant, e *adj* noisy.

bruyère *nf (plante)* heather.

BT *nm (abr de* **brevet de technicien**), *pour expliquer de quoi il s'agit à un anglophone, vous pouvez dire* it is a vocational training certificate that you take at the age of 18.

BTP *(abr de* **bâtiment et travaux publics**) *nmpl* construction and civil engineering.

BTS *(abr de* **brevet de technicien supérieur**) *nm pour expliquer de quoi il s'agit à un anglophone, vous pouvez dire* it is an advanced vocational training certificate. You take it at the end of a 2-year higher-education course.

buanderie *nf* laundry.

buccal, e *adj* buccal.

bûche *nf (bois)* log ▪ **bûche de Noël** Yule log ▪ **prendre** *ou* **ramasser une bûche** *fam* to fall flat on one's face.

bûcher[1] *nm* **1.** *(supplice)* ▪ **le bûcher** the stake **2.** *(funéraire)* pyre.

bûcher[2] *fam* ▪ *vi* to swot *(UK)*, to grind *(US)*. ▪ *vt* to swot up *(UK)*, to grind *(US)*.

bûcheron, onne *nm, f* forestry worker.

bûcheur, euse *fam* ▪ *adj* hard-working. ▪ *nm, f* swot *(UK)*, grind *(US)*.

bucolique *adj* pastoral.

budget *nm* budget.

budgétaire *adj* budgetary • **année budgétaire** fiscal *ou* financial *(UK)* year.

buée *nf (sur vitre)* condensation.

buffet *nm* 1. *(meuble)* sideboard 2. *(repas)* buffet 3. *(café-restaurant)* • **buffet de gare** station buffet.

buffle *nm (animal)* buffalo.

bug = **bogue**.

buis *nm* box(wood).

buisson *nm* bush.

buissonnière ▷ **école**.

bulbe *nm* bulb.

bulgare *adj* Bulgarian. ■ **bulgare** *nm (langue)* Bulgarian. ■ **Bulgare** *nmf* Bulgarian.

Bulgarie *nf* • **la Bulgarie** Bulgaria.

bulldozer *nm* bulldozer.

bulle *nf* 1. *(gén)* bubble • **bulle de savon** soap bubble 2. *(de bande dessinée)* speech balloon 3. INFORM • **bulle d'aide** pop-up text, tooltip.

bulletin *nm* 1. *(communiqué)* bulletin • **bulletin (de la) météo** weather forecast • **bulletin de santé** medical bulletin 2. *(imprimé)* form • **bulletin de vote** ballot paper 3. SCOL report *(UK)*, report card *(US)* 4. *(certificat)* certificate • **bulletin de salaire** *ou* **de paye** pay slip.

bulletin-réponse *nm* reply form.

buraliste *nmf (d'un bureau de tabac)* tobacconist.

bureau *nm* 1. *(gén)* office • **bureau d'aide sociale** social security *(UK)* *ou* welfare *(US)*office • **bureau de change** *(banque)* bureau de change, foreign exchange office • *(comptoir)* bureau de change, foreign exchange counter • **bureau d'études** design office • **bureau de poste** post office • **bureau de tabac** tobacconist's • **bureau de vote** polling station 2. *(meuble)* desk 3. INFORM desktop.

bureaucrate *nmf* bureaucrat.

bureaucratie *nf* bureaucracy.

bureautique *nf* office automation.

burette *nf (de mécanicien)* oilcan.

burin *nm (outil)* chisel.

buriné, e *adj* 1. engraved 2. *(visage, traits)* lined.

LE BUREAU

- l'atlas the atlas
- le bureau the desk
- le cahier the notebook
- la chaise the chair
- les ciseaux the scissors
- le classeur the ring binder
- le clavier the keyboard
- la colle the glue
- le compas the compass
- le crayon à papier the pencil
- l'écran the screen
- l'équerre the set square
- la gomme the rubber *(UK)*, the eraser *(US)*
- la lampe the lamp
- le livre the book
- l'ordinateur the computer
- la règle the ruler
- la souris the mouse
- le stylo bille the pen
- le stylo plume the foutain pen
- le taille-crayon the pencil sharpener
- le tapis de souris the mousepad
- le tiroir the drawer
- la trousse the pencil case
- l'unité centrale the central processing unit.

burlesque *adj* 1. *(comique)* funny 2. *(ridicule)* ludicrous, absurd 3. THÉÂTRE burlesque.

bus *nm* bus.

busqué ▷ **nez**.

buste *nm* 1. *(torse)* chest 2. *(poitrine de femme, sculpture)* bust.

bustier *nm* 1. *(corsage)* bustier 2. *(soutien-gorge)* strapless bra.

but *nm* 1. *(point visé)* target 2. *(objectif)* goal, aim, purpose • **errer sans but** to wander aimlessly • **il touche au but** he's nearly there • **à but non lucratif** OR non-profit, non-profit-making *(UK)* • **aller droit au but** to go straight to the point • **dans le but de faire qqch** with the aim *ou* intention of doing sthg 3. SPORT goal • **marquer un but** to score a goal • **de but en blanc** point-blank, straight out.

butane *nm* • **(gaz) butane** butane • *(domestique)* butane, Calor gas® *(UK)*.

buté, e *adj* stubborn.

buter ■ *vi (se heurter)* • **buter sur/contre qqch** to stumble on/over sthg, to trip on/over sthg • *fig* to run into/come up

against sthg. ◼ vt tfam (tuer) to do in, to bump off.
◼ **se buter** vp to dig one's heels in ◦ **se buter contre** fig to refuse to listen to.

butin nm 1. (de guerre) booty 2. (de vol) loot 3. (de recherche) finds pl.

butiner vi to collect nectar.

butte nf (colline) mound, rise ◦ **être en butte à** fig to be exposed to.

buvard nm 1. (papier) blotting-paper 2. (sous-main) blotter.

buvette nf (café) refreshment room, buffet.

buveur, euse nm, f drinker.

c¹, C *nm inv* c, C. ■ **C** *(abr écrite de* **celsius, centigrade)** C.

c² *abrév de* **centime.**

CA *nm abrév de* **chiffre d'affaires.**

ça *pron dém* **1.** *(désignant un objet - éloigné)* that • *(- proche)* this **2.** *(sujet indéterminé)* it, that • **comment ça va?** how are you?, how are things? • **ça ira comme ça** that will be fine • **ça y est** that's it • **c'est ça** that's right **3.** *(renforcement expressif)* • **où ça?** where? • **qui ça?** who?

çà *adv* • **çà et là** here and there.

caban *nm* **1.** reefer jacket *(UK)*, reefer *(US)* **2.** *(d'officier)* pea jacket.

cabane *nf* **1.** *(abri)* cabin, hut **2.** *(remise)* shed • **cabane à lapins** hutch.

cabanon *nm* **1.** *(à la campagne)* cottage **2.** *(sur la plage)* chalet **3.** *(cellule)* padded cell **4.** *(de rangement)* shed.

cabaret *nm* cabaret.

cabas *nm* shopping bag.

cabillaud *nm* (fresh) cod.

cabine *nf* **1.** *(de navire, d'avion, de véhicule)* cabin **2.** *(compartiment, petit local)* cubicle • **cabine d'essayage** fitting room • **cabine téléphonique** phone booth, phone box *(UK)*.

cabinet *nm* **1.** *(pièce)* • **cabinet de toilette** ≃ bathroom **2.** *(local professionnel)* office • **cabinet dentaire/médical** dentist's/ doctor's surgery *(UK)*, dentist's/doctor's office *(US)* **3.** *(gouvernement)* cabinet **4.** *(de ministre)* advisers *pl.* ■ **cabinets** *nmpl* toilet *sing.*

câble *nm* cable • **(télévision par) câble** cable television.

câblé, e *adj* TV equipped with cable TV.

cabosser *vt* to dent.

cabotage *nm* coastal navigation.

caboteur *nm* *(navire)* coaster.

cabrer ■ **se cabrer** *vp* **1.** *(cheval)* to rear (up) **2.** *(avion)* to climb steeply **3.** *fig (personne)* to take offence *(UK)* ou offense *(US)*.

cabri *nm* kid.

cabriole *nf* **1.** *(bond)* caper **2.** *(pirouette)* somersault.

cabriolet *nm* convertible.

CAC, Cac *(abr de* **Compagnie des agents de change)** *nf* • **l'indice CAC-40** the CAC—40 index.

caca *nm fam* pooh *(UK)*, poop *(US)* • **faire caca** to do a pooh *(UK)* ou poop *(US)* • **caca d'oie** greeny-yellow.

cacahouète, cacahuète *nf* peanut.

cacao *nm* **1.** *(poudre)* cocoa (powder) **2.** *(boisson)* cocoa.

cachalot *nm* sperm whale.

cache ■ *nf (cachette)* hiding place. ■ *nm (masque)* card *(for masking text)*.

cache-cache *nm inv* • **jouer à cache-cache** to play hide-and-seek.

cachemire *nm* **1.** *(laine)* cashmere **2.** *(dessin)* paisley.

cache-nez *nm inv* scarf.

cache-pot *nm inv* pot holder.

cacher *vt* **1.** *(gén)* to hide • **je ne vous cache pas que...** to be honest,... **2.** *(vue)* to mask.
■ **se cacher** *vp* • **se cacher (de qqn)** to hide (from sb).

cachet *nm* **1.** *(comprimé)* tablet, pill **2.** *(marque)* postmark **3.** *(style)* style, character • **avoir du cachet** to have character **4.** *(rétribution)* fee.

cacheter *vt* to seal.

cachette *nf* hiding place • **en cachette** secretly.

cachot *nm* *(cellule)* cell.

cachotterie *nf* little secret • **faire des cachotteries (à qqn)** to hide things (from sb).

cachottier, ère *nm, f* secretive person.

cactus *nm* cactus.

c.-à-d. *(abr écrite de* **c'est-à-dire)** i.e.

cadastre *nm* **1.** *(registre)* ≃ land register **2.** *(service)* ≃ land registry *(UK)*, ≃ land office *(US)*.

cadavérique *adj* deathly.

cadavre *nm* corpse, (dead) body.

Caddie® *nm* (*chariot*) (shopping) trolley (*UK*), shopping cart (*US*).

cadeau ◼ *nm* present, gift ◦ **faire cadeau de qqch à qqn** to give sthg to sb (as a present). ◼ *adj inv* ◦ **idée cadeau** gift idea.

cadenas *nm* padlock.

cadenasser *vt* to padlock.

cadence *nf* **1.** (*rythme musical*) rhythm ◦ **en cadence** in time **2.** (*de travail*) rate.

cadencé, e *adj* rhythmical.

cadet, ette *nm, f* **1.** (*de deux enfants*) younger **2.** (*de plusieurs enfants*) youngest ◦ **il est mon cadet de deux ans** he's two years younger than me **3.** SPORT junior.

cadran *nm* dial ◦ **cadran solaire** sundial.

cadre *nm* **1.** (*de tableau, de porte*) frame **2.** (*contexte*) context **3.** (*décor, milieu*) surroundings *pl* **4.** (*responsable*) ◦ **cadre moyen/supérieur** middle/senior manager **5.** (*sur formulaire*) box.

cadrer ◼ *vi* to agree, to tally. ◼ *vt* CINÉ, PHOTO & TV to frame.

caduc, caduque *adj* **1.** (*feuille*) deciduous **2.** (*qui n'est plus valide*) obsolete.

cafard *nm* **1.** (*insecte*) cockroach **2.** fig (*mélancolie*) ◦ **avoir le cafard** to feel low *ou* down.

café *nm* **1.** (*plante, boisson*) coffee ◦ **café crème** latte ◦ **café en grains** coffee beans ◦ **café au lait** white coffee (*UK*), coffee with milk (*US*) (*with hot milk*) ◦ **café moulu** ground coffee ◦ **café noir** black coffee ◦ **café en poudre** *ou* **soluble** instant coffee **2.** (*lieu*) bar, café.

caféine *nf* caffeine.

cafétéria *nf* cafeteria.

café-théâtre *nm* ≃ cabaret.

cafetière *nf* **1.** (*récipient*) coffeepot **2.** (*électrique*) coffeemaker **3.** (*italienne*) percolator.

cafouiller *vi* fam **1.** (*s'embrouiller*) to get into a mess **2.** (*moteur*) to misfire **3.** TV to be on the blink.

cafter *vi* fam to sneak, to snitch.

cafteur, euse *nm, f* fam sneak, snitch.

cage *nf* **1.** (*pour animaux*) cage **2.** (*dans une maison*) ◦ **cage d'escalier** stairwell **3.** ANAT ◦ **cage thoracique** rib cage.

cageot *nm* (*caisse*) crate.

cagibi *nm* boxroom (*UK*), storage room (*US*).

cagneux, euse *adj* ◦ **avoir les genoux cagneux** to be knock-kneed.

cagnotte *nf* **1.** (*caisse commune*) kitty **2.** (*économies*) savings *pl*.

cagoule *nf* **1.** (*passe-montagne*) balaclava **2.** (*de voleur, de pénitent*) hood.

cahier *nm* **1.** (*de notes*) exercise book (*UK*), notebook ◦ **cahier de brouillon** rough book (*UK*), notebook (*US*) ◦ **cahier de textes** homework book **2.** COMM ◦ **cahier des charges** specification.

cahin-caha *adv* ◦ **aller cahin-caha** to be jogging along.

cahot *nm* bump, jolt.

cahoter *vi* to jolt around.

cahute *nf* shack.

caille *nf* quail.

caillé, e *adj* **1.** (*lait*) curdled **2.** (*sang*) clotted.

caillot *nm* clot.

caillou *nm* **1.** (*pierre*) stone, pebble **2.** fam (*crâne*) head.

cailouteux, euse *adj* stony.

caïman *nm* cayman.

Caire *npr* ◦ **Le Caire** Cairo.

caisse *nf* **1.** (*boîte*) crate, box ◦ **caisse à outils** toolbox **2.** TECHNOL case **3.** (*guichet*) cash desk, till **4.** (*de supermarché*) checkout, till ◦ **caisse enregistreuse** cash register **5.** (*recette*) takings *pl* **6.** (*organisme*) ◦ **caisse d'allocation** ≃ social security (*UK*) *ou* welfare (*US*) office ◦ **caisse d'épargne** (*fonds*) savings fund ◦ (*établissement*) savings bank ◦ **caisse de retraite** pension fund.

caissier, ère *nm, f* cashier.

caisson *nm* **1.** MIL & TECHNOL caisson **2.** ARCHIT coffer.

cajoler *vt* to cuddle.

cajou ▷ **noix**.

cake *nm* fruitcake.

cal[1] *nm* callus.

cal[2] (*abr écrite de* **calorie**) cal.

calamar, calmar *nm* squid.

calamité *nf* disaster.

calandre *nf* **1.** (*de voiture*) radiator grill **2.** (*machine*) calender.

calanque *nf* rocky inlet.

calcaire ■ *adj* 1. *(eau)* hard 2. *(sol)* chalky 3. *(roche)* limestone. ■ *nm* limestone.

calciner *vt* to burn to a cinder.

calcium *nm* calcium.

calcul *nm* 1. *(opération)* ◦ **le calcul** arithmetic ◦ **calcul mental** mental arithmetic 2. *(compte)* calculation 3. *fig (plan)* plan 4. MÉD ◦ **calcul (rénal)** kidney stone.

calculateur, trice *adj péj* calculating. ■ **calculateur** *nm* computer. ■ **calculatrice** *nf* calculator.

calculer ■ *vt* 1. *(déterminer)* to calculate, to work out 2. *(prévoir)* to plan ◦ **mal/bien calculer qqch** to judge sthg badly/well. ■ *vi* *(dépenses)* *(dépenser avec parcimonie)* to budget carefully, to count the pennies *péj*.

calculette *nf* pocket calculator.

cale *nf* 1. *(de navire)* hold ◦ **cale sèche** dry dock 2. *(pour immobiliser)* wedge.

calé, e *adj fam (personne)* clever, brainy ◦ **être calé en** to be good at.

calèche *nf* (horse-drawn) carriage.

caleçon *nm* 1. *(sous-vêtement masculin)* boxer shorts *pl*, pair of boxer shorts 2. *(vêtement féminin)* leggings *pl*, pair of leggings.

calembour *nm* pun, play on words.

calendrier *nm* 1. *(système, agenda, d'un festival)* calendar 2. *(emploi du temps)* timetable *(UK)*, schedule *(US)* 3. *(d'un voyage)* schedule.

cale-pied *nm* toe-clip.

calepin *nm* notebook.

caler ■ *vt* 1. *(avec cale)* to wedge 2. *(stabiliser, appuyer)* to prop up 3. *fam (remplir)* ◦ **ça cale (l'estomac)** it's filling. ■ *vi* 1. *(moteur, véhicule)* to stall 2. *fam (personne)* to give up.

calfeutrer *vt* to draughtproof *(UK)*. ■ **se calfeutrer** *vp* to shut o.s. up *ou* away.

calibre *nm* 1. *(de tuyau)* diameter, bore 2. *(de fusil)* calibre *(UK)*, caliber *(US)* 3. *(de fruit, d'œuf)* size 4. *fam fig (envergure)* calibre *(UK)*, caliber *(US)*.

calibrer *vt* 1. *(machine, fusil)* to calibrate 2. *(fruit, œuf)* to grade.

Californie *nf* ◦ **la Californie** California.

califourchon ■ **à califourchon** *loc adv* astride ◦ **être (assis) à califourchon sur qqch** to sit astride sthg.

câlin, e *adj* affectionate. ■ **câlin** *nm* cuddle.

câliner *vt* to cuddle.

calleux, euse *adj* calloused.

call-girl *nf* call girl.

calligraphie *nf* calligraphy.

calmant, e *adj* soothing. ■ **calmant** *nm* 1. *(pour la douleur)* painkiller 2. *(pour l'anxiété)* tranquillizer *(UK)*, tranquilizer *(US)*, sedative.

calmar ▷ **calamar**.

calme ■ *adj* quiet, calm. ■ *nm* 1. *(gén)* calm, calmness 2. *(absence de bruit)* peace (and quiet).

calmer *vt* 1. *(apaiser)* to calm (down) 2. *(réduire - douleur)* to soothe ◦ *(- inquiétude)* to allay. ■ **se calmer** *vp* 1. *(s'apaiser - personne, discussion)* to calm down ◦ *(- tempête)* to abate ◦ *(- mer)* to become calm 2. *(diminuer - douleur)* to ease ◦ *(- fièvre, inquiétude, désir)* to subside.

calomnie *nf* 1. *(écrits)* libel 2. *(paroles)* slander.

calorie *nf* calorie.

calorique *adj* calorific.

calot *nm* *(bille)* (large) marble.

calotte *nf* 1. *(bonnet)* skullcap 2. GÉOGR ◦ **calotte glaciaire** ice cap.

calque *nm* 1. *(dessin)* tracing 2. *(papier)* ◦ **(papier) calque** tracing paper 3. *fig (imitation)* (exact) copy.

calquer *vt* 1. *(carte)* to trace 2. *(imiter)* to copy exactly ◦ **calquer qqch sur qqch** to model sthg on sthg.

calvaire *nm* 1. *(croix)* wayside cross 2. *fig (épreuve)* ordeal.

calvitie *nf* baldness.

camaïeu *nm* monochrome.

camarade *nmf* 1. *(compagnon, ami)* friend ◦ **camarade de classe** classmate ◦ **camarade d'école** schoolfriend 2. POLIT comrade.

camaraderie *nf* 1. *(familiarité, entente)* friendship 2. *(solidarité)* comradeship, camaraderie.

Cambodge *nm* ◦ **le Cambodge** Cambodia.

cambouis *nm* dirty grease.

cambré, e *adj* arched.

cambriolage *nm* burglary.

cambrioler *vt* to burgle *(UK)*, to burglarize *(US)*.

cambrioleur, euse *nm, f* burglar.

camée *nm* cameo.

caméléon *nm litt & fig* chameleon.

camélia *nm* camellia.

camelote *nf (marchandise de mauvaise qualité)* junk, rubbish *(UK)*.

caméra *nf* **1.** CINÉ & TV camera **2.** *(d'amateur)* cinecamera.

cameraman *nm* cameraman.

Cameroun *nm* • **le Cameroun** Cameroon.

Caméscope ® *nm* camcorder.

camion *nm* truck, lorry *(UK)* • **camion de déménagement** removal van *(UK)*, moving van *(US)*.

camion-citerne *nm* tanker *(UK)*, tanker truck *(US)*.

camionnage *nm* road haulage *(UK)*, trucking *(US)*.

camionnette *nf* van.

camionneur *nm* **1.** *(conducteur)* lorrydriver *(UK)*, truckdriver *(US)* **2.** *(entrepreneur)* road haulier *(UK)*, trucker *(US)*.

camion-poubelle *nm* dustcart *(UK)*, (dust)bin lorry *(UK)*, garbage truck *(US)*.

camisole ■ **camisole de force** *nf* straitjacket.

camouflage *nm* **1.** *(déguisement)* camouflage **2.** *fig (dissimulation)* concealment.

camoufler *vt* **1.** *(déguiser)* to camouflage **2.** *fig (dissimuler)* to conceal, to cover up.

camp *nm* **1.** *(gén)* camp • **camp de concentration** concentration camp **2.** SPORT half (of the field) **3.** *(parti)* side • **passer dans l'autre camp** to go over to the other side.

campagnard, e *adj* **1.** *(de la campagne)* country *(avant nom)* **2.** *(rustique)* rustic.

campagne *nf* **1.** *(habitat)* country **2.** *(paysage)* countryside • **à la campagne** in the country **3.** MIL campaign **4.** *(publicité & POLIT)* campaign • **faire campagne** to campaign • **campagne d'affichage** poster campaign • **campagne électorale** election campaign • **campagne de presse** press campaign • **campagne publicitaire** *ou* **de publicité** advertising campaign • **campagne de vente** sales campaign.

campement *nm* camp, encampment.

camper ■ *vi* to camp. ■ *vt* **1.** *(poser solidement)* to place firmly **2.** *fig (esquisser)* to portray.

campeur, euse *nm, f* camper.

camphre *nm* camphor.

camping *nm* **1.** *(activité)* camping • **faire du camping** to go camping **2.** *(terrain)* campsite.

Canada *nm* • **le Canada** Canada.

canadien, enne *adj* Canadian. ■ **canadienne** *nf (veste)* sheepskin jacket. ■ **Canadien, enne** *nm, f* Canadian.

canaille ■ *adj* **1.** *(coquin)* roguish **2.** *(vulgaire)* crude. ■ *nf* **1.** *(scélérat)* scoundrel **2.** *hum (coquin)* little devil.

canal *nm* **1.** *(gén)* channel • **par le canal de qqn** *fig (par l'entremise de)* through sb **2.** *(voie d'eau)* canal **3.** ANAT canal, duct. ■ **Canal** *nm* • **Canal+** *pour expliquer de quoi il s'agit à un anglophone, vous pouvez dire* it is a French pay-TV channel.

canalisation *nf (conduit)* pipe.

canaliser *vt* **1.** *(cours d'eau)* to canalize **2.** *fig (orienter)* to channel.

canapé *nm (siège)* sofa.

canapé-lit *nm* sofa bed.

canaque, kanak *adj* Kanak. ■ **Canaque** *nmf* Kanak.

canard *nm* **1.** *(oiseau)* duck **2.** *(fausse note)* wrong note **3.** *fam (journal)* rag.

canari *nm* canary.

cancan *nm* **1.** *(ragot)* piece of gossip **2.** *(danse)* cancan.

cancer *nm* MÉD cancer. ■ **Cancer** *nm* ASTROL Cancer.

cancéreux, euse ■ *adj* **1.** *(personne)* suffering from cancer **2.** *(tumeur)* cancerous. ■ *nm, f (personne)* cancer sufferer.

cancérigène *adj* carcinogenic.

cancre *nm fam* dunce.

cancrelat *nm* cockroach.

candélabre *nm* candelabra.

candeur *nf* ingenuousness.

candi *adj* • **sucre candi** (sugar) candy.

candidat, e *nm, f* • **candidat (à)** candidate (for).

candidature *nf* **1.** *(à un poste)* application • **poser sa candidature pour qqch** to apply for sthg **2.** *(à une élection)* candidacy, candidature *(UK)*.

candide *adj* ingenuous.

cane *nf* (female) duck.

caneton *nm* (male) duckling.

canette *nf* **1.** (de fil) spool **2.** (petite cane) (female) duckling **3.** (de boisson - bouteille) bottle • (- boîte) can.

canevas *nm* COUT canvas.

caniche *nm* poodle.

canicule *nf* heatwave.·

canif *nm* penknife.

canin, e *adj* canine • **exposition canine** dog show. ■ **canine** *nf* canine (tooth).

caniveau *nm* gutter.

canne *nf* **1.** (bâton) walking stick • **canne à pêche** fishing rod **2.** fam (jambe) pin. ■ **canne à sucre** *nf* sugar cane.

cannelle *nf* (aromate) cinnamon.

cannelure *nf* (de colonne) flute.

cannibale *nmf* & *adj* cannibal.

canoë *nm* canoe.

canoë-kayak *nm* kayak.

canon *nm* **1.** (arme) gun **2.** HIST cannon **3.** (tube d'arme) barrel **4.** MUS • **chanter en canon** to sing in canon **5.** (norme & RELIG) canon.

canoniser *vt* to canonize.

canopée *nf* (écologie) canopy.

canot *nm* dinghy • **canot pneumatique** inflatable dinghy • **canot de sauvetage** lifeboat.

cantatrice *nf* **1.** (d'opéra) (opera) singer **2.** (de concert) (concert) singer.

cantine *nf* **1.** (réfectoire) cafeteria, canteen (UK) **2.** (malle) trunk.

cantique *nm* hymn.

canton *nm* **1.** (en France) ≃ district **2.** (en Suisse) canton.

cantonade ■ **à la cantonade** *loc adv* • **parler à la cantonade** to speak to everyone (in general).

cantonais, e *adj* Cantonese • **riz cantonais** egg fried rice. ■ **cantonais** *nm* (langue) Cantonese.

cantonner *vt* **1.** MIL to quarter, to billet **2.** (maintenir) to confine • **cantonner qqn à** ou **dans** to confine sb to.

cantonnier *nm* roadman.

canular *nm* fam hoax.

canyon *nm* canyon.

canyoning *nm* canyoning.

caoutchouc *nm* **1.** (substance) rubber **2.** (plante) rubber plant.

caoutchouteux, euse *adj* rubbery.

cap *nm* **1.** GÉOGR cape • **le cap de Bonne-Espérance** the Cape of Good Hope • **le cap Horn** Cape Horn • **passer le cap de qqch** fig to get through sthg • **passer le cap de la quarantaine** fig to turn forty **2.** (direction) course • **changer de cap** to change course • **mettre le cap sur** to head for. ■ **Cap** *nm* • **Le Cap** Cape Town.

CAP (abr de **certificat d'aptitude profes-**·**sionnelle**) *nm* pour expliquer de quoi il s'agit à un anglophone, vous pouvez dire it is a vocational training certificate that you take at secondary school.

capable *adj* **1.** (apte) • **capable (de qqch/de faire qqch)** capable (of sthg/of doing sthg) **2.** (à même) • **capable de faire qqch** likely to do sthg.

capacité *nf* **1.** (de récipient) capacity **2.** (de personne) ability **3.** UNIV • **capacité en droit** (diplôme) pour expliquer de quoi il s'agit à un anglophone, vous pouvez dire it is a basic qualification in law that you get after 2 years' study.

cape *nf* (vêtement) cloak • **rire sous cape** fig to laugh up one's sleeve.

CAPES, Capes (abr de **certificat d'apti-tude au professorat de l'enseignement du second degré**) *nm* si vous voulez expli-quer à un anglophone de quoi il s'agit, vous pouvez dire it is a competitive examin-ation for secondary school teachers.

capharnaüm *nm* mess.

capillaire ■ *adj* **1.** (lotion) hair (avant nom) **2.** ANAT & BOT capillary. ■ *nm* **1.** BOT maiden-hair fern **2.** ANAT capillary.

capillarité *nf* PHYS capillarity.

capitaine *nm* captain.

capitainerie *nf* harbour (UK) ou harbor (US) master's office.

capital, e *adj* **1.** (décision, événement) ma-jor **2.** DR capital. ■ **capital** *nm* FIN capi-tal • **capital santé** fig reserves pl of health • **capital social** authorized ou share capital. ■ **capitale** *nf* (ville, lettre) capital. ■ **capitaux** *nmpl* capital (indénombrable).

capitaliser ■ *vt* **1.** FIN to capitalize **2.** fig to accumulate. ■ *vi* to save. ■ **capitaliser sur** *v + prép* to cash in on, to capitalize on.

capitalisme *nm* capitalism.

capitaliste *nmf & adj* capitalist.

capiteux *adj* **1.** *(vin)* intoxicating **2.** *(parfum)* heady.

capitonné, e *adj* padded.

capituler *vi* to surrender ⋄ **capituler devant qqn/qqch** to surrender to sb/sthg.

caporal *nm* **1.** MIL lance corporal **2.** *(tabac)* Caporal tobacco.

capot *nm* **1.** *(de voiture)* bonnet *(UK)*, hood *(US)* **2.** *(de machine)* (protective) cover.

capote *nf* **1.** *(de voiture)* hood *(UK)*, top *(US)* **2.** *fam (préservatif)* condom ⋄ **capote anglaise** *vieilli* condom, French letter *(UK)*.

câpre *nf* caper.

caprice *nm* whim.

capricieux, euse ◪ *adj* **1.** *(changeant)* capricious **2.** *(coléreux)* temperamental. ◪ *nm, f* temperamental person.

capricorne *nm* ZOOL capricorn beetle. ◼ **Capricorne** *nm* ASTROL Capricorn.

capsule *nf* **1.** *(de bouteille)* cap **2.** ASTRON, BOT & MÉD capsule.

capter *vt* **1.** *(recevoir sur émetteur)* to pick up **2.** *(source, rivière)* to harness **3.** *fig (attention, confiance)* to gain, to win.

captif, ive ◪ *adj* captive. ◪ *nm, f* prisoner.

captivant, e *adj* **1.** *(livre, film)* enthralling **2.** *(personne)* captivating.

captiver *vt* to captivate.

captivité *nf* captivity.

capture *nf* **1.** *(action)* capture **2.** *(prise)* catch **3.** INFORM ⋄ **capture d'écran** *(image)* screenshot ⋄ *(action)* screen capture.

capturer *vt* to catch, to capture.

capuche *nf* (detachable) hood.

capuchon *nm* **1.** *(bonnet - d'imperméable)* hood **2.** *(bouchon)* cap, top.

capucine *nf* *(fleur)* nasturtium.

caquet *nm péj (bavardage)* ⋄ **rabattre le caquet à** *ou* **de qqn** to shut sb up.

caqueter *vi* **1.** *(poule)* to cackle **2.** *péj (personne)* to chatter.

car[1] *nm* bus, coach *(UK)*.

car[2] *conj* because, for.

carabine *nf* rifle.

caractère *nm (gén)* character ⋄ **avoir du caractère** to have character ⋄ **avoir mauvais caractère** to be bad-tempered ⋄ **en petits/gros caractères** in small/large print ⋄ **caractères d'imprimerie** block capitals.

caractériel, elle *adj* **1.** *(troubles)* emotional **2.** *(personne)* emotionally disturbed.

caractérisé, e *adj (net)* clear.

caractériser *vt* to be characteristic of. ◼ **se caractériser** *vp* ⋄ **se caractériser par qqch** to be characterized by sthg.

caractéristique ◪ *nf* characteristic, feature. ◪ *adj* ⋄ **caractéristique (de)** characteristic (of).

carafe *nf* **1.** *(pour vin, eau)* carafe **2.** *(pour alcool)* decanter.

caraïbe *adj* Caribbean. ◼ **Caraïbes** *nfpl* ⋄ **les Caraïbes** the Caribbean.

carambolage *nm* pileup.

caramel *nm* **1.** CULIN caramel **2.** *(bonbon - dur)* caramel, toffee, taffy *(US)* ⋄ *(- mou)* fudge.

carapace *nf* **1.** shell **2.** *fig* protection, shield.

carapater ◼ **se carapater** *vp fam* to hop it, to skedaddle, to scarper *(UK)*.

carat *nm* carat, karat *(US)* ⋄ **or à 9 carats** 9-carat gold.

caravane *nf (de camping, de désert)* caravan.

caravaning *nm* caravanning *(UK)*.

carbone *nm* carbon ⋄ **(papier) carbone** carbon paper.

carbonique *adj* ⋄ **gaz carbonique** carbon dioxide ⋄ **neige carbonique** dry ice.

carboniser *vt* to burn to a cinder.

carburant *nm* fuel.

carburateur *nm* carburettor *(UK)*, carburetor *(US)*.

carcan *nm* **1.** HIST iron collar **2.** *fig* yoke.

carcasse *nf* **1.** *(d'animal)* carcass **2.** *(de bâtiment, navire)* framework **3.** *(de véhicule)* shell.

cardiaque *adj* cardiac ⋄ **être cardiaque** to have a heart condition ⋄ **crise cardiaque** heart attack.

cardigan *nm* cardigan.

cardinal, e *adj* cardinal. ◼ **cardinal** *nm* **1.** RELIG cardinal **2.** *(nombre)* cardinal number.

cardiologue *nmf* heart specialist, cardiologist.

cardio-vasculaire *adj* cardiovascular.

Carême *nm* • **le Carême** Lent.

carence *nf* (*manque*) • **carence (en)** deficiency (in).

carène *nf* NAUT hull.

caressant, e *adj* affectionate.

caresse *nf* caress.

caresser *vt* **1.** (*personne*) to caress **2.** (*animal, objet*) to stroke **3.** *fig* (*espoir*) to cherish.

cargaison *nf* (*transports*) cargo.

cargo *nm* **1.** (*navire*) freighter **2.** (*avion*) cargo plane.

caricature *nf* **1.** (*gén*) caricature **2.** *péj* (*personne*) sight.

carie *nf* MÉD caries (*indénombrable*).

carillon *nm* **1.** (*cloches*) bells *pl* **2.** (*d'horloge, de porte*) chime.

carlingue *nf* **1.** (*d'avion*) cabin **2.** (*de navire*) keelson.

carmin *adj inv* crimson.

carnage *nm* slaughter, carnage.

carnassier *nm* carnivore.

carnaval *nm* carnival.

carnet *nm* **1.** (*petit cahier*) notebook • **carnet d'adresses** address book • **carnet de notes** SCOL report (*UK*), report card (*US*) **2.** (*bloc de feuilles*) book • **carnet de chèques** chequebook (*UK*), checkbook (*US*) • **carnet de tickets** book of tickets • **carnet de timbres** book of stamps.

carnivore ◨ *adj* carnivorous. ◨ *nm* carnivore.

carotte *nf* carrot.

carpe *nf* carp.

carpette *nf* **1.** (*petit tapis*) rug **2.** *fam péj* (*personne*) doormat.

carquois *nm* quiver.

carré, e *adj* (*gén*) square • **20 mètres carrés** 20 square metres. ◨ **carré** *nm* **1.** (*quadrilatère*) square • **élever un nombre au carré** MATH to square a number • **carré blanc** TV *si vous voulez expliquer à un anglophone de quoi il s'agit, vous pouvez dire* it was a white square that appeared in the corner of the TV screen to warn that a programme was not suitable for children **2.** (*jeux de cartes*) • **un carré d'as** four aces **3.** (*petit terrain*) patch, plot.

carreau *nm* **1.** (*carrelage*) tile **2.** (*vitre*) window pane **3.** (*motif carré*) check • **à carreaux** (*tissu*) checked • (*papier*) squared **4.** (*cartes à jouer*) diamond.

carrefour *nm* (*de routes, de la vie*) crossroads *sing*.

carrelage *nm* (*surface*) tiles *pl*.

carrément *adv* **1.** (*franchement*) bluntly **2.** (*complètement*) completely, quite **3.** (*sans hésiter*) straight.

carrière *nf* **1.** (*profession*) career • **faire carrière dans qqch** to make a career (for o.s.) in sthg **2.** (*gisement*) quarry.

carriériste *nmf péj* careerist.

carriole *nf* **1.** (*petite charrette*) cart **2.** (*Québec*) (*traîneau*) sleigh.

carrossable *adj* suitable for vehicles.

carrosse *nm* (horse-drawn) coach.

carrosserie *nf* (*de voiture*) bodywork, body.

carrossier *nm* coachbuilder (*UK*).

carrure *nf* **1.** (*de personne*) build **2.** *fig* stature.

cartable *nm* schoolbag.

carte *nf* **1.** (*gén*) card • **carte d'abonnement** season ticket • **carte d'anniversaire** birthday card • **carte d'électeur** polling card (*UK*), voter registration card (*US*) • **carte d'étudiant** student card • **carte à gratter** scratch card • **carte grise** ≃ logbook (*UK*), ≃ car registration papers (*US*) • **carte d'identité** identity card • **Carte Orange** season ticket (*for use on public transport in Paris*) • **carte postale** postcard • **carte à puce** smart card • **carte de séjour** residence permit • **Carte Vermeil** *si vous voulez expliquer à un anglophone de quoi il s'agit, vous pouvez dire* it is a card that entitles senior citizens to reduced rates in cinemas, on public transport *etc* • **carte de vœux** New Year greetings card • **carte de visite** visiting card (*UK*), calling card (*US*) • **donner carte blanche à qqn** *fig* to give sb a free hand **2.** BANQUE & COMM • **carte bancaire** bank card, cash card (*UK*) • **carte de crédit** credit card **3.** INFORM & TÉLÉCOM • **carte** • **carte graphique** graphics card • **carte à mémoire** memory card • **carte son** soundcard • **carte téléphonique** phonecard **4.** (*de jeu*) • **carte (à jouer)** (playing) card **5.** GÉOGR map • **carte d'état-major** ≃ Ordnance Survey map (*UK*), ≃ US

Geological Survey map *(US)* • **carte rou-tière** road map **6.** *(au restaurant)* menu • **à la carte** *(menu)* à la carte • *(horaires)* flexible • **carte des vins** wine list.

cartilage *nm* cartilage.

cartomancien, enne *nm, f* fortune-teller *(using cards)*.

carton *nm* **1.** *(matière)* cardboard **2.** *(emballage)* cardboard box • **carton à dessin** portfolio **3.** FOOTBALL • **carton jaune** yellow card • **carton rouge** red card.

cartonné, e *adj (livre)* hardback.

carton-pâte *nm* pasteboard.

cartouche *nf* **1.** *(gén & INFORM)* cartridge **2.** *(de cigarettes)* carton.

cas *nm* case • **au cas où** in case • **en aucun cas** under no circumstances • **en tout cas** in any case, anyway • **en cas de** in case of • **en cas de besoin** if need be • **le cas échéant** if the need arises, if need be • **cas de conscience** matter of conscience • **cas limite** borderline case • **cas social** person with social problems.

casanier, ère *adj & nm, f* stay-at-home.

casaque *nf* **1.** *(veste)* overblouse **2.** *(équitation)* blouse.

cascade *nf* **1.** *(chute d'eau)* waterfall **2.** *fig* stream, torrent **3.** CINÉ stunt.

cascadeur, euse *nm, f* CINÉ stuntman (*f* stuntwoman).

cascher = **kas(c)her**.

case *nf* **1.** *(habitation)* hut **2.** *(de boîte, tiroir)* compartment **3.** *(d'échiquier)* square **4.** *(sur un formulaire)* box.

caser *vt* **1.** *fam (trouver un emploi pour)* to get a job for **2.** *fam (marier)* to marry off **3.** *(placer)* to put.

■ **se caser** *vp* **1.** *(trouver un emploi)* to get (o.s.) a job **2.** *(se marier)* to get hitched.

caserne *nf* barracks *sing*.

cash *nm* cash • **payer cash** to pay (in) cash.

casier *nm* **1.** *(compartiment)* compartment **2.** *(pour le courrier)* pigeonhole **3.** *(meuble - à bouteilles)* rack • *(- à courrier)* set of pigeonholes **4.** *(à la pêche)* lobster pot.

■ **casier judiciaire** *nm* (police) record • **casier judiciaire vierge** clean (police) record.

casino *nm* casino.

casque *nm* **1.** *(de protection)* helmet **2.** *(à écouteurs)* headphones *pl.* ■ **Casques bleus** *nmpl* • **les Casques bleus** the UN peace-keeping force, the Blue Berets.

casquette *nf* cap.

cassant, e *adj* **1.** *(fragile - verre)* fragile • *(- cheveux)* brittle **2.** *(dur)* brusque.

cassation ⇒ **cour.**

casse ◼ *nf fam (violence)* aggro *(UK)* **2.** *(de voitures)* scrapyard. ◼ *nm fam (cambriolage)* break-in.

casse-cou *nmf (personne)* daredevil.

casse-croûte *nm inv* snack.

casse-noisettes, casse-noix *nm inv* nutcracker.

casse-pieds *fam* ◼ *adj inv* annoying. ◼ *nmf* pain (in the neck).

casser ◼ *vt* **1.** *(briser)* to break **2.** DR to quash **3.** COMM • **casser les prix** to slash prices. ◼ *vi* to break.

◼ **se casser** *vp* **1.** *(se briser)* to break **2.** *(membre)* • **se casser un bras** to break one's arm • **se casser la figure** *fam OU* **gueule** *tfam (personne)* to take a tumble, to come a cropper *(UK)* • *(livre, carafe)* to crash to the ground • *(projet)* to bite the dust, to take a dive.

casserole *nf (ustensile)* saucepan.

casse-tête *nm inv* **1.** *fig (problème)* headache **2.** *(jeu)* puzzle.

cassette *nf* **1.** *(coffret)* casket **2.** *(de musique, vidéo)* cassette.

cassis *nm* **1.** *(fruit)* blackcurrant **2.** *(arbuste)* blackcurrant bush **3.** *(liqueur)* blackcurrant liqueur **4.** *(sur la route)* dip.

cassure *nf* break.

caste *nf* caste.

casting *nm* **1.** *(acteurs)* cast **2.** *(sélection)* casting • **aller à un casting** to go to an audition.

castor *nm* beaver.

castrer *vt* **1.** to castrate **2.** *(chat)* to neuter **3.** *(chatte)* to spay.

cataclysme *nm* cataclysm.

catadioptre, Cataphote® *nm* **1.** *(sur la route)* Catseye® *(UK)*, highway reflector *(US)* **2.** *(de véhicule)* reflector.

catalogue *nm* catalogue, catalog *(US)*.

cataloguer *vt* **1.** *(classer)* to catalogue, to catalog *(US)* **2.** *péj (juger)* to label.

catalyseur *nm* *fig & CHIM* catalyst.

catalytique ▷ **pot.**

catamaran *nm (voilier)* catamaran.

Cataphote ® = **catadioptre.**

cataplasme *nm* poultice.

catapulter *vt* to catapult.

cataracte *nf* cataract.

catarrhe *nm* catarrh.

catastrophe *nf* disaster, catastrophe
  ◦ **catastrophe naturelle** natural disaster
  ◦ *(assurances)* act of God.

catastrophé, e *adj* shocked, upset.

catastrophique *adj* disastrous, catastrophic.

catch *nm* wrestling.

catéchisme *nm* catechism.

catégorie *nf* **1.** *(gén)* category **2.** *(de personnel)* grade **3.** *(de viande, fruits)* quality **4.** ÉCON ◦ **catégorie socio-professionnelle** socioprofessional group.

catégorique *adj* categorical.

cathédrale *nf* cathedral.

cathodique ▷ **tube.**

catholicisme *nm* Catholicism.

catholique *adj* Catholic.

catimini ◼ **en catimini** *loc adv* secretly.

cauchemar *nm litt & fig* nightmare.

cauchemardesque *adj* nightmarish.

cause *nf* **1.** *(gén)* cause ◦ **à cause de** because of ◦ **pour cause de** on account of, because of **2.** DR case ◦ **être en cause** *(intérêts)* to be at stake ◦ *(honnêteté)* to be in doubt *ou* in question ◦ **remettre en cause** to challenge, to question.

causer ◼ *vt* ◦ **causer qqch à qqn** to cause sb sthg. ◼ *vi (bavarder)* ◦ **causer (de)** to chat (about).

causerie *nf* talk.

caustique *adj & nm* caustic.

cautériser *vt* to cauterize.

caution *nf* **1.** *(somme d'argent)* guarantee **2.** *(personne)* guarantor ◦ **se porter caution pour qqn** to act as guarantor for sb.

cautionner *vt* **1.** *(se porter garant de)* to guarantee **2.** *fig (appuyer)* to support, to back.

cavalcade *nf* **1.** *(de cavaliers)* cavalcade **2.** *(d'enfants)* stampede.

cavalerie *nf* MIL cavalry.

cavalier, ère *nm, f* **1.** *(à cheval)* rider **2.** *(partenaire)* partner. ◼ **cavalier** *nm (aux échecs)* knight.

cavalièrement *adv* in an offhand manner.

cave ◼ *nf* **1.** *(sous-sol)* cellar **2.** *(de vins)* (wine) cellar. ◼ *adj* **1.** *(joues)* hollow **2.** *(yeux)* sunken.

caveau *nm* **1.** *(petite cave)* small cellar **2.** *(sépulture)* vault.

caverne *nf* cave.

caviar *nm* caviar.

cavité *nf* cavity.

CB *(abr de* **citizen's band, canaux banalisés)** *nf* CB.

cc *(abr écrite de* **charges comprises)** inclusive.

CCP *(abr de* **compte chèque postal, compte courant postal)** *nm* ≃ National Girobank account *(UK)*, ≃ Post Office checking account *(US)*.

CD *nm (abr de* **compact disc)** CD.

CDD *nm (abr écrite de* **contrat à durée déterminée)** fixed-term contract.

CDI *nm* **1.** *(abr de* **centre de documentation et d'information)** school library **2.** *(abr de* **contrat à durée indéterminée)** permanent contract.

---

ce, cette *adj dém*

1. DÉSIGNE UN OBJET OU UNE PERSONNE PROCHE DU LOCUTEUR OU DÉJÀ ÉVOQUÉ PAR LUI
  ◦ **j'aime beaucoup ce chapeau** I like this hat a lot
  ◦ **cette année, je prends des cours de judo** I'm doing judo classes this year
  ◦ **j'aime beaucoup ce film** I like this film a lot

2. DÉSIGNE UN OBJET OU UNE PERSONNE ÉLOIGNÉ DU LOCUTEUR OU ÉVOQUÉ PAR UN AUTRE LOCUTEUR
  ◦ **à cette époque, j'habitais à Toulouse** at that time, I lived in Toulouse
  ◦ **d'ici, je n'arrive pas à lire ce panneau** I can't read that sign from here
  ◦ **j'aime beaucoup ce film** I like that film a lot

3. POUR RENFORCER
  ◦ **ce mois-ci** this month
  ◦ **cette année-là** that year.

ce *pron dém inv*

c' *devant le verbe « être » 3ᵉ personne singulier*

1. DEVANT LE VERBE ÊTRE, POUR PRÉSENTER QQN OU QQCH

• **ce sont mes enfants** these are my children, they're my children
• **c'est mon bureau** this is my office, it's my office
• **c'est une prof très sévère** she's a very strict teacher
• **c'est à Paris** it's in Paris

2. DEVANT UN PRONOM RELATIF

• **ce que j'aime, c'est ton enthousiasme** what I like is your enthusiasm
• **ce qui est dommage, c'est que notre appartement soit si petit** our flat is so small, that's a pity
• **ils ont eu ce qui leur revenait** they got what they deserved
• **vous savez bien ce à quoi je pense** you know exactly what I'm thinking about
• **faites donc ce pour quoi on vous paie** do what you're paid to do

3. POUR FAIRE UNE REPRISE

• **il n'est jamais revenu, ce qui est très étonnant** he never came back, which is very surprising
• **elle m'a humilié, et ce, devant tout le monde** she humiliated me and did so in front of everyone.

CE ◼ *nm* **1.** *abrév de* **comité d'entreprise 2.** (*abr de* **cours élémentaire**) • **CE1** ≃ Year 2 (*UK*), ≃ second grade (*US*) • **CE2** ≃ Year 3 (*UK*), ≃ third grade (*US*). ◼ *nf* (*abr de* **Communauté européenne**) EC.

ceci *pron dém inv* this • **à ceci près que** with the exception that, except that.

cécité *nf* blindness.

céder ◼ *vt* **1.** (*donner*) to give up • '**cédez le passage**' 'give way' (*UK*), yield (*US*) • **céder le passage à qqn** to let sb through, to make way for sb **2.** (*revendre*) to sell. ◼ *vi* **1.** (*personne*) • **céder (à)** to give in (to), to yield (to) **2.** (*chaise, plancher*) to give way.

cédérom *nm* INFORM CD-ROM.

CEDEX, Cedex (*abr de* **courrier d'entreprise à distribution exceptionnelle**) *nm si vous voulez expliquer à un anglophone de quoi il s'agit, vous pouvez dire* it is an express postal service for companies and organizations that get and send large amounts of mail.

cédille *nf* cedilla.

cèdre *nm* cedar.

CEI (*abr de* **Communauté d'États Indépendants**) *nf* CIS.

ceinture *nf* **1.** (*gén*) belt • **ceinture de sécurité** seat *ou* safety belt **2.** ANAT waist.

ceinturon *nm* belt.

cela *pron dém inv* that • **cela ne vous regarde pas** it's *ou* that's none of your business • **il y a des années de cela** that was many years ago • **c'est cela** that's right • **cela dit...** having said that... • **malgré cela** in spite of that, nevertheless.

célèbre *adj* famous.

célébrer *vt* **1.** (*gén*) to celebrate **2.** (*faire la louange de*) to praise.

célébrité *nf* **1.** (*renommée*) fame **2.** (*personne*) celebrity.

céleri *nm* celery.

céleste *adj* heavenly.

célibat *nm* celibacy.

célibataire ◼ *adj* single, unmarried • **père** *ou* **mère célibataire** single parent. ◼ *nmf* single person, single man (*f* woman).

cellier *nm* storeroom.

Cellophane® *nf* Cellophane®.

cellulaire *adj* **1.** BIOL & TÉLÉCOM cellular **2.** (*destiné aux prisonniers*) • **régime cellulaire** solitary confinement • **voiture cellulaire** prison van.

cellule *nf* **1.** (*gén* & INFORM) cell **2.** (*groupe*) unit.

cellulite *nf* cellulite.

celte *adj* Celtic. ◼ **Celte** *nmf* Celt.

celui, celle *pron dém* **1.** (*suivi d'un complément prépositionnel*) the one • **celle de devant** the one in front • **ceux d'entre vous qui...** those of you who... **2.** (*suivi d'un pronom relatif*) • **celui qui** (*personne*) the one who • (*objet*) the one which *ou* that • **c'est celle qui te va le mieux** that's the one which *ou* that suits you best • **celui que vous voyez** the one (which *ou* that) you can see, the one (whom) you can see • **ceux que je connais** those I know.

celui-ci, celle-ci *pron dém* this one, these ones *pl*.

celui-là, celle-là *pron dém* that one, those ones *pl* • **celui-là... celui-ci** the former... the latter.

cendre nf ash.

cendré, **e** adj (chevelure) • **blond cendré** ash blond.

cendrier nm 1. (de fumeur) ashtray 2. (de poêle) ashpan.

cène nf (Holy) Communion. ■ **Cène** nf • **la Cène** the Last Supper.

censé, **e** adj • **être censé faire qqch** to be supposed to do sthg.

censeur nm 1. scol ≃ deputy head (UK), ≃ vice-principal (US) 2. ciné & presse censor.

censure nf 1. (ciné & presse • - contrôle) censorship • (- censeurs) censors pl 2. polit censure 3. psycho censor.

censurer vt 1. ciné, presse & psycho to censor 2. (juger) to censure.

cent ◪ adj num inv one hundred, a hundred. ◪ nm 1. (nombre) a hundred 2. (mesure de proportion) • **pour cent** percent. • voir aussi **six**

centaine nf 1. (cent unités) hundred 2. (un grand nombre) • **une centaine de** about a hundred • **des centaines (de)** hundreds (of) • **plusieurs centaines de** several hundred • **par centaines** in hundreds.

centenaire ◪ adj hundred-year-old (avant nom) • **être centenaire** to be a hundred years old. ◪ nmf centenarian. ◪ nm (anniversaire) centenary (UK), centennial (US).

centiare nm square metre (UK) ou meter (US).

centième adj num inv, nm & nmf hundredth. • voir aussi **sixième**

centigrade ▷ **degré**.

centilitre nm centilitre (UK), centiliter (US).

centime nm cent.

centimètre nm 1. (mesure) centimetre (UK), centimeter (US) 2. (ruban, règle) tape measure.

central, **e** adj central. ■ **central** nm (de réseau) • **central téléphonique** telephone exchange. ■ **centrale** nf 1. (usine) power plant ou station (UK) • **centrale hydro-électrique** hydroelectric power plant ou station (UK) • **centrale nucléaire** nuclear power plant ou station (UK) 2. écon • **centrale d'achat** comm buying group • (dans une entreprise) central purchasing department.

centraliser vt to centralize.

centre nm (gén) centre (UK), center (US) • **centre aéré** outdoor centre (UK) ou center (US) • **centre antipoison** poison centre (UK) ou center (US) • **centre d'appels** call centre (UK) ou center (US) • **centre commercial** shopping centre (UK) ou mall (US) • **centre culturel** arts centre (UK) ou center (US) • **centre de gravité** centre (UK) ou center (US) of gravity • **centre nerveux** nerve centre (UK) ou center (US).

centrer vt to centre (UK), to center (US).

centre-ville nm city centre (UK) ou center (US), town centre (UK) ou downtown (US).

centrifuge ▷ **force**.

centrifugeuse nf 1. technol centrifuge 2. culin juice extractor.

centuple nm • **être le centuple de qqch** to be a hundred times sthg • **au centuple** a hundredfold.

cep nm stock.

cèpe nm cep.

cependant conj however, yet.

céramique nf (matière, objet) ceramic.

cerceau nm hoop.

cercle nm circle • **cercle vicieux** vicious circle.

cercueil nm coffin.

céréale nf cereal.

cérémonial nm ceremonial.

cérémonie nf ceremony.

cérémonieux, **euse** adj ceremonious.

cerf nm stag.

cerf-volant nm (jouet) kite.

cerise ◪ nf cherry. ◪ adj inv cherry.

cerisier nm 1. (arbre) cherry (tree) 2. (bois) cherry (wood).

cerne nm ring.

cerné ▷ **œil**.

cerner vt 1. (encercler) to surround 2. fig (sujet) to define.

certain, **e** ◪ adj certain • **être certain de qqch** to be certain ou sure of sthg • **je suis pourtant certain d'avoir mis mes clés là** but I'm certain ou sure I left my keys there. ◪ adj indéf (avant nom) certain • **il a un certain talent** he has some talent ou a certain talent • **un certain temps** for a while • **avoir un certain âge** to be getting on, to-be past one's prime

» **c'est un monsieur d'un certain âge** he's getting on a bit » **un certain M. Lebrun** a Mr Lebrun. ■ **certains** *pron indéf pl* some.

certainement *adv* 1. *(probablement)* most probably, most likely 2. *(bien sûr)* certainly.

certes *adv* of course.

certificat *nm* *(attestation, diplôme)* certificate » **certificat médical** medical certificate.

certifié, e *adj* » **professeur certifié** qualified teacher.

certifier *vt* 1. *(assurer)* » **certifier qqch à qqn** to assure sb of sthg 2. *(authentifier)* to certify.

certitude *nf* certainty, certitude.

cerveau *nm* brain.

cervelle *nf* 1. ANAT brain 2. *(facultés mentales, aliment)* brains *pl*.

cervical, e *adj* cervical.

CES *nm abrév de* **Contrat emploi-solidarité**.

césarienne *nf* caesarean *(UK)* ou cesarean *(US)* (section).

cesse *nf* » **n'avoir de cesse que** (+ subjonctif) *sout* not to rest until. ■ **sans cesse** *loc adv* continually, constantly.

cesser *vi* to stop, to cease. ■ *vt* to stop » **cesser de faire qqch** to stop doing sthg.

cessez-le-feu *nm inv* cease-fire.

cession *nf* transfer.

c'est-à-dire *conj* 1. *(en d'autres termes)* » **c'est-à-dire (que)** that is (to say) 2. *(introduit une restriction, précision, réponse)* » **c'est-à-dire que** well…, actually…

cétacé *nm* cetacean.

cf. *(abr écrite de* **confer)** cf.

CFC *(abr de* **chlorofluorocarbone)** *nm* CFC.

chacal *nm* jackal.

chacun, e *pron indéf* 1. each (one) 2. *(tout le monde)* everyone, everybody » **chacun de nous/de vous/d'eux** each of us/you/them » **chacun pour soi** every man for himself » **tout un chacun** every one of us/them.

chagrin, e *adj* 1. *(personne)* grieving 2. *(caractère, humeur)* morose. ■ **chagrin** *nm* grief » **avoir du chagrin** to grieve.

chagriner *vt* 1. *(peiner)* to grieve, to distress 2. *(contrarier)* to upset.

chahut *nm* uproar.

chahuter ■ *vi* to cause an uproar. ■ *vt* 1. *(importuner - professeur)* to rag, to tease » *(- orateur)* to heckle 2. *(bousculer)* to jostle.

chaîne *nf* 1. *(gén)* chain » **chaîne de montagnes** mountain range 2. *(dans l'industrie)* » **chaîne de fabrication/de montage** production/assembly line » **travail à la chaîne** production-line work » **produire qqch à la chaîne** to mass-produce sthg 3. TV channel » **chaîne câblée** cable channel » **chaîne cryptée** pay channel *(for which one needs a special decoding unit)* » **une chaîne payante** a subscription TV channel » **chaîne à péage** *ou* **à la séance** pay-TV channel » **chaîne de télévision** television channel, TV channel » **chaîne thématique** specialized channel 4. *(appareil)* stereo (system) » **chaîne hi-fi** hi-fi system. ■ **chaînes** *nfpl fig* chains, bonds.

chaînon *nm litt & fig* link.

chair *nf* flesh » **avoir la chair de poule** to have goose bumps ou gooseflesh, to have goosebumps *(US)*.

chaire *nf* 1. *(estrade - de prédicateur)* pulpit » *(- de professeur)* rostrum 2. UNIV chair.

chaise *nf* chair » **chaise longue** *(d'extérieur)* deckchair » *(d'intérieur)* chaise longue.

châle *nm* shawl.

chalet *nm* 1. *(de montagne)* chalet 2. *(Québec)(maison de campagne)* (holiday) cottage *(UK)*, (vacation) cottage *(US)*.

chaleur *nf* 1. heat 2. *(agréable)* warmth.

chaleureux, euse *adj* warm.

challenge *nm* 1. SPORT tournament 2. *fig (défi)* challenge.

chaloupe *nf* rowing boat *(UK)*, rowboat *(US)*.

chalumeau *nm* TECHNOL blowtorch, blowlamp *(UK)*.

chalutier *nm (bateau)* trawler.

chamailler ■ **se chamailler** *vp fam* to squabble.

chambranle *nm* 1. *(de porte, fenêtre)* frame 2. *(de cheminée)* mantelpiece.

chambre *nf* 1. *(où l'on dort)* » **chambre (à coucher)** bedroom » **chambre à un lit, chambre pour une personne** single room » **chambre pour deux personnes**

double room • **chambre à deux lits** twin-bedded room • **chambre d'amis** spare room • **chambre d'hôte** bed and breakfast **2.** *(local)* room • **chambre forte** strongroom • **chambre froide** cold store • **chambre noire** darkroom **3.** DR division • **chambre d'accusation** court of criminal appeal **4.** POLIT chamber, house • **Chambre des députés** ≃ House of Commons *(UK)*, ≃ House of Representatives *(US)* **5.** TECHNOL chamber • **chambre à air** *(de pneu)* inner tube.

chambrer *vt* **1.** *(vin)* to bring to room temperature **2.** *fam (se moquer)* • **chambrer qqn** to pull sb's leg, to wind sb up *(UK)*.

chameau *nm (mammifère)* camel.

chamois *nm* **1.** chamois **2.** *(peau)* chamois (leather).

champ *nm* **1.** *(gén)* field • **champ de bataille** battlefield • **champ de courses** racecourse **2.** *(étendue)* area.

champagne *nm* champagne.

champêtre *adj* rural.

champignon *nm* **1.** BOT & MÉD fungus **2.** *(comestible)* mushroom • **champignon vénéneux** toadstool.

champion, onne ◪ *nm, f* champion. ◪ *adj fam* brilliant.

championnat *nm* championship.

chance *nf* **1.** *(bonheur)* luck *(indénombrable)* • **avoir de la chance** to be lucky • **ne pas avoir de chance** to be unlucky • **porter chance** to bring good luck **2.** *(probabilité, possibilité)* chance, opportunity • **avoir des chances de faire qqch** to have a chance of doing sthg.

---

souhaiter bonne chance

• Best of luck! **Je te dis m...**
• Good luck. **Bonne chance.**
• I wish you all the best **Je te souhaite plein de bonnes choses.**
• Fingers crossed. **Je croise les doigts.**

S'EXPRIMER...

---

chanceler *vi* **1.** *(personne, gouvernement)* to totter **2.** *(meuble)* to wobble.

chancelier *nm* **1.** *(premier ministre)* chancellor **2.** *(de consulat, d'ambassade)* secretary.

chanceux, euse *adj* lucky.

chandail *nm* (thick) sweater.

Chandeleur *nf* Candlemas.

chandelier *nm* **1.** *(pour une bougie)* candlestick **2.** *(à plusieurs branches)* candelabra.

chandelle *nf (bougie)* candle.

change *nm* **1.** *(troc & FIN)* exchange **2.** *(couche de bébé)* disposable nappy *(UK)* OU diaper *(US)*.

changeant, e *adj* **1.** *(temps, humeur)* changeable **2.** *(reflet)* shimmering.

changement *nm* change.

changer ◪ *vt* **1.** *(gén)* to change • **changer qqch contre** to change OU exchange sthg for • **changer qqn en** to change sb into **2.** *(modifier)* to change, to alter • **ça me/te changera** that will be a (nice) change for me/you **3.** ÉCON • **changer des euros en dollars** to change euros into dollars, to exchange euros for dollars • **changer son fusil d'épaule** to have a change of heart. ◪ *vi* **1.** *(gén)* to change • **changer d'avis** to change one's mind • **ça changera !** that'll make a change! • **changer de direction** to change direction • **changer de place (avec qqn)** to change places (with sb) • **changer de train (à)** to change trains (at) • **pour changer** for a change **2.** *(modifier)* to change, to alter • **changer de comportement** to alter one's behaviour *(UK)* OU behavior *(US)*.

chanson *nf* song • **c'est toujours la même chanson** *fig* it's the same old story.

chansonnier, ère *nm, f* cabaret singer-songwriter.

chant *nm* **1.** *(chanson)* song, singing *(indénombrable)* **2.** *(sacré)* hymn **3.** *(art)* singing *(indénombrable)*.

chantage *nm litt & fig* blackmail • **faire du chantage** to use OU resort to blackmail • **faire du chantage à qqn** to blackmail sb.

chanter ◪ *vt* **1.** *(chanson)* to sing **2.** *littéraire (célébrer)* to sing OU tell of • **chanter les louanges de qqn** to sing sb's praises. ◪ *vi* **1.** *(gén)* to sing • **faire chanter qqn** to blackmail sb • **si ça vous chante** *fam* if you feel like OU fancy it *(UK)*!

chanteur, euse *nm, f* singer.

chantier *nm* **1.** CONSTR (building) site **2.** *(sur la route)* roadworks *pl (UK)*, roadwork *(indénombrable) (US)* • **chantier naval** shipyard, dockyard **3.** *fig (désordre)* shambles *sing*, mess.

Chantilly *nf* • **(crème) Chantilly** Chantilly cream.

chantonner *vt & vi* to hum.

chanvre *nm* hemp.

chaos *nm* chaos.

chap. (*abr écrite de* **chapitre**) ch.

chaparder *vt fam* to steal.

chapeau *nm* 1. (*coiffure*) hat 2. PRESSE introductory paragraph.

chapeauter *vt* 1. (*service*) to head 2. (*personnes*) to supervise.

chapelet *nm* 1. RELIG rosary 2. fig (*d'injures*) string, torrent.

chapelle *nf* 1. (*petite église*) chapel 2. (*partie d'église*) choir.

chapelure *nf* (dried) breadcrumbs *pl*.

chapiteau *nm* (*de cirque*) big top.

chapitre *nm* (*de livre & RELIG*) chapter.

chaque *adj indéf* each, every • **chaque personne** each person, everyone • **j'ai payé ces livres 100 euros chaque** I paid 100 euros each for these books.

char *nm* 1. MIL • **char (d'assaut)** tank 2. (*de carnaval*) float 3. (*Québec*) (*voiture*) car.

charabia *nm* gibberish.

charade *nf* charade.

charbon *nm* (*combustible*) coal • **charbon de bois** charcoal.

charcuter *vt fam péj* to butcher.

charcuterie *nf* 1. (*magasin*) pork butcher's 2. (*produits*) pork meat products.

charcutier, ère *nm, f* (*commerçant*) pork butcher.

chardon *nm* (*plante*) thistle.

charge *nf* 1. (*fardeau*) load 2. (*fonction*) office 3. (*responsabilité*) responsibility • **être à la charge de** (*personne*) to be dependent on • **les travaux sont à la charge du propriétaire** the owner is liable for the cost of the work • **prendre qqch en charge** (*payer*) to pay (for) sthg • (*s'occuper de*) to take charge of sthg • **prendre qqn en charge** to take charge of sb 4. ÉLECTR, DR & MIL charge 5. DR charge, accusation. ■ **charges** *nfpl* 1. (*d'appartement*) service charge 2. ÉCON expenses, costs • **charges patronales** employer's contributions • **charges sociales** ≃ employer's contributions.

chargé, e ■ *adj* 1. (*véhicule, personne*) • **chargé (de)** loaded (with) 2. (*responsable*) • **chargé (de)** responsible (for) 3. (*occupé*) full, busy. ■ *nm, f* • **chargé d'affaires** chargé d'affaires • **chargé de mission** head of mission.

chargement *nm* 1. (*action*) loading 2. (*marchandises*) load.

charger *vt* 1. (*gén & INFORM*) to load 2. ÉLECTR, DR & MIL to charge 3. (*donner une mission à*) • **charger qqn de faire qqch** to put sb in charge of doing sthg. ■ **se charger** *vp* • **se charger de qqn/qqch** to take care of sb/sthg, to take charge of sb/sthg • **se charger de faire qqch** to undertake to do sthg.

chargeur *nm* 1. ÉLECTR charger 2. (*d'arme*) magazine.

chariot *nm* 1. (*charrette*) handcart 2. (*à bagages, dans un hôpital*) trolley (*UK*), cart (*US*) 3. (*de machine à écrire*) carriage.

charisme *nm* charisma.

charitable *adj* 1. charitable 2. (*conseil*) friendly.

charité *nf* 1. (*aumône & RELIG*) charity 2. (*bonté*) kindness.

charlatan *nm péj* charlatan.

charmant, e *adj* charming.

charme *nm* 1. (*séduction*) charm 2. (*enchantement*) spell 3. (*arbre*) ironwood, hornbeam.

charmer *vt* to charm • **être charmé de faire qqch** to be delighted to do sthg.

charmeur, euse ■ *adj* charming. ■ *nm, f* charmer • **charmeur de serpents** snake charmer.

charnel, **elle** *adj* carnal.

charnier *nm* mass grave.

charnière ◼ *nf* **1.** hinge **2.** *fig* turning point. ◼ *adj (période)* transitional.

charnu, **e** *adj* fleshy.

charogne *nf (d'animal)* carrion *(indénombrable)*.

charpente *nf* **1.** *(de bâtiment, de roman)* framework **2.** *(ossature)* frame.

charpentier *nm* carpenter.

charretier, **ère** *nm, f* carter.

charrette *nf* cart.

charrier ◼ *vt* **1.** *(personne, fleuve)* to carry **2.** *fam (se moquer de)* ◦ **charrier qqn** to take sb for a ride. ◼ *vi fam (exagérer)* to go too far.

charrue *nf* plough *(UK)*, plow *(US)*.

charte *nf* charter.

charter *nm* chartered plane.

chartreuse *nf* **1.** RELIG Carthusian monastery **2.** *(liqueur)* Chartreuse.

chas *nm* eye *(of needle)*.

chasse *nf* **1.** *(action)* hunting ◦ **chasse à courre** hunting *(on horseback with hounds)* **2.** *(période)* ◦ **la chasse est ouverte/fermée** it's the open/close season **3.** *(domaine)* ◦ **chasse gardée** private hunting *ou* shooting preserve ◦ *fig* preserve **4.** *(poursuite)* chase ◦ **faire la chasse à qqn/qqch** *fig* to hunt (for) sb/sthg, to hunt sb/sthg down ◦ **prendre qqn/qqch en chasse** to give chase to sb/sthg **5.** *(des cabinets)* ◦ **chasse (d'eau)** flush ◦ **tirer la chasse** to flush the toilet. ◼ **chasse au trésor** *nf* treasure hunt.

chassé-croisé *nm* toing and froing.

chasse-neige *nm inv* snowplough *(UK)*, snowplow *(US)*.

chasser *vt* **1.** *(animal)* to hunt **2.** *(faire partir - personne)* to drive *ou* chase away ◦ *(- odeur, souci)* to dispel.

chasseur, **euse** *nm, f* hunter. ◼ **chasseur** *nm* **1.** *(d'hôtel)* page, messenger, bellhop *(US)* **2.** MIL ◦ **chasseur alpin** *si vous voulez expliquer à un anglophone de quoi il s'agit, vous pouvez dire* it is a soldier who is specially trained for operating in mountainous areas **3.** *(avion)* fighter.

châssis *nm* **1.** *(de fenêtre, de porte, de machine)* frame **2.** *(de véhicule)* chassis.

chaste *adj* chaste.

chasteté *nf* chastity.

chasuble *nf* chasuble.

chat[1], **chatte** *nm, f* cat.

chat[2] *nm* INFORM chat.

châtaigne *nf* **1.** *(fruit)* chestnut **2.** *fam (coup)* clout.

châtaignier *nm* **1.** *(arbre)* chestnut (tree) **2.** *(bois)* chestnut.

châtain *adj* & *nm* chestnut, chestnut-brown.

château *nm* **1.** *(forteresse)* ◦ **château (fort)** castle **2.** *(résidence - seigneuriale)* mansion ◦ *(- de monarque, d'évêque)* palace ◦ **château gonflable** *(jeu de plage, attraction)* bouncy castle *(UK)* ◦ **château de sable** sandcastle ◦ **les châteaux de la Loire** the Châteaux of the Loire **3.** *(réservoir)* ◦ **château d'eau** water tower.

châtiment *nm* punishment.

chaton *nm* **1.** *(petit chat)* kitten **2.** BOT catkin.

chatouiller *vt* **1.** *(faire des chatouilles à)* to tickle **2.** *fig (titiller)* to titillate.

chatoyant, **e** *adj* **1.** *(reflet, étoffe)* shimmering **2.** *(bijou)* sparkling.

châtrer *vt* **1.** to castrate **2.** *(chat)* to neuter **3.** *(chatte)* to spay.

chatter *vi* INFORM to chat.

chaud, **e** *adj* **1.** *(gén)* warm **2.** *(de température très élevée, sensuel)* hot **3.** *fig (enthousiaste)* ◦ **être chaud pour qqch/pour faire qqch** to be keen on sthg/on doing sthg. ◼ **chaud** ◼ *adv* ◦ **avoir chaud** to be warm *ou* hot ◦ **il fait chaud** it's warm *ou* hot ◦ **manger chaud** to have something hot (to eat). ◼ *nm* heat ◦ **rester au chaud** to stay in the warm.

chaudement *adv* warmly.

chaudière *nf* boiler.

chaudron *nm* cauldron.

chauffage *nm (appareil)* heating (system) ◦ **chauffage central** central heating.

chauffant, **e** *adj* heating ◦ **plaque chauffante** hotplate.

chauffard *nm péj* reckless driver.

chauffe-eau *nm inv* waterheater.

chauffer ◼ *vt (rendre chaud)* to heat (up). ◼ *vi* **1.** *(devenir chaud)* to heat up **2.** *(moteur)* to overheat **3.** *fam (barder)* ◦ **ça va chauffer** there's going to be trouble.

chauffeur *nm* AUTO driver.

chaume *nm (paille)* thatch.

chaumière *nf* cottage.

chaussée *nf* road, roadway • **'chaussée déformée'** 'uneven road surface'.

chausse-pied *nm* shoehorn.

chausser ◼ *vt (chaussures, lunettes, skis)* to put on. ◼ *vi* • **chausser du 39** to take size 39 (shoes).
◼ **se chausser** *vp* to put one's shoes on.

chaussette *nf* sock.

chausson *nm* **1.** *(pantoufle)* slipper **2.** *(de danse)* ballet shoe **3.** *(de bébé)* bootee **4.** CULIN turnover • **chausson aux pommes** apple turnover.

chaussure *nf* **1.** *(soulier)* shoe • **chaussure basse** low-heeled shoe, flat shoe • **chaussure de marche** *(de randonnée)* hiking *ou* walking boot • *(confortable)* walking shoe • **chaussure à scratch** shoe with Velcro® fastenings • **chaussure de ski** ski boot • **chaussures à talon** (shoes with) heels **2.** *(industrie)* footwear industry.

chauve *adj (sans cheveux)* bald.

chauve-souris *nf* bat.

chauvin, e *adj* chauvinistic.

chaux *nf* lime • **blanchi à la chaux** whitewashed.

chavirer *vi* **1.** *(bateau)* to capsize **2.** *fig (tourner)* to spin.

chef *nm* **1.** *(d'un groupe)* head, leader **2.** *(au travail)* boss • **en chef** in chief • **chef d'entreprise** company head • **chef d'État** head of state • **chef de famille** head of the family • **chef de file** POLIT (party) leader • *(catégorie, produit)* category leader • **chef de gare** stationmaster • **chef d'orchestre** conductor • **chef de rayon** departmental manager *ou* supervisor • **chef de service** ADMIN departmental manager **3.** *(cuisinier)* chef. ◼ **chef d'accusation** *nm* charge, count.

chef-d'œuvre *nm* masterpiece.

chef-lieu *nm* ≃ county town (UK), ≃ county seat (US).

cheik *nm* sheikh.

chemin *nm* **1.** *(voie)* path • **chemin d'accès** path • **chemin vicinal** byroad, minor road **2.** *(parcours)* way **3.** *fig* road • **en chemin** on the way. ◼ **chemin de fer** *nm* railway (UK), railroad (US).

cheminée *nf* **1.** *(foyer)* fireplace **2.** *(conduit d'usine)* chimney **3.** *(encadrement)* mantelpiece **4.** *(de paquebot, locomotive)* funnel.

cheminement *nm* **1.** *(progression)* advance **2.** *fig (d'idée)* development.

cheminer *vi* **1.** *(avancer)* to make one's way **2.** *fig (idée)* to develop.

cheminot *nm* railwayman (UK), railroad man (US).

chemise *nf* **1.** *(d'homme)* shirt • **chemise de nuit** *(de femme)* nightdress, nightgown **2.** *(dossier)* folder.

chemisette *nf* **1.** *(d'homme)* short-sleeved shirt **2.** *(de femme)* short-sleeved blouse.

chemisier *nm* *(vêtement)* blouse.

chenal *nm* *(canal)* channel.

chêne *nm* **1.** *(arbre)* oak (tree) **2.** *(bois)* oak.

chenet *nm* firedog.

chenil *nm* *(pour chiens)* kennel.

chenille *nf* **1.** *(insecte)* caterpillar **2.** *(courroie)* caterpillar track.

chèque *nm* cheque (UK), check (US) • **faire un chèque** to write a cheque (UK) *ou* check (US) • **toucher un chèque** to cash a cheque (UK) *ou* check (US) • **chèque (bancaire)** (bank) cheque (UK) *ou* check (US) • **chèque barré** crossed cheque (UK) *ou* check (US) • **chèque postal** post office cheque (UK) *ou* check (US) • **chèque sans provision** bad cheque (UK) *ou* check (US) • **chèque de voyage** traveller's cheque (UK), traveler's check (US).

chèque-cadeau *nm* gift token (UK), gift voucher (UK), gift certificate (US).

chèque-repas, chèque-restaurant *nm* luncheon voucher.

chèque-vacances *nm si vous voulez expliquer à un anglophone de quoi il s'agit, vous pouvez dire* it is a voucher that you can use to pay for holiday accommodation, activities, meals, *etc.*

chéquier *nm* chequebook (UK), checkbook (US).

cher, chère ◼ *adj* **1.** *(aimé)* • **cher (à qqn)** dear (to sb) • **Cher Monsieur** *(au début d'une lettre)* Dear Sir • **Chère Madame** *(au début d'une lettre)* Dear Madam **2.** *(produit, vie, commerçant)* expensive. ◼ *nm, f hum* • **mon cher** dear. ◼ **cher** *adv* • **valoir cher, coûter cher** to be expensive, to cost a lot • **payer cher** to pay a lot • **je**

l'ai payé cher *litt & fig* it cost me a lot. ■ **chère** *nf* • **aimer la bonne chère** *sout* to like to eat well.

chercher ■ *vt* **1.** *(gén)* to look for **2.** *(prendre)* • **aller/venir chercher qqn** *(à un rendez-vous)* to (go/come and) meet sb • *(en voiture)* to (go/come and) pick sb up • **aller/venir chercher qqch** to (go/come and) get sthg. ■ *vi* • **chercher à faire qqch** to try to do sthg.

chercheur, euse *nm, f (scientifique)* researcher.

chéri, e ■ *adj* dear. ■ *nm, f* darling.

chérir *vt* **1.** *(personne)* to love dearly **2.** *(chose, idée)* to cherish.

chétif, ive *adj (malingre)* sickly, weak.

cheval *nm* **1.** *(animal)* horse • **à cheval** on horseback • **être à cheval sur qqch** *(être assis)* to be sitting astride sthg • *fig (siècles)* to straddle sthg • *fig (tenir à)* to be a stickler for sthg • **cheval d'arçons** horse *(in gymnastics)* **2.** *(équitation)* riding, horse-riding • **faire du cheval** to ride.

chevalerie *nf* **1.** *(qualité)* chivalry **2.** HIST knighthood.

chevalet *nm (de peintre)* easel.

chevalier *nm* knight.

chevalière *nf (bague)* signet ring.

chevauchée *nf (course)* ride, horse-ride.

chevaucher *vt (être assis)* to sit *ou* be astride. ■ **se chevaucher** *vp* to overlap.

chevelu, e *adj* hairy.

chevelure *nf (cheveux)* hair.

chevet *nm* head *(of bed)* • **être au chevet de qqn** to be at sb's bedside.

cheveu *nm (chevelure)* hair • **se faire couper les cheveux** to have one's hair cut.

cheville *nf* **1.** ANAT ankle **2.** *(pour fixer une vis)* Rawlplug ® *(UK)*, (wall) anchor *(US)*.

chèvre ■ *nf (animal)* goat. ■ *nm (fromage)* goat's cheese.

chevreau *nm* kid.

chèvrefeuille *nm* honeysuckle.

chevreuil *nm* **1.** *(animal)* roe deer **2.** CULIN venison.

chevronné, e *adj (expérimenté)* experienced.

chevrotant, e *adj* tremulous.

chevrotine *nf* buckshot.

chewing-gum *nm* chewing gum *(indénombrable)*.

chez *prép* **1.** *(dans la maison de)* • **il est chez lui** he's at home • **il rentre chez lui** he's going home • **il va venir chez nous** he is going to come to our place *ou* house • **il habite chez nous** he lives with us **2.** *(en ce qui concerne)* • **chez les jeunes** among young people • **chez les Anglais** in England **3.** *(dans les œuvres de)* • **chez Proust** in (the works of) Proust **4.** *(dans le caractère de)* • **ce que j'apprécie chez lui, c'est sa gentillesse** what I like about him is his kindness.

chez-soi *nm inv* home, place of one's own.

chic ■ *adj (inv en genre)* **1.** *(élégant)* smart, chic **2.** *vieilli (serviable)* nice. ■ *nm* style. ■ *interj* • **chic (alors)!** great!

chicorée *nf* **1.** *(salade)* endive *(UK)*, chicory *(US)* **2.** *(à café)* chicory.

chien *nm* **1.** *(animal)* dog • **chien de chasse** *(d'arrêt)* gundog • **chien de garde** guard dog **2.** *(d'arme)* hammer • **avoir un mal de chien à faire qqch** to have a lot of trouble doing sthg • **en chien de fusil** curled up.

chiendent *nm* couch grass.

chien-loup *nm* German shepherd, Alsatian (dog) *(UK)*.

chienne *nf* (female) dog, bitch.

chiffe *nf* • **c'est une chiffe molle** he's spineless.

chiffon *nm (linge)* rag.

chiffonné, e *adj (visage, mine)* worn.

chiffre *nm* **1.** *(caractère)* figure, number • **chiffre arabe/romain** Arabic/Roman numeral **2.** *(montant)* sum • **chiffre d'affaires** COMM turnover, sales revenue, volume of sales • **chiffre rond** round number • **chiffre de ventes** sales figures *pl.*

chiffrer ■ *vt* **1.** *(évaluer)* to calculate, to assess **2.** *(coder)* to encode. ■ *vi fam* to mount up.

chignole *nf* drill.

chignon *nm* bun *(in hair)* • **se crêper le chignon** *fig* to scratch each other's eyes out.

Chili *nm* • **le Chili** Chile.

chimère *nf* **1.** MYTHOL chimera **2.** *(illusion)* illusion, dream.

chimie *nf* chemistry.

chimio (*abr de* **chimiothérapie**) *nf fam* chemo.

chimiothérapie *nf* chemotherapy.

chimique *adj* chemical.

chimiste *nmf* chemist.

chimpanzé *nm* chimpanzee.

Chine *nf* • **la Chine** China.

chiné, e *adj* mottled.

chiner *vi* to look for bargains.

chinois, e ◼ *adj* Chinese. ◼ **chinois** *nm* **1.** (*langue*) Chinese **2.** (*passoire*) conical sieve. ◼ **Chinois, e** *nm, f* Chinese person • **les Chinois** the Chinese.

chiot *nm* puppy.

chipie *nf* vixen *péj.*

chips *nfpl* • **(pommes) chips** (potato) crisps (*UK*), (potato) chips (*US*).

chiquenaude *nf* flick.

chiquer ◼ *vt* to chew. ◼ *vi* to chew tobacco.

chiropraticien, enne *nm, f* chiropractor.

chirurgical, e *adj* surgical.

chirurgie *nf* surgery.

chirurgien *nm* surgeon.

chiure *nf* • **chiure (de mouche)** flyspecks *pl.*

chlore *nm* chlorine.

chloroforme *nm* chloroform.

chlorophylle *nf* chlorophyll.

choc *nm* **1.** (*heurt, coup*) impact **2.** (*conflit*) clash **3.** (*émotion*) shock **4.** (*en apposition*) • **images-chocs** shock pictures • **prix-choc** amazing bargain.

chocolat ◼ *nm* chocolate • **chocolat au lait/noir** milk/plain chocolate • **chocolat à cuire/à croquer** cooking/eating chocolate. ◼ *adj inv* chocolate (brown).

chœur *nm* **1.** (*chorale*) choir **2.** *fig* (*d'opéra*) chorus • **en chœur** *fig* all together **3.** (*d'église*) choir, chancel.

choisi, e *adj* **1.** selected **2.** (*termes, langage*) carefully chosen.

choisir ◼ *vt* • **choisir (de faire qqch)** to choose (to do sthg). ◼ *vi* to choose.

choix *nm* **1.** (*gén*) choice • **le livre de ton choix** any book you like • **au choix** as you prefer • **avoir le choix** to have the choice **2.** (*qualité*) • **de premier choix** grade *ou* class one • **articles de second choix** seconds.

choléra *nm* cholera.

cholestérol *nm* cholesterol.

chômage *nm* unemployment • **au chômage** unemployed • **être mis au chômage technique** to be laid off.

chômeur, euse *nm, f* unemployed person • **les chômeurs** the unemployed.

chope *nf* tankard.

choper *vt fam* **1.** (*voler, arrêter*) to pinch, to nick (*UK*) **2.** (*attraper*) to catch.

choquant, e *adj* shocking.

choquer *vt* **1.** (*scandaliser*) to shock **2.** (*traumatiser*) to shake (up).

choral, e *adj* choral. ◼ **chorale** *nf* (*groupe*) choir.

chorégraphie *nf* choreography.

choriste *nmf* chorister.

chose *nf* thing • **c'est (bien) peu de chose** it's nothing really • **c'est la moindre des choses** it's the least I/we can do • **de deux choses l'une** (it's got to be) one thing or the other • **parler de choses et d'autres** to talk of this and that.

chou ◼ *nm* **1.** (*légume*) cabbage **2.** (*pâtisserie*) choux bun. ◼ *adj inv* sweet, cute.

chouchou, oute *nm, f* **1.** favourite (*UK*), favorite (*US*) **2.** (*élève*) teacher's pet.

choucroute *nf* sauerkraut.

chouette ◼ *nf* (*oiseau*) owl. ◼ *adj fam* great. ◼ *interj* • **chouette (alors)** ! great!

chou-fleur *nm* cauliflower.

choyer *vt sout* to pamper.

chrétien, enne *adj & nm, f* Christian.

chrétienté *nf* Christendom.

Christ *nm* Christ.

christianisme *nm* Christianity.

chrome *nm* CHIM chromium.

chromé, e *adj* chrome-plated • **acier chromé** chrome steel.

chromosome *nm* chromosome.

chronique ◼ *nf* **1.** (*annales*) chronicle **2.** PRESSE • **chronique sportive** sports section. ◼ *adj* chronic.

chronologie *nf* chronology.

chronologique *adj* chronological.

chronomètre *nm* SPORT stopwatch.

chronométrer *vt* to time.

chrysalide *nf* chrysalis.

chrysanthème *nm* chrysanthemum.

chuchotement *nm* whisper.

chuchoter *vt & vi* to whisper.

chut *interj* sh!, hush!

chute *nf* **1.** *(gén)* fall ◦ **chute d'eau** waterfall ◦ **chute de neige** snowfall ◦ **la chute du mur de Berlin** the fall of the Berlin Wall **2.** *(de tissu)* scrap.

ci *adv (après un nom)* ◦ **ce livre-ci** this book ◦ **ces jours-ci** these days.

ci-après *adv* below.

cible *nf litt & fig* target.

cicatrice *nf* scar.

cicatriser *litt & fig vt* to heal.

ci-contre *adv* opposite.

ci-dessous *adv* below.

ci-dessus *adv* above.

cidre *nm* cider *(UK)*, hard cider *(US)*.

Cie *(abr écrite de* **compagnie**) Co.

ciel *nm* **1.** *(pl* ciels*) (firmament)* sky ◦ **à ciel ouvert** open-air **2.** *(pl* cieux*) (paradis, providence)* heaven. ■ **cieux** *nmpl* heaven *sing.*

cierge *nm* RELIG *(votive)* candle.

cigale *nf* cicada.

cigare *nm* cigar.

cigarette *nf* cigarette.

ci-gît *adv* here lies.

cigogne *nf* stork.

ci-inclus, e *adj* enclosed. ■ **ci-inclus** *adv* enclosed.

ci-joint, e *adj* enclosed. ■ **ci-joint** *adv* ◦ **veuillez trouver ci-joint...** please find enclosed...

cil *nm* ANAT eyelash, lash.

ciller *vi* to blink (one's eyes).

cime *nf* **1.** *(d'arbre, de montagne)* top **2.** *fig* height.

ciment *nm* cement.

cimenter *vt* to cement.

cimetière *nm* cemetery.

ciné *nm fam* cinema *(UK)*, movies *pl (US)*.

cinéaste *nmf* film-maker.

ciné-club *nm* film club.

cinéma *nm* **1.** *(salle, industrie)* cinema *(UK)*, movies *pl (US)* **2.** *(art)* cinema *(UK)*, film *(UK)*, movies *pl (US)* ◦ **un acteur de cinéma** a film star.

cinémathèque *nf* film *(UK)* ou movie *(US)* library.

cinématographique *adj* cinematographic.

cinéphile *nmf* film *(UK)* ou movie *(US)* buff.

cinglé, e *fam adj* nuts, nutty.

cingler *vt* to lash.

cinq ◫ *adj num inv* five. ◫ *nm* five. ◦ *voir aussi* **six**

cinquantaine *nf* **1.** *(nombre)* ◦ **une cinquantaine de** about fifty **2.** *(âge)* ◦ **avoir la cinquantaine** to be in one's fifties.

cinquante *adj num inv & nm* fifty. ◦ *voir aussi* **six**

cinquantième *adj num inv, nm & nmf* fiftieth. ◦ *voir aussi* **sixième**

cinquième ◫ *adj num inv, nm & nmf* fifth. ◫ *nf* SCOL ≃ Year 2 *(UK)*, ≃ seventh grade *(US)*. ◦ *voir aussi* **sixième**

cintre *nm (pour vêtements)* coat hanger.

cintré, e *adj* COUT waisted.

cirage *nm (produit)* shoe polish.

circoncision *nf* circumcision.

circonférence *nf* **1.** GÉOM circumference **2.** *(pourtour)* boundary.

circonflexe ▷ **accent**.

circonscription *nf* district.

circonscrire *vt* **1.** *(incendie, épidémie)* to contain **2.** *fig (sujet)* to define.

circonspect, e *adj* cautious.

circonstance *nf* **1.** *(occasion)* occasion **2.** *(gén pl) (contexte, conjoncture)* circumstance ◦ **circonstances atténuantes** DR mitigating circumstances.

circonstancié, e *adj* detailed.

circonstanciel, elle *adj* GRAMM adverbial.

circuit *nm* **1.** *(chemin)* route **2.** *(parcours touristique)* tour **3.** SPORT & TECHNOL circuit ◦ **en circuit fermé** *(en boucle)* closed-circuit *(avant nom)* ◦ *fig* within a limited circle.

circulaire *nf & adj* circular.

circulation *nf* **1.** *(mouvement)* circulation ◦ **mettre en circulation** to circulate ◦ **circulation (du sang)** circulation **2.** *(trafic)* traffic.

circuler *vi* 1. *(sang, air, argent)* to circulate • **faire circuler qqch** to circulate sthg 2. *(aller et venir)* to move (along) • **on circule mal en ville** the traffic is bad in town 3. *(train, bus)* to run 4. *fig (rumeur, nouvelle)* to spread.

cire *nf* 1. *(matière)* wax 2. *(encaustique)* polish.

ciré, e *adj* 1. *(parquet)* polished 2. ⊳ **toile**. ■ **ciré** *nm* oilskin.

cirer *vt (chaussures)* to polish • **j'en ai rien à cirer** *fam* I don't give a damn.

cirque *nm* 1. *(gén)* circus 2. GÉOL cirque 3. *fam fig (désordre, chahut)* chaos *(indénombrable)*.

cirrhose *nf* cirrhosis *(indénombrable)*.

cisaille *nf* shears *pl*.

cisailler *vt* 1. *(métal)* to cut 2. *(branches)* to prune.

ciseau *nm* chisel. ■ **ciseaux** *nmpl* scissors.

ciseler *vt* 1. *(pierre, métal)* to chisel 2. *(bijou)* to engrave.

Cisjordanie *nf* • **la Cisjordanie** the West Bank.

citadelle *nf litt & fig* citadel.

citadin, e *adj* city *(avant nom)*, urban. ■ *nm, f* city dweller.

citation *nf* 1. DR summons *sing* 2. *(extrait)* quote, quotation.

cité *nf* 1. *(ville)* city 2. *(lotissement)* housing estate *(UK)* OU project *(US)* • **cité universitaire** halls *pl* of residence *(UK)*, dormitory *(US)*.

citer *vt* 1. *(exemple, propos, auteur)* to quote 2. DR *(convoquer)* to summon 3. MIL • **être cité à l'ordre du jour** to be mentioned in dispatches.

citerne *nf* 1. *(d'eau)* water tank 2. *(cuve)* tank.

cité U *nf fam abrév de* **cité universitaire**.

citoyen, enne *nm, f* citizen.

citoyenneté *nf* citizenship.

citron *nm* lemon • **citron pressé** fresh lemon juice • **citron vert** lime.

citronnade *nf* (still) lemonade.

citronnier *nm* lemon tree.

citrouille *nf* pumpkin.

civet *nm* stew • **civet de lièvre** jugged hare.

civière *nf* stretcher.

civil, e ■ *adj* 1. *(gén)* civil 2. *(non militaire)* civilian. ■ *nm, f* civilian • **dans le civil** in civilian life • **policier en civil** plain-clothes policeman (*f* policewoman) • **soldat en civil** soldier in civilian clothes.

civilement *adv* • **se marier civilement** to get married at a registry office *(UK)* OU in a civil ceremony *(US)*.

civilisation *nf* civilization.

civilisé, e *adj* civilized.

civiliser *vt* to civilize.

civique *adj* civic • **instruction civique** civics *(indénombrable)*.

civisme *nm* sense of civic responsibility.

cl *(abr écrite de* **centilitre***)* cl.

clair, e *adj* 1. *(précis, évident)* clear • **c'est clair et net** there's no two ways about it 2. *(lumineux)* bright 3. *(pâle - couleur, teint)* light • *(- tissu, cheveux)* light-coloured *(UK)*, light-colored *(US)*. ■ **clair** ■ *adv* • **voir clair (dans qqch)** *fig* to have a clear understanding (of sthg). ■ *nm* • **mettre** OU **tirer qqch au clair** to shed light upon sthg. ■ **clair de lune** *nm* moonlight *(indénombrable)*. ■ **en clair** *loc adv* TV unscrambled *(esp of a private TV channel)*.

clairement *adv* clearly.

claire-voie ■ **à claire-voie** *loc adv* openwork *(avant nom)*.

clairière *nf* clearing.

clairon *nm* bugle.

claironner *vt fig (crier)* • **claironner qqch** to shout sthg from the rooftops.

clairsemé, e *adj* 1. *(cheveux)* thin 2. *(arbres)* scattered 3. *(population)* sparse.

clairvoyant, e *adj* perceptive.

clamer *vt* to proclaim.

clameur *nf* clamour *(UK)*, clamor *(US)*.

clan *nm* clan.

clandestin, e ■ *adj* 1. *(journal, commerce)* clandestine 2. *(activité)* covert. ■ *nm, f* 1. *(étranger)* illegal immigrant OU alien 2. *(voyageur)* stowaway.

clapier *nm (à lapins)* hutch.

clapoter *vi (vagues)* to lap.

claquage *nm* MÉD strain • **se faire un claquage** to pull OU to strain a muscle.

claque *nf* 1. *(gifle)* slap 2. THÉÂTRE claque.

claquer ◼ *vt* **1.** *(fermer)* to slam **2.** ◦ **faire claquer** *(langue)* to click ◦ *(doigts)* to snap ◦ *(fouet)* to crack **3.** *fam (gifler)* to slap **4.** *fam (dépenser)* to blow. ◼ *vi (porte, volet)* to bang.

claquettes *nfpl (danse)* tap dancing *(indénombrable)*.

clarifier *vt* litt & fig to clarify.

clarinette *nf (instrument)* clarinet.

clarté *nf* **1.** *(lumière)* brightness **2.** *(netteté)* clarity.

classe *nf* **1.** *(gén)* class ◦ **classe touriste** economy class, coach *(US)* **2.** scol ◦ **aller en classe** to go to school ◦ **classe de neige** skiing trip *(with school)* ◦ **classes préparatoires** *il n'y a pas d'équivalent en Grande-Bretagne ou aux États-Unis. Si vous voulez expliquer à un anglophone de quoi il s'agit, vous pouvez dire* these are two years of intensive study for students preparing for Grandes Écoles entrance exams ◦ **classe verte** field trip *(with school)* **3.** mil rank ◦ **faire ses classes** mil to do one's training.

classé, e *adj (monument)* listed *(UK)*.

classement *nm* **1.** *(rangement)* filing **2.** *(classification)* classification **3.** *(rang - scol)* position ◦ sport placing **4.** *(liste - scol)* class list ◦ sport final placings *pl*.

classer *vt* **1.** *(ranger)* to file **2.** *(plantes, animaux)* to classify **3.** *(cataloguer)* ◦ **classer qqn (parmi)** to label sb (as) **4.** *(attribuer un rang à)* to rank.
◼ **se classer** *vp* to be classed, to rank ◦ **se classer troisième** to come third.

classeur *nm* **1.** *(meuble)* filing cabinet **2.** *(d'écolier)* ring binder.

classification *nf* classification.

classique ◼ *nm* **1.** *(auteur)* classical author **2.** *(œuvre)* classic. ◼ *adj* **1.** art & mus classical **2.** *(sobre)* classic **3.** *(habituel)* classic ◦ **ça, c'est l'histoire classique!** it's the usual story!

clause *nf* clause.

claustrophobie *nf* claustrophobia.

clavecin *nm* harpsichord.

clavicule *nf* collarbone.

clavier *nm* keyboard.

clé, clef ◼ *nf* **1.** *(gén)* key ◦ **la clé du mystère** the key to the mystery ◦ **mettre qqn/qqch sous clé** to lock sb/sthg up ◦ **clé de contact** auto ignition key **2.** *(outil)* ◦ **clé anglaise** ou **à molette** adjustable spanner *(UK)* ou wrench *(US)*, monkey wrench **3.** mus *(signe)* clef ◦ **clé de sol/fa** treble/bass clef **4.** inform ◦ **clé USB** USB key. ◼ *adj* ◦ **industrie/rôle clé** key industry/role. ◼ **clé de voûte** *nf* litt & fig keystone.

clément, e *adj* **1.** *(indulgent)* lenient **2.** fig *(température)* mild.

clémentine *nf* clementine.

cleptomane = **kleptomane**.

clerc *nm (assistant)* clerk.

clergé *nm* clergy.

Clic-Clac® *nm* pull-out sofa bed.

cliché *nm* **1.** photo negative **2.** *(banalité)* cliché.

client, e *nm, f* **1.** *(de notaire, d'agence)* client **2.** *(de médecin)* patient **3.** *(acheteur)* customer **4.** *(habitué)* regular (customer).

clientèle *nf* **1.** *(ensemble des clients)* customers *pl* **2.** *(de profession libérale)* clientele **3.** *(fait d'être client)* ◦ **accorder sa clientèle à** to give one's custom to.

cligner *vi* ◦ **cligner de l'œil** to wink ◦ **cligner des yeux** to blink.

clignotant, e *adj (lumière)* flickering. ◼ **clignotant** *nm* auto indicator *(UK)*, turn signal *(US)*.

clignoter *vi* **1.** *(yeux)* to blink **2.** *(lumière)* to flicker.

climat *nm* litt & fig climate.

climatisation *nf* air-conditioning.

climatisé, e *adj* air-conditioned.

clin ◼ **clin d'œil** *nm* ◦ **faire un clin d'œil (à)** to wink (at) ◦ **en un clin d'œil** in a flash.

clinique ◼ *nf* clinic. ◼ *adj* clinical.

clip *nm* **1.** *(vidéo)* pop video **2.** *(boucle d'oreilles)* clip-on earring.

cliquable *adj* clickable ◦ **plan cliquable** sensitive map.

cliquer *vi* inform ◦ to click ◦ *(bouton gauche)* to left-click ◦ *(bouton droit)* to right-click.

cliqueter *vi* **1.** *(pièces, clés, chaînes)* to jingle, to jangle **2.** *(verres)* to clink.

clivage *nm* fig *(division)* division.

clochard, e *nm, f* tramp.

cloche ◼ *nf* **1.** *(d'église)* bell **2.** fam *(idiot)* idiot. ◼ *adj fam* ◦ **ce qu'elle peut être cloche, celle-là!** she can be such an idiot!

cloche-pied ◼ **à cloche-pied** *loc adv* hopping ◦ **sauter à cloche-pied** to hop.

clocher *nm (d'église)* church tower.

clochette *nf* **1.** *(petite cloche)* (little) bell **2.** *(de fleur)* bell.

clodo *nmf fam* tramp.

cloison *nf (mur)* partition.

cloisonner *vt* **1.** *(pièce, maison)* to partition (off) **2.** *fig* to compartmentalize.

cloître *nm* cloister.

clonage *nm* cloning • **clonage thérapeutique** therapeutic cloning.

clopiner *vi* to hobble along.

cloporte *nm* woodlouse.

cloque *nf* blister.

clore *vt* **1.** to close **2.** *(négociations)* to conclude.

clos, e ◙ *pp* ⬡ **clore** . ◙ *adj* closed.

clôture *nf* **1.** *(haie)* hedge **2.** *(de fil de fer)* fence **3.** *(fermeture)* closing, closure **4.** *(fin)* end, conclusion.

clôturer *vt* **1.** *(terrain)* to enclose **2.** *(négociation)* to close, to conclude.

clou *nm* **1.** *(pointe)* nail • **clou de girofle** CULIN clove **2.** *(attraction)* highlight.

clouer *vt* **1.** *(fixer - couvercle, planche)* to nail (down) • *(- tableau, caisse)* to nail (up) **2.** *fig (immobiliser)* • **rester cloué sur place** to be rooted to the spot.

clouté, e *adj (vêtement)* studded.

clown *nm* clown • **faire le clown** to clown around, to act the fool.

club *nm* club.

cm *(abr écrite de* **centimètre**) cm.

CM *nm (abr de* **cours moyen**) • **CM1** ≃ Year 4 *(UK)*, ≃ fourth grade *(US)* • **CM2** ≃ Year 5 *(UK)*, ≃ fifth grade *(US)*.

CNAM *(abr de* **Conservatoire national des arts et métiers**) *nm si vous voulez expliquer à un anglophone de quoi il s'agit, vous pouvez dire* it is the national school for science and technology in Paris.

CNRS *(abr de* **Centre national de la recherche scientifique**) *nm si vous voulez expliquer à un anglophone de quoi il s'agit, vous pouvez dire* it is the French national centre for scientific research.

coacher *vt* to coach.

coaguler *vi* **1.** *(sang)* to clot **2.** *(lait)* to curdle.

coalition *nf* coalition.

coasser *vi (grenouille)* to croak.

cobaye *nm litt & fig* guinea pig.

cobra *nm* cobra.

co-branding *nm* co-branding.

Coca® *nm (boisson)* Coke®.

cocaïne *nf* cocaine.

cocaïnomane *nmf* cocaine addict.

cocarde *nf* **1.** *(insigne)* roundel **2.** *(distinction)* rosette.

cocardier, ère *adj (chauvin)* jingoistic.

cocasse *adj* funny.

coccinelle *nf* **1.** *(insecte)* ladybird *(UK)*, ladybug *(US)* **2.** *(voiture)* Beetle.

coccyx *nm* coccyx.

cocher[1] *nm* coachman.

cocher[2] *vt* to tick (off) *(UK)*, to check (off) *(US)*.

cochon, onne ◙ *adj* dirty, smutty. ◙ *nm, f fam péj* pig • **un tour de cochon** a dirty trick. ■ **cochon** *nm* pig.

cochonnerie *nf fam* **1.** *(nourriture)* muck *(indénombrable)* **2.** *(chose)* rubbish *(indénombrable) (UK)*, trash *(indénombrable) (US)* **3.** *(saleté)* mess *(indénombrable)* **4.** *(obscénité)* dirty joke, smut *(indénombrable)*.

cochonnet *nm (jeux)* jack.

cocktail *nm* **1.** *(réception)* cocktail party **2.** *(boisson)* cocktail **3.** *fig (mélange)* mixture.

coco *nm* **1.** ⬡ **noix 2.** *péj (communiste)* commie.

cocon *nm fig & ZOOL* cocoon.

cocorico *nm (du coq)* cock-a-doodle-doo.

cocotier *nm* coconut tree.

cocotte *nf* **1.** *(marmite)* casserole (dish) **2.** *(poule)* hen **3.** *péj (courtisane)* tart.

Cocotte-Minute® *nf* pressure cooker.

cocu, e *nm, f & adj fam* cuckold.

code *nm* **1.** *(gén)* code • **code-barres** bar code • **code postal** postcode *(UK)*, zip code *(US)* **2.** BANQUE & ÉCON • **code secret** PIN number **3.** *(phares)* dipped headlights *pl (UK)*, dimmed headlights *pl (US)* **4.** DR • **code pénal** penal code • **code de la route** highway code *(UK)*, motor vehicle laws *(US)*. ■ **codes** *nmpl (phares)* dipped headlights *pl (UK)*, low beams *pl (US)*.

coder *vt* to code.

coefficient *nm* coefficient.

coéquipier, **ère** *nm, f* teammate.

cœur *nm* heart • **au cœur de l'hiver** in the depths of winter • **au cœur de l'été** at the height of summer • **au cœur du conflit** at the height of the conflict • **de bon cœur** willingly • **de tout son cœur** with all one's heart • **apprendre par cœur** to learn by heart • **avoir bon cœur** to be kind-hearted • **avoir mal au cœur** to feel sick • **s'en donner à cœur joie** *(prendre beaucoup de plaisir)* to have a whale of a time • **manquer de cœur, ne pas avoir de cœur** to be heartless • **soulever le cœur à qqn** to make sb feel sick.

coexister *vi* to coexist.

coffre *nm* **1.** *(meuble)* chest **2.** *(de voiture)* boot (UK), trunk (US) **3.** *(coffre-fort)* safe.

coffre-fort *nm* safe.

coffret *nm* **1.** *(petit coffre)* casket • **coffret à bijoux** jewellery (UK) *ou* jewelry (US) box **2.** *(de disques)* boxed set.

cogner *vi* **1.** *(heurter)* to bang **2.** *fam (donner des coups)* to hit **3.** *(soleil)* to beat down. ■ **se cogner** *vp (se heurter)* to bump o.s. • **se cogner à** *ou* **contre qqch** to bump into sthg • **se cogner la tête/le genou** to hit one's head/knee.

cohabiter *vi* **1.** *(habiter ensemble)* to live together **2.** POLIT to cohabit.

cohérence *nf* consistency, coherence.

cohérent, **e** *adj* **1.** *(logique)* consistent, coherent **2.** *(unifié)* coherent.

cohésion *nf* cohesion.

cohorte *nf (groupe)* troop.

cohue *nf* **1.** *(foule)* crowd **2.** *(bousculade)* crush.

coi, coite *adj* • **rester coi** *sout* to remain silent.

coiffe *nf* headdress.

coiffé, **e** *adj* • **être bien/mal coiffé** to have tidy/untidy hair • **être coiffé d'une casquette** to be wearing a cap.

coiffer *vt* **1.** *(mettre sur la tête)* • **coiffer qqn de qqch** to put sthg on sb's head **2.** *(les cheveux)* • **coiffer qqn** to do sb's hair. ■ **se coiffer** *vp* **1.** *(les cheveux)* to do one's hair **2.** *(mettre sur sa tête)* • **se coiffer de** to wear, to put on.

coiffeur, **euse** *nm, f* hairdresser. ■ **coiffeuse** *nf (meuble)* dressing table.

coiffure *nf* **1.** *(chapeau)* hat **2.** *(cheveux)* hairstyle.

coin *nm* **1.** *(angle)* corner • **au coin du feu** by the fireside **2.** *(parcelle, endroit)* place, spot • **dans le coin** in the area • **un coin de ciel bleu** a patch of blue sky • **coin cuisine** kitchen area • **le petit coin** *fam* the little boys'/girls' room **3.** *(outil)* wedge.

coincer *vt* **1.** *(bloquer)* to jam **2.** *fam (prendre)* to nab **3.** *fam fig* to catch out (UK) **4.** *(acculer)* to corner, to trap.

coïncidence *nf* coincidence.

coïncider *vi* to coincide.

coing *nm (fruit)* quince.

coït *nm* coitus.

col *nm* **1.** *(de vêtement)* collar • **col roulé** polo neck (UK), turtleneck (US) **2.** *(partie étroite)* neck **3.** ANAT • **col du fémur** neck of the thighbone *ou* femur • **col de l'utérus** cervix, neck of the womb **4.** GÉOGR pass.

coléoptère *nm* beetle.

colère *nf* **1.** *(irritation)* anger • **être/se mettre en colère** to be/get angry **2.** *(accès d'humeur)* fit of anger *ou* rage • **piquer une colère** to fly into a rage.

coléreux, euse, colérique *adj* **1.** *(tempérament)* fiery **2.** *(personne)* quick-tempered.

colimaçon ■ **en colimaçon** *loc adv* spiral.

colique *nf* **1.** *(gén pl) (douleur)* colic *(indénombrable)* **2.** *(diarrhée)* diarrhoea (UK), diarrhea (US).

colis *nm* parcel (UK), package (US).

collaborateur, **trice** *nm, f* **1.** *(employé)* colleague **2.** HIST collaborator.

collaboration *nf* collaboration.

collaborer *vi* **1.** *(coopérer, sous l'Occupation)* to collaborate **2.** *(participer)* • **collaborer à** to contribute to.

collant, **e** *adj* **1.** *(substance)* sticky **2.** *fam (personne)* clinging, clingy. ■ **collant** *nm* tights *pl* (UK), panty hose *pl* (US).

colle *nf* **1.** *(substance)* glue **2.** *(question)* poser **3.** *(SCOL - interrogation)* test • *(- retenue)* detention.

collecte *nf* collection.

collectif, ive *adj* **1.** *(responsabilité, travail)* collective **2.** *(billet, voyage)* group *(avant nom)*. ■ **collectif** *nm* **1.** *(équipe)* team

2. LING collective noun **3.** FIN ▪ **collectif budgétaire** collection of budgetary measures.

collection *nf* **1.** *(d'objets, de livres, de vêtements)* collection ▪ **faire la collection de** to collect **2.** COMM line.

collectionner *vt litt & fig* to collect.

collectionneur, euse *nm, f* collector.

collectivité *nf* community ▪ **les collectivités locales** ADMIN the local communities ▪ **collectivité territoriale** ADMIN (partially) autonomous region.

collège *nm* **1.** SCOL ≃ secondary school **2.** *(de personnes)* college.

collégien, enne *nm, f* schoolboy (*f* schoolgirl).

collègue *nmf* colleague.

coller ▪ *vt* **1.** *(fixer - affiche)* to stick (up) ▪ *(- timbre)* to stick **2.** *(appuyer)* to press **3.** INFORM to paste **4.** *fam (mettre)* to stick, to dump **5.** SCOL to give (a) detention to, to keep behind. ▪ *vi* **1.** *(adhérer)* to stick **2.** *(être adapté)* ▪ **coller à qqch** *(vêtement)* to cling to sthg ▪ *fig* to fit in with sthg, to adhere to sthg.
▪ **se coller** *vp (se plaquer)* ▪ **se coller contre qqn/qqch** to press o.s. against sb/sthg.

collerette *nf (de vêtement)* ruff.

collet *nm* **1.** *(de vêtement)* collar ▪ **être collet monté** *(affecté, guindé)* to be straitlaced **2.** *(piège)* snare.

collier *nm* **1.** *(bijou)* necklace **2.** *(d'animal)* collar **3.** *(barbe)* beard *(along the jawline)*.

colline *nf* hill.

collision *nf (choc)* collision, crash ▪ **entrer en collision avec** to collide with.

colloque *nm* colloquium.

colmater *vt* **1.** *(fuite)* to plug, to seal off **2.** *(brèche)* to fill, to seal.

colo *nf fam* children's holiday camp *(UK)*, summer camp *(US)*.

colocataire *nmf* **1.** ADMIN co-tenant **2.** flatmate *(UK)*.

colombe *nf* dove.

Colombie *nf* ▪ **la Colombie** Colombia.

colon *nm* settler.

côlon *nm* colon.

colonel *nm* colonel.

colonial, e *adj* colonial.

colonialisme *nm* colonialism.

colonie *nf* **1.** *(territoire)* colony **2.** *(d'expatriés)* community ▪ **colonie de vacances** children's holiday *(UK)* ou summer camp *(US)*.

colonisation *nf* colonization.

coloniser *vt litt & fig* to colonize.

colonne *nf* column. ▪ **colonne vertébrale** *nf* spine, spinal column.

colorant, e *adj* colouring *(UK)*, coloring *(US)*. ▪ **colorant** *nm* colouring *(UK)*, coloring *(US)*.

colorer *vt (teindre)* to colour *(UK)*, to color *(US)*.

colorier *vt* to colour in *(UK)*, to color in *(US)*.

coloris *nm* shade.

colorisation *nf* CINÉ colourization *(UK)*, colorization *(US)*.

coloriser *vt* CINÉ to colourize *(UK)*, to colorize *(US)*.

colossal, e *adj* colossal, huge.

colporter *vt* **1.** *(marchandise)* to hawk **2.** *(information)* to spread.

coltiner ▪ **se coltiner** *vp fam* to be landed with.

coma *nm* coma ▪ **être dans le coma** to be in a coma.

comateux, euse *adj* comatose.

combat *nm* **1.** *(bataille)* battle, fight **2.** *fig (lutte)* struggle **3.** SPORT fight.

combatif, ive *adj* **1.** *(humeur)* fighting *(avant nom)* **2.** *(troupes)* willing to fight.

combattant, e *nm, f* **1.** *(en guerre)* combatant **2.** *(dans bagarre)* fighter ▪ **ancien combattant** veteran.

combattre ▪ *vt litt & fig* to fight (against). ▪ *vi* to fight.

combien ▪ *conj* how much ▪ **combien de** *(nombre)* how many ▪ *(quantité)* how much ▪ **combien de temps ?** how long? ▪ **ça fait combien ?** *(prix)* how much is that? ▪ *(longueur, hauteur etc)* how long/high *etc* is it? ▪ *adv* how (much). ▪ *nm inv* ▪ **le combien sommes-nous ?** what date is it? ▪ **tous les combien ?** how often?

combinaison *nf* **1.** *(d'éléments)* combination **2.** *(de femme)* slip **3.** *(vêtement - de mécanicien)* boiler suit *(UK)*, overalls *pl (UK)*, overall *(US)* ▪ *(- de ski)* ski suit **4.** *(de coffre)* combination.

combine *nf fam* trick.

combiné *nm* receiver.

combiner *vt* **1.** *(arranger)* to combine **2.** *(organiser)* to devise.
■ **se combiner** *vp* to turn out.

comble ■ *nm* height ◦ **c'est un** *ou* **le comble !** that beats everything! ■ *adj* packed. ■ **combles** *nmpl* attic *sing*, loft *sing*.

combler *vt* **1.** *(gâter)* ◦ **combler qqn de** to shower sb with **2.** *(boucher)* to fill in **3.** *(déficit)* to make good **4.** *(lacune)* to fill.

combustible ■ *nm* fuel. ■ *adj* combustible.

combustion *nf* combustion.

comédie *nf* **1.** CINÉ & THÉÂTRE comedy ◦ **comédie musicale** musical **2.** *(complication)* palaver.

comédien, enne *nm, f* **1.** *(acteur)* actor *(f* actress) **2.** *fig & péj* phony, phoney *(UK)*.

comestible *adj* edible.

comète *nf* comet.

coming out *n.m. inv.* coming-out.

comique ■ *nm* THÉÂTRE comic, comedian *(f* comedienne) ◦ **c'est un grand comique** he's a great comic actor. ■ *adj* **1.** *(style)* comic **2.** *(drôle)* comical, funny.

comité *nm* committee ◦ **comité d'entreprise** works council *(UK)*.

commandant *nm* commander.

commande *nf* **1.** *(de marchandises)* order ◦ **passer une commande** to place an order ◦ **sur commande** to order ◦ **disponible sur commande** available on request **2.** TECHNOL control **3.** INFORM command ◦ **commande numérique** digital control.

commander ■ *vt* **1.** MIL to command **2.** *(contrôler)* to operate, to control **3.** COMM to order. ■ *vi* to be in charge ◦ **commander à qqn de faire qqch** to order sb to do sthg.

commanditer *vt* **1.** *(entreprise)* to finance **2.** *(meurtre)* to put up the money for **3.** *(tournoi)* to sponsor.

commando *nm* commando (unit).

comme *conj*

1. INTRODUIT UNE COMPARAISON
◦ **il est médecin comme son père** he's a doctor (just) like his father
◦ **elle s'habille exactement comme sa sœur** she dresses just like her sister

2. EXPRIME LA MANIÈRE
◦ **fais comme il te plaira** do as you wish
◦ **comme prévu/convenu, la réunion a commencé à six heures** as planned/agreed, the meeting started at six
◦ **faites comme bon vous semble** do as you think best
◦ **ça va ? – comme ci comme ça** how are things? – so-so

3. INTRODUIT LA CAUSE
◦ **comme il pleuvait, nous sommes rentrés** as it was raining, we went back (home)
◦ **comme tu es fatigué, tu devrais rester à la maison** since you're tired, you should stay at home

4. INDIQUE UNE SIMILITUDE
◦ **l'un comme l'autre sont très gentils** the one is as kind as the other, they are equally kind
◦ **les filles, comme les garçons, iront jouer au foot** both girls and boys will play football

5. INDIQUE UNE FONCTION
◦ **nous l'avons eu comme professeur** we had him as teacher
◦ **comme peintre, il est assez médiocre** as a painter, he is rather mediocre

6. TEL QUE
◦ **les auteurs romantiques comme Musset ou Vigny adoptèrent cette même position** Romantic writers such as *ou* like Musset or Vigny adopted the same position.

comme *adv excl*

MARQUE L'INTENSITÉ
◦ **comme tu as grandi !** how you've grown!
◦ **comme c'est difficile !** it's so difficult!
◦ **regarde comme il nage bien !** (just) look what a good swimmer he is!, (just) look how well he swims!

commémoration *nf* commemoration.

commémorer *vt* to commemorate.

commencement *nm* beginning, start.

commencer ■ *vt* **1.** *(entreprendre)* to begin, to start **2.** *(être au début de)* to begin. ■ *vi* to start, to begin ◦ **commencer à faire qqch** to begin *ou* start to do sthg, to begin *ou* start doing sthg ◦ **commencer par faire qqch** to begin *ou* start by doing sthg.

comment *adv interr* how • **comment ?** what? • **comment ça va ?** how are you? • **comment cela ?** how come?

À PROPOS DE...

comment

Attention à ne pas confondre *how is he?* (« comment va-t-il ? » ; réponse : *he's fine* = il va bien) et *what's he like?* (« il est comment ? » ; réponse : *he's tall and good-looking* = il est grand et beau).

commentaire *nm* **1.** (*explication*) commentary **2.** (*observation*) comment.

commentateur, trice *nm, f* RADIO & TV commentator.

commenter *vt* to comment on.

commérage *nm péj* gossip (*indénombrable*).

commerçant, e ■ *adj* **1.** (*rue*) shopping (*avant nom*) **2.** (*quartier*) commercial **3.** (*personne*) business-minded. ■ *nm, f* shopkeeper (*UK*).

commerce *nm* **1.** (*achat et vente*) commerce, trade • **commerce de gros/détail** wholesale/retail trade • **commerce électronique** electronic commerce, e-commerce • **commerce équitable** fair trade • **commerce extérieur** foreign trade **2.** (*magasin*) business • **le petit commerce** small shopkeepers *pl*.

commercial, e ■ *adj* **1.** (*entreprise, valeur*) commercial **2.** (*politique*) trade (*avant nom*). ■ *nm, f* marketing man (*f* woman).

commercialiser *vt* to market.

commère *nf péj* gossip.

commettre *vt* to commit.

commis, e *pp* ▷ **commettre**. ■ **commis** *nm* assistant • **commis voyageur** commercial traveller (*UK*) *ou* traveler (*US*).

commisération *nf sout* commiseration.

commissaire *nm* commissioner • **commissaire de police** (police) superintendent (*UK*), (police) captain (*US*).

commissaire-priseur *nm* auctioneer.

commissariat *nm* • **commissariat de police** police station.

commission *nf* **1.** (*délégation*) commission, committee **2.** (*message*) message.

■ **commissions** *nfpl* shopping (*indénombrable*) • **faire les commissions** to do the shopping.

commissure *nf* • **la commissure des lèvres** the corner of the mouth.

commode ■ *nf* chest of drawers. ■ *adj* **1.** (*pratique - système*) convenient • (*- outil*) handy **2.** (*aimable*) • **pas commode** awkward.

commodité *nf* convenience.

commotion *nf* MÉD shock • **commotion cérébrale** concussion.

commun, e *adj* **1.** (*gén*) common **2.** (*décision, effort*) joint **3.** (*salle, jardin*) shared • **avoir qqch en commun** to have sthg in common • **faire qqch en commun** to do sthg together **4.** (*courant*) usual, common. ■ **commune** *nf* town.

communal, e *adj* **1.** (*école*) local **2.** (*bâtiments*) council (*avant nom*).

communauté *nf* **1.** (*groupe*) community **2.** (*de sentiments, d'idées*) identity **3.** POLIT • **la Communauté européenne** the European Community.

communément *adv* commonly.

communiant, e *nm, f* communicant • **premier communiant** child taking his/her first communion.

communication *nf* **1.** (*gén*) communication **2.** TÉLÉCOM • **communication (téléphonique)** (phone) call • **être en communication avec qqn** to be talking to sb • **obtenir la communication** to get through • **recevoir/prendre une communication** to receive/take a (phone) call • **communication interurbaine** long-distance (phone) call.

communier *vi* RELIG to take communion.

communion *nf* RELIG communion.

communiqué *nm* communiqué • **communiqué de presse** press release.

communiquer *vt* • **communiquer qqch à** (*information, sentiment*) to pass on *ou* communicate sthg to • (*chaleur*) to transmit sthg to • (*maladie*) to pass sthg on to.

communisme *nm* communism.

communiste *nmf* & *adj* communist.

commutateur *nm* switch.

compact, e *adj* **1.** (*épais, dense*) dense **2.** (*petit*) compact. ■ **compact** *nm* (*disque laser*) compact disc, CD.

compagnie *nf* **1.** *(gén & COMM)* company • **tenir compagnie à qqn** to keep sb company • **en compagnie de** in the company of **2.** *(assemblée)* gathering.

compagnon, compagne *nm, f* companion. ■ **compagnon** *nm* HIST journeyman.

comparable *adj* comparable.

comparaison *nf* *(parallèle)* comparison • **en comparaison de, par comparaison avec** compared with, in *ou* by comparison with.

comparaître *vi* DR • **comparaître (devant)** to appear (before).

comparatif, ive *adj* comparative.

comparé, e *adj* **1.** comparative **2.** *(mérites)* relative.

comparer *vt* **1.** *(confronter)* • **comparer (avec)** to compare (with) **2.** *(assimiler)* • **comparer qqch à** to compare *ou* liken sthg to.

comparse *nmf péj* stooge.

compartiment *nm* compartment.

comparu, e *pp* ▷ **comparaître**.

comparution *nf* DR appearance.

compas *nm* **1.** *(de dessin)* pair of compasses, compasses *pl* **2.** NAUT compass.

compassion *nf sout* compassion.

compatible *adj* • **compatible (avec)** compatible (with).

compatir *vi* • **compatir (à)** to sympathize (with).

compatriote *nmf* compatriot, fellow countryman (*f* countrywoman).

compensation *nf* *(dédommagement)* compensation.

compensé, e *adj* built-up.

compenser *vt* *(perte)* to compensate *ou* make up for.

compétence *nf* **1.** *(qualification)* skill, ability **2.** DR competence • **cela n'entre pas dans mes compétences** that's outside my scope.

compétent, e *adj* **1.** *(capable)* capable, competent **2.** ADMIN & DR competent • **les autorités compétentes** the relevant authorities.

compétitif, ive *adj* competitive.

compétition *nf* competition • **faire de la compétition** to go in for competitive sport.

compil *nf fam* compilation album.

complainte *nf* lament.

complaisant, e *adj* **1.** *(aimable)* obliging, kind **2.** *(indulgent)* indulgent.

complément *nm* **1.** *(gén & GRAMM)* complement **2.** *(reste)* remainder.

complémentaire *adj* **1.** *(supplémentaire)* supplementary **2.** *(caractères, couleurs)* complementary.

complet, ète *adj* **1.** *(gén)* complete **2.** *(plein)* full. ■ **complet(-veston)** *nm* suit.

complètement *adv* **1.** *(vraiment)* absolutely, totally **2.** *(entièrement)* completely.

compléter *vt* **1.** *(gén)* to complete, to complement **2.** *(somme d'argent)* to make up.

complexe ◨ *nm* **1.** PSYCHO complex • **complexe d'infériorité/de supériorité** inferiority/superiority complex **2.** *(ensemble)* complex • **complexe multisalle** multiplex (cinema). ◨ *adj* complex, complicated.

complexé, e *adj* hung up, mixed up.

complexifier *vt* to make (more) complex.

complexité *nf* complexity.

complication *nf* intricacy, complexity. ■ **complications** *nfpl* complications.

complice ■ *nmf* accomplice. ■ *adj (sourire, regard, air)* knowing.

complicité *nf* complicity.

compliment *nm* compliment.

complimenter *vt* to compliment.

compliqué, e *adj* **1.** *(problème)* complex, complicated **2.** *(personne)* complicated.

compliquer *vt* to complicate.

complot *nm* plot.

comploter *vt* & *vi litt* & *fig* to plot.

comportement *nm* behaviour *(UK)*, behavior *(US)*.

comportemental, e, aux *adj* behavioural *(UK)*, behavioral *(US)*.

comporter *vt* **1.** *(contenir)* to include, to contain **2.** *(être composé de)* to consist of, to be made up of. ■ **se comporter** *vp* to behave.

composant, e *adj* constituent, component. ■ **composant** *nm* component. ■ **composante** *nf* component.

composé, e *adj* compound. ■ **composé** *nm* **1.** *(mélange)* combination **2.** CHIM & LING compound.

composer ■ *vt* **1.** *(constituer)* to make up, to form **2.** *(créer - musique)* to compose, to write **3.** *(numéro de téléphone)* to dial **4.** *(code)* to key in. ■ *vi* to compromise. ■ **se composer** *vp* *(être constitué)* • **se composer de** to be composed of, to be made up of.

composite *adj* **1.** *(disparate - mobilier)* assorted, of various types • *(- foule)* heterogeneous **2.** *(matériau)* composite.

compositeur, trice *nm, f* **1.** MUS composer **2.** TYPO typesetter.

composition *nf* **1.** *(gén)* composition **2.** *(de roman)* writing, composition **3.** SCOL test **4.** *(caractère)* • **être de bonne composition** to be good-natured.

composter *vt* *(ticket, billet)* to date-stamp.

compote *nf* compote • **compote de pommes** stewed apples, apple sauce.

compréhensible *adj* **1.** *(texte, parole)* comprehensible **2.** *fig (réaction)* understandable.

compréhensif, ive *adj* understanding.

compréhension *nf* **1.** *(de texte)* comprehension, understanding **2.** *(indulgence)* understanding.

comprendre *vt* **1.** *(gén)* to understand • **je comprends !** I see! • **se faire comprendre** to make o.s. understood • **mal comprendre** to misunderstand **2.** *(comporter)* to comprise, to consist of **3.** *(inclure)* to include.

compresse *nf* compress.

compresser *vt* **1.** *(gén)* to pack (tightly) in, to pack in tight **2.** INFORM to compress.

compresseur ▷ **rouleau.**

compression *nf* **1.** *(de gaz)* compression **2.** *fig* cutback, reduction.

comprimé, e *adj* compressed. ■ **comprimé** *nm* tablet • **comprimé effervescent** effervescent tablet.

comprimer *vt* **1.** *(gaz, vapeur)* to compress **2.** *(personnes)* • **être comprimés dans** to be packed into.

compris, e *adj* **1.** *(situé)* lying, contained **2.** *(inclus)* • **service (non) compris** (not) including service, service (not) included • **tout compris** all inclusive, all in • **y compris** including.

compromettre *vt* to compromise.

compromis *nm* compromise.

compromission *nf péj* base action.

comptabilité *nf* **1.** *(comptes)* accounts *pl* **2.** *(service)* • **la comptabilité** accounts, the accounts department.

comptable *nmf* accountant.

comptant *adv* • **payer** OU **régler comptant** to pay cash. ■ **au comptant** *loc adv* • **payer au comptant** to pay cash.

compte *nm* **1.** *(action)* count, counting *(indénombrable)* **2.** *(total)* number • **faire le compte (de)** *(personnes)* to count (up) • *(dépenses)* to add up • **compte à rebours** countdown **3.** BANQUE & COMM account • **ouvrir un compte** to open an account • **compte bancaire** OU **en banque** bank account • **compte courant** current account *(UK)*, checking account *(US)* • **compte créditeur** account in credit • **compte de dépôt** deposit account • **compte d'épargne** savings account • **compte d'exploitation** operating account • **compte joint** joint account • **compte postal** post office account • **avoir son compte** to have had enough • **être/se mettre à son compte** to be/become self-employed • **prendre qqch en compte, tenir compte de qqch** to take sthg into account • **se rendre compte de qqch** to realize sthg • **s'en tirer à bon compte** to get off lightly • **tout compte fait** all things considered. ■ **comptes** *nmpl* accounts • **comptes de résultats courants** above-the-line accounts • **faire ses comptes** to do one's accounts.

compte-chèques, compte chèques *nm* current account *(UK)*, checking account *(US)*.

compte-gouttes *nm inv* dropper.

compter ■ *vt* **1.** *(dénombrer)* to count **2.** *(avoir l'intention de)* • **compter faire qqch** to intend to do sthg, to plan to do sthg. ■ *vi* **1.** *(calculer)* to count **2.** *(être important)* to count, to matter • **compter parmi** *(faire partie de)* to be included amongst, to rank amongst • **compter pour** to count for • **compter avec** *(tenir compte de)* to reckon with, to take account of • **compter sur** *(se fier à)* to rely OU count on. ■ **sans compter que** *loc conj* besides which.

compte rendu, compte-rendu *nm* report, account.

compteur *nm* meter.

comptine *nf* nursery rhyme.

comptoir *nm* **1.** *(de bar)* bar **2.** *(de magasin)* counter **3.** HIST trading post **4.** *(Suisse) (foire)* trade fair.

compulser *vt* to consult.

comte *nm* count.

comtesse *nf* countess.

con, conne *tfam* ■ *adj* damned OU bloody *(UK)* stupid. ■ *nm, f* stupid bastard *(f* bitch).

concave *adj* concave.

concéder *vt* • **concéder qqch à** *(droit, terrain)* to grant sthg to • *(point, victoire)* to concede sthg to • **concéder que** to admit (that), to concede (that).

concentration *nf* concentration.

concentré, e *adj* **1.** *(gén)* concentrated **2.** *(personne)* • **elle était très concentrée** she was concentrating hard **3.** ⊳ **lait.** ■ **concentré** *nm* concentrate • **concentré de tomates** CULIN tomato purée.

concentrer *vt* to concentrate. ■ **se concentrer** *vp* **1.** *(se rassembler)* to be concentrated **2.** *(personne)* to concentrate.

concentrique *adj* concentric.

concept *nm* concept.

conception *nf* **1.** *(gén)* conception **2.** *(d'un produit, d'une campagne)* design, designing *(indénombrable)*.

concernant *prép* regarding, concerning.

concerner *vt* to concern • **être/se sentir concerné par qqch** to be/feel concerned by sthg • **en ce qui me concerne** as far as I'm concerned.

concert *nm* MUS concert.

concertation *nf* consultation.

concerter *vt* *(organiser)* to devise (jointly). ■ **se concerter** *vp* to consult (each other).

concerto *nm* concerto.

concession *nf* **1.** *(compromis & GRAMM)* concession **2.** *(autorisation)* rights *pl*, concession.

concessionnaire *nmf* **1.** *(automobile)* (car) dealer **2.** *(qui possède une franchise)* franchise holder.

concevable *adj* conceivable.

concevoir *vt* **1.** *(enfant, projet)* to conceive **2.** *(comprendre)* to conceive of • **je ne peux pas concevoir comment/pourquoi** I cannot conceive how/why.

concierge *nmf* caretaker *(UK)*, superintendent *(US)*, concierge.

conciliation *nf* **1.** *(règlement d'un conflit)* reconciliation, reconciling **2.** *(accord & DR)* conciliation.

concilier *vt* *(mettre d'accord, allier)* to reconcile • **concilier qqch et** *ou* **avec qqch** to reconcile sthg with sthg.

concis, e *adj* **1.** *(style, discours)* concise **2.** *(personne)* terse.

concision *nf* conciseness, concision.

concitoyen, enne *nm, f* fellow citizen.

conclu, e *pp* ⊳ **conclure.**

concluant, e *adj* *(convaincant)* conclusive.

conclure ◼ *vt* to conclude • **en conclure que** to deduce (that). ◼ *vi* • **les experts ont conclu à la folie** the experts concluded he/she was mad.

conclusion *nf* **1.** *(gén)* conclusion **2.** *(partie finale)* close.

concombre *nm* cucumber.

concordance *nf* *(conformité)* agreement • **concordance des temps** GRAMM sequence of tenses.

concorder *vi* **1.** *(coïncider)* to agree, to coincide **2.** *(être en accord)* • **concorder (avec)** to be in accordance (with).

concourir *vi* **1.** *(contribuer)* • **concourir à** to work towards *(UK)* *ou* toward *(US)* **2.** *(participer à un concours)* to compete.

concours *nm* **1.** *(examen)* competitive examination **2.** *(compétition)* competition, contest **3.** *(coïncidence)* • **concours de circonstances** combination of circumstances.

concret, ète *adj* concrete.

concrétiser *vt* **1.** *(projet)* to give shape to **2.** *(rêve, espoir)* to give solid form to. ◼ **se concrétiser** *vp* **1.** *(projet)* to take shape **2.** *(rêve, espoir)* to materialize.

conçu, e *pp* ⊳ **concevoir.**

concubinage *nm* living together, cohabitation.

concupiscent, e *adj* lustful.

concurremment *adv* jointly.

concurrence *nf* **1.** *(rivalité)* rivalry **2.** ÉCON competition.

concurrent, e ◼ *adj* rival, competing. ◼ *nm, f* competitor.

concurrentiel, elle *adj* competitive.

condamnation *nf* **1.** DR sentence **2.** *(dénonciation)* condemnation.

condamné, e *nm, f* convict, prisoner.

condamner *vt* **1.** DR • **condamner qqn (à)** to sentence sb (to) • **condamner qqn à une amende** to fine sb **2.** *fig (obliger)* • **condamner qqn à qqch** to condemn sb to sthg **3.** *(malade)* • **être condamné** to be terminally ill **4.** *(interdire)* to forbid **5.** *(blâmer)* to condemn **6.** *(fermer)* to fill in, to block up.

condensation *nf* condensation.

condensé ◼ *nm* summary. ◼ *adj* ⊳ **lait.**

condenser *vt* to condense.

condescendant, e *adj* condescending.

condiment *nm* condiment.

condisciple *nm* fellow student.

condition *nf* **1.** *(gén)* condition • **se mettre en condition** *(physiquement)* to get into shape **2.** *(place sociale)* station • **la condition des ouvriers** the workers' lot. ◼ **conditions** *nfpl* **1.** *(circonstances)* conditions • **conditions de vie** living conditions **2.** *(de paiement)* terms. ◼ **à condition de** *loc prép* providing *ou* provided (that). ◼ **à condition que** *loc conj* (+ subjonctif) providing *ou* provided (that). ◼ **sans conditions** ◼ *loc adj* unconditional. ◼ *loc adv* unconditionally.

conditionné, e *adj* **1.** *(emballé)* • **conditionné sous vide** vacuum-packed **2.** ⊳ **air.**

conditionnel, elle *adj* conditional. ◼ **conditionnel** *nm* GRAMM conditional.

conditionnement *nm* **1.** *(action d'emballer)* packaging, packing **2.** *(emballage)* package **3.** PSYCHO & TECHNOL conditioning.

conditionner *vt* **1.** *(déterminer)* to govern **2.** PSYCHO & TECHNOL to condition **3.** *(emballer)* to pack.

condoléances *nfpl* condolences.

conducteur, trice ◼ *adj* conductive. ◼ *nm, f (de véhicule)* driver. ◼ **conducteur** *nm* ÉLECTR conductor.

conduire ◼ *vt* **1.** *(voiture, personne)* to drive **2.** PHYS *(transmettre)* to conduct **3.** *fig (diriger)* to manage **4.** *fig (à la ruine, au désespoir)* • **conduire qqn à qqch** to drive sb to sthg. ◼ *vi* **1.** AUTO to drive **2.** *(mener)* • **conduire à** to lead to. ◼ **se conduire** *vp* to behave.

conduit, e *pp* ⊳ **conduire.** ◼ **conduit** *nm* **1.** *(tuyau)* conduit, pipe **2.** ANAT duct, canal. ■ **conduite** *nf* **1.** *(pilotage d'un véhicule)* driving • **avec conduite à droite/ gauche** right-hand/left-hand drive **2.** *(comportement)* behaviour *(indénombrable)* (UK), behavior *(indénombrable)* (US) **3.** *(canalisation)* • **conduite de gaz/d'eau** gas/water main, gas/water pipe.

cône *nm* GÉOM cone.

confection *nf* **1.** *(réalisation)* making **2.** *(industrie)* clothing industry.

confectionner *vt* to make.

confédération *nf* **1.** *(d'états)* confederacy **2.** *(d'associations)* confederation.

conférence *nf* **1.** *(exposé)* lecture **2.** *(réunion)* conference • **conférence de presse** press conference.

conférencier, ère *nm, f* lecturer.

conférer *vt* *(accorder)* • **conférer qqch à qqn** to confer sthg on sb.

confesser *vt* **1.** *(avouer)* to confess **2.** RELIG • **confesser qqn** to hear sb's confession. ■ **se confesser** *vp* to go to confession.

confession *nf* confession.

confessionnal *nm* confessional.

confetti *nm* confetti *(indénombrable)*.

confiance *nf* *(foi)* confidence • **avoir confiance en** to have confidence *ou* faith in • **avoir confiance en soi** to be self-confident • **en toute confiance** with complete confidence • **de confiance** trustworthy • **faire confiance à qqn/ qqch** to trust sb/sthg.

confiant, e *adj* *(sans méfiance)* trusting.

confidence *nf* confidence.

confident, e *nm, f* confidant *(f* confidante*)*.

confidentiel, elle *adj* confidential.

confier *vt* **1.** *(donner)* • **confier qqn/qqch à qqn** to entrust sb/sthg to sb **2.** *(dire)* • **confier qqch à qqn** to confide sthg to sb. ■ **se confier** *vp* • **se confier à qqn** to confide in sb.

confiné, e *adj* **1.** *(air)* stale **2.** *(atmosphère)* enclosed **3.** *(enfermé)* shut away.

confins *nmpl* • **aux confins de** on the borders of.

confirmation *nf* confirmation.

confirmer *vt* *(certifier)* to confirm. ■ **se confirmer** *vp* to be confirmed.

confiscation *nf* confiscation.

confiserie *nf* **1.** *(magasin)* sweet shop (UK), candy store (US), confectioner's **2.** *(sucreries)* sweets *pl* (UK), candy *(indénombrable)* (US), confectionery *(indénombrable)*.

confiseur, euse *nm, f* confectioner.

confisquer *vt* to confiscate.

confiture *nf* jam.

conflit *nm* **1.** *(situation tendue)* clash, conflict **2.** *(entre États)* conflict.

confondre *vt* **1.** *(ne pas distinguer)* to confuse **2.** *(accusé)* to confound **3.** *(stupéfier)* to astound.

confondu, e *pp* ▷ **confondre**.

conformation *nf* structure.

conforme *adj* • **conforme à** in accordance with.

conformément ■ **conformément à** *loc prép* in accordance with.

conformer *vt* • **conformer qqch à** to shape sthg according to. ■ **se conformer** *vp* • **se conformer à** *(s'adapter)* to conform to • *(obéir)* to comply with.

conformiste ◼ *nmf* conformist. ◼ *adj* **1.** *(traditionaliste)* conformist **2.** *(Anglican)* Anglican.

conformité *nf* *(accord)* • **être en conformité avec** to be in accordance with.

confort *nm* comfort • **tout confort** with all mod cons (UK), with all modern conveniences (US).

confortable *adj* comfortable.

confrère, consœur *nm, f* colleague.

confrontation *nf* *(face à face)* confrontation.

confronter *vt* **1.** *(mettre face à face)* to confront **2.** *fig* • **être confronté à** to be confronted *ou* faced with.

confus, e *adj* **1.** *(indistinct, embrouillé)* confused **2.** *(gêné)* embarrassed.

confusion *nf* **1.** *(gén)* confusion **2.** *(embarras)* confusion, embarrassment.

congé *nm* **1.** *(arrêt de travail)* leave *(indénombrable)* • **congé (de) maladie** sick leave • **congé de maternité** maternity leave **2.** *(vacances)* holiday (UK), vacation (US) • **en congé** on holiday (UK) *ou* vacation (US) • **congés payés** paid holiday *(indénombrable)* ou holidays *ou* leave *(indénombrable)* (UK), paid vacation (US) • **une journée/semaine de congé** a day/week off **3.** *(renvoi)* notice • **donner son congé à**

qqn to give sb his/her notice ▪ **prendre congé (de qqn)** *sout* to take one's leave (of sb).

S'EXPRIMER...

> **prendre congé**
>
> ▪ Goodbye! **Au revoir !**
> ▪ Hi!/Hey! *(US)* **Salut ! (bonjour)**
> ▪ Bye! **Salut ! (au revoir)**
> ▪ See you later! **À plus tard !/À tout à l'heure !**
> ▪ See you tonight! **À ce soir !**
> ▪ See you Tuesday! **À mardi !**
> ▪ Good night! **Bonne nuit !**
> ▪ Sorry, I've got to go. **Désolé, il faut que je parte.**
> ▪ I'm in a hurry. **Je suis pressé.**
> ▪ OK, see you. **Bon, à la prochaine.**
> ▪ It was nice meeting you. **C'était un plaisir de te/vous rencontrer.**
> ▪ I really enjoyed meeting you. **J'ai été très content de faire ta/votre connaissance.**
> ▪ Good luck! **Bon courage !**
> ▪ Have a good journey *ou* trip! **Bon voyage !**

congédier *vt* to dismiss.

congé-formation *nm* training leave.

congélateur *nm* freezer.

congeler *vt* to freeze.

congénital, e *adj* congenital.

congère *nf* snowdrift.

congestion *nf* congestion ▪ **congestion pulmonaire** pulmonary congestion.

Congo *nm* **1.** *(pays)* ▪ **le Congo** the Congo ▪ **la République démocratique du Congo** the Democratic Republic of Congo **2.** *(fleuve)* ▪ **le Congo** the Congo.

congratuler *vt* to congratulate.

congrégation *nf* congregation.

congrès *nm* *(colloque)* assembly.

conifère *nm* conifer.

conjecture *nf* conjecture.

conjecturer *vt & vi* to conjecture.

conjoint, e ▪ *adj* joint. ▪ *nm, f* spouse.

conjonction *nf* conjunction.

conjonctivite *nf* conjunctivitis *(indénombrable)*.

conjoncture *nf* ÉCON situation, circumstances *pl*.

conjugaison *nf* **1.** *(union)* uniting **2.** GRAMM conjugation.

conjugal, e *adj* conjugal.

conjuguer *vt* **1.** *(unir)* to combine **2.** GRAMM to conjugate.

conjuration *nf* **1.** *(conspiration)* conspiracy **2.** *(exorcisme)* exorcism.

connaissance *nf* **1.** *(savoir)* knowledge *(indénombrable)* ▪ **à ma connaissance** to (the best of) my knowledge ▪ **en connaissance de cause** with full knowledge of the facts ▪ **prendre connaissance de qqch** to study sthg, to examine sthg **2.** *(personne)* acquaintance ▪ **faire connaissance (avec qqn)** to become acquainted (with sb) ▪ **faire la connaissance de** to meet **3.** *(conscience)* ▪ **perdre/reprendre connaissance** to lose/regain consciousness.

connaisseur, euse ▪ *adj* expert *(avant nom)*. ▪ *nm, f* connoisseur.

connaître *vt* **1.** *(gén)* to know ▪ **connaître qqn de nom/de vue** to know sb by name/sight **2.** *(éprouver)* to experience. ▪ **se connaître** *vp* **1.** ▪ **s'y connaître en** *(être expert)* to know about ▪ **il s'y connaît** he knows what he's talking about/doing **2.** *(soi-même)* to know o.s. **3.** *(se rencontrer)* to meet (each other) ▪ **ils se connaissent** they've met each other.

connecter *vt* to connect.

connexion *nf* connection.

connu, e ▪ *pp* ▷ **connaître**. ▪ *adj* *(célèbre)* well-known, famous.

conquérant, e ▪ *adj* conquering. ▪ *nm, f* conqueror.

conquérir *vt* to conquer.

conquête *nf* conquest.

conquis, e *pp* ▷ **conquérir**.

consacrer *vt* **1.** RELIG to consecrate **2.** *(employer)* ▪ **consacrer qqch à** to devote sthg to. ▪ **se consacrer** *vp* ▪ **se consacrer à** to dedicate o.s. to, to devote o.s. to.

conscience *nf* **1.** *(connaissance & PSYCHO)* consciousness ▪ **avoir conscience de qqch** to be aware of sthg **2.** *(morale)* conscience ▪ **bonne/mauvaise conscience** clear/guilty conscience ▪ **conscience professionnelle** professional integrity, conscientiousness.

consciencieux, euse *adj* conscientious.

conscient, e adj conscious • **être conscient de qqch** (connaître) to be conscious of sthg.

conscription nf conscription, draft (US).

conscrit nm conscript, recruit, draftee (US).

consécration nf 1. (reconnaissance) recognition 2. (de droit, coutume) establishment 3. RELIG consecration.

consécutif, ive adj 1. (successif & GRAMM) consecutive 2. (résultant) • **consécutif à** resulting from.

conseil nm 1. (avis) piece of advice, advice (indénombrable) • **donner un conseil** ou **des conseils (à qqn)** to give (sb) advice 2. (personne) • **conseil (en)** consultant (in) 3. (assemblée) council • **conseil d'administration** board of directors • **conseil de classe** staff meeting • **conseil de discipline** disciplinary committee.

Donner et demander un conseil

• What should I do? **Qu'est ce que je dois faire ?**
• What do you think? **Qu'en penses-tu ?**
• If I were you, I'd call the doctor. **Si j'étais toi, j'appellerais le médecin.**
• You'd be better off staying at home. **Tu ferais mieux de rester à la maison.**

S'EXPRIMER...

conseiller[1] • vt 1. (recommander) to advise • **conseiller qqch à qqn** to recommend sthg to sb 2. (guider) to advise, to counsel. • vi (donner un conseil) • **conseiller à qqn de faire qqch** to advise sb to do sthg.

conseiller[2], **ère** nm, f 1. (guide) counsellor (UK), counselor (US) 2. (d'un conseil) councillor (UK), councilor (US) • **conseiller municipal** town councillor (UK), city councilman (f councilwoman) (US).

consensuel, elle adj • **politique consensuelle** consensus politics.

consentement nm consent.

consentir vi • **consentir à qqch** to consent to sthg.

conséquence nf consequence, result • **ne pas tirer à conséquence** to be of no consequence.

conséquent, e adj 1. (cohérent) consistent 2. fam (important) sizeable, considerable. ■ **par conséquent** loc adv therefore, consequently.

conservateur, trice ■ adj conservative. ■ nm, f 1. POLIT conservative 2. (administrateur) curator. ■ **conservateur** nm preservative.

conservation nf 1. (état, entretien) preservation 2. (d'aliment) preserving.

conservatoire nm academy • **conservatoire de musique** music college.

conserve nf canned ou tinned (UK)food • **en conserve** (en boîte) canned, tinned (UK) • (en bocal) preserved, bottled.

conserver vt 1. (garder, entretenir) to keep 2. (entreposer - en boîte) to can • (- en bocal) to bottle.

considérable adj considerable.

considération nf 1. (réflexion, motivation) consideration • **prendre qqch en considération** to take sthg into consideration 2. (estime) respect.

considérer vt to consider • **tout bien considéré** all things considered.

consigne nf 1. (gén pl) (instruction) instructions pl 2. (entrepôt de bagages) left-luggage office (UK), checkroom (US), baggage room (US) • **consigne automatique** left-luggage lockers pl (UK) 3. (somme d'argent) deposit.

consigné, e adj returnable.

consistance nf 1. (solidité) consistency 2. fig substance.

consistant, e adj 1. (épais) thick 2. (nourrissant) substantial 3. (fondé) sound.

consister vi • **consister en** to consist of • **consister à faire qqch** to consist in doing sthg.

consœur ▷ **confrère**.

consolation nf consolation.

console nf 1. (table) console (table) 2. INFORM • **console de jeux** games console • **console de visualisation** VDU, visual display unit.

consoler vt (réconforter) • **consoler qqn (de qqch)** to comfort sb (in sthg).

consolider vt litt & fig to strengthen.

consommateur, trice nm, f 1. (acheteur) consumer 2. (d'un bar) customer.

consommation nf **1.** (utilisation) consumption • **faire une grande** OU **grosse consommation de** to use (up) a lot of **2.** (boisson) drink.

consommé, e adj sout consummate. ■ **consommé** nm consommé.

consommer ◨ vt **1.** (utiliser) to use (up) **2.** (manger) to eat **3.** (énergie) to consume, to use. ◨ vi **1.** (boire) to drink **2.** (voiture) • **cette voiture consomme beaucoup** this car uses a lot of fuel.

consonance nf consonance.

consonne nf consonant.

conspirateur, trice nm, f conspirator.

conspiration nf conspiracy.

conspirer ◨ vt (comploter) to plot. ◨ vi to plot, to conspire.

constamment adv constantly.

constant, e adj constant.

constat nm **1.** (procès-verbal) report **2.** (constatation) established fact.

constatation nf **1.** (révélation) observation **2.** (fait retenu) finding.

constater vt **1.** (se rendre compte de) to see, to note **2.** (consigner - fait, infraction) to record • (- décès, authenticité) to certify.

constellation nf ASTRON constellation.

consternation nf dismay.

consterner vt to dismay.

constipation nf constipation.

constipé, e adj **1.** MÉD constipated **2.** fam fig (manière, air) ill at ease.

constituer vt **1.** (élaborer) to set up **2.** (composer) to make up **3.** (représenter) to constitute.

constitution nf **1.** (création) setting up **2.** (de pays, de corps) constitution.

constructeur nm **1.** (fabricant) manufacturer **2.** (de navire) shipbuilder **3.** (bâtisseur) builder.

construction nf **1.** (dans l'industrie) building, construction • **construction navale** shipbuilding **2.** (édifice) structure, building **3.** fig & GRAMM construction.

construire vt **1.** (bâtir, fabriquer) to build **2.** (théorie, phrase) to construct.

construit, e pp ▷ **construire**.

consulat nm (résidence) consulate.

consultation nf **1.** (d'ouvrage) • **de consultation aisée** easy to use **2.** MÉD & POLIT consultation.

consulter ◨ vt **1.** (compulser) to consult **2.** (interroger, demander conseil à) to consult, to ask **3.** (spécialiste) to consult, to see. ◨ vi **1.** (médecin) to see patients, to take OU hold surgery (UK) **2.** (avocat) to be available for consultation.

■ **se consulter** vp to confer.

contact nm **1.** (gén) contact • **le contact du marbre est froid** marble is cold to the touch • **au contact de** on contact with **2.** (relations) contact • **prendre contact avec** to make contact with • **rester en contact (avec)** to stay in touch (with) **3.** AUTO ignition • **mettre/ couper le contact** to switch on/off the ignition.

contacter vt to contact.

contagieux, euse adj **1.** MÉD contagious **2.** fig infectious.

contagion nf **1.** MÉD contagion **2.** fig infectiousness.

contaminer vt **1.** (infecter) to contaminate **2.** fig to contaminate, to infect.

conte nm story • **conte de fées** fairy tale OU story.

contemplation nf contemplation.

contempler vt to contemplate.

contemporain, e nm, f contemporary.

contenance nf **1.** (capacité volumique) capacity **2.** (attitude) • **se donner une contenance** to give an impression of composure • **perdre contenance** to lose one's composure.

contenir vt to contain, to hold, to take.

■ **se contenir** vp to contain o.s., to control o.s..

content, e adj (satisfait) • **content (de qqn/qqch)** happy (with sb/sthg), content (with sb/sthg) • **content de faire qqch** happy to do sthg.

contentement nm satisfaction.

contenter vt to satisfy.

■ **se contenter** vp • **se contenter de qqch/de faire qqch** to content o.s. with sthg/with doing sthg.

contentieux nm **1.** (litige) dispute **2.** (service) legal department.

contenu, e pp ▷ **contenir**. ■ **contenu** nm **1.** (de récipient) contents pl **2.** (de texte, discours) content.

conter vt to tell.

contestable adj questionable.

contestation *nf* 1. *(protestation)* protest, dispute 2. POLIT • **la contestation** anti-establishment activity.

conteste ■ **sans conteste** *loc adv* unquestionably.

contester ◼ *vt* to dispute, to contest. ◼ *vi* to protest.

conteur, euse *nm, f* storyteller.

contexte *nm* context.

contigu, uë *adj* • **contigu (à)** adjacent (to).

continent *nm* continent.

continental, e *adj* continental.

contingence *nf* MATH & PHILO contingency.

contingent *nm* 1. MIL national service conscripts *pl (UK)*, draft *(US)* 2. COMM quota.

continu, e *adj (ininterrompu)* continuous.

continuation *nf* continuation.

continuel, elle *adj* 1. *(continu)* continuous 2. *(répété)* continual.

continuellement *adv* continually.

continuer ◼ *vt (poursuivre)* to carry on with, to continue (with). ◼ *vi* to continue, to go on • **continuer à** *ou* **de faire qqch** to continue to do *ou* doing sthg.

continuité *nf* continuity.

contorsionner ■ **se contorsionner** *vp* to contort (o.s.), to writhe.

contour *nm* 1. *(limite)* outline 2. *(gén pl) (courbe)* bend.

contourner *vt litt & fig* to bypass, to get around.

contraceptif, ive *adj* contraceptive. ■ **contraceptif** *nm* contraceptive.

contraception *nf* contraception.

contracter *vt* 1. *(muscle)* to contract, to tense 2. *(visage)* to contort 3. *(maladie)* to contract, to catch 4. *(engagement)* to contract 5. *(assurance)* to take out.

contraction *nf* 1. contraction 2. *(état de muscle)* tenseness.

contractuel, elle *nm, f* traffic warden *(UK)*.

contradiction *nf* contradiction.

contradictoire *adj* contradictory • **débat contradictoire** open debate.

contraignant, e *adj* restricting.

contraindre *vt* • **contraindre qqn à faire qqch** to compel *ou* force sb to do sthg • **être contraint de faire qqch** to be compelled *ou* forced to do sthg.

contraire ◼ *nm* • **le contraire** the opposite • **je n'ai jamais dit le contraire** I have never denied it. ◼ *adj* opposite • **contraire à** *(non conforme à)* contrary to • *(nuisible à)* harmful to, damaging to. ■ **au contraire** *loc adv* on the contrary. ■ **au contraire de** *loc prép* unlike.

contrairement ■ **contrairement à** *loc prép* contrary to.

contrarier *vt* 1. *(contrecarrer)* to thwart, to frustrate 2. *(irriter)* to annoy.

contrariété *nf* annoyance.

contraste *nm* contrast.

contraster *vt & vi* to contrast.

contrat *nm* contract, agreement • **contrat d'apprentissage** apprenticeship contract • **contrat à durée déterminée/indéterminée** fixed-term/permanent contract • **contrat emploi-solidarité** *si vous voulez expliquer à un anglophone de quoi il s'agit, vous pouvez dire* it is a government-sponsored contract that provides part-time employment for young people together with professional training.

contravention *nf (amende)* fine • **contravention pour stationnement interdit** parking ticket • **dresser une contravention à qqn** to fine sb.

contre ◼ *prép* 1. *(juxtaposition, opposition)* against 2. *(proportion, comparaison)* • **élu à 15 voix contre 9** elected by 15 votes to 9 3. *(échange)* (in exchange) for. ◼ *adv (juxtaposition)* • **prends la rampe et appuie-toi contre** take hold of the rail and lean against it. ■ **par contre** *loc adv* on the other hand.

contre-attaque *nf* counterattack.

contrebalancer *vt* to counterbalance, to offset.

contrebande *nf* 1. *(activité)* smuggling 2. *(marchandises)* contraband.

contrebandier, ère *nm, f* smuggler.

contrebas ■ **en contrebas** *loc adv* (down) below.

contrebasse *nf (instrument)* (double) bass.

contrecarrer *vt* to thwart, to frustrate.

contrecœur ■ **à contrecœur** *loc adv* grudgingly.

contrecoup *nm* consequence.

contre-courant ■ **à contre-courant** *loc adv (d'un cours d'eau)* against the current.

contredire *vt* to contradict.
■ **se contredire** *vp* 1. *(emploi réciproque)* to contradict (each other) 2. *(emploi réfléchi)* to contradict o.s..

contredit, e *pp* ⊳ **contredire**.

contrée *nf* 1. *(pays)* land 2. *(région)* region.

contre-espionnage *nm* counterespionage.

contre-exemple *nm* example to the contrary.

contre-expertise *nf* second (expert) opinion.

contrefaçon *nf* 1. *(activité)* counterfeiting 2. *(produit)* forgery.

contrefaire *vt* 1. *(signature, monnaie)* to counterfeit, to forge 2. *(voix)* to disguise.

contrefort *nm* 1. *(pilier)* buttress 2. *(de chaussure)* back. ■ **contreforts** *nmpl* foothills.

contre-indication *nf* contraindication.

contre-jour ■ **à contre-jour** *loc adv* against the light.

contremaître, esse *nm, f* foreman *(f* forewoman).

contremarque *nf (pour sortir d'un spectacle)* pass-out ticket *(UK)*.

contre-offensive *nf* counteroffensive.

contre-ordre = **contrordre**.

contrepartie *nf* 1. *(compensation)* compensation 2. *(contraire)* opposing view. ■ **en contrepartie** *loc adv* in return.

contre-performance *nf* disappointing performance.

contrepèterie *nf* spoonerism.

contre-pied *nm* ■ **prendre le contre-pied de** to do the opposite of.

contreplaqué, contre-plaqué *nm* plywood.

contrepoids *nm litt & fig* counterbalance, counterweight.

contre-pouvoir *nm* counterbalance.

contrer *vt* 1. *(s'opposer à)* to counter 2. *(jeux de cartes)* to double.

contresens *nm* 1. *(erreur - de traduction)* mistranslation ◦ *(- d'interprétation)* misinterpretation 2. *(absurdité)* nonsense *(indénombrable)*. ■ **à contresens** *loc adv (traduire, comprendre, marcher)* the wrong way.

contresigner *vt* to countersign.

contretemps *nm* hitch, mishap. ■ **à contretemps** *loc adv* 1. MUS out of time 2. *fig* at the wrong moment.

contrevenir *vi* ◦ **contrevenir à** to contravene, to infringe.

contribuable *nmf* taxpayer.

contribuer *vi* ◦ **contribuer à** to contribute to *ou* towards.

contribution *nf* ◦ **contribution (à)** contribution (to) ◦ **mettre qqn à contribution** to call on sb's services. ■ **contributions** *nfpl* taxes ◦ **contributions directes/indirectes** direct/indirect taxation.

contrit, e *adj* contrite.

contrôle *nm* 1. *(vérification - de déclaration)* check, checking *(indénombrable)* ◦ *(- de documents, billets)* inspection ◦ **contrôle d'identité** identity check ◦ **contrôle parental** parental control 2. *(maîtrise, commande)* control ◦ **perdre le contrôle de qqch** to lose control of sthg ◦ **contrôle des naissances** birth control ◦ **contrôle des prix** price control 3. SCOL test.

contrôler *vt* 1. *(vérifier - documents, billets)* to inspect ◦ *(- déclaration)* to check ◦ *(- connaissances)* to test 2. *(maîtriser, diriger)* to control 3. TECHNOL to monitor, to control.

contrôleur, euse *nm, f* 1. *(de train)* ticket inspector 2. *(d'autobus)* (bus) conductor ◦ **contrôleur aérien** air traffic controller.

contrordre, contre-ordre *nm* countermand ◦ **sauf contrordre** unless otherwise instructed.

controverse *nf* controversy.

controversé, e *adj (personne, décision)* controversial.

contumace *nf* DR ◦ **condamné par contumace** sentenced in absentia.

contusion *nf* bruise, contusion.

convaincant, e *adj* convincing.

convaincre *vt* 1. *(persuader)* ◦ **convaincre qqn (de qqch)** to convince sb (of sthg) ◦ **convaincre qqn (de faire qqch)** to persuade sb (to do sthg) 2. DR ◦ **convaincre qqn de** to find sb guilty of, to convict sb of.
Voir encadré page suivante.

convaincu, e ◦ *pp* ⊳ **convaincre**. ◦ *adj (partisan)* committed ◦ **d'un ton convaincu, d'un air convaincu** with conviction.

convaincre quelqu'un
- Trust me! **Fais-moi confiance !**
- Believe me! **Croyez-moi !**
- You won't regret it! **Tu ne le regretteras pas !/Vous ne le regretterez pas !**
- Forget it! **Laisse tomber !**
- Don't be so pig-headed! **Ne sois pas si têtu !**

convalescence *nf* convalescence ▪ **être en convalescence** to be convalescing *ou* recovering.

convalescent, e *adj & nm, f* convalescent.

convenable *adj* **1.** *(manières, comportement)* polite **2.** *(tenue, personne)* decent, respectable **3.** *(acceptable)* adequate, acceptable.

convenance *nf* ▪ **à ma/votre convenance** as suits me/you best. ■ **convenances** *nfpl* proprieties.

convenir *vi* **1.** *(décider)* ▪ **convenir de qqch/de faire qqch** to agree on sthg/to do sthg **2.** *(plaire)* ▪ **convenir à qqn** to suit sb, to be convenient for sb **3.** *(être approprié)* ▪ **convenir à** *ou* **pour** to be suitable for **4.** *sout (admettre)* ▪ **convenir de qqch** to admit to sthg ▪ **convenir que** to admit (that).

convention *nf* **1.** *(règle, assemblée)* convention **2.** *(accord)* agreement ▪ **convention collective** collective agreement.

conventionné, e *adj* $\simeq$ National Health *(avant nom)* (UK).

conventionnel, elle *adj* conventional.

convenu, e ■ *pp* ▷ **convenir**. ■ *adj (décidé)* ▪ **comme convenu** as agreed.

convergent, e *adj* convergent.

converger *vi* ▪ **converger (vers)** to converge (on).

conversation *nf* conversation.

engager la conversation
- Listen,... **Écoute,...**
- Hey,... **Dis donc,...**
- Do you have a minute? **Vous avez un moment ?**
- Sorry, but I've got a question. **Excusez-moi, mais j'ai une question.**

converser *vi sout* ▪ **converser (avec)** to converse (with).

conversion *nf (gén)* ▪ **conversion (à/en)** conversion (to/into).

convertible *nm (canapé-lit)* sofa bed.

convertir *vt* ▪ **convertir qqn (à)** to convert sb (to) ▪ **convertir qqch (en)** to convert sthg (into).
■ **se convertir** *vp* ▪ **se convertir (à)** to be converted (to).

convexe *adj* convex.

conviction *nf* conviction.

convier *vt* ▪ **convier qqn à** to invite sb to.

convive *nmf* guest *(at a meal)*.

convivial, e *adj* **1.** *(réunion)* convivial **2.** INFORM user-friendly.

convocation *nf (avis écrit)* summons *sing*, notification to attend.

convoi *nm* **1.** *(de véhicules)* convoy **2.** *(train)* train.

convoiter *vt* to covet.

convoitise *nf* covetousness.

convoquer *vt* **1.** *(assemblée)* to convene **2.** *(pour un entretien)* to invite **3.** *(subalterne, témoin)* to summon **4.** *(à un examen)* ▪ **convoquer qqn** to ask sb to attend.

convoyer *vt* to escort.

convoyeur, euse *nm, f* escort ▪ **convoyeur de fonds** security guard.

convulsion *nf* convulsion.

cookie *nm* **1.** *(petit gâteau)* biscuit *(UK)*, cookie *(US)* **2.** INFORM cookie.

coopération *nf* **1.** *(collaboration)* cooperation **2.** *(aide)* ▪ **la coopération** $\simeq$ overseas development.

coopérer *vi* ▪ **coopérer (à)** to cooperate (in).

coordination *nf* coordination.

coordonnée *nf* LING coordinate clause.
■ **coordonnées** *nfpl* **1.** GÉOGR & MATH coordinates **2.** *(adresse)* address and phone number, details.

coordonner *vt* to coordinate.

copain, ine ■ *adj* matey *(UK)* ▪ **être très copains** to be great friends. ■ *nm, f* **1.** *(ami)* friend, mate *(UK)* **2.** *(petit ami)* boyfriend *(f girlfriend)*.

copeau *nm (de bois)* (wood) shaving.

Copenhague *npr* Copenhagen.

copie *nf* **1.** *(double, reproduction)* copy **2.** *(SCOL - de devoir)* clean *ou* fair *(UK)* copy ▪ *(- d'examen)* paper, script **3.** INFORM ▪ **copie d'écran** screenshot.

copier ◼ vt (gén & INFORM) to copy. ◼ vi • **copier sur qqn** to copy from sb.

copier-coller nm inv INFORM copy and paste.

copieux, euse adj copious.

copilote nmf copilot.

coproduction nf coproduction.

copropriété nf co-ownership, joint ownership, condominium (US).

coq nm cock (UK), rooster (US) • **coq au vin** coq au vin • **sauter** OU **passer du coq à l'âne** to jump from one subject to another.

coque nf 1. (de noix) shell 2. (de navire) hull.

coquelicot nm poppy.

coqueluche nf whooping cough.

coquet, ette adj 1. (vêtements) smart, stylish 2. (ville, jeune fille) pretty 3. (avant nom) hum (important) • **la coquette somme de 100 livres** the tidy sum of £100. ◼ **coquette** nf flirt.

coquetier nm eggcup.

coquetterie nf (désir de plaire) coquettishness.

coquillage nm 1. (mollusque) shellfish 2. (coquille) shell.

coquille nf 1. (de mollusque, noix, œuf) shell • **coquille de noix** (embarcation) cockleshell 2. TYPO misprint.

coquillettes nfpl pasta shells.

coquin, e ◼ adj 1. (sous-vêtement) sexy, naughty 2. (regard, histoire) saucy. ◼ nm, f rascal.

cor nm 1. (instrument) horn 2. (au pied) corn. ◼ **à cor et à cri** loc adv • **réclamer qqch à cor et à cri** to clamour (UK) OU clamor (US) for sthg.

corail nm 1. (gén) coral 2. RAIL • **train corail** ≃ express train.

Coran nm • **le Coran** the Koran.

corbeau nm 1. (oiseau) crow 2. (délateur) writer of poison-pen letters.

corbeille nf 1. (panier) basket • **corbeille à papier** wastepaper basket, waste basket (US) 2. INFORM trash (can) 3. THÉÂTRE (dress) circle 4. (de Bourse) stockbrokers' enclosure (at Paris Stock Exchange).

corbillard nm hearse.

cordage nm 1. (de bateau) rigging (indénombrable) 2. (de raquette) strings pl.

corde nf 1. (filin) rope • **corde à linge** clothesline, washing line (UK) • **corde à sauter** skipping rope (UK), jump rope (US) 2. (d'instrument, arc) string 3. ANAT • **cordes vocales** vocal cords 4. (équitation) rails pl 5. (athlétisme) inside (lane).

cordée nf roped party (of mountaineers).

cordial, e adj warm, cordial.

cordon nm string, cord • **cordon ombilical** umbilical cord • **cordon de police** police cordon. •

cordon-bleu nm cordon bleu cook.

cordonnerie nf (magasin) shoe repairer's, cobbler's vieilli.

cordonnier, ère nm, f shoe repairer, cobbler vieilli.

Corée nf Korea.

coriace adj litt & fig tough.

cormoran nm cormorant.

corne nf 1. (gén) horn 2. (de cerf) antler 3. (callosité) hard skin (indénombrable), callus.

cornée nf cornea.

corneille nf crow.

cornemuse nf bagpipes pl.

corner[1] vt (page) to turn down the corner of.

corner[2] nm FOOTBALL corner (kick).

cornet nm 1. (d'aliment) cone, cornet (UK) vieilli 2. (de jeu) (dice) shaker.

corniaud, corniot nm 1. (chien) mongrel 2. fam (imbécile) idiot.

corniche nf 1. (route) cliff road 2. (moulure) cornice.

cornichon nm 1. (condiment) gherkin, pickle (US) 2. fam (imbécile) idiot.

corniot = **corniaud**.

Cornouailles nf • **la Cornouailles** Cornwall.

corollaire nm corollary.

corolle nf corolla.

coron nm (village) mining village.

corporation nf corporate body.

corporel, elle adj (physique - besoin) bodily • (- châtiment) corporal.

corps nm 1. *(gén)* body 2. *(groupe)* • **corps d'armée** (army) corps • **corps enseignant** *(profession)* teaching profession • *(d'école)* teaching staff.

corpulent, e adj corpulent, stout.

correct, e adj 1. *(exact)* correct, right 2. *(honnête)* correct, proper 3. *(acceptable)* decent 4. *(travail)* fair.

correcteur, trice ◼ adj corrective. ◼ nm, f 1. *(d'examen)* examiner, marker *(UK)*, grader *(US)* 2. TYPO proofreader. ◼ **correcteur orthographique** nm spell-checker.

correction nf 1. *(d'erreur)* correction 2. *(punition)* punishment 3. TYPO proofreading 4. *(notation)* marking 5. *(bienséance)* propriety.

corrélation nf correlation.

correspondance nf 1. *(gén)* correspondence • **cours par correspondance** correspondence course 2. *(transports)* connection • **assurer la correspondance avec** to connect with.

correspondant, e ◼ adj corresponding. ◼ nm, f 1. *(par lettres)* correspondent, pen pal, penfriend *(UK)* 2. *(par téléphone)* • **je vous passe votre correspondant** I'll put you through 3. PRESSE correspondent.

correspondre vi 1. *(être conforme)* • **correspondre à** to correspond to 2. *(par lettres)* • **correspondre avec** to correspond with.

corridor nm corridor.

corrigé nm correct version.

corriger vt 1. TYPO to correct, to proofread 2. *(noter)* to mark 3. *(guérir)* • **corriger qqn de** to cure sb of 4. *(punir)* to give a good hiding to. ◼ **se corriger** vp *(d'un défaut)* • **se corriger de** to cure o.s. of.

corroborer vt to corroborate.

corroder vt 1. *(ronger)* to corrode 2. fig to erode.

corrompre vt 1. *(soudoyer)* to bribe 2. *(dépraver)* to corrupt.

corrosion nf corrosion.

corruption nf 1. *(subornation)* bribery 2. *(dépravation)* corruption.

corsage nm 1. *(chemisier)* blouse 2. *(de robe)* bodice.

corsaire nm 1. *(navire, marin)* corsair, privateer 2. *(pantalon)* pedal-pushers pl.

LE CORPS HUMAIN

- l'artère the artery
- la bouche the mouth
- le bras the arm
- le cerveau the brain
- les cheveux hair
- la cheville the ankle
- le cil the eyelash
- le cœur the heart
- la colonne vertébrale the spine
- la côte the rib
- le cou the neck
- le coude the elbow
- le crâne the skull
- la cuisse the thigh
- la dent the tooth
- le doigt the finger
- le dos the back
- l'épaule the shoulder
- l'estomac the stomach
- les fesses bottom *(UK)*, buttocks *(US)*
- le foie the liver
- le front the forehead
- le genou the knee
- la hanche the hip
- l'intestin the intestine
- la jambe the leg
- la joue the cheek
- la langue the tongue
- la mâchoire the jaw
- la main the hand
- le menton the chin
- le mollet the calf
- le nez the nose
- le nombril the navel, the belly button
- l'œil the eye
- l'œsophage the œsophagus
- l'ongle the fingernail, the nail
- l'oreille the ear
- l'orteil the toe
- la paupière the eyelid
- le pied the foot
- le poignet the wrist
- la poitrine the chest
- le poumon the lung
- le rein the kidney
- le sourcil the eyebrow
- la taille the waist
- le talon the heel
- la tête the head
- la veine the vein
- le ventre the stomach
- la vertèbre the vertebra.

corse ◼ adj Corsican. ◼ nm *(langue)* Corsican. ◼ **Corse** ◼ nmf Corsican. ◼ nf • **la Corse** Corsica.

corsé, e *adj* **1.** *(café)* strong **2.** *(vin)* full-bodied **3.** *(plat, histoire)* spicy.

corset *nm* corset.

cortège *nm* procession.

corvée *nf* **1.** MIL fatigue (duty) **2.** *(activité pénible)* chore.

cosmétique *nm & adj* cosmetic.

cosmique *adj* cosmic.

cosmonaute *nmf* cosmonaut.

cosmopolite *adj* cosmopolitan.

cosmos *nm* **1.** *(univers)* cosmos **2.** *(espace)* outer space.

cossu, e *adj (maison)* opulent.

Costa Rica *nm* ▪ **le Costa Rica** Costa Rica.

costaud, e *adj* sturdily built.

costume *nm* **1.** *(folklorique, de théâtre)* costume **2.** *(vêtement d'homme)* suit.

costumé, e *adj* fancy-dress *(avant nom)*.

costumier, ère *nm, f* THÉÂTRE wardrobe master *(f* mistress).

cotation *nf* FIN quotation.

cote *nf* **1.** *(marque de classement)* classification mark **2.** *(marque numérale)* serial number **3.** FIN *(valeur)* quotation **4.** *(popularité)* rating **5.** *(niveau)* level ▪ **cote d'alerte** *(de cours d'eau)* danger level ▪ fig crisis point.

côte *nf* **1.** *(de bœuf)* rib **2.** *(de porc, mouton, agneau)* chop ▪ **côte à côte** side by side **3.** *(pente)* hill **4.** *(littoral)* coast ▪ **la Côte d'Azur** the French Riviera.

côté *nm* **1.** *(gén)* side ▪ **être couché sur le côté** to be lying on one's side ▪ **être aux côtés de qqn** *fig* to be by sb's side ▪ **d'un côté..., de l'autre côté...** on the one hand..., on the other hand... ▪ **et côté finances, ça va ?** *fam* how are things moneywise? **2.** *(endroit, direction)* direction, way ▪ **de quel côté est-il parti ?** which way did he go? ▪ **de l'autre côté de** on the other side of ▪ **de tous côtés** from all directions ▪ **du côté de** *(près de)* near ▪ *(direction)* towards *(UK)*, toward *(US)* ▪ *(provenance)* from. ■ **à côté** *loc adv* **1.** *(lieu - gén)* nearby ▪ *(- dans la maison adjacente)* next door **2.** *(cible)* ▪ **tirer à côté** to shoot wide (of the target). ■ **à côté de** *loc prép* **1.** *(proximité)* beside, next to **2.** *(en comparaison avec)* beside, compared to **3.** *(en dehors de)* ▪ **être à côté du sujet** to be off the point. ■ **de côté** *loc adv* **1.** *(se placer, marcher)* sideways **2.** *(en réserve)* aside.

coteau *nm* **1.** *(colline)* hill **2.** *(versant)* slope.

Côte-d'Ivoire *nf* ▪ **la Côte-d'Ivoire** the Ivory Coast.

côtelé, e *adj* ribbed ▪ **velours côtelé** corduroy.

côtelette *nf* **1.** *(de porc, mouton, d'agneau)* chop **2.** *(de veau)* cutlet.

coter *vt* **1.** *(marquer, noter)* to mark **2.** FIN to quote.

côtier, ère *adj* coastal.

cotisation *nf* **1.** *(à club, parti)* subscription **2.** *(à la Sécurité sociale)* contribution.

cotiser *vi* **1.** *(à un club, un parti)* to subscribe **2.** *(à la Sécurité sociale)* to contribute. ■ **se cotiser** *vp* to club together.

coton *nm* cotton ▪ **coton (hydrophile)** (absorbent) cotton, cotton wool *(UK)*.

Coton-Tige® *nm* cotton bud *(UK)*, Q-tip® *(US)*.

côtoyer *vt fig (fréquenter)* to mix with.

cou *nm (de personne, bouteille)* neck.

couchant ■ *adj* ▷ **soleil**. ■ *nm* west.

couche *nf* **1.** *(de peinture, de vernis)* coat, layer **2.** *(de poussière)* film, layer **3.** *(épaisseur)* layer ▪ **couche d'ozone** ozone layer **4.** *(de bébé)* nappy *(UK)*, diaper *(US)* **5.** *(classe sociale)* stratum. ■ **fausse couche** *nf* miscarriage.

couché, e *adj* **1.** *(étendu)* to be lying down ▪ *(au lit)* to be in bed.

couche-culotte *nf* disposable nappy *(UK)* ou diaper *(US)*.

coucher[1] ■ *vt* **1.** *(enfant)* to put to bed **2.** *(objet, blessé)* to lay down. ■ *vi* **1.** *(passer la nuit)* to spend the night **2.** *fam (avoir des rapports sexuels)* ▪ **coucher avec** to sleep with. ■ **se coucher** *vp* **1.** *(s'allonger)* to lie down **2.** *(se mettre au lit)* to go to bed **3.** *(astre)* to set.

coucher[2] *nm* **1.** *(d'astre)* setting ▪ **au coucher du soleil** at sunset **2.** *(de personne)* going to bed.

couchette *nf* **1.** *(de train)* couchette **2.** *(de navire)* berth.

coucou ■ *nm* **1.** *(oiseau)* cuckoo **2.** *(pendule)* cuckoo clock **3.** *péj (avion)* crate. ■ *interj* peekaboo!

coude *nm* **1.** *(de personne, de vêtement)* elbow **2.** *(courbe)* bend.

cou-de-pied *nm* instep.

coudre *vt (bouton)* to sew on.

couette *nf* **1.** *(édredon)* duvet *(UK)*, comforter *(US)* **2.** *(coiffure)* bunches *pl (UK)*, pigtails *pl (UK)*.

couffin *nm (berceau)* Moses basket *(UK)*, bassinet *(US)*.

couille *nf (gén pl) vulg* ball.

couiner *vi* **1.** *(animal)* to squeal **2.** *(pleurnicher)* to whine.

coulée *nf* **1.** *(de matière liquide)* ◆ **coulée de lave** lava flow ◆ **coulée de boue** mudslide **2.** *(de métal)* casting.

couler ◼ *vi* **1.** *(liquide)* to flow ◆ **faire couler un bain** to run a bath **2.** *(beurre, fromage, nez)* to run **3.** *(navire, entreprise)* to sink. ◼ *vt* **1.** *(navire)* to sink **2.** *(métal, bronze)* to cast.

couleur ◼ *nf* **1.** *(teinte, caractère)* colour *(UK)*, color *(US)* **2.** *(linge)* coloureds *pl (UK)*, coloreds *(pl) (US)* **3.** *(jeux de cartes)* suit. ◼ *adj inv (télévision, pellicule)* colour *(avant nom) (UK)*, color *(avant un nom) (US)*.

<table>
<tr><td rowspan="16">**LES COULEURS**</td><td>◦ blanc white</td></tr>
<tr><td>◦ bleu blue</td></tr>
<tr><td>◦ bleu ciel sky blue</td></tr>
<tr><td>◦ bordeaux burgundy</td></tr>
<tr><td>◦ gris grey</td></tr>
<tr><td>◦ jaune yellow</td></tr>
<tr><td>◦ marron brown</td></tr>
<tr><td>◦ mauve mauve</td></tr>
<tr><td>◦ noir black</td></tr>
<tr><td>◦ orange orange</td></tr>
<tr><td>◦ rose pink</td></tr>
<tr><td>◦ rose vif bright pink</td></tr>
<tr><td>◦ rouge red</td></tr>
<tr><td>◦ vert green</td></tr>
<tr><td>◦ vert clair light green</td></tr>
<tr><td>◦ vert foncé dark green</td></tr>
<tr><td></td><td>◦ violet purple.</td></tr>
</table>

couleuvre *nf* grass snake.

coulisse *nf (glissière)* ◆ **fenêtre/porte à coulisse** sliding window/door. ◼ **coulisses** *nfpl* THÉÂTRE wings.

coulisser *vi* to slide.

couloir *nm* **1.** *(corridor)* corridor **2.** GÉOGR gully **3.** SPORT *(transports)* lane.

coup *nm* **1.** *(choc - physique, moral)* blow ◆ **coup de couteau** stab *(with a knife)* ◆ **un coup dur** *fig* a heavy blow ◆ **donner un coup de fouet à qqn** *fig* to give sb a shot in the arm ◆ **coup de grâce** *litt & fig* coup de grâce, death blow ◆ **coup de pied** kick ◆ **coup de poing** punch **2.** *(action nuisible)* trick **3.** *(*SPORT *- au tennis)* stroke ◆ *(- en boxe)* blow, punch ◆ *(- au football)* kick ◆ **coup franc** free kick **4.** *(d'éponge, de chiffon)* wipe ◆ **un coup de crayon** a pencil stroke **5.** *(bruit)* noise ◆ **coup de feu** shot, gunshot ◆ **coup de tonnerre** thunderclap **6.** *(action spectaculaire)* ◆ **coup d'État** coup (d'état) ◆ **coup de théâtre** *fig* dramatic turn of events **7.** *fam (fois)* time ◆ **avoir un coup de barre/de pompe** *fam* to feel shattered *(UK)* ou pooped *(US)* ◆ **boire un coup** to have a drink ◆ **tenir le coup** to hold out ◆ **valoir le coup** to be well worth it. ◼ **coup de fil** *nm* phone call. ◼ **coup de foudre** *nm* love at first sight. ◼ **coup du lapin** *nm* AUTO whiplash *(indénombrable)*. ◼ **coup de soleil** *nm* sunburn *(indénombrable)*. ◼ **coup de téléphone** *nm* telephone ou phone call ◆ **donner** ou **passer un coup de téléphone à qqn** to telephone ou phone sb. ◼ **coup de vent** *nm* gust of wind ◆ **partir en coup de vent** to rush off. ◼ **à coup sûr** *loc adv* definitely. ◼ **du coup** *loc adv* as a result. ◼ **coup sur coup** *loc adv* one after the other. ◼ **sur le coup** *loc adv* **1.** *(mourir)* instantly **2.** *(à ce moment-là)* straightaway, there and then ◆ **je n'ai pas compris sur le coup** I didn't understand immediately ou straightaway. ◼ **sous le coup de** *loc prép* **1.** *(sous l'action de)* ◆ **tomber sous le coup de la loi** to be a statutory offence *(UK)* ou offense *(US)* **2.** *(sous l'effet de)* in the grip of. ◼ **tout à coup** *loc adv* suddenly.

coupable ◼ *adj* **1.** *(personne, pensée)* guilty **2.** *(action, dessein)* culpable, reprehensible **3.** *(négligence, oubli)* sinful. ◼ *nmf* guilty person ou party.

coupant, e *adj* **1.** *(tranchant)* cutting **2.** *fig (sec)* sharp.

coupe *nf* **1.** *(verre)* glass **2.** *(à fruits)* dish **3.** SPORT cup **4.** *(de vêtement, aux cartes)* cut ◆ **coupe (de cheveux)** haircut **5.** *(plan, surface)* (cross) section **6.** *(réduction)* cut, cutback.

coupé, e *adj* ◆ **bien/mal coupé** well/badly cut.

coupe-ongles *nm inv* nail clippers *pl*.

coupe-papier *nm* paper knife.

couper ◼ *vt* **1.** *(gén & INFORM)* to cut **2.** *(arbre)* to cut down **3.** *(pain)* to slice **4.** *(rôti)* to carve **5.** *(envie, appétit)* to take away **6.** *(vin)* to dilute **7.** *(jeux de cartes - avec atout)* to trump ◆ *(- paquet)* to cut **8.** *(interrompre, trancher)* to cut off **9.** *(traverser)* to cut across. ◼ *vi (gén)* to cut.

■ **se couper** *vp* **1.** *(se blesser)* to cut o.s. **2.** *(se croiser)* to cross **3.** *(s'isoler)* ⊳ **se couper de** to cut o.s. off from.

couper-coller *nm inv* INFORM ⊳ **faire un couper-coller** to cut and paste.

couperet *nm* **1.** *(de boucher)* cleaver **2.** *(de guillotine)* blade.

couperosé, e *adj* blotchy.

couple *nm* **1.** *(de personnes)* couple **2.** *(d'animaux)* pair.

coupler *vt* *(objets)* to couple.

couplet *nm* verse.

coupole *nf* ARCHIT dome, cupola.

coupon *nm* **1.** *(d'étoffe)* remnant **2.** *(billet)* ticket.

coupon-réponse *nm* reply coupon.

coupure *nf* **1.** *(gén)* cut **2.** *(billet de banque)* ⊳ **petite coupure** small denomination note *(UK)* OU bill *(US)* ⊳ **coupure de courant** ÉLECT power cut ⊳ INFORM blackout **3.** *fig (rupture)* break.

cour *nf* **1.** *(espace)* courtyard, yard **2.** *(du roi, tribunal)* court **3.** *fig & hum* following ⊳ **Cour de cassation** final Court of Appeal *(UK)* OU Appeals *(US)* ⊳ **cour martiale** court-martial.

courage *nm* courage ⊳ **bon courage !** good luck! ⊳ **je n'ai pas le courage de faire mes devoirs** I can't bring myself to do my homework.

courageux, euse *adj* **1.** *(brave)* brave **2.** *(audacieux)* bold.

couramment *adv* **1.** *(parler une langue)* fluently **2.** *(communément)* commonly.

courant, e *adj* **1.** *(habituel)* everyday *(avant nom)* **2.** *(en cours)* present. ■ **courant** *nm* **1.** *(marin, atmosphérique, électrique)* current ⊳ **courant d'air** draught *(UK)*, draft *(US)* **2.** *(d'idées)* current **3.** *(laps de temps)* ⊳ **dans le courant du mois/de l'année** in the course of the month/the year. ■ **au courant** *loc adv* ⊳ **être au courant** to know (about it) ⊳ **mettre qqn au courant (de)** to tell sb (about) ⊳ **tenir qqn au courant (de)** to keep sb informed (about) ⊳ **se mettre/se tenir au courant (de)** to get/keep up to date (with).

courbature *nf* ache.

courbaturé, e *adj* aching.

courbe ■ *nf* curve ⊳ **courbe de niveau** *(sur une carte)* contour (line). ■ *adj* curved.

courber ■ *vt* **1.** *(tige)* to bend **2.** *(tête)* to bow. ■ *vi* to bow.
■ **se courber** *vp* **1.** *(chose)* to bend **2.** *(personne)* to bow, to bend down.

courbette *nf* *(révérence)* bow ⊳ **faire des courbettes** *fig* to bow and scrape.

coureur, euse *nm, f* SPORT runner ⊳ **coureur cycliste** racing cyclist.

courge *nf* **1.** *(légume)* marrow *(UK)*, squash *(US)* **2.** *fam (imbécile)* dimwit.

courgette *nf* courgette *(UK)*, zucchini *(US)*.

courir ■ *vi* **1.** *(aller rapidement)* to run **2.** SPORT to race **3.** *(se précipiter, rivière)* to rush **4.** *(se propager)* ⊳ **le bruit court que...** rumour *(UK)* OU rumor *(US)* has it that... ⊳ **faire courir un bruit** to spread a rumour *(UK)* OU rumor *(US)*. ■ *vt* **1.** SPORT to run in **2.** *(parcourir)* to roam (through) **3.** *(fréquenter : bals, musées)* to do the rounds of.

couronne *nf* **1.** *(ornement, autorité)* crown **2.** *(de fleurs)* wreath **3.** *(monnaie - de Suède, d'Islande)* krona ⊳ *(- du Danemark, de Norvège)* krone ⊳ *(- de la République tchèque)* crown.

couronnement *nm* **1.** *(de monarque)* coronation **2.** *fig (apogée)* crowning achievement.

couronner *vt* **1.** *(monarque)* to crown **2.** *(récompenser)* to give a prize to.

courre ▷ chasse.

courriel *(Québec)* *nm* INFORM email.

courrier *nm* mail, letters *pl*, post *(UK)* ⊳ **courrier du cœur** agony column *(UK)* OU advice column *(US)*.

courroie *nf* **1.** belt **2.** *(attache)* strap ⊳ **courroie de transmission** driving belt ⊳ **courroie de ventilateur** fanbelt.

courroucer *vt littéraire* to anger.

cours *nm* **1.** *(écoulement)* flow ⊳ **cours d'eau** waterway ⊳ **donner** OU **laisser libre cours à** *fig* to give free rein to **2.** *(déroulement)* course ⊳ **au cours de** during, in the course of ⊳ **en cours** *(année, dossier)* current ⊳ *(affaires)* in hand ⊳ **en cours de route** on the way **3.** FIN *(de devises)* rate ⊳ **avoir cours** *(monnaie)* to be legal tender **4.** *(leçon)* class, lesson ⊳ **donner des cours (à qqn)** to teach (sb) ⊳ **cours particuliers** private lessons **5.** *(classe)* ⊳ **cours élémentaire** ≃ second-year infants *(UK)*, ≃ first grade *(US)* ⊳ **cours moyen**

≈ third-year infants *(UK)*, ≈ second grade *(US)* ∘ **cours préparatoire** ≈ first-year infants *(UK)*, ≈ nursery school *(US)*.

course *nf* **1.** *(action)* running *(indénombrable)* ∘ **au pas de course** at a run **2.** *(compétition)* race **3.** *(en taxi)* journey **4.** *(mouvement)* flight, course **5.** *(commission)* errand ∘ **faire des courses** to go shopping.

À PROPOS DE...

course

« Course », dans ses sens les plus fréquents, n'est jamais traduit par *course*, qui équivaut, selon les contextes, à « cours » (*we offer courses in a number of subjects*, « nous proposons des *cours* dans plusieurs domaines »), « plat » (*the main course is fish*, « le *plat* principal est du poisson ») ou encore « route » ou « cap » (*the plane set a course for Marseilles*, « l'avion a mis le *cap* sur Marseille »). Quant au mot français « course », il a lui aussi différentes traductions : « il a gagné la course », *he won the race* ; « je fais mes courses au supermarché », *I do my shopping at the supermarket* ; « j'ai une course à faire », *I've got to go and get something.*

---

coursier, ère *nm, f* messenger.

court, e ∘ **court** ◼ *adv* ∘ **être à court d'argent/d'idées/d'arguments** to be short of money/ideas/arguments ∘ **prendre qqn de court** to catch sb unawares ∘ **tourner court** to stop suddenly. ◼ *nm* ∘ **court de tennis** tennis court.

court-bouillon *nm* court-bouillon.

court-circuit *nm* short circuit.

courtier, ère *nm, f* broker.

courtisan, e *nm, f* **1.** HIST courtier **2.** *(flatteur)* sycophant. ◼ **courtisane** *nf* courtesan.

courtiser *vt* **1.** *(femme)* to woo, to court **2.** *péj (flatter)* to flatter.

court-métrage *nm* short (film).

courtois, e *adj* courteous.

courtoisie *nf* courtesy.

couru, e ◼ *pp* ⊳ **courir**. ◼ *adj* popular.

couscous *nm* couscous.

cousin, e *nm, f* cousin ∘ **cousin germain** first cousin.

coussin *nm* *(de siège)* cushion.

coût *nm* cost.

couteau *nm* **1.** *(gén)* knife ∘ **couteau à cran d'arrêt** flick knife *(UK)*, switchblade *(US)* **2.** *(coquillage)* razor shell *(UK)*, razor clam *(US)*.

coûter ◼ *vi* **1.** *(valoir)* to cost ∘ **ça coûte combien ?** how much is it? ∘ **coûter cher à qqn** to cost sb a lot ∘ *fig* to cost sb dear *ou* dearly **2.** *fig (être pénible)* to be difficult. ◼ *vt fig* to cost. ◼ **coûte que coûte** *loc adv* at all costs.

coûteux, euse *adj* costly, expensive.

coutume *nf* *(gén & DR)* custom.

couture *nf* **1.** *(action)* sewing **2.** *(points)* seam **3.** *(activité)* dressmaking ∘ **haute couture** (haute) couture, designer fashion.

couturier, ère *nm, f* couturier.

couvée *nf* **1.** *(d'œufs)* clutch **2.** *(de poussins)* brood.

couvent *nm* **1.** *(de sœurs)* convent **2.** *(de moines)* monastery.

couver ◼ *vt* **1.** *(œufs)* to sit on **2.** *(dorloter)* to mollycoddle **3.** *(maladie)* to be coming down with, to be sickening for *(UK)*. ◼ *vi* **1.** *(poule)* to brood **2.** *fig (complot)* to hatch.

couvercle *nm* *(de casserole, boîte)* lid, cover.

couvert, e ◼ *pp* ⊳ **couvrir**. ◼ *adj* **1.** *(submergé)* covered ∘ **couvert de** covered with **2.** *(habillé)* dressed ∘ **être bien couvert** to be well wrapped up **3.** *(nuageux)* overcast. ◼ **couvert** *nm* **1.** *(abri)* ∘ **se mettre à couvert** to take shelter **2.** *(place à table)* place (setting) ∘ **mettre** *ou* **dresser le couvert** to set *ou* lay *(UK)*the table. ◼ **couverts** *nmpl* cutlery *(indénombrable) (UK)*, silverware *(indénombrable) (US)*.

couverture *nf* **1.** *(gén)* cover **2.** *(de lit)* blanket ∘ **couverture chauffante** electric blanket **3.** *(toit)* roofing *(indénombrable)*.

couveuse *nf* **1.** *(poule)* sitting hen **2.** *(machine)* incubator.

couvre-chef *nm hum* hat.

couvre-feu *nm* curfew.

couvre-pied (*pl* **couvre-pieds**) *nm* quilt, eiderdown *(UK)*.

couvreur *nm* roofer.

couvrir *vt* **1.** *(gén)* to cover ⚬ **couvrir qqn/qqch de** *litt & fig* to cover sb/sthg with **2.** *(protéger)* to shield.
■ **se couvrir** *vp* **1.** *(se vêtir)* to wrap up **2.** *(se recouvrir)* ⚬ **se couvrir de feuilles/de fleurs** to come into leaf/blossom **3.** *(ciel)* to cloud over **4.** *(se protéger)* to cover o.s..

covoiturage *nm* car sharing, car pooling ⚬ **pratiquer le covoiturage** to belong to a car pool.

CP *nm abrév de* **cours préparatoire.**

CQFD *(abr de* **ce qu'il fallait démontrer)** QED.

crabe *nm* crab.

crachat *nm* spit *(indénombrable)*.

cracher ■ *vi* **1.** *(personne)* to spit **2.** *fam (dédaigner)* ⚬ **ne pas cracher sur qqch** not to turn one's nose up at sthg. ■ *vt* **1.** *(sang)* to spit (up) **2.** *(lave, injures)* to spit (out).

crachin *nm* drizzle.

crachoir *nm* spittoon.

craie *nf* chalk.

craindre *vt* **1.** *(redouter)* to fear, to be afraid of ⚬ **craindre de faire qqch** to be afraid of doing sthg ⚬ **je crains d'avoir oublié mes papiers** I'm afraid I've forgotten my papers ⚬ **craindre que** *(+ subjonctif)* to be afraid (that) ⚬ **je crains qu'il oublie** *ou* **n'oublie** I'm afraid he may forget **2.** *(être sensible à)* to be susceptible to.

craint, e *pp* ▷ **craindre.**

crainte *nf* fear ⚬ **de crainte de faire qqch** for fear of doing sthg ⚬ **de crainte que** *(+ subjonctif)* for fear that ⚬ **il a fui de crainte qu'on ne le voie** he fled for fear that he might be seen *ou* for fear of being seen.

craintif, ive *adj* timid.

cramoisi, e *adj* crimson.

crampe *nf* cramp.

crampon *nm (crochet - gén)* clamp ⚬ *(- pour alpinisme)* crampon.

cramponner ■ **se cramponner** *vp (s'agripper)* to hang on ⚬ **se cramponner à qqn/qqch** *litt & fig* to cling to sb/sthg.

cran *nm* **1.** *(entaille, degré)* notch, cut **2.** *(indénombrable) (audace)* guts *pl.*

crâne *nm* skull.

crâner *vi fam* to show off.

crânien, enne *adj* ⚬ **boîte crânienne** skull ⚬ **traumatisme crânien** head injury.

crapaud *nm* toad.

crapule *nf* scum *(indénombrable)*.

craquelure *nf* crack.

craquement *nm* crack, cracking *(indénombrable)*.

craquer ■ *vi* **1.** *(produire un bruit)* to crack **2.** *(plancher, chaussure)* to creak **3.** *(se déchirer)* to split **4.** *(s'effondrer - personne)* to crack up **5.** *fam (être séduit par)* ⚬ **craquer pour** to fall for. ■ *vt (allumette)* to strike.

crasse *nf* **1.** *(saleté)* dirt, filth **2.** *fam (mauvais tour)* dirty trick.

crasseux, euse *adj* filthy.

cratère *nm* crater.

cravache *nf* riding crop.

cravate *nf* tie, necktie *(US)*.

crawl *nm* crawl.

crayon *nm* **1.** *(gén)* pencil ⚬ **crayon à bille** ballpoint (pen) ⚬ **crayon de couleur** crayon **2.** TECHNOL pen ⚬ **crayon optique** light pen.

créancier, ère *nm, f* creditor.

créateur, trice ■ *adj* creative. ■ *nm, f* creator. ■ **Créateur** *nm* ⚬ **le Créateur** the Creator.

créatif, ive *adj* creative.

création *nf* creation.

créativité *nf* creativity.

créature *nf* creature.

crécelle *nf* rattle.

crèche *nf* **1.** *(de Noël)* crib *(UK)*, crèche *(US)* **2.** *(garderie)* crèche *(UK)*, day-care center *(US)*.

crédible *adj* credible.

crédit *nm* **1.** COMM credit ⚬ **crédit municipal** pawnshop ⚬ **faire crédit à qqn** to give sb credit ⚬ **accorder/obtenir un crédit** to grant/to obtain credit ⚬ **acheter/vendre qqch à crédit** to buy/sell sthg on credit **2.** *fig & sout* influence.

crédit-bail *nm* leasing.

créditeur, trice ■ *adj* in credit. ■ *nm, f* creditor.

crédule *adj* credulous.

crédulité *nf* credulity.

créer *vt* **1.** RELIG *(inventer)* to create **2.** *(fonder)* to found, to start up.

crémaillère *nf* **1.** *(de cheminée)* trammel • **pendre la crémaillère** *fig* to have a housewarming (party) **2.** TECHNOL rack.

crémation *nf* cremation.

crématoire ▷ **four**.

crème ◼ *nf* **1.** *(produit de beauté)* cream • **crème hydratante** moisturizer **2.** CULIN cream • **crème anglaise** custard *(UK)*. ◼ *adj inv* cream.

crémerie *nf* dairy.

crémier, ère *nm, f* dairyman *(f* dairy-woman).

créneau *nm* **1.** *(de fortification)* crenel **2.** *(pour se garer)* • **faire un créneau** to reverse into a parking space **3.** *(de marché)* niche **4.** *(horaire)* window, gap.

créole *adj & nm* creole.

crêpe ◼ *nf* CULIN pancake. ◼ *nm (tissu)* crepe.

crêperie *nf* pancake restaurant.

crépi *nm* roughcast.

crépir *vt* to roughcast.

crépiter *vi* **1.** *(feu, flammes)* to crackle **2.** *(pluie)* to patter.

crépon ◼ *adj* ▷ **papier**. ◼ *nm* seer-sucker.

crépu, e *adj* frizzy.

crépuscule *nm* **1.** *(du jour)* dusk, twilight **2.** *fig* twilight.

crescendo ◼ *adv* crescendo • **aller crescendo** *fig (bruit)* to get *ou* grow louder and louder • *(dépenses, émotion)* to grow apace. ◼ *nm inv* MUS crescendo.

cresson *nm* watercress.

Crète *nf* • **la Crète** Crete.

crête *nf* **1.** *(de coq)* comb **2.** *(de montagne, vague, oiseau)* crest.

crétin, e *fam* ◼ *adj* cretinous, idiotic. ◼ *nm, f* cretin, idiot.

creuser *vt* **1.** *(trou)* to dig **2.** *(objet)* to hollow out **3.** *fig (approfondir)* to go into deeply.

creux, creuse *adj* **1.** *(vide, concave)* hollow **2.** *(période - d'activité réduite)* slack • *(- à tarif réduit)* off-peak **3.** *(paroles)* empty. ◼ **creux** *nm* **1.** *(concavité)* hollow **2.** *(période)* lull.

crevaison *nf* puncture *(UK)*, flat tyre *(UK)*, flat (tire) *(US)*.

crevant, e *adj fam (fatigant)* exhausting, knackering *(UK)*.

crevasse *nf* **1.** *(de mur)* crevice, crack **2.** *(de glacier)* crevasse **3.** *(sur la main)* crack.

crevé, e *adj* **1.** *(pneu)* burst, punctured, flat **2.** *fam (fatigué)* dead, shattered *(UK)*.

crève-cœur *nm inv* heartbreak.

crever ◼ *vi* **1.** *(éclater)* to burst **2.** *tfam (mourir)* to die • **crever de** *fig (jalousie, orgueil)* to be bursting with. ◼ *vt* **1.** *(percer)* to burst **2.** *fam (épuiser)* to wear out.

crevette *nf* • **crevette (grise)** shrimp • **crevette (rose)** prawn.

cri *nm* **1.** *(de personne)* cry, shout **2.** *(perçant)* scream **3.** *(d'animal)* cry • **pousser un cri** to cry (out), to shout • **pousser un cri de douleur** to cry out in pain **4.** *(appel)* cry • **le dernier cri** *fig* the latest thing.

LES CRIS DES ANIMAUX

• l'âne brait the donkey brays
• le canard cancane the duck quacks
• le cerf brame the stag bells
• le chat miaule the cat miaows
• le cheval hennit the horse whinnies
• la chèvre béguète the goat bleats
• le chien aboie the dog barks
• le cochon grogne the pig grunts
• l'éléphant barrit the elephant trumpets
• la grenouille coasse the frog croaks
• l'hirondelle gazouille the swallow chirps
• le lion rugit the lion roars
• le loup hurle the wolf howls
• le mouton bêle the sheep bleats
• l'oiseau chante the bird sings
• la poule glousse the hen cackles
• le serpent siffle the snake hisses
• la vache mugit the cow lows.

criant, e *adj (injustice)* blatant.

criard, e *adj* **1.** *(voix)* strident, piercing **2.** *(couleur)* loud.

crible *nm (instrument)* sieve • **passer qqch au crible** *fig* to examine sthg closely.

criblé, e *adj* riddled • **être criblé de dettes** to be up to one's eyes in debt.

cric *nm* jack.

cricket *nm* cricket.

crier ◼ *vi* **1.** *(pousser un cri)* to shout (out), to yell **2.** *(parler fort)* to shout **3.** *(protester)* • **crier contre** *ou* **après qqn** to nag sb, to go on at sb. ◼ *vt* to shout (out).

crier

Il existe un verbe anglais, *to cry*, dont la forme est très semblable au français « crier ». D'ailleurs, dans certains contextes soutenus, il est possible que *to cry* ait le sens de « crier ». La plupart du temps, la traduction correcte est « pleurer », comme dans *he made her cry*, « il l'a fait *pleurer* ». Toutefois, si l'on cherche à faire une traduction dans le sens inverse, il faut éviter de rendre « crier » par *to cry*, et utiliser à la place *to shout* ou *to yell*. Par exemple, « il n'arrête pas de crier » équivaut à « *he's always yelling* ».

crime *nm* **1.** *(délit)* crime **2.** *(meurtre)* murder ▪ **crimes contre l'humanité** crime against humanity.

criminalité *nf* crime.

criminel, elle ◪ *adj* criminal. ◪ *nm, f* criminal ▪ **criminel de guerre** war criminal.

crin *nm* *(d'animal)* hair.

crinière *nf* mane.

crique *nf* creek.

criquet *nm* **1.** locust **2.** *(sauterelle)* grasshopper.

crise *nf* **1.** MÉD attack ▪ **crise cardiaque** heart attack ▪ **crise de foie** bilious attack **2.** *(accès)* fit ▪ **crise de nerfs** attack of nerves **3.** *(phase critique)* crisis.

crispation *nf* **1.** *(contraction)* contraction **2.** *(agacement)* irritation.

crispé, e *adj* tense, on edge.

crisper *vt* **1.** *(contracter - visage)* to tense ▪ *(- poing)* to clench **2.** *(agacer)* to irritate. ◪ **se crisper** *vp* **1.** *(se contracter)* to tense (up) **2.** *(s'irriter)* to get irritated.

crisser *vi* **1.** *(pneu)* to screech **2.** *(étoffe)* to rustle.

cristal *nm* crystal ▪ **cristal de roche** quartz.

cristallin, e *adj* **1.** *(limpide)* crystal clear, crystalline **2.** *(roche)* crystalline. ◪ **cristallin** *nm* crystalline lens.

critère *nm* criterion.

critique ◪ *adj* critical. ◪ *nmf* critic. ◪ *nf* criticism.

critiquer *vt* to criticize.

croasser *vi* to croak, to caw.

croate *adj* Croat, Croatian. ◪ **Croate** *nmf* Croat, Croatian.

Croatie *nf* ▪ **la Croatie** Croatia.

croc *nm* *(de chien)* fang.

croche *nf* quaver *(UK)*, eighth (note) *(US)*.

croche-pied *nm* ▪ **faire un croche-pied à qqn** to trip sb up.

crochet *nm* **1.** *(de métal)* hook ▪ **vivre aux crochets de qqn** to live off sb **2.** *(tricot)* crochet hook **3.** TYPO square bracket **4.** *(boxe)* ▪ **crochet du gauche/du droit** left/right hook.

crochu, e *adj* **1.** *(doigts)* claw-like **2.** *(nez)* hooked.

crocodile *nm* crocodile.

croire ◪ *vt* **1.** *(chose, personne)* to believe **2.** *(penser)* to think ▪ **tu crois?** do you think so? ▪ **il te croyait parti** he thought you'd left ▪ **croire que** to think (that). ◪ *vi* ▪ **croire à** to believe in ▪ **croire en** believe in, to have faith in.

croisade *nf* fig & HIST crusade.

croisé, e *adj* *(veste)* double-breasted. ◪ **croisé** *nm* HIST crusader.

croisement *nm* **1.** *(intersection)* junction, intersection **2.** BIOL crossbreeding.

croiser ◪ *vt* **1.** *(jambes)* to cross **2.** *(bras)* to fold **3.** *(passer à côté de)* to pass **4.** *(chemin)* to cross, to cut across **5.** *(métisser)* to interbreed. ◪ *vi* NAUT to cruise. ◪ **se croiser** *vp* **1.** *(chemins)* to cross, to intersect **2.** *(personnes)* to pass **3.** *(lettres)* to cross **4.** *(regards)* to meet.

croisière *nf* cruise.

croisillon *nm* ▪ **à croisillons** lattice *(avant nom)*.

croissance *nf* growth, development ▪ **croissance économique** economic growth *ou* development.

croissant, e *adj* increasing, growing. ◪ **croissant** *nm* **1.** *(de lune)* crescent **2.** CULIN croissant.

croître *vi* **1.** *(grandir)* to grow **2.** *(augmenter)* to increase.

croix *nf* cross ▪ **en croix** in the shape of a cross ▪ **croix gammée** swastika.

Croix-Rouge *nf* ▪ **la Croix-Rouge** the Red Cross.

croquant, e *adj* crisp, crunchy.

croque-mitaine *nm* bogeyman.

croque-monsieur *nm inv* toasted cheese-and-ham sandwich.

croque-mort *nm fam* undertaker's assistant.

croquer ◾ *vt* **1.** *(manger)* to crunch **2.** *(dessiner)* to sketch. ◾ *vi* to be crunchy.

croquette *nf* croquette.

croquis *nm* sketch.

cross *nm* **1.** *(exercice)* cross-country (running) **2.** *(course)* cross-country race.

crotte *nf* **1.** *(de lapin etc)* droppings *pl* **2.** *(de chien)* dirt.

crottin *nm* *(de cheval)* (horse) manure.

crouler *vi* to crumble ◦ **crouler sous** *litt* & *fig* to collapse under.

croupe *nf* rump ◦ **monter en croupe** to ride pillion.

croupier *nm* croupier.

croupir *vi* *litt* & *fig* to stagnate.

croustillant, e *adj (croquant - pain)* crusty ◦ *(- biscuit)* crunchy.

croûte *nf* **1.** *(du pain, terrestre)* crust **2.** *(de fromage)* rind **3.** *(de plaie)* scab **4.** *fam péj (tableau)* daub.

croûton *nm* **1.** *(bout du pain)* crust **2.** *(pain frit)* crouton **3.** *fam péj (personne)* fuddy-duddy.

croyance *nf* belief.

croyant, e ◾ *adj* ◦ **être croyant** to be a believer. ◾ *nm, f* believer.

CRS *(abr de* **Compagnie républicaine de sécurité)** *nm* French riot police officer ◦ **les CRS** the French riot police.

cru, e *adj* **1.** *(non cuit)* raw **2.** *(violent)* harsh **3.** *(direct)* blunt **4.** *(grivois)* crude. ◾ **cru** *nm* **1.** *(vin)* vintage, wine **2.** *(vignoble)* vineyard ◦ **du cru** *fig* local ◦ **de son propre cru** *fig* of one's own devising.

cruauté *nf* cruelty.

cruche *nf* **1.** *(objet)* jug *(UK)*, pitcher *(US)* **2.** *fam péj (personne niaise)* idiot.

crucial, e *adj* crucial.

crucifix *nm* crucifix.

crudité *nf* crudeness. ◾ **crudités** *nfpl* crudités.

crue *nf* rise in the water level.

cruel, elle *adj* cruel.

crustacé *nm* shellfish, crustacean ◦ **crustacés** shellfish *(indénombrable)*.

crypter *vt* to encrypt ◦ **chaîne cryptée** encrypted channel.

Cuba *npr* Cuba.

cubain, aine *adj* Cuban. ◾ **Cubain, aine** *nm, f* Cuban.

cube *nm* cube ◦ **4 au cube = 64** 4 cubed is 64 ◦ **mètre cube** cubic metre *(UK)* *ou* meter *(US)*.

cueillette *nf* picking, harvesting.

cueilli, e *pp* ▷ **cueillir**.

cueillir *vt (fruits, fleurs)* to pick.

cuillère, cuiller *nf (instrument)* spoon ◦ **cuillère à café** coffee spoon ◦ CULIN teaspoon ◦ **cuillère à dessert** dessertspoon ◦ **cuillère à soupe** soup spoon ◦ CULIN tablespoon.

cuillerée *nf* spoonful ◦ **cuillerée à café** CULIN teaspoonful ◦ **cuillerée à soupe** CULIN tablespoonful.

cuir *nm* **1.** leather **2.** *(non tanné)* hide ◦ **cuir chevelu** ANAT scalp.

cuirasse *nf* **1.** *(de chevalier)* breastplate **2.** *fig* armour *(UK)*, armor *(US)*.

cuirassé *nm* battleship.

cuire ◾ *vt* **1.** *(viande, œuf)* to cook **2.** *(tarte, gâteau)* to bake. ◾ *vi* **1.** *(viande, œuf)* to cook **2.** *(tarte, gâteau)* to bake ◦ **faire cuire qqch** to cook/bake sthg **3.** *fig (personne)* to roast, to be boiling.

cuisine *nf* **1.** *(pièce)* kitchen **2.** *(art)* cooking, cookery *(UK)* ◦ **faire la cuisine** to do the cooking, to cook.

cuisiné, e *adj* ◦ **plat cuisiné** ready-cooked meal.

cuisiner ◾ *vt* **1.** *(aliment)* to cook **2.** *fam (personne)* to grill. ◾ *vi* to cook ◦ **bien/mal cuisiner** to be a good/bad cook.

cuisinier, ère *nm, f* cook. ◾ **cuisinière** *nf* cooker *(UK)*, stove *(US)* ◦ **cuisinière électrique/à gaz** electric/gas cooker *(UK)* *ou* stove *(US)*.

cuisse *nf* **1.** ANAT thigh **2.** CULIN leg.

cuisson *nf* cooking.

cuit, e ◾ *pp* ▷ **cuire**. ◾ *adj* ◦ **bien cuit** *(steak)* well-done.

cuivre *nm (métal)* ◦ **cuivre (rouge)** copper ◦ **cuivre jaune** brass. ◾ **cuivres** *nmpl* ◦ **les cuivres** MUS the brass.

cuivré, e *adj* **1.** *(couleur, reflet)* coppery **2.** *(teint)* bronzed.

cul *nm* **1.** *tfam (postérieur)* bum *(UK)*, ass *(US)* **2.** *(de bouteille)* bottom.

culbute *nf* **1.** *(saut)* somersault **2.** *(chute)* tumble, fall.

cul-de-sac *nm* dead end.

culinaire *adj* culinary.

culminant ⊳ **point**.

culot *nm* **1.** *fam (toupet)* nerve, cheek *(UK)* ■ **avoir du culot** to have a lot of nerve **2.** *(de cartouche, ampoule)* cap.

culotte *nf (sous-vêtement féminin)* panties *pl*, knickers *pl (UK)*, pair of panties *ou* of knickers *(UK)*.

culotté, e *adj (effronté)* ■ **elle est culottée** she's got a nerve.

culpabilité *nf* guilt.

culte *nm* **1.** *(vénération, amour)* worship **2.** *(religion)* religion.

cultivateur, trice *nm, f* farmer.

cultivé, e *adj (personne)* educated, cultured.

cultiver *vt* **1.** *(terre, goût, relation)* to cultivate **2.** *(plante)* to grow.

culture *nf* **1.** AGRIC cultivation, farming ■ **les cultures** cultivated land **2.** *(savoir)* culture, knowledge ■ **culture physique** physical training **3.** *(civilisation)* culture.

culturel, elle *adj* cultural.

culturisme *nm* bodybuilding.

cumin *nm* cumin.

cumuler *vt* **1.** *(fonctions, titres)* to hold simultaneously **2.** *(salaires)* to draw simultaneously.

cupide *adj* greedy.

cure *nf* (course of) treatment ■ **faire une cure de fruits** to go on a fruit-based diet ■ **cure de désintoxication** *(d'alcool)* drying-out treatment ■ *(de drogue)* detoxification treatment ■ **cure de sommeil** sleep therapy ■ **faire une cure thermale** to undergo treatment at a spa.

curé *nm* parish priest.

cure-dents *nm inv* toothpick.

cure-pipes *nm inv* pipe cleaner.

curer *vt* to clean out.

curieux, euse ◼ *adj* **1.** *(intéressé)* curious ■ **curieux de qqch/de faire qqch** curious about sthg/to do sthg **2.** *(indiscret)* inquisitive **3.** *(étrange)* strange, curious. ◼ *nm, f* busybody.

curiosité *nf* curiosity.

curriculum vitae *nm inv* curriculum vitae *(UK)*, résumé *(US)*.

curry, carry, cari *nm* **1.** *(épice)* curry powder **2.** *(plat)* curry.

curseur *nm* cursor.

cutané, e *adj* cutaneous, skin *(avant nom)*.

cutiréaction, cuti-réaction *nf* skin test.

cuve *nf* **1.** *(citerne)* tank **2.** *(à vin)* vat.

cuvée *nf (récolte)* vintage.

cuvette *nf* **1.** *(récipient)* basin, bowl **2.** *(de lavabo)* basin **3.** *(de W.-C.)* bowl **4.** GÉOGR basin.

CV *nm* **1.** *(abr de* **curriculum vitae)** CV *(UK)*, résumé *(US)* **2.** *(abr écrite de* **chevalvapeur)** hp.

cyanure *nm* cyanide.

cybercafé *nm* cybercafé, Internet café.

cybercommerce *nm* e-commerce.

cybercrime *nm* INFORM e-crime.

cyberespace, cybermonde *nm* cyberspace.

cybernaute *nm* (net) surfer, cybersurfer, cybernaut.

cyclable ⊳ **piste**.

cycle *nm* **1.** *(série)* cycle **2.** *(formation)* cycle ■ **second cycle** UNIV ≃ final year *(UK)* ≃ senior year *(US)* ■ SCOL upper school *(UK)*, high school *(US)* ■ **troisième cycle** UNIV ≃ postgraduate year *ou* years.

cyclique *adj* cyclic, cyclical.

cyclisme *nm* cycling.

cycliste *nmf* cyclist.

cyclone *nm* cyclone.

cygne *nm* swan.

cylindre *nm* **1.** AUTO & GÉOM cylinder **2.** *(rouleau)* roller.

cymbale *nf* cymbal.

cynique *adj* cynical.

cynisme *nm* cynicism.

cyprès *nm* cypress.

cyrillique *adj* Cyrillic.

d, D *nm inv* d, D.

d' ⊳ **de**.

DAB *(abr de* **distributeur automatique de billets)** *nm* ATM.

d'abord ⊳ **abord**.

d'accord *loc adv* • **d'accord !** all right!, OK! • **être d'accord avec** to agree with.

dactylo *nf* **1.** *(personne)* typist **2.** *(procédé)* typing.

dactylographier *vt* to type.

dada *nm* **1.** *(cheval)* horsie, gee-gee *(UK)* **2.** *fam (occupation)* hobby **3.** *fam (idée)* hobbyhorse **4.** ART Dadaism.

dahlia *nm* dahlia.

daigner *vi* to deign.

daim *nm* **1.** *(animal)* fallow deer **2.** *(peau)* suede.

dallage *nm* **1.** *(action)* paving **2.** *(dalles)* pavement.

dalle *nf* **1.** *(de pierre)* slab **2.** *(de lino)* tile.

dalmatien, enne *nm, f* dalmatian.

daltonien, enne *adj* colour-blind *(UK)*, color-blind *(US)*.

dame *nf* **1.** *(femme)* lady **2.** *(cartes à jouer)* queen. ■ **dames** *nfpl* draughts *(UK)*, checkers *(US)*.

damier *nm* **1.** *(de jeu)* draughtboard *(UK)*, checkerboard *(US)* **2.** *(motif)* • **à damier** checked.

damné, e *adj fam* damned.

damner *vt* to damn.

dancing *nm* dance hall.

dandiner ■ **se dandiner** *vp* to waddle.

Danemark *nm* • **le Danemark** Denmark.

danger *nm* danger • **en danger** in danger • **courir un danger** to run a risk.

dangereux, euse *adj* dangerous.

danois, e *adj* Danish. ■ **danois** *nm* **1.** *(langue)* Danish **2.** *(chien)* Great Dane. ■ **Danois, e** *nm, f* Dane.

dans *prép* **1.** *(dans le temps)* in • **je reviens dans un mois** I'll be back in a month *ou* in a month's time **2.** *(dans l'espace)* in • **dans une boîte** in *ou* inside a box **3.** *(avec mouvement)* into • **entrer dans une chambre** to come into a room, to enter a room **4.** *(indiquant un état, une manière)* in • **vivre dans la misère** to live in poverty • **il est dans le commerce** he's in business **5.** *(environ)* • **dans les...** about... • **ça coûte dans les 30 euros** it costs about 30 euros.

dansant, e *adj litt & fig* dancing • **soirée dansante** dance • **thé dansant** tea dance.

danse *nf* **1.** *(art)* dancing **2.** *(musique)* dance.

danser ◨ *vi* **1.** *(personne)* to dance **2.** *(bateau)* to bob **3.** *(flammes)* to flicker. ◨ *vt* to dance.

danseur, euse *nm, f* dancer.

dard *nm* *(d'animal)* sting.

date *nf* **1.** *(jour+mois+année)* date • **date de naissance** date of birth **2.** *(moment)* event.

dater ◨ *vt* to date. ◨ *vi* **1.** *(marquer)* to be *ou* mark a milestone **2.** *fam (être démodé)* to be dated. ■ **à dater de** *loc prép* as of *ou* from.

datte *nf* date.

dattier *nm* date palm.

dauphin *nm* **1.** *(mammifère)* dolphin **2.** HIST • **le dauphin** the dauphin **3.** *(successeur)* heir apparent.

daurade *nf* sea bream.

davantage *adv* **1.** *(plus)* more • **davantage de** more **2.** *(plus longtemps)* (any) longer.

---

de *prép*

1. EXPRIME L'ORIGINE, LA PROVENANCE
• **mes voisins viennent du Pakistan** my neighbours are from Pakistan
• **il revient de Paris demain** he's coming back *ou* returning from Paris tomorrow

• **l'avion de Londres est arrivé il y a dix minutes** the plane from London *ou* the London plane arrived ten minutes ago

2. AVEC « À »

• **leur première expédition les a menés de Paris à Tokyo en trois ans** their first expedition led them from Paris to Tokyo in three years

• **nous avons travaillé de dix heures à midi** we worked from ten o'clock to *ou* till midday

• **il y avait de quinze à vingt mille spectateurs** there were between fifteen and twenty thousand spectators

3. INDIQUE LA LOCALISATION

• **les magasins de cette rue sont très bon marché** the shops in this street are very cheap

• **de nombreux élèves de son école ont des difficultés en mathématiques** many pupils in his school have problems with maths

4. EXPRIME L'APPARTENANCE

• **je ne connais pas le frère de Pierre** I don't know Pierre's brother

• **la voiture de nos amis est très chère** our friends' car is very expensive

5. INTRODUIT UN COMPLÉMENT DU NOM

• **peux-tu fermer la porte du salon ?** can you close the door of the sitting room, the sitting room door?

• **c'est de qui ?** who is it by?

• **c'est un film de Jim Jarmusch** it's a film by Jim Jarmusch *ou* a Jim Jarmusch film

6. EXPRIME LA CAUSE

• **Paul tremble de froid** Paul is shivering with cold

• **quand j'ai appris la nouvelle, j'ai sauté de joie** when I heard the news I jumped for joy

• **des millions d'enfants meurent de faim** millions of children die of hunger

7. EXPRIME LA MANIÈRE

• **il lui parla d'une voix tendre** he spoke tenderly to her *ou* he spoke to her in a tender voice

• **il l'a simplement touché du doigt** he simply touched it with his finger

8. INDIQUE UNE CARACTÉRISTIQUE

• **donne-moi un verre d'eau, s'il te plaît** give me a glass of water, please

• **elle porte un peignoir de soie** she's wearing a silk dressing gown

• **ils ont acheté un appartement de 60 m²** they bought a 60 square metre flat

• **c'est un bébé de trois jours** it's a three-day-old baby

• **c'est une ville de 500 000 habitants** it's a town with *ou* of 500,000 inhabitants

• **j'attends le train de 9 h 30** I'm waiting for the 9.30 train

9. POUR EXPRIMER UN RATIO

• **il gagne dix euros de l'heure** he earns ten euros per hour *ou* an hour.

de *art partitif*

1. DANS UNE PHRASE AFFIRMATIVE OU INTERROGATIVE

• **je voudrais du vin/du lait** I'd like (some) wine/(some) milk

• **voulez-vous du thé ?** would you like some tea?

• **avez-vous du pain ?** do you have any bread?, have you got any bread?

• **peux-tu acheter des légumes ?** can you buy some vegetables?

2. DANS UNE PHRASE NÉGATIVE

• **ils n'ont pas d'enfants** they don't have any children, they have no children.

À PROPOS DE...

de

La marque du possessif **'s** équivaut dans certains cas à une tournure commençant par *of* (*the company's profits = the profits of the company*). Toutefois, avec les noms de personnes, seule la forme en *-'s* est possible (*Bill's clothes*).

Il est plus naturel d'utiliser *of* lorsque l'on fait allusion à des objets (*the front of the house ; the corner of the room*), ou lorsque la construction est longue et complexe (*I know the son of the teacher who's taking you for English* et non pas *I know the teacher who's taking you for English's son*).

Soyez attentif à faire la distinction entre *-'s* et *-s'* dans les tournures possessives. Comparez, par exemple, *my sister's friends* (= il y a une seule sœur) et *my sisters' friends* (= il y a plusieurs sœurs).

dé *nm* **1.** *(à jouer)* dice, die **2.** COUT • **dé (à coudre)** thimble.

DEA *(abr de* **diplôme d'études approfondies)** *nm* postgraduate diploma.

dealer [1] *vt* to deal.

dealer [2] *nm fam* dealer.

déambuler *vi* to stroll (around).

débâcle *nf* **1.** *(débandade)* rout **2.** *fig* collapse.

déballer *vt* **1.** to unpack **2.** *fam fig* to pour out.

débandade *nf* dispersal.

débarbouiller *vt* • **débarbouiller qqn** to wash sb's face.
■ **se débarbouiller** *vp* to wash one's face.

débarcadère *nm* landing stage.

débardeur *nm* **1.** *(ouvrier)* docker **2.** *(vêtement)* slipover.

débarquement *nm* *(de marchandises)* unloading.

débarquer ■ *vt* **1.** *(marchandises)* to unload **2.** *(passagers & MIL)* to land. ■ *vi* **1.** *(d'un bateau)* to disembark **2.** MIL to land **3.** *fam (arriver à l'improviste)* to turn up **4.** *fam fig* to know nothing.

débarras *nm* junk room • **bon débarras !** *fig* good riddance!

débarrasser *vt* **1.** *(pièce)* to clear up **2.** *(table)* to clear **3.** *(ôter)* • **débarrasser qqn de qqch** to take sth from sb.
■ **se débarrasser** *vp* • **se débarrasser de** to get rid of.

débat *nm* debate.

débattre *vt* to debate, to discuss.
■ **se débattre** *vp* to struggle.

débattu, e *pp* ▷ **débattre**.

débauche *nf* debauchery.

débaucher *vt* **1.** *(corrompre)* to debauch, to corrupt **2.** *(licencier)* to make redundant (UK), to lay off (US).

débile ■ *nmf* **1.** *(attardé)* retarded person • **débile mental** mentally retarded person **2.** *fam (idiot)* moron. ■ *adj fam* stupid.

débit *nm* **1.** *(de marchandises)* (retail) sale **2.** *(magasin)* • **débit de boissons** bar • **débit de tabac** tobacconist's, tobacco shop (US) **3.** *(coupe)* sawing up, cutting up **4.** *(de liquide)* (rate of) flow **5.** *(élocution)* delivery **6.** FIN debit • **avoir un débit de 100 euros** to be 100 euros overdrawn **7.** INFORMATIQUE rate.

débiter *vt* **1.** *(marchandises)* to sell **2.** *(arbre)* to saw up **3.** *(viande)* to cut up **4.** *(suj : robinet)* to have a flow of **5.** *fam fig (prononcer)* to spout **6.** FIN to debit.

débiteur, trice ■ *adj* **1.** *(personne)* debtor *(avant nom)* **2.** FIN debtor *(avant nom)*, in the red. ■ *nm, f* debtor.

déblayer *vt* *(dégager)* to clear • **déblayer le terrain** *fig* to clear the ground.

débloquer ■ *vt* **1.** *(machine)* to get going again **2.** *(crédit)* to release **3.** *(compte, salaires, prix)* to unfreeze. ■ *vi fam* to talk nonsense *ou* rubbish (UK).

déboguer *vt* to debug.

déboires *nmpl* **1.** *(déceptions)* disappointments **2.** *(échecs)* setbacks **3.** *(ennuis)* trouble *(indénombrable)*, problems.

déboiser *vt* **1.** *(région)* to deforest **2.** *(terrain)* to clear (of trees).

déboîter ■ *vt* **1.** *(objet)* to dislodge **2.** *(membre)* to dislocate. ■ *vi* AUTO to pull out.
■ **se déboîter** *vp* **1.** *(se démonter)* to come apart **2.** *(porte)* to come off its hinges **3.** *(membre)* to dislocate.

débonnaire *adj* good-natured, easygoing.

déborder *vi* **1.** *(fleuve, liquide)* to overflow **2.** *fig* to flood • **déborder de** *(vie, joie)* to be bubbling with.

débouché *nm* **1.** *(issue)* end **2.** *(gén pl)* COMM outlet **3.** *(de carrière)* prospect, opening.

déboucher ■ *vt* **1.** *(bouteille)* to open **2.** *(conduite, nez)* to unblock. ■ *vi* • **déboucher sur** *(arriver)* to open out into • *fig* to lead to, to achieve.

débourser *vt* to pay out.

debout *adv* **1.** *(gén)* • **être debout** *(sur ses pieds)* to be standing (up) **2.** *(réveillé)* to be up **3.** *(objet)* to be standing up *ou* upright • **mettre qqch debout** to stand sth up • **se mettre debout** to stand up • **debout !** get up!, on your feet! • **tenir debout** *(bâtiment)* to remain standing • *(argument)* to stand up • **il ne tient pas debout** he's asleep on his feet.

déboutonner *vt* to unbutton, to undo.

débraillé, e *adj* dishevelled (UK), disheveled (US).

débrayage *nm* *(arrêt de travail)* stoppage.

débrayer *vi* AUTO to disengage the clutch, to declutch (UK).

débris ◼ *nm* piece, fragment. ◼ *nmpl (restes)* leftovers.

débrouillard, e *fam adj* resourceful.

débrouiller *vt* **1.** *(démêler)* to untangle **2.** *fig (résoudre)* to unravel, to solve.
◼ **se débrouiller** *vp* • **se débrouiller (pour faire qqch)** to manage (to do sthg) • **se débrouiller en anglais/math** to get by in English/maths • **débrouille-toi !** you'll have to sort it out (by) yourself!

débroussailler *vt* **1.** *(terrain)* to clear **2.** *fig* to do the groundwork for.

début *nm* beginning, start • **au début** at the start *ou* beginning • **au début de** at the beginning of • **dès le début** (right) from the start.

débutant, e *nm, f* beginner.

débuter *vi* **1.** *(commencer)* • **débuter (par)** to begin (with), to start (with) **2.** *(faire ses débuts)* to start out.

déca *nm fam* decaff.

deçà ◼ **deçà delà** *loc adv* here and there. ◼ **en deçà de** *loc prép* **1.** *(de ce côté-ci de)* on this side of **2.** *(en dessous de)* short of.

décacheter *vt* to open.

décadence *nf* **1.** *(déclin)* decline **2.** *(débauche)* decadence.

décadent, e *adj* decadent.

décaféiné, e *adj* decaffeinated. ◼ **décaféiné** *nm* decaffeinated coffee.

décalage *nm* **1.** gap **2.** *fig* gulf, discrepancy • **décalage horaire** *(entre zones)* time difference • *(après un vol)* jet lag.

décaler *vt* **1.** *(dans le temps - avancer)* to bring forward • *(- retarder)* to put back **2.** *(dans l'espace)* to move, to shift.

décalquer *vt* to trace.

décamper *vi fam* to clear off.

décapant, e *adj* **1.** *(nettoyant)* stripping **2.** *fig (incisif)* cutting, caustic. ◼ **décapant** *nm* (paint) stripper.

décaper *vt* **1.** *(en grattant)* to sand **2.** *(avec un produit chimique)* to strip.

décapiter *vt* **1.** *(personne - volontairement)* to behead • *(- accidentellement)* to decapitate **2.** *(arbre)* to cut the top off **3.** *fig (organisation, parti)* to remove the leader *ou* leaders of.

décapotable *nf & adj* convertible.

décapsuler *vt* to take the top off, to open.

décapsuleur *nm* bottle opener.

décédé, e *adj* deceased.

décéder *vi* to die.

déceler *vt* *(repérer)* to detect.

décembre *nm* December. • *voir aussi* **septembre**

décemment *adv* **1.** *(convenablement)* properly **2.** *(raisonnablement)* reasonably.

décence *nf* decency.

décennie *nf* decade.

décent, e *adj* decent.

décentralisation *nf* decentralization.

décentrer *vt* to move off-centre *(UK) ou* off-center *(US)*.

déception *nf* disappointment.

---

exprimer sa déception

• What a shame! **Quel dommage !**
• It's a shame the concert's been cancelled. **Dommage que le concert soit annulé.**
• That's really bad luck! **C'est vraiment pas de chance !**
• I wasn't expecting this. **Je ne m'attendais pas à ça.**
• I'd never have believed that of him. **Je n'aurais jamais cru ça de lui.**

---

décerner *vt* • **décerner qqch à** to award sthg to.

décès *nm* death.

décevant, e *adj* disappointing.

décevoir *vt* to disappoint.

déchaîné, e *adj* **1.** *(vent, mer)* stormy, wild **2.** *(personne)* wild.

déchaîner *vt* **1.** *(passion)* to unleash **2.** *(rires)* to cause an outburst of.
◼ **se déchaîner** *vp* **1.** *(éléments naturels)* to erupt **2.** *(personne)* to fly into a rage.

déchanter *vi* to become disillusioned.

décharge *nf* **1.** DR discharge **2.** ÉLECTR discharge • **décharge électrique** electric *(UK) ou* electrical *(US)* shock **3.** *(dépotoir)* rubbish tip *(UK)*, rubbish dump *(UK)*, garbage dump *(US)*.

déchargement *nm* unloading.

décharger *vt* **1.** *(véhicule, marchandises)* to unload **2.** *(arme - tirer)* to fire, to discharge • *(- enlever la charge de)* to unload **3.** *(soulager - cœur)* to unburden

◦ (- *conscience*) to salve ◦ (- *colère*) to vent **4.** (*libérer*) ◦ **décharger qqn de** to release sb from.

décharné, e *adj* (*maigre*) emaciated.

déchausser *vt* ◦ **déchausser qqn** to take sb's shoes off.
■ **se déchausser** *vp* **1.** (*personne*) to take one's shoes off **2.** (*dent*) to come loose.

déchéance *nf* (*déclin*) degeneration, decline.

déchet *nm* (*de matériau*) scrap. ■ **déchets** *nmpl* refuse (*indénombrable*), waste (*indénombrable*).

déchiffrer *vt* **1.** (*inscription, hiéroglyphes*) to decipher **2.** (*énigme*) to unravel **3.** mus to sight-read.

déchiqueter *vt* to tear to shreds.

déchirant, e *adj* heartrending.

déchirement *nm* (*souffrance morale*) heartbreak, distress.

déchirer *vt* (*papier, tissu*) to tear up, to rip up.
■ **se déchirer** *vp* **1.** (*personnes*) to tear each other apart **2.** (*matériau, muscle*) to tear.

déchirure *nf* **1.** tear **2.** fig wrench ◦ **déchirure musculaire** MÉD torn muscle.

déchu, e *adj* **1.** (*homme, ange*) fallen **2.** (*souverain*) deposed **3.** DR ◦ **être déchu de** to be deprived of.

décibel *nm* decibel.

décidé, e *adj* **1.** (*résolu*) determined **2.** (*arrêté*) settled.

décidément *adv* really.

décider *vt* **1.** (*prendre une décision*) ◦ **décider (de faire qqch)** to decide (to do sthg) **2.** (*convaincre*) ◦ **décider qqn à faire qqch** to persuade sb to do sthg.
■ **se décider** *vp* **1.** (*personne*) ◦ **se décider (à faire qqch)** to make up one's mind (to do sthg) **2.** (*choisir*) ◦ **se décider pour** to decide on, to settle on.

décilitre *nm* decilitre (*UK*) deciliter (*US*).

décimal, e *adj* decimal. ■ **décimale** *nf* decimal.

décimer *vt* to decimate.

décimètre *nm* **1.** (*dixième de mètre*) decimetre (*UK*)decimeter (*US*) **2.** (*règle*) ruler ◦ **double décimètre** ≃ foot rule.

décisif, ive *adj* decisive.

décision *nf* decision.

décisionnaire *nmf* decision-maker.

déclamer *vt* to declaim.

déclaration *nf* **1.** (*orale*) declaration, announcement **2.** (*écrite*) report, declaration **3.** (*d'assurance*) claim ◦ **déclaration de naissance/de décès** registration of birth/death ◦ **déclaration d'impôts** tax return ◦ **déclaration de revenus** statement of income.

déclarer *vt* **1.** (*annoncer*) to declare **2.** (*signaler*) to report ◦ **rien à déclarer** nothing to declare ◦ **déclarer une naissance** to register a birth.
■ **se déclarer** *vp* **1.** (*se prononcer*) ◦ **se déclarer pour/contre qqch** to come out in favour (*UK*) ou favor (*US*) of/against sthg **2.** (*se manifester*) to break out.

déclenchement *nm* **1.** (*de mécanisme*) activating, setting off **2.** fig launching.

déclencher *vt* **1.** (*mécanisme*) to activate, to set off **2.** fig to launch.
■ **se déclencher** *vp* **1.** (*mécanisme*) to go off, to be activated **2.** fig to be triggered off.

déclic *nm* **1.** (*mécanisme*) trigger **2.** (*bruit*) click.

déclin *nm* **1.** (*de civilisation, population, santé*) decline **2.** (*fin*) close.

déclinaison *nf* GRAMM declension.

décliner ◼ *vi* (*santé, population, popularité*) to decline. ◼ *vt* **1.** (*offre, honneur*) to decline **2.** GRAMM to decline **3.** fig (*gamme de produits*) to develop.

décoder *vt* to decode.

décoiffer *vt* (*cheveux*) to mess up.

décoincer *vt* **1.** (*chose*) to loosen **2.** (*mécanisme*) to unjam **3.** fam (*personne*) to loosen up.

décollage *nm* litt & fig takeoff.

décoller ◼ *vt* **1.** (*étiquette, timbre*) to unstick **2.** (*papier peint*) to strip (off). ◼ *vi* litt & fig to take off.

décolleté, e *adj* (*vêtement*) low-cut.
■ **décolleté** *nm* **1.** (*de personne*) neck and shoulders *pl* **2.** (*de vêtement*) neckline, neck.

décolonisation *nf* decolonization.

décolorer *vt* **1.** (*par décolorant*) to bleach, to lighten **2.** (*par usure*) to fade.

décombres *nmpl* debris (*indénombrable*).

décommander *vt* to cancel.

décomposé, e *adj* **1.** *(pourri)* decomposed **2.** *(visage)* haggard **3.** *(personne)* in shock.

décomposer *vt* *(gén)* • **décomposer (en)** to break down (into).
■ **se décomposer** *vp* **1.** *(se putréfier)* to rot, to decompose **2.** *(se diviser)* • **se décomposer en** to be broken down into.

décomposition *nf* **1.** *(putréfaction)* decomposition **2.** *fig (analyse)* breakdown, analysis.

décompresser ⬛ *vt* TECHNOL to decompress, to uncompress. ⬛ *vi* to unwind.

décompression *nf* decompression.

décompte *nm* *(calcul)* breakdown (of an amount).

déconcentrer *vt* *(distraire)* to distract.
■ **se déconcentrer** *vp* to be distracted.

déconcerter *vt* to disconcert.

déconfiture *nf* collapse, ruin.

décongeler *vt* to defrost.

décongestionner *vt* to relieve congestion in.

déconnecter *vt* to disconnect.

déconseillé, e *adj* • **c'est fortement déconseillé** it's extremely inadvisable.

déconseiller *vt* • **déconseiller qqch à qqn** to advise sb against sthg • **déconseiller à qqn de faire qqch** to advise sb against doing sthg.

déconsidérer *vt* to discredit.

décontaminer *vt* to decontaminate.

décontenancer *vt* to put out.

décontracté, e *adj* **1.** *(muscle)* relaxed **2.** *(détendu)* casual, laid-back.

décontracter *vt* to relax.
■ **se décontracter** *vp* to relax.

décor *nm* **1.** *(environs)* setting **2.** THÉÂTRE scenery *(indénombrable)* **3.** CINÉ sets *pl*.

décorateur, trice *nm, f* CINÉ & THÉÂTRE designer • **décorateur d'intérieur** interior decorator.

décoratif, ive *adj* decorative.

décoration *nf* decoration.

décorer *vt* to decorate.

décortiquer *vt* **1.** *(noix)* to shell **2.** *(graine)* to husk **3.** *fig* to analyse (UK) ou analyze (US) in minute detail.

découcher *vi* to stay out all night.

découdre *vt* COUT to unpick.

découler *vi* • **découler de** to follow from.

découpage *nm* **1.** *(action)* cutting out **2.** *(résultat)* paper cutout **3.** ADMIN • **découpage (électoral)** division into constituencies (UK) ou districts (US).

découper *vt* **1.** *(couper)* to cut up **2.** *fig (diviser)* to cut out.

découpure *nf* *(bord)* indentations *pl*, jagged outline.

découragement *nm* discouragement.

décourager *vt* to discourage • **décourager qqn de qqch** to put sb off sthg • **décourager qqn de faire qqch** to discourage sb from doing sthg.
■ **se décourager** *vp* to lose heart.

décousu, e *adj* *fig* *(conversation)* disjointed.

découvert, e *adj* **1.** *(tête)* bare **2.** *(terrain)* exposed. ■ **découvert** *nm* BANQUE overdraft • **être à découvert (de 1 000 euros)** to be (1,000 euros) overdrawn. ■ **découverte** *nf* discovery • **aller à la découverte de** to explore.

découvrir *vt* **1.** *(trouver, surprendre)* to discover **2.** *(ôter ce qui couvre, mettre à jour)* to uncover.

décrasser *vt* to scrub.

décret *nm* decree.

décréter *vt* *(décider)* • **décréter que** to decide that.

décrire *vt* to describe.

décrocher ⬛ *vt* **1.** *(enlever)* to take down **2.** *(téléphone)* to pick up **3.** *fam (obtenir)* to land. ⬛ *vi fam (abandonner)* to drop out.

décroître *vi* **1.** to decrease, to diminish **2.** *(jours)* to get shorter.

décrypter *vt* to decipher.

déçu, e ⬛ *pp* ▷ **décevoir**. ⬛ *adj* disappointed.

déculotter *vt* • **déculotter qqn** to take sb's trousers (UK) ou pants (US) off.

dédaigner *vt* **1.** *(mépriser - personne)* to despise • *(- conseils, injures)* to scorn **2.** *(refuser)* • **dédaigner de faire qqch** *sout* to disdain to do sthg • **ne pas dédaigner qqch/de faire qqch** not to be above sthg/above doing sthg.

dédaigneux, euse *adj* disdainful.

dédain *nm* disdain, contempt.

dédale *nm* *litt* & *fig* maze.

dedans *adv* & *nm* inside. ■ **de dedans** *loc adv* from inside, from within. ■ **en dedans** *loc adv* inside, within. ■ **en dedans de** *loc prép* inside, within. » *voir aussi* **là-dedans**

dédicace *nf* dedication.

dédicacer *vt* » **dédicacer qqch (à qqn)** to sign *ou* autograph sthg (for sb).

dédier *vt* » **dédier qqch (à qqn/à qqch)** to dedicate sthg (to sb/to sthg).

dédire ■ **se dédire** *vp sout* to go back on one's word.

dédommagement *nm* compensation.

dédommager *vt* **1.** *(indemniser)* to compensate **2.** *fig (remercier)* to repay.

dédouaner *vt (marchandises)* to clear through customs.

dédoubler *vt* **1.** to halve, to split **2.** *(fil)* to separate.

déduction *nf* deduction.

déduire *vt* » **déduire qqch (de)** *(ôter)* to deduct sthg (from) » *(conclure)* to deduce sthg (from).

déesse *nf* goddess.

défaillance *nf* **1.** *(incapacité - de machine)* failure » *(- de personne, organisation)* weakness **2.** *(malaise)* blackout, fainting fit.

défaillant, e *adj (faible)* failing.

défaillir *vi (s'évanouir)* to faint.

défaire *vt* **1.** *(détacher)* to undo **2.** *(valise)* to unpack **3.** *(lit)* to strip.
■ **se défaire** *vp* **1.** *(ne pas tenir)* to come undone **2.** *sout (se séparer)* » **se défaire de** to get rid of.

défait, e ■ *pp* ▷ **défaire**. ■ *adj fig (épuisé)* haggard. ■ **défaite** *nf* defeat.

défaitiste *nmf* & *adj* defeatist.

défaut *nm* **1.** *(imperfection)* flaw » **défaut de fabrication** manufacturing fault **2.** *(de personne)* fault, shortcoming **3.** *(manque)* lack » **à défaut de** for lack *ou* want of » **l'eau fait (cruellement) défaut** there is a serious water shortage.

défaveur *nf* disfavour *(UK)*, disfavor *(US)* » **être en défaveur** to be out of favour *(UK) ou* favor *(US)* » **tomber en défaveur** to fall out of favour *(UK) ou* favor *(US)*.

défavorable *adj* unfavourable *(UK)*, unfavorable *(US)*.

défavorisé, e *adj* disadvantaged, underprivileged.

défavoriser *vt* to handicap, to penalize.

défection *nf* **1.** *(absence)* absence **2.** *(abandon)* defection.

défectueux, euse *adj* faulty, defective.

défendeur, eresse *nm, f* defendant.

défendre *vt* **1.** *(personne, opinion, client)* to defend **2.** *(interdire)* to forbid » **défendre qqch à qqn** to forbid sb sthg » **défendre à qqn de faire qqch** to forbid sb to do sthg » **défendre que qqn fasse qqch** to forbid sb to do sthg.
■ **se défendre** *vp* **1.** *(se battre, se justifier)* to defend o.s. **2.** *(nier)* » **se défendre de faire qqch** to deny doing sthg **3.** *(thèse)* to stand up.

défendu, e ■ *pp* ▷ **défendre**. ■ *adj* » **'il est défendu de jouer au ballon'** 'no ball games'.

défense *nf* **1.** *(d'éléphant)* tusk **2.** *(interdiction)* prohibition, ban » **'défense de fumer/de stationner/d'entrer'** 'no smoking/parking/entry' » **'défense d'afficher'** 'stick *(UK) ou* post no bills' **3.** *(protection)* defence *(UK)*, defense *(US)* » **prendre la défense de** to stand up for » **légitime défense** DR self-defence *(UK)*, self-defense *(US)*.

défenseur *nm (partisan)* champion.

défensif, ive *adj* defensive. ■ **défensive** *nf* » **être sur la défensive** to be on the defensive.

déférence *nf* deference.

déferlement *nm* **1.** *(de vagues)* breaking **2.** *fig* surge, upsurge.

déferler *vi* **1.** *(vagues)* to break **2.** *fig* to surge.

défi *nm* challenge.

défiance *nf* distrust, mistrust.

déficience *nf* deficiency.

déficit *nm* FIN deficit » **être en déficit** to be in deficit.

déficitaire *adj* in deficit.

défier *vt (braver)* » **défier qqn de faire qqch** to defy sb to do sthg.

défigurer *vt* **1.** *(blesser)* to disfigure **2.** *(enlaidir)* to deface.

défilé *nm* **1.** *(parade)* parade **2.** *(couloir)* defile, narrow pass.

défiler *vi* **1.** *(dans une parade)* to march past **2.** *(se succéder)* to pass.
■ **se défiler** *vp fam* to back out.

défini, e *adj* **1.** *(précis)* clear, precise **2.** GRAMM definite.

définir *vt* to define.

définitif, ive *adj* definitive, final. ■ **en définitive** *loc adv* in the end.

définition *nf* definition • **à haute définition** high-definition.

définitivement *adv* for good, permanently.

À PROPOS DE...

définitivement

Attention à ne pas confondre « définitivement » avec *definitely* qui, du point de vue du sens, n'a pas grand-chose à voir avec l'adverbe français, pourtant si ressemblant. L'idée contenue dans *definitely* est celle de certitude. Par exemple, *definitely not!* signifie « *certainement pas !* », et *it's definitely him* se traduit par « *il n'y a pas de doute*, c'est lui ». Comment, dans ce cas, traduire « définitivement » ? Les exemples suivants le montrent : « ils sont partis définitivement », *they've gone for good* ; « elle est nommée définitivement à Chartres », *she's been given a permanent post in Chartres*.

---

défiscaliser *vt* to exempt from taxation.

déflationniste *adj* deflationary, deflationist.

défoncer *vt* **1.** *(caisse, porte)* to smash in **2.** *(route)* to break up **3.** *(mur)* to smash down **4.** *(chaise)* to break.

déformation *nf* **1.** *(d'objet, de théorie)* distortion **2.** MÉD deformity • **déformation professionnelle** *si vous voulez expliquer à un anglophone de quoi il s'agit, vous pouvez dire* it is a way of thinking that is produced by the job you do.

déformer *vt* to distort.
■ **se déformer** *vp* **1.** *(changer de forme)* to be distorted, to be deformed **2.** *(se courber)* to bend.

défouler *fam vt* to unwind.
■ **se défouler** *vp* to let off steam, to unwind.

défricher *vt* **1.** *(terrain)* to clear **2.** *fig (question)* to do the groundwork for.

défunt, e ■ *adj (décédé)* late. ■ *nm, f* deceased.

dégagé, e *adj* **1.** *(ciel, vue)* clear **2.** *(partie du corps)* bare **3.** *(désinvolte)* casual, airy **4.** *(libre)* • **dégagé de** free from.

dégager ■ *vt* **1.** *(odeur)* to produce, to give off **2.** *(délivrer - blessé)* to free, to extricate **3.** *(bénéfice)* to show **4.** *(pièce)* to clear **5.** *(libérer)* • **dégager qqn de** to release sb from. ■ *vi fam (partir)* to clear off.
■ **se dégager** *vp* **1.** *(se délivrer)* • **se dégager de qqch** to free o.s. from sthg • *fig* to get out of sthg **2.** *(émaner)* to be given off **3.** *(émerger)* to emerge.

dégarnir *vt* to strip, to clear.
■ **se dégarnir** *vp* **1.** *(vitrine)* to be cleared **2.** *(arbre)* to lose its leaves • **sa tête se dégarnit, il se dégarnit** he's going bald.

dégât *nm litt & fig* damage *(indénombrable)* • **dégâts matériels** structural damage • **faire des dégâts** to cause damage.

dégel *nm (fonte des glaces)* thaw.

dégeler ■ *vt (produit surgelé)* to thaw. ■ *vi* to thaw.

dégénéré, e *adj & nm, f* degenerate.

dégénérer *vi* to degenerate • **dégénérer en** to degenerate into.

dégivrer *vt* **1.** *(pare-brise)* to de-ice **2.** *(réfrigérateur)* to defrost.

dégonfler ■ *vt* to deflate, to let down (UK). ■ *vi* to go down.
■ **se dégonfler** *vp* **1.** *(objet)* to go down **2.** *fam (personne)* to chicken out.

dégouliner *vi* to trickle.

dégourdi, e *adj* clever.

dégourdir *vt* **1.** *(membres - ankylosés)* to restore the circulation to **2.** *fig (déniaiser)* • **dégourdir qqn** to teach sb a thing or two.
■ **se dégourdir** *vp* **1.** *(membres)* • **se dégourdir les jambes** to stretch one's legs **2.** *fig (acquérir de l'aisance)* to learn a thing or two.

dégoût *nm* disgust, distaste.

dégoûtant, e *adj* **1.** *(sale)* filthy, disgusting **2.** *(révoltant, grossier)* disgusting.

dégoûter *vt* to disgust.

dégoutter *vi* • **dégoutter (de qqch)** to drip (with sthg).

dégradé, e ■ *nm* **1.** *(technique)* shading off **2.** *(résultat)* gradation • **un dégradé de bleu** a blue shading. ■ **en dégradé** *loc adv (cheveux)* layered.

dégrader *vt* **1.** *(officier)* to degrade **2.** *(abîmer - bâtiment)* to damage **3.** *fig (avilir)* to degrade, to debase.

■ **se dégrader** *vp* **1.** *(bâtiment, santé)* to deteriorate **2.** *fig (personne)* to degrade o.s..

dégrafer *vt* to undo, to unfasten.

dégraissage *nm* **1.** *(de vêtement)* dry-cleaning **2.** *(de personnel)* trimming, cutting back.

degré *nm (gén)* degree ◦ **degrés centigrades** *ou* **Celsius** degrees centigrade *ou* Celsius ◦ **prendre qqn/qqch au premier degré** to take sb/sthg at face value.

dégressif, ive *adj* ◦ **tarif dégressif** decreasing price scale.

dégringoler *vi* **1.** *(tomber)* to tumble **2.** *fig* to crash.

déguenillé, e *adj* ragged.

déguerpir *vi* to clear off.

dégueulasse *tfam* ▨ *adj* **1.** *(très sale, grossier)* filthy **2.** *(très mauvais - plat)* disgusting ◦ *(- temps)* lousy. ▨ *nmf* scum *(indénombrable)*.

dégueuler *vi fam* to throw up.

déguisement *nm* **1.** disguise **2.** *(pour bal masqué)* fancy dress.

déguiser *vt* to disguise.
■ **se déguiser** *vp* ◦ **se déguiser en** *(pour tromper)* to disguise o.s. as ◦ *(pour s'amuser)* to dress up as.

dégustation *nf* tasting, sampling ◦ **dégustation de vin** wine tasting.

déguster ▨ *vt (savourer)* to taste, to sample. ▨ *vi fam (subir)* ◦ **il va déguster !** he'll be in for it!

déhancher ■ **se déhancher** *vp* **1.** *(en marchant)* to swing one's hips **2.** *(en restant immobile)* to put all one's weight on one leg.

dehors ▨ *adv* outside ◦ **aller dehors** to go outside ◦ **dormir dehors** to sleep out of doors, to sleep out ◦ **jeter** *ou* **mettre qqn dehors** to throw sb out. ▨ *nm* outside. ▨ *nmpl* ◦ **les dehors** *(les apparences)* appearances. ■ **en dehors** *loc adv* **1.** *(à l'extérieur)* outside **2.** *(vers l'extérieur)* outwards *(UK)*, outward *(US)*. ■ **en dehors de** *loc prép (excepté)* apart from.

déjà *adv*

1. EXPRIME LA RAPIDITÉ DANS L'EXÉCUTION D'UNE ACTION
◦ **elle a déjà fini !** she has already finished! *ou* she has finished already!

2. EXPRIME UNE ACTION RÉALISÉE PRÉCÉDEMMENT
◦ **es-tu déjà allé aux États-Unis ?** have you ever been to the United States?
◦ **je suis sûr d'être déjà venu ici** I'm sure I've been here before *ou* I'm sure I've already been here
◦ **est-ce que Charlotte est déjà arrivée ?** has Charlotte arrived yet?

3. POUR DEMANDER UNE CONFIRMATION
◦ **quel est ton nom, déjà ?** what did you say your name was?

4. RENFORCE UNE AFFIRMATION
◦ **ce n'est déjà pas si mal** that's not bad at all
◦ **il est déjà bien payé** he is paid well enough as he is.

déjeuner ▨ *vi* **1.** *(le matin)* to have breakfast **2.** *(à midi)* to have lunch. ▨ *nm* **1.** *(repas de midi)* lunch **2.** *(Québec) (dîner)* dinner.

déjouer *vt* to frustrate ◦ **déjouer la surveillance de qqn** to elude sb's surveillance.

délabré, e *adj* ruined.

délacer *vt* to unlace, to undo.

délai *nm* **1.** *(temps accordé)* period ◦ **sans délai** immediately ◦ **délai de livraison** delivery time, lead time **2.** *(sursis)* extension (of deadline).

délai

À PROPOS DE...

Certes, « délai » et l'anglais *delay* ont tous les deux un rapport avec la notion de temps, c'est pourquoi il est facile de les confondre. Attention toutefois à ne jamais traduire l'un par l'autre : un *delay* est un « retard », alors que « délai » se traduit par *extension, time, etc*, selon les contextes. Comparez, par exemple, *there's a two-hour delay on all international flights*, « il y a un *retard* de deux heures sur tous les vols internationaux », et « laissez-moi un délai de réflexion », *give me time to think*, ou encore « ils lui ont accordé un délai », *they granted him an extension*.

délaisser *vt* **1.** *(abandonner)* to leave **2.** *(négliger)* to neglect.

délassement *nm* relaxation.

délasser *vt* to refresh.
■ **se délasser** *vp* to relax.

délation nf informing.

délavé, e adj faded.

délayer vt (diluer) • **délayer qqch dans qqch** to mix sthg with sthg.

délecter ■ **se délecter** vp • **se délecter de qqch/à faire qqch** to delight in sthg/in doing sthg.

délégation nf delegation • **agir par délégation** to be delegated to act.

délégué, e ◨ adj (personne) delegated. ◨ nm, f (représentant) • **délégué (à)** delegate (to).

déléguer vt • **déléguer qqn (à qqch)** to delegate sb (to sthg).

délester vt 1. (circulation routière) to set up a diversion on, to divert, to detour (US) 2. fig & hum (voler) • **délester qqn de qqch** to relieve sb of sthg.

délibération nf deliberation.

délibéré, e adj 1. (intentionnel) deliberate 2. (résolu) determined.

délibérer vi • **délibérer (de** ou **sur)** to deliberate (on ou over).

délicat, e adj 1. (gén) delicate 2. (exigeant) fussy, difficult.

délicatement adv delicately.

délicatesse nf 1. (gén) delicacy 2. (tact) delicacy, tact.

délice nm delight.

délicieux, euse adj 1. (savoureux) delicious 2. (agréable) delightful.

délié, e adj (doigts) nimble.

délier vt to untie.

délimiter vt 1. (frontière) to fix 2. fig (question, domaine) to define, to demarcate.

délinquance nf delinquency.

délinquant, e nm, f delinquent.

délirant, e adj 1. MÉD delirious 2. (extravagant) frenzied 3. fam (extraordinaire) crazy.

délire nm MÉD delirium • **en délire** fig frenzied.

délirer vi 1. MÉD to be ou become delirious 2. fam fig to rave.

délit nm crime, offence (UK), offense (US) • **en flagrant délit** red-handed, in the act.

délivrance nf 1. (libération) freeing, release 2. (soulagement) relief 3. (accouchement) delivery.

délivrer vt 1. (prisonnier) to free, to release 2. (pays) to deliver, to free • **délivrer de** to free from • fig to relieve from 3. (remettre) • **délivrer qqch (à qqn)** to issue sthg (to sb) 4. (marchandise) to deliver.

déloger vt • **déloger (de)** to dislodge (from).

déloyal, e adj 1. (infidèle) disloyal 2. (malhonnête) unfair.

delta nm delta.

deltaplane, delta-plane nm hang glider.

déluge nm 1. RELIG • **le Déluge** the Flood 2. (pluie) downpour, deluge • **un déluge de** fig a flood of.

déluré, e adj 1. (malin) quick-witted 2. péj (dévergondé) saucy.

démagogie nf demagogy, demagoguery.

demain ◨ adv 1. (le jour suivant) tomorrow • **demain matin** tomorrow morning 2. fig (plus tard) in the future. ◨ nm tomorrow • **à demain !** see you tomorrow!

demande nf 1. (souhait) request 2. (démarche) proposal • **demande en mariage** proposal of marriage 3. (candidature) application • **demande d'emploi** job application • **'demandes d'emploi'** 'situations wanted' 4. ÉCON demand.

demandé, e adj in demand.

demander ◨ vt 1. (réclamer, s'enquérir) to ask for • **demander qqch à qqn** to ask sb for sthg 2. (appeler) to call • **on vous demande à la réception/au téléphone** you're wanted at reception/on the telephone 3. (désirer) to ask, to want • **je ne demande pas mieux** I'd be only too pleased (to), I'd love to 4. (exiger) • **tu m'en demandes trop** you're asking too much of me 5. (nécessiter) to require. ◨ vi 1. (réclamer) • **demander à qqn de faire qqch** to ask sb to do sthg • **ne demander qu'à...** to be ready to... 2. (nécessiter) • **ce projet demande à être étudié** this project requires investigation ou needs investigating.

■ **se demander** vp • **se demander (si)** to wonder (if ou whether).

demandeur, euse nm, f (solliciteur) • **demandeur d'asile** asylum-seeker • **demandeur d'emploi** job-seeker.

démangeaison nf 1. (irritation) itch, itching (indénombrable) 2. fam fig urge.

démanger *vi (gratter)* to itch • **ça me démange de...** *fig* I'm itching *ou* dying to…

démanteler *vt* **1.** *(construction)* to demolish **2.** *fig* to break up.

démaquillant, e *adj* make-up-removing *(avant nom)*. ■ **démaquillant** *nm* make-up remover.

démaquiller *vt* to remove make-up from.
■ **se démaquiller** *vp* to remove one's make-up.

démarche *nf* **1.** *(manière de marcher)* gait, walk **2.** *(raisonnement)* approach, method **3.** *(requête)* step • **faire les démarches pour faire qqch** to take the necessary steps to do sthg.

démarcheur, euse *nm, f (représentant)* door-to-door salesman *(f* saleswoman*)*.

démarquer *vt* **1.** *(solder)* to mark down **2.** SPORT not to mark.
■ **se démarquer** *vp* **1.** SPORT to shake off one's marker **2.** *fig (se distinguer)* • **se démarquer (de)** to distinguish o.s. (from).

démarrage *nm* starting, start • **démarrage en côte** hill start.

démarrer ■ *vi* **1.** *(véhicule)* to start (up) **2.** *(conducteur)* to drive off **3.** *fig (affaire, projet)* to get off the ground. ■ *vt* **1.** *(véhicule)* to start (up) **2.** *fam fig (commencer)* • **démarrer qqch** to get sthg going.

démarreur *nm* starter.

démasquer *vt* **1.** *(personne)* to unmask **2.** *fig (complot, plan)* to unveil.

démêlant, e *adj* conditioning *(avant nom)*. ■ **démêlant** *nm* conditioner.

démêlé *nm* quarrel • **avoir des démêlés avec la justice** to get into trouble with the law.

démêler *vt* **1.** *(cheveux, fil)* to untangle **2.** *fig* to unravel.
■ **se démêler** *vp* • **se démêler de** *fig* to extricate o.s. from.

déménagement *nm* removal.

déménager ■ *vt* to move. ■ *vi* to move, to move house.

déménageur *nm* removal man *(UK)*, mover *(US)*.

démence *nf* **1.** MÉD dementia **2.** *(bêtise)* madness.

démener ■ **se démener** *vp litt & fig* to struggle.

dément, e ■ *adj* **1.** MÉD demented **2.** *fam (extraordinaire, extravagant)* crazy. ■ *nm, f* demented person.

démenti *nm* denial.

démentiel, elle *adj* **1.** MÉD demented **2.** *fam (incroyable)* crazy.

démentir *vt* **1.** *(réfuter)* to deny **2.** *(contredire)* to contradict.

démesure *nf* excess, immoderation.

démettre *vt* **1.** MÉD to put out (of joint) **2.** *(congédier)* • **démettre qqn de** to dismiss sb from.
■ **se démettre** *vp* **1.** MÉD • **se démettre l'épaule** to put one's shoulder out (of joint) **2.** *(démissionner)* • **se démettre de ses fonctions** to resign.

demeurant ■ **au demeurant** *loc adv* all things considered.

demeure *nf sout (domicile, habitation)* residence. ■ **à demeure** *loc adv* permanently.

demeuré, e ■ *adj* simple, half-witted. ■ *nm, f* half-wit.

demeurer *vi* **1.** *(habiter)* to live **2.** *(rester)* to remain.

demi, e *adj* half • **un kilo et demi** one and a half kilos • **il est une heure et demie** it's half past one • **à demi** half • **dormir à demi** to be half-asleep • **ouvrir à demi** to half-open • **faire les choses à demi** to do things by halves. ■ **demi** *nm* **1.** *(bière)* beer, ≃ half-pint *(UK)* **2.** FOOTBALL midfielder. ■ **demie** *nf* • **à la demie** on the half-hour.

demi-cercle *nm* semicircle.

demi-douzaine *nf* half-dozen • **une demi-douzaine (de)** half a dozen.

demi-finale *nf* semifinal.

demi-frère *nm* half-brother.

demi-gros *nm* • **(commerce de) demi-gros** cash and carry.

demi-heure *nf* half an hour, half-hour.

demi-journée *nf* half a day, half-day.

démilitariser *vt* to demilitarize.

demi-litre *nm* half a litre *(UK) ou* liter *(US)*, half-litre *(UK)*, half-liter *(US)*.

demi-mesure *nf* **1.** *(quantité)* half a measure **2.** *(compromis)* half-measure.

demi-mot ■ **à demi-mot** *loc adv* • **comprendre à demi-mot** to understand without things having to be spelled out.

déminer *vt* to clear of mines.

demi-pension *nf* **1.** *(d'hôtel)* half-board (UK), modfied American plan (US) **2.** *(d'école)* • **être en demi-pension** to take school lunches *ou* dinners (UK).

demi-sœur *nf* half-sister.

démission *nf* resignation.

démissionner *vi* **1.** *(d'un emploi)* to resign **2.** *fig* to give up.

demi-tarif ◨ *adj* half-price. ◨ *nm* **1.** *(tarification)* half-fare **2.** *(billet)* half-price ticket.

demi-tour *nm* **1.** *(gén)* half-turn **2.** MIL about-turn • **faire demi-tour** to turn back.

démocrate *nmf* democrat.

démocratie *nf* democracy.

démocratique *adj* democratic.

démocratiser *vt* to democratize.

démodé, e *adj* old-fashioned.

démographique *adj* demographic.

demoiselle *nf* *(jeune fille)* maid • **demoiselle d'honneur** bridesmaid.

démolir *vt* *(gén)* to demolish.

démolition *nf* demolition.

démon *nm* *(diable, personne)* devil, demon • **le démon** RELIG the Devil.

démoniaque *adj* *(diabolique)* diabolical.

démonstratif, ive *adj* *(personne & GRAMM)* demonstrative. ◨ **démonstratif** *nm* GRAMM demonstrative.

démonstration *nf* *(gén)* demonstration.

démonter *vt* **1.** *(appareil)* to dismantle, to take apart **2.** *(troubler)* • **démonter qqn** to put sb out. ◨ **se démonter** *vp* *fam* to be put out.

démontrer *vt* **1.** *(prouver)* to prove, to demonstrate **2.** *(témoigner de)* to show, to demonstrate.

démoralisant, e *adj* demoralizing.

démoraliser *vt* to demoralize. ◨ **se démoraliser** *vp* to lose heart.

démordre *vt* • **ne pas démordre de** to stick to.

démotiver *vt* to demotivate.

démouler *vt* to turn out of *ou* remove from a mould (UK) *ou* mold (US).

démunir *vt* to deprive. ◨ **se démunir** *vp* • **se démunir de** to part with.

dénaturer *vt* **1.** *(goût)* to impair, to mar **2.** TECHNOL to denature **3.** *(déformer)* to distort.

dénégation *nf* denial.

dénicher *vt* *fig* **1.** *(personne)* to flush out **2.** *fam (objet)* to unearth.

dénigrer *vt* to denigrate, to run down.

dénivelé *nm* difference in level *ou* height.

dénivellation *nf* **1.** *(différence de niveau)* difference in level *ou* height **2.** *(pente)* slope.

dénombrer *vt* **1.** *(compter)* to count **2.** *(énumérer)* to enumerate.

dénominateur *nm* denominator.

dénomination *nf* name.

dénommé, e *adj* • **un dénommé Robert** someone by the name of Robert.

dénoncer *vt* **1.** *(gén)* to denounce • **dénoncer qqn à qqn** to denounce sb to sb, to inform on sb **2.** *fig (trahir)* to betray.

dénonciation *nf* denunciation.

dénoter *vt* to show, to indicate.

dénouement *nm* **1.** *(issue)* outcome **2.** *(d'un film, d'un livre)* denouement.

dénouer *vt* **1.** *(nœud)* to untie, to undo **2.** *fig* to unravel.

dénoyauter *vt* *(fruit)* to stone (UK), to pit (US).

denrée *nf* *(produit)* produce *(indénombrable)* • **denrées alimentaires** foodstuffs.

dense *adj* **1.** *(gén)* dense **2.** *(style)* condensed.

densité *nf* density.

dent *nf* **1.** *(de personne, d'objet)* tooth • **faire ses dents** to cut one's teeth, to teethe • **dent de lait** baby *ou* milk (UK) tooth • **dent de sagesse** wisdom tooth **2.** GÉOGR peak.

dentaire *adj* dental.

dentelé, e *adj* serrated, jagged.

dentelle *nf* lace *(indénombrable)*.

dentier *nm* *(dents)* dentures *pl*.

dentifrice *nm* toothpaste.

dentiste *nmf* dentist.

dentition *nf* teeth *pl*, dentition.

dénuder *vt* **1.** to leave bare **2.** *(fil électrique)* to strip.

dénué, e *adj sout* • **dénué de** devoid of.

dénuement *nm* destitution *(indénombrable)*.

déodorant, e *adj* deodorant. ■ **déodorant** *nm* deodorant.

déontologie *nf* professional ethics *pl.*

dépannage *nm* repair • **service de dépannage** AUTO breakdown service.

dépanner *vt* **1.** *(réparer)* to repair, to fix **2.** *fam (aider)* to bail out.

dépanneur, euse *nm, f* repairman (*f* repairwoman). ■ **dépanneuse** *nf (véhicule)* breakdown truck (UK), breakdown lorry (UK), tow truck (US), wrecker (US).

dépareillé, e *adj* **1.** *(ensemble)* non-matching **2.** *(paire)* odd.

départ *nm* **1.** *(de personne)* departure, leaving • **les grands départs** the holiday exodus **2.** *(de véhicule)* departure **3.** *fig &* SPORT start. ■ **au départ** *loc adv* to start with.

départager *vt* **1.** *(concurrents, opinions)* to decide between **2.** *(séparer)* to separate.

département *nm* **1.** *(territoire)* département, department **2.** *(service)* department.

départemental, e *adj (route)* ≃ B *(road)*. ■ **départementale** *nf* secondary road, ≃ B road (UK).

dépassé, e *adj* **1.** *(périmé)* old-fashioned **2.** *fam (déconcerté)* • **dépassé par** overwhelmed by.

dépassement *nm (en voiture)* overtaking (UK), passing (US).

dépasser ◨ *vt* **1.** *(doubler)* to pass, to overtake (UK) **2.** *(être plus grand que)* to be taller than **3.** *(excéder)* to exceed, to be more than **4.** *(durer plus longtemps que)* • **dépasser une heure** to go on for more than an hour **5.** *(aller au-delà de)* to exceed **6.** *(franchir)* to pass. ◨ *vi* • **dépasser (de)** to stick out (from).

dépayser *vt* **1.** *(désorienter)* to disorient, to disorientate (UK) **2.** *(changer agréablement)* to make a change for sb.

dépecer *vt* **1.** *(découper)* to chop up **2.** *(déchiqueter)* to tear apart.

dépêche *nf* dispatch.

dépêcher *vt sout (envoyer)* to dispatch. ■ **se dépêcher** *vp* to hurry up • **se dépêcher de faire qqch** to hurry to do sthg.

dépeindre *vt* to depict, to describe.

dépeint, e *pp* ⊳ **dépeindre**.

dépénaliser *vt* to decriminalize.

dépendance *nf* **1.** *(de personne)* dependence • **être sous la dépendance de** to be dependent on **2.** *(à la drogue)* dependency **3.** *(de bâtiment)* outbuilding.

dépendre *vt* **1.** *(être soumis)* • **dépendre de** to depend on • **ça dépend** it depends **2.** *(appartenir)* • **dépendre de** to belong to.

dépens *nmpl* DR costs • **aux dépens de qqn** at sb's expense • **je l'ai appris à mes dépens** I learned that to my cost.

dépense *nf* **1.** *(frais)* expense **2.** *fig &* FIN expenditure *(indénombrable)* • **les dépenses publiques** public spending *(indénombrable)*.

dépenser *vt* **1.** *(argent)* to spend **2.** *fig (énergie)* to expend. ■ **se dépenser** *vp litt & fig* to exert o.s..

dépensier, ère *adj* extravagant.

déperdition *nf* loss.

dépérir *vi* **1.** *(personne)* to waste away **2.** *(santé, affaire)* to decline **3.** *(plante)* to wither.

dépeupler *vt* **1.** *(pays)* to depopulate **2.** *(étang, rivière, forêt)* to drive the wildlife from.

déphasé, e *adj* ÉLECTR out of phase **2.** *fam fig* out of touch.

dépilatoire *adj* • **crème dépilatoire** depilatory cream.

dépistage *nm (de maladie)* screening • **dépistage du cancer** screening for cancer • **dépistage précoce** early screening • **dépistage du SIDA** AIDS testing.

dépister *vt* **1.** *(gibier, voleur)* to track down **2.** *(maladie)* to screen for.

dépit *nm* pique, spite. ■ **en dépit de** *loc prép* in spite of.

déplacé, e *adj* **1.** *(propos, attitude, présence)* out of place **2.** *(personne)* displaced.

déplacement *nm* **1.** *(d'objet)* moving **2.** *(voyage)* travelling *(indénombrable)* (UK), traveling *(indénombrable)* (US).

déplacer *vt* **1.** *(objet)* to move, to shift **2.** *fig (problème)* to shift the emphasis of **3.** *(muter)* to transfer. ■ **se déplacer** *vp* **1.** *(se mouvoir - animal)* to move (around) • *(- personne)* to walk **2.** *(voyager)* to travel **3.** MÉD • **se déplacer une vertèbre** to slip a disc (UK) *ou* disk (US).

déplaire vt 1. *(ne pas plaire)* • **cela me déplaît** I don't like it 2. *(irriter)* to displease.

déplaisant, e adj *sout* unpleasant.

dépliant nm leaflet • **dépliant touristique** tourist brochure.

déplier vt to unfold.

déploiement nm 1. MIL deployment 2. *(d'ailes)* spreading 3. *fig (d'efforts)* display.

déplorer vt *(regretter)* to deplore.

déployer vt 1. *(déplier - gén)* to unfold • *(- plan, journal)* to open 2. *(ailes)* to spread 3. MIL to deploy 4. *(mettre en œuvre)* to expend.

déportation nf 1. *(exil)* deportation 2. *(internement)* transportation to a concentration camp.

déporté, e nm, f 1. *(exilé)* deportee 2. *(interné)* prisoner *(in a concentration camp)*.

déporter vt 1. *(dévier)* to carry off course 2. *(exiler)* to deport 3. *(interner)* to send to a concentration camp.

déposé, e adj • **marque déposée** registered trademark • **modèle déposé** patented design.

déposer ■ vt 1. *(poser)* to put down 2. *(personne, paquet)* to drop 3. *(argent, sédiment)* to deposit 4. DR to file • **déposer son bilan** FIN to go into liquidation 5. *(monarque)* to depose. ■ vi DR to testify, to give evidence.
■ **se déposer** vp to settle.

dépositaire nmf 1. COMM agent 2. *(d'objet)* bailee • **dépositaire de** *fig* person entrusted with.

déposition nf deposition.

déposséder vt • **déposséder qqn de** to dispossess sb of.

dépôt nm 1. *(d'objet, d'argent, de sédiment)* deposit, depositing *(indénombrable)* • **verser un dépôt (de garantie)** to put down a deposit • **dépôt d'ordures** rubbish dump *(UK)*, garbage dump *(US)* 2. ADMIN registration • **dépôt légal** copyright registration 3. *(garage)* depot 4. *(entrepôt)* store, warehouse 5. *(prison)* ≃ police cells pl.

dépotoir nm 1. *(décharge)* rubbish dump *(UK)*, garbage dump *(US)* 2. *fam fig* dump, tip *(UK)*.

dépouille nf 1. *(peau)* hide, skin 2. *(humaine)* remains pl.

dépouillement nm *(sobriété)* austerity, sobriety.

dépouiller vt 1. *(priver)* • **dépouiller qqn (de)** to strip sb (of) 2. *(examiner)* to peruse • **dépouiller le scrutin** to count the votes.

dépourvu, e adj • **dépourvu de** without, lacking in. ■ **au dépourvu** *loc adv* • **prendre qqn au dépourvu** to catch sb unawares.

dépoussiérer vt to dust (off).

dépravé, e adj depraved. ◙ nm, f degenerate.

dépréciation nf depreciation.

déprécier vt 1. *(marchandise)* to reduce the value of 2. *(œuvre)* to disparage. ■ **se déprécier** vp 1. *(marchandise)* to depreciate 2. *(personne)* to put o.s. down.

dépressif, ive adj depressive.

dépression nf depression • **dépression nerveuse** nervous breakdown.

déprimant, e adj depressing.

déprime nf *fam* • **faire une déprime** to be (feeling) down.

déprimé, e adj depressed.

déprimer ◙ vt to depress. ◙ vi *fam* to be (feeling) down.

déprogrammer vt 1. to remove from the schedule 2. TV to take off the air.

dépuceler vt *fam* • **dépuceler qqn** to take sb's virginity.

---

depuis *prép*

1. INDIQUE UN POINT DE DÉPART DANS LE TEMPS
• **je ne l'ai pas vu depuis son mariage** I haven't seen him since his wedding *ou* he got married
• **il est parti depuis hier** he's been away since yesterday
• **depuis quand le connaissez-vous ?** how long have you known him?
• **depuis quelle date êtes-vous ici ?** since when have you been here? *ou* when did you arrive?
• **il aime la musique depuis sa plus tendre enfance** he has loved music since his earliest childhood

2. EXPRIME UNE DURÉE

- **il est malade depuis une semaine** he has been ill for a week
- **on se connaît depuis 10 ans/longtemps** we've known each other for 10 years/a long time
- **quand je suis arrivé, ils discutaient depuis des heures** when I arrived, they had been chatting for hours
- **ils sont amis depuis toujours** they've always been friends

3. INDIQUE UN POINT DE DÉPART DANS L'ESPACE from

- **depuis la route, on pouvait voir la mer** you could see the sea from the road.

depuis *adv*

since (then)

- **depuis, nous ne l'avons pas revu** we haven't seen him since (then).

■ **depuis que** *loc conj*

since

- **je ne l'ai pas revu depuis qu'il s'est marié** I haven't seen him since he got married.

député *nm* POLIT • *(au parlement)* member of parliament *(UK)*, representative *(US)* • *(en France)* deputy • *(en Grande-Bretagne)* member of parliament • *(aux États-Unis)* Congressman *(f* Congresswoman*)*.

déraciner *vt litt* & *fig* to uproot.

déraillement *nm* derailment.

dérailler *vi* **1.** *(train)* to leave the rails, to be derailed **2.** *fam fig (mécanisme)* to go on the blink **3.** *fam fig (personne)* to go to pieces.

dérailleur *nm* *(de bicyclette)* derailleur.

déraisonnable *adj* unreasonable.

dérangement *nm* trouble • **en dérangement** out of order.

déranger ■ *vt* **1.** *(personne)* to disturb, to bother • **ça vous dérange si je fume ?** do you mind if I smoke? **2.** *(plan)* to disrupt **3.** *(maison, pièce)* to make untidy. ■ *vi* to be disturbing.

■ **se déranger** *vp* **1.** *(se déplacer)* to move **2.** *(se gêner)* to put o.s. out.

dérapage *nm* **1.** *(glissement)* skid **2.** *fig* excess.

déraper *vi* **1.** *(glisser)* to skid **2.** *fig* to get out of hand.

déréglementer *vt* to deregulate.

dérégler *vt* **1.** *(mécanisme)* to put out of order **2.** *fig* to upset.

■ **se dérégler** *vp* **1.** *(mécanisme)* to go wrong **2.** *fig* to be upset *ou* unsettled.

dérider *vt fig* • **dérider qqn** to cheer sb up.

dérision *nf* derision • **tourner qqch en dérision** to hold sthg up to ridicule.

dérisoire *adj* derisory.

dérivatif, ive *adj* derivative. ■ **dérivatif** *nm* distraction.

dérive *nf* *(mouvement)* drift, drifting *(indénombrable)* • **aller** *ou* **partir à la dérive** *fig* to fall apart.

dérivé *nm* CHIM & LING derivative.

dériver ■ *vt (détourner)* to divert *(UK)*, to detour *(US)*. ■ *vi* **1.** *(aller à la dérive)* to drift **2.** *fig (découler)* • **dériver de** to derive from.

dermatologie *nf* dermatology.

dermatologue *nmf* dermatologist.

dernier, ère ■ *adj* **1.** *(gén)* last • **l'année dernière** last year **2.** *(ultime)* last, final **3.** *(plus récent)* latest. ■ *nm, f* last • **ce dernier** the latter. ■ **en dernier** *loc adv* last.

dernièrement *adv* recently, lately.

dernier-né, dernière-née *nm, f (bébé)* youngest (child).

dérobade *nf* evasion, shirking *(indénombrable)*.

dérobé, e *adj* **1.** *(volé)* stolen **2.** *(caché)* hidden. ■ **à la dérobée** *loc adv* surreptitiously.

dérober *vt sout* to steal.

■ **se dérober** *vp* **1.** *(se soustraire)* • **se dérober à qqch** to shirk sthg **2.** *(s'effondrer)* to give way.

dérogation *nf* **1.** *(action)* dispensation **2.** *(résultat)* exception.

déroulement *nm* **1.** *(de bobine)* unwinding **2.** *fig (d'événement)* development.

dérouler *vt* **1.** *(fil)* to unwind **2.** *(papier, tissu)* to unroll.

■ **se dérouler** *vp* to take place.

déroute *nf* **1.** MIL rout **2.** *fig* collapse.

dérouter *vt* **1.** *(déconcerter)* to disconcert, to put out **2.** *(dévier)* to divert *(UK)*, to detour *(US)*.

derrière ◼ *prép* & *adv* behind. ◼ *nm*
1. *(partie arrière)* back • **la porte de derrière**
the back door **2.** *(partie du corps)* bottom,
behind.

dès *prép* from • **dès son arrivée** the
minute he arrives/arrived, as soon as
he arrives/arrived • **dès l'enfance** since
childhood • **dès 1900** as far back as
1900, as early as 1900 • **dès maintenant**
from now on • **dès demain** starting *ou*
from tomorrow. ◼ **dès que** *loc conj* as
soon as.

désabusé, e *adj* disillusioned.

désaccord *nm* disagreement.

désaccordé, e *adj* out of tune.

désaffecté, e *adj* disused.

désaffection *nf* disaffection.

désagréable *adj* unpleasant.

désagréger *vt* to break up.
◼ **se désagréger** *vp* to break up.

désagrément *nm* annoyance.

désaltérant, e *adj* thirst-quenching.

désaltérer ◼ **se désaltérer** *vp* to
quench one's thirst.

désamorcer *vt* **1.** *(arme)* to remove the
primer from **2.** *(bombe)* to defuse **3.** *fig
(complot)* to nip in the bud.

désappointer *vt* to disappoint.

désapprobation *nf* disapproval.

désapprouver ◼ *vt* to disapprove of.
◼ *vi* to disapprove.

désarmement *nm* disarmament.

désarmer *vt* **1.** to disarm **2.** *(fusil)* to unload.

désarroi *nm* confusion.

désastre *nm* disaster.

désastreux, euse *adj* disastrous.

désavantage *nm* disadvantage.

désavantager *vt* to disadvantage.

désavantageux, euse *adj* unfavourable *(UK)*, unfavorable *(US)*.

désavouer *vt* to disown.

désaxé, e ◼ *adj (mentalement)* disordered,
unhinged. ◼ *nm, f* unhinged person.

descendance *nf (progéniture)* descendants *pl*.

descendant, e *nm, f (héritier)* descendant.

descendre ◼ *vt* **1.** *(escalier, pente)* to go/
come down • **descendre la rue en cou-
rant** to run down the street **2.** *(rideau, tableau)* to lower **3.** *(apporter)* to bring/take
down **4.** *fam (personne, avion)* to shoot
down. ◼ *vi* **1.** *(gén)* to go/come down
2. *(température, niveau)* to fall **3.** *(passager)* to
get off • **descendre d'un bus** to get off a
bus • **descendre d'une voiture** to get out
of a car **4.** *(être issu)* • **descendre de** to be
descended from **5.** *(marée)* to go out.

descendu, e *pp* ▷ **descendre**.

descente *nf* **1.** *(action)* descent **2.** *(pente)*
downhill slope *ou* stretch **3.** *(irruption)*
raid **4.** *(tapis)* • **descente de lit** bedside
rug.

descriptif, ive *adj* descriptive. ◼ **descriptif** *nm* **1.** *(de lieu)* particulars *pl*
2. *(d'appareil)* specification.

description *nf* description.

désemparé, e *adj* **1.** *(personne)* helpless
2. *(avion, navire)* disabled.

désendettement *nm* degearing *(UK)*,
debt reduction.

désenfler *vi* to go down, to become
less swollen.

désensibiliser *vt* to desensitize.

déséquilibre *nm* imbalance.

déséquilibré, e *nm, f* unbalanced person.

déséquilibrer *vt* **1.** *(physiquement)* • **déséquilibrer qqn** to throw sb off balance
2. *(perturber)* to unbalance.

désert, e *adj* **1.** *(désertique - île)* desert
(avant nom) **2.** *(peu fréquenté)* deserted.
◼ **désert** *nm* desert.

déserter *vt* & *vi* to desert.

déserteur nm 1. MIL deserter 2. fig & péj traitor.

désertion nf desertion.

désertique adj desert (avant nom).

désespéré, e adj 1. (regard) desperate 2. (situation) hopeless.

désespérément adv 1. (sans espoir) hopelessly 2. (avec acharnement) desperately.

désespérer ◼ vt 1. (décourager) • **désespérer qqn** to drive sb to despair 2. (perdre espoir) • **désespérer que qqch arrive** to give up hope of sthg happening. ◼ vi • **désespérer (de)** to despair (of). ◼ **se désespérer** vp to despair.

désespoir nm despair • **en désespoir de cause** as a last resort.

déshabillé nm negligee.

déshabiller vt to undress. ◼ **se déshabiller** vp to undress, to get undressed.

désherbant, e adj weed-killing. ◼ **désherbant** nm weedkiller.

déshérité, e ◼ adj 1. (privé d'héritage) disinherited 2. (pauvre) deprived. ◼ nm, f (pauvre) deprived person.

déshériter vt to disinherit.

déshonneur nm disgrace.

déshonorer vt to disgrace, to bring disgrace on.

déshydrater vt to dehydrate. ◼ **se déshydrater** vp to become dehydrated.

désigner vt 1. (choisir) to appoint 2. (signaler) to point out 3. (nommer) to designate.

désillusion nf disillusion.

désincarné, e adj 1. RELIG disembodied 2. (éthéré) unearthly.

désinfectant, e adj disinfectant. ◼ **désinfectant** nm disinfectant.

désinfecter vt to disinfect.

désinflation nf disinflation.

désinstaller vt INFORM to uninstall.

désintégrer vt to break up. ◼ **se désintégrer** vp to disintegrate, to break up.

désintéressé, e adj disinterested.

désintéresser ◼ **se désintéresser** vp • **se désintéresser de** to lose interest in.

désintoxication nf detoxification.

désinvolte adj 1. (à l'aise) casual 2. péj (sans-gêne) offhand.

désinvolture nf 1. (légèreté) casualness 2. péj (sans-gêne) offhandedness.

désir nm 1. (souhait) desire, wish 2. (charnel) desire.

désirable adj desirable.

désirer vt 1. sout (chose) • **désirer faire qqch** to wish to do sthg • **vous désirez ?** (dans un magasin) can I help you? • (dans un café) what can I get you? 2. (sexuellement) to desire.

désistement nm • **désistement (de)** withdrawal (from).

désister ◼ **se désister** vp (se retirer) to withdraw, to stand down.

désobéir vi • **désobéir (à qqn)** to disobey (sb).

désobéissant, e adj disobedient.

désobligeant, e adj sout offensive.

désodorisant, e adj deodorizing. ◼ **désodorisant** nm deodorizer, air freshener.

désœuvré, e adj idle.

désolation nf 1. (destruction) desolation 2. sout (affliction) distress.

désolé, e adj 1. (ravagé) desolate 2. (contrarié) very sorry.

désoler vt 1. (affliger) to sadden 2. (contrarier) to upset, to make sorry. ◼ **se désoler** vp (être contrarié) to be upset.

désolidariser vt 1. (choses) • **désolidariser qqch (de)** to disengage ou disconnect sthg (from) 2. (personnes) to estrange. ◼ **se désolidariser** vp • **se désolidariser de** to dissociate o.s. from.

désopilant, e *adj* hilarious.

désordonné, e *adj* **1.** *(maison, personne)* untidy **2.** *fig (vie)* disorganized.

désordre *nm* **1.** *(fouillis)* untidiness • **en désordre** untidy **2.** *(agitation)* disturbances *pl*, disorder *(indénombrable)*.

désorganiser *vt* to disrupt.

désorienté, e *adj* disoriented, disorientated *(UK)*.

désormais *adv* from now on, in future.

désosser *vt* to bone.

despote *nm* **1.** *(chef d'État)* despot **2.** *fig & péj* tyrant.

despotisme *nm* **1.** *(gouvernement)* despotism **2.** *fig & péj* tyranny.

DESS *(abr de **diplôme d'études supérieures spécialisées**) nm* ≃ master's (degree).

dessécher *vt* **1.** *(peau)* to dry (out) **2.** *fig (cœur)* to harden.
■ **se dessécher** *vp* **1.** *(peau, terre)* to dry out **2.** *(plante)* to wither **3.** *fig* to harden.

desserrer *vt* **1.** to loosen **2.** *(poing, dents)* to unclench **3.** *(frein)* to release.

dessert *nm* dessert.

desserte *nf* **1.** *(transports)* (transport) service *(UK)*, (transportation) service *(US)* **2.** *(meuble)* sideboard.

desservir *vt* **1.** *(transports)* to serve **2.** *(table)* to clear **3.** *(désavantager)* to do a disservice to.

dessin *nm* **1.** *(graphique)* drawing • **dessin animé** cartoon *(film)* • **dessin humoristique** cartoon *(drawing)* **2.** *fig (contour)* outline.

dessinateur, trice *nm, f* artist, draughtsman (*f* draughtswoman) *(UK)*, draftsman (*f* draftswoman) *(US)*.

dessiner ◼ *vt* **1.** *(représenter)* to draw **2.** *fig* to outline. ◼ *vi* to draw.

dessous ◼ *adv* underneath. ◼ *nm (partie inférieure - gén)* underside • (*- d'un tissu)* wrong side. ◼ *nmpl (sous-vêtements féminins)* underwear *(indénombrable)*. ◼ **en dessous** *loc adv* **1.** underneath **2.** *(plus bas)* below • **ils habitent l'appartement d'en dessous** they live in the flat below *ou* downstairs.

dessous-de-plat *nm inv* tablemat.

dessus ◼ *adv* on top • **faites attention à ne pas marcher dessus** be careful not to walk on it. ◼ *nm* **1.** *(partie supérieure)* top **2.** *(étage supérieur)* upstairs • **les voisins du dessus** the upstairs neighbours • **avoir le dessus** to have the upper hand • **reprendre le dessus** to get over it. ◼ **en dessus** *loc adv* on top.

dessus-de-lit *nm inv* bedspread.

déstabiliser *vt* to destabilize.

destin *nm* fate, destiny.

destinataire *nmf* addressee.

destination *nf* **1.** *(direction)* destination • **un avion à destination de Paris** a plane to *ou* for Paris **2.** *(rôle)* purpose.

destinée *nf* destiny.

destiner *vt* **1.** *(consacrer)* • **destiner qqch à** to intend sthg for, to mean sthg for **2.** *(vouer)* • **destiner qqn à qqch/à faire qqch** *(à un métier)* to destine sb for sthg/to do sthg • *(sort)* to mark sb out for sthg/to do sthg.

destituer *vt* to dismiss.

destructeur, trice ◼ *adj* destructive. ◼ *nm, f* destroyer.

destruction *nf* destruction.

désuet, ète *adj* **1.** *(expression, coutume)* obsolete **2.** *(style, tableau)* outmoded.

désuni, e *adj* divided.

détachable *adj* detachable, removable.

détachant, e *adj* stain-removing. ◼ **détachant** *nm* stain remover.

détaché, e *adj* detached.

détachement *nm* **1.** *(d'esprit)* detachment **2.** *(de fonctionnaire)* temporary assignment, secondment *(UK)* **3.** MIL detachment.

détacher *vt* **1.** *(enlever)* • **détacher qqch (de)** *(objet)* to detach sthg (from) • *fig* to free sthg (from) **2.** *(nettoyer)* to remove stains from, to clean **3.** *(délier)* to undo **4.** *(cheveux)* to untie **5.** ADMIN • **détacher qqn auprès de** to send sb on temporary assignment to, to second sb to *(UK)*.
■ **se détacher** *vp* **1.** *(tomber)* • **se détacher (de)** to come off **2.** *(se défaire)* to come undone **3.** *(ressortir)* • **se détacher sur** to stand out on **4.** *(s'éloigner)* • **se détacher de qqn** to drift apart from sb.

détail *nm* **1.** *(précision)* detail **2.** COMM • **le détail** retail. ◼ **au détail** *loc adj* & *loc adv* retail. ◼ **en détail** *loc adv* in detail.

détaillant, e *nm, f* retailer.

détaillé, e *adj* detailed.

détailler vt 1. (expliquer) to give details of 2. (vendre) to retail.

détaler vi 1. (personne) to clear out 2. (animal) to bolt.

détartrant, e adj descaling. ■ **détartrant** nm descaling agent.

détaxe nf ◦ **détaxe (sur)** (suppression) removal of tax (from) ◦ (réduction) reduction in tax (on).

détecter vt to detect.

détecteur, trice adj detecting (avant nom), detector (avant nom). ■ **détecteur** nm detector.

détection nf detection.

détective nm detective ◦ **détective privé** private detective.

déteindre vi to fade.

déteint, e pp ⊳ **déteindre**.

dételer vt (cheval) to unharness.

détendre vt 1. (corde) to loosen, to slacken 2. fig to ease 3. (personne) to relax. ■ **se détendre** vp 1. (se relâcher) to slacken 2. fig (situation) to ease 3. (atmosphère) to become more relaxed 4. (se reposer) to relax.

détendu, e adj 1. (corde) loose, slack 2. (personne) relaxed.

détenir vt 1. (objet) to have, to hold 2. (personne) to detain, to hold.

détente nf 1. (de ressort) release 2. (d'une arme) trigger 3. (repos) relaxation 4. POLIT détente.

détenteur, trice nm, f 1. (d'objet, de secret) possessor 2. (de prix, record) holder.

détention nf 1. (possession) possession 2. (emprisonnement) detention.

détenu, e ■ pp ⊳ **détenir**. ■ adj detained. ■ nm, f prisoner.

détergent, e adj detergent (avant nom). ■ **détergent** nm detergent.

détérioration nf 1. (de bâtiment) deterioration 2. (de situation) worsening.

détériorer vt 1. (abîmer) to damage 2. (altérer) to ruin. ■ **se détériorer** vp 1. (bâtiment) to deteriorate 2. (situation) to worsen 3. (s'altérer) to be spoiled.

déterminant, e adj decisive, determining. ■ **déterminant** nm LING determiner.

détermination nf (résolution) determination, decision.

déterminé, e adj 1. (quantité) given (avant nom) 2. (expression) determined.

déterminer vt 1. (préciser) to determine, to specify 2. (provoquer) to bring about.

déterrer vt to dig up.

détestable adj dreadful.

détester vt to detest.

détonateur nm 1. TECHNOL detonator 2. fig trigger.

détoner vi to detonate.

détonner vi 1. MUS to be out of tune 2. (couleur) to clash 3. (personne) to be out of place.

détour nm 1. (crochet) detour 2. (méandre) bend ◦ **sans détour** fig directly.

détourné, e adj 1. (dévié) indirect 2. fig roundabout (avant nom).

détournement nm diversion, detour ◦ **détournement d'avion** hijacking ◦ **détournement de fonds** embezzlement ◦ **détournement de mineur** corruption of a minor.

détourner vt 1. (dévier - gén) to divert, to detour (US) ◦ (- avion) to hijack 2. (écarter) ◦ **détourner qqn de** to distract sb from, to divert sb from 3. (la tête, les yeux) to turn away 4. (argent) to embezzle. ■ **se détourner** vp to turn away ◦ **se détourner de** fig to move away from.

détraquer vt 1. fam (dérégler) to break 2. fig to upset. ■ **se détraquer** vp fam 1. (se dérégler) to go wrong 2. fig to become unsettled.

détresse nf distress.

détriment ■ **au détriment de** loc prép to the detriment of.

détritus nm detritus.

détroit nm strait ◦ **le détroit de Bering** the Bering Strait ◦ **le détroit de Gibraltar** the Strait of Gibraltar.

détromper vt to disabuse.

détrôner vt 1. (souverain) to dethrone 2. fig to oust.

détruire vt 1. (démolir, éliminer) to destroy 2. fig (anéantir) to ruin.

dette nf debt.

DEUG, Deug (abr de **diplôme d'études universitaires générales**) nm si vous voulez expliquer à un anglophone de quoi il s'agit, vous pouvez dire it is a diploma that you get after two years at university. • voir aussi DEUST

deuil nm **1.** (douleur, mort) bereavement **2.** (vêtements, période) mourning (indénombrable) • **porter le deuil** to be in ou wear mourning.

DEUST, Deust (abr de **diplôme d'études universitaires scientifiques et techniques**) nm si vous voulez expliquer à un anglophone de quoi il s'agit, vous pouvez dire it is a diploma in science that you get after two years at university.

deux ■ adj num inv two • **ses deux fils** his two sons, both his sons • **tous les deux jours** every two days, every second day, every other day. ■ nm two • **les deux** both • **par deux** in pairs. • voir aussi **six**

deuxième adj num inv, nm & nmf second. • voir aussi **sixième**

deux-pièces nm inv **1.** (appartement) two-room flat (UK) ou apartment (US) **2.** (bikini) two-piece (swimsuit).

deux-points nm inv colon.

deux-roues nm inv two-wheeled vehicle.

dévaler vt to run down.

dévaliser vt **1.** (cambrioler - maison) to ransack • (- personne) to rob **2.** fig to strip bare.

dévaloriser vt **1.** (monnaie) to devalue **2.** (personne) to run ou put down. ■ se **dévaloriser** vp **1.** (monnaie) to fall in value **2.** fig (personne) to run ou put o.s. down.

dévaluation nf devaluation.

dévaluer vt to devalue. ■ se **dévaluer** vp to devalue.

devancer vt **1.** (précéder) to arrive before **2.** (anticiper) to anticipate.

devant ■ prép **1.** (en face de) in front of **2.** (en avant de) ahead of, in front of • **aller droit devant soi** to go straight ahead ou on **3.** (en présence de, face à) in the face of. ■ adv **1.** (en face) in front **2.** (en avant) in front, ahead. ■ nm front • **prendre les devants** to make the first move, to take the initiative. ■ **de devant** loc adj (pattes, roues) front (avant nom).

devanture nf shop (UK) ou store (US) window.

dévaster vt to devastate.

développement nm **1.** (gén & écon) development • **développement durable** sustainable development **2.** PHOTO developing.

développer vt **1.** to develop **2.** (industrie, commerce) to expand **3.** PHOTO to develop • **faire développer des photos** to have some photos developed. ■ se **développer** vp **1.** (s'épanouir) to spread **2.** écon to grow, to expand.

développeur nm (INFORM - entreprise) software development ou design company • (- personne) software developer ou designer.

devenir vi to become • **que devenez-vous ?** fig how are you doing?

devenu, e pp ▷ **devenir.**

dévergondé, e ■ adj shameless, wild. ■ nm, f shameless person.

déverser vt **1.** (liquide) to pour out **2.** (ordures) to tip (out) **3.** fig (injures) to pour out.

déviation nf **1.** (gén) deviation **2.** (d'itinéraire) diversion, detour.

dévier ■ vi • **dévier de** to deviate from. ■ vt to divert, to detour (US).

devin, devineresse nm, f soothsayer • **je ne suis pas devin !** I'm not psychic ou a mindreader!

deviner vt to guess.

devinette nf riddle.

devis nm estimate • **faire un devis** to (give an) estimate.

dévisager vt to stare at.

devise nf **1.** (formule) motto **2.** (monnaie) currency. ■ **devises** nfpl (argent) currency (indénombrable).

dévisser ■ vt to unscrew. ■ vi (alpinisme) to fall (off).

dévoiler vt **1.** to unveil **2.** fig to reveal.

devoir nm

1. OBLIGATION

• **tu n'as pas le choix, c'est ton devoir** you have no choice, it's your duty

2. TRAVAIL ÉCRIT
• **ce professeur donne beaucoup de devoirs** this teacher gives a lot of homework.

devoir *vt*

1. POUR PARLER D'UNE DETTE
• **je lui dois 5 euros** I owe her *ou* him five euros

2. INDIQUE QUE L'ON EST REDEVABLE DE QQCH
• **je crois que tu lui dois des excuses** I think you owe her an apology
• **je dois à mes professeurs d'avoir réussi** I owe my success to my teachers *ou* I have my teachers to thank for my success
• **elle ne veut rien devoir à personne** she doesn't want to be indebted to anybody
• **cette découverte ne doit rien au hasard** this discovery has nothing to do with luck

3. INDIQUE L'OBLIGATION
• **je dois partir à l'heure ce soir** I have to *ou* must leave on time tonight
• **il a dû s'arrêter de fumer** he had to stop smoking

4. AU CONDITIONNEL, EXPRIME UN CONSEIL OU UN REGRET
• **tu devrais faire attention** you should be *ou* ought to be careful
• **il n'aurait pas dû mentir** he shouldn't have lied, he ought not to have lied

5. INDIQUE LA PROBABILITÉ
• **il doit faire chaud là-bas** it must be hot over there
• **il a dû oublier** he must have forgotten

6. INDIQUE UNE PRÉVISION
• **elle doit arriver à 6 heures** she's due to arrive at 6 o'clock
• **elle devait arriver à six heures** she was supposed to arrive at six
• **je dois voir mes parents ce week-end** I'm seeing *ou* going to see my parents this weekend

7. INDIQUE UNE FATALITÉ
• **cela devait arriver** it had to happen, it was bound to happen
• **nos chemins devaient se croiser tôt ou tard** our paths were bound to *ou* had to cross sooner or later.

■ **se devoir** *vp*

• **se devoir de faire qqch** to be duty-bound to do sthg
• **comme il se doit** as is proper.

dévolu, e *adj sout* • **dévolu à** allotted to.
■ **dévolu** *nm* • **jeter son dévolu sur** to set one's sights on.

dévorer *vt* to devour.

dévotion *nf* devotion • **avec dévotion** *(prier)* devoutly • *(soigner, aimer)* devotedly.

dévoué, e *adj* devoted.

dévouement *nm* devotion.

dévouer ■ **se dévouer** *vp* **1.** *(se consacrer)* • **se dévouer à** to devote o.s. to **2.** *fig (se sacrifier)* • **se dévouer pour qqch/pour faire qqch** to sacrifice o.s. for sthg/to do sthg.

dévoyé, e *adj* & *nm, f* delinquent.

devrai, devras ▷ **devoir.**

dextérité *nf* dexterity, skill.

dézipper *vt* to unzip.

diabète *nm* diabetes *(indénombrable)*.

diabétique *nmf* & *adj* diabetic.

diable *nm* devil.

diabolique *adj* diabolical.

diabolo *nm* *(boisson)* fruit cordial and lemonade • **diabolo menthe** mint (cordial) and lemonade.

diadème *nm* diadem.

diagnostic *nm* MÉD diagnosis.

diagnostiquer *vt fig* & MÉD to diagnose.

diagonale *nf* diagonal.

dialecte *nm* dialect.

dialogue *nm* discussion.

dialoguer *vi* **1.** *(converser)* to converse **2.** INFORM to interact.

diamant *nm* *(pierre)* diamond.

diamètre *nm* diameter.

diapason *nm* *(instrument)* tuning fork.

diapositive *nf* slide.

diarrhée *nf* diarrhoea *(UK)*, diarrhea *(US)*.

dictateur *nm* dictator.

dictature *nf* dictatorship.

dictée *nf* dictation.

dicter *vt* to dictate.

diction *nf* diction.

dictionnaire *nm* dictionary.

dicton *nm* saying, dictum.

dièse ◨ *adj* sharp • **do/fa dièse** C/F sharp. ◨ *nm* **1.** sharp **2.** *(symbole)* hash *(UK)*, pound sign *(US)* • **appuyez sur la touche dièse** press the hash key *(UK)* ou pound key *(US)*.

diesel *adj inv* diesel.

diète *nf* **1.** diet **2.** *(jeûne)* to be fasting.

diététicien, enne *nm, f* dietician.

diététique ■ *nf* dietetics *(indénombrable)*. ■ *adj* **1.** *(considération, raison)* dietary **2.** *(produit, magasin)* health *(avant nom)*.

dieu *nm* god. ■ **Dieu** *nm* God • **mon Dieu !** my God!

diffamation *nf* **1.** *(écrite)* libel **2.** *(orale)* slander.

différé, e *adj* recorded. ■ **différé** *nm* • **en différé** TV recorded • INFORM off-line.

différence *nf* *(distinction)* difference, dissimilarity.

différencier *vt* • **différencier qqch de qqch** to differentiate sthg from sthg. ■ **se différencier** *vp* • **se différencier de** to be different from.

différend *nm* *(désaccord)* difference of opinion.

différent, e *adj* • **différent (de)** different (from).

différer ■ *vt* *(retarder)* to postpone. ■ *vi* • **différer de** to differ from, to be different from.

difficile *adj* difficult.

difficilement *adv* with difficulty.

difficulté *nf* **1.** *(complexité, peine)* difficulty **2.** *(obstacle)* problem.

difforme *adj* deformed.

diffuser *vt* **1.** *(lumière)* to diffuse **2.** *(émission)* to broadcast **3.** *(livres)* to distribute.

diffuseur *nm* **1.** *(appareil)* diffuser **2.** *(de livres)* distributor.

diffusion *nf* **1.** *(d'émission, d'onde)* broadcast **2.** *(de livres)* distribution.

digérer ■ *vi* to digest. ■ *vt* **1.** *(repas, connaissance)* to digest **2.** *fam fig (désagrément)* to put up with.

digestif, ive *adj* digestive. ■ **digestif** *nm* liqueur.

digestion *nf* digestion.

digital, e *adj* **1.** *fam* TECHNOL digital **2.** ▷ **empreinte.**

digne *adj* **1.** *(honorable)* dignified **2.** *(méritant)* • **digne de** worthy of.

dignité *nf* dignity.

digression *nf* digression.

digue *nf* dike.

dilapider *vt* to squander.

dilater *vt* to dilate.

dilemme *nm* *(gén)* dilemma.

diligence *nf* *sout* & HIST diligence.

diluant *nm* thinner.

diluer *vt* to dilute.

diluvien, enne *adj* torrential.

dimanche *nm* Sunday. • *voir aussi* **samedi**

dimension *nf* **1.** *(mesure)* dimension **2.** *(taille)* dimensions *pl*, size **3.** *fig (importance)* magnitude. ■ **à deux dimensions** *loc adj* two-dimensional. ■ **à trois dimensions** *loc adj* three-dimensional.

diminuer ■ *vt* *(réduire)* to diminish, to reduce. ■ *vi* *(intensité)* to diminish, to decrease.

diminutif, ive *adj* diminutive. ■ **diminutif** *nm* diminutive.

diminution *nf* diminution.

dinde *nf* **1.** *(animal)* turkey **2.** *péj (femme)* stupid woman.

dindon *nm* turkey • **être le dindon de la farce** *fig* to be made a fool of.

dîner ■ *vi* to dine. ■ *nm* dinner.

dingue *fam* ■ *adj* **1.** *(personne)* crazy **2.** *(histoire)* incredible. ■ *nmf* loony.

dinosaure *nm* dinosaur.

diplomate ■ *nmf* *(ambassadeur)* diplomat. ■ *adj* diplomatic.

diplomatie *nf* diplomacy.

diplomatique *adj* diplomatic.

diplôme *nm* diploma.

diplômé, e ■ *adj* • **être diplômé de/en** to be a graduate of/in. ■ *nm, f* graduate.

dire *vt* • **dire qqch (à qqn)** *(parole)* to say sthg (to sb) • *(vérité, mensonge, secret)* to tell (sb) sthg • **dire à qqn de faire qqch** to tell sb to do sthg • **il m'a dit que...** he told me (that)... • **c'est vite dit** *fam* that's easy (for you/him *etc*) to say • **c'est beaucoup dire** that's saying a lot • **la ville proprement dite** the actual town • **dire du bien/du mal (de)** to speak well/ill (of) • **que dirais-tu de... ?** what would you say to...? • **qu'en dis-tu ?** what do you think (of it)? • **on dirait que...** it looks as if... • **on dirait de la soie** it looks like silk, you'd think it was silk • **et dire que je n'étais pas là!** and to think I wasn't there! • **ça ne me dit rien** *(pas envie)* I don't feel like it, I don't fancy that *(UK)* • *(jamais entendu)* I've never heard of it.

■ **se dire** *vp* **1.** *(penser)* to think (to o.s.)
2. *(s'employer)* • **ça ne se dit pas** *(par décence)*
you mustn't say that • *(par usage)* people
don't say that, nobody says that **3.** *(se
traduire)* • **'chat' se dit 'gato' en espagnol**
the Spanish for 'cat' is 'gato'. ■ **cela
dit** *loc adv* having said that. ■ **dis donc**
loc adv **1.** *fam* so **2.** *fam (au fait)* by the way
3. *fam (à qqn qui exagère)* look here! ■ **pour
ainsi dire** *loc adv* so to speak. ■ **à vrai
dire** *loc adv* to tell the truth.

direct, e *adj* direct. ■ **direct** *nm* **1.** *(boxe)*
jab **2.** *(train)* nonstop train **3.** RADIO & TV • **le
direct** live transmission *(indénombrable)*
• **en direct** live.

directement *adv* directly.

directeur, trice ▨ *adj* **1.** *(dirigeant)* leading *(avant nom)* • **comité directeur** steering committee **2.** *(central)* guiding *(avant
nom)*. ▨ *nm, f* director, manager • **directeur général** general manager, managing director *(UK)*, chief executive officer *(US)*.

direction *nf* **1.** *(gestion, ensemble des cadres)*
management • **sous la direction de**
under the management of **2.** *(orientation)* direction • **en** *ou* **dans la direction
de** in the direction of **3.** AUTO steering.

directive *nf* directive.

directrice ▷ **directeur**.

dirigeable *nm* • **(ballon) dirigeable** air-
ship.

dirigeant, e ▨ *adj* ruling *(avant nom)*.
▨ *nm, f* **1.** *(de pays)* leader **2.** *(d'entreprise)*
manager.

diriger *vt* **1.** *(mener - entreprise)* to run, to
manage • *(- orchestre)* to conduct • *(- film,
acteurs)* to direct • *(- recherches, projet)* to
supervise **2.** *(conduire orienter)* to steer
3. *(pointer)* • **diriger qqch sur** to aim sthg
at • **diriger qqch vers** to aim sthg towards *(UK)* ou toward *(US)*.
■ **se diriger** *vp* • **se diriger vers** to go
towards *(UK)* ou toward *(US)*, to head towards *(UK)* ou toward *(US)*.

discernement *nm* *(jugement)* discern-
ment.

discerner *vt* **1.** *(distinguer)* • **discerner qqch
de** to distinguish sthg from **2.** *(deviner)* to
discern.

disciple *nmf* disciple.

disciplinaire *adj* disciplinary.

discipline *nf* discipline.

discipliner *vt* **1.** *(personne)* to discipline
2. *(cheveux)* to control.

disco *nm* disco (music).

discontinu, e *adj* **1.** *(ligne)* broken **2.** *(bruit,
effort)* intermittent.

discordant, e *adj* discordant.

discorde *nf* discord.

discothèque *nf* **1.** *(boîte de nuit)* night
club **2.** *(de prêt)* record library.

discourir *vi* to talk at length.

discours *nm* *(allocution)* speech.

discréditer *vt* to discredit.

discret, ète *adj* **1.** *(gén)* discreet **2.** *(réservé)*
reserved.

discrètement *adv* discreetly.

discrétion *nf* *(réserve, tact, silence)* discretion.

discrimination *nf* discrimination • **sans
discrimination** indiscriminately • **discrimination positive** positive discrimination.

discriminatoire *adj* discriminatory.

disculper *vt* to exonerate.
■ **se disculper** *vp* to exonerate o.s..

discussion *nf* **1.** *(conversation, examen)* discussion **2.** *(contestation, altercation)* argument.

discutable *adj* *(contestable)* questionable.

discuter ▨ *vt* **1.** *(débattre)* • **discuter (de)
qqch** to discuss sthg **2.** *(contester)* to dispute. ▨ *vi* **1.** *(parlementer)* to discuss
2. *(converser)* to talk **3.** *(contester)* to argue.

diseur, euse *nm, f* • **diseur de bonne
aventure** fortune-teller.

disgracieux, euse *adj* **1.** *(sans grâce)* awkward, graceless **2.** *(laid)* plain.

disjoncter *vi* **1.** ÉLECTR to short-circuit
2. *fam (perdre la tête)* to flip, to crack up.

disjoncteur *nm* trip switch, circuit
breaker.

disloquer *vt* **1.** MÉD to dislocate **2.** *(machine, empire)* to dismantle.
■ **se disloquer** *vp* **1.** *(machine)* to fall
apart *ou* to pieces **2.** *fig (empire)* to break
up.

disparaître *vi* **1.** *(gén)* to disappear, to
vanish • **faire disparaître** *(personne)* to get
rid of • *(obstacle)* to remove **2.** *(mourir)* to
die.

disparité *nf* *(différence - d'éléments)* disparity • *(- de couleurs)* mismatch.

disparition *nf* **1.** *(gén)* disappearance **2.** *(d'espèce)* extinction • **en voie de disparition** endangered **3.** *(mort)* passing.

disparu, e ◼ *pp* ▷ **disparaître.** ◼ *nm, f* dead person, deceased.

dispatcher *vt* to dispatch, to despatch.

dispensaire *nm* community clinic *(UK)*, free clinic *(US)*.

dispense *nf (exemption)* exemption.

dispenser *vt* **1.** *(distribuer)* to dispense **2.** *(exempter)* • **dispenser qqn de qqch** *(corvée)* to excuse sb sthg, to let sb off sthg • **je te dispense de tes réflexions !** *fig* spare us the comments!, keep your comments to yourself!

disperser *vt* **1.** to scatter (around) **2.** *(collection, brume, foule)* to break up **3.** *fig (efforts, forces)* to dissipate, to waste. ◼ **se disperser** *vp* **1.** *(feuilles, cendres)* to scatter **2.** *(brume)* to break up, to clear **3.** *(foule)* to break up, to disperse **4.** *(personne)* to take on too much at once, to spread o.s. too thin.

dispersion *nf* **1.** scattering **2.** *(de collection, brume, foule)* breaking up **3.** *fig (d'efforts, de forces)* waste, squandering.

disponibilité *nf* **1.** *(de choses)* availability **2.** *(de fonctionnaire)* leave of absence **3.** *(d'esprit)* alertness, receptiveness.

disponible *adj (place, personne)* available, free.

disposé, e *adj* • **être disposé à faire qqch** to be prepared *ou* willing to do sthg • **être bien disposé envers qqn** to be well-disposed towards *(UK) ou* toward *(US)* sb.

disposer ◼ *vt (arranger)* to arrange. ◼ *vi* • **disposer de** *(moyens, argent)* to have available (to one), to have at one's disposal • *(chose)* to have the use of • *(temps)* to have free *ou* available.

dispositif *nm (mécanisme)* device, mechanism.

disposition *nf* **1.** *(arrangement)* arrangement **2.** *(disponibilité)* • **à la disposition de** at the disposal of, available to. ◼ **dispositions** *nfpl* **1.** *(mesures)* arrangements, measures **2.** *(dons)* • **avoir des dispositions pour** to have a gift for.

disproportionné, e *adj* out of proportion.

dispute *nf* argument, quarrel.

disputer *vt* **1.** *(SPORT - course)* to run • *(- match)* to play **2.** *(lutter pour)* to fight for. ◼ **se disputer** *vp* **1.** *(se quereller)* to quarrel, to fight **2.** *(lutter pour)* to fight over *ou* for.

disquaire *nm* record dealer.

disqualifier *vt* to disqualify.

disque *nm* **1.** MUS record **2.** *(vidéo)* videodisc *(UK) ou* videodisk *(US)* • **disque compact** *ou* **laser** compact disc **3.** ANAT disc *(UK)*, disk *(US)* **4.** INFORM disk • **disque dur** hard disk **5.** SPORT discus.

disquette *nf* diskette, floppy disk • **disquette système** system diskette.

dissection *nf* dissection.

dissemblable *adj* dissimilar.

disséminer *vt* **1.** *(graines, maisons)* to scatter, to spread (out) **2.** *fig (idées)* to disseminate, to spread.

disséquer *vt litt & fig* to dissect.

dissertation *nf* essay.

dissident, e *adj & nm, f* dissident.

dissimulation *nf* **1.** *(hypocrisie)* duplicity **2.** *(de la vérité)* concealment.

dissimuler *vt* to conceal. ◼ **se dissimuler** *vp* **1.** *(se cacher)* to conceal o.s., to hide **2.** *(refuser de voir)* • **se dissimuler qqch** to close one's eyes to sthg.

dissipation *nf* **1.** *(dispersion)* dispersal, breaking up **2.** *fig (de malentendu)* clearing up **3.** *(de craintes)* dispelling **4.** *(indiscipline)* indiscipline, misbehaviour *(UK)*, misbehavior *(US)*.

dissiper *vt* **1.** *(chasser)* to break up, to clear **2.** *fig* to dispel **3.** *(distraire)* to lead astray. ◼ **se dissiper** *vp* **1.** *(brouillard, fumée)* to clear **2.** *(élève)* to misbehave **3.** *fig (malaise, fatigue)* to go away **4.** *(doute)* to be dispelled.

dissocier *vt (séparer)* to separate, to distinguish.

dissolution *nf* **1.** DR dissolution **2.** *(mélange)* dissolving **3.** *sout (débauche)* dissipation.

dissolvant, e *adj* solvent. ◼ **dissolvant** *nm* **1.** *(solvant)* solvent **2.** *(pour vernis à ongles)* nail polish *ou* varnish *(UK)* remover.

dissoudre *vt* ∗ **(faire) dissoudre** to dissolve.
∎ **se dissoudre** *vp (substance)* to dissolve.

dissous, oute *pp* ⊳ **dissoudre**.

dissuader *vt* to dissuade.

dissuasion *nf* dissuasion ∗ **force de dissuasion** deterrent (effect).

distance *nf* **1.** *(éloignement)* distance ∗ **à distance** at a distance ∗ *(télécommander)* by remote control ∗ **à une distance de 300 mètres** 300 metres away **2.** *(intervalle)* interval **3.** *(écart)* gap.

distancer *vt* to outstrip.

distant, e *adj* **1.** *(éloigné)* ∗ **une ville distante de 10 km** a town 10 km away ∗ **des villes distantes de 10 km** towns 10 km apart **2.** *(froid)* distant.

distendre *vt* **1.** *(ressort, corde)* to stretch **2.** *(abdomen)* to distend.
∎ **se distendre** *vp* to distend.

distendu, e *pp* ⊳ **distendre**.

distiller *vt* **1.** *(alcool)* to distil *(UK)*, to distill *(US)* **2.** *(pétrole)* to refine **3.** *(miel)* to secrete **4.** *fig & littéraire* to exude.

distinct, e *adj* distinct.

distinctement *adv* distinctly, clearly.

distinctif, ive *adj* distinctive.

distinction *nf* distinction.

distingué, e *adj* distinguished.

distinguer *vt* **1.** *(différencier)* to tell apart, to distinguish **2.** *(percevoir)* to make out, to distinguish **3.** *(rendre différent)* ∗ **distinguer de** to distinguish from, to set apart from.
∎ **se distinguer** *vp* **1.** *(se différencier)* ∗ **se distinguer (de)** to stand out (from) **2.** *(s'illustrer)* to distinguish o.s..

distraction *nf* **1.** *(inattention)* inattention, absent-mindedness **2.** *(passe-temps)* leisure activity.

distraire *vt* **1.** *(déranger)* to distract **2.** *(divertir)* to amuse, to entertain.
∎ **se distraire** *vp* to amuse o.s..

distrait, e ∎ *pp* ⊳ **distraire**. ∎ *adj* absent-minded.

distribuer *vt* **1.** to distribute **2.** *(courrier)* to deliver **3.** *(ordres)* to give out **4.** *(cartes)* to deal **5.** *(coups, sourires)* to dispense.

distributeur, trice *nm, f* distributor.
∎ **distributeur** *nm* **1.** AUTO & COMM distributor **2.** *(machine)* ∗ **distributeur (auto-**

matique) de billets BANQUE ATM, cash machine, cash dispenser *(UK)* ∗ *(transports)* ticket machine ∗ **distributeur de boissons** drinks machine.

distribution *nf* **1.** *(répartition, diffusion, disposition)* distribution ∗ **distribution des prix** SCOL prize-giving *(UK)* **2.** CINÉ & THÉÂTRE cast.

dit, dite *adj* **1.** *(appelé)* known as **2.** DR said, above **3.** *(fixé)* ∗ **à l'heure dite** at the appointed time.

divagation *nf* wandering.

divaguer *vi* to ramble.

divan *nm* divan *(seat)*.

divergence *nf* **1.** divergence, difference **2.** *(d'opinions)* difference.

diverger *vi* **1.** to diverge **2.** *(opinions)* to differ.

divers, e ∎ *adj* **1.** *(différent)* different, various ∗ **à usages divers** multipurpose *(avant nom)* **2.** *(disparate)* diverse **3.** *(avant nom)(plusieurs)* several, various ∗ **en diverses occasions** on several *ou* various occasions. ∎ *adj indéf pl* POLIT others ∗ **les divers droite/gauche** other right/left-wing parties.

diversifier *vt* to vary, to diversify.
∎ **se diversifier** *vp* to diversify.

diversion *nf* diversion.

diversité *nf* diversity.

divertir *vt* *(distraire)* to entertain, to amuse.
∎ **se divertir** *vp* to amuse o.s., to entertain o.s..

divertissement *nm (passe-temps)* form of relaxation.

divin, e *adj* divine.

divinité *nf* divinity.

diviser *vt* **1.** *(gén)* to divide, to split up **2.** MATH to divide ∗ **diviser 8 par 4** to divide 8 by 4.

division *nf* **1.** MATH division **2.** *(fragmentation)* splitting, division, partition **3.** *(désaccord)* division, rift **4.** FOOTBALL division **5.** MIL division.

divorce *nm* **1.** DR divorce **2.** *fig (divergence)* gulf, separation.

divorcé, e ∎ *adj* divorced. ∎ *nm, f* divorcee, divorced person.

divorcer *vi* to divorce.

divulguer *vt* to divulge.

dix *adj num inv & nm* ten. ∗ *voir aussi* **six**

dix-huit *adj num inv & nm* eighteen. • *voir aussi* **six**

dix-huitième *adj num inv, nm & nmf* eighteenth. • *voir aussi* **sixième**

dixième *adj num inv, nm & nmf* tenth. • *voir aussi* **sixième**

dix-neuf *adj num inv & nm* nineteen. • *voir aussi* **six**

dix-neuvième *adj num inv, nm & nmf* nineteenth. • *voir aussi* **sixième**

dix-sept *adj num inv & nm* seventeen. • *voir aussi* **six**

dix-septième *adj num inv, nm & nmf* seventeenth. • *voir aussi* **sixième**

dizaine *nf* **1.** MATH ten **2.** *(environ dix)* • **une dizaine de** about ten • **par dizaines** *(en grand nombre)* in their dozens.

DJ *(abr de* **disc-jockey***) nm* DJ.

DM *(abr écrite de* **deutsche Mark***)* DM.

do *nm inv* **1.** MUS C **2.** *(chanté)* doh *(UK)*, do *(US)*.

doc *(abr de* **documentation***) nf* literature, brochures *pl*.

doc. *(abr écrite de* **document***)* doc.

docile *adj (obéissant)* docile.

dock *nm* **1.** *(bassin)* dock **2.** *(hangar)* warehouse.

docker *nm* docker *(UK)*, longshoreman *(US)*, stevedore *(US)*.

docteur *nm* **1.** *(médecin)* doctor **2.** UNIV • **docteur ès lettres/sciences** ≃ PhD.

doctorat *nm (grade)* doctorate, PhD.

doctrine *nf* doctrine.

document *nm* document.

documentaire *nm & adj* documentary.

documentaliste *nmf* **1.** *(d'archives)* archivist **2.** PRESSE & TV researcher.

documentation *nf* **1.** *(travail)* research **2.** *(documents)* paperwork, papers *pl* **3.** *(brochures)* documentation.

documenter *vt* to document.
■ **se documenter** *vp* to do some research.

dodo *nm fam* beddy-byes *(indénombrable)* • **faire dodo** to sleep.

dodu, e *adj* **1.** *fam (enfant, joue, bras)* chubby **2.** *fam (animal)* plump.

dogme *nm* dogma.

dogue *nm* mastiff.

doigt *nm* finger • **un doigt de** (just) a drop *ou* finger of • **montrer qqch du doigt** to point at sthg • **doigt de pied** toe.

dois ⊳ **devoir**.

doive ⊳ **devoir**.

dollar *nm* dollar.

domaine *nm* **1.** *(propriété)* estate **2.** *(secteur, champ d'activité)* field, domain.

dôme *nm* **1.** ARCHIT dome **2.** GÉOGR rounded peak.

domestique ■ *nmf (domestic)* servant. ■ *adj* **1.** family *(avant nom)* **2.** *(travaux)* household *(avant nom)*.

domestiquer *vt* **1.** *(animal)* to domesticate **2.** *(éléments naturels)* to harness.

domicile *nm (gén)* (place of) residence • **travailler à domicile** to work from *ou* at home • **ils livrent à domicile** they do deliveries.

dominant, e *adj (qui prévaut)* dominant.

domination *nf* **1.** *(autorité)* domination, dominion **2.** *(influence)* influence.

dominer ■ *vt* **1.** *(surplomber, avoir de l'autorité sur)* to dominate **2.** *(surpasser)* to outclass **3.** *(maîtriser)* to control, to master **4.** *fig (connaître)* to master. ■ *vi* **1.** *(régner)* to dominate, to be dominant **2.** *(prédominer)* to predominate **3.** *(triompher)* to be on top, to hold sway.
■ **se dominer** *vp* to control o.s..

Dominique *nf* • **la Dominique** Dominica.

domino *nm* domino.

dommage *nm* **1.** *(préjudice)* harm *(indénombrable)* • **dommages et intérêts, dommages-intérêts** damages • **quel dommage !** what a shame! • **c'est dommage que** *(+ subjonctif)* it's a pity *ou* shame (that) **2.** *(dégâts)* damage *(indénombrable)*.

dompter *vt* **1.** *(animal, fauve)* to tame **2.** *fig (maîtriser)* to overcome, to control.

dompteur, euse *nm, f (de fauves)* tamer.

DOM-TOM *(abr de* **départements d'outre-mer/territoires d'outre-mer***) nmpl* French overseas départments and territories.

don *nm* **1.** *(cadeau)* gift **2.** *(aptitude)* knack.

donateur, trice *nm, f* donor.

donation *nf* settlement.

donc *conj* so • **je disais donc...** so as I was saying... • **allons donc !** come on! • **tais-toi donc !** will you be quiet!

donjon *nm* keep.

donné, **e** *adj* given • **étant donné que** given that, considering (that). ■ **donnée** *nf* **1.** INFORM & MATH datum, piece of data • **données numériques** numerical data **2.** (*élément*) fact, particular.

donner ■ *vt* **1.** (*gén*) to give **2.** (*se débarrasser de*) to give away • **donner qqch à qqn** to give sb sthg, to give sthg to sb • **donner qqch à faire à qqn** to give sb sthg to do, to give sthg to sb to do • **donner sa voiture à réparer** to leave one's car to be repaired • **quel âge lui donnes-tu ?** how old do you think he is? **3.** (*occasionner*) to give, to cause. ■ *vi* **1.** (*s'ouvrir*) • **donner sur** to look (out) onto **2.** (*produire*) to produce, to yield.

donneur, **euse** *nm, f* **1.** MÉD donor **2.** (*jeux de cartes*) dealer.

dont *pron rel*

la traduction varie selon la préposition anglaise utilisée avec le verbe ou l'adjectif

1. COMPLÉMENT DU VERBE
• **la personne dont tu parles est ma sœur** the person you're speaking about is my sister *ou* the person about whom you are speaking is my sister
• **la façon dont elle s'habille est très étrange** the way she dresses is very peculiar *ou* her way of dressing is very peculiar
• **c'est quelqu'un dont on dit le plus grand bien** he's someone about whom people speak highly

2. COMPLÉMENT DE L'ADJECTIF
• **l'accident dont il est responsable** the accident for which he is responsible
• **c'est la fille dont il est amoureux** she's the girl (that) he's in love with

3. COMPLÉMENT DU NOM
• **prends la boîte dont le couvercle est jaune** take the box whose lid is yellow, the box with the yellow lid
• **c'est quelqu'un dont j'apprécie l'honnêteté** he's someone whose honesty I appreciate
• **celui dont les parents sont divorcés** the one whose parents are divorced

4. COMPLÉMENT D'UN PRONOM NUMÉRAL OU INDÉFINI
• **il y a trois piscines, dont deux sont couvertes** there are three swimming-pools, two of which are indoors

• **ils ont trois fils, dont deux habitent en Espagne** they have three sons, two of whom live in Spain *ou* of whom two live in Spain
• **plusieurs personnes ont téléphoné, dont ton frère** several people phoned, one of whom was your brother *ou* including your brother.

dopage *nm* doping.

doper *vt* to dope. ■ **se doper** *vp* to take stimulants.

dorade = **daurade**.

doré, **e** *adj* **1.** (*couvert de dorure*) gilded, gilt **2.** (*couleur*) golden.

dorénavant *adv* from now on, in future.

dorer *vt* **1.** (*couvrir d'or*) to gild **2.** (*peau*) to tan **3.** CULIN to glaze.

dorloter *vt* to pamper, to cosset.

dormir *vi* **1.** (*sommeiller*) to sleep **2.** (*rester inactif - personne*) to slack, to stand around (doing nothing) • (*- capitaux*) to lie idle.

dortoir *nm* dormitory.

dos *nm* back • **de dos** from behind • **'voir au dos'** 'see over' • **dos crawlé** backstroke.

DOS, Dos (*abr de* **Disk Operating System**) *nm* DOS.

dosage *nm* **1.** (*de médicament*) dose **2.** (*d'ingrédient*) amount.

dos-d'âne *nm inv* bump.

dose *nf* **1.** (*quantité de médicament*) dose **2.** (*quantité*) share • **forcer la dose** *fam fig* to overdo it • **une (bonne) dose de bêtise** *fam fig* a lot of silliness.

doser *vt* **1.** (*médicament, ingrédient*) to measure out **2.** *fig* to weigh, to weigh up (UK).

dosette *nf* capsule • **café en dosette** coffee capsule.

dossard *nm* number (on competitor's back).

dossier *nm* **1.** (*de fauteuil*) back **2.** (*documents*) file, dossier **3.** (*classeur*) file, folder **4.** INFORM folder **5.** UNIV • **dossier d'inscription** registration forms *pl* **6.** *fig* (*question*) question.

dot *nf* dowry.

doter *vt* (*pourvoir*) • **doter de** (*talent*) to endow with • (*machine*) to equip with.

douane *nf* **1.** *(service, lieu)* customs *pl* ◦ **passer la douane** to go through customs **2.** *(taxe)* (import) duty.

douanier, ère ◼ *adj* customs *(avant nom).* ◼ *nm, f* customs officer.

doublage *nm* **1.** *(renforcement)* lining **2.** *(de film)* dubbing **3.** *(d'acteur)* understudying.

double ◼ *adj* & *adv* double. ◼ *nm* **1.** *(quantité)* ◦ **le double** double **2.** *(copie)* copy ◦ **en double** in duplicate **3.** TENNIS doubles *sing.*

doublé *nm* *(réussite double)* double.

double-clic *nm* INFORM double-click.

double-cliquer *vt* INFORM to double-click on ◦ **double-cliquer sur l'image** to double-click on the picture.

doublement *adv* doubly.

doubler ◼ *vt* **1.** *(multiplier)* to double **2.** *(plier)* to fold **3.** *(renforcer)* ◦ **doubler (de)** to line (with) **4.** *(dépasser)* to pass, to overtake *(UK)* **5.** *(film, acteur)* to dub **6.** *(augmenter)* to double. ◼ *vi* **1.** *(véhicule)* to pass, to overtake *(UK)* **2.** *(augmenter)* to double.

doublure *nf* **1.** *(renforcement)* lining **2.** CINÉ stand-in.

douce ▷ **doux.**

doucement *adv* **1.** *(descendre)* carefully **2.** *(frapper)* gently **3.** *(traiter)* gently **4.** *(parler)* softly.

douceur *nf* **1.** *(de saveur, parfum)* sweetness **2.** *(d'éclairage, de peau, de musique)* softness **3.** *(de climat)* mildness **4.** *(de caractère)* gentleness. ◼ **douceurs** *nfpl* *(friandises)* sweets *(UK),* candy *(indénombrable) (US).*

douche *nf* **1.** *(appareil, action)* shower **2.** *fam fig (déception)* letdown.

doucher *vt* **1.** *(donner une douche à)* ◦ **doucher qqn** to give sb a shower **2.** *fam fig (décevoir)* to let down. ◼ **se doucher** *vp* to take *ou* have *(UK)* a shower, to shower.

douchette *nf* bar-code reader *ou* scanner *(for bulky items).*

doué, e *adj* talented ◦ **être doué pour** to have a gift for.

douillet, ette ◼ *adj* **1.** *(confortable)* snug, cosy *(UK),* cozy *(US)* **2.** *(sensible)* soft. ◼ *nm, f* wimp.

douleur *nf litt* & *fig* pain.

douloureux, euse *adj* **1.** *(physiquement)* painful **2.** *(moralement)* distressing **3.** *(regard, air)* sorrowful.

doute *nm* doubt. ◼ **sans doute** *loc adv* no doubt ◦ **sans aucun doute** without (a) doubt.

douter ◼ *vt* *(ne pas croire)* ◦ **douter que** *(+ subjonctif)* to doubt (that). ◼ *vi* *(ne pas avoir confiance)* ◦ **douter de qqn/de qqch** to doubt sb/sthg, to have doubts about sb/sthg ◦ **j'en doute** I doubt it. ◼ **se douter** *vp* ◦ **se douter de qqch** to suspect sthg ◦ **je m'en doutais** I thought so.

douteux, euse *adj* **1.** *(incertain)* doubtful **2.** *(contestable)* questionable **3.** *péj (mœurs)* dubious **4.** *péj (vêtements, personne)* dubious-looking.

Douvres *npr* Dover.

doux, douce *adj* **1.** *(éclairage, peau, musique)* soft **2.** *(saveur, parfum)* sweet **3.** *(climat, condiment)* mild **4.** *(pente, regard, caractère)* gentle.

douzaine *nf* **1.** *(douze)* dozen **2.** *(environ douze)* ◦ **une douzaine de** about twelve.

douze *adj num inv* & *nm* twelve. ◦ *voir aussi* **six**

douzième *adj num inv, nm* & *nmf* twelfth. ◦ *voir aussi* **sixième**

doyen, enne *nm, f (le plus ancien)* most senior member.

Dr *(abr écrite de* **Docteur)** Dr.

draconien, enne *adj* draconian.

dragée *nf* **1.** *(confiserie)* sugared almond **2.** *(comprimé)* pill.

dragon *nm* **1.** *(monstre, personne autoritaire)* dragon **2.** *(soldat)* dragoon.

draguer *vt* **1.** *(nettoyer)* to dredge **2.** *fam (personne)* to try to pick up, to chat up *(UK),* to get off with *(UK).*

dragueur, euse *nm, f fam* ◦ **c'est un dragueur** he's always on the pull *(UK) ou* on the make *(US)* ◦ **quelle dragueuse !** she's always chasing after men!

drainage *nm* draining.

drainer *vt* **1.** *(terrain, plaie)* to drain **2.** *fig (attirer)* to drain off.

dramatique ◼ *nf* play. ◼ *adj* **1.** THÉÂTRE dramatic **2.** *(grave)* tragic.

dramatiser *vt* *(exagérer)* to dramatize.

drame *nm* **1.** *(catastrophe)* tragedy ◦ **faire un drame de qqch** *fig* to make a drama of sthg **2.** LITTÉR drama.

drap *nm* **1.** *(de lit)* sheet **2.** *(tissu)* woollen *(UK) ou* woolen *(US)* cloth.

drapeau *nm* flag ◦ **être sous les drapeaux** *fig* to be doing military service.

draper *vt* to drape.

draperie *nf (tenture)* drapery.

dresser *vt* **1.** *(lever)* to raise **2.** *(faire tenir)* to put up **3.** *sout (construire)* to erect **4.** *(acte, liste, carte)* to draw up **5.** *(procès-verbal)* to make out **6.** *(dompter)* to train **7.** *fig (opposer)* • **dresser qqn contre qqn** to set sb against sb.

■ **se dresser** *vp* **1.** *(se lever)* to stand up **2.** *(s'élever)* to rise (up) **3.** *fig* to stand • **se dresser contre qqch** to rise up against sthg.

dresseur, euse *nm, f* trainer.

dribbler ◼ *vi* SPORT to dribble. ◼ *vt* SPORT • **dribbler qqn** to dribble past sb.

drogue *nf (stupéfiant)* drug • **la drogue** drugs *pl*.

drogué, e ◼ *adj* drugged. ◼ *nm, f* drug addict.

droguer *vt (victime)* to drug.

■ **se droguer** *vp (de stupéfiants)* to take drugs.

droguerie *nf* hardware shop *(UK)* ou store *(US)*.

droguiste *nmf* • **chez le droguiste** at the hardware shop *(UK)* ou store *(US)*.

droit, e ◼ *adj* **1.** *(du côté droit)* right **2.** *(rectiligne, vertical, honnête)* straight. ◼ **droit** ◼ *adv* straight • **tout droit** straight ahead. ◼ *nm* **1.** DR law **2.** *(prérogative)* right • **avoir droit à** to be entitled to • **avoir le droit de faire qqch** to be allowed to do sthg • **être en droit de faire qqch** to have a right to do sthg • **droit de vote** right to vote • **droits de l'homme** human rights. ◼ **droite** *nf* **1.** *(gén)* right, right-hand side • **à droite** on the right • **à droite de** to the right of **2.** POLIT • **la droite** the right (wing) • **de droite** right-wing.

droitier, ère ◼ *adj* right-handed. ◼ *nm, f* right-handed person, right-hander.

drôle *adj* **1.** *(amusant)* funny **2.** • **drôle de** *(bizarre)* funny • *fam (remarquable)* amazing.

dromadaire *nm* dromedary.

dru, e *adj* thick.

ds *abrév de* **dans**.

dû, due ◼ *pp* ▷ **devoir**. ◼ *adj* due, owing. ■ **dû** *nm* due.

Dublin *npr* Dublin.

duc *nm* duke.

duchesse *nf* duchess.

duel *nm* duel.

dûment *adv* duly.

dune *nf* dune.

duo *nm* **1.** MUS duet **2.** *(couple)* duo.

dupe ◼ *nf* dupe. ◼ *adj* gullible.

duper *vt* to dupe, to take sb in.

duplex *nm* **1.** *(appartement)* split-level flat *(UK)*, maisonette *(UK)*, duplex *(US)* **2.** RADIO & TV link-up.

duplicata *nm inv* duplicate.

dupliquer *vt (document)* to duplicate.

dur, e ◼ *adj* **1.** *(matière, personne, travail)* hard **2.** *(carton)* stiff **3.** *(viande)* tough **4.** *(climat, punition, loi)* harsh. ◼ *nm, f fam* • **dur (à cuire)** tough nut. ■ **dur** *adv* hard.

durable *adj* lasting.

durant *prép* **1.** *(pendant)* for **2.** *(au cours de)* during.

durcir ◼ *vt litt & fig* to harden. ◼ *vi* to harden, to become hard.

durée *nf (période)* length.

durement *adv* **1.** *(violemment)* hard, vigorously **2.** *(péniblement)* severely **3.** *(méchamment)* harshly.

durer *vi* to last.

dureté *nf* **1.** *(de matériau, de l'eau)* hardness **2.** *(d'époque, de climat, de personne)* harshness **3.** *(de punition)* severity.

dus, dut ▷ **devoir**.

DUT *(abr de* **diplôme universitaire de technologie**) *nm si vous voulez expliquer à un anglophone de quoi il s'agit, vous pouvez dire* it is a diploma in technology you get after two years at a technical college.

duvet *nm* **1.** *(plumes, poils fins)* down **2.** *(sac de couchage)* sleeping bag.

DVD-ROM *(abr de* **Digital Video** ou **Versatile Disc Read Only Memory**) *nm* DVD-ROM.

dynamique *adj* dynamic.

dynamisme *nm* dynamism.

dynamite *nf* dynamite.

dynastie *nf* dynasty.

dyslexique *adj* dyslexic.

e, E *nm inv* e, E. ■ **E** (*abr écrite de* **est**) E.

eau *nf* water • **eau douce/salée/de mer** fresh/salt/sea water • **eau gazeuse/plate** fizzy/still water • **eau courante** running water • **eau minérale** mineral water • **eau oxygénée** hydrogen peroxide • **eau du robinet** tap water • **eau de toilette** toilet water • **tomber à l'eau** *fig* to fall through.

eau-de-vie *nf* brandy.

ébahi, e *adj* staggered, astounded.

ébattre ■ **s'ébattre** *vp littéraire* to frolic.

ébauche *nf* **1.** (*esquisse*) sketch **2.** *fig* outline • **l'ébauche d'un sourire** the ghost of a smile.

ébaucher *vt* **1.** (*esquisser*) to rough out **2.** *fig* (*commencer*) • **ébaucher un geste** to start to make a gesture.

ébène *nf* ebony.

ébéniste *nm* cabinet-maker.

éberlué, e *adj* flabbergasted.

éblouir *vt* to dazzle.

éblouissement *nm* **1.** (*aveuglement*) glare, dazzle **2.** (*vertige*) dizziness **3.** (*émerveillement*) amazement.

éborgner *vt* • **éborgner qqn** to put sb's eye out.

éboueur *nm* dustman (*UK*), garbage collector (*US*).

ébouillanter *vt* to scald.

éboulement *nm* cave-in, fall.

éboulis *nm* mass of fallen rocks.

ébouriffer *vt* (*cheveux*) to ruffle.

ébranler *vt* **1.** (*bâtiment, opinion*) to shake **2.** (*gouvernement, nerfs*) to weaken. ■ **s'ébranler** *vp* (*train*) to move off.

ébrécher *vt* **1.** (*assiette, verre*) to chip **2.** *fam fig* to break into.

ébriété *nf* drunkenness.

ébrouer ■ **s'ébrouer** *vp* (*animal*) to shake o.s..

ébruiter *vt* to spread.

ébullition *nf* **1.** (*de liquide*) boiling point **2.** (*effervescence*) • **en ébullition** *fig* in a state of agitation.

écaille *nf* **1.** (*de poisson, reptile*) scale **2.** (*de tortue*) shell **3.** (*de plâtre, peinture, vernis*) flake **4.** (*matière*) tortoiseshell • **en écaille** (*lunettes*) horn-rimmed.

écailler *vt* **1.** (*poisson*) to scale **2.** (*huîtres*) to open. ■ **s'écailler** *vp* to flake *ou* peel off.

écarlate *adj* & *nf* scarlet.

écarquiller *vt* • **écarquiller les yeux** to stare wide-eyed.

écart *nm* **1.** (*espace*) space **2.** (*temps*) gap **3.** (*différence*) difference **4.** (*déviation*) • **faire un écart** (*personne*) to step aside • (*cheval*) to shy • **être à l'écart** to be in the background.

écarteler *vt* *fig* to tear apart.

écartement *nm* • **écartement entre** space between.

écarter *vt* **1.** (*bras, jambes*) to open, to spread • **écarter qqch de** to move sthg away from **2.** (*obstacle, danger*) to brush aside **3.** (*foule, rideaux*) to push aside **4.** (*solution*) to dismiss • **écarter qqn de** to exclude sb from. ■ **s'écarter** *vp* **1.** (*se séparer*) to part **2.** (*se détourner*) • **s'écarter de** to deviate from.

ecchymose *nf* bruise.

ecclésiastique ■ *nm* clergyman. ■ *adj* ecclesiastical.

écervelé, e ■ *adj* scatty, scatterbrained. ■ *nm, f* scatterbrain.

échafaud *nm* scaffold.

échafaudage *nm* **1.** CONSTR scaffolding **2.** (*amas*) pile.

échalote *nf* shallot.

échancrure *nf* **1.** (*de robe*) low neckline **2.** (*de côte*) indentation.

échange *nm* (*de choses*) exchange • **en échange (de)** in exchange (for).

échanger *vt* **1.** *(troquer)* to swap, to exchange **2.** *(marchandise)* • **échanger qqch (contre)** to change sthg (for) **3.** *(communiquer)* to exchange.

échangisme *nm* *(de partenaires sexuels)* partner-swapping.

échantillon *nm* **1.** *(de produit, de population)* sample **2.** *fig* example.

échappatoire *nf* way out.

échappement *nm* AUTO exhaust • ▷ **pot**.

échapper *vi* **1.** *(éviter)* • **échapper à** *(personne, situation)* to escape from • *(danger, mort)* to escape • *(suj : détail, parole, sens)* to escape **2.** *(glisser)* • **laisser échapper** to let slip.
■ **s'échapper** *vp* • **s'échapper (de)** to escape (from).

écharde *nf* splinter.

écharpe *nf* scarf • **en écharpe** in a sling.

écharper *vt* to rip to pieces *ou* shreds.

échasse *nf* *(de berger, oiseau)* stilt.

échassier *nm* wader.

échauffement *nm* SPORT warm-up.

échauffer *vt* **1.** *(chauffer)* to overheat **2.** *(exciter)* to excite **3.** *(énerver)* to irritate.
■ **s'échauffer** *vp* **1.** SPORT to warm up **2.** *fig (s'animer)* to become heated.

échéance *nf* **1.** *(délai)* expiry • **à longue échéance** in the long term **2.** *(date)* payment date • **arriver à échéance** to fall due.

échéant *adj* • **le cas échéant** if necessary, if need be.

échec *nm* **1.** *(insuccès)* failure • **être en situation d'échec scolaire** to have learning difficulties **2.** *(jeux)* • **échec et mat** checkmate. ■ **échecs** *nmpl* chess *(indénombrable)*.

échelle *nf* **1.** *(objet)* ladder **2.** *(ordre de grandeur)* scale.

échelon *nm* **1.** *(barreau)* rung **2.** *fig (niveau)* level.

échelonner *vt* *(espacer)* to spread out.

échevelé, e *adj* **1.** *(ébouriffé)* dishevelled (UK), disheveled (US) **2.** *(frénétique)* wild.

échine *nf* ANAT spine.

échiquier *nm* *(jeux)* chessboard.

écho *nm* echo.

échographie *nf* *(examen)* ultrasound (scan).

échoir *vi* **1.** *(être dévolu)* • **échoir à** to fall to **2.** *(expirer)* to fall due.

échoppe *nf* stall.

échouer *vi* *(ne pas réussir)* to fail • **échouer à un examen** to fail an exam.
■ **s'échouer** *vp* *(navire)* to run aground.

éclabousser *vt* **1.** *(suj : liquide)* to spatter **2.** *fig (compromettre)* to compromise.

éclair ◼ *nm* **1.** *(de lumière)* flash of lightning **2.** *fig (instant)* • **éclair de** flash of. ◼ *adj inv* • **visite éclair** flying visit • **guerre éclair** blitzkrieg.

éclairage *nm* **1.** *(lumière)* lighting **2.** *fig (point de vue)* light.

éclaircie *nf* bright interval, sunny spell.

éclaircir *vt* **1.** *(rendre plus clair)* to lighten **2.** *(rendre moins épais)* to thin **3.** *fig (clarifier)* to clarify.
■ **s'éclaircir** *vp* **1.** *(devenir plus clair)* to clear **2.** *(devenir moins épais)* to thin **3.** *(se clarifier)* to become clearer.

éclaircissement *nm* *(explication)* explanation.

éclairer *vt* **1.** *(de lumière)* to light up **2.** *(expliquer)* to clarify.
■ **s'éclairer** *vp* **1.** *(personne)* to light one's way **2.** *(regard, visage)* to light up **3.** *(rue, ville)* to light up.

éclaireur *nm* scout.

éclat *nm* **1.** *(de verre, d'os)* splinter **2.** *(de pierre)* chip **3.** *(de lumière)* brilliance **4.** *(de couleur)* vividness **5.** *(beauté)* radiance **6.** *(faste)* splendour (UK), splendor (US) **7.** *(bruit)* burst • **éclat de rire** burst of laughter • **éclats de voix** shouts • **faire un éclat** to cause a scandal • **rire aux éclats** to roar *ou* shriek with laughter.

éclater *vi* **1.** *(exploser - pneu)* to burst • *(- verre)* to shatter • *(- obus)* to explode • **faire éclater** *(- ballon)* to burst • *(- bombe)* to explode • *(- pétard)* to let off **2.** *(incendie, rires)* to break out **3.** *(joie)* to shine • **laisser éclater** to give vent to **4.** *fig (nouvelles, scandale)* to break.
■ **s'éclater** *vp* *fam* to have a great time.

éclectique *adj* eclectic.

éclipse *nf* ASTRON eclipse • **éclipse de lune/soleil** eclipse of the moon/sun.

éclipser *vt* to eclipse.
■ **s'éclipser** *vp* **1.** ASTRON to go into eclipse **2.** *fam (s'esquiver)* to slip away.

éclopé, e ◼ *adj* lame. ◼ *nm, f* lame person.

éclore *vi* (s'ouvrir - fleur) to open out, to blossom • (- œuf) to hatch.

éclos, e *pp* ▷ **éclore.**

écluse *nf* lock.

écœurant, e *adj* **1.** (gén) disgusting **2.** (démoralisant) sickening.

écœurer *vt* **1.** (dégoûter) to sicken, to disgust **2.** fig (indigner) to sicken **3.** (décourager) to discourage.

école *nf* **1.** (gén) school • **école maternelle** nursery school • **école normale** ≃ teacher training college (UK), ≃ teachers college (US) • **École normale supérieure** Si vous voulez expliquer à un anglophone de quoi il s'agit, vous pouvez dire it is a prestigious higher-education institution that provides training for secondary-school teachers and university lecturers • **école primaire/secondaire** primary/secondary school (UK), grade/high school (US) • **école publique** state school (UK), public school (US) • **grande école** si vous voulez expliquer à un anglophone de quoi il s'agit, vous pouvez dire it is a prestigious higher-education institution that provides specialist training. It is considered superior to an ordinary university and the entrance exams are extremely difficult • **faire l'école buissonnière** to play truant (UK) ou hooky (US) • **faire école** to attract a following **2.** (éducation) schooling • **l'école privée** private education.

écolier, ère *nm, f* (élève) pupil.

écolo *nmf fam* ecologist • **les écolos** the Greens.

écologie *nf* ecology.

écologiste *nmf* ecologist.

écomusée *nm* museum of the environment.

éconduire *vt* (repousser - demande) to dismiss • (- visiteur, soupirant) to show to the door.

économe ◼ *nmf* bursar. ◼ *adj* careful, thrifty.

économie *nf* **1.** (science) economics (indénombrable) **2.** POLIT economy • **économie de marché** market economy **3.** (parcimonie) economy, thrift.

économique *adj* **1.** ÉCON economic **2.** (avantageux) economical.

économiser *vt* litt & fig to save.

économiste *nmf* economist.

écoper *vt* **1.** NAUT to bale out **2.** fam (sanction) • **écoper (de) qqch** to get sthg.

écoproduit *nm* green product.

écorce *nf* **1.** (d'arbre) bark **2.** (d'agrume) peel **3.** GÉOL crust.

écorcher *vt* **1.** (lapin) to skin **2.** (bras, jambe) to scratch **3.** fig (langue, nom) to mispronounce.

écorchure *nf* graze, scratch.

écorecharge *nf* ecorefill.

écossais, e *adj* **1.** (de l'Écosse) Scottish **2.** (whisky) Scotch **3.** (tissu) tartan. ◼ **écossais** *nm* (langue) Scots. ◼ **Écossais, e** *nm, f* Scot, Scotsman (f Scotswoman).

Écosse *nf* • **l'Écosse** Scotland.

écosser *vt* to shell.

écosystème *nm* ecosystem.

écotourisme *nm* ecotourism.

écouler *vt* to sell.
◼ **s'écouler** *vp* **1.** (eau) to flow **2.** (personnes) to flow out **3.** (temps) to pass.

écourter *vt* to shorten.

écouter *vt* to listen to.

écouteur *nm* (de téléphone) earpiece.
◼ **écouteurs** *nmpl* (de radio) headphones.

écoutille *nf* hatchway.

écran *nm* **1.** CINÉ, TV & INFORM screen • **le petit écran** the small screen, television • **écran tactile** touch screen, tactile screen **2.** (de protection) shield.

écrasant, e *adj* fig (accablant) overwhelming.

écraser *vt* **1.** (comprimer - cigarette) to stub out • (- pied) to tread on • (- insecte, raisin) to crush **2.** (accabler) • **écraser qqn (de)** to burden sb (with) **3.** (vaincre) to crush **4.** (renverser) to run over.
◼ **s'écraser** *vp* (avion, automobile) • **s'écraser (contre)** to crash (into).

écrémer *vt* (lait) to skim.

écrevisse *nf* crayfish.

écrier ◼ **s'écrier** *vp* to cry out.

écrin *nm* case.

écrire *vt* **1.** (phrase, livre) to write **2.** (orthographier) to spell.
◼ **s'écrire** *vp* (s'épeler) to be spelled.

écrit, e ◼ *pp* ▷ **écrire.** ◼ *adj* written.
◼ **écrit** *nm* **1.** (ouvrage) writing **2.** (examen) written exam **3.** (document) piece of writing. ◼ **par écrit** loc adv in writing.

écriteau *nm* notice.

écriture *nf* (gén) writing.

écrivain *nm* writer, author.

écrou *nm* TECHNOL nut.

écrouer *vt* to imprison.

écrouler ■ **s'écrouler** *vp* litt & fig to collapse.

écru, e *adj* (naturel) unbleached.

ecsta (abr de **ecstasy**) *nm* E, ecstasy.

écu *nm* 1. (bouclier, armoiries) shield 2. (monnaie ancienne) crown.

écueil *nm* 1. (rocher) reef 2. fig (obstacle) stumbling block.

écuelle *nf* (objet) bowl.

éculé, e *adj* 1. (chaussure) down-at-heel 2. fig (plaisanterie) hackneyed.

écume *nf* (mousse, bave) foam.

écumoire *nf* skimmer.

écureuil *nm* squirrel.

écurie *nf* 1. (pour chevaux & SPORT) stable 2. fig (local sale) pigsty.

écusson *nm* 1. (d'armoiries) coat-of-arms 2. MIL badge.

écuyer, ère *nm, f* (de cirque) rider. ■ **écuyer** *nm* (de chevalier) squire.

eczéma *nm* eczema.

édenté, e *adj* toothless.

EDF, Edf (abr de **Électricité de France**) *nf* French national electricity company.

édifice *nm* 1. (construction) building 2. fig (institution) ◦ **l'édifice social** the fabric of society.

édifier *vt* 1. (ville, église) to build 2. fig (théorie) to construct 3. (personne) to edify 4. iron to enlighten.

Édimbourg *npr* Edinburgh.

éditer *vt* to publish.

éditeur, trice *nm, f* publisher.

édition *nf* 1. (profession) publishing 2. (de journal, livre) edition ◦ **édition électronique** electronic publishing.

éditorial *nm* editorial, leader (UK).

édredon *nm* eiderdown (UK), comforter (US).

éducateur, trice *nm, f* teacher ◦ **éducateur spécialisé** special needs teacher.

éducatif, ive *adj* educational.

éducation *nf* 1. (apprentissage) education ◦ **l'Éducation nationale** ≃ the Department for Education (UK), ≃ the Department of Education (US) 2. (parentale) upbringing 3. (savoir-vivre) breeding.

édulcorant *nm* ◦ **édulcorant (de synthèse)** (artificial) sweetener.

édulcorer *vt* 1. sout (tisane) to sweeten 2. fig (propos) to tone down.

éduquer *vt* 1. (enfant) to bring up 2. (élève) to educate.

effacé, e *adj* 1. (teinte) faded 2. (modeste - rôle) unobtrusive ◦ (- personne) self-effacing.

effacer *vt* 1. (mot) to erase, to rub out 2. INFORM to delete 3. (souvenir) to erase 4. (réussite) to eclipse. ■ **s'effacer** *vp* 1. (s'estomper) to fade (away) 2. sout (s'écarter) to move aside 3. fig (s'incliner) to give way.

effarant, e *adj* frightening.

effarer *vt* to frighten, to scare.

effaroucher *vt* 1. (effrayer) to scare off 2. (intimider) to overawe.

effectif, ive *adj* 1. (remède) effective 2. (aide) positive. ■ **effectif** *nm* 1. MIL strength 2. (de groupe) total number.

effectivement *adv* 1. (réellement) effectively 2. (confirmation) in fact.

effectuer *vt* (réaliser - manœuvre) to carry out ◦ (- trajet, paiement) to make.

efféminé, e *adj* effeminate.

effervescent, e *adj* 1. (boisson) effervescent 2. fig (pays) in turmoil.

effet *nm* 1. (gén) effect ◦ **effet secondaire** MÉD side-effect ◦ **effets spéciaux** CINÉ special effects ◦ **sous l'effet de** under the effects of ◦ (alcool) under the influence of ◦ **effet de serre** greenhouse effect 2. (impression recherchée) impression 3. COMM (titre) bill. ■ **en effet** *loc adv* in fact, indeed.

effeuiller *vt* 1. (arbre) to remove the leaves from 2. (fleur) to remove the petals from.

efficace *adj* 1. (remède, mesure) effective 2. (personne, machine) efficient.

effigie *nf* effigy.

effiler *vt* 1. (tissu) to fray 2. (lame) to sharpen 3. (cheveux) to thin.

effilocher *vt* to fray. ■ **s'effilocher** *vp* to fray.

efflanqué, e *adj* emaciated.

effleurer *vt* **1.** *(visage, bras)* to brush (against) **2.** *fig (problème, thème)* to touch on **3.** *fig (suj : pensée, idée)* ▪ **effleurer qqn** to cross sb's mind.

effluve *nm* **1.** exhalation **2.** *fig (d'enfance, du passé)* breath.

effondrement *nm litt & fig* collapse.

effondrer ▪ **s'effondrer** *vp litt & fig* to collapse.

efforcer ▪ **s'efforcer** *vp* ▪ **s'efforcer de faire qqch** to make an effort to do sthg.

effort *nm* **1.** *(de personne)* effort **2.** TECHNOL stress.

effraction *nf* breaking in ▪ **entrer par effraction dans** to break into.

effrayer *vt* to frighten, to scare.

effréné, e *adj (course)* frantic.

effriter *vt* to cause to crumble. ▪ **s'effriter** *vp (mur)* to crumble.

effroi *nm* fear, dread.

effronté, e ▪ *adj* insolent. ▪ *nm, f* insolent person.

effronterie *nf* insolence.

effroyable *adj* **1.** *(catastrophe, misère)* appalling **2.** *(laideur)* hideous.

effusion *nf* **1.** *(de liquide)* effusion **2.** *(de sentiments)* effusiveness.

égal, e ▪ *adj* **1.** *(équivalent)* equal **2.** *(régulier)* even. ▪ *nm, f* equal.

également *adv* **1.** *(avec égalité)* equally **2.** *(aussi)* as well, too.

égaler *vt* **1.** MATH to equal **2.** *(beauté)* to match, to compare with.

égaliser ▪ *vt (haie, cheveux)* to trim. ▪ *vi* SPORT to equalize (UK), to tie (US).

égalitaire *adj* egalitarian.

égalité *nf* **1.** *(gén)* equality **2.** *(d'humeur)* evenness **3.** SPORT ▪ **être à égalité** to be level, to be tied **4.** *(au tennis)* deuce.

égard *nm* consideration ▪ **à cet égard** in this respect. ▪ **à l'égard de** *loc prép* with regard to, towards (UK), toward (US).

égarement *nm* **1.** *(de jeunesse)* wildness **2.** *(de raisonnement)* aberration.

égarer *vt* **1.** *(objet)* to mislay, to lose **2.** *(personne)* to mislead **3.** *fig & sout (suj : passion)* to lead astray.

▪ **s'égarer** *vp* **1.** *(lettre)* to get lost, to go astray **2.** *(personne)* to get lost, to lose one's way **3.** *fig & sout (personne)* to stray from the point.

égayer *vt* **1.** *(personne)* to cheer up **2.** *(pièce)* to brighten up.

égide *nf* protection ▪ **sous l'égide de** *littéraire* under the aegis of.

église *nf* church. ▪ **Église** *nf* ▪ **l'Église** the Church.

égocentrique *adj* self-centred (UK), self-centered (US), egocentric.

égoïsme *nm* selfishness, egoism.

égoïste ▪ *nmf* selfish person. ▪ *adj* selfish, egoistic.

égorger *vt (animal, personne)* to cut the throat of.

égosiller ▪ **s'égosiller** *vp fam* **1.** *(crier)* to bawl, to shout **2.** *(chanter)* to sing one's head off.

égout *nm* sewer.

égoutter *vt* **1.** *(vaisselle)* to leave to drain **2.** *(légumes, fromage)* to drain. ▪ **s'égoutter** *vp* to drip, to drain.

égouttoir *nm* **1.** *(à légumes)* colander, strainer **2.** *(à vaisselle)* draining rack.

égratigner *vt* **1.** to scratch **2.** *fig* to have a go *ou* dig at. ▪ **s'égratigner** *vp* ▪ **s'égratigner la main** to scratch one's hand.

égratignure *nf* **1.** scratch, graze **2.** *fig* dig.

égrener *vt* **1.** *(détacher les grains de - épi, cosse)* to shell ▪ *(- grappe)* to pick grapes from **2.** *(chapelet)* to tell **3.** *fig (marquer)* to mark.

égrillard, e *adj* ribald, bawdy.

Égypte *nf* ▪ **l'Égypte** Egypt.

égyptien, enne *adj* Egyptian. ▪ **égyptien** *nm (langue)* Egyptian. ▪ **Égyptien, enne** *nm, f* Egyptian.

égyptologie *nf* Egyptology.

eh *interj* hey! ▪ **eh bien** well.

éhonté, e *adj* shameless.

Eiffel *npr* ▪ **la tour Eiffel** the Eiffel Tower.

éjaculation *nf* ejaculation.

éjectable *adj* ▪ **siège éjectable** ejector (UK) *ou* ejection (US) seat.

éjecter *vt* **1.** *(douille)* to eject **2.** *fam (personne)* to kick out.

élaboration *nf (de plan, système)* working out, development.

élaboré, e *adj* elaborate.

élaborer *vt (plan, système)* to work out, to develop.

élaguer *vt litt & fig* to prune.

élan *nm* **1.** ZOOL elk **2.** *(athlétisme)* run-up ◆ **prendre son élan** to take a run-up, to gather speed **3.** *(Québec) (golf)* swing **4.** *fig (de joie)* outburst.

élancé, e *adj* slender.

élancer *vi* MÉD to give shooting pains. ■ **s'élancer** *vp* **1.** *(se précipiter)* to rush, to dash **2.** SPORT to take a run-up **3.** *fig (s'envoler)* to soar.

élargir *vt* **1.** to widen **2.** *(vêtement)* to let out **3.** *fig* to expand. ■ **s'élargir** *vp* **1.** *(s'agrandir)* to widen **2.** *(vêtement)* to stretch **3.** *fig* to expand.

élasticité *nf* PHYS elasticity.

élastique ■ *nm* **1.** *(pour attacher)* rubber *OU* elastic *(UK)* band **2.** *(matière)* elastic. ■ *adj* **1.** PHYS elastic **2.** *(corps)* flexible **3.** *fig (conscience)* accommodating.

électeur, trice *nm, f* voter, elector.

élection *nf (vote)* election ◆ **élections municipales** local elections ◆ **élection présidentielle** presidential election.

électoral, e *adj* **1.** electoral **2.** *(campagne, réunion)* election *(avant nom)*.

électricien, enne *nm, f* electrician.

électricité *nf* electricity.

électrifier *vt* to electrify.

électrique *adj litt & fig* electric.

électroaimant *nm* electro-magnet.

électrocardiogramme *nm* electrocardiogram.

électrochoc *nm* electroshock therapy.

électrocuter *vt* to electrocute.

électrode *nf* electrode.

électroencéphalogramme *nm* electroencephalogram.

électrogène *adj* ◆ **groupe électrogène** generating unit.

électrolyse *nf* electrolysis.

électromagnétique *adj* electromagnetic.

électroménager *nm* household electrical appliances *pl*.

électron *nm* electron.

électronicien, enne *nm, f* electronics specialist.

électronique ■ *nf (sciences)* electronics *(indénombrable)*. ■ *adj* **1.** electronic **2.** *(microscope)* electron *(avant nom)*.

électrophone *nm* record player.

élégance *nf (de personne, style)* elegance.

élégant, e *adj* **1.** *(personne, style)* elegant **2.** *(délicat - solution, procédé)* elegant ◆ *(- conduite)* generous.

élément *nm* **1.** *(gén)* element ◆ **être dans son élément** to be in one's element **2.** *(de machine)* component.

élémentaire *adj* **1.** *(gén)* elementary **2.** *(installation, besoin)* basic.

éléphant *nm* elephant.

élevage *nm* **1.** breeding, rearing **2.** *(installation)* farm.

élévateur, trice *adj* elevator *(avant nom)*.

élève *nmf (écolier, disciple)* pupil.

élevé, e *adj* **1.** *(haut)* high **2.** *fig (sentiment, âme)* noble **3.** *(enfant)* ◆ **bien/mal élevé** well/badly brought up.

élever *vt* **1.** *(gén)* to raise **2.** *(statue)* to put up, to erect **3.** *(à un rang supérieur)* to elevate **4.** *(esprit)* to improve **5.** *(enfant)* to bring up **6.** *(poulets)* to rear, to breed. ■ **s'élever** *vp* **1.** *(gén)* to rise **2.** *(montant)* ◆ **s'élever à** to add up to **3.** *(protester)* ◆ **s'élever contre qqn/qqch** to protest against sb/sthg.

éleveur, euse *nm, f* breeder.

elfe *nm* elf.

éligible *adj* eligible.

élimé, e *adj* threadbare.

élimination *nf* elimination.

éliminatoire ■ *nf (gén pl)* SPORT qualifying heat *OU* round. ■ *adj* qualifying *(avant nom)*.

éliminer *vt* to eliminate.

élire *vt* to elect.

élite *nf* elite ◆ **d'élite** choice, select.

élitiste *nmf & adj* elitist.

elle *pron pers* **1.** *(sujet - personne)* she ◆ *(- animal)* it, she ◆ *(- chose)* it **2.** *(complément - personne)* her ◆ *(- animal)* it, her ◆ *(- chose)* it. ■ **elles** *pron pers pl* **1.** *(sujet)* they **2.** *(complément)* them. ■ **elle-même** *pron pers* **1.** *(personne)* herself **2.** *(animal)* itself, herself **3.** *(chose)* itself. ■ **elles-mêmes** *pron pers pl* themselves.

ellipse *nf* **1.** GÉOM ellipse **2.** LING ellipsis.

élocution *nf* delivery • **défaut d'élocution** speech defect.

éloge *nm* (*louange*) praise • **faire l'éloge de qqn/qqch** (*louer*) to speak highly of sb/ sthg • **couvrir qqn d'éloges** to shower sb with praise.

élogieux, euse *adj* laudatory.

éloignement *nm* **1.** (*mise à l'écart*) removal **2.** (*séparation*) absence **3.** (*dans l'espace, le temps*) distance.

éloigner *vt* **1.** (*écarter*) to move away • **éloigner qqch de** to move sthg away from **2.** (*détourner*) to turn away **3.** (*chasser*) to dismiss.
■ **s'éloigner** *vp* **1.** (*partir*) to move *ou* go away **2.** *fig* • **s'éloigner du sujet** to stray from the point **3.** (*se détacher*) to distance o.s..

éloquence *nf* (*d'orateur, d'expression*) eloquence.

éloquent, e *adj* **1.** (*avocat, silence*) eloquent **2.** (*données*) significant.

élu, e ■ *pp* ➭ **élire.** ■ *adj* POLIT elected. ■ *nm, f* **1.** POLIT elected representative **2.** RELIG chosen one • **l'élu de son cœur** *hum & sout* one's heart's desire.

élucider *vt* to clear up.

éluder *vt* to evade.

Élysée *nm* • **l'Élysée** the Élysée.

émacié, e *adj littéraire* emaciated.

e-mail *nm* e-mail, E-mail.

émail *nm* enamel • **en émail** enamel, enamelled (*UK*), enameled (*US*).

émanation *nf* emanation • **être l'émanation de** *fig* to emanate from.

émanciper *vt* to emancipate.
■ **s'émanciper** *vp* **1.** (*se libérer*) to become free *ou* liberated **2.** *fam* (*se dévergonder*) to become emancipated.

émaner *vi* • **émaner de** to emanate from.

émarger *vt* (*signer*) to sign.

émasculer *vt* to emasculate.

emballage *nm* packaging.

emballer *vt* **1.** (*objet*) to pack (up), to wrap (up) **2.** *fam* (*plaire à*) to thrill.
■ **s'emballer** *vp* **1.** (*moteur*) to race **2.** (*cheval*) to bolt **3.** *fam* (*personne - s'enthousiasmer*) to get carried away • (*- s'emporter*) to lose one's temper.

embarcadère *nm* landing stage.

embarcation *nf* small boat.

embardée *nf* swerve • **faire une embardée** to swerve.

embargo *nm* embargo.

embarquement *nm* **1.** (*de marchandises*) loading **2.** (*de passagers*) boarding.

embarquer ■ *vt* **1.** (*marchandises*) to load **2.** (*passagers*) to (take on) board **3.** *fam* (*arrêter*) to pick up **4.** *fam fig* (*engager*) • **embarquer qqn dans** to involve sb in **5.** *fam* (*emmener*) to cart off. ■ *vi* • **embarquer (pour)** to sail (for).
■ **s'embarquer** *vp* **1.** (*sur un bateau*) to (set) sail **2.** *fam fig* (*s'engager*) • **s'embarquer dans** to get involved in.

embarras *nm* **1.** (*incertitude*) (state of) uncertainty • **avoir l'embarras du choix** to be spoilt for choice **2.** (*situation difficile*) predicament • **être dans l'embarras** to be in a predicament • **mettre qqn dans l'embarras** to place sb in an awkward position • **tirer qqn d'embarras** to get sb out of a tight spot **3.** (*gêne*) embarrassment **4.** (*souci*) difficulty, worry.

embarrassé, e *adj* **1.** (*encombré - pièce, bureau*) cluttered • **avoir les mains embarrassées** to have one's hands full **2.** (*gêné*) embarrassed **3.** (*confus*) confused.

embarrasser *vt* **1.** (*encombrer - pièce*) to clutter up • (*- personne*) to hamper **2.** (*gêner*) to put in an awkward position.
■ **s'embarrasser** *vp* (*se charger*) • **s'embarrasser de qqch** to burden o.s. with sthg • *fig* to bother about sthg.

embauchage *nm* = **embauche.**

embauche *nf* hiring, employment.

embaucher *vt* **1.** (*employer*) to employ, to take on **2.** *fam* (*occuper*) • **je t'embauche !** I need your help!

embaumer ■ *vt* **1.** (*cadavre*) to embalm **2.** (*parfumer*) to scent. ■ *vi* to be fragrant.

embellir ■ *vt* **1.** (*agrémenter*) to brighten up **2.** *fig* (*enjoliver*) to embellish. ■ *vi* **1.** (*devenir plus beau*) to become more attractive **2.** *fig & hum* to grow, to increase.

embêtant, e *adj fam* annoying.

embêtement *nm fam* trouble.

embêter *vt fam* (*contrarier, importuner*) to annoy.
■ **s'embêter** *vp fam* (*s'ennuyer*) to be bored.

emblée ■ **d'emblée** *loc adv* right away.

emblème *nm* emblem.

emboîter *vt* • **emboîter qqch dans qqch** to fit sthg into sthg.
■ **s'emboîter** *vp* to fit together.

embonpoint *nm* stoutness.

embouché, e *adj fam* • **mal embouché** foul-mouthed.

embouchure *nf (de fleuve)* mouth.

embourber ■ **s'embourber** *vp* **1.** *(s'enliser)* to get stuck in the mud **2.** *fig* to get bogged down.

embourgeoiser *vt* **1.** *(personne)* to instil *(UK) ou* instill *(US)* middle-class values in **2.** *(quartier)* to gentrify.
■ **s'embourgeoiser** *vp* **1.** *(personne)* to adopt middle-class values **2.** *(quartier)* to become gentrified.

embout *nm* **1.** *(protection)* tip **2.** *(extrémité d'un tube)* nozzle.

embouteillage *nm (circulation)* traffic jam.

emboutir *vt* **1.** *fam (voiture)* to crash into **2.** TECHNOL to stamp.

embranchement *nm* **1.** *(carrefour)* junction **2.** *(division)* branching (out) **3.** *fig* branch.

embraser *vt* **1.** *(incendier, éclairer)* to set ablaze **2.** *fig (d'amour)* to (set on) fire, to inflame.
■ **s'embraser** *vp* **1.** *(prendre feu, s'éclairer)* to be ablaze **2.** *fig & littéraire* to be inflamed.

embrassade *nf* embrace.

embrasser *vt* **1.** *(donner un baiser à)* to kiss **2.** *(étreindre)* to embrace **3.** *fig (du regard)* to take in.
■ **s'embrasser** *vp* to kiss (each other).

embrasure *nf* • **dans l'embrasure de la fenêtre** in the window.

embrayage *nm (mécanisme)* clutch.

embrayer *vi* AUTO to engage the clutch.

embrocher *vt* to skewer.

embrouillamini *nm fam* muddle.

embrouiller *vt* **1.** *(mélanger)* to mix (up), to muddle (up) **2.** *fig (compliquer)* to confuse.

embruns *nmpl* spray *(indénombrable)*.

embryon *nm litt & fig* embryo.

embûche *nf* pitfall.

embuer *vt* **1.** *(de vapeur)* to steam up **2.** *(de larmes)* to mist (over).

embuscade *nf* ambush.

éméché, e *adj fam* tipsy, merry *(UK)*.

émeraude *nf* emerald.

émerger *vi* **1.** *(gén)* to emerge **2.** *fig &* NAUT to surface.

émeri *nm* • **papier** *ou* **toile émeri** emery paper.

émérite *adj* distinguished, eminent.

émerveiller *vt* to fill with wonder.

émetteur, trice *adj* transmitting *(avant nom)* • **poste émetteur** transmitter.
■ **émetteur** *nm (appareil)* transmitter.

émettre *vt* **1.** *(produire)* to emit **2.** *(diffuser)* to transmit, to broadcast **3.** *(mettre en circulation)* to issue **4.** *(exprimer)* to express.

émeute *nf* riot.

émietter *vt* **1.** *(du pain)* to crumble **2.** *(morceler)* to divide up.

émigrant, e *adj & nm, f* emigrant.

émigré, e ■ *adj* migrant. ■ *nm, f* emigrant.

émigrer *vi* **1.** *(personnes)* to emigrate **2.** *(animaux)* to migrate.

émincé, e *adj* thinly sliced. ■ **émincé** *nm si vous voulez expliquer à un anglophone de quoi il s'agit, vous pouvez dire* it is a dish of thin slices of meat served in a sauce.

éminemment *adv* eminently.

éminence *nf* hill.

éminent, e *adj* eminent, distinguished.

émir *nm* emir.

émirat *nm* emirate. ■ **Émirat** *nm* • **les Émirats arabes unis** the United Arab Emirates.

émis, e *pp* ▷ **émettre**.

émissaire ■ *nm (envoyé)* emissary, envoy. ■ *adj* ▷ **bouc**.

émission *nf* **1.** *(de gaz, de son)* emission **2.** *(*RADIO & TV *- transmission)* transmission, broadcasting • *(- programme)* programme *(UK)*, program *(US)* **3.** *(mise en circulation)* issue.

emmagasiner *vt* **1.** *(stocker)* to store **2.** *fig (accumuler)* to store up.

emmailloter *vt* to wrap up.

emmanchure *nf* armhole.

emmêler *vt* **1.** *(fils)* to tangle up **2.** *fig (idées)* to muddle up, to confuse.
■ **s'emmêler** *vp* **1.** *(fils)* to get into a tangle **2.** *fig (personne)* to get mixed up.

emménagement *nm* moving in.

emménager *vi* to move in.

emmener *vt* to take.

emmerder *vt tfam* to piss off.
■ **s'emmerder** *vp* (*s'embêter*) to be bored stiff.

emmitoufler *vt* to wrap up.
■ **s'emmitoufler** *vp* to wrap o.s. up.

émoi *nm* **1.** *sout* (*agitation*) agitation, commotion ◦ **en émoi** in turmoil **2.** (*émotion*) emotion.

emoticon *nm* INFORM emoticon.

émotif, ive *adj* emotional.

émotion *nf* **1.** (*sentiment*) emotion **2.** (*peur*) fright, shock.

émotionnel, elle *adj* emotional.

émousser *vt litt & fig* to blunt.

émouvant, e *adj* moving.

émouvoir *vt* **1.** (*troubler*) to disturb, to upset **2.** (*susciter la sympathie de*) to move, to touch.
■ **s'émouvoir** *vp* to show emotion, to be upset.

empailler *vt* **1.** (*animal*) to stuff **2.** (*chaise*) to upholster (with straw).

empaler *vt* to impale.

empaqueter *vt* to pack (up), to wrap (up).

empâter *vt* **1.** (*visage, traits*) to fatten out **2.** (*bouche, langue*) to coat, to fur up.
■ **s'empâter** *vp* to put on weight.

empêchement *nm* obstacle ◦ **j'ai un empêchement** something has come up.

empêcher *vt* to prevent ◦ **empêcher qqn/qqch de faire qqch** to prevent sb/sthg from doing sthg ◦ **empêcher que qqn (ne) fasse qqch** to prevent sb from doing sthg ◦ **(il) n'empêche que** nevertheless, all the same.

empereur *nm* emperor.

empesé, e *adj* **1.** (*linge*) starched **2.** *fig* (*style*) stiff.

empester *vi* to stink.

empêtrer *vt* ◦ **être empêtré dans** to be tangled up in.
■ **s'empêtrer** *vp* ◦ **s'empêtrer (dans)** to get tangled up (in).

emphase *nf péj* pomposity.

empiéter *vi* ◦ **empiéter sur** to encroach on.

empiffrer ■ **s'empiffrer** *vp fam* to stuff o.s..

empiler *vt* (*entasser*) to pile up, to stack up.

empire *nm* **1.** *fig &* HIST empire **2.** *sout* (*contrôle*) influence.

empirer *vi & vt* to worsen.

empirique *adj* empirical.

emplacement *nm* **1.** (*gén*) site, location **2.** (*dans un camping*) place.

emplette *nf* (*gén pl*) purchase.

emplir *vt sout* ◦ **emplir (de)** to fill (with).
■ **s'emplir** *vp* ◦ **s'emplir (de)** to fill (with).

emploi *nm* **1.** (*utilisation*) use ◦ **emploi du temps** SCOL timetable (*UK*), schedule (*US*) ◦ **mode d'emploi** instructions *pl* (for use) **2.** (*travail*) job ◦ **il est sans emploi** he is unemployed *ou* out of a job ◦ **emploi saisonnier** seasonal job.

employé, e *nm, f* employee ◦ **employé de bureau** office worker.

employer *vt* **1.** (*utiliser*) to use **2.** (*salarier*) to employ.

employeur, euse *nm, f* employer.

empocher *vt fam* to pocket.

empoignade *nf* row.

empoigner *vt* (*saisir*) to grasp.
■ **s'empoigner** *vp fig* to come to blows.

empoisonnement *nm* (*intoxication*) poisoning.

empoisonner *vt* **1.** (*gén*) to poison **2.** *fam* (*ennuyer*) to annoy, to bug.

emporté, e *adj* short-tempered.

emportement *nm* anger.

emporter *vt* **1.** (*emmener*) to take (away) ◦ **à emporter** (*plats*) to take away (*UK*), to take out (*US*), to go (*US*) **2.** (*entraîner*) to carry along **3.** (*arracher*) to tear off, to blow off **4.** (*faire mourir*) to carry off **5.** (*surpasser*) ◦ **l'emporter sur** to get the better of.
■ **s'emporter** *vp* to get angry, to lose one's temper.

empoté, e *fam* ■ *adj* clumsy. ■ *nm, f* clumsy person.

empreinte *nf* **1.** (*trace*) print **2.** *fig* mark, trace ◦ **empreintes digitales** fingerprints.

empressement *nm* **1.** (*zèle*) attentiveness **2.** (*enthousiasme*) eagerness.

empresser ■ **s'empresser** *vp* ◦ **s'empresser de faire qqch** to hurry to do sthg ◦ **s'empresser auprès de qqn** to be attentive to sb.

emprise *nf* (*ascendant*) influence.

emprisonnement *nm* imprisonment.

emprisonner *vt* (*voleur*) to imprison.

emprunt *nm* **1.** FIN loan **2.** *fig* & LING borrowing.

emprunté, e *adj* awkward, self-conscious.

emprunter *vt* **1.** (*gén*) to borrow ▪ **emprunter qqch à** to borrow sthg from **2.** (*route*) to take.

ému, e ▪ *pp* ▷ **émouvoir**. ▪ *adj* **1.** (*personne*) moved, touched **2.** (*regard, sourire*) emotional.

émulation *nf* **1.** (*concurrence*) rivalry **2.** (*imitation*) emulation.

émule *nmf* **1.** (*imitateur*) emulator **2.** (*concurrent*) rival.

émulsion *nf* emulsion.

en *prép*

1. EXPRIME LE TEMPS
- **ils sont allés au Japon en 1994** they went to Japan in 1994
- **ils iront en vacances en hiver/septembre** they will go on holiday in winter/September

2. INDIQUE LE LIEU OÙ L'ON EST
- **ma sœur habite en Sicile/ville** my sister lives in Sicily/town

3. INDIQUE LE LIEU OÙ L'ON VA
- **elle va en Sicile/ville** she's going to Sicily/town

4. INDIQUE LA MATIÈRE
- **c'est en métal** it's (made of) metal
- **cette théière est en porcelaine** this teapot is made of china

5. INDIQUE UN ÉTAT
- **ils sont en vacances** they are on holiday (*UK*) *ou* vacation (*US*)
- **les arbres sont en fleurs** the trees are in blossom

6. INDIQUE LA MANIÈRE
- **ils y vont en groupe** they are going in a group
- **tu devrais le dire en anglais** you should say it in English
- **vous devriez compter en dollars** you should calculate in dollars

7. INDIQUE UN RÔLE
- **il a agi en traître** he behaved treacherously
- **il a parlé en expert** he spoke as an expert

8. INDIQUE UN DOMAINE
- **elle est forte en physique** she's good at physics
- **un devoir en anglais** English exercices *ou* homework
- **je n'y connais rien en musique classique** I don't know anything about classical music

9. INDIQUE UN MOYEN DE TRANSPORT
- **nous irons là-bas en avion/bateau/train** we'll go there by plane/boat/train
- **c'est plus rapide en avion** it's quicker by plane

10. INDIQUE UNE TRANSFORMATION
- **la citrouille se changea en un magnifique carrosse** the pumpkin changed into a beautiful carriage
- **elle a traduit ce texte en italien pour moi** she translated this text into Italian for me

11. INDIQUE LA FORME, LA TAILLE
- **les Français utilisent du sucre en morceaux** the French use sugar cubes
- **le lait en poudre est très pratique** powdered milk is very convenient
- **vous l'avez en 38 ?** do you have it in a 38?
- **est-ce que vous l'avez en plus grand ?** do you have it in a bigger size?
- **je la préfère en vert** I prefer it in green

12. DEVANT UN PARTICIPE PRÉSENT
- **en arrivant à Paris, on a été pris dans un embouteillage** on arriving in Paris, as we *ou* when we arrived in Paris, we got caught in a traffic jam
- **elle répondit en souriant** she replied with a smile.
- **il a monté l'escalier en courant** he ran upstairs
- **en faisant un effort, tu y arriveras** by making an effort, you'll manage *ou* you'll manage if you make an effort.

en *pron pers*

1. REMPLACE UN NOM PRÉCÉDÉ DE LA PRÉPOSITION « DE »
- **il s'en est souvenu** he remembered it
- **nous en avons déjà parlé** we've already spoken about it
- **je m'en porte garant** I'll vouch for it
- **est-ce que tu connais la Bretagne ? — bien sûr, j'en viens !** do you know Brittany? – of course, I come from there!

2. REMPLACE UN NOM PRÉCÉDÉ DES ARTICLES PARTI-TIFS « DU », « DE LA » ET « DES »
• **j'ai du chocolat, tu en veux ?** I've got some chocolate; do you want some?
• **tu en as ?** have you got any?, do you have any?
• **il y en a plusieurs** there are several (of them).

ENA, Ena (*abr de* **École nationale d'administration**) *nf si vous voulez expliquer à un anglophone de quoi il s'agit, vous pouvez dire* it is a prestigious higher-education institution that provides training for future senior civil servants.

encadrement *nm* **1.** (*de tableau, porte*) frame **2.** (*dans une entreprise*) managerial staff **3.** (*à l'armée*) officers *pl* **4.** (*à l'école*) staff **5.** (*du crédit*) restriction.

encadrer *vt* **1.** (*photo, visage*) to frame **2.** (*employés*) to supervise **3.** (*soldats*) to be in command of **4.** (*élèves*) to teach.

encaissé, e *adj* **1.** (*vallée*) deep and narrow **2.** (*rivière*) steep-banked.

encaisser *vt* **1.** (*argent, coups, insultes*) to take **2.** (*chèque*) to cash.

encart *nm* insert.

encastrer *vt* to fit.
■ **s'encastrer** *vp* to fit (exactly).

encaustique *nf* (*cire*) polish.

enceinte ◨ *adj f* pregnant • **enceinte de 4 mois** 4 months pregnant. ◨ *nf* **1.** (*muraille*) wall **2.** (*espace*) • **dans l'enceinte de** within (the confines of) **3.** (*baffle*) • **enceinte (acoustique)** speaker.

encens *nm* incense.

encenser *vt* **1.** (*brûler de l'encens dans*) to burn incense in **2.** *fig* (*louer*) to flatter.

encensoir *nm* censer.

encercler *vt* **1.** (*cerner, environner*) to surround **2.** (*entourer*) to circle.

enchaînement *nm* **1.** (*succession*) series **2.** (*liaison*) link.

enchaîner ◨ *vt* **1.** (*attacher*) to chain up **2.** *fig* (*asservir*) to enslave **3.** (*coordonner*) to link. ◨ *vi* • **enchaîner (sur)** to move on (to).
■ **s'enchaîner** *vp* (*se suivre*) to follow on from each other.

enchanté, e *adj* **1.** (*ravi*) delighted • **enchanté de faire votre connaissance** pleased to meet you **2.** (*ensorcelé*) enchanted.

enchantement *nm* **1.** (*sortilège*) magic spell • **comme par enchantement** as if by magic **2.** *sout* (*ravissement*) delight **3.** (*merveille*) wonder.

enchanter *vt* **1.** (*ensorceler, charmer*) to enchant **2.** (*ravir*) to delight.

enchâsser *vt* **1.** (*encastrer*) to fit **2.** (*sertir*) to set.

enchère *nf* bid • **vendre qqch aux enchères** to sell sthg at *ou* by auction.

enchevêtrer *vt* **1.** (*emmêler*) to tangle up **2.** *fig* to muddle, to confuse.

enclave *nf* enclave.

enclencher *vt* (*mécanisme*) to engage.
■ **s'enclencher** *vp* **1.** TECHNOL to engage **2.** *fig* (*commencer*) to begin.

enclin, e *adj* • **enclin à qqch/à faire qqch** inclined to sthg/to do sthg.

enclore *vt* to fence in, to enclose.

enclos, e *pp* ▷ **enclore.** ■ **enclos** *nm* enclosure.

enclume *nf* anvil.

encoche *nf* notch.

encoignure *nf* (*coin*) corner.

encolure *nf* neck.

encombrant, e *adj* **1.** cumbersome **2.** *fig* (*personne*) undesirable.

encombre ■ **sans encombre** *loc adv* without a hitch.

encombré, e *adj* **1.** (*lieu*) busy, congested **2.** *fig* saturated.

encombrement *nm* **1.** (*d'une pièce*) clutter **2.** (*d'un objet*) overall dimensions *pl* **3.** (*embouteillage*) traffic jam **4.** INFORM footprint.

encombrer *vt* to clutter (up).

encontre ■ **à l'encontre de** *loc prép* • **aller à l'encontre de** to go against, to oppose.

encore *adv*

1. TOUJOURS
• **il est onze heures et elle dort encore** it's eleven o'clock and she's still sleeping
• **il l'aime encore** he still loves her
• **elle ne travaille pas encore** she's not working yet
• **elle n'était encore jamais venue ici** she had never come here before

2. DE NOUVEAU
• **il m'a encore menti** he's lied to me again
• **quoi encore ?** what now?
• **l'ascenseur est en panne – encore !** the lift's out of order – not again!
• **encore une fois, il est en retard** once more *ou* once again, he's late
• **elle a encore acheté une nouvelle robe** she has bought yet another new dress

3. EN PLUS
• **j'en veux encore** I want some more
• **encore de la glace ?** some more ice cream?
• **encore une tasse ?** another cup?
• **on a encore besoin de deux volontaires** we need two more volunteers
• **encore un mois** one more month
• **qu'est-ce que j'oublie encore ?** what else have I forgotten?

4. MARQUE LE RENFORCEMENT
• **c'est encore mieux/pire** it's even better/worse
• **c'est encore plus cher ici !** it's even more expensive here!

■ **et encore** *loc adv*

• **j'ai eu le temps de prendre un sandwich, et encore !** I had time to take a sandwich, but only just!

■ **si encore** *loc adv*

if only
• **si encore il montrait un peu de bonne volonté !** if only he showed a little effort.

■ **encore que** *loc conj*

although
• **ce n'est pas mal, encore que ce ne soit pas parfait** although it's not perfect, it's not bad.

encouragement *nm (parole)* (word of) encouragement.

encourager *vt* to encourage • **encourager qqn à faire qqch** to encourage sb to do sthg.

encourir *vt sout* to incur.

encouru, e *pp* ⊳ **encourir**.

encrasser *vt* **1.** TECHNOL to clog up **2.** *fam (salir)* to make dirty *ou* filthy.
■ **s'encrasser** *vp* **1.** TECHNOL to clog up **2.** *fam (se salir)* to get dirty *ou* filthy.

encre *nf* ink.

encrer *vt* to ink.

encrier *nm* inkwell.

encroûter ■ **s'encroûter** *vp fam* to get into a rut • **s'encroûter dans ses habitudes** to become set in one's ways.

encyclopédie *nf* encyclopedia.

encyclopédique *adj* encyclopedic.

endémique *adj* endemic.

endetter ■ **s'endetter** *vp* to get into debt.

endeuiller *vt* to plunge into mourning.

endiablé, e *adj (frénétique)* frantic, frenzied.

endiguer *vt* **1.** *(fleuve)* to dam **2.** *fig (réprimer)* to stem.

endimanché, e *adj* in one's Sunday best.

endive *nf* chicory *(indénombrable) (UK)*, endive *(US)*.

endoctriner *vt* to indoctrinate.

endommager *vt* to damage.

endormi, e *adj* **1.** *(personne)* sleeping, asleep **2.** *fig (village)* sleepy **3.** *(jambe)* numb **4.** *(passion)* dormant **5.** *fam (apathique)* sluggish.

endormir *vt* **1.** *(assoupir, ennuyer)* to send to sleep **2.** *(anesthésier - patient)* to anaesthetize, anesthetize *(US)* • *(- douleur)* to ease **3.** *fig (tromper)* to allay.
■ **s'endormir** *vp (s'assoupir)* to fall asleep.

endosser *vt* **1.** *(vêtement)* to put on **2.** FIN & DR to endorse • **endosser un chèque** to endorse a cheque *(UK) ou* check *(US)* **3.** *fig (responsabilité)* to take on.

endroit *nm* **1.** *(lieu, point)* place • **à quel endroit ?** where? **2.** *(passage)* part **3.** *(côté)* right side • **à l'endroit** the right way around.

enduire *vt* • **enduire qqch (de)** to coat sthg (with).

enduit, e *pp* ⊳ **enduire**. ■ **enduit** *nm* coating.

endurance *nf* endurance.

endurcir *vt* to harden.
■ **s'endurcir** *vp* • **s'endurcir à** to become hardened to.

endurer *vt* to endure.

énergétique *adj* **1.** *(ressource)* energy *(avant nom)* **2.** *(aliment)* energy-giving.

énergie *nf* energy • **énergie renouvelable** renewable energy.

énergique *adj* **1.** (*gén*) energetic **2.** (*remède*) powerful **3.** (*mesure*) drastic.

énergumène *nmf* rowdy character.

énerver *vt* to irritate, to annoy.
■ **s'énerver** *vp* **1.** (*être irrité*) to get annoyed **2.** (*être excité*) to get worked up *ou* excited.

enfance *nf* **1.** (*âge*) childhood **2.** (*enfants*) children *pl* **3.** *fig* (*débuts*) infancy **4.** (*de civilisation, de l'humanité*) dawn.

enfant *nmf* (*gén*) child • **attendre un enfant** to be expecting a baby. ■ **bon enfant** *loc adj* good-natured.

enfanter *vt littéraire* to give birth to.

enfantillage *nm* childishness (*indénombrable*).

enfantin, e *adj* **1.** (*propre à l'enfance*) childlike **2.** *péj* childish **3.** (*jeu, chanson*) children's (*avant nom*) **4.** (*facile*) childishly simple.

enfer *nm fig* & RELIG hell. ■ **Enfers** *nmpl*
• **les Enfers** the Underworld *sing*.

enfermer *vt* (*séquestrer, ranger*) to shut away.
■ **s'enfermer** *vp* to shut o.s. away *ou* up • **s'enfermer dans** *fig* to retreat into.

enfilade *nf* row.

enfiler *vt* **1.** (*aiguille, sur un fil*) to thread **2.** (*vêtements*) to slip on.

enfin *adv* **1.** (*en dernier lieu*) finally, at last **2.** (*dans une liste*) lastly **3.** (*avant une récapitulation*) in a word, in short **4.** (*introduit une rectification*) that is, well **5.** (*introduit une concession*) anyway, still, however.

enflammer *vt* **1.** (*bois*) to set fire to **2.** *fig* (*exalter*) to inflame.
■ **s'enflammer** *vp* **1.** (*bois*) to catch fire **2.** *fig* (*s'exalter*) to flare up.

enflé, e *adj* (*style*) turgid.

enfler *vi* to swell (up).

enfoncer *vt* **1.** (*faire pénétrer*) to drive in
• **enfoncer qqch dans qqch** to drive sthg into sthg **2.** (*enfouir*) • **enfoncer ses mains dans ses poches** to thrust one's hands into one's pockets **3.** (*défoncer*) to break down.
■ **s'enfoncer** *vp* **1.** • **s'enfoncer dans** (*eau, boue*) to sink into • (*bois, ville*) to disappear into **2.** (*s'affaisser*) to give way **3.** (*aggraver son cas*) to get into deep *ou* deeper waters, to make matters worse.

enfouir *vt* **1.** (*cacher*) to hide **2.** (*ensevelir*) to bury.

enfourcher *vt* to get on, to mount.

enfourner *vt* **1.** (*pain*) to put in the oven **2.** *fam* (*avaler*) to gobble up.

enfreindre *vt* to infringe.

enfreint, e *pp* ▷ **enfreindre**.

enfuir ■ **s'enfuir** *vp* (*fuir*) to run away.

enfumer *vt* to fill with smoke.

engagé, e *adj* committed.

engageant, e *adj* engaging.

engagement *nm* **1.** (*promesse*) commitment **2.** DR contract **3.** (MIL - *de soldats*) enlistment • (- *combat*) engagement **4.** (*football, rugby*) kickoff.

engager *vt* **1.** (*lier*) to commit **2.** (*embaucher*) to take on, to engage **3.** (*faire entrer*)
• **engager qqch dans** to insert sthg into **4.** (*commencer*) to start **5.** (*impliquer*) to involve **6.** (*encourager*) • **engager qqn à faire qqch** to urge sb to do sthg.
■ **s'engager** *vp* **1.** (*promettre*) • **s'engager à qqch/à faire qqch** to commit o.s. to sthg/to doing sthg **2.** MIL • **s'engager (dans)** to enlist (in) **3.** (*pénétrer*) • **s'engager dans** to enter.

engelure *nf* chilblain.

engendrer *vt* **1.** *littéraire* to father **2.** *fig* (*produire*) to cause, to give rise to **3.** (*sentiment*) to engender.

engin *nm* **1.** (*machine*) machine **2.** MIL missile **3.** *fam péj* (*objet*) thing.

englober *vt* to include.

engloutir *vt* **1.** (*dévorer*) to gobble up **2.** (*faire disparaître*) to engulf **3.** *fig* (*dilapider*) to squander.

engorger *vt* **1.** (*obstruer*) to block, to obstruct **2.** MÉD to engorge.
■ **s'engorger** *vp* to become blocked.

engouement *nm* (*enthousiasme*) infatuation.

engouffrer *vt fam* (*dévorer*) to wolf down.
■ **s'engouffrer** *vp* • **s'engouffrer dans** to rush into.

engourdi, e *adj* **1.** numb **2.** *fig* dull.

engourdir *vt* **1.** to numb **2.** *fig* to dull.
■ **s'engourdir** *vp* to go numb.

engrais *nm* fertilizer.

engraisser ◨ *vt* **1.** (*animal*) to fatten **2.** (*terre*) to fertilize. ◨ *vi* to put on weight.

engrenage *nm* **1.** TECHNOL gears *pl* **2.** *fig* (*circonstances*) • **être pris dans l'engrenage** to be caught up in the system.

engueulade *nf fam* bawling out.

engueuler *vt fam* ▪ **engueuler qqn** to bawl sb out.
■ **s'engueuler** *vp fam* to have a row, to have a slanging match (*UK*).

enhardir *vt* to make bold.
■ **s'enhardir** *vp* to pluck up one's courage.

énième *adj fam* ▪ **la énième fois** the nth time.

énigmatique *adj* enigmatic.

énigme *nf* **1.** (*mystère*) enigma **2.** (*jeu*) riddle.

enivrant, e *adj litt & fig* intoxicating.

enivrer *vt* **1.** *litt* to get drunk **2.** *fig* to intoxicate.
■ **s'enivrer** *vp* ▪ **s'enivrer (de)** *litt* to get drunk (on) ▪ *fig* to become intoxicated (with).

enjambée *nf* stride.

enjamber *vt* **1.** (*obstacle*) to step over **2.** (*cours d'eau*) to straddle.

enjeu *nm* (*mise*) stake ▪ **quel est l'enjeu ici ?** *fig* what's at stake here?

enjoindre *vt littéraire* ▪ **enjoindre à qqn de faire qqch** to enjoin sb to do sthg.

enjoint *pp inv* ▷ **enjoindre**.

enjôler *vt* to coax.

enjoliver *vt* to embellish.

enjoliveur *nm* **1.** (*de roue*) hubcap **2.** (*de calandre*) badge.

enjoué, e *adj* cheerful.

enlacer *vt* (*prendre dans ses bras*) to embrace, to hug.
■ **s'enlacer** *vp* (*s'embrasser*) to embrace, to hug.

enlaidir ◼ *vt* to make ugly. ◼ *vi* to become ugly.

enlèvement *nm* **1.** (*action d'enlever*) removal **2.** (*rapt*) abduction.

enlever *vt* **1.** (*gén*) to remove **2.** (*vêtement*) to take off **3.** (*prendre*) ▪ **enlever qqch à qqn** to take sthg away from sb **4.** (*kidnapper*) to abduct.

enliser ■ **s'enliser** *vp* **1.** (*s'embourber*) to sink, to get stuck **2.** *fig* (*piétiner*) ▪ **s'enliser dans qqch** to get bogged down in sthg.

enluminure *nf* illumination.

enneigé, e *adj* snow-covered.

ennemi, e ◼ *adj* enemy (*avant nom*). ◼ *nm, f* enemy.

ennui *nm* **1.** (*lassitude*) boredom **2.** (*contrariété*) annoyance ▪ **l'ennui, c'est que...** the annoying thing is that... **3.** (*problème*) problem ▪ **avoir des ennuis** to have problems. ▪

ennuyer *vt* **1.** (*agacer, contrarier*) to annoy ▪ **cela t'ennuierait de venir me chercher ?** would you mind picking me up? **2.** (*lasser*) to bore **3.** (*inquiéter*) to bother.
■ **s'ennuyer** *vp* **1.** (*se morfondre*) to be bored **2.** (*déplorer l'absence*) ▪ **s'ennuyer de qqn/qqch** to miss sb/sthg.

ennuyeux, euse *adj* **1.** (*lassant*) boring **2.** (*contrariant*) annoying.

énoncé *nm* (*libellé*) wording.

énoncer *vt* **1.** (*libeller*) to word **2.** (*exposer*) to expound **3.** (*théorème*) to set forth.

énorme *adj* **1.** *litt & fig* (*immense*) enormous **2.** *fam fig* (*incroyable*) far-fetched.

énormément *adv* enormously ▪ **énormément de** a great deal of.

enquête *nf* **1.** (*de police, recherches*) investigation **2.** (*sondage*) survey.

enquêter *vi* **1.** (*police, chercheur*) to investigate **2.** (*sonder*) to conduct a survey.

enragé, e *adj* **1.** (*chien*) rabid, with rabies **2.** *fig* (*invétéré*) keen.

enrager *vi* to be furious ▪ **faire enrager qqn** to infuriate sb.

enrayer *vt* **1.** (*épidémie*) to check, to stop **2.** (*mécanisme*) to jam.
■ **s'enrayer** *vp* (*mécanisme*) to jam.

enregistrement *nm* **1.** (*de son, d'images, d'informations*) recording **2.** (*inscription*) registration **3.** (*à l'aéroport*) check-in ▪ **enregistrement des bagages** baggage registration.

enregistrer *vt* **1.** (*son, images, informations*) to record **2.** INFORM to store **3.** (*inscrire*) to register **4.** (*à l'aéroport*) to check in **5.** *fam* (*mémoriser*) to make a mental note of.

enrhumé, e *adj* ▪ **je suis enrhumé** I have a cold.

enrhumer ■ **s'enrhumer** *vp* to catch (a) cold.

enrichir *vt* **1.** (*financièrement*) to make rich **2.** *fig* (*terre*) to enrich.
■ **s'enrichir** *vp* **1.** (*financièrement*) to grow rich **2.** *fig* (*sol*) to become enriched.

enrobé, e *adj* **1.** (*recouvert*) ▪ **enrobé de** coated with **2.** *fam* (*grassouillet*) plump.

enrober *vt (recouvrir)* • **enrober qqch de** to coat sthg with.
■ **s'enrober** *vp* to put on weight.

enrôler *vt* **1.** to enrol *(UK)*, to enroll *(US)* **2.** MIL to enlist.
■ **s'enrôler** *vp* **1.** to enrol *(UK)*, to enroll *(US)* **2.** MIL to enlist.

enroué, e *adj* hoarse.

enrouler *vt* to roll up • **enrouler qqch autour de qqch** to wind sthg around sthg.
■ **s'enrouler** *vp* **1.** *(entourer)* • **s'enrouler sur** *ou* **autour de qqch** to wind around sthg **2.** *(se pelotonner)* • **s'enrouler dans qqch** to wrap o.s. up in sthg.

ensabler *vt* to silt up.
■ **s'ensabler** *vp* to silt up.

enseignant, e ■ *adj* teaching *(avant nom)*.
■ *nm, f* teacher.

enseigne *nf* **1.** *(de commerce)* sign **2.** *(drapeau, soldat)* ensign.

enseignement *nm* **1.** *(gén)* teaching • **enseignement primaire** primary education • **enseignement privé** private education • **enseignement secondaire** secondary education **2.** *(leçon)* lesson.

enseigner *vt litt & fig* to teach • **enseigner qqch à qqn** to teach sb sthg, to teach sthg to sb.

ensemble ■ *adv* together • **aller ensemble** to go together. ■ *nm* **1.** *(totalité)* whole • **idée d'ensemble** general idea • **dans l'ensemble** on the whole **2.** *(harmonie)* unity **3.** *(vêtement)* outfit **4.** *(série)* collection **5.** MATH set **6.** MUS ensemble.

ensemencer *vt* **1.** *(terre)* to sow **2.** *(rivière)* to stock.

enserrer *vt* **1.** *(entourer)* to encircle **2.** *fig* to imprison.

ensevelir *vt litt & fig* to bury.

ensoleillé, e *adj* sunny.

ensoleillement *nm* sunshine.

ensommeillé, e *adj* sleepy.

ensorceler *vt* to bewitch.

ensuite *adv* **1.** *(après, plus tard)* after, afterwards, later **2.** *(puis)* then, next, after that • **et ensuite ?** what then?, what next?

ensuivre ■ **s'ensuivre** *vp* to follow • **il s'ensuit que** it follows that.

entaille *nf* cut.

entailler *vt* to cut.

entamer *vt* **1.** *(gâteau, fromage)* to start (on) **2.** *(bouteille, conserve)* to start, to open **3.** *(capital)* to dip into **4.** *(cuir, réputation)* to damage **5.** *(courage)* to shake.

entartrer *vt* to scale, to fur up.
■ **s'entartrer** *vp* to scale, to fur up.

entasser *vt* **1.** *(accumuler, multiplier)* to pile up **2.** *(serrer)* to squeeze.
■ **s'entasser** *vp* **1.** *(objets)* to pile up **2.** *(personnes)* • **s'entasser dans** to squeeze into.

entendement *nm* understanding.

entendre *vt* **1.** *(percevoir, écouter)* to hear • **entendre parler de qqch** to hear of *ou* about sthg **2.** *sout (comprendre)* to understand • **laisser entendre que** to imply that **3.** *sout (vouloir)* • **entendre faire qqch** to intend to do sthg **4.** *(vouloir dire)* to mean.
■ **s'entendre** *vp* **1.** *(sympathiser)* • **s'entendre avec qqn** to get on with sb **2.** *(s'accorder)* to agree.

entendu, e ■ *pp* ▷ **entendre**. ■ *adj* **1.** *(compris)* agreed, understood **2.** *(complice)* knowing.

entente *nf* **1.** *(harmonie)* understanding **2.** *(accord)* agreement.

entériner *vt* to ratify.

enterrement *nm* burial.

enterrer *vt litt & fig* to bury • **enterrer sa vie de garçon** to have a stag party.

en-tête *nm* heading.

entêté, e *adj* stubborn.

entêter ■ **s'entêter** *vp* to persist • **s'entêter à faire qqch** to persist in doing sthg.

enthousiasme *nm* enthusiasm.

enthousiasmer *vt* to fill with enthusiasm.
■ **s'enthousiasmer** *vp* • **s'enthousiasmer pour** to be enthusiastic about.

enticher ■ **s'enticher** *vp* • **s'enticher de qqn/qqch** to become obsessed with sb/ sthg.

entier, ère *adj* whole, entire. ■ **en entier** *loc adv* in its/their entirety.

entièrement *adv* **1.** *(complètement)* fully **2.** *(pleinement)* wholly, entirely.

entité *nf* entity.

entonner *vt (chant)* to strike up.

entonnoir *nm* **1.** *(instrument)* funnel **2.** *(cavité)* crater.

entorse *nf* MÉD sprain ◦ **se faire une entorse à la cheville/au poignet** to sprain one's ankle/wrist.

entortiller *vt* 1. *(entrelacer)* to twist 2. *(envelopper)* ◦ **entortiller qqch autour de qqch** to wrap sth around sth 3. *fam fig (personne)* to sweet-talk.

entourage *nm (milieu)* entourage.

entourer *vt* 1. *(enclore, encercler)* ◦ **entourer (de)** to surround (with) 2. *fig (soutenir)* to rally round.

entourloupette *nf fam* dirty trick.

entournure *nf* ◦ **être gêné aux entournures** *fig (financièrement)* to feel the pinch ◦ *(être mal à l'aise)* to feel awkward.

entracte *nm* 1. interval *(UK)*, intermission *(US)* 2. *fig* interlude.

entraide *nf* mutual assistance.

entrailles *nfpl* 1. *(intestins)* entrails 2. *sout (profondeurs)* depths.

entrain *nm* drive.

entraînement *nm* 1. *(préparation)* practice 2. SPORT training.

entraîner *vt* 1. TECHNOL to drive 2. *(tirer)* to pull 3. *(susciter)* to lead to 4. SPORT to coach 5. *(emmener)* to take along 6. *(séduire)* to influence ◦ **entraîner qqn à faire qqch** to talk sb into sth.
■ **s'entraîner** *vp* 1. to practise *(UK)*, to pratice *(US)* 2. SPORT to train ◦ **s'entraîner à faire qqch** to practise *(UK)* ou practice *(US)* doing sth.

entraîneur, euse *nm, f* trainer, coach.

entrave *nf* 1. hobble 2. *fig* obstruction.

entraver *vt* 1. to hobble 2. *fig* to hinder.

entre *prép* 1. *(gén)* between 2. *(parmi)* among ◦ **entre nous** between you and me, between ourselves ◦ **l'un d'entre nous ira** one of us will go ◦ **généralement ils restent entre eux** they tend to keep themselves to themselves ◦ **ils se battent entre eux** they're fighting among ou amongst themselves. ■ **entre autres** *loc prép* ◦ **entre autres (choses)** among other things.

entrebâiller *vt* to open slightly.

entrechoquer *vt* to bang together.
■ **s'entrechoquer** *vp* to bang into each other.

entrecôte *nf* entrecôte.

entrecouper *vt* to intersperse.

entrecroiser *vt* to interlace.
■ **s'entrecroiser** *vp* to intersect.

entrée *nf* 1. *(arrivée, accès)* entry, entrance ◦ **'entrée interdite'** 'no admittance' ◦ **'entrée libre'** *(dans un musée)* 'admission free' ◦ *(dans une boutique)* 'browsers welcome' 2. *(porte)* entrance 3. *(vestibule)* (entrance) hall 4. *(billet)* ticket 5. *(plat)* starter, first course.

entrefaites *nfpl* ◦ **sur ces entrefaites** just at that moment.

entrefilet *nm* paragraph.

entrejambe, entre-jambes *nm* crotch.

entrelacer *vt* to intertwine.

entrelarder *vt* 1. CULIN to lard 2. *fam fig (discours)* ◦ **entrelarder de** to lace with.

entremêler *vt* to mix ◦ **entremêler de** to mix with.

entremets *nm* dessert.

entremettre ■ ■ **s'entremettre** *vp* ◦ **s'entremettre (dans)** to mediate (in).

entremise *nf* intervention ◦ **par l'entremise de** through.

entrepont *nm* steerage.

entreposer *vt* to store.

entrepôt *nm* warehouse.

entreprendre *vt* 1. to undertake 2. *(commencer)* to start ◦ **entreprendre de faire qqch** to undertake to do sth.

entrepreneur, euse *nm, f (de services &* CONSTR*)* contractor.

entrepris, e *pp* ▷ **entreprendre**.

entreprise *nf* 1. *(travail, initiative)* enterprise 2. *(société)* company.

entrer ■ *vi* 1. *(pénétrer)* to enter, to go/come in ◦ **entrer dans** *(gén)* to enter ◦ *(pièce)* to go/come into ◦ *(bain, voiture)* to get into 2. *fig (sujet)* to go into ◦ **entrer par** to go in ou enter by ◦ **faire entrer qqn** to show sb in ◦ **faire entrer qqch** to bring sth in 3. *(faire partie)* ◦ **entrer dans** to go into, to be part of 4. *(être admis, devenir membre)* ◦ **entrer à** *(club, parti)* to join ◦ **entrer dans** *(les affaires, l'enseignement)* to go into ◦ *(la police, l'armée)* to join ◦ **entrer à l'université** to go to university *(UK)* ou college *(US)* ◦ **entrer à l'hôpital** to go into hospital *(UK)*, to enter the hospital *(US)*. ■ *vt* 1. *(gén)* to bring in 2. INFORM to enter, to input.

entresol *nm* mezzanine.

entre-temps *adv* meanwhile.

entretenir *vt* **1.** *(faire durer)* to keep alive **2.** *(cultiver)* to maintain **3.** *(soigner)* to look after **4.** *(personne, famille)* to support **5.** *(parler à)* ⬥ **entretenir qqn de qqch** to speak to sb about sthg.
■ **s'entretenir** *vp (se parler)* ⬥ **s'entretenir (de)** to talk (about).

entretien *nm* **1.** *(de voiture, jardin)* maintenance, upkeep **2.** *(conversation)* discussion **3.** *(colloque)* debate.

entre-tuer ■ **s'entre-tuer** *vp* to kill each other.

entrevoir *vt* **1.** *(distinguer)* to make out **2.** *(voir rapidement)* to see briefly **3.** *fig (deviner)* to glimpse.

entrevue *nf* meeting.

entrouvert, e *adj* half-open.

entrouvrir *vt* to open partly.
■ **s'entrouvrir** *vp* to open partly.

énumération *nf* enumeration.

énumérer *vt* to enumerate.

env. *(abr écrite de* **environ***)* approx.

envahir *vt* **1.** *(gén & MIL)* to invade **2.** *fig (suj : sommeil, doute)* to overcome **3.** *fig (déranger)* to intrude on.

envahissant, e *adj* **1.** *(herbes)* invasive **2.** *(personne)* intrusive.

envahisseur *nm* invader.

enveloppe *nf* **1.** *(de lettre)* envelope **2.** *(d'emballage)* covering **3.** *(membrane)* membrane **4.** *(de graine)* husk.

envelopper *vt* **1.** *(emballer)* to wrap (up) **2.** *(suj : brouillard)* to envelop **3.** *(déguiser)* to mask.
■ **s'envelopper** *vp* ⬥ **s'envelopper dans** to wrap o.s. up in.

envenimer *vt* **1.** *(blessure)* to infect **2.** *fig (querelle)* to poison.
■ **s'envenimer** *vp* **1.** *(s'infecter)* to become infected **2.** *fig (se détériorer)* to become poisoned.

envergure *nf* **1.** *(largeur)* span **2.** *(d'oiseau, d'avion)* wingspan **3.** *fig (qualité)* calibre (UK) OU caliber (US) **4.** *fig (importance)* scope ⬥ **prendre de l'envergure** to expand.

envers[1] *prép* towards (UK), toward (US).

envers[2] *nm* **1.** *(de tissu)* wrong side **2.** *(de feuillet)* back **3.** *(de médaille)* reverse **4.** *(face cachée)* other side. ■ **à l'envers** *loc adv* **1.** *(vêtement)* inside out **2.** *(portrait, feuille)* upside down **3.** *fig* the wrong way.

envi ■ **à l'envi** *loc adv littéraire* trying to outdo each other.

envie *nf* **1.** *(désir)* desire ⬥ **avoir envie de qqch/de faire qqch** to feel like sthg/ like doing sthg, to want sthg/to do sthg **2.** *(convoitise)* envy ⬥ **ce tailleur me fait envie** I'd love to buy that suit.

envier *vt* to envy.

envieux, euse *adj* envious. ◨ *nm, f* envious person ⬥ **faire des envieux** to make other people envious.

environ *adv (à peu près)* about.

environnement *nm* **1.** environment **2.** INFORM environment, platform.

environnemental, e *adj* environmental.

environs *nmpl* (surrounding) area *sing* ⬥ **aux environs de** *(lieu)* near ⬥ *(époque)* around, round about (UK).

envisager *vt* to consider ⬥ **envisager de faire qqch** to be considering doing sthg.

envoi *nm* **1.** *(action)* sending, dispatch **2.** *(colis)* parcel (UK), package (US).

envol *nm* takeoff.

envolée *nf* **1.** *(d'oiseaux)* flight **2.** *(augmentation)* ⬥ **l'envolée du dollar** the rapid rise in the value of the dollar.

envoler ■ **s'envoler** *vp* **1.** *(oiseau)* to fly away **2.** *(avion)* to take off **3.** *(disparaître)* to disappear into thin air.

envoûter *vt* to bewitch.

envoyé, e ◨ *adj* ⬥ **bien envoyé** well-aimed. ◨ *nm, f* envoy.

envoyer *vt* to send ⬥ **envoyer qqch à qqn** *(expédier)* to send sb sthg, to send sthg to sb ⬥ *(jeter)* to throw sb sthg, to throw sthg to sb ⬥ **envoyer qqn faire qqch** to send sb to do sthg ⬥ **envoyer chercher qqn/qqch** to send for sb/sthg.

épagneul *nm* spaniel.

épais, aisse *adj* **1.** *(large, dense)* thick **2.** *(grossier)* crude.

épaisseur *nf* **1.** *(largeur, densité)* thickness **2.** *(consistance)* depth.

épaissir *vt & vi* to thicken.
■ **s'épaissir** *vp* **1.** *(liquide)* to thicken **2.** *fig (mystère)* to deepen.

épanchement *nm* **1.** *(effusion)* outpouring **2.** MÉD effusion.

épancher *vt* to pour out.
■ **s'épancher** *vp (se confier)* to pour one's heart out.

épanoui, e *adj* **1.** *(fleur)* in full bloom **2.** *(expression)* radiant **3.** *(corps)* fully formed • **aux formes épanouies** well-rounded.

épanouir *vt (personne)* to make happy.
■ **s'épanouir** *vp* **1.** *(fleur)* to open **2.** *(visage)* to light up **3.** *(corps)* to fill out **4.** *(personnalité)* to blossom.

épanouissement *nm* **1.** *(de fleur)* blooming, opening **2.** *(de visage)* brightening **3.** *(de corps)* filling out **4.** *(de personnalité)* flowering.

épargnant, e *nm, f* saver.

épargne *nf* **1.** *(action, vertu)* saving **2.** *(somme)* savings *pl* • **épargne logement** savings account *(to buy property)*.

épargner *vt* **1.** *(gén)* to spare • **épargner qqch à qqn** to spare sb sthg **2.** *(économiser)* to save.

éparpiller *vt* **1.** *(choses, personnes)* to scatter **2.** *fig (forces)* to dissipate.
■ **s'éparpiller** *vp* **1.** *(se disperser)* to scatter **2.** *fig (perdre son temps)* to lack focus.

épars, e *adj sout* **1.** *(objets)* scattered **2.** *(végétation, cheveux)* sparse.

épatant, e *adj fam* great.

épaté, e *adj* **1.** *(nez)* flat **2.** *fam (étonné)* amazed.

épaule *nf* shoulder.

épauler *vt* to support, to back up.

épaulette *nf* **1.** MIL epaulet **2.** *(rembourrage)* shoulder pad.

épave *nf* wreck.

épée *nf* sword.

épeler *vt* to spell.

éperdu, e *adj (sentiment)* passionate • **éperdu de** *(personne)* overcome with.

éperon *nm* **1.** *(de cavalier, de montagne)* spur **2.** *(de navire)* ram.

éperonner *vt* to spur on.

épervier *nm* sparrowhawk.

éphèbe *nm hum* Adonis.

éphémère ■ *adj (bref)* ephemeral, fleeting. ■ *nm* ZOOL mayfly.

éphéméride *nf* tear-off calendar.

épi *nm* **1.** *(de céréale)* ear **2.** *(cheveux)* tuft.

épice *nf* spice.

épicé, e *adj* spicy.

épicéa *nm* spruce.

épicer *vt (plat)* to spice.

épicerie *nf* **1.** *(magasin)* grocer's (shop) *(UK)*, grocery (store) *(US)* **2.** *(denrées)* groceries *pl*.

épicier, ère *nm, f* grocer.

épidémie *nf* epidemic.

épiderme *nm* epidermis.

épier *vt* **1.** *(espionner)* to spy on **2.** *(observer)* to look for.

épilation *nf* hair removal.

épilepsie *nf* epilepsy.

épiler *vt* **1.** *(jambes)* to remove hair from **2.** *(sourcils)* to pluck.
■ **s'épiler** *vp* **1.** • **s'épiler les jambes** to remove the hair from one's legs **2.** *(à la cire)* to wax one's legs **3.** • **s'épiler les sourcils** to pluck one's eyebrows.

épilogue *nm* **1.** *(de roman)* epilogue **2.** *(d'affaire)* outcome.

épinards *nmpl* spinach *(indénombrable)*.

épine *nf (piquant - de rosier)* thorn • (- de hérisson) spine.

épineux, euse *adj* thorny.

épingle *nf (instrument)* pin.

épingler *vt* **1.** *(fixer)* to pin (up) **2.** *fam fig (arrêter)* to nab, to nick *(UK)*.

épinière ▷ **moelle**.

Épiphanie *nf* Epiphany.

épique *adj* epic.

épiscopal, e *adj* episcopal.

épisode *nm* episode.

épisodique *adj* **1.** *(occasionnel)* occasional **2.** *(secondaire)* minor.

épistolaire *adj* **1.** *(échange)* of letters • **être en relations épistolaires avec qqn** to be in (regular) correspondence with sb **2.** *(roman)* epistolary.

épitaphe *nf* epitaph.

épithète ■ *nf* **1.** GRAMM attribute **2.** *(qualificatif)* term. ■ *adj* attributive.

épitre *nf* epistle.

éploré, e *adj* **1.** *(personne)* in tears **2.** *(visage, air)* tearful.

épluche-légumes *nm inv* potato peeler.

éplucher *vt* **1.** *(légumes)* to peel **2.** *(textes)* to dissect **3.** *(comptes)* to scrutinize.

épluchure *nf* peelings *pl*.

éponge *nf* sponge.

éponger *vt* 1. *(liquide, déficit)* to mop up 2. *(visage)* to mop, to wipe.

épopée *nf* epic.

époque *nf* 1. *(de l'année)* time 2. *(de l'histoire)* period.

épouiller *vt* to delouse.

époumoner ■ **s'époumoner** *vp* to shout o.s. hoarse.

épouse ⊳ **époux**.

épouser *vt* 1. *(personne)* to marry 2. *(forme)* to hug 3. fig *(idée, principe)* to espouse.

épousseter *vt* to dust.

époustouflant, e *adj fam* amazing.

épouvantable *adj* dreadful.

épouvantail *nm* 1. *(à moineaux)* scarecrow 2. fig bogeyman.

épouvanter *vt* to terrify.

époux, épouse *nm, f* spouse.

éprendre ■ **s'éprendre** *vp* sout • **s'éprendre de** to fall in love with.

épreuve *nf* 1. *(essai, examen)* test • **à l'épreuve du feu** fireproof • **à l'épreuve des balles** bullet-proof • **épreuve de force** *fig* trial of strength 2. *(malheur)* ordeal 3. SPORT event 4. TYPO proof 5. PHOTO print.

épris, e ■ *pp* ⊳ **éprendre**. ■ *adj sout* • **épris de** in love with.

éprouver *vt* 1. *(tester)* to test 2. *(ressentir)* to feel 3. *(faire souffrir)* to distress • **être éprouvé par** to be afflicted by 4. *(difficultés, problèmes)* to experience.

éprouvette *nf* 1. *(tube à essai)* test tube 2. *(échantillon)* sample.

EPS *(abr de* **éducation physique et sportive)** *nf* PE.

épuisé, e *adj* 1. *(personne, corps)* exhausted 2. *(marchandise)* sold out, out of stock 3. *(livre)* out of print.

épuisement *nm* exhaustion.

épuiser *vt* to exhaust.

épuisette *nf* landing net.

épurer *vt* 1. *(eau, huile)* to purify 2. POLIT to purge.

équarrir *vt* 1. *(animal)* to cut up 2. *(poutre)* to square 3. *fig (personne)* • **mal équarri** rough, crude.

équateur *nm* equator.

Équateur *nm* • **l'Équateur** Ecuador.

équation *nf* equation.

équatorial, e *adj* equatorial.

équerre *nf* 1. *(instrument)* set square *(UK)*, triangle *(US)* 2. *(en T)* T-square.

équestre *adj* equestrian.

équilatéral, e *adj* equilateral.

équilibre *nm* 1. *(gén)* balance 2. *(psychique)* stability.

équilibré, e *adj* 1. *(personne)* well-balanced 2. *(vie)* stable 3. ARCHIT • **aux proportions équilibrées** well-proportioned.

équilibrer *vt* to balance. ■ **s'équilibrer** *vp* to balance each other out.

équilibriste *nmf* tightrope walker.

équipage *nm* crew.

équipe *nf* team.

équipé, e *adj* • **cuisine équipée** fitted kitchen.

équipement *nm* 1. *(matériel)* equipment 2. *(aménagement)* facilities *pl* • **équipements sportifs/scolaires** sports/educational facilities.

équiper *vt* 1. *(navire, armée)* to equip 2. *(personne, local)* to equip, to fit out • **équiper qqn/qqch de** to equip sb/sthg with, to fit sb/sthg out with. ■ **s'équiper** *vp* • **s'équiper (de)** to equip o.s. (with).

équipier, ère *nm, f* team member.

équitable *adj* fair.

équitation *nf* riding, horse-riding *(UK)*, horseback riding *(US)*.

équité *nf* fairness.

équivalent, e *adj* equivalent. ■ **équivalent** *nm* equivalent.

équivaloir ■ **équivaloir à** *v + prép (être égal à)* to be equal *ou* equivalent to.

équivoque ■ *adj* 1. *(ambigu)* ambiguous 2. *(mystérieux)* dubious. ■ *nf* ambiguity • **sans équivoque** unequivocal *(adj)*, unequivocally *(adv)*.

érable *nm* maple.

éradiquer *vt* to eradicate.

érafler *vt* 1. *(peau)* to scratch 2. *(mur, voiture)* to scrape.

éraflure *nf* 1. *(de peau)* scratch 2. *(de mur, voiture)* scrape.

éraillé, e *adj (voix)* hoarse.

ère *nf* era.

érection *nf* erection.

éreintant, e *adj* exhausting.

éreinter *vt* **1.** *(fatiguer)* to exhaust **2.** *(critiquer)* to pull to pieces.

ergonomique *adj* ergonomic.

ériger *vt* **1.** *(monument)* to erect **2.** *(tribunal)* to set up **3.** *fig (transformer)* • **ériger qqn en** to set sb up as.

ermite *nm* hermit.

éroder *vt* to erode.

érogène *adj* erogenous.

érosion *nf* erosion.

érotique *adj* erotic.

érotisme *nm* eroticism.

errance *nf* wandering.

erratum *nm* erratum.

errer *vi* to wander.

erreur *nf* mistake • **par erreur** by mistake.

erroné, e *adj sout* wrong.

ersatz *nm inv* ersatz.

éructer *vi* to belch.

érudit, e ◼ *adj* erudite, learned. ◼ *nm, f* learned person, scholar.

éruption *nf* **1.** MÉD rash **2.** *(de volcan)* eruption.

es ▷ **être**.

ès *prép* of *(in certain titles)* • **docteur ès lettres** ≃ PhD, doctor of philosophy.

escabeau *nm* **1.** *(échelle)* stepladder **2.** *vieilli (tabouret)* stool.

escadre *nf* **1.** *(navires)* fleet **2.** *(avions)* wing.

escadrille *nf* **1.** *(navires)* flotilla **2.** *(avions)* flight.

escadron *nm* squadron.

escalade *nf* **1.** *(de montagne, grille)* climbing **2.** *(des prix, de violence)* escalation.

escalader *vt* to climb.

escale *nf* **1.** *(lieu - pour navire)* port of call • *(- pour avion)* stopover **2.** *(arrêt - de navire)* call • *(- d'avion)* stopover, stop • **faire escale à** *(- navire)* to put in at, to call at • *(- avion)* to stop over at.

escalier *nm* stairs *pl* • **descendre/monter l'escalier** to go downstairs/upstairs • **escalier roulant** *ou* **mécanique** escalator.

escalope *nf* escalope.

escamotable *adj* **1.** *(train d'atterrissage)* retractable **2.** *(antenne)* telescopic **3.** *(table)* folding.

escamoter *vt* **1.** *(faire disparaître)* to make disappear **2.** *(voler)* to lift **3.** *(rentrer)* to retract **4.** *(phrase, mot)* to swallow **5.** *(éluder - question)* to evade • *(- objection)* to get around.

escapade *nf* **1.** *(voyage)* outing **2.** *(fugue)* escapade.

escargot *nm* snail.

escarmouche *nf* skirmish.

escarpé, e *adj* steep.

escarpement *nm* **1.** *(de pente)* steep slope **2.** GÉOGR escarpment.

escarpin *nm* court shoe (UK), pump (US).

escarre *nf* bedsore, pressure sore.

escient *nm* • **à bon escient** advisedly • **à mauvais escient** ill-advisedly.

esclaffer ◼ **s'esclaffer** *vp* to burst out laughing.

esclandre *nm sout* scene.

esclavage *nm* slavery.

esclave ◼ *nmf* slave. ◼ *adj* • **être esclave de** to be a slave to.

escompte *nm* discount.

escompter *vt* **1.** *(prévoir)* to count on **2.** FIN to discount.

escorte *nf* escort.

escorter *vt* to escort.

escouade *nf* squad.

escrime *nf* fencing.

escrimer ◼ **s'escrimer** *vp* • **s'escrimer à faire qqch** to work (away) at doing sthg.

escroc *nm* swindler.

escroquer *vt* to swindle • **escroquer qqch à qqn** to swindle sb out of sthg.

escroquerie *nf* swindle, swindling *(indénombrable)*.

espace *nm* space • **espace vert** green space, green area.

espacer *vt* **1.** *(dans l'espace)* to space out **2.** *(dans le temps - visites)* to space out • *(- paiements)* to spread out.

espadon *nm* *(poisson)* swordfish.

espadrille *nf* espadrille.

Espagne *nf* • **l'Espagne** Spain.

espagnol, e ◼ *adj* Spanish. ◼ **espagnol** *nm* *(langue)* Spanish. ◼ **Espagnol, e** *nm, f* Spaniard • **les Espagnols** the Spanish.

espèce nf **1.** BIOL, BOT & ZOOL species • **espèce en voie de disparition** endangered species **2.** (sorte) kind, sort • **espèce d'idiot!** you stupid fool! ■ **espèces** nfpl cash • **payer en espèces** to pay (in) cash.

espérance nf hope • **espérance de vie** life expectancy.

espérer ■ vt to hope for • **espérer que** to hope (that) • **espérer faire qqch** to hope to do sthg. ■ vi to hope • **espérer en qqn/qqch** to trust in sb/sthg.

espiègle adj mischievous.

espion, onne nm, f spy.

espionnage nm spying • **espionnage industriel** industrial espionage.

espionner vt to spy on.

esplanade nf esplanade.

espoir nm hope.

esprit nm **1.** (entendement, personne, pensée) mind • **reprendre ses esprits** to recover **2.** (attitude) spirit • **esprit de compétition** competitive spirit • **esprit critique** critical acumen **3.** (humour) wit **4.** (fantôme) spirit, ghost.

esquif nm littéraire skiff.

esquimau, aude adj Eskimo. ■ **Esquimau, aude, Eskimo** nm, f Eskimo (attention : le terme « Esquimau », comme son équivalent anglais, est souvent considéré comme injurieux en Amérique du Nord. On préférera le terme « Inuit »).

esquinter vt fam **1.** (abîmer) to ruin **2.** (critiquer) to pan, to slate (UK). ■ **s'esquinter** vp • **s'esquinter à faire qqch** to kill o.s. doing sthg.

esquiver vt to dodge. ■ **s'esquiver** vp to slip away.

essai nm **1.** (vérification) test, testing (indénombrable) • **à l'essai** on trial **2.** (tentative) attempt **3.** (rugby) try.

essaim nm litt & fig swarm.

essayage nm fitting.

essayer vt to try • **essayer de faire qqch** to try to do sthg.

essence nf **1.** (fondement, de plante) essence • **par essence** sout in essence **2.** (carburant) petrol (UK), gas (US) **3.** (d'arbre) species.

essentiel, elle adj **1.** (indispensable) essential **2.** (fondamental) basic. ■ **essentiel** nm **1.** (point) • **l'essentiel** (le principal) the es-

sential ou main thing • (objets) the essentials pl **2.** (quantité) • **l'essentiel de** the main ou greater part of.

essentiellement adv **1.** (avant tout) above all! **2.** (par essence) essentially.

esseulé, e adj littéraire forsaken.

essieu nm axle.

essor nm flight, expansion, boom • **prendre son essor** to take flight • fig to take off.

essorer vt **1.** (à la main, à rouleaux) to wring out **2.** (à la machine) to dry, to spin-dry (UK), to tumble-dry (UK) **3.** (salade) to spin, to dry.

essoreuse nf **1.** (à rouleaux) mangle **2.** (électrique) dryer, spin-dryer (UK), tumble-dryer (UK) **3.** (à salade) salad spinner.

essouffler vt to make breathless. ■ **s'essouffler** vp **1.** to be breathless ou out of breath **2.** fig to run out of steam.

essuie-glace nm windscreen wiper (UK), windshield wiper (US).

essuie-mains nm inv hand towel.

essuie-tout nm inv paper towels pl, kitchen roll (UK).

essuyer vt **1.** (sécher) to dry **2.** (nettoyer) to wipe **3.** fig (subir) to suffer. ■ **s'essuyer** vp to dry o.s..

est [1] ■ nm east • **un vent d'est** an easterly wind • **à l'est** in the east • **à l'est (de)** to the east (of). ■ adj inv **1.** (gén) east **2.** (province, région) eastern.

est [2] ⟹ **être**.

estafette nf **1.** dispatch rider **2.** MIL liaison officer.

estafilade nf slash, gash.

est-allemand, e adj East German.

estampe nf print.

estampille nf stamp.

est-ce que adv interr • **est-ce qu'il fait beau?** is the weather good? • **est-ce que vous aimez l'accordéon ?** do you like the accordion? • **où est-ce que tu es?** where are you?

esthète nmf aesthete, esthete (US).

esthétique adj **1.** (relatif à la beauté) aesthetic, esthetic (US) **2.** (harmonieux) attractive.

estimation nf estimate, estimation.

estime nf respect, esteem.

estimer vt 1. (expertiser) to value 2. (évaluer) to estimate • **j'estime la durée du voyage à 2 heures** I reckon the journey time is 2 hours 3. (respecter) to respect 4. (penser) • **estimer que** to feel (that).

estival, e adj summer (avant nom).

estivant, e nm, f (summer) holiday-maker (UK) ou vacationer (US).

estomac nm ANAT stomach.

estomper vt 1. to blur 2. fig (douleur) to lessen.
■ **s'estomper** vp 1. to become blurred 2. fig (douleur) to lessen.

Estonie nf • **l'Estonie** Estonia.

estrade nf dais.

estragon nm tarragon.

estropié, e ⬛ adj crippled. ⬛ nm, f cripple.

estuaire nm estuary.

esturgeon nm sturgeon.

et conj 1. (gén) and • **et moi ?** what about me? 2. (dans les fractions et les nombres composés) • **vingt et un** twenty-one • **il y a deux ans et demi** two and a half years ago • **à deux heures et demie** at half past two.

ét. (abr écrite de **étage**) fl.

ETA (abr de **Euskadi ta Askatasuna**) nf ETA.

étable nf cowshed.

établi nm workbench.

établir vt 1. (gén) to establish 2. (record) to set 3. (dresser) to draw up.
■ **s'établir** vp 1. (s'installer) to settle 2. (s'instaurer) to become established.

établissement nm (institution) establishment • **établissement hospitalier** hospital • **établissement scolaire** educational establishment.

étage nm 1. (de bâtiment) floor, storey (UK), story (US) • **à l'étage** upstairs • **un immeuble de quatre étages** a four-storey block of flats (UK), a five-story block of apartments (US) • **au premier étage** on the first floor (UK), on the second floor (US) 2. (de fusée) stage.

étagère nf 1. (rayon) shelf 2. (meuble) shelves pl, set of shelves.

étain nm 1. (métal) tin 2. (alliage) pewter.

étais, était ➾ **être**.

étal nm 1. (éventaire) stall 2. (de boucher) butcher's block.

étalage nm 1. (action, ensemble d'objets) display • **faire étalage de** fig to flaunt 2. (devanture) window display.

étalagiste nmf 1. (décorateur) window dresser 2. (vendeur) stallholder (UK).

étaler vt 1. (exposer) to display 2. (étendre) to spread out 3. (dans le temps) to stagger 4. (mettre une couche de) to spread 5. (exhiber) to parade.
■ **s'étaler** vp 1. (s'étendre) to spread 2. (dans le temps) • **s'étaler (sur)** to be spread (over) 3. fam (tomber) to fall flat on one's face, to come a cropper (UK).

étalon nm 1. (cheval) stallion 2. (mesure) standard.

étamine nf (de fleur) stamen.

étanche adj 1. watertight 2. (montre) waterproof.

étancher vt 1. (sang, larmes) to stem (the flow of) 2. (assouvir) to quench.

étang nm pond.

étant p prés ➾ **être**.

étape nf 1. (gén) stage 2. (halte) stop • **faire étape à** to break one's journey at.

état nm 1. (manière d'être) state • **être en état/hors d'état de faire qqch** to be in a/ in no fit state to do sthg • **en bon/mauvais état** in good/poor condition • **en état de marche** in working order • **état d'âme** mood • **état d'esprit** state of mind • **état de santé** (state of) health • **être dans tous ses états** to be in a state 2. (métier, statut) status • **état civil** ADMIN ≃ marital status 3. (inventaire - gén) inventory • (- de dépenses) statement • **état des lieux** inventory (of fixtures). ⬛ **État** nm (nation) state • **l'État** the State • **État membre** member state.

état-major nm 1. ADMIN & MIL staff 2. (de parti) leadership 3. (lieu) headquarters sing.

États-Unis nmpl • **les États-Unis (d'Amérique)** the United States (of America).

étau nm vice (UK), vise (US).

étayer vt 1. to prop up 2. fig to back up.

etc. (abr écrite de **et cætera**) etc.

été ⬛ pp inv ➾ **être**. ⬛ nm summer • **en été** in (the) summer.

éteindre *vt* **1.** *(incendie, bougie, cigarette)* to put out **2.** *(radio, chauffage, lampe)* to turn off, to switch off. INFORM to shut down. ■ **s'éteindre** *vp* **1.** *(feu, lampe)* to go out **2.** *(bruit, souvenir)* to fade (away) **3.** *fig & littéraire (personne)* to pass away **4.** *(race)* to die out.

étendard *nm* standard.

étendre *vt* **1.** *(déployer)* to stretch **2.** *(journal)* to spread (out) **3.** *(coucher)* to lay **4.** *(appliquer)* to spread **5.** *(accroître)* to extend **6.** *(diluer)* to dilute **7.** *(sauce)* to thin. ■ **s'étendre** *vp* **1.** *(se coucher)* to lie down **2.** *(s'étaler au loin)* • **s'étendre (de/jusqu'à)** to stretch (from/as far as) **3.** *(croître)* to spread **4.** *(s'attarder)* **s'étendre sur** to elaborate on.

étendu, e *pp* ⊳ **étendre.** ■ *adj* **1.** *(bras, main)* outstretched **2.** *(plaine, connaissances)* extensive. ■ **étendue** *nf* **1.** *(surface)* area, expanse **2.** *(durée)* length **3.** *(importance)* extent **4.** MUS range.

éternel, elle *adj* eternal • **ce ne sera pas éternel** this won't last for ever.

éterniser *vt (prolonger)* to drag out. ■ **s'éterniser** *vp* **1.** *(se prolonger)* to drag out **2.** *fam (rester)* to stay for ever.

éternité *nf* eternity.

éternuer *vi* to sneeze.

êtes ⊳ **être.**

étêter *vt* to cut the head off.

éther *nm* ether.

Éthiopie *nf* • **l'Éthiopie** Ethiopia.

éthique ■ *nf* ethics *(indénombrable ou pl)*. ■ *adj* ethical.

ethnie *nf* ethnic group.

ethnique *adj* ethnic.

ethnologie *nf* ethnology.

éthylisme *nm* alcoholism.

étiez, étions ⊳ **être.**

étincelant, e *adj* sparkling.

étinceler *vi* to sparkle.

étincelle *nf* spark.

étioler ■ **s'étioler** *vp* **1.** *(plante)* to wilt **2.** *(personne)* to weaken **3.** *(mémoire)* to go.

étiqueter *vt litt & fig* to label.

étiquette *nf* **1.** *(marque)* label **2.** *(protocole)* etiquette.

étirer *vt* to stretch. ■ **s'étirer** *vp* to stretch.

étoffe *nf* fabric, material.

étoile *nf* star • **étoile filante** shooting star • **à la belle étoile** *fig* under the stars. ■ **étoile de mer** *nf* starfish.

étoilé, e *adj* **1.** *(ciel, nuit)* starry • **la bannière étoilée** the Star-Spangled Banner **2.** *(vitre, pare-brise)* shattered.

étole *nf* stole.

étonnant, e *adj* astonishing.

étonnement *nm* astonishment, surprise.

étonner *vt* to astonish, to surprise. ■ **s'étonner** *vp* • **s'étonner (de)** to be surprised (by) • **s'étonner que** (+ *subjonctif*) to be surprised (that).

étouffant, e *adj* stifling.

étouffée ■ **à l'étouffée** *loc adv* **1.** steamed **2.** *(viande)* braised.

étouffer ■ *vt* **1.** *(gén)* to stifle **2.** *(asphyxier)* to suffocate **3.** *(feu)* to smother **4.** *(scandale, révolte)* to suppress. ■ *vi* to suffocate. ■ **s'étouffer** *vp (s'étrangler)* to choke.

étourderie *nf* **1.** *(distraction)* thoughtlessness **2.** *(bévue)* careless mistake **3.** *(acte irréfléchi)* thoughtless act.

étourdi, e ■ *adj* scatterbrained. ■ *nm, f* scatterbrain.

étourdir *vt (assommer)* to daze.

étourdissement *nm* dizzy spell.

étourneau *nm* starling.

étrange *adj* strange.

étranger, ère ■ *adj* **1.** *(gén)* foreign **2.** *(différent, isolé)* unknown, unfamiliar • **être étranger à qqn** to be unknown to sb

‣ **être étranger à qqch** to have no connection with sthg ‣ **se sentir étranger** to feel like an outsider. ◼ *nm, f* **1.** *(de nationalité différente)* foreigner **2.** *(inconnu)* stranger **3.** *(exclu)* outsider. ◼ **étranger** *nm* ‣ **à l'étranger** abroad.

étrangeté *nf* strangeness.

étranglement *nm* **1.** *(strangulation)* strangulation **2.** *(rétrécissement)* constriction.

étrangler *vt* **1.** *(gén)* to choke **2.** *(étrangler)* to strangle **3.** *(réprimer)* to stifle **4.** *(serrer)* to constrict.
◼ **s'étrangler** *vp* *(s'étouffer)* to choke.

étrave *nf* stem.

être *nm*

1. BIOL & PHILO
‣ **les êtres humains/vivants** human/living beings

2. PERSONNE
‣ **c'était un être merveilleux** she was a wonderful person

3. ÂME, CŒUR
‣ **il la chérissait de tout son être** he cherished her with all his heart.

être *v aux*

1. POUR FORMER LES TEMPS COMPOSÉS
‣ **il est parti hier** he left yesterday
‣ **il est déjà arrivé** he has already arrived
‣ **il est né en 1952** he was born in 1952

2. POUR FORMER LE PASSIF
‣ **la maison a été vendue** the house has been *ou* was sold
‣ **l'école sera construite l'an prochain** the school will be built next year.

être *v att*

1. INDIQUE UNE CARACTÉRISTIQUE, UNE PROFESSION, UN ÉTAT
‣ **la maison est blanche** the house is white
‣ **il est médecin** he's a doctor
‣ **je suis toujours fatiguée** I'm always tired
‣ **sois sage !** be good!
‣ **si j'étais vous, je ne dirais pas de telles choses** if I were you, I wouldn't say such things

2. INDIQUE L'APPARTENANCE
‣ **elle est à vous, cette voiture ?** is this your car?, is this car yours?, does this car belong to you?
‣ **cette maison est à lui/eux** this house is his/theirs, this is his/their house.

être *v impers*

1. EXPRIME L'HEURE
‣ **quelle heure est-il ?** what time is it?, what's the time?
‣ **il est dix heures dix** it's ten past ten, it's ten after ten *(US)*

2. SUIVI D'UN ADJECTIF
‣ **il est inutile de crier, j'ai entendu** there's no need to shout, I heard you
‣ **il serait bon de partir tout de suite** it would be good to leave straight away.

être *vi*

1. EXISTER
‣ **être ou ne pas être...** to be or not to be...

2. INDIQUE UNE SITUATION DANS LE TEMPS OU DANS L'ESPACE
‣ **nous sommes au printemps/en été** it's spring/summer
‣ **il est à Paris** he's in Paris

3. INDIQUE L'ORIGINE
‣ **il est de Paris** he's from Paris.

◼ être à *v + prép*

INDIQUE UNE OBLIGATION
‣ **c'est à vérifier** it needs to be checked
‣ **c'est à voir** that remains to be seen.

étreindre *vt* **1.** *(embrasser)* to hug, to embrace **2.** *fig (tenailler)* to grip, to clutch.
◼ **s'étreindre** *vp* to embrace each other.

étreinte *nf* **1.** *(enlacement)* embrace **2.** *(pression)* stranglehold.

étrenner *vt* to use for the first time.

étrennes *nfpl* Christmas box *(sing) (UK)*.

étrier *nm* stirrup.

étriller *vt* **1.** *(cheval)* to curry **2.** *(personne)* to wipe the floor with **3.** *(film)* to tear to pieces.

étriper *vt* **1.** *(animal)* to disembowel **2.** *fam fig (tuer)* to murder.
◼ **s'étriper** *vp fam* to tear each other to pieces.

étriqué, e *adj* **1.** *(vêtement)* tight **2.** *(appartement)* cramped **3.** *(esprit)* narrow.

étroit, e *adj* **1.** *(gén)* narrow **2.** *(intime)* close **3.** *(serré)* tight. ◼ **à l'étroit** *loc adj*
‣ **être à l'étroit** to be cramped.

étroitesse *nf* narrowness.

étude *nf* 1. *(gén & ÉCON)* study ∘ **à l'étude** under consideration ∘ **étude de marché** market research *(indénombrable)* 2. *(de notaire - local)* office ∘ *(- charge)* practice 3. MUS étude. ∎ **études** *nfpl* studies ∘ **faire des études** to study.

étudiant, e *nm, f* student.

étudié, e *adj* studied.

étudier *vt* *(apprendre - gén)* to study ∘ *(- leçon)* to learn ∘ *(- piano)* to learn (to play), to study ∘ *(- auteur, période)* to study.

étui *nm* case ∘ **étui à cigarettes/lunettes** cigarette/glasses case.

étuve *nf* 1. *(local)* steam room 2. fig oven 3. *(appareil)* sterilizer.

étuvée ∎ **à l'étuvée** *loc adv* braised.

étymologie *nf* etymology.

eu, e *pp* ⊳ **avoir.**

E-U, E-U A *(abr de* **États-Unis (d'Amérique)** *nmpl* US, USA.

eucalyptus *nm* eucalyptus.

euh *interj* er.

eunuque *nm* eunuch.

euphémisme *nm* euphemism.

euphorie *nf* euphoria.

euphorisant, e *adj* exhilarating. ∎ **euphorisant** *nm* antidepressant.

eurent ⊳ **avoir.**

euro *nm* euro ∘ **zone euro** euro zone, euro area.

eurodéputé *nm* Euro MP.

eurodevise *nf* Eurocurrency.

Europe *nf* ∘ **l'Europe** Europe.

européen, enne *adj* European. ∎ **Européen, enne** *nm, f* European. ∎ **européennes** *nfpl* POLIT European elections, Euro-elections, elections for the European Parliament.

eus, eut ⊳ **avoir.**

eût ⊳ **avoir.**

euthanasie *nf* euthanasia.

euthanasier *vt* 1. *(animal)* to put down, to put to sleep 2. *(personne)* to practise *(UK)* ou practice *(US)* euthanasia on, to help to die.

eux *pron pers* 1. *(sujet)* they ∘ **ce sont eux qui me l'ont dit** they're the ones who told me 2. *(complément)* them. ∎ **eux-mêmes** *pron pers* themselves.

évacuer *vt* 1. *(gén)* to evacuate 2. *(liquide)* to drain.

évadé, e *nm, f* escaped prisoner.

évader ∎ **s'évader** *vp* ∘ **s'évader (de)** to escape (from).

évaluation *nf* 1. *(action)* valuation 2. *(résultat)* estimate.

évaluer *vt* 1. *(distance)* to estimate 2. *(tableau)* to value 3. *(risque)* to assess.

évangélique *adj* evangelical.

évangéliser *vt* to evangelize.

évangile *nm* gospel.

évanouir ∎ **s'évanouir** *vp* 1. *(défaillir)* to faint 2. *(disparaître)* to fade.

évanouissement *nm* *(syncope)* fainting fit.

évaporer ∎ **s'évaporer** *vp* to evaporate.

évasé, e *adj* flared.

évasif, ive *adj* evasive.

évasion *nf* escape.

évêché *nm* 1. *(territoire)* diocese 2. *(résidence)* bishop's palace.

éveil *nm* awakening ∘ **en éveil** on the alert.

éveillé, e *adj* 1. *(qui ne dort pas)* wide awake 2. *(vif, alerte)* alert.

éveiller *vt* 1. to arouse 2. *(intelligence, dormeur)* to awaken. ∎ **s'éveiller** *vp* 1. *(dormeur)* to wake, to awaken 2. *(curiosité)* to be aroused 3. *(esprit, intelligence)* to be awakened 4. *(s'ouvrir)* ∘ **s'éveiller à qqch** to discover sthg.

événement *nm* event.

événementiel, elle *adj* *(histoire)* factual.

éventail *nm* 1. *(objet)* fan ∘ **en éventail** fan-shaped 2. *(choix)* range.

éventaire *nm* 1. *(étalage)* stall, stand 2. *(corbeille)* tray.

éventer *vt* 1. *(rafraîchir)* to fan 2. *(divulguer)* to give away. ∎ **s'éventer** *vp* 1. *(se rafraîchir)* to fan o.s. 2. *(parfum, vin)* to go stale.

éventrer *vt* 1. *(étriper)* to disembowel 2. *(fendre)* to rip open.

éventualité *nf* 1. *(possibilité)* possibility 2. *(circonstance)* eventuality ∘ **dans l'éventualité de** in the event of.

éventuel, elle *adj* possible.

éventuellement *adv* possibly.

À PROPOS DE...

éventuellement

Aussi tentant qu'il soit de traduire « éventuellement » par *eventually*, il faut absolument l'éviter. Ces deux adverbes ont en effet des sens très différents : *he eventually asked her out*, par exemple, n'a rien d'incertain, contrairement à une phrase qui contiendrait « éventuellement » ; on traduit cet exemple par « il a *fini par* l'inviter à sortir ». La traduction correcte d'« éventuellement » est *perhaps*, *possibly*, comme le montre l'exemple suivant : « je pourrais éventuellement revenir demain », *perhaps I could come back tomorrow*.

évêque *nm* bishop.

évertuer ▨ s'évertuer *vp* ∘ **s'évertuer à faire qqch** to strive to do sthg.

évidemment *adv* obviously.

évidence *nf* **1.** *(caractère)* evidence **2.** *(fait)* obvious fact ∘ **mettre en évidence** to emphasize, to highlight.

évident, e *adj* obvious.

évider *vt* to hollow out.

évier *nm* sink.

évincer *vt* ∘ **évincer qqn (de)** to oust sb (from).

éviter *vt* **1.** *(esquiver)* to avoid **2.** *(s'abstenir)* ∘ **éviter de faire qqch** to avoid doing sthg **3.** *(épargner)* ∘ **éviter qqch à qqn** to save sb sthg.

évocateur, trice *adj (geste, regard)* meaningful.

évocation *nf* evocation.

évolué, e *adj* **1.** *(développé)* developed **2.** *(libéral, progressiste)* broad-minded.

évoluer *vi* **1.** *(changer)* to evolve **2.** *(personne)* to change **3.** *(se mouvoir)* to move around.

évolution *nf* **1.** *(transformation)* development **2.** BIOL evolution **3.** MÉD progress.

évoquer *vt* **1.** *(souvenir)* to evoke **2.** *(problème)* to refer to **3.** *(esprits, démons)* to call up.

exacerber *vt* to exacerbate.

exact, e *adj* **1.** *(calcul)* correct **2.** *(récit, copie)* exact **3.** *(ponctuel)* punctual.

exactement *adv* exactly.

exaction *nf* extortion.

exactitude *nf* **1.** *(de calcul, montre)* accuracy **2.** *(ponctualité)* punctuality.

ex æquo ▨ *adj inv* & *nmf* equal. **▨** *adv* equal ∘ **troisième ex æquo** third equal, tied for third.

exagération *nf* exaggeration.

exagéré, e *adj* exaggerated.

exagérer *vt* & *vi* to exaggerate.

exalté, e ▨ *adj* **1.** *(sentiment)* elated **2.** *(tempérament)* over-excited **3.** *(imagination)* vivid. **▨** *nm, f* fanatic.

exalter *vt* to excite.

▨ s'exalter *vp* to get carried away.

examen *nm* **1.** examination **2.** SCOL exam, examination ∘ **examen médical** medical (examination) *(UK)*, physical (examination) *(US)* ∘ **mise en examen** DR indictment.

examinateur, trice *nm, f* examiner.

examiner *vt* to examine.

exaspération *nf* exasperation.

exaspérer *vt* to exasperate.

exaucer *vt* to grant ∘ **exaucer qqn** to answer sb's prayers.

excédent *nm* surplus ∘ **en excédent** surplus *(avant nom)*.

excéder *vt* **1.** *(gén)* to exceed **2.** *(exaspérer)* to exasperate.

excellence *nf* excellence ∘ **par excellence** par excellence.

excellent, e *adj* excellent.

exceller *vi* ∘ **exceller en** OU **dans qqch** to excel at OU in sthg ∘ **exceller à faire qqch** to excel at doing sthg.

excentré, e *adj* ∘ **c'est très excentré** it's quite a long way out.

excentrique ▨ *nmf* eccentric. **▨** *adj* **1.** *(gén)* eccentric **2.** *(quartier)* outlying.

excepté, e ▨ *adj* ∘ **tous sont venus, lui excepté** everyone came except (for) him. **▨ excepté** *prép* apart from, except.

exception *nf (hors norme)* exception ∘ **à l'exception de** except for.

exceptionnel, elle *adj* exceptional.

excès ▨ *nm* excess ∘ **excès de zèle** overzealousness. **▨** *nmpl* excesses.

excessif, ive adj 1. (démesuré) excessive 2. fam (extrême) extreme.

excitant, e adj (stimulant, passionnant) exciting. ■ **excitant** nm stimulant.

excitation nf 1. (énervement) excitement 2. (stimulation) encouragement 3. MÉD stimulation.

excité, e ■ adj (énervé) excited. ■ nm, f hothead.

exciter vt 1. (gén) to excite 2. (inciter) • **exciter qqn (à qqch/à faire qqch)** to incite sb (to sthg/to do sthg) 3. MÉD to stimulate.

exclamation nf exclamation.

exclamer ■ **s'exclamer** vp • **s'exclamer (devant)** to exclaim (at ou over).

exclu, e ■ pp ⫐ **exclure**. ■ adj excluded. ■ nm, f outsider.

exclure vt 1. to exclude 2. (expulser) to expel.

exclusion nf expulsion • **à l'exclusion de** to the exclusion of.

exclusivement adv 1. (uniquement) exclusively 2. (non inclus) exclusive.

exclusivité nf 1. CINÉ sole screening rights pl • **en exclusivité** exclusively 2. (de sentiment) exclusiveness.

excommunier vt to excommunicate.

excrément nm (gén pl) excrement (indénombrable).

excroissance nf excrescence.

excursion nf excursion.

excursionniste nmf day-tripper.

excuse nf excuse.

excuser vt to excuse • **excusez-moi** (pour réparer) I'm sorry • (pour demander) excuse me.
■ **s'excuser** vp (demander pardon) to apologize • **s'excuser de qqch/de faire qqch** to apologize for sthg/for doing sthg.

exécrable adj atrocious.

exécrer vt to loathe.

exécutant, e nm, f 1. (personne) underling 2. MUS performer.

exécuter vt 1. (réaliser) to carry out 2. (tableau) to paint 3. MUS to play, to perform 4. (mettre à mort) to execute.
■ **s'exécuter** vp to comply.

exécutif, ive adj executive. ■ **exécutif** nm • **l'exécutif** the executive.

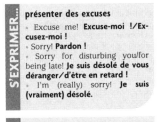

exécution nf 1. (réalisation) carrying out 2. (de tableau) painting 3. MUS performance 4. (mise à mort) execution.

exemplaire ■ adj exemplary. ■ nm copy.

exemple nm example • **par exemple** for example, for instance.

exempté, e adj • **exempté (de)** exempt (from).

exercer vt 1. (entraîner, mettre en usage) to exercise 2. (autorité, influence) to exert 3. (métier) to carry on 4. (médecine) to practise (UK), to practice (US).
■ **s'exercer** vp 1. (s'entraîner) to practise (UK), to practice (US) • **s'exercer à qqch/à faire qqch** to practise (UK) ou to practice (US) sthg/doing sthg 2. (se manifester) • **s'exercer (sur ou contre)** to be exerted (on).

exercice nm 1. (gén) exercise 2. (entraînement) practice 3. (de métier, fonction) carrying out • **en exercice** in office.

exhaler vt littéraire 1. (odeur) to give off 2. (plainte, soupir) to utter.
■ **s'exhaler** vp 1. (odeur) to rise 2. (plainte, soupir) • **s'exhaler de** to rise from.

exhaustif, ive adj exhaustive.

exhiber vt 1. (présenter) to show 2. (faire étalage de) to show off.
■ **s'exhiber** vp to make an exhibition of o.s..

exhibitionniste nmf exhibitionist.

exhorter *vt* • exhorter qqn à qqch/à faire qqch to urge sb to sthg/to do sthg.

exhumer *vt* 1. to exhume 2. *fig* to unearth, to dig up.

exigeant, e *adj* demanding.

exigence *nf (demande)* demand.

exiger *vt* 1. *(demander)* to demand • exiger que (+ subjonctif) to demand that • exiger qqch de qqn to demand sthg from sb 2. *(nécessiter)* to require.

exigible *adj* payable.

exigu, ë *adj* cramped.

exil *nm* exile • en exil exiled.

exilé, e *nm, f* exile.

exiler *vt* to exile.
■ **s'exiler** *vp* 1. POLIT to go into exile 2. *fig (partir)* to go into seclusion.

existence *nf* existence.

exister *vi* to exist. ■ *v impers* • il existe *(il y a)* there is/are.

exode *nm* exodus.

exonération *nf* exemption • exonération d'impôts tax exemption.

exorbitant, e *adj* exorbitant.

exorbité, e ⊳ œil.

exorciser *vt* to exorcize.

exotique *adj* exotic.

exotisme *nm* exoticism.

expansif, ive *adj* expansive.

expansion *nf* expansion.

expansionniste *nmf & adj* expansionist.

expatrié, e *adj & nm, f* expatriate.

expatrier *vt* to expatriate.
■ **s'expatrier** *vp* to leave one's country.

expédier *vt* 1. *(lettre, marchandise)* to send, to dispatch 2. *(personne)* to get rid of 3. *(question)* to dispose of 4. *(travail)* to dash off.

expéditeur, trice *nm, f* sender.

expéditif, ive *adj* quick, expeditious.

expédition *nf* 1. *(envoi)* sending 2. *(voyage, campagne militaire)* expedition.

expérience *nf* 1. *(pratique)* experience • avoir de l'expérience to have experience, to be experienced 2. *(essai)* experiment.

expérimental, e *adj* experimental.

expérimenté, e *adj* experienced.

expert, e *adj* expert. ■ **expert** *nm* expert.

expert-comptable *nm* chartered accountant *(UK)*, certified public accountant *(US)*.

expertise *nf* 1. *(examen)* expert appraisal 2. *(estimation)* (expert) valuation 3. *(compétence)* expertise.

expertiser *vt* 1. to value 2. *(dégâts)* to assess.

expier *vt* to pay for.

expiration *nf* 1. *(d'air)* exhalation 2. *(de contrat)* expiry *(UK)*, expiration *(US)* • arriver à expiration to expire • date d'expiration expiry *(UK) ou* expiration *(US)* date.

expirer ■ *vt* to breathe out. ■ *vi (contrat)* to expire.

explicatif, ive *adj* explanatory.

explication *nf* explanation • explication de texte (literary) criticism.

explicite *adj* explicit.

expliciter *vt* to make explicit.

expliquer *vt* 1. *(gén)* to explain 2. *(texte)* to criticize.
■ **s'expliquer** *vp* 1. *(se justifier)* to explain o.s. 2. *(comprendre)* to understand 3. *(discuter)* to have it out 4. *(devenir compréhensible)* to be explained.

exploit *nm* 1. exploit, feat 2. *iron (maladresse)* achievement.

exploitant, e *nm, f* farmer.

exploitation *nf* 1. *(mise en valeur)* running 2. *(de mine)* working 3. *(entreprise)* operation, concern • exploitation agricole farm 4. *(d'une personne)* exploitation.

exploiter *vt* 1. *(gén)* to exploit 2. *(entreprise)* to operate, to run.

explorateur, trice *nm, f* explorer.

explorer *vt* to explore.

exploser *vi* to explode.

explosif, ive *adj* explosive. ■ **explosif** *nm* explosive.

explosion *nf* 1. explosion 2. *(de colère, joie)* outburst.

expo *nf fam* exhibition.

exportateur, trice ■ *adj* exporting. ■ *nm, f* exporter.

exportation *nf* export.

exporter *vt* to export.

exposé, e *adj* 1. *(orienté)* • bien exposé facing the sun 2. *(vulnérable)* exposed. ■ **exposé** *nm* 1. account 2. SCOL talk.

exposer *vt* **1.** *(orienter, mettre en danger)* to expose **2.** *(présenter)* to display **3.** *(tableaux)* to show, to exhibit **4.** *(expliquer)* to explain, to set out.
■ **s'exposer** *vp* ▪ **s'exposer à qqch** to expose o.s. to sthg.

exposition *nf* **1.** *(présentation)* exhibition **2.** *(orientation)* aspect.

exprès[1], **esse** *adj* *(formel)* formal, express. ■ **exprès** *adj inv* *(urgent)* express.

exprès[2] *adv* on purpose ▪ **faire exprès de faire qqch** to do sthg deliberately *ou* on purpose.

express ◼ *nm inv* **1.** *(train)* express **2.** *(café)* espresso. ◼ *adj inv* express.

expressément *adv* expressly.

expressif, ive *adj* expressive.

expression *nf* expression.

expresso *nm* espresso ▪ = **express**.

exprimer *vt* *(pensées, sentiments)* to express.
■ **s'exprimer** *vp* to express o.s..

expropriation *nf* expropriation.

exproprier *vt* to expropriate.

expulser *vt* ▪ **expulser (de)** to expel (from) ▪ *(locataire)* to evict (from).

expulsion *nf* **1.** expulsion **2.** *(de locataire)* eviction.

expurger *vt* to expurgate.

exquis, e *adj* **1.** *(délicieux)* exquisite **2.** *(distingué, agréable)* delightful.

exsangue *adj* *(blême)* deathly pale.

extase *nf* ecstasy.

extasier ■ **s'extasier** *vp* ▪ **s'extasier devant** to go into ecstasies over.

extensible *adj* stretchable.

extension *nf* **1.** *(étirement)* stretching **2.** *(élargissement)* extension ▪ **par extension** by extension.

exténuer *vt* to exhaust.

extérieur, e *adj* **1.** *(au dehors)* outside **2.** *(étranger)* external **3.** *(apparent)* outward **4.** ÉCON & POLIT foreign. ■ **extérieur** *nm* **1.** *(dehors)* outside **2.** *(de maison)* exterior ▪ **à l'extérieur de qqch** outside sthg.

extérieurement *adv* **1.** *(à l'extérieur)* on the outside, externally **2.** *(en apparence)* outwardly.

extérioriser *vt* to show.

exterminer *vt* to exterminate.

externaliser *vt* to outsource.

externat *nm* **1.** SCOL day school **2.** MÉD non-resident medical studentship.

externe ◼ *nmf* **1.** SCOL day pupil **2.** MÉD non-resident medical student, ≃ extern *(US)*. ◼ *adj* outer, external.

extincteur *nm* (fire) extinguisher.

extinction *nf* **1.** *(action d'éteindre)* putting out, extinguishing **2.** *fig* *(disparition)* extinction ▪ **extinction de voix** loss of one's voice.

extirper *vt* ▪ **extirper (de)** *(épine, racine)* to pull out (of) ▪ *(plante)* to uproot (from) ▪ *(réponse, secret)* to drag (out of) ▪ *(erreur, préjugé)* to root out (of).

extorquer *vt* ▪ **extorquer qqch à qqn** to extort sthg from sb.

extra ◼ *nm inv* **1.** *(employé)* extra help *(indénombrable)* **2.** *(chose inhabituelle)* (special) treat. ◼ *adj inv* **1.** *(de qualité)* top-quality **2.** *fam* *(génial)* great, fantastic.

extraction *nf* extraction.

extrader *vt* to extradite.

extraire *vt* *(ôter)* to extract, to remove, to pull out.

extrait, e *pp* ▷ **extraire**. ■ **extrait** *nm* extract ▪ **extrait de naissance** birth certificate.

extraordinaire *adj* extraordinary.

extrapoler *vt* & *vi* to extrapolate.

extraterrestre *nmf* & *adj* extraterrestrial.

extravagance *nf* extravagance.

extravagant, e *adj* **1.** extravagant **2.** *(idée, propos)* wild.

extraverti, e *nm, f* & *adj* extrovert.

extrême ◼ *nm* extreme ▪ **d'un extrême à l'autre** from one extreme to the other. ◼ *adj* **1.** extreme **2.** *(limite)* furthest ▪ **les sports extrêmes** extreme sports.

extrêmement *adv* extremely.

extrême-onction *nf* last rites *pl*, extreme unction.

Extrême-Orient *nm* ▪ **l'Extrême-Orient** the Far East.

extrémiste *nmf* & *adj* extremist.

extrémité *nf* **1.** *(bout)* end **2.** *(situation critique)* straits *pl*.

exubérant, e *adj* **1.** *(personne)* exuberant **2.** *(végétation)* luxuriant.

exulter *vi* to exult.

fF

f, F *nm inv* f, F • **F3** three-room flat *(UK)* ou apartment *(US)*. ■ **F 1.** *(abr écrite de* **Fahrenheit)** F **2.** *(abr écrite de* **franc)** F, Fr.

fa *nm inv* **1.** F **2.** *(chanté)* fa, fah *(UK)*.

fable *nf* fable.

fabricant, e *nm, f* manufacturer.

fabrication *nf* manufacture, manufacturing.

fabrique *nf (usine)* factory.

fabriquer *vt* **1.** *(confectionner)* to manufacture, to make **2.** *fam (faire)* • **qu'est-ce que tu fabriques ?** what are you up to? **3.** *(inventer)* to fabricate.

fabulation *nf* fabrication.

fabuleux, euse *adj* fabulous.

fac *nf fam* college, uni *(UK)*.

façade *nf litt & fig* facade.

face *nf* **1.** *(visage)* face **2.** *(côté)* side • **faire face à qqch** *(maison)* to face sthg, to be opposite sthg • *fig (affronter)* to face up to sthg • **de face** from the front • **en face de qqn/qqch** opposite sb/sthg.

face-à-face *nm inv* debate.

facétie *nf* practical joke.

facette *nf litt & fig* facet.

fâché, e *adj* **1.** *(en colère)* angry **2.** *(contrarié)* annoyed **3.** *(brouillé)* on bad terms.

fâcher *vt* **1.** *(mettre en colère)* to anger, to make angry **2.** *(contrarier)* to annoy, to make annoyed.

■ **se fâcher** *vp* **1.** *(se mettre en colère)* • **se fâcher (contre qqn)** to get angry (with sb) **2.** *(se brouiller)* • **se fâcher (avec qqn)** to fall out (with sb).

fâcheux, euse *adj* unfortunate.

facile *adj* **1.** *(aisé)* easy • **facile à faire/prononcer** easy to do/pronounce **2.** *(peu subtil)* facile **3.** *(conciliant)* easy-going.

facilement *adv* easily.

facilité *nf* **1.** *(de tâche, problème)* easiness **2.** *(capacité)* ease **3.** *(dispositions)* aptitude **4.** COMM • **facilités de paiement** easy (payment) terms.

faciliter *vt* to make easier.

façon *nf* **1.** *(manière)* way **2.** *(travail)* work **3.** COUT making-up **4.** *(imitation)* • **façon cuir** imitation leather. ■ **de façon à** *loc prép* so as to. ■ **de façon que** *loc conj* so that. ■ **de toute façon** *loc adv* anyway, in any case.

fac-similé *nm* facsimile.

facteur, trice *nm, f (des postes)* postman *(f* postwoman) *(UK)*, mailman *(US)*, mail ou letter carrier *(US)*. ■ **facteur** *nm (élément* & MATH*)* factor.

factice *adj* artificial.

faction *nf* **1.** *(groupe)* faction **2.** MIL • **être en** ou **de faction** to be on guard (duty) ou on sentry duty.

facture *nf* **1.** COMM invoice **2.** *(de gaz, d'électricité)* bill **3.** ART technique.

facturer *vt* COMM to invoice.

facultatif, ive *adj* optional.

faculté *nf* **1.** *(don &* UNIV*)* faculty • **faculté de lettres/de droit/de médecine** Faculty of Arts/Law/Medicine **2.** *(possibilité)* freedom **3.** *(pouvoir)* power. ■ **facultés** *nfpl* (mental) faculties.

fadaises *nfpl* drivel *(indénombrable)*.

fade *adj* **1.** *(sans saveur)* bland **2.** *(sans intérêt)* insipid.

fagot *nm* bundle of sticks.

faible ◼ *adj* 1. *(gén)* weak • **être faible en maths** to be not very good at maths *(UK)* ou math *(US)* 2. *(petit - montant, proportion)* small • *(- revenu)* low 3. *(lueur, bruit)* faint. ◼ *nmf* weak person • **faible d'esprit** feeble-minded person. ◼ *nm* weakness.

faiblement *adv* 1. *(mollement)* weakly, feebly 2. *(imperceptiblement)* faintly 3. *(peu)* slightly.

faiblesse *nf* 1. *(gén)* weakness 2. *(petitesse)* smallness.

faiblir *vi* 1. *(personne, monnaie)* to weaken 2. *(forces)* to diminish, to fail 3. *(tempête, vent)* to die down.

faïence *nf* earthenware.

faignant, e = **fainéant**.

faille ◼ ▷ **falloir**. ◼ *nf* 1. GÉOL fault 2. *(défaut)* flaw.

faillible *adj* fallible.

faillir *vi* 1. *(manquer)* • **faillir à** *(promesse)* not to keep • *(devoir)* not to do 2. *(être sur le point de)* • **faillir faire qqch** to nearly ou almost do sthg.

faillite *nf* FIN bankruptcy • **faire faillite** to go bankrupt • **en faillite** bankrupt.

faim *nf* hunger • **avoir faim** to be hungry.

fainéant, e, feignant, e, faignant, e ◼ *adj* lazy, idle. ◼ *nm, f* lazybones.

---

faire *vt*

1. FABRIQUER, PRÉPARER
• **il fait une tarte/du café/un film** he's making a tart/coffee/a film
• **il déteste faire son lit** he hates making his bed

2. TRANSFORMER
• **il veut en faire une maison de vacances** he wants to turn it into a holiday home

3. S'OCCUPER À
• **qu'est-ce qu'il fait dans la vie ?** what does he do (for a living)?
• **que fais-tu dimanche ?** what are you doing on Sunday?

4. ÉTUDIER
• **elle a fait de l'anglais/des maths/du droit à l'université** she did English/ maths/law at university

5. SPORT, MUSIQUE
• **il fait du football/de la clarinette** he plays football/the clarinet

6. EFFECTUER
• **faire une sieste** to have a snooze
• **faire une promenade** to go for a walk
• **je n'aime pas faire la vaisselle** I don't like doing the washing-up
• **je préfère faire les courses** I prefer doing the shopping
• **faire le ménage** to do the housework
• **son mari fait parfois la cuisine** her husband sometimes cooks ou does the cooking

7. CAUSER, OCCASIONNER
• **je suis désolé, je ne voulais pas lui faire de la peine** I'm sorry, I didn't want to hurt her
• **arrête de faire du bruit !** stop making noise!
• **ça ne fait rien** it doesn't matter

8. IMITER
• **arrête de faire le clown** stop acting the clown
• **ne fais pas l'innocent** don't pretend you're innocent

9. CHERCHER DANS
• **j'ai fait tous les musées de New York mais je n'ai pas trouvé la peinture que je cherchais** I went round all the museums in New York but I didn't find the painting I was looking for

10. DANS DES CALCULS, DES MESURES
• **un et un font deux** one and one are ou make two
• **la table fait 2 mètres de long** the table is 2 metres *(UK)* ou meters *(US)* long
• **faire du 38** to take a size 38
• **ça fait combien (de kilomètres) jusqu'à la mer ?** how far is it to the sea?

11. COÛTER
• **ça vous fait 10 euros en tout** that'll be 10 euros altogether ou it'll cost you 10 euros altogether

12. EN TANT QUE VERBE SUBSTITUTIF
• **je lui ai dit de prendre une échelle mais il ne l'a pas fait** I told him to use a ladder but he didn't

13. DIRE
• **« tiens », fit-elle** "really", she said

14. DANS DES EXPRESSIONS
• **je ne fais que passe** I've just popped in
• **elle ne fait que bavarder** she does nothing but gossip, she's always gossiping.

faire *vi*

AGIR

* **fais vite !** hurry up!
* **que faire ?** what is to be done?
* **tu ferais bien d'aller voir ce qui se passe** you ought to *ou* you'd better go and see what's happening
* **fais comme chez toi !** make yourself at home!

faire *v att*

AVOIR L'AIR, PARAÎTRE

* **ça fait démodé/joli** it looks old-fashioned/pretty
* **ça fait jeune** it makes you look young
* **elle ne fait pas son âge** she doesn't look her age.

faire *v impers*

1. POUR DÉCRIRE L'ATMOSPHÈRE
* **il fait beau/froid** it's fine/cold
* **il fait 20 degrés** it's 20 degrees
* **il fait jour/nuit** it's light/dark
2. POUR EXPRIMER LA DURÉE, LA DISTANCE
* **ça fait six mois que je ne l'ai pas vu** it's six months since I last saw him
* **ça fait deux mois que je fais du portugais** I've been doing Potuguese *ou* going to Portuguese classes for two months
* **ça fait 30 kilomètres qu'on roule sans phares** we've been driving without lights for 30 kilometres *(UK)* *ou* kilometers *(US)*.

faire *v aux*

1. À L'ACTIF
* **je n'arrive pas à faire démarrer la voiture** I can't start the car
* **il a fait tomber ses clés** he dropped his keys
2. AU PASSIF
* **j'ai fait réparer ma voiture/nettoyer mes vitres** I had my car repaired/my windows cleaned.

■ se faire *vp*

1. AVOIR LIEU
* **les choses finissent toujours par se faire** things always get done in the end
* **rien ne peut se faire sans confiance** nothing gets done without trust
2. ÊTRE CONVENABLE
* **ça ne se fait pas (de faire qqch)** it's not done (to do sthg)

3. DEVENIR
* **il se fait tard** it's getting late
* **essaie de te faire beau !** try to make yourself look good!
4. À LA MODE
* **les jupes courtes se font beaucoup cette année** short skirts are in this year *ou* are being worn a lot this year
* **ça se fait encore, ce style de manteau ?** are people still wearing this style of coats?
5. SUIVI D'UN NOM
* **elle ne connaît personne dans cette école, il faut qu'elle se fasse des amis** she doesn't know anybody in that school, she needs to make friends
* **il faut que je me fasse une idée là-dessus** I must get some idea about it
6. SUIVI D'UN INFINITIF
* **je ne veux pas que mon chat se fasse écraser** I don't want my cat to get run over
* **je dois me faire opérer le mois prochain** I need to have an operation next month
* **elle devrait se faire aider (par qqn)** she should get help (from sb)
* **il voudrait se faire faire un costume** he'd like to have a suit made
7. DANS DES EXPRESSIONS
* **comment se fait-il que... ?** how is it that...?, how come...?
* **s'en faire** to worry
* **ne vous en faites pas !** don't worry!

■ se faire à *vp* + *prép*

to get used to
* **il faut que je m'y fasse** I'll have to get used to it.

faire-part *nm inv* announcement.

fais, fait ▷ **faire**.

faisable *adj* feasible.

faisan, e *nm, f* pheasant.

faisandé, e *adj* CULIN high.

faisceau *nm (rayon)* beam.

faisons ▷ **faire**.

fait, e ■ *pp* ▷ **faire**. ■ *adj* **1.** *(fabriqué)* made • **il n'est pas fait pour mener cette vie** he's not cut out for this kind of life **2.** *(physique)* • **bien fait** well-built **3.** *(fromage)* ripe • **c'est bien fait pour lui** (it) serves him right • **c'en est fait de nous** we're done for. ■ **fait** *nm* **1.** *(acte)* act • **mettre qqn devant le fait accompli** to present sb with a fait accompli

À PROPOS DE...

faire

Do et *make* servent tous deux à traduire « faire », mais ils interviennent dans des contextes différents.

Do s'utilise lorsque l'on ne donne pas de précisions sur l'activité (*what are you doing? ; she never knows what to do at weekends*), ou lorsque l'on parle de tâches ménagères, de sport ou de travail en général (*I hate doing the washing up ; you should do some swimming ; you must do your homework before watching television*).

Make rend l'idée de création ou d'exécution (*I'm making some soup for dinner ; let's make a plan of the area*). Il s'emploie aussi dans les situations où quelqu'un ou quelque chose oblige une personne à effectuer une action (*she'll make you finish your homework first ; that book made me understand a lot about history*).

Voir aussi *do* dans la partie anglais-français du dictionnaire.

• **prendre qqn sur le fait** to catch sb in the act • **faits et gestes** doings, actions **2.** (*événement*) event • **faits divers** news in brief **3.** (*réalité*) fact. ■ **au fait** *loc adv* by the way. ■ **en fait** *loc adv* in (actual) fact. ■ **en fait de** *loc prép* by way of. ■ **du fait de** *loc prép* because of.

faite *nm* **1.** (*de toit*) ridge **2.** (*d'arbre*) top **3.** *fig* (*sommet*) pinnacle.

faites ▷ **faire.**

fait-tout, faitout *nm* stewpan.

fakir *nm* fakir.

falafel *nm* CULIN falafel.

falaise *nf* cliff.

fallacieux, euse *adj* **1.** (*promesse*) false **2.** (*argument*) fallacious.

falloir *v impers*

1. EXPRIME UN BESOIN, UNE NÉCESSITÉ
• **il me faut du temps** I need (some) time
• **il me faudrait deux kilos de pommes, s'il vous plaît** I'd like two kilos of apples, please

• **il faut deux heures pour aller à Oxford** it takes two hours to get to Oxford
• **il m'a fallu trois jours pour terminer ce travail** it took me three days to finish this work

2. EXPRIME UNE OBLIGATION
• **il faut que tu partes** you must go *ou* leave, you'll have to go *ou* leave
• **il faut faire attention** we/you *etc* must be careful, we'll/you'll *etc* have to be careful
• **s'il le faut** if necessary

3. EXPRIME UN CONSEIL, UNE SUGGESTION
• **il faut que tu ailles voir ce film** you must go and se this film
• **il faut que nous partions en vacances ensemble** we must go on holiday together
• **il faudrait que je leur écrive** I should write to them

4. POUR EXPRIMER L'AGACEMENT
• **il faut toujours qu'elle intervienne !** she always has to interfere!

5. POUR EXPRIMER L'ADMIRATION
• **il faut la voir danser !** you should see her dance!

6. INDIQUE UNE FATALITÉ
• **il fallait bien que cela arrive** it was bound to happen
• **il a fallu qu'elle découvre ce secret** she would have to discover that secret.

■ **s'en falloir** *v impers*

• **il s'en faut de peu pour qu'il puisse acheter cette maison** he can almost afford to buy the house
• **il s'en faut de 20 cm pour que l'armoire tienne dans le coin** the cupboard is 20 cm too big to fit into the corner
• **il s'en faut de beaucoup pour qu'il ait l'examen** it'll take a lot for him to pass the exam
• **peu s'en est fallu qu'il démissionne** he very nearly resigned *ou* he came close to resigning.

fallu *pp inv* ▷ **falloir.**

falot, e *adj* dull.

falsifier *vt* (*document, signature, faits*) to falsify.

famé, e *adj* • **mal famé** with a (bad) reputation.

famélique *adj* half-starved.

fameux, **euse** *adj* **1.** *(célèbre)* famous **2.** *fam (remarquable)* great.

familial, **e** *adj* family *(avant nom)*.

familiariser *vt* ▪ **familiariser qqn avec** to familiarize sb with.

familiarité *nf* familiarity. ▪ **familiarités** *nfpl* liberties.

familier, **ère** *adj (connu)* familiar. ▪ **familier** *nm* regular (customer).

famille *nf* **1.** family **2.** *(ensemble des parents)* relatives, relations ▪ **famille d'accueil** *(lors d'un séjour linguistique)* host family ▪ *(pour enfant en difficulté)* foster home ▪ **famille monoparentale** single-parent *ou* lone-parent *ou* one-parent (UK) family ▪ **famille recomposée** blended family.

	LA FAMILLE
	▪ l'arrière-grand-mère the great-grandfather
	▪ l'arrière-grand-père the great-grandmother
	▪ le beau-frère the brother-in-law
	▪ le beau-père (mari de la mère) the father-in-law
	▪ la belle-mère (femme du père) the mother-in-law
	▪ la belle-sœur the sister-in-law
	▪ le cousin the cousin
	▪ la cousine the cousin
	▪ le demi-frère the half-brother
	▪ la demi-sœur the half-sister
	▪ la famille recomposée the re-composed family
	▪ la fille the daughter
	▪ le fils the son
	▪ le frère the brother
	▪ la grand-mère the grandmother
	▪ le grand-père the grandfather
	▪ la mère the mother
	▪ l'oncle the uncle
	▪ le père the father
	▪ la sœur the sister
	▪ la tante the aunt

famine *nf* famine.

fan *nmf fam* fan.

fanal *nm* **1.** *(de phare)* beacon **2.** *(lanterne)* lantern.

fanatique ▪ *nmf* fanatic. ▪ *adj* fanatical.

fanatisme *nm* fanaticism.

faner ▪ *vt (altérer)* to fade. ▪ *vi* **1.** *(fleur)* to wither **2.** *(beauté, couleur)* to fade.

▪ **se faner** *vp* **1.** *(fleur)* to wither **2.** *(beauté, couleur)* to fade.

fanfare *nf* **1.** *(orchestre)* brass band **2.** *(musique)* fanfare.

fanfaron, **onne** ▪ *adj* boastful. ▪ *nm, f* braggart.

fange *nf littéraire* mire.

fanion *nm* pennant.

fantaisie ▪ *nf* **1.** *(caprice)* whim **2.** *(indénombrable) (goût)* fancy **3.** *(imagination)* imagination. ▪ *adj inv* ▪ **chapeau fantaisie** fancy hat ▪ **bijoux fantaisie** fake/costume jewellery (UK) *ou* jewelry (US).

fantaisiste ▪ *nmf* entertainer. ▪ *adj (bizarre)* fanciful.

fantasme *nm* fantasy.

fantasque *adj* **1.** *(personne)* whimsical **2.** *(humeur)* capricious.

fantassin *nm* infantryman.

fantastique ▪ *adj* fantastic. ▪ *nm* ▪ **le fantastique** the fantastic.

fantoche ▪ *adj* puppet *(avant nom)*. ▪ *nm* puppet.

fantôme ▪ *nm* ghost. ▪ *adj (inexistant)* phantom.

faon *nm* fawn.

farandole *nf* farandole.

farce *nf* **1.** CULIN stuffing **2.** *(blague)* (practical) joke ▪ **farces et attrapes** jokes and novelties.

farceur, **euse** *nm, f* (practical) joker.

farcir *vt* **1.** CULIN to stuff **2.** *(remplir)* ▪ **farcir qqch de** to stuff *ou* cram sthg with.

fard *nm* make-up.

fardeau *nm* **1.** *(poids)* load **2.** *fig* burden.

farder *vt (maquiller)* to make up.
▪ **se farder** *vp* to make o.s. up, to put on one's make-up.

farfelu, **e** *fam* ▪ *adj* weird. ▪ *nm, f* weirdo.

farfouiller *vi fam* to rummage.

farine *nf* flour ▪ **farine animale** animal flour.

farouche *adj* **1.** *(animal)* wild, not tame **2.** *(personne)* shy, withdrawn **3.** *(sentiment)* fierce.

fart *nm* (ski) wax.

fascicule *nm* part, instalment (UK), installment (US).

fascination *nf* fascination.

fasciner *vt* to fascinate.

fascisme *nm* fascism.

fasse, fassions ▷ **faire.**

faste ■ *nm* splendour (UK), splendor (US). ■ *adj* (favorable) lucky.

fastidieux, euse *adj* boring.

fastueux, euse *adj* luxurious.

fatal, e *adj* 1. (mortel, funeste) fatal 2. (inévitable) inevitable.

fataliste *adj* fatalistic.

fatalité *nf* 1. (destin) fate 2. (inéluctabilité) inevitability.

fatigant[1], **e** *adj* 1. (épuisant) tiring 2. (ennuyeux) tiresome.

fatiguant[2] *p prés* ▷ **fatiguer.**

fatigue *nf* tiredness.

fatigué, e *adj* 1. tired 2. (cœur, yeux) strained.

fatiguer ■ *vt* 1. (épuiser) to tire 2. (cœur, yeux) to strain 3. (ennuyer) to wear out. ■ *vi* 1. (personne) to grow tired 2. (moteur) to strain.
■ **se fatiguer** *vp* to get tired • **se fatiguer de qqch** to get tired of sthg • **se fatiguer à faire qqch** to wear o.s. out doing sthg.

fatras *nm* jumble.

faubourg *nm* suburb.

fauché, e *adj fam* broke, hard-up.

faucher *vt* 1. (couper - herbe, blé) to cut 2. *fam* (voler) • **faucher qqch à qqn** to steal *ou* pinch (UK) sthg from sb 3. (piéton) to run over 4. *fig* (suj : mort, maladie) to cut down.

faucille *nf* sickle.

faucon *nm* hawk.

faudra ▷ **falloir.**

faufiler *vt* to tack, to baste.
■ **se faufiler** *vp* • **se faufiler dans** to slip into • **se faufiler entre** to thread one's way between.

faune ■ *nf* 1. (animaux) fauna 2. *péj* (personnes) • **la faune qui fréquente ce bar** the sort of people who hang around that bar. ■ *nm* MYTHOL faun.

faussaire *nmf* forger.

faussement *adv* 1. (à tort) wrongly 2. (prétendument) falsely.

fausser *vt* 1. (déformer) to bend 2. (rendre faux) to distort.

fausseté *nf* 1. (hypocrisie) duplicity 2. (de jugement, d'idée) falsity.

faute *nf* 1. (erreur) mistake, error • **faute de frappe** (à la machine à écrire) typing error • (à l'ordinateur) keying error • **faute d'orthographe** spelling mistake 2. (méfait, infraction) offence (UK), offense (US) • **prendre qqn en faute** to catch sb out (UK) • **faute professionnelle** professional misdemeanour (UK) *ou* misdemeanor (US) 3. TENNIS fault 4. FOOTBALL foul 5. (responsabilité) fault • **de ma/ta** *etc* **faute** my/your *etc* fault • **par la faute de qqn** because of sb. ■ **faute de** *loc prép* for want *ou* lack of • **faute de mieux** for want *ou* lack of anything better. ■ **sans faute** *loc adv* without fail.

fauteuil *nm* 1. (siège) armchair • **fauteuil roulant** wheelchair 2. (de théâtre) seat 3. (de président) chair 4. (d'académicien) seat.

fautif, ive ■ *adj* 1. (coupable) guilty 2. (défectueux) faulty. ■ *nm, f* guilty party.

fauve ■ *nm* 1. (animal) big cat 2. (couleur) fawn 3. ART Fauve. ■ *adj* 1. (animal) wild 2. (cuir, cheveux) tawny 3. ART Fauvist.

fauvette *nf* warbler.

faux, fausse *adj* 1. (incorrect) wrong 2. (postiche, mensonger, hypocrite) false • **faux témoignage** DR perjury 3. (monnaie, papiers) forged, fake 4. (bijou, marbre) imitation, fake 5. (injustifié) • **fausse alerte** false alarm • **c'est un faux problème** that's not an issue (here). ■ **faux** ■ *nm* (document, tableau) forgery, fake. ■ *nf* scythe. ■ *adv* • **chanter/jouer faux** MUS to sing/play out of tune • **sonner faux** *fig* not to ring true.

faux-filet, faux filet *nm* sirloin.

faux-fuyant *nm* excuse.

faux-monnayeur *nm* counterfeiter.

faux-sens *nm inv* mistranslation.

faveur *nf* favour (UK), favor (US). ■ **à la faveur de** *loc prép* thanks to. ■ **en faveur de** *loc prép* in favour (UK) *ou* favor (US) of.

favorable *adj* • **favorable (à)** favourable (UK) *ou* favorable (US) (to).

favori, ite *adj & nm, f* favourite (UK), favorite (US).

favoriser *vt* 1. (avantager) to favour (UK), to favor (US) 2. (contribuer à) to promote.

fax *nm* fax.

faxer *vt* to fax.

fayot *nm fam (personne)* creep, crawler.

fébrile *adj* feverish.

fécond, e *adj* **1.** *(femelle, terre, esprit)* fertile **2.** *(écrivain)* prolific.

fécondation *nf* fertilization ▪ **fécondation in vitro** in vitro fertilization.

féconder *vt* **1.** *(ovule)* to fertilize **2.** *(femme, femelle)* to impregnate.

fécondité *nf* **1.** *(gén)* fertility **2.** *(d'écrivain)* productiveness.

fécule *nf* starch.

féculent, e *adj* starchy. ▪ **féculent** *nm* starchy food.

fédéral, e *adj* federal.

fédération *nf* federation.

fée *nf* fairy.

féerique *adj (enchanteur)* enchanting.

feignant, e = **fainéant**.

feindre ▪ *vt* to feign ▪ **feindre de faire qqch** to pretend to do sthg. ▪ *vi* to pretend.

feint, e *pp* ⊳ **feindre**.

feinte *nf* **1.** *(ruse)* ruse **2.** *(football)* dummy **3.** *(boxe)* feint.

fêlé, e *adj* **1.** *(assiette)* cracked **2.** *fam (personne)* nutty, loony.

fêler *vt* to crack.

félicitations *nfpl* congratulations.

féliciter *vt* to congratulate. ▪ **se féliciter** *vp* ▪ **se féliciter de** to congratulate o.s. on.

félin, e *adj* feline. ▪ **félin** *nm* big cat.

fêlure *nf* crack.

femelle *nf* & *adj* female.

féminin, e *adj* **1.** *(gén)* feminine **2.** *(revue, équipe)* women's *(avant nom)*. ▪ **féminin** *nm* GRAMM feminine.

féminisme *nm* feminism.

féminité *nf* femininity.

femme *nf* **1.** *(personne de sexe féminin)* woman ▪ **femme de chambre** chambermaid ▪ **femme de ménage** cleaning woman **2.** *(épouse)* wife.

fémur *nm* femur.

fendre *vt* **1.** *(bois)* to split **2.** *(foule, flots)* to cut through. ▪ **se fendre** *vp (se crevasser)* to crack.

fendu, e *pp* ⊳ **fendre**.

fenêtre *nf (gén)* window.

fenouil *nm* fennel.

fente *nf* **1.** *(fissure)* crack **2.** *(interstice, de vêtement)* slit.

féodal, e *adj* feudal.

féodalité *nf* feudalism.

fer *nm* iron ▪ **fer à cheval** horseshoe ▪ **fer forgé** wrought iron ▪ **fer à repasser** iron ▪ **fer à souder** soldering iron.

ferai, feras ⊳ **faire**.

fer-blanc *nm* tinplate, tin.

ferblanterie *nf* **1.** *(commerce)* tin industry **2.** *(ustensiles)* tinware.

férié, e ⊳ **jour**.

férir *vt* ▪ **sans coup férir** without meeting any resistance *ou* obstacle.

ferme[1] *nf* farm.

ferme[2] ▪ *adj* firm ▪ **être ferme sur ses jambes** to be steady on one's feet. ▪ *adv* **1.** *(beaucoup)* a lot **2.** *(définitivement)* ▪ **acheter/vendre ferme** to make a firm purchase/sale.

fermement *adv* firmly.

ferment *nm* **1.** *(levure)* ferment **2.** *fig (germe)* seed, seeds *pl*.

fermentation *nf* **1.** CHIM fermentation **2.** *fig* ferment.

fermer ▪ *vt* **1.** *(porte, tiroir, yeux)* to close, to shut **2.** *(store)* to pull down **3.** *(enveloppe)* to seal **4.** *(bloquer)* to close ▪ **fermer son esprit à qqch** to close one's mind to sthg **5.** *(gaz, lumière)* to turn off **6.** *(vêtement)* to do up **7.** *(entreprise)* to close down **8.** *(interdire)* ▪ **fermer qqch à qqn** to close sthg to sb. ▪ *vi* **1.** *(gén)* to shut, to close **2.** *(vêtement)* to do up **3.** *(entreprise)* to close down. ▪ **se fermer** *vp* **1.** *(porte, partie du corps)* to close, to shut **2.** *(plaie)* to close up **3.** *(vêtement)* to do up.

fermeté *nf* firmness.

fermeture *nf* **1.** *(de porte)* closing **2.** *(de vêtement, sac)* fastening ▪ **fermeture Éclair**®

zip (UK), zipper (US) **3.** (d'établissement - temporaire) closing ◦ (- définitive) closure ◦ **fermeture hebdomadaire/annuelle** weekly/annual closing.

fermier, ère nm, f farmer.

fermoir nm clasp.

féroce adj **1.** (animal, appétit) ferocious **2.** (personne, désir) fierce.

ferraille nf **1.** (vieux fer) scrap iron (indénombrable) ◦ **bon à mettre à la ferraille** fit for the scrap heap **2.** fam (monnaie) loose change.

ferronnerie nf **1.** (objet, métier) ironwork (indénombrable) **2.** (atelier) ironworks sing.

ferroviaire adj rail (avant nom).

ferry-boat nm ferry.

fertile adj litt & fig fertile ◦ **fertile en** fig filled with, full of.

fertiliser vt to fertilize.

fertilité nf fertility.

féru, e adj sout (passionné) ◦ **être féru de qqch** to have a passion for sthg.

fervent, e adj **1.** (chrétien) fervent **2.** (amoureux, démocrate) ardent.

ferveur nf (dévotion) fervour (UK), fervor (US).

fesse nf buttock.

fessée nf spanking, smack (on the bottom).

festin nm banquet, feast.

festival nm festival.

festivités nfpl festivities.

feston nm **1.** ARCHIT festoon **2.** COUT scallop.

festoyer vi to feast.

fêtard, e nm, f fun-loving person.

fête nf **1.** (congé) holiday ◦ **les fêtes (de fin d'année)** the Christmas holidays ◦ **fête nationale** national holiday **2.** (réunion, réception) celebration **3.** (kermesse) fair ◦ **fête foraine** funfair (UK), carnival (US) **4.** (jour de célébration - de personne) nameday, saint's day ◦ (- de saint) feast (day) **5.** (soirée) party ◦ **faire la fête** to have a good time ◦ **faire (la) fête à qqn** to make a fuss of sb.

fêter vt **1.** (événement) to celebrate **2.** (personne) to have a party for.

fétiche nm **1.** (objet de culte) fetish **2.** (mascotte) mascot.

fétichisme nm (culte, perversion) fetishism.

fétide adj fetid.

fétu nm ◦ **fétu (de paille)** wisp (of straw).

feu¹, e adj ◦ **feu M. X** the late Mr X ◦ **feu mon mari** my late husband.

feu² nm **1.** (flamme, incendie) fire ◦ **au feu !** fire! ◦ **en feu** litt & fig on fire ◦ **avez-vous du feu ?** have you got a light? ◦ **faire feu** MIL to fire ◦ **mettre le feu à qqch** to set fire to sthg, to set sthg on fire ◦ **prendre feu** to catch fire ◦ **feu de camp** camp fire ◦ **feu de cheminée** chimney fire ◦ **feu follet** will-o'-the-wisp **2.** (signal) light ◦ **feu rouge/vert** red/green light ◦ **feux de croisement** dipped (UK) ou dimmed (US) headlights ◦ **feux de position** sidelights ◦ **feux de route** headlights on full beam (UK) ou high beams (US) **3.** CULIN ring (UK), burner (US) ◦ **à feu doux/vif** on a low/high flame ◦ **à petit feu** gently **4.** CINÉ & THÉÂTRE light (indénombrable). ■ **feu d'artifice** nm firework.

feuillage nm foliage.

feuille nf **1.** (d'arbre) leaf ◦ **feuille morte** dead leaf ◦ **feuille de vigne** BOT vine leaf **2.** (page) sheet ◦ **feuille de papier** sheet of paper **3.** (document) form ◦ **feuille de soins** si vous voulez expliquer à un anglophone de quoi il s'agit, vous pouvez dire it is a claim form that you fill in so that you can be reimbursed for medical expenses.

feuillet nm page.

feuilleté, e adj **1.** CULIN ◦ **pâte feuilletée** puff pastry **2.** GÉOL foliated.

feuilleter vt to flick through.

feuilleton nm serial.

feutre nm **1.** (étoffe) felt **2.** (chapeau) felt hat **3.** (crayon) felt-tip pen.

feutré, e adj **1.** (garni de feutre) trimmed with felt **2.** (qui a l'aspect du feutre) felted **3.** (bruit, cri) muffled.

feutrine nf lightweight felt.

fève nf broad bean.

février nm February. ◦ voir aussi **septembre**.

fg abrév de **faubourg**.

fi interj ◦ **faire fi de** to scorn.

fiable adj reliable.

fiacre nm (horse-drawn) carriage.

fiançailles nfpl engagement sing.

fiancé, e nm, f fiancé (f fiancée).

fiancer ■ **se fiancer** *vp* • **se fiancer (avec)** to get engaged (to).

fibre *nf* ANAT, BIOL & TECHNOL fibre *(UK)*, fiber *(US)* • **fibre de verre** fibreglass *(UK)* ou fiberglass *(US)*, glass fibre *(UK)* ou fiber *(US)*.

ficelé, e *adj fam* dressed.

ficeler *vt (lier)* to tie up.

ficelle *nf* **1.** *(fil)* string **2.** *(pain)* si vous voulez expliquer à un anglophone de quoi il s'agit, vous pouvez dire it is a very thin baguette **3.** *(gén pl) (truc)* trick.

fiche *nf* **1.** *(document)* card • **fiche de paie** pay slip *(UK)*, paystub *(US)* **2.** ÉLECTR & TECHNOL pin.

ficher *vt* **1.** *(participe passé* **fiché)** *(enfoncer)* • **ficher qqch dans** to stick sthg into **2.** *(participe passé* **fiché)** *(inscrire)* to put on file **3.** *(participe passé* **fichu)** *fam (faire)* • **qu'est-ce qu'il fiche ?** what's he doing? **4.** *(participe passé* **fichu)** *fam (mettre)* to put • **ficher qqch par terre** *fig* to mess ou muck *(UK)* sthg up. ■ **se ficher** *vp* **1.** *(s'enfoncer - suj : clou, pique)* • **se ficher dans** to go into **2.** *fam (se moquer)* • **se ficher de** to make fun of **3.** *fam (ne pas tenir compte)* • **se ficher de** not to give a damn about.

fichier *nm* file.

fichu, e *adj* **1.** *fam (cassé, fini)* done for **2.** *(avant nom) (désagréable)* nasty • **être mal fichu** *(personne)* to feel rotten • *(objet)* to be badly made • **il n'est même pas fichu de faire son lit** *fam* he can't even make his own bed. ■ **fichu** *nm* scarf.

fictif, ive *adj* **1.** *(imaginaire)* imaginary **2.** *(faux)* false.

fiction *nf* **1.** LITTÉR fiction **2.** *(monde imaginaire)* dream world.

fidèle ■ *nmf* **1.** RELIG believer **2.** *(adepte)* fan. ■ *adj* **1.** *(loyal, exact, semblable)* • **fidèle (à)** faithful (to) • **fidèle à la réalité** accurate **2.** *(habitué)* regular.

fidéliser *vt* to attract and keep.

fidélité *nf* faithfulness.

fief *nm* **1.** fief **2.** *fig* stronghold.

fiel *nm litt & fig* gall.

fier[1]**, fière** *adj* **1.** *(gén)* proud • **fier de qqn/qqch** proud of sb/sthg • **fier de faire qqch** proud to be doing sthg **2.** *(noble)* noble.

fier[2] ■ **se fier** *vp* • **se fier à** to trust, to rely on.

fierté *nf* **1.** *(satisfaction, dignité)* pride **2.** *(arrogance)* arrogance.

fièvre *nf* **1.** MÉD fever • **avoir 40 de fièvre** to have a temperature of 105 (degrees) **2.** *(vétérinaire)* • **fièvre aphteuse** foot and mouth disease **3.** *fig (excitation)* excitement.

fiévreux, euse *adj litt & fig* feverish.

fig. *abrév de* **figure.**

figer *vt* to paralyse *(UK)*, to paralyze *(US)*. ■ **se figer** *vp* **1.** *(s'immobiliser)* to freeze **2.** *(se solidifier)* to congeal.

fignoler *vt* to put the finishing touches to.

figue *nf* fig.

figuier *nm* fig tree.

figurant, e *nm, f* extra.

figuratif, ive *adj* figurative.

figure *nf* **1.** *(gén)* figure • **faire figure de** to look like **2.** *(visage)* face.

figuré, e *adj (sens)* figurative. ■ **figuré** *nm* • **au figuré** in the figurative sense.

figurer ■ *vt* to represent. ■ *vi* • **figurer dans/parmi** to figure in/among.

figurine *nf* figurine.

fil *nm* **1.** *(brin)* thread • **fil à plomb** plumb line • **perdre le fil (de qqch)** *fig* to lose the thread (of sthg) **2.** *(câble)* wire • **fil de fer** wire **3.** *(cours)* course • **au fil de** in the course of **4.** *(tissu)* linen **5.** *(tranchant)* edge.

filament *nm* **1.** ANAT & ÉLECTR filament **2.** *(végétal)* fibre *(UK)*, fiber *(US)* **3.** *(de colle, bave)* thread.

filandreux, euse *adj (viande)* stringy.

filasse ■ *nf* tow. ■ *adj inv* flaxen.

filature *nf* **1.** *(usine)* mill **2.** *(fabrication)* spinning **3.** *(poursuite)* tailing.

file *nf* line • **à la file** in a line • **se garer en double file** to double-park • **file d'attente** queue *(UK)*, line *(US)*.

filer ■ *vt* **1.** *(soie, coton)* to spin **2.** *(personne)* to tail **3.** *fam (donner)* • **filer qqch à qqn** to slip sthg to sb, to slip sb sthg. ■ *vi* **1.** *(bas)* to ladder *(UK)*, to run *(US)* **2.** *(aller vite - temps, véhicule)* to fly (by) **3.** *fam (partir)* to dash off • **filer doux** to behave nicely.

filet *nm* **1.** *(à mailles)* net ▪ **filet de pêche** fishing net ▪ **filet à provisions** string bag **2.** CULIN fillet, filet *(US)* ▪ **filet de sole** fillet *ou* filet *(US)* of sole **3.** *(de liquide)* drop, dash **4.** *(de lumière)* shaft.

filial, e *adj* filial. ▪ **filiale** *nf* ÉCON subsidiary.

filiation *nf* *(lien de parenté)* line.

filière *nf* **1.** *(voie)* ▪ **suivre la filière** *(professionnelle)* to work one's way up ▪ **suivre la filière hiérarchique** to go through the right channels **2.** *(réseau)* network.

filiforme *adj* skinny.

filigrane *nm* *(dessin)* watermark ▪ **en filigrane** *fig* between the lines.

filin *nm* rope.

fille *nf* **1.** *(enfant)* daughter **2.** *(femme)* girl ▪ **jeune fille** girl ▪ **fille mère** *péj* single mother ▪ **vieille fille** *péj* spinster.

fillette *nf* little girl.

filleul, e *nm, f* godchild.

film *nm* **1.** *(gén)* film *(UK)*, movie *(US)* ▪ **film catastrophe** disaster film *(UK)* *ou* movie *(US)* ▪ **film d'épouvante** horror film *(UK)* *ou* movie *(US)* ▪ **film policier** detective film *(UK)* *ou* movie *(US)* **2.** *fig (déroulement)* course.

filmer *vt* to film.

filmographie *nf* filmography, films *pl* *(UK)*, movies *pl* *(US)*.

filon *nm* **1.** *(de mine)* vein **2.** *fam fig (possibilité)* cushy number.

fils *nm* son ▪ **fils de famille** boy from a privileged background.

filtrant, e *adj* *(verre)* tinted.

filtre *nm* **1.** filter ▪ **filtre à café** coffee filter **2.** INFORM ▪ **filtre parental** Internet filter, parental control filter.

filtrer ▨ *vt* **1.** to filter **2.** *fig* to screen. ▨ *vi* **1.** to filter **2.** *fig* to filter through.

fin, fine ▨ *adj* **1.** *(gén)* fine **2.** *(partie du corps)* slender **3.** *(couche, papier)* thin **4.** *(subtil)* shrewd **5.** *(ouïe, vue)* keen. ▨ *adv* finely ▪ **fin prêt** quite ready. ▪ **fin** *nf* end ▪ **fin mars** at the end of March ▪ **mettre fin à** to put a stop *ou* an end to ▪ **prendre fin** to come to an end ▪ **tirer** *ou* **toucher à sa fin** to draw to a close ▪ **arriver** *ou* **parvenir à ses fins** to achieve one's ends *ou* aims. ▪ **fin de série** *nf* oddment. ▪ **à la fin** *loc adv* ▪ **tu vas m'écouter, à la fin ?**

will you listen to me? ▪ **à la fin de** *loc prép* at the end of. ▪ **sans fin** *loc adj* endless.

final, e *adj* final. ▪ **finale** *nf* SPORT final.

finalement *adv* finally.

finaliste *nmf & adj* finalist.

finalité *nf* *sout (fonction)* purpose.

finance *nf* finance. ▪ **finances** *nfpl* finances.

financer *vt* to finance, to fund.

financier, ère *adj* financial. ▪ **financier** *nm* financier.

finaud, e *adj* wily, crafty.

finesse *nf* **1.** *(gén)* fineness **2.** *(minceur)* slenderness **3.** *(perspicacité)* shrewdness **4.** *(subtilité)* subtlety.

fini, e *adj* **1.** *péj (fieffé)* ▪ **un crétin fini** a complete idiot **2.** *fam (usé, diminué)* finished **3.** *(limité)* finite. ▪ **fini** *nm* *(d'objet)* finish.

finir ▨ *vt* **1.** *(gén)* to finish, to end **2.** *(vider)* to empty. ▨ *vi* **1.** *(gén)* to finish, to end ▪ **finir par faire qqch** to do sthg eventually ▪ **tu vas finir par tomber !** you're going to fall! ▪ **mal finir** to end badly **2.** *(arrêter)* ▪ **finir de faire qqch** to stop doing sthg ▪ **en finir (avec)** to finish (with).

finition *nf* *(d'objet)* finish.

finlandais, e *adj* Finnish. ▪ **Finlandais, e** *nm, f* Finn.

Finlande *nf* ▪ **la Finlande** Finland.

finnois, e *adj* Finnish. ▪ **finnois** *nm (langue)* Finnish. ▪ **Finnois, e** *nm, f* Finn.

fiole *nf* flask.

fioriture *nf* flourish.

fioul = **fuel**.

firmament *nm* firmament.

firme *nf* firm.

fis, fit ▷ **faire**.

fisc *nm* ≃ Inland Revenue *(UK)*, ≃ Internal Revenue Service *(US)*.

fiscal, e *adj* tax *(avant nom)*, fiscal.

fiscalité *nf* tax system.

fissure *nf* *litt & fig* crack.

fissurer *vt* **1.** *litt (fendre)* to crack **2.** *fig* to split. ▪ **se fissurer** *vp* to crack.

fiston *nm* *fam* son.

FIV *(abr de* **fécondation in vitro)** *nf* IVF.

fixation *nf* **1.** *(action de fixer)* fixing **2.** *(attache)* fastening, fastener **3.** *(de ski)* binding **4.** PSYCHO fixation.

fixe *adj* **1.** fixed **2.** *(encre)* permanent. ■ **fixe** *nm* fixed salary.

fixement *adv* fixedly.

fixer *vt* **1.** *(gén)* to fix **2.** *(règle)* to set ◆ **fixer son choix sur** to decide on **3.** *(monter)* to hang **4.** *(regarder)* to stare at **5.** *(renseigner)* ◆ **fixer qqn sur qqch** to put sb in the picture about sthg ◆ **être fixé sur qqch** to know all about sthg.
■ **se fixer** *vp* to settle ◆ **se fixer sur** *(suj : choix, personne)* to settle on ◆ *(suj : regard)* to rest on.

fjord *nm* fjord.

flacon *nm* small bottle ◆ **flacon à parfum** perfume bottle.

flageller *vt (fouetter)* to flagellate.

flageoler *vi* to tremble.

flageolet *nm* **1.** *(haricot)* flageolet bean **2.** MUS flageolet.

flagrant, e *adj* flagrant ◆ ▷ **délit**.

flair *nm* sense of smell.

flairer *vt* **1.** to sniff, to smell **2.** *fig* to scent.

flamand, e *adj* Flemish. ■ **flamand** *nm* *(langue)* Flemish. ■ **Flamand, e** *nm, f* Flemish person, Fleming.

flamant *nm* flamingo ◆ **flamant rose** pink flamingo.

flambeau *nm* **1.** torch **2.** *fig* flame.

flamber ◼ *vi* **1.** *(brûler)* to blaze **2.** *fam (jeux)* to play for high stakes. ◼ *vt* **1.** *(crêpe)* to flambé **2.** *(volaille)* to singe.

flamboyant, e *adj* **1.** *(ciel, regard)* blazing **2.** *(couleur)* flaming **3.** ARCHIT flamboyant.

flamboyer *vi* to blaze.

flamme *nf* **1.** flame **2.** *fig* fervour *(UK)*, fervor *(US)*, fire.

flan *nm* baked custard.

flanc *nm* **1.** *(de personne, navire, montagne)* side **2.** *(d'animal, d'armée)* flank.

flancher *vi fam* to give up.

flanelle *nf* flannel.

flâner *vi (se promener)* to stroll.

flanquer *vt* **1.** *fam (jeter)* ◆ **flanquer qqch par terre** to fling sthg to the ground ◆ **flanquer qqn dehors** to chuck *ou* fling sb out **2.** *fam (donner)* ◆ **flanquer une gifle à qqn** to smack *ou* slap sb ◆ **flanquer la**

frousse à qqn to scare the pants off sb, to put the wind up sb *(UK)* **3.** *(accompagner)* ◆ **être flanqué de** to be flanked by.

flapi, e *adj fam* dead beat.

flaque *nf* pool.

flash *nm* **1.** PHOTO flash **2.** RADIO & TV ◆ **flash (d'information)** newsflash ◆ **flash de publicité** commercial.

flash-back *nm* CINÉ flashback.

flasher *vi fam* ◆ **flasher sur qqn/qqch** to be turned on by sb/sthg.

flashy *adj inv* flashy.

flasque ◼ *nf* flask. ◼ *adj* flabby, limp.

flatter *vt* **1.** *(louer)* to flatter **2.** *(caresser)* to stroke.
■ **se flatter** *vp* to flatter o.s. ◆ **je me flatte de le convaincre** I flatter myself that I can convince him ◆ **se flatter de faire qqch** to pride o.s. on doing sthg.

flatterie *nf* flattery.

flatteur, euse ◼ *adj* flattering. ◼ *nm, f* flatterer.

fléau *nm* **1.** *litt & fig (calamité)* scourge **2.** *(instrument)* flail.

flèche *nf* **1.** *(gén)* arrow **2.** *(d'église)* spire **3.** *fig (critique)* shaft.

fléchette *nf* dart. ■ **fléchettes** *nfpl* darts *sing*.

fléchir ◼ *vt* **1.** to bend, to flex **2.** *fig* to sway. ◼ *vi* **1.** to bend **2.** *fig* to weaken.

fléchissement *nm* **1.** bending, flexing **2.** *fig* weakening.

flegmatique *adj* phlegmatic.

flegme *nm* composure.

flemmard, e *fam* ◼ *adj* lazy. ◼ *nm, f* lazybones *sing*.

flemme *nf fam* laziness ◆ **j'ai la flemme (de sortir)** I can't be bothered (to go out) *(UK)*.

flétrir *vt (fleur, visage)* to wither.
■ **se flétrir** *vp* to wither.

fleur *nf fig & BOT* flower ◆ **en fleur, en fleurs** *(arbre)* in flower, in blossom ◆ **à fleurs** *(motif)* flowered.

fleuret *nm* foil.

fleuri, e *adj* **1.** *(jardin, pré)* in flower **2.** *(vase)* of flowers **3.** *(tissu)* flowered **4.** *(table, appartement)* decorated with flowers **5.** *fig (style)* flowery.

* le chardon the thistle
* le coquelicot the poppy
* le géranium the geranium
* l'iris the iris
* le lilas the lilac
* la marguerite the daisy
* le muguet the lily of the valley
* l'œillet the carnation
* l'orchidée the orchid
* la rose the rose
* le tournesol the sunflower
* la tulipe the tulip
* la violette the violet.

fleurir ◼ *vi* **1.** to blossom **2.** *fig* to flourish. ◼ *vt* **1.** *(maison)* to decorate with flowers **2.** *(tombe)* to lay flowers on.

fleuriste *nmf* florist.

fleuron *nm fig* jewel.

fleuve *nm* **1.** *(cours d'eau)* river **2.** *(en apposition) (interminable)* lengthy, interminable.

flexible *adj* flexible.

flexion *nf* **1.** *(de genou, de poutre)* bending **2.** LING inflexion.

flibustier *nm* buccaneer.

flic *nm fam* cop.

flinguer *vt fam* to gun down. ◼ **se flinguer** *vp fam* to blow one's brains out.

flipper *nm* pinball machine.

flirter *vi* ◦ **flirter (avec qqn)** to flirt (with sb) ◦ **flirter avec qqch** *fig* to flirt with sthg.

flocon *nm* flake ◦ **flocon de neige** snowflake.

flonflon *nm (gén pl)* blare.

flop *nm (échec)* flop, failure.

floraison *nf litt & fig* flowering, blossoming.

floral, e *adj* floral.

flore *nf* flora.

Floride *nf* ◦ **la Floride** Florida.

florissant, e *adj* **1.** *(santé)* blooming **2.** *(économie)* flourishing.

flot *nm* flood, stream ◦ **être à flot** *(navire)* to be afloat ◦ *fig* to be back to normal. ◼ **flots** *nmpl littéraire* waves.

flottaison *nf* floating.

flottant, e *adj* **1.** *(gén)* floating **2.** *(esprit)* irresolute **3.** *(robe)* loose-fitting.

flotte *nf* **1.** AÉRON & NAUT fleet **2.** *fam (eau)* water **3.** *fam (pluie)* rain.

flottement *nm* **1.** *(indécision)* hesitation, wavering **2.** *(de monnaie)* floating.

flotter ◼ *vi* **1.** *(sur l'eau)* to float **2.** *(drapeau)* to flap **3.** *(brume, odeur)* to drift **4.** *(dans un vêtement)* ◦ **tu flottes dedans** it's baggy on you. ◼ *v impers fam* ◦ **il flotte** it's raining.

flotteur *nm* **1.** *(de ligne de pêche, d'hydravion)* float **2.** *(de chasse d'eau)* ballcock.

flou, e *adj* **1.** *(couleur, coiffure)* soft **2.** *(photo)* blurred, fuzzy **3.** *(pensée)* vague, woolly *(UK)* ou wooly *(US)*. ◼ **flou** *nm* **1.** *(de photo)* fuzziness **2.** *(de décision)* vagueness.

flouer *vt fam* to swindle, to do *(UK)*.

fluctuer *vi* to fluctuate.

fluet, ette *adj* **1.** *(personne)* thin, slender **2.** *(voix)* thin.

fluide ◼ *nm* **1.** *(matière)* fluid **2.** *fig (pouvoir)* (occult) power. ◼ *adj* **1.** *(matière)* fluid **2.** *(circulation)* flowing freely.

fluidifier *vt (trafic)* to improve the flow of.

fluidité *nf* **1.** *(gén)* fluidity **2.** *(de circulation)* easy flow.

fluor *nm* fluorine.

fluorescent, e *adj* fluorescent.

flûte ◼ *nf* **1.** MUS flute **2.** *(verre)* flute (glass). ◼ *interj fam* darn!, bother! *(UK)*

flûtiste *nmf* flautist *(UK)*, flutist *(US)*.

fluvial, e *adj* **1.** *(eaux, pêche)* river *(avant nom)* **2.** *(alluvions)* fluvial.

flux *nm* **1.** *(écoulement)* flow **2.** *(marée)* flood tide **3.** PHYS flux **4.** *(sociologie)* ◦ **flux migratoire** massive population movement.

fluxion *nf* inflammation.

FM *(abr de* **frequency modulation***) nf* FM.

FMI *(abr de* **Fonds monétaire international***) nm* IMF.

FN *(abr de* **Front national***) nm* French National Front.

foc *nm* jib.

focal, e *adj* focal.

fœtal, e *adj* foetal *(UK)*, fetal *(US)*.

fœtus *nm* foetus *(UK)*, fetus *(US)*.

foi *nf* **1.** RELIG faith **2.** *(confiance)* trust ◦ **avoir foi en qqn/qqch** to trust sb/sthg, to have faith in sb/sthg ◦ **être de bonne/ mauvaise foi** to be in good/bad faith.

foie *nm* ANAT & CULIN liver.

foin *nm* hay.

foire *nf* **1.** (*fête*) funfair (UK), carnival (US) **2.** (*exposition, salon*) trade fair.

fois *nf* time • **une fois** once • **deux fois** twice • **trois/quatre fois** three/four times • **deux fois plus long** twice as long • **neuf fois sur dix** nine times out of ten • **deux fois trois** two times three • **cette fois** this time • **il était une fois…** once upon a time there was… • **une (bonne) fois pour toutes** once and for all. ■ **à la fois** *loc adv* at the same time, at once. ■ **des fois** *loc adv* (*parfois*) sometimes • **non, mais des fois!** *fam* look here! ■ **si des fois** *loc conj fam* if ever. ■ **une fois que** *loc conj* once.

foison ■ **à foison** *loc adv* in abundance.

foisonner *vi* to abound.

folâtrer *vi* to romp (around).

folie *nf litt & fig* madness.

folklore *nm* (*de pays*) folklore.

folklorique *adj* **1.** (*danse*) folk **2.** *fig* (*situation, personne*) bizarre, quaint.

follement *adv* madly, wildly.

follet ⊳ **feu**.

fomenter *vt* to foment.

foncé, e *adj* dark.

foncer *vi* **1.** (*teinte*) to darken **2.** (*se ruer*) • **foncer sur** to rush at **3.** *fam* (*se dépêcher*) to get a move on.

foncier, ère *adj* **1.** (*impôt*) land (*avant nom*) • **propriétaire foncier** landowner **2.** (*fondamental*) basic, fundamental.

foncièrement *adv* basically.

fonction *nf* **1.** (*gén*) function • **faire fonction de** to act as **2.** (*profession*) post • **entrer en fonction** to take up one's post *ou* duties. ■ **en fonction de** *loc prép* according to. ■ **de fonction** *loc adj* • **appartement** *ou* **logement de fonction** tied accommodation (UK), accommodation that go with the job (US).

fonctionnaire *nmf* **1.** (*de l'État*) state employee **2.** (*dans l'administration*) civil servant • **haut fonctionnaire** senior civil servant.

fonctionnel, elle *adj* functional.

fonctionnement *nm* working, functioning.

fonctionner *vi* to work, to function.

fond *nm* **1.** (*de récipient, puits, mer*) bottom **2.** (*de pièce*) back • **sans fond** bottomless

3. (*substance*) heart, root • **le fond de ma pensée** what I really think • **le fond et la forme** content and form **4.** (*arrière-plan*) background. ■ **fond de teint** *nm* foundation. ■ **à fond** *loc adv* **1.** (*entièrement*) thoroughly • **se donner à fond** to give one's all **2.** (*très vite*) at top speed. ■ **au fond, dans le fond** *loc adv* basically. ■ **au fond de** *loc prép* • **au fond de moi-même/lui-même** *etc* at heart, deep down.

fondamental, e *adj* fundamental.

fondant, e *adj* **1.** (*neige, glace*) melting **2.** (*aliment*) melting in the mouth.

fondateur, trice *nm, f* founder.

fondation *nf* foundation. ■ **fondations** *nfpl* CONSTR foundations.

fondé, e *adj* (*craintes, reproches*) justified, well-founded • **non fondé** unfounded. ■ **fondé de pouvoir** *nm* authorized representative.

fondement *nm* (*base, motif*) foundation • **sans fondement** groundless, without foundation.

fonder *vt* **1.** (*créer*) to found **2.** (*baser*) • **fonder qqch sur** to base sthg on • **fonder de grands espoirs sur qqn** to pin one's hopes on sb. ■ **se fonder** *vp* • **se fonder sur** (*suj : personne*) to base o.s. on • (*suj : argument*) to be based on.

fonderie *nf* (*usine*) foundry.

fondre ■ *vt* **1.** (*beurre, neige*) to melt **2.** (*sucre, sel*) to dissolve **3.** (*métal*) to melt down **4.** (*mouler*) to cast **5.** (*mêler*) to blend. ■ *vi* **1.** (*beurre, neige*) to melt **2.** (*sucre, sel*) to dissolve **3.** *fig* to melt away **4.** (*maigrir*) to lose weight **5.** (*se ruer*) • **fondre sur** to swoop down on.

fonds ■ *nm* **1.** (*ressources*) fund • **fonds commun de placement** unit trust (UK), mutual fund (US) • **le Fonds monétaire international** the International Monetary Fund **2.** (*bien immobilier*) • **fonds (de commerce)** business. ■ *nmpl* **1.** (*ressources*) funds **2.** ÉCON & FIN • **fonds de pension** (private) pension fund.

fondu, e *pp* ⊳ **fondre**. ■ **fondue** *nf* fondue.

font ⊳ **faire**.

fontaine *nf* **1.** (*naturelle*) spring **2.** (*publique*) fountain.

fonte *nf* **1.** (*de glace, beurre*) melting **2.** (*de métal*) melting down **3.** (*alliage*) cast iron.

foot *fam* = **football**.

football *nm* soccer, football *(UK)*.

footballeur, euse *nm, f* soccer player, footballer *(UK)*.

footing *nm* jogging.

for *nm* • **dans son for intérieur** in his/her heart of hearts.

forage *nm* drilling.

forain, e *adj* ▷ **fête**. ■ **forain** *nm* stallholder *(UK)*.

forçat *nm* convict.

force *nf* 1. *(vigueur)* strength • **c'est ce qui fait sa force** that's where his strength lies 2. *(violence, puissance,* MIL & PHYS) force • **faire faire qqch à qqn de force** to force sb to do sthg • **avoir force de loi** to have force of law • **obtenir qqch par la force** to obtain sthg by force • **force centrifuge** PHYS centrifugal force. ■ **forces** *nfpl* *(physique)* strength *(indénombrable)* • **de toutes ses forces** with all one's strength. ■ **à force de** *loc prép* by dint of.

forcément *adv* inevitably.

forcené, e *nm, f* maniac.

forceps *nm* forceps *pl*.

forcer ■ *vt* 1. *(gén)* to force • **forcer qqn à qqch/à faire qqch** to force sb into sthg/to do sthg 2. *(admiration, respect)* to compel, to command 3. *(talent, voix)* to strain. ■ *vi* • **ça ne sert à rien de forcer, ça ne passe pas** there's no point in forcing it: it won't go through • **forcer sur qqch** to overdo sthg. ■ **se forcer** *vp (s'obliger)* • **se forcer à faire qqch** to force o.s. to do sthg.

forcir *vi* to put on weight.

forer *vt* to drill.

forestier, ère *adj* forest *(avant nom)*.

forêt *nf* forest.

forfait *nm* 1. *(prix fixe)* fixed price 2. *(séjour)* package deal 3. SPORT • **déclarer forfait** *(abandonner)* to withdraw • *fig* to give up 4. *littéraire (crime)* heinous crime.

forfaitaire *adj* inclusive.

forge *nf* forge.

forger *vt* 1. *(métal)* to forge 2. *fig (caractère)* to form.

forgeron *nm* blacksmith.

formaliser *vt* to formalize. ■ **se formaliser** *vp* • **se formaliser (de)** to take offence *(UK)* *ou* offense *(US)* (at).

formalisme *nm* formality.

formaliste ■ *nmf* formalist. ■ *adj* 1. *(milieu)* conventional 2. *(personne)* • **être formaliste** to be a stickler for the rules.

formalité *nf* formality.

format *nm (dimension)* size.

formatage *nm* INFORM formatting.

formater *vt* INFORM to format.

formateur, trice ■ *adj* formative. ■ *nm, f* trainer.

formation *nf* 1. *(gén)* formation 2. *(apprentissage)* training • **formation en alternance** sandwich course *(UK)*.

forme *nf* 1. *(aspect)* shape, form • **en forme de** in the shape of 2. *(état)* form • **être en (pleine) forme** to be in (great) shape, to be on *(UK)* *ou* in *(US)* (top) form. ■ **formes** *nfpl* figure *sing*.

formel, elle *adj* 1. *(définitif, ferme)* positive, definite 2. *(poli)* formal.

former *vt* 1. *(gén)* to form 2. *(personnel, élèves)* to train 3. *(goût, sensibilité)* to develop. ■ **se former** *vp* 1. *(se constituer)* to form 2. *(s'instruire)* to train o.s..

Formica® *nm inv* Formica®.

formidable *adj* 1. *(épatant)* great, tremendous 2. *(incroyable)* incredible.

formol *nm* formalin.

formulaire *nm* form • **remplir un formulaire** to fill in a form.

formule *nf* 1. *(expression)* expression • **formule de politesse** *(orale)* polite phrase • *(épistolaire)* letter ending 2. CHIM & MATH formula 3. *(méthode)* way, method.

formuler *vt* to formulate, to express.

fort, e ■ *adj* 1. *(gén)* strong • **et le plus fort, c'est que...** and the most amazing thing about it is... • **c'est plus fort que moi** I can't help it 2. *(corpulent)* heavy, big 3. *(doué)* gifted • **être fort en qqch** to be good at sthg 4. *(puissant - voix)* loud • *(- vent, lumière, accent)* strong 5. *(considérable)* large • **il y a de fortes chances qu'il gagne** there's a good chance he'll win. ■ *adv* 1. *(frapper, battre)* hard 2. *(sonner, parler)* loud, loudly 3. *sout (très)* very. ■ *nm* 1. *(château)* fort 2. *(spécialité)* • **ce n'est pas mon fort** it's not my forte *ou* strong point.

forteresse *nf* fortress.

fortifiant, e *adj* fortifying. ■ **fortifiant** *nm* tonic.

fortification *nf* fortification.

fortifier *vt (personne, ville)* to fortify ▪ **fortifier qqn dans qqch** *fig* to strengthen sb in sthg.

fortuit, e *adj* chance *(avant nom)*, fortuitous.

fortune *nf* 1. *(richesse)* fortune 2. *(hasard)* luck, fortune.

fortuné, e *adj* 1. *(riche)* wealthy 2. *(chanceux)* fortunate, lucky.

forum *nm* forum.

fosse *nf* 1. *(trou)* pit 2. *(tombe)* grave.

fossé *nm* 1. ditch 2. *fig* gap.

fossette *nf* dimple.

fossile *nm* 1. *(de plante, d'animal)* fossil 2. *fig & péj (personne)* fossil, fogey.

fossoyeur, euse *nm, f* gravedigger.

fou, folle ◨ *adj (fol devant voyelle ou h muet)* 1. mad, insane 2. *(prodigieux)* tremendous. ◨ *nm, f* madman (*f* madwoman).

foudre *nf* lightning.

foudroyant, e *adj* 1. *(progrès, vitesse)* lightning *(avant nom)* 2. *(succès)* stunning 3. *(nouvelle)* devastating 4. *(regard)* withering.

foudroyer *vt* 1. *(suj : foudre)* to strike ▪ **l'arbre a été foudroyé** the tree was struck by lightning 2. *fig (abattre)* to strike down, to kill ▪ **foudroyer qqn du regard** to glare at sb.

fouet *nm* 1. *(en cuir)* whip 2. CULIN whisk.

fouetter *vt* 1. *(gén)* to whip 2. *(suj : pluie)* to lash (against) 3. *(stimuler)* to stimulate.

fougère *nf* fern.

fougue *nf* ardour *(UK)*, ardor *(US)*.

fougueux, euse *adj* ardent, spirited.

fouille *nf* 1. *(de personne, maison)* search 2. *(du sol)* dig.

fouiller ◨ *vt* 1. *(gén)* to search 2. *fig (approfondir)* to examine closely. ◨ *vi* ▪ **fouiller dans** to go through.

fouillis *nm* jumble, muddle.

fouine *nf* stone-marten.

fouiner *vi* to ferret around.

foulard *nm* scarf.

foule *nf (de gens)* crowd.

foulée *nf (de coureur)* stride.

fouler *vt* 1. *(raisin)* to press 2. *(sol)* to walk on. ■ **se fouler** *vp* MÉD ▪ **se fouler le poignet/la cheville** to sprain one's wrist/ankle.

foulure *nf* sprain.

four *nm* 1. *(de cuisson)* oven ▪ **four électrique/à micro-ondes** electric/microwave oven ▪ **four crématoire** HIST oven 2. THÉÂTRE flop.

fourbe *adj* treacherous, deceitful.

fourbu, e *adj* tired out, exhausted.

fourche *nf* 1. *(outil)* pitchfork 2. *(de vélo, route)* fork 3. *(Belgique)* SCOL free period.

fourchette *nf* 1. *(couvert)* fork 2. *(écart)* range, bracket.

fourgon *nm* 1. *(camionnette)* van ▪ **fourgon cellulaire** police van *(UK)*, patrol wagon *(US)* 2. *(ferroviaire)* ▪ **fourgon à bestiaux** cattle truck ▪ **fourgon postal** mail van *(UK)*, mail truck *(US)*.

fourgonnette *nf* small van.

fourmi *nf* 1. *(insecte)* ant 2. *fig* hard worker.

fourmilière *nf* anthill.

fourmiller *vi (pulluler)* to swarm ▪ **fourmiller de** *fig* to be swarming with.

fournaise *nf* furnace.

fourneau *nm* 1. *(cuisinière, poêle)* stove 2. *(de fonderie)* furnace.

fournée *nf* batch.

fourni, e *adj (barbe, cheveux)* thick.

fournil *nm* bakery.

fournir *vt* 1. *(procurer)* ▪ **fournir qqch à qqn** to supply *ou* provide sb with sthg 2. *(produire)* ▪ **fournir un effort** to make an effort 3. *(approvisionner)* ▪ **fournir qqn (en)** to supply sb (with).

fournisseur, euse *nm, f* supplier.

fourniture *nf* supply, supplying *(indénombrable)*. ■ **fournitures** *nfpl* ▪ **fournitures de bureau** office supplies ▪ **fournitures scolaires** school supplies.

fourrage *nm* fodder.

fourré *nm* thicket.

fourreau *nm* 1. *(d'épée)* sheath 2. *(de parapluie)* cover 3. *(robe)* sheath dress.

fourrer *vt* 1. CULIN to stuff, to fill 2. *fam (mettre)* ▪ **fourrer qqch (dans)** to stuff sthg (into).

■ **se fourrer** *vp* • **se fourrer une idée dans la tête** to get an idea into one's head • **je ne savais plus où me fourrer** I didn't know where to put myself.

fourre-tout *nm inv* **1.** *(pièce)* lumber room *(UK)*, junk room *(US)* **2.** *(sac)* holdall *(UK)*, carryall *(US)*.

fourreur *nm* furrier.

fourrière *nf* pound.

fourrure *nf* fur.

fourvoyer ■ **se fourvoyer** *vp sout* **1.** *(s'égarer)* to lose one's way **2.** *(se tromper)* to go off on the wrong track.

foutre *vt tfam* **1.** *(mettre)* to shove, to stick • **foutre qqn dehors** OU **à la porte** to chuck sb out **2.** *(donner)* • **foutre la trouille à qqn** to scare the pants off sb, to put the wind up sb *(UK)* • **il lui a foutu une baffe** he thumped him one **3.** *(faire)* to do • **ne rien foutre de la journée** to not do a damn thing all day • **j'en ai rien à foutre** I don't give a damn OU toss *(UK)*. ■ **se foutre** *vp tfam* **1.** *(se mettre)* • **se foutre dans** *(situation)* to get o.s. into **2.** *(se moquer)* • **se foutre de (la gueule de) qqn** to laugh at sb, to take the mickey out of sb *(UK)* **3.** *(ne pas s'intéresser)* • **je m'en fous** I don't give a damn OU toss *(UK)* about it.

foyer *nm* **1.** *(maison)* home **2.** *(résidence)* home, hostel **3.** *(point central)* centre *(UK)*, center *(US)* **4.** *(de lunettes)* focus • **verres à double foyer** bifocals.

fracas *nm* roar.

fracasser *vt* to smash, to shatter.

fraction *nf* fraction.

fractionner *vt* to divide (up), to split up.

fracture *nf* MÉD fracture.

fracturer *vt* **1.** MÉD to fracture **2.** *(coffre, serrure)* to break open.

fragile *adj* **1.** *(gén)* fragile **2.** *(peau, santé)* delicate.

fragiliser *vt* to weaken.

fragilité *nf* fragility.

fragment *nm* **1.** *(morceau)* fragment **2.** *(extrait - d'œuvre)* extract • *(- de conversation)* snatch.

fragmenter *vt* to fragment, to break up.

fraîcheur *nf* **1.** *(d'air, d'accueil)* coolness **2.** *(de teint, d'aliment)* freshness.

frais, fraîche *adj* **1.** *(air, accueil)* cool • **boisson fraîche** cold drink **2.** *(récent -*

trace) fresh • *(- encre)* wet **3.** *(teint)* fresh, clear. ■ **frais** ◙ *nm* • **mettre qqch au frais** to put sthg in a cool place. ◙ *nmpl* *(dépenses)* expenses, costs • **frais fixes** fixed costs. ◙ *adv* • **il fait frais** it's cool.

fraise *nf* **1.** *(fruit)* strawberry **2.** *(de dentiste)* drill **3.** *(de menuisier)* bit.

fraiser *vt* to countersink.

fraiseuse *nf* milling machine.

fraisier *nm* **1.** *(plante)* strawberry plant **2.** *(gâteau)* strawberry sponge.

framboise *nf* **1.** *(fruit)* raspberry **2.** *(liqueur)* raspberry liqueur.

franc, franche *adj* **1.** *(sincère)* frank **2.** *(net)* clear, definite. ■ **franc** *nm* franc.

français, e *adj* French. ■ **français** *nm* *(langue)* French. ■ **Français, e** *nm, f* Frenchman *(f* Frenchwoman*)* • **les Français** the French.

France *nf* • **la France** France • **France 2, France 3** TV *si vous voulez expliquer à un anglophone de quoi il s'agit, vous pouvez dire* these are two French television channels that are owned by the state.

franche ▷ **franc.**

franchement *adv* **1.** *(sincèrement)* frankly **2.** *(nettement)* clearly **3.** *(tout à fait)* completely, downright.

franchir *vt* **1.** *(obstacle)* to get over **2.** *(porte)* to go through **3.** *(seuil)* to cross **4.** *(distance)* to cover.

franchise *nf* **1.** *(sincérité)* frankness **2.** COMM franchise **3.** *(d'assurance)* excess **4.** *(détaxe)* exemption.

francilien, enne *adj* of/from the Île-de-France. ■ **Francilien, enne** *nm, f* preson from the Île-de-France.

franciscain, e *adj* & *nm, f* Franciscan.

franciser *vt* to frenchify.

franc-jeu *nm* • **jouer franc-jeu** to play fair.

franc-maçon, onne *adj* masonic. ■ **franc-maçon** *nm* freemason.

franc-maçonnerie *nf* freemasonry *(indénombrable)*.

franco *adv* COMM • **franco de port** carriage paid.

francophone ◙ *adj* French-speaking. ◙ *nmf* French speaker.

francophonie *nf* • **la francophonie** French-speaking nations *pl*.

franc-parler *nm* • **avoir son franc-parler** to speak one's mind.

franc-tireur *nm* MIL irregular.

frange *nf* fringe.

frangipane *nf* almond paste.

franglais *nm* Franglais.

franquette ■ **à la bonne franquette** *loc adv* informally, without ceremony.

frappant, e *adj* striking.

frapper ■ *vt* **1.** *(gén)* to strike **2.** *(boisson)* to chill. ■ *vi* to knock.

frasques *nfpl* pranks, escapades.

fraternel, elle *adj* fraternal, brotherly.

fraterniser *vi* to fraternize.

fraternité *nf* brotherhood.

fratricide *nmf* fratricide.

fraude *nf* fraud.

frauder *vt & vi* to cheat.

frauduleux, euse *adj* fraudulent.

frayer ■ **se frayer** *vp* • **se frayer un chemin (à travers une foule)** to force one's way through (a crowd).

frayeur *nf* fright, fear.

fredaines *nfpl* pranks.

fredonner *vt & vi* to hum.

freezer *nm* freezer compartment.

frégate *nf* *(bateau)* frigate.

frein *nm* **1.** AUTO brake • **frein à main** handbrake **2.** *fig (obstacle)* brake, check.

freinage *nm* braking.

freiner ■ *vt* **1.** *(mouvement, véhicule)* to slow down **2.** *(inflation, dépenses)* to curb **3.** *(personne)* to restrain. ■ *vi* to brake.

frelaté, e *adj* **1.** *(vin)* adulterated **2.** *fig* corrupt.

frêle *adj (enfant, voix)* frail.

frelon *nm* hornet.

frémir *vi* **1.** *(corps, personne)* to tremble **2.** *(eau)* to simmer.

frémissement *nm* **1.** *(de corps, personne)* shiver, trembling *(indénombrable)* **2.** *(d'eau)* simmering.

frêne *nm* ash.

frénésie *nf* frenzy.

frénétique *adj* frenzied.

fréquemment *adv* frequently.

fréquence *nf* frequency.

fréquent, e *adj* frequent.

fréquentation *nf* **1.** *(d'endroit)* frequenting **2.** *(de personne)* association. ■ **fréquentations** *nfpl* company *(indénombrable)*.

fréquenté, e *adj* • **très fréquenté** busy • **c'est très bien/mal fréquenté** the right/wrong sort of people go there.

fréquenter *vt* **1.** *(endroit)* to frequent **2.** *(personne)* to associate with **3.** *(petit ami)* to go out with, to see.

frère ■ *nm* brother. ■ *adj (parti, pays)* sister *(avant nom)*.

fresque *nf* fresco.

fret *nm* freight.

frétiller *vi (poisson, personne)* to wriggle.

fretin *nm* • **le menu fretin** the small fry.

friable *adj* crumbly.

friand, e *adj* • **être friand de** to be partial to.

friandise *nf* delicacy.

fric *nm fam* cash.

friche *nf* fallow land • **en friche** fallow.

friction *nf* **1.** *(massage)* massage **2.** *fig (désaccord)* friction.

frictionner *vt* to rub.

Frigidaire® *nm* fridge *(UK)*, refrigerator.

frigide *adj* frigid.

frigo *nm fam* fridge *(UK)*.

frigorifié, e *adj fam* frozen.

frileux, euse *adj* **1.** *(craignant le froid)* sensitive to the cold **2.** *(prudent)* unadventurous.

frimas *nm littéraire* foggy winter weather.

frimer *vi fam* **1.** *(bluffer)* to pretend **2.** *(se mettre en valeur)* to show off.

frimousse *nf fam* dear little face.

fringale *nf fam* • **avoir la fringale** to be starving.

fringant, e *adj* high-spirited.

fripe *nf* • **la fripe, les fripes** secondhand clothes.

fripon, onne ■ *nm, f fam vieilli* rogue, rascal. ■ *adj* mischievous, cheeky.

fripouille *nf fam* scoundrel • **petite fripouille** little devil.

frire ■ *vt* to fry. ■ *vi* to fry.

frise *nf* ARCHIT frieze.

frisé, e *adj* **1.** *(cheveux)* curly **2.** *(personne)* curly-haired.

friser ■ *vt* **1.** *(cheveux)* to curl **2.** *fig (ressembler à)* to border on. ■ *vi* to curl.

frisquet, ette *adj* ■ **il fait frisquet** it's chilly.

frisson *nm* **1.** *(gén)* shiver **2.** *(de dégoût)* shudder.

frissonner *vi* **1.** *(trembler)* to shiver **2.** *(de dégoût)* to shudder **3.** *(s'agiter - eau)* to ripple ∘ *(- feuillage)* to tremble.

frite *nf* chip *(UK)*, *(French)* fry *(US)*.

friteuse *nf* deep-fat fryer.

friture *nf* **1.** *(poisson)* fried fish **2.** *fam* RADIO crackle.

frivole *adj* frivolous.

frivolité *nf* frivolity.

froid, froide *adj litt & fig* cold ∘ **rester froid** to be unmoved. ■ **froid** ■ *nm* **1.** *(température)* cold ∘ **prendre froid** to catch (a) cold **2.** *(tension)* coolness. ■ *adv* ∘ **il fait froid** it's cold ∘ **avoir froid** to be cold.

froidement *adv* **1.** *(accueillir)* coldly **2.** *(écouter, parler)* coolly **3.** *(tuer)* cold-bloodedly.

froisser *vt* **1.** *(tissu, papier)* to crumple, to crease **2.** *fig (offenser)* to offend.
■ **se froisser** *vp* **1.** *(tissu)* to crumple, to crease **2.** MÉD ∘ **se froisser un muscle** to strain a muscle **3.** *(se vexer)* to take offence *(UK)* ou offense *(US)*.

frôler *vt* **1.** to brush against **2.** *fig* to have a brush with, to come close to.

fromage *nm* cheese ∘ **fromage de brebis** sheep's milk cheese ∘ **fromage de chèvre** goat's cheese.

fromager, ère *nm, f (fabricant)* cheesemaker.

fromagerie *nf* cheese shop *(UK)* ou store *(US)*.

froment *nm* wheat.

froncer *vt* **1.** COUT to gather **2.** *(plisser)* ∘ **froncer les sourcils** to frown.

frondaison *nf* **1.** *(phénomène)* foliation **2.** *(feuillage)* foliage.

fronde *nf* **1.** *(arme)* sling **2.** *(jouet)* catapult *(UK)*, slingshot *(US)* **3.** *(révolte)* rebellion.

front *nm* **1.** ANAT forehead **2.** *fig (audace)* nerve, cheek *(UK)* **3.** *(avant) (gén)* front ∘ *(de bâtiment)* front, façade ∘ **front de mer** (sea) front **4.** MÉTÉOR, MIL & POLIT front.

frontal, e *adj* **1.** ANAT frontal **2.** *(collision, attaque)* head-on.

frontalier, ère ■ *adj* frontier *(avant nom)* ∘ **travailleur frontalier** cross-border commuter. ■ *nm, f* person from a border area.

frontière ■ *adj* border *(avant nom)*. ■ *nf* **1.** frontier, border **2.** *fig* frontier.

fronton *nm* ARCHIT pediment.

frottement *nm* **1.** *(action)* rubbing **2.** *(contact, difficulté)* friction.

frotter ■ *vt* **1.** to rub **2.** *(parquet)* to scrub. ■ *vi* to rub, to scrape.

frottis *nm* smear.

fructifier *vi* **1.** *(investissement)* to give ou yield a profit **2.** *(terre)* to be productive **3.** *(arbre, idée)* to bear fruit.

fructueux, euse *adj* fruitful, profitable.

frugal, e *adj* frugal.

fruit *nm litt & fig* fruit ∘ **fruits de mer** seafood *(indénombrable)*.
Voir encadré page suivante.

fruité, e *adj* fruity.

fruitier, ère ■ *adj (arbre)* fruit *(avant nom)*. ■ *nm, f* fruit seller, fruiterer *(UK)*.

fruste *adj* uncouth.

frustration *nf* frustration.

frustrer *vt* **1.** *(priver)* ∘ **frustrer qqn de** to deprive sb of **2.** *(décevoir)* to frustrate.

fuchsia *nm* fuchsia.

fuel, fioul *nm* **1.** *(de chauffage)* fuel **2.** *(carburant)* fuel oil.

fugace *adj* fleeting.

fugitif, ive ■ *adj* fleeting. ■ *nm, f* fugitive.

fugue *nf* **1.** *(de personne)* flight ∘ **faire une fugue** to run off ou away **2.** MUS fugue.

fui *pp inv* ▷ **fuir**.

fuir ■ *vi* **1.** *(détaler)* to flee **2.** *(tuyau)* to leak **3.** *fig (s'écouler)* to fly by. ■ *vt (éviter)* to avoid, to shun.

fuite *nf* **1.** *(de personne)* escape, flight **2.** *(écoulement, d'information)* leak.

fulgurant, e *adj* **1.** *(découverte)* dazzling **2.** *(vitesse)* lightning *(avant nom)* **3.** *(douleur)* searing.

fulminer *vi (personne)* ∘ **fulminer (contre)** to fulminate (against).

fumé, e *adj* **1.** CULIN smoked **2.** *(verres)* tinted.

fumée *nf (de combustion)* smoke.

fumer ◼ vi **1.** (personne, cheminée) to smoke **2.** (bouilloire, plat) to steam. ◼ vt **1.** (cigarette, aliment) to smoke **2.** AGRIC to spread manure on.

fumette nf fam marijuana smoking • **se faire une fumette** to get stoned.

fumeur, euse nm, f smoker.

fumier nm AGRIC dung, manure.

fumiste nmf péj shirker, skiver (UK).

fumisterie nf fam shirking, skiving (UK).

fumoir nm **1.** (pour aliments) smokehouse **2.** (pièce) smoking room.

funambule nmf tightrope walker.

funèbre adj **1.** (de funérailles) funeral (avant nom) **2.** (lugubre) funereal **3.** (sentiments) dismal.

funérailles nfpl funeral sing.

funéraire adj funeral (avant nom).

funeste adj **1.** (accident) fatal **2.** (initiative, erreur) disastrous **3.** (présage) of doom.

funiculaire nm funicular railway.

fur ◼ **au fur et à mesure** loc adv as I/ you etc go along • **au fur et à mesure des besoins** as (and when) needed. ◼ **au fur et à mesure que** loc conj as (and when).

furet nm (animal) ferret.

fureter vi (fouiller) to ferret around.

fureur nf (colère) fury.

furibond, e adj furious.

furie nf **1.** (colère, agitation) fury • **en furie** (personne) infuriated • (éléments) raging **2.** fig (femme) shrew.

furieux, euse adj **1.** (personne) furious **2.** (énorme) tremendous.

furoncle nm boil.

furtif, ive adj furtive.

fus, fut ▷ **être.**

fusain nm **1.** (crayon) charcoal **2.** (dessin) charcoal drawing.

fuseau nm **1.** (outil) spindle **2.** (pantalon) ski pants pl. ◼ **fuseau horaire** nm time zone.

fusée nf (pièce d'artifice & AÉRON) rocket.

fuselage nm fuselage.

fuselé, e adj **1.** (doigts) tapering **2.** (jambes) slender.

fuser vi (cri, rire) to burst forth ou out.

fusible nm fuse.

fusil nm (arme) gun.

fusillade nf (combat) gunfire (indénombrable), fusillade.

fusiller vt (exécuter) to shoot.

fusion nf **1.** (gén) fusion **2.** (fonte) smelting **3.** ÉCON & POLIT merger.

fusionnel, elle adj **1.** (couple) inseparable **2.** (relation) intense.

fusionner vt & vi to merge.

fustiger vt to castigate.

fut ▷ **être.**

fût nm **1.** (d'arbre) trunk **2.** (tonneau) barrel, cask **3.** (d'arme) stock **4.** (de colonne) shaft.

futaie nf wood.

futile adj **1.** (insignifiant) futile **2.** (frivole) frivolous.

futur, e ◼ adj future (avant nom). ◼ nm, f (fiancé) intended. ◼ **futur** nm future.

futuriste adj futuristic.

fuyant, e adj **1.** (perspective, front) receding (avant nom) **2.** (regard) evasive.

fuyard, e nm, f runaway.

g, G *nm inv* g, G.

gabardine *nf* gabardine.

gabarit *nm* (*dimension*) size.

Gabon *nm* • **le Gabon** Gabon.

gâcher *vt* **1.** (*gaspiller*) to waste **2.** (*gâter*) to spoil **3.** CONSTR to mix.

gâchette *nf* trigger.

gâchis *nm* (*gaspillage*) waste (*indénombrable*).

gadget *nm* gadget.

gadoue *nf fam* **1.** (*boue*) mud **2.** (*engrais*) sludge.

gaélique ◼ *adj* Gaelic. ◼ *nm* Gaelic.

gaffe *nf* **1.** *fam* (*maladresse*) boo-boo, clanger (*UK*) **2.** (*outil*) boat hook.

gaffer *vi fam* to put one's foot in it.

gag *nm* gag.

gage *nm* **1.** (*dépôt*) pledge • **mettre qqch en gage** to pawn sthg **2.** (*assurance, preuve*) proof **3.** (*dans jeu*) forfeit.

gager *vt* • **gager que** to bet (that).

gageure *nf* challenge.

gagnant, e ◼ *adj* winning (*avant nom*). ◼ *nm, f* winner.

gagne-pain *nm inv* livelihood.

gagner ◼ *vt* **1.** (*salaire, argent, repos*) to earn **2.** (*course, prix, affection*) to win **3.** (*obtenir, économiser*) to gain • **gagner du temps/de la place** to gain time/space • **qu'est-ce que j'y gagne ?** what do I get out of it? **4.** (*atteindre - gén*) to reach • (- *suj : feu, engourdissement*) to spread to • (- *suj : sommeil, froid*) to overcome. ◼ *vi* **1.** (*être vainqueur*) to win **2.** (*bénéficier*) to gain • **gagner à faire qqch** to be better off doing sthg **3.** (*s'améliorer*) • **gagner en** to increase in.

gai, e *adj* **1.** (*joyeux*) cheerful, happy **2.** (*vif, plaisant*) bright.

gaieté *nf* **1.** (*joie*) cheerfulness **2.** (*vivacité*) brightness.

gaillard, e ◼ *adj* **1.** (*alerte*) sprightly, spry **2.** (*licencieux*) ribald. ◼ *nm, f* strapping individual.

gain *nm* **1.** (*profit*) gain, profit **2.** (*succès*) winning **3.** (*économie*) saving. ◼ **gains** *nmpl* earnings.

gaine *nf* **1.** (*étui, enveloppe*) sheath **2.** (*sous-vêtement*) girdle, corset.

gainer *vt* to sheathe.

gala *nm* gala, reception.

galant, e *adj* **1.** (*courtois*) gallant **2.** (*amoureux*) flirtatious. ◼ **galant** *nm* admirer.

galanterie *nf* **1.** (*courtoisie*) gallantry, politeness **2.** (*flatterie*) compliment.

galaxie *nf* galaxy.

galbe *nm* curve.

gale *nf* MÉD scabies (*indénombrable*).

galère *nf* NAUT galley • **quelle galère !** *fig* what a hassle!, what a drag!

galérer *vi fam* to have a hard time.

galerie *nf* **1.** (*gén*) gallery • **galerie marchande** *ou* **commerciale** shopping arcade (*UK*) *ou* mall (*US*) **2.** THÉÂTRE circle **3.** (*porte-bagages*) roof (*UK*) *ou* luggage (*US*) rack.

galet *nm* **1.** (*caillou*) pebble **2.** TECHNOL wheel, roller.

galette *nf* CULIN pancake (*made from buckwheat flour*).

galipette *nf fam* somersault.

Galles ▷ **pays.**

gallicisme *nm* **1.** (*expression*) French idiom **2.** (*dans une langue étrangère*) gallicism.

gallois, e *adj* Welsh. ◼ **gallois** *nm* (*langue*) Welsh. ◼ **Gallois, e** *nm, f* Welshman (*f* Welshwoman) • **les Gallois** the Welsh.

galon *nm* **1.** COUT braid (*indénombrable*) **2.** MIL stripe.

galop *nm* (*allure*) gallop • **au galop** (*cheval*) at a gallop • *fig* at the double (*UK*), on the double (*US*).

galoper *vi* 1. *(cheval)* to gallop 2. *(personne)* to run around 3. *(imagination)* to run riot.

galopin *nm fam* brat.

galvaniser *vt litt & fig* to galvanize.

galvauder *vt (ternir)* to tarnish.

gambader *vi* 1. *(sautiller)* to leap around 2. *(agneau)* to gambol.

gamelle *nf (plat)* mess tin *(UK)* ou kit *(US)*.

gamin, e ◾ *adj (puéril)* childish. ◾ *nm, f fam (enfant)* kid.

gamme *nf* 1. *(série)* range 2. MUS scale.

ganglion *nm* ganglion.

gangrène *nf* 1. gangrene 2. *fig* corruption, canker.

gangue *nf* 1. *(de minerai)* gangue 2. *fig (carcan)* straitjacket.

gant *nm* glove ∘ **gant de toilette** facecloth, flannel *(UK)*, washcloth *(US)*.

garage *nm* garage.

garagiste *nmf* 1. *(propriétaire)* garage owner 2. *(réparateur)* garage mechanic.

garant, e *nm, f (responsable)* guarantor ∘ **se porter garant de** to vouch for. ◾ **garant** *nm (garantie)* guarantee.

garantie *nf (gén)* guarantee. ◾ **sous garantie** *loc adj* under guarantee ∘ **un appareil sous garantie** an appliance under guarantee.

garantir *vt* 1. *(assurer,* COMM & FIN*)* to guarantee, to collateralize *(US)* ∘ **garantir à qqn que** to assure ou guarantee sb that 2. *(protéger)* ∘ **garantir qqch (de)** to protect sthg (from).

garçon *nm* 1. *(enfant)* boy 2. *(célibataire)* ∘ **vieux garçon** confirmed bachelor 3. *(serveur)* ∘ **garçon (de café)** waiter.

garçonnet *nm* little boy.

garçonnière *nf* bachelor flat *(UK)* ou apartment *(US)*.

garde ◾ *nf* 1. *(surveillance)* protection 2. *(veille)* ∘ **pharmacie de garde** duty chemist *(UK)*, emergency drugstore *(US)* 3. MIL guard ∘ **monter la garde** to go on guard ∘ **être/se tenir sur ses gardes** to be/stay on one's guard ∘ **mettre qqn en garde contre qqch** to put sb on their guard about sthg ∘ **mise en garde** warning. ◾ *nmf* keeper ∘ **garde du corps** bodyguard ∘ **garde d'enfants** babysitter, childminder *(UK)*.

garde-à-vous *nm inv* attention ∘ **se mettre au garde-à-vous** to stand to attention.

garde-boue *nm inv* mudguard.

garde-chasse *nm* gamekeeper.

garde-fou *nm* railing, parapet.

garde-malade *nmf* nurse.

garde-manger *nm inv* 1. *(pièce)* pantry, larder 2. *(armoire)* meat safe *(UK)*, cooler *(US)*.

garde-pêche *nm (personne)* water bailiff *(UK)*, fishwarden *(US)*.

garder *vt* 1. *(gén)* to keep 2. *(vêtement)* to keep on 3. *(surveiller)* to mind, to look after 4. *(défendre)* to guard 5. *(protéger)* ∘ **garder qqn de qqch** to save sb from sthg.
◾ **se garder** *vp* 1. *(se conserver)* to keep 2. *(se méfier)* ∘ **se garder de qqn/qqch** to beware of sb/sthg 3. *(s'abstenir)* ∘ **se garder de faire qqch** to take care not to do sthg.

garderie *nf* crèche *(UK)*, day nursery *(UK)*, day-care center *(US)*.

garde-robe *nf* wardrobe.

gardien, enne *nm, f* 1. *(surveillant)* guard, keeper ∘ **gardien de but** goalkeeper ∘ **gardien de nuit** night watchman 2. *fig (défenseur)* protector, guardian 3. *(agent)* ∘ **gardien de la paix** police officer.

gare[1] *nf* station ∘ **gare routière** *(de marchandises)* road haulage depot *(UK)* ∘ *(pour passagers)* bus station.

gare[2] *interj (attention)* watch out! ∘ **gare aux voleurs** watch out for pickpockets.

garer *vt* 1. *(ranger)* to park 2. *(mettre à l'abri)* to put in a safe place.
◾ **se garer** *vp* 1. *(stationner)* to park 2. *(se ranger)* to pull over.

gargariser ◾ **se gargariser** *vp* 1. *(se rincer)* to gargle 2. *péj (se délecter)* ∘ **se gargariser de** to delight ou revel in.

gargouiller *vi* 1. *(eau)* to gurgle 2. *(intestins)* to rumble.

garnement *nm* rascal, pest.

garni *nm vieilli* furnished accommodation *(indénombrable) (UK)* ou accommodations *(pl) (US)*.

garnir *vt* 1. *(équiper)* to fit out, to furnish 2. *(remplir)* to fill 3. *(orner)* ∘ **garnir qqch de** to decorate sthg with ∘ COUT to trim sthg with.

garnison *nf* garrison.

garniture *nf* **1.** *(ornement)* trimming **2.** *(de lit)* bed linen **3.** CULIN - *pour accompagner)* garnish, fixings *pl (US)* » *(- pour remplir)* filling.

garrigue *nf* scrub.

garrot *nm* **1.** *(de cheval)* withers *pl* **2.** MÉD tourniquet.

gars *nm fam* **1.** *(garçon, homme)* lad **2.** *(type)* guy, bloke *(UK)*.

gas-oil, gazole *nm* diesel oil.

gaspillage *nm* waste.

gaspiller *vt* to waste.

gastrique *adj* gastric.

gastro-entérite *nf* gastroenteritis *(indénombrable)*.

gastronome *nmf* gourmet.

gastronomie *nf* gastronomy.

gâteau *nm* cake » **gâteau sec** biscuit *(UK)*, cookie *(US)*.

gâter *vt* **1.** *(gén)* to spoil **2.** *(vacances, affaires)* to ruin, to spoil **3.** *iron (combler)* to be too good to » **on est gâté!** just marvellous! ■ **se gâter** *vp* **1.** *(temps)* to change for the worse **2.** *(situation)* to take a turn for the worse.

gâteux, euse *adj* senile.

gauche ◼ *nf* **1.** *(côté)* left, left-hand side » **à gauche (de)** on the left (of) **2.** POLIT » **la gauche** the left (wing) » **de gauche** left-wing. ◼ *adj* **1.** *(côté)* left **2.** *(personne)* clumsy.

gaucher, ère ◼ *adj* left-handed. ◼ *nm, f* left-handed person.

gauchiste *nmf* leftist.

gaufre *nf* waffle.

gaufrer *vt* to emboss.

gaufrette *nf* wafer.

gaule *nf* **1.** *(perche)* pole **2.** *(canne à pêche)* fishing rod.

gauler *vt* to bring *ou* shake down.

gaulliste *nmf* & *adj* Gaullist.

gaulois, e *adj* *(de Gaule)* Gallic. ■ **Gaulois, e** *nm, f* Gaul.

gaver *vt* **1.** *(animal)* to force-feed **2.** *(personne)* » **gaver qqn de** to feed sb full of.

gay *adj inv* & *nm* gay.

gaz *nm inv* gas.

gaze *nf* gauze.

gazelle *nf* gazelle.

gazer *vt* to gas.

gazette *nf* newspaper, gazette.

gazeux, euse *adj* **1.** CHIM gaseous **2.** *(boisson)* fizzy.

gazoduc *nm* gas pipeline.

gazole = **gas-oil**.

gazon *nm* **1.** *(herbe)* grass **2.** *(terrain)* lawn.

gazouiller *vi* **1.** *(oiseau)* to chirp, to twitter **2.** *(bébé)* to gurgle.

GB, G-B *(abr écrite de* **Grande-Bretagne)** *nf* GB.

gd *abrév de* **grand**.

GDF, Gdf *(abr de* **Gaz de France)** French national gas company.

geai *nm* jay.

géant, e ◼ *adj* gigantic, giant. ◼ *nm, f* giant.

geindre *vi* **1.** *(gémir)* to moan **2.** *fam (pleurnicher)* to whine.

gel *nm* **1.** MÉTÉOR frost **2.** *(d'eau)* freezing **3.** *(cosmétique)* gel.

gélatine *nf* gelatine.

gelée *nf* **1.** MÉTÉOR frost **2.** CULIN jelly.

geler *vt* & *vi* **1.** *(gén)* to freeze **2.** *(projet)* to halt.

gélule *nf* capsule.

Gémeaux *nmpl* ASTROL Gemini.

gémir *vi* **1.** *(gén)* to moan **2.** *(par déception)* to groan.

gémissement *nm* **1.** *(gén)* moan **2.** *(du vent)* moaning *(indénombrable)* **3.** *(de déception)* groan.

gemme *nf* gem, precious stone.

gênant, e *adj* **1.** *(encombrant)* in the way **2.** *(embarrassant)* awkward, embarrassing **3.** *(énervant)* » **être gênant** to be a nuisance.

gencive *nf* gum.

gendarme *nm* policeman.

gendarmerie *nf* **1.** *(corps)* police force **2.** *(lieu)* police station.

gendre *nm* son-in-law.

gène *nm* gene.

gêne *nf* **1.** *(physique)* difficulty **2.** *(psychologique)* embarrassment **3.** *(financière)* difficulty.

généalogie *nf* genealogy.

généalogique *adj* genealogical » **arbre généalogique** family tree.

gêner *vt* **1.** *(physiquement - gén)* to be too tight for ◦ *(- suj : chaussures)* to pinch **2.** *(moralement)* to embarrass **3.** *(incommoder)* to bother **4.** *(encombrer)* to hamper.

général, e *adj* general ◦ **en général** generally, in general ◦ **répétition générale** dress rehearsal. ■ **général** *nm* MIL general. ■ **générale** *nf* THÉÂTRE dress rehearsal.

généralement *adv* generally.

généralisation *nf* generalization.

généraliser *vt & vi* to generalize. ■ **se généraliser** *vp* to become general *ou* widespread.

généraliste ◼ *nmf* family doctor, GP. ◼ *adj* general.

généralité *nf* **1.** *(idée)* generality **2.** *(universalité)* general nature. ■ **généralités** *nfpl* generalities.

générateur, trice *adj* generating *(avant nom)*. ■ **générateur** *nm* TECHNOL generator.

génération *nf* generation.

générer *vt* to generate.

généreux, euse *adj* **1.** generous **2.** *(terre)* fertile.

générique ◼ *adj* generic ◦ **médicament générique** MÉD generic drug. ◼ *nm* **1.** CINÉ & TV credits *pl* **2.** MÉD generic drug.

générosité *nf* generosity.

genèse *nf* *(création)* genesis. ■ **Genèse** *nf* *(bible)* Genesis.

genêt *nm* broom.

génétique ◼ *adj* genetic. ◼ *nf* genetics *(indénombrable)*.

Genève *npr* Geneva.

génial, e *adj* **1.** *(personne)* of genius **2.** *(idée, invention)* inspired **3.** *fam (formidable)* ◦ **c'est génial !** that's great!, that's terrific!

génie *nm* **1.** *(personne, aptitude)* genius **2.** MYTHOL spirit, genie **3.** TECHNOL engineering ◦ **le génie** MIL ≃ the Royal Engineers *(UK)*, ≃ the (Army) Corps of Engineers *(US)*.

genièvre *nm* juniper.

génisse *nf* heifer.

génital, e *adj* genital.

génitif *nm* genitive (case).

génocide *nm* genocide.

génotype *nm* genotype.

genou *nm* knee ◦ **à genoux** on one's knees, kneeling.

genouillère *nf* **1.** *(bandage)* knee bandage **2.** SPORT kneepad.

genre *nm* **1.** *(type)* type, kind **2.** LITTÉR genre **3.** *(style de personne)* style **4.** GRAMM gender.

gens *nmpl* people.

gentiane *nf* gentian.

gentil, ille *adj* **1.** *(agréable)* nice **2.** *(aimable)* nice, kind.

gentillesse *nf* kindness.

gentiment *adv* **1.** *(sagement)* nicely **2.** *(aimablement)* nicely, kindly **3.** *(Suisse) (tranquillement)* calmly, quietly.

génuflexion *nf* genuflexion.

géographie *nf* geography.

géologie *nf* geology.

géologue *nmf* geologist.

géomètre *nmf* **1.** *(spécialiste)* geometer, geometrician **2.** *(technicien)* surveyor.

géométrie *nf* geometry.

gérance *nf* management.

géranium *nm* geranium.

gérant, e *nm, f* manager.

gerbe *nf* **1.** *(de blé)* sheaf **2.** *(de fleurs)* spray **3.** *(d'étincelles, d'eau)* shower.

gercé, e *adj* chapped.

gérer *vt* to manage.

gériatrie *nf* geriatrics *(indénombrable)*.

germain, e ▷ **cousin**.

germanique *adj* Germanic.

germe *nm* **1.** BOT & MÉD germ **2.** *(de pomme de terre)* eye **3.** *fig (origine)* seed, cause.

germer *vi* to germinate.

gésier *nm* gizzard.

gésir *vi* littéraire to lie.

gestation *nf* gestation.

geste *nm* **1.** *(mouvement)* gesture **2.** *(acte)* act, deed.

gesticuler *vi* to gesticulate.

gestion *nf* **1.** *(activité)* management **2.** DR administration **3.** INFORM ◦ **gestion de fichiers** file management.

Ghana *nm* ◦ **le Ghana** Ghana.

ghetto *nm* litt & fig ghetto.

gibet *nm* gallows *sing*, gibbet.

gibier *nm* **1.** game **2.** *fig (personne)* prey.

giboulée *nf* sudden shower.

gicler *vi* to squirt, to spurt.

gifle *nf* slap.

gifler *vt* **1.** to slap **2.** *fig (suj : vent, pluie)* to whip, to lash.

gigantesque *adj* gigantic.

gigolo *nm* gigolo.

gigot *nm* CULIN leg.

gigoter *vi* to squirm, to wriggle.

gilet *nm* **1.** *(cardigan)* cardigan **2.** *(sans manches)* waistcoat *(UK)*, vest *(US)*.

gin *nm* gin.

gingembre *nm* ginger.

girafe *nf* giraffe.

giratoire *adj* gyrating ∘ **sens giratoire** roundabout *(UK)*, traffic circle *(US)*.

girofle ▷ **clou.**

girouette *nf* weathercock.

gisement *nm* deposit.

gitan, e *adj* Gipsy *(avant nom).* ∎ **Gitan, e** *nm, f* Gipsy.

gîte *nm* **1.** *(logement)* ∘ **gîte (rural)** gîte **2.** *(du bœuf)* shank, shin *(UK)*.

givre *nm* frost.

glabre *adj* hairless.

glace *nf* **1.** *(eau congelée)* ice **2.** *(crème glacée)* ice cream **3.** *(vitre)* pane **4.** *(de voiture)* window **5.** *(miroir)* mirror.

glacé, e *adj* **1.** *(gelé)* frozen **2.** *(très froid)* freezing **3.** *fig (hostile)* cold **4.** *(dessert)* iced **5.** *(viande)* glazed **6.** *(fruit)* glacé.

glacer *vt* **1.** *(geler, paralyser)* to chill **2.** *(étoffe, papier)* to glaze **3.** *(gâteau)* to ice *(UK)*, to frost *(US)*.

glacial, e *adj litt & fig* icy.

glacier *nm* **1.** GÉOGR glacier **2.** *(marchand)* ice cream seller *ou* man.

glaçon *nm* **1.** *(dans boisson)* ice cube **2.** *(sur toit)* icicle **3.** *fam fig (personne)* iceberg.

glaïeul *nm* gladiolus.

glaire *nf* MÉD phlegm.

glaise *nf* clay.

glaive *nm* sword.

gland *nm* **1.** *(de chêne)* acorn **2.** *(ornement)* tassel **3.** ANAT glans.

glande *nf* gland.

glaner *vt* to glean.

glapir *vi* to yelp, to yap.

glas *nm* knell.

glauque *adj* **1.** *(couleur)* bluey-green **2.** *fam (lugubre)* gloomy **3.** *fam (sordide)* sordid.

glissade *nf* slip.

glissant, e *adj* slippery.

glissement *nm* **1.** *(action de glisser)* gliding, sliding **2.** *fig (électoral)* swing, shift.

glisser ◪ *vi* **1.** *(se déplacer)* ∘ **glisser (sur)** to glide (over), to slide (over) **2.** *(déraper)* ∘ **glisser (sur)** to slip (on) **3.** *fig (passer rapidement)* ∘ **glisser sur** to skate over **4.** *(surface)* to be slippery **5.** *(progresser)* to slip ∘ **glisser dans** to slip into, to slide into ∘ **glisser vers** to slip towards *(UK) ou* toward *(US)*, to slide towards *(UK) ou* toward *(US)* **6.** INFORM to drag. ◪ *vt* to slip ∘ **glisser un regard à qqn** *fig* to give sb a sidelong glance.
∎ **se glisser** *vp* to slip ∘ **se glisser dans** *(lit)* to slip *ou* slide into ∘ *fig* to slip *ou* creep into.

glissière *nf* runner.

global, e *adj* global.

globalement *adv* on the whole.

globe *nm* **1.** *(sphère, terre)* globe **2.** *(de verre)* glass cover.

globule *nm* corpuscle, blood cell ∘ **globule blanc/rouge** white/red corpuscle.

globuleux ▷ **œil.**

gloire *nf* **1.** *(renommée)* glory **2.** *(de vedette)* fame, stardom **3.** *(mérite)* credit.

glorieux, euse *adj* **1.** *(mort, combat)* glorious **2.** *(héros, soldat)* renowned.

glossaire *nm* glossary.

glousser *vi* **1.** *(poule)* to cluck **2.** *fam (personne)* to chortle, to chuckle.

glouton, onne ◪ *adj* greedy. ◪ *nm, f* glutton.

glu *nf* *(colle)* glue.

gluant, e *adj* sticky.

glucide *nm* glucide.

glycémie *nf* glycaemia *(UK) ou* glycemia *(US)*.

glycine *nf* wisteria.

go ∎ **tout de go** *loc adv* straight.

GO *(abr de* **grandes ondes***) nfpl* LW.

goal *nm* goalkeeper.

gobelet *nm* beaker, tumbler.

gober *vt* **1.** *(avaler)* to gulp down **2.** *fam (croire)* to swallow.

godet *nm* **1.** *(récipient)* jar, pot **2.** COUT flare.

godiller *vi* **1.** *(rameur)* to scull **2.** *(skieur)* to wedeln.

goéland *nm* gull, seagull.

goélette *nf* schooner.

goguenard, **e** *adj* mocking.

goinfre *nmf fam* pig.

goitre *nm* goitre.

golf *nm* **1.** *(sport)* golf **2.** *(terrain)* golf course.

golfe *nm* gulf, bay • **le golfe de Gascogne** the Bay of Biscay • **le golfe Persique** the (Persian) Gulf.

gomme *nf* **1.** *(substance, bonbon)* gum **2.** *(pour effacer)* eraser, rubber *(UK)*.

gommer *vt* **1.** to rub out, to erase **2.** *fig* to erase.

gond *nm* hinge.

gondole *nf* gondola.

gondoler *vi* **1.** *(bois)* to warp **2.** *(carton)* to curl.

gonfler ◨ *vt* **1.** *(ballon, pneu)* to blow up, to inflate **2.** *(rivière, poitrine, yeux)* to swell **3.** *(joues)* to blow out **4.** *fig (grossir)* to exaggerate. ◨ *vi* to swell.

gonflette *nf fam* • **faire de la gonflette** to pump iron.

gong *nm* gong.

gorge *nf* **1.** *(gosier, cou)* throat **2.** *(gén pl) (vallée)* gorge.

gorgée *nf* mouthful.

gorger *vt* • **gorger qqn de qqch** *(gaver)* to stuff sb with sthg • *(combler)* to heap sthg on sb • **gorger qqch de** to fill sthg with.

gorille *nm* *(animal)* gorilla.

gosier *nm* throat, gullet.

gosse *nmf fam* kid.

gothique *adj* **1.** ARCHIT Gothic **2.** TYPO • **écriture gothique** Gothic script.

gouache *nf* gouache.

goudron *nm* tar.

goudronner *vt* to tar.

gouffre *nm* abyss.

goujat *nm* boor.

goulet *nm* narrows *pl*.

goulot *nm* neck.

goulu, **e** *adj* greedy, gluttonous.

goupillon *nm* **1.** RELIG (holy water) sprinkler **2.** *(à bouteille)* bottle brush.

gourd, **e** *adj* numb.

gourde ◨ *nf* **1.** *(récipient)* flask, water bottle **2.** *fam (personne)* clot *(UK)*. ◨ *adj fam* thick.

gourdin *nm* club.

gourmand, **e** ◨ *adj* greedy. ◨ *nm, f* glutton.

gourmandise *nf* **1.** *(caractère)* greed, greediness **2.** *(sucrerie)* sweet thing.

gourmette *nf* chain bracelet.

gousse *nf* pod • **gousse d'ail** clove of garlic.

goût *nm* taste • **de mauvais goût** tasteless, in bad taste • **chacun ses goûts** each to his own.

goûter ◨ *vt* **1.** *(déguster)* to taste **2.** *(savourer)* to enjoy. ◨ *vi* to have an afternoon snack • **goûter à** to taste. ◨ *nm* afternoon snack.

goutte *nf* **1.** *(de pluie, d'eau)* drop **2.** MÉD *(maladie)* gout. ◨ **gouttes** *nfpl* MÉD drops.

goutte-à-goutte *nm inv* (intravenous) drip, IV *(US)*.

gouttelette *nf* droplet.

gouttière *nf* **1.** *(CONSTR - horizontale)* gutter • *(- verticale)* drainpipe **2.** MÉD splint.

gouvernail *nm* rudder.

gouvernante nf **1.** (d'enfants) governess **2.** (de maison) housekeeper.

gouvernement nm POLIT government.

gouverner vt to govern.

gouverneur nm governor.

GPS (abr de **global positionning system**) nm GPS.

grâce nf **1.** (charme) grace • **de bonne grâce** with good grace, willingly • **de mauvaise grâce** with bad grace, reluctantly **2.** (faveur) favour (UK), favor (US) **3.** (miséricorde) mercy. ■ **grâce à** loc prép thanks to.

gracier vt to pardon.

gracieusement adv **1.** (avec grâce) graciously **2.** (gratuitement) free (of charge).

gracieux, euse adj **1.** (charmant) graceful **2.** (gratuit) free.

gradation nf gradation.

grade nm **1.** (échelon) rank **2.** (universitaire) qualification.

gradé, e ◘ adj non-commissioned. ◘ nm, f non-commissioned officer, NCO.

gradin nm **1.** (de stade, de théâtre) tier **2.** (de terrain) terrace.

graduation nf graduation.

graduel, elle adj **1.** gradual **2.** (difficultés) increasing.

graduer vt **1.** (récipient, règle) to graduate **2.** fig (effort, travail) to increase gradually.

graff (abr de **graffiti**) nm (piece of) graffiti.

graffiti nm inv graffiti (indénombrable).

grain nm **1.** (gén) grain **2.** (de moutarde) seed **3.** (de café) bean • **grain de raisin** grape **4.** (point) • **grain de beauté** mole, beauty spot **5.** (averse) squall.

graine nf BOT seed.

graisse nf **1.** ANAT & CULIN fat **2.** (pour lubrifier) grease.

graisser vt **1.** (machine) to grease, to lubricate **2.** (vêtements) to get grease on.

grammaire nf grammar.

grammatical, e adj grammatical.

gramme nm gram, gramme (UK).

grand, e ◘ adj **1.** (en hauteur) tall **2.** (en dimensions) big, large **3.** (en quantité, nombre) large, great • **un grand nombre de** a large ou great number of • **en grand** (dimension) full-size **4.** (âge) grown-up • **les grandes personnes** grown-ups • **grand frère** big ou older brother **5.** (important,

remarquable) great • **un grand homme** a great man **6.** (intense) • **un grand blessé/brûlé** a person with serious wounds/burns • **un grand buveur/fumeur** a heavy drinker/smoker. ◘ nm, f (gén pl) **1.** (personnage) great man (f woman) • **c'est l'un des grands de l'électroménager** he's one of the big names in electrical appliances **2.** (enfant) older ou bigger boy (f girl). ■ **grand** adv • **voir grand** to think big.

grand-angle nm wide-angle lens.

grand-chose ■ **pas grand-chose** pron indéf not much.

Grande-Bretagne nf • **la Grande-Bretagne** Great Britain.

grandeur nf **1.** (taille) size **2.** fig (apogée) greatness • **grandeur d'âme** fig magnanimity.

grandir ◘ vt • **grandir qqn** (suj : chaussures) to make sb look taller • fig to increase sb's standing. ◘ vi **1.** (personne, plante) to grow **2.** (obscurité, bruit) to increase, to grow.

grand-mère nf **1.** grandmother **2.** fam fig old biddy.

grand-père nm **1.** grandfather **2.** fam fig grandad (UK), granddad (US), old timer (US).

grands-parents nmpl grandparents.

grange nf barn.

granit(e) nm granite.

granulé, e adj (surface) granular. ■ **granulé** nm tablet.

granuleux, euse adj granular.

graphique ◼ nm 1. diagram 2. (courbe) graph. ◼ adj graphic.

graphisme nm 1. (écriture) handwriting 2. ART style of drawing.

graphologie nf graphology.

grappe nf 1. (de fruits) bunch 2. (de fleurs) stem 3. fig (de gens) knot.

grappiller vt litt & fig to gather, to pick up.

grappin nm (ancre) grapnel.

gras, grasse adj 1. (personne, animal) fat 2. (plat, aliment) fatty • **matières grasses** fats 3. (cheveux, mains) greasy 4. (sol) clayey 5. (crayon) soft 6. fig (rire) throaty 7. (toux) phlegmy. ◼ **gras** ◼ nm 1. (du jambon) fat 2. TYPO bold (type) 3. (substance) grease. ◼ adv • **manger gras** to eat fatty foods.

grassement adv 1. (rire) coarsely 2. (payer) a lot.

gratifier vt 1. (accorder) • **gratifier qqn de qqch** to present sb with sthg, to present sthg to sb • fig to reward sb with sthg 2. (stimuler) to gratify.

gratin nm 1. CULIN si vous voulez expliquer à un anglophone en quoi consiste ce plat, vous pouvez le définir ainsi : it is a dish that is topped with breadcrumbs and cheese and then browned • **gratin dauphinois** Dauphinoise potatoes 2. fam fig (haute société) upper crust.

gratiné, e adj 1. CULIN au gratin 2. fam fig (ardu) stiff.

gratis adv free.

gratitude nf • **gratitude (envers)** gratitude (to ou towards).

gratte-ciel nm inv skyscraper.

grattement nm scratching.

gratter ◼ vt 1. (gén) to scratch 2. (pour enlever) to scrape off. ◼ vi 1. (démanger) to itch, to be itchy 2. fam (écrire) to scribble 3. (frapper) • **gratter à la porte** to tap at the door 4. fam (travailler) to slave, to slog. ◼ **se gratter** vp to scratch.

gratuit, e adj 1. (entrée) free 2. (violence) gratuitous.

gratuitement adv 1. (sans payer) free, for nothing 2. (sans raison) gratuitously.

gravats nmpl rubble (indénombrable).

grave ◼ adj 1. (attitude, faute, maladie) serious, grave • **ce n'est pas grave** (ce n'est rien) don't worry about it 2. (voix) deep 3. LING • **accent grave** grave accent. ◼ nm (gén pl) MUS low register.

gravement adv gravely, seriously.

graver vt 1. (gén) to engrave 2. (bois) to carve 3. INFORM to burn.

gravier nm gravel (indénombrable).

gravillon nm fine gravel (indénombrable).

gravir vt to climb.

gravité nf 1. (importance) seriousness, gravity 2. PHYS gravity.

graviter vi 1. (astre) to revolve 2. fig (évoluer) to gravitate.

gravure nf 1. (technique) • **gravure (sur)** engraving (on) 2. (reproduction) print 3. (dans livre) plate.

gré nm 1. (goût) • **à mon/son gré** for my/his taste, for my/his liking 2. (volonté) • **bon gré mal gré** willy-nilly • **de gré ou de force** fig whether you/they etc like it or not • **de mon/son plein gré** of my/his own free will.

grec, grecque adj Greek. ◼ **grec** nm (langue) Greek. ◼ **Grec, Grecque** nm, f Greek.

Grèce nf • **la Grèce** Greece.

gréement nm rigging.

greffe nf 1. MÉD transplant 2. MÉD (de peau) graft 3. BOT graft.

greffer vt 1. MÉD to transplant • **greffer un rein/un cœur à qqn** to give sb a kidney/heart transplant 2. MÉD (peau) to graft 3. BOT to graft. ◼ **se greffer** vp • **se greffer sur qqch** to be added to sthg.

greffier nm clerk of the court.

grégaire adj gregarious.

grêle ◼ nf hail. ◼ adj 1. (jambes) spindly 2. (son) shrill.

grêler v impers to hail • **il grêle** it's hailing.

grêlon nm hailstone.

grelot nm bell.

grelotter vi • **grelotter (de)** to shiver (with).

grenade nf 1. (fruit) pomegranate 2. MIL grenade.

grenat adj inv dark red.

grenier nm 1. (de maison) attic 2. (à foin) loft.

grenouille nf frog.

grès *nm* **1.** *(roche)* sandstone **2.** *(poterie)* stoneware.

grésiller *vi* **1.** *(friture)* to sizzle **2.** *(feu)* to crackle **3.** *(radio)* to crackle.

grève *nf* **1.** *(arrêt du travail)* strike ⚬ **être en grève** to be on strike ⚬ **faire grève** to strike, to go on strike **2.** *(rivage)* shore.

grever *vt* **1.** to burden **2.** *(budget)* to put a strain on.

gréviste *nmf* striker.

gribouiller *vt* & *vi* **1.** *(écrire)* to scrawl **2.** *(dessiner)* to doodle.

grief *nm* grievance ⚬ **faire grief de qqch à qqn** to hold sthg against sb.

grièvement *adv* seriously.

griffe *nf* **1.** *(d'animal)* claw **2.** *(Belgique) (éraflure)* scratch.

griffer *vt* *(suj : chat)* to claw.

grignoter ◾ *vt* **1.** *(manger)* to nibble **2.** *fam fig (réduire - capital)* to eat away (at) **3.** *fam fig (gagner - avantage)* to gain. ◾ *vi* **1.** *(manger)* to nibble **2.** *fam fig (prendre)* ⚬ **grignoter sur** to nibble away at.

gril *nm* grill.

grillade *nf* CULIN grilled meat.

grillage *nm* **1.** *(de porte, de fenêtre)* wire netting **2.** *(clôture)* wire fence.

grille *nf* **1.** *(portail)* gate **2.** *(d'orifice, de guichet)* grille **3.** *(de fenêtre)* bars *pl* **4.** *(de mots croisés, de loto)* grid **5.** *(tableau)* table.

grille-pain *nm inv* toaster.

griller ◾ *vt* **1.** *(viande)* to grill (UK), to broil (US) **2.** *(pain)* to toast **3.** *(café, marrons)* to roast **4.** *fig (au soleil - personne)* to burn ⚬ (- *végétation)* to shrivel **5.** *fam fig (dépasser - concurrents)* to outstrip ⚬ **griller un feu rouge** to jump the lights **6.** *fig (compromettre)* to ruin. ◾ *vi* **1.** *(viande)* to grill (UK), to broil (US) **2.** *(ampoule)* to blow.

grillon *nm* *(insecte)* cricket.

grimace *nf* grimace.

grimer *vt* CINÉ & THÉÂTRE to make up.

grimper ◾ *vt* to climb. ◾ *vi* to climb ⚬ **grimper à un arbre/une échelle** to climb a tree/a ladder.

grincement *nm* **1.** *(de charnière)* squeaking **2.** *(de porte, plancher)* creaking.

grincer *vi* **1.** *(charnière)* to squeak **2.** *(porte, plancher)* to creak.

grincheux, euse ◾ *adj* grumpy. ◾ *nm, f* moaner, grumbler.

grippe *nf* MÉD flu *(indénombrable)* ⚬ **grippe aviaire** bird flu.

grippé, e *adj* *(malade)* ⚬ **être grippé** to have (the) flu.

gripper *vi* **1.** *(mécanisme)* to jam **2.** *fig (processus)* to stall.

gris, e *adj* **1.** *(couleur)* grey (UK), gray (US) **2.** *fig (morne)* dismal **3.** *(saoul)* tipsy. ◾ **gris** *nm (couleur)* grey (UK), gray (US).

grisaille *nf* **1.** *(de ciel)* greyness (UK), grayness (US) **2.** *fig (de vie)* dullness.

grisant, e *adj* intoxicating.

griser *vt* to intoxicate.

grisonner *vi* to turn grey (UK) *ou* gray (US).

grisou *nm* firedamp.

grive *nf* thrush.

grivois, e *adj* ribald.

Groenland *nm* ⚬ **le Groenland** Greenland.

grog *nm* (hot) toddy.

grognement *nm* **1.** *(son)* grunt **2.** *(d'ours, de chien)* growl **3.** *(protestation)* grumble.

grogner *vi* **1.** *(émettre un son)* to grunt **2.** *(ours, chien)* to growl **3.** *(protester)* to grumble.

groin *nm* snout.

grommeler *vt* & *vi* to mutter.

grondement *nm* **1.** *(d'animal)* growl **2.** *(de tonnerre, de train)* rumble **3.** *(de torrent)* roar.

gronder ◾ *vi* **1.** *(animal)* to growl **2.** *(tonnerre)* to rumble. ◾ *vt* to scold.

gros, grosse ◾ *adj* **1.** *(gén)* large, big **2.** *péj* big **3.** *(avant ou après un nom) (corpulent)* fat **4.** *(grossier)* coarse **5.** *(fort, sonore)* loud **6.** *(important, grave - ennuis)* serious ⚬ (- *dépense)* major. ◾ **gros** ◾ *adv (beaucoup)* a lot. ◾ *nm (partie)* ⚬ **le (plus) gros (de qqch)** the main part (of sthg). ◾ **en gros** *loc adv* & *loc adj* **1.** COMM wholesale **2.** *(en grands caractères)* in large letters **3.** *(grosso modo)* roughly.

groseille *nf* currant.

grossesse *nf* pregnancy.

grosseur *nf* **1.** *(dimension, taille)* size **2.** MÉD lump.

grossier, ère *adj* **1.** *(matière)* coarse **2.** *(sommaire)* rough **3.** *(insolent)* rude **4.** *(vulgaire)* crude **5.** *(erreur)* crass.

grossièrement *adv* **1.** *(sommairement)* roughly **2.** *(vulgairement)* crudely.

grossir ◾ *vi* **1.** *(prendre du poids)* to put on weight ⚬ **faire grossir** to add pounds, to make you put on weight ⚬ *(être calorique)* to be fattening ▪ **ça fait grossir** it's fattening **2.** *(augmenter)* to grow **3.** *(s'intensifier)* to increase. ◼ *vt* **1.** *(suj : microscope, verre)* to magnify **2.** *(suj : vêtement)* ▪ **grossir qqn** to make sb look fatter **3.** *(exagérer)* to exaggerate.

grossiste *nmf* wholesaler.

grosso modo *adv* roughly.

grotte *nf* cave.

grouiller *vi* ▪ **grouiller (de)** to swarm (with).

groupe *nm* group ▪ **groupe armé** armed group. ◼ **groupe sanguin** *nm* blood group.

groupement *nm* **1.** *(action)* grouping **2.** *(groupe)* group.

grouper *vt* to group.
◼ **se grouper** *vp* to come together.

grue *nf* TECHNOL & ZOOL crane.

grumeau *nm* lump.

grunge *adj* grunge.

guacamole *nm* guacamole.

Guadeloupe *nf* ▪ **la Guadeloupe** Guadeloupe.

Guatemala *nm* ▪ **le Guatemala** Guatemala.

gué *nm* ford ▪ **traverser à gué** to ford.

guenilles *nfpl* rags.

guenon *nf* female monkey.

guépard *nm* cheetah.

guêpe *nf* wasp.

guêpier *nm* **1.** wasp's nest **2.** *fig* hornet's nest.

guère *adv* *(peu)* hardly ▪ **ne** (+ *verbe*) **guère** *(peu)* hardly ▪ **il ne l'aime guère** he doesn't like him/her very much.

guéridon *nm* pedestal table.

guérilla *nf* guerrilla warfare.

guérir ◼ *vt* to cure ▪ **guérir qqn de** *litt* & *fig* to cure sb of. ◼ *vi* to recover, to get better.

guérison *nf* **1.** *(de malade)* recovery **2.** *(de maladie)* cure.

guerre *nf* **1.** *fig* & MIL war ▪ **faire la guerre à un pays** to make *ou* wage war on a country ▪ **Première/Seconde Guerre mondiale** World War I/II, First/Second World War *(UK)* ▪ **guerre atomique/nucléaire** atomic/nuclear war ▪ **guerre de** religion war of religion **2.** *(technique)* warfare *(indénombrable)* ▪ **guerre biologique/chimique** biological/chemical warfare ▪ **guerre bactériologique** germ warfare.

guerrier, ère *adj* **1.** *(de guerre)* war *(avant nom)* **2.** *(peuple)* warlike. ◼ **guerrier** *nm* warrior.

guet-apens *nm* **1.** ambush **2.** *fig* trap.

guêtre *nf* gaiter.

guetter *vt* **1.** *(épier)* to lie in wait for **2.** *(attendre)* to be on the look-out for, to watch for **3.** *(menacer)* to threaten.

gueule *nf* **1.** *(d'animal, ouverture)* mouth **2.** *tfam (bouche de l'homme)* gob *(UK)*, yap *(US)* **3.** *fam (visage)* face.

gueuleton *nm fam* blowout.

gui *nm* mistletoe.

guichet *nm* **1.** counter **2.** *(de gare, de théâtre)* ticket office.

guide *nm* **1.** *(gén)* guide **2.** *(livre)* guidebook.

guider *vt* to guide.

guidon *nm* handlebars *pl*.

guignol *nm* **1.** *(marionnette)* glove puppet **2.** *(théâtre)* ≃ Punch and Judy show.

guillemet *nm* quotation mark, inverted comma *(UK)*.

guilleret, ette *adj* perky.

guillotine *nf* **1.** *(instrument)* guillotine **2.** *(de fenêtre)* sash.

guindé, e *adj* stiff.

Guinée *nf* ▪ **la Guinée** Guinea.

guirlande *nf* **1.** *(de fleurs)* garland **2.** *(de papier)* chain **3.** *(de Noël)* tinsel *(indénombrable)*.

guise *nf* ▪ **à ma guise** as I please *ou* like ▪ **en guise de** by way of.

guitare *nf* guitar.

guitariste *nmf* guitarist.

guttural, e *adj* guttural.

Guyane *nf* ▪ **la Guyane** French Guiana.

gymnastique *nf fig* & SPORT gymnastics *(indénombrable)* ▪ **faire de la gymnastique** to do exercises.

gynécologie *nf* gynaecology *(UK)*, gynecology *(US)*.

gynécologue *nmf* gynaecologist *(UK)*, gynecologist *(US)*.

h¹, H *nm inv* h, H.

h² *(abr écrite de* **heure)** hr.

H 1. *abrév de* **homme 2.** *(abr écrite de* **hydrogène)** H.

ha *(abr écrite de* **hectare)** ha.

hab. *abrév de* **habitant.**

habile *adj* **1.** skilful *(UK)*, skillful *(US)* **2.** *(démarche)* clever.

habileté *nf* skill.

habiller *vt* **1.** *(vêtir)* • **habiller qqn (de)** to dress sb (in) **2.** *(recouvrir)* to cover.
■ **s'habiller** *vp* **1.** *(se vêtir)* to dress, to get dressed **2.** *(se vêtir élégamment)* to dress up.

habit *nm* **1.** *(costume)* suit **2.** RELIG habit.
■ **habits** *nmpl (vêtements)* clothes.

habitacle *nm* **1.** *(d'avion)* cockpit **2.** *(de voiture)* passenger compartment.

habitant, e *nm, f* **1.** *(de pays)* inhabitant **2.** *(d'immeuble)* occupant **3.** *(Québec) (paysan)* farmer.

habitation *nf* **1.** *(fait d'habiter)* housing **2.** *(résidence)* house, home.

habiter ◼ *vt (résider)* to live in. ◼ *vi* to live • **habiter à** to live in.

habitude *nf (façon de faire)* habit • **avoir l'habitude de faire qqch** to be in the habit of doing sthg • **d'habitude** usually.

habituel, elle *adj (coutumier)* usual, customary.

habituer *vt* • **habituer qqn à qqch/à faire qqch** to get sb used to sthg/to doing sthg.
■ **s'habituer** *vp* • **s'habituer à qqch/à faire qqch** to get used to sthg/to doing sthg.

hache *nf* axe, ax *(US)*.

hacher *vt* **1.** *(couper - gén)* to chop finely • *(- viande)* to mince *(UK)*, to grind *(US)* **2.** *(entrecouper)* to interrupt.

hachisch = **haschisch.**

hachoir *nm* **1.** *(couteau)* chopper **2.** *(appareil)* mincer *(UK)*, grinder *(US)* **3.** *(planche)* chopping board *(UK)*, cutting board *(US)*.

hachure *nf* hatching.

hagard, e *adj* haggard.

haie *nf* **1.** *(d'arbustes)* hedge **2.** *(de personnes)* row **3.** *(de soldats, d'agents de police)* line **4.** SPORT hurdle.

haillons *nmpl* rags.

haine *nf* hatred.

haïr *vt* to hate.

Haïti *npr* Haiti.

hâle *nm* tan.

hâlé, e *adj* tanned *(UK)*, tan *(US)*.

haleine *nf* breath.

haleter *vi* to pant.

hall *nm* **1.** *(vestibule, entrée)* foyer, lobby **2.** *(salle publique)* concourse.

halle *nf* covered market.

hallucination *nf* hallucination.

halo *nm (cercle lumineux)* halo.

halogène *nm & adj* halogen.

halte ◼ *nf* stop. ◼ *interj* stop!

haltère *nm* dumbbell.

haltérophilie *nf* weightlifting.

hamac *nm* hammock.

hamburger *nm* hamburger.

hameau *nm* hamlet.

hameçon *nm* fishhook.

hamster *nm* hamster.

hanche *nf* hip.

handball *nm* handball.

handicap *nm* handicap.

handicapé, e ◼ *adj* handicapped. ◼ *nm, f* handicapped person.

handicaper *vt* to handicap.

hangar *nm* **1.** shed **2.** AÉRON hangar.

hanneton *nm* cockchafer.

hanter *vt* to haunt.

hantise *nf* obsession.

happer *vt (attraper)* to snap up.

haranguer *vt* to harangue.

haras *nm* stud (farm).

harassant, e *adj* exhausting.

harceler *vt* 1. *(relancer)* to harass 2. MIL to harry 3. *(importuner)* • **harceler qqn (de)** to pester sb (with).

hardes *nfpl* old clothes.

hardi, e *adj* bold, daring.

hareng *nm* herring.

hargne *nf* spite *(indénombrable)*, bad temper.

haricot *nm* bean • **haricots verts/blancs/rouges** green *ou* string/haricot/kidney beans.

harmonica *nm* harmonica, mouth organ.

harmonie *nf* 1. *(gén)* harmony 2. *(de visage)* symmetry.

harmonieux, euse *adj* 1. *(gén)* harmonious 2. *(voix)* melodious 3. *(traits, silhouette)* regular.

harmoniser *vt* 1. fig & MUS to harmonize 2. *(salaires)* to bring into line.

harnacher *vt (cheval)* to harness.

harnais *nm* 1. *(de cheval, de parachutiste)* harness 2. TECHNOL train.

harpe *nf* harp.

harpon *nm* harpoon.

harponner *vt* 1. *(poisson)* to harpoon 2. fam *(personne)* to collar.

hasard *nm* chance • **au hasard** at random • **par hasard** by accident, by chance.

hasarder *vt* 1. *(tenter)* to venture 2. *(risquer)* to hazard. ■ **se hasarder** *vp* • **se hasarder à faire qqch** to risk doing sthg.

haschisch, haschich, hachisch *nm* hashish.

hâte *nf* haste.

hâter *vt* 1. *(activer)* to hasten 2. *(avancer)* to bring forward. ■ **se hâter** *vp* to hurry • **se hâter de faire qqch** to hurry to do sthg.

hausse *nf (augmentation)* rise, increase.

hausser *vt* to raise.

haut, e *adj* 1. *(gén)* high • **haut de 20 m** 20 m high 2. *(classe sociale, pays, région)* upper 3. *(responsable)* senior 4. INFORM • **haut débit** broadband. ■ **haut** ◙ *adv* 1. *(gén)* high 2. *(placé)* highly 3. *(fort)* loudly. ◙ *nm* 1. *(hauteur)* height • **faire 2 m de haut** to be 2 m high *ou* in height 2. *(sommet, vêtement)* top • **avoir** *ou* **connaître des hauts et des bas** to have one's ups and downs. ■ **de haut** *loc adv (avec dédain)* haughtily • **le prendre de haut** to react haughtily. ■ **de haut en bas** *loc adv* from top to bottom. ■ **du haut de** *loc prép* from the top of. ■ **en haut de** *loc prép* at the top of.

hautain, e *adj* haughty.

hautbois *nm* oboe.

haut de gamme ◙ *adj* upmarket, high-end, top-of-the-line *(US)* • **une chaîne haut de gamme** a state-of-the-art hi-fi system. ◙ *nm* top of the range, top of the line *(US)*.

haute-fidélité *nf* high fidelity, hi-fi.

hautement *adv* highly.

hauteur *nf* height • **à hauteur d'épaule** at shoulder level *ou* height.

haut-fourneau *nm* blast furnace.

haut-parleur *nm* loudspeaker.

havre *nm (refuge)* haven.

Haye *npr* • **La Haye** the Hague.

hayon *nm* hatchback.

hebdomadaire *nm* & *adj* weekly.

hébergement *nm* accommodation *(UK)*, accommodations *(pl) (US)*.

héberger *vt* 1. *(loger)* to put up 2. *(suj : hôtel)* to take in.

hébété, e *adj* dazed.

hébraïque *adj* Hebrew.

hébreu *adj* Hebrew. ■ **hébreu** *nm (langue)* Hebrew. ■ **Hébreu** *nm* Hebrew.

hécatombe *nf* litt & fig slaughter.

hectare *nm* hectare.

hectolitre *nm* hectolitre *(UK)*, hectoliter *(US)*.

hégémonie *nf* hegemony.

hein *interj* fam eh?, what? • **tu m'en veux, hein ?** you're angry with me, aren't you?

hélas *interj* unfortunately, alas.

héler *vt* sout to hail.

hélice *nf* 1. *(d'avion, de bateau)* propeller 2. MATH helix.

hélicoptère *nm* helicopter.

héliport *nm* heliport.

hélium *nm* helium.

Helsinki *npr* Helsinki.

hématome *nm* MÉD haematoma *(UK)*, hematoma *(US)*.

hémicycle *nm* POLIT • **l'hémicycle** the Assemblée Nationale.

hémisphère *nm* hemisphere.

hémophile ◼ *nmf* haemophiliac *(UK)*, hemophiliac *(US)*. ◼ *adj* haemophilic *(UK)*, hemophilic *(US)*.

hémorragie *nf* **1.** MÉD haemorrhage *(UK)*, hemorrhage *(US)* **2.** *fig (perte, fuite)* loss.

hémorroïdes *nfpl* haemorrhoids *(UK)*, hemorrhoids *(US)*, piles.

hennir *vi* to neigh, to whinny.

hépatite *nf* MÉD hepatitis *(indénombrable)* • **hépatite C** hepatitis C.

herbe *nf* **1.** BOT grass **2.** CULIN & MÉD herb **3.** *fam (marijuana)* grass.

herbicide *nm* weedkiller, herbicide.

herboriste *nmf* herbalist.

héréditaire *adj* hereditary.

hérédité *nf (génétique)* heredity.

hérésie *nf* heresy.

hérisson *nm* ZOOL hedgehog.

héritage *nm* **1.** *(de biens)* inheritance **2.** *(culturel)* heritage.

hériter ◼ *vi* to inherit • **hériter de qqch** to inherit sthg. ◼ *vt* • **hériter qqch de qqn** *litt & fig* to inherit sthg from sb.

héritier, ère *nm, f* heir *(f* heiress*)*.

hermétique *adj* **1.** *(étanche)* hermetic **2.** *(incompréhensible)* inaccessible, impossible to understand **3.** *(impénétrable)* impenetrable.

hermine *nf* **1.** *(animal)* stoat **2.** *(fourrure)* ermine.

hernie *nf* hernia.

héroïne *nf* **1.** *(personne)* heroine **2.** *(drogue)* heroin.

héroïque *adj* heroic.

héroïsme *nm* heroism.

héron *nm* heron.

héros *nm* hero.

hertz *nm inv* hertz.

hésitant, e *adj* hesitant.

hésitation *nf* hesitation.

hésiter *vi* to hesitate • **hésiter entre/sur** to hesitate between/over • **hésiter à faire qqch** to hesitate to do sthg.

hétéroclite *adj* motley.

hétérogène *adj* heterogeneous.

hétérosexuel, elle *adj & nm, f* heterosexual.

hêtre *nm* beech.

heure *nf* **1.** *(indique un moment du jour)* • **quelle heure est-il ?** what time is it? • **à quelle heure te lèves-tu ?** when?, (at) what time do you get up? • **il est deux heures** it's two o'clock • **il est deux heures dix** it's ten past two • **il est deux heures moins dix** it's ten to two • **les bus passent à l'heure et à la demie** the buses come on the hour and on the half hour • **il n'est jamais à l'heure** he's never on time • **c'est l'heure d'aller à l'école** it's time to go to school • **il se lève toujours de bonne heure** he always gets up early • **heures de bureau** office hours • **tu ferais mieux d'éviter les heures de pointe** you'd better avoid rush hours **2.** *(indique une durée)* • **ce film dure deux heures** this film lasts two hours • **nous avons parlé pendant des heures hier après midi** we talked for hours yesterday afternoon • **c'est à deux heures de train** it's a two-hour train journey only one-third of Florida counties have a six-period day. it takes two hours by train • **il a roulé à 250 km à l'heure** he drove his car at 250 km per *ou* an hour • **elle a dû faire des heures supplémentaires** he had to to work overtime **3.** *(fuseau horaire)* • **l'heure d'été** British Summer Time *(UK)*, daylight (saving) time *(US)* • **nous sommes passés à l'heure d'été/d'hiver la semaine dernière** we put the clocks forward/back last week **4.** SCOL class, period • **j'ai deux heures de maths aujourd'hui** I've two periods of maths today • **l'heure de français commence à 9 heures** the French class starts at nine. **Voir encadré page suivante.**

heureusement *adv (par chance)* luckily, fortunately.

heureux, euse *adj* **1.** *(gén)* happy • **être heureux de faire qqch** to be happy to do sthg **2.** *(favorable)* fortunate **3.** *(réussi)* successful, happy.

heurt *nm* **1.** *(choc)* collision, impact **2.** *(désaccord)* clash.

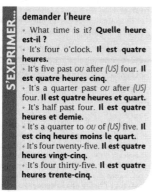

demander l'heure

• What time is it? **Quelle heure est-il ?**

• It's four o'clock. **Il est quatre heures.**

• It's five past ou after (US) four. **Il est quatre heures cinq.**

• It's a quarter past ou after (US) four. **Il est quatre heures et quart.**

• It's half past four. **Il est quatre heures et demie.**

• It's a quarter to ou of (US) five. **Il est cinq heures moins le quart.**

• It's four twenty-five. **Il est quatre heures vingt-cinq.**

• It's four thirty-five. **Il est quatre heures trente-cinq.**

heurter vt 1. (rentrer dans - gén) to hit • (- suj : personne) to bump into 2. (offenser - personne, sensibilité) to offend 3. (bon sens, convenances) to go against. ■ **se heurter** vp 1. (gén) • **se heurter (contre)** to collide (with) 2. (rencontrer) • **se heurter à qqch** to come up against sthg.

hexagonal, e adj 1. GÉOM hexagonal 2. (français) French.

hexagone nm GÉOM hexagon. ■ **Hexagone** nm • **l'Hexagone** (metropolitan) France.

hiatus nm inv hiatus.

hiberner vi to hibernate.

hibou nm owl.

hideux, euse adj hideous.

hier adv yesterday.

hiérarchie nf hierarchy.

hiéroglyphe nm hieroglyph, hieroglyphic.

hilare adj beaming.

hilarité nf hilarity.

Himalaya nm • **l'Himalaya** the Himalayas pl.

hindou, e adj Hindu. ■ **Hindou, e** nm, f Hindu.

hippie, hippy nmf & adj hippy.

hippique adj horse (avant nom).

hippodrome nm racecourse, racetrack.

hippopotame nm hippopotamus.

hirondelle nf swallow.

hirsute adj (chevelure, barbe) shaggy.

hispanique adj (gén) Hispanic.

hisser vt 1. (voile, drapeau) to hoist 2. (charge) to heave, to haul. ■ **se hisser** vp 1. (grimper) • **se hisser (sur)** to heave ou haul o.s. up (onto) 2. fig (s'élever) • **se hisser à** to pull o.s. up to.

histoire nf 1. (science) history • **histoire naturelle** natural history 2. (récit, mensonge) story 3. (aventure) funny ou strange thing 4. (gén pl) (ennui) trouble (indénombrable).

historique adj 1. (roman, recherches) historical 2. (monument, événement) historic.

hit-parade nm • **le hit-parade** the charts pl.

hiver nm winter • **en hiver** in (the) winter.

HLM (abr de **habitation à loyer modéré**) nm & nf ≃ council house/flat (UK), ≃ public housing unit (US).

hobby nm hobby.

hocher vt • **hocher la tête** (affirmativement) to nod (one's head) • (négativement) to shake one's head.

hochet nm rattle.

hockey nm hockey • **hockey sur glace** ice hockey (UK), hockey (US).

holding nm & nf holding company.

hold-up nm inv holdup.

hollandais, e adj Dutch. ■ **hollandais** nm (langue) Dutch. ■ **Hollandais, e** nm, f Dutchman (f Dutchwoman).

Hollande nf • **la Hollande** Holland.

holocauste nm holocaust.

homard nm lobster.

homéopathie nf homeopathy.

homicide nm (meurtre) murder.

hommage nm (témoignage d'estime) tribute • **rendre hommage à qqn/qqch** to pay tribute to sb/sthg.

homme nm man • **homme d'affaires** businessman • **homme d'État** statesman • **homme politique** politician • **l'homme de la rue** the man in the street.

homme-grenouille nm frogman.

homogène adj homogeneous.

homologue nm counterpart, opposite number.

homonyme *nm* 1. LING homonym 2. *(personne, ville)* namesake.

homoparental, e, aux *adj* relating to gay parenting, homoparental.

homophobe *adj* homophobic.

homosexualité *nf* homosexuality.

homosexuel, elle *adj & nm, f* homosexual.

Honduras *nm* ▸ **le Honduras** Honduras.

Hongrie *nf* ▸ **la Hongrie** Hungary.

hongrois, e *adj* Hungarian. ■ **hongrois** *nm (langue)* Hungarian. ■ **Hongrois, e** *nm, f* Hungarian.

honnête *adj* 1. *(intègre)* honest 2. *(correct)* honourable (UK), honorable (US) 3. *(convenable - travail, résultat)* reasonable.

honnêtement *adv* 1. *(de façon intègre, franchement)* honestly 2. *(correctement)* honourably (UK), honorably (US).

honnêteté *nf* honesty.

honneur *nm* honour (UK), honor (US) ▸ **faire honneur à qqn/à qqch** to be a credit to sb/to sthg ▸ **faire honneur à un repas** *fig* to do justice to a meal.

honorable *adj* 1. *(digne)* honourable (UK), honorable (US) 2. *(convenable)* respectable.

honoraire *adj* honorary. ■ **honoraires** *nmpl* fee *sing*, fees.

honorer *vt* 1. *(faire honneur à)* to be a credit to 2. *(payer)* to honour (UK), to honor (US).

honte *nf (sentiment)* shame ▸ **avoir honte de qqn/qqch** to be ashamed of sb/sthg ▸ **avoir honte de faire qqch** to be ashamed of doing sthg.

honteux, euse *adj* 1. shameful 2. *(personne)* ashamed.

hooligan, houligan *nm* hooligan.

hôpital *nm* hospital.

hoquet *nm* hiccup.

horaire ■ *nm* 1. *(de départ, d'arrivée)* timetable (UK), schedule (US) 2. *(de travail)* hours *pl* (of work). ■ *adj* hourly.

horizon *nm* 1. *(ligne, perspective)* horizon 2. *(panorama)* view.

horizontal, e *adj* horizontal. ■ **horizontale** *nf* MATH horizontal.

horloge *nf* clock.

hormis *prép* save.

hormone *nf* hormone.

hormonothérapie *nf* 1. MÉD hormone therapy 2. MÉD *(pour femmes ménopausées)* hormone replacement therapy.

horodateur *nm* 1. *(à l'usine)* clock 2. *(au parking)* ticket machine.

horoscope *nm* horoscope.

horreur *nf* horror ▸ **avoir horreur de qqn/qqch** to hate sb/sthg ▸ **avoir horreur de faire qqch** to hate doing sthg ▸ **quelle horreur !** how awful!

horrible *adj* 1. *(affreux)* horrible 2. *fig (terrible)* terrible, dreadful.

horrifier *vt* to horrify.

horripiler *vt* to exasperate.

hors *prép* ⊳ **service**. ■ **hors de** *loc prép* outside.

hors-bord *nm inv* speedboat.

hors-d'œuvre *nm inv* hors d'oeuvre, appetizer, starter (UK).

hors-jeu *nm inv & adj inv* offside.

hors-la-loi *nm inv* outlaw.

hors-piste *nm inv* off-piste skiing.

hors-série ◼ *adj inv* special. ◼ *nm* special issue *ou* edition.

hortensia *nm* hydrangea.

horticulture *nf* horticulture.

hospice *nm* home.

hospitalier, ère *adj* 1. *(accueillant)* hospitable 2. *(relatif aux hôpitaux)* hospital *(avant nom)*.

hospitaliser *vt* to hospitalize.

hospitalité *nf* hospitality.

hostie *nf* host.

hostile *adj* ▸ **hostile (à)** hostile (to).

hostilité *nf* hostility. ■ **hostilités** *nfpl* hostilities.

hôte, hôtesse *nm, f* host *(f* hostess) ▸ **hôtesse de l'air** stewardess, air hostess (UK). ■ **hôte** *nm (invité)* guest.

hôtel *nm* 1. *(d'hébergement)* hotel 2. *(établissement public)* public building ▸ **hôtel de ville** town (UK) *ou* city (US) hall 3. *(demeure)* ▸ **hôtel (particulier)** (private) mansion, town house.

hot line *nf* hot line.

hotte *nf* 1. *(panier)* basket 2. *(d'aération)* hood.

houblon *nm* 1. BOT hop 2. *(de la bière)* hops *pl*.

houille *nf* coal.

houiller, ère *adj* coal *(avant nom)*. ■ **houillère** *nf* coalmine.

houle *nf* swell.

houlette *nf sout* ▪ **sous la houlette de qqn** under the guidance of sb.

houppe *nf* 1. *(à poudre)* powder puff 2. *(de cheveux)* tuft.

hourra, hurrah *interj* hurrah!, hurray!

house, house music *nf* house (music).

houspiller *vt* to tell off.

housse *nf* cover.

houx *nm* holly.

HS *(abr de* **hors service)** *adj* out of order ▪ **je suis HS** *fam* I'm completely washed out.

hublot *nm (de bateau)* porthole.

huer *vt (siffler)* to boo.

huile *nf* 1. *(gén)* oil ▪ **huile d'arachide** groundnut *(UK)* ou peanut *(US)* oil ▪ **huile d'olive** olive oil 2. *(peinture)* oil painting 3. *fam (personnalité)* bigwig.

huis *nm littéraire* door ▪ **à huis clos** DR in camera.

huissier *nm* 1. *(appariteur)* usher 2. DR bailiff.

huit ■ *adj num inv* eight. ■ *nm* eight ▪ **lundi en huit** a week on Monday *(UK)*, Monday week *(UK)*, a week from Monday *(US)*. ▪ *voir aussi* **six**

huitième ■ *adj num inv* & *nmf* eighth. ■ *nm* eighth ▪ **le huitième de finale** the last sixteen. ■ *nf* SCOL ≃ Year 4 *(UK)*, ≃ fourth grade *(US)*. ▪ *voir aussi* **sixième**

huître *nf* oyster.

humain, e *adj* 1. *(gén)* human 2. *(sensible)* humane. ■ **humain** *nm (être humain)* human (being).

humanitaire ■ *adj* humanitarian. ■ *nm* ▪ **l'humanitaire** humanitarian ou relief work ▪ **travailler dans l'humanitaire** to work for a humanitarian organization.

humanité *nf* humanity. ■ **humanités** *nfpl (Belgique)* humanities.

humble *adj* humble.

humecter *vt* to moisten.

humer *vt* to smell.

humérus *nm* humerus.

humeur *nf* 1. *(disposition)* mood ▪ **être de bonne/mauvaise humeur** to be in a good/bad mood 2. *(caractère)* nature 3. *sout (irritation)* temper.

humide *adj* 1. *(air, climat)* humid 2. *(terre, herbe, mur)* wet, damp 3. *(saison)* rainy 4. *(front, yeux)* moist.

humidité *nf* 1. *(de climat, d'air)* humidity 2. *(de terre, mur)* dampness.

humiliation *nf* humiliation.

humilier *vt* to humiliate. ■ **s'humilier** *vp* ▪ **s'humilier devant qqn** to grovel to sb.

humilité *nf* humility.

humoristique *adj* humorous.

humour *nm* humour *(UK)*, humor *(US)*.

humus *nm* humus.

huppé, e *adj* 1. *fam (société)* upper-crust 2. *(oiseau)* crested.

hurlement *nm* howl.

hurler *vi (gén)* to howl.

hurrah = **hourra**.

hutte *nf* hut.

hybride *nm* & *adj* hybrid.

hydratant, e *adj* moisturizing.

hydrater *vt* 1. CHIM to hydrate 2. *(peau)* to moisturize.

hydraulique *adj* hydraulic.

hydravion *nm* seaplane, hydroplane.

hydrocarbure *nm* hydrocarbon.

hydrocution *nf* immersion syncope.

hydroélectrique *adj* hydroelectric.

hydrogène *nm* hydrogen.

hydroglisseur *nm* jetfoil, hydroplane.

hydrophile *adj* ▷ **coton**.

hyène *nf* hyena.

hygiène *nf* hygiene.

hygiénique *adj* 1. *(sanitaire)* hygienic 2. *(bon pour la santé)* healthy.

hymne *nm* hymn ▪ **hymne national** national anthem.

hypermarché *nm* hypermarket.

hypermétrope ■ *nmf* longsighted *(UK)* ou farsighted *(US)* person. ■ *adj* longsighted *(UK)*, farsighted *(US)*.

hypertension *nf* high blood pressure, hypertension.

hypertrophié *adj* 1. hypertrophic 2. *fig* exaggerated.

hypnotiser *vt* 1. to hypnotize 2. *fig* to mesmerize.

hypoallergénique *adj* hypoallergenic.

hypocondriaque *nmf* & *adj* hypochon-driac.

hypocrisie *nf* hypocrisy.

hypocrite ◨ *nmf* hypocrite. ◨ *adj* hypo-critical.

hypoglycémie *nf* hypoglycaemia *(UK)*, hypoglycemia *(US)*.

hypotension *nf* low blood pres-sure.

hypothèque *nf* mortgage.

hypothèse *nf* hypothesis.

hystérie *nf* hysteria.

hystérique *adj* hysterical.

i

i, I *nm inv* i, I • **mettre les points sur les i** to dot the i's and cross the t's.

ibérique *adj* • **la péninsule ibérique** the Iberian Peninsula.

iceberg *nm* iceberg.

ici *adv* **1.** *(lieu)* here • **par ici** *(direction)* this way • *(alentour)* around here **2.** *(temps)* now • **d'ici (à) une semaine** in a week's time, a week from now • **d'ici là** by then.

icône *nf* INFORM & RELIG icon.

idéal, e *adj* ideal. ■ **idéal** *nm* ideal.

idéaliste ■ *nmf* idealist. ■ *adj* idealistic.

idée *nf* idea • **à l'idée de/que** at the idea of/that • **se faire des idées** to imagine things • **cela ne m'est jamais venu à l'idée** it never occurred to me.

identifiant *nm* INFORM user name, login name.

identification *nf* • **identification (à)** identification (with).

identifier *vt* to identify.
■ **s'identifier** *vp* • **s'identifier à qqn/ qqch** to identify with sb/sthg.

identique *adj* • **identique (à)** identical (to).

identité *nf* identity.

idéologie *nf* ideology.

idiomatique *adj* idiomatic.

idiot, e ■ *adj* **1.** idiotic **2.** MÉD idiot *(avant nom)*. ■ *nm, f* idiot.

idiotie *nf* **1.** *(stupidité)* idiocy **2.** *(action, parole)* idiotic thing.

idolâtrer *vt* to idolize.

idole *nf* idol.

idylle *nf* *(amour)* romance.

idyllique *adj* *(idéal)* idyllic.

if *nm* yew.

igloo, iglou *nm* igloo.

ignare ■ *nmf* ignoramus. ■ *adj* ignorant.

ignoble *adj* **1.** *(abject)* base **2.** *(hideux)* vile.

ignominie *nf* **1.** *(état)* disgrace **2.** *(action)* disgraceful act.

ignorance *nf* ignorance.

ignorant, e ■ *adj* ignorant. ■ *nm, f* ignoramus.

ignorer *vt* **1.** *(ne pas savoir)* not to know, to be unaware of **2.** *(ne pas tenir compte de)* to ignore **3.** *(ne pas connaître)* to have no experience of.

il *pron pers* **1.** *(sujet - personne)* he • *(- animal)* it, he • *(- chose)* it **2.** *(sujet d'un verbe impersonnel)* it • **il pleut** it's raining. ■ **ils** *pron pers pl* they.

île *nf* island • **les îles Anglo-Normandes** the Channel Islands • **les îles Baléares** the Balearic Islands • **les îles Britanniques** the British Isles • **les îles Canaries** the Canary Islands • **l' Île-de-France** the Île-de-France • **les îles Malouines** the Falkland Islands • **l'île Maurice** Mauritius.

illégal, e *adj* illegal.

illégalité *nf* *(fait d'être illégal)* illegality.

illégitime *adj* **1.** *(enfant)* illegitimate **2.** *(union)* unlawful **3.** *(non justifié)* unwarranted.

illettré, e *adj & nm, f* illiterate.

illicite *adj* illicit.

illimité, e *adj* **1.** *(sans limites)* unlimited **2.** *(indéterminé)* indefinite.

illisible *adj* **1.** *(indéchiffrable)* illegible **2.** *(incompréhensible & INFORM)* unreadable.

illogique *adj* illogical.

illumination *nf* **1.** *(éclairage)* lighting **2.** *(idée soudaine)* inspiration.

illuminer *vt* **1.** to light up **2.** *(bâtiment, rue)* to illuminate.
■ **s'illuminer** *vp* • **s'illuminer de joie** to light up with joy.

illusion *nf* illusion.

illusoire *adj* illusory.

illustration *nf* illustration.

illustre *adj* illustrious.

illustré, e *adj* illustrated. ■ **illustré** *nm* illustrated magazine.

illustrer *vt* **1.** *(gén)* to illustrate **2.** *(rendre célèbre)* to make famous.
■ **s'illustrer** *vp* to distinguish o.s..

îlot *nm* **1.** *(île)* small island, islet **2.** *fig (de résistance)* pocket.

ils ⊳ **il**.

image *nf* **1.** *(vision mentale, comparaison, ressemblance)* image **2.** *(dessin)* picture.

imagerie *nf* MÉD ▪ **imagerie médicale** medical imaging.

imaginaire *adj* imaginary.

imagination *nf* imagination ▪ **avoir de l'imagination** to be imaginative.

imaginer *vt* **1.** *(supposer, croire)* to imagine **2.** *(trouver)* to think of.
■ **s'imaginer** *vp* **1.** *(se voir)* to see o.s. **2.** *(croire)* to imagine.

imam *nm* imam.

imbattable *adj* unbeatable.

imbécile *nmf* imbecile.

imberbe *adj* beardless.

imbiber *vt* ▪ **imbiber qqch de qqch** to soak sthg with *ou* in sthg.

imbriqué, e *adj* overlapping.

imbroglio *nm* imbroglio.

imbu, e *adj* ▪ **être imbu de** to be full of.

imbuvable *adj* **1.** *(eau)* undrinkable **2.** *fam (personne)* unbearable.

imitateur, trice *nm, f* **1.** *(comique)* impersonator **2.** *péj (copieur)* imitator.

imitation *nf* imitation.

imiter *vt* **1.** *(s'inspirer de, contrefaire)* to imitate **2.** *(reproduire l'aspect de)* to look (just) like.

immaculé, e *adj* immaculate.

immangeable *adj* inedible.

immanquable *adj* **1.** impossible to miss **2.** *(sort, échec)* inevitable.

immatriculation *nf* registration.

immédiat, e *adj* immediate.

immédiatement *adv* immediately.

immense *adj* immense.

immerger *vt* to submerge.
■ **s'immerger** *vp* to submerge o.s..

immérité, e *adj* undeserved.

immeuble *nm* building.

immigration *nf* immigration ▪ **immigration clandestine** illegal immigration.

immigré, e *adj* & *nm, f* immigrant.

immigrer *vi* to immigrate.

imminent, e *adj* imminent.

immiscer ■ **s'immiscer** *vp* ▪ **s'immiscer dans** to interfere in *ou* with.

immobile *adj* **1.** *(personne, visage)* motionless **2.** *(mécanisme)* fixed, stationary **3.** *fig (figé)* immovable.

immobilier, ère *adj* ▪ **biens immobiliers** property *(indénombrable)*, real estate *(indénombrable)* (US).

immobiliser *vt* to immobilize.
■ **s'immobiliser** *vp* to stop.

immobilité *nf* **1.** immobility **2.** *(de paysage, de lac)* stillness.

immodéré, e *adj* inordinate.

immoler *vt* **1.** to sacrifice **2.** RELIG to immolate.
■ **s'immoler** *vp* to immolate o.s..

immonde *adj* **1.** *(sale)* foul **2.** *(abject)* vile.

immondices *nfpl* waste *(indénombrable)*, refuse *(indénombrable)*.

immoral, e *adj* immoral.

immortaliser *vt* to immortalize.

immortel, elle *adj* immortal. ■ **Immortel, elle** *nm, f fam* si vous voulez expliquer à un anglophone ce qu'est un *Immortel, vous pouvez dire* it is a member of the Académie française.

immuable *adj* **1.** *(éternel - loi)* immutable **2.** *(constant)* unchanging.

immuniser *vt* **1.** *(vacciner)* to immunize **2.** *fig (garantir)* ▪ **immuniser qqn contre qqch** to make sb immune to sthg.

immunité *nf* immunity.

impact *nm* impact ▪ **avoir de l'impact sur** to have an impact on.

impair, e *adj* odd. ■ **impair** *nm (faux-pas)* gaffe.

imparable *adj* **1.** *(coup)* unstoppable **2.** *(argument)* unanswerable.

impardonnable *adj* unforgivable.

imparfait, e *adj* **1.** *(défectueux)* imperfect **2.** *(inachevé)* incomplete. ■ **imparfait** *nm* GRAMM imperfect (tense).

impartial, e *adj* impartial.

impartir *vt* • **impartir qqch à qqn** *littéraire* *(délai, droit)* to grant sthg to sb • *(don)* to bestow sthg upon sb • *(tâche)* to assign sthg to sb.

impasse *nf* **1.** *(rue)* dead end **2.** *fig (difficulté)* impasse, deadlock.

impassible *adj* impassive.

impatience *nf* impatience.

impatient, e *adj* impatient.

impatienter *vt* to annoy.
■ **s'impatienter** *vp* • **s'impatienter (de/contre)** to get impatient (at/with).

impayé, e *adj* unpaid, outstanding. ■ **impayé** *nm* outstanding payment.

impeccable *adj* **1.** *(parfait)* impeccable, faultless **2.** *(propre)* spotless, immaculate.

impénétrable *adj* impenetrable.

impénitent, e *adj* unrepentant.

impensable *adj* unthinkable.

impératif, ive *adj* **1.** *(ton, air)* imperious **2.** *(besoin)* imperative, essential. ■ **impératif** *nm* GRAMM imperative.

impératrice *nf* empress.

imperceptible *adj* imperceptible.

imperfection *nf* imperfection.

impérialisme *nm* **1.** POLIT imperialism **2.** *fig* dominance.

impérieux, euse *adj* **1.** *(ton, air)* imperious **2.** *(nécessité)* urgent.

impérissable *adj* undying.

imperméabiliser *vt* to waterproof.

imperméable ◨ *adj* waterproof. • **imperméable à** *(étanche)* impermeable to • *fig* impervious *ou* immune to. ◨ *nm* raincoat.

impersonnel, elle *adj* impersonal.

impertinence *nf* impertinence *(indénombrable)*.

impertinent, e ◨ *adj* impertinent. ◨ *nm, f* impertinent person.

imperturbable *adj* imperturbable.

impétueux, euse *adj (personne, caractère)* impetuous.

impie *littéraire* & *vieilli adj* impious.

impitoyable *adj* merciless, pitiless.

implacable *adj* implacable.

implanter *vt* **1.** *(entreprise, système)* to establish **2.** *fig (préjugé)* to implant.

■ **s'implanter** *vp* **1.** *(entreprise)* to set up **2.** *(coutume)* to become established.

implication *nf* **1.** *(participation)* • **implication (dans)** involvement (in) **2.** *(gén pl)* *(conséquence)* implication.

implicite *adj* implicit.

impliquer *vt* **1.** *(compromettre)* • **impliquer qqn dans** to implicate sb in **2.** *(requérir, entraîner)* to imply. ■ **s'impliquer** *vp* • **s'impliquer dans** *fam* to become involved in.

implorer *vt* to beseech.

implosion *nf* implosion.

impoli, e *adj* rude, impolite.

impopulaire *adj* unpopular.

importance *nf* **1.** *(gén)* importance **2.** *(de problème, montant)* magnitude **3.** *(de dommages)* extent **4.** *(de ville)* size.

important, e *adj* **1.** *(personnage, découverte, rôle)* important **2.** *(événement, changement)* important, significant **3.** *(quantité, collection, somme)* considerable, sizeable **4.** *(dommages)* extensive.

importation *nf fig* & COMM import.

importer ◨ *vt* to import. ◨ *v impers* • **importer (à)** to matter (to) • **il importe de/que** it is important to/that • **qu'importe !, peu importe !** it doesn't matter! • **n'importe qui** anyone (at all) • **n'importe quoi** anything (at all) • **n'importe où** anywhere (at all) • **n'importe quand** at any time (at all).

import-export *nm* import-export.

importuner *vt* to irk.

imposable *adj* taxable • **non imposable** nontaxable.

imposant, e *adj* imposing.

imposé, e *adj* **1.** *(contribuable)* taxed **2.** SPORT *(figure)* compulsory.

imposer *vt* **1.** *(gén)* • **imposer qqn/qqch à qqn** to impose sb/sthg on sb **2.** *(impressionner)* • **en imposer à qqn** to impress sb **3.** *(taxer)* to tax. ■ **s'imposer** *vp* **1.** *(être nécessaire)* to be essential *ou* imperative **2.** *(forcer le respect)* to stand out **3.** *(avoir pour règle)* • **s'imposer de faire qqch** to make it a rule to do sthg.

impossibilité *nf* impossibility • **être dans l'impossibilité de faire qqch** to find it impossible to *ou* to be unable to do sthg.

impossible ■ *adj* impossible. ■ *nm*
• **tenter l'impossible** to attempt the impossible.

imposteur *nm* impostor.

impôt *nm* tax • **impôts locaux** council tax *(UK)*, local tax *(US)* • **impôt sur le revenu** income tax.

impotent, e *adj* disabled.

impraticable *adj* **1.** *(inapplicable)* impracticable **2.** *(inaccessible)* impassable.

imprécis, e *adj* imprecise.

imprégner *vt (imbiber)* • **imprégner qqch de qqch** to soak sthg in sthg • **imprégner qqn de qqch** *fig* to fill sb with sthg.
■ **s'imprégner** *vp* • **s'imprégner de qqch** *(s'imbiber)* to soak sthg up • *fig* to soak sthg up, to steep o.s. in sthg.

imprenable *adj* **1.** *(forteresse)* impregnable **2.** *(vue)* unimpeded.

imprésario, impresario *nm* impresario.

impression *nf* **1.** *(gén)* impression • **avoir l'impression que** to have the impression *ou* feeling that **2.** *(de livre, tissu)* printing **3.** PHOTO print.

impressionner *vt* **1.** *(frapper)* to impress **2.** *(choquer)* to shock, to upset **3.** *(intimider)* to frighten **4.** PHOTO to expose.

impressionniste *nmf* & *adj* impressionist.

imprévisible *adj* unforeseeable.

imprévu, e *adj* unforeseen. ■ **imprévu** *nm* unforeseen situation.

imprimante *nf* printer • **imprimante photo** photo printer.

imprimé, e *adj* printed. ■ **imprimé** *nm* **1.** *(mention postale)* printed matter *(indénombrable)* **2.** *(formulaire)* printed form **3.** *(tissu)* print.

imprimer *vt* **1.** *(texte, tissu)* to print **2.** *(mouvement)* to impart **3.** *(marque, empreinte)* to leave.

imprimerie *nf* **1.** *(technique)* printing **2.** *(usine)* printing works *sing*.

improbable *adj* improbable.

improductif, ive *adj* unproductive.

impromptu, e *adj* impromptu.

impropre *adj* **1.** GRAMM incorrect **2.** *(inadapté)* • **impropre à** unfit for.

improviser *vt* to improvise.

■ **s'improviser** *vp* **1.** *(s'organiser)* to be improvised **2.** *(devenir)* • **s'improviser metteur en scène** to act as director.

improviste ■ **à l'improviste** *loc adv* unexpectedly, without warning.

imprudence *nf* **1.** *(de personne, d'acte)* rashness **2.** *(acte)* rash act.

imprudent, e ■ *adj* rash. ■ *nm, f* rash person.

impubère *adj (avant la puberté)* pre-pubescent.

impudent, e ■ *adj* impudent. ■ *nm, f* impudent person.

impudique *adj* shameless.

impuissant, e *adj* **1.** *(incapable)* • **impuissant (à faire qqch)** powerless (to do sthg) **2.** *(homme, fureur)* impotent. ■ **impuissant** *nm* impotent man.

impulsif, ive ■ *adj* impulsive. ■ *nm, f* impulsive person.

impulsion *nf* **1.** *(poussée, essor)* impetus **2.** *(instinct)* impulse, instinct **3.** *fig* • **sous l'impulsion de qqn** *(influence)* at the prompting *ou* instigation of sb • **sous l'impulsion de qqch** *(effet)* impelled by sthg.

impunément *adv* with impunity.

impunité *nf* impunity • **en toute impunité** with impunity.

impur, e *adj* impure.

impureté *nf* impurity.

imputer *vt* • **imputer qqch à qqn/qqch** to attribute sthg to sb/sthg • **imputer qqch à qqch** FIN to charge sthg to sthg.

imputrescible *adj* **1.** *(bois)* rotproof **2.** *(déchets)* non-degradable.

inabordable *adj* **1.** *(prix)* prohibitive **2.** GÉOGR inaccessible *(by boat)* **3.** *(personne)* unapproachable.

inacceptable *adj* unacceptable.

inaccessible *adj* **1.** *(destination, domaine, personne)* inaccessible **2.** *(objectif, poste)* unattainable • **inaccessible à** *(sentiment)* impervious to.

inaccoutumé, e *adj* unaccustomed.

inachevé, e *adj* unfinished, uncompleted.

inactif, ive *adj* **1.** *(sans occupation, non utilisé)* idle **2.** *(sans effet)* ineffective **3.** *(sans emploi)* non-working.

inaction *nf* inaction.

inadapté, e *adj* **1.** *(non adapté)* • **inadapté (à)** unsuitable (for), unsuited (to) **2.** *(asocial)* maladjusted.

inadmissible *adj (conduite)* unacceptable.

inadvertance *nf littéraire* oversight • **par inadvertance** inadvertently.

inaliénable *adj* inalienable.

inaltérable *adj* **1.** *(matériau)* stable **2.** *(sentiment)* unfailing.

inamovible *adj* fixed.

inanimé, e *adj* **1.** *(sans vie)* inanimate **2.** *(inerte, évanoui)* senseless.

inanition *nf* • **tomber/mourir d'inanition** to faint with/die of hunger.

inaperçu, e *adj* unnoticed.

inappréciable *adj (précieux)* invaluable.

inapprochable *adj* • **il est vraiment inapprochable en ce moment** you can't say anything to him at the moment.

inapte *adj* **1.** *(incapable)* • **inapte à qqch/à faire qqch** incapable of sthg/of doing sthg **2.** MIL unfit.

inattaquable *adj* **1.** *(imprenable)* impregnable **2.** *(irréprochable)* irreproachable, beyond reproach **3.** *(irréfutable)* irrefutable.

inattendu, e *adj* unexpected.

inattention *nf* inattention • **faute d'inattention** careless mistake.

inaudible *adj (impossible à entendre)* inaudible.

inauguration *nf (cérémonie)* inauguration, opening (ceremony).

inaugurer *vt* **1.** *(monument)* to unveil **2.** *(installation, route)* to open **3.** *(procédé, édifice)* to inaugurate **4.** *(époque)* to usher in.

inavouable *adj* unmentionable.

incalculable *adj* incalculable.

incandescence *nf* incandescence.

incantation *nf* incantation.

incapable ◼ *nmf (raté)* incompetent. ◼ *adj* • **incapable de faire qqch** *(inapte à)* incapable of doing sthg • *(dans l'impossibilité de)* unable to do sthg.

incapacité *nf* **1.** *(impossibilité)* • **incapacité à** OU **de faire qqch** inability to do sthg **2.** *(invalidité)* disability.

incarcération *nf* incarceration.

incarner *vt* **1.** *(personnifier)* to be the incarnation of **2.** CINÉ & THÉÂTRE to play.

incartade *nf* misdemeanour *(UK)*, misdemeanor *(US)*.

incassable *adj* unbreakable.

incendie *nm* **1.** fire **2.** *fig* flames *pl*.

incendier *vt (mettre le feu à)* to set alight, to set fire to.

incertain, e *adj* **1.** *(gén)* uncertain **2.** *(temps)* unsettled **3.** *(vague - lumière)* dim • *(- contour)* blurred.

incertitude *nf* uncertainty.

exprimer son incertitude

• Do you really think so? **Tu crois vraiment ?**

• I'm not so sure. **Je n'en suis pas si sûr.**

• Who knows? Maybe he changed his mind. **Qui sait, il a peut-être changé d'avis.**

• I don't really know. **Je ne sais pas vraiment.**

• I wonder whether I've done the right thing. **Je me demande si j'ai bien agi.**

incessamment *adv* at any moment, any moment now.

incessant, e *adj* incessant.

inceste *nm* incest.

inchangé, e *adj* unchanged.

incidence *nf (conséquence)* effect, impact *(indénombrable)*.

incident, e *adj (accessoire)* incidental. ◼ **incident** *nm* **1.** *(gén)* incident **2.** *(ennui)* hitch.

incinérer *vt* **1.** *(corps)* to cremate **2.** *(ordures)* to incinerate.

inciser *vt* to incise, to make an incision in.

incisif, ive *adj* incisive. ◼ **incisive** *nf* incisor.

inciter *vt* **1.** *(provoquer)* • **inciter qqn à qqch/à faire qqch** to incite sb to sthg/to do sthg **2.** *(encourager)* • **inciter qqn à faire qqch** to encourage sb to do sthg.

incivilité *nf* **1.** *(manque de courtoisie)* rudeness, disrespect **2.** *(fraude)* petty crime **3.** *(insultes, vandalismes)* antisocial behaviour *(UK)* OU behavior *(US)*.

inclassable *adj* unclassifiable.

inclinable *adj* reclinable, reclining.

inclinaison *nf* **1.** *(pente)* incline **2.** *(de tête, chapeau)* angle, tilt.

incliner *vt (pencher)* to tilt, to lean. ■ **s'incliner** *vp* **1.** *(se pencher)* to tilt, to lean **2.** *(céder)* • **s'incliner (devant)** to give in (to), to yield (to).

inclure *vt (mettre dedans)* • **inclure qqch dans qqch** to include sthg in sthg • *(joindre)* to enclose sthg with sthg.

inclus, e ◨ *pp* ▷ **inclure**. ◨ *adj* **1.** *(compris - taxe, frais)* included **2.** *(joint - lettre)* enclosed **3.** • **jusqu'à la page 10 incluse** up to and including page 10 **4.** MATH • **être inclus dans** to be a subset of.

incoercible *adj* sout uncontrollable.

incognito *adv* incognito.

incohérent, e *adj* **1.** *(paroles)* incoherent **2.** *(actes)* inconsistent.

incollable *adj* **1.** *(riz)* nonstick **2.** fam *(imbattable)* unbeatable.

incolore *adj* colourless *(UK)*, colorless *(US)*.

incomber *vi* **1.** *(revenir à)* • **incomber à qqn** to be sb's responsibility • *(emploi impersonnel)* • **il incombe à qqn de faire qqch** it falls to sb *ou* it is incumbent on sb to do sthg.

incommensurable *adj (immense)* immeasurable.

incommoder *vt* sout to trouble.

incomparable *adj* **1.** *(différent)* not comparable **2.** *(sans pareil)* incomparable.

incompatible *adj* incompatible.

incompétent, e *adj (incapable)* incompetent.

incomplet, ète *adj* incomplete.

incompréhensible *adj* incomprehensible.

incompris, e ◨ *adj* misunderstood, not appreciated. ◨ *nm, f* misunderstood person.

inconcevable *adj* unimaginable.

inconciliable *adj* irreconcilable.

inconditionnel, elle ◨ *adj* **1.** *(total)* unconditional **2.** *(fervent)* ardent. ◨ *nm, f* ardent supporter *ou* admirer.

inconfortable *adj* uncomfortable.

incongru, e *adj* **1.** *(malséant)* unseemly, inappropriate **2.** *(bizarre)* incongruous.

inconnu, e ◨ *adj* unknown. ◨ *nm, f* stranger. ■ **inconnue** *nf* **1.** MATH unknown **2.** *(variable)* unknown (factor).

inconsciemment *adv* **1.** *(sans en avoir conscience)* unconsciously, unwittingly **2.** *(à la légère)* thoughtlessly.

inconscient, e *adj* **1.** *(évanoui, machinal)* unconscious **2.** *(irresponsable)* thoughtless. ■ **inconscient** *nm* • **l'inconscient** the unconscious.

inconsidéré, e *adj* ill-considered, thoughtless.

inconsistant, e *adj* **1.** *(aliment)* thin, watery **2.** *(caractère)* frivolous.

inconsolable *adj* inconsolable.

incontestable *adj* unquestionable, indisputable.

incontinent, e *adj* MÉD incontinent.

incontournable *adj* unavoidable.

inconvenant, e *adj* improper, unseemly.

inconvénient *nm* **1.** *(obstacle)* problem **2.** *(désavantage)* disadvantage, drawback **3.** *(risque)* risk.

incorporé, e *adj (intégré)* built-in.

incorporer *vt* **1.** *(gén)* to incorporate • **incorporer qqch dans** to incorporate sthg into • **incorporer qqch à** CULIN to mix *ou* blend sthg into **2.** MIL to enlist.

incorrect, e *adj* **1.** *(faux)* incorrect **2.** *(inconvenant)* inappropriate **3.** *(impoli)* rude **4.** *(déloyal)* unfair • **être incorrect avec qqn** to treat sb unfairly.

incorrection *nf* **1.** *(impolitesse)* impropriety **2.** *(de langage)* grammatical mistake **3.** *(malhonnêteté)* dishonesty.

incorrigible *adj* incorrigible.

incorruptible *adj* incorruptible.

incrédule *adj* **1.** *(sceptique)* incredulous, sceptical *(UK)*, skeptical *(US)* **2.** RELIG unbelieving.

incrédulité *nf* **1.** *(scepticisme)* incredulity, scepticism *(UK)*, skepticism *(US)* **2.** RELIG unbelief, lack of belief.
Voir encadré page suivante.

increvable *adj* **1.** *(ballon, pneu)* puncture-proof **2.** fam *(personne)* tireless **3.** fam *(machine)* able to withstand rough treatment.

incriminer *vt* **1.** *(personne)* to incriminate **2.** *(conduite)* to condemn.

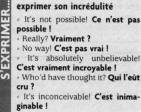

incroyable *adj* incredible, unbelievable.

incroyant, e *nm, f* unbeliever.

incruster *vt* 1. *(insérer)* • **incruster qqch dans qqch** to inlay sthg into sthg 2. *(décorer)* • **incruster qqch de qqch** to inlay sthg with sthg 3. *(couvrir d'un dépôt)* to scale, to fur up *(UK)*.
■ **s'incruster** *vp* *(s'insérer)* • **s'incruster dans qqch** to become embedded in sthg.

incubation *nf* 1. *(d'œuf, de maladie)* incubation 2. *fig* hatching.

inculpation *nf* charge.

inculper *vt* • **inculper qqn de** to charge sb with.

inculquer *vt* • **inculquer qqch à qqn** to instil *(UK)* ou instill *(US)* sthg in sb.

inculte *adj* 1. *(terre)* uncultivated 2. *péj (personne)* uneducated.

incurable *adj* incurable.

incursion *nf* incursion, foray.

Inde *nf* • **l'Inde** India.

indécent, e *adj* 1. *(impudique)* indecent 2. *(immoral)* scandalous.

indéchiffrable *adj* 1. *(texte, écriture)* indecipherable 2. *fig (regard)* inscrutable, impenetrable.

indécis, e ▨ *adj* 1. *(personne - sur le moment)* undecided • *(- de nature)* indecisive 2. *(sourire)* vague. ▪ *nm, f* indecisive person.

indécision *nf* 1. indecision 2. *(perpétuelle)* indecisiveness.

indécrottable *adj fam* 1. *(borné)* incredibly dumb 2. *(incorrigible)* hopeless.

indéfendable *adj* indefensible.

indéfini, e *adj (quantité, pronom)* indefinite.

indéfinissable *adj* indefinable.

indéformable *adj* able to retain its shape.

indélébile *adj* indelible.

indélicat, e *adj* 1. *(mufle)* indelicate 2. *(malhonnête)* dishonest.

indemne *adj* unscathed, unharmed.

indemniser *vt* • **indemniser qqn de qqch** *(perte, préjudice)* to compensate sb for sthg • *(frais)* to reimburse sb for sthg.

indemnité *nf* 1. *(de perte, préjudice)* compensation 2. *(de frais)* allowance.

indémodable *adj* • **ce style est indémodable** this style doesn't date.

indéniable *adj* undeniable.

indépendance *nf* independence.

indépendant, e *adj* 1. *(gén)* independent 2. *(entrée)* separate • **indépendant de ma volonté** beyond my control 3. *(travailleur)* self-employed.

indéracinable *adj* 1. *(arbre)* impossible to uproot 2. *fig* ineradicable.

indescriptible *adj* indescribable.

indestructible *adj* indestructible.

indéterminé, e *adj* 1. *(indéfini)* indeterminate, indefinite 2. *(vague)* vague 3. *(personne)* undecided.

index *nm* 1. *(doigt)* index finger 2. *(aiguille)* pointer, needle 3. *(registre)* index.

indexer *vt* 1. ÉCON • **indexer qqch sur qqch** to index sthg to sthg 2. *(livre)* to index.

indicateur, trice *adj* • **poteau indicateur** signpost • **panneau indicateur** road sign. ■ **indicateur** *nm* 1. *(guide)* directory, guide • **indicateur des chemins de fer** railway timetable *(UK)*, train schedule *(US)* 2. TECHNOL gauge 3. ÉCON indicator 4. *(de police)* informer.

indicatif, ive *adj* indicative. ■ **indicatif** *nm* 1. RADIO & TV signature tune 2. *(code)* • **indicatif (téléphonique)** dialling code *(UK)*, area code *(US)* 3. GRAMM • **l'indicatif** the indicative.

indication *nf* 1. *(mention)* indication 2. *(renseignement)* information *(indénombrable)* 3. *(directive)* instruction 4. THÉÂTRE direction • **sauf indication contraire** unless otherwise instructed.

indice *nm* 1. *(signe)* sign 2. *(dans une enquête)* clue 3. *(taux)* rating • **indice du coût de la vie** ÉCON cost-of-living index 4. MATH index.

indicible *adj* inexpressible.

indien, enne *adj* **1.** *(d'Inde)* Indian **2.** *(d'Amérique)* Native American, American Indian. ■ **Indien, enne** *nm, f* **1.** *(d'Inde)* Indian **2.** *(d'Amérique)* Native American, American Indian.

indifféremment *adv* indifferently.

indifférence *nf* indifference.

indifférent, e ■ *adj (gén)* • **indifférent à** indifferent to. ■ *nm, f* unconcerned person.

indigence *nf* poverty.

indigène ■ *nmf* native. ■ *adj* **1.** *(peuple)* native **2.** *(faune, flore)* indigenous.

indigent, e ■ *adj* **1.** *(pauvre)* destitute, poverty-stricken **2.** *fig (intellectuellement)* impoverished. ■ *nm, f* poor person • **les indigents** the poor, the destitute.

indigeste *adj* indigestible.

indigestion *nf* **1.** *(alimentaire)* indigestion *(indénombrable)* **2.** *fig (saturation)* surfeit.

indignation *nf* indignation.

indigné, e *adj* indignant.

indigner *vt* to make indignant. ■ **s'indigner** *vp* • **s'indigner de** *ou* **contre qqch** to get indignant about sthg.

indigo ■ *nm* indigo. ■ *adj inv* indigo (blue).

indiquer *vt* **1.** *(désigner)* to indicate, to point out **2.** *(afficher, montrer - suj : carte, pendule, aiguille)* to show, to indicate **3.** *(recommander)* • **indiquer qqn/qqch à qqn** to tell sb of sb/sthg, to suggest sb/sthg to sb **4.** *(dire, renseigner sur)* to tell • **pourriez-vous m'indiquer l'heure ?** could you tell me the time? **5.** *(fixer - heure, date, lieu)* to name, to indicate.

indirect, e *adj* **1.** *(gén)* indirect **2.** *(itinéraire)* roundabout.

indiscipliné, e *adj* **1.** *(écolier, esprit)* undisciplined, unruly **2.** *fig (mèches de cheveux)* unmanageable.

indiscret, ète ■ *adj* **1.** indiscreet **2.** *(curieux)* inquisitive. ■ *nm, f* indiscreet person.

indiscrétion *nf* **1.** indiscretion **2.** *(curiosité)* curiosity.

indiscutable *adj* indisputable, unquestionable.

indispensable *adj* indispensable, essential • **indispensable à** indispensable to, essential to • **il est indispensable de faire qqch** it is essential *ou* vital to do sthg.

indisponible *adj* unavailable.

indisposer *vt sout (rendre malade)* to indispose.

indistinct, e *adj* **1.** indistinct **2.** *(souvenir)* hazy.

individu *nm* individual.

individuel, elle *adj* individual.

indivisible *adj* indivisible.

Indochine *nf* • **l'Indochine** Indochina.

indolent, e *adj* **1.** *(personne)* indolent, lethargic **2.** *(geste, regard)* languid.

indolore *adj* painless.

indomptable *adj* **1.** *(animal)* untamable **2.** *(personne)* indomitable.

Indonésie *nf* • **l'Indonésie** Indonesia.

indu, e *adj (heure)* ungodly, unearthly.

indubitable *adj* indubitable, undoubted • **il est indubitable que** it is indisputable *ou* beyond doubt that.

induire *vt* to induce • **induire qqn à faire qqch** to induce sb to do sthg • **induire qqn en erreur** to mislead sb • **en induire que** to infer *ou* gather that.

induit, e *adj* **1.** *(consécutif)* resulting **2.** ÉLECTR induced.

indulgence *nf* **1.** *(de juge)* leniency **2.** *(de parent)* indulgence.

indulgent, e *adj* **1.** *(juge)* lenient **2.** *(parent)* indulgent.

indûment *adv* unduly.

industrialisé, e *adj* industrialized • **pays industrialisé** industrialized country.

industrialiser *vt* to industrialize.
■ **s'industrialiser** *vp* to become industrialized.

industrie *nf* industry.

industriel, elle *adj* industrial. ■ **industriel** *nm* industrialist.

inébranlable *adj* **1.** *(roc)* solid, immovable **2.** *fig (conviction)* unshakeable.

inédit, e *adj* **1.** *(texte)* unpublished **2.** *(trouvaille)* novel, original.

ineffable *adj* ineffable.

ineffaçable *adj* indelible.

inefficace *adj* **1.** *(personne, machine)* inefficient **2.** *(solution, remède, mesure)* ineffective.

inefficacité *nf* **1.** *(de personne, machine)* inefficiency **2.** *(de solution, remède, mesure)* ineffectiveness.

inégal, e *adj* **1.** *(différent, disproportionné)* unequal **2.** *(irrégulier)* uneven **3.** *(changeant)* changeable **4.** *(artiste, travail)* erratic.

inégalé, e *adj* unequalled *(UK)*, unequaled *(US)*.

inégalité *nf* **1.** *(injustice, disproportion)* inequality **2.** *(différence)* difference, disparity **3.** *(irrégularité)* unevenness **4.** *(d'humeur)* changeability.

inélégant, e *adj* **1.** *(dans l'habillement)* inelegant **2.** *fig (indélicat)* discourteous.

inéligible *adj* ineligible.

inéluctable *adj* inescapable.

inénarrable *adj* very funny.

inepte *adj* inept.

ineptie *nf* **1.** *(bêtise)* ineptitude **2.** *(chose idiote)* nonsense *(indénombrable)*.

inépuisable *adj* inexhaustible.

inerte *adj* **1.** *(corps, membre)* lifeless **2.** *(personne)* passive, inert **3.** PHYS inert.

inertie *nf* **1.** *(manque de réaction)* apathy, inertia **2.** PHYS inertia.

inespéré, e *adj* unexpected, unhoped-for.

inesthétique *adj* unaesthetic *(UK)*, unesthetic *(US)*.

inestimable *adj* **1.** • **d'une valeur inestimable** priceless **2.** *fig* invaluable.

inévitable *adj* **1.** *(obstacle)* unavoidable **2.** *(conséquence)* inevitable.

inexact, e *adj* **1.** *(faux, incomplet)* inaccurate, inexact **2.** *(en retard)* unpunctual.

inexactitude *nf* *(erreur, imprécision)* inaccuracy.

inexcusable *adj* unforgivable, inexcusable.

inexistant, e *adj* nonexistent.

inexorable *adj* inexorable.

inexpérience *nf* lack of experience, inexperience.

inexplicable *adj* inexplicable, unexplainable.

inexpliqué, e *adj* unexplained.

inexpressif, ive *adj* inexpressive.

inexprimable *adj* inexpressible.

inextensible *adj* **1.** *(matériau)* unstretchable **2.** *(étoffe)* non-stretch.

in extremis *adv* at the last minute.

inextricable *adj* **1.** *(fouillis)* inextricable **2.** *fig (affaire, mystère)* impossible to unravel.

infaillible *adj* **1.** *(personne, méthode)* infallible **2.** *(instinct)* unerring.

infâme *adj* **1.** *(ignoble)* despicable **2.** *hum & littéraire (dégoûtant)* vile.

infanterie *nf* infantry.

infanticide ■ *nmf* infanticide, child-killer. ■ *adj* infanticidal.

infantile *adj* **1.** *(maladie)* childhood *(avant nom)* **2.** *(médecine)* for children **3.** *(comportement)* infantile.

infarctus *nm* infarction, infarct • **infarctus du myocarde** coronary thrombosis, myocardial infarction.

infatigable *adj* **1.** *(personne)* tireless **2.** *(attitude)* untiring.

infect, e *adj* *(dégoûtant)* vile.

infecter *vt* **1.** *(eau)* to contaminate **2.** *(plaie)* to infect **3.** *(empoisonner)* to poison.
■ **s'infecter** *vp* to become infected, to turn septic.

infectieux, euse *adj* infectious.

infection *nf* **1.** MÉD infection **2.** *fig & péj (puanteur)* stench.

inférer *vt littéraire* • **inférer qqch de qqch** to infer sthg from sthg.

inférieur, e ◼ *adj* **1.** *(qui est en bas)* lower **2.** *(dans une hiérarchie)* inferior ◦ **inférieur à** *(qualité)* inferior to ◦ *(quantité)* less than. ◼ *nm, f* inferior.

infériorité *nf* inferiority.

infernal, e *adj* **1.** *(personne)* fiendish **2.** *fig (bruit, chaleur, rythme)* infernal **3.** *(vision)* diabolical.

infester *vt* to infest ◦ **être infesté de** *(rats, moustiques)* to be infested with ◦ *(touristes)* to be overrun by.

infidèle *adj* **1.** *(mari, femme, ami)* ◦ **infidèle (a)** unfaithful (to) **2.** *(traducteur, historien)* inaccurate.

infidélité *nf (trahison)* infidelity.

infiltration *nf* infiltration.

infiltrer *vt* to infiltrate. ◼ **s'infiltrer** *vp* **1.** *(pluie, lumière)* ◦ **s'infiltrer par/dans** to filter through/into **2.** *(hommes, idées)* to infiltrate.

infime *adj* minute, infinitesimal.

infini, e *adj* **1.** *(sans bornes)* infinite, boundless **2.** MATH, PHILO & RELIG infinite **3.** *fig (interminable)* endless, interminable. ◼ **infini** *nm* infinity. ◼ **à l'infini** *loc adv* **1.** MATH to infinity **2.** *(discourir)* ad infinitum, endlessly.

infiniment *adv* extremely, immensely.

infinité *nf* infinity, infinite number.

infinitif, ive *adj* infinitive. ◼ **infinitif** *nm* infinitive.

infirme ◼ *adj* **1.** *(handicapé)* disabled **2.** *(avec l'âge)* infirm. ◼ *nmf* disabled person.

infirmer *vt* **1.** *(démentir)* to invalidate **2.** DR to annul.

infirmerie *nf* infirmary.

infirmier, ère *nm, f* nurse.

infirmité *nf* **1.** *(handicap)* disability **2.** *(de vieillesse)* infirmity.

inflammable *adj* inflammable, flammable.

inflammation *nf* inflammation.

inflation *nf* **1.** ÉCON inflation **2.** *fig* increase.

inflationniste *adj & nmf* inflationist.

infléchir *vt fig (politique)* to modify.

inflexible *adj* inflexible.

inflexion *nf* **1.** *(de tête)* nod **2.** *(de voix)* inflection.

infliger *vt* ◦ **infliger qqch à qqn** to inflict sthg on sb ◦ *(amende)* to impose sthg on sb.

influençable *adj* easily influenced.

influence *nf* **1.** influence **2.** *(de médicament)* effect.

influencer *vt* to influence.

influer *vi* ◦ **influer sur qqch** to influence sthg, to have an effect on sthg.

Infographie® *nf* computer graphics *(indénombrable)*.

informaticien, enne *nm, f* computer scientist.

information *nf* **1.** *(renseignement)* piece of information **2.** *(renseignements & INFORM)* information *(indénombrable)* **3.** *(nouvelle)* piece of news. ◼ **informations** *nfpl (média)* news *sing*.

informatique ◼ *nf* **1.** *(technique)* computers **2.** *(science)* computer science, information technology. ◼ *adj* computer *(avant nom)*.

informatiser *vt* to computerize.

informe *adj (masse, vêtement, silhouette)* shapeless.

informel, elle *adj* informal.

informer *vt* to inform ◦ **informer qqn sur** *ou* **de qqch** to inform sb about sthg. ◼ **s'informer** *vp* to inform o.s. ◦ **s'informer de qqch** to ask about sthg ◦ **s'informer sur qqch** to find out about sthg.

infortune *nf* misfortune.

infos *(abr de informations) nfpl fam* ◦ **les infos** the news *sing*.

infraction *nf* offence *(UK) ou* offense *(US)* ◦ **être en infraction** to be in breach of the law.

infranchissable *adj* insurmountable.

infrarouge *nm & adj* infrared.

infrastructure *nf* infrastructure.

infroissable *adj* crease-resistant.

infructueux, euse *adj* fruitless.

infuser *vi* **1.** *(tisane)* to infuse **2.** *(thé)* to brew.

infusion *nf* infusion.

ingénier ◼ **s'ingénier** *vp* ◦ **s'ingénier à faire qqch** to try hard to do sthg.

ingénieur *nm* engineer.

ingénieux, euse *adj* ingenious.

ingéniosité *nf* ingenuity.

ingénu, e *adj* **1.** *littéraire (candide)* artless **2.** *hum & péj (trop candide)* naïve.

ingérable *adj* unmanageable.

ingérer *vt* to ingest.
■ **s'ingérer** *vp* • **s'ingérer dans** to interfere in.

ingrat, e ■ *adj* **1.** *(personne)* ungrateful **2.** *(métier)* thankless, unrewarding **3.** *(sol)* barren **4.** *(physique)* unattractive. ■ *nm, f* ungrateful person, ingrate.

ingratitude *nf* ingratitude.

ingrédient *nm* ingredient.

inguérissable *adj* incurable.

ingurgiter *vt* **1.** *(avaler)* to swallow **2.** *fig (connaissances)* to absorb.

inhabitable *adj* uninhabitable.

inhabité, e *adj* uninhabited.

> **À PROPOS DE... inhabité**
>
> « Inhabité » et *inhabited* sont des faux amis par excellence, puisqu'ils veulent dire exactement le contraire l'un de l'autre. Ainsi, *the footprints in the sand indicated that the island was inhabited* signifie « les traces de pas dans le sable indiquaient que l'île devait être *habitée* ». Pour traduire « inhabité », il faut faire précéder l'adjectif anglais du prefixe *un-*, comme dans : « la région est complètement inhabitée », *the area is completely uninhabited.*

inhabituel, elle *adj* unusual.

inhalateur, trice *adj* • **appareil inhalateur** inhaler. ■ **inhalateur** *nm* inhaler.

inhalation *nf* inhalation.

inhérent, e *adj* • **inhérent à** inherent in.

inhibition *nf* inhibition.

inhospitalier, ère *adj* inhospitable.

inhumain, e *adj* inhuman.

inhumation *nf* burial.

inhumer *vt* to bury.

inimaginable *adj* incredible, unimaginable.

inimitable *adj* inimitable.

ininflammable *adj* non-flammable.

inintelligible *adj* unintelligible.

inintéressant, e *adj* uninteresting.

ininterrompu, e *adj* **1.** *(file, vacarme)* uninterrupted **2.** *(ligne, suite)* unbroken **3.** *(travail, effort)* continuous.

inique *adj* iniquitous.

initial, e *adj (lettre)* initial. ■ **initiale** *nf* initial.

initiateur, trice *nm, f* **1.** *(maître)* initiator **2.** *(précurseur)* innovator.

initiation *nf* • **initiation (à)** *(discipline)* introduction (to) • *(rituel)* initiation (into).

initiative *nf* initiative • **prendre l'initiative de qqch/de faire qqch** to take the initiative for sthg/in doing sthg.

initié, e ■ *adj* initiated. ■ *nm, f* initiate.

initier *vt* • **initier qqn à** to initiate sb into.

injecté, e *adj* • **yeux injectés de sang** bloodshot eyes.

injecter *vt* to inject.

injection *nf* injection.

injoignable *adj* • **j'ai essayé de lui téléphoner mais il est injoignable** I tried to phone him but I couldn't get through to him *ou* reach him *ou* get hold of him.

injonction *nf* injunction.

injure *nf* insult.

injurier *vt* to insult.

> **À PROPOS DE... injurier**
>
> « Injurier » ne se traduit jamais par *to injure* qui, malgré la ressemblance orthographique, a le sens de « blesser », notamment par accident (*he was injured in a car accident*, « il a été blessé dans un accident de voiture »). Une phrase du type « il n'arrête pas de l'injurier » se traduira par *he's always insulting her.*

injurieux, euse *adj* abusive, insulting.

injuste *adj* unjust, unfair.

injustice *nf* injustice.

inlassable *adj* tireless.

inlassablement *adv* tirelessly.

inné, e *adj* innate.

innocence *nf* innocence.

innocent, e ■ *adj* innocent. ■ *nm, f* **1.** DR innocent person **2.** *(inoffensif, candide)* innocent **3.** *vieilli (idiot)* simpleton.

innocenter *vt* 1. DR to clear 2. *fig (excuser)* to justify.

innombrable *adj* 1. innumerable 2. *(foule)* vast.

innover *vi* to innovate.

inobservation *nf* inobservance.

inoccupé, e *adj (lieu)* empty, unoccupied.

inoculer *vt* MÉD • **inoculer qqch à qqn** *(volontairement)* to inoculate sb with sthg • *(accidentellement)* to infect sb with sthg.

inodore *adj* odourless (UK), odorless (US).

inoffensif, ive *adj* harmless.

inondation *nf* 1. *(action)* flooding 2. *(résultat)* flood.

inonder *vt* to flood • **inonder de** *fig* to flood with.

inopérable *adj* inoperable.

inopérant, e *adj* ineffective.

inopiné, e *adj* unexpected.

inopportun, e *adj* inopportune.

inoubliable *adj* unforgettable.

inouï, e *adj* incredible, extraordinary.

Inox® *nm inv & adj inv* stainless steel.

inoxydable *adj* 1. stainless 2. *(casserole)* stainless-steel.

inqualifiable *adj* unspeakable.

inquiet, ète *adj* 1. *(gén)* anxious 2. *(tourmenté)* feverish.

inquiéter *vt* 1. *(donner du souci à)* to worry 2. *(déranger)* to disturb.
■ **s'inquiéter** *vp* 1. *(s'alarmer)* to be worried 2. *(se préoccuper)* • **s'inquiéter de** *(s'enquérir de)* to enquire about • *(se soucier de)* to worry about.

inquiétude *nf* anxiety, worry.

inquisiteur, trice *adj* prying.

insaisissable *adj* 1. *(personne)* elusive 2. *fig (nuance)* imperceptible.

insalubre *adj* unhealthy.

insatiable *adj* insatiable.

insatisfait, e ◼ *adj (personne)* dissatisfied. ◼ *nm, f* malcontent.

insaturé, e *adj* unsaturated.

inscription *nf* 1. *(action, écrit)* inscription 2. *(enregistrement)* enrolment (UK), enrollment (US), registration.

inscrire *vt* 1. *(écrire)* to write down 2. *(graver)* to inscribe 3. *(personne)* • **inscrire qqn**

à qqch to enrol (UK) *ou* enroll (US) sb for sthg, to register sb for sthg • **inscrire qqn sur qqch** to put sb's name down on sthg 4. *(inclure)* to list, to include.
■ **s'inscrire** *vp (personne)* • **s'inscrire à qqch** to enrol (UK) *ou* enroll (US) for sthg, to register for sthg • **s'inscrire sur qqch** to put one's name down on sthg.

inscrit, e ◼ *pp* ▷ **inscrire**. ◼ *adj (sur liste)* registered • **être inscrit sur une liste** to have one's name on a list. ◼ *nm, f* registered person.

insecte *nm* insect.

insecticide *nm & adj* insecticide.

insécurité *nf* insecurity.

insémination *nf* insemination • **insémination artificielle** artificial insemination.

insensé, e *adj* 1. *(déraisonnable)* insane 2. *(incroyable, excentrique)* extraordinary.

insensibiliser *vt* to anaesthetize, to anesthetize (US) • **insensibiliser qqn (à)** *fig* to make sb insensitive (to).

insensible *adj* 1. *(gén)* • **insensible (à)** insensitive (to) 2. *(imperceptible)* imperceptible.

insensiblement *adv* imperceptibly.

inséparable *adj* • **inséparable (de)** inseparable (from).

insérer *vt* to insert • **insérer une annonce dans un journal** to put an advertisement in a newspaper.
■ **s'insérer** *vp (s'intégrer)* • **s'insérer dans** to fit into.

insidieux, euse *adj* insidious.

insigne ◼ *nm* badge. ◼ *adj* 1. *littéraire (honneur)* distinguished 2. *hum (maladresse)* remarkable.

insignifiant, e *adj* insignificant.

insinuation *nf* insinuation, innuendo.

insinuer *vt* to insinuate, to imply.
■ **s'insinuer** *vp* • **s'insinuer dans** *(eau, humidité, odeur)* to seep into • *fig (personne)* to insinuate o.s. into.

insipide *adj* 1. *(aliment)* insipid, tasteless 2. *fig* insipid.

insistance *nf* insistence.

insister *vi* to insist • **insister sur** to insist on • **insister pour faire qqch** to insist on doing sthg.

insolation *nf (malaise)* sunstroke *(indénombrable)*.

insolence *nf* insolence *(indénombrable)*.

insolent, e ◼ *adj* **1.** *(personne, acte)* insolent **2.** *(joie, succès)* unashamed, blatant. ◼ *nm, f* insolent person.

insolite *adj* unusual.

insoluble *adj* **1.** CHIM insoluble, insolvable *(US)* **2.** *(problème)* insoluble, insolvable *(US)*.

insolvable *adj* insolvent.

insomnie *nf* insomnia *(indénombrable)*.

insondable *adj* **1.** *(gouffre, mystère)* unfathomable **2.** *(bêtise)* abysmal.

insonoriser *vt* to soundproof.

insouciance *nf* *(légèreté)* carefree attitude.

insouciant, e *adj (sans-souci)* carefree.

insoumis, e *adj* **1.** *(caractère)* rebellious **2.** *(peuple)* unsubjugated **3.** *(soldat)* deserting *(avant nom)*.

insoumission *nf* **1.** *(caractère rebelle)* rebelliousness **2.** MIL desertion.

insoupçonné, e *adj* unsuspected.

insoutenable *adj* **1.** *(rythme)* unsustainable **2.** *(scène, violence)* unbearable **3.** *(théorie)* untenable.

inspecter *vt* to inspect.

inspecteur, trice *nm, f* inspector.

inspection *nf* **1.** *(contrôle)* inspection **2.** *(fonction)* inspectorate.

inspiration *nf* **1.** *(gén)* inspiration **2.** *(idée)* bright idea, brainwave *(UK)*, brainstorm *(US)* ⚬ **avoir de l'inspiration** to be inspired **3.** *(d'air)* breathing in.

inspiré, e *adj* inspired.

inspirer *vt* **1.** *(gén)* to inspire ⚬ **inspirer qqch à qqn** to inspire sb with sthg **2.** *(air)* to breathe in, to inhale. ◼ **s'inspirer** *vp (prendre modèle sur)* ⚬ **s'inspirer de qqn/qqch** to be inspired by sb/sthg.

instable *adj* **1.** *(gén)* unstable **2.** *(vie, temps)* unsettled.

installation *nf* **1.** *(de gaz, eau, électricité)* installation **2.** *(de personne - comme médecin, artisan)* setting up ⚬ *(- dans appartement)* settling in **3.** *(gén pl) (équipement)* installations *pl*, fittings *pl* **4.** *(usine)* plant *(indénombrable)* **5.** *(de loisirs)* facilities *pl* ⚬ **installation électrique** wiring.

installer *vt* **1.** *(gaz, eau, électricité)* to install, to put in **2.** INFORM to install **3.** *(appartement)* to fit out **4.** *(rideaux, étagères)* to put up **5.** *(meubles)* to put in **6.** *(personne)* ⚬ **installer qqn** to get sb settled, to install sb. ◼ **s'installer** *vp* **1.** *(comme médecin, artisan)* to set (o.s.) up **2.** *(emménager)* to settle in ⚬ **s'installer chez qqn** to move in with sb **3.** *(dans fauteuil)* to settle down **4.** *fig (maladie, routine)* to set in.

instamment *adv* insistently.

instance *nf* **1.** *(autorité)* authority **2.** DR proceedings *pl*. ◼ **instances** *nfpl sout* entreaties. ◼ **en instance** *loc adj* pending. ◼ **en instance de** *loc adv* on the point of.

instant *nm* instant ⚬ **à l'instant** *(il y a peu de temps)* a moment ago ⚬ *(immédiatement)* this minute ⚬ **à tout instant** *(en permanence)* at all times ⚬ *(d'un moment à l'autre)* at any moment ⚬ **pour l'instant** for the moment.

instantané, e *adj* **1.** *(immédiat)* instantaneous **2.** *(soluble)* instant. ◼ **instantané** *nm* snapshot.

instar ⚬ **à l'instar de** *loc prép* following the example of.

instaurer *vt* **1.** *(instituer)* to establish **2.** *fig (peur, confiance)* to instil *(UK)*, to instill *(US)*.

instigateur, trice *nm, f* instigator.

instigation *nf* instigation. ◼ **à l'instigation de, sur l'instigation de** *loc prép* at the instigation of.

instinct *nm* instinct.

instinctif, ive ◼ *adj* instinctive. ◼ *nm, f* instinctive person.

instituer *vt* **1.** *(pratique)* to institute **2.** DR *(personne)* to appoint.

institut *nm* **1.** *(établissement)* institute ⚬ **l'institut Pasteur** Pasteur Institute **2.** *(de soins)* ⚬ **institut de beauté** beauty salon.

instituteur, trice *nm, f* primary school teacher *(UK)*, grade school teacher *(US)*.

institution *nf* **1.** *(gén)* institution **2.** *(école privée)* private school. ◼ **institutions** *nfpl* POLIT institutions.

instructif, ive *adj* instructive, educational.

instruction *nf* **1.** *(enseignement, savoir)* education **2.** *(formation)* training **3.** *(directive)* order **4.** DR (pre-trial) investigation. ◼ **instructions** *nfpl* instructions.

instruit, e *adj* educated.

instrument *nm* instrument • **instrument de musique** musical instrument.

LES INSTRUMENTS DE MUSIQUE

• la batterie the drums
• la clarinette the clarinet
• la contrebasse the double bass
• la cymbale the cymbal
• la flûte à bec the recorder
• la flûte traversière the flute
• la guitare the guitar
• l'harmonica the harmonica
• le piano the piano
• le saxophone the saxophone
• le tambourin the tambourine
• le trombone the trombone
• la trompette the trumpet
• le violoncelle the cello
• le violon the violin
• le xylophone the xylophone.

instrumentaliser *vt* to use, to manipulate.

insu ■ **à l'insu de** *loc prép* • **à l'insu de qqn** without sb knowing • **ils ont tout organisé à mon insu** they organized it all without my knowing.

insubmersible *adj* unsinkable.

insubordination *nf* insubordination.

insuccès *nm* failure.

insuffisance *nf* **1.** *(manque)* insufficiency **2.** MÉD deficiency. ■ **insuffisances** *nfpl* *(faiblesses)* shortcomings.

insuffisant, e *adj* **1.** *(en quantité)* insufficient **2.** *(en qualité)* inadequate, unsatisfactory.

insuffler *vt* **1.** *(air)* to blow **2.** fig *(sentiment)* • **insuffler qqch à qqn** to inspire sb with sthg.

insulaire ■ *nmf* islander. ■ *adj* GÉOGR island *(avant nom).*

insuline *nf* insulin.

insulte *nf* insult.

insulter *vt* to insult.

insupportable *adj* unbearable.

insurgé, e *adj & nm, f* insurgent, rebel.

insurger ■ **s'insurger** *vp* to rebel, to revolt • **s'insurger contre qqch** to protest against sthg.

insurmontable *adj* **1.** *(difficulté)* insurmountable **2.** *(dégoût)* uncontrollable.

insurrection *nf* insurrection.

intact, e *adj* intact.

intangible *adj* **1.** littéraire *(impalpable)* intangible **2.** *(sacré)* inviolable.

intarissable *adj* inexhaustible • **il est intarissable** he could go on talking for ever.

intégral, e *adj* **1.** *(paiement)* in full **2.** *(texte)* unabridged, complete **3.** MATH • **calcul intégral** integral calculus.

intégralement *adv* fully, in full.

intégrant, e ▷ **parti.**

intègre *adj* honest.

intégré, e *adj* *(élément)* built-in.

intégrer *vt* *(assimiler)* • **intégrer (à** *ou* **dans)** to integrate (into).
■ **s'intégrer** *vp* **1.** *(s'incorporer)* • **s'intégrer dans** *ou* **à** to fit into **2.** *(s'adapter)* to integrate.

intégrisme *nm* fundamentalism.

intégrité *nf* **1.** *(totalité)* entirety **2.** *(honnêteté)* integrity.

intellectuel, elle *adj & nm, f* intellectual.

intelligence *nf* **1.** *(facultés mentales)* intelligence • **intelligence artificielle** artificial intelligence **2.** *(compréhension, complicité)* understanding.

intelligent, e *adj* intelligent.

intelligible *adj* **1.** *(voix)* clear **2.** *(concept, texte)* intelligible.

intello *adj inv & nmf* péj intellectual.

intempéries *nfpl* bad weather *(indénombrable).*

intempestif, ive *adj* untimely.

intenable *adj* **1.** *(chaleur, personne)* unbearable **2.** *(position)* untenable, indefensible.

intendance *nf* **1.** MIL commissariat **2.** SCOL & UNIV bursar's office **3.** fig *(questions matérielles)* housekeeping.

intendant, e *nm, f* **1.** SCOL & UNIV bursar **2.** *(de manoir)* steward. ■ **intendant** *nm* MIL quartermaster.

intense *adj* *(gén)* intense.

intensif, ive *adj* intensive.

intensité *nf* intensity.

intenter *vt* DR • **intenter qqch contre qqn** *ou* **à qqn** to bring sthg against sb.

intention *nf* intention • **avoir l'intention de faire qqch** to intend to do sthg • **intention de vote** voting intention • **les intentions de vote pour le président** those leaning towards (UK) ou toward (US) the président. ■ **à l'intention de** loc prép for.

intentionné, e adj ■ **bien intentionné** well-meaning ■ **mal intentionné** ill-disposed.

intentionnel, elle adj intentional.

interactif, ive adj interactive.

intercalaire ◼ nm insert. ◼ adj ■ **feuillet intercalaire** insert.

intercaler vt ■ **intercaler qqch dans qqch** (feuillet, citation) to insert sthg.in sthg ■ (dans le temps) to fit sthg into sthg.

intercéder vi ■ **intercéder pour** ou **en faveur de qqn auprès de qqn** to intercede with sb on behalf of sb.

intercepter vt 1. (lettre, ballon) to intercept 2. (chaleur) to block.

interchangeable adj interchangeable.

interclasse nm break (UK), recess (US).

interdiction nf 1. (défense) ■ **'interdiction de stationner'** 'strictly no parking' 2. (prohibition, suspension) ■ **interdiction (de)** ban (on), banning (of) ■ **interdiction de séjour** si vous voulez expliquer à un anglophone de quoi il s'agit, vous pouvez dire it is an order banning someone released from prison from living in certain areas.

exprimer une interdiction

• No smoking **Interdiction de fumer**

• Running in the corridors is strictly forbidden. **Il est strictement interdit de courir dans les couloirs.**

• It's out of the question! **Il n'en est pas question !**

• I'm not having it!/That's just not on! (UK) **Ça ne marche pas avec moi !**

• I won't stand for it! **Je n'accepterai pas ça !**

interdire vt 1. (prohiber) ■ **interdire qqch à qqn** to forbid sb sthg ■ **interdire à qqn de faire qqch** to forbid sb to do sthg 2. (empêcher) to prevent ■ **interdire à qqn de faire qqch** to prevent sb from doing sthg 3. (bloquer) to block.

interdit, e ◼ pp ▷ **interdire**. ◼ adj 1. (défendu) forbidden ■ **'film interdit aux moins de 18 ans'** ≃ (18) ■ **il est interdit**

de fumer you're not allowed to smoke 2. (ébahi) ■ **rester interdit** to be stunned 3. (privé) ■ **être interdit de chéquier** to have had one's chequebook (UK) ou checkbook (US) facilities withdrawn, to be forbidden to write cheques (UK) ou checks (US) ■ **interdit de séjour** banned from entering the country.

intéressant, e adj 1. (captivant) interesting 2. (avantageux) advantageous, good.

intéressé, e adj 1. (concerné) concerned, involved 2. péj (motivé) self-interested.

intéresser vt 1. (captiver) to interest ■ **intéresser qqn à qqch** to interest sb in sthg 2. COMM (faire participer) ■ **intéresser les employés (aux bénéfices)** to give one's employees a share in the profits ■ **intéresser qqn dans son commerce** to give sb a financial interest in one's business 3. (concerner) to concern.

■ **s'intéresser** vp ■ **s'intéresser à qqn/ qqch** to take an interest in sb/sthg, to be interested in sb/sthg.

intérêt nm 1. (gén) interest ■ **intérêt pour** interest in ■ **avoir intérêt à faire qqch** to be well advised to do sthg 2. (importance) significance. ■ **intérêts** nmpl 1. FIN interest (indénombrable) 2. COMM ■ **avoir des intérêts dans** to have a stake in.

interface nf INFORM interface ■ **interface graphique** graphic interface.

interférer vi 1. PHYS to interfere 2. fig (s'immiscer) ■ **interférer dans qqch** to interfere in sthg.

intérieur, e adj 1. (gén) inner 2. (de pays) domestic. ■ **intérieur** nm 1. (gén) inside ■ **de l'intérieur** from the inside ■ **à l'intérieur (de qqch)** inside (sthg) 2. (de pays) interior.

intérim nm 1. (période) interim period ■ **par intérim** acting (avant nom) 2. (travail temporaire) temporary ou casual work 3. (dans un bureau) temping.

intérimaire ◼ adj 1. (ministre, directeur) acting (avant nom) 2. (employé, fonctions) temporary. ◼ nmf (employé) temp.

intérioriser vt to internalize.

interjection nf LING interjection.

interligne nm (line) spacing.

interlocuteur, trice nm, f 1. (dans conversation) speaker ■ **mon interlocuteur** the person to whom I am/was speaking 2. (dans négociation) negotiator.

interloquer vt to disconcert.

interlude *nm* interlude.

intermède *nm* interlude.

intermédiaire ◼ *nm* intermediary, go-between • **par l'intermédiaire de qqn/ qqch** through sb/sthg. ◼ *adj* intermediate.

interminable *adj* never-ending, interminable.

intermittence *nf* (*discontinuité*) • **par intermittence** intermittently, off and on.

intermittent, e *adj* intermittent • **les intermittents du spectacle** *si vous voulez donner une définition à un anglophone, vous pouvez dire* these are people working in the performing arts. They are entitled to special social security benefits because they do not have regular employment.

internat *nm* (SCOL - *établissement*) boarding school • (- *système*) boarding.

international, e *adj* international.

internaute *nmf* INFORM (net) surfer, cybersurfer, cybernaut, Internet user.

interne ◼ *nmf* **1.** (*élève*) boarder **2.** MÉD & UNIV houseman (UK), intern (US). ◼ *adj* **1.** ANAT internal **2.** (*oreille*) inner **3.** (*du pays*) domestic.

interner *vt* **1.** POLIT to intern **2.** MÉD to commit (to psychiatric hospital).

Internet, internet *nm* • **(l')Internet** the Internet.

interpeller *vt* **1.** (*apostropher*) to call *ou* shout out to **2.** (*interroger*) to take in for questioning.

Interphone® *nm* **1.** intercom **2.** (*d'un immeuble*) Entryphone®.

interposer *vt* to interpose.
◼ **s'interposer** *vp* • **s'interposer entre qqn et qqn** to intervene *ou* come between sb and sb.

interprète *nmf* **1.** (*gén*) interpreter **2.** CINÉ, MUS & THÉÂTRE performer.

interpréter *vt* to interpret.

interrogateur, trice *adj* inquiring.

interrogatif, ive *adj* GRAMM interrogative.

interrogation *nf* **1.** (*de prisonnier*) interrogation **2.** (*de témoin*) questioning **3.** (*question*) question **4.** SCOL test, quiz (US).

interrogatoire *nm* **1.** (*de police, juge*) questioning **2.** (*procès-verbal*) statement.

interrogeable *adj* • **répondeur interrogeable à distance** answering machine *ou* answerphone (UK) with remote playback facility.

interroger *vt* **1.** (*questionner*) to question **2.** (*accusé, base de données*) to interrogate • **interroger qqn (sur qqch)** to question sb (about sthg) **3.** (*faits, conscience*) to examine.
◼ **s'interroger** *vp* • **s'interroger sur** to wonder about.

interrompre *vt* to interrupt.
◼ **s'interrompre** *vp* to stop.

interrompu, e *pp* ▷ **interrompre**.

interrupteur *nm* switch.

interruption *nf* **1.** (*arrêt*) break **2.** (*action*) interruption.

intersection *nf* intersection.

interstice *nm* chink, crack.

interurbain, e *adj* long-distance. ◼ **interurbain** *nm* • **l'interurbain** the long-distance telephone service.

intervalle *nm* **1.** (*spatial*) space, gap **2.** (*temporel*) interval, period (of time) • **à 6 jours d'intervalle** after 6 days **3.** MUS interval.

intervenant, e *nm, f* (*orateur*) speaker.

intervenir *vi* **1.** (*personne*) to intervene • **intervenir auprès de qqn** to intervene with sb • **intervenir dans qqch** to intervene in sthg • **faire intervenir qqn** to bring *ou* call in sb **2.** (*événement*) to take place.

intervention *nf* **1.** (*gén*) intervention **2.** MÉD operation • **subir une intervention chirurgicale** to have an operation, to have surgery **3.** (*discours*) speech.

intervertir *vt* to reverse, to invert.

interview *nf* interview.

interviewer *vt* to interview.

intestin *nm* intestine.

intestinal, e *adj* intestinal.

intime ◼ *nmf* close friend. ◼ *adj* **1.** (*gén*) intimate **2.** (*vie, journal*) private.

intimider *vt* to intimidate.

intimité *nf* **1.** (*secret*) depths *pl* **2.** (*familiarité, confort*) intimacy **3.** (*vie privée*) privacy.

intitulé *nm* **1.** (*titre*) title **2.** (*de paragraphe*) heading.

intituler *vt* to call, to entitle.
■ **s'intituler** *vp (ouvrage)* to be called *ou* entitled.

intolérable *adj* intolerable.

intolérance *nf (religieuse, politique)* intolerance.

intolérant, e *adj* intolerant.

intonation *nf* intonation.

intouchable *nmf & adj* untouchable.

intoxication *nf* 1. *(empoisonnement)* poisoning 2. *fig (propagande)* brainwashing.

intoxiquer *vt* ■ **intoxiquer qqn par** *(empoisonner)* to poison sb with ■ *fig* to indoctrinate sb with.

intraduisible *adj (texte)* untranslatable.

intraitable *adj* ■ **intraitable (sur)** inflexible (about).

intransigeant, e *adj* intransigent.

intransitif, ive *adj* intransitive.

intransportable *adj* ■ **il est intransportable** he/it cannot be moved.

intraveineux, euse *adj* intravenous.

intrépide *adj* bold, intrepid.

intrigue *nf* 1. *(manœuvre)* intrigue 2. CINÉ, LITTÉR & THÉÂTRE plot.

intriguer ■ *vt* to intrigue. ■ *vi* to scheme, to intrigue.

introduction *nf* 1. *(gén)* ■ **introduction (à)** introduction (to) 2. *(insertion)* insertion.

introduire *vt* 1. *(gén)* to introduce 2. *(faire entrer)* to show in 3. *(insérer)* to insert.
■ **s'introduire** *vp* 1. *(pénétrer)* to enter ■ **s'introduire dans une maison** *(cambrioleur)* to get into *ou* enter a house 2. *(s'implanter)* to be introduced.

introspection *nf* introspection.

introuvable *adj* nowhere *ou* no-place (US) to be found.

introverti, e ■ *adj* introverted. ■ *nm, f* introvert.

intrus, e *nm, f* intruder.

intrusion *nf* 1. *(gén & GÉOL)* intrusion 2. *(ingérence)* interference.

intuitif, ive *adj* intuitive.

intuition *nf* intuition.

inusable *adj* hardwearing.

inusité, e *adj* unusual, uncommon.

in utero *loc adj & loc adv* in utero.

inutile *adj* 1. *(objet, personne)* useless 2. *(effort, démarche)* pointless.

inutilisable *adj* unusable.

inutilité *nf* 1. *(de personne, d'objet)* uselessness 2. *(de démarche, d'effort)* pointlessness.

invaincu, e *adj* SPORT unbeaten.

invalide ■ *nmf* disabled person ■ **invalide du travail** *si vous voulez donner une définition à un anglophone, vous pouvez dire* it is someone who has a disability as a result of an industrial accident. ■ *adj* disabled.

invalidité *nf* 1. DR invalidity 2. MÉD disability.

invariable *adj* 1. *(immuable)* unchanging 2. GRAMM invariable.

invasion *nf* invasion.

invendable *adj* unsaleable, unsellable.

invendu, e *adj* unsold. ■ **invendu** *nm* remainder.

inventaire *nm* 1. *(gén)* inventory 2. *(COMM - activité)* stocktaking *(UK)*, inventory *(US)* ■ *(- liste)* list.

inventer *vt* DR *(trésor)* to discover, to find.

inventeur *nm (de machine)* inventor.

invention *nf* 1. *(découverte, mensonge)* invention 2. *(imagination)* inventiveness.

inventorier *vt* to make an inventory of.

inverse ■ *nm* opposite, reverse. ■ *adj* 1. *(sens)* opposite 2. *(ordre)* reverse ■ **en sens inverse (de)** in the opposite direction (to) 3. *(rapport)* inverse.

inversement *adv* 1. MATH inversely 2. *(au contraire)* on the other hand 3. *(vice versa)* vice versa.

inverser *vt* to reverse.

invertébré, e *adj* invertebrate. ■ **invertébré** *nm* invertebrate.

investigation *nf* investigation.

investir *vt* to invest.
■ **s'investir dans** *vp + prép* ■ **s'investir dans son métier** to be involved *ou* absorbed in one's job ■ **une actrice qui s'investit entièrement dans ses rôles** an actress who throws herself heart and soul into every part she plays ■ **je me suis énormément investie dans le projet** the project really meant a lot to me.

investissement *nm* investment.

investisseur, euse *nm, f* investor.

investiture *nf* investiture.

invétéré, e *adj péj* inveterate.

invincible *adj* **1.** *(gén)* invincible **2.** *(difficulté)* insurmountable **3.** *(charme)* irresistible.

inviolable *adj* **1.** DR inviolable **2.** *(coffre)* impregnable.

invisible *adj* invisible.

invitation *nf* • invitation **(à)** invitation (to) • **sur invitation** by invitation.

invité, e ◼ *adj* **1.** *(hôte)* invited **2.** *(professeur, conférencier)* guest *(avant nom)*. ◼ *nm, f* guest.

inviter *vt* to invite • **inviter qqn à faire qqch** to invite sb to do sthg • *fig (suj : chose)* to be an invitation to sb to do sthg • **je vous invite !** it's my treat!

in vitro ⊳ **fécondation.**

invivable *adj* unbearable.

involontaire *adj (acte)* involuntary.

invoquer *vt* **1.** *(alléguer)* to put forward **2.** *(citer, appeler à l'aide)* to invoke **3.** *(paix)* to call for.

invraisemblable *adj* **1.** *(incroyable)* unlikely, improbable **2.** *(extravagant)* incredible.

invulnérable *adj* invulnerable.

iode *nm* iodine.

ion *nm* ion.

IRA *(abr de Irish Republican Army) nf* IRA.

Irak, Iraq *nm* • **l'Irak** Iraq.

irakien, enne, iraquien, enne *adj* Iraqi. ◼ **Irakien, enne, Iraquien, enne** *nm, f* Iraqi.

Iran *nm* • **l'Iran** Iran.

iranien, enne *adj* Iranian. ◼ **iranien** *nm (langue)* Iranian. ◼ **Iranien, enne** *nm, f* Iranian.

Iraq = **Irak.**

iraquien = **irakien.**

irascible *adj* irascible.

iris *nm* ANAT & BOT iris.

irisé, e *adj* iridescent.

irlandais, e *adj* Irish. ◼ **irlandais** *nm (langue)* Irish. ◼ **Irlandais, e** *nm, f* Irishman *(f* Irishwoman*)*.

Irlande *nf* • **l'Irlande** Ireland • **l'Irlande du Nord/Sud** Northern Ireland/the Republic of Ireland.

IRM *(abr de Imagerie par résonance magnétique) nm* MÉD MRI.

ironie *nf* irony.

ironique *adj* ironic.

ironiser *vi* to speak ironically.

irradier ◼ *vi* to radiate. ◼ *vt* to irradiate.

irraisonné, e *adj* irrational.

irrationnel, elle *adj* irrational.

irréalisable *adj* unrealizable.

irrécupérable *adj* **1.** *(irrécouvrable)* irretrievable **2.** *(irréparable)* beyond repair **3.** *fam (personne)* beyond hope.

irrécusable *adj* unimpeachable.

irréductible ◼ *nmf* diehard. ◼ *adj* **1.** CHIM, MATH & MÉD irreducible **2.** *fig (volonté)* indomitable **3.** *(personne)* implacable **4.** *(communiste)* diehard *(before n)*.

irréel, elle *adj* unreal.

irréfléchi, e *adj* unthinking.

irréfutable *adj* irrefutable.

irrégularité *nf* **1.** *(gén)* irregularity **2.** *(de terrain, performance)* unevenness.

irrégulier, ère *adj* **1.** *(gén)* irregular **2.** *(terrain, surface)* uneven, irregular **3.** *(employé, athlète)* erratic.

irrémédiable *adj (irréparable)* irreparable.

irremplaçable *adj* irreplaceable.

irréparable *adj* **1.** *(objet)* beyond repair **2.** *fig (perte, erreur)* irreparable.

irrépressible *adj* irrepressible.

irréprochable *adj* irreproachable.

irrésistible *adj* **1.** *(tentation, femme)* irresistible **2.** *(amusant)* entertaining.

irrésolu, e *adj* **1.** *(indécis)* irresolute **2.** *(sans solution)* unresolved.

irrespirable *adj* **1.** *(air)* unbreathable **2.** *fig (oppressant)* oppressive.

irresponsable ◼ *nmf* irresponsible person. ◼ *adj* irresponsible.

irréversible *adj* irreversible.

irrévocable *adj* irrevocable.

irrigation *nf* irrigation.

irriguer *vt* to irrigate.

irritable *adj* irritable.

irritation *nf* irritation.

irriter *vt* **1.** *(exaspérer)* to irritate, to annoy **2.** MÉD to irritate. ◼ **s'irriter** *vp* to get irritated • **s'irriter contre qqn/de qqch** to get irritated with sb/at sthg.

irruption *nf* **1.** *(invasion)* invasion **2.** *(entrée brusque)* irruption.

islam *nm* Islam.

islamique *adj* Islamic.

islandais, e *adj* Icelandic. ■ **islandais** *nm (langue)* Icelandic. ■ **Islandais, e** *nm, f* Icelander.

Islande *nf* • **l'Islande** Iceland.

isocèle *adj* isoceles.

isolant, e *adj* insulating. ■ **isolant** *nm* insulator, insulating material.

isolation *nf* insulation.

isolé, e *adj* isolated.

isoler *vt* **1.** *(séparer)* to isolate **2.** CONSTR & ÉLECTR to insulate • **isoler qqch du froid** to insulate sthg (against the cold) • **isoler qqch du bruit** to soundproof sthg. ■ **s'isoler** *vp* • **s'isoler (de)** to isolate o.s. (from).

isoloir *nm* polling *(UK)* *ou* voting *(US)* booth.

isotherme *adj* isothermal.

Israël *npr* Israel.

israélien, enne *adj* Israeli. ■ **Israélien, enne** *nm, f* Israeli.

israélite *adj* Jewish. ■ **Israélite** *nmf* Jew.

issu, e *adj* • **être issu de** *(résulter de)* to emerge *ou* stem from • *(personne)* to come from. ■ **issue** *nf* **1.** *(sortie)* exit • **issue de secours** emergency exit **2.** *fig (solution)* way out, solution **3.** *(terme)* outcome.

isthme *nm* isthmus.

Italie *nf* • **l'Italie** Italy.

italien, enne *adj* Italian. ■ **italien** *nm (langue)* Italian. ■ **Italien, enne** *nm, f* Italian.

italique *nm* TYPO italics *pl* • **en italique** in italics.

itinéraire *nm* itinerary, route • **itinéraire bis** diversion.

itinérant, e *adj (spectacle, troupe)* itinerant.

IUT (*abr de* **institut universitaire de technologie**) *nm* ≃ technical college.

IVG (*abr de* **interruption volontaire de grossesse**) *nf* abortion.

ivoire *nm* ivory.

ivre *adj* drunk.

ivresse *nf* **1.** drunkenness **2.** *(extase)* rapture.

ivrogne *nmf* drunkard.

j J

j, J *nm inv* j, J.

jabot *nm* **1.** *(d'oiseau)* crop **2.** *(de chemise)* frill.

jacasser *vi péj* to chatter, to jabber.

jacinthe *nf* hyacinth.

Jacuzzi® *nm* Jacuzzi®.

jade *nm* jade.

jadis *adv* formerly, in former times.

jaguar *nm* jaguar.

jaillir *vi* **1.** *(liquide)* to gush **2.** *(flammes)* to leap **3.** *(cri)* to ring out **4.** *(personne)* to spring out.

jais *nm* jet.

jalon *nm* marker pole.

jalonner *vt* to mark (out).

jalousie *nf* **1.** *(envie)* jealousy **2.** *(store)* blind.

jaloux, ouse *adj* • **jaloux (de)** jealous (of).

Jamaïque *nf* • **la Jamaïque** Jamaica.

jamais *adv* **1.** *(sens négatif)* never • **ne... jamais, jamais... ne** never • **je ne reviendrai jamais, jamais je ne reviendrai** I'll never come back • **(ne)... jamais plus, plus jamais (ne)** never again • **je ne viendrai jamais plus, plus jamais je ne viendrai** I'll never come here again **2.** *(sens positif)* • **plus que jamais** more than ever • **il est plus triste que jamais** he's sadder than ever • **si jamais tu le vois** if you should happen to see him, should you happen to see him. ■ **à jamais** *loc adv* for ever.

jambe *nf* leg.

jambières *nfpl* **1.** *(de football)* shin pads *ou* guards **2.** *(de cricket)* pads.

jambon *nm* ham • **jambon blanc** ham • **un jambon beurre** *fam* a ham sandwich.

jante *nf* (wheel) rim.

janvier *nm* January. • *voir aussi* **septembre**

Japon *nm* • **le Japon** Japan.

japonais, e *adj* Japanese. ■ **japonais** *nm (langue)* Japanese. ■ **Japonais, e** *nm, f* Japanese (person) • **les Japonais** the Japanese.

japper *vi* to yap.

jaquette *nf* **1.** *(vêtement)* jacket **2.** *(de livre)* (dust) jacket.

jardin *nm* **1.** *(espace clos)* garden **2.** *(attaché à une maison)* yard • **jardin public** park.

jardinage *nm* gardening.

jardinier, ère *nm, f* gardener. ■ **jardinière** *nf (bac à fleurs)* window box.

jargon *nm* **1.** *(langage spécialisé)* jargon **2.** *fam (charabia)* gibberish.

jarret *nm* **1.** ANAT back of the knee **2.** CULIN knuckle of veal.

jarretelle *nf* suspender *(UK)*, garter *(US)*.

jarretière *nf* garter.

jars *nm* gander.

jaser *vi (bavarder)* to gossip.

jasmin *nm* jasmine.

jatte *nf* bowl.

jauge *nf (instrument)* gauge.

jauger *vt* to gauge.

jaunâtre *adj* yellowish.

jaune ◼ *nm (couleur)* yellow. ◼ *adj* yellow. ■ **jaune d'œuf** *nm* (egg) yolk.

jaunir *vt & vi* to turn yellow.

jaunisse *nf* MÉD jaundice.

java *nf* java.

Javel *nf* • **eau de Javel** bleach.

javelot *nm* javelin.

jazz *nm* jazz.

J.-C. *(abr écrite de* **Jésus-Christ***)* J.C.

je, j' *pron pers* I.

jean, jeans *nm* jeans *pl*, pair of jeans.

Jeep® *nf* Jeep®.

jérémiades *nfpl* moaning *(indénombrable)*, whining *(indénombrable)*.

jerrycan, jerricane *nm* jerry can.

jersey *nm* jersey.

jésuite *nm* Jesuit.

Jésus-Christ *nm* Jesus Christ.

jet¹ *nm* 1. *(action de jeter)* throw 2. *(de liquide)* jet.

jet² *nm* *(avion)* jet.

jetable *adj* disposable.

jeté, e *pp* ▷ **jeter**.

jetée *nf* jetty.

jeter *vt* 1. *(gén)* to throw 2. *(se débarrasser de)* to throw away • **jeter qqch à qqn** *(lancer)* to throw sthg to sb, to throw sb sthg • *(pour faire mal)* to throw sthg at sb 3. *(émettre - étincelle)* to throw *ou* to give out • *(- lumière)* to cast, to shed.
■ **se jeter** *vp* • **se jeter sur** to pounce on • **se jeter dans** *(suj : rivière)* to flow into.

jeton *nm* 1. *(de jeu)* counter 2. *(de téléphone)* token.

jet-set, jet-society *nf* jet set • **membre de la jet-set** jet-setter.

Jet-Ski® *n.m.* Jet-Ski.

jeu, x *nm* 1. *(divertissement)* play *(indénombrable)*, playing *(indénombrable)* • **jeu de mots** play on words, pun 2. *(régi par des règles)* game • **mettre un joueur hors jeu** to put a player offside • **jeu de société** parlour *(UK) ou* parlor *(US)* game 3. *(d'argent)* **le jeu** gambling 4. *(d'échecs, de clés)* set • **jeu de cartes** pack *(UK) ou* deck *(US)* of cards 5. *(manière de jouer)* MUS playing • THÉÂTRE acting • SPORT game 6. TECHNOL play • **cacher son jeu** to play one's cards close to one's chest. ■ **Jeux Olympiques** *nmpl* • **les Jeux Olympiques** the Olympic Games.

jeudi *nm* Thursday. • *voir aussi* **samedi**

jeun ■ **à jeun** *loc adv* on an empty stomach.

jeune ▨ *adj* 1. young 2. *(style, apparence)* youthful • **jeune homme/femme** young man/woman • **jeune pousse** ÉCON start up (company). ▨ *nm* young person • **les jeunes** young people.

jeûne *nm* fast.

jeunesse *nf* 1. *(âge)* youth 2. *(de style, apparence)* youthfulness 3. *(jeunes gens)* young people *pl*.

jingle *nm* jingle.

JO *nmpl* *(abr de* **Jeux Olympiques***)* Olympic Games.

joaillier, ère *nm, f* jeweller *(UK)*, jeweler *(US)*.

job *nm fam* job.

jockey *nm* jockey.

jogging *nm* 1. *(activité)* jogging 2. *(vêtement)* tracksuit, jogging suit.

joie *nf* joy.

joindre *vt* 1. *(rapprocher)* to join 2. *(mains)* to put together 3. *(mettre avec)* • **joindre qqch (à)** to attach sthg (to) 4. *(ajouter)* **joindre un fichier à un message électronique** to attach a file to an email message • *(adjoindre)* to enclose sthg (with) 5. *(par téléphone)* to contact, to reach.
■ **se joindre** *vp* • **se joindre à qqn** to join sb • **se joindre à qqch** to join in sthg.

joint, e *pp* ▷ **joindre**. ■ **joint** *nm* 1. *(d'étanchéité)* seal 2. *fam (drogue)* joint.

joker *nm* joker.

joli, e *adj* 1. *(femme, chose)* pretty, attractive 2. *(somme, situation)* nice.

joliment *adv* 1. *(bien)* prettily, attractively 2. *iron* nicely 3. *fam (beaucoup)* really.

jonc *nm* rush, bulrush.

joncher *vt* to strew • **être jonché de** to be strewn with.

jonction *nf* *(de routes)* junction.

jongler *vi* to juggle.

jongleur, euse *nm, f* juggler.

jonquille *nf* daffodil.

Jordanie *nf* • **la Jordanie** Jordan.

joue *nf* cheek • **tenir** *ou* **mettre qqn en joue** *fig* to take aim at sb.

jouer ■ *vi* **1.** *(gén)* to play • **jouer avec qqn/ qqch** to play with sb/sthg • **jouer à qqch** *(jeu, sport)* to play sthg • **jouer de** MUS to play • **à toi de jouer !** (it's) your turn! **2.** *fig* your move! **3.** CINÉ & THÉÂTRE to act **4.** *(parier)* to gamble. ■ *vt* **1.** *(carte, partie)* to play **2.** *(somme d'argent)* to bet, to wager **3.** *fig* to gamble with **4.** (THÉÂTRE - *pièce)* to put on, to perform • *(- personnage, rôle)* to play **5.** *(avoir à l'affiche)* to show **6.** MUS to perform, to play.

jouet *nm* toy.

joueur, euse *nm, f* **1.** SPORT player • **joueur de football** soccer *ou* football (UK) player, footballer (UK) **2.** *(au casino)* gambler.

joufflu, e *adj* *(personne)* chubby-cheeked.

joug *nm* yoke.

jouir *vi* **1.** *(profiter)* • **jouir de** to enjoy **2.** *(sexuellement)* to have an orgasm.

jouissance *nf* **1.** DR *(d'un bien)* use **2.** *(sexuelle)* orgasm.

joujou *nm* toy.

jour *nm* **1.** *(unité de temps)* day • **huit jours** a week • **quinze jours** two weeks, a fortnight (UK) • **de jour en jour** day by day • **jour après jour** day after day • **au jour le jour** from day to day • **jour et nuit** night and day • **le jour de l'an** New Year's Day • **jour chômé** public holiday • **jour de congé** day off • **jour férié** public holiday • **jour ouvrable** working day **2.** *(lumière)* daylight • **de jour** in the daytime, by day **3.** COUT opening *(made by drawing threads)* • **mettre qqch à jour** to update sthg, to bring sthg up to date.

LES JOURS DE LA SEMAINE

- lundi Monday
- mardi Tuesday
- mercredi Wednesday
- jeudi Thursday
- vendredi Friday
- samedi Saturday
- dimanche Sunday

journal *nm* **1.** *(publication)* newspaper, paper **2.** TV • **journal télévisé** television news **3.** *(écrit)* • **journal (intime)** diary, journal.

journalier, ère *adj* daily.

journalisme *nm* journalism.

journaliste *nmf* journalist, reporter.

journée *nf* day.

joute *nf* **1.** joust **2.** *fig* duel.

jovial, e *adj* jovial, jolly.

joyau *nm* jewel.

joyeux, euse *adj* joyful, happy • **joyeux Noël !** Merry Christmas!

jubilé *nm* jubilee.

jubiler *vi* *fam* to be jubilant.

jucher *vt* • **jucher qqn sur qqch** to perch sb on sthg.

judaïque *adj* **1.** *(loi)* Judaic **2.** *(tradition, religion)* Jewish.

judaïsme *nm* Judaism.

judas *nm* *(ouverture)* peephole.

judéo-chrétien, enne *adj* Judaeo-Christian.

judiciaire *adj* judicial.

judicieux, euse *adj* judicious.

judo *nm* judo.

juge *nm* judge • **juge d'instruction** examining magistrate • **juge d'enfants** children's judge, juvenile magistrate (UK).

jugé ■ **au jugé** *loc adv* by guesswork • **tirer au jugé** to fire blind.

jugement *nm* judgment • **prononcer un jugement** to pass sentence.

jugeote *nf* *fam* common sense.

juger ■ *vt* **1.** to judge **2.** *(accusé)* to try • **juger que** to judge (that), to consider (that) • **juger qqn/qqch inutile** to consider sb/sthg useless. ■ *vi* to judge • **juger de qqch** to judge sthg • **si j'en juge d'après mon expérience** judging from my experience • **jugez de ma surprise !** imagine my surprise!

juif, ive *adj* Jewish. ■ **Juif, ive** *nm, f* Jew.

juillet *nm* July • **la fête du 14 Juillet** the Fourteenth of July, Bastille Day. • *voir aussi* **septembre**

juin *nm* June. • *voir aussi* **septembre**

juke-box *nm inv* jukebox.

jumeau, elle ■ *adj* twin *(avant nom)*. ■ *nm, f* twin. ■ **jumelles** *nfpl* *(en optique)* binoculars.

jumelé, **e** *adj* 1. *(villes)* twinned 2. *(maisons)* semidetached.

jumeler *vt* to twin.

jument *nf* mare.

jungle *nf* jungle.

junior *adj* & *nmf* SPORT junior.

junte *nf* junta.

jupe *nf* skirt.

jupe-culotte *nf* culottes *pl*.

jupon *nm* petticoat, slip.

juré *nm* DR juror.

jurer ◼ *vt* ▪ **jurer qqch à qqn** to swear *ou* pledge sthg to sb ▪ **jurer (à qqn) que...** to swear (to sb) that... ▪ **jurer de faire qqch** to swear *ou* vow to do sthg ▪ **je vous jure !** *fam* honestly! ◼ *vi* 1. *(blasphémer)* to swear, to curse 2. *(ne pas aller ensemble)* ▪ **jurer (avec)** to clash (with). ◼ **se jurer** *vp* ▪ **se jurer de faire qqch** to swear *ou* vow to do sthg.

juridiction *nf* jurisdiction.

juridique *adj* legal.

jurisprudence *nf* jurisprudence.

juriste *nmf* lawyer.

juron *nm* swearword, oath.

jury *nm* 1. DR jury 2. *(SCOL - d'examen)* examining board ▪ *(- de concours)* admissions board.

jus *nm* 1. *(de fruits, légumes)* juice 2. *(de viande)* gravy.

jusque, **jusqu'** ◼ **jusqu'à** *loc prép* 1. *(sens temporel)* until, till ▪ **jusqu'à nouvel ordre** until further notice ▪ **jusqu'à présent** up until now, so far 2. *(sens spatial)* as far as ▪ **jusqu'au bout** to the end 3. *(même)* even. ▪ **jusqu'à ce que** *loc conj* until, till. ▪ **jusqu'en** *loc prép* up until. ▪ **jusqu'ici** *loc adv* 1. *(lieu)* up to here 2. *(temps)* up until now, so far. ▪ **jusque-là** *loc adv* 1. *(lieu)* up to there 2. *(temps)* until then.

justaucorps *nm* *(maillot)* leotard.

juste ◼ *adj* 1. *(équitable)* fair 2. *(exact)* right, correct 3. *(trop petit, trop court)* tight. ◼ *adv* 1. *(bien)* correctly, right 2. *(exactement, seulement)* just.

justement *adv* 1. *(avec raison)* rightly 2. *(précisément)* exactly, precisely.

justesse *nf* 1. *(de remarque)* aptness 2. *(de raisonnement)* soundness. ▪ **de justesse** *loc adv* only just.

justice *nf* 1. DR justice ▪ **passer en justice** to stand trial 2. *(équité)* fairness.

justicier, **ère** *nm, f* righter of wrongs.

justifiable *adj* justifiable.

justificatif, **ive** *adj* supporting *(avant nom)*. ◼ **justificatif** *nm* written proof *(indénombrable)*.

justification *nf* justification.

justifier *vt* *(gén)* to justify. ◼ **se justifier** *vp* to justify o.s..

jute *nm* jute.

juteux, **euse** *adj* juicy.

juvénile *adj* youthful.

juxtaposer *vt* to juxtapose, to place side by side.

k, K *nm inv* k, K.

K7 *(abr de* **cassette)** *nf* cassette.

kaki ◼ *nm* **1.** *(couleur)* khaki **2.** *(fruit)* per-simmon. ◼ *adj inv* khaki.

kaléidoscope *nm* kaleidoscope.

kamikaze *nm* kamikaze pilot.

kanak = **canaque.**

kangourou *nm* kangaroo.

karaoké *nm* karaoke.

karaté *nm* karate.

karting *nm* go-karting *(UK)*, go-carting *(US)*.

kas(c)her, cascher *adj inv* kosher.

kayak *nm* kayak.

Kenya *nm* ◦ **le Kenya** Kenya.

képi *nm* kepi.

kératine *nf* keratin.

kermesse *nf* **1.** *(foire)* fair **2.** *(fête de bienfaisance)* fête.

kérosène *nm* kerosene.

ketchup *nm* ketchup.

keuf *nm fam* cop.

keum *nm fam* guy, bloke.

kg *(abr écrite de* **kilogramme)** kg.

kibboutz *nm inv* kibbutz.

kidnapper *vt* to kidnap.

kidnappeur, euse *nm, f* kidnapper.

kilo *nm* kilo.

kilogramme *nm* kilogram, kilogramme *(UK)*.

kilométrage *nm* **1.** *(de voiture)* ≃ mileage **2.** *(distance)* distance.

kilomètre *nm* kilometre *(UK)*, kilometer *(US)*.

kilo-octet *nm* INFORM kilobyte.

kilowatt *nm* kilowatt.

kilt *nm* kilt.

kimono *nm* kimono.

kiné *fam* ◼ *nmf (abr de* **kinésithérapeute)** physio *(UK)*, physical therapist *(US)*. ◼ *nmf (abr de* **kinésithérapie)** physio *(UK)*, physical therapy *(US)* ◦ **5 séances de kiné** 5 sessions of physio *(UK)* *ou* physical therapy *(US)*.

kinésithérapeute *nmf* physiotherapist *(UK)*, physical therapist *(US)*.

kinésithérapie *nf* physiotherapy *(UK)*, physical therapy *(US)*.

kiosque *nm* **1.** *(de vente)* kiosk **2.** *(pavillon)* pavilion.

kir *nm* kir *white wine and blackcurrant liqueur.*

kirsch *nm* cherry brandy.

kitchenette *nf* kitchenette.

kitsch *adj inv* kitsch.

kiwi *nm* **1.** *(oiseau)* kiwi **2.** *(fruit)* kiwi, kiwi fruit *(indénombrable)*.

Klaxon® *nm* horn.

klaxonner *vi* to hoot, to honk.

kleptomane *nmf* kleptomaniac.

km *(abr écrite de* **kilomètre)** km.

km/h *(abr écrite de* **kilomètre par heure)** kph.

Ko *(abr écrite de* **kilo-octet)** K.

K.-O. *nm* ◦ **mettre qqn K.-O.** to knock sb out.

Koweït *nm (pays, ville)* Kuwait ◦ **le Koweït** Kuwait.

krach *nm* crash ◦ **krach boursier** stock market crash.

kung-fu *nm* kung fu.

kurde ◼ *adj* Kurdish. ◼ *nm (langue)* Kurdish. ◼ **Kurde** *nmf* Kurd.

kyrielle *nf fam* **1.** stream **2.** *(d'enfants)* horde.

kyste *nm* cyst.

L

l, L ■ *nm inv* l, L. ■ (*abr écrite de* **litre**) l.

la[1] *art déf & pron pers* ▷ **le**.

la[2] *nm inv* **1.** MUS A **2.** *(chanté)* la, lah *(UK)*.

là ■ *adv* **1.** *(lieu)* there • **à 3 kilomètres de là** 3 kilometres from there • **passe par là** go that way • **c'est là que je travaille** that's where I work • **je suis là** I'm here **2.** *(temps)* then • **à quelques jours de là** a few days later, a few days after that **3.** *(avec une proposition relative)* • **là où** *(lieu)* where • *(temps)* when. ■ *voir aussi* **ce**, **là-bas**, **là-dedans** *etc.*

là-bas *adv* (over) there.

label *nm* **1.** *(étiquette)* • **label de qualité** label guaranteeing quality **2.** *(commerce)* label, brand name.

labeur *nm sout* labour *(UK)*, labor *(US)*.

labo (*abr de* **laboratoire**) *nm fam* lab.

laborantin, e *nm, f* laboratory assistant.

laboratoire *nm* laboratory.

laborieux, euse *adj (difficile)* laborious.

labourer *vt* **1.** AGRIC to plough *(UK)*, to plow *(US)* **2.** *fig (creuser)* to make a gash in.

laboureur *nm* ploughman *(UK)*, plowman *(US)*.

labyrinthe *nm* labyrinth.

lac *nm* lake • **les Grands Lacs** the Great Lakes • **le lac Léman** Lake Geneva.

lacer *vt* to tie.

lacérer *vt* **1.** *(déchirer)* to shred **2.** *(blesser, griffer)* to slash.

lacet *nm* **1.** *(cordon)* lace **2.** *(de route)* bend **3.** *(piège)* snare.

lâche ■ *nmf* coward. ■ *adj* **1.** *(nœud)* loose **2.** *(personne, comportement)* cowardly.

lâcher ■ *vt* **1.** *(libérer - bras, objet)* to let go of • *(- animal)* to let go, to release **2.** *(émettre - son, mot)* to let out, to come out with **3.** *(desserrer)* to loosen **4.** *(laisser tomber)* • **lâcher qqch** to drop sthg. ■ *vi* to give way.

lâcheté *nf* **1.** *(couardise)* cowardice **2.** *(acte)* cowardly act.

lacis *nm (labyrinthe)* maze.

laconique *adj* laconic.

lacrymogène *adj* tear *(avant nom)*.

lacune *nf (manque)* gap.

lacustre *adj* **1.** *(faune, plante)* lake *(avant nom)* **2.** *(cité, village)* on stilts.

lad *nm* stable lad.

là-dedans *adv* inside, in there • **il y a quelque chose qui m'intrigue là-dedans** there's something in that which intrigues me.

là-dessous *adv* **1.** underneath, under there **2.** *fig* behind that.

là-dessus *adv* on that • **là-dessus, il partit** at that point *ou* with that, he left • **je suis d'accord là-dessus** I agree about that.

lagon *nm* lagoon.

lagune *nf* = **lagon**.

là-haut *adv* up there.

laïc, laïque ■ *adj* **1.** lay *(avant nom)* **2.** *(juridiction)* civil *(avant nom)* **3.** *(école)* state *(avant nom)*. ■ *nm, f* layman (*f* laywoman).

laid, e *adj* **1.** *(esthétiquement)* ugly **2.** *(moralement)* wicked.

laideron *nm* ugly woman.

laideur *nf* **1.** *(physique)* ugliness **2.** *(morale)* wickedness.

lainage *nm* **1.** *(étoffe)* woollen *(UK) ou* woolen *(US)* material **2.** *(vêtement)* woollen *(UK) ou* woolen *(US)* garment, woolly *(UK)*.

laine *nf* wool • **laine polaire** polar fleece.

laineux, euse *adj* woolly *(UK)*, wooly *(US)*.

laïque = **laïc**.

laisse *nf (corde)* lead *(UK)*, leash *(US)* • **tenir en laisse** *(chien)* to keep on a lead *(UK) ou* leash *(US)*.

laisser v aux

1. AUTORISER QQN À FAIRE QQCH
* **laisse-le parler !** let him talk!
* **les parents de Luc ne le laissent pas sortir** Luc's parents won't let him go out
* **laisse-le faire, il va y arriver** let him do it, he'll manage
2. AGIR DE FAÇON INCONTRÔLÉE
* **elle a laissé voir sa tristesse** she couldn't help showing her sadness
* **il a laissé tomber le nouveau vase** he dropped the new vase
3. DANS DES EXPRESSIONS
* **laisse tomber !** drop it!
* **laisse faire !** never mind! ou don't bother!

laisser vt

1. CONFIER
* **ils m'ont laissé leur chat pour le week-end** they left their cat with me for the weekend
2. CÉDER, DONNER
* **laisse-moi un morceau de gâteau** leave a piece of cake for me
* **il m'a laissé sa casquette parce qu'elle me plaisait** he let me have his cap because I liked it
3. FAIRE DEMEURER
* **ils m'ont laissé dans l'erreur** they didn't tell me I was mistaken
* **ça l'a laissé indifférent** it left him unmoved
4. PERDRE
* **Nelson a laissé son bras dans la bataille** Nelson lost his arm in the battle
* **il y a laissé la vie** it cost him his life.

■ **se laisser** vp

INDIQUE UN « RELÂCHEMENT »
* **ne te laisse pas décourager !** don't be discouraged
* **laisse-toi aller** relax
* **tu ne devrais pas te laisser aller** you shouldn't let yourself go
* **elle s'est laissée persuader d'accorder une interview au magazine** she let herself be persuaded to grant an interview to the magazine.

laisser-aller nm inv carelessness.

laissez-passer nm inv pass.

lait nm 1. (gén) milk * **lait concentré** ou **condensé** (sucré) condensed milk * (non sucré) evaporated milk * **lait écrémé** skimmed ou skim (US) milk * **lait entier** whole milk 2. (cosmétique) * **lait démaquillant** cleansing milk ou lotion. ■ **au lait** loc adj with milk.

laitage nm dairy product.

laiterie nf dairy.

laitier, ère ■ adj dairy (avant nom). ■ nm, f milkman (f milkwoman).

laiton nm brass.

laitue nf lettuce.

laïus nm fam long speech.

lambeau nm (morceau) shred.

lambris nm panelling (UK), paneling (US).

lame nf 1. (fer) blade * **lame de rasoir** razor blade 2. (lamelle) strip 3. (vague) wave.

lamé, e adj lamé. ■ **lamé** nm lamé.

lamelle nf 1. (de champignon) gill 2. (tranche) thin slice 3. (de verre) slide.

lamentable adj 1. (résultats, sort) appalling 2. (ton) plaintive.

lamentation nf 1. (plainte) lamentation 2. (gén pl) (jérémiade) moaning (indénombrable).

lamenter ■ **se lamenter** vp* to complain.

laminer vt 1. (dans l'industrie) to laminate 2. fig (personne, revenus) to eat away at.

lampadaire nm 1. (d'intérieur) floor lamp, standard lamp (UK) 2. (de rue) street lamp ou light.

lampe nf lamp, light * **lampe de chevet** bedside lamp * **lampe halogène** halogen light * **lampe de poche** torch (UK), flashlight (US).

lampion nm Chinese lantern.

lance nf 1. (arme) spear 2. (de tuyau) nozzle * **lance d'incendie** fire hose.

lance-flammes nm inv flame-thrower.

lancement nm (d'entreprise, produit, navire) launching.

lance-pierres nm inv catapult (UK), slingshot (US).

lancer ■ vt 1. (pierre, javelot) to throw * **lancer qqch sur qqn** to throw sthg at sb 2. (fusée, produit, style) to launch 3. (émettre) to give off 4. (cri) to let out 5. (injures) to hurl 6. (ultimatum) to issue 7. (moteur) to start up 8. (INFORM - programme) to start * (- système) to boot (up) 9. fig (sur un sujet) * **lancer qqn sur qqch** to get sb started on

sthg **10.** *(faire connaître)* to launch. ◼ *nm*
1. *(à la pêche)* casting **2.** SPORT throwing
• **lancer du poids** the shotput, putting
the shot.

◼ **se lancer** *vp* **1.** *(débuter)* to make a
name for o.s **2.** *(s'engager)* • **se lancer dans**
(dépenses, explication, lecture) to embark on.

lancinant, e *adj* **1.** *(douleur)* shooting **2.** fig
(obsédant) haunting **3.** *(monotone)* insistent.

landau *nm (d'enfant)* pram (UK), baby carriage (US).

lande *nf* moor.

langage *nm (gén)* language.

lange *nm* nappy (UK), diaper (US).

langer *vt* to change.

langoureux, euse *adj* languorous.

langouste *nf* crayfish.

langoustine *nf* langoustine.

langue *nf* **1.** fig & ANAT tongue **2.** LING language • **langue maternelle** mother
tongue • **langue morte/vivante** dead/
modern language • **langue officielle** official language **3.** *(forme)* tongue.

languette *nf* tongue.

langueur *nf* **1.** *(dépérissement, mélancolie)*
languor **2.** *(apathie)* apathy.

languir *vi* **1.** *(dépérir)* • **languir (de)** to languish (with) **2.** sout *(attendre)* to wait • **faire languir qqn** to keep sb waiting.

lanière *nf* strip.

lanterne *nf* **1.** *(éclairage)* lantern **2.** *(phare)*
light.

Laos *nm* • **le Laos** Laos.

laper *vt* & *vi* to lap.

lapider *vt (tuer)* to stone.

lapin, e *nm, f* CULIN & ZOOL rabbit. ◼ **lapin**
nm (fourrure) rabbit fur.

Laponie *nf* • **la Laponie** Lapland.

laps *nm* • **(dans) un laps de temps** (in) a
while.

lapsus *nm* slip (of the tongue/pen).

laquais *nm* lackey.

laque *nf* **1.** *(vernis, peinture)* lacquer **2.** *(pour
cheveux)* hair spray, lacquer (UK).

laqué, e *adj* lacquered.

laquelle ⊳ **lequel**.

larbin *nm* **1.** *(domestique)* servant **2.** *(personne servile)* yes-man.

larcin *nm* **1.** *(vol)* larceny, theft **2.** *(butin)*
spoils pl.

lard *nm* **1.** *(graisse de porc)* lard **2.** *(viande)*
bacon.

lardon *nm* **1.** CULIN bacon cube **2.** fam *(enfant)* kid.

large ◼ *adj* **1.** *(étendu, grand)* wide • **large
de 5 mètres** 5 metres (UK) *ou* meters (US)
wide **2.** *(important, considérable)* big **3.** *(esprit, sourire)* broad **4.** *(généreux - personne)*
generous. ◼ *nm* **1.** *(largeur)* • **5 mètres de
large** 5 metres (UK) *ou* meters (US) wide
2. *(mer)* • **le large** the open sea • **au large de la côte française** off the French
coast.

largement *adv* **1.** *(diffuser, répandre)* widely
• **la porte était largement ouverte** the
door was wide open **2.** *(donner, payer)*
generously **3.** *(dépasser)* considerably
4. *(récompenser)* amply • **avoir largement
le temps** to have plenty of time **5.** *(au
moins)* easily.

largeur *nf* **1.** *(d'avenue, de cercle)* width **2.** fig
(d'idées, d'esprit) breadth.

larguer *vt* **1.** *(voile)* to unfurl **2.** *(bombe, parachutiste)* to drop **3.** fam fig *(abandonner)* to
dump, to chuck (UK).

larme *nf (pleur)* tear • **être en larmes** to be
in tears.

larmoyant, e *adj* **1.** *(yeux, personne)* tearful
2. péj *(histoire)* tearjerking.

larron *nm* vieilli *(voleur)* thief.

larve *nf* **1.** ZOOL larva **2.** péj *(personne)*
wimp.

laryngite *nf* laryngitis *(indénombrable)*.

larynx *nm* larynx.

las, lasse *adj* littéraire *(fatigué)* weary.

lascif, ive *adj* lascivious.

laser ◼ *nm* laser. ◼ *adj inv* laser *(avant nom)*.

lasser *vt* **1.** *sout (personne)* to weary **2.** *sout (patience)* to try.
◼ **se lasser** *vp* to weary.

lassitude *nf* lassitude.

lasso *nm* lasso.

latent, e *adj* latent.

latéral, e *adj* lateral.

latex *nm inv* latex.

latin, e *adj* Latin. ◼ **latin** *nm (langue)* Latin.

latiniste *nmf* **1.** *(spécialiste)* Latinist **2.** *(étudiant)* Latin student.

latino-américain, e *adj* Latin-American, Hispanic.

latitude *nf litt* & *fig* latitude.

latrines *nfpl* latrines.

latte *nf* lath, slat.

lauréat, e *nm, f* prizewinner, winner.

laurier *nm* BOT laurel.

lavable *adj* washable.

lavabo *nm* **1.** *(cuvette)* basin *(UK)*, washbowl *(US)* **2.** *(gén pl) (local)* toilet *(UK)*, washroom *(US)*.

lavage *nm* washing.

lavande *nf* BOT lavender.

lave *nf* lava.

lave-glace *nm* windscreen washer *(UK)*, windshield washer *(US)*.

lave-linge *nm inv* washing machine.

laver *vt* **1.** *(nettoyer)* to wash **2.** *fig (disculper)* ◦ **laver qqn de qqch** to clear sb of sthg.
◼ **se laver** *vp (se nettoyer)* to wash o.s., to have a wash *(UK)*, to wash up *(US)* ◦ **se laver les mains/les cheveux** to wash one's hands/hair.

laverie *nf (commerce)* laundry ◦ **laverie automatique** launderette, laundrette, Laundromat® *(US)*.

lavette *nf* **1.** *(brosse)* washing-up brush *(UK)*, dish mop *(US)* **2.** *(en tissu)* dishcloth **3.** *fam (homme)* drip.

laveur, euse *nm, f* washer ◦ **laveur de carreaux** window cleaner *(person)*.

lave-vaisselle *nm inv* dishwasher.

lave-vitre *nm* AUTO windscreen *(UK)* ou windshield *(US)* washer.

lavoir *nm (lieu)* laundry.

laxatif, ive *adj* laxative. ◼ **laxatif** *nm* laxative.

laxisme *nm* laxity.

laxiste *adj* lax.

layette *nf* layette.

le, la, les ◼ *art déf* **1.** *(gén)* the ◦ **le lac** the lake ◦ **la fenêtre** the window ◦ **l'homme** the man ◦ **les enfants** the children **2.** *(devant les noms abstraits)* ◦ **l'amour** love ◦ **la liberté** freedom ◦ **la vieillesse** old age **3.** *(temps)* ◦ **le 15 janvier 1953** 15th January 1953 *(UK)*, January 15th, 1953 *(US)* ◦ **je suis arrivé le 15 janvier 1953** I arrived on the 15th of January 1953 ou on January 15th, 1953 *(US)* ◦ **le lundi** *(habituellement)* on Mondays ◦ *(jour précis)* on (the) Monday **4.** *(possession)* ◦ **se laver les mains** to wash one's hands ◦ **avoir les cheveux blonds** to have fair hair **5.** *(distributif)* per, a ◦ **2 euros le mètre** 2 euros per metre *(UK)* ou meter *(US)*, 2 euros a metre *(UK)* ou meter *(US)* **6.** *(dans les fractions)* a, an **7.** *(avec un nom propre)* the. ◼ *pron pers* **1.** *(personne)* him *(f* her*)*, them *pl* **2.** *(chose)* it, them *pl* **3.** *(animal)* it, him *(f* her*)*, them *pl* ◦ **je le/la/les connais bien** I know him/her/them well ◦ **tu dois avoir la clé, donne-la moi** you must have the key: give it to me **4.** *(représente une proposition)* ◦ **je le sais bien** I know, I'm well aware (of it) ◦ **je te l'avais bien dit !** I told you so!

LEA *(abr de* langues étrangères appliquées*) nfpl* applied foreign languages.

leader *nm (de parti, course)* leader.

leadership *nm* leadership.

lécher *vt* **1.** *(passer la langue sur, effleurer)* to lick **2.** *(suj : vague)* to wash against **3.** *fam (fignoler)* to polish (up).

lèche-vitrines *nm inv* window-shopping ◦ **faire du lèche-vitrines** to go window-shopping.

leçon *nf* **1.** *(gén)* lesson ◦ **leçons de conduite** driving lessons ◦ **leçons particulières** private lessons ou classes **2.** *(conseil)* advice *(indénombrable)* ◦ **faire la leçon à qqn** to lecture sb.

lecteur, trice *nm, f* **1.** *(de livres)* reader **2.** UNIV foreign language assistant. ◼ **lecteur** *nm* **1.** *(gén)* head ◦ **lecteur de cassettes/CD** cassette/CD player **2.** INFORM reader ◦ **lecteur biométrique** biometric reader.

lecture *nf* reading.

ledit, **ladite** *adj* the said, the aforementioned.

légal, **e** *adj* legal.

légalement *adv* legally.

légaliser *vt* (*rendre légal*) to legalize.

légalité *nf* **1.** (*de contrat, d'acte*) legality, lawfulness **2.** (*loi*) law.

légataire *nmf* legatee.

légendaire *adj* legendary.

légende *nf* **1.** (*fable*) legend **2.** (*de carte, de schéma*) key.

léger, **ère** *adj* **1.** (*objet, étoffe, repas*) light **2.** (*bruit, différence, odeur*) slight **3.** (*alcool, tabac*) low-strength **4.** (*femme*) flighty **5.** (*insouciant - ton*) light-hearted ▸ (- *conduite*) thoughtless. ■ **à la légère** *loc adv* lightly, thoughtlessly.

légèrement *adv* **1.** (*s'habiller, poser*) lightly **2.** (*agir*) thoughtlessly **3.** (*blesser, remuer*) slightly.

légèreté *nf* **1.** (*d'objet, de repas, de punition*) lightness **2.** (*de style*) gracefulness **3.** (*de conduite*) thoughtlessness **4.** (*de personne*) flightiness.

légiférer *vi* to legislate.

légion *nf* MIL legion.

légionnaire *nm* legionary.

légion(n)ellose *nf* MÉD legionnaires' disease.

législatif, **ive** *adj* legislative. ■ **législatives** *nfpl* ▸ **les législatives** the legislative elections, ≃ the general election (*sing*) (*UK*), ≃ the Congressional election (*sing*) (*US*).

législation *nf* legislation.

légiste *adj* **1.** (*juriste*) jurist **2.** ⊳ **médecin**.

légitime *adj* legitimate.

légitimer *vt* **1.** (*reconnaître*) to recognize **2.** (*enfant*) to legitimize **3.** (*justifier*) to justify.

legs *nm* legacy.

léguer *vt* ▸ **léguer qqch à qqn** DR to bequeath sthg to sb ▸ *fig* to pass sthg on to sb.

légume *nm* vegetable.

LES LÉGUMES

- l'ail the garlic
- l'artichaut the artichoke
- l'asperge the asparagus
- l'aubergine the aubergine (*UK*), the eggplant (*US*)
- la betterave the beetroot (*UK*), the beet (*US*)
- le brocoli the broccoli
- la carotte the carrot
- le céleri the celery
- le champignon the mushroom
- le chou de Bruxelles the brussels sprout
- le chou-fleur the cauliflower
- le concombre the cucumber
- la courgette the courgette (*UK*), the zucchini (*US*)
- les épinards spinach
- le germe de soja the beansprout
- le haricot vert the green bean, the string bean (*US*)
- la laitue the lettuce
- le maïs the sweetcorn (*UK*), the corn (*US*)
- le navet the turnip
- l'oignon the onion
- le petit pois the pea
- le poireau the leek
- le poivron the pepper
- la pomme de terre the potato
- le potiron the pumpkin
- le radis the radish
- la tomate the tomato.

leitmotiv *nm* leitmotif.

Léman ⊳ **lac**.

lendemain *nm* (*jour*) day after ▸ **le lendemain matin** the next morning ▸ **au lendemain de** after, in the days following.

lénifiant, **e** *adj litt* & *fig* soothing.

lent, **e** *adj* slow.

lente *nf* nit.

lentement *adv* slowly.

lenteur *nf* slowness *(indénombrable)*.

lentille *nf* **1.** BOT & CULIN lentil **2.** *(d'optique)* lens • **lentilles de contact** contact lenses.

léopard *nm* leopard.

lèpre *nf* MÉD leprosy.

lequel, laquelle ◼ *pron rel* **1.** *(complément - personne)* whom • *(- chose)* which **2.** *(sujet - personne)* who • *(- chose)* which. ◼ *pron interr* • **lequel ?** which (one)?

les ⊳ **le.**

lesbienne *nf* lesbian.

léser *vt (frustrer)* to wrong.

lésiner *vi* to skimp • **ne pas lésiner sur** not to skimp on.

lésion *nf* lesion.

lessive *nf* **1.** *(nettoyage, linge)* laundry, washing *(UK)* **2.** *(produit)* washing powder *(UK)*, laundry detergent *(US)*.

lest *nm* ballast.

leste *adj* **1.** *(agile)* nimble, agile **2.** *(licencieux)* crude.

lester *vt (garnir de lest)* to ballast.

léthargie *nf litt & fig* lethargy.

Lettonie *nf* • **la Lettonie** Latvia.

lettre *nf* **1.** *(gén)* letter • **en toutes lettres** in words, in full • **lettre de motivation** covering *(UK)* ou cover *(US)* letter **2.** *(sens des mots)* • **à la lettre** to the letter. ◼ **lettres** *nfpl* **1.** *(culture littéraire)* letters **2.** UNIV arts, humanities • **lettres classiques** classics • **lettres modernes** French language and literature.

leucémie *nf* leukaemia *(UK)*, leukemia *(US)*.

leucocyte *nm* leucocyte.

leur *pron pers inv* (to) them • **je voudrais leur parler** I'd like to speak to them • **je leur ai donné la lettre** I gave them the letter, I gave the letter to them. ◼ **leur** *adj poss* their • **c'est leur tour** it's their turn • **leurs enfants** their children. ◼ **le leur, la leur** *pron poss* theirs • **il faudra qu'ils y mettent du leur** they've got to pull their weight.

leurrer *vt* to deceive.
◼ **se leurrer** *vp* to deceive o.s..

levain *nm* CULIN • **pain au levain/sans levain** leavened/unleavened bread.

levant ◼ *nm* east. ◼ *adj* ⊳ **soleil.**

lever ◼ *vt* **1.** *(objet, blocus, interdiction)* to lift **2.** *(main, tête, armée)* to raise **3.** *(scellés, difficulté)* to remove **4.** *(séance)* to close, to end **5.** *(impôts, courrier)* to collect **6.** *(enfant, malade)* • **lever qqn** to get sb up. ◼ *vi* **1.** *(plante)* to come up **2.** *(pâte)* to rise. ◼ *nm* **1.** *(d'astre)* rising, rise • **lever du jour** daybreak • **lever du soleil** sunrise **2.** *(de personne)* • **il est toujours de mauvaise humeur au lever** he's always in a bad mood when he gets up.
◼ **se lever** *vp* **1.** *(personne)* to get up, to rise **2.** *(vent)* to get up **3.** *(soleil, lune)* to rise **4.** *(jour)* to break **5.** *(temps)* to clear.

lève-tard *nmf* late riser.

lève-tôt *nmf* early riser.

levier *nm litt & fig* lever • **levier de vitesses** gear stick *(UK)*, gear lever *(UK)*, gearshift *(US)*.

lévitation *nf* levitation.

lèvre *nf* **1.** lip **2.** *(de vulve)* labium.

lévrier, levrette *nm, f* greyhound.

levure *nf* yeast • **levure chimique** baking powder.

lexicographie *nf* lexicography.

lexique *nm* **1.** *(dictionnaire)* glossary **2.** *(vocabulaire)* vocabulary.

lézard *nm (animal)* lizard.

lézarder ◼ *vt* to crack. ◼ *vi fam (paresser)* to bask.
◼ **se lézarder** *vp* to crack.

liaison *nf* **1.** *(jonction, enchaînement)* connection **2.** CULIN & LING liaison **3.** *(contact, relation)* contact • **avoir une liaison** to have an affair **4.** *(transports)* link.

liane *nf* creeper.

liant, e *adj* sociable. ◼ **liant** *nm (substance)* binder.

liasse *nf* **1.** bundle **2.** *(de billets de banque)* wad.

Liban *nm* • **le Liban** Lebanon.

libanais, e *adj* Lebanese. ◼ **Libanais, e** *nm, f* Lebanese (person) • **les Libanais** the Lebanese.

libeller *vt* **1.** *(chèque)* to make out **2.** *(lettre)* to word.

libellule *nf* dragonfly.

libéral, e ◼ *adj (attitude, idée, parti)* liberal. ◼ *nm, f* POLIT liberal.

libéraliser *vt* to liberalize.

libéralisme *nm* liberalism.

libération *nf* **1.** *(de prisonnier)* release, freeing **2.** *(de pays, de la femme)* liberation **3.** *(d'énergie)* release.

libérer *vt* **1.** *(prisonnier, fonds)* to release, to free **2.** *(pays, la femme)* to liberate • **libérer qqn de qqch** to free sb from sthg **3.** *(passage)* to clear **4.** *(énergie)* to release **5.** *(instincts, passions)* to give free rein to.
■ **se libérer** *vp* **1.** *(se rendre disponible)* to get away **2.** *(se dégager)* • **se libérer de** *(lien)* to free o.s. from • *(engagement)* to get out of.

liberté *nf* **1.** *(gén)* freedom • **en liberté** free • **parler en toute liberté** to speak freely • **liberté d'expression** freedom of expression • **liberté d'opinion** freedom of thought **2.** DR release **3.** *(loisir)* free time.

libertin, e *nm, f* libertine.

libidineux, euse *adj* lecherous.

libido *nf* libido.

libraire *nmf* bookseller.

librairie *nf* *(magasin)* bookshop *(UK)*, bookstore *(US)*.

libre *adj* **1.** *(gén)* free • **libre de qqch** free from sthg • **être libre de faire qqch** to be free to do sthg **2.** *(école, secteur)* private **3.** *(passage)* clear.

libre-échange *nm* free trade *(indénombrable)*.

librement *adv* freely.

libre-service *nm* **1.** *(magasin)* self-service shop *(UK)* ou store *(US)* **2.** *(restaurant)* self-service restaurant.

Libye *nf* • **la Libye** Libya.

libyen, enne *adj* Libyan. ■ **Libyen, enne** *nm, f* Libyan.

licence *nf* **1.** *(permis)* permit **2.** COMM licence *(UK)*, license *(US)* **3.** UNIV (first) degree • **licence ès lettres/en droit** ≃ Bachelor of Arts/Law degree **4.** *littéraire (liberté)* licence *(UK)*, license *(US)*.

licencié, e ■ *adj* UNIV graduate *(avant nom)*. ■ *nm, f* **1.** UNIV graduate **2.** *(titulaire d'un permis)* permit holder **3.** COMM licence *(UK)* ou license *(US)* holder.

licenciement *nm* **1.** dismissal **2.** *(économique)* layoff, redundancy *(UK)*.

licencier *vt* **1.** *(pour faute)* to dismiss, to fire **2.** *(pour raison économique)* to lay off, to make redundant *(UK)* • **se faire licencier** to be laid off, to be made redundant *(UK)*.

lichen *nm* lichen.

licite *adj* lawful, legal.

licorne *nf* unicorn.

lie *nf (dépôt)* dregs *pl*, sediment.

lié, e *adj* **1.** *(mains)* bound **2.** *(amis)* • **être très lié avec** to be great friends with.

lie-de-vin *adj inv* burgundy, wine-coloured *(UK)*, wine-colored *(US)*.

liège *nm* cork.

lien *nm* **1.** *(sangle)* bond **2.** *(relation, affinité)* bond, tie • **avoir des liens de parenté avec** to be related to **3.** *fig (enchaînement)* connection, link.

lier *vt* **1.** *(attacher)* to tie (up) • **lier qqn/ qqch à** to tie sb/sthg to **2.** *(suj : contrat, promesse)* to bind • **lier qqn/qqch par** to bind sb/sthg by **3.** *(relier par la logique)* to link, to connect • **lier qqch à** to link sthg to, to connect sthg with **4.** *(commencer)* • **lier connaissance/conversation avec** to strike up an acquaintance/a conversation with **5.** *(suj : sentiment, intérêt)* to unite **6.** CULIN to thicken.
■ **se lier** *vp (s'attacher)* • **se lier (d'amitié) avec qqn** to make friends with sb.

lierre *nm* ivy.

liesse *nf* jubilation.

lieu *nm (endroit)* place • **en lieu sûr** in a safe place • **lieu de naissance** birthplace • **avoir lieu** to take place. ■ **lieux** *nmpl* **1.** *(scène)* scene *sing*, spot *sing* • **sur les lieux (d'un crime/d'un accident)** at the scene (of a crime/an accident) **2.** *(domicile)* premises. ■ **lieu commun** *nm* commonplace. ■ **au lieu de** *loc prép* • **au lieu de qqch/de faire qqch**

instead of sthg/of doing sthg. ■ **en dernier lieu** *loc adv* lastly. ■ **en premier lieu** *loc adv* in the first place.

lieu-dit *nm* locality, place.

lieue *nf* league.

lieutenant *nm* lieutenant.

lièvre *nm* hare.

lifter *vt* TENNIS to put topspin on.

lifting *nm* face-lift.

ligament *nm* ligament.

ligaturer *vt* MÉD to ligature, to ligate.

ligne *nf* 1. *(gén)* line ⋄ **à la ligne** new line *ou* paragraph ⋄ **en ligne** *(personnes)* in a line ⋄ INFORM on line ⋄ **restez en ligne !** TÉLÉCOM hold the line! ⋄ **ligne de départ/d'arrivée** starting/finishing (UK) *ou* finish (US) line ⋄ **ligne aérienne** airline ⋄ **ligne de commande** INFORM command line ⋄ **ligne de conduite** line of conduct ⋄ **ligne directrice** guideline ⋄ **lignes de la main** lines of the hand ⋄ **les grandes lignes** *(transports)* the main lines 2. *(forme - de voiture, meuble)* lines *pl* 3. *(silhouette)* ⋄ **garder la ligne** to keep one's figure ⋄ **surveiller sa ligne** to watch one's waistline 4. *(de pêche)* fishing line ⋄ **pêcher à la ligne** to go angling ⋄ **dans les grandes lignes** in outline ⋄ **entrer en ligne de compte** to be taken into account.

lignée *nf* *(famille)* descendants *pl* ⋄ **dans la lignée de** *fig (d'écrivains, d'artistes)* in the tradition of.

ligoter *vt* 1. *(attacher)* to tie up ⋄ **ligoter qqn à qqch** to tie sb to sthg 2. *fig (entraver)* to bind.

ligue *nf* league.

liguer ■ **se liguer** *vp* to form a league ⋄ **se liguer contre** to conspire against.

lilas *nm & adj inv* lilac.

limace *nf* ZOOL slug.

limaille *nf* filings *pl*.

limande *nf* dab.

lime *nf* 1. *(outil)* file ⋄ **lime à ongles** nail file 2. BOT lime.

limer *vt* 1. *(ongles)* to file 2. *(aspérités)* to file down 3. *(barreau)* to file through.

limier *nm* 1. *(chien)* bloodhound 2. *(détective)* sleuth.

liminaire *adj* introductory.

limitation *nf* 1. limitation 2. *(de naissances)* control ⋄ **limitation de vitesse** speed limit.

limite ■ *nf* 1. *(gén)* limit ⋄ **à la limite** *(au pire)* at worst ⋄ **à la limite, j'accepterais de le voir** if pushed, I'd agree to see him 2. *(terme, échéance)* deadline ⋄ **limite d'âge** age limit. ■ *adj (extrême)* maximum *(avant nom)* ⋄ **cas limite** borderline case ⋄ **date limite** deadline ⋄ **date limite de vente/consommation** sell-by/use-by date.

limiter *vt* 1. *(borner)* to border, to bound 2. *(restreindre)* to limit. ■ **se limiter** *vp* 1. *(se restreindre)* ⋄ **se limiter à qqch/à faire qqch** to limit o.s. to sthg/to doing sthg 2. *(se borner)* ⋄ **se limiter à** to be limited to.

limitrophe *adj* 1. *(frontalier)* border *(avant nom)* ⋄ **être limitrophe de** to border on 2. *(voisin)* adjacent.

limoger *vt* to dismiss.

limon *nm* GÉOL alluvium, silt.

limonade *nf* lemonade (UK).

limpide *adj* 1. *(eau)* limpid 2. *(ciel, regard)* clear 3. *(explication, style)* clear, lucid.

lin *nm* 1. BOT flax 2. *(tissu)* linen.

linceul *nm* shroud.

linéaire *adj (mesure, perspective)* linear.

linge *nm* 1. *(lessive)* laundry, washing (UK) 2. *(de lit, de table)* linen 3. *(sous-vêtements)* underwear 4. *(morceau de tissu)* cloth.

lingerie *nf* 1. *(sous-vêtements)* lingerie 2. *(local)* linen room.

lingot *nm* ingot.

linguistique ■ *nf* linguistics *(indénombrable)*. ■ *adj* linguistic.

linoléum *nm* lino, linoleum.

lion, lionne *nm, f* lion *(f* lioness*)*. ■ **Lion** *nm* ASTROL Leo.

lionceau *nm* lion cub.

lipide *nm* lipid.

liquéfier *vt* to liquefy. ■ **se liquéfier** *vp* 1. *(matière)* to liquefy 2. *fig (personne)* to turn to jelly.

liqueur *nf* liqueur.

liquidation *nf* 1. *(de compte &* FIN*)* settlement 2. *(de société, stock)* liquidation.

liquide ■ *nm* 1. *(substance)* liquid ⋄ **liquide vaisselle** washing-up liquid, dishwashing liquid *(US)*, dish soap *(US)* **2.** *(argent)* cash ◦ **en liquide** in cash. ◻ *adj (corps &* ʟɪɴɢ*)* liquid.

liquider *vt* **1.** *(compte &* ꜰɪɴ*)* to settle **2.** *(société, stock)* to liquidate **3.** *arg crime (témoin)* to liquidate, to eliminate **4.** *fig (problème)* to eliminate, to get rid of.

liquidité *nf* liquidity. ■ **liquidités** *nfpl* liquid assets.

liquoreux, euse *adj* syrupy.

lire [1] *vt* to read ◦ **lu et approuvé** read and approved.

lire [2] *nf* lira.

lis, lys *nm* lily.

Lisbonne *npr* Lisbon.

liseré, liséré *nm* **1.** *(ruban)* binding **2.** *(bande)* border, edging.

liseron *nm* bindweed.

liseuse *nf* **1.** *(vêtement)* bedjacket **2.** *(lampe)* reading light.

lisible *adj (écriture)* legible.

lisière *nf (limite)* edge.

lisse *adj (surface, peau)* smooth.

lisser *vt* **1.** *(papier, vêtements)* to smooth (out) **2.** *(moustache, cheveux)* to smooth (down) **3.** *(plumes)* to preen.

liste *nf* list ◦ **liste d'attente** waiting list, waitlist *(US)* ◦ **liste électorale** electoral register *(UK)*, electoral roll *(UK)*, list of registered voters *(US)* ◦ **liste de mariage** wedding (present) list ◦ **être sur la liste rouge** to be ex-directory *(UK)*, to have an unlisted number *(US)*.

lister *vt* to list.

listeriose, listériose *nf* ᴍᴇᴅ listeriosis *(indénombrable)*.

listing *nm* listing.

lit *nm (gén)* bed ◦ **faire son lit** to make one's bed ◦ **garder le lit** to stay in bed ◦ **se mettre au lit** to go to bed ◦ **lit à baldaquin** four-poster bed ◦ **lit de camp** camp bed *(UK)*, cot *(US)*.

litanie *nf* litany.

literie *nf* bedding.

lithographie *nf* **1.** *(procédé)* lithography **2.** *(image)* lithograph.

litière *nf* litter.

litige *nm* **1.** ᴅʀ lawsuit **2.** *(désaccord)* dispute.

litigieux, euse *adj* **1.** ᴅʀ litigious **2.** *(douteux)* disputed.

litre *nm* **1.** *(mesure, quantité)* litre *(UK)*, liter *(US)* **2.** *(récipient)* litre *(UK)* ᴏᴜ liter *(US)* bottle.

littéraire *adj* literary.

littéral, e *adj* **1.** *(gén)* literal **2.** *(écrit)* written.

littérature *nf (gén)* literature.

littoral, e *adj* coastal. ■ **littoral** *nm* coast, coastline.

Lituanie *nf* ◦ **la Lituanie** Lithuania.

liturgie *nf* liturgy.

livide *adj (blême)* pallid.

livraison *nf (de marchandise)* delivery ◦ **livraison à domicile** home delivery.

livre ◻ *nm (gén)* book ◦ **livre de cuisine** cookbook, cookery book *(UK)* ◦ **livre électronique** e-book ◦ **livre d'images** picture book ◦ **livre d'or** visitors' book ◦ **livre de poche** paperback. ◻ *nf* pound ◦ **livre sterling** pound sterling.

livrée *nf (uniforme)* livery.

livrer *vt* **1.** ᴄᴏᴍᴍ to deliver ◦ **livrer qqch à qqn** *(achat)* to deliver sthg to sb **2.** *fig* to reveal ◦ **livrer qqch à qqn** *(secret)* to reveal ᴏᴜ give away sthg to sb **3.** *(coupable, complice)* ◦ **livrer qqn à qqn** to hand sb over to sb **4.** *(abandonner)* ◦ **livrer qqch à qqch** to give sthg over to sthg ◦ **livrer qqn à lui-même** to leave sb to his own devices.
■ **se livrer** *vp* **1.** *(se rendre)* ◦ **se livrer à** *(police, ennemi)* to give o.s. up to ◦ *(amant)* to give o.s. to **2.** *(se confier)* ◦ **se livrer à** *(ami)* to open up to, to confide in **3.** *(se consacrer)* ◦ **se livrer à** *(occupation)* to devote o.s. to ◦ *(excès)* to indulge in.

livret *nm* **1.** *(carnet)* booklet ◦ **livret de caisse d'épargne** bankbook, passbook *(UK)* ◦ **livret de famille** *si vous voulez donner expliquer à un anglophone de quoi il s'agit, vous pouvez dire* it is an official family record book. It is given to newly-weds for them to keep a record of births and deaths in the family ◦ **livret scolaire** ≃ school report *(UK)*, ≃ report card *(US)* **2.** *(catalogue)* catalogue *(UK)*, catalog *(US)* **3.** ᴍᴜs book, libretto.

livreur, euse *nm, f* delivery man *(f* woman).

lobby *nm* lobby.

lobe *nm* ᴀɴᴀᴛ & ʙᴏᴛ lobe.

lober *vt* to lob.

local, e *adj* **1.** local **2.** *(douleur)* localized. ■ **local** *nm* room, premises *pl.* ■ **locaux** *nmpl* premises, offices.

localiser *vt* **1.** *(avion, bruit)* to locate **2.** *(épidémie, conflit, produit multimédia)* to localize.

localité *nf* (small) town.

locataire *nmf* tenant.

location *nf* **1.** *(de propriété - par propriétaire)* renting, letting *(UK)* ◦ *(- par locataire)* renting **2.** *(de machine)* leasing ◦ **location de voitures/vélos** car/bicycle hire *(UK)*, car/bicycle rental *(US)* **3.** *(bail)* lease **4.** *(maison, appartement)* rented property, rental *(US)* **5.** *(réservation)* booking.

À PROPOS DE... location

Attention à ne pas se laisser influencer par l'orthographe identique, en français et en anglais, du mot « location ». En anglais, il a le sens de « lieu », « emplacement », « endroit » (*the firm has moved to a new location*, « la société a déménagé »). Le « location » français équivaut par contre à *hire*, *renting*, etc. Par exemple, dans une agence immobilière : « nous n'avons pas de locations », *we have no accomodation for rent.*

---

location-vente *nf* ≃ hire purchase *(UK)*, ≃ installment plan *(US)*.

locomotion *nf* locomotion.

locomotive *nf* **1.** *(machine)* locomotive **2.** *fig (leader)* pacesetter.

locution *nf* expression, phrase.

loft *nm* (converted) loft.

logarithme *nm* logarithm.

loge *nf* **1.** *(de concierge, de francs-maçons)* lodge **2.** *(d'acteur)* dressing room.

logement *nm* **1.** *(hébergement)* accommodation *(UK)*, accommodations *(pl)* *(US)* **2.** *(appartement)* flat *(UK)*, apartment *(US)* ◦ **logement de fonction** company flat *(UK)* ou apartment *(US)*.

loger ■ *vi* *(habiter)* to live. ■ *vt* **1.** *(amis, invités)* to put up **2.** *(suj : hôtel, maison)* to accommodate, to take.
■ **se loger** *vp* **1.** *(trouver un logement)* to find accommodation *(UK)* ou accommodations *(US)* **2.** *(se placer - ballon, balle)* ◦ **se loger dans** to lodge in, to stick in.

logeur, euse *nm, f* landlord (*f* landlady).

logiciel *nm* software *(indénombrable)* ◦ **logiciel intégré** integrated software.

logique ■ *nf* logic. ■ *adj* logical.

logiquement *adv* logically.

logis *nm* abode.

logistique *nf* logistics *pl.*

logo *nm* logo.

loi *nf* *(gén)* law.

loin *adv* **1.** *(dans l'espace)* far ◦ **plus loin** farther, further **2.** *(dans le temps - passé)* a long time ago ◦ *(- futur)* a long way off. ■ **au loin** *loc adv* in the distance, far off. ■ **de loin** *loc adv* *(depuis une grande distance)* from a distance ◦ **de plus loin** from farther ou further away. ■ **loin de** *loc prép* **1.** *(gén)* far from ◦ **loin de là!** *fig* far from it! **2.** *(dans le temps)* ◦ **il n'est pas loin de 9 h** it's nearly 9 o'clock, it's not far off 9 o'clock.

lointain, e *adj* *(pays, avenir, parent)* distant.

loir *nm* dormouse.

loisir *nm* **1.** *(temps libre)* leisure **2.** *(gén pl)* *(distractions)* leisure activities *pl.*

londonien, enne *adj* London *(avant nom)*. ■ **Londonien, enne** *nm, f* Londoner.

Londres *npr* London.

long, longue *adj* **1.** *(gén)* long **2.** *(lent)* slow ◦ **être long à faire qqch** to take a long time doing sth **3.** *(qui existe depuis longtemps)* long, long-standing. ■ **long** *nm* *(longueur)* ◦ **4 mètres de long** 4 metres *(UK)* ou meters *(US)* long ou in length ◦ **de long en large** up and down, to and fro ◦ **en long et en large** in great detail ◦ **(tout) le long de** *(espace)* all along ◦ **tout au long de** *(année, carrière)* throughout. ■ *adv* *(beaucoup)* ◦ **en savoir long sur qqch** to know a lot about sthg. ■ **à la longue** *loc adv* in the end.

longe *nf* *(courroie)* halter.

longer *vt* **1.** *(border)* to go along ou alongside **2.** *(marcher le long de)* to walk along **3.** *(raser)* to stay close to, to hug.

longévité *nf* longevity.

longiligne *adj* long-limbed.

longitude *nf* longitude.

longtemps *adv* (for) a long time ◦ **depuis longtemps** (for) a long time ◦ **il y a longtemps que...** it's been a long time since… • **il y a longtemps qu'il est là** he's been here a long time • **mettre longtemps à faire qqch** to take a long time to do sthg.

longue ▷ **long**.

longuement *adv* **1.** *(longtemps)* for a long time **2.** *(en détail)* at length.

longueur *nf* length • **faire 5 mètres de longueur** to be 5 metres *(UK) ou* meters *(US)* long • **disposer qqch en longueur** to put sthg lengthways • **à longueur de journée/temps** the entire day/time • **à longueur d'année** all year long • **longueur d'onde** wavelength • **saut en longueur** long jump. ■ **longueurs** *nfpl (de film, de livre)* boring parts.

longue-vue *nf* telescope.

look *nm* look • **avoir un look** to have a style.

looping *nm* loop-the-loop.

lopin *nm* • **lopin (de terre)** patch *ou* plot of land.

loquace *adj* loquacious.

loque *nf* **1.** *(lambeau)* rag **2.** *fig (personne)* wreck.

loquet *nm* latch.

lorgner *vt fam* **1.** *(observer)* to eye **2.** *(guigner)* to have one's eye on.

lors *adv* • **depuis lors** since that time • **lors de** at the time of.

lorsque *conj* when.

losange *nm* lozenge.

lot *nm* **1.** *(part)* share **2.** *(de terre)* plot **3.** *(stock)* batch **4.** *(prix)* prize **5.** *fig (destin)* fate, lot.

loterie *nf* lottery.

loti, e *adj* • **être bien/mal loti** to be well/badly off.

lotion *nf* lotion.

lotir *vt* to divide up.

lotissement *nm (terrain)* plot.

loto *nm* **1.** *(jeu de société)* lotto **2.** *(loterie)* the National Lottery.

lotte *nf* monkfish.

lotus *nm* lotus.

louange *nf* praise.

louche[1] *nf* ladle.

louche[2] *adj fam (personne, histoire)* suspicious. •

loucher *vi* **1.** *(être atteint de strabisme)* to squint **2.** *fam fig (lorgner)* • **loucher sur** to have one's eye on.

louer *vt* **1.** *(glorifier)* to praise **2.** *(donner en location)* to rent (out), to let (out) *(UK)* • **à louer** for rent, to let *(UK)* **3.** *(prendre en location)* to rent **4.** *(réserver)* to book. ■ **se louer** *vp sout (se féliciter)* • **se louer de qqch/de faire qqch** to be very pleased about sthg/about doing sthg.

loufoque *fam adj* nuts, crazy.

loup *nm* **1.** *(carnassier)* wolf **2.** *(poisson)* bass **3.** *(masque)* mask.

loupe *nf (optique)* magnifying glass.

louper *vt fam* **1.** *(travail)* to make a mess of **2.** *(train)* to miss.

loup-garou *nm* werewolf.

lourd, e *adj* **1.** *(gén)* heavy • **lourd de** *fig* full of **2.** *(tâche)* difficult **3.** *(faute)* serious **4.** *(maladroit)* clumsy, heavy-handed **5.** MÉTÉOR close. ■ **lourd** *adv* • **peser lourd** to be heavy, to weigh a lot • **il n'en fait pas lourd** *fam* he doesn't do much.

loutre *nf* otter.

louve *nf* she-wolf.

louveteau *nm* **1.** ZOOL wolf cub **2.** *(scout)* cub.

louvoyer *vi* **1.** NAUT to tack **2.** *fig (tergiverser)* to beat around *ou* about *(UK)* the bush.

Louvre *npr* • **le Louvre** the Louvre (museum).

lover ■ **se lover** *vp (serpent)* to coil up.

loyal, e *adj* **1.** *(fidèle)* loyal **2.** *(honnête)* fair.

loyauté *nf* **1.** *(fidélité)* loyalty **2.** *(honnêteté)* fairness.

loyer *nm* rent.

LP *(abr de* **lycée professionnel)** *nm si vous voulez expliquer à un anglophone de quoi il s'agit, vous pouvez dire* it is a secondary school that teaches vocational subjects.

lubie *nf fam* whim.

lubrifier *vt* to lubricate.

lubrique *adj* lewd.

lucarne *nf* **1.** *(fenêtre)* skylight **2.** FOOTBALL top corner of the net.

lucide *adj* lucid.

lucidité *nf* lucidity.

lucratif, ive *adj* lucrative.

ludique *adj* play *(avant nom)*.

ludothèque *nf* toy library.

lueur *nf* **1.** *(de bougie, d'étoile)* light • **à la lueur de** by the light of **2.** *fig (de colère)* gleam **3.** *(de raison)* spark • **lueur d'espoir** glimmer of hope.

luge *nf* toboggan.

lugubre *adj* lugubrious.

lui *pron pers* **1.** *(complément d'objet indirect - homme)* (to) him • *(- femme)* (to) her • *(- animal, chose)* (to) it • **je lui ai parlé** I've spoken to him/to her • **il lui a serré la main** he shook his/her hand **2.** *(sujet, en renforcement de "il")* he **3.** *(objet, après préposition, comparatif - personne)* him • *(- animal, chose)* it • **sans lui** without him • **je vais chez lui** I'm going to his place • **elle est plus jeune que lui** she's younger than him *ou* than he is **4.** *(remplaçant 'soi' en fonction de pronom réfléchi - personne)* himself • *(- animal, chose)* itself • **il est content de lui** he's pleased with himself. ■ **lui-même** *pron pers* **1.** *(personne)* himself **2.** *(animal, chose)* itself.

luire *vi* **1.** *(soleil, métal)* to shine **2.** *fig (espoir)* to glow, to glimmer.

luisant, e *adj* gleaming.

lumière *nf fig (éclairage)* light.

lumineux, euse *adj* **1.** *(couleur, cadran)* luminous **2.** *fig (visage)* radiant **3.** *(idée)* brilliant **4.** *(explication)* clear.

luminosité *nf* **1.** *(du regard, ciel)* radiance **2.** *(sciences)* luminosity.

lump *nm* • **œufs de lump** lumpfish roe.

lunaire *adj* **1.** ASTRON lunar **2.** *fig (visage)* moon *(avant nom)* **3.** *(paysage)* lunar.

lunatique *adj* temperamental.

lunch *nm* buffet lunch.

lundi *nm* Monday. • *voir aussi* **samedi**

lune *nf* ASTRON moon • **pleine lune** full moon.

lunette *nf* ASTRON telescope. ■ **lunettes** *nfpl* glasses • **lunettes de soleil** sunglasses.

lurette *nf* • **il y a belle lurette que...** *fam* it's been ages since…

luron, onne *nm, f fam* • **un joyeux luron** a bit of a lad *(UK)*.

lustre *nm* **1.** *(luminaire)* chandelier **2.** *(éclat)* sheen, shine **3.** *fig* reputation.

lustrer *vt* **1.** *(faire briller)* to make shine **2.** *(user)* to wear.

luth *nm* lute.

lutin, e *adj* mischievous. ■ **lutin** *nm* imp.

lutte *nf* **1.** *(combat)* fight, struggle • **la lutte des classes** the class struggle **2.** SPORT wrestling.

lutter *vi* to fight, to struggle • **lutter contre** to fight (against).

lutteur, euse *nm, f* **1.** SPORT wrestler **2.** *fig* fighter.

luxation *nf* dislocation.

luxe *nm* luxury • **de luxe** luxury.

Luxembourg *nm (pays)* • **le Luxembourg** Luxembourg.

luxueux, euse *adj* luxurious.

luxure *nf* lust.

luzerne *nf* lucerne, alfalfa.

lycée *nm* ≃ secondary school *(UK)*, ≃ high school *(US)* • **lycée professionnel** *si vous voulez expliquer à un anglophone de quoi il s'agit, vous pouvez dire* it is a secondary school that teaches vocational subjects • **lycée technique** ≃ technical college.

lycéen, enne *nm, f* secondary school pupil *(UK)*, high school pupil *(US)*.

lymphatique *adj* **1.** MÉD lymphatic **2.** *fig (apathique)* sluggish.

lyncher *vt* to lynch.

lynx *nm* lynx.

Lyon *npr* Lyons.

lyre *nf* lyre.

lyrique *adj* **1.** *fig (poésie)* lyrical **2.** *(drame, chanteur, poète)* lyric.

lys = **lis**.

m, M ◼ *nm inv* m, M. ◼ *(abr écrite de mètre)* m. ◼ **M 1.** *(abr écrite de* **Monsieur***)* Mr *(UK)*, Mr. *(US)* **2.** *(abr écrite de* **million***)* M.

macabre *adj* macabre.

macadam *nm* **1.** *(revêtement)* macadam **2.** *(route)* road.

macaron *nm* **1.** *(pâtisserie)* macaroon **2.** *(autocollant)* sticker.

macaronis *nmpl* CULIN macaroni *(indénombrable)*.

macédoine *nf* CULIN • **macédoine de fruits** fruit salad.

macérer ◼ *vt* to steep. ◼ *vi* **1.** *(mariner)* to steep • **faire macérer** to steep **2.** *fig & péj (personne)* to wallow.

mâche *nf* lamb's lettuce.

mâcher *vt (mastiquer)* to chew.

machiavélique *adj* Machiavellian.

machin *nm fam (chose)* thing, thingamajig.

Machin, e *nm, f fam* what's his name (*f* what's her name).

machinal, e *adj* mechanical.

machination *nf* machination.

machine *nf* **1.** TECHNOL machine • **machine à coudre** sewing machine • **machine à écrire** typewriter • **machine à laver** washing machine **2.** *(organisation)* machinery *(indénombrable)* **3.** NAUT engine.

machine-outil *nf* machine tool.

machiniste *nm* **1.** CINÉ & THÉÂTRE scene shifter **2.** *(transports)* driver.

macho *péj nm* macho man.

mâchoire *nf* jaw.

mâchonner *vt (mâcher, mordiller)* to chew.

maçon *nm* mason.

maçonnerie *nf* **1.** *(travaux)* building **2.** *(construction)* masonry **3.** *(franc-maçonnerie)* freemasonry.

macramé *nm* macramé.

macro *nf* INFORM macro.

macrobiotique *nf* macrobiotics *(indénombrable)*.

maculer *vt* to stain.

madame *nf (titre)* • **madame X** Mrs X • **bonjour madame !** good morning! • *(dans hôtel, restaurant)* good morning, madam! • **bonjour mesdames !** good morning (ladies)! • **Madame la Ministre n'est pas là** the Minister is out.

mademoiselle *nf (titre)* • **mademoiselle X** Miss X • **bonjour mademoiselle !** good morning! • *(à l'école, dans hôtel)* good morning, miss! • **bonjour mesdemoiselles !** good morning (ladies)!

madone *nf* ART & RELIG Madonna.

Madrid *npr* Madrid.

madrier *nm* beam.

maf(f)ia *nf* Mafia.

magasin *nm* **1.** *(boutique)* shop *(UK)*, store *(US)* • **grand magasin** department store • **faire les magasins** *fig* to go around *ou* do the shops *(UK) ou* stores *(US)* **2.** *(d'arme, d'appareil photo)* magazine.

LE MAGASIN
• l'ascenseur the lift *(UK)*, the elevator *(US)*
• le billet the banknote
• le billet de 10 euros the 10 euros banknote
• la cabine d'essayage the fitting room
• la caisse the cash desk
• le cintre the clothes hanger
• la clé the key
• le/la client(e) the customer
• l'escalator the escalator
• la monnaie the money
• la pièce the coin
• le portefeuille the wallet
• le porte-monnaie the purse
• le téléphone portable the mobile phone.

magazine *nm* magazine.

mage *nm* ▪ **les Rois mages** the Three Wise Men.

Maghreb *nm* ▪ **le Maghreb** the Maghreb.

maghrébin, e *adj* North African. ■ **Maghrébin, e** *nm, f* North African.

magicien, enne *nm, f* magician.

magie *nf* magic.

magique *adj* **1.** *(occulte)* magic **2.** *(merveilleux)* magical.

magistral, e *adj* **1.** *(œuvre, habileté)* masterly **2.** *(dispute, fessée)* enormous **3.** *(attitude, ton)* authoritative.

magistrat *nm* magistrate.

magistrature *nf* magistracy, magistrature.

magma *nm* **1.** GÉOL magma **2.** *fig (mélange)* muddle.

magnanime *adj* magnanimous.

magnat *nm* magnate, tycoon.

magnésium *nm* magnesium.

magnétique *adj* magnetic.

magnétisme *nm* PHYS *(fascination)* magnetism.

magnéto(phone) *nm* tape recorder.

magnétoscope *nm* video cassette recorder, videorecorder (UK).

magnificence *nf* magnificence.

magnifique *adj* magnificent.

magnum *nm* magnum.

magot *nm* fam tidy sum, packet.

mai *nm* May ▪ **le premier mai** May Day. ▪ *voir aussi* **septembre**

maigre *adj* **1.** *(très mince)* thin **2.** *(aliment)* low-fat **3.** *(viande)* lean **4.** *(peu important)* meagre (UK), meager (US) **5.** *(végétation)* sparse.

maigreur *nf* thinness.

maigrir *vi* to lose weight.

mail *nm* INFORM email (message), mail.

mailing *nm* mailing, mailshot (UK).

maille *nf* **1.** *(de tricot)* stitch **2.** *(de filet)* mesh.

maillet *nm* mallet.

maillon *nm* link.

maillot *nm (de sport)* shirt, jersey ▪ **maillot de bain** swimsuit ▪ **maillot (de bain) une pièce/deux pièces** one-piece/two-piece swimsuit ▪ **maillot de corps** vest (UK), undershirt (US) ▪ **le maillot jaune** the yellow jersey.

main ▣ *nf* hand ▪ **attaque à main armée** armed attack ▪ **mains libres** *(téléphone, kit)* hands-free ▪ **donner la main à qqn** to take sb's hand ▪ **haut les mains !** hands up! ▣ *adv (fabriqué, imprimé)* by hand ▪ **fait/tricoté/trié main** hand-made/-knitted/-picked. ▣ ▪ **à main droite** *loc adv* on the right-hand side. ▣ ▪ **main gauche** *loc adv* on the left-hand side. ▣ ▪ **de la main** *loc adv* with one's hand ▪ **saluer qqn de la main** *(pour dire bonjour)* to wave (hello) to sb ▪ *(pour dire au revoir)* to wave (goodbye) to sb, to wave sb goodbye ▪ **de la main, elle me fit signe d'approcher** she waved me over. ▣ ▪ **de la main à la main** *loc adv* directly, without any middleman ▪ **j'ai payé le plombier de la main à la main** I paid the plumber cash in hand. ▣ ▪ **de la main de** *loc prép* **1.** *(fait par)* by ▪ **la lettre est de la main même de Proust/de ma main** the letter is in Proust's own hand/in my handwriting **2.** *(donné par)* from (the hand of) ▪ **elle a reçu son prix de la main du président** she received her award from the President himself. ▣ ▪ **de main en main** *loc adv* from hand to hand, from one person to the next. ▣ ▪ **d'une main** *loc adv* **1.** *(ouvrir, faire)* with one hand **2.** *(prendre)* with ou in one hand ▪ **donner qqch d'une main et le reprendre de l'autre** to give sthg with one hand and take it back with the other. ▣ ▪ **en main** ▣ *loc adj* ▪ **l'affaire est en main** the question is in hand ou is being dealt with ▪ **le livre est actuellement en main** *(il est consulté)* the book is out on loan ou is being consulted at the moment. ▣ *loc adv* ▪ **avoir qqch en main** to be holding sthg ▪ **avoir** ou **tenir qqch (bien) en main** *fig* to have sthg well in hand ou under control ▪ **quand tu auras la voiture bien en main** when you've got the feel of the car ▪ **prendre qqch en main** to take control of ou over sthg ▪ **prendre qqn en main** to take sb in hand ▪ **la société a été reprise en main** the company was taken over. ▣ ▪ **la main dans la main** *loc adv* **1.** *(en se tenant par la main)* hand in hand **2.** *fig* together **3.** *péj* hand in glove.

main-d'œuvre *nf* **1.** *(travail)* labour (UK), labor (US) **2.** *(personne)* workforce.

mainmise *nf* seizure.

maint, e *adj littéraire* many a ▪ **maints** many ▪ **maintes fois** time and time again.

maintenance *nf* maintenance.

maintenant *adv* now. ■ **maintenant que** *loc conj* now that.

maintenir *vt* **1.** (*soutenir*) to support • **maintenir qqn à distance** to keep sb away **2.** (*garder, conserver*) to maintain **3.** (*affirmer*) • **maintenir que** to maintain (that).
■ **se maintenir** *vp* **1.** (*durer*) to last **2.** (*rester*) to remain.

maintenu, e *pp* ▷ **maintenir**.

maintien *nm* **1.** (*conservation*) maintenance **2.** (*de tradition*) upholding **3.** (*tenue*) posture.

maire *nm* mayor.

mairie *nf* **1.** (*bâtiment*) town hall (UK), city hall (US) **2.** (*administration*) town council (UK), city hall (US).

mais ■ *conj* but • **mais non !** of course not! • **mais alors, tu l'as vu ou non ?** so did you see him or not? • **il a pleuré, mais pleuré !** he cried, and how! • **non mais ça ne va pas !** that's just not on! ■ *adv* but • **vous êtes prêts ? - mais bien sûr !** are you ready? - but of course! ■ *nm* • **il y a un mais** there's a hitch *ou* a snag • **il n'y a pas de mais** (there are) no buts.

maïs *nm* maize (UK), corn (US).

maison *nf* **1.** (*habitation, lignée &* ASTROL) house • **maison individuelle** detached house **2.** (*foyer*) home **3.** (*famille*) family • **à la maison** (*au domicile*) at home • (*dans la famille*) in my/your *etc* family **4.** COMM company **5.** (*institut*) • **maison d'arrêt** prison • **maison de la culture** arts centre (UK) *ou* center (US) • **maison de retraite** old people's home **6.** (*en apposition*) (*artisanal*) homemade **7.** (*dans restaurant - vin*) house (*avant nom*).

Maison-Blanche *nf* • **la Maison-Blanche** the White House.

maisonnée *nf* household.

maisonnette *nf* small house.

maître, esse *nm, f* **1.** (*professeur*) teacher • **maître chanteur** blackmailer • **maître de conférences** UNIV ≃ senior lecturer (UK), ≃ assistant professor (US) • **maître d'école** schoolteacher • **maître nageur** swimming instructor **2.** *fig* (*modèle, artiste*) master **3.** (*dirigeant*) ruler **4.** (*d'animal*) master (*f* mistress) • **maître d'hôtel** head waiter • **être maître de soi** to be in control of oneself, to have self-control

5. (*en apposition*) (*principal*) main, principal. ■ **Maître** *nm si vous voulez expliquer à un anglophone comment s'utilise ce titre, vous pouvez dire* this is how you address a lawyer in French. *En anglais, vous direz* Mr, Mrs *ou* Ms, *suivi du nom de famille.* ■ **maîtresse** *nf* (*amie*) mistress.

maître-assistant, e *nm, f* ≃ lecturer (UK), ≃ assistant professor (US).

maîtrise *nf* **1.** (*sang-froid, domination*) control **2.** (*connaissance*) mastery, command **3.** (*habileté*) skill **4.** UNIV ≃ master's degree.

maîtriser *vt* **1.** (*animal, forcené*) to subdue **2.** (*émotion, réaction*) to control, to master **3.** (*incendie*) to bring under control.
■ **se maîtriser** *vp* to control o.s..

majesté *nf* majesty. ■ **Majesté** *nf* • **Sa Majesté** His/Her Majesty.

majestueux, euse *adj* majestic.

majeur, e *adj* **1.** (*gén*) major **2.** (*personne*) of age. ■ **majeur** *nm* middle finger.

major *nm* 1. MIL ≃ adjutant 2. SCOL • **major (de promotion)** first in *ou* top of one's year.

majordome *nm* majordomo.

majorer *vt* to increase.

majorette *nf* majorette.

majoritaire *adj* majority *(avant nom)* • **être majoritaire** to be in the majority.

majorité *nf* majority • **en (grande) majorité** in the majority • **majorité absolue/relative** POLIT absolute/relative majority.

majuscule ◼ *nf* capital (letter). ◼ *adj* capital *(avant nom)*.

making of *nm inv* making of.

mal *nm* 1. *(ce qui est contraire à la morale)* evil 2. *(souffrance physique)* pain • **avoir mal au bras** to have a sore arm • **avoir mal au cœur** to feel sick • **avoir mal au dos** to have backache *(UK)* *ou* a backache *(US)* • **avoir mal à la gorge** to have a sore throat • **avoir le mal de mer** to be seasick • **avoir mal aux dents** to have toothache *(UK)* *ou* a toothache *(US)* • **avoir mal à la tête** to have a headache • **avoir mal au ventre** to have (a) stomachache • **faire mal à qqn** to hurt sb • **ça fait mal** it hurts • **se faire mal** to hurt o.s. 3. *(difficulté)* difficulty 4. *(douleur morale)* pain, suffering *(indénombrable)* • **être en mal de qqch** to long for sthg • **faire du mal (à qqn)** to hurt (sb). ◼ **mal** *adv* 1. *(malade)* **aller mal** not to be well • **se sentir mal** to feel ill • **être au plus mal** to be extremely ill 2. *(respirer)* with difficulty 3. *(informé, se conduire)* badly • **mal prendre qqch** to take sthg badly • **mal tourner** to go wrong • **pas mal** not bad *(adj)*, not badly *(adv)* • **pas mal de** quite a lot of. ◼ **mal à l'aise** *loc adj* uncomfortable, ill at ease • **être/se sentir mal à l'aise** to be/feel uncomfortable *ou* ill at ease • **je suis mal à l'aise devant elle** I feel ill at ease with her.

malade ◼ *nmf* invalid, sick person • **malade mental** mentally ill person. ◼ *adj* 1. *(souffrant - personne)* ill, sick • *(- organe)* bad • **tomber malade** to fall ill *ou* sick 2. *fam (fou)* crazy.

maladie *nf* 1. MÉD illness • **maladie d'Alzheimer** Alzheimer's disease • **maladie contagieuse** contagious disease • **maladie de Creutzfeldt-Jakob** Creutzfeldt-Jakob disease • **maladie héréditaire** hereditary disease • **maladie de Parkinson** Parkinson's disease • **maladie**

sexuellement transmissible sexually transmissible *ou* transmitted disease • **maladie de la vache folle** mad cow disease 2. *(passion, manie)* mania.

maladresse *nf* 1. *(inhabileté)* clumsiness 2. *(bévue)* blunder.

maladroit, e *adj* clumsy.

malaise *nm* 1. *(indisposition)* discomfort 2. *(trouble)* unease *(indénombrable)*.

malaisé, e *adj* difficult.

Malaisie *nf* • **la Malaisie** Malaya.

malappris, e *nm, f* lout.

malaria *nf* malaria.

malaudition *nf* MÉD hearing loss, hardness of hearing • **souffrir de malaudition** to be hearing-impaired *ou* hard of hearing.

malaxer *vt* to knead.

malbouffe *nf* junk food, bad food.

malchance *nf* bad luck *(indénombrable)*.

malchanceux, euse ◼ *adj* unlucky. ◼ *nm, f* unlucky person.

malcommode *adj* 1. inconvenient 2. *(meuble)* impractical.

mâle ◼ *adj* 1. *(enfant, animal, hormone)* male 2. *(voix, assurance)* manly 3. ÉLECTR male. ◼ *nm* male.

malédiction *nf* curse.

maléfique *adj sout* evil.

malencontreux, euse *adj (hasard, rencontre)* unfortunate.

malentendant, e *nm, f* person who is hard of hearing.

malentendu *nm* misunderstanding.

malfaçon *nf* defect.

malfaiteur *nm* criminal.

malfamé, e, mal famé, e *adj* disreputable.

malformation *nf* malformation.

malfrat *nm fam* crook.

malgré *prép* in spite of • **malgré tout** *(quoi qu'il arrive)* in spite of everything • *(pourtant)* even so, yet. ◼ **malgré que** *loc conj* (+ *subjonctif*) *fam* although, in spite of the fact that.

malhabile *adj* clumsy.

malheur *nm* misfortune • **par malheur** unfortunately • **porter malheur à qqn** to bring sb bad luck.

malheureusement *adv* unfortunately.

malheureux, euse ◼ *adj* **1.** *(triste)* unhappy **2.** *(désastreux, regrettable)* unfortunate **3.** *(malchanceux)* unlucky **4.** *(avant nom)* *(sans valeur)* pathetic, miserable. ◼ *nm, f* **1.** *(infortuné)* poor soul **2.** *(indigent)* poor person.

malhonnête ◼ *nmf* dishonest person. ◼ *adj* **1.** *(personne, affaire)* dishonest **2.** *hum (proposition, propos)* indecent.

malhonnêteté *nf* **1.** *(de personne)* dishonesty **2.** *(action)* dishonest action.

Mali *nm* ◦ **le Mali** Mali.

malice *nf* mischief.

malicieux, euse *adj* mischievous.

malin, igne ◼ *adj* **1.** *(rusé)* crafty, cunning **2.** *(regard, sourire)* knowing **3.** *(méchant)* malicious, spiteful **4.** MÉD malignant. ◼ *nm, f* cunning *ou* crafty person.

malingre *adj* sickly.

malle *nf* **1.** *(coffre)* trunk **2.** *(de voiture)* boot *(UK)*, trunk *(US)*.

malléable *adj* malleable.

mallette *nf* briefcase.

mal-logé, e *nm, f* person living in poor accommodation.

malmener *vt* *(brutaliser)* to handle roughly, to ill-treat.

malnutrition *nf* malnutrition.

malodorant, e *adj* smelly.

malotru, e *nm, f* lout.

malpoli, e *nm, f* rude person.

malpropre *adj (sale)* dirty.

malsain, e *adj* unhealthy.

malt *nm* **1.** *(céréale)* malt **2.** *(whisky)* malt (whisky) *(UK)* *ou* (whiskey) *(US)*.

Malte *npr* Malta.

maltraiter *vt* **1.** to ill-treat **2.** *(en paroles)* to attack, to run down.

malveillant, e *adj* spiteful.

malversation *nf* embezzlement.

malvoyant, e *nm, f* person who is partially sighted.

maman *nf* mummy *(UK)*, mommy *(US)*.

mamelle *nf* **1.** teat **2.** *(de vache)* udder.

mamelon *nm (du sein)* nipple.

mamie, mamy *nf* granny, grandma.

mammifère *nm* mammal.

mammouth *nm* mammoth.

mamy = **mamie**.

management *nm* management.

manager *nm* manager.

manche ◼ *nf* **1.** *(de vêtement)* sleeve ◦ **manches courtes/longues** short/long sleeves **2.** *(de jeu)* round, game **3.** TENNIS set. ◼ *nm* **1.** *(d'outil)* handle ◦ **manche à balai** broomstick ◦ *(d'avion)* joystick **2.** MUS neck.

Manche *nf (mer)* ◦ **la Manche** the English Channel.

manchette *nf* **1.** *(de chemise)* cuff **2.** *(de journal)* headline **3.** *(coup)* forearm blow.

manchon *nm* **1.** *(en fourrure)* muff **2.** TECHNOL casing, sleeve.

manchot, ote ◼ *adj* one-armed. ◼ *nm, f* one-armed person. ◼ **manchot** *nm* penguin.

mandarine *nf* mandarin (orange).

mandat *nm* **1.** *(pouvoir, fonction)* mandate **2.** DR warrant ◦ **mandat de perquisition** search warrant **3.** *(titre postal)* money order ◦ **mandat postal** postal order *(UK)*, money order *(US)*.

mandataire *nmf* proxy, representative.

mandibule *nf* mandible.

mandoline *nf* mandolin.

manège *nm* **1.** *(attraction)* merry-go-round, roundabout *(UK)*, carousel *(US)* **2.** *(de chevaux - lieu)* riding school **3.** *(manœuvre)* scheme, game.

manette *nf* lever.

manga *nf* manga (comic).

manganèse *nm* manganese.

mangeable *adj* edible.

mangeoire *nf* manger.

manger ◼ *vt* **1.** *(nourriture)* to eat **2.** *(fortune)* to get through, to squander. ◼ *vi* to eat.

mangue *nf* mango.

maniable *adj (instrument)* manageable.

maniaque ◼ *nmf* **1.** *(méticuleux)* fusspot *(UK)*, fussbudget *(US)* **2.** *(fou)* maniac. ◼ *adj* **1.** *(méticuleux)* fussy **2.** *(fou)* maniacal.

manie *nf* **1.** *(habitude)* funny habit ◦ **avoir la manie de qqch/de faire qqch** to have a mania for sthg/for doing sthg **2.** *(obsession)* mania.

maniement *nm* handling.

manier *vt* **1.** *(manipuler, utiliser)* to handle **2.** *fig (ironie, mots)* to handle skilfully *(UK)* *ou* skillfully *(US)*.

manière *nf* *(méthode)* manner, way ▪ **de toute manière** at any rate ▪ **d'une manière générale** generally speaking. ■ **manières** *nfpl* manners. ■ **de manière à** *loc conj* (in order) to ▪ **de manière à ce que** (+ *subjonctif*) so that. ■ **de manière que** *loc conj* (+ *subjonctif*) in such a way that.

maniéré, e *adj* affected.

manif *nf fam* demonstration, demo *(UK)*.

manifestant, e *nm, f* demonstrator.

manifestation *nf* **1.** *(témoignage)* expression **2.** *(mouvement collectif)* demonstration **3.** *(apparition - de maladie)* appearance.

manifester ◼ *vt* to show, to express. ◼ *vi* to demonstrate.
■ **se manifester** *vp* **1.** *(apparaître)* to show *ou* manifest itself **2.** *(se montrer)* to turn up, to appear.

manigancer *vt fam* to scheme, to plot.

manioc *nm* manioc.

manipuler *vt* **1.** *(colis, appareil)* to handle **2.** *(statistiques, résultats)* to falsify, to rig **3.** *péj (personne)* to manipulate.

manivelle *nf* crank.

manne *nf* **1.** RELIG manna **2.** *fig & littéraire* godsend.

mannequin *nm* **1.** *(forme humaine)* model, dummy **2.** *(personne)* model, mannequin.

manœuvre ◼ *nf* **1.** *(d'appareil, de véhicule)* driving, handling **2.** MIL manoeuvre *(UK)*, maneuver *(US)*, exercise **3.** *(machination)* ploy, scheme. ◼ *nm* labourer *(UK)*, laborer *(US)*.

manœuvrer ◼ *vi* to manoeuvre *(UK)*, to maneuver *(US)*. ◼ *vt* **1.** *(faire fonctionner)* to operate, to work **2.** *(voiture)* to manoeuvre *(UK)*, to maneuver *(US)* **3.** *(influencer)* to manipulate.

manoir *nm* manor, country house.

manquant, e *adj* missing.

manque *nm* **1.** *(pénurie)* lack, shortage ▪ **par manque de** for want of **2.** *(de toxicomane)* withdrawal symptoms *pl* **3.** *(lacune)* gap.

manqué, e *adj* **1.** *(raté)* failed **2.** *(rendez-vous)* missed.

manquer ◼ *vi* **1.** *(faire défaut)* to be lacking, to be missing ▪ **l'argent/le temps me manque** I don't have enough money/time ▪ **tu me manques** I miss

you **2.** *(être absent)* ▪ **manquer (à)** to be absent (from), to be missing (from) **3.** *(ne pas avoir assez)* ▪ **manquer de qqch** to lack sthg, to be short of sthg **4.** *(faillir)* ▪ **il a manqué de se noyer** he nearly *ou* almost drowned ▪ **ne manquez pas de lui dire** don't forget to tell him ▪ **je n'y manquerai pas** I certainly will, I'll definitely do it **5.** *(ne pas respecter)* ▪ **manquer à** *(devoir)* to fail in ▪ **manquer à sa parole** to break one's word. ◼ *vt* **1.** *(gén)* to miss **2.** *(échouer à)* to bungle, to botch. ◼ *v impers* ▪ **il manque quelqu'un** somebody is missing ▪ **il me manque 3 euros** I'm 3 euros short.

mansarde *nf* attic.

mansardé, e *adj* attic *(avant nom)*.

mansuétude *nf littéraire* indulgence.

mante *nf* HIST mantle. ■ **mante religieuse** *nf* praying mantis.

manteau *nm* *(vêtement)* coat.

manucure *nmf* manicurist.

manuel, elle *adj* manual. ■ **manuel** *nm* manual.

manufacture *nf (fabrique)* factory.

manuscrit, e *adj* handwritten. ■ **manuscrit** *nm* manuscript.

manutention *nf* handling.

manutentionnaire *nmf* warehouseman.

mappemonde *nf* **1.** *(carte)* map of the world **2.** *(sphère)* globe.

maquereau, elle *nm, f fam* pimp *(f madam)*. ■ **maquereau** *nm* mackerel.

maquette *nf* **1.** *(ébauche)* paste-up **2.** *(modèle réduit)* model.

maquillage *nm (action, produits)* make-up.

maquiller *vt* **1.** *(farder)* to make up **2.** *(fausser - gén)* to disguise ▪ *(- chiffres)* to doctor ▪ *(- passeport)* to falsify.
■ **se maquiller** *vp* to make up, to put on one's make-up.

maquis *nm* **1.** *(végétation)* scrub, brush, maquis **2.** HIST Maquis, French Resistance.

marabout *nm* **1.** ZOOL marabou **2.** *(guérisseur)* marabout.

maraîcher, ère ◼ *adj* market garden *(avant nom)* *(UK)*, truck farming *(avant nom)* *(US)*. ◼ *nm, f* market gardener *(UK)*, truck farmer *(US)*.

marais nm (marécage) marsh, swamp • **marais salant** saltpan.

marasme nm (récession) stagnation.

marathon nm marathon.

marâtre nf vieilli **1.** (mauvaise mère) bad mother **2.** (belle-mère) stepmother.

maraudage nm = **maraude**.

maraude nf pilfering.

marbre nm (roche, objet) marble.

marc nm **1.** (eau-de-vie) marc (brandy) (distilled from grape residue) **2.** (de fruits) residue **3.** (de thé) leaves • **marc de café** grounds pl.

marcassin nm young wild boar.

marchand, e ◨ adj **1.** (valeur) market (avant nom) **2.** (prix) trade (avant nom). ◨ nm, f **1.** (commerçant) merchant **2.** (détaillant) shopkeeper (UK), storekeeper (US) • **marchand de journaux** newsagent (UK), newsdealer (US).

marchander ◨ vt **1.** (prix) to haggle over **2.** (appui) to begrudge. ◨ vi to bargain, to haggle.

marchandise nf merchandise (indénombrable), goods pl.

marche nf **1.** (d'escalier) step **2.** (activité, sport) walking • **marche à pied** walking • **marche à suivre** fig correct procedure **3.** (promenade) walk • **nous avons fait une marche de 8 km** we did an 8 km walk **4.** (défilé) **marche silencieuse/de protestation** silent/protest march **5.** MUS march **6.** (déplacement - du temps, d'astre) course • **assis dans le sens de la marche** (en train) sitting facing the engine • **en marche arrière** in reverse • **faire marche arrière** to reverse • fig to backpedal, to backtrack **7.** (fonctionnement) running, working • **en marche** running • **se mettre en marche** to start (up).

marché nm **1.** (lieu de vente) market • **faire son marché** to go shopping, to do one's shopping • **marché aux puces** flea market **2.** FIN & ÉCON • **marché noir** black market • **le marché du travail** the labour (UK) ou labor (US) market **3.** (contrat) bargain, deal • **(à) bon marché** cheap. ◨ **Marché commun** nm • **le Marché commun** the Common Market.

marchepied nm **1.** (de train) step **2.** (escabeau) steps pl (UK), stepladder **3.** fig stepping-stone.

marcher vi **1.** (aller à pied) to walk **2.** (poser le pied) to step **3.** (fonctionner, tourner) to work • **son affaire marche bien** his business is doing well **4.** fam (accepter) to agree • **faire marcher qqn** fam to take sb for a ride.

mardi nm Tuesday • **mardi gras** Shrove Tuesday. • voir aussi **samedi**

mare nf pool.

marécage nm marsh, bog.

marécageux, euse adj (terrain) marshy, boggy.

maréchal, aux nm marshal.

marée nf **1.** (de la mer) tide • **(à) marée haute/basse** (at) high/low tide **2.** fig (de personnes) wave, surge. ◨ **marée noire** nf oil slick.

marelle nf hopscotch.

margarine nf margarine.

marge nf **1.** (espace) margin • **vivre en marge de la société** fig to live on the fringes of society **2.** (latitude) leeway • **marge d'erreur** margin of error **3.** COMM margin • **marge commerciale** gross margin.

margelle nf coping.

marginal, e ◨ adj **1.** (gén) marginal **2.** (groupe) dropout (avant nom). ◨ nm, f dropout.

marguerite nf **1.** BOT daisy **2.** (d'imprimante) daisy wheel.

mari nm husband.

mariage nm **1.** (union, institution) marriage **2.** (cérémonie) wedding • **mariage civil/religieux** civil/church wedding **3.** fig (de choses) blend.

Marianne npr si vous voulez donner une définition à un anglophone, vous pouvez dire it is a female figure who symbolizes the French Republic.

marié, e ◨ adj married. ◨ nm, f groom, bridegroom (f bride).

marier vt **1.** (personne) to marry **2.** fig (couleurs) to blend.
◨ **se marier** vp **1.** (personnes) to get married • **se marier avec qqn** to marry sb **2.** fig (couleurs) to blend.

marihuana, marijuana nf marijuana.

marin, e adj **1.** (de la mer) sea (avant nom) **2.** (faune, biologie) marine **3.** NAUT (carte, mille) nautical. ◨ **marin** nm **1.** (navigateur) seafarer **2.** (matelot) sailor • **marin pêcheur** deep-sea fisherman. ◨ **marine** ◨ nf **1.** (navigation) seamanship, navigation **2.** *(navires)* navy • **marine marchande** merchant navy *(UK)* ou marine *(US)* • **marine nationale** navy. ◼ *nm* **1.** MIL marine **2.** *(couleur)* navy (blue). ◼ *adj inv* navy.

mariner ◼ *vt* to marinate. ◼ *vi* **1.** *(aliment)* to marinate • **faire mariner qqch** to marinate sthg **2.** *fam fig (attendre)* to hang around • **faire mariner qqn** to let sb stew.

marinier *nm* bargee *(UK)*, bargeman *(US)*.

marionnette *nf* puppet.

marital, e *adj* • **autorisation maritale** husband's permission.

maritime *adj* **1.** *(navigation)* maritime **2.** *(ville)* coastal.

mark *nm (monnaie)* mark.

marketing *nm* marketing • **marketing téléphonique** telemarketing.

marmaille *nf fam* brood (of kids).

marmelade *nf* stewed fruit.

marmite *nf (casserole)* pot.

marmonner *vt* & *vi* to mutter, to mumble.

marmot *nm fam* kid.

marmotte *nf* marmot.

Maroc *nm* • **le Maroc** Morocco.

marocain, e *adj* Moroccan. ◼ **Marocain, e** *nm, f* Moroccan.

maroquinerie *nf (magasin)* leather-goods shop *(UK)* ou store *(US)*.

marotte *nf (dada)* craze.

marquant, e *adj* outstanding.

marque *nf* **1.** *(signe, trace)* mark **2.** *fig* stamp, mark **3.** *(label, fabricant)* make, brand • **de marque** designer *(avant nom)* • *fig* important • **marque déposée** registered trademark **4.** SPORT score • **à vos marques, prêts, partez !** on your marks, get set, go!, ready, steady, go! *(UK)* **5.** *(témoignage)* sign, token.

marqué, e *adj* **1.** *(net)* marked, pronounced **2.** *(personne, visage)* marked.

marquer ◼ *vt* **1.** *(gén)* to mark **2.** *fam (écrire)* to write down, to note down **3.** *(indiquer, manifester)* to show **4.** *(SPORT - but, point)* to score • *(- joueur)* to mark **5.** *(impressionner)* to mark, to affect, to make an impression on. ◼ *vi* **1.** *(événement, expérience)* to leave its mark **2.** SPORT to score.

marqueur *nm (crayon)* marker (pen).

marquis, e *nm, f* marquis (*f* marchioness).

marraine *nf* **1.** *(de filleul)* godmother **2.** *(de navire)* christener.

marrant, e *adj fam* funny.

marre *adv* • **en avoir marre (de)** *fam* to be fed up (with).

marrer ◼ **se marrer** *vp fam* to split one's sides.

marron, onne *adj péj* **1.** *(médecin)* quack *(avant nom)* **2.** *(avocat)* crooked. ◼ **marron** ◼ *nm* **1.** *(fruit)* chestnut **2.** *(couleur)* brown. ◼ *adj inv* brown.

marronnier *nm* chestnut tree.

mars *nm* March. • *voir aussi* **septembre**

Marseille *npr* Marseilles.

marsouin *nm* porpoise.

marteau ◼ *nm* **1.** *(gén)* hammer • **marteau piqueur** ou **pneumatique** pneumatic drill *(UK)*, jackhammer *(US)* **2.** *(heurtoir)* knocker. ◼ *adj fam* nuts, barmy *(UK)*.

marteler *vt* **1.** *(pieu)* to hammer **2.** *(table, porte)* to hammer on, to pound **3.** *(phrase)* to rap out.

martial, e *adj* martial.

martien, enne *adj* & *nm, f* Martian.

martinet *nm* **1.** ZOOL swift **2.** *(fouet)* whip.

martingale *nf* **1.** *(de vêtement)* half-belt **2.** *(jeux)* winning system.

Martini® *nm* Martini®.

Martinique *nf* • **la Martinique** Martinique.

martyr, e ◼ *adj* martyred. ◼ *nm, f* martyr. ◼ **martyre** *nm* martyrdom.

martyriser *vt* to torment.

marxisme *nm* Marxism.

mascarade *nf (mise en scène)* masquerade.

mascotte *nf* mascot.

masculin, e *adj* **1.** *(apparence* & GRAMM*)* masculine **2.** *(métier, population, sexe)* male. ◼ **masculin** *nm* GRAMM masculine.

maso *fam* ◼ *nm* masochist. ◼ *adj* masochistic.

masochisme *nm* masochism.

masque *nm* **1.** *(gén)* mask • **masque à gaz** gas mask **2.** *fig (façade)* front, façade.

masquer *vt* **1.** *(vérité, crime, problème)* to conceal **2.** *(maison, visage)* to conceal, to hide.

massacre *nm litt & fig* massacre.

massacrer *vt* 1. to massacre 2. *(voiture)* to smash up.

massage *nm* massage.

masse *nf* 1. *(de pierre)* block 2. *(d'eau)* volume 3. *(grande quantité)* • **une masse de** masses *pl ou* loads *pl* of 4. PHYS mass 5. ÉLECTR earth *(UK)*, ground *(US)* 6. *(maillet)* sledgehammer. ■ **en masse** *loc adv* 1. *(venir)* en masse, all together 2. *fam (acheter)* in bulk.

masser *vt* 1. *(assembler)* to assemble 2. *(frotter)* to massage. ■ **se masser** *vp* 1. *(s'assembler)* to assemble, to gather 2. *(se frotter)* • **se masser le bras** to massage one's arm.

masseur, euse *nm, f (personne)* masseur (*f* masseuse).

massicot *nm* guillotine.

massif, ive *adj* 1. *(monument, personne, dose)* massive 2. *(or, chêne)* solid. ■ **massif** *nm* 1. *(de plantes)* clump 2. *(de montagnes)* massif.

massue *nf* club.

mastic *nm* mastic, putty.

mastiquer *vt (mâcher)* to chew.

masturber ■ **se masturber** *vp* to masturbate.

masure *nf* hovel.

mat, e *adj* 1. *(peinture, surface)* matt *(UK)*, matte *(US)* 2. *(peau, personne)* dusky 3. *(bruit, son)* dull 4. *(aux échecs)* checkmated. ■ **mat** *nm* checkmate.

mât *nm* 1. NAUT mast 2. *(poteau)* pole, post.

match *nm* match • **(faire) match nul** (to) tie, (to) draw *(UK)* • **match aller/retour** first/second leg *(UK)*.

matelas *nm inv (de lit)* mattress • **matelas pneumatique** airbed.

matelot *nm* sailor.

mater *vt* 1. *(soumettre, neutraliser)* to subdue 2. *fam (regarder)* to eye up.

matérialiser ■ **se matérialiser** *vp (aspirations)* to be realized.

matérialiste ▨ *nmf* materialist. ▨ *adj* materialistic.

matériau *nm* material. ■ **matériaux** *nmpl* CONSTR material *(indénombrable)*, materials.

matériel, elle *adj* 1. *(être, substance)* material, physical 2. *(confort, avantage, aide)* material 3. *(considération)* practical.

■ **matériel** *nm* 1. *(gén)* equipment *(indénombrable)* 2. INFORM hardware *(indénombrable)*.

maternel, elle *adj* 1. maternal 2. *(langue)* mother *(avant nom)*. ■ **maternelle** *nf* nursery school.

maternité *nf* 1. *(qualité)* maternity, motherhood 2. *(hôpital)* maternity hospital.

mathématicien, enne *nm, f* mathematician.

mathématique *adj* mathematical. ■ **mathématiques** *nfpl* mathematics *(indénombrable)*.

maths *nfpl fam* maths *(UK)*, math *(US)*.

matière *nf* 1. *(substance)* matter • **matières grasses** fat • **matière grise** grey *(UK) ou* gray *(US)* matter 2. *(matériau)* material • **matières premières** raw materials 3. *(discipline, sujet)* subject • **en matière de sport/littérature** as far as sport/literature is concerned.

matin *nm* morning • **le matin** in the morning • **ce matin** this morning • **à trois heures du matin** at 3 o'clock in the morning • **du matin au soir** *fig* from dawn to dusk.

matinal, e *adj* 1. *(gymnastique, émission)* morning *(avant nom)* 2. *(personne)* • **être matinal** to be an early riser.

matinée *nf* 1: *(matin)* morning • **faire la grasse matinée** to sleep late, to have a lie in *(UK)* 2. *(spectacle)* matinée, afternoon performance.

matou *nm* tom, tomcat.

matraque *nf* truncheon *(UK)*, billy club *(US)*, nightstick *(US)*.

matraquer *vt* 1. *(frapper)* to beat, to club 2. *fig (intoxiquer)* to bombard.

matriarcat *nm* matriarchy.

matrice *nf* 1. *(moule)* mould *(UK)*, mold *(US)* 2. MATH matrix 3. ANAT womb.

matricule *nm* • **(numéro) matricule** number.

matrimonial, e *adj* matrimonial.

matrone *nf péj* old bag.

mature *adj* mature.

mâture *nf* masts *pl*.

maturité *nf* 1. maturity 2. *(de fruit)* ripeness.

maudire *vt* to curse.

maudit, e ◼ *pp* ⊳ **maudire**. ◼ *adj* **1.** *(réprouvé)* accursed **2.** *(avant nom)* *(exécrable)* damned.

maugréer ◼ *vt* to mutter. ◼ *vi* • **maugréer (contre)** to grumble (about).

Maurice ⊳ **ile**.

mausolée *nm* mausoleum.

maussade *adj* **1.** *(personne, air)* sullen **2.** *(temps)* gloomy.

mauvais, e *adj* **1.** *(gén)* bad **2.** *(moment, numéro, réponse)* wrong **3.** *(mer)* rough **4.** *(personne, regard)* nasty. ◼ **mauvais** *adv* • **il fait mauvais** the weather is bad • **sentir mauvais** to smell bad.

mauve *nm & adj* mauve.

mauviette *nf fam* **1.** *(physiquement)* weakling **2.** *(moralement)* coward, wimp.

max *(abr de* **maximum)** *nm fam* • **un max de fric** loads of money.

max. *(abr écrite de* **maximum)** max.

maxillaire *nm* jawbone.

maxime *nf* maxim.

maximum ◼ *nm* maximum • **le maximum de personnes** the greatest (possible) number of people • **au maximum** at the most. ◼ *adj* maximum *(avant nom)*.

maya *adj* Mayan. ◼ **Maya** *nmf* • **les Mayas** the Maya.

mayonnaise *nf* mayonnaise.

mazout *nm* fuel oil.

me, m' *pron pers* **1.** *(complément d'objet direct)* me **2.** *(complément d'objet indirect)* (to) me **3.** *(réfléchi)* myself **4.** *(avec un présentatif)* • **me voici** here I am.

méandre *nm (de rivière)* meander, bend. ◼ **méandres** *nmpl (détours sinueux)* meanderings *pl*.

mec *nm fam* guy, bloke *(UK)*.

mécanicien, enne *nm, f* **1.** *(de garage)* mechanic **2.** *(conducteur de train)* train driver *(UK)*, engineer *(US)*.

mécanique ◼ *nf* **1.** TECHNOL mechanical engineering **2.** MATH & PHYS mechanics *(indénombrable)* **3.** *(mécanisme)* mechanism. ◼ *adj* mechanical.

mécanisme *nm* mechanism.

mécène *nm* patron.

méchamment *adv (cruellement)* nastily.

méchanceté *nf* **1.** *(attitude)* nastiness **2.** *fam (rosserie)* nasty thing.

méchant, e ◼ *adj* **1.** *(malveillant, cruel)* nasty, wicked **2.** *(animal)* vicious **3.** *(désobéissant)* naughty. ◼ *nm, f (en langage enfantin)* bad boy.

mèche *nf* **1.** *(de bougie)* wick **2.** *(de cheveux)* lock **3.** *(de bombe)* fuse.

méchoui *nm* lamb barbecue on a spit (of a whole sheep roasted on a spit).

méconnaissable *adj* unrecognizable.

méconnu, e *adj* unrecognized.

mécontent, e ◼ *adj* unhappy. ◼ *nm, f* malcontent.

mécontenter *vt* to displease.

Mecque *npr* • **La Mecque** Mecca.

mécréant, e *nm, f* non-believer.

médaille *nf* **1.** *(pièce, décoration)* medal **2.** *(bijou)* medallion **3.** *(de chien)* identification tag, identification disc *(UK)* ou disk *(US)*.

médaillon *nm* **1.** *(bijou)* locket **2.** ART & CULIN medallion.

médecin *nm* **1.** doctor • **médecin conventionné** ≃ National Health doctor *(UK)* • **médecin de famille** family doctor, GP • **médecin de garde** doctor on duty, duty doctor • **médecin généraliste** general practitioner, GP • **médecin légiste** (forensic) pathologist *(UK)*, medical examiner *(US)* • **votre médecin traitant** your (usual) doctor **2.** • **Médecins du monde** Doctors of the World • **Médecins sans frontières** Doctors Without Borders.

médecine *nf* medicine.

Medef *(abr de* **Mouvement des entreprises de France)** *nm* ≃ CBI *(UK)*, *si vous voulez donner une définition à un anglophone, vous pouvez dire* it is the French employers federation.

média *nm* • **les médias** the (mass) media.

médian, e *adj* median. ◼ **médiane** *nf* median.

médiateur, trice ◼ *adj* mediating *(avant nom)*. ◼ *nm, f* **1.** mediator **2.** *(dans un conflit de travail)* arbitrator. ◼ **médiateur** *nm* ADMIN ombudsman. ◼ **médiatrice** *nf* median.

médiathèque *nf* media library.

médiatique *adj* media *(avant nom)*.

médiatiser *vt péj* to turn into a media event.

médical, e *adj* medical.

médicament *nm* medicine, drug.

médicinal, e *adj* medicinal.

médico-légal, e *adj* forensic.

médiéval, e *adj* medieval.

médiocre *adj* mediocre.

médiocrité *nf* mediocrity.

médire *vi* to gossip • **médire de qqn** to speak ill of sb.

médisant, e *adj* slanderous.

médisation *nf* meditation.

méditer ◼ *vt (projeter)* to plan • **méditer de faire qqch** to plan to do sthg. ◼ *vi* • **méditer (sur)** to meditate (on).

Méditerranée *nf* • **la Méditerranée** the Mediterranean (Sea).

méditerranéen, enne *adj* Mediterranean. ◼ **Méditerranéen, enne** *nm, f* person from the Mediterranean.

médium *nm (personne)* medium.

médius *nm* middle finger.

méduse *nf* jellyfish.

méduser *vt* to dumbfound.

meeting *nm* meeting.

méfait *nm* misdemeanour *(UK)*, misdemeanor *(US)*, misdeed. ◼ **méfaits** *nmpl (du temps)* ravages.

méfiance *nf* suspicion, distrust.

méfiant, e *adj* suspicious, distrustful.

méfier ◼ **se méfier** *vp* to be wary *ou* careful • **se méfier de qqn/qqch** to distrust sb/sthg.

mégalo *nmf* & *adj fam* megalomaniac.

mégalomane *nmf* & *adj* megalomaniac.

mégalomanie *nf* megalomania.

méga-octet *nm* megabyte.

mégapole *nf* megalopolis, megacity.

mégarde ◼ **par mégarde** *loc adv* by mistake.

mégère *nf péj* shrew.

mégot *nm fam* butt, fag-end *(UK)*.

meilleur, e ◼ *adj* **1.** *(compar)* better **2.** *(superl)* best. ◼ *nm, f* best. ◼ **meilleur** ◼ *nm* • **le meilleur** the best. ◼ *adv* better.

mél *nm* INFORM email.

mélancolie *nf* melancholy.

mélancolique *adj* melancholy.

mélange *nm* **1.** *(action)* mixing **2.** *(mixture)* mixture.

mélanger *vt* **1.** *(mettre ensemble)* to mix **2.** *(déranger)* to mix up, to muddle up. ◼ **se mélanger** *vp* **1.** *(se mêler)* to mix **2.** *(se brouiller)* to get mixed up.

mélée *nf* **1.** *(combat)* fray **2.** *(rugby)* scrum.

mêler *vt* **1.** *(mélanger)* to mix **2.** *(déranger)* to muddle up, to mix up **3.** *(impliquer)* • **mêler qqn à qqch** to involve sb in sthg. ◼ **se mêler** *vp* **1.** *(se joindre)* • **se mêler à** *(groupe)* to join **2.** *(s'ingérer)* • **se mêler de qqch** to get mixed up in sthg • **mêlez-vous de ce qui vous regarde !** mind your own business!

mélèze *nm* larch.

mélo *nm fam* melodrama.

mélodie *nf* melody.

mélodieux, euse *adj* melodious, tuneful.

mélodrame *nm* melodrama.

mélomane ◼ *nmf* music lover. ◼ *adj* music-loving.

melon *nm* **1.** *(fruit)* melon **2.** *(chapeau)* bowler (hat) *(UK)*, derby (hat) *(US)*.

membrane *nf* membrane.

membre ◼ *nm* **1.** *(du corps)* limb **2.** *(personne, pays, partie)* member. ◼ *adj* member *(avant nom)*.

même ◼ *adj indéf* **1.** *(indique une identité ou une ressemblance)* same • **il a le même âge que moi** he's the same age as me **2.** *(sert à souligner)* • **ce sont ses paroles mêmes** those are his very words • **elle est la bonté même** she's kindness itself. ◼ *pron indéf* • **le/la même** the same one • **ce sont toujours les mêmes qui gagnent** it's always the same people who win. ◼ *adv* even • **il n'est même pas diplômé** he isn't even qualified. ◼ **de même** *loc adv* similarly, likewise • **il en va de même pour lui** the same goes for him. ◼ **de même que** *loc conj* just as. ◼ **tout de même** *loc adv* all the same. ◼ **à même** *loc prép* • **s'asseoir à même le sol** to sit on the bare ground. ◼ **à même de** *loc prép* • **être à même de faire qqch** to be able to do sthg, to be in a position to do sthg. ◼ **même si** *loc conj* even if.

mémé = **mémère**.

mémento *nm* **1.** *(agenda)* pocket diary **2.** *(ouvrage)* notes *(title of school textbook)*.

mémère, mémé *nf fam* **1.** *(grand-mère)* granny **2.** *péj (vieille femme)* old biddy.

mémoire ◼ *nf (gén & INFORM)* memory • **de mémoire** from memory • **avoir bonne/ mauvaise mémoire** to have a good/bad memory • **mettre en mémoire** INFORM to store • **mémoire tampon** INFORM buffer • **mémoire vive** INFORM random access memory • **à la mémoire de** in memory of. ◼ *nm UNIV* dissertation, paper. ◼ **mémoires** *nmpl* memoirs.

mémorable *adj* memorable.

mémorial, aux *nm (monument)* memorial.

mémorisable *adj* INFORM storable.

menaçant, e *adj* threatening.

menace *nf* • **menace (pour)** threat (to).

exprimer une menace

• If you don't stop that racket at once, I'm calling the police! **Si vous n'arrêtez pas ce tapage immédiatement, j'appelle la police !**
• Leave that woman alone or I'll call the police! **Laissez cette femme tranquille ou j'appelle la police !**
• I'm warning you: you'd better stop right now! **Je te préviens, tu ferais mieux d'arrêter tout de suite !**
• That's enough now! **Maintenant, ça suffit !**

menacer ◼ *vt* to threaten • **menacer de faire qqch** to threaten to do sthg • **menacer qqn de qqch** to threaten sb with sthg. ◼ *vi* • **la pluie menace** it looks like rain.

ménage *nm* **1.** *(nettoyage)* housework *(indénombrable)* • **faire le ménage** to do the housework **2.** *(couple)* couple **3.** ÉCON household.

ménagement *nm (égards)* consideration • **sans ménagement** brutally.

ménager[1], **ère** *adj* household *(avant nom)*, domestic. ◼ **ménagère** *nf* **1.** *(femme)* housewife **2.** *(de couverts)* canteen *(UK)*.

ménager[2] *vt* **1.** *(bien traiter)* to treat gently **2.** *(économiser - réserves)* to use sparingly • *(- argent, temps)* to use carefully • **ménager ses forces** to conserve one's strength • **ménager sa santé** to take care of one's health **3.** *(préparer - surprise)* to prepare.
◼ **se ménager** *vp* to take care of o.s., to look after o.s..

ménagerie *nf* menagerie.

mendiant, e *nm, f* beggar.

mendier ◼ *vt (argent)* to beg for. ◼ *vi* to beg.

mener ◼ *vt* **1.** *(emmener)* to take **2.** *(suj : escalier, route)* to take, to lead **3.** *(diriger - débat, enquête)* to conduct • *(- affaires)* to manage, to run • **mener qqch à bonne fin** *ou* **à bien** to see sthg through, to bring sthg to a successful conclusion **4.** *(être en tête de)* to lead. ◼ *vi* to lead.

meneur, euse *nm, f (chef)* ringleader • **meneur d'hommes** born leader.

menhir *nm* standing stone.

méningite *nf* meningitis *(indénombrable)*.

ménisque *nm* meniscus.

ménopause *nf* menopause.

menotte *nf (main)* little hand. ◼ **menottes** *nfpl* handcuffs • **passer les menottes à qqn** to handcuff sb.

mensonge *nm (propos)* lie.

mensonger, ère *adj* false.

menstruel, elle *adj* menstrual.

mensualiser *vt* to pay monthly.

mensualité *nf* **1.** *(traite)* monthly instalment *(UK)* ou installment *(US)* **2.** *(salaire)* (monthly) salary.

mensuel, elle *adj* monthly. ◼ **mensuel** *nm* monthly (magazine).

mensuration *nf* measuring. ◼ **mensurations** *nfpl* measurements.

mental, e *adj* mental.

mentalité *nf* mentality.

menteur, euse *nm, f* liar.

menthe *nf* mint.

mention *nf* **1.** *(citation)* mention **2.** *(note)* note • **'rayer la mention inutile'** 'delete as appropriate' **3.** UNIV • **avec mention** with distinction.

mentionner *vt* to mention.

mentir *vi* • **mentir (à)** to lie (to).

menton *nm* chin.

menu, e ◼ *adj* **1.** *(très petit)* tiny **2.** *(mince)* thin. ◼ **menu** *nm* **1.** *(liste, carte)* menu **2.** *(repas à prix fixe)* set menu • **menu gas-**

tronomique/touristique gourmet/tourist menu **3.** INFORM menu ∘ **menu déroulant** pull-down menu.

menuiserie nf **1.** (métier) carpentry, joinery (UK) **2.** (atelier) carpenter's workshop, joinery (workshop) (UK).

menuisier nm carpenter, joiner (UK).

méprendre ■ **se méprendre** vp littéraire ∘ **se méprendre sur** to be mistaken about.

mépris, e pp ▷ **méprendre.** ■ **mépris** nm **1.** (dédain) ∘ **mépris (pour)** contempt (for), scorn (for) **2.** (indifférence) ∘ **mépris de** disregard for. ■ **au mépris de** loc prép regardless of.

méprisable adj contemptible, despicable.

méprisant, e adj contemptuous, scornful.

mépriser vt **1.** to despise **2.** (danger, offre) to scorn.

mer nf sea ∘ **en mer** at sea ∘ **prendre la mer** to put to sea ∘ **haute** OU **pleine mer** open sea ∘ **la mer d'Irlande** the Irish Sea ∘ **la mer Morte** the Dead Sea ∘ **la mer Noire** the Black Sea ∘ **la mer du Nord** the North Sea.

mercantile adj péj mercenary.

mercenaire nm & adj mercenary.

mercerie nf **1.** (articles) haberdashery (UK), notions (pl) (US) **2.** (boutique) haberdasher's shop (UK), notions store (US).

merci ■ interj thank you!, thanks! ∘ **merci beaucoup !** thank you very much! ■ nm ∘ **merci (de** OU **pour)** thank you (for) ∘ **dire merci à qqn** to thank sb, to say thank you to sb. ■ nf mercy ∘ **être à la merci de** to be at the mercy of.

mercier, ère nm, f haberdasher (UK), notions dealer (US).

mercredi nm Wednesday. ∘ voir aussi samedi

mercure nm mercury.

merde tfam nf shit.

mère nf **1.** (génitrice) mother ∘ **mère biologique** MÉD & BIOL biological OU natural mother ∘ **mère de famille** mother **2.** RELIG Mother.

merguez nf spicy mutton sausage.

méridien, enne adj (ligne) meridian. ■ **méridien** nm meridian.

méridional, e adj **1.** southern **2.** (du sud de la France) Southern (French).

meringue nf meringue.

merisier nm **1.** (arbre) wild cherry (tree) **2.** (bois) cherry.

mérite nm merit.

mériter vt **1.** (être digne de, encourir) to deserve **2.** (valoir) to be worth, to merit.

merlan nm whiting.

merle nm blackbird.

merveille nf marvel, wonder ∘ **à merveille** marvellously (UK), marvelously (US), wonderfully.

merveilleux, euse adj **1.** (remarquable, prodigieux) marvellous (UK), marvelous (US), wonderful **2.** (magique) magic, magical. ■ **merveilleux** nm ∘ **le merveilleux** the supernatural.

mésalliance nf unsuitable marriage, misalliance.

mésange nf ZOOL tit.

mésaventure nf misfortune.

mésentente nf disagreement.

mesquin, e adj mean, petty.

mesquinerie nf (étroitesse d'esprit) meanness, pettiness.

mess nm mess.

message nm message ∘ **laisser un message à qqn** to leave a message for sb ∘ **message publicitaire** COMM commercial.

messager, ère nm, f messenger.

messagerie nf **1.** (gén pl) (transport de marchandises) freight (indénombrable) **2.** INFORM ∘ **messagerie électronique** electronic mail.

messe nf mass ∘ **aller à la messe** to go to mass.

messie nm **1.** Messiah **2.** fig saviour (UK), savior (US).

mesure nf **1.** (disposition, acte) measure, step ∘ **prendre des mesures** to take measures OU steps ∘ **mesure de sécurité** safety measure **2.** (évaluation, dimension) measurement ∘ **prendre les mesures de qqn/qqch** to measure sb/sthg **3.** (étalon, récipient) measure **4.** MUS time, tempo **5.** (modération) moderation ∘ **dans la mesure du possible** as far as possible ∘ **être en mesure de** to be in a position to. ■ **à la mesure de** loc prép worthy of. ■ **à mesure que** loc conj as. ■ **outre**

mesure *loc adv* excessively. ■ **sur me-sure** *loc adj* **1.** custom-made **2.** *(costume)* made-to-measure.

mesurer *vt* **1.** *(gén)* to measure ‣ **elle mesure 1,50 m** she's 5 feet tall ‣ **la table mesure 1,50 m** the table is 5 feet long **2.** *(risques, portée, ampleur)* to weigh, to weigh up *(UK)* ‣ **mesurer ses paroles** to weigh one's words.
■ **se mesurer** *vp* ‣ **se mesurer avec** *ou* **à qqn** to pit o.s. against sb.

métabolisme *nm* metabolism.

métal *nm* metal.

métallique *adj* **1.** *(en métal)* metal *(avant nom)* **2.** *(éclat, son)* metallic.

métallurgie *nf* **1.** *(industrie)* metallurgical industry **2.** *(technique)* metallurgy.

métamorphose *nf* metamorphosis.

métaphore *nf* metaphor.

métaphysique ◻ *nf* metaphysics *(in-dénombrable)*. ◻ *adj* metaphysical.

métayer, ère *nm, f* tenant farmer.

météo *nf* **1.** *(bulletin)* weather forecast ‣ **prévisions météo** (weather) forecast **2.** *(service)* ≃ Met Office *(UK)*, ≃ National Weather Service *(US)*.

météore *nm* meteor.

météorite *nm & nf* meteorite.

météorologie *nf (sciences)* meteorology.

météorologique *adj* meteorological, weather *(avant nom)*.

méthane *nm* methane.

méthode *nf* **1.** *(gén)* method **2.** *(ouvrage - gén)* manual ‣ *(- de lecture, de langue)* primer.

méthodologie *nf* methodology.

méticuleux, euse *adj* meticulous.

métier *nm (profession - manuelle)* occupation, trade ‣ *(- intellectuelle)* occupation, profession ‣ **il est du métier** he's in the same trade *ou* same line of work ‣ **avoir du métier** to have experience.

métis, isse *nm, f* person of mixed race. ■ **métis** *nm (tissu)* cotton-linen mix.

métrage *nm* **1.** *(mesure)* measurement, measuring **2.** *(cout - coupon)* length **3.** CI-NÉ footage ‣ **long métrage** feature film ‣ **court métrage** short (film) *(UK)* *ou* (movie) *(US)*.

mètre *nm* **1.** LITTÉR & MATH metre *(UK)*, meter *(US)* ‣ **mètre carré** square metre

(UK) *ou* meter *(US)* ‣ **mètre cube** cubic metre *(UK)* *ou* meter *(US)* **2.** *(instrument)* rule.

métro *nm* underground *(UK)*, subway *(US)*.

métronome *nm* metronome.

métropole *nf* **1.** *(ville)* metropolis **2.** *(pays)* home country.

métropolitain, e *adj* metropolitan ‣ **la France métropolitaine** metropolitan *ou* mainland France.

mets *nm* CULIN dish.

metteur *nm* **1.** ‣ **metteur en scène** THÉÂTRE director **2.** CINÉ director.

mettre *vt* **1.** *(placer)* to put ‣ **mettre de l'eau à bouillir** to put some water on to boil **2.** *(revêtir)* to put on ‣ **mets ta robe noire** put your black dress on ‣ **je ne mets plus ma robe noire** I don't wear my black dress any more **3.** *(consacrer - temps)* to take ‣ *(- argent)* to spend ‣ **mettre longtemps à faire qqch** to take a long time to do sthg **4.** *(allumer - radio, chauffage)* to put on, to switch on **5.** *(installer)* to put in ‣ **faire mettre l'électricité**

to have electricity put in • **faire mettre de la moquette** to have a carpet put down *ou* fitted **6.** *(inscrire)* to put (down). ■ **se mettre** *vp* **1.** *(se placer)* • **où est-ce que ça se met ?** where does this go? • **se mettre au lit** to get into bed • **se mettre à côté de qqn** to sit/stand near to sb **2.** *(devenir)* • **se mettre en colère** to get angry **3.** *(commencer)* • **se mettre à qqch/à faire qqch** to start sthg/doing sthg **4.** *(revêtir)* to put on • **je n'ai rien à me mettre** I haven't got a thing to wear.

meuble ■ *nm* piece of furniture • **meubles** furniture *(indénombrable)*. ■ *adj* **1.** *(terre, sol)* easily worked **2.** DR movable.

meublé, e *adj* furnished. ■ **meublé** *nm* furnished room/flat *(UK)* ou apartment *(US)*.

meubler *vt* **1.** *(pièce, maison)* to furnish **2.** fig *(occuper)* • **meubler qqch (de)** to fill sthg (with). ■ **se meubler** *vp* to furnish one's home.

meuf *nf* fam woman.

meugler *vi* to moo.

meule *nf* **1.** *(à moudre)* millstone **2.** *(à aiguiser)* grindstone **3.** *(de fromage)* round **4.** AGRIC stack • **meule de foin** haystack.

meunier, ère *nm, f* miller (*f* miller's wife).

meurtre *nm* murder.

meurtrier, ère ■ *adj* **1.** *(épidémie, arme)* deadly **2.** *(fureur)* murderous **3.** *(combat)* bloody. ■ *nm, f* murderer.

meurtrir *vt* **1.** *(contusionner)* to bruise **2.** fig *(blesser)* to wound.

meurtrissure *nf* *(marque)* bruise.

meute *nf* pack.

mexicain, e *adj* Mexican. ■ **Mexicain, e** *nm, f* Mexican.

Mexique *nm* • **le Mexique** Mexico.

mezzanine *nf* mezzanine.

mezze *nmpl* CULIN meze.

mezzo-soprano *nm* mezzo-soprano.

mi *nm inv* **1.** E **2.** *(chanté)* mi.

mi- ■ *adj inv* half • **à la mi-juin** in mid-June. ■ *adv* half-.

miasme *nm* *(gén pl)* putrid *ou* foul smell.

miaulement *nm* miaowing *(UK)*, meowing *(US)*.

miauler *vi* to miaow *(UK)*, to meow *(US)*.

mi-bas *nm inv* knee-sock.

mi-carême *nf* si vous voulez donner une définition à un anglophone, vous pouvez dire it is a feast day that falls on the third Thursday in Lent.

mi-chemin ■ **à mi-chemin** *loc adv* halfway (there).

mi-clos, e *adj* half-closed.

micro ■ *nm* **1.** *(microphone)* mike **2.** *(micro-ordinateur)* micro. ■ *nf* microcomputing.

microbe *nm* **1.** MÉD microbe, germ **2.** péj *(avorton)* (little) runt.

microclimat *nm* microclimate.

microcosme *nm* microcosm.

microfiche *nf* microfiche.

microfilm *nm* microfilm.

micro-ondes *nfpl* microwaves • **four à micro-ondes** microwave (oven).

micro-ordinateur *nm* micro, microcomputer.

microphone *nm* microphone.

microprocesseur *nm* microprocessor.

microscope *nm* microscope.

midi *nm* **1.** *(période du déjeuner)* lunchtime **2.** *(heure)* midday, noon **3.** *(sud)* south. ■ **Midi** *nm* • **le Midi** the South of France.

mie *nf* *(de pain)* soft part, inside.

miel *nm* honey.

mielleux, euse *adj* **1.** *(personne)* unctuous **2.** *(paroles, air)* honeyed.

mien ■ **le mien, la mienne** *pron poss* mine.

miette *nf* **1.** *(de pain)* crumb, breadcrumb **2.** *(gén pl)* *(débris)* shreds *pl*.

mieux ■ *adv* **1.** *(comparatif)* • **mieux (que)** better (than) • **il pourrait mieux faire** he could do better • **il va mieux** he's better • **faire mieux de faire qqch** to do better to do sthg • **vous feriez mieux de vous taire** you would do better to keep quiet, you would be well-advised to keep quiet **2.** *(superlatif)* best • **il est le mieux payé du service** he's the best *ou* highest paid member of the department • **le mieux qu'il peut** as best he can. ■ *adj* better. ■ *nm* **1.** *(sans déterminant)* • **j'espérais mieux** I was hoping for something better **2.** *(avec déterminant)* best • **il y a un** *ou* **du mieux** there's been an improvement • **faire de son mieux** to do one's best. ■ **au mieux** *loc adv* at best. ■ **pour le mieux** *loc adv* for the best. ■ **de mieux en mieux** *loc adv* better and better.

mièvre *adj* insipid.

mignon, onne ■ *adj* 1. *(charmant)* sweet, cute 2. *(gentil)* nice. ■ *nm, f* darling, sweetheart.

migraine *nf* 1. headache 2. MÉD migraine.

migrant, e *nm, f* migrant.

migrateur, trice *adj* migratory.

migration *nf* migration.

mijoter ■ *vt fam (tramer)* to cook up. ■ *vi* CULIN to simmer.

mi-journée *nf* • **les informations de la mi-journée** the lunchtime news.

mil *nm* millet.

milan *nm* kite *(bird)*.

milice *nf* militia.

milicien, enne *nm, f* militiaman *(f* militiawoman).

milieu *nm* 1. *(centre)* middle • **au milieu de** *(au centre de)* in the middle of • *(parmi)* among, surrounded by 2. *(stade intermédiaire)* middle course 3. *(sociologie)* environment, milieu • **milieu familial** family background 4. BIOL environment, habitat 5. *(pègre)* • **le milieu** the underworld 6. FOOTBALL • **milieu de terrain** midfielder, midfield player.

militaire ■ *nm* soldier • **militaire de carrière** professional soldier. ■ *adj* military.

militant, e *adj & nm, f* militant.

militer *vi* to be active • **militer pour** to militate in favour *(UK)* ou favor *(US)* of • **militer contre** to militate against.

mille ■ *nm inv* 1. *(unité)* a ou one thousand 2. *(de cible)* • **dans le mille** on target 3. NAUT • **mille marin** nautical mile 4. *(Québec) (distance)* mile. ■ *adj inv* thousand • **c'est mille fois trop** it's far too much • **je lui ai dit mille fois** I've told him a thousand times. • *voir aussi* **six**

mille-feuille *nm* ≃ vanilla slice *(UK)*, ≃ napoleon *(US)*.

millénaire ■ *nm* millennium, thousand years *pl*. ■ *adj* thousand-year-old *(avant nom)*.

mille-pattes *nm inv* centipede, millipede.

millésime *nm* 1. *(de pièce)* date 2. *(de vin)* vintage, year.

millésimé, e *adj (vin)* vintage *(avant nom)*.

millet *nm* millet.

milliard *nm* thousand million *(UK)*, billion *(US)* • **par milliards** *fig* in (their) millions.

milliardaire *nmf* multimillionaire *(UK)*, billionaire *(US)*.

millier *nm* thousand • **un millier d'euros** about a thousand euros • **un millier de personnes** about a thousand people • **par milliers** in (their) thousands.

milligramme *nm* milligram, milligramme *(UK)*.

millilitre *nm* millilitre *(UK)*, milliliter *(US)*.

millimètre *nm* millimetre *(UK)*, millimeter *(US)*.

million *nm* million • **un million d'euros** a million euros.

millionnaire *nmf* millionaire.

mime *nm* mime.

mimer *vt* 1. *(exprimer sans parler)* to mime 2. *(imiter)* to mimic.

mimétisme *nm* mimicry.

mimique *nf* 1. *(grimace)* face 2. *(geste)* sign language *(indénombrable)*.

mimosa *nm* mimosa.

min. *(abr écrite de* **minimum**) min.

minable *adj fam* 1. *(misérable)* seedy, shabby 2. *(médiocre)* pathetic.

minaret *nm* minaret.

minauder *vi* to simper.

mince *adj* 1. *(maigre - gén)* thin • *(- personne, taille)* slender, slim 2. *fig (faible)* small, meagre *(UK)*, meager *(US)*.

minceur *nf* 1. *(gén)* thinness 2. *(de personne)* slenderness, slimness 3. *fig (insuffisance)* meagreness *(UK)*, meagerness *(US)*.

mincir *vi* to get thinner ou slimmer.

mine *nf* 1. *(expression)* look • **avoir bonne/ mauvaise mine** to look well/ill 2. *(apparence)* appearance 3. *(gisement)* mine 4. *(exploitation)* mining • **mine de charbon** coalmine 5. *(explosif)* mine 6. *(de crayon)* lead.

miner *vt* 1. MIL to mine 2. *(ronger)* to undermine, to wear away 3. *fig* to wear down.

minerai *nm* ore.

minéral, e *adj* 1. CHIM inorganic 2. *(eau, source)* mineral *(avant nom)*. ■ **minéral** *nm* mineral.

minéralogie *nf* mineralogy.

minéralogique *adj* 1. AUTO • **plaque minéralogique** numberplate *(UK)*, license plate *(US)* 2. GÉOL mineralogical.

minet, ette *nm, f fam* 1. *(chat)* pussy cat, pussy 2. *(personne)* trendy.

mineur, e ■ *adj* minor. ■ *nm, f* DR minor. ■ **mineur** *nm (ouvrier)* miner • **mineur de fond** face worker.

miniature ■ *nf* miniature. ■ *adj* miniature.

miniaturiser *vt* to miniaturize.

minibar *nm* minibar.

minibus *nm* minibus.

minichaîne *nf* portable hi-fi.

minier, ère *adj* mining *(avant nom)*.

minijupe *nf* miniskirt.

minimal, e *adj* minimum *(avant nom)*.

minimalisme *nm* minimalism.

minime ■ *nmf* SPORT ≃ junior. ■ *adj* minimal.

minimiser *vt* to minimize.

minimum ■ *nm (gén & MATH)* minimum • **au minimum** at least • **le strict minimum** the bare minimum. ■ *adj* minimum *(avant nom)*.

ministère *nm* 1. *(département)* department, ministry *(UK)* 2. *(cabinet)* government 3. RELIG ministry.

ministériel, elle *adj (du ministère)* departmental, ministerial *(UK)*.

ministre *nm* secretary, minister *(UK)* • **ministre d'État** secretary of state, cabinet minister *(UK)* • **premier ministre** prime minister.

Minitel® *nm si vous voulez expliquer à un anglophone de quoi il s'agit, vous pouvez dire* it is a teletext system that provides an information and communications network. It is run by the French national telephone company.

minitéliste *nmf* Minitel® user.

minois *nm* sweet (little) face.

minoritaire *adj* minority *(avant nom)* • **être minoritaire** to be in the minority.

minorité *nf* minority • **en minorité** in the minority.

minuit *nm* midnight.

minuscule ■ *nf (lettre)* small letter. ■ *adj* 1. *(lettre)* small 2. *(très petit)* tiny, minuscule.

minute ■ *nf* minute • **dans une minute** in a minute • **d'une minute à l'autre** in next to no time. ■ *interj fam* hang on (a minute)!

minuter *vt (chronométrer)* to time (precisely).

minuterie *nf (d'éclairage)* time switch, timer.

minuteur *nm* timer.

minutie *nf* 1. *(soin)* meticulousness 2. *(précision)* attention to detail • **avec minutie** *(avec soin)* meticulously • *(dans le détail)* in minute detail.

minutieux, euse *adj* 1. *(méticuleux)* meticulous 2. *(détaillé)* minutely detailed • **un travail minutieux** a job requiring great attention to detail.

mioche *nmf fam* kiddy.

mirabelle *nf* 1. *(fruit)* mirabelle (plum) 2. *(alcool)* plum brandy.

miracle *nm* miracle • **par miracle** by some *ou* a miracle, miraculously.

miraculeux, euse *adj* miraculous.

mirador *nm* MIL watchtower.

mirage *nm* mirage.

mire *nf* 1. TV test card *(UK)*, test pattern *(US)* 2. *(visée)* • **ligne de mire** line of sight.

mirifique *adj* fabulous.

mirobolant, e *adj* fabulous, fantastic.

miroir *nm* mirror.

miroiter *vi* to sparkle, to gleam • **faire miroiter qqch à qqn** to hold out the prospect of sthg to sb.

mis, e *pp* ⊳ **mettre**.

misanthrope ■ *nmf* misanthropist, misanthrope. ■ *adj* misanthropic.

mise *nf* 1. *(action)* putting • **mise à jour** updating • **mise en page** making up, composing • **mise au point** PHOTO focusing • TECHNOL adjustment • *fig* clarification • **mise en scène** production 2. *(d'argent)* stake.

miser ■ *vt* to bet. ■ *vi* • **miser sur** to bet on • *fig* to count on.

misérable *adj* 1. *(pauvre)* poor, wretched 2. *(sans valeur)* paltry, miserable.

misère *nf* 1. *(indigence)* poverty 2. *fig (bagatelle)* trifle.

miséricorde *nf (clémence)* mercy.

misogyne *adj* misogynous.

misogynie *nf* misogyny.

missel *nm* missal.

missile *nm* missile.

mission *nf* mission • **en mission** on a mission.

missionnaire *nmf* missionary.

missive *nf* letter.

mistral *nm* mistral.

mitaine *nf* fingerless glove.

mite *nf (clothes)* moth.

mité, e *adj* moth-eaten.

mi-temps ◨ *nf inv* (SPORT - *période*) half • (- *pause*) half-time. ◨ *nm* part-time work. ■ **à mi-temps** *loc adj & loc adv* part-time.

miteux, euse *fam adj* seedy, dingy.

mitigé, e *adj* **1.** *(tempéré)* lukewarm **2.** *fam (mélangé)* mixed.

mitonner ◨ *vt* **1.** *(faire cuire)* to simmer **2.** *(préparer avec soin)* to prepare lovingly. ◨ *vi* CULIN to simmer.

mitoyen, enne *adj* **1.** *(commun)* common **2.** *(attenant)* adjoining • **mur mitoyen** party wall.

mitrailler *vt* **1.** MIL to machinegun **2.** *fam (photographier)* to click away at **3.** *fig (assaillir)* • **mitrailler qqn (de)** to bombard sb (with).

mitraillette *nf* submachine gun.

mitrailleuse *nf* machinegun.

mitre *nf (d'évêque)* mitre *(UK)*, miter *(US)*.

mi-voix ■ **à mi-voix** *loc adv* in a low voice.

mixage *nm* CINÉ & RADIO (sound) mixing.

mixer[1], **mixeur** *nm* (food) mixer.

mixer[2] *vt* to mix.

mixte *adj* mixed.

mixture *nf* **1.** CHIM & CULIN mixture **2.** *péj (mélange)* concoction.

MJC *(abr de **maison des jeunes et de la culture**) nf si vous voulez donner une définition à un anglophone, vous pouvez dire* it is a combination of a youth club and a cultural centre.

ml *(abr écrite de **millilitre**)* ml.

Mlle *(abr écrite de **Mademoiselle**)* Miss.

mm *(abr écrite de **millimètre**)* mm.

MM *(abr écrite de **Messieurs**)* Messrs.

Mme *(abr écrite de **Madame**)* Mrs.

MMS *(abr de **multimedia message service**) nm* TÉLÉCOM MMS.

mnémotechnique *adj* mnemonic.

Mo *(abr de **méga-octet**)* MB.

mobile ◨ *nm* **1.** *(objet)* mobile **2.** *(motivation)* motive. ◨ *adj* **1.** *(gén)* movable, mobile **2.** *(partie, pièce)* moving **3.** *(population, main-d'œuvre)* mobile.

mobilier, ère *adj* DR movable. ■ **mobilier** *nm* furniture.

mobilisation *nf* mobilization.

mobiliser *vt* **1.** *(gén)* to mobilize **2.** *(moralement)* to rally.
■ **se mobiliser** *vp* to mobilize, to rally.

mobilité *nf* mobility.

Mobylette® *nf* moped.

mocassin *nm* moccasin.

moche *adj fam* **1.** *(laid)* ugly **2.** *(triste, méprisable)* lousy, rotten.

modalité *nf (convention)* form • **modalités de paiement** methods of payment.

mode ◨ *nf* **1.** *(gén)* fashion • **à la mode** in fashion, fashionable **2.** *(coutume)* custom, style • **à la mode de** in the style of. ◨ *nm* **1.** *(manière)* mode, form • **mode de vie** way of life **2.** *(méthode)* method • **mode d'emploi** instructions (for use) **3.** GRAMM mood **4.** MUS mode **5.** INFORM mode.

modèle ◨ *nm* **1.** *(gén)* model • **sur le modèle de** on the model of • **modèle déposé** patented design **(exemplaire)** model. ◨ *adj (parfait)* model *(avant nom)*.

modeler *vt* to shape • **modeler qqch sur qqch** *fig* to model sthg on sthg.

modélisme *nm* modelling *(UK)* ou modeling *(US)* *(of scale models)*.

modération *nf* moderation.

modéré, e *adj & nm, f* moderate.

modérer *vt* to moderate.
■ **se modérer** *vp* to restrain o.s., to control o.s..

moderne *adj* **1.** modern **2.** *(mathématiques)* new.

moderniser *vt* to modernize.
■ **se moderniser** *vp* to become (more) modern.

modeste *adj* **1.** modest **2.** *(origine)* humble.

modestie *nf* modesty • **fausse modestie** false modesty.

modification *nf* alteration, modification.

modifier *vt* to alter, to modify. ■ **se modifier** *vp* to alter.

modique *adj* modest.

modiste *nf* milliner.

modulation *nf* modulation.

module *nm* module.

moduler *vt* 1. *(air)* to warble 2. *(structure)* to adjust.

moelle *nf* ANAT marrow. ■ **moelle épinière** *nf* spinal cord.

moelleux, euse *adj* 1. *(canapé, tapis)* soft 2. *(fromage, vin)* mellow.

moellon *nm* rubble stone.

mœurs *nfpl* 1. *(morale)* morals 2. *(coutumes)* customs, habits 3. ZOOL behaviour *(indénombrable) (UK)*, behavior *(indénombrable) (US)*.

mohair *nm* mohair.

moi *pron pers* 1. *(objet, après préposition, comparatif)* me • **aide-moi** help me • **il me l'a dit, à moi** he told ME • **c'est pour moi** it's for me • **plus âgé que moi** older than me *ou* than I (am) 2. *(sujet)* I • **moi non plus, je n'en sais rien** I don't know anything about it either • **qui est là ? - (c'est) moi** who's there? - (it's) me • **je l'ai vu hier - moi aussi** I saw him yesterday - me too • **c'est moi qui lui ai dit de venir** I was the one who told him to come. ■ **moi-même** *pron pers* myself.

moignon *nm* stump.

moindre ■ *adj (superl)* • **le/la moindre** the least • *(avec négation)* the least *ou* slightest • **les moindres détails** the smallest details • **sans la moindre difficulté** without the slightest problem • **c'est la moindre des choses** it's the least I/you etc could do. ■ *adj compar* 1. less 2. *(prix)* lower • **à un moindre degré** to a lesser extent.

moine *nm* monk.

moineau *nm* sparrow.

moins *adv*

1. INDIQUE UNE QUANTITÉ INFÉRIEURE
• **tu devrais boire moins !** you should drink less!
• **mange moins de bonbons !** eat fewer sweets! *ou* don't eat so many sweets!

• **cette année, moins de gens sont venus** fewer people came this year

2. COMPARATIF
• **elle est moins sympa que Cécile** she's less nice than Cécile *ou* she's not as nice as Cécile
• **il est moins enthousiaste que sa sœur** he's less enthusiastic than his sister
• **il fait moins chaud à Dublin qu'à Paris** it's not as warm in Dublin as it is in Paris
• **j'ai moins de courage que toi** I've got less courage than you *ou* I'm not as brave as you

3. SUPERLATIF
• **il pense être le moins riche des hommes** he thinks he is the poorest man (in the world)
• **c'est lui qui travaille le moins** he works (the) least
• **elle est très timide, elle parle le moins possible** she is very shy, she speaks as little as possible

4. DANS UNE CORRÉLATION
• **moins il mange, moins il travaille** the less he eats, the less he works.

moins *prép*

1. POUR INDIQUER UNE TEMPÉRATURE NÉGATIVE minus
• **il fait moins vingt** it's twenty below, it's minus twenty

2. DANS UNE SOUSTRACTION
• **dix moins huit font deux** ten minus eight is two, ten less eight is two

3. POUR INDIQUER L'HEURE
• **il est 3 heures moins le quart** it's quarter to *ou* of *(US)* 3
• **il est moins dix** it's ten to *ou* it's ten of *(US)*
• **il est un peu moins de 10 heures** it's nearly 10 o'clock.

moins *nm*

1. SIGNE MATHÉMATIQUE minus (sign)
• **le moins est le signe de la soustraction** minus is the sign of substraction

2. DANS DES EXPRESSIONS
• **le moins qu'on puisse dire, c'est que...** it's an understatement to say...

■ **à moins de** *loc prép*

1. POUR MOINS CHER
• **vous ne le trouverez pas à moins de 10 euros** you won't find it for less then 10 euros

2. SAUF, EXCEPTÉ
• **nous viendrons, à moins d'un imprévu** we'll be there unless sthg comes up • **à moins de battre le record** unless I/you beat the record.

■ **à moins que** *loc conj*

unless
• **à moins que j'y aille moi-même** unless I go myself.

■ **au moins** *loc adv*

at least
• **sa robe vaut au moins 300 euros** her dress is worth at least 300 euros.

■ **de moins en moins** *loc adv*

less and less
• **je joue de moins en moins au tennis** I am playing less and less tennis.

■ **en moins** *loc adv*

• **il a une dent en moins** he's missing *ou* minus a tooth
• **c'était le paradis, les anges en moins** it was heaven, minus the angels.

■ **pour le moins** *loc adv*

at (the very) least
• **son attitude est pour le moins surprenante** his attitude is surprising to say the least.

moiré, e *adj* **1.** *(tissu)* watered **2.** *littéraire (reflet)* shimmering.

mois *nm (laps de temps)* month.

LES MOIS DE L'ANNÉE

• janvier January
• février February
• mars March
• avril April
• mai May
• juin June
• juillet July
• août August
• septembre September
• octobre October
• novembre November
• décembre December.

moisi, e *adj* mouldy *(UK)*, moldy *(US)*. ■ **moisi** *nm* mould *(UK)*, mold *(US)*.

moisir *vi* **1.** *(pourrir)* to go mouldy *(UK) ou* moldy *(US)* **2.** *fig (personne)* to rot.

moisissure *nf* mould *(UK)*, mold *(US)*.

moisson *nf* **1.** *(récolte)* harvest • **faire la moisson** *ou* **les moissons** to bring in the harvest **2.** *fig (d'idées, de projets)* wealth.

moissonner *vt* **1.** to harvest, to gather (in) **2.** *fig* to collect, to gather.

moissonneuse-batteuse *nf* combine (harvester).

moite *adj* **1.** *(peau, mains)* moist, sweaty **2.** *(atmosphère)* muggy.

moiteur *nf* **1.** *(de peau, mains)* moistness **2.** *(d'atmosphère)* mugginess.

moitié *nf (gén)* half • **à moitié vide** half-empty • **faire qqch à moitié** to half-do sthg • **la moitié du temps** half the time • **à la moitié de qqch** halfway through sthg.

moka *nm* **1.** *(café)* mocha (coffee) **2.** *(gâteau)* coffee cake.

molaire *nf* molar.

molécule *nf* molecule.

molester *vt* to manhandle.

molle ⊳ **mou**.

mollement *adv* **1.** *(faiblement)* weakly, feebly **2.** *littéraire (paresseusement)* sluggishly, lethargically.

mollesse *nf* **1.** *(de chose)* softness **2.** *(de personne)* lethargy.

mollet ■ *nm* calf. ■ *adj* ⊳ **œuf**.

mollir *vi* **1.** *(physiquement, moralement)* to give way **2.** *(vent)* to drop, to die down.

mollusque *nm* zool mollusc *(UK)*, mollusk *(US)*.

molosse *nm* **1.** *(chien)* watchdog **2.** *fig & péj (personne)* hulking great brute.

môme *fam nmf (enfant)* kid, youngster.

moment *nm* **1.** *(gén)* moment • **au moment de l'accident** at the time of the accident, when the accident happened • **au moment de partir** just as we/you *etc* were leaving • **au moment où** just as • **dans un moment** in a moment • **d'un moment à l'autre, à tout moment** (at) any moment, any moment now • **à un moment donné** at a given moment • **par moments** at times, now and then • **en ce moment** at the moment • **pour le moment** for the moment **2.** *(durée)* (short) time • **passer un mauvais moment** to have a bad time **3.** *(occasion)* time • **ce n'est pas le moment (de faire qqch)** this is not the time (to do sthg). ■ **du moment que** *loc prép* since, as.

momentané, e *adj* temporary.

momie *nf* mummy.

mon, ma *adj poss* my.

monacal, e *adj* monastic.

Monaco *npr* • **(la principauté de) Monaco** (the principality of) Monaco.

monarchie *nf* monarchy • **monarchie absolue/constitutionnelle** absolute/ constitutional monarchy.

monarque *nm* monarch.

monastère *nm* monastery.

monceau *nm (tas)* heap.

mondain, e *adj* **1.** *(chronique, journaliste)* society *(avant nom)* **2.** *péj (futile)* frivolous, superficial.

mondanités *nfpl* **1.** *(événements)* society life *(indénombrable)* **2.** *(paroles)* small talk *(indénombrable)* **3.** *(comportements)* formalities.

monde *nm* **1.** *(gén)* world • **le/la plus... au monde, le/la plus... du monde** the most... in the world • **pour rien au monde** not for the world, not for all the tea in China • **mettre un enfant au monde** to bring a child into the world • **venir au monde** to come into the world **2.** *(gens)* people *pl* • **beaucoup/peu de monde** a lot of/not many people • **tout le monde** everyone, everybody • **c'est un monde !** that's really the limit! • **se faire un monde de qqch** to make too much of sthg • **noir de monde** packed with people.

mondial, e *adj* world *(avant nom)*.

mondialement *adv* throughout *ou* all over the world.

mondialisation *nf* globalization.

mondialiste *adj* pro-globalization.

monétaire *adj* monetary.

Mongolie *nf* • **la Mongolie** Mongolia.

mongolien, enne *vieilli nm, f* mongol *péj & vieilli*.

moniteur, trice *nm, f* **1.** *(enseignant)* instructor, coach • **moniteur d'auto-école** driving instructor **2.** *(de colonie de vacances)* supervisor, leader. ■ **moniteur** *nm (appareil & INFORM)* monitor.

monnaie *nf* **1.** *(moyen de paiement)* money **2.** *(de pays)* currency • **monnaie unique** single currency **3.** *(pièces)* change • **avoir de la monnaie** to have change • **avoir la monnaie** to have the change • **faire (de) la monnaie** to get (some) change.

monnayer *vt* **1.** *(biens)* to convert into cash **2.** *fig (silence)* to buy.

monochrome *adj* monochrome, monochromatic.

monocle *nm* monocle.

monocoque *nm & adj (bateau)* mono-hull.

monocorde *adj (monotone)* monotonous.

monogramme *nm* monogram.

monolingue *adj* monolingual.

monologue *nm* **1.** THÉÂTRE soliloquy **2.** *(discours individuel)* monologue.

monologuer *vi* **1.** THÉÂTRE to soliloquize **2.** *fig & péj (parler)* to talk away.

monoparental, e *adj* single-parent *(avant nom)*, lone-parent *(avant nom)*, one-parent *(avant nom)* *(UK)*.

monoplace *adj* single-seater *(avant nom)*.

monopole *nm* monopoly • **avoir le monopole de qqch** *litt & fig* to have a monopoly of *ou* on sthg • **monopole d'État** state monopoly.

monopoliser *vt* to monopolize.

monoski *nm* **1.** *(objet)* monoski **2.** SPORT monoskiing.

monospace *nm* minivan, people carrier *(UK)*.

monosyllabe ◾ *nm* monosyllable. ◾ *adj* monosyllabic.

monotone *adj* monotonous.

monotonie *nf* monotony.

monseigneur *nm (titre - d'évêque, de duc)* His Grace • *(- de cardinal)* His Eminence • *(- de prince)* His (Royal) Highness.

monsieur *nm* **1.** *(titre)* • **monsieur X** Mr X • **bonjour monsieur** good morning **2.** *(dans hôtel, restaurant)* good morning, sir • **bonjour messieurs** good morning (gentlemen) • **messieurs dames** ladies and gentlemen • **Monsieur le Ministre n'est pas là** the Minister is out **3.** *(homme quelconque)* gentleman.

monstre *nm* **1.** *(gén)* monster **2.** *(en apposition) fam (énorme)* colossal.

monstrueux, euse *adj* **1.** *(gén)* monstrous **2.** *fig (erreur)* terrible.

monstruosité *nf* monstrosity.

mont *nm* GÉOGR Mount • **le mont Blanc** Mont Blanc • **le mont Cervin** the Matterhorn.

montage *nm* **1.** *(assemblage)* assembly **2.** *(de bijou)* setting **3.** PHOTO photomontage **4.** CINÉ editing.

montagnard, e *nm, f* mountain dweller.

montagne *nf* **1.** *(gén)* mountain ▪ **les montagnes Rocheuses** the Rocky Mountains **2.** *(région)* ▪ **la montagne** the mountains *pl* ▪ **à la montagne** in the mountains ▪ **en haute montagne** at high altitudes ▪ **montagnes russes** *nfpl* roller coaster *sing*, big dipper *sing (UK)*.

montagneux, euse *adj* mountainous.

montant, e *adj* *(mouvement)* rising. ▪ **montant** *nm* **1.** *(pièce verticale)* upright **2.** *(somme)* total (amount).

mont-de-piété *nm* pawnshop.

monte-charge *nm inv* goods lift *(UK)*, service elevator *(US)*.

montée *nf* **1.** *(de montagne)* climb, ascent **2.** *(de prix)* rise **3.** *(relief)* slope, gradient.

monte-plats *nm inv* dumbwaiter.

monter ◼ *vi* **1.** *(personne)* to come/go up **2.** *(température, niveau)* to rise **3.** *(route, avion)* to climb ▪ **monter sur qqch** to climb onto sthg **4.** *(passager)* to get on ▪ **monter dans un bus** to get on a bus ▪ **monter dans une voiture** to get into a car **5.** *(cavalier)* to ride ▪ **monter à cheval** to ride **6.** *(marée)* to go/come in. ◼ *vt* **1.** *(escalier, côte)* to climb, to come/go up ▪ **monter la rue en courant** to run up the street **2.** *(chauffage, son)* to turn up **3.** *(valise)* to take/bring up **4.** *(meuble)* to assemble **5.** COUT to assemble, to put *ou* sew together **6.** *(tente)* to put up **7.** *(cheval)* to mount **8.** THÉÂTRE to put on **9.** *(société, club)* to set up **10.** CULIN to beat, to whisk (up). ▪ ◼ **se monter** *vp* **1.** *(s'assembler)* ▪ **se monter facilement** to be easy to assemble **2.** *(atteindre)* ▪ **se monter à** to amount to, to add up to.

monteur, euse *nm, f* **1.** TECHNOL fitter **2.** CINÉ editor.

monticule *nm* mound.

montre *nf* watch ▪ **montre à quartz** quartz watch ▪ **montre en main** to the minute, exactly ▪ **contre la montre** *(sport)* time-trialling *(UK)*, time-trialing *(US)* ▪ *(épreuve)* time trial ▪ **une course contre la montre** *fig* a race against time.

montre-bracelet *nf* wristwatch.

montrer *vt* **1.** *(gén)* to show ▪ **montrer qqch à qqn** to show sb sthg, to show sthg to sb **2.** *(désigner)* to show, to point out ▪ **montrer qqch du doigt** to point at *ou* to sthg.

▪ ◼ **se montrer** *vp* **1.** *(se faire voir)* to appear **2.** *fig (se présenter)* to show o.s. **3.** *fig (se révéler)* to prove (to be).

monture *nf* **1.** *(animal)* mount **2.** *(de lunettes)* frame.

monument *nm* *(gén)* ▪ **monument (à)** monument (to) ▪ **monument aux morts** war memorial.

monumental, e *adj* monumental.

moquer ◼ **se moquer** *vp* ▪ **se moquer de** *(plaisanter sur)* to make fun of, to laugh at ▪ *(ne pas se soucier de)* not to give a damn about.

moquerie *nf* mockery *(indénombrable)*, jibe.

moquette *nf* wall-to-wall carpet, fitted carpet *(UK)*.

moqueur, euse *adj* mocking.

moral, e *adj* **1.** *(éthique - conscience, jugement)* moral ▪ **il n'a aucun sens moral** he has no sense of morality ▪ **se sentir dans l'obligation morale de faire qqch** to feel morally obliged *ou* a moral obligation to do sthg ▪ **prendre l'engagement moral de faire qqch** to be morally committed to do sthg **2.** *(édifiant - auteur, conte, réflexion)* moral ▪ **la fin de la pièce n'est pas très morale !** the end of the play is rather immoral! **3.** *(spirituel - douleur)* mental ▪ *(- soutien, victoire, résistance)* moral. ◼ **moral** *nm* **1.** *(mental)* ▪ **au moral comme au physique** mentally as well as physically **2.** *(état d'esprit)* morale, spirits *pl* ▪ **avoir/ne pas avoir le moral** to be in good/bad spirits ▪ **j'ai le moral à zéro** *fam* I feel down in the dumps *ou* really low ▪ **remonter le moral à qqn** to cheer sb up. ◼ **morale** *nf* **1.** *(science)* moral philosophy, morals *pl* **2.** *(règle)* morality **3.** *(mœurs)* morals *pl* **4.** *(leçon)* moral ▪ **faire la morale à qqn** to preach at *ou* lecture sb.

moralisateur, trice ◼ *adj* moralizing. ◼ *nm, f* moralizer.

moraliste *nmf* moralist.

moralité *nf* **1.** *(gén)* morality **2.** *(enseignement)* morals *pl*.

moratoire *nm* moratorium.

morbide *adj* morbid.

morceau *nm* **1.** *(gén)* piece **2.** *(de poème, de film)* passage.

morceler *vt* to break up, to split up.

mordant, e *adj* biting. ■ **mordant** *nm* *(vivacité)* keenness, bite.

mordiller *vt* to nibble.

mordoré, e *adj* bronze.

mordre ◼ *vt (blesser)* to bite. ◼ *vi* **1.** *(saisir avec les dents)* • **mordre à** to bite **2.** *(croquer)* • **mordre dans qqch** to bite into sthg **3.** SPORT • **mordre sur la ligne** to step over the line.

mordu, e ◼ *pp* ▷ **mordre**. ◼ *adj (amoureux)* hooked. ◼ *nm, f* • **mordu de foot/ski** football/ski addict.

morfondre ■ **se morfondre** *vp* to mope.

morgue *nf* **1.** *(attitude)* pride **2.** *(lieu)* morgue.

moribond, e ◼ *adj* dying. ◼ *nm, f* dying person.

morille *nf* morel.

morne *adj* **1.** *(personne, visage)* gloomy **2.** *(paysage, temps, ville)* dismal, dreary.

morose *adj* gloomy.

morphine *nf* morphine.

morphologie *nf* morphology.

mors *nm* bit.

morse *nm* **1.** ZOOL walrus **2.** *(code)* Morse (code).

morsure *nf* bite.

mort, e ◼ *pp* ▷ **mourir**. ◼ *adj* dead • **mort de fatigue** *fig* dead tired • **mort de peur** *fig* frightened to death. ◼ *nm, f* **1.** *(cadavre)* corpse, dead body **2.** *(défunt)* dead person. ■ **mort** ◼ *nm* **1.** *(victime)* fatality **2.** *(partie de cartes)* dummy. ◼ *nf* *litt & fig* death • **de mort** *(silence)* deathly • **être en danger de mort** to be in mortal danger • **condamner qqn à mort** DR to sentence sb to death • **se donner la mort** to take one's own life, to commit suicide.

mortadelle *nf* mortadella.

mortalité *nf* mortality, death rate.

mort-aux-rats *nf inv* rat poison.

Morte ▷ **mer**.

mortel, elle ◼ *adj* **1.** *(humain)* mortal **2.** *(accident, maladie)* fatal **3.** *fig (ennuyeux)* deadly *(dull)*. ◼ *nm, f* mortal.

morte-saison *nf* off-season.

mortier *nm* mortar.

mortification *nf* mortification.

mort-né, e *adj (enfant)* still-born.

mortuaire *adj* funeral *(avant nom)*.

morue *nf* ZOOL cod.

mosaïque *nf litt & fig* mosaic.

Moscou *npr* Moscow.

mosquée *nf* mosque.

mot *nm* **1.** *(gén)* word • **mots croisés** crossword (puzzle) *sing* • **gros mot** swearword **2.** *(message)* note, message.

motard *nm* **1.** *(motocycliste)* motorcyclist **2.** *(policier)* motorcycle policeman.

motel *nm* motel.

moteur, trice *adj (force, énergie)* driving *(avant nom)* • **à quatre roues motrices** AUTO with four-wheel drive. ■ **moteur** *nm* **1.** TECHNOL motor, engine **2.** *fig* driving force • **moteur à réaction** jet engine • **moteur de recherche** INFORM search engine.

motif *nm* **1.** *(raison)* motive, grounds *pl* **2.** *(dessin, impression)* motif.

motion *nf* POLIT motion • **motion de censure** censure motion.

motiver *vt* **1.** *(stimuler)* to motivate **2.** *(justifier)* to justify.

moto *nf* motorcycle, motorbike *(UK)*.

motocross *nm* motocross.

motoculteur *nm* ≃ Rotavator® *(UK)*, ≃ Rototiller® *(US)*.

motocyclette *nf* motorcycle, motorbike *(UK)*.

motocycliste *nmf* motorcyclist.

motorisé, e *adj* motorized.

motricité *nf* motor functions *pl*.

motte *nf* • **motte (de terre)** clod, lump of earth • **motte de beurre** slab of butter.

mou, molle *adj (mol devant voyelle ou h muet)* **1.** *(gén)* soft **2.** *(faible)* weak **3.** *(résistance, protestation)* half-hearted **4.** *fam (de caractère)* wet, wimpy. ■ **mou** *nm* **1.** *(de corde)* • **avoir du mou** to be slack **2.** *(abats)* lungs *pl*, lights *pl*.

mouchard, e *nm, f fam (personne)* sneak. ■ **mouchard** *nm fam (dans camion, train)* spy in the cab.

mouche *nf* **1.** ZOOL fly **2.** *(accessoire féminin)* beauty spot.

moucher *vt* 1. *(nez)* to wipe • **moucher un enfant** to wipe a child's nose 2. *(chandelle)* to snuff out 3. *fam fig (personne)* • **moucher qqn** to put sb in his/her place.
■ **se moucher** *vp* to blow *ou* wipe one's nose.

moucheron *nm (insecte)* gnat.

moucheté, e *adj* 1. *(laine)* flecked 2. *(animal)* spotted, speckled.

mouchoir *nm* handkerchief.

moudre *vt* to grind.

moue *nf* pout • **faire la moue** to pull a face.

mouette *nf* seagull.

moufle *nf* mitten.

mouflon *nm* wild sheep.

mouillage *nm (NAUT - emplacement)* anchorage, moorings *pl*.

mouillé, e *adj* wet.

mouiller *vt* 1. *(personne, objet)* to wet • **se faire mouiller** to get wet *ou* soaked 2. *NAUT* • **mouiller l'ancre** to drop anchor 3. *fam fig (compromettre)* to involve.
■ **se mouiller** *vp* 1. *(se tremper)* to get wet 2. *fam fig (prendre des risques)* to stick one's neck out.

moulage *nm* 1. *(action)* moulding *(UK)*, molding *(US)*, casting 2. *(objet)* cast.

moule ◨ *nm* mould *(UK)*, mold *(US)* • **moule à gâteau** cake tin *(UK) ou* pan *(US)* • **moule à tarte** flan dish. ◨ *nf ZOOL* mussel.

mouler *vt* 1. *(objet)* to mould *(UK)*, to mold *(US)* 2. *(forme)* to make a cast of.

moulin *nm* mill • **moulin à café** coffee mill • **moulin à paroles** *fig* chatterbox.

moulinet *nm* 1. *(à la pêche)* reel 2. *(mouvement)* • **faire des moulinets** to whirl one's arms around.

Moulinette® *nf* food mill.

moulu, e *adj (en poudre)* ground.

moulure *nf* moulding *(UK)*, molding *(US)*.

mourant, e ◨ *adj* 1. *(moribond)* dying 2. *fig (voix)* faint. ◨ *nm, f* dying person.

mourir *vi* 1. *(personne)* to die • **s'ennuyer à mourir** to be bored to death 2. *(feu)* to die down.

mousquetaire *nm* musketeer.

moussant, e *adj* foaming.

mousse ◨ *nf* 1. *BOT* moss 2. *(substance)* foam • **mousse à raser** shaving foam 3. *CULIN* mousse 4. *(matière plastique)* foam rubber. ◨ *nm NAUT* cabin boy.

mousseline *nf* muslin.

mousser *vi* to foam, to lather.

mousseux, euse ◨ *adj* 1. *(shampooing)* foaming, frothy 2. *(vin, cidre)* sparkling.
■ **mousseux** *nm* sparkling wine.

mousson *nf* monsoon.

moussu, e *adj* mossy, moss-covered.

moustache *nf* moustache, mustache *(US)*. ■ **moustaches** *nfpl (d'animal)* whiskers.

moustachu, e *adj* with a moustache *(UK) ou* mustache *(US)*.

moustiquaire *nf* mosquito net.

moustique *nm* mosquito.

moutarde *nf* mustard.

mouton *nm* 1. *fig & ZOOL* sheep 2. *(viande)* mutton 3. *fam (poussière)* piece of fluff, fluff *(indénombrable)*.

mouture *nf* 1. *(de céréales, de café)* grinding 2. *(de thème, d'œuvre)* rehash.

mouvance *nf (domaine)* sphere of influence.

mouvant, e *adj* 1. *(terrain)* unstable 2. *(situation)* uncertain.

mouvement *nm* 1. *(gén)* movement • **en mouvement** on the move 2. *(de colère, d'indignation)* burst, fit.

mouvementé, e *adj* 1. *(terrain)* rough 2. *(réunion, soirée)* eventful.

mouvoir *vt* to move.
■ **se mouvoir** *vp* to move.

moyen, enne *adj* 1. *(intermédiaire)* medium 2. *(médiocre, courant)* average.
■ **moyen** *nm* means *sing*, way • **moyen de communication** means of communication • **moyen de locomotion** *ou* **transport** means of transport.
■ **moyenne** *nf* average • **en moyenne** on average • **la moyenne d'âge** the average age. ■ **moyens** *nmpl* 1. *(ressources)* means • **avoir les moyens** to be comfortably off 2. *(capacités)* powers, ability • **faire qqch par ses propres moyens** to do sthg on one's own. ■ **au moyen de** *loc prép* by means of.

Moyen Âge *nm* • **le Moyen Âge** the Middle Ages *pl*.

Moyen-Orient *nm* • **le Moyen-Orient** the Middle East.

MST *nf* 1. *(abr de* **maladie sexuellement transmissible)** STD 2. *(abr de* **maîtrise de sciences et techniques)** master's (degree) in science and technology.

mû, mue *pp* ⊳ **mouvoir**.

mue *nf* 1. *(de pelage)* moulting *(UK)*, molting *(US)* 2. *(de serpent)* skin, slough 3. *(de voix)* breaking.

muer *vi* 1. *(mammifère)* to moult *(UK)*, to molt *(US)* 2. *(serpent)* to slough its skin 3. *(voix)* to break 4. *(jeune homme)* • **il mue** his voice is breaking.

muet, muette ◪ *adj* 1. MÉD dumb 2. *(silencieux)* silent • **muet d'admiration/d'étonnement** speechless with admiration/surprise 3. LING silent, mute. ◪ *nm, f* dumb person, mute. ◼ **muet** *nm* • **le muet** CINÉ silent films *pl (UK)* ou movies *(US)*.

muezzin *nm* muezzin.

mufle *nm* 1. *(d'animal)* muzzle, snout 2. fig *(goujat)* lout.

muflerie *nf* loutishness.

mugir *vi* 1. *(vache)* to moo 2. *(vent, sirène)* to howl.

muguet *nm* 1. *(fleur)* lily of the valley 2. MÉD thrush.

mule *nf* mule.

mulet *nm* 1. *(âne)* mule 2. *(poisson)* mullet.

mulot *nm* field mouse.

multicolore *adj* multicoloured *(UK)*, multicolored *(US)*.

multicoque ◪ *adj* • **(bateau) multicoque** multihull ou multihulled boat. ◪ *nm* multihull.

multifonction *adj inv* multifunction.

multilatéral, e *adj* multilateral.

multinational, e *adj* multinational. ◼ **multinationale** *nf* multinational (company).

multiple ◪ *nm* multiple. ◪ *adj* 1. *(nombreux)* multiple, numerous 2. *(divers)* many, various.

multiplication *nf* multiplication.

multiplier *vt* 1. *(accroître)* to increase 2. MATH to multiply • **X multiplié par Y égale Z** X multiplied by ou times Y equals Z. ◼ **se multiplier** *vp* to multiply.

multipolaire *adj* multipolar • **un monde multipolaire** a multipolar world.

multiracial, e *adj* multiracial.

multirisque *adj* comprehensive.

multitude *nf* • **multitude (de)** multitude (of).

municipal, e *adj* municipal. ◼ **municipales** *nfpl* • **les municipales** the local government elections.

municipalité *nf* 1. *(commune)* municipality 2. *(conseil)* town council *(UK)*, city council *(US)*.

munir *vt* • **munir qqn/qqch de** to equip sb/sthg with. ◼ **se munir** *vp* • **se munir de** to equip o.s. with.

munitions *nfpl* ammunition *(indénombrable)*, munitions.

muqueuse *nf* mucous membrane.

mur *nm* 1. *(gén)* wall 2. fig *(obstacle)* barrier, brick wall • **mur du son** AÉRON sound barrier.

mûr, mûre *adj* 1. ripe 2. *(personne)* mature. ◼ **mûre** *nf* 1. *(de mûrier)* mulberry 2. *(de ronce)* blackberry, bramble.

muraille *nf* wall.

murène *nf* moray eel.

murer *vt* 1. *(boucher)* to wall up, to block up 2. *(enfermer)* to wall in. ◼ **se murer** *vp* to shut o.s. up ou away • **se murer dans** fig to retreat into.

muret *nm* low wall.

mûrier *nm* 1. *(arbre)* mulberry tree 2. *(ronce)* blackberry bush, bramble bush.

mûrir *vi* 1. *(fruits, légumes)* to ripen 2. fig *(idée, projet)* to develop 3. *(personne)* to mature.

murmure *nm* murmur.

murmurer *vt & vi* to murmur.

musaraigne *nf* shrew.

musarder *vi* fam to dawdle.

muscade *nf* nutmeg.

muscat *nm* 1. *(raisin)* muscat grape 2. *(vin)* Muscat, Muscatel.

muscle *nm* muscle.

musclé, e *adj* 1. *(personne)* muscular 2. fig *(mesure, décision)* forceful.

muscler *vt* • **muscler son corps** to build up one's muscles. ◼ **se muscler** *vp* to build up one's muscles.

musculation *nf* • **faire de la musculation** to do muscle-building exercises.

muse *nf* muse.

museau *nm* **1.** *(d'animal)* muzzle, snout **2.** *fam (de personne)* face.

musée *nm* **1.** museum **2.** *(d'art)* art gallery.

museler *vt litt* & *fig* to muzzle.

muselière *nf* muzzle.

musette *nf* **1.** knapsack **2.** *(d'écolier)* satchel.

musical, e *adj* **1.** *(son)* musical **2.** *(émission, critique)* music *(avant nom)*.

music-hall *nm* music hall *(UK)*, vaudeville *(US)*.

musicien, enne ◼ *adj* musical. ◼ *nm, f* musician.

musique *nf* music • **musique de chambre** chamber music • **musique de film** film *(UK)* ou movie *(US)* score.

musulman, e *adj* & *nm, f* Muslim.

mutant, e *adj* & *nm, f* mutant.

mutation *nf* **1.** BIOL mutation **2.** *fig (changement)* transformation **3.** *(de fonctionnaire)* transfer.

muter *vt* to transfer.

mutilation *nf* mutilation.

mutilé, e *nm, f* disabled person.

mutiler *vt* to mutilate • **il a été mutilé du bras droit** he lost his right arm.

mutin, e ◼ *adj littéraire* impish. ◼ **mutin** *nm* **1.** rebel **2.** MIL & NAUT mutineer.

mutinerie *nf* **1.** rebellion **2.** MIL & NAUT mutiny.

mutisme *nm* silence.

mutualité *nf* *(assurance)* mutual insurance.

mutuel, elle *adj* mutual. ◼ **mutuelle** *nf* mutual insurance company.

mycose *nf* mycosis, fungal infection.

myocarde *nm* myocardium.

myopathie *nf* myopathy.

myope ◼ *nmf* shortsighted *(UK)* ou nearsighted *(US)* person. ◼ *adj* shortsighted *(UK)*, nearsighted *(US)*, myopic.

myopie *nf* shortsightedness *(UK)*, nearsightedness *(US)*, myopia.

myosotis *nm* forget-me-not.

myrtille *nf* blueberry, bilberry.

mystère *nm* *(gén)* mystery.

mystérieux, euse *adj* mysterious.

mysticisme *nm* mysticism.

mystification *nf* *(tromperie)* hoax, practical joke.

mystifier *vt* *(duper)* to take in.

mystique ◼ *nmf* mystic. ◼ *adj* mystic, mystical.

mythe *nm* myth.

mythique *adj* mythical.

mythologie *nf* mythology.

mythomane *nmf* pathological liar.

n, N *nm inv (lettre)* n, N. ■ **N** *(abr écrite de* nord*)* N.

nacelle *nf (de montgolfière)* basket.

nacre *nf* mother-of-pearl.

nage *nf (natation)* swimming • **traverser à la nage** to swim across • **en nage** bathed in sweat.

nageoire *nf* fin.

nager *vi* **1.** *(se baigner)* to swim **2.** *(flotter)* to float **3.** *fig (dans vêtement)* • **nager dans** to be lost in • **nager dans la joie** to be incredibly happy.

nageur, euse *nm, f* swimmer.

naguère *adv littéraire* a short time ago.

naïf, naïve *adj* **1.** *(ingénu, art)* naive **2.** *péj (crédule)* gullible.

nain, e ⬛ *adj* dwarf *(avant nom)*. ⬛ *nm, f* dwarf • **nain de jardin** garden gnome.

naissance *nf* **1.** *(de personne)* birth • **donner naissance à** to give birth to • **le contrôle des naissances** birth control **2.** *(endroit)* source **3.** *(du cou)* nape **4.** *fig (de science, nation)* birth • **donner naissance à** to give rise to.

naissant, e *adj* **1.** *(brise)* rising **2.** *(jour)* dawning **3.** *(barbe)* incipient.

naître *vi* **1.** *(enfant)* to be born • **elle est née en 1965** she was born in 1965 **2.** *(espoir)* to spring up • **naître de** to arise from • **faire naître qqch** to give rise to sthg.

naïveté *nf* **1.** *(candeur)* innocence **2.** *péj (crédulité)* gullibility.

nana *nf fam (jeune fille)* girl.

nanti, e *nm, f* wealthy person.

nantir *littéraire vt* • **nantir qqn de** to provide sb with.

nappe *nf* **1.** *(de table)* tablecloth, cloth **2.** *fig (étendue - gén)* sheet • *(- de brouillard)* blanket **3.** *(couche)* layer.

napper *vt* CULIN to coat.

napperon *nm* tablemat.

narcisse *nm* BOT narcissus.

narcissisme *nm* narcissism.

narcotique *nm & adj* narcotic.

narguer *vt* **1.** *(danger)* to flout **2.** *(personne)* to scorn, to scoff at.

narine *nf* nostril.

narquois, e *adj* sardonic.

narrateur, trice *nm, f* narrator.

narrer *vt littéraire* to narrate.

nasal, e *adj* nasal.

naseau *nm* nostril.

nasillard, e *adj* nasal.

nasse *nf* keep net.

natal, e *adj (d'origine)* native.

natalité *nf* birth rate.

natation *nf* swimming • **faire de la natation** to swim.

natif, ive ⬛ *adj (originaire)* • **natif de** native of. ⬛ *nm, f* native.

nation *nf* nation. ■ **Nations unies** *nfpl* • **les Nations unies** the United Nations.

national, e *adj* national. ■ **nationale** *nf* • **(route) nationale** ≃ A road *(UK)*, ≃ state highway *(US)*.

nationaliser *vt* to nationalize.

nationalisme *nm* nationalism.

nationalité *nf* nationality • **de nationalité française** of French nationality.

nativité *nf* nativity.

natte *nf* **1.** *(tresse)* plait *(UK)*, braid *(US)* **2.** *(tapis)* mat.

naturaliser *vt* **1.** *(personne, plante)* to naturalize **2.** *(empailler)* to stuff.

naturaliste ⬛ *nmf* **1.** LITTÉR & ZOOL naturalist **2.** *(empailleur)* taxidermist. ⬛ *adj* naturalistic.

nature ⬛ *nf* nature. ⬛ *adj inv* **1.** *(simple)* plain **2.** *fam (spontané)* natural.

naturel, elle *adj* natural. ■ **naturel** *nm* **1.** *(tempérament)* nature • **être d'un naturel**

affable/sensible to be affable/sensitive by nature **2.** *(aisance, spontanéité)* naturalness.

naturellement *adv* **1.** *(gén)* naturally **2.** *(logiquement)* rationally.

naturiste *nmf* naturist.

naufrage *nm* **1.** *(navire)* shipwreck • **faire naufrage** to be wrecked **2.** *fig (effondrement)* collapse.

naufragé, e ◼ *adj* shipwrecked. ◼ *nm, f* shipwrecked person.

nauséabond, e *adj* nauseating.

nausée *nf* **1.** MÉD nausea • **avoir la nausée** to feel nauseous *ou* sick *(UK)* **2.** *(dégoût)* disgust.

nautique *adj* **1.** nautical **2.** *(ski, sport)* water *(avant nom).*

naval, e *adj* naval.

navet *nm* **1.** BOT turnip **2.** *fam péj (œuvre)* trash *(indénombrable).*

navette *nf* shuttle • **navette spatiale** AÉRON space shuttle • **faire la navette** to shuttle.

navigable *adj* navigable.

navigateur, trice *nm, f* navigator. ◼ **navigateur** *nm* INFORM browser.

navigation *nf* **1.** navigation **2.** COMM shipping **3.** INFORM browsing.

naviguer *vi* **1.** *(voguer)* to sail **2.** *(piloter)* to navigate **3.** INFORM to browse.

navire *nm* ship.

navrant, e *adj* **1.** *(triste)* upsetting, distressing **2.** *(regrettable, mauvais)* unfortunate.

navrer *vt* to upset • **être navré de qqch/ de faire qqch** to be sorry about sthg/to do sthg.

nazi, e *nm, f* Nazi.

nazisme *nm* Nazism.

NB *(abr de* **Nota Bene)** NB.

NDLR *(abr écrite de* **note de la rédaction)** editor's note.

N.d.T. *(abr écrite de* **note du traducteur)** translator's note.

ne, n' *adv* **1.** ⫸ **pas², plus, rien** *etc* **2.** *(négation implicite)* • **il se porte mieux que je ne (le) croyais** he's in better health than I thought (he would be) **3.** *(avec verbes ou expressions marquant le doute, la crainte etc)* • **je crains qu'il n'oublie** I'm afraid he'll forget • **j'ai peur qu'il n'en parle** I'm frightened he'll talk about it.

né, e *adj* born • **né en 1965** born in 1965 • **né le 17 juin** born on the 17th June *(UK)*, born on June 17th *(US)* • **Mme X, née Y** Mrs X née Y.

néanmoins *adv* nevertheless.

néant *nm* **1.** *(absence de valeur)* worthlessness **2.** *(absence d'existence)* nothingness • **réduire à néant** to reduce to nothing.

nébuleux, euse *adj* **1.** *(ciel)* cloudy **2.** *(idée, projet)* nebulous. ◼ **nébuleuse** *nf* ASTRON nebula.

nécessaire ◼ *adj* necessary • **nécessaire à** necessary for • **il est nécessaire de faire qqch** it is necessary to do sthg • **il est nécessaire que** (+ *subjonctif*) . il est nécessaire qu'elle vienne she must come. ◼ *nm* **1.** *(biens)* necessities *pl* • **le strict nécessaire** the bare essentials *pl* **2.** *(mesures)* • **faire le nécessaire** to do the necessary **3.** *(trousse)* bag.

nécessité *nf* *(obligation, situation)* necessity • **être dans la nécessité de faire qqch** to have no choice *ou* alternative but to do sthg.

nécessiter *vt* to necessitate.

nécrologique *adj* obituary *(avant nom).*

nectar *nm* nectar.

nectarine *nf* nectarine.

néerlandais, e *adj* Dutch. ◼ **néerlandais** *nm (langue)* Dutch. ◼ **Néerlandais, e** *nm, f* Dutchman (*f* Dutchwoman) • **les Néerlandais** the Dutch.

nef *nf* **1.** *(d'église)* nave **2.** *littéraire (bateau)* vessel.

néfaste adj 1. (jour, événement) fateful 2. (influence) harmful.

négatif, ive adj negative. ■ **négatif** nm PHOTO negative. ■ **négative** nf • **répondre par la négative** to reply in the negative.

négation nf 1. (rejet) denial 2. GRAMM negative.

négligé, e adj 1. (travail, tenue) untidy 2. (ami, jardin) neglected.

négligeable adj negligible.

négligemment adv 1. (sans soin) carelessly 2. (avec indifférence) casually.

négligence nf 1. (laisser-aller) carelessness 2. (omission) negligence • **par négligence** out of negligence.

négligent, e adj 1. (sans soin) careless 2. (indifférent) casual.

négliger vt 1. (ami, jardin) to neglect • **négliger de faire qqch** to fail to do sthg 2. (avertissement) to ignore.
■ **se négliger** vp to neglect o.s..

négoce nm business.

négociant, e nm, f dealer.

négociateur, trice nm, f negotiator.

négociation nf negotiation • **négociations de paix** peace negotiations.

négocier vt to negotiate.

nègre, négresse nm, f Negro (f negress). ■ **nègre** ◙ nm fam ghost writer. ◙ adj negro (avant nom).

neige nf (flocons) snow.

neiger v impers • **il neige** it is snowing.

neigeux, euse adj snowy.

nénuphar nm water lily.

néologisme nm neologism.

néon nm 1. (gaz) neon 2. (enseigne) neon light.

néophyte nmf novice.

néo-zélandais, e adj New Zealand (avant nom), of/from New Zealand. ■ **Néo-Zélandais, e** nm, f New Zealander.

Népal nm • **le Népal** Nepal.

nerf nm 1. ANAT nerve 2. fig (vigueur) spirit.

nerveux, euse adj 1. (gén) nervous 2. (viande) stringy 3. (style) vigorous 4. (voiture) responsive.

nervosité nf nervousness.

nervure nf (de feuille, d'aile) vein.

n'est-ce pas adv • **vous me croyez, n'est-ce pas ?** you believe me, don't you? • **c'est délicieux, n'est-ce pas ?** it's delicious, isn't it? • **n'est-ce pas que vous vous êtes bien amusés ?** you enjoyed yourselves, didn't you?

net, nette adj 1. (écriture, image, idée) clear 2. (propre, rangé) clean, neat 3. COMM & FIN net • **net d'impôt** tax-free, tax-exempt 4. (visible, manifeste) definite, distinct. ■ **net** adv 1. (sur le coup) on the spot • **s'arrêter net** to stop dead • **se casser net** to break clean off 2. COMM & FIN net.

Net nm fam • **le Net** the Net, the net • **surfer sur le Net** to surf the Net.

netéconomie nf (Inter)net economy.

nettement adv 1. (clairement) clearly 2. (incontestablement) definitely • **nettement plus/moins** much more/less.

netteté nf clearness.

nettoyage nm (de vêtement) cleaning • **nettoyage à sec** dry cleaning.

nettoyer vt 1. (gén) to clean 2. (vider) clear out.

neuf[1]**, neuve** adj new. ■ **neuf** nm • **vêtu de neuf** wearing new clothes • **quoi de neuf ?** what's new? • **rien de neuf** nothing new.

neuf[2] adj num inv & nm nine. • voir aussi **six**

neurasthénique nmf & adj depressive.

neurodégénératif, ive adj MÉD neurodegenerative.

neurologie nf neurology.

neutraliser vt to neutralize.

neutralité nf neutrality.

neutre ◙ nm LING neuter. ◙ adj 1. (gén) neutral 2. LING neuter.

neutron nm neutron.

neuvième adj num inv, nm & nmf ninth. • voir aussi **sixième**

névé nm snowbank.

neveu nm nephew.

névralgie nf MÉD neuralgia.

névrose nf neurosis.

névrosé, e adj & nm, f neurotic.

nez nm nose • **saigner du nez** to have a nosebleed • **nez aquilin** aquiline nose • **nez busqué** hooked nose • **nez à nez** face to face.

ni *conj* ▪ sans pull ni écharpe without a sweater or a scarf ▪ **je ne peux ni ne veux venir** I neither can nor want to come. ■ **ni... ni** *loc corrélative* neither... nor ▪ **ni lui ni moi** neither of us ▪ **ni l'un ni l'autre n'a parlé** neither of them spoke ▪ **je ne les aime ni l'un ni l'autre** I don't like either of them.

niais, e ◼ *adj* silly, foolish. ◼ *nm, f* fool.

Nicaragua *nm* ▪ **le Nicaragua** Nicaragua.

niche *nf* **1.** *(de chien)* kennel *(UK)*, doghouse *(US)* **2.** *(de statue)* niche.

nicher *vi (oiseaux)* to nest.

nickel ◼ *nm* nickel. ◼ *adj inv fam* spotless, spick and span.

nicotine *nf* nicotine.

nid *nm* nest.

nièce *nf* niece.

nier *vt* to deny.

nigaud, e *nm, f* halfwit.

Niger *nm* **1.** *(fleuve)* ▪ **le Niger** the River Niger **2.** *(État)* ▪ **le Niger** Niger.

Nigeria *nm* ▪ **le Nigeria** Nigeria.

Nil *nm* ▪ **le Nil** the Nile.

n'importe ▷ **importer.**

nippon, one *adj* Japanese. ■ **Nippon, one** *nm, f* Japanese (person) ▪ **les Nippons** the Japanese.

nirvana *nm* nirvana.

nitrate *nm* nitrate.

nitroglycérine *nf* nitroglycerine.

niveau *nm (gén)* level ▪ **de même niveau** *fig* of the same standard ▪ **au-dessus du niveau de la mer** above sea level ▪ **niveau de vie** standard of living ▪ **au niveau de** at the level of ▪ *fig (en ce qui concerne)* as regards.

niveler *vt* **1.** to level **2.** *fig* to level out.

noble ◼ *nmf* nobleman (*f* noblewoman). ◼ *adj* noble.

noblesse *nf* nobility.

noce *nf* **1.** *(mariage)* wedding **2.** *(invités)* wedding party. ■ **noces** *nfpl* wedding *sing* ▪ **noces d'or/d'argent** golden/silver wedding (anniversary).

nocif, ive *adj (produit, gaz)* noxious.

noctambule *nmf* night bird.

nocturne ◼ *nm & nf (d'un magasin)* late opening. ◼ *adj* **1.** *(émission, attaque)* night *(avant nom)* **2.** *(animal)* nocturnal.

Noël *nm* Christmas ▪ **joyeux Noël !** Happy *ou* Merry Christmas!

nœud *nm* **1.** *(de fil, de bois)* knot ▪ **double nœud** double knot **2.** NAUT knot ▪ **filer à X nœuds** NAUT to do X knots **3.** *(de l'action, du problème)* crux **4.** *(ornement)* bow ▪ **nœud de cravate** knot *(in one's tie)* ▪ **nœud papillon** bow tie **5.** ANAT, ASTRON, ÉLECTR & RAIL node.

noir, e *adj* **1.** *(gén)* black ▪ **noir de** *(poussière)* black with **2.** *(pièce, couloir)* dark. ■ **Noir, e** *nm, f* black. ■ **noir** *nm* **1.** *(couleur)* black ▪ **noir sur blanc** *fig* in black and white **2.** *(obscurité)* dark ▪ **acheter qqch au noir** to buy sthg on the black market ▪ **travail au noir** moonlighting. ■ **noire** *nf* crotchet *(UK)*, quarter note *(US)*.

noirâtre *adj* blackish.

noirceur *nf fig (méchanceté)* wickedness.

noircir ◼ *vi* to darken. ◼ *vt litt & fig* to blacken.

Noire ▷ **mer.**

noisetier *nm* hazel tree.

noisette *nf (fruit)* hazelnut.

noix *nf (fruit)* walnut ▪ **noix de cajou** cashew (nut) ▪ **noix de coco** coconut ▪ **noix de muscade** nutmeg ▪ **à la noix** *fam* dreadful.

nom *nm* **1.** *(gén)* name ▪ **au nom de** in the name of ▪ **nom déposé** trade name ▪ **nom de famille** surname ▪ **nom de jeune fille** maiden name **2.** *(prénom)* (first) name **3.** GRAMM noun ▪ **nom propre/commun** proper/common noun.

nomade ◼ *nmf* nomad. ◼ *adj* nomadic.

nombre *nm* number ▪ **nombre pair/impair** even/odd number.

nombreux, euse *adj* **1.** *(famille, foule)* large **2.** *(erreurs, occasions)* numerous ▪ **peu nombreux** few.

nombril *nm* navel ▪ **il se prend pour le nombril du monde** he thinks the world revolves around him.

nominal, e *adj* **1.** *(liste)* of names **2.** *(valeur, autorité)* nominal **3.** GRAMM noun *(avant nom)*.

nomination *nf* nomination, appointment.

nommé, e *adj* **1.** *(désigné)* named **2.** *(choisi)* appointed.

nommément *adv (citer)* by name.

nommer *vt* **1.** *(appeler)* to name, to call **2.** *(qualifier)* to call **3.** *(promouvoir)* to appoint, to nominate **4.** *(dénoncer, mentionner)* to name.
■ **se nommer** *vp* **1.** *(s'appeler)* to be called **2.** *(se désigner)* to give one's name.

non ◼ *adv* **1.** *(réponse négative)* no **2.** *(se rapportant à une phrase précédente)* not ◦ **moi non** not me ◦ **moi non plus** (and) neither am/do etc I **3.** *(sert à demander une confirmation)* ◦ **c'est une bonne idée, non ?** it's a good idea, isn't it? **4.** *(modifie un adjectif ou un adverbe)* not ◦ **non loin d'ici** not far from here ◦ **une difficulté non négligeable** a not inconsiderable problem. ◼ *nm inv* no. ■ **non (pas) que... mais** *loc corrélative* not that... but.

nonagénaire *nmf & adj* nonagenarian.

non-agression *nf* non-aggression.

nonante *adj num inv (Belgique & Suisse)* ninety.

nonchalance *nf* nonchalance, casualness.

non-fumeur, euse *nm, f* non-smoker.

non-lieu *nm* DR dismissal through lack of evidence ◦ **rendre un non-lieu** to dismiss a case for lack of evidence.

nonne *nf* nun.

non-sens *nm inv* **1.** *(absurdité)* nonsense **2.** *(contresens)* meaningless word.

non-violence *nf* non-violence.

non-voyant, e *adj* visually handicapped *(UK)*, visually impaired *(US)*.

nord ◼ *nm* north ◦ **un vent du nord** a northerly wind ◦ **au nord** in the north ◦ **au nord (de)** to the north (of) ◦ **le grand Nord** the frozen North. ◼ *adj inv* **1.** north **2.** *(province, région)* northern.

nord-africain, e *adj* North African. ■ **Nord-Africain, e** *nm, f* North African.

nord-américain, e *adj* North American. ■ **Nord-Américain, e** *nm, f* North American.

nord-est *nm & adj inv* northeast.

nordique *adj* Nordic, Scandinavian. ■ **Nordique** *nmf* **1.** *(Scandinave)* Scandinavian **2.** *(Québec)* North Canadian.

nord-ouest *nm & adj inv* north-west.

normal, e *adj* normal. ■ **normale** *nf* *(moyenne)* ◦ **la normale** the norm.

normalement *adv* normally, usually ◦ **normalement il devrait déjà être arrivé** he should have arrived by now.

normalien, enne *nm, f* **1.** *(élève d'une école normale)* student at teacher training college *(UK)* ou teachers college *(US)* **2.** *(ancien élève de l'École normale supérieure)* graduate of the École normale supérieure.

normaliser *vt* **1.** *(situation)* to normalize **2.** *(produit)* to standardize.

normand, e *adj* Norman. ■ **Normand, e** *nm, f* Norman.

Normandie *nf* ◦ **la Normandie** Normandy.

norme *nf* **1.** *(gén)* standard, norm **2.** *(critère)* criterion.

Norvège *nf* ◦ **la Norvège** Norway.

norvégien, enne *adj* Norwegian. ■ **norvégien** *nm (langue)* Norwegian. ■ **Norvégien, enne** *nm, f* Norwegian.

nosocomial, e, aux *adj* nosocomial, contracted in hospital.

nostalgie *nf* nostalgia.

nostalgique *adj* nostalgic.

notable ◼ *adj* noteworthy, notable. ◼ *nm* notable.

notaire *nm* ≃ solicitor *(UK)*, ≃ lawyer.

notamment *adv* in particular.

note *nf* **1.** *(gén & MUS)* note ◦ **prendre des notes** to take notes **2.** SCOL & UNIV mark, grade *(US)* ◦ **avoir une bonne/mauvaise note** to have a good/bad mark **3.** *(facture)* bill ◦ **note de frais** *(à remplir)* expense ou expenses claim (form) ◦ **présenter sa note de frais** to put in for expenses.

noter *vt* **1.** *(écrire)* to note down **2.** *(constater)* to note, to notice **3.** SCOL & UNIV to mark, to grade *(US)*.

notice *nf* instructions pl.

notifier *vt* ◦ **notifier qqch à qqn** to notify sb of sthg.

notion *nf* **1.** *(conscience, concept)* notion, concept **2.** *(gén pl) (rudiment)* smattering *(indénombrable)*.

notoire *adj* **1.** *(fait)* well-known **2.** *(criminel)* notorious.

notre *adj poss* our.

nôtre ■ **le nôtre, la nôtre** *pron poss* ours ◦ **les nôtres** our family *sing* ◦ **serez-vous des nôtres demain?** will you be joining us tomorrow?

nouer *vt* **1.** *(corde, lacet)* to tie **2.** *(bouquet)* to tie up **3.** *fig (gorge, estomac)* to knot.
■ **se nouer** *vp* **1.** *(gorge)* to tighten up **2.** *(intrigue)* to start.

noueux, euse *adj* **1.** *(bois)* knotty **2.** *(mains)* gnarled.

nougat *nm* nougat.

nouille *nf fam péj* idiot. ■ **nouilles** *nfpl* *(pâtes)* pasta *(indénombrable)*, noodles *pl.*

nourrice *nf* **1.** *(garde d'enfants)* nanny *(UK)*, childminder *(UK)*, nursemaid *(US)* **2.** *(qui allaite)* wet nurse.

nourrir *vt* **1.** *(gén)* to feed **2.** *(sentiment, projet)* to nurture.
■ **se nourrir** *vp* to eat • **se nourrir de qqch** *littéraire & fig* to live on sthg.

nourrissant, e *adj* nutritious, nourishing.

nourrisson *nm* infant.

nourriture *nf* food.

nous *pron pers* **1.** *(sujet)* we **2.** *(objet)* us.
■ **nous-mêmes** *pron pers* ourselves.

nouveau, elle ◨ *adj* new • **nouveaux mariés** newlyweds. ◨ *nm, f* new boy *(f* new girl*)*. ■ **nouveau** *nm* • **il y a du nouveau** there's something new. ■ **nouvelle** *nf* **1.** *(information)* (piece of) news *(indénombrable)* **2.** *(court récit)* short story. ■ **nouvelles** *nfpl* news • **les nouvelles** *(média)* the news *sing* • **il a donné de ses nouvelles** I/we *etc* have heard from him. ■ **à nouveau** *loc adv* **1.** *(encore)* again **2.** *(de manière différente)* afresh, anew. ■ **de nouveau** *loc adv* again.

nouveau-né, e *nm, f* newborn baby.

nouveauté *nf* **1.** *(actualité)* novelty **2.** *(innovation)* something new **3.** *(ouvrage)* new book/film *etc.*

Nouvelle-Calédonie *nf* • **la Nouvelle-Calédonie** New Caledonia.

Nouvelle-Guinée *nf* • **la Nouvelle-Guinée** New Guinea.

Nouvelle-Zélande *nf* • **la Nouvelle-Zélande** New Zealand.

novateur, trice ◨ *adj* innovative. ◨ *nm, f* innovator.

novembre *nm* November. • *voir aussi* **septembre**

novice ◨ *nmf* novice. ◨ *adj* inexperienced.

noyade *nf* drowning.

noyau *nm* **1.** *(de fruit)* stone *(UK)*, pit **2.** ASTRON, BIOL & PHYS nucleus **3.** *fig (d'amis)* group, circle **4.** *(d'opposants, de résistants)* cell • **noyau dur** hard core **5.** *fig (centre)* core.

noyauter *vt* to infiltrate.

noyé, e ◨ *adj* **1.** *(personne)* drowned **2.** *(inondé)* flooded • **yeux noyés de larmes** eyes swimming with tears. ◨ *nm, f* drowned person.

noyer *vt* **1.** *(animal, personne)* to drown **2.** *(terre, moteur)* to flood **3.** *(estomper, diluer)* to swamp **4.** *(contours)* to blur.
■ **se noyer** *vp* **1.** *(personne)* to drown **2.** *fig (se perdre)* • **se noyer dans** to become bogged down in.

NPI *(abr de* **nouveaux pays industrialisés***)* *nmpl* NICs.

N/Réf *(abr écrite de* **Notre référence***)* O/ Ref.

nu, e *adj* **1.** *(personne)* naked **2.** *(paysage, fil électrique)* bare **3.** *(style, vérité)* plain. ■ **nu** *nm* nude • **à nu** stripped, bare • **mettre à nu** to strip bare.

nuage *nm* **1.** *(gén)* cloud **2.** *(petite quantité)* • **un nuage de lait** a drop of milk.

nuageux, euse *adj* **1.** *(temps, ciel)* cloudy **2.** *fig (esprit)* hazy.

nuance *nf* **1.** *(de couleur)* shade **2.** *(de son, de sens)* nuance.

nubile *adj* nubile.

nucléaire ◨ *nm* nuclear energy. ◨ *adj* nuclear.

nudisme *nm* nudism, naturism.

nudité *nf* **1.** *(de personne)* nudity, nakedness **2.** *(de lieu, style)* bareness.

nuée *nf* **1.** *(multitude)* • **une nuée de** a horde of **2.** *littéraire (nuage)* cloud.

nues *nfpl* • **tomber des nues** to be completely taken aback.

nui *pp inv* ▷ **nuire**.

nuire *vi* • **nuire à** to harm, to injure.

nuisance *nf* nuisance *(indénombrable)*, harm *(indénombrable)*.

nuisette *nf* short nightgown, babydoll nightgown.

nuisible *adj* harmful.

nuit *nf* **1.** *(laps de temps)* night • **cette nuit** *(la nuit dernière)* last night • *(la nuit prochaine)* tonight • **de nuit** at night • **bateau/**

vol de nuit night ferry/flight • **nuit blanche** sleepless night **2.** *(obscurité)* darkness, night • **il fait nuit** it's dark.

nuitée *nf* overnight stay.

nul, nulle ◼ *adj indéf (avant nom) littéraire* no. ◼ *adj (après un nom)* **1.** *(égal à zéro)* nil **2.** *(sans valeur)* useless, hopeless • **être nul en maths** to be hopeless *ou* useless at maths **3.** *(sans résultat)* • **match nul** draw *(UK)*, tie *(US)*. ◼ *nm, f péj* nonentity. ◼ *pron indéf sout* no one, nobody. ◼ **nulle part** *loc adv* nowhere, no place *(US)*.

nullement *adv* by no means.

nullité *nf* **1.** *(médiocrité)* incompetence **2.** DR invalidity, nullity.

numéraire *nm* cash.

numération *nf* MÉD • **numération globulaire** blood count.

numérique *adj* **1.** *(gén)* numerical **2.** IN-FORM digital.

numéro *nm* **1.** *(gén)* number • **composer** *ou* **faire un numéro** to dial a number • **faire un faux numéro** to dial a wrong number • **numéro minéralogique** *ou* **d'immatriculation** registration *(UK)* *ou* license *(US)* number • **numéro de poste** extension number • **numéro de télé-phone** telephone number • **numéro vert** ≃ freefone number *(UK)*, ≃ 800 *ou* toll-free number *(US)* **2.** *(de spectacle)* act, turn **3.** *fam (personne)* • **quel numéro !** what a character!

numéroter *vt* to number.

nu-pieds *nm inv (sandale)* sandal.

nuptial, e *adj* nuptial.

nuque *nf* nape.

nurse *nf* children's nurse, nanny *(UK)*.

nursery *nf* **1.** *(dans un hôpital)* nursery **2.** *(dans un lieu public)* parent-and-baby clinic.

nutritif, ive *adj* nutritious.

nutritionniste *nmf* nutritionist, dietician.

Nylon ® *nm* nylon.

nymphe *nf* nymph.

nymphomane *nf* & *adj* nympho-maniac.

o, O *nm inv* *(lettre)* o, O. ■ **O** *(abr écrite de* **Ouest***)* W.

ô *interj* oh!, O!

oasis *nf* **1.** *(dans désert)* oasis **2.** *fig (de calme)* haven, oasis.

obéir *vi* **1.** *(personne)* ⚬ **obéir à qqn/qqch** to obey sb/sthg **2.** *(freins)* to respond.

obéissant, e *adj* obedient.

obélisque *nm* obelisk.

obèse *adj* obese.

obésité *nf* obesity.

objecteur *nm* objector ⚬ **objecteur de conscience** conscientious objector.

objectif, ive *adj* objective. ■ **objectif** *nm* **1.** PHOTO lens **2.** *(but, cible)* objective, target.

objection *nf* objection ⚬ **faire objection à** to object to.

objectivité *nf* objectivity.

objet *nm* **1.** *(chose)* object ⚬ **objet d'art** object d'art ⚬ **objet de valeur** valuable ⚬ **objets trouvés** lost property office *(UK)*, lost-and-found (office) *(US)* **2.** *(sujet)* subject **3.** DR matter.

obligation *nf* **1.** *(gén)* obligation ⚬ **être dans l'obligation de faire qqch** to be obliged to do sthg **2.** FIN bond, debenture.

obligatoire *adj* **1.** *(imposé)* compulsory, obligatory **2.** *fam (inéluctable)* inevitable.

obligeance *nf sout* obligingness ⚬ **avoir l'obligeance de faire qqch** to be good *ou* kind enough to do sthg.

obliger *vt* **1.** *(forcer)* ⚬ **obliger qqn à qqch** to impose sthg on sb ⚬ **obliger qqn à faire qqch** to force sb to do sthg ⚬ **être obligé de faire qqch** to be obliged to do sthg **2.** *(rendre service à)* to oblige. ■ **s'obliger** *vp* ⚬ **s'obliger à qqch** to impose sthg on o.s. ⚬ **s'obliger à faire qqch** to force o.s. to do sthg.

oblique *adj* oblique.

obliquer *vi* to turn off.

oblitérer *vt* **1.** *(tamponner)* to cancel **2.** MÉD to obstruct **3.** *(effacer)* to obliterate.

obnubiler *vt* to obsess ⚬ **être obnubilé par** to be obsessed with *ou* by.

obole *nf* small contribution.

obscène *adj* obscene.

obscénité *nf* obscenity.

obscur, e *adj* **1.** *(sombre)* dark **2.** *(confus)* vague **3.** *(inconnu, douteux)* obscure.

obscurantisme *nm* obscurantism.

obscurcir *vt* **1.** *(assombrir)* to darken **2.** *(embrouiller)* to confuse. ■ **s'obscurcir** *vp* **1.** *(s'assombrir)* to grow dark **2.** *(s'embrouiller)* to become confused.

obscurité *nf* *(nuit)* darkness.

obsédé, e ■ *adj* obsessed. ■ *nm, f* obsessive.

obséder *vt* to obsess, to haunt.

obsèques *nfpl* funeral *sing*.

obséquieux, euse *adj* obsequious.

observateur, trice ■ *adj* observant. ■ *nm, f* observer.

observation *nf* **1.** *(gén)* observation ⚬ **être en observation** MÉD to be under observation **2.** *(critique)* remark.

observatoire *nm* **1.** ASTRON observatory **2.** *(lieu de surveillance)* observation post.

observer *vt* **1.** *(regarder, remarquer, respecter)* to observe **2.** *(épier)* to watch **3.** *(constater)* ⚬ **observer que** to note that ⚬ **faire observer qqch à qqn** to point sthg out to sb.

obsession *nf* obsession.

obsolète *adj* obsolete.

obstacle *nm* **1.** *(entrave)* obstacle **2.** *fig (difficulté)* hindrance ⚬ **faire obstacle à qqch/qqn** to hinder sthg/sb.

obstétrique *nf* obstetrics *(indénombrable)*.

obstination *nf* stubbornness, obstinacy.

obstiné, **e** *adj* **1.** *(entêté)* stubborn, obstinate **2.** *(acharné)* dogged.

obstiner ■ **s'obstiner** *vp* to insist ◆ **s'obstiner à faire qqch** to persist stubbornly in doing sthg ◆ **s'obstiner dans qqch** to cling stubbornly to sthg.

obstruction *nf* **1.** MÉD obstruction, blockage **2.** POLIT & SPORT obstruction.

obstruer *vt* to block, to obstruct. ■ **s'obstruer** *vp* to become blocked.

obtempérer *vi* ◆ **obtempérer à** to comply with.

obtenir *vt* to get, to obtain ◆ **obtenir qqch de qqn** to get sthg from sb ◆ **obtenir qqch à** *ou* **pour qqn** to obtain sthg for sb.

obtention *nf* obtaining.

obtenu, **e** *pp* ▷ **obtenir**.

obturer *vt* **1.** to close, to seal **2.** *(dent)* to fill.

obtus, **e** *adj* obtuse.

obus *nm* shell.

OC *(abr écrite de* **ondes courtes)** SW.

occasion *nf* **1.** *(possibilité, chance)* opportunity, chance ◆ **saisir l'occasion (de faire qqch)** to seize *ou* grab the chance (to do sthg) ◆ **rater une occasion (de faire qqch)** to miss a chance (to do sthg) ◆ **à l'occasion** some time ◆ *(de temps en temps)* sometimes, on occasion ◆ **à la première occasion** at the first opportunity **2.** *(circonstance)* occasion ◆ **à l'occasion de** on the occasion of **3.** *(bonne affaire)* bargain. ■ **d'occasion** *loc adv* & *loc adj* second-hand.

occasionnel, **elle** *adj* *(irrégulier - visite, problème)* occasional ◆ *(- travail)* casual.

occasionner *vt* to cause.

occident *nm* west. ■ **Occident** *nm* ◆ **l'Occident** the West.

occidental, **e** *adj* western. ■ **Occidental**, **e** *nm, f* Westerner.

occlusion *nf* **1.** MÉD blockage, obstruction **2.** LING & CHIM occlusion.

occulte *adj* occult.

occulter *vt* *(sentiments)* to conceal.

occupation *nf* **1.** *(activité)* occupation, job **2.** MIL occupation.

occupé, **e** *adj* **1.** *(personne)* busy ◆ **être occupé à qqch** to be busy with sthg **2.** *(appartement, zone)* occupied **3.** *(place)* taken **4.** *(toilettes)* engaged (UK) ◆ **c'est occupé** *(téléphone)* it's engaged (UK) *ou* busy (US).

occuper *vt* **1.** *(gén)* to occupy **2.** *(espace)* to take up **3.** *(place, poste)* to hold **4.** *(main-d'œuvre)* to employ. ■ **s'occuper** *vp* **1.** *(s'activer)* to keep o.s. busy ◆ **s'occuper à qqch/à faire qqch** to be busy with sthg/doing sthg **2.** ◆ **s'occuper de qqch** *(se charger de)* to take care of sthg, to deal with sthg ◆ *(s'intéresser à)* to take an interest in, to be interested in ◆ **occupez-vous de vos affaires !** mind your own business! **3.** *(prendre soin)* ◆ **s'occuper de qqn** to take care of sb, to look after sb.

occurrence *nf* **1.** *(circonstance)* ◆ **en l'occurrence** in this case **2.** LING occurrence.

OCDE *(abr de* **Organisation de coopération et de développement économique)** *nf* OECD.

océan *nm* ocean ◆ **l'océan Antarctique** the Antarctic Ocean ◆ **l'océan Arctique** the Arctic Ocean ◆ **l'océan Atlantique** the Atlantic Ocean ◆ **l'océan Indien** the Indian Ocean ◆ **l'océan Pacifique** the Pacific Ocean.

Océanie *nf* ◆ **l'Océanie** Oceania.

océanique *adj* ocean *(avant nom)*.

océanographie *nf* oceanography.

ocre *adj inv* & *nf* ochre (UK), ocher (US).

octante *adj num inv (Belgique & Suisse)* eighty.

octave *nf* octave.

octet *nm* INFORM byte.

octobre *nm* October. ◆ *voir aussi* **septembre**

octogénaire *nmf* & *adj* octogenarian.

octroyer *vt* ◆ **octroyer qqch à qqn** to grant sb sthg, to grant sthg to sb. ■ **s'octroyer** *vp* to grant o.s., to treat o.s. to.

oculaire ◆ *nm* eyepiece. ◆ *adj* ocular, eye *(avant nom)* ◆ **témoin oculaire** eyewitness.

oculiste *nmf* ophthalmologist.

ode *nf* ode.

odeur *nf* smell.

odieux, **euse** *adj* **1.** *(crime)* odious, abominable **2.** *(personne, attitude)* unbearable, obnoxious.

odorant, e *adj* sweet-smelling, fragrant.

odorat *nm* (sense of) smell.

œdème *nm* oedema (UK), edema (US).

œil *nm* (gén) eye • **yeux bridés/exorbités/ globuleux** slanting/bulging/protruding eyes • **avoir les yeux cernés** to have bags under one's eyes • **baisser/lever les yeux** to look down/up, to lower/raise one's eyes • **à l'œil nu** to the naked eye • **à vue d'œil** visibly • **avoir qqch/qqn à l'œil** to have one's eye on sthg/sb • **n'avoir pas froid aux yeux** not to be afraid of anything, to have plenty of nerve • **mon œil!** *fam* like hell! • **cela saute aux yeux** it's obvious.

œillade *nf* wink • **lancer une œillade à qqn** to wink at sb.

œillère *nf* eyebath. ■ **œillères** *nfpl* blinkers (UK), blinders (US).

œillet *nm* 1. (fleur) carnation 2. (de chaussure) eyelet.

œnologue *nmf* wine expert.

œsophage *nm* oesophagus (UK), esophagus (US).

œstrogène *nm* oestrogen (UK), estrogen (US).

œuf *nm* egg • **œuf à la coque/au plat/ poché** boiled/fried/poached egg • **œuf mollet/dur** soft-boiled/hard-boiled egg • **œufs brouillés** scrambled eggs.

œuvre *nf* 1. (travail) work • **être à l'œuvre** to be working *ou* at work • **se mettre à l'œuvre** to get down to work • **mettre qqch en œuvre** to make use of sthg • (loi, accord, projet) to implement sthg 2. (artistique) work 3. (ensemble de la production d'un artiste) works *pl* • **œuvre d'art** work of art • **œuvre de bienfaisance** charity, charitable organization 4. (organisation) charity.

off *adj inv* CINÉ (voix, son) off.

offense *nf* 1. (insulte) insult 2. RELIG trespass.

offenser *vt* 1. (personne) to offend 2. (bon goût) to offend against. ■ **s'offenser** *vp* • **s'offenser de** to take offence (UK) *ou* offense (US) at, to be offended by.

offensif, ive *adj* offensive. ■ **offensive** *nf* 1. MIL offensive • **passer à l'offensive** to go on the offensive • **prendre l'offensive** to take the offensive 2. fig (du froid) (sudden) onset.

offert, e *pp* ▷ **offrir**.

office *nm* 1. (bureau) office, agency • **office du tourisme** tourist office 2. (fonction) • **faire office de** to act as • **remplir son office** to do its job, to fulfil its function 3. RELIG service. ■ **d'office** *loc adv* automatically, as a matter of course • **commis d'office** officially appointed.

officialiser *vt* to make official.

officiel, elle *adj* & *nm, f* official.

officier[1] *vi* to officiate.

officier[2] *nm* officer.

officieux, euse *adj* unofficial.

offrande *nf* 1. (don) offering 2. RELIG offertory.

offre *nf* 1. (proposition) offer 2. (aux enchères) bid 3. (pour contrat) tender • **'offres d'emploi'** 'situations vacant' (UK), 'help wanted' (US), 'vacancies' • **offre d'essai** trial offer • **offre de lancement** introductory offer • **offre publique d'achat** takeover bid 4. ÉCON supply • **la loi de l'offre et de la demande** the law of supply and demand.

offrir *vt* 1. (faire cadeau) • **offrir qqch à qqn** to give sb sthg, to give sthg to sb 2. (proposer) • **offrir qqch à qqn** to offer sb sthg *ou* sthg to sb 3. (présenter) to offer, to present • **son visage n'offrait rien d'accueillant** his/her face showed no sign of welcome.

■ **s'offrir** *vp* 1. (croisière, livre) to treat o.s. to 2. (se présenter) to present itself 3. (se proposer) to offer one's services, to offer o.s..

offusquer *vt* to offend. ■ **s'offusquer** *vp* • **s'offusquer (de)** to take offence (UK) *ou* offense (US) (at).

ogive *nf* 1. ARCHIT ogive 2. MIL (d'obus) head 3. MIL (de fusée) nosecone • **ogive nucléaire** nuclear warhead.

OGM (abr de **organisme génétiquement modifié**) *nm* GMO.

ogre, ogresse *nm, f* ogre (f ogress).

oh *interj* oh! • **oh là là !** dear oh dear!

ohé *interj* hey!

oie *nf* goose.

oignon *nm* 1. (plante) onion 2. (bulbe) bulb 3. MÉD bunion.

oiseau *nm* 1. ZOOL bird • **oiseau de proie** bird of prey 2. fam péj (individu) character.

oisif, ive *adj* idle. ■ *nm, f* man of leisure (f woman of leisure).

oisillon *nm* fledgling.

oisiveté *nf* idleness.

O.K. *interj fam* okay.

ola *nf* Mexican wave *(UK)*, wave *(US)*.

oléoduc *nm* (oil) pipeline.

olfactif, ive *adj* olfactory.

olive *nf* olive.

olivier *nm* **1.** *(arbre)* olive tree **2.** *(bois)* olive wood.

OLP *(abr de* **Organisation de libération de la Palestine)** *nf* PLO.

olympique *adj* Olympic *(avant nom)*.

ombilical, e *adj* umbilical.

ombrage *nm* shade.

ombragé, e *adj* shady.

ombrageux, euse *adj* **1.** *(personne)* touchy, prickly **2.** *(cheval)* nervous, skittish.

ombre *nf* **1.** *(zone sombre)* shade • **à l'ombre de** *(arbre)* in the shade of • *(personne)* in the shadow of • **laisser qqch dans l'ombre** *fig* to deliberately ignore sthg • **vivre dans l'ombre** *fig* to live in obscurity **2.** *(forme, fantôme)* shadow **3.** *(trace)* hint.

ombrelle *nf* parasol.

OMC *(abr de* **Organisation mondiale du commerce)** *nf* WTO.

omelette *nf* omelette.

omettre *vt* to omit • **omettre de faire qqch** to omit to do sthg.

omis, e *pp* ▷ **omettre.**

omission *nf* omission • **par omission** by omission.

omnibus *nm* stopping *(UK)* ou local *(US)* train.

omniprésent, e *adj* omnipresent.

omnisports *adj inv* sports *(avant nom)*.

omnivore ◼ *nm* omnivore. ◼ *adj* omnivorous.

omoplate *nf* **1.** *(os)* shoulder blade **2.** *(épaule)* shoulder.

OMS *(abr de* **Organisation mondiale de la santé)** *nf* WHO.

on *pron indéf*

1. POUR DÉSIGNER L'ESPÈCE HUMAINE OU UN NOMBRE INDÉTERMINÉ DE PERSONNES
• **on vit de plus en plus vieux en Europe** people in Europe are living longer and longer

• **au Japon, on mange avec des baguettes** in Japan, they eat with chopsticks

2. POUR EXPRIMER UNE GÉNÉRALITÉ
• **on n'a pas le droit de fumer ici** you're not allowed ou one isn't allowed to smoke here, smoking isn't allowed here
• **on ne doit pas parler la bouche pleine** one shouldn't speak with one's mouth full

3. QUELQU'UN
• **on vous a appelé au téléphone ce matin** there was a telephone call for you this morning ou someone called you this morning
• **on frappa à la porte** there was a knock on the door
• **on m'a volé ma calculatrice** somebody has stolen my calculator ou my calculator's been stolen

4. NOUS
• **on s'en va** we're off, we're going
• **il faut qu'on se dépêche** we must hurry up.

oncle *nm* uncle.

onctueux, euse *adj* smooth.

onde *nf* PHYS wave. ◼ **ondes** *nfpl* *(radio)* air *sing*.

ondée *nf* shower (of rain).

ondoyer *vi* to ripple.

ondulation *nf* **1.** *(mouvement)* rippling **2.** *(de sol, terrain)* undulation **3.** *(de coiffure)* wave.

onduler *vi* **1.** *(drapeau)* to ripple, to wave **2.** *(cheveux)* to be wavy **3.** *(route)* to undulate.

onéreux, euse *adj* costly.

ongle *nm* **1.** *(de personne)* fingernail, nail • **se ronger les ongles** to bite one's nails **2.** *(d'animal)* claw.

onglet *nm* **1.** *(de reliure)* tab **2.** *(de lame)* thumbnail groove **3.** CULIN top skirt.

onguent *nm* ointment.

onomatopée *nf* onomatopoeia.

ont ▷ **avoir.**

ONU, Onu *(abr de* **Organisation des Nations unies)** *nf* UN, UNO.

onyx *nm* onyx.

onze ◼ *adj num inv* eleven. ◼ *nm* *(chiffre & SPORT)* eleven. • *voir aussi* **six**

onzième *adj num inv, nm & nmf* eleventh.

OPA *(abr de* **offre publique d'achat)** *nf* takeover bid.

opacité *nf* opacity.

opale *nf* & *adj inv* opal.

opaline *nf* opaline.

opaque *adj* ▪ **opaque (à)** opaque (to).

OPEP, Opep *(abr de* **Organisation des pays exportateurs de pétrole)** *nf* OPEC.

opéra *nm* **1.** MUS opera **2.** *(théâtre)* opera house.

opéra-comique *nm* light opera.

opérateur, trice *nm, f* operator.

opération *nf* **1.** *(gén)* operation **2.** COMM deal, transaction.

opérationnel, elle *adj* operational.

opérer ▪ *vt* **1.** MÉD to operate on **2.** *(exécuter)* to carry out, to implement **3.** *(choix, tri)* to make. ▪ *vi* **1.** *(agir)* to take effect **2.** *(personne)* to operate, to proceed. ▪ **s'opérer** *vp* to come about, to take place.

opérette *nf* operetta.

ophtalmologiste *nmf* ophthalmologist.

Opinel ® *nm si vous voulez donner une définition à un anglophone, vous pouvez dire* it is a folding knife that you use for outdoor activities, scouting *etc.*

opiniâtre *adj* **1.** *(caractère, personne)* stubborn, obstinate **2.** *(effort)* dogged **3.** *(travail)* unrelenting **4.** *(fièvre, toux)* persistent.

opinion *nf* opinion ▪ **avoir (une) bonne/mauvaise opinion de** to have a good/bad opinion of ▪ **l'opinion publique** public opinion.

opium *nm* opium.

opportun, e *adj* opportune, timely.

opportuniste ▪ *nmf* opportunist. ▪ *adj* opportunistic.

opportunité *nf* **1.** *(à-propos)* opportuneness, timeliness **2.** *(occasion)* opportunity.

opposant, e ▪ *adj* opposing. ▪ *nm, f* ▪ **opposant (à)** opponent (of).

opposé, e *adj* **1.** *(direction, côté, angle)* opposite **2.** *(intérêts, opinions)* conflicting **3.** *(forces)* opposing **4.** *(hostile)* ▪ **opposé à** opposed to. ▪ **opposé** *nm* ▪ **l'opposé** the opposite ▪ **à l'opposé de** in the opposite direction from ▪ *fig* unlike, contrary to.

opposer *vt* **1.** *(mettre en opposition - choses, notions)* ▪ **opposer qqch (à)** to contrast sthg (with) **2.** *(mettre en présence - personnes, armées)* to oppose ▪ **opposer deux équipes** to bring two teams together ▪ **opposer qqn à qqn** to pit *ou* set sb against sb **3.** *(refus, protestation, objection)* to put forward **4.** *(diviser)* to divide. ▪ **s'opposer** *vp* **1.** *(contraster)* to contrast **2.** *(entrer en conflit)* to clash **3.** ▪ **s'opposer à** *(se dresser contre)* to oppose, to be opposed to ▪ **s'opposer à ce que qqn fasse qqch** to be opposed to sb's doing sthg.

opposition *nf* **1.** *(gén)* opposition ▪ **faire opposition à** *(décision, mariage)* to oppose ▪ *(chèque)* to stop (UK) ▪ **entrer en opposition avec** to come into conflict with **2.** DR ▪ **opposition (à)** objection (to) **3.** *(contraste)* contrast ▪ **par opposition à** in contrast with, as opposed to.

oppresser *vt* **1.** *(étouffer)* to suffocate, to stifle **2.** *fig (tourmenter)* to oppress.

oppresseur *nm* oppressor.

oppressif, ive *adj* oppressive.

oppression *nf* **1.** *(asservissement)* oppression **2.** *(malaise)* tightness of the chest.

opprimé, e *adj* oppressed. ▪ *nm, f* oppressed person.

opprimer *vt* **1.** *(asservir)* to oppress **2.** *(étouffer)* to stifle.

opter *vi* ▪ **opter pour** to opt for.

opticien, enne *nm, f* optician.

optimal, e *adj* optimal.

optimiste ▪ *nmf* optimist. ▪ *adj* optimistic.

option *nf* **1.** *(gén)* option ▪ **prendre une option sur** FIN to take (out) an option on **2.** *(accessoire)* optional extra.

optionnel, elle *adj* optional.

optique ▪ *nf* **1.** *(science, technique)* optics *(indénombrable)* **2.** *(perspective)* viewpoint. ▪ *adj* **1.** *(nerf)* optic **2.** *(verre)* optical.

opulence *nf* **1.** *(richesse)* opulence **2.** *(ampleur)* fullness, ampleness.

opulent, e *adj* **1.** *(riche)* rich **2.** *(gros)* ample.

or[1] *nm* **1.** *(métal, couleur)* gold ▪ **en or** *(objet)* gold *(avant nom)* ▪ **une occasion en or** a golden opportunity ▪ **une affaire en or** *(achat)* an excellent bargain ▪ *(commerce)* a lucrative line of business ▪ **j'ai une femme en or** I've a wonderful wife ▪ **or massif** solid gold **2.** *(dorure)* gilding.

or² *conj* **1.** *(au début d'une phrase)* now **2.** *(pour introduire un contraste)* well, but.

oracle *nm* oracle.

orage *nm (tempête)* storm.

orageux, euse *adj* stormy.

oraison *nf* prayer • **oraison funèbre** funeral oration.

oral, e *adj* oral. ■ **oral** *nm* oral (examination) • **oral de rattrapage** *si vous voulez expliquer à un anglophone de quoi il s'agit, vous pouvez dire* it is an oral exam that you take as a resit after you have failed a written exam.

oralement *adv* orally.

orange ◼ *nf* orange. ◼ *nm & adj inv (couleur)* orange.

orangé, e *adj* orangey.

orangeade *nf* orange squash *(UK)*, orangeade *(US)*.

oranger *nm* orange tree.

orang-outan, orang-outang *nm* orang-utang.

orateur, trice *nm, f* **1.** *(conférencier)* speaker **2.** *(personne éloquente)* orator.

orbital, e *adj* **1.** *(mouvement)* orbital **2.** *(station)* orbiting.

orbite *nf* **1.** ANAT (eye) socket **2.** *fig &* ASTRON orbit • **mettre sur orbite** AÉRON to put into orbit • *fig* to launch.

orchestre *nm* **1.** MUS orchestra **2.** CINÉ & THÉÂTRE stalls *pl (UK)*, orchestra *(US)* • **fauteuil d'orchestre** seat in the stalls *(UK)*, orchestra seat *(US)*.

orchestrer *vt littéraire & fig* to orchestrate.

orchidée *nf* orchid.

ordinaire ◼ *adj* **1.** *(usuel, standard)* ordinary, normal **2.** *péj (commun)* ordinary, common. ◼ *nm* **1.** *(moyenne)* • **l'ordinaire** the ordinary **2.** *(alimentation)* usual diet. ■ **d'ordinaire** *loc adv* normally, usually.

ordinal, e *adj* ordinal. ■ **ordinal** *nm* ordinal (number).

ordinateur *nm* computer • **ordinateur individuel** personal computer, PC • **ordinateur de bureau** desktop (computer) • **ordinateur portable** laptop (computer) • **ordinateur de poche** palmtop.

L'ORDINATEUR

- l'adresse Internet the Internet address
- le clavier the keyboard
- la connexion ADSL the ADSL connection
- la connexion Internet the Internet connection
- le dossier the file
- l'écran the screen
- l'écran plat the flat screen
- l'e-mail the e-mail
- le fichier the file
- le fournisseur d'accès the Internet service provider
- l'imprimante the printer
- le logiciel the software
- le matériel the hardware
- le modem the modem
- le moteur de recherche the search engine
- l'ordinateur the computer
- l'ordinateur portable the laptop computer
- le réseau the network
- le scanner the scanner
- le site Internet the Internet site
- la souris the mouse
- le tapis de souris the mouse pad
- l'unité centrale the central processing unit

---

ordonnance ◼ *nf* **1.** MÉD prescription **2.** *(de gouvernement, juge)* order. ◼ *nmf* MIL orderly.

ordonné, e *adj (maison, élève)* tidy.

ordonner *vt* **1.** *(ranger)* to organize, to put in order **2.** *(enjoindre)* to order, to tell • **ordonner à qqn de faire qqch** to order sb to do sthg **3.** RELIG to ordain **4.** MATH to arrange in order.
■ **s'ordonner** *vp* to be arranged *ou* put in order.

ordre *nm* **1.** *(gén,* MIL & RELIG*)* order • **par ordre alphabétique/chronologique/décroissant** in alphabetical/chronological/descending order • **donner un ordre à qqn** to give sb an order • **être aux ordres de qqn** to be at sb's disposal • **jusqu'à nouvel ordre** until further notice • **l'ordre public** law and order **2.** *(bonne organisation)* tidiness, orderliness • **en ordre** orderly, tidy • **mettre en ordre** to put in order, to tidy (up) **3.** *(catégorie)* • **de premier ordre** first-rate • **de second ordre** second-rate • **d'ordre privé/pratique** of a private/practical nature • **pouvez-vous me donner un ordre de grandeur ?** can you give me some idea of the size/amount etc ? **4.** (corporation) professional association • **l'Ordre des médecins** ≃ the British Medical Association (UK), ≃ the American Medical Association (US) **5.** FIN • **à l'ordre de** payable to. ■ **ordre du jour** nm **1.** (de réunion) agenda • **à l'ordre du jour** (de réunion) on the agenda • fig topical **2.** MIL order of the day.

donner un ordre
• Silence! **Silence !**
• Stop! OK? **Arrête/arrêtez ! Compris ?**
• Step back, please! **Reculez, s'il vous plaît !**
• Put the box down here! **Pose ce carton ici !**

ordure nf **1.** fig (grossièreté) filth (indénombrable) **2.** péj (personne) scum (indénombrable), bastard. ■ **ordures** nfpl (déchets) rubbish (indénombrable) (UK), garbage (indénombrable) (US).

ordurier, ère adj filthy, obscene.

orée nf edge.

oreille nf **1.** ANAT ear **2.** (ouïe) hearing **3.** (de fauteuil, écrou) wing **4.** (de marmite, tasse) handle.

oreiller nm pillow.

oreillette nf **1.** (du cœur) auricle **2.** (de casquette) earflap.

oreillons nmpl mumps sing.

ores ■ **d'ores et déjà** loc adv from now on.

orfèvre nm **1.** goldsmith **2.** (d'argent) silversmith.

orfèvrerie nf **1.** (art) goldsmith's art **2.** (d'argent) silversmith's art **3.** (commerce) goldsmith's trade **4.** (d'argent) silversmith's trade.

organe nm **1.** ANAT organ **2.** (institution) organ, body **3.** fig (porte-parole) representative.

organigramme nm **1.** (hiérarchique) organization chart **2.** INFORM flow chart.

organique adj organic.

organisateur, trice ■ adj organizing (avant nom). ■ nm, f organizer.

organisation nf organization • **Organisation mondiale du commerce** World Trade Organization.

organisé, e adj organized.

organiser vt to organize.
■ **s'organiser** vp **1.** (personne) to be ou get organized **2.** (prendre forme) to take shape.

organisme nm **1.** BIOL & ZOOL organism • **organisme génétiquement modifié** genetically modified organism **2.** (institution) body, organization.

organiste nmf organist.

orgasme nm orgasm.

orge nf barley.

orgie nf orgy.

orgue nm organ.

orgueil nm pride.

orgueilleux, euse ■ adj proud. ■ nm, f proud person.

orient nm east. ■ **Orient** nm • **l'Orient** the Orient, the East.

oriental, e adj **1.** (région, frontière) eastern **2.** (d'Extrême-Orient) oriental.

orientation nf **1.** (direction) orientation • **avoir le sens de l'orientation** to have a good sense of direction **2.** SCOL career **3.** (de maison) aspect **4.** fig (de politique, recherche) direction, trend.

orienté, e adj (tendancieux) biased.

orienter vt **1.** (disposer) to position **2.** (voyageur, élève, recherches) to guide, to direct.
■ **s'orienter** vp **1.** (se repérer) to find ou get one's bearings **2.** fig (se diriger) • **s'orienter vers** to move towards ou toward (US).

orifice nm orifice.

originaire adj **1.** (natif) • **être originaire de** to originate from • (personne) to be a native of **2.** (premier) original.

original, e ■ adj **1.** (premier, inédit) original **2.** (singulier) eccentric. ■ nm, f (personne) (outlandish) character. ■ **original** nm (œuvre, document) original.

originalité nf **1.** (nouveauté) originality **2.** (caractéristique) original feature **3.** (excentricité) eccentricity.

origine nf **1.** (gén) origin • **d'origine** (originel) original • (de départ) of origin • **pays d'origine** country of origin • **d'origine**

anglaise of English origin • **à l'origine** originally **2.** (souche) origins pl **3.** (provenance) source.

ORL nmf (abr de **oto-rhino-laryngologiste**) ENT specialist.

orme nm elm.

ornement nm **1.** (gén & MUS) ornament • **d'ornement** (plante, arbre) ornamental **2.** ARCHIT embellishment.

orner vt **1.** (décorer) • **orner (de)** to decorate (with) **2.** (agrémenter) to adorn.

ornière nf rut.

ornithologie nf ornithology.

orphelin, e ◼ adj orphan (avant nom), orphaned. ◼ nm, f orphan.

orphelinat nm orphanage.

orteil nm toe.

orthodontiste nmf orthodontist.

orthodoxe ◼ adj **1.** RELIG Orthodox **2.** (conformiste) orthodox. ◼ nmf RELIG Orthodox Christian.

orthographe nf spelling.

orthopédiste nmf orthop(a)edist.

orthophoniste nmf speech therapist.

ortie nf nettle.

os nm **1.** (gén) bone • **os à moelle** marrowbone **2.** fam fig (difficulté) snag, hitch.

oscar nm CINÉ Oscar.

oscariser vt to award an oscar to.

oscillation nf **1.** oscillation **2.** (de navire) rocking.

osciller vi **1.** (se balancer) to swing **2.** (navire) to rock **3.** (vaciller, hésiter) to waver.

osé, e adj daring, audacious.

oseille nf BOT sorrel.

oser vt to dare • **oser faire qqch** to dare (to) do sthg.

osier nm **1.** BOT osier **2.** (fibre) wicker.

Oslo npr Oslo.

ossature nf **1.** ANAT skeleton **2.** fig (structure) framework.

ossements nmpl bones.

osseux, euse adj **1.** ANAT & MÉD bone (avant nom) **2.** (maigre) bony.

ossuaire nm ossuary.

ostensible adj conspicuous.

ostentation nf ostentation.

ostéopathe nmf osteopath.

otage nm hostage • **prendre qqn en otage** to take sb hostage.

OTAN, Otan (abr de **Organisation du traité de l'Atlantique Nord**) nf NATO.

otarie nf sea lion.

ôter vt **1.** (enlever) to take off **2.** (soustraire) to take away **3.** (retirer, prendre) • **ôter qqch à qqn** to take sthg away from sb.

otite nf ear infection.

oto-rhino-laryngologie nf ear, nose and throat medicine, ENT.

ou conj **1.** (indique une alternative, une approximation) or **2.** (sinon) • **ou (bien)** or (else). ◼ **ou (bien)... ou (bien)** loc corrélative either… or • **ou c'est elle, ou c'est moi !** it's either her or me!

où ◼ pron rel **1.** (spatial) where • **le village où j'habite** the village where I live, the village I live in • **pose-le là où tu l'as trouvé** put it back where you found it • **partout où vous irez** wherever you go **2.** (temporel) that • **le jour où je suis venu** the day (that) I came. ◼ adv where • **je vais où je veux** I go where I please • **où que vous alliez** wherever you go. ◼ adv interr where? • **où vas-tu ?** where are you going? • **dites-moi où il est allé** tell me where he's gone. ◼ **d'où** loc adv (conséquence) hence.

ouaté, e adj **1.** (garni d'ouate) cotton wool (UK) (avant nom), cotton (US) (avant nom) **2.** (vêtement) quilted **3.** fig (feutré) muffled.

oubli nm **1.** (acte d'oublier) forgetting **2.** (négligence) omission **3.** (étourderie) oversight **4.** (général) oblivion • **tomber dans l'oubli** to sink into oblivion.

oublier vt **1.** to forget **2.** (laisser quelque part) to leave behind • **oublier de faire qqch** to forget to do sthg.

oubliettes nfpl dungeon sing.

ouest ◼ nm west • **un vent d'ouest** a westerly wind • **à l'ouest** in the west • **à l'ouest (de)** to the west (of). ◼ adj inv **1.** (gén) west **2.** (province, région) western.

ouest-allemand, e adj West German.

ouf interj phew!

Ouganda nm • **l'Ouganda** Uganda.

oui ◼ adv yes • **tu viens ? - oui** are you coming? - yes (I am) • **tu viens, oui ou non ?** are you coming or not?, are you coming or aren't you? • **je crois que oui** I think so • **faire signe que oui** to nod

• **mais oui, bien sûr que oui** yes, of course. ◼ *nm inv* yes • **pour un oui pour un non** for no apparent reason.

ouï-dire *nm inv* • **par ouï-dire** by *ou* from hearsay.

ouïe *nf* hearing • **avoir l'ouïe fine** to have excellent hearing. ◼ **ouïes** *nfpl (de poisson)* gills.

ouragan *nm* MÉTÉOR hurricane.

ourlet *nm* COUT hem.

ours *nm* bear • **ours (en peluche)** teddy (bear) • **ours polaire** polar bear.

ourse *nf* she-bear.

oursin *nm* sea urchin.

ourson *nm* bear cub.

outil *nm* tool • **boîte** *OU* **caisse à outils** toolbox.

outillage *nm (équipement)* tools *pl*, equipment.

outrage *nm* 1. *sout (insulte)* insult 2. DR • **outrage à la pudeur** indecent behaviour *(indénombrable)* (UK) *ou* behavior *(indénombrable)* (US).

outrager *vt (offenser)* to insult.

outrance *nf* excess • **à outrance** excessively.

outrancier, ère *adj* extravagant.

outre [1] *nf* wineskin.

outre [2] ◼ *prép* besides, as well as. ◼ *adv* • **passer outre** to go on, to proceed further. ◼ **en outre** *loc adv* moreover, besides.

outre-Atlantique *loc adv* across the Atlantic.

outre-Manche *loc adv* across the Channel.

outremer ◼ *nm* 1. *(pierre)* lapis lazuli 2. *(couleur)* ultramarine. ◼ *adj inv* ultramarine.

outre-mer *loc adv* overseas.

outrepasser *vt* to exceed.

outrer *vt (personne)* to outrage.

outre-Rhin *loc adv* across the Rhine.

outsider *nm* outsider.

ouvert, e ◼ *pp* ▷ **ouvrir**. ◼ *adj* 1. *(gén)* open • **grand ouvert** wide open 2. *(robinet)* on, running.

ouvertement *adv* openly.

ouverture *nf* 1. *(gén)* opening 2. *(d'hostilités)* outbreak • **ouverture d'esprit** open-

mindedness 3. MUS overture 4. PHOTO aperture. ◼ **ouvertures** *nfpl (propositions)* overtures.

ouvrable *adj* working • **heures ouvrables** hours of business.

ouvrage *nm* 1. *(travail)* work *(indénombrable)*, task • **se mettre à l'ouvrage** to start work 2. *(objet produit)* (piece of) work 3. COUT work *(indénombrable)* 4. *(livre, écrit)* work • **ouvrage de référence** reference work.

ouvré, e *adj* • **jour ouvré** working day.

ouvre-boîtes *nm inv* tin opener *(UK)*, can opener.

ouvre-bouteilles *nm inv* bottle opener.

ouvrier, ère ◼ *adj* 1. *(quartier, enfance)* working-class 2. *(conflit)* industrial 3. *(questions, statut)* labour *(avant nom)* (UK), labor *(avant nom)* (US) • **classe ouvrière** working class. ◼ *nm, f* worker • **ouvrier agricole** farm worker • **ouvrier qualifié** skilled worker • **ouvrier spécialisé** semiskilled worker.

ouvrir ◼ *vt* 1. *(gén)* to open 2. *(chemin, voie)* to open up 3. *(gaz)* to turn on. ◼ *vi* to open • **ouvrir sur qqch** to open onto sthg.

◼ **s'ouvrir** *vp* 1. *(porte, fleur)* to open 2. *(route, perspectives)* to open up 3. *(personne)* • **s'ouvrir (à qqn)** to confide (in sb), to open up (to sb) 4. *(se blesser)* • **s'ouvrir le genou** to cut one's knee open • **s'ouvrir les veines** to slash *ou* cut one's wrists.

ovaire *nm* ovary.

ovale *adj & nm* oval.

ovation *nf* ovation • **faire une ovation à qqn** to give sb an ovation.

overbooking *nm* overbooking.

overdose *nf* overdose.

ovin, e *adj* ovine. ◼ **ovin** *nm* sheep.

OVNI, Ovni *(abr de objet volant non identifié) nm* UFO.

oxydation *nf* oxidation, oxidization.

oxyde *nm* oxide.

oxyder *vt* to oxidize.

oxygène *nm* oxygen.

oxygéné, e *adj* CHIM oxygenated • ▷ **eau**.

ozone *nm* ozone.

p P

p¹, P *nm inv* p, P.

p² 1. *(abr écrite de* **page)** p 2. *abrév de* **pièce.**

pachyderme *nm* elephant • **les pachydermes** (the) pachyderms.

pacifier *vt* to pacify.

pacifique *adj* peaceful.

Pacifique *nm* • **le Pacifique** the Pacific (Ocean).

pacifiste *nmf &* *adj* pacifist.

pack *nm* pack.

pacotille *nf* shoddy goods *pl*, rubbish • **de pacotille** cheap.

PACS *(abr de* **Pacte civil de solidarité)** *nm* *Si vous voulez expliquer à un anglophone de quoi il s'agit, vous pouvez dire* it is a civil partnership for both straight and gay couples.

pacsé, e *nm, f fam* ≃ (life) partner.

pacser ■ **se pacser** *vpi si vous voulez expliquer à un anglophone de quoi il s'agit, vous pouvez préciser :* it means to register one's relationship and have it legally recognized.

pacte *nm* pact.

pactiser *vi* • **pactiser avec** *(faire un pacte avec)* to make a pact with • *(transiger avec)* to come to terms with.

pactole *nm* gold mine *fig.*

pagaie *nf* paddle.

pagaille, pagaye, pagaïe *nf fam* mess.

pagayer *vi* to paddle.

page ◼ *nf* 1. *(feuillet)* page • **page blanche** blank page • **mettre en pages** TYPO to make up (into pages) 2. INFORM page • **page d'accueil** home page • **page précédente** page up • **page suivante** page down • **être à la page** to be up-to-date. ◼ *nm* page (boy).

pagne *nm* loincloth.

pagode *nf* pagoda.

paie, paye *nf* pay *(indénombrable)*, wages *pl.*

paiement, payement *nm* payment.

païen, ïenne *adj &* *nm, f* pagan, heathen.

paillard, e *adj* bawdy.

paillasse *nf* 1. *(matelas)* straw mattress 2. *(d'évier)* draining board *(UK)*, drainboard *(US).*

paillasson *nm (tapis)* doormat.

paille *nf* 1. BOT straw 2. *(pour boire)* straw. ◼ **paille de fer** *nf* steel wool.

pailleté, e *adj* sequined.

paillette *nf (gén pl)* 1. *(sur vêtements)* sequin, spangle 2. *(d'or)* grain of gold dust 3. *(de lessive, savon)* flake • **savon en paillettes** soap flakes *pl.*

pain *nm* 1. *(aliment)* bread • **un pain** a loaf • **petit pain** (bread) roll • **pain de campagne** ≃ farmhouse loaf • **pain complet** wholemeal *(UK)* ou whole wheat *(US)* bread • **pain d'épice** ≃ gingerbread • **pain de mie** sandwich loaf 2. *(de savon, cire)* bar.

pair, e *adj* even. ◼ **pair** *nm* peer. ◼ **paire** *nf* pair • **une paire de** *(lunettes, ciseaux, chaussures)* a pair of. ◼ **au pair** *loc adv* for board and lodging, for one's keep • **jeune fille au pair** au pair (girl). ◼ **de pair** *loc adv* • **aller de pair avec** to go hand in hand with.

paisible *adj* peaceful.

paître *vi* to graze.

paix *nf* peace • **en paix** *(en harmonie)* at peace • *(tranquillement)* in peace • **avoir la paix** to have peace and quiet • **faire la paix avec qqn** to make peace with sb.

Pakistan *nm* • **le Pakistan** Pakistan.

palace *nm* luxury hotel.

palais *nm* 1. *(château)* palace 2. *(grand édifice)* centre *(UK)*, center *(US)* • **palais de**

justice DR law courts *pl* • **le Grand Palais** the Grand Palais • **le Petit Palais** the Petit Palais **3.** ANAT palate.

palan *nm* block and tackle, hoist.

pale *nf (de rame, d'hélice)* blade.

pâle *adj* pale.

paléontologie *nf* paleontology.

Palestine *nf* • **la Palestine** Palestine.

palet *nm (hockey)* puck.

palette *nf (de peintre)* palette.

pâleur *nf (de visage)* pallor.

palier *nm* **1.** *(d'escalier)* landing **2.** *(étape)* level **3.** TECHNOL bearing.

pâlir *vi* **1.** *(couleur, lumière)* to fade **2.** *(personne)* to turn OU go pale.

palissade *nf* **1.** *(clôture)* fence **2.** *(de verdure)* hedge.

palliatif, ive *adj* palliative. ■ **palliatif** *nm* **1.** MÉD palliative **2.** *fig* stopgap measure.

pallier *vt* to make up for.

palmarès *nm* **1.** *(de lauréats)* list of (medal) winners **2.** SCOL list of prizewinners **3.** *(de succès)* record (of achievements).

palme *nf* **1.** *(de palmier)* palm leaf **2.** *(de nageur)* flipper **3.** *(décoration, distinction)* • **avec palme** MIL ≃ with bar.

palmé, e *adj* **1.** BOT palmate **2.** ZOOL webfooted **3.** *(patte)* webbed.

palmeraie *nf* palm grove.

palmier *nm* BOT palm tree.

palmipède *nm* web-footed bird.

palombe *nf* woodpigeon.

pâlot, otte *adj* pale, sickly-looking.

palourde *nf* clam.

palper *vt* **1.** *(toucher)* to feel, to finger **2.** MÉD to palpate.

palpitant, e *adj* exciting, thrilling.

palpitation *nf* palpitation.

palpiter *vi* **1.** *(paupières)* to flutter **2.** *(cœur)* to pound.

paludisme *nm* malaria.

pâmer ■ **se pâmer** *vp littéraire (s'évanouir)* to swoon (away).

pamphlet *nm* satirical tract.

pamplemousse *nm* grapefruit.

pan ⬛ *nm* **1.** *(de vêtement)* tail **2.** *(d'affiche)* piece, bit • **pan de mur** section of wall. ⬛ *interj* bang!

panache *nm* **1.** *(de plumes, fumée)* plume **2.** *(éclat)* panache.

panaché, e *adj* **1.** *(de plusieurs couleurs)* multicoloured *(UK)*, multicolored *(US)* **2.** *(mélangé)* mixed. ■ **panaché** *nm* shandy *(UK)*.

Panama *nm (pays)* • **le Panama** Panama.

panaris *nm* whitlow.

pancarte *nf* **1.** *(de manifestant)* placard **2.** *(de signalisation)* sign.

pancréas *nm* pancreas.

pané, e *adj* breaded, in breadcrumbs.

panier *nm* basket • **panier à provisions** shopping basket • **mettre au panier** *fig* to throw out.

panini *nm* panini.

panique ⬛ *nf* panic. ⬛ *adj* panicky • **être pris d'une peur panique** to be panic-stricken.

paniquer *vt* & *vi* to panic.

panne *nf* *(arrêt)* breakdown • **tomber en panne** to break down • **panne de courant** OU **d'électricité** power failure • **tomber en panne d'essence** OU **en panne sèche** to run out of petrol *(UK)* OU gas *(US)*.

panneau *nm* **1.** *(pancarte)* sign • **panneau indicateur** signpost • **panneau publicitaire** (advertising) hoarding *(UK)*, billboard *(US)* • **panneau de signalisation** road sign **2.** *(élément)* panel.

panoplie *nf* **1.** *(jouet)* outfit **2.** *fig (de mesures)* package.

panorama *nm* **1.** *(vue)* view, panorama **2.** *fig* overview.

panse *nf* **1.** *(d'estomac)* first stomach, rumen **2.** *fam (gros ventre)* belly, paunch **3.** *(partie arrondie)* bulge.

pansement *nm* dressing, bandage • **pansement (adhésif)** (sticking) plaster *(UK)*, Band-Aid® *(US)*.

panser *vt* **1.** *(plaie)* to dress, to bandage **2.** *(jambe)* to put a dressing on, to bandage **3.** *(avec pansement adhésif)* to put a plaster *(UK)* OU Band-Aid® *(US)* on **4.** *(cheval)* to groom.

pantacourt *nm* capri pants, capris, clamdiggers.

pantalon *nm* trousers *pl (UK)*, pants *pl (US)*, pair of trousers *(UK)* ou pants *(US)*.

pantelant, e *adj* panting, gasping.

panthère *nf* panther.

pantin *nm* **1.** *(jouet)* jumping jack **2.** *péj (personne)* puppet.

pantomime *nf (art, pièce)* mime.

pantoufle *nf* slipper.

PAO *(abr de publication assistée par ordinateur) nf* DTP.

paon *nm* peacock.

papa *nm* dad, daddy.

papauté *nf* papacy.

pape *nm* RELIG pope.

paperasse *nf péj* **1.** *(papier sans importance)* bumf *(indénombrable) (UK)*, papers *pl* **2.** *(papiers administratifs)* paperwork *(indénombrable)*.

papeterie *nf* **1.** *(magasin)* stationer's **2.** *(fabrique)* paper mill.

papetier, ère *nm, f* **1.** *(commerçant)* stationer **2.** *(fabricant)* paper manufacturer.

papier *nm (matière, écrit)* paper • **papier alu** ou **aluminium** aluminium *(UK)* ou aluminum *(US)* foil, tinfoil • **papier carbone** carbon paper • **papier crépon** crêpe paper • **papier d'emballage** wrapping paper • **papier à en-tête** headed notepaper • **papier hygiénique** ou **toilette** toilet paper • **papier à lettres** writing paper, notepaper • **papier peint** wallpaper • **papier de verre** glasspaper *(UK)*, sandpaper. ■ **papiers** *nmpl* • **papiers (d'identité)** (identity) papers.

papier-calque *nm* tracing paper.

papille *nf* • **papilles gustatives** taste buds.

papillon *nm* **1.** ZOOL butterfly **2.** *(écrou)* wing nut **3.** *(nage)* butterfly (stroke).

papillonner *vi* to flit about ou around.

papillote *nf* **1.** *(de bonbon)* sweet paper ou wrapper *(UK)*, candy paper *(US)* **2.** *(de cheveux)* curl paper.

papilloter *vi* **1.** *(lumière)* to twinkle **2.** *(yeux)* to blink.

papoter *vi fam* to chatter.

paprika *nm* paprika.

paquebot *nm* liner.

pâquerette *nf* daisy.

Pâques *nfpl* Easter *sing* • **joyeuses Pâques** Happy Easter.

paquet *nm* **1.** *(colis)* parcel *(UK)*, package *(US)* **2.** *(emballage)* packet *(UK)*, package *(US)* • **paquet-cadeau** gift-wrapped parcel *(UK)* ou package *(US)*.

paquetage *nm* MIL kit.

---

par *prép*

1. VALEUR SPATIALE
• **ils sont passés par la Suède et le Danemark** they went via Sweden and Denmark
• **vous devrez passer par Reims** you'll have to go through Reims
• **les voleurs sont entrés par la fenêtre** the burglars came in through the window
• **mon cousin habite par ici** my cousin lives round here

2. VALEUR TEMPORELLE
• **il partit par un beau jour d'été** he left on a lovely summer's day
• **par le passé, les tensions étaient très fortes dans cette région** in the past, tensions were very high in this region

3. INDIQUE LE MOYEN
• **nous y sommes allés par bateau/train/avion** we went there by boat/train/plane
• **les gens communiquent beaucoup par Internet** people communicate by ou via the Internet a lot
• **il obtient tout ce qu'il veut par la ruse** he obtains everything he wants by ou through cunning

4. INDIQUE LA CAUSE
• **je l'ai aidé uniquement par pitié** I helped him only out of ou from pity
• **cet animal a été tué par pure bêtise** this animal got killed because of sheer stupidity
• **par manque de temps, je ne pourrai pas t'aider** owing to lack of time, I won't be able to help you

5. INTRODUIT UN COMPLÉMENT D'AGENT
• **ce livre a été écrit par Hanif Kureishi** this book was written by Hanif Kureishi
• **Thomas a été puni par le professeur d'espagnol** Thomas was punished by the Spanish teacher
• **j'ai fait tondre la pelouse par mon voisin** I had ou got my neighbour mow the lawn

6. SENS DISTRIBUTIF
• **il regarde la télévision une heure par jour** he watches television one hour a *ou* per day
• **il gagne 1 700 euros par mois** he earns 1, 700 euros a month
• **les écoliers marchaient deux par deux** the pupils were walking in twos *ou* two by two

7. INTRODUIT UN ÉLÉMENT DE DÉBUT OU DE FIN
• **nous avons commencé par du foie gras** we started with foie gras *ou* we had foie gras to start
• **il a fini par tout me dire** he finally told me everything *ou* he ended up telling me everything.

◼ **par-ci par-là** *loc adv*

here and there
• **des livres traînaient par-ci par-là** books were lying about here and there.

para (*abr de* **parachutiste**) *nm fam* para (*UK*).

parabole *nf* **1.** (*récit*) parable **2.** MATH parabola.

parabolique *adj* parabolic.

paracétamol *nm* paracetamol.

parachever *vt* to put the finishing touches to.

parachute *nm* parachute • **parachute ascensionnel** parachute (*for parascending*) • **parachute doré** golden parachute.

parachutiste *nmf* **1.** parachutist **2.** MIL paratrooper.

parade *nf* **1.** (*spectacle*) parade **2.** (*défense*) parry **3.** *fig* riposte.

paradis *nm* paradise.

paradoxal, e *adj* paradoxical.

paradoxe *nm* paradox.

parafe, paraphe *nm* initials *pl*.

parafer, parapher *vt* to initial.

paraffine *nf* **1.** paraffin (*UK*), kerosene (*US*) **2.** (*solide*) paraffin wax.

parages *nmpl* • **être** *ou* **se trouver dans les parages** *fig* to be in the area *ou* vicinity.

paragraphe *nm* paragraph.

Paraguay *nm* • **le Paraguay** Paraguay.

paraître ◼ *v att* to look, to seem, to appear. ◼ *vi* **1.** (*se montrer*) to appear **2.** (*être publié*) to come out, to be published. ◼ *v impers* • **il paraît/paraîtrait que** it appears/would appear that.

parallèle ◼ *nm* parallel • **établir un parallèle entre** *fig* to draw a parallel between. ◼ *nf* parallel (line). ◼ *adj* **1.** (*action, en maths*) parallel **2.** (*marché*) unofficial **3.** (*médecine, énergie*) alternative.

parallélisme *nm* **1.** parallelism **2.** (*de roues*) alignment.

paralyser *vt* to paralyse (*UK*), to paralyze (*US*).

paralysie *nf* paralysis.

paramédical, e *adj* paramedical.

paramètre *nm* parameter.

paranoïa *nf* paranoia.

paranoïaque ◼ *adj* paranoid. ◼ *nmf* paranoiac.

parapente *nm* paragliding • **faire du parapente** to go paragliding.

parapet *nm* parapet.

paraphe = **parafe**.

parapher = **parafer**.

paraphrase *nf* paraphrase.

paraplégique *nmf* & *adj* paraplegic.

parapluie *nm* umbrella.

parasite ◼ *nm* parasite. ◼ *adj* parasitic. ◼ **parasites** *nmpl* RADIO & TV interference (*indénombrable*).

parasol *nm* parasol, sunshade.

paratonnerre *nm* lightning conductor (*UK*) *ou* rod (*US*).

paravent *nm* screen.

parc *nm* **1.** (*jardin*) park **2.** (*de château*) grounds *pl* • **parc d'attractions** amusement park • **parc de loisirs** ≃ leisure park • **parc national** national park • **parc à thème** ≃ theme park **3.** (*pour l'élevage*) pen **4.** (*de bébé*) playpen **5.** (*de voitures*) fleet • **le parc automobile** the number of cars on the roads.

parcelle *nf* **1.** (*petite partie*) fragment, particle **2.** (*terrain*) parcel of land.

parce que *loc conj* because.

parchemin *nm* parchment.

parcimonie *nf* parsimoniousness • **avec parcimonie** sparingly, parsimoniously.

parcimonieux, euse *adj* parsimonious.

parcmètre *nm* parking meter.

parcourir *vt* **1.** *(région, route)* to cover **2.** *(journal, dossier)* to skim *ou* glance through, to scan.

parcours *nm* **1.** *(trajet, voyage)* journey **2.** *(itinéraire)* route • **parcours santé** fitness trail **3.** *(golf) (terrain)* course **4.** *(trajet)* round.

parcouru, e *pp* ▷ **parcourir**.

par-delà *prép* beyond.

par-derrière *adv* **1.** *(par le côté arrière)* round *(UK) ou* around *(US)* the back **2.** *(en cachette)* behind one's back.

par-dessous *prép* & *adv* under, underneath.

pardessus *nm inv* overcoat.

par-dessus ◼ *prép* over, over the top of • **par-dessus tout** above all. ◼ *adv* over, over the top.

par-devant ◼ *prép* in front of. ◼ *adv* in front.

pardi *interj fam* of course!

pardon ◼ *nm* forgiveness • **demander pardon** to say (one is) sorry. ◼ *interj* **1.** *(excuses)* (I'm) sorry! **2.** *(pour attirer l'attention)* excuse me! • **pardon ?** (I beg your) pardon? *(UK)*, pardon me? *(US)*

pardonner ◼ *vt* to forgive • **pardonner qqch à qqn** to forgive sb for sthg • **pardonner à qqn d'avoir fait qqch** to forgive sb for doing sthg. ◼ *vi* • **ce genre d'erreur ne pardonne pas** this kind of mistake is fatal.

paré, e *adj (prêt)* ready.

pare-balles *adj inv* bullet-proof.

pare-brise *nm inv* windscreen *(UK)*, windshield *(US)*.

pare-chocs *nm inv* bumper.

pareil, eille *adj* **1.** *(semblable)* • **pareil (à)** similar (to) **2.** *(tel)* such • **un pareil film** such a film, a film like this • **de pareils films** such films, films like these. ◼ **pareil** *adv fam* the same (way).

parent, e ◼ *adj* • **parent (de)** related (to). ◼ *nm, f* relative, relation. ◼ **parents** *nmpl (père et mère)* parents, mother and father.

parenté *nf (lien, affinité)* relationship.

parenthèse *nf* **1.** *(digression)* digression, parenthesis **2.** TYPO bracket *(UK)*, parenthesis • **entre parenthèses** in brackets *(UK)* • *fig* incidentally, by the way • **ouvrir/fermer la parenthèse** to open/close brackets *(UK) ou* parentheses *(US)*.

parer ◼ *vt* **1.** *sout (orner)* to adorn **2.** *(vêtir)* • **parer qqn de qqch** to dress sb up in sthg, to deck sb out in sthg • *fig* to attribute sthg to sb **3.** *(contrer)* to ward off, to parry. ◼ *vi* • **parer à** *(faire face à)* to deal with • *(pourvoir à)* to prepare for • **parer au plus pressé** to see to what is most urgent.

◼ **se parer** *vp* to dress up, to put on all one's finery.

pare-soleil *nm inv* sun visor.

paresse *nf* **1.** *(fainéantise)* laziness, idleness **2.** MÉD sluggishness.

paresser *vi* to laze about *ou* around.

paresseux, euse ◼ *adj* **1.** *(fainéant)* lazy **2.** MÉD sluggish. ◼ *nm, f (personne)* lazy *ou* idle person. ◼ **paresseux** *nm (animal)* sloth.

parfaire *vt* to complete, to perfect.

parfait, e ◼ *adj* perfect. ◼ **parfait** *nm* GRAMM perfect (tense).

parfaitement *adv* **1.** *(admirablement, très)* perfectly **2.** *(marque l'assentiment)* absolutely.

parfois *adv* sometimes.

parfum *nm* **1.** *(de fleur)* scent, fragrance **2.** *(à base d'essences)* perfume, scent **3.** *(de glace)* flavour *(UK)*, flavor *(US)*.

parfumé, e *adj* **1.** *(fleur)* fragrant **2.** *(mouchoir)* perfumed **3.** *(femme)* • **elle est trop parfumée** she's wearing too much perfume.

parfumer *vt* **1.** *(suj : fleurs)* to perfume **2.** *(mouchoir)* to perfume, to scent. CULIN to flavour.

◼ **se parfumer** *vp* to put perfume on.

parfumerie *nf* perfumery.

pari *nm* **1.** *(entre personnes)* bet **2.** *(jeu)* betting *(indénombrable)*.

paria *nm* pariah.

parier *vt* • **parier (sur)** to bet (on).

parieur *nm* punter.

Paris *npr* Paris.

parisien, enne *adj* **1.** *(vie, société)* Parisian **2.** *(métro, banlieue, région)* Paris *(avant nom)*. ◼ **Parisien, enne** *nm, f* Parisian.

paritaire *adj* • **commission paritaire** joint commission *(with both sides equally represented)*.

parité *nf* parity.

parjure ◼ *nmf (personne)* perjurer. ◼ *nm (faux serment)* perjury.

parjurer ◼ **se parjurer** *vp* to perjure o.s..

parka *nm & nf* parka.

parking *nm (parc)* car park *(UK)*, parking lot *(US)*.

parlant, e *adj* **1.** *(qui parle)* • **le cinéma parlant** talking pictures • **l'horloge parlante** TÉLÉCOM the speaking clock **2.** *fig (chiffres, données)* eloquent **3.** *(portrait)* vivid.

parlement *nm* parliament • **le Parlement européen** the European Parliament.

parlementaire ◼ *nmf* **1.** *(député)* member of parliament **2.** *(négociateur)* negotiator. ◼ *adj* parliamentary.

parlementer *vi* **1.** *(négocier)* to negotiate, to parley **2.** *(parler longtemps)* to talk at length.

parler ◼ *vi* **1.** *(gén)* to talk, to speak • **parler à/avec qqn** to speak to/with sb, to talk to/with sb • **parler de qqch à qqn** to speak *ou* talk to sb about sthg • **parler de qqn/qqch** to talk about sb/sthg • **parler de faire qqch** to talk about doing sthg • **parler en français** to speak in French • **sans parler de** apart from, not to mention • **à proprement parler** strictly speaking • **tu parles !** *fam* you can say that again! • **n'en parlons plus** we'll say no more about it **2.** *(avouer)* to talk. ◼ *vt (langue)* to speak • **parler (le) français** to speak French.

parloir *nm* parlour *(UK)*, parlor *(US)*.

parmi *prép* among.

parodie *nf* parody.

parodier *vt* to parody.

paroi *nf* **1.** *(mur)* wall **2.** *(cloison)* partition • **paroi rocheuse** rock face **3.** *(de récipient)* inner side.

paroisse *nf* parish.

paroissial, e *adj* parish *(avant nom)*.

paroissien, enne *nm, f* parishioner.

parole *nf* **1.** *(faculté de parler)* • **la parole** speech **2.** *(propos, discours)* • **adresser la parole à qqn** to speak to sb • **couper la parole à qqn** to cut sb off • **prendre la parole** to speak **3.** *(promesse, mot)* word • **tenir parole** to keep one's word • **don-** ner sa parole d'honneur to give one's word of honour *(UK)* *ou* honor *(US)*. ◼ **paroles** *nfpl* MUS words, lyrics.

paroxysme *nm* height.

parquer *vt* **1.** *(animaux)* to pen in *ou* up **2.** *(prisonniers)* to shut up *ou* in **3.** *(voiture)* to park.

parquet *nm* **1.** *(plancher)* parquet floor **2.** DR ≃ Crown Prosecution Service *(UK)*, ≃ District Attorney's office *(US)*.

parqueter *vt* to lay a parquet floor in.

parrain *nm* **1.** *(d'enfant)* godfather **2.** *(de festival, sportif)* sponsor.

parrainer *vt* to sponsor, to back.

parricide *nm (crime)* parricide.

parsemer *vt* • **parsemer (de)** to strew (with).

part *nf* **1.** *(de gâteau)* portion **2.** *(de bonheur, d'héritage)* share **3.** *(partie)* part **4.** *(participation)* • **prendre part à qqch** to take part in sthg • **de la part de** from • *(appeler, remercier)* on behalf of *(UK)*, in behalf of *(US)* • **c'est de la part de qui ?** *(au téléphone)* who's speaking *ou* calling? • **dites-lui de ma part que...** tell him from me that... • **ce serait bien aimable de votre part** it would be very kind of you • **pour ma part** as far as I'm concerned • **faire part à qqn de qqch** to inform sb of sthg. ◼ **à part** ◼ *loc adv* aside, separately. ◼ *loc adj* exceptional. ◼ *loc prép* apart from. ◼ **autre part** *loc adv* somewhere *ou* someplace *(US)* else. ◼ **d'autre part** *loc adv* besides, moreover. ◼ **de part et d'autre** *loc adv* on both sides. ◼ **d'une part..., d'autre part** *loc corrélative* on the one hand..., on the other hand. ◼ **quelque part** *loc adv* somewhere, someplace *(US)*.

part. *abrév de* **particulier**.

partage *nm (action)* sharing (out).

partager *vt* **1.** *(morceler)* to divide (up) • **être partagé** *fig* to be divided **2.** *(mettre en commun)* • **partager qqch avec qqn** to share sthg with sb. ◼ **se partager** *vp* **1.** *(se diviser)* to be divided **2.** *(partager son temps)* to divide one's time **3.** *(se répartir)* • **se partager qqch** to share sthg between themselves/ourselves *etc*.

partance *nf* • **en partance** outward bound • **en partance pour** bound for.

partant, e *adj* • **être partant pour** to be ready for. ◼ **partant** *nm* starter.

partenaire *nmf* partner.

partenariat *nm* partnership.

parterre *nm* 1. *(de fleurs)* (flower) bed 2. THÉÂTRE stalls *pl* (UK), orchestra (US).

parti, e ◼ *pp* ▷ **partir**. ◼ *adj fam (ivre)* tipsy. ■ **parti** *nm* 1. POLIT party 2. *(choix, décision)* course of action • **prendre parti** to make up one's mind • **prendre le parti de faire qqch** to make up one's mind to do sthg • **en prendre son parti** to be resigned • **être de parti pris** to be prejudiced *ou* biased • **tirer parti de** to make (good) use of 3. *(personne à marier)* match. ■ **partie** *nf* 1. *(élément, portion)* part • **en grande partie** largely • **en majeure partie** for the most part • **faire partie (intégrante) de qqch** to be (an integral) part of sthg 2. *(domaine d'activité)* field, subject 3. SPORT *(jeux)* game 4. DR party • **la partie adverse** the opposing party • **prendre qqn à partie** to attack sb • **ce n'est que partie remise** there'll be other opportunities, I'll reschedule it, I'll take a rain check (US). ■ **en partie** *loc adv* partly, in part.

partial, e *adj* biased.

partialité *nf* partiality, bias.

participant, e ◼ *adj* participating. ◼ *nm, f* 1. *(à réunion)* participant 2. SPORT competitor 3. *(à concours)* entrant.

participation *nf* 1. *(collaboration)* participation 2. ÉCON interest • **participation aux bénéfices** profit sharing.

participe *nm* participle • **participe passé/présent** past/present participle.

participer *vi* • **participer à** *(réunion, concours)* to take part in • *(frais)* (payer pour) to contribute to • *(bénéfices)* to share in.

particularité *nf* distinctive feature.

particule *nf* 1. *(gén & LING)* particle 2. *(nobiliaire)* nobiliary particle.

particulier, ère *adj* 1. *(personnel, privé)* private 2. *(spécial)* particular, special 3. *(propre)* peculiar, characteristic • **particulier à** peculiar to, characteristic of 4. *(remarquable)* unusual, exceptional • **cas particulier** special case 5. *(assez bizarre)* peculiar. ■ **particulier** *nm (personne)* private individual.

particulièrement *adv* particularly • **tout particulièrement** especially.

partiel, elle *adj* partial. ■ **partiel** *nm* UNIV ≃ end-of-term exam (UK).

partir *vi* 1. *(personne)* to go, to leave • **partir à** to go to • **partir pour** to leave for • **partir de** *(bureau)* to leave • *(aéroport, gare)* to leave from • *(date)* to run from • *(hypothèse, route)* to start from • **la rue part de la mairie** the street starts at the town hall 2. *(voiture)* to start 3. *(coup de feu)* to go off 4. *(bouchon)* to pop 5. *(tache)* to come out, to go. ■ **à partir de** *loc prép* from.

partisan, e *adj (partial)* partisan • **être partisan de** to be in favour (UK) *ou* favor (US) of. ■ **partisan** *nm (adepte)* supporter, advocate.

partition *nf* 1. *(séparation)* partition 2. MUS score.

partout *adv* everywhere • **un peu partout** all over, everywhere.

paru, e *pp* ▷ **paraître**.

parure *nf* (matching) set.

parution *nf* publication.

parvenir *vi* • **parvenir à faire qqch** to manage to do sthg • **faire parvenir qqch à qqn** to send sthg to sb.

parvenu, e ◼ *pp* ▷ **parvenir**. ◼ *nm, f péj* parvenu, upstart.

pas[1] *nm* 1. *(gén)* step • **allonger le pas** to quicken one's pace • **revenir sur ses pas** to retrace one's steps • **pas à pas** step by step • **à pas de loup** *fig* stealthily • **à pas feutrés** *fig* with muffled footsteps 2. TECHNOL thread • **c'est à deux pas (d'ici)** it's very near (here) • **faire les cent pas** to pace up and down • **faire un faux pas** to slip • *fig* to make a faux pas • **faire le premier pas** to make the first move • **franchir** *ou* **sauter le pas** to take the plunge • **(rouler) au pas** (to move) at a snail's pace • **sur le pas de la porte** on the doorstep • **tirer qqn d'un mauvais pas** to get sb out of a tight spot.

pas[2] *adv* 1. *(avec ne)* not • **elle ne vient pas** she's not *ou* she isn't coming • **elle n'a pas mangé** she hasn't eaten • **je ne le connais pas** I don't know him • **il n'y a pas de vin** there's no wine, there isn't any wine • **je préférerais ne pas le rencontrer** I would prefer not to meet him, I would rather not meet him 2. *(sans ne)* not • **l'as-tu vu ou pas ?** have you seen him or not? • **il est très satisfait, moi pas** he's very pleased, but I'm not • **pas encore** not yet • **pas du tout** not at all 3. *(avec pron indéf)* • **pas un** *(aucun)* none, not one • **pas un d'eux n'est venu** none of them *ou* not one of them came.

pascal, e *adj* Easter *(avant nom)*. ■ **pascal** *nm* **1.** INFORM Pascal **2.** PHYS pascal.

pashmina *nm* pashmina.

passable *adj* passable, fair.

passage *nm* **1.** *(action - de passer)* going past • *(- de traverser)* crossing • **être de passage** to be passing through **2.** *(endroit)* passage, way • **'passage interdit'** 'no entry' • **passage clouté** *ou* **pour piétons** pedestrian crossing *(UK)*, crosswalk *(US)* • **passage à niveau** level crossing *(UK)*, grade crossing *(US)* • **passage protégé** right of way • **passage souterrain** underpass, subway *(UK)* **3.** *(extrait)* passage.

passager, ère ◧ *adj (bonheur)* fleeting, short-lived. ◧ *nm, f* passenger.

passant, e ◧ *adj* busy. ◧ *nm, f* passerby. ■ **passant** *nm (de ceinture)* (belt) loop.

passe ◧ *nm* passkey. ◧ *nf* **1.** *(au sport)* pass **2.** NAUT channel.

passé, e *adj* **1.** *(qui n'est plus)* past **2.** *(précédent)* • **la semaine passée** last week • **au cours de la semaine passée** in the last week • **il est trois heures passées** it's gone three *(UK)*, it's after three **3.** *(fané)* faded. ■ **passé** ◧ *nm* past • **passé composé** perfect tense • **passé simple** past historic. ◧ *prép* after.

passe-droit *nm* privilege.

passe-montagne *nm* balaclava (helmet).

passe-partout *nm inv* **1.** *(clé)* passkey **2.** *(en apposition) (tenue)* all-purpose **3.** *(phrase)* stock *(avant nom)*.

passeport *nm* passport • **passeport biométrique** biometric passport.

---

passer *vi*
aux : être

1. FAIRE UNE HALTE RAPIDE
• **peux-tu passer à la pharmacie ?** can you call into the chemist's on the way?
• **ton ami est passé ce matin** your friend called this morning
• **je suis passé au bureau hier** I dropped by the office this morning

• **je ne fais que passer** I can't stay long
• **le facteur n'est pas encore passé** the postman *(UK)* *ou* mailman *(US)* hasn't been by yet

2. ARRIVER, EN PARLANT D'UN BUS OU D'UN TRAIN
• **le train va bientôt passer** the train will be coming past *ou* by soon

3. SE FRAYER UN CHEMIN
• **il y a trop de monde, on ne passera jamais** there are too many people, we won't get through
• **laissez-moi passer !** let me go through!

4. DÉFILER
• **on a regardé passer les cyclistes** we watched the cyclists go past *ou* go by

5. TRAVERSER
• **vous devrez passer par Annecy** you'll have to go *ou* pass through Annecy
• **par où êtes-vous passé ?** which way did you come?

6. S'INFILTRER
• **l'eau passe par les fentes** the water gets in through the cracks

7. SCOL
• **il est passé dans la classe supérieure** he has moved up *(UK)* he has been moved up (a class) *(UK)*
• **je passe en cinquième** I'm moving up to year eight

8. ÊTRE ACCEPTÉ
• **une telle attitude ne passe pas dans certains milieux** such an attitude doesn't go down well *ou* isn't appreciated in some circles

9. FERMER LES YEUX
• **je vais passer sur ce mensonge** I'll pass over this lie

10. S'ÉCOULER
• **le temps est passé vite** time passed quickly *ou* went by quickly
• **comme le temps passe !** how time flies!

11. DISPARAÎTRE
• **est-ce que ton mal de tête est passé ?** has your headache gone?
• **cela fera passer ton mal de tête** that will get you over your headache *ou* get rid of your headache for you
• **elle était très triste mais ça lui est passé** she was very sad but she got over it

12. PERDRE SON ÉCLAT
• **ce produit empêche les couleurs de passer** this product prevents colours from fading

13. AU CINÉMA, À LA TÉLÉ, À LA RADIO

• **ton émission passe à la radio/télévision ce soir** your programm is on the radio/television tonight

14. AUX CARTES

• **je passe** I pass

15. DEVENIR

• **il est passé président/directeur** he became president/director, he was appointed president/director

16. DANS DES EXPRESSIONS

• **ça passe ou ça casse** it's make or break

• **passer inaperçu** to pass *ou* go unnoticed

• **passons...** let's move on...

• **passer pour un fou** to be regarded as a fool

• **se faire passer pour qqn** to pass o.s. off as sb.

passer *vt*

aux : avoir

1. FRANCHIR

• **il a passé la rivière à la nage** he swam across the river

• **quand vous passerez le pont, levez la tête** when you go past the bridge, lift up your head

2. TEMPS

• **nous avons passé deux semaines en Grèce** we spent two weeks in Greece

3. FERMER LES YEUX SUR

• **je lui passe toutes ses erreurs** I overlook all his mistakes

• **on lui passe tout à cet enfant !** that child gets away with anything!

4. DÉPASSER

• **tu as passé l'âge** you're too old now

• **il ne passera pas la nuit** he won't last *ou* see the night

5. FILTRER

• **n'oublie pas de passer l'huile** don't forget to strain the oil

6. FILM, DISQUE

• **passe ce disque, s'il te plaît ! j'adore cette chanson** put on *ou* play this record please! I love that song

7. VÊTEMENT

• **je passe mon manteau et je suis prête** I'll slip on my coat and I'm ready

8. VITESSE

• **passe la** *ou* **en troisième** change into third (gear)

9. DONNER

• **passe-moi ton cahier** give me your exercise book

• **passe-moi le sel** pass me the salt

10. ACCORD

• **il a passé un contrat avec cet homme** he had an agreement with this man

11. SCOL EXAMEN

• **mon frère passe son examen aujourd'hui** my brother is taking ou sitting *(UK)* his exam today

12. EXAMEN DE SANTÉ

• **je dois passer un scanner/une radio** I'm due to have a scan/an X-Ray

13. AU TÉLÉPHONE, TRANSMETTRE

• **je vous passe Mme Ledoux** I'll put you through to Mme Ledoux

14. AU TÉLÉPHONE, DONNER L'ÉCOUTEUR À

• **je vous passe Mme Ledoux** I'll hand you to Mme Ledoux

15. APPLIQUER SUR UNE SURFACE

• **nous devrions passer une couche de peinture sur le mur** we should give the wall a coat of paint

• **j'ai passé l'aspirateur hier** I hoovered yesterday

• **peux-tu passer le balai dans la cuisine ?** can you give the kitchen floor a sweep?

■ se passer *vp*

1. SE DÉROULER

• **quand cela s'est-il passé ?** when did it happen?

• **comment ça s'est passé ?** how did it go?

• **tout s'est bien passé** everything went off smoothly

• **la scène se passe dans une grande ville** the scene takes place in a big city

• **ça ne se passera pas comme ça !** I'm not putting up with that!

2. S'ENDUIRE

• **elle s'est passé de la lotion solaire sur les épaules** she put some sun lotion on her shoulders

3. S'ABSTENIR

• **tu pourrais te passer de fumer** you could refrain from smoking

• **je me passerais bien de t'aider maintenant** I could do without helping you now.

passerelle *nf* **1.** *(pont)* footbridge **2.** *(passage mobile)* gangway.

passe-temps *nm inv* pastime.

passif, ive *adj* passive. ■ **passif** *nm*
1. GRAMM passive 2. FIN liabilities *pl.*

passion *nf* passion ▪ **avoir la passion de
qqch** to have a passion for sthg.

passionnant, e *adj* exciting, fascinating.

passionné, e ■ *adj* 1. *(personne)* passionate 2. *(récit, débat)* impassioned. ■ *nm, f*
passionate person ▪ **passionné de ski/
d'échecs** *etc* skiing/chess *etc* fanatic.

passionnel, elle *adj (crime)* of passion.

passionner *vt (personne)* to grip, to fascinate.
■ **se passionner** *vp* ▪ **se passionner pour**
to have a passion for.

passivité *nf* passivity.

passoire *nf* 1. *(à liquide)* sieve 2. *(à légumes)*
colander.

pastel ■ *nm* pastel. ■ *adj inv (couleur)*
pastel *(avant nom).*

pastèque *nf* watermelon.

pasteur *nm* 1. *littéraire (berger)* shepherd
2. RELIG pastor, minister.

pasteuriser *vt* to pasteurize.

pastille *nf (bonbon)* pastille, lozenge.

pastis *nm* pastis.

patate *nf* 1. *fam (pomme de terre)* spud
2. *fam (imbécile)* fathead.

patauger *vi (barboter)* to splash about.

patch *nm* MÉD patch.

pâte *nf* 1. *(à tarte)* pastry 2. *(à pain)* dough
▪ **pâte brisée** shortcrust pastry ▪ **pâte
feuilletée** puff pastry ▪ **pâte à frire** batter ▪ **pâte à pain** bread dough 3. *(mélange)* paste ▪ **pâte d'amandes** almond paste
▪ **pâte de fruits** fruit jelly ▪ **pâte à modeler** modelling *(UK)* ou modeling *(US)*
clay. ■ **pâtes** *nfpl* pasta *sing.*

pâté *nm* 1. CULIN pâté ▪ **pâté de campagne**
farmhouse pâté ▪ **pâté en croûte** pâté
baked in pastry ▪ **pâté de foie** liver pâté
2. *(tache)* ink blot 3. *(bloc)* ▪ **pâté de maisons** block (of houses).

patelin *nm fam* village, place.

patente *nf* licence *(UK)* ou license *(US)*
fee *(for traders and professionals).*

patère *nf (portemanteau)* coat hook.

paternalisme *nm* paternalism.

paternel, elle *adj* 1. *(devoir, autorité)* paternal 2. *(amour, ton)* fatherly.

paternité *nf* 1. paternity, fatherhood
2. *fig* authorship, paternity.

pâteux, euse *adj* 1. *(aliment)* doughy
2. *(encre)* thick.

pathétique *adj* moving, pathetic.

pathologie *nf* pathology.

patibulaire *adj péj* sinister.

patience *nf* 1. *(gén)* patience ▪ **prendre
son mal en patience** to put up with it
2. *(jeu de cartes)* patience *(UK)*, solitaire
(US).

patient, e ■ *adj* patient. ■ *nm, f* MÉD patient.

patienter *vi* to wait.

patin *nm* SPORT skate ▪ **patin à glace/à
roulettes** ice/roller skate ▪ **faire du patin
à glace/à roulettes** to go ice-/roller-
skating.

patinage *nm* SPORT skating ▪ **patinage ar-
tistique/de vitesse** figure/speed skating.

patiner ■ *vi* 1. SPORT to skate 2. *(véhicule)*
to skid. ■ *vt* 1. *(objet)* to give a patina to
2. *(avec vernis)* to varnish.
■ **se patiner** *vp* to take on a patina.

patineur, euse *nm, f* skater.

patinoire *nf* ice ou skating rink.

pâtisserie *nf* 1. *(gâteau)* pastry 2. *(art, métier)* pastry-making 3. *(commerce)* ≃ cake
shop *(UK)*, bakery *(US)*, ≃ bakery *(US).*

pâtissier, ère ■ *adj* ▪ **crème pâtissière**
confectioner's custard. ■ *nm, f* pastry-
cook.

patois *nm* patois.

patriarche *nm* patriarch.

patrie *nf* country, homeland.

patrimoine *nm* 1. *(familial)* inheritance
2. *(collectif)* heritage 3. BIOLOGIE ▪ **patrimoine génétique** gene pool.

patriote *nmf* patriot.

patriotique *adj* patriotic.

patron, onne *nm, f* 1. *(d'entreprise)* head
2. *(chef)* boss 3. RELIG patron saint. ■ **patron** *nm (modèle)* pattern.

patronage *nm* 1. *(protection)* patronage
2. *(de saint)* protection 3. *(organisation)*
youth club.

patronal, e *adj (organisation, intérêts)* employers' *(avant nom).*

patronat *nm* employers.

patronyme *nm* patronymic.

patrouille *nf* patrol.

patte *nf* **1.** *(d'animal)* paw **2.** *(d'oiseau)* foot **3.** *fam (jambe)* leg **4.** *fam (pied)* foot **5.** *fam (main)* hand, paw **6.** *(favori)* sideburn.

pâturage *nm (lieu)* pasture land.

pâture *nf* **1.** *(nourriture)* food, fodder **2.** *fig* intellectual nourishment.

paume *nf* **1.** *(de main)* palm **2.** SPORT real tennis.

paumé, e *fam* ◼ *adj* lost. ◼ *nm, f* down and out.

paumer *fam vt* to lose.
◼ **se paumer** *vp* to get lost.

paupière *nf* eyelid.

pause *nf* **1.** *(arrêt)* break ◦ **pause-café** coffee-break **2.** MUS pause.

pauvre ◼ *nmf* poor person. ◼ *adj* poor ◦ **pauvre en** low in.

pauvreté *nf* poverty.

pavaner ◼ **se pavaner** *vp* to strut.

pavé, e *adj* cobbled. ◼ **pavé** *nm* **1.** *(chaussée)* ◦ **être sur le pavé** *fig* to be out on the streets ◦ **battre le pavé** *fig* to walk the streets **2.** *(de pierre)* cobblestone, paving stone **3.** *fam (livre)* tome **4.** INFORM ◦ **pavé numérique** numeric keypad.

pavillon *nm* **1.** *(bâtiment)* detached house (UK) **2.** *(de trompette)* bell **3.** *(d'oreille)* pinna, auricle **4.** *(drapeau)* flag.

pavot *nm* poppy.

payant, e *adj* **1.** *(hôte)* paying *(avant nom)* **2.** *(spectacle)* with an admission charge **3.** *fam (affaire)* profitable.

paye = **paie²**.

payement = **paiement**.

payer ◼ *vt* **1.** *(gén)* to pay **2.** *(achat)* to pay for ◦ **payer qqch à qqn** to buy sthg for sb, to buy sb sthg, to treat sb to sthg **3.** *(expier - crime, faute)* to pay for. ◼ *vi* ◦ **payer (pour)** to pay (for).

pays *nm* **1.** *(gén)* country **2.** *(région, province)* region. ◼ **pays de Galles** *nm* ◦ **le pays de Galles** Wales.

paysage *nm* **1.** *(site, vue)* landscape, scenery **2.** *(tableau)* landscape.

paysagiste *nmf* **1.** *(peintre)* landscape artist **2.** *(concepteur de parcs)* landscape gardener.

paysan, anne ◼ *adj* **1.** *(vie, coutume)* country *(avant nom)*, rural **2.** *(organisation, revendication)* farmers' *(avant nom)* **3.** *péj* peasant *(avant nom)*. ◼ *nm, f* **1.** *(agriculteur)* (small) farmer **2.** *péj (rustre)* peasant.

Pays-Bas *nmpl* ◦ **les Pays-Bas** the Netherlands.

PC *nm* **1.** *(abr de* **Parti communiste***)* Communist Party **2.** *(abr de* **personal computer***)* PC **3.** *(abr de* **Petite Ceinture***), si vous voulez donner une définition à un anglophone, vous pouvez dire* it is the bus that serves the inner ring road in Paris.

PCV *(abr de* **à percevoir***) nm* reverse-charge call *(UK)*, collect call *(US)*.

PDF® *nm* PDF.

P-DG *(abr de* **président-directeur général***) nm* Chairman and Managing Director *(UK)*, President and Chief Executive Officer *(US)*.

péage *nm* toll.

peau *nf* **1.** *(gén)* skin ◦ **peau d'orange** orange peel ◦ MÉD ≃ cellulite **2.** *(cuir)* hide, leather *(indénombrable)*.

peaufiner *vt fig (travail)* to polish up.

pêche *nf* **1.** *(fruit)* peach **2.** *(activité)* fishing **3.** *(poissons)* catch ◦ **aller à la pêche** to go fishing.

péché *nm* sin.

pécher *vi* to sin.

pêcher¹ *vt* **1.** *(poisson)* to catch **2.** *fam (trouver)* to dig up.

pêcher² *nm* peach tree.

pécheur, eresse ◼ *adj* sinful. ◼ *nm, f* sinner.

pêcheur, euse *nm, f* fisherman (*f* fisherwoman).

pectoral, e *adj (sirop)* cough *(avant nom)*. ◼ **pectoraux** *nmpl* pectorals.

pécuniaire *adj* financial.

pédagogie *nf* **1.** *(science)* education, pedagogy **2.** *(qualité)* teaching ability.

pédagogue ◼ *nmf* teacher. ◼ *adj* ◦ **être pédagogue** to be a good teacher.

pédale *nf (gén)* pedal.

pédaler *vi (à bicyclette)* to pedal.

Pédalo® *nm* pedal boat.

pédant, e *adj* pedantic.

pédéraste *nm* homosexual, pederast.

pédiatre *nmf* pediatrician.

pédiatrie *nf* pediatrics *(indénombrable)*.

pédicure *nmf* chiropodist, podiatrist (US).

pédopsychiatre *nmf* child psychiatrist.

peigne *nm* 1. *(démêloir, barrette)* comb 2. *(de tissage)* card.

peigner *vt* 1. *(cheveux)* to comb 2. *(fibres)* to card.
■ **se peigner** *vp* to comb one's hair.

peignoir *nm* dressing gown (UK), robe (US), bathrobe (US).

peindre *vt* 1. to paint 2. fig *(décrire)* to depict.

peine *nf* 1. *(châtiment)* punishment, penalty 2. DR sentence • **sous peine de qqch** on pain of sthg • **peine capitale** OU **de mort** capital punishment, death sentence 3. *(chagrin)* sorrow, sadness *(indénombrable)* • **faire de la peine à qqn** to upset sb, to distress sb 4. *(effort)* trouble • **ça ne vaut pas** OU **ce n'est pas la peine** it's not worth it 5. *(difficulté)* difficulty • **avoir de la peine à faire qqch** to have difficulty OU trouble doing sthg • **à grand-peine** with great difficulty • **sans peine** without difficulty, easily. • **à peine** *loc adv* scarcely, hardly • **à peine... que** hardly… than • **c'est à peine si on se parle** we hardly speak (to each other).

peint, e *pp* ⊳ **peindre**.

peintre *nm* painter.

peinture *nf* 1. *(gén)* painting 2. *(produit)* paint • **'peinture fraîche'** 'wet paint'.

péjoratif, ive *adj* pejorative.

Pékin *npr* Peking, Beijing.

pékinois, e *adj* of/from Peking. ■ **pékinois** *nm* 1. *(langue)* Mandarin 2. *(chien)* pekinese. ■ **Pékinois, e** *nm, f* native OU inhabitant of Peking.

pelage *nm* coat, fur.

pêle-mêle *adv* pell-mell.

peler *vt* & *vi* to peel.

pèlerin *nm* pilgrim.

pèlerinage *nm* 1. *(voyage)* pilgrimage 2. *(lieu)* place of pilgrimage.

pélican *nm* pelican.

pelle *nf* 1. *(instrument)* shovel 2. *(machine)* digger.

pelleter *vt* to shovel.

pellicule *nf* film. ■ **pellicules** *nfpl* dandruff *(indénombrable)*.

pelote *nf* *(de laine, ficelle)* ball.

peloter *vt* fam to paw.

peloton *nm* 1. *(de soldats)* squad • **peloton d'exécution** firing squad 2. *(de concurrents)* pack.

pelotonner ■ **se pelotonner** *vp* to curl up.

pelouse *nf* 1. *(de jardin)* lawn 2. *(de champ de courses)* public enclosure 3. FOOTBALL *(rugby)* field.

peluche *nf* 1. *(jouet)* soft toy, stuffed animal 2. *(d'étoffe)* piece of fluff.

pelure *nf* *(fruit)* peel.

pénal, e *adj* penal.

pénaliser *vt* to penalize.

penalty *nm* penalty.

penaud, e *adj* sheepish.

penchant *nm* 1. *(inclination)* tendency 2. *(sympathie)* • **penchant pour** liking OU fondness for.

pencher ◪ *vi* to lean • **pencher vers** fig to incline towards OU toward (US) • **pencher pour** to incline in favour (UK) OU favor (US) of. ◪ *vt* to bend.
■ **se pencher** *vp* 1. *(s'incliner)* to lean over 2. *(se baisser)* to bend down • **se pencher sur qqn/qqch** to lean over sb/sthg.

pendaison *nf* hanging.

pendant[1]**, e** *adj* *(bras)* hanging, dangling. ■ **pendant** *nm* 1. *(bijou)* • **pendant d'oreilles** (drop) earring 2. *(de paire)* counterpart.

pendant[2] *prép* during. ■ **pendant que** *loc conj* while, whilst (UK) • **pendant que j'y suis,...** while I'm at it,…

pendentif *nm* pendant.

penderie *nf* wardrobe (UK), walk-in closet (US).

pendre ◪ *vi* 1. *(être fixé en haut)* • **pendre (à)** to hang (from) 2. *(descendre trop bas)* to hang down. ◪ *vt* 1. *(rideaux, tableau)* to hang (up), to put up 2. *(personne)* to hang.
■ **se pendre** *vp* *(se suicider)* to hang o.s..

pendule ◪ *nm* pendulum. ◪ *nf* clock.

pénétrer ◪ *vi* to enter. ◪ *vt* *(mur, vêtement)* to penetrate.

pénible *adj* 1. *(travail)* laborious 2. *(nouvelle, maladie)* painful 3. fam *(personne)* tiresome.

péniche *nf* barge.

pénicilline *nf* penicillin.

péninsule *nf* peninsula.

pénis *nm* penis.

pénitence *nf* **1.** *(repentir)* penitence **2.** *(peine, punition)* penance.

pénitencier *nm* prison, penitentiary (US).

pénombre *nf* half-light.

pense-bête *nm* reminder.

pensée *nf* **1.** *(idée, faculté)* thought **2.** *(esprit)* mind, thoughts *pl* **3.** *(doctrine)* thought, thinking **4.** BOT pansy.

penser ◼ *vi* to think • **penser à qqn/ qqch** *(avoir à l'esprit)* to think of sb/sthg, to think about sb/sthg • *(se rappeler)* to remember sb/sthg • **penser à faire qqch** *(avoir à l'esprit)* to think of doing sthg • *(se rappeler)* to remember to do sthg • **qu'est-ce que tu en penses ?** what do you think (of it)? • **faire penser à qqn/ qqch** to make one think of sb/sthg • **faire penser à qqn à faire qqch** to remind sb to do sthg. ◼ *vt* to think • **je pense que oui** I think so • **je pense que non** I don't think so • **penser faire qqch** to be planning to do sthg.

pensif, ive *adj* pensive, thoughtful.

pension *nf* **1.** *(allocation)* pension • **pension alimentaire** *(dans un divorce)* alimony **2.** *(hébergement)* board and lodgings • **pension complète** full board • **demi-pension** half board **3.** *(hôtel)* guesthouse • **pension de famille** guesthouse, boarding house **4.** *(prix de l'hébergement)* ≃ rent, keep **5.** *(internat)* boarding school • **être en pension** to be a boarder *ou* at boarding school.

pensionnaire *nmf* **1.** *(élève)* boarder **2.** *(hôte payant)* lodger.

pensionnat *nm* *(internat)* boarding school.

pentagone *nm* pentagon.

pente *nf* slope • **en pente** sloping, inclined.

Pentecôte *nf* **1.** *(juive)* Pentecost **2.** *(chrétienne)* Whitsun.

pénurie *nf* shortage.

people *adj* • **la presse people** celebrity (gossip) magazines.

pépier *vi* to chirp.

pépin *nm* **1.** *(graine)* pip **2.** *fam (ennui)* hitch **3.** *fam (parapluie)* umbrella, brolly *(UK)*.

pépinière *nf* **1.** tree nursery **2.** *fig (école, établissement)* nursery.

pépite *nf* nugget.

péquenaud, e *nm, f fam péj* country bumpkin.

perçant, e *adj* **1.** *(regard, son)* piercing **2.** *(froid)* bitter, biting.

percepteur *nm* tax collector.

perception *nf* **1.** *(d'impôts)* collection **2.** *(bureau)* tax office **3.** *(sensation)* perception.

percer ◼ *vt* **1.** *(mur, roche)* to make a hole in **2.** *(coffre-fort)* to crack **3.** *(trou)* to make **4.** *(avec perceuse)* to drill **5.** *(silence, oreille)* to pierce **6.** *(foule)* to make one's way through **7.** *fig (mystère)* to penetrate. ◼ *vi* **1.** *(soleil)* to break through **2.** *(abcès)* to burst • **avoir une dent qui perce** to be cutting a tooth **3.** *(réussir)* to make a name for o.s., to break through.

perceuse *nf* drill.

percevoir *vt* **1.** *(intention, nuance)* to perceive **2.** *(retraite, indemnité)* to receive **3.** *(impôts)* to collect.

perche *nf* **1.** *(poisson)* perch **2.** *(de bois, métal)* pole.

percher ◼ *vi* *(oiseau)* to perch. ◼ *vt* to perch.
◼ **se percher** *vp* to perch.

perchoir *nm* perch.

percolateur *nm* percolator.

perçu, e *pp* ▷ **percevoir**.

percussion *nf* percussion.

percutant, e *adj* **1.** *(obus)* explosive **2.** *fig (argument)* forceful.

percuter ◼ *vt* to strike, to smash into.
◼ *vi* to explode.

perdant, e ◼ *adj* losing. ◼ *nm, f* loser.

perdre ◼ *vt* **1.** *(gén)* to lose **2.** *(temps)* to waste **3.** *(occasion)* to miss, to waste **4.** *(suj : bonté, propos)* to be the ruin of. ◼ *vi* to lose.
◼ **se perdre** *vpi* **1.** *(coutume)* to die out, to become lost **2.** *(personne)* to get lost, to lose one's way.

perdrix *nf* partridge.

perdu, e ◼ *pp* ▷ **perdre**. ◼ *adj* **1.** *(égaré)* lost **2.** *(endroit)* out-of-the-way **3.** *(balle)* stray **4.** *(emballage)* non-returnable **5.** *(temps, occasion)* wasted **6.** *(malade)* dying **7.** *(récolte, robe)* spoilt, ruined.

père *nm* *(gén)* father • **père de famille** father. ■ **père Noël** *nm* • **le père Noël** Father Christmas *(UK)*, Santa Claus.

péremptoire *adj* peremptory.

perfection *nf* *(qualité)* perfection.

perfectionner *vt* to perfect. ■ **se perfectionner** *vp* to improve.

perfide *adj* perfidious.

perforer *vt* to perforate.

performance *nf* performance.

performant, e *adj* **1.** *(personne)* efficient **2.** *(machine)* high-performance *(avant nom)*.

perfusion *nf* perfusion.

péridurale *nf* epidural.

péril *nm* peril.

périlleux, euse *adj* perilous, dangerous.

périmé, e *adj* **1.** out-of-date **2.** *fig (idées)* outdated.

périmètre *nm* **1.** *(contour)* perimeter **2.** *(contenu)* area.

période *nf* period.

périodique ■ *nm* periodical. ■ *adj* periodic.

péripétie *nf* event.

périph *nm fam abrév de* **périphérique**.

périphérie *nf* **1.** *(de ville)* outskirts *pl* **2.** *(bord)* periphery **3.** *(de cercle)* circumference.

périphérique ■ *nm* **1.** *(route)* ring road *(UK)*, beltway *(US)* **2.** INFORM peripheral device. ■ *adj* peripheral.

périphrase *nf* periphrasis.

périple *nm* **1.** NAUT voyage **2.** *(voyage)* trip.

périr *vi* to perish.

périssable *adj* **1.** *(denrée)* perishable **2.** *littéraire (sentiment)* transient.

perle *nf* **1.** *(de nacre)* pearl **2.** *(de bois, verre)* bead **3.** *(personne)* gem.

permanence *nf* **1.** *(continuité)* permanence • **en permanence** constantly **2.** *(service)* • **être de permanence** to be on duty **3.** SCOL • **(salle de) permanence** study room *(UK)*, study hall *(US)*.

permanent, e *adj* **1.** permanent **2.** *(cinéma)* with continuous showings **3.** *(comité)* standing *(avant nom)*. ■ **permanente** *nf* perm.

permettre *vt* to permit, to allow • **permettre à qqn de faire qqch** to permit *ou* allow sb to do sthg. ■ **se permettre** *vp* • **se permettre qqch** to allow o.s sthg • *(avoir les moyens de)* to be able to afford sthg • **se permettre de faire qqch** to take the liberty of doing sthg.

permis, e *pp* ⮚ **permettre**. ■ **permis** *nm* licence *(UK)*, license *(US)*, permit • **permis de conduire** driving licence *(UK)*, driver's license *(US)* • **permis de construire** planning permission *(UK)*, building permit *(US)* • **permis à points** *si vous voulez expliquer à un anglophone de quoi il s'agit, vous pouvez dire* it is a driving licence with a penalty points system • **permis de travail** work permit.

permission *nf* **1.** *(autorisation)* permission **2.** MIL leave.

permuter ■ *vt* **1.** to change round **2.** *(mots, figures)* to transpose. ■ *vi* to change, to switch.

pérorer *vi péj* to hold forth.

Pérou *nm* • **le Pérou** Peru.

perpendiculaire ■ *nf* perpendicular. ■ *adj* • **perpendiculaire (à)** perpendicular (to).

perpétrer *vt* to perpetrate.

perpétuel, elle *adj* **1.** *(fréquent, continu)* perpetual **2.** *(rente)* life *(avant nom)* **3.** *(secrétaire)* permanent.

perpétuer *vt* to perpetuate. ■ **se perpétuer** *vp* **1.** to continue **2.** *(espèce)* to perpetuate itself.

perpétuité *nf* perpetuity • **à perpétuité** for life • **être condamné à perpétuité** to be sentenced to life imprisonment.

perplexe *adj* perplexed.

perquisition *nf* search.

perron *nm* steps *pl* *(at entrance to building)*.

perroquet *nm* *(animal)* parrot.

perruche *nf* budgerigar *(UK)*, parakeet *(US)*.

perruque *nf* wig.

persan, e *adj* Persian. ■ **persan** *nm* *(chat)* Persian (cat).

persécuter *vt* **1.** *(martyriser)* to persecute **2.** *(harceler)* to harass.

persécution *nf* persecution.

persévérant, e *adj* persevering.

persévérer *vi* • **persévérer (dans)** to persevere (in).

persienne *nf* shutter.

persifler *vt littéraire* to mock.

persil *nm* parsley.

Persique ⊳ **golfe**.

persistant, e *adj* persistent • **arbre à feuillage persistant** evergreen (tree).

persister *vi* to persist • **persister à faire qqch** to persist in doing sthg.

perso (*abr de* **personnel**) *adj fam* personal, private.

personnage *nm* **1.** THÉÂTRE character • **personnage principal** main *ou* leading character **2.** ART figure **3.** (*personnalité*) image.

personnalité *nf* **1.** (*gén*) personality **2.** DR status.

personne ◼ *nf* person • **personnes** people • **en personne** in person, personally • **personne âgée** elderly person. ◼ *pron indéf* **1.** (*quelqu'un*) anybody, anyone **2.** (*aucune personne*) nobody, no one • **personne ne viendra** nobody will come • **il n'y a jamais personne** there's never anybody there, nobody is ever there.

personnel, elle *adj* **1.** (*gén*) personal **2.** (*égoïste*) self-centred (*UK*), self-centered (*US*). ◼ **personnel** *nm* staff, personnel.

personnellement *adv* personally.

personnifier *vt* to personify.

perspective *nf* **1.** ART (*point de vue*) perspective **2.** (*panorama*) view **3.** (*éventualité*) prospect.

perspicace *adj* perspicacious.

persuader *vt* • **persuader qqn de qqch/ de faire qqch** to persuade sb of sthg/to do sthg, to convince sb of sthg/to do sthg.

persuasif, ive *adj* persuasive.

persuasion *nf* persuasion.

perte *nf* **1.** (*gén*) loss **2.** (*gaspillage - de temps*) waste **3.** (*ruine, déchéance*) ruin. ◼ **pertes** *nfpl* (*morts*) losses. ◼ **à perte de vue** *loc adv* as far as the eye can see.

pertinent, e *adj* pertinent, relevant.

perturber *vt* **1.** (*gén*) to disrupt • **perturber l'ordre public** to disturb the peace **2.** PSYCHO to disturb.

pervenche *nf* **1.** BOT periwinkle **2.** *fam* (*contractuelle*) traffic warden (*UK*), meter maid (*US*).

pervers, e ◼ *adj* **1.** (*vicieux*) perverted **2.** (*effet*) unwanted. ◼ *nm, f* pervert.

perversion *nf* perversion.

perversité *nf* perversity.

pervertir *vt* to pervert.

pesamment *adv* heavily.

pesant, e *adj* **1.** (*lourd*) heavy **2.** (*style, architecture*) ponderous.

pesanteur *nf* **1.** PHYS gravity **2.** (*lourdeur*) heaviness.

pesée *nf* (*opération*) weighing.

pèse-personne *nm* scales *pl*.

peser ◼ *vt* to weigh. ◼ *vi* **1.** (*avoir un certain poids*) to weigh **2.** (*être lourd*) to be heavy **3.** (*appuyer*) • **peser sur qqch** to press (down) on sthg.

peseta *nf* peseta.

pessimisme *nm* pessimism.

pessimiste ◼ *nmf* pessimist. ◼ *adj* pessimistic.

peste *nf* **1.** MÉD plague **2.** (*personne*) pest.

pestiféré, e ◼ *adj* plague-stricken. ◼ *nm, f* plague victim.

pestilentiel, elle *adj* pestilential.

pet *nm fam* fart.

pétale *nm* petal.

pétanque *nf* ≃ bowls (*indénombrable*).

pétarader *vi* to backfire.

pétard *nm* **1.** (*petit explosif*) banger (*UK*), firecracker (*US*) **2.** *fam* (*revolver*) gun **3.** *fam* (*haschich*) joint.

péter ◼ *vi* **1.** *tfam* (*personne*) to fart **2.** *fam* (*câble, élastique*) to snap **3.** *tfam* • **péter plus haut que son cul** *tfam* to be full of oneself. ◼ *vt fam* to bust.

pétiller *vi* **1.** (*vin, eau*) to sparkle, to bubble **2.** (*feu*) to crackle **3.** *fig* (*yeux*) to sparkle.

petit, e *adj* **1.** (*de taille, jeune*) small, little • **petit frère** little *ou* younger brother • **petite sœur** little *ou* younger sister **2.** (*voyage, visite*) short, little **3.** (*faible, infime - somme d'argent*) small • (*- bruit*) faint, slight • **c'est une petite nature** he/she is slightly built **4.** (*de peu d'importance, de peu de valeur*) minor **5.** (*médiocre, mesquin*) petty **6.** (*de rang modeste - commerçant, propriétaire, pays*) small • (*- fonctionnaire*) minor. ◼ *nm, f* (*enfant*) little one, child • **bonjour, mon petit/ma petite** good morning, my dear ◦ **pauvre petit !** poor little thing! ◦ **la classe des petits** scol the infant class. ◾ *nm* (jeune animal) young (indénombrable) ◦ **faire des petits** to have puppies/kittens *etc*. ◾ **petit à petit** *loc adv* little by little, gradually.

petit déjeuner *nm* breakfast.

petite-fille *nf* granddaughter.

petitement *adv* 1. (chichement - vivre) poorly 2. (mesquinement) pettily.

petitesse *nf* 1. (de personne, de revenu) smallness 2. (d'esprit) pettiness.

petit-fils *nm* grandson.

petit-four *nm* petit four.

pétition *nf* petition.

petit-lait *nm* whey.

petit-nègre *nm inv fam* pidgin French.

petits-enfants *nmpl* grandchildren.

petit-suisse *nm* petit-suisse (small cream cheese).

pétrifier *vt littéraire & fig* to petrify.

pétrin *nm* 1. (de boulanger) kneading machine 2. *fam* (embarras) pickle ◦ **se fourrer/être dans le pétrin** to get into/to be in a pickle.

pétrir *vt* (pâte, muscle) to knead.

pétrole *nm* oil, petroleum.

pétrolier, ère *adj* oil (avant nom), petroleum (avant nom). ◾ **pétrolier** *nm* (navire) oil tanker.

pétrolifère *adj* oil-bearing.

pétulant, e *adj* exuberant.

peu ◾ *adv* 1. (avec verbe, adjectif, adverbe) ◦ **il a peu dormi** he didn't sleep much, he slept little ◦ **peu souvent** not very often, rarely ◦ **très peu** very little 2. **peu de** (+ nom sing) little, not much ◦ **peu de** (+ nom pl) few, not many ◦ **il a peu de travail** he hasn't got much work, he has little work ◦ **il reste peu de jours** there aren't many days left ◦ **peu de gens le connaissent** few *ou* not many know him. ◾ *nm* 1. (petite quantité) ◦ **le peu de** (+ nom sing) the little ◦ (+ nom pl) the few 2. (précédé de **un**) a little, a bit ◦ **je le connais un peu** I know him slightly *ou* a little ◦ **un (tout) petit peu** a little bit ◦ **elle est un peu sotte** she's a bit stupid ◦ **un peu de** a little ◦ **un peu de vin/patience** a little wine/patience. ◾ **avant peu** *loc adv* soon, before long. ◾ **depuis peu** *loc adv* recently. ◾ **peu à peu**

loc adv gradually, little by little. ◾ **pour peu que** *loc conj* if ever, if only. ◾ **pour un peu** *loc adv* nearly, almost. ◾ **si peu que** *loc conj* however little. ◾ **sous peu** *loc adv* soon, shortly.

peuplade *nf* tribe.

peuple *nm* 1. (gén) people ◦ **le peuple** the (common) people 2. *fam* (multitude) ◦ **quel peuple!** what a crowd!

peuplement *nm* 1. (action) populating 2. (population) population.

peupler *vt* 1. (pourvoir d'habitants - région) to populate ◦ (- bois, étang) to stock 2. (habiter, occuper) to inhabit 3. *fig* (remplir) to fill. ◾ **se peupler** *vp* 1. (région) to become populated 2. (rue, salle) to be filled.

peuplier *nm* poplar.

peur *nf* fear ◦ **avoir peur de qqn/qqch** to be afraid of sb/sthg ◦ **avoir peur de faire qqch** to be afraid of doing sthg ◦ **avoir peur que** (+ subjonctif) to be afraid that ◦ **j'ai peur qu'il ne vienne pas** I'm afraid he won't come ◦ **faire peur à qqn** to frighten sb ◦ **par** *ou* **de peur de qqch** for fear of sthg ◦ **par** *ou* **de peur de faire qqch** for fear of doing sthg.

peureux, euse ◾ *adj* fearful, timid. ◾ *nm, f* fearful *ou* timid person.

peut ⊳ **pouvoir.**

peut-être *adv* perhaps, maybe ◦ **peut-être qu'ils ne viendront pas, ils ne viendront peut-être pas** perhaps *ou* maybe they won't come.

peux ⊳ **pouvoir.**

phalange *nf* anat phalanx.

phallocrate *nm* male chauvinist.

phallus *nm* phallus.

pharaon *nm* pharaoh.

phare ◾ *nm* 1. (tour) lighthouse 2. auto headlight ◦ **phare antibrouillard** fog lamp (UK), fog light (US). ◼ adj landmark (avant nom) ◦ **une industrie phare** a flagship ou pioneering industry.

pharmaceutique adj pharmaceutical.

pharmacie nf 1. (science) pharmacology 2. (magasin) chemist's (UK), drugstore (US) 3. (meuble) ◦ **(armoire à) pharmacie** medicine cupboard (UK) ou chest (US).

pharmacien, enne nm, f chemist (UK), druggist (US).

pharynx nm pharynx.

phase nf phase ◦ **être en phase avec qqn** to be on the same wavelength as sb ◦ **phase terminale** final phase.

phénoménal, e adj phenomenal.

phénomène nm 1. (fait) phenomenon 2. (être anormal) freak 3. fam (excentrique) character.

philanthropie nf philanthropy.

philatélie nf philately, stamp collecting.

philharmonique adj philharmonic.

Philippines nfpl ◦ **les Philippines** the Philippines.

philologie nf philology.

philosophe ◼ nmf philosopher. ◼ adj philosophical.

philosophie nf philosophy.

phobie nf phobia.

phonétique ◼ nf phonetics (indénombrable). ◼ adj phonetic.

phonographe nm vieilli gramophone (UK), phonograph (US).

phoque nm seal.

phosphate nm phosphate.

phosphore nm phosphorus.

phosphorescent, e adj phosphorescent.

photo ◼ nf 1. (technique) photography 2. (image) photo, picture ◦ **prendre qqn en photo** to take a photo of sb ◦ **photo d'identité** passport photo ◦ **photo couleur** colour (UK) ou color (US) photo ◦ **y'a pas photo** fam there's no comparison. ◼ adj inv ◦ **appareil photo** camera.

photocomposition nf filmsetting (UK), photocomposition (US).

photocopie nf 1. (procédé) photocopying 2. (document) photocopy.

photocopier vt to photocopy.

photocopieur nm photocopier.

photocopieuse nf = **photocopieur**.

photoélectrique adj photoelectric.

photogénique adj photogenic.

photographe nmf 1. (artiste, technicien) photographer 2. (commerçant) camera dealer.

À PROPOS DE... **photographe**

Attention : pour traduire « photographe » en anglais, il faut ajouter une lettre au mot français et non pas en retrancher une. En effet, « photographe » se dit **photographer**, alors que **photograph** signifie « photographie ».

---

photographie nf 1. (technique) photography 2. (cliché) photograph.

photographier vt to photograph.

Photomaton® nm photo booth.

photoreportage nm PRESSE report (consisting mainly of photographs).

phrase nf 1. LING sentence ◦ **phrase toute faite** stock phrase 2. MUS phrase.

physicien, enne nm, f physicist.

physiologie nf physiology.

physiologique adj physiological.

physionomie nf 1. (faciès) face 2. (apparence) physiognomy.

physionomiste adj ◦ **être physionomiste** to have a good memory for faces.

physique ◼ adj physical. ◼ nf (sciences) physics (indénombrable). ◼ nm 1. (constitution) physical well-being 2. (apparence) physique.

physiquement adv physically.

piaffer vi 1. (cheval) to paw the ground 2. (personne) to fidget.

piailler vi 1. (oiseaux) to cheep 2. (enfant) to squawk.

pianiste nmf pianist.

piano ◼ nm piano. ◼ adv 1. MUS piano 2. (doucement) gently.

pianoter vi 1. (jouer du piano) to plunk away (on the piano) 2. (sur table) to drum one's fingers.

piaule nf fam 1. (hébergement) place 2. (chambre) room.

PIB (abr de **produit intérieur brut**) nm GDP.

pic nm **1.** (outil) pick, pickaxe (UK), pick-ax (US) **2.** (montagne) peak **3.** (oiseau) woodpecker **4.** fig (maximum) • **pic d'audience** top (audience) ratings • **on a observé des pics de pollution** pollution levels reached a peak, pollution levels peaked. ■ **à pic** loc adv **1.** (verticalement) vertically • **couler à pic** to sink like a stone **2.** fam fig (à point nommé) just at the right moment.

pichenette nf flick (of the finger).

pichet nm jug (UK), pitcher (US).

pickpocket nm pickpocket.

picorer vi & vt to peck.

picotement nm prickling (indénombrable), prickle.

pie ■ nf **1.** (oiseau) magpie **2.** fig & péj (bavard) chatterbox. ■ adj inv (cheval) piebald.

pièce nf **1.** (élément) piece **2.** (de moteur) part • **pièce de collection** collector's item • **pièce détachée** spare part **3.** (unité) • **deux euros pièce** deux euros each ou apiece • **acheter/vendre qqch à la pièce** to buy/sell sthg singly, to buy/sell sthg separately • **travailler à la pièce** to do piecework **4.** (document) document, paper • **pièce d'identité** identification papers pl • **pièce jointe** (e-mail) attachment • **pièce jointes** (document) enclosures • **pièce justificative** written proof (indénombrable), supporting document **5.** (œuvre littéraire ou musicale) piece • **pièce (de théâtre)** play **6.** (argent) • **pièce (de monnaie)** coin **7.** (de maison) room **8.** cout patch.

pied nm **1.** (gén) foot • **à pied** on foot • **avoir pied** to be able to touch the bottom • **perdre pied** littéraire & fig to be out of one's depth • **être/marcher pieds nus** ou **nu-pieds** to be/to go barefoot • **pied bot** (handicap) clubfoot **2.** (base - de montagne, table) foot • (- de verre) stem • (- de lampe) base **3.** (plant - de tomate) stalk • (- de vigne) stock • **être sur pied** to be (back) on one's feet, to be up and about • **faire du pied à** to play footsie with • **mettre qqch sur pied** to get sthg on its feet, to get sthg off the ground • **je n'ai jamais mis les pieds chez lui** I've never set foot in his house • **au pied de la lettre** literally, to the letter. ■ **en pied** loc adj (portrait) full-length.

pied-de-biche nm (outil) nail claw.

piédestal nm pedestal.

pied-noir nmf si vous voulez donner une définition à un anglophone, vous pouvez dire it is a French settler in Algeria during the period of French rule.

piège nm litt & fig trap.

piéger vt **1.** (animal, personne) to trap **2.** (colis, véhicule) to boobytrap.

piercing nm body piercing.

pierraille nf loose stones pl.

pierre nf stone • **pierre d'achoppement** fig stumbling block • **pierre précieuse** precious stone.

pierreries nfpl precious stones, jewels.

piété nf piety.

piétiner ■ vi **1.** (trépigner) to stamp (one's feet) **2.** fig (ne pas avancer) to make no progress, to be at a standstill. ■ vt (personne, parterre) to trample.

piéton, onne ■ nm, f pedestrian. ■ adj pedestrian (avant nom).

piétonnier, ère adj pedestrian (avant nom).

piètre adj poor.

pieu nm **1.** (poteau) post, stake **2.** fam (lit) pit (UK), sack (US).

pieuvre nf **1.** octopus **2.** fig & péj leech.

pieux, pieuse adj (personne, livre) pious.

pif nm fam conk (UK), hooter (UK), schnoz(zle) (US) • **au pif** fig by guesswork.

pigeon nm **1.** (oiseau) pigeon **2.** fam péj (personne) sucker.

pigeonnier nm (pour pigeons) pigeon loft, dovecote.

pigment nm pigment.

pignon nm **1.** (de mur) gable **2.** (d'engrenage) gearwheel **3.** (de pomme de pin) pine kernel.

pile ■ nf **1.** (de livres, journaux) pile **2.** ÉLECTR battery **3.** (de pièce) • **pile ou face** heads or tails. ■ adv fam on the dot • **tomber/arriver pile** to come/to arrive at just the right time.

piler ■ vt (amandes) to crush, to grind. ■ vi fam AUTO to jam on the brakes.

pileux, euse adj hairy (avant nom) • **système pileux** hair.

pilier nm **1.** (de construction) pillar **2.** fig (soutien) mainstay, pillar **3.** (rugby) prop (forward).

pillard, e nm, f looter.

piller *vt* **1.** *(ville, biens)* to loot **2.** *fig (ouvrage, auteur)* to plagiarize.

pilon *nm* **1.** *(instrument)* pestle **2.** *(de poulet)* drumstick **3.** *(jambe de bois)* wooden leg.

pilonner *vt* to pound.

pilori *nm* pillory ▪ **mettre** *ou* **clouer qqn au pilori** *fig* to pillory sb.

pilotage *nm* piloting ▪ **pilotage automatique** automatic piloting.

pilote ◪ *nm* **1.** *(d'avion)* pilot **2.** *(de voiture)* driver ▪ **pilote automatique** autopilot ▪ **pilote de chasse** fighter pilot ▪ **pilote de course** racing *(UK) ou* race *(US)* driver ▪ **pilote d'essai** test pilot ▪ **pilote de ligne** airline pilot. ◪ *adj* pilot *(avant nom)*, experimental.

piloter *vt* **1.** *(avion)* to pilot **2.** *(voiture)* to drive **3.** *(personne)* to show around.

pilotis *nm* pile.

pilule *nf* pill ▪ **prendre la pilule** to be on the pill.

piment *nm* **1.** *(plante)* pepper, capsicum ▪ **piment rouge** chilli pepper, hot red pepper **2.** *fig (piquant)* spice, pizzazz *(US)*.

pimpant, e *adj* smart.

pin *nm* pine ▪ **pin parasol** umbrella pine ▪ **pin sylvestre** Scots pine.

pince *nf* **1.** *(grande)* pliers *pl* **2.** *(petite)* ▪ **pince (à épiler)** tweezers *pl* ▪ **pince à linge** clothes peg *(UK)*, clothespin *(US)* **3.** *(de crabe)* pincer **4.** cout dart.

pinceau *nm* *(pour peindre)* brush.

pincée *nf* pinch.

pincer ◪ *vt* **1.** *(serrer)* to pinch **2.** mus to pluck **3.** *(lèvres)* to purse **4.** *fam fig (arrêter)* to nick *(UK)*, to catch **5.** *(suj : froid)* to nip. ◪ *vi fam (faire froid)* ▪ **ça pince !** it's a bit nippy!

pincettes *nfpl (ustensile)* tongs.

pingouin *nm* penguin.

ping-pong *nm* ping pong, table tennis.

pin's *nm inv* badge.

pinson *nm* chaffinch.

pintade *nf* guinea fowl.

pin-up *nf inv* pinup (girl).

pioche *nf* **1.** *(outil)* pick **2.** *(jeux)* pile.

piocher ◪ *vt* **1.** *(terre)* to dig **2.** *(jeux)* to take **3.** *fig (choisir)* to pick at random. ◪ *vi* **1.** *(creuser)* to dig **2.** *(jeux)* to pick up ▪ **piocher dans** *(tas)* to delve into ▪ *(économies)* to dip into.

pion, pionne *nm, f fam* scol supervisor. ◪ **pion** *nm* **1.** *(aux échecs)* pawn **2.** *(aux dames)* piece ▪ **n'être qu'un pion** *fig* to be just a pawn in the game.

pionnier, ère *nm, f* pioneer.

pipe *nf* pipe.

pipeline, pipe-line *nm* pipeline.

pipi *nm fam* wee *(UK)*, weewee ▪ **faire pipi** to have a wee.

piquant, e *adj* **1.** *(barbe, feuille)* prickly **2.** *(sauce)* spicy, hot. ◪ **piquant** *nm* **1.** *(d'animal)* spine **2.** *(de végétal)* thorn, prickle **3.** *fig (d'histoire)* spice.

pique ◪ *nf* **1.** *(arme)* pike **2.** *fig (mot blessant)* barbed comment. ◪ *nm (aux cartes)* spade.

pique-assiette *nmf péj* sponger.

pique-nique *nm* picnic.

piquer ◪ *vt* **1.** *(suj : guêpe, méduse)* to sting **2.** *(suj : serpent, moustique)* to bite **3.** *(avec pointe)* to prick **4.** méd to give an injection to **5.** *(animal)* to put down **6.** *(fleur)* ▪ **piquer qqch dans** to stick sthg into **7.** *(suj : tissu, barbe)* to prickle **8.** *(suj : fumée, froid)* to sting **9.** cout to sew, to machine **10.** *fam (voler)* to pinch *(UK)* **11.** *fig (curiosité)* to excite, to arouse **12.** *fam (voleur, escroc)* to nick *(UK)*, to catch. ◪ *vi* **1.** *(ronce)* to prick **2.** *(ortie)* to sting **3.** *(guêpe, méduse)* to sting **4.** *(serpent, moustique)* to bite **5.** *(épice)* to burn **6.** *fam (voler)* ▪ **piquer (dans)** to pinch (from) **7.** *(avion)* to dive.

piquet *nm (pieu)* peg, stake. ◪ **piquet de grève** *nm* picket.

piqûre *nf* **1.** *(de guêpe, de méduse)* sting **2.** *(de serpent, de moustique)* bite **3.** *(d'ortie)* sting **4.** *(injection)* jab *(UK)*, shot ▪ **piqûre de rappel** booster (injection *ou* shot).

piratage *nm* **1.** piracy **2.** inform hacking.

pirate ◪ *nm (corsaire)* pirate ▪ **pirate de l'air** hijacker, skyjacker. ◪ *adj* pirate *(avant nom)*.

pire ◪ *adj* **1.** *(comparatif relatif)* worse **2.** *(superlatif)* ▪ **le/la pire** the worst. ◪ *nm* ▪ **le pire (de)** the worst (of).

pirogue *nf* dugout canoe.

pirouette *nf* **1.** *(saut)* pirouette **2.** *fig (fauxfuyant)* prevarication, evasive answer.

pis ◪ *adj littéraire (pire)* worse. ◪ *adv* worse ▪ **de mal en pis** from bad to worse. ◪ *nm* udder.

pis-aller *nm inv* last resort.

pisciculture *nf* fish farming.

piscine *nf* swimming pool • **piscine couverte/découverte** indoor/open-air swimming pool.

pissenlit *nm* dandelion.

pisser *fam* ▣ *vt* **1.** *(suj : personne)* • **pisser du sang** to pass blood **2.** *(suj : plaie)* • **son genou pissait le sang** blood was gushing from his knee. ▣ *vi* to pee, to piss.

pissotière *nf fam* public urinal.

pistache *nf (fruit)* pistachio (nut).

piste *nf* **1.** *(trace)* trail **2.** *(zone aménagée)* • **piste d'atterrissage** runway • **piste cyclable** (bi) cycle path • **piste de danse** dance floor • **piste de ski** ski run **3.** *(chemin)* path, track **4.** *(d'enregistrement)* track **5.** *(divertissement)* • **jeu de piste** treasure hunt.

pistil *nm* pistil.

pistolet *nm* **1.** *(arme)* pistol, gun **2.** *(à peinture)* spray gun.

piston *nm* **1.** *(de moteur)* piston **2.** MUS *(d'instrument)* valve **3.** *fig (appui)* string-pulling.

pistonner *vt* to pull strings for • **se faire pistonner** to have strings pulled for one.

pitance *nf péj & vieilli* sustenance.

pitbull, pit-bull *nm* pitbull (terrier).

piteux, euse *adj* piteous.

pitié *nf* pity • **avoir pitié de qqn** to have pity on sb, to pity sb.

piton *nm* **1.** *(clou)* piton **2.** *(pic)* peak.

pitoyable *adj* pitiful.

pitre *nm* clown.

pitrerie *nf* tomfoolery.

pittoresque *adj* **1.** *(région)* picturesque **2.** *(détail)* colourful *(UK)*, colorful *(US)*, vivid.

pivot *nm* **1.** *(de machine, au basket)* pivot **2.** *(de dent)* post **3.** *fig (centre)* mainspring.

pivoter *vi* **1.** to pivot **2.** *(porte)* to revolve.

pizza *nf* pizza.

Pl., pl. *abrév de* **place**.

placage *nm (de bois)* veneer.

placard *nm* **1.** *(armoire)* cupboard **2.** *(affiche)* poster, notice.

placarder *vt* **1.** *(affiche)* to put up, to stick up **2.** *(mur)* to placard, to stick a notice on.

place *nf* **1.** *(espace)* space, room • **prendre de la place** to take up (a lot of) space • **faire place à** *(amour, haine)* to give way

to **2.** *(emplacement, position)* position • **changer qqch de place** to put sthg in a different place, to move sthg • **prendre la place de qqn** to take sb's place • **à la place de qqn** instead of sb, in sb's place • **à ta place** if I were you, in your place **3.** *(siège)* seat • **place assise** seat **4.** *(rang)* place **5.** *(de ville)* square **6.** *(emploi)* position, job **7.** MIL *(de garnison)* garrison (town) • **place forte** fortified town. ▣ **sur place** *loc adv* there, on the spot • **je serai déjà sur place** I'll already be there.

placement *nm* **1.** *(d'argent)* investment **2.** *(d'employé)* placing.

placenta *nm* ANAT placenta.

placer *vt* **1.** *(gén)* to put, to place **2.** *(invités, spectateurs)* to seat **3.** *(mot, anecdote)* to put in, to get in **4.** *(argent)* to invest. ▣ **se placer** *vp* **1.** *(prendre place - debout)* to stand • *(- assis)* to sit (down) **2.** *fig (dans une situation)* to put o.s. **3.** *(se classer)* to come, to be.

placide *adj* placid.

plafond *nm litt & fig* ceiling.

plafonner *vi* **1.** *(prix, élève)* to peak **2.** *(avion)* to reach its ceiling.

plage *nf* **1.** *(de sable)* beach **2.** *(d'ombre, de prix)* band **3.** *fig (de temps)* slot **4.** *(de disque)* track **5.** *(dans une voiture)* • **plage arrière** back shelf.

plagiat *nm* plagiarism.

plagier *vt* to plagiarize.

plaider ▣ *vt* DR to plead. ▣ *vi* **1.** DR to plead • **plaider contre qqn** to plead against sb • **plaider pour qqn** DR to plead for sb **2.** *(justifier)* to plead sb's cause.

plaidoirie *nf* **1.** DR speech for the defence *(UK)* ou defense *(US)* **2.** *fig* plea.

plaidoyer *nm* = **plaidoirie**.

plaie *nf* **1.** *litt & fig* wound **2.** *fam (personne)* pest.

plaindre *vt* to pity. ▣ **se plaindre** *vp* to complain.

plaine *nf* plain.

plain-pied ▣ **de plain-pied** *loc adv* **1.** *(pièce)* on one floor • **de plain-pied avec** *litt & fig* on a level with **2.** *fig (directement)* straight.

plaint, e *pp* ▷ **plaindre**.

plainte *nf* **1.** *(gémissement)* moan, groan **2.** *fig & litt (du vent)* moan **3.** *(doléance & DR)* complaint • **porter plainte** to lodge a complaint · **plainte contre X** ≃ complaint against person or persons unknown.

plaintif, ive *adj* plaintive.

plaire *vi* to be liked · **il me plaît** I like him · **ça te plairait d'aller au cinéma ?** would you like to go to the cinema? · **s'il vous/te plaît** please.

plaisance ■ **de plaisance** *loc adj* pleasure *(avant nom)* · **navigation de plaisance** sailing · **port de plaisance** marina.

plaisancier, ère *nm, f* (amateur) sailor.

plaisant, e *adj* pleasant.

plaisanter *vi* to joke · **tu plaisantes ?** you must be joking!

plaisanterie *nf* joke · **c'est une plaisanterie ?** *iron* you must be joking!

plaisantin *nm* joker.

plaisir *nm* pleasure · **les plaisirs de la vie** life's pleasures · **avoir du/prendre plaisir à faire qqch** to have/to take pleasure in doing sthg · **faire plaisir à qqn** to please sb · **avec plaisir** with pleasure · **j'ai le plaisir de vous annoncer que...** I have the (great) pleasure of announcing that...

plan[1] **, e** *adj* level, flat.

plan[2] *nm* 1. *(dessin - de ville)* map · *(- de maison)* plan 2. *(projet)* plan · **faire des plans** to make plans · **avoir son plan** to have something in mind 3. *(domaine)* · **sur tous les plans** in all respects · **sur le plan affectif** emotionally · **sur le plan familial** as far as the family is concerned 4. *(surface)* · **plan d'eau** lake · **plan de travail** work surface, worktop *(UK)* 5. GÉOM plane 6. CINÉ take · **gros plan** close-up 7. BANQUE · **plan d'épargne** savings plan 8. *(sécurité)* · **plan vigipirate** security measures to protect against terrorist attacks 9. ÉCON · **plan social** redundancy scheme *ou* plan *(UK)*. ■ **à l'arrière-plan** *loc adv* in the background. ■ **au premier plan** *loc adv* *(dans l'espace)* in the foreground. ■ **en plan** *loc adv* · **laisser qqn en plan** to leave sb stranded, to abandon sb · **il a tout laissé en plan** he dropped everything. ■ **sur le même plan** *loc adj* on the same level.

planche *nf* 1. *(en bois)* plank · **planche à dessin** drawing board · **planche à repasser** ironing board · **planche à voile**

(planche) sailboard · *(sport)* windsurfing · **faire la planche** *fig* to float 2. *(d'illustration)* plate.

plancher *nm* 1. *(de maison, de voiture)* floor 2. *fig (limite)* floor, lower limit.

plancton *nm* plankton.

planer *vi* 1. *(avion, oiseau)* to glide 2. *(nuage, fumée, brouillard)* to float 3. *fig (danger)* · **planer sur qqn** to hang over sb 4. *fam fig (personne)* to be out of touch with reality.

planétaire *adj* 1. ASTRON planetary 2. *(mondial)* world *(avant nom)*.

planétarium *nm* planetarium.

planète *nf* planet.

planeur *nm* glider.

planification *nf* ÉCON planning.

planisphère *nm* map of the world, planisphere.

planning *nm* 1. *(de fabrication)* workflow schedule 2. *(agenda personnel)* schedule · **planning familial** *(contrôle)* family planning · *(organisme)* family planning clinic.

planque *nf* fam 1. *(cachette)* hideout 2. *fig (situation, travail)* cushy number.

plant *nm* *(plante)* seedling.

plantaire *adj* plantar.

plantation *nf* 1. *(exploitation - d'arbres, de coton, de café)* plantation · *(- de légumes)* patch 2. *(action)* planting.

plante *nf* 1. BOT plant · **plante verte** *ou* **d'appartement** *ou* **d'intérieur** house *ou* pot *(UK)* plant 2. ANAT sole.

planter ◨ *vt* 1. *(arbre, terrain)* to plant 2. *(clou)* to hammer in, to drive in 3. *(pieu)* to drive in 4. *(couteau, griffes)* to stick in 5. *(tente)* to pitch 6. *fam fig (laisser tomber)* to dump 7. *fig (chapeau)* to stick 8. *(baiser)* to plant · **planter son regard dans celui de qqn** to look sb right in the eyes. ◨ *vi fam* INFORM to crash.

plantureux, euse *adj* 1. *(repas)* lavish 2. *(femme)* buxom.

plaque *nf* 1. *(de métal, de verre, de verglas)* sheet 2. *(de marbre)* slab · **plaque chauffante** *ou* **de cuisson** hotplate · **plaque de chocolat** bar of chocolate 3. *(gravée)* plaque · **plaque d'immatriculation** *ou* **minéralogique** numberplate *(UK)*, license plate *(US)* 4. *(insigne)* badge 5. *(sur la peau)* patch 6. *(dentaire)* plaque.

plaqué, e adj (métal) plated • **plaqué or/argent** gold-/silver-plated. ■ **plaqué** nm (métal) • **du plaqué or/argent** gold/silver plate.

plaquer vt **1.** (métal) to plate **2.** (bois) to veneer **3.** (aplatir) to flatten • **plaquer qqn contre qqch** to pin sb against sthg • **plaquer qqch contre qqch** to stick sthg onto sthg **4.** (rugby) to tackle **5.** MUS (accord) to play **6.** fam (travail, personne) to chuck.

plaquette nf **1.** (de métal) plaque **2.** (de marbre) tablet **3.** (de chocolat) bar **4.** (de beurre) pat **5.** (de comprimés) packet, strip **6.** (gén pl) BIOL platelet **7.** AUTO • **plaquette de frein** brake pad.

plasma nm plasma.

plastique adj & nm plastic.

plastiquer vt to blow up (with plastic explosives).

plat, e adj **1.** (gén) flat **2.** (eau) still. ■ **plat** nm **1.** (partie plate) flat **2.** (récipient) dish **3.** (mets) course • **plat cuisiné** ready-cooked meal ou dish • **plat du jour** today's special • **plat préparé** ready meal • **plat de résistance** main course **4.** (plongeon) belly-flop. ■ **à plat** loc adv **1.** (horizontalement, dégonflé) flat **2.** fam (épuisé) exhausted.

platane nm plane tree.

plateau nm **1.** (de cuisine) tray • **plateau de/à fromages** cheeseboard **2.** (de balance) pan **3.** fig & GÉOGR plateau **4.** THÉÂTRE stage **5.** CINÉ & TV set **6.** (de vélo) chain wheel.

plateau-repas nm tray (of food).

plate-bande nf flowerbed.

plate-forme nf (gén) platform • **plate-forme de forage** drilling platform.

platine ■ adj inv platinum. ■ nm (métal) platinum. ■ nf (de tourne-disque) deck • **platine laser** compact disc player.

platonique adj (amour, amitié) platonic.

plâtras nm (gravats) rubble.

plâtre nm **1.** CONSTR & MÉD plaster **2.** (sculpture) plaster cast **3.** péj (fromage) • **c'est du vrai plâtre** it's like sawdust.

plâtrer vt **1.** (mur) to plaster **2.** MÉD to put in plaster.

plausible adj plausible.

play-back nm inv miming • **chanter en play-back** to mime.

play-boy nm playboy.

plébiscite nm plebiscite.

plein, e adj **1.** (rempli, complet) full • **c'est la pleine forme** I am/they are etc in top form • **en pleine nuit** in the middle of the night • **en plein air** outdoor, open-air **2.** (non creux) solid **3.** (femelle) pregnant. ■ **plein** ▪ adv fam • **il a de l'encre plein les doigts** he has ink all over his fingers • **en plein dans/sur qqch** right in/on sthg. ▪ nm (de réservoir) full tank • **le plein, s'il vous plaît** fill her up, please • **faire le plein** to fill up.

plein-air nm inv SCOL games. ■ **de plein-air, en plein-air** loc adj open-air, outdoor.

plein-temps nm full-time job.

plénitude nf fullness.

pléonasme nm pleonasm.

pleurer ▪ vi **1.** (larmoyer) to cry • **pleurer de joie** to weep for joy, to cry with joy **2.** péj (se plaindre) to whinge (UK) **3.** (se lamenter) • **pleurer sur** to lament. ▪ vt to mourn.

pleurnicher vi to whine, to whinge (UK).

pleurs nmpl • **être en pleurs** to be in tears.

pleuvoir v impers litt & fig to rain • **il pleut** it is raining.

Plexiglas® nm Plexiglass®.

plexus nm plexus • **plexus solaire** solar plexus.

pli nm **1.** (de tissu) pleat **2.** (de pantalon) crease • **faux pli** crease **3.** (du front) line **4.** (du cou) fold **5.** (lettre) letter **6.** (enveloppe) envelope • **sous pli séparé** under separate cover **7.** (aux cartes) trick **8.** GÉOL fold.

pliant, e adj folding (avant nom).

plier ■ vt **1.** (papier, tissu) to fold **2.** (vêtement, vélo) to fold (up) **3.** (branche, bras) to bend. ▪ vi **1.** (se courber) to bend **2.** fig (céder) to bow. ■ **se plier** vp **1.** (être pliable) to fold (up) **2.** fig (se soumettre) • **se plier à qqch** to bow to sthg.

plinthe nf plinth.

plissé, e adj **1.** (jupe) pleated **2.** (peau) wrinkled.

plissement nm **1.** (de front) creasing **2.** (d'yeux) screwing up **3.** GÉOL fold.

plisser ▪ vt **1.** COUT to pleat **2.** (front) to crease **3.** (lèvres) to pucker **4.** (yeux) to screw up. ▪ vi (étoffe) to crease.

plomb *nm* **1.** *(métal, de vitrail)* lead **2.** *(de chasse)* shot **3.** ÉLECTR fuse • **les plombs ont sauté** a fuse has blown *ou* gone **4.** *(de pêche)* sinker.

plombage *nm* *(de dent)* filling.

plomber *vt* **1.** *(ligne)* to weight (with lead) **2.** *(dent)* to fill.

plombier *nm* plumber.

plonge *nf* fam dishwashing • **faire la plonge** to wash dishes.

plongeant, e *adj* **1.** *(vue)* from above **2.** *(décolleté)* plunging.

plongée *nf* *(immersion)* diving • **plongée sous-marine** scuba diving.

plongeoir *nm* diving board.

plongeon *nm* *(dans l'eau, au football)* dive.

plonger ◼ *vt* **1.** *(immerger, enfoncer)* to plunge • **plonger la tête sous l'eau** to put one's head under the water **2.** *fig (précipiter)* • **plonger qqn dans qqch** to throw sb into sthg • **plonger une pièce dans l'obscurité** to plunge a room into darkness. ◼ *vi* **1.** *(dans l'eau, gardien de but)* to dive **2.** *fam (échouer)* to decline, to fall off.
◼ **se plonger** *vp* **1.** *(s'immerger)* to submerge **2.** *fig (s'absorber)* • **se plonger dans qqch** to immerse o.s. in sthg.

plongeur, euse *nm, f* **1.** *(dans l'eau)* diver **2.** *(dans restaurant)* dishwasher.

ployer *vt* & *vi* litt & fig to bend.

pluie *nf* **1.** *(averse)* rain *(indénombrable)* • **sous la pluie** in the rain • **une pluie battante** driving rain • **une pluie fine** drizzle **2.** *fig (grande quantité)* • **une pluie de** a shower of.

plume *nf* **1.** *(d'oiseau)* feather **2.** *(pour écrire - d'oiseau)* quill pen • *(- de stylo)* nib.

plumeau *nm* feather duster.

plumer *vt* **1.** *(volaille)* to pluck **2.** *fam fig & péj (personne)* to fleece.

plumier *nm* pencil box.

plupart *nf* • **la plupart de** most of, the majority of • **la plupart du temps** most of the time, mostly • **pour la plupart** mostly, for the most part.

pluriel, elle *adj* **1.** GRAMM plural **2.** *(société)* pluralist. ◼ **pluriel** *nm* plural • **au pluriel** in the plural.

plus *adv*

1. INDIQUE UNE QUANTITÉ SUPÉRIEURE more
• **tu devrais travailler plus** you should work more
• **je ne peux pas vous en dire plus** I can't tell you anything more
• **je voudrais beaucoup plus de sucre** I'd like a lot more *ou* much more sugar
• **peux-tu me donner un peu plus de café ?** can you give me a little more coffee?

2. COMPARATIF
• **il est plus grand que sa sœur** he is taller than his sister
• **c'est un joueur plus expérimenté que toi** he's a more experienced player than you
• **c'est plus court par là** it's shorter that way
• **c'est plus simple qu'on ne le croit** it's simpler than you think
• **ce gâteau est meilleur que le mien** this cake is better than mine
• **c'est plus difficile qu'avant** it's more difficult than before

3. SUPERLATIF
• **c'est lui qui travaille le plus** he's the hardest worker, he's the one who works (the) hardest
• **c'est l'un de ses tableaux les plus connus** it's one of his best-known paintings
• **viens le plus vite possible** come as quickly as possible
• **c'est le livre le plus intéressant que j'aie jamais lu** it's the most interesting book I've ever read

4. DANS UNE NÉGATION
• **plus un mot !** not another word!
• **il ne vient plus me voir** he doesn't come to see me any more, he no longer comes to see me
• **je n'y vais plus du tout** I don't go there any more
• **je ne t'aiderai plus jamais** I will never help you again, I'm not going to help you ever again

5. DANS UNE CORRÉLATION
• **plus j'y pense, plus je me dis qu'il est responsable** the more I think about it, the more I'm sure he is responsible (for it).

plus *nm*

1. SIGNE MATHÉMATIQUE plus (sign) • **le plus est le signe de l'addition** the plus is the sign of addition

2. ATOUT • **ici, parler anglais est un plus indéniable** being able to speak English is definitely a plus *ou* is quite an asset here.

plus *prép*

DANS UNE ADDITION • **trois plus trois font six** three plus three is six, three and three are six.

■ **au plus** *loc adv*

• **il a quarante ans au plus** he's forty at the most • **tout au plus** at the very most.

■ **de plus** *loc adv*

1. EN SUPPLÉMENT • **elle a cinq ans de plus que moi** she's five years older than me

2. EN OUTRE • **de plus, il n'y a pas de signe de changement** what is more, there's no sign of a change • **de plus, il a menti** what's more, he lied.

■ **de plus en plus** *loc adv*

• **il fait de plus en plus beau** the weather is getting nicer and nicer • **de plus en plus de gens font des sudokus** more and more people do sudokus.

■ **en plus** *loc adv*

1. EN SUPPLÉMENT • **les frais d'envoi sont en plus** the postal charges are extra *ou* are not included • **on nous a donné deux hamburgers en plus** we were given two more *ou* extra hamburgers, we were given two free hamburgers

2. EN OUTRE • **je n'ai pas envie de sortir, en plus il ne fait pas beau** I don't feel like going out, moreover the weather is not nice.

■ **en plus de** *loc prép*

• **en plus du squash, elle fait du tennis** in addition to squash, she plays tennis.

■ **ni plus ni moins** *loc adv*

• **c'est ce que je dis ! ni plus ni moins** that's what I'm saying! no more, no less.

■ **plus ou moins** *loc adv*

• **j'étais plus ou moins satisfaite de son travail** I was more or less satisfied with his work.

■ **sans plus** *loc adv*

• **elle est gentille, sans plus** she's nice, but no more than that.

plusieurs *adj indéf pl* & *pron indéf pl* several.

plus-que-parfait *nm* GRAMM pluperfect.

plus-value *nf* **1.** *(d'investissement)* appreciation **2.** *(excédent)* surplus **3.** *(bénéfice)* profit **4.** *(à la revente)* capital gain.

plutôt *adv* rather • **plutôt que de faire qqch** instead of doing sthg, rather than doing *ou* do sthg.

pluvieux, euse *adj* rainy.

PME *(abr de* **petite et moyenne entreprise***) nf* SME.

PMI *nf (abr de* **petite et moyenne industrie***)* small industrial firm.

PMU *(abr de* **Pari mutuel urbain***) nm* ≃ tote *(UK)*, ≃ pari-mutuel *(US)*.

PNB *(abr de* **produit national brut***) nm* GNP.

pneu *nm (de véhicule)* tyre *(UK)*, tire *(US)* • **pneu arrière** rear tyre *(UK) ou* tire *(US)* • **pneu-neige** winter tyre *(UK) ou* tire *(US)*.

pneumatique ◼ *nf* PHYS pneumatics *(indénombrable)*. ◼ *adj* **1.** *(fonctionnant à l'air)* pneumatic **2.** *(gonflé à l'air)* inflatable.

pneumonie *nf* pneumonia.

PO *(abr écrite de* **petites ondes***)* MW.

poche *nf* **1.** *(de vêtement, de sac, d'air)* pocket • **de poche** pocket *(avant nom)* **2.** *(sac, sous les yeux)* bag • **faire des poches** *(vêtement)* to bag **3.** MÉD sac.

pocher *vt* **1.** CULIN to poach **2.** *(blesser)* • **pocher l'œil à qqn** to give sb a black eye.

pochette *nf* **1.** *(enveloppe)* envelope **2.** *(d'allumettes)* book **3.** *(de photos)* packet **4.** *(de disque)* sleeve, jacket *(US)* **5.** *(mouchoir)* (pocket) handkerchief.

pochoir *nm* stencil.

podium *nm* podium.

poêle ⬛ *nf* pan • **poêle à frire** frying pan.
⬛ *nm* stove.

poème *nm* poem.

poésie *nf* **1.** *(genre, émotion)* poetry **2.** *(pièce écrite)* poem.

poète *nm* **1.** *(écrivain)* poet **2.** *fig & hum (rêveur)* dreamer.

pogrom(e) *nm* pogrom.

poids *nm* **1.** *(gén)* weight • **quel poids fait-il ?** how heavy is it/he? • **perdre/prendre du poids** to lose/gain weight • **vendre au poids** to sell by weight • **poids lourd** *(boxe)* heavyweight • *(camion)* heavy goods vehicle *(UK)* • **de poids** *(argument)* weighty **2.** *sport (lancer)* shot.

poignant, e *adj* poignant.

poignard *nm* dagger.

poignée *nf* **1.** *(quantité, petit nombre)* handful **2.** *(manche)* handle. ⬛ **poignée de main** *nf* handshake.

poignet *nm* **1.** *anat* wrist **2.** *(de vêtement)* cuff.

poil *nm* **1.** *(du corps)* hair **2.** *(d'animal)* hair, coat **3.** *(de pinceau)* bristle **4.** *(de tapis)* strand **5.** *fam (peu)* • **il s'en est fallu d'un poil que je réussisse** I came within a hair's breadth of succeeding.

poilu, e *adj* hairy.

poinçon *nm* **1.** *(outil)* awl **2.** *(marque)* hallmark.

poinçonner *vt* **1.** *(bijou)* to hallmark **2.** *(billet, tôle)* to punch.

poing *nm* fist.

point ⬛ *nm* **1.** *cout (tricot)* stitch • **points de suture** *méd* stitches **2.** *(de ponctuation)* • **point (final)** full stop *(UK)*, period *(US)* • **point d'interrogation/d'exclamation** question/exclamation mark • **points de suspension** suspension points **3.** *(petite tache)* dot • **point noir** *(sur la peau)* blackhead • *fig (problème)* problem **4.** *(endroit)* spot, point **5.** *fig* point • **point d'appui** *(support)* something to lean on • **point culminant** *(en montagne)* summit • *fig* climax • **point de repère** *(temporel)* reference point • *(spatial)* landmark • **point de vente** point of sale, sale outlet • **point de vue** *(panorama)* viewpoint • *fig (opinion, aspect)* point of view • **avoir un point commun avec qqn** to have something in common with sb **6.** *(degré)* point • **au point que, à tel point que** to such an extent that • **je ne pensais pas que cela le vexerait à ce point** I

didn't think it would make him so cross • **être... au point de faire qqch** to be so... as to do sthg • **7.** *fig (position)* position **8.** *(réglage)* • **mettre au point** *(machine)* to adjust • *(idée, projet)* to finalize • **à point** *(cuisson)* just right • **à point (nommé)** just in time **9.** *(question, détail)* point, detail • **point faible** weak point **10.** *(score)* point **11.** *(douleur)* pain • **point de côté** stitch **12.** *(début)* • **être sur le point de faire qqch** to be on the point of doing sthg, to be about to do sthg **13.** *auto* • **au point mort** in neutral **14.** *géogr* • **points cardinaux** points of the compass. ⬛ *adv vieilli* • **ne point** not (at all).

pointe *nf* **1.** *(extrémité)* point **2.** *(de nez)* tip • **se hausser sur la pointe des pieds** to stand on tiptoe • **en pointe** pointed • **tailler en pointe** to taper • **se terminer en pointe** to taper • **pointe d'asperge** asparagus tip **3.** *(clou)* tack **4.** *(sommet)* peak, summit • **à la pointe de** *fig* at the peak of • **à la pointe de la technique** at the forefront *ou* cutting edge of technology **5.** *fig (trait d'esprit)* witticism **6.** *fig (petite quantité)* • **une pointe de** touch of. ⬛ **pointes** *nfpl (danse)* points • **faire des** *ou* **les pointes** to dance on one's points. ⬛ **de pointe** *loc adj* **1.** *(vitesse)* maximum, top **2.** *(industrie, secteur)* leading **3.** *(technique)* latest.

pointer ⬛ *vt* **1.** *(cocher)* to tick (off) **2.** *(employés - à l'entrée)* to check in • *(- à la sortie)* to check out **3.** *(diriger)* • **pointer qqch vers** to point sthg towards *ou* toward *(US)* • **pointer qqch sur** to point sthg at. ⬛ *vi* **1.** *(à l'usine - à l'entrée)* to clock in • *(- à la sortie)* to clock out **2.** *(à la pétanque)* to get as close to the jack as possible **3.** *(jour)* to break.

pointillé *nm* **1.** *(ligne)* dotted line • **en pointillé** *(ligne)* dotted • *fig (par sous-entendus)* obliquely **2.** *(perforations)* perforations *pl*.

pointilleux, euse *adj* • **pointilleux (sur)** particular (about).

pointu, e *adj* **1.** *(objet)* pointed **2.** *(voix, ton)* sharp **3.** *(étude, formation)* specialized.

pointure *nf* (shoe) size.

point-virgule *nm* semi-colon.

poire *nf* **1.** *(fruit)* pear **2.** *méd* • **poire à injections** syringe **3.** *fam (visage)* face **4.** *fam (naïf)* dope.

poireau *nm* leek.

poirier *nm* pear tree.

pois *nm* 1. BOT pea • **pois chiche** chickpea • **petits pois** garden peas, petits pois • **pois de senteur** sweet pea 2. *fig (motif)* dot, spot • **à pois** spotted, polka-dot.

poison ◼ *nm (substance)* poison. ◼ *nmf fam fig* 1. *(personne)* drag, pain 2. *(enfant)* brat.

poisse *nf fam* bad luck • **porter la poisse** to be bad luck.

poisseux, euse *adj* sticky.

poisson *nm* fish • **poisson d'avril** *(farce)* April fool • *(en papier) si vous voulez expliquèr à un anglophone de quoi il s'agit, vous pouvez dire* it is a paper fish that you pin on someone's back as a joke on April Fools' Day • **poisson rouge** goldfish. ◼ **Poissons** *nmpl* ASTROL Pisces *sing*.

poissonnerie *nf (boutique)* fish shop, fishmonger's (shop) *(UK)*.

poissonnier, ère *nm, f* fishmonger *(UK)*.

poitrine *nf* 1. *(thorax)* chest 2. *(de femme)* chest, bust.

poivre *nm* pepper • **poivre blanc** white pepper • **poivre gris, poivre noir** black pepper.

poivrier *nm* pepper pot *(UK)*, pepperbox *(US)*.

poivrière *nf* = **poivrier**.

poivron *nm* pepper, capsicum • **poivron rouge/vert** red/green pepper.

poker *nm* poker.

polaire ◼ *adj* polar. ◼ *nf (textile)* (polar) fleece.

polar *nm fam* thriller, whodunnit.

Polaroïd® *nm* Polaroid®.

polder *nm* polder.

pôle *nm* pole • **pôle Nord/Sud** North/South Pole.

polémique ◼ *nf* controversy. ◼ *adj (style, ton)* polemical.

poli, e *adj* 1. *(personne)* polite 2. *(surface)* polished.

police *nf* 1. *(force de l'ordre)* police • **être de** *ou* **dans la police** to be in the police • **police secours** emergency services 2. *(contrat)* policy • **police d'assurance** insurance policy.

polichinelle *nm (personnage)* Punch • **secret de polichinelle** *fig* open secret.

policier, ère *adj* 1. *(de la police)* police *(avant nom)* 2. *(film, roman)* detective *(avant nom)*. ◼ **policier** *nm* police officer.

poliomyélite *nf* poliomyelitis.

polir *vt* to polish.

polisson, onne ◼ *adj* 1. *(chanson, propos)* lewd, suggestive 2. *(enfant)* naughty. ◼ *nm, f (enfant)* naughty child.

politesse *nf* 1. *(courtoisie)* politeness 2. *(action)* polite action.

politicien, enne ◼ *adj péj* politicking, politically unscrupulous. ◼ *nm, f* politician, politico.

politique ◼ *nf* 1. *(de gouvernement, de personne)* policy 2. *(affaires publiques)* politics *(indénombrable)*. ◼ *adj* 1. *(pouvoir, théorie)* political • **homme/femme politique** politician, political figure 2. *littéraire (choix, réponse)* politic.

politiser *vt* to politicize.

pollen *nm* pollen.

polluer *vt* to pollute.

pollution *nf* pollution.

polo *nm* 1. *(sport)* polo 2. *(chemise)* polo shirt.

Pologne *nf* • **la Pologne** Poland.

polonais, e *adj* Polish. ◼ **polonais** *nm (langue)* Polish. ◼ **Polonais, e** *nm, f* Pole.

poltron, onne ◼ *nm, f* coward. ◼ *adj* cowardly.

polychrome *adj* polychrome, polychromatic.

polyclinique *nf* general hospital.

polycopié, e *adj* duplicate *(avant nom)*. ◼ **polycopié** *nm* duplicated lecture notes *pl*.

polyester *nm* polyester.

polygame *adj* polygamous.

polyglotte *nmf & adj* polyglot.

polygone *nm* MATH polygon.

Polynésie *nf* • **la Polynésie** Polynesia.

polystyrène *nm* polystyrene.

polytechnicien, enne *nm, f* student *ou* ex-student of the École Polytechnique.

Polytechnique *npr* • **l'École Polytechnique** *si vous voulez donner une définition à un anglophone, vous pouvez dire* it is a prestigious higher-education institution that provides specialist training in engineering.

polyvalent, e *adj* 1. *(salle)* multi-purpose 2. *(personne)* versatile.

pommade *nf (médicament)* ointment.

pomme *nf* **1.** *(fruit)* apple ◦ **pomme de pin** pine *ou* fir cone **2.** *(pomme de terre)* ◦ **pommes allumettes** very thin (French) fries *ou* chips *(UK)* ◦ **pommes frites** (French) fries, chips *(UK)* ◦ **pommes vapeur** steamed potatoes. ▪ **pomme d'Adam** *nf* Adam's apple.

pomme de terre *nf* potato.

pommette *nf* cheekbone.

pommier *nm* apple tree.

pompe *nf* **1.** *(appareil)* pump ◦ **pompe à essence** petrol pump *(UK)*, gas pump *(US)* **2.** *(magnificence)* pomp, ceremony **3.** *fam (chaussure)* shoe. ▪ **pompes funèbres** *nfpl* undertaker's *sing*, funeral director's *(sing) (UK)*, mortician's *(sing) (US)*.

pomper *vt (eau, air)* to pump.

pompeux, euse *adj* pompous.

pompier *nm* fireman, firefighter.

pompiste *nmf* petrol *(UK)* *ou* gas *(US)* pump attendant.

pompon *nm* pompom.

pomponner ▪ **se pomponner** *vp* to get dressed up.

ponce *adj* ◦ **pierre ponce** pumice (stone).

poncer *vt (bois)* to sand (down).

ponceuse *nf* sander, sanding machine.

ponction *nf* **1.** *(MÉD - lombaire)* puncture ◦ *(- pulmonaire)* tapping **2.** *fig (prélèvement)* withdrawal.

ponctualité *nf* punctuality.

ponctuation *nf* punctuation.

ponctuel, elle *adj* **1.** *(action)* specific, selective **2.** *(personne)* punctual.

ponctuer *vt* to punctuate ◦ **ponctuer qqch de qqch** *fig* to punctuate sthg with sthg.

pondéré, e *adj* **1.** *(personne)* level-headed **2.** ÉCON weighted.

pondre *vt* **1.** *(œufs)* to lay **2.** *fam fig (projet, texte)* to produce.

pondu, e *pp* ⊳ **pondre**.

poney *nm* pony.

pont *nm* **1.** CONSTR bridge ◦ **ponts et chaussées** ADMIN ≃ highways department **2.** *(lien)* link, connection ◦ **pont aérien** airlift **3.** *(congé)* si vous voulez expliquer à un anglophone de quoi il s'agit, vous pouvez dire it is a extra day off that your employer gives you when there is a working day between a national holiday and a weekend **4.** *(de navire)* deck.

ponte ▪ *nf* **1.** *(action)* laying **2.** *(œufs)* clutch. ▪ *nm fam (autorité)* big shot.

pont-levis *nm* drawbridge.

ponton *nm (plate-forme)* pontoon.

pop ▪ *nm* pop. ▪ *adj* pop *(avant nom)*.

pop-corn *nm inv* popcorn *(indénombrable)*.

populace *nf péj* mob.

populaire *adj* **1.** *(du peuple - volonté)* popular, of the people ◦ *(- quartier)* working-class ◦ *(- art, chanson)* folk **2.** *(personne)* popular.

populariser *vt* to popularize.

popularité *nf* popularity.

population *nf* population ◦ **population active** working population.

porc *nm* **1.** *(animal)* pig, hog *(US)* **2.** *fig & péj (personne)* pig, swine **3.** *(viande)* pork **4.** *(peau)* pigskin.

porcelaine *nf* **1.** *(matière)* china, porcelain **2.** *(objet)* piece of china *ou* porcelain.

porc-épic *nm* porcupine.

porche *nm* porch.

porcherie *nf litt & fig* pigsty.

porcin, e *adj* **1.** *(élevage)* pig *(avant nom)* **2.** *fig & péj (yeux)* piggy.

pore *nm* pore.

poreux, euse *adj* porous.

pornographie *nf* pornography.

port *nm* **1.** *(lieu)* port ◦ **port de commerce/pêche** commercial/fishing port **2.** *(fait de porter sur soi - d'objet)* carrying ◦ *(- de vêtement, décoration)* wearing ◦ **port d'armes** carrying of weapons **3.** *(transport)* carriage ◦ **franco de port** carriage paid.

portable ▪ *nm* **1.** TV portable **2.** INFORM laptop, portable **3.** *(téléphone)* mobile. ▪ *adj* **1.** *(vêtement)* wearable **2.** *(ordinateur, machine à écrire)* portable, laptop.

portail *nm (gén & INFORM)* portal.

portant, e *adj* ◦ **être bien/mal portant** to be in good/poor health.

portatif, ive *adj* portable.

porte *nf* **1.** *(de maison, voiture)* door ◦ **mettre qqn à la porte** to throw sb out ◦ **porte d'entrée** front door **2.** gate **3.** *fig (de région)* gateway.

porte-à-faux *nm inv* **1.** *(roche)* overhang **2.** CONSTR cantilever • **en porte-à-faux** overhanging • CONSTR cantilevered • *fig* in a delicate situation.

porte-à-porte *nm inv* • **faire du porte-à-porte** to sell from door to door.

porte-avions *nm inv* aircraft carrier.

porte-bagages *nm inv* **1.** luggage rack *(UK)* **2.** *(de voiture)* roof rack *(UK)*.

porte-bonheur *nm inv* lucky charm.

porte-clefs, porte-clés *nm inv* keyring.

porte-documents *nm inv* attaché *ou* document case.

portée *nf* **1.** *(de missile)* range • **à portée de** within range of • **à portée de main** within reach • **à portée de voix** within earshot • **à portée de vue** in sight • **à la portée de qqn** *fig* within sb's reach **2.** *(d'événement)* impact, significance **3.** MUS stave, staff **4.** *(de femelle)* litter.

porte-fenêtre *nf* French window *ou* door *(US)*.

portefeuille *nm* **1.** *(pour billets)* wallet **2.** FIN & POLIT portfolio.

porte-jarretelles *nm inv* suspender belt *(UK)*, garter belt *(US)*.

portemanteau *nm* **1.** *(au mur)* coat-rack **2.** *(sur pied)* coat stand.

porte-monnaie *nm inv* purse.

porte-parole *nm inv* spokesman (*f* spokeswoman).

porter ▪ *vt* **1.** *(gén)* to carry **2.** *(vêtement, lunettes, montre)* to wear **3.** *(barbe)* to have **4.** *(nom, date, inscription)* to bear **5.** *(inscrire)* to put down, to write down • **porté disparu** reported missing. ▪ *vi* **1.** *(remarque)* to strike home **2.** *(voix, tir)* to carry.
■ **se porter** ▪ *vp* *(se sentir)* • **se porter bien/mal** to be well/unwell. ▪ *v att* • **se porter garant de qqch** to guarantee sthg, to vouch for sthg • **se porter candidat à** to stand for election to *(UK)*, to run for *(US)*.

porte-savon *nm* soap dish.

porte-serviettes *nm inv* towel rail.

porteur, euse ▪ *adj* • **marché porteur** COMM growth market • **mère porteuse** surrogate mother • **mur porteur** load-bearing wall. ▪ *nm, f* **1.** *(de message, nouvelle)* bringer, bearer **2.** *(de bagages)* port-

er **3.** *(détenteur - de papiers, d'actions)* holder • *(- de chèque)* bearer **4.** *(de maladie)* carrier.

portier *nm* commissionaire *(UK)*, doorman *(US)*.

portière *nf* *(de voiture, train)* door.

portillon *nm* barrier, gate.

portion *nf* *(de gâteau)* portion, helping.

portique *nm* **1.** ARCHIT portico **2.** SPORT crossbeam.

porto *nm* port.

Porto Rico, Puerto Rico *npr* Puerto Rico.

portrait *nm* **1.** portrait **2.** PHOTO photograph • **faire le portrait de qqn** *fig* to describe sb.

portraitiste *nmf* portrait painter.

portrait-robot *nm* Photofit® picture, Identikit® picture.

portuaire *adj* port *(avant nom)*, harbour *(avant nom)* *(UK)*, harbor *(avant un nom)* *(US)*.

portugais, e *adj* Portuguese. ■ **portugais** *nm* *(langue)* Portuguese. ■ **Portugais, e** *nm, f* Portuguese (person) • **les Portugais** the Portuguese.

Portugal *nm* • **le Portugal** Portugal.

pose *nf* **1.** *(de pierre, moquette)* laying **2.** *(de papier peint, rideaux)* hanging **3.** *(position)* pose **4.** PHOTO exposure.

posé, e *adj* sober, steady.

poser ▪ *vt* **1.** *(mettre)* to put down • **poser qqch sur qqch** to put sthg on sthg **2.** *(installer - rideaux, papier peint)* to hang • *(- étagère)* to put up • *(- moquette, carrelage)* to lay **3.** *(donner à résoudre - problème, difficulté)* to pose • **poser une question** to ask a question • **poser sa candidature** to apply • POLIT to stand *(UK)* *ou* run *(US)* for election. ▪ *vi* to pose.
■ **se poser** *vp* **1.** *(oiseau, avion)* to land **2.** *fig* *(choix, regard)* • **se poser sur** to fall on **3.** *(question, problème)* to arise, to come up.

positif, ive *adj* positive.

position *nf* position • **prendre position** *fig* to take up a position, to take a stand.

posologie *nf* dosage.

posséder *vt* **1.** *(détenir - voiture, maison)* to possess, to own • *(- diplôme)* to have • *(- capacités, connaissances)* to possess, to have **2.** *(langue, art)* to have mastered **3.** *fam (personne)* to have.

possesseur *nm* **1.** *(de bien)* possessor, owner **2.** *(de secret, diplôme)* holder.

possessif, ive *adj* possessive. ■ **possessif** *nm* GRAMM possessive.

possession *nf* *(gén)* possession ∘ **être en ma/ta** *etc* **possession** to be in my/your *etc* possession.

possibilité *nf* **1.** *(gén)* possibility **2.** *(moyen)* chance, opportunity.

possible ◾ *adj* possible ∘ **c'est/ce n'est pas possible** that's possible/impossible ∘ **dès que** *ou* **aussitôt que possible** as soon as possible. ◾ *nm* ∘ **faire tout son possible** to do one's utmost, to do everything possible ∘ **dans la mesure du possible** as far as possible.

postal, e *adj* postal.

poste ◾ *nf* **1.** *(service)* post *(UK)*, mail *(US)* ∘ **envoyer/recevoir qqch par la poste** to send/receive sthg by post **2.** *(bureau)* post office ∘ **poste restante** poste restante *(UK)*, general delivery *(US)*. ◾ *nm* **1.** *(emplacement)* post ∘ **poste de police** police station **2.** *(emploi)* position, post **3.** *(appareil)* ∘ **poste de radio** radio ∘ **poste de télévision** television (set) **4.** TÉLÉCOM extension.

poster[1] *nm* poster.

poster[2] *vt* **1.** *(lettre)* to post *(UK)*, to mail *(US)* **2.** *(sentinelle)* to post. ■ **se poster** *vp* to position o.s., to station o.s.

postérieur, e *adj* **1.** *(date)* later, subsequent **2.** *(membre)* hind *(avant nom)*, back *(avant nom)*. ■ **postérieur** *nm hum* posterior.

posteriori ■ **a posteriori** *loc adv* a posteriori.

postérité *nf* *(générations à venir)* posterity.

posthume *adj* posthumous.

postiche *adj* false.

postier, ère *nm, f* post-office worker.

postillonner *vi* to splutter.

Post-it® *nm inv* Post-it®, Post-it® note.

post-scriptum *nm inv* postscript.

postulant, e *nm, f* *(pour emploi)* applicant.

postuler *vt* **1.** *(emploi)* to apply for **2.** PHILO to postulate.

posture *nf* posture ∘ **être** *ou* **se trouver en mauvaise posture** *fig* to be in a difficult position.

pot *nm* **1.** *(récipient)* pot, jar **2.** *(à eau, à lait)* jug *(UK)*, pitcher *(US)* ∘ **pot de chambre** chamber pot ∘ **pot de fleurs** flowerpot **3.** AUTO ∘ **pot catalytique** catalytic convertor *ou* converter ∘ **pot d'échappement** exhaust (pipe) **4.** AUTO *(silencieux)* silencer *(UK)*, muffler *(US)* **5.** *fam (boisson)* drink ∘ **faire un pot** to have a drinks party *(UK)*.

potable *adj* **1.** *(liquide)* drinkable ∘ **eau potable** drinking water **2.** *fam (travail)* acceptable.

potage *nm* soup.

potager, ère *adj* ∘ **jardin potager** vegetable garden ∘ **plante potagère** vegetable. ■ **potager** *nm* kitchen *ou* vegetable garden.

potasser *vt fam* **1.** *(cours)* to swot up *(UK)*, to bone up on *(US)* **2.** *(examen)* to swot up for *(UK)*, to bone up for *(US)*.

potassium *nm* potassium.

pot-au-feu *nm inv* ≃ beef-and-vegetable stew.

pot-de-vin *nm* bribe.

pote *nm fam* mate *(UK)*, buddy *(US)*.

poteau *nm* post ∘ **poteau de but** goalpost ∘ **poteau indicateur** signpost ∘ **poteau télégraphique** telegraph pole *(UK)*, telephone pole *(US)*.

potelé, e *adj* plump, chubby.

potence *nf* **1.** CONSTR bracket **2.** *(de pendaison)* gallows *sing*.

potentiel, elle *adj* potential. ■ **potentiel** *nm* potential.

poterie *nf* **1.** *(art)* pottery **2.** *(objet)* piece of pottery.

potiche *nf* *(vase)* vase.

potier, ère *nm, f* potter.

potin *nm fam (bruit)* din. ■ **potins** *nmpl fam (ragots)* gossip *(indénombrable)*.

potion *nf* potion.

potiron *nm* pumpkin.

pot-pourri *nm* potpourri.

pou *nm* louse.

poubelle *nf* **1.** dustbin *(UK)*, trashcan *(US)* **2.** INFORM recycle bin.

pouce *nm* **1.** *(de main)* thumb **2.** *(de pied)* big toe **3.** *(mesure)* inch.

poudre *nf* powder ∘ **prendre la poudre d'escampette** to make off.

poudreux, euse *adj* powdery. ■ **poudreuse** *nf* powder (snow).

poudrier *nm (boîte)* powder compact.

poudrière *nf* 1. powder magazine 2. *fig* powder keg.

pouf ■ *nm* pouffe. ■ *interj* thud!

pouffer *vi* • **pouffer (de rire)** to snigger.

pouilleux, euse *adj* 1. *(personne, animal)* flea-ridden 2. *(endroit)* squalid.

poulailler *nm* 1. *(de ferme)* henhouse 2. *fam* THÉÂTRE gods *sing.*

poulain *nm* 1. foal 2. *fig* protégé.

poule *nf* 1. ZOOL hen 2. *fam péj (femme)* bird (UK), broad (US) 3. SPORT *(compétition)* round robin 4. *(rugby) (groupe)* pool.

poulet *nm* 1. ZOOL chicken • **poulet fermier** free-range chicken 2. *fam (policier)* cop.

pouliche *nf* filly.

poulie *nf* pulley.

poulpe *nm* octopus.

pouls *nm* pulse.

poumon *nm* lung.

poupe *nf* stern.

poupée *nf (jouet)* doll.

poupon *nm* 1. *(bébé)* little baby 2. *(jouet)* baby doll.

pouponnière *nf* nursery.

---

pour *prép*

1. INDIQUE LE DESTINATAIRE
   • **il ferait tout pour elle** he would do anything for her
   • **ce cadeau est pour lui** this gift is for him
   • **ce n'est pas un film pour les enfants** it is not a film for children *ou* it's not a children's film *ou* this film is not suitable for children

2. INDIQUE LA DESTINATION
   • **il part pour l'étranger le mois prochain** he is going abroad next month
   • **il est parti pour l'Espagne hier** he left for Spain yesterday
   • **je voudrais un billet pour Nantes** I'd like a ticket to *ou* for Nantes

3. SUIVI D'UN INFINITIF, EXPRIME LE BUT
   • **je suis venu pour vous voir** I've come to see you
   • **elle fait un régime pour maigrir** she's on a diet to get thinner

   • **j'ai fait ça pour ne pas les déranger** I did that so as not to disturb them

4. POUR DONNER SON POINT DE VUE
   • **pour moi, la situation est pire qu'il y a deux ans** for my part *ou* as far as I'm concerned, the situation is worse than two years ago

5. INDIQUE LA CAUSE
   • **Roland a été puni pour avoir triché** Roland was punished for cheating *ou* having cheated
   • **pour quelle raison ?** why? *ou* for what reason?
   • **il est connu pour sa gentillesse** he's known for his kindness
   • **on l'a félicité pour son élection** he was congratulated on his election

6. INDIQUE LA DURÉE
   • **il est absent pour deux jours** he's absent for two days
   • **le médecin lui a donné un traitement pour six mois** the doctor gave him a six-month treatment

7. INDIQUE UNE DATE LIMITE
   • **sa voiture doit être prête pour demain** his car must be ready for tomorrow *ou* by tomorrow

8. EN FAVEUR DE
   • **je suis pour cette nouvelle mesure** I'm in favour (UK) *ou* favor (US) of this new measure
   • **ils manifestent pour la paix** they're demonstrating for peace

9. À L'ÉGARD DE
   • **j'ai de l'affection pour lui** I'm fond of him

10. INDIQUE UNE PROPORTION
    • **il y a trois filles pour deux garçons dans la classe** there are three girls for two boys in the class

11. EN ÉCHANGE DE
    • **j'ai eu cette robe pour 15 euros** I got this dress for 15 euros

12. À LA PLACE DE, AU NOM DE
    • **peux-tu signer pour moi ?** can you sign for me *ou* in my place?
    • **il a parlé pour nous tous** he spoke on behalf of all of us *ou* on our behalf *ou* for all of us.

---

pour *adv*

• **je suis pour !** I'm (all) for it!

---

pour *nm*

• **le pour et le contre** the pros and cons *pl.*

■ **pour que** *loc conj*

• **ils se sacrifient pour que leurs enfants puissent faire des études** they make sacrifices so that their children can go to university.

pourboire *nm* tip.

pourcentage *nm* percentage.

pourparlers *nmpl* talks.

pourpre *nm & adj* crimson.

pourquoi ◫ *adv* why • **pourquoi pas ?** why not? • **c'est pourquoi…** that's why… ◫ *nm inv* • **le pourquoi (de)** the reason (for).

pourri, e *adj* **1.** *(fruit)* rotten **2.** *(personne, milieu)* corrupt **3.** *(enfant)* spoiled rotten, ruined.

pourrir ◫ *vt* **1.** *(matière, aliment)* to rot, to spoil **2.** *(enfant)* to ruin, to spoil rotten. ◫ *vi* **1.** *(matière)* to rot **2.** *(fruit, aliment)* to go rotten *ou* bad.

pourriture *nf* **1.** *(d'aliment)* rot **2.** *fig (de personne, de milieu)* corruption **3.** *injur (personne)* bastard.

poursuite *nf* **1.** *(de personne)* chase **2.** *(d'argent, de vérité)* pursuit **3.** *(de négociations)* continuation. ■ **poursuites** *nfpl* DR (legal) proceedings.

poursuivi, e *pp* ▷ **poursuivre**.

poursuivre ◫ *vt* **1.** *(voleur)* to pursue, to chase **2.** *(gibier)* to hunt **3.** *(rêve, vengeance)* to pursue **4.** *(enquête, travail)* to carry on with, to continue **5.** DR *(criminel)* to prosecute **6.** *(voisin)* to sue. ◫ *vi* to go on, to carry on.

pourtant *adv* nevertheless, even so.

pourtour *nm* perimeter.

pourvoi *nm* DR appeal.

pourvoir ◫ *vt* • **pourvoir qqn de** to provide sb with • **pourvoir qqch de** to equip *ou* fit sthg with. ◫ *vi* • **pourvoir à** to provide for.

pourvu, e *pp* ▷ **pourvoir**. ■ **pourvu que** *loc conj* **1.** *(condition)* providing, provided (that) **2.** *(souhait)* let's hope (that).

pousse *nf* **1.** *(croissance)* growth **2.** *(bourgeon)* shoot **3.** ÉCON • **jeune pousse** start-up.

poussé, e *adj* **1.** *(travail)* meticulous **2.** *(moteur)* souped-up.

pousse-café *nm inv fam* liqueur.

poussée *nf* **1.** *(pression)* pressure **2.** *(coup)* push **3.** *(de fièvre, inflation)* rise.

pousse-pousse *nm inv* **1.** *(voiture)* rickshaw **2.** *(Suisse) (poussette)* pushchair.

pousser ◫ *vt* **1.** *(personne, objet)* to push **2.** *(moteur, voiture)* to drive hard **3.** *(recherches, études)* to carry on, to continue **4.** *(cri, soupir)* to give **5.** *(inciter)* • **pousser qqn à faire qqch** to urge sb to do sthg **6.** *(au crime, au suicide)* • **pousser qqn à** to drive sb to. ◫ *vi* **1.** *(exercer une pression)* to push **2.** *(croître)* to grow **3.** *fam (exagérer)* to overdo it.

■ **se pousser** *vp* to move up.

poussette *nf* pushchair *(UK)*, stroller *(US)*.

poussière *nf (gén)* dust.

poussiéreux, euse *adj* **1.** *(meuble)* dusty **2.** *fig (organisation)* old-fashioned.

poussif, ive *adj fam* wheezy.

poussin *nm* **1.** ZOOL chick **2.** SPORT under-11.

poutre *nf* beam.

poutrelle *nf* girder.

pouvoir ◼ *nm* 1. (*gén*) power ◦ **pouvoir d'achat** purchasing power ◦ **les pouvoirs publics** the authorities 2. DR proxy, power of attorney. ◼ *vt* 1. (*avoir la possibilité de, parvenir à*) ◦ **pouvoir faire qqch** to be able to do sthg ◦ **je ne peux pas venir ce soir** I can't come tonight ◦ **pouvez-vous... ?** can you…?, could you…? ◦ **je n'en peux plus** (*exaspéré*) I'm at the end of my tether ◦ (*fatigué*) I'm exhausted ◦ **je/tu n'y peux rien** there's nothing I/you can do about it ◦ **tu aurais pu me le dire !** you might have *ou* could have told me! 2. (*avoir la permission de*) ◦ **je peux prendre la voiture ?** can I borrow the car? ◦ **aucun élève ne peut partir** no pupil may leave 3. (*indiquant l'éventualité*) ◦ **il peut pleuvoir** it may rain ◦ **vous pourriez rater votre train** you could *ou* might miss your train.
◼ **se pouvoir** *v impers* ◦ **il se peut que je me trompe** I may be mistaken ◦ **cela se peut/pourrait bien** that's quite possible.

pragmatique *adj* pragmatic.

Prague *npr* Prague.

prairie *nf* 1. meadow 2. (*aux États-Unis*) prairie.

praline *nf* 1. (*amande*) sugared almond 2. (*Belgique*) (*chocolat*) chocolate.

praticable *adj* 1. (*route*) passable 2. (*plan*) feasible, practicable.

praticien, enne *nm, f* 1. practitioner 2. MÉD medical practitioner.

pratiquant, e *adj* practising (*UK*), practicing (*US*).

pratique ◼ *nf* 1. (*expérience*) practical experience 2. (*usage*) practice ◦ **mettre qqch en pratique** to put sthg into practice. ◼ *adj* 1. practical 2. (*gadget, outil*) handy.

pratiquement *adv* 1. (*en fait*) in practice 2. (*quasiment*) practically.

pratiquer ◼ *vt* 1. (*métier*) to practise (*UK*), to practice (*US*) 2. (*sport*) to do 3. (*jeu de ballon*) to play 4. (*méthode*) to apply 5. (*ouverture*) to make. ◼ *vi* RELIG to be a practising (*UK*) *ou* practicing (*US*) Christian/Jew/Muslim *etc*.

pré *nm* meadow.

préalable ◼ *adj* prior, previous. ◼ *nm* precondition. ◼ **au préalable** *loc adv* first, beforehand.

préambule *nm* 1. (*introduction, propos*) preamble ◦ **sans préambule** immediately 2. (*prélude*) ◦ **préambule de** prelude to.

préau *nm* (*d'école*) (covered) play area.

préavis *nm inv* advance notice *ou* warning.

précaire *adj* (*incertain*) precarious.

précariser *vt* to make (sthg) less secure *ou* stable ◦ **précariser l'emploi** to threaten job security ◦ **la crise a précarisé leur situation** the recession has made them more vulnerable.

précaution *nf* 1. (*prévoyance*) precaution ◦ **par précaution** as a precaution ◦ **prendre des précautions** to take precautions 2. (*prudence*) caution.

précédent, e *adj* previous. ◼ **précédent** *nm* precedent ◦ **sans précédent** unprecedented.

précéder *vt* 1. (*dans le temps - gén*) to precede ◦ (*- suj : personne*) to arrive before 2. (*marcher devant*) to go in front of 3. *fig* (*devancer*) to get ahead of.

précepte *nm* precept.

précepteur, trice *nm, f* (*private*) tutor.

prêcher *vt* & *vi* to preach.

précieux, euse *adj* 1. (*pierre, métal*) precious 2. (*objet*) valuable 3. (*collaborateur*) invaluable, valued 4. *péj* (*style*) precious, affected.

précipice *nm* precipice.

précipitation *nf* 1. (*hâte*) haste 2. CHIM precipitation. ◼ **précipitations** *nfpl* MÉTÉOR precipitation (*indénombrable*).

précipiter *vt* 1. (*objet, personne*) to throw, to hurl ◦ **précipiter qqn/qqch du haut de** to throw sb/sthg off, to hurl sb/sthg off 2. (*départ*) to hasten.
◼ **se précipiter** *vp* 1. (*se jeter*) to throw o.s., to hurl o.s. 2. (*s'élancer*) ◦ **se précipiter (vers qqn)** to rush *ou* hurry (towards sb) 3. (*s'accélérer - gén*) to speed up ◦ (*- choses, événements*) to move faster.

précis, e *adj* 1. (*exact*) precise, accurate 2. (*fixé*) definite, precise. ◼ **précis** *nm* handbook.

précisément *adv* precisely, exactly.

préciser *vt* 1. (*heure, lieu*) to specify 2. (*pensée*) to clarify.
◼ **se préciser** *vp* to become clear.

précision *nf* 1. (*de style, d'explication*) precision 2. (*détail*) detail.

précoce *adj* 1. *(plante, fruit)* early 2. *(enfant)* precocious.

préconçu, e *adj* preconceived.

préconiser *vt* to recommend • **préconiser de faire qqch** to recommend doing sthg.

précurseur ◼ *nm* precursor, forerunner. ◼ *adj* precursory.

prédateur, trice *adj* predatory. ◼ **prédateur** *nm* predator.

prédécesseur *nm* predecessor.

prédestiner *vt* to predestine • **être prédestiné à qqch/à faire qqch** to be predestined for sthg/to do sthg.

prédicateur, trice *nm, f* preacher.

prédiction *nf* prediction.

prédilection *nf* partiality • **avoir une prédilection pour** to have a partiality *ou* liking for.

prédire *vt* to predict.

prédit, e *pp* ▷ **prédire**.

prédominer *vt* to predominate.

préfabriqué, e *adj* 1. *(maison)* prefabricated 2. *(accusation, sourire)* false. ◼ **préfabriqué** *nm* prefabricated material.

préface *nf* preface.

préfecture *nf* prefecture.

préférable *adj* preferable.

préféré, e *adj & nm, f* favourite *(UK)*, favorite *(US)*.

préférence *nf* preference • **de préférence** preferably.

préférentiel, elle *adj* preferential.

préférer *vt* • **préférer qqn/qqch (à)** to prefer sb/sthg (to) • **je préfère rentrer** I would rather go home, I would prefer to go home • **je préfère ça !** I like that better!, I prefer that!

préfet *nm* prefect.

préfixe *nm* prefix.

préhistoire *nf* prehistory.

préinscription *nf* preregistration.

préjudice *nm* harm *(indénombrable)*, detriment *(indénombrable)* • **porter préjudice à qqn** to harm sb.

préjugé *nm* • **préjugé (contre)** prejudice (against).

prélasser ◼ **se prélasser** *vp* to lounge.

prélat *nm* prelate.

prélavage *nm* pre-wash.

prélèvement *nm* 1. MÉD removal 2. *(de sang)* sample 3. FIN deduction • **prélève-**

ment automatique direct debit *(UK)* • **prélèvement mensuel** monthly standing order *(UK)* • **prélèvements obligatoires** tax and social security contributions.

prélever *vt* 1. FIN • **prélever de l'argent (sur)** to deduct money (from) 2. MÉD to remove • **prélever du sang** to take a blood sample.

préliminaire *adj* preliminary. ◼ **préliminaires** *nmpl* 1. *(de paix)* preliminary talks 2. *(de discours)* preliminaries.

prématuré, e ◼ *adj* premature. ◼ *nm, f* premature baby.

préméditation *nf* premeditation • **avec préméditation** *(meurtre)* premeditated • *(agir)* with premeditation.

premier, ère ◼ *adj* 1. *(gén)* first 2. *(étage)* first *(UK)*, second *(US)* 3. *(qualité)* top 4. *(état)* original. ◼ *nm, f* first • **jeune premier** CINÉ leading man. ◼ **premier** *nm (étage)* first floor *(UK)*, second floor *(US)*. ◼ **première** *nf* 1. CINÉ première 2. THÉÂTRE première, first night 3. *(exploit)* first 4. *(première classe)* first class 5. SCOL ≃ lower sixth year *ou* form *(UK)*, ≃ eleventh grade *(US)* 6. AUTO first (gear). ◼ **premier de l'an** *nm* • **le premier de l'an** New Year's Day. ◼ **en premier** *loc adv* first, firstly.

premièrement *adv* first, firstly.

prémonition *nf* premonition.

prémunir *vt* • **prémunir qqn (contre)** to protect sb (against). ◼ **se prémunir** *vp* to protect o.s. • **se prémunir contre qqch** to guard against sthg.

prénatal, e *adj* 1. antenatal, prenatal *(US)* 2. *(allocation)* maternity *(avant nom)*.

prendre *vt*

1. ATTRAPER, SAISIR
• **prends ça, c'est pour toi** take this, it's for you
• **il l'a pris dans le placard** he took it out of the cupboard

2. EMPRUNTER, VOLER
• **il m'a pris ma montre** he took my watch off *ou* away from me
• **un voleur lui a pris son sac** a thief has taken *ou* stolen her bag *ou* has robbed her of her bag

3. REPAS, BOISSON

• **vous prendrez quelque chose ?** would you like something to eat/drink?

• **je prends mon petit déjeuner à 7 h 30** I have breakfast at 7.30

4. ALLER CHERCHER

• **prends du pain en rentrant** get some bread on your way home

• **ma mère est passée me prendre à la gare** my mother collected me from *ou* picked me up at the station

• **peux-tu passer me prendre à mon bureau ?** can you call for me at my office?

5. ATTRAPER, SURPRENDRE

• **se faire prendre** to get caught

• **le voleur s'est fait prendre** the robber was *ou* got caught

• **je l'ai pris sur le fait** I caught him red-handed *ou* in the act

• **je vous y prends !** caught you!

6. POIDS

• **il a encore pris du poids** he has gained weight again *ou* put on weight again

7. TEMPS

• **ce travail prend beaucoup de temps mais il est intéressant** this work takes a lot of time but it's interesting

• **le voyage a pris des heures** the trip took hours *ou* ages

• **calme-toi ! ça ne prendra pas longtemps** calm down! it won't be long

8. INTERPRÉTER

• **il a très mal pris ma remarque** he took my remark very badly *ou* he didn't take my remark kindly

• **si vous le prenez ainsi, nous ferions mieux de cesser notre discussion** if that's how you want it, we'd better stop our discussion

9. MANIER

• **nous savons le prendre maintenant** we know how to handle *ou* approach *ou* get round him now

• **il est très agréable mais il faut savoir le prendre** he's very nice but one has to keep on the right side of him

• **il n'y a qu'une façon de prendre le problème** there's only one way to deal with the problem *ou* to tackle the problem *ou* to go about the problem.

prendre *vi*

1. PASSER DE L'ÉTAT LIQUIDE À L'ÉTAT PÂTEUX OU SOLIDE

• **fais attention ! le ciment prend très vite** be careful! the concrete sets very fast

2. PLANTE, GREFFE

• **la bouture a bien pris** the slip has taken well

• **la greffe n'a pas pris** the graft didn't take

3. MODE

• **cette mode a pris à Paris** this fashion caught on in Paris

4. FEU, INCENDIE

• **la maison a pris feu** the house caught on fire

• **le feu ne veut pas prendre** the fire won't start

5. SE DIRIGER

• **prends à droite après le cinéma** turn right after the cinema.

■ se prendre *vp*

SE CONSIDÉRER

• **pour qui se prend-il ?** who does he think he is?

■ s'en prendre *vp*

1. PHYSIQUEMENT

• **s'en prendre à qqn** to set about sb (UK)

2. VERBALEMENT

• **s'en prendre à qqn** to take it out on sb.

■ s'y prendre *vp*

• **je sais comment m'y prendre** I know how to do it *ou* go about it.

prénom *nm* first name.

prénommer *vt* to name, to call.
■ **se prénommer** *vp* to be called.

prénuptial, e *adj* premarital.

préoccupation *nf* preoccupation.

préoccuper *vt* to preoccupy.
■ **se préoccuper** *vp* • **se préoccuper de qqch** to be worried about sthg.

préparatifs *nmpl* preparations.

préparation *nf* preparation.

préparer *vt* **1.** *(gén)* to prepare **2.** *(plat, repas)* to cook, to prepare • **préparer qqn à qqch** to prepare sb for sthg **3.** *(réserver)* • **préparer qqch à qqn** to have sthg in store for sb **4.** *(congrès)* to organize.

■ **se préparer** *vp* **1.** *(personne)* ▪ **se préparer à qqch/à faire qqch** to prepare for sthg/to do sthg **2.** *(tempête)* to be brewing.

prépondérant, e *adj* dominating.

préposé, e *nm, f* **1.** (minor) official **2.** *(de vestiaire)* attendant **3.** *(facteur)* postman (*f* postwoman) *(UK)*, mailman *(US)*, mail *ou* letter carrier *(US)* ▪ **préposé à qqch** person in charge of sthg.

préposition *nf* preposition.

préretraite *nf* **1.** early retirement **2.** *(allocation)* early retirement pension.

prérogative *nf* prerogative.

près *adv* near, close. ■ **de près** *loc adv* closely ▪ **regarder qqch de près** to watch sthg closely. ■ **près de** *loc prép* **1.** *(dans l'espace)* near, close to **2.** *(dans le temps)* close to **3.** *(presque)* nearly, almost. ■ **à peu près** *loc adv* more or less, just about ▪ **il est à peu près cinq heures** it's about five o'clock. ■ **à ceci près que, à cela près que** *loc conj* except that, apart from the fact that. ■ **à... près** *loc adv* ▪ **à dix centimètres près** to within ten centimetres ▪ **il n'en est pas à un ou deux jours près** a day or two more or less won't make any difference.

présage *nm* omen.

présager *vt* **1.** *(annoncer)* to portend **2.** *(prévoir)* to predict.

presbytère *nm* presbytery.

presbytie *nf* longsightedness *(UK)*, farsightedness *(US)*.

prescription *nf* **1.** MÉD prescription **2.** DR limitation.

prescrire *vt* **1.** *(mesures, conditions)* to lay down, to stipulate **2.** MÉD to prescribe.

prescrit, e *pp* ▷ **prescrire**.

préséance *nf* precedence.

présélection *nf* **1.** preselection **2.** *(pour concours)* making a list of finalists, short-listing *(UK)*.

présence *nf* **1.** *(gén)* presence ▪ **en présence** face to face ▪ **en présence de** in the presence of **2.** *(compagnie)* company *(indénombrable)* **3.** *(assiduité)* attendance ▪ **feuille de présence** attendance sheet. ■ **présence d'esprit** *nf* presence of mind.

présent, e *adj* *(gén)* present ▪ **le présent ouvrage** this work ▪ **la présente loi** this law ▪ **avoir qqch présent à l'esprit** to re-

member sthg. ■ **présent** *nm* **1.** *(gén)* present ▪ **à présent** at present ▪ **à présent que** now that ▪ **jusqu'à présent** up to now, so far ▪ **dès à présent** right away **2.** GRAMM ▪ **le présent** the present tense.

présentable *adj* *(d'aspect)* presentable.

présentateur, trice *nm, f* presenter *(UK)*, anchorman (*f* anchorwoman).

présentation *nf* **1.** *(de personne)* ▪ **faire les présentations** to make the introductions **2.** *(aspect extérieur)* appearance **3.** *(de papiers, de produit, de film)* presentation **4.** *(de magazine)* layout.

présenter *vt* **1.** *(gén)* to present **2.** *(projet)* to present, to submit **3.** *(invité)* to introduce **4.** *(condoléances, félicitations, avantages)* to offer **5.** *(hommages)* to pay ▪ **présenter qqch à qqn** to offer sb sthg.
■ **se présenter** *vp* **1.** *(se faire connaître)* ▪ **se présenter (à)** to introduce o.s. (to) **2.** *(être candidat)* ▪ **se présenter à** to stand in *(UK)*, to run in *(US)* ▪ **se présenter aux présidentielles** to run for president **3.** *(examen)* to sit *(UK)*, to take ▪ **se présenter pour un poste** to apply for a job **4.** *(paraître)* to appear **5.** *(occasion, situation)* to arise, to present itself **6.** *(affaire, contrat)* ▪ **se présenter bien/mal** to look good/bad.

présentoir *nm* display stand.

préservatif *nm* condom.

préserver *vt* to preserve.
■ **se préserver** *vp* ▪ **se préserver de** to protect o.s. from.

présidence *nf* **1.** *(de groupe)* chairmanship **2.** *(d'État)* presidency.

président, e *nm, f* **1.** *(d'assemblée)* chairman (*f* chairwoman) **2.** *(d'État)* president ▪ **président de la République** President (of the Republic) of France **3.** DR *(de tribunal)* presiding judge **4.** *(de jury)* foreman *(f* forewoman).

présider ◼ *vt* **1.** *(réunion)* to chair **2.** *(banquet, dîner)* to preside over. ◼ *vi* ▪ **présider à** to be in charge of ▪ *fig* to govern, to preside at.

présomption *nf* **1.** *(hypothèse)* presumption **2.** DR presumption ▪ **présomption d'innocence** presumption of innocence.

présomptueux, euse *adj* presumptuous.

presque *adv* almost, nearly ▪ **presque rien** next to nothing, scarcely anything ▪ **presque jamais** hardly ever.

presqu'île *nf* peninsula.

pressant, e *adj* pressing.

presse *nf* **1.** *(journaux)* press **2.** *(d'imprimerie)* press.

pressé, e *adj* **1.** *(travail)* urgent **2.** *(personne)* ▪ **être pressé** to be in a hurry **3.** *(citron, orange)* freshly squeezed.

pressentiment *nm* premonition.

pressentir *vt* *(événement)* to have a premonition of.

presse-papiers *nm inv* paperweight.

presser *vt* **1.** *(écraser - olives)* to press ▪ (- citron, orange) to squeeze **2.** *(bouton)* to press, to push **3.** *sout (harceler)* ▪ **presser qqn de faire qqch** to press sb to do sthg **4.** *(faire se hâter)* ▪ **presser le pas** to speed up, to walk faster. ◼ **se presser** *vp* **1.** *(se dépêcher)* to hurry (up) **2.** *(s'agglutiner)* ▪ **se presser (autour de)** to crowd (around) **3.** *(se serrer)* to huddle.

pressing *nm* *(établissement)* dry cleaner's.

pression *nf* **1.** *(gén)* pressure ▪ **exercer une pression sur qqch** to exert pressure on sthg ▪ **sous pression** *fig (liquide)* under pressure ▪ *(cabine)* pressurized **2.** *(sur vêtement)* press stud *(UK)*, popper *(UK)*, snap fastener *(US)* **3.** *(bière)* draught *(UK)* ou draft *(US)* beer.

pressoir *nm* **1.** *(machine)* press **2.** *(lieu)* press house.

pressurer *vt* **1.** *(objet)* to press, to squeeze **2.** *fig (contribuable)* to squeeze.

prestance *nf* bearing ▪ **avoir de la prestance** to have presence.

prestataire *nmf* **1.** *(bénéficiaire)* person in receipt of benefit, claimant **2.** *(fournisseur)* provider ▪ **prestataire de service** service provider.

prestation *nf* **1.** *(allocation)* benefit *(UK)* ▪ **prestation en nature** payment in kind **2.** *(de comédien)* performance.

preste *adj littéraire* nimble.

prestidigitateur, trice *nm, f* conjurer.

prestige *nm* prestige.

prestigieux, euse *adj* *(réputé)* prestigious.

présumer ◼ *vt* to presume, to assume ▪ **être présumé coupable/innocent** to be presumed guilty/innocent. ◼ *vi* ▪ **présumer de qqch** to overestimate sthg.

prêt, e *adj* ready ▪ **prêt à qqch/à faire qqch** ready for sthg/to do sthg ▪ **prêts ? partez !** SPORT get set, go!, ready, steady, go! *(UK)* ◼ **prêt** *nm* **1.** *(action)* lending *(indénombrable)* **2.** *(somme)* loan ▪ **prêt bancaire** bank loan.

prêt-à-porter *nm* ready-to-wear clothing *(indénombrable)*.

prétendant *nm* **1.** *(au trône)* pretender **2.** *(amoureux)* suitor.

prétendre *vt* **1.** *(affecter)* ▪ **prétendre faire qqch** to claim to do sthg **2.** *(affirmer)* ▪ **prétendre que** to claim (that), to maintain (that).

<table>
<tr><td>À PROPOS DE...</td><td>

prétendre

« Prétendre » ne se traduit pas par *to pretend*, bien que les deux orthographes se ressemblent et que les deux mots soient liés à la notion de fausseté (prouvée ou non). La traduction correcte est *to claim*, comme dans « elle prétend que son enfant sait déjà marcher », *she claims her child can already walk. To pretend*, quant à lui, veut dire « faire semblant ». Ainsi, *he's not ill, he's just pretending!* équivaut à « il n'est pas malade, il *fait semblant*, c'est tout ! ».

</td></tr>
</table>

prétendu, e ◼ *pp* ▷ **prétendre**. ◼ *adj* *(avant nom)* so-called.

prête-nom *nm* front man.

prétentieux, euse *adj* pretentious.

prétention *nf* **1.** *(suffisance)* pretentiousness **2.** *(ambition)* pretension, ambition • **avoir la prétention de faire qqch** to claim *ou* pretend to do sthg.

prêter *vt* **1.** *(fournir)* • **prêter qqch (à qqn)** *(objet, argent)* to lend (sb) sthg • *fig (concours, appui)* to lend (sb) sthg, to give (sb) sthg **2.** *(attribuer)* • **prêter qqch à qqn** to attribute sthg to sb.
◼ **se prêter** *vp* • **se prêter à** *(participer à)* to go along with • *(convenir à)* to fit, to suit.

prétérit *nm* preterite.

prêteur, euse *nm, f* • **prêteur sur gages** pawnbroker.

prétexte *nm* pretext, excuse • **sous prétexte de faire qqch/que** on the pretext of doing sthg/that, under the pretext of doing sthg/that • **sous aucun prétexte** on no account.

prétexter *vt* to give as an excuse.

prétimbré, e *adj* prepaid.

prêtre *nm* priest.

preuve *nf* **1.** *(gén)* proof **2.** DR evidence **3.** *(témoignage)* sign, token • **faire preuve de qqch** to show sthg • **faire ses preuves** to prove o.s./itself.

prévaloir *vi* *(dominer)* • **prévaloir (sur)** to prevail (over).
◼ **se prévaloir** *vp* • **se prévaloir de** to boast about.

prévalu *pp inv* ▷ **prévaloir.**

prévenance *nf (attitude)* thoughtfulness, consideration.

prévenant, e *adj* considerate, attentive.

prévenir *vt* **1.** *(employé, élève)* • **prévenir qqn (de)** to warn sb (about) **2.** *(police)* to inform **3.** *(désirs)* to anticipate **4.** *(maladie)* to prevent.

préventif, ive *adj* **1.** *(mesure, médecine)* preventive **2.** DR • **être en détention préventive** to be on remand.

prévention *nf* **1.** *(protection)* • **prévention (contre)** prevention (of) • **prévention routière** road safety (measures) **2.** DR remand.

prévenu, e ◼ *pp* ▷ **prévenir.** ◼ *nm, f* accused, defendant.

prévision *nf* **1.** forecast, prediction • **les prévisions météorologiques** the weather forecast **2.** *(de coûts)* estimate **3.** ÉCON forecast. ◼ **en prévision de** *loc prép* in anticipation of.

prévoir *vt* **1.** *(s'attendre à)* to expect **2.** *(prédire)* to predict **3.** *(anticiper)* to foresee, to anticipate **4.** *(programmer)* to plan • **comme prévu** as planned, according to plan.

prévoyant, e *adj* provident.

prévu, e *pp* ▷ **prévoir.**

prier ◼ *vt* **1.** RELIG to pray to **2.** *(implorer)* to beg • **(ne pas) se faire prier (pour faire qqch)** (not) to need to be persuaded (to do sthg) • **je vous en prie** *(de grâce)* please, I beg you • *(de rien)* don't mention it, not at all **3.** *sout (demander)* • **prier qqn de faire qqch** to request sb to do sthg. ◼ *vi* RELIG to pray.

prière *nf* **1.** (RELIG - *recueillement)* prayer *(indénombrable)*, praying *(indénombrable)* • *(- formule)* prayer **2.** *littéraire (demande)* entreaty • **prière de frapper avant d'entrer** please knock before entering.

primaire *adj* **1.** *(premier)* • **études primaires** primary education *(indénombrable)* **2.** *péj (primitif)* limited.

prime ◼ *nf* **1.** *(d'employé)* bonus • **prime d'intéressement** profit-related bonus **2.** *(allocation - de déménagement, de transport)* allowance *(UK)* • *(- à l'exportation)* incentive **3.** *(d'assurance)* premium. ◼ *adj* **1.** *(premier)* • **de prime abord** at first glance • **de prime jeunesse** in the first flush of youth **2.** MATH prime.

primer ◼ *vi* to take precedence, to come first. ◼ *vt* **1.** *(être supérieur à)* to take precedence over **2.** *(récompenser)* to award a prize to • **le film a été primé au festival** the film won an award at the festival.

primeur *nf* immediacy • **avoir la primeur de qqch** to be the first to hear sthg. ◼ **primeurs** *nfpl* early produce *(indénombrable)*.

primevère *nf* primrose.

primitif, ive ◼ *adj* **1.** *(gén)* primitive **2.** *(aspect)* original. ◼ *nm, f* primitive.

primordial, e *adj* essential.

prince *nm* prince.

princesse *nf* princess.

princier, ère *adj* princely.

principal, e ◨ *adj* (gén) main, principal. ◨ *nm, f* **1.** (important) ▸ **le principal** the main thing **2.** SCOL headmaster (*f* headmistress) (UK), principal (US).

principalement *adv* mainly, principally.

principauté *nf* principality.

principe *nm* principle ▸ **par principe** on principle. ▪ **en principe** *loc adv* theoretically, in principle.

printanier, ère *adj* (temps) spring-like.

printemps *nm* **1.** (saison) spring **2.** *fam* (année) ▸ **avoir 20 printemps** to be 20.

prion *nm* BIOL & MÉD prion.

priori ▪ **a priori** ◨ *loc adv* in principle. ◨ *nm inv* initial reaction.

prioritaire *adj* **1.** (industrie, mesure) priority (avant nom) **2.** AUTO with right of way.

priorité *nf* **1.** (importance primordiale) priority ▸ **en priorité** first **2.** AUTO right of way ▸ **priorité à droite** give way to the right.

pris, e ◨ *pp* ⇨ prendre. ◨ *adj* **1.** (place) taken **2.** (personne) busy **3.** (mains) full **4.** (nez) blocked **5.** (gorge) sore. ▪ **prise** *nf* **1.** (sur barre, sur branche) grip, hold ▸ **lâcher prise** to let go ▸ *fig* to give up **2.** (action de prendre - de ville) seizure, capture ▸ **prise en charge** (par Sécurité sociale) (guaranteed) reimbursement ▸ **prise d'otages** hostage taking ▸ **prise de sang** blood test ▸ **prise de vue** shot ▸ **prise de vue** *ou* **vues** (action) filming, shooting **3.** (à la pêche) haul **4.** ÉLECTR ▸ **prise (de courant)** (mâle) plug ▸ (femelle) socket **5.** (de judo) hold.

prisme *nm* prism.

prison *nf* **1.** (établissement) prison **2.** (réclusion) imprisonment.

prisonnier, ère ◨ *nm, f* prisoner ▸ **faire qqn prisonnier** to take sb prisoner, to capture sb. ◨ *adj* **1.** imprisoned **2.** *fig* trapped.

privation *nf* deprivation. ▪ **privations** *nfpl* privations, hardships.

privatisation *nf* privatization.

privatiser *vt* to privatize.

privé, e *adj* private. ▪ **privé** *nm* **1.** ÉCON private sector **2.** (détective) private eye **3.** (intimité) ▸ **en privé** in private ▸ **dans le privé** in private life.

priver *vt* ▸ **priver qqn (de)** to deprive sb (of).

privilège *nm* privilege.

privilégié, e ◨ *adj* **1.** (personne) privileged **2.** (climat, site) favoured (UK), favored (US). ◨ *nm, f* privileged person.

prix *nm* **1.** (coût) price ▸ **à aucun prix** on no account ▸ **hors de prix** too expensive ▸ **à moitié prix** at half price ▸ **à tout prix** at all costs ▸ **y mettre le prix** to pay a lot **2.** (importance) value **3.** (récompense) prize ▸ **prix Goncourt** *si vous voulez expliquer à un anglophone de quoi il s'agit, vous pouvez dire* it is the most prestigious French literary prize. It is awarded annually.

probabilité *nf* **1.** (chance) probability **2.** (vraisemblance) probability, likelihood ▸ **selon toute probabilité** in all probability.

probable *adj* probable, likely.

probablement *adv* probably.

probant, e *adj* convincing, conclusive.

probité *nf* integrity.

problème *nm* problem ▸ **sans problème !, (il n'y a) pas de problème !** *fam* no problem! ▸ **ça ne lui pose aucun problème** *hum* that doesn't worry him/her.

procédé *nm* **1.** (méthode) process **2.** (conduite) behaviour (indénombrable) (UK), behavior (indénombrable) (US).

procéder *vi* **1.** (agir) to proceed **2.** (exécuter) ▸ **procéder à qqch** to set about sthg.

procédure *nf* **1.** procedure **2.** (démarche) proceedings *pl*.

procès *nm* DR trial ▸ **intenter un procès à qqn** to sue sb.

processeur *nm* processor.

procession *nf* procession.

processus *nm* process.

procès-verbal *nm* **1.** (contravention - gén) ticket ▸ (- pour stationnement interdit) parking ticket **2.** (compte-rendu) minutes.

prochain, e *adj* **1.** (suivant) next ▸ **à la prochaine !** *fam* see you! **2.** (imminent) impending. ▪ **prochain** *nm* littéraire (semblable) fellow man.

prochainement *adv* soon, shortly.

proche *adj* **1.** (dans l'espace) near ▸ **proche de** near, close to ▸ (semblable à) very similar to, closely related to **2.** (dans le temps) imminent, near ▸ **dans un proche avenir** in the immediate future **3.** (ami, parent) close. ▪ **proches** *nmpl* ▸ **les proches** close friends and relatives *sing*. ▪ **de proche en proche** *loc adv* sout gradually.

Proche-Orient *nm* • **le Proche-Orient** the Near East.

proclamation *nf* proclamation.

proclamer *vt* to proclaim, to declare.

procréer *vt littéraire* to procreate.

procuration *nf* proxy • **par procuration** by proxy.

procurer *vt* • **procurer qqch à qqn** (*suj : personne*) to obtain sthg for sb • (*suj : chose*) to give *ou* bring sb sthg.
■ **se procurer** *vp* • **se procurer qqch** to obtain sthg.

procureur *nm* • **Procureur de la République** public prosecutor.

prodige *nm* **1.** (*miracle*) miracle **2.** (*tour de force*) marvel, wonder **3.** (*génie*) prodigy.

prodigieux, euse *adj* fantastic, incredible.

prodigue *adj* (*dépensier*) extravagant.

prodiguer *vt littéraire* (*soins, amitié*) • **prodiguer qqch (à)** to lavish sthg (on).

producteur, trice ■ *nm, f* **1.** (*gén*) producer **2.** AGRIC producer, grower. ■ *adj* • **producteur de pétrole** oil-producing (*avant nom*).

productif, ive *adj* productive.

production *nf* **1.** (*gén*) production • **la production littéraire d'un pays** the literature of a country **2.** (*producteurs*) producers *pl*.

productivité *nf* productivity.

produire *vt* **1.** (*gén*) to produce **2.** (*provoquer*) to cause.
■ **se produire** *vp* **1.** (*arriver*) to occur, to take place **2.** (*acteur, chanteur*) to appear.

produit, e *pp* ▷ **produire**. ■ **produit** *nm* (*gén*) product • **produits alimentaires** foodstuffs, foods • **produit de beauté** cosmetic, beauty product • **produits chimiques** chemicals • **produits d'entretien** cleaning products • **produit financier** financial product • **produit de grande consommation** mass consumption product.

proéminent, e *adj* prominent.

profane ■ *nmf* **1.** (*non religieux*) non-believer **2.** (*novice*) layman. ■ *adj* **1.** (*laïc*) secular **2.** (*ignorant*) ignorant.

profaner *vt* **1.** (*église*) to desecrate **2.** *fig* (*mémoire*) to defile.

proférer *vt* to utter.

professeur *nm* **1.** (*gén*) teacher **2.** (*dans l'enseignement supérieur*) lecturer **3.** (*titulaire*) professor.

profession *nf* **1.** (*métier*) occupation • **sans profession** unemployed **2.** (*corps de métier - libéral*) profession • **profession libérale** (liberal) profession • **être en profession libérale** to work in a liberal profession • (*- manuel*) trade.

professionnel, elle ■ *adj* **1.** (*gén*) professional **2.** (*école*) technical **3.** (*enseignement*) vocational. ■ *nm, f* professional.

professorat *nm* teaching.

profil *nm* **1.** (*de personne, d'emploi*) profile **2.** (*de bâtiment*) outline • **de profil** (*visage, corps*) in profile • (*objet*) from the side **3.** (*coupe*) section **4.** INFORM • **profil (utilisateur)** (user) profil.

profiler *vt* to shape.
■ **se profiler** *vp* **1.** (*bâtiment, arbre*) to stand out **2.** (*solution*) to emerge.

profit *nm* **1.** (*avantage*) benefit • **au profit de** in aid of • **tirer profit de** to profit from, to benefit from **2.** (*gain*) profit.

profitable *adj* profitable • **être profitable à qqn** to benefit sb, to be beneficial to sb.

profiter *vi* (*tirer avantage*) • **profiter de** (*vacances*) to benefit from • (*personne*) to take advantage of • **profiter de qqch pour faire qqch** to take advantage of sthg to do sthg • **en profiter** to make the most of it.

profond, e *adj* **1.** (*gén*) deep **2.** (*pensée*) deep, profound.

profondément *adv* **1.** (*enfoui*) deep **2.** (*intensément - aimer, intéresser*) deeply • (*- dormir*) soundly • **être profondément endormi** to be fast asleep **3.** (*extrêmement - convaincu, ému*) deeply, profoundly • (*- différent*) profoundly.

profondeur *nf* depth • **en profondeur** in depth.

profusion *nf* • **une profusion de** a profusion of • **à profusion** in abundance, in profusion.

progéniture *nf* offspring.

programmable *adj* programmable.

programmateur, trice *nm, f* programme (*UK*) *ou* program (*US*) planner.
■ **programmateur** *nm* automatic control unit.

programmation *nf* **1.** INFORM programming **2.** RADIO & TV programme (UK) ou program (US) planning.

programme *nm* **1.** (gén) programme (UK), program (US) **2.** INFORM program **3.** (planning) schedule **4.** SCOL syllabus.

programmer *vt* **1.** (organiser) to plan **2.** RADIO & TV to schedule **3.** INFORM to program.

programmeur, **euse** *nm, f* INFORM (computer) programmer.

progrès *nm* progress (indénombrable) • **faire des progrès** to make progress.

progresser *vi* **1.** (avancer) to progress, to advance **2.** (maladie) to spread **3.** (élève) to make progress.

progressif, **ive** *adj* **1.** progressive **2.** (difficulté) increasing.

progression *nf* **1.** (avancée) advance **2.** (de maladie, du nationalisme) spread.

prohiber *vt* to ban, to prohibit.

proie *nf* prey • **être la proie de qqch** fig to be the victim of sthg • **être en proie à** (sentiment) to be prey to.

projecteur *nm* **1.** (de lumière) floodlight **2.** THÉÂTRE spotlight **3.** (d'images) projector.

projectile *nm* missile.

projection *nf* **1.** (gén) projection **2.** (jet) throwing.

projectionniste *nmf* projectionist.

projet *nm* **1.** (perspective) plan **2.** (étude, ébauche) draft • **projet de loi** bill.

projeter *vt* **1.** (envisager) to plan • **projeter de faire qqch** to plan to do sthg **2.** (missile, pierre) to throw **3.** (film, diapositives) to show.

prolétaire *nmf & adj* proletarian.

prolétariat *nm* proletariat.

proliférer *vi* to proliferate.

prolifique *adj* prolific.

prologue *nm* prologue.

prolongation *nf* (extension) extension, prolongation. ■ **prolongations** *nfpl* SPORT extra time (indénombrable) (UK), overtime (US).

prolongement *nm* (de mur, quai) extension • **être dans le prolongement de** to be a continuation of. ■ **prolongements** *nmpl* (conséquences) repercussions.

prolonger *vt* **1.** (dans le temps) • **prolonger qqch (de)** to prolong sthg (by) **2.** (dans l'espace) • **prolonger qqch (de)** to extend sthg (by).

promenade *nf* **1.** (balade) walk, stroll **2.** fig trip, excursion • **promenade en voiture** drive • **promenade à vélo** (bike) ride • **faire une promenade** to go for a walk **3.** (lieu) promenade.

promener *vt* **1.** (personne) to take out (for a walk) **2.** (en voiture) to take for a drive **3.** fig (regard, doigts) • **promener qqch sur** to run sthg over.

■ **se promener** *vp* to go for a walk.

promesse *nf* **1.** (serment) promise • **tenir sa promesse** to keep one's promise **2.** (engagement) undertaking • **promesse d'achat/de vente** DR agreement to purchase/to sell **3.** fig (espérance) • **être plein de promesses** to be very promising.

prometteur, **euse** *adj* promising.

promettre ◼ *vt* to promise • **promettre qqch à qqn** to promise sb sthg • **promettre de faire qqch** to promise to do sthg • **promettre à qqn que** to promise sb that. ◼ *vi* to be promising • **ça promet !** iron that bodes well!

promis, **e** ◼ *pp* ▷ **promettre**. ◼ *adj* promised. ◼ *nm, f hum* intended.

promiscuité *nf* overcrowding • **promiscuité sexuelle** (sexual) promiscuity.

promontoire *nm* promontory.

promoteur, **trice** *nm, f* **1.** (novateur) instigator **2.** (constructeur) property developer.

promotion *nf* **1.** (gén) promotion • **en promotion** (produit) on special offer **2.** MIL & SCOL year.

promouvoir *vt* to promote.

prompt, **e** *adj sout* • **prompt (à faire qqch)** swift (to do sthg).

promulguer *vt* to promulgate.

prôner *vt sout* to advocate.

pronom *nm* pronoun.

pronominal, e *adj* pronominal.

prononcé, e *adj* marked.

prononcer *vt* **1.** DR & LING to pronounce **2.** *(dire)* to utter.
■ **se prononcer** *vp* **1.** *(se dire)* to be pronounced **2.** *(trancher - assemblée)* to decide, to reach a decision ∗ *(- magistrat)* to deliver a verdict ∗ **se prononcer sur** to give one's opinion of.

prononciation *nf* **1.** LING pronunciation **2.** DR pronouncement.

pronostic *nm* **1.** *(gén pl) (prévision)* forecast **2.** MÉD prognosis.

propagande *nf* **1.** *(endoctrinement)* propaganda **2.** fig & hum *(publicité)* ∗ **faire de la propagande pour qqch** to plug sthg.

propager *vt* to spread.
■ **se propager** *vp* **1.** to spread **2.** BIOL to be propagated **3.** PHYS to propagate.

propane *nm* propane.

prophète, prophétesse *nm, f* prophet *(f* prophetess).

prophétie *nf* prophecy.

prophétiser *vt* to prophesy.

propice *adj* favourable *(UK)*, favorable *(US)*.

proportion *nf* proportion ∗ **toutes proportions gardées** relatively speaking.

proportionné, e *adj* ∗ **bien/mal proportionné** well-/badly-proportioned.

proportionnel, elle *adj* ∗ **proportionnel (à)** proportional (to). ■ **proportionnelle** *nf* ∗ **la proportionnelle** proportional representation.

propos ■ *nm* **1.** *(discours)* talk **2.** *(but)* intention ∗ **c'est à quel propos ?** what is it about? ∗ **hors de propos** at the wrong time. ■ *nmpl (paroles)* talk *(indénombrable)*, words. ■ **à propos** *loc adv* **1.** *(opportunément)* at (just) the right time **2.** *(au fait)* by the way. ■ **à propos de** *loc prép* about.

proposer *vt* **1.** *(offrir)* to offer, to propose ∗ **proposer qqch à qqn** to offer sb sthg, to offer sthg to sb ∗ **proposer à qqn de faire qqch** to offer to do sthg for sb **2.** *(suggérer)* to suggest, to propose ∗ **proposer de faire qqch** to suggest *ou* propose doing sthg **3.** *(loi, candidat)* to propose.

proposition *nf* **1.** *(offre)* offer, proposal **2.** *(suggestion)* suggestion, proposal **3.** GRAMM clause.

propre ■ *adj* **1.** *(nettoyé)* clean **2.** *(soigné)* neat, tidy **3.** *(éduqué - enfant)* toilet-trained ∗ *(- animal)* house-trained *(UK)*, housebroken *(US)* **4.** *(personnel)* own **5.** *(particulier)* ∗ **propre à** peculiar to **6.** *(de nature)* ∗ **propre à faire qqch** capable of doing sthg. ■ *nm (propreté)* cleanness, cleanliness ∗ **recopier qqch au propre** to make a fair copy of sthg, to copy sthg up. ■ **au propre** *loc adv* LING literally.

proprement *adv* **1.** *(convenablement - habillé)* neatly, tidily ∗ *(- se tenir)* correctly **2.** *(véritablement)* completely ∗ **à proprement parler** strictly *ou* properly speaking ∗ **l'événement proprement dit** the event itself, the actual event.

propreté *nf* cleanness, cleanliness.

propriétaire *nmf* **1.** *(possesseur)* owner ∗ **propriétaire terrien** landowner **2.** *(dans l'immobilier)* landlord.

propriété *nf* **1.** *(gén)* property ∗ **propriété privée** private property **2.** *(droit)* ownership **3.** *(terres)* property *(indénombrable)* **4.** *(convenance)* suitability **5.** *(qualité)* property, characteristic, feature.

propulser *vt litt* & *fig* to propel.
■ **se propulser** *vp* **1.** to move forward, to propel o.s. forward *ou* along **2.** fig to shoot.

prorata ■ **au prorata de** *loc prép* in proportion to.

prosaïque *adj* prosaic, mundane.

proscrit, e *adj (interdit)* banned, prohibited.

prose *nf* prose ∗ **en prose** in prose.

prospecter *vt* **1.** *(pays, région)* to prospect **2.** COMM to canvass.

prospection *nf* **1.** *(de ressources)* prospecting **2.** COMM canvassing.

prospectus *nm* (advertising) leaflet.

prospérer *vi* **1.** to prosper, to thrive **2.** (plante, insecte) to thrive.

prospérité *nf* **1.** (richesse) prosperity **2.** (bien-être) well-being.

prostate *nf* prostate (gland).

prosterner ■ **se prosterner** *vp* to bow down • **se prosterner devant** to bow down before • *fig* to kowtow to.

prostituée *nf* prostitute.

prostituer ■ **se prostituer** *vp* to prostitute o.s..

prostitution *nf* prostitution.

prostré, e *adj* prostrate.

protagoniste *nmf* protagonist, hero (*f* heroine).

protecteur, trice ◼ *adj* protective. ◼ *nm, f* **1.** (défenseur) protector **2.** (des arts) patron **3.** (souteneur) pimp.

protection *nf* **1.** (défense) protection • **prendre qqn sous sa protection** to take sb under one's wing **2.** (des arts) patronage.

protectionnisme *nm* protectionism.

protégé, e ◼ *adj* protected. ◼ *nm, f* protégé.

protège-cahier *nm* exercise book cover (US), notebook cover (US).

protège-poignets *nm inv* wrist guard, wrist protector.

protéger *vt* (gén) to protect.

protéine *nf* protein • **protéineC-réactive** MÉD C-reactive protein.

protestant, e *adj & nm, f* Protestant.

protestation *nf* (contestation) protest.

protester *vi* to protest • **protester contre qqch** to protest against sthg, to protest sthg (US).

prothèse *nf* prosthesis • **prothèse dentaire** dentures (pl), false teeth pl.

protide *nm* protein.

protocolaire *adj* (poli) conforming to etiquette.

protocole *nm* protocol.

proton *nm* proton.

prototype *nm* prototype.

protubérance *nf* bulge, protuberance.

proue *nf* bows pl, prow.

prouesse *nf* feat.

prouver *vt* **1.** (établir) to prove **2.** (montrer) to demonstrate, to show.

provenance *nf* origin • **en provenance de** from.

provençal, e *adj* (de Provence) of/from Provence. ■ **provençal** *nm* (langue) Provençal. ■ **à la provençale** *loc adv* CULIN provençale.

Provence *nf* • **la Provence** Provence • **herbes de Provence** ≃ mixed herbs.

provenir *vi* • **provenir de** to come from • *fig* to be due to, to be caused by.

proverbe *nm* proverb.

proverbial, e *adj* proverbial.

providence *nf* providence.

providentiel, elle *adj* providential.

province *nf* **1.** (gén) province **2.** (campagne) provinces pl.

provincial, e *adj & nm, f* provincial.

proviseur *nm* ≃ head (UK), ≃ headteacher (UK), ≃ headmaster (*f* headmistress) (UK), ≃ principal (US).

provision *nf* **1.** (réserve) stock, supply **2.** FIN retainer. ■ **provisions** *nfpl* provisions.

provisoire ◼ *adj* **1.** temporary **2.** DR provisional. ◼ *nm* • **ce n'est que du provisoire** it's only a temporary arrangement.

provocant, e *adj* provocative.

provocation *nf* provocation.

provoquer *vt* **1.** (entraîner) to cause **2.** (personne) to provoke.

proxénète *nm* pimp.

proximité *nf* (de lieu) proximity, nearness • **à proximité de** near. ■ **de proximité** *loc adj* **1.** TECHNOL proximity **2.** (de quartier) • **commerces de proximité** local shops • **police de proximité** community policing • **élu de proximité** (de la communauté) local councillor, local representative • (faisant valoir ses liens avec la communauté) local man *ou* woman • **médias de proximité** locals *ou* community media.

prude *adj* prudish.

prudence *nf* care, caution.

prudent, e *adj* careful, cautious.

prune *nf* plum.

pruneau *nm* (fruit) prune.

prunelle *nf* ANAT pupil.

prunier *nm* plum tree.

PS[1] (*abr de* **Parti socialiste**) *nm* French Socialist Party.

PS[2], **P-S** (*abr de* **post-scriptum**) *nm* PS.

psalmodier ◼ *vt* **1.** to chant **2.** *fig & péj* to drone. ◼ *vi* to drone.

psaume *nm* psalm.

pseudonyme *nm* pseudonym.

psy *fam nmf* (*abr de* **psychiatre**) shrink.

psychanalyse *nf* psychoanalysis.

psychanalyste *nmf* psychoanalyst, analyst.

psychédélique *adj* psychedelic.

psychiatre *nmf* psychiatrist.

psychiatrie *nf* psychiatry.

psychique *adj* **1.** psychic **2.** (*maladie*) psychosomatic.

psychologie *nf* psychology.

psychologique *adj* psychological.

psychologue ◼ *nmf* psychologist. ◼ *adj* psychological.

psychose *nf* **1.** MÉD psychosis **2.** (*crainte*) obsessive fear.

psychosomatique *adj* psychosomatic.

psychothérapie *nf* psychotherapy.

Pte *abrév de* **porte, pointe**.

puant, e *adj* **1.** (*fétide*) smelly, stinking **2.** *fam fig* (*personne*) bumptious, full of oneself.

puanteur *nf* stink, stench.

pub[1] *nf fam* **1.** ad, advert (*UK*) **2.** (*métier*) advertising.

pub[2] *nm* pub.

pubère *adj* pubescent.

puberté *nf* puberty.

pubis *nm* (*zone*) pubis.

public, ique *adj* public. ◼ **public** *nm* **1.** (*auditoire*) audience • **en public** in public **2.** (*population*) public.

publication *nf* publication.

publicitaire *adj* **1.** (*campagne*) advertising (*avant nom*) **2.** (*vente, film*) promotional.

publicité *nf* **1.** (*domaine*) advertising • **publicité comparative** comparative advertising • **publicité mensongère** misleading advertising, deceptive advertising **2.** (*réclame*) advertisement, advert (*UK*) **3.** (*autour d'une affaire*) publicity (*indénombrable*).

publier *vt* **1.** (*livre*) to publish **2.** (*communiqué*) to issue, to release.

publireportage *nm* free write-up (*UK*), special advertising section (*US*).

puce *nf* **1.** (*insecte*) flea **2.** INFORM (silicon) chip **3.** *fig* (*terme affectueux*) pet, love.

puceau, elle *nm, f & adj fam* virgin.

pudeur *nf* **1.** (*physique*) modesty, decency **2.** (*morale*) restraint.

pudibond, e *adj* prudish, prim and proper.

pudique *adj* **1.** (*physiquement*) modest, decent **2.** (*moralement*) restrained.

puer ◼ *vi* to stink • **ça pue ici!** it stinks in here! ◼ *vt* to reek of, to stink of.

puéricultrice *nf* nursery nurse.

puériculture *nf* childcare.

puéril, e *adj* childish.

Puerto Rico = **Porto Rico**.

pugilat *nm* fight.

puis *adv* then • **et puis** (*d'ailleurs*) and moreover *ou* besides.

puiser *vt* (*liquide*) to draw • **puiser qqch dans qqch** *fig* to draw *ou* take sthg from sthg.

puisque *conj* (*gén*) since.

puissance *nf* power. ◼ **en puissance** *loc adj* potential.

puissant, e *adj* powerful. ◼ **puissant** *nm* • **les puissants** the powerful.

puisse, puisses ▷ **pouvoir**.

puits *nm* **1.** (*d'eau*) well **2.** (*de gisement*) shaft • **puits de pétrole** oil well.

pull, pull-over *nm* jumper (*UK*), sweater.

pulluler *vi* to swarm.

pulmonaire *adj* lung (*avant nom*), pulmonary.

pulpe *nf* pulp.

pulsation *nf* beat, beating (*indénombrable*).

pulsion *nf* impulse.

pulvérisation *nf* **1.** (*d'insecticide*) spraying **2.** MÉD spray **3.** MÉD (*traitement*) spraying.

pulvériser *vt* **1.** (*projeter*) to spray **2.** (*détruire*) to pulverize **3.** *fig* to smash.

puma *nm* puma.

punaise *nf* **1.** (*insecte*) bug **2.** (*clou*) drawing pin (*UK*), thumbtack (*US*).

punch *nm* punch.

puni, e *adj* punished.

punir *vt* • **punir qqn (de)** to punish sb (with).

punition *nf* punishment.

pupille ◼ *nf* ANAT pupil. ◼ *nmf (orphelin)* ward • **pupille de l'État** ≃ child in care *(UK)* • **pupille de la Nation** war orphan *(in care)*.

pupitre *nm* **1.** *(d'orateur)* lectern **2.** MUS stand **3.** TECHNOL console **4.** *(d'écolier)* desk.

pur, e *adj* **1.** *(gén)* pure **2.** *fig (absolu)* pure, sheer • **pur et simple** pure and simple **3.** *fig & littéraire (intention)* honourable *(UK)*, honorable *(US)* **4.** *(lignes)* pure, clean.

purée *nf* purée • **purée de pommes de terre** mashed potatoes *pl*.

purement *adv* purely • **purement et simplement** purely and simply.

pureté *nf* **1.** *(gén)* purity **2.** *(de sculpture, de diamant)* perfection **3.** *(d'intention)* honourableness *(UK)*, honorableness *(US)*.

purgatoire *nm* purgatory.

purge *nf* **1.** MÉD & POLIT purge **2.** *(de radiateur)* bleeding.

purger *vt* **1.** MÉD & POLIT to purge **2.** *(radiateur)* to bleed **3.** *(peine)* to serve.

purifier *vt* to purify.

purin *nm* slurry.

puritain, e ◼ *adj (pudibond)* puritanical. ◼ *nm, f* **1.** *(prude)* puritan **2.** RELIG Puritan.

puritanisme *nm* **1.** puritanism **2.** RELIG Puritanism.

pur-sang *nm inv* thoroughbred.

purulent, e *adj* purulent.

pus *nm* pus.

pusillanime *adj* pusillanimous.

putain *nf vulg* **1.** *péj (prostituée)* whore **2.** *fig (pour exprimer le mécontentement)* • **(ce) putain de…** this/that sodding… *(UK)*, this/that goddam… *(US)*

putréfier ◼ **se putréfier** *vp* to putrefy, to rot.

putsch *nm* uprising, coup.

puzzle *nm* jigsaw (puzzle).

P-V *nm abrév de* **procès-verbal**.

pyjama *nm* pyjamas *pl (UK)*, pajamas *pl (US)*.

pylône *nm* pylon.

pyramide *nf* pyramid • **la Pyramide du Louvre** the Louvre pyramid.

Pyrénées *nfpl* • **les Pyrénées** the Pyrenees.

Pyrex® *nm* Pyrex®.

pyromane *nmf* **1.** arsonist **2.** MÉD pyromaniac.

python *nm* python.

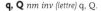

q, Q *nm inv (lettre)* q, Q.

QCM *(abr de* **questionnaire à choix multiple)** *nm* multiple choice questionnaire.

QG *(abr de* **quartier général)** *nm* HQ.

QI *(abr de* **quotient intellectuel)** *nm* IQ.

qqch *(abr écrite de* **quelque chose)** sthg.

qqn *(abr écrite de* **quelqu'un)** s.o., sb

quad *nm* **1.** *(moto)* four-wheel motorbike, quad bike **2.** *(rollers)* roller skate.

quadra *nm* POLIT fortysomething, babyboomer.

quadragénaire *nmf* forty year old.

quadrilatère *nm* quadrilateral.

quadrillage *nm* **1.** *(de papier, de tissu)* crisscross pattern **2.** *(policier)* combing.

quadriller *vt* **1.** *(papier)* to mark with squares **2.** *(ville - suj : rues)* to criss-cross ◦ *(- suj : police)* to comb.

quadrimoteur *nm* four-engined plane.

quadrupède *nm & adj* quadruped.

quadruplés, ées *nmf pl* quadruplets, quads.

quai *nm* **1.** *(de gare)* platform **2.** *(de port)* quay, wharf **3.** *(de rivière)* embankment.

qualificatif, ive *adj* qualifying. ■ **qualificatif** *nm* term.

qualification *nf (gén)* qualification.

qualifier *vt* **1.** *(gén)* to qualify ◦ **être qualifié pour qqch/pour faire qqch** to be qualified for sthg/to do sthg **2.** *(caractériser)* ◦ **qualifier qqn/qqch de qqch** to describe sb/sthg as sthg, to call sb/sthg sthg.
■ **se qualifier** *vp* to qualify.

qualitatif, ive *adj* qualitative.

qualité *nf* **1.** *(gén)* quality ◦ **de bonne/ mauvaise qualité** of good/poor quality **2.** *(condition)* position, capacity.

quand ◼ *conj (lorsque, alors que)* when ◦ **quand tu le verras, demande-lui de me téléphoner** when you see him, ask him to phone me. ◼ *adv interr* when ◦ **quand arriveras-tu ?** when will you arrive? ◦ **jusqu'à quand restez-vous ?** how long are you staying for? ■ **quand même** ◼ *loc adv* all the same ◦ **je pense qu'il ne viendra pas, mais je l'inviterai quand même** I don't think he'll come but I'll invite him all the same ◦ **tu pourrais faire attention quand même !** you might at least be careful! ◼ *interj* ◦ **quand même, à son âge !** really, at his/her age! ■ **quand bien même** *loc conj sout* even though, even if.

quant ■ **quant à** *loc prép* as for.

quantifier *vt* to quantify.

quantitatif, ive *adj* quantitative.

quantité *nf* **1.** *(mesure)* quantity, amount **2.** *(abondance)* ◦ **(une) quantité de** a great many, a lot of ◦ **en quantité** in large numbers ◦ **des exemplaires en quantité** a large number of copies.

quarantaine *nf* **1.** *(nombre)* ◦ **une quarantaine de** about forty **2.** *(âge)* ◦ **avoir la quarantaine** to be in one's forties **3.** *(isolement)* quarantine.

quarante *adj num inv & nm* forty. ◦ *voir aussi* **six**

quarantième *adj num inv, nm & nmf* fortieth. ◦ *voir aussi* **sixième**

quart *nm* **1.** *(fraction)* quarter ◦ **deux heures moins le quart** (a) quarter to two, (a) quarter of two *(US)* ◦ **deux heures et quart** (a) quarter past two, (a) quarter after two *(US)* ◦ **il est moins le quart** it's (a) quarter to, it's a quarter of *(US)* ◦ **un quart de** a quarter of ◦ **un quart d'heure** a quarter of an hour **2.** NAUT watch **3.** SPORT ◦ **quart de finale** quarterfinal.

quartier *nm* **1.** *(de ville)* area, district ◦ **le quartier latin** the Latin quarter **2.** *(de* *fruit)* piece **3.** *(de viande)* quarter **4.** *(héraldique, de lune)* quarter **5.** *(gén pl)* MIL quarters *pl* • **quartier général** headquarters *pl* **6.** *(partie d'une prison)* wing.

quart-monde *nm* • **le quart-monde** the Fourth World.

quartz *nm* quartz • **montre à quartz** quartz watch.

quasi *adv* almost, nearly.

quasi- *préf* near • **quasi-collision** near collision.

quasiment *adv fam* almost, nearly.

quatorze *adj num inv & nm* fourteen. • *voir aussi* **six**

quatorzième *adj num inv, nm & nmf* fourteenth. • *voir aussi* **sixième**

quatrain *nm* quatrain.

quatre ◪ *adj num inv* four • **monter l'escalier quatre à quatre** to take the stairs four at a time • **se mettre en quatre pour qqn** to bend over backwards for sb. ◪ *nm* four. • *voir aussi* **six**

quatre-vingt = **quatre-vingts**.

quatre-vingt-dix *adj num inv & nm* ninety. • *voir aussi* **six**

quatre-vingt-dixième *adj num inv, nm & nmf* ninetieth. • *voir aussi* **sixième**

quatre-vingtième *adj num inv, nm & nmf* eightieth. • *voir aussi* **sixième**

quatre-vingts, quatre-vingt *adj num inv & nm* eighty. • *voir aussi* **six**

quatrième ◪ *adj num inv, nm & nmf* fourth. ◪ *nf* SCOL ≃ third year *ou* form *(UK)*, ≃ eighth grade *(US)*. • *voir aussi* **sixième**

quatuor *nm* quartet.

---

que *conj*

1. INTRODUIT UNE SUBORDONNÉE
• **il a dit qu'il viendrait** he said (that) he'd come
• **il veut que tu viennes** he wants you to come

2. EXPRIME UNE ALTERNATIVE
• **que vous le vouliez ou non, vous allez devoir m'aider** whether you like it or not, you'll have to help me
• **qu'elle parte ou qu'elle reste, ça m'est égal** whether she leaves or stays *ou* she can leave or stay, it's all the same to me

3. REPREND UNE AUTRE CONJONCTION
• **s'il fait beau et que nous avons le temps, nous irons à la plage** if the weather is good and we have time, we'll go to the beach

4. EXPRIME UN ORDRE, UN SOUHAIT
• **qu'il entre !** let him come in!
• **que tout le monde sorte !** everybody out!
• **qu'il me laisse tranquille !** I wish he'd leave me alone!

5. APRÈS UN PRÉSENTATIF
• **voilà/voici que ça recommence !** here we go again!

6. DANS UNE COMPARAISON
• **elle est plus jeune que moi** she's younger than I (am) *ou* than me
• **il est moins beau que son frère** he's less handsome than his brother
• **elle a la même robe que moi** she has the same dress as I do *ou* as me
• **ma cousine est aussi grande que son père** my cousin is as tall as her father

7. POUR EXPRIMER UNE RESTRICTION
• **je n'ai qu'une sœur** I've only got one sister.

---

que *pron rel*

• **le livre qu'il m'a prêté est très intéressant** the book (which *ou* that) he lent me is very interesting
• **la femme que j'aime est devant moi** the woman (whom *ou* that) I love is in front of me.

---

que *pron interr*

• **que savez-vous au juste ?** what exactly do you know?
• **que faire ?** what can I/we/one do?
• **je me demande que faire** I wonder what I should do.

---

que *adv excl*

• **qu'elle est belle !** how beautiful she is!
• **que de monde !** what a lot of people!

◪ **qu'est-ce que** *pron interr*

• **qu'est-ce que tu veux encore ?** what else do you want?

■ **qu'est-ce qui** *pron interr*

• **qu'est-ce qui se passe ?** what's going on?

■ **c'est que** *loc conj*

• **s'il insiste autant, c'est que ça doit être important** if he is insisting so much then it must be important.

Québec *nm* (province) • **le Québec** Quebec.

québécois, e *adj* Quebec (avant nom). ■ **québécois** *nm* (langue) Quebec French. ■ **Québécois, e** *nm, f* Quebecker, Québécois.

quel, quelle ◨ *adj interr* **1.** (personne) which **2.** (chose) what, which • **quel homme ?** which man? • **quel livre voulez-vous ?** what *ou* which book do you want? • **de quel côté es-tu ?** what *ou* which side are you on? • **je ne sais quels sont ses projets** I don't know what his plans are • **quelle heure est-il ?** what time is it?, what's the time? ◨ *adj excl* • **quel idiot !** what an idiot! • **quelle honte !** the shame of it! ◨ *adj indéf* • **quel que** (+ subjonctif) (chose, animal) whatever • (personne) whoever • **il se baigne, quel que soit le temps** he goes swimming whatever the weather • **il refuse de voir les nouveaux arrivants, quels qu'ils soient** he refuses to see new arrivals, whoever they may be. ◨ *pron interr* which (one) • **de vous trois, quel est le plus jeune ?** which (one) of you three is the youngest?

À PROPOS DE...

quel

Dans les exclamations où l'accent est mis sur le nom, avec ou sans adjectif, on emploie **what** (**what nice friends you've got!**). Avec un nom dénombrable au singulier, **what** est suivi de **a** ou **an** (**what a great dress!** ; **what a hero!**). Avec un nom non dénombrable, il n'y a pas d'article (**what awful luck!**).

quelconque *adj* **1.** (n'importe lequel) any • **donner un prétexte quelconque** to give any old excuse • **si pour une raison quelconque...** if for any reason... • **une quelconque observation** some remark or other **2.** (après un nom) péj (banal) ordinary, mediocre.

quelque *adj indéf*

1. AU SINGULIER, INDIQUE UNE DURÉE, UNE QUANTITÉ, UN DEGRÉ INDÉTERMINÉS, GÉNÉRALEMENT FAIBLES

• **pendant quelque temps** for a while
• **il habite à quelque distance de là** he lives some way *ou* some distance (from there)
• **son attitude a suscité quelque étonnement** his attitude caused some surprise

2. AU PLURIEL, INDIQUE UN PETIT NOMBRE

• **j'ai quelques lettres à écrire** I have some *ou* a few letters to write
• **mon frère ne peut rester que quelques jours** my brother can only stay a few days
• **vous n'avez pas quelques livres à me montrer ?** don't you have any books to show me?
• **je dois lui rendre les quelques 30 euros qu'il m'a prêtés** I must give him back the 30 euros or so (that) he lent me

3. APRÈS UN NOM DE NOMBRE, INDIQUE UNE ADDITION PEU IMPORTANTE

• **il est midi et quelques** it's just after midday
• **ce livre coûte 20 euros et quelques** this book costs some *ou* about 20 euros.

quelque *adv*

INDIQUE UNE APPROXIMATION

• **il y a quelque trente ans** some thirty years ago
• **elle a investi quelque 2 000 euros** she invested some 2, 000 euros.

quelque chose *pron indéf* something • **quelque chose de différent** something different • **quelque chose d'autre** something else • **tu veux boire quelque chose ?** do you want something *ou* anything to drink? • **apporter un petit quelque chose à qqn** to give sb a little something • **c'est quelque chose !** (ton admiratif) it's really something! • **cela m'a fait quelque chose** I really felt it.

quelquefois *adv* sometimes, occasionally.

quelque part *adv* somewhere, someplace (US) • **l'as-tu vu quelque part ?** did you see him anywhere *ou* anyplace (US)?, have you seen him anywhere *ou* anyplace (US)?

À PROPOS DE...

quelque chose

Dans les questions, on peut employer *something* si l'on s'attend à une réponse affirmative (*did you have something hot for dinner?*). Si ce n'est pas le cas, on le remplace par *anything* (*did she tell you anything about her new job?*).

quelques-uns, quelques-unes *pron indéf* some, a few.

quelqu'un *pron indéf m* someone, somebody • **c'est quelqu'un d'ouvert/ d'intelligent** he's/she's a frank/an intelligent person.

À PROPOS DE...

quelqu'un

Dans les questions, on peut employer *someone* ou *somebody* si l'on s'attend à une réponse affirmative (*are you going to the dance with someone/somebody nice?*). Si ce n'est pas le cas on les remplace par *anyone* ou *anybody* (*is anyone/anybody there?*).

quémander *vt* to beg for • **quémander qqch à qqn** to beg sb for sthg.

qu'en-dira-t-on *nm inv fam* tittle-tattle.

quenelle *nf* quenelle (*oval fish or meat dumpling*).

querelle *nf* quarrel.

quereller ■ se quereller *vp* • **se quereller (avec)** to quarrel (with).

querelleur, euse *adj* quarrelsome.

qu'est-ce que ▷ **que**.

qu'est-ce qui ▷ **que**.

question *nf* question • **poser une question à qqn** to ask sb a question • **il est question de faire qqch** it's a question *ou* matter of doing sthg • **il n'en est pas question** there is no question of it • **remettre qqn/qqch en question** to question sb/sthg, to challenge sb/sthg • **question subsidiaire** tiebreaker.

questionnaire *nm* questionnaire.

questionner *vt* to question.

quête *nf* 1. *sout (d'objet, de personne)* quest • **se mettre en quête de** to go in search of 2. *(d'aumône)* • **faire la quête** to take a collection.

quêter ■ *vi* to collect. **■** *vt fig* to seek, to look for.

queue *nf* 1. *(d'animal)* tail • **faire une queue de poisson à qqn** AUTO to cut in front of sb 2. *(de fruit)* stalk 3. *(de poêle)* handle 4. *(de liste, de classe)* bottom 5. *(de file, peloton)* rear 6. *(file)* queue *(UK)*, line *(US)* • **faire la queue** to queue *(UK)*, to stand in line *(US)* • **à la queue leu leu** in single file.

queue-de-cheval *nf* ponytail.

queue-de-pie *nf fam* tails *pl*.

qui *pron rel*

1. SUJET
• **l'homme qui parle est allemand** the man who's talking is German
• **le chien qui aboie n'est pas dangereux** the barking dog, the dog which *ou* that is barking is not dangerous
• **je l'ai vu qui passait** I saw him pass

2. COMPLÉMENT D'OBJET DIRECT
• **tu vois qui je veux dire** you see who I mean
• **invite qui tu veux** invite whoever *ou* anyone you like

3. COMPLÉMENT D'OBJET INDIRECT
• **la personne à qui je parle est étrange** the person I'm talking to *ou* the person to whom I'm talking is weird

4. INDÉFINI
• **qui que tu sois** whoever you are
• **qui que ce soit** whoever it may be
• **viendra qui voudra** whoever wants *ou* anyone who wants can come
• **amenez qui vous voulez** bring along whoever you like *ou* anyone you like.

qui *pron interr*

1. SUJET
• **qui es-tu ?** who are you?
• **je voudrais savoir qui est là** I would like to know who's there

2. COMPLÉMENT D'OBJET DIRECT
• **qui demandez-vous ?** who do you want to see?
• **dites-moi qui vous demandez** tell me who you want to see

3. COMPLÉMENT D'OBJET INDIRECT
  • **à qui vas-tu le donner ?** who are you going to give it to?, to whom are you going to give it?

■ **ce qui** *pron rel*

  • **il m'a raconté ce qui s'est passé** he told me what happened.

■ **n'importe qui** *pron-indéf*

  • **n'importe qui pourrait le faire** anyone could do it.

quiche *nf* quiche.

quiconque ⬛ *pron indéf* anyone, anybody. ⬛ *pron indéf sout* anyone who, whoever.

quidam *nm fam* chap (UK), guy (US).

quiétude *nf* tranquillity (UK), tranquility (US).

quignon *nm fam* hunk.

quille *nf* (de bateau) keel. ■ **quilles** *nfpl* (jeu) • **(jeu de) quilles** skittles (indénombrable).

quincaillerie *nf* **1.** (magasin) ironmonger's (shop) (UK), hardware shop **2.** fam fig (bijoux) jewellery (UK), jewelry (US).

quinconce *nm* • **en quinconce** in a staggered arrangement.

quinine *nf* quinine.

quinqua *nmf* fiftysomething.

quinquagénaire *nmf* fifty year old.

quinquennal, e *adj* **1.** (plan) five-year (avant nom) **2.** (élection) five-yearly.

quinquennat *nm* five-year period of office, quinquennium, lustrum.

quintal *nm* quintal.

quinte *nf* MUS fifth. ■ **quinte de toux** *nf* coughing fit.

quintuple *nm & adj* quintuple.

quinzaine *nf* **1.** (nombre) fifteen (or so) • **une quinzaine de** about fifteen **2.** (deux semaines) fortnight (UK), two weeks *pl*.

quinze ⬛ *adj num inv* fifteen • **dans quinze jours** in a fortnight (UK), in two weeks. ⬛ *nm* (chiffre) fifteen. • **voir aussi six**

quinzième *adj num inv, nm & nmf* fifteenth. • **voir aussi sixième**

quiproquo *nm* misunderstanding.

quittance *nf* receipt.

quitte *adj* quits • **en être quitte pour qqch/pour faire qqch** to get off with sthg/doing sthg • **quitte à faire qqch** even if it means doing sthg.

quitter *vt* **1.** (gén) to leave • **ne quittez pas !** (au téléphone) hold the line, please! **2.** (fonctions) to give up **3.** INFORM to exit. ■ **se quitter** *vp* to part.

qui-vive *nm inv* • **être sur le qui-vive** to be on the alert.

quoi ⬛ *pron rel* (après une prép) • **ce à quoi je me suis intéressé** what I was interested in • **c'est en quoi vous avez tort** that's where you're wrong • **après quoi** after which • **avoir de quoi vivre** to have enough to live on • **avez-vous de quoi écrire ?** have you got something to write with? • **merci – il n'y a pas de quoi** thank you – don't mention it. ⬛ *pron interr* what • **à quoi penses-tu ?** what are you thinking about? • **je ne sais pas quoi dire** I don't know what to say • **à quoi bon ?** what's the point ou use? • **quoi de neuf ?** what's new? • **décide-toi, quoi !** fam make your mind up, will you? • **tu viens ou quoi ?** fam are you coming or what? ■ **quoi que** *loc conj* (+ *subjonctif*) whatever ◦ **quoi qu'il arrive** whatever happens ◦ **quoi qu'il dise** whatever he says ◦ **quoi qu'il en soit** be that as it may.

quoique *conj* although, though.

quolibet *nm sout* jeer, taunt.

quota *nm* quota.

quotidien, enne *adj* daily. ■ **quotidien** *nm* 1. *(routine)* daily life ◦ **au quotidien** on a day-to-day basis 2. *(journal)* daily (newspaper).

quotient *nm* quotient ◦ **quotient intellectuel** intelligence quotient.

r¹, R *nm inv (lettre)* r, R.

r² *abrév de* **rue**.

rabâcher *vi fam* to harp on. *vt* to go over (and over).

rabais *nm* reduction, discount • **au rabais** *péj (artiste)* third-rate • *(travailler)* for a pittance.

rabaisser *vt* **1.** *(réduire)* to reduce **2.** *(orgueil)* to humble **3.** *(personne)* to belittle.
■ **se rabaisser** *vp* **1.** *(se déprécier)* to belittle o.s. **2.** *(s'humilier)* • **se rabaisser à faire qqch** to demean o.s. by doing sthg.

rabat *nm (partie rabattue)* flap.

rabat-joie *nm inv* killjoy. *adj inv* • **être rabat-joie** to be a killjoy.

rabattre *vt* **1.** *(col)* to turn down **2.** *(siège)* to tilt back **3.** *(couvercle)* to shut **4.** *(gibier)* to drive.
■ **se rabattre** *vp* **1.** *(siège)* to tilt back **2.** *(couvercle)* to shut **3.** *(voiture, coureur)* to cut in **4.** *(se contenter)* • **se rabattre sur** to fall back on.

rabattu, e *pp* ▷ **rabattre**.

rabbin *nm* rabbi.

râble *nm* **1.** *(de lapin)* back **2.** CULIN saddle.

râblé, e *adj* stocky.

rabot *nm* plane.

raboter *vt* to plane.

rabougri, e *adj* **1.** *(plante)* stunted **2.** *(personne)* shrivelled, wizened.

rabrouer *vt* to snub.

raccommodage *nm* mending.

raccommoder *vt* **1.** *(vêtement)* to mend **2.** *fam fig (personnes)* to reconcile, to get back together.

raccompagner *vt* to see home, to take home.

raccord *nm* **1.** *(liaison)* join **2.** *(pièce)* connector, coupling **3.** CINÉ link.

raccordement *nm* connection, linking.

raccorder *vt* • **raccorder qqch (à)** to connect sthg (to), to join sthg (to).
■ **se raccorder** *vp* • **se raccorder à** to be connected to • *fig (faits)* to tie in with.

raccourci *nm* shortcut • **raccourci clavier** keyboard shortcut.

raccourcir *vt* to shorten. *vi* to grow shorter.

raccrocher *vt* to hang back up. *vi (au téléphone)* • **raccrocher (au nez de qqn)** to hang up (on sb), to put the phone down (on sb).
■ **se raccrocher** *vp* • **se raccrocher à** to cling to, to hang on to.

race *nf* **1.** *(humaine)* race **2.** *(animale)* breed • **de race** pedigree • *(cheval)* thoroughbred.

racé, e *adj* **1.** *(animal)* purebred **2.** *(voiture)* of distinction.

rachat *nm* **1.** *(transaction)* repurchase **2.** *fig (de péchés)* atonement.

racheter *vt* **1.** *(acheter en plus - gén)* to buy another • *(- pain, lait)* to buy some more **2.** *(acheter d'occasion)* to buy **3.** *(acheter après avoir vendu)* to buy back **4.** *fig (péché, faute)* to atone for **5.** *(défaut, lapsus)* to make up for **6.** *(prisonnier)* to ransom **7.** *(honneur)* to redeem **8.** COMM *(société)* to buy out.
■ **se racheter** *vp fig* to redeem o.s..

rachitique *adj* suffering from rickets.

racial, e *adj* racial.

racine *nf* **1.** root **2.** *(de nez)* base • **racine carrée/cubique** MATH square/cube root.

racisme *nm* racism.

raciste *nmf & adj* racist.

racketter *vt* • **racketter qqn** to subject sb to a protection racket.

raclée *nf fam* hiding, thrashing.

racler *vt* to scrape.
■ **se racler** *vp* • **se racler la gorge** to clear one's throat.

raclette *nf* CULIN raclette.

racoler *vt fam péj* **1.** *(suj : commerçant)* to tout for **2.** *(suj : prostituée)* to solicit.

racoleur, euse *adj fam péj* **1.** *(air, sourire)* come-hither **2.** *(publicité)* strident.

racontar *nm fam péj* piece of gossip. ■ **racontars** *nmpl fam péj* tittle-tattle *(indénombrable)*.

raconter *vt* **1.** *(histoire)* to tell, to relate **2.** *(événement)* to relate, to tell about ▪ **raconter qqch à qqn** to tell sb sthg, to relate sthg to sb **3.** *(ragot, mensonge)* to tell ▪ **qu'est-ce que tu racontes ?** what are you (going) on about?

radar *nm* radar.

rade *nf* (natural) harbour *(UK)* ou harbor *(US)*.

radeau *nm (embarcation)* raft.

radiateur *nm* radiator.

radiation *nf* **1.** PHYS radiation **2.** *(de liste, du barreau)* striking off.

radical, e *adj* radical. ■ **radical** *nm* **1.** *(gén)* radical **2.** LING stem.

radier *vt* to strike off.

radieux, euse *adj* **1.** radiant **2.** *(soleil)* dazzling.

radin, e *fam péj* ■ *adj* stingy. ■ *nm, f* skinflint.

radio ■ *nf* **1.** *(station, poste)* radio ▪ **à la radio** on the radio ▪ **radio locale** ou **privée** ou **libre** independent local radio station **2.** MÉD ▪ **passer une radio** to have an X-ray, to be X-rayed. ■ *nm* radio operator.

radioactif, ive *adj* radioactive.

radioactivité *nf* radioactivity.

radiodiffuser *vt* to broadcast.

radiographie *nf* **1.** *(technique)* radiography **2.** *(image)* X-ray.

radiologue, radiologiste *nmf* radiologist.

radioréveil, radio-réveil *nm* radio alarm, clock radio.

radiotélévisé, e *adj* broadcast on both radio and television.

radis *nm* radish.

radium *nm* radium.

radoter *vi* to ramble.

radoucir *vt* to soften. ■ **se radoucir** *vp* **1.** *(temps)* to become milder **2.** *(personne)* to calm down.

radoucissement *nm* **1.** *(d'attitude)* softening **2.** *(de température)* rise ▪ **un radoucissement du temps** a spell of milder weather.

rafale *nf* **1.** *(de vent)* gust ▪ **en rafales** in gusts ou bursts **2.** *(de coups de feu, d'applaudissements)* burst.

raffermir *vt* **1.** *(muscle)* to firm up **2.** *fig (pouvoir)* to strengthen.

raffinage *nm* refining.

raffiné, e *adj* refined.

raffinement *nm* refinement.

raffiner *vt* to refine.

raffinerie *nf* refinery.

raffoler *vi* ▪ **raffoler de qqn/qqch** to adore sb/sthg.

raffut *nm fam* row, racket.

rafistoler *vt fam* to patch up.

rafle *nf* raid.

rafler *vt* to swipe.

rafraîchir *vt* **1.** *(nourriture, vin)* to chill, to cool **2.** *(air)* to cool **3.** *(vêtement, appartement)* to smarten up **4.** *fig (mémoire, idées)* to refresh **5.** *(connaissances)* to brush up **6.** INFORM ▪ to refresh **7.** *(navigateur)* to reload. ■ **se rafraîchir** *vp* **1.** *(se refroidir)* to cool (down) **2.** *(en buvant)* to have a drink.

rafraîchissant, e *adj* refreshing.

rafraîchissement *nm* **1.** *(de climat)* cooling **2.** *(boisson)* cold drink.

raft(ing) *nm* whitewater rafting.

ragaillardir *vt fam* to buck up, to perk up.

rage *nf* **1.** *(fureur)* rage ▪ **faire rage** *(tempête)* to rage **2.** *(maladie)* rabies *(indénombrable)*. ■ **rage de dents** *nf* (raging) toothache.

rager *vi fam* to fume.

rageur, euse *adj* bad-tempered.

raglan *adj inv* raglan *(avant nom)*.

ragot *nm (gén pl) fam* (malicious) rumour *(UK)* ou rumor *(US)*, tittle-tattle *(indénombrable)*.

ragoût *nm* stew.

rai *nm littéraire (de soleil)* ray.

raid *nm* AÉRON, FIN & MIL raid ▪ **raid aérien** air raid.

raide ■ *adj* **1.** *(cheveux)* straight **2.** *(tendu - corde)* taut ▪ *(- membre, cou)* stiff **3.** *(pente)* steep **4.** *(personne - attitude physique)* stiff, starchy ▪ *(- caractère)* inflexible **5.** *fam (his-*

toire) hard to swallow, farfetched **6.** *fam (chanson)* rude, blue **7.** *fam (sans le sou)* broke. ■ *adv (abruptement)* steeply • **tomber raide mort** to fall down dead.

raideur *nf* **1.** *(de membre)* stiffness **2.** *(de personne - attitude physique)* stiffness, starchiness • *(- caractère)* inflexibility.

raidir *vt* **1.** *(muscle)* to tense **2.** *(corde)* to tighten, to tauten.
■ **se raidir** *vp* **1.** *(se contracter)* to grow stiff, to stiffen **2.** *fig (résister)* • **se raidir contre** to steel o.s. against.

raie *nf* **1.** *(rayure)* stripe **2.** *(dans les cheveux)* parting *(UK)*, part *(US)* **3.** *(des fesses)* crack **4.** *(poisson)* skate.

rail *nm* rail.

raillerie *nf* sout mockery *(indénombrable)*.

railleur, euse sout ■ *adj* mocking.
■ *nm, f* scoffer.

rainure *nf* **1.** *(longue)* groove, channel **2.** *(courte)* slot.

raisin *nm (fruit)* grapes *pl*.

raison *nf* **1.** *(gén)* reason • **à plus forte raison** all the more (so) • **se faire une raison** to resign o.s. • **raison de plus pour faire qqch** all the more reason to do sthg **2.** *(justesse, équité)* • **avoir raison** to be right • **avoir raison de faire qqch** to be right to do sthg • **donner raison à qqn** to prove sb right. ■ **à raison de** *loc prép* at (the rate of). ■ **en raison de** *loc prép* owing to, because of.

raisonnable *adj* reasonable.

raisonnement *nm* **1.** *(faculté)* reason, power of reasoning **2.** *(argumentation)* reasoning, argument.

raisonner ■ *vt (personne)* to reason with. ■ *vi* **1.** *(penser)* to reason **2.** *(discuter)* • **raisonner avec** to reason with.

rajeunir ■ *vt* **1.** *(suj : couleur, vêtement)* • **rajeunir qqn** to make sb look younger **2.** *(suj : personne)* • **rajeunir qqn de trois ans** to take three years off sb's age **3.** *(vêtement, canapé)* to renovate, to do up **4.** *(meubles)* to modernize **5.** *fig (parti)* to rejuvenate. ■ *vi* **1.** *(personne)* to look younger **2.** *(se sentir plus jeune)* to feel younger *ou* rejuvenated.

rajouter *vt* to add • **en rajouter** *fam* to exaggerate.

rajuster, réajuster *vt* **1.** to adjust **2.** *(cravate)* to straighten.
■ **se rajuster** *vp* to straighten one's clothes.

râle *nm* **1.** moan **2.** *(de mort)* death rattle.

ralenti, e *adj* slow. ■ **ralenti** *nm* **1.** AUTO idling speed • **tourner au ralenti** AUTO to idle • *fig* to tick over *(UK)* **2.** CINÉ slow motion.

ralentir ■ *vt* **1.** *(allure, expansion)* to slow (down) **2.** *(rythme)* to slacken. ■ *vi* to slow down *ou* up.

ralentissement *nm* **1.** *(d'allure, d'expansion)* slowing (down) **2.** *(de rythme)* slackening **3.** *(embouteillage)* holdup **4.** PHYS deceleration.

râler *vi* **1.** *(malade)* to breathe with difficulty **2.** *fam (grogner)* to moan.

ralliement *nm* rallying.

rallier *vt* **1.** *(poste, parti)* to join **2.** *(suffrages)* to win **3.** *(troupes)* to rally.
■ **se rallier** *vp* to rally • **se rallier à** *(parti)* to join • *(cause)* to rally to • *(avis)* to come round *(UK)* *ou* around *(US)* to.

rallonge *nf* **1.** *(de table)* leaf, extension **2.** *(électrique)* extension (lead).

rallonger ■ *vt* to lengthen. ■ *vi* to lengthen, to get longer.

rallumer *vt* **1.** *(feu, cigarette)* to relight **2.** *fig (querelle)* to revive **3.** *(appareil, lumière électrique)* to switch (back) on again.

rallye *nm* rally.

ramadan *nm* Ramadan.

ramassage *nm* collection • **ramassage scolaire** *(action)* pick-up (of school children), busing *(US)* • *(service)* school bus.

ramasse *nf* • **être à la ramasse** *fam* to be out of it.

ramasser *vt* **1.** *(récolter, réunir)* to gather, to collect **2.** *fig (forces)* to gather **3.** *(prendre)* to pick up **4.** *fam (claque, rhume)* to get.
■ **se ramasser** *vp* **1.** *(se replier)* to crouch **2.** *fam (tomber, échouer)* to come a cropper.

rambarde *nf* (guard) rail.

rame *nf* **1.** *(aviron)* oar **2.** RAIL train **3.** *(de papier)* ream.

rameau *nm* branch.

ramener *vt* **1.** *(remmener)* to take back **2.** *(rapporter, restaurer)* to bring back **3.** *(réduire)* • **ramener qqch à qqch** to reduce sthg to sthg, to bring sthg down to sthg.

ramer *vi (rameur)* to row.

rameur, euse *nm, f* rower.

ramification *nf (division)* branch.

ramolli, e *adj* **1.** soft **2.** *fig* soft (in the head).

ramollir *vt* **1.** *(beurre)* to soften **2.** *fam fig (ardeurs)* to cool.
■ **se ramollir** *vp* **1.** *(beurre)* to go soft, to soften **2.** *fam fig (courage)* to weaken.

ramoner *vt* to sweep.

ramoneur *nm* (chimney) sweep.

rampant, e *adj* **1.** *(animal)* crawling **2.** *(plante)* creeping.

rampe *nf* **1.** *(d'escalier)* banister, handrail **2.** *(d'accès)* ramp ▪ **rampe de lancement** launch pad **3.** THÉÂTRE ▪ **la rampe** the footlights *pl*.

ramper *vi* **1.** *(animal, soldat, enfant)* to crawl **2.** *(plante)* to creep.

rance *adj (beurre)* rancid.

rancir *vi* to go rancid.

rancœur *nf* rancour *(UK)*, rancor *(US)*, resentment.

rançon *nf* **1.** ransom **2.** *fig* price.

rancune *nf* rancour *(UK)*, rancor *(US)*, spite ▪ **garder** *ou* **tenir rancune à qqn de qqch** to hold a grudge against sb for sthg ▪ **sans rancune !** no hard feelings!

rancunier, ère *adj* vindictive, spiteful.

randonnée *nf* **1.** *(promenade - à pied)* walk ▪ *(- à cheval, à bicyclette)* ride ▪ *(- en voiture)* drive **2.** *(activité)* ▪ **la randonnée** *(à pied)* walking ▪ *(à cheval)* riding ▪ **faire de la randonnée** to go trekking.

randonneur, euse *nm, f* walker, rambler.

rang *nm* **1.** *(d'objets, de personnes)* row ▪ **se mettre en rang par deux** to line up in twos **2.** MIL rank **3.** *(position sociale)* station **4.** *(Québec) (peuplement rural)* rural district **5.** *(Québec) (chemin)* country road.

rangé, e *adj (sérieux)* well-ordered, well-behaved.

rangée *nf* row.

rangement *nm* tidying up.

ranger *vt* **1.** *(chambre)* to tidy **2.** *(objets)* to arrange **3.** *(voiture)* to park **4.** *fig (livre, auteur)* ▪ **ranger parmi** to rank among.
■ **se ranger** *vp* **1.** *(élèves, soldats)* to line up **2.** *(voiture)* to pull in **3.** *(piéton)* to step aside **4.** *(s'assagir)* to settle down **5.** *fig (se rallier)* ▪ **se ranger à** to go along with.

ranimer *vt* **1.** *(personne)* to revive, to bring round **2.** *(feu)* to rekindle **3.** *fig (sentiment)* to reawaken.

rap *nm* rap (music).

rapace ◼ *nm* bird of prey. ◼ *adj (cupide)* rapacious, grasping.

rapatrier *vt* to repatriate.

râpe *nf* **1.** *(de cuisine)* grater **2.** *(Suisse) fam (avare)* miser, skinflint.

râpé, e *adj* **1.** CULIN grated **2.** *(manteau)* threadbare **3.** *fam (raté)* ▪ **c'est râpé!** we've had it!

râper *vt* CULIN to grate.

râpeux, euse *adj* **1.** *(tissu)* rough **2.** *(vin)* harsh.

rapide ◼ *adj* **1.** *(gén)* rapid **2.** *(train, coureur)* fast **3.** *(musique, intelligence)* lively, quick. ◼ *nm* **1.** *(train)* express (train) **2.** *(de fleuve)* rapid.

rapidement *adv* rapidly.

rapidité *nf* rapidity.

rapiécer *vt* to patch.

rappel *nm* **1.** *(de réservistes, d'ambassadeur)* recall **2.** *(souvenir)* reminder ▪ **rappel à l'ordre** call to order **3.** TÉLÉCOM ▪ **rappel automatique** recall **4.** *(de paiement)* back pay **5.** *(de vaccination)* booster **6.** *(au spectacle)* curtain call, encore **7.** SPORT abseiling *(UK)*, rapelling *(US)* ▪ **descendre en rappel** to abseil *(UK)* *ou* rappel *(US)* (down).

rappeler *vt* **1.** *(gén)* to call back ▪ **rappeler qqn à qqch** *fig* to bring sb back to sthg **2.** *(faire penser à)* ▪ **rappeler qqch à qqn** to remind sb of sthg ▪ **ça me rappelle les vacances** it reminds me of my holidays.
■ **se rappeler** *vp* to remember.

rapport *nm* **1.** *(corrélation)* link, connection **2.** *(compte-rendu)* report **3.** *(profit)* return, yield **4.** MATH ratio. ◼ **rapports** *nmpl* **1.** *(relations)* relations **2.** *(sexuels)* ▪ **rapports (sexuels)** intercourse *sing*. ◼ **par rapport à** *loc prép* in comparison to, compared with.

rapporter *vt* to bring back.
■ **se rapporter** *vp* ▪ **se rapporter à** to refer *ou* relate to.

rapporteur, euse ◼ *adj* sneaky, telltale *(avant nom)*. ◼ *nm, f* sneak, telltale. ■ **rapporteur** *nm* **1.** *(de commission)* rapporteur **2.** GÉOM protractor.

rapprochement *nm* **1.** *(d'objets, de personnes)* bringing together **2.** *fig (entre évé-*

nements) link, connection **3.** *fig (de pays, de parti)* rapprochement, coming together.

rapprocher *vt* **1.** *(mettre plus près)* • **rapprocher qqn/qqch de qqch** to bring sb/ sthg nearer to sthg, to bring sb/sthg closer to sthg **2.** *fig (personnes)* to bring together **3.** *fig (idée, texte)* • **rapprocher qqch (de)** to compare sthg (with).
■ **se rapprocher** *vp* **1.** *(approcher)* • **se rapprocher (de qqn/qqch)** to approach (sb/sthg) **2.** *(se ressembler)* • **se rapprocher de qqch** to be similar to sthg **3.** *(se réconcilier)* • **se rapprocher de qqn** to become closer to sb.

rapt *nm* abduction.

raquette *nf* **1.** *(de tennis, de squash)* racket **2.** *(de ping-pong)* bat *(UK)*, paddle *(US)* **3.** *(à neige)* snowshoe.

rare *adj* **1.** *(peu commun, peu fréquent)* rare • **ses rares amis** his few friends **2.** *(peu dense)* sparse **3.** *(surprenant)* unusual, surprising.

raréfier *vt* to rarefy.
■ **se raréfier** *vp* to become rarefied.

rarement *adv* rarely.

rareté *nf* **1.** *(de denrées, de nouvelles)* scarcity **2.** *(de visites, de lettres)* infrequency **3.** *(objet précieux)* rarity.

ras, e *adj* **1.** *(herbe, poil)* short **2.** *(mesure)* full. ■ **ras** *adv* short • **à ras de** level with • **en avoir ras le bol** *fam* to be fed up.

rasade *nf* glassful.

rasage *nf* shaving.

rasant, e *adj* **1.** *(lumière)* low-angled **2.** *fam (film, discours)* boring.

raser *vt* **1.** *(barbe, cheveux)* to shave off **2.** *(mur, sol)* to hug **3.** *(village)* to raze **4.** *fam (personne)* to bore.
■ **se raser** *vp (avec rasoir)* to shave.

ras-le-bol *nm inv fam* discontent.

rasoir ◼ *nm* razor • **rasoir électrique** electric shaver • **rasoir mécanique** safety razor. ◼ *adj inv fam* boring.

rassasier *vt* to satisfy.

rassemblement *nm* **1.** *(d'objets)* collecting, gathering **2.** *(foule)* crowd, gathering **3.** *(union, parti)* union **4.** MIL parade • **rassemblement !** fall in!

rassembler *vt* **1.** *(personnes, documents)* to collect, to gather **2.** *(courage)* to summon up **3.** *(idées)* to collect.

■ **se rassembler** *vp* **1.** *(manifestants)* to assemble **2.** *(famille)* to get together.

rasseoir ■ **se rasseoir** *vp* to sit down again.

rasséréner *vt sout* to calm down.

rassis, e *adj (pain)* stale.

rassurant, e *adj* reassuring.

rassuré, e *adj* confident, at ease.

rassurer *vt* to reassure.

rat ◼ *nm* rat • **petit rat** *fig* young ballet pupil. ◼ *adj fam (avare)* mean, stingy.

ratatiné, e *adj (fruit, personne)* shrivelled *(UK)* OU shriveled *(US)*.

rate *nf* **1.** *(animal)* female rat **2.** *(organe)* spleen.

raté, e *nm, f (personne)* failure. ■ **raté** *nm* **1.** *(gén pl)* AUTO misfiring *(indénombrable)* • **faire des ratés** to misfire **2.** *fig (difficulté)* problem.

râteau *nm* rake.

rater ◼ *vt* **1.** *(train, occasion)* to miss **2.** *(plat, affaire)* to make a mess of **3.** *(examen)* to fail. ◼ *vi* to go wrong.

ratification *nf* ratification.

ratifier *vt* to ratify.

ration *nf fig* share • **ration alimentaire** food intake.

rationaliser *vt* to rationalize.

rationnel, elle *adj* rational.

rationnement *nm* rationing.

rationner *vt* to ration.

ratissage *nm* **1.** *(de jardin)* raking **2.** *(de quartier)* search.

ratisser *vt* **1.** *(jardin)* to rake **2.** *(quartier)* to search, to comb.

raton *nm* ZOOL young rat. ■ **raton laveur** *nm* racoon.

RATP *(abr de* **Régie autonome des transports parisiens***) nf* Paris transport authority.

rattacher *vt* **1.** *(attacher de nouveau)* to do up, to fasten again **2.** *(relier)* • **rattacher**

qqch à to join sthg to • *fig* to link sthg with **3.** (*unir*) • **rattacher qqn à** to bind sb to.

■ **se rattacher** *vp* • **se rattacher à** to be linked to.

ratte *nf* BOT & CULIN fingerling potato, (La) Ratte potato.

rattrapage *nm* **1.** SCOL • **cours de rattrapage** remedial class **2.** (*de salaires, prix*) adjustment.

rattraper *vt* **1.** (*animal, prisonnier*) to recapture **2.** (*temps*) • **rattraper le temps perdu** to make up for lost time **3.** (*rejoindre*) to catch up with **4.** (*erreur*) to correct **5.** (*personne qui tombe*) to catch.

■ **se rattraper** *vp* **1.** (*se retenir*) • **se rattraper à qqn/qqch** to catch hold of sb/ sthg **2.** (*se faire pardonner*) to make amends.

rature *nf* alteration.

rauque *adj* hoarse, husky.

ravager *vt* (*gén*) to devastate, to ravage.

ravaler *vt* **1.** (*façade*) to clean, to restore **2.** (*personne*) • **ravaler qqn au rang de** to lower sb to the level of **3.** *fig* (*larmes, colère*) to stifle, to hold back.

ravauder *vt* to mend, to repair.

ravi, e *adj* • **ravi (de)** delighted (with) • **je suis ravi de l'avoir trouvé** I'm delighted that I found it, I'm delighted to have found it • **ravi de vous connaître** pleased to meet you.

ravin *nm* ravine, gully.

ravir *vt* **1.** (*charmer*) to delight • **à ravir** beautifully **2.** *littéraire* (*arracher*) • **ravir qqch à qqn** to rob sb of sthg.

raviser ■ **se raviser** *vp* to change one's mind.

ravissant, e *adj* delightful, beautiful.

ravisseur, euse *nm, f* abductor.

ravitaillement *nm* **1.** (*en denrées*) resupplying **2.** (*en carburant*) refuelling (*UK*), refueling (*US*).

ravitailler *vt* **1.** (*en denrées*) to resupply **2.** (*en carburant*) to refuel.

raviver *vt* **1.** (*feu*) to rekindle **2.** (*couleurs*) to brighten up **3.** *fig* (*douleur*) to revive **4.** (*plaie*) to reopen.

rayé, e *adj* **1.** (*tissu*) striped **2.** (*disque, vitre*) scratched.

rayer *vt* **1.** (*disque, vitre*) to scratch **2.** (*nom, mot*) to cross out.

rayon *nm* **1.** (*de lumière*) beam, ray **2.** *fig* (*d'espoir*) ray **3.** (*gén pl*) (*radiation*) radiation (*indénombrable*) • **rayon laser** laser beam • **rayons X** X-rays **4.** (*de roue*) spoke **5.** GÉOM radius • **dans un rayon de** *fig* within a radius of **6.** (*étagère*) shelf **7.** (*dans un magasin*) department.

rayonnant, e *adj* *litt* & *fig* radiant.

rayonnement *nm* **1.** (*gén*) radiance **2.** (*des arts*) influence **3.** PHYS radiation.

rayonner *vi* **1.** (*soleil*) to shine • **rayonner de joie** *fig* to radiate happiness **2.** (*culture*) to be influential **3.** (*avenues, lignes, chaleur*) to radiate **4.** (*touriste*) to tour around (*from a base*).

rayure *nf* **1.** (*sur étoffe*) stripe **2.** (*sur disque, sur meuble*) scratch.

raz ■ **raz de marée** *nm* **1.** tidal wave **2.** *fig* & POLIT landslide.

razzia *nf fam* raid.

RDA (*abr de* **République démocratique allemande**) *nf* GDR.

RdC *abrév de* **rez-de-chaussée**.

ré *nm inv* **1.** MUS D **2.** (*chanté*) re.

réacheminer *vt* to forward.

réacteur *nm* (*d'avion*) jet engine • **réacteur nucléaire** nuclear reactor.

réaction *nf* • **réaction (à/contre)** reaction (to/against).

réactionnaire *nmf* & *adj péj* reactionary.

réactiver *vt* to reactivate.

réactualiser *vt* (*moderniser*) to update, to bring up to date.

réadapter *vt* **1.** to readapt **2.** (*accidenté*) to rehabilitate.

réagir *vi* • **réagir (à/contre)** to react (to/ against) • **réagir sur** to affect.

réajuster = **rajuster**.

réalisable *adj* **1.** (*projet*) feasible **2.** FIN realizable.

réalisateur, trice *nm, f* CINÉ & TV director.

réaliser *vt* **1.** (*projet*) to carry out **2.** (*ambitions, rêves*) to achieve, to realize **3.** CINÉ & TV to produce **4.** (*s'apercevoir de*) to realize.

■ **se réaliser** *vp* **1.** (*ambition*) to be realized **2.** (*rêve*) to come true **3.** (*personne*) to fulfil (*UK*) ou fulfill (*US*) o.s..

réaliste ◪ *nmf* realist. ◪ *adj* **1.** (*personne, objectif*) realistic **2.** ART & LITTÉR realist.

réalité *nf* reality • **en réalité** in reality • **réalité virtuelle** INFORM virtual reality, VR.

reality-show, reality show *nm* reality show.

réaménagement *nm* **1.** *(de projet)* restructuring **2.** *(de taux d'intérêt)* readjustment.

réamorcer *vt* to start up again.

réanimation *nf* resuscitation • **en réanimation** in intensive care.

réanimer *vt* to resuscitate.

réapparaître *vi* to reappear.

rébarbatif, ive *adj* **1.** *(personne, visage)* forbidding **2.** *(travail)* daunting.

rebâtir *vt* to rebuild.

rebattu, e *adj* overworked, hackneyed.

rebelle *adj* **1.** *(personne)* rebellious **2.** *(troupes)* rebel *(avant nom)* **3.** *(mèche, boucle)* unruly.

rebeller ■ se rebeller *vp* • **se rebeller (contre)** to rebel (against).

rébellion *nf* rebellion.

rebiffer ■ se rebiffer *vp fam* • **se rebiffer (contre)** to rebel (against).

reboiser *vt* to reafforest *(UK)*, to reforest *(US)*.

rebond *nm* bounce.

rebondir *vi* **1.** *(objet)* to bounce **2.** *(contre mur)* to rebound **3.** *fig (affaire)* to come to life (again).

rebondissement *nm (d'affaire)* new development.

rebord *nm* **1.** *(de table)* edge **2.** *(de fenêtre)* sill, ledge.

reboucher *vt* **1.** *(bouteille)* to put the cork back in, to recork **2.** *(trou)* to fill in.

rebours ■ à rebours *loc adv* **1.** the wrong way **2.** *fig* the wrong way round *(UK)* ou around *(US)*, back to front.

reboutonner *vt* to rebutton.

rebrousse-poil ■ à rebrousse-poil *loc adv* the wrong way • **prendre qqn à rebrousse-poil** *fig* to rub sb up the wrong way.

rebrousser *vt* to brush back • **rebrousser chemin** *fig* to retrace one's steps.

rébus *nm* rebus.

rebut *nm* scrap • **mettre qqch au rebut** to get rid of sthg, to scrap sthg.

rebuter *vt (suj : travail)* to dishearten.

récalcitrant, e *adj* recalcitrant, stubborn.

recaler *vt fam* to fail.

récapitulatif, ive *adj* summary *(avant nom)*. ■ **récapitulatif** *nm* summary.

récapituler *vt* to recapitulate, to recap.

recel *nm* **1.** *(action)* receiving ou handling stolen goods **2.** *(délit)* possession of stolen goods.

receleur, euse *nm, f* receiver *(of stolen goods)*.

récemment *adv* recently.

recensement *nm* **1.** *(de population)* census **2.** *(d'objets)* inventory.

recenser *vt* **1.** *(population)* to take a census of **2.** *(objets)* to take an inventory of.

récent, e *adj* recent.

recentrer *vt* to refocus.

récépissé *nm* receipt.

récepteur, trice *adj* receiving. ■ **récepteur** *nm* receiver.

réception *nf* **1.** *(gén)* reception • **donner une réception** to hold a reception **2.** *(de marchandises)* receipt **3.** *(bureau)* reception (desk), front desk *(US)* **4.** SPORT *(de sauteur, skieur)* landing **5.** *(du ballon, avec la main)* catch • **bonne réception de X** *(avec le pied)* X traps the ball.

réceptionner *vt* **1.** *(marchandises)* to take delivery of **2.** *(SPORT - avec la main)* to catch • *(- avec le pied)* to control.

réceptionniste *nmf* receptionist, desk clerk *(US)*.

récession *nf* recession.

recette *nf* **1.** COMM takings *pl* **2.** CULIN recipe **3.** *fig (méthode)* recipe, formula.

recevable *adj* **1.** *(excuse, offre)* acceptable **2.** DR admissible.

receveur, euse *nm, f* **1.** ADMIN • **receveur des impôts** tax collector • **receveur des postes** postmaster *(f* postmistress*)* **2.** *(de bus)* conductor *(f* conductress*)* **3.** *(de greffe)* recipient.

recevoir ■ *vt* **1.** *(gén)* to receive **2.** *(coup)* to get, to receive **3.** *(invités)* to entertain **4.** *(client)* to see **5.** SCOL & UNIV • **être reçu à**

un examen to pass an exam. ◼ *vi* 1. *(donner une réception)* to entertain 2. *(avocat, médecin)* to be available (to see clients). ◼ **se recevoir** *vp* SPORT to land.

rechange ◼ **de rechange** *loc adj* 1. spare 2. *fig* alternative.

réchapper *vi* • **réchapper de** to survive.

recharge *nf (cartouche)* refill.

rechargeable *adj* 1. *(batterie)* rechargeable 2. *(briquet)* refillable.

réchaud *nm* (portable) stove.

réchauffé, e *adj* 1. *(plat)* reheated 2. *fig* rehashed.

réchauffement *nm* warming (up).

réchauffer *vt* 1. *(nourriture)* to reheat 2. *(personne)* to warm up. ◼ **se réchauffer** *vp* to warm up.

rêche *adj* rough.

recherche *nf* 1. *(quête & INFORM)* search • **être à la recherche de** to be in search of • **faire** OU **effectuer des recherches** to make inquiries 2. *(sciences)* research • **faire de la recherche** to do research 3. *(raffinement)* elegance.

recherché, e *adj* 1. *(ouvrage)* sought-after 2. *(raffiné - vocabulaire)* refined • *(- mets)* exquisite.

rechercher *vt* 1. *(objet, personne)* to search for, to hunt for 2. *(compagnie)* to seek out.

rechigner *vi* • **rechigner à** to balk at.

rechute *nf* relapse.

récidive *nf* 1. DR repeat offence *(UK)* OU offense *(US)* 2. MÉD recurrence.

récidiver *vi* 1. DR to commit another offence *(UK)* OU offense *(US)* 2. MÉD to recur.

récidiviste *nmf* repeat OU persistent offender.

récif *nm* reef.

récipient *nm* container.

réciproque ◼ *adj* reciprocal. ◼ *nf* • **la réciproque** the reverse.

réciproquement *adv* mutually • **et réciproquement** and vice versa.

récit *nm* story.

récital *nm* recital.

récitation *nf* recitation.

réciter *vt* to recite.

réclamation *nf* complaint • **faire/déposer une réclamation** to make/lodge a complaint.

réclame *nf* 1. *(annonce)* advert *(UK)*, advertisement 2. *(publicité)* • **la réclame** advertising 3. *(promotion)* • **en réclame** on special offer.

réclamer *vt* 1. *(demander)* to ask for, to request 2. *(avec insistance)* to demand 3. *(nécessiter)* to require, to demand.

reclasser *vt* 1. *(dossiers)* to refile 2. ADMIN to regrade.

réclusion *nf* imprisonment • **réclusion à perpétuité** life imprisonment.

recoiffer ◼ **se recoiffer** *vp* to do one's hair again.

recoin *nm* nook.

recoller *vt (objet brisé)* to stick back together.

récolte *nf* 1. *(*AGRIC *- action)* harvesting *(indénombrable)*, gathering *(indénombrable)* • *(- produit)* harvest, crop 2. *fig* collection.

récolter *vt* 1. to harvest 2. *fig* to collect.

recommandable *adj* commendable • **peu recommandable** undesirable.

recommandation *nf* recommendation.

recommandé, e *adj* 1. *(envoi)* registered • **envoyer qqch en recommandé** to send sthg by registered post *(UK)* OU mail *(US)* 2. *(conseillé)* advisable.

recommander *vt* to recommend • **recommander à qqn de faire qqch** to advise sb to do sthg • **recommander qqn à qqn** to recommend sb to sb.

recommencer ◼ *vt* 1. *(travail)* to start OU begin again 2. *(erreur)* to make again • **recommencer à faire qqch** to start OU begin doing sthg again. ◼ *vi* to start OU begin again • **ne recommence pas !** don't do that again!

récompense *nf* reward.

récompenser *vt* to reward.

recompter *vt* to recount.

réconciliation *nf* reconciliation.

réconcilier *vt* to reconcile.

reconduire *vt* 1. *(personne)* to accompany, to take 2. *(politique, bail)* to renew.

reconduit, e *pp* ▷ **reconduire**.

réconfort *nm* comfort.

réconfortant, e *adj* comforting.

réconforter *vt* to comfort.

reconnaissable *adj* recognizable.

reconnaissance *nf* 1. *(gén)* recognition 2. MIL reconnaissance ◦ **aller/partir en reconnaissance** to go out on reconnaissance 3. *(gratitude)* gratitude ◦ **exprimer sa reconnaissance à qqn** to show *ou* express one's gratitude to sb.

reconnaissant, e *adj* grateful ◦ **je vous serais reconnaissant de m'aider** I would be grateful if you would help me.

reconnaître *vt* 1. *(gén)* to recognize 2. *(erreur)* to admit, to acknowledge 3. MIL to reconnoitre.

reconnu, e ◾ *pp* ▷ **reconnaître**. ◾ *adj* well-known.

reconquérir *vt* to reconquer.

reconquis, e *pp* ▷ **reconquérir**.

reconsidérer *vt* to reconsider.

reconstituant, e *adj* invigorating. ◾ **reconstituant** *nm* tonic.

reconstituer *vt* 1. *(puzzle)* to put together 2. *(crime, délit)* to reconstruct.

reconstitution *nf* 1. *(de puzzle)* putting together 2. *(de crime, délit)* reconstruction.

reconstruction *nf* reconstruction, rebuilding.

reconstruire *vt* to reconstruct, to rebuild.

reconstruit, e *pp* ▷ **reconstruire**.

reconversion *nf* 1. *(d'employé)* redeployment 2. *(d'usine, de société)* conversion ◦ **reconversion économique/technique** economic/technical restructuring.

reconvertir *vt* 1. *(employé)* to redeploy 2. *(économie)* to restructure. ◾ **se reconvertir** *vp* ◦ **se reconvertir dans** to move into.

recopier *vt* to copy out.

record ◾ *nm* record ◦ **détenir/améliorer/battre un record** to hold/improve/beat a record. ◾ *adj inv* record *(avant nom)*.

recoucher *vt* to put back to bed. ◾ **se recoucher** *vp* to go back to bed.

recoudre *vt* to sew (up) again.

recoupement *nm* cross-check ◦ **par recoupement** by cross-checking.

recouper *vt* 1. *(pain)* to cut again 2. COUT to recut 3. *fig (témoignages)* to compare, to cross-check. ◾ **se recouper** *vp* 1. *(lignes)* to intersect 2. *(témoignages)* to match up.

recourir *vi* ◦ **recourir à** *(médecin, agence)* to turn to ◦ *(force, mensonge)* to resort to.

recours *nm* 1. *(emploi)* ◦ **avoir recours à** *(médecin, agence)* to turn to ◦ *(force, mensonge)* to resort to, to have recourse to 2. *(solution)* solution, way out ◦ **en dernier recours** as a last resort 3. DR action ◦ **recours en cassation** appeal.

recouvert, e *pp* ▷ **recouvrir**.

recouvrir *vt* 1. *(gén)* to cover 2. *(fauteuil)* to re-cover 3. *(personne)* to cover (up). ◾ **se recouvrir** *vp* 1. *(tuiles)* to overlap 2. *(surface)* ◦ **se recouvrir (de)** to be covered (with).

recracher *vt* to spit out.

récréatif, ive *adj* entertaining.

récréation *nf* 1. *(détente)* relaxation, recreation 2. SCOL break *(UK)*, recess *(US)*.

recréer *vt* to recreate.

récrimination *nf* complaint.

récrire, réécrire *vt* to rewrite.

recroqueviller ◾ **se recroqueviller** *vp* to curl up.

recru, e *adj* ◦ **recru de fatigue** *littéraire* exhausted. ◾ **recrue** *nf* recruit.

recrudescence *nf* renewed outbreak.

recrutement *nm* recruitment.

recruter *vt* to recruit.

rectal, e *adj* rectal.

rectangle *nm* rectangle.

rectangulaire *adj* rectangular.

recteur *nm* SCOL ≃ Chief Education Officer *(UK)*, ≃ Superintendent of Schools *(US)*.

rectificatif, ive *adj* correcting. ◾ **rectificatif** *nm* correction.

rectification *nf* **1.** *(correction)* correction **2.** *(de tir)* adjustment.

rectifier *vt* **1.** *(tir)* to adjust **2.** *(erreur)* to rectify, to correct **3.** *(calcul)* to correct.

rectiligne *adj* rectilinear.

recto *nm* right side • **recto verso** on both sides.

rectorat *nm* SCOL ≃ Education Offices *(UK)*, ≃ Board of Education Offices *(US)*.

reçu, e *pp* ▷ **recevoir.** ■ **reçu** *nm* receipt.

recueil *nm* collection.

recueillement *nm* meditation.

recueillir *vt* **1.** *(fonds)* to collect **2.** *(suffrages)* to win **3.** *(enfant)* to take in. ■ **se recueillir** *vp* to meditate.

recul *nm* **1.** *(mouvement arrière)* step backwards **2.** MIL retreat **3.** *(d'arme à feu)* recoil **4.** *(de civilisation)* decline **5.** *(d'inflation, de chômage)* • **recul (de)** downturn (in) **6.** fig *(retrait)* • **avec du recul** with hindsight.

reculé, e *adj* distant.

reculer *vt* **1.** *(voiture)* to back up **2.** *(date)* to put back, to postpone. ■ *vi* **1.** *(aller en arrière)* to move backwards **2.** *(voiture)* to reverse • **ne reculer devant rien** fig to stop at nothing **3.** *(maladie, pauvreté)* to be brought under control **4.** *(faiblir - cours, valeur)* to fall, to weaken.

reculons ■ **à reculons** *adv* backwards.

récupération *nf* *(de déchets)* salvage.

récupérer ■ *vt* **1.** *(objet)* to get back **2.** *(déchets)* to salvage **3.** *(idée)* to pick up **4.** *(journée)* to make up. ■ *vi* to recover, to recuperate.

récurer *vt* to scour.

récuser *vt* **1.** DR to challenge **2.** sout *(refuser)* to reject.

recyclage *nm* **1.** *(d'employé)* retraining **2.** *(de déchets)* recycling.

recycler *vt* **1.** *(employé)* to retrain **2.** *(déchets)* to recycle. ■ **se recycler** *vp* *(employé)* to retrain.

rédacteur, trice *nm, f* **1.** *(de journal)* subeditor **2.** *(d'ouvrage de référence)* editor • **rédacteur en chef** editor-in-chief.

rédaction *nf* **1.** *(de texte)* editing **2.** SCOL essay **3.** *(personnel)* editorial staff.

redécouvrir *vt* to rediscover.

redéfinir *vt* to redefine.

redéfinition *nf* redefinition.

redemander *vt* to ask again for.

rédemption *nf* redemption.

redescendre ■ *vt* **1.** *(escalier)* to go/come down again **2.** *(objet - d'une étagère)* to take down again. ■ *vi* to go/come down again.

redevable *adj* • **être redevable de 20 euros à qqn** to owe sb 20 euros • **être redevable à qqn de qqch** *(service)* to be indebted to sb for sthg.

redevance *nf* **1.** *(de radio, télévision)* licence *(UK)* ou license *(US)* fee **2.** *(téléphonique)* rental (fee).

rédhibitoire *adj* **1.** *(défaut)* crippling **2.** *(prix)* prohibitive.

rediffusion *nf* repeat.

rédiger *vt* to write.

redimensionner *vt* INFORM to resize.

redire *vt* to repeat • **avoir** ou **trouver à redire à qqch** fig to find fault with sthg.

redistribuer *vt* to redistribute.

redit, e *pp* ▷ **redire.**

redite *nf* repetition.

redondance *nf* redundancy.

redonner *vt* **1.** to give back **2.** *(confiance, forces)* to restore.

redoublant, e *nm, f* pupil who is repeating a year.

redoubler ■ *vt* **1.** *(syllabe)* to reduplicate **2.** *(efforts)* to intensify **3.** SCOL to repeat. ■ *vi* to intensify.

redoutable *adj* formidable.

redouter *vt* to fear.

redoux *nm* thaw.

redressement *nm* **1.** *(de pays, d'économie)* recovery **2.** DR • **redressement fiscal** payment of back taxes.

redresser ■ *vt* **1.** *(poteau, arbre)* to put ou set upright • **redresser la tête** to raise one's head • fig to hold up one's head **2.** *(situation)* to set right. ■ *vi* AUTO to straighten up. ■ **se redresser** *vp* **1.** *(personne)* to stand ou sit up straight **2.** *(pays)* to recover.

réducteur, trice *adj (limitatif)* simplistic.

réduction *nf* **1.** *(gén)* reduction **2.** MÉD setting.

réduire ■ *vt* **1.** *(gén)* to reduce • **réduire en** to reduce to **2.** INFORM to minimize **3.** MÉD to set **4.** *(Suisse) (ranger)* to put away. ■ *vi* CULIN to reduce • **faire réduire** to reduce.

réduit, e ◼ *pp* ⊳ **réduire**. ◼ *adj* reduced. ◼ **réduit** *nm* (*local*) small room.

rééchelonner *vt* to reschedule.

réécrire = **récrire**.

réédition *nf* new edition.

rééducation *nf* 1. (*de membre*) re-education 2. (*de délinquant, malade*) rehabilitation, rehab (*US*).

réel, elle *adj* real.

réélection *nf* reelection.

réellement *adv* really.

rééquilibrer *vt* to balance (again).

réessayer *vt* to try again.

réévaluer *vt* to revalue.

réexaminer *vt* to re-examine.

réexpédier *vt* to send back.

réf. (*abr écrite de* **référence**) ref.

refaire *vt* 1. (*faire de nouveau - travail, devoir*) to do again • (*- voyage*) to make again 2. (*mur, toit*) to repair.

refait, e *pp* ⊳ **refaire**.

réfection *nf* repair.

réfectoire *nm* refectory.

référence *nf* reference • **faire référence à** to refer to.

référendum *nm* referendum.

référent, e *adj* • **médecin référent** referral doctor.

référer *vi* • **en référer à qqn** to refer the matter to sb.

refermer *vt* to close *ou* shut again.

réfléchi, e ◼ *adj* 1. (*action*) considered • **c'est tout réfléchi** I've made up my mind, I've decided 2. (*personne*) thoughtful 3. GRAMM reflexive.

réfléchir ◼ *vt* 1. (*refléter*) to reflect 2. (*penser*) • **réfléchir que** to think *ou* reflect that. ◼ *vi* to think, to reflect • **réfléchir à** *ou* **sur qqch** to think about sthg.

reflet *nm* 1. (*image*) reflection 2. (*de lumière*) glint.

refléter *vt* to reflect.
◼ **se refléter** *vp* 1. (*se réfléchir*) to be reflected 2. (*transparaître*) to be mirrored.

refleurir *vi* (*fleurir à nouveau*) to flower again.

réflexe ◼ *nm* reflex. ◼ *adj* reflex (*avant nom*).

réflexion *nf* 1. (*de lumière, d'ondes*) reflection 2. (*pensée*) reflection, thought 3. (*remarque*) remark.

refluer *vi* 1. (*liquide*) to flow back 2. (*foule*) to flow back 3. (*avec violence*) to surge back.

reflux *nm* 1. (*d'eau*) ebb 2. (*de personnes*) backward surge.

refonte *nf* 1. (*de métal*) remelting 2. (*d'ouvrage*) recasting 3. (*d'institution, de système*) overhaul, reshaping.

reforestation *nf* reforestation.

réformateur, trice ◼ *adj* reforming. ◼ *nm, f* 1. (*personne*) reformer 2. RELIG Reformer.

réforme *nf* reform.

réformé, e *adj* & *nm, f* Protestant. ◼ **réformé** *nm* MIL conscript declared unfit for military service.

reformer *vt* to re-form.

réformer *vt* 1. (*améliorer*) to reform, to improve 2. MIL to invalid out (*UK*) 3. (*matériel*) to scrap.

réformiste *adj* & *nmf* reformist.

refoulé, e ◼ *adj* repressed, frustrated. ◼ *nm, f* repressed person.

refouler *vt* 1. (*personnes*) to repel, to repulse 2. PSYCHO to repress.

réfractaire ◼ *adj* 1. (*rebelle*) insubordinate • **réfractaire à** resistant to 2. (*matière*) refractory. ◼ *nmf* insubordinate.

refrain *nm* MUS refrain, chorus • **c'est toujours le même refrain** *fam fig* it's always the same old story.

refréner *vt* to check, to hold back.

réfrigérant, e *adj* 1. (*liquide*) refrigerating, refrigerant 2. *fam* (*accueil*) icy.

réfrigérateur *nm* refrigerator.

refroidir ◼ *vt* 1. (*plat*) to cool 2. (*décourager*) to discourage 3. *fam* (*tuer*) to rub out, to do in. ◼ *vi* to cool.

refroidissement *nm* 1. (*de température*) drop, cooling 2. (*grippe*) chill.

refuge *nm* 1. (*abri*) refuge 2. (*de montagne*) hut.

réfugié, e *nm, f* refugee.

réfugier ◼ **se réfugier** *vp* to take refuge.

refus *nm inv* refusal • **ce n'est pas de refus** *fam* I wouldn't say no.

refuser *vt* **1.** *(repousser)* to refuse • **refuser de faire qqch** to refuse to do sthg **2.** *(contester)* • **refuser qqch à qqn** to deny sb sthg **3.** *(clients, spectateurs)* to turn away **4.** *(candidat)* • **être refusé** to fail.
■ **se refuser** *vp* • **se refuser à faire qqch** to refuse to do sthg.

réfuter *vt* to refute.

regagner *vt* **1.** *(reprendre)* to regain, to win back **2.** *(revenir à)* to get back to.

regain *nm* *(retour)* • **un regain de** a revival of, a renewal of • **un regain de vie** a new lease of life.

régal *nm* treat, delight.

régaler *vt* to treat • **c'est moi qui régale !** it's my treat!
■ **se régaler** *vp* • **je me régale** *(nourriture)* I'm thoroughly enjoying it • *(activité)* I'm having the time of my life.

regard *nm* look.

regardant, e *adj* **1.** *fam (économe)* mean **2.** *(minutieux)* • **être très/peu regardant sur qqch** to be very/not very particular about sthg.

regarder ◨ *vt* **1.** *(observer, examiner, consulter)* to look at **2.** *(télévision, spectacle)* to watch • **regarder qqn faire qqch** to watch sb doing sthg • **regarder les trains passer** to watch the trains go by **3.** *(considérer)* to consider, to regard • **regarder qqn/qqch comme** to regard sb/sthg as, to consider sb/sthg as **4.** *(concerner)* to concern • **cela ne te regarde pas** it's none of your business. ◨ *vi* **1.** *(observer, examiner)* to look **2.** *(faire attention)* • **sans regarder à la dépense** regardless of the expense • **y regarder à deux fois** to think twice about it.

régate *nf* *(gén pl)* regatta.

régénérer *vt* to regenerate.
■ **se régénérer** *vp* to regenerate.

régent, e *nm, f* regent.

régenter *vt* • **vouloir tout régenter** *péj* to want to be the boss.

reggae *nm & adj inv* reggae.

régie *nf* **1.** *(entreprise)* state-controlled company **2.** RADIO & TV *(pièce)* control room **3.** CINÉ, THÉÂTRE & TV *(équipe)* production team.

regimber *vi* to balk.

régime *nm* **1.** *(politique)* regime **2.** *(administratif)* system • **régime carcéral** prison

regime **3.** *(alimentaire)* diet • **se mettre au/suivre un régime** to go on/to be on a diet **4.** *(de moteur)* speed **5.** *(de fleuve, des pluies)* cycle **6.** *(de bananes, dattes)* bunch.

régiment *nm* **1.** MIL regiment **2.** *fam (grande quantité)* • **un régiment de** masses of, loads of.

région *nf* region.

régional, e *adj* regional.

régir *vt* to govern.

régisseur *nm* **1.** *(intendant)* steward **2.** *(de théâtre)* stage manager.

registre *nm* *(gén)* register • **registre de comptabilité** ledger.

réglable *adj* **1.** *(adaptable)* adjustable **2.** *(payable)* payable.

réglage *nm* adjustment, setting.

règle *nf* **1.** *(instrument)* ruler **2.** *(principe, loi)* rule • **je suis en règle** my papers are in order. ■ **en règle générale** *loc adv* as a general rule. ■ **règles** *nfpl* *(menstruation)* period *sing*.

réglé, e *adj* *(organisé)* regular, well-ordered.

règlement *nm* **1.** *(résolution)* settling • **règlement de comptes** *fig* settling of scores **2.** *(règle)* regulation **3.** *(paiement)* settlement.

réglementaire *adj* **1.** *(régulier)* statutory **2.** *(imposé)* regulation *(avant nom)*.

réglementation *nf* **1.** *(action)* regulation **2.** *(ensemble de règles)* regulations *pl*, rules *pl*.

régler *vt* **1.** *(affaire, conflit)* to settle, to sort out **2.** *(appareil)* to adjust **3.** *(payer - note)* to settle, to pay • *(- commerçant)* to pay.

réglisse *nf* liquorice (UK), licorice (US).

règne *nm* **1.** *(de souverain)* reign • **sous le règne de** in the reign of **2.** *(pouvoir)* rule **3.** BIOL kingdom.

régner *vi* **1.** *(souverain)* to rule, to reign **2.** *(silence)* to reign.

regonfler *vt* **1.** *(pneu, ballon)* to blow up again, to reinflate **2.** *fam (personne)* to cheer up.

regorger *vi* • **regorger de** to be abundant in.

régresser *vi* **1.** *(sentiment, douleur)* to diminish **2.** *(personne)* to regress.

régression *nf* **1.** *(recul)* decline **2.** PSYCHO regression.

regret nm • **regret (de)** regret (for) • **à regret** with regret • **sans regret** with no regrets.

regrettable adj regrettable.

regretter ◼ vt 1. (époque) to miss, to regret 2. (personne) to miss 3. (faute) to regret • **regretter d'avoir fait qqch** to regret having done sthg 4. (déplorer) • **regretter que** (+ subjonctif) to be sorry ou to regret that. ◼ vi to be sorry.

regrouper vt 1. (grouper à nouveau) to regroup, to reassemble 2. (réunir) to group together.
◼ **se regrouper** vp to gather, to assemble.

régulariser vt 1. (documents) to sort out, to put in order 2. (situation) to straighten out 3. (circulation, fonctionnement) to regulate.

régularité nf 1. (gén) regularity 2. (de travail, résultats) consistency.

régulateur, trice adj regulating.

régulation nf (contrôle) control, regulation.

régulier, ère adj 1. (gén) regular 2. (uniforme, constant) steady, regular 3. (travail, résultats) consistent 4. (légal) legal • **être en situation régulière** to have all the legally required documents.

régulièrement adv 1. (gén) regularly 2. (uniformément) steadily, regularly 3. (étalé, façonné) evenly.

réhabilitation nf rehabilitation.

réhabiliter vt 1. (accusé) to rehabilitate, to clear 2. fig (racheter) to restore to favour (UK) ou favor (US) 3. (rénover) to restore.

rehausser vt 1. (surélever) to heighten 2. fig (mettre en valeur) to enhance.

rehausseur nm booster seat.

rein nm kidney. ◼ **reins** nmpl small of the back sing • **avoir mal aux reins** to have backache (UK) ou a backache (US).

réincarnation nf reincarnation.

réincarner ◼ **se réincarner** vpi to be reincarnated • **il voulait se réincarner en oiseau** he wanted to be reincarnated as a bird.

reine nf queen.

réinsertion nf 1. (de délinquant) rehabilitation 2. (dans la vie professionnelle) reintegration.

réintégrer vt 1. (rejoindre) to return to 2. DR to reinstate.

rejaillir vi to splash up • **rejaillir sur qqn** fig to rebound on sb.

rejet nm 1. (gén) rejection 2. (pousse) shoot.

rejeter vt 1. (relancer) to throw back 2. (offre, personne) to reject 3. (partie du corps) • **rejeter la tête/les bras en arrière** to throw back one's head/one's arms 4. (imputer) • **rejeter la responsabilité de qqch sur qqn** to lay the responsibility for sthg at sb's door.

rejeton nm offspring (indénombrable).

rejoindre vt 1. (retrouver) to join 2. (regagner) to return to 3. (concorder avec) to agree with 4. (rattraper) to catch up with.
◼ **se rejoindre** vp 1. (personnes, routes) to meet 2. (opinions) to agree.

rejoint, e pp ⊳ **rejoindre**.

réjoui, e adj joyful.

réjouir vt to delight.
◼ **se réjouir** vp to be delighted • **se réjouir de qqch** to be delighted at ou about sthg.

réjouissance nf rejoicing. ◼ **réjouissances** nfpl festivities.

relâche nf 1. (pause) • **sans relâche** without respite ou a break 2. THÉÂTRE • **faire relâche** to be closed.

relâchement nm relaxation.

relâcher vt 1. (étreinte, cordes) to loosen 2. (discipline, effort) to relax, to slacken 3. (prisonnier) to release.
◼ **se relâcher** vp 1. (se desserrer) to loosen 2. (faiblir - discipline) to become lax • (- attention) to flag 3. (se laisser aller) to slacken off.

relais nm 1. (auberge) post house • **relais routier** transport cafe (UK), truck stop

(US) **2.** SPORT & TV • **prendre/passer le relais** to take/hand over • **(course de) relais** relay.

relance *nf* **1.** *(économique)* revival, boost **2.** *(de projet)* relaunch.

relancer *vt* **1.** *(renvoyer)* to throw back **2.** *(faire reprendre - économie)* to boost • *(- projet)* to relaunch • *(- moteur, machine)* to restart **3.** INFORM to restart.

relater *vt littéraire* to relate.

relatif, ive *adj* relative • **relatif à** relating to • **tout est relatif** it's all relative. ■ **relative** *nf* GRAMM relative clause.

relation *nf* relationship • **mettre qqn en relation avec qqn** to put sb in touch with sb. ■ **relations** *nfpl* **1.** *(rapport)* relationship *sing* • **relations sexuelles** sexual relations, intercourse *(indénombrable)* **2.** *(connaissance)* acquaintance • **avoir des relations** to have connections.

relationnel, elle *adj* *(problèmes)* relationship *(avant nom)*.

relativement *adv* relatively.

relativiser *vt* to relativize.

relativité *nf* relativity.

relax, relaxe *adj fam* relaxed.

relaxation *nf* relaxation.

relaxe = **relax**.

relaxer *vt* **1.** *(reposer)* to relax **2.** DR to discharge. ■ **se relaxer** *vp* to relax.

relayer *vt* to relieve. ■ **se relayer** *vp* to take over from one another.

relecture *nf* second reading, rereading.

reléguer *vt* to relegate.

relent *nm* **1.** *(odeur)* stink, stench **2.** *fig (trace)* whiff.

relève *nf* relief • **prendre la relève** to take over.

relevé, e *adj* CULIN spicy. ■ **relevé** *nm* reading • **faire le relevé de qqch** to read sthg • **relevé de compte** bank statement • **relevé d'identité bancaire** bank account number.

relever ◙ *vt* **1.** *(redresser - personne)* to help up • *(- pays, économie)* to rebuild • *(- moral, niveau)* to raise **2.** *(ramasser)* to collect **3.** *(tête, col, store)* to raise **4.** *(manches)* to push up **5.** *(CULIN - mettre en valeur)* to bring out • *(- pimenter)* to season **6.** *fig (récit)* to liven up, to spice up **7.** *(noter)* to note down **8.** *(compteur)* to read **9.** *(relayer)* to take over from, to relieve **10.** *(erreur)* to note. ◙ *vi* **1.** *(se rétablir)* • **relever de** to recover from **2.** *(être du domaine)* • **relever de** to come under. ■ **se relever** *vp* **1.** *(se mettre debout)* to stand up **2.** *(sortir du lit)* to get up.

relief *nm* relief • **en relief** in relief, raised • **une carte en relief** relief map • **mettre en relief** *fig* to enhance, to bring out.

relier *vt* **1.** *(livre)* to bind **2.** *(joindre)* to connect **3.** *fig (associer)* to link up.

religieux, euse *adj* **1.** *(vie, chant)* religious **2.** *(mariage)* religious, church *(avant nom)* **3.** *(respectueux)* reverent. ■ **religieux** *nm* monk. ■ **religieuse** *nf* RELIG nun.

religion *nf* **1.** *(culte)* religion **2.** *(croyance)* religion, faith.

relique *nf* relic.

relire *vt* **1.** *(lire)* to reread **2.** *(vérifier)* to read over. ■ **se relire** *vp* to read what one has written.

reliure *nf* binding.

reloger *vt* to rehouse.

reluire *vi* to shine, to gleam.

reluisant, e *adj* shining, gleaming • **peu** *ou* **pas très reluisant** *fig (avenir, situation)* not all that brilliant • *(personne)* shady.

remaniement *nm* restructuring • **remaniement ministériel** cabinet reshuffle.

remarier ■ **se remarier** *vp* to remarry.

remarquable *adj* remarkable.

remarque *nf* **1.** *(observation)* remark **2.** *(critique)* critical remark **3.** *(annotation)* note.

remarquer ◙ *vt* **1.** *(apercevoir)* to notice • **faire remarquer qqch (à qqn)** to point sthg out (to sb) • **se faire remarquer** *péj* to draw attention to o.s. **2.** *(noter)* to remark, to comment. ◙ *vi* • **ce n'est pas l'idéal, remarque !** it's not ideal, mind you! ■ **se remarquer** *vp* to be noticeable.

rembarrer *vt fam* to snub.

remblai *nm* embankment.

rembobiner *vt* to rewind.

rembourrer *vt* to stuff, to pad.

remboursement *nm* refund, repayment.

rembourser *vt* 1. *(dette)* to pay back, to repay 2. *(personne)* to pay back • **rembourser qqn de qqch** to reimburse sb for sthg • **tu t'es fait rembourser pour ton trajet en taxi ?** did they reimburse you for your taxi journey? 3. *(dépense, achat)* • **se faire rembourser** to get a refund.

rembrunir ■ **se rembrunir** *vp* to cloud over, to become gloomy.

remède *nm litt* & *fig* remedy, cure.

remédier *vi* • **remédier à qqch** to put sthg right, to remedy sthg.

remembrement *nm* land regrouping.

remerciement *nm* thanks *pl* • **une lettre de remerciement** a thank-you letter.

remercier *vt* 1. *(dire merci à)* to thank • **remercier qqn de** *ou* **pour qqch** to thank sb for sthg • **non, je vous remercie** no, thank you 2. *(congédier)* to dismiss.

remettre *vt* 1. *(replacer)* to put back • **remettre en question** to call into question • **remettre qqn à sa place** to put sb in his place 2. *(enfiler de nouveau)* to put back on 3. *(rétablir - lumière, son)* to put back on • **remettre qqch en marche** to restart sthg • **remettre de l'ordre dans qqch** to tidy sthg up • **remettre une montre à l'heure** to put a watch right • **remettre qqch en état de marche** to put sthg back in working order 4. *(donner)* • **remettre qqch à qqn** to hand sthg over to sb • *(médaille, prix)* to present sthg to sb 5. *(ajourner)* • **remettre qqch (à)** to put sthg off (until). ■ **se remettre** *vp* 1. *(recommencer)* • **se remettre à qqch** to take up sthg again • **se remettre à fumer** to start smoking again 2. *(se rétablir)* to get better • **se remettre de qqch** to get over sthg 3. *(redevenir)* • **se remettre debout** to stand up again • **le temps s'est remis au beau** the weather has cleared up.

réminiscence *nf* reminiscence.

remise *nf* 1. *(action)* • **remise en jeu** throw-in • **remise en marche** restarting • **remise en question** *ou* **cause** calling into question 2. *(de message, colis)* handing over 3. *(de médaille, prix)* presentation 4. *(réduction)* discount • **remise de peine** DR remission 5. *(hangar)* shed.

rémission *nf* remission • **sans rémission** *(punir, juger)* without mercy • *(pleuvoir)* unremittingly.

remix *nm* MUS • *(enregistrement, disque)* remix • *(technique)* remixing.

remodeler *vt* 1. *(forme)* to remodel 2. *(remanier)* to restructure.

remontant, e *adj (tonique)* invigorating. ■ **remontant** *nm* tonic.

remonte-pente *nm* ski tow.

remonter ■ *vt* 1. *(escalier, pente)* to go/ come back up 2. *(assembler)* to put together again 3. *(manches)* to turn up 4. *(horloge, montre)* to wind up 5. *(ragaillardir)* to put new life into, to cheer up. ■ *vi* 1. *(monter à nouveau - personne)* to go/ come back up • *(- baromètre)* to rise again • *(- prix, température)* to go up again, to rise • *(- sur vélo)* to get back on • **remonter dans une voiture** to get back into a car 2. *(dater)* • **remonter à** to date *ou* go back to.

remontoir *nm* winder.

remontrer *vt* to show again • **vouloir en remontrer à qqn** to try to show sb up.

remords *nm* remorse.

remorque *nf* trailer • **être en remorque** to be on tow.

remorquer *vt (voiture, bateau)* to tow.

remorqueur *nm* tug, tugboat.

remous ■ *nm* 1. *(de bateau)* wash, backwash 2. *(de rivière)* eddy. ■ *nmpl fig* stir, upheaval.

rempailler *vt* to re-cane.

rempart *nm (gén pl)* rampart.

rempiler ■ *vt* to pile up again. ■ *vi fam* MIL to sign on again.

remplaçable *adj* replaceable.

remplaçant, e *nm, f* 1. *(suppléant)* stand-in 2. SPORT substitute.

remplacement *nm* 1. *(changement)* replacing, replacement 2. *(intérim)* substitution • **faire des remplacements** to stand in • *(docteur)* to act as a locum (UK).

remplacer *vt* 1. *(gén)* to replace 2. *(prendre la place de)* to stand in for 3. SPORT to substitute.

remplir *vt* 1. *(gén)* to fill • **remplir de** to fill with • **remplir qqn de joie/d'orgueil** to fill sb with happiness/pride 2. *(questionnaire)* to fill in *ou* out 3. *(mission, fonction)* to complete, to fulfil.

remplissage *nm* 1. *(de récipient)* filling up 2. *fig* & *péj (de texte)* padding out.

remporter *vt* 1. *(repartir avec)* to take away again 2. *(gagner)* to win.

remuant, e *adj* restless, overactive.

remue-ménage *nm inv* commotion, confusion.

remuer ◨ *vt* 1. *(bouger, émouvoir)* to move 2. *(café, thé)* to stir 3. *(salade)* to toss. ◨ *vi* to move, to stir • **arrête de remuer comme ça** stop being so restless.
■ **se remuer** *vp* 1. *(se mouvoir)* to move 2. *fig (réagir)* to make an effort.

rémunération *nf* remuneration.

rémunérer *vt* 1. *(personne)* to remunerate, to pay 2. *(activité)* to pay for.

renâcler *vi fam* to make a fuss • **renâcler devant** *ou* **à qqch** to balk at sthg.

renaissance *nf* rebirth.

renaître *vi* 1. *(ressusciter)* to come back to life, to come to life again • **faire renaître** *(passé, tradition)* to revive 2. *(revenir - sentiment, printemps)* to return • *(- économie)* to revive, to recover.

renard *nm* fox.

renchérir *vi* 1. *(augmenter)* to become more expensive 2. *(prix)* to go up 3. *(surenchérir)* • **renchérir sur** to add to.

rencontre *nf (gén)* meeting • **faire une bonne rencontre** to meet somebody interesting • **faire une mauvaise rencontre** to meet an unpleasant person • **aller/venir à la rencontre de qqn** to go/come to meet sb.

rencontrer *vt* 1. *(gén)* to meet 2. *(heurter)* to strike.
■ **se rencontrer** *vp* 1. *(gén)* to meet 2. *(opinions)* to agree.

rendement *nm* 1. *(de machine, travailleur)* output 2. *(de terre, placement)* yield.

rendez-vous *nm inv* 1. *(rencontre)* appointment 2. *(amoureux)* date • **on a tous rendez-vous au café** we're all meeting at the café • **lors de notre dernier rendez-vous** at our last meeting • **prendre rendez-vous avec qqn** to make an appointment with sb • **donner rendez-vous à qqn** to arrange to meet sb • **se donner rendez-vous** to arrange to meet 3. *(lieu)* meeting place.

rendormir ■ **se rendormir** *vp* to go back to sleep.

rendre ◨ *vt* 1. *(restituer)* • **rendre qqch à qqn** to give sthg back to sb, to give sthg back to sb 2. *(invitation, coup)* to return 3. DR to pronounce 4. *(produire un effet)* to produce 5. *(vomir)* to vomit, to cough up 6. MIL *(céder)* to surrender • **rendre les armes** to lay down one's arms 7. *(+ adj)*

S'EXPRIMER...

fixer un rendez-vous
• What time are we meeting? **À quelle heure nous retrouvons-nous ?**
• Where are we going to meet? **Où nous donnons-nous rendez-vous ?**
• Do you want to meet up this evening? **Veux-tu/Voulez-vous qu'on se donne rendez-vous pour ce soir ?**
• Have you anything on tomorrow? **As-tu/Avez-vous déjà prévu quelque chose demain ?**
• I can't tomorrow, but I'm free all weekend. **Je ne peux pas demain, mais j'ai tout mon week-end de libre.**

(faire devenir) to make • **rendre qqn fou** to drive sb mad 8. *(exprimer)* to render. ◨ *vi* 1. *(produire - champ)* to yield 2. *(vomir)* to vomit, to be sick (UK).
■ **se rendre** *vp* 1. *(céder, capituler)* to give in • **j'ai dû me rendre à l'évidence** I had to face facts 2. *(aller)* • **se rendre à** to go to 3. *(+ adj) (se faire tel)* • **se rendre utile/malade** to make o.s. useful/ill.

rêne *nf* rein.

renégat, e *nm, f sout* renegade.

renégocier *vt* to renegotiate.

renfermé, e *adj* introverted, withdrawn. ■ **renfermé** *nm* • **ça sent le renfermé** it smells stuffy in here.

renfermer *vt (contenir)* to contain.
■ **se renfermer** *vp* to withdraw.

renflé, e *adj* bulging.

renflouer *vt* 1. *(bateau)* to refloat 2. *fig (entreprise, personne)* to bail out.

renfoncement *nm* recess.

renforcer *vt* to reinforce, to strengthen • **cela me renforce dans mon opinion** that confirms my opinion.

renfort *nm* reinforcement • **venir en renfort** to come as reinforcements.

renfrogné, e *adj* scowling.

renfrogner ■ **se renfrogner** *vp* to scowl, to pull a face.

rengaine *nf* 1. *(formule répétée)* (old) story 2. *(chanson)* (old) song.

rengorger ■ **se rengorger** *vp fig* to puff o.s. up.

renier *vt* 1. *(famille, ami)* to disown 2. *(foi, opinion)* to renounce, to repudiate.

renifler ◼ vi to sniff. ◼ vt to sniff • **renifler quelque chose de louche** to smell a rat.

renne nm reindeer (inv).

renom nm renown, fame.

renommé, e adj renowned, famous. ◼ **renommée** nf renown, fame • **de renommée internationale** world-famous, internationally renowned.

renoncement nm • **renoncement (à)** renunciation (of).

renouer vt 1. (lacet, corde) to re-tie, to tie up again 2. (contact, conversation) to resume. ◼ vi • **renouer avec qqn** to take up with sb again • **renouer avec sa famille** to make it up with one's family again.

renouveau nm (transformation) revival.

renouvelable adj 1. renewable 2. (expérience) repeatable.

renouveler vt (gén) to renew. ◼ **se renouveler** vp 1. (être remplacé) to be renewed 2. (changer, innover) to have new ideas 3. (se répéter) to be repeated, to recur.

renouvellement nm renewal.

rénovation nf renovation, restoration.

rénover vt 1. (immeuble) to renovate, to restore 2. (système, méthodes) to reform.

renseignement nm information (indénombrable) • **un renseignement** a piece of information • **prendre des renseignements (sur)** to make enquiries (about). ◼ **renseignements** nmpl (service d'information) enquiries (UK), information.

renseigner vt • **renseigner qqn (sur)** to give sb information (about), to inform sb (about). ◼ **se renseigner** vp 1. (s'enquérir) to make enquiries, to ask for information 2. (s'informer) to find out.

rentabiliser vt to make profitable.

rentabilité nf profitability.

rentable adj 1. COMM profitable 2. fam (qui en vaut la peine) worthwhile.

rente nf 1. (d'un capital) revenue, income 2. (pension) pension, annuity.

rentier, ère nm, f person of independent means.

rentrée nf 1. (fait de rentrer) return 2. (reprise des activités) • **la rentrée parlementaire** the reopening of parliament • **la rentrée des classes** the start of the new school year 3. CINÉ & THÉÂTRE comeback 4. (recette) income • **avoir une rentrée d'argent** to come into some money.

rentrer ◼ vi 1. (entrer de nouveau) to go/come back in • **tout a fini par rentrer dans l'ordre** everything returned to normal 2. (entrer) to go/come in 3. (revenir chez soi) to go/come back, to go/come home 4. (recouvrer, récupérer) • **rentrer dans** to recover, to get back • **rentrer dans ses frais** to cover one's costs, to break even 5. (se jeter avec violence) • **rentrer dans** to crash into 6. (s'emboîter) to go in, to fit • **rentrer les uns dans les autres** to fit together 7. (être perçu - fonds) to come in. ◼ vt 1. (mettre ou remettre à l'intérieur) to bring in 2. (chemise) to tuck in 3. (ventre) to pull in 4. (griffes) to retract, to draw in 5. fig (rage, larmes) to hold back.

renversant, e adj staggering, astounding.

renverse nf • **tomber à la renverse** to fall over backwards.

renversement nm 1. (inversion) turning upside down 2. (de situation) reversal.

renverser vt 1. (mettre à l'envers) to turn upside down 2. (faire tomber - objet) to knock over • (- piéton) to run over • (- liquide) to spill 3. fig (obstacle) to overcome 4. (régime) to overthrow 5. (ministre) to throw out of office 6. (tête, buste) to tilt back 7. (accident) • **se faire renverser par une voiture** to get ou be knocked over by a car.

■ **se renverser** *vp* **1.** *(incliner le corps en arrière)* to lean back **2.** *(tomber)* to overturn.

renvoi *nm* **1.** *(licenciement)* dismissal **2.** *(de colis, lettre)* return, sending back **3.** *(ajournement)* postponement **4.** *(référence)* cross-reference **5.** DR referral **6.** *(éructation)* belch.

renvoyer *vt* **1.** *(faire retourner)* to send back **2.** *(congédier)* to dismiss **3.** *(colis, lettre)* to send back, to return **4.** *(balle)* to throw back **5.** *(réfléchir - lumière)* to reflect ■ *(- son)* to echo **6.** *(référer)* ■ **renvoyer qqn à** to refer sb to **7.** *(différer)* to postpone, to put off.

réorganisation *nf* reorganization.

réorganiser *vt* to reorganize.

réorienter *vt* to reorient, to reorientate.

réouverture *nf* reopening.

repaire *nm* den.

répandre *vt* **1.** *(verser, renverser)* to spill **2.** *(larmes)* to shed **3.** *(diffuser, dégager)* to give off **4.** fig *(bienfaits)* to pour out **5.** *(effroi, terreur, nouvelle)* to spread.

répandu, e ■ *pp* ▷ **répandre**. ■ *adj (opinion, maladie)* widespread.

réparable *adj* **1.** *(objet)* repairable **2.** *(erreur)* that can be put right.

réparateur, trice ■ *adj (sommeil)* refreshing. ■ *nm, f* repairer.

réparation *nf* **1.** *(d'objet - action)* repairing ■ *(- résultat)* repair ■ **en réparation** under repair **2.** *(de faute)* ■ **réparation (de)** atonement (for) **3.** *(indemnité)* reparation, compensation.

réparer *vt* **1.** *(objet)* to repair **2.** *(faute, oubli)* to make up for ■ **réparer ses torts** to make amends.

reparler *vi* ■ **reparler de qqn/qqch** to talk about sb/sthg again.

repartie *nf* retort ■ **avoir de la repartie** to be good at repartee.

repartir ■ *vt* littéraire to reply. ■ *vi* **1.** *(retourner)* to go back, to return **2.** *(partir de nouveau)* to set off again **3.** *(recommencer)* to start again.

répartir *vt* **1.** *(partager)* to share out, to divide up **2.** *(dans l'espace)* to spread out, to distribute **3.** *(classer)* to divide ou split up.
■ **se répartir** *vp* to divide up.

répartition *nf* **1.** *(partage)* sharing out **2.** *(de tâches)* allocation **3.** *(dans l'espace)* distribution.

repas *nm* meal ■ **prendre son repas** to eat.

LE REPAS

- l'assiette the plate
- la bière the beer
- le café the coffee
- la carafe d'eau the water jug
- la charcuterie pork
- les couverts the cutlery
- les crudités raw vegetables
- le dessert dessert
- l'eau du robinet tap water
- l'eau gazeuse fizzy water
- l'eau minérale mineral water
- l'eau plate still water
- l'entrée the starter
- la forêt noire the Black Forest cake
- le fromage cheese
- les fruits fruit
- le gâteau the cake
- le gâteau d'anniversaire the birthday cake
- le jus de pomme apple juice
- le jus d'orange orange juice
- les légumes vegetables
- le pain the bread
- le plat the main course
- le plateau the tray
- le plateau de fromages the cheese board
- la tarte the tart
- le thé tea
- la tisane herb tea
- le verre the glass
- la viande meat
- le vin wine
- le yaourt the yoghurt

repassage *nm* ironing.

repasser ■ *vi* **1.** *(passer à nouveau)* to go/ come back **2.** *(film)* to be on again. ■ *vt* **1.** *(frontière, montagne)* to cross again, to recross **2.** *(examen)* to resit (UK) **3.** *(film)* to show again **4.** *(linge)* to iron.

repêchage *nm* *(de noyé, voiture)* recovery.

repêcher *vt* **1.** *(noyé, voiture)* to fish out **2.** fam *(candidat)* to let through.

repeindre *vt* to repaint.

repeint, e *pp* ▷ **repeindre**.

repenser *vt* to rethink.

repentir *nm* repentance.
■ **se repentir** *vp* to repent • **se repentir de qqch/d'avoir fait qqch** to be sorry for sthg/for having done sthg.

répercussion *nf* repercussion.

répercuter *vt* **1.** *(lumière)* to reflect **2.** *(son)* to throw back **3.** *(ordre, augmentation)* to pass on.
■ **se répercuter** *vp* **1.** *(lumière)* to be reflected **2.** *(son)* to echo **3.** *(influer)* • **se répercuter sur** to have repercussions on.

repère *nm* **1.** *(marque)* mark **2.** *(objet concret)* landmark • **point de repère** point of reference.

repérer *vt* **1.** *(situer)* to locate, to pinpoint **2.** *fam (remarquer)* to spot • **se faire repérer** to be spotted.

répertoire *nm* **1.** *(agenda)* thumb-indexed notebook **2.** *(de théâtre, d'artiste)* repertoire **3.** INFORM directory.

répertorier *vt* to make a list of.

répéter ◨ *vt* **1.** *(gén)* to repeat **2.** *(leçon)* to go over, to learn **3.** *(rôle)* to rehearse. ◨ *vi* to rehearse.
■ **se répéter** *vp* **1.** *(radoter)* to repeat o.s. **2.** *(se reproduire)* to be repeated • **que cela ne se répète pas !** don't let it happen again!

répétitif, ive *adj* repetitive.

répétition *nf* **1.** *(réitération)* repetition **2.** MUS & THÉÂTRE rehearsal.

repeupler *vt* **1.** *(région, ville)* to repopulate **2.** *(forêt)* to replant **3.** *(étang)* to restock.

repiquer *vt* **1.** *(replanter)* to plant out **2.** *(disque, cassette)* to tape.

répit *nm* respite • **sans répit** without respite.

replacer *vt* **1.** *(remettre)* to replace, to put back **2.** *(situer)* to place, to put.
■ **se replacer** *vp* to find new employment.

replanter *vt* to replant.

replet, ète *adj* chubby.

repli *nm* **1.** *(de tissu)* fold **2.** *(de rivière)* bend **3.** *(de troupes)* withdrawal.

replier *vt* **1.** *(plier de nouveau)* to fold up again **2.** *(ramener en pliant)* to fold back **3.** *(armée)* to withdraw.
■ **se replier** *vp* **1.** *(armée)* to withdraw **2.** *(personne)* • **se replier sur soi-même** to withdraw into o.s. **3.** *(journal, carte)* to fold.

réplique *nf* **1.** *(riposte)* reply • **sans réplique** *(argument)* irrefutable **2.** *(d'acteur)* line • **donner la réplique à qqn** to play opposite sb **3.** *(copie)* replica **4.** *(sosie)* double.

répliquer ◨ *vt* • **répliquer à qqn que** to reply to sb that. ◨ *vi* **1.** *(répondre)* to reply **2.** *(avec impertinence)* to answer back **3.** *fig (riposter)* to retaliate.

replonger ◨ *vt* to plunge back. ◨ *vi* to dive back.
■ **se replonger** *vp* • **se replonger dans qqch** to immerse o.s. in sthg again.

répondeur *nm* • **répondeur (téléphonique** OU **automatique** OU **-enregistreur)** answering machine.

répondre ◨ *vi* • **répondre à qqn** *(faire connaître sa pensée)* to answer sb, to reply to sb • *(riposter)* to answer sb back • **répondre à qqch** *(faire une réponse)* to reply to sthg, to answer sthg • *(en se défendant)* to respond to sthg • **répondre au téléphone** to answer the telephone. ◨ *vt* to answer, to reply.
■ **répondre à** *vt* **1.** *(correspondre à - besoin)* to answer • *(- conditions)* to meet **2.** *(ressembler à - description)* to match.
■ **répondre de** *vt* to answer for.

répondu, e *pp* ▷ **répondre**.

réponse *nf* **1.** *(action de répondre)* answer, reply • **en réponse à votre lettre…** in reply OU in answer OU in response to your letter… **2.** *(solution)* answer **3.** *(réaction)* response **4.** TECHNOL response.

report *nm* **1.** *(de réunion, rendez-vous)* postponement **2.** COMM *(d'écritures)* carrying forward.

reportage *nm* *(article, enquête)* report.

reporter[1] *nm* reporter • **grand reporter** international reporter.

reporter[2] *vt* **1.** *(rapporter)* to take back **2.** *(différer)* • **reporter qqch à** to postpone sthg till, to put sthg off till **3.** *(somme)* • **reporter (sur)** to carry forward (to) **4.** *(transférer)* • **reporter sur** to transfer to.
■ **se reporter** *vp* • **se reporter à** *(se référer à)* to refer to • *(se transporter en pensée à)* to cast one's mind back to.

repos *nm* **1.** *(gén)* rest • **prendre un jour de repos** to take a day off **2.** *(tranquillité)* peace and quiet.

reposé, e *adj* rested • **à tête reposée** with a clear head.

reposer ◼ vt **1.** *(poser à nouveau)* to put down again, to put back down **2.** *(remettre)* to put back **3.** *(poser de nouveau - question)* to ask again **4.** *(appuyer)* to rest **5.** *(délasser)* to rest, to relax. ◼ vi **1.** *(pâte)* to sit, to stand **2.** *(vin)* to stand **3.** *(théorie)* • **reposer sur** to rest on.
◼ **se reposer** vp **1.** *(se délasser)* to rest **2.** *(faire confiance)* • **se reposer sur qqn** to rely on sb.

repositionnable adj repositionable, removable.

repoussant, e adj repulsive.

repousser ◼ vi to grow again, to grow back. ◼ vt **1.** *(écarter)* to push away, to push back **2.** *(l'ennemi)* to repel, to drive back **3.** *(éconduire)* to reject **4.** *(proposition)* to reject, to turn down **5.** *(différer)* to put back, to postpone.

répréhensible adj reprehensible.

reprendre ◼ vt **1.** *(prendre de nouveau)* to take again • **je passe te reprendre dans une heure** I'll come by and pick you up again in an hour • **reprendre la route** to take to the road again • **reprendre haleine** to get one's breath back **2.** *(récupérer - objet prêté)* to take back • *(- prisonnier, ville)* to recapture **3.** COMM *(entreprise, affaire)* to take over **4.** *(se resservir)* • **reprendre un gâteau/de la viande** to take another cake/some more meat **5.** *(recommencer)* to resume • **« et ainsi » reprit-il...** "and so", he continued... **6.** *(retoucher)* to repair **7.** *(jupe)* to alter **8.** *(corriger)* to correct. ◼ vi **1.** *(affaires, plante)* to pick up **2.** *(recommencer)* to start again.

représailles nfpl reprisals.

représentant, e nm, f representative.

représentatif, ive adj representative.

représentation nf **1.** *(gén)* representation **2.** *(spectacle)* performance.

représentativité nf representativeness.

représenter vt to represent.
◼ **se représenter** vp **1.** *(s'imaginer)* • **se représenter qqch** to visualize sthg **2.** *(se présenter à nouveau)* • **se représenter à** *(aux élections)* to stand (UK) ou run (US) again at • *(à un examen)* to resit (UK), to represent.

répression nf **1.** *(de révolte)* repression **2.** *(de criminalité, d'injustices)* suppression.

réprimande nf reprimand.

réprimander vt to reprimand.

réprimer vt **1.** *(émotion, rire)* to repress, to check **2.** *(révolte, crimes)* to put down, to suppress.

repris, e pp ▷ **reprendre**. ◼ **repris** nm • **repris de justice** habitual criminal.

reprise nf **1.** *(recommencement - des hostilités)* resumption, renewal • *(- des affaires)* revival, recovery • *(- de pièce)* revival • **à plusieurs reprises** on several occasions, several times **2.** *(boxe)* round **3.** *(raccommodage)* mending.

repriser vt to mend.

réprobateur, trice adj reproachful.

réprobation nf disapproval.

reproche nm reproach • **faire des reproches à qqn** to reproach sb • **avec reproche** reproachfully • **sans reproche** blameless.

reprocher vt • **reprocher qqch à qqn** to reproach sb for sthg.
◼ **se reprocher** vp • **se reprocher (qqch)** to blame o.s. (for sthg).

reproducteur, trice adj reproductive.

reproduction nf reproduction • **reproduction interdite** all rights (of reproduction) reserved.

reproduire vt to reproduce.
◼ **se reproduire** vp **1.** BIOL to reproduce, to breed **2.** *(se répéter)* to recur.

reproduit, e pp ▷ **reproduire**.

réprouver vt *(blâmer)* to reprove.

reptile nm reptile.

repu, e adj full, sated.

républicain, e adj & nm, f republican.

république nf republic • **la République française** the French Republic • **la République populaire de Chine** the People's Republic of China • **la République tchèque** the Czech Republic.

répudier vt *(femme)* to repudiate.

répugnance nf **1.** *(horreur)* repugnance **2.** *(réticence)* reluctance • **avoir** ou **éprouver de la répugnance à faire qqch** to be reluctant to do sthg.

répugnant, e adj repugnant.

répugner vi • **répugner à qqn** to disgust sb, to fill sb with repugnance • **répugner à faire qqch** to be reluctant to do sthg, to be loath to do sthg.

répulsion nf repulsion.

réputation *nf* reputation ▪ **avoir une réputation de** to have a reputation for ▪ **avoir bonne/mauvaise réputation** to have a good/bad reputation.

réputé, e *adj* famous, well-known.

requérir *vt* **1.** *(nécessiter)* to require, to call for **2.** *(solliciter)* to solicit **3.** DR *(réclamer au nom de la loi)* to demand.

requête *nf* **1.** *(prière)* petition **2.** DR appeal.

requiem *nm inv* requiem.

requin *nm* shark.

requis, e ⬛ *pp* ▷ **requérir.** ⬛ *adj* required, requisite.

réquisition *nf* **1.** MIL requisition **2.** DR closing speech for the prosecution.

réquisitionner *vt* to requisition.

réquisitoire *nm* DR closing speech for the prosecution ▪ **réquisitoire (contre)** *fig* indictment (of).

RER *(abr de réseau express régional) nm pour expliquer à un anglophone de quoi il s'agit, vous pouvez dire* it is the rail network linking central Paris with its suburbs and airports.

rescapé, e *nm, f* survivor.

rescousse ⬛ **à la rescousse** *loc adv* ▪ **venir à la rescousse de qqn** to come to sb's rescue ▪ **appeler qqn à la rescousse** to call on sb for help.

réseau *nm* network ▪ **réseau ferroviaire/routier** rail/road network.

réservation *nf* reservation.

réserve *nf* **1.** *(gén)* reserve ▪ **en réserve** in reserve **2.** **officier de réserve** MIL reserve officer **2.** *(restriction)* reservation ▪ **faire des réserves (sur)** to have reservations (about) ▪ **sous réserve de** subject to ▪ **sans réserve** unreservedly **3.** *(d'animaux, de plantes)* reserve **4.** *(d'Indiens)* reservation ▪ **réserve faunique** *(Québec)* wildlife reserve ▪ **réserve naturelle** nature reserve **5.** *(local)* storeroom.

réservé, e *adj* reserved.

réserver *vt* **1.** *(destiner)* ▪ **réserver qqch (à qqn)** *(chambre, place)* to reserve *ou* book sthg (for sb) ▪ *fig (surprise, désagrément)* to have sthg in store (for sb) **2.** *(mettre de côté, garder)* ▪ **réserver qqch (pour)** to put sthg on one side (for), to keep sthg (for).
⬛ **se réserver** *vp* **1.** *(s'accorder)* ▪ **se réserver qqch** to keep sthg for o.s. ▪ **se réser-** ver le droit de faire qqch to reserve the right to do sthg **2.** *(se ménager)* to save o.s..

réservoir *nm* **1.** *(cuve)* tank **2.** *(bassin)* reservoir.

résidence *nf* **1.** *(habitation)* residence ▪ **résidence principale** main residence *ou* home ▪ **résidence secondaire** second home ▪ **résidence universitaire** hall of residence *(UK)*, dormitory *(US)* **2.** *(immeuble)* block of luxury flats *(UK)*, luxury apartment block *(US)*. ⬛ **résidence surveillée** *nf* ▪ **en résidence surveillée** under house arrest.

résident, e *nm, f* **1.** *(de pays)* ▪ **les résidents français en Écosse** French nationals resident in Scotland **2.** *(habitant d'une résidence)* resident.

résidentiel, elle *adj* residential.

résider *vi* **1.** *(habiter)* ▪ **résider à/dans/en** to reside in **2.** *(consister)* ▪ **résider dans** to lie in.

résidu *nm* **1.** *(reste)* residue **2.** *(déchet)* waste.

résignation *nf* resignation.

résigné, e *adj* resigned.

résigner ⬛ **se résigner** *vp* ▪ **se résigner (à)** to resign o.s. (to).

résilier *vt* to cancel, to terminate.

résille *nf* **1.** *(pour cheveux)* hairnet **2.** *(pour les jambes)* ▪ **bas résille** fishnet stockings.

résine *nf* resin.

résineux, euse *adj* resinous. ⬛ **résineux** *nm* conifer.

résistance *nf* **1.** *(gén, ÉLECTR & PHYS)* resistance ▪ **manquer de résistance** to lack stamina ▪ **opposer une résistance** to put up resistance **2.** *(de radiateur, chaudière)* element. ⬛ **Résistance** *nf* ▪ **la Résistance** HIST the Resistance.

résistant, e ⬛ *adj* **1.** *(personne)* tough **2.** *(tissu)* hard-wearing, tough ▪ **être résistant au froid/aux infections** to be resistant to the cold/to infection. ⬛ *nm, f* **1.** *(gén)* resistance fighter **2.** *(de la Résistance)* member of the Resistance.

résister *vi* to resist ▪ **résister à** *(attaque, désir)* to resist ▪ *(tempête, fatigue)* to withstand ▪ *(personne)* to stand up to, to oppose.

résolu, e ⬛ *pp* ▷ **résoudre.** ⬛ *adj* resolute ▪ **être bien résolu à faire qqch** to be determined to do sthg.

résolument *adv* resolutely.

résolution *nf* 1. *(décision)* resolution • **prendre la résolution de faire qqch** to make a resolution to do sthg 2. *(détermination)* resolve, determination 3. *(solution)* solving.

résonance *nf* 1. ÉLECTR & PHYS resonance 2. *fig (écho)* echo.

résonner *vi* 1. *(retentir)* to resound 2. *(renvoyer le son)* to echo.

résorber *vt* 1. *(déficit)* to absorb 2. MÉD to resorb.
■ **se résorber** *vp* 1. *(déficit)* to be absorbed 2. MÉD to be resorbed.

résoudre *vt* *(problème)* to solve, to resolve.
■ **se résoudre** *vp* • **se résoudre à faire qqch** to make up one's mind to do sthg, to decide *ou* resolve to do sthg.

respect *nm* respect.

respectable *adj* respectable.

respecter *vt* to respect • **faire respecter la loi** to enforce the law.

respectif, ive *adj* respective.

respectivement *adv* respectively.

respectueux, euse *adj* respectful • **être respectueux de** to have respect for.

respiration *nf* breathing *(indénombrable)* • **retenir sa respiration** to hold one's breath.

respiratoire *adj* respiratory.

respirer ■ *vi* 1. *(inspirer-expirer)* to breathe 2. *fig (se reposer)* to get one's breath 3. *(être soulagé)* to be able to breathe again. ■ *vt* 1. *(aspirer)* to breathe in 2. *fig (exprimer)* to exude.

resplendissant, e *adj* radiant.

responsabiliser *vt* • **responsabiliser qqn** to make sb aware of his/her responsibilities.

responsabilité *nf* 1. *(morale)* responsibility • **avoir la responsabilité de** to be responsible for, to have the responsibility of 2. DR liability.

responsable ■ *adj* 1. *(gén)* • **responsable (de)** responsible (for) 2. *(légalement)* liable (for) 3. *(chargé de)* in charge (of), responsible (for) 4. *(sérieux)* responsible. ■ *nmf* 1. *(auteur, coupable)* person responsible 2. *(dirigeant)* official 3. *(personne compétente)* person in charge.

resquillage *nm* = **resquille**.

resquille *nf* 1. *(au théâtre etc)* sneaking in without paying 2. *(dans autobus etc)* fare-dodging.

resquiller *vi* 1. *(au théâtre etc)* to sneak in without paying 2. *(dans autobus etc)* to dodge paying the fare.

resquilleur, euse *nm, f* 1. *(au théâtre etc)* person who sneaks in without paying 2. *(dans autobus etc)* fare-dodger.

ressac *nm* undertow.

ressaisir ■ **se ressaisir** *vp* to pull o.s. together.

ressasser *vt* 1. *(répéter)* to keep churning out 2. *fig (mécontentement)* to dwell on.

ressemblance *nf* 1. *(gén)* resemblance, likeness 2. *(trait)* resemblance.

ressemblant, e *adj* lifelike.

ressembler *vi* • **ressembler à** *(physiquement)* to resemble, to look like • *(moralement)* to be like, to resemble • **cela ne lui ressemble pas** that's not like him.
■ **se ressembler** *vp* to look alike, to resemble each other.

ressemeler *vt* to resole.

ressentiment *nm* resentment.

ressentir *vt* to feel.

resserrer *vt* 1. *(ceinture, boulon)* to tighten 2. *fig (lien)* to strengthen.
■ **se resserrer** *vp* 1. *(route)* to (become) narrow 2. *(nœud, étreinte)* to tighten 3. *fig (relations)* to grow stronger, to strengthen.

resservir ■ *vt* 1. *(plat)* to serve again 2. *fig (histoire)* to trot out 3. *(personne)* to give another helping to. ■ *vi* to be used again.
■ **se resservir** *vp* • **se resservir de qqch** *(ustensile)* to use sthg again • *(plat)* to take another helping of sthg.

ressort *nm* 1. *(mécanisme)* spring 2. *fig (énergie)* spirit 3. *fig (compétence)* • **être du ressort de qqn** to be sb's area of responsibility, to come under sb's jurisdiction. ■ **en dernier ressort** *loc adv* in the last resort, as a last resort.

ressortir ■ *vi* 1. *(personne)* to go out again 2. *fig (couleur)* • **ressortir (sur)** to stand out (against) • **faire ressortir** to highlight 3. *fig (résulter de)* • **ressortir de** to emerge from. ■ *vt* to take *ou* get *ou* bring out again.

ressortissant, e *nm, f* national.

ressource *nf* resort • **votre seule ressource est de...** the only course open to you is to... ■ **ressources** *nfpl* 1. *(financières)* means 2. *(énergétiques, de langue)* resources • **ressources naturelles** natural resources 3. *(de personne)* resourcefulness *(indénombrable)*.

ressurgir *vi* to reappear.

ressusciter *vi* 1. to rise (from the dead) 2. *fig* to revive.

restant, e *adj* remaining, left. ■ **restant** *nm* rest, remainder.

restaurant *nm* restaurant • **manger au restaurant** to eat out • **restaurant d'entreprise** staff canteen *(UK)* *ou* cafeteria *(US)* • **restaurant universitaire** ≃ university cafeteria *ou* refectory.

restaurateur, trice *nm, f* 1. CULIN restaurant owner 2. ART restorer.

restauration *nf* 1. CULIN restaurant business • **restauration rapide** fast food 2. ART & POLIT restoration.

restaurer *vt* to restore.
■ **se restaurer** *vp* to have something to eat.

reste *nm* 1. *(de lait, temps)* • **le reste (de)** the rest (of) 2. MATH remainder. ■ **restes** *nmpl* 1. *(de repas)* leftovers 2. *(de mort)* remains. ■ **au reste, du reste** *loc adv* besides.

rester ◙ *vi* 1. *(dans lieu, état)* to stay, to remain • **restez calme !** stay *ou* keep calm! 2. *(subsister)* to remain, to be left • **le seul bien qui me reste** the only thing I have left 3. *(s'arrêter)* • **en rester à qqch** to stop at sthg • **en rester là** to finish there • **y rester** *fam (mourir)* to pop one's clogs *(UK)*. ◙ *v impers* • **il en reste un peu** there's still a little left • **il te reste de l'argent ?** do you still have some money left?

restituer *vt* 1. *(objet volé)* to return, to restore 2. *(argent)* to refund, to return 3. *(énergie)* to release 4. *(son)* to reproduce.

resto *nm fam* restaurant • **les restos du cœur** ≃ soup kitchens • **resto-U** UNIV university refectory, cafeteria.

Restoroute® *nm* motorway cafe *(UK)*, highway restaurant *(US)*.

restreindre *vt* to restrict.
■ **se restreindre** *vp* 1. *(domaine, champ)* to narrow 2. *(personne)* to cut back • **se restreindre dans qqch** to restrict sthg.

restreint, e *pp* ▷ **restreindre**.

restrictif, ive *adj* restrictive.

restriction *nf* 1. *(condition)* condition • **sans restriction** unconditionally 2. *(limitation)* restriction. ■ **restrictions** *nfpl* *(alimentaires)* rationing *(indénombrable)*.

restructurer *vt* to restructure.

résultat *nm* 1. result 2. *(d'action)* outcome.

résulter ◙ *vi* • **résulter de** to be the result of, to result from. ◙ *v impers* • **il en résulte que...** as a result,...

résumé *nm* summary, résumé • **en résumé** *(pour conclure)* to sum up • *(en bref)* in brief, summarized.

résumer *vt* to summarize.
■ **se résumer** *vp (se réduire)* • **se résumer à qqch/à faire qqch** to come down to sthg/to doing sthg.

résurgence *nf* resurgence.

résurrection *nf* resurrection.

rétablir *vt* 1. *(gén)* to restore 2. *(malade)* to restore (to health) 3. *(communications, contact)* to re-establish.
■ **se rétablir** *vp* 1. *(silence)* to return, to be restored 2. *(malade)* to recover 3. *(gymnastique)* to pull o.s. up.

rétablissement *nm* 1. *(d'ordre)* restoration 2. *(de communications)* re-establishment 3. *(de malade)* recovery 4. *(gymnastique)* pull-up.

retard *nm* 1. *(délai)* delay • **être en retard** *(sur heure)* to be late • *(sur échéance)* to be behind • **avoir du retard** to be late *ou* delayed 2. *(de pays, peuple, personne)* backwardness.

retardataire *nmf (en retard)* latecomer.

retardement *nm* • **à retardement** belatedly. • *voir aussi* **bombe**

retarder ◪ *vt* **1.** *(personne, train)* to delay **2.** *(sur échéance)* to put back **3.** *(ajourner - rendez-vous)* to put back ou off • *(- départ)* to put back ou off, to delay **4.** *(montre)* to put back. ◪ *vi* **1.** *(horloge)* to be slow **2.** *fam (ne pas être au courant)* to be behind the times • *(être en décalage)* • **retarder sur** to be out of step ou tune with.

retenir *vt* **1.** *(physiquement - objet, personne, cri)* to hold back • *(- souffle)* to hold • **retenir qqn de faire qqch** to stop ou restrain sb from doing sthg **2.** *(retarder)* to keep, to detain **3.** *(montant, impôt)* to keep back, to withhold **4.** *(chambre)* to reserve **5.** *(leçon, cours)* to remember **6.** *(projet)* to accept, to adopt **7.** *(eau, chaleur)* to retain **8.** MATH to carry **9.** *(intérêt, attention)* to hold.
■ **se retenir** *vp* **1.** *(s'accrocher)* • **se retenir à** to hold onto **2.** *(se contenir)* to hold on • **se retenir de faire qqch** to refrain from doing sthg.

rétention *nf* MÉD retention.

retentir *vi* **1.** *(son)* to ring (out) **2.** *(pièce, rue)* • **retentir de** to resound with **3.** *fig (fatigue, blessure)* • **retentir sur** to have an effect on.

retentissant, e *adj* resounding.

retentissement *nm* *(de mesure)* repercussions *pl*.

retenu, e *pp* ▷ **retenir**.

retenue *nf* **1.** *(prélèvement)* deduction **2.** MATH amount carried **3.** SCOL detention **4.** *fig (de personne - dans relations)* reticence • *(- dans comportement)* restraint • **sans retenue** without restraint.

réticence *nf* *(hésitation)* hesitation, reluctance • **avec réticence** hesitantly.

réticent, e *adj* hesitant, reluctant.

rétine *nf* retina.

retiré, e *adj* **1.** *(lieu)* remote, isolated **2.** *(vie)* quiet.

retirer *vt* **1.** *(vêtement, emballage)* to take off, to remove **2.** *(permis, jouet)* to take away • **retirer qqch à qqn** to take sthg away from sb **3.** *(plainte)* to withdraw, to take back **4.** *(avantages, bénéfices)* • **retirer qqch de qqch** to get ou derive sthg from sthg **5.** *(bagages, billet)* to collect **6.** *(argent)* to withdraw.
■ **se retirer** *vp* **1.** *(s'isoler)* to withdraw, to retreat **2.** *(des affaires)* • **se retirer (de)** to retire (from) **3.** *(refluer)* to recede.

retombées *nfpl* repercussions, fallout *sing.*

retomber *vi* **1.** *(gymnaste, chat)* to land **2.** *(redevenir)* • **retomber malade** to relapse **3.** *fig (colère)* to die away **4.** *(cheveux)* to hang down **5.** *fig (responsabilité)* • **retomber sur** to fall on **6.** *(dans un état)* to fall back, to lapse *sout.*

rétorquer *vt* to retort • **rétorquer que...** to retort to sb that…

retors, e *adj* wily.

rétorsion *nf* retaliation • **mesures de rétorsion** reprisals.

retouche *nf* **1.** *(de texte, vêtement)* alteration **2.** ART & PHOTO touching up.

retoucher *vt* **1.** *(texte, vêtement)* to alter **2.** ART & PHOTO to touch up.

retour *nm* **1.** *(gén)* return • **à mon/ton retour** when I/you get back, on my/your return • **être de retour (de)** to be back (from) • **retour en arrière** flashback • **en retour** in return **2.** *(trajet)* journey back, return journey.

retourner ◪ *vt* **1.** *(carte, matelas)* to turn over **2.** *(terre)* to turn (over) **3.** *(compliment, objet prêté)* • **retourner qqch (à qqn)** to return sthg (to sb) **4.** *(lettre, colis)* to send back, to return **5.** *fam fig (personne)* to shake up. ◪ *vi* to come/go back • **retourner en arrière** ou **sur ses pas** to retrace one's steps.
■ **se retourner** *vp* **1.** *(basculer)* to turn over **2.** *(pivoter)* to turn round (UK) ou around (US) **3.** *fam fig (s'adapter)* to sort o.s. out (UK) **4.** *(rentrer)* • **s'en retourner** to go back (home) **5.** *fig (s'opposer)* • **se retourner contre** to turn against.

retracer *vt* **1.** *(ligne)* to redraw **2.** *(événement)* to relate.

rétracter *vt* to retract.
■ **se rétracter** *vp* 1. *(se contracter)* to retract 2. *(se dédire)* to back down.

retrait *nm* 1. *(gén)* withdrawal • **retrait du permis** disqualification from driving 2. BANQUE • **faire un retrait** to withdraw money 3. *(de bagages)* collection 4. *(des eaux)* ebbing. ■ **en retrait** *loc adj* & *loc adv* 1. *(maison)* set back from the road • **rester en retrait** *fig* to hang back 2. *(texte)* indented.

retraite *nf* 1. *(gén)* retreat 2. *(cessation d'activité)* retirement • **être à la retraite** to be retired • **retraite complémentaire** supplementary pension 3. *(revenu)* (retirement) pension.

retraité, e ■ *adj* 1. *(personne)* retired 2. TECHNOL reprocessed. ■ *nm, f* retired person, pensioner (UK).

retrancher *vt* 1. *(passage)* • **retrancher qqch (de)** to cut sthg out (from), to remove sthg (from) 2. *(montant)* • **retrancher qqch (de)** to take sthg away (from), to deduct sthg (from).
■ **se retrancher** *vp* to entrench o.s. • **se retrancher derrière/dans** *fig* to take refuge behind/in.

retransmettre *vt* to broadcast.

retransmis, e *pp* ▷ **retransmettre**.

retransmission *nf* broadcast.

retravailler ■ *vt* • **retravailler qqch** to work on sthg again. ■ *vi* to start work again.

rétrécir *vi* *(tissu)* to shrink.

rétrécissement *nm* 1. *(de vêtement)* shrinkage 2. MÉD stricture.

rétribution *nf* remuneration.

rétro ■ *nm* 1. *(style)* old style *ou* fashion 2. *fam (rétroviseur)* rearview mirror. ■ *adj inv* old-style.

rétroactif, ive *adj* retrospective.

rétrograde *adj* péj reactionary.

rétrograder ■ *vt* to demote. ■ *vi* AUTO to change down (UK); to downshift (US).

rétroprojecteur *nm* overhead projector.

rétrospectif, ive *adj* retrospective.
■ **rétrospective** *nf* retrospective.

rétrospectivement *adv* retrospectively.

retrousser *vt* 1. *(manches, pantalon)* to roll up 2. *(lèvres)* to curl.

retrouvailles *nfpl* reunion *sing*.

retrouver *vt* 1. *(gén)* to find 2. *(appétit)* to recover, to regain 3. *(reconnaître)* to recognize 4. *(ami)* to meet, to see.
■ **se retrouver** *vp* 1. *(entre amis)* to meet (up) again • **on se retrouve au café ?** shall we meet up *ou* see each other at the cafe? 2. *(être de nouveau)* to find o.s. again 3. *(par hasard)* to end up 4. *(s'orienter)* to find one's way • **ne pas s'y retrouver** *(dans ses papiers)* to be completely lost 5. *(erreur, style)* to be found, to crop up 6. *(financièrement)* • **s'y retrouver** *fam* to break even.

rétroviseur *nm* rearview mirror.

réunification *nf* reunification.

réunifier *vt* to reunify.

réunion *nf* 1. *(séance)* meeting 2. *(jonction)* union, merging 3. *(d'amis, de famille)* reunion 4. SPORT meeting.

Réunion *nf* • **(l'île de) la Réunion** Réunion.

réunir *vt* 1. *(fonds)* to collect 2. *(extrémités)* to put together, to bring together 3. *(qualités)* to combine 4. *(personnes)* to bring together 5. *(après séparation)* to reunite.
■ **se réunir** *vp* 1. *(personnes)* to meet 2. *(entreprises)* to combine 3. *(états)* to unite 4. *(fleuves, rues)* to converge.

réussi, e *adj* successful • **c'est réussi !** *fig* & *iron* congratulations!, well done!

réussir ■ *vi* 1. *(personne, affaire)* to succeed, to be a success • **réussir à faire qqch** to succeed in doing sthg 2. *(convenir)* • **réussir à** to agree with. ■ *vt* 1. *(portrait, plat)* to make a success of 2. *(examen)* to pass.

réussite *nf* 1. *(succès)* success 2. *(jeu de cartes)* patience (UK), solitaire (US).

réutiliser *vt* to reuse.

revaloriser *vt* 1. *(monnaie)* to revalue 2. *(salaires)* to raise 3. *fig (idée, doctrine)* to rehabilitate.

revanche *nf* 1. *(vengeance)* revenge • **prendre sa revanche** to take one's revenge 2. SPORT return (match). ■ **en revanche** *loc adv (par contre)* on the other hand.

rêvasser *vi* to daydream.

rêve *nm* dream.

rêvé, e *adj* ideal.

revêche *adj* surly.

réveil *nm* 1. *(de personne)* waking (up) 2. *fig* awakening 3. *(pendule)* alarm clock.

réveiller *vt* **1.** *(personne)* to wake up **2.** *(courage)* to revive. ■ **se réveiller** *vp* **1.** *(personne)* to wake (up) **2.** *(ambitions)* to reawaken.

réveillon *nm* *(jour - de Noël)* Christmas Eve « *(- de nouvel an)* New Year's Eve.

réveillonner *vi* to have a Christmas Eve/New Year's Eve meal.

révélateur, trice *adj* revealing. ■ **révélateur** *nm* **1.** PHOTO developer **2.** *fig (ce qui révèle)* indication.

révélation *nf* **1.** *(gén)* revelation **2.** *(artiste)* discovery.

révéler *vt* **1.** *(gén)* to reveal **2.** *(artiste)* to discover. ■ **se révéler** *vp* **1.** *(apparaître)* to be revealed **2.** *(s'avérer)* to prove to be.

revenant *nm* **1.** *(fantôme)* spirit, ghost **2.** *fam (personne)* stranger.

revendeur, euse *nm, f* retailer.

revendication *nf* claim, demand.

revendiquer *vt* **1.** *(dû, responsabilité)* to claim **2.** *(avec force)* to demand.

revendre *vt* **1.** *(après utilisation)* to resell **2.** *(vendre plus de)* to sell more of.

revendu, e *pp* ⊳ **revendre**.

revenir *vi* **1.** *(gén)* to come back, to return « **revenir de** to come back from, to return from « **revenir à** to come back to, to return to « **revenir sur** *(sujet)* to go over again « *(décision)* to go back on « **revenir à soi** to come to **2.** *(mot, sujet)* to crop up **3.** *(à l'esprit)* « **revenir à** to come back to **4.** *(impliquer)* « **cela revient au même/à dire que…** it amounts to the same thing/ to saying (that)… **5.** *(coûter)* « **revenir à** to come to, to amount to « **revenir cher** to be expensive **6.** *(honneur, tâche)* « **revenir à** to fall to « **c'est à lui qu'il revient de…** it is up to him to… **7.** CULIN « **faire revenir** to brown « **sa tête ne me revient pas** I don't like the look of him/her « **il n'en revenait pas** he couldn't get over it.

revente *nf* resale.

revenu, e *pp* ⊳ **revenir**. ■ **revenu** *nm* **1.** *(de pays)* revenue **2.** *(de personne)* income.

rêver ■ *vi* **1.** to dream **2.** *(rêvasser)* to daydream « **rêver de/à** to dream of/about. ■ *vt* to dream « **rêver que** to dream (that).

réverbération *nf* reverberation.

réverbère *nm* street lamp *ou* light.

révérence *nf* **1.** *(salut)* bow **2.** *littéraire (déférence)* reverence.

révérend, e *adj* reverend. ■ **révérend** *nm* reverend.

révérer *vt* to revere.

rêverie *nf* reverie.

revers *nm* **1.** *(de main)* back **2.** *(de pièce)* reverse **3.** *(de veste)* lapel **4.** *(de pantalon)* turn-up (UK), cuff (US) **5.** TENNIS backhand **6.** *fig (de fortune)* reversal.

reverser *vt* **1.** *(liquide)* to pour out more of **2.** FIN « **reverser qqch sur** to pay sthg into.

réversible *adj* reversible.

revêtement *nm* surface.

revêtir *vt* **1.** *(mur, surface)* « **revêtir (de)** to cover (with) **2.** *(aspect)* to take on, to assume **3.** *(vêtement)* to put on **4.** *(personne)* to dress.

rêveur, euse ■ *adj* dreamy. ■ *nm, f* dreamer.

revient ⊳ **prix**.

revigorer *vt* to invigorate.

revirement *nm* *(gén)* change.

réviser *vt* **1.** *(réexaminer, modifier)* to revise, to review **2.** SCOL to review (UK), to review (US) **3.** *(machine)* to check.

révision *nf* **1.** *(réexamen, modification)* revision, review **2.** *(de machine)* checkup.

revisser *vt* to screw back again.

revivre ■ *vi* **1.** *(personne)* to come back to life, to revive **2.** *fig (espoir)* to be revived, to revive « **faire revivre** to revive. ■ *vt* to relive « **faire revivre qqch à qqn** to bring sthg back to sb.

revoici *prép* « **me revoici !** it's me again!, I'm back!

revoir *vt* **1.** *(renouer avec)* to see again **2.** *(corriger, étudier)* to revise (UK), to review (US). ■ **se revoir** *vp* **1.** *(amis)* to see each other again **2.** *(professionnellement)* to meet again. ■ **au revoir** *interj* & *nm* goodbye.

révoltant, e *adj* revolting.

révolte *nf* revolt.

révolter *vt* to disgust. ■ **se révolter** *vp* « **se révolter (contre)** to revolt (against).

révolu, e *adj* past « **avoir 15 ans révolus** ADMIN to be over 15.

révolution nf **1.** (gén) revolution • **la Ré-volution française** the French Revolution **2.** fam (effervescence) uproar.

révolutionnaire nmf & adj revolutionary.

révolutionner vt **1.** (transformer) to revolutionize **2.** (mettre en émoi) to stir up.

revolver nm revolver.

révoquer vt **1.** (fonctionnaire) to dismiss **2.** (loi) to revoke.

revue nf **1.** (gén) review • **revue de presse** press review • **passer en revue** fig to review **2.** (défilé) march-past **3.** (magazine) magazine **4.** (spectacle) revue.

rez-de-chaussée nm inv ground floor (UK), first floor (US).

RFA (abr de **République fédérale d'Allemagne**) nf FRG.

rhabiller vt to dress again.
■ **se rhabiller** vp to get dressed again.

rhésus nm rhesus (factor) • **rhésus positif/négatif** rhesus positive/negative.

rhétorique nf rhetoric.

Rhin nm • **le Rhin** the Rhine.

rhinocéros nm rhinoceros.

rhino-pharyngite nf throat infection.

rhododendron nm rhododendron.

Rhône nm • **le Rhône** the (River) Rhône.

rhubarbe nf rhubarb.

rhum nm rum.

rhumatisme nm rheumatism.

rhume nm cold • **attraper un rhume** to catch a cold • **rhume des foins** hay fever.

ri pp inv ▷ **rire**.

riant, e adj **1.** smiling **2.** fig cheerful.

RIB, Rib (abr de **relevé d'identité bancaire**) nm bank details (bank account identification slip).

ribambelle nf • **ribambelle de** string of.

ricaner vi to snigger.

riche ◼ adj **1.** (gén) rich **2.** (personne, pays) rich, wealthy • **riche en** ou **de** rich in **3.** (idée) great. ◼ nmf rich person • **les riches** the rich.

richesse nf **1.** (de personne, pays) wealth (indénombrable) **2.** (de faune, flore) abundance.
■ **richesses** nfpl (gén) wealth (indénombrable).

ricochet nm **1.** litt & fig rebound **2.** (de balle d'arme) ricochet • **par ricochet** in an indirect way.

rictus nm rictus.

ride nf **1.** wrinkle **2.** (de surface d'eau) ripple.

rideau nm curtain, drape (US) • **rideau de fer** (frontière) Iron Curtain.

rider vt **1.** (peau) to wrinkle **2.** (surface) to ruffle.
■ **se rider** vp to become wrinkled.

ridicule ◼ adj ridiculous. ◼ nm • **se couvrir de ridicule** to make o.s. look ridiculous • **tourner qqn/qqch en ridicule** to ridicule sb/sthg.

ridiculiser vt to ridicule.
■ **se ridiculiser** vp to make o.s. look ridiculous.

rien ◼ pron indéf **1.** (en contexte négatif) • **ne... rien** nothing, not... anything • **je n'ai rien fait** I've done nothing, I haven't done anything • **je n'en sais rien** I don't know (anything about it), I know nothing about it • **rien ne m'intéresse** nothing interests me • **il n'y a plus rien dans le réfrigérateur** there's nothing left in the fridge **2.** (aucune chose) nothing • **que fais-tu ? rien** what are you doing? nothing • **rien de nouveau** nothing new • **rien d'autre** nothing else • **rien du tout** nothing at all • **rien à faire** it's no good • **de rien !** don't mention it!, not at all! • **pour rien** for nothing **3.** (quelque chose) anything • **sans rien dire** without saying anything. ◼ nm • **pour un rien** (se fâcher, pleurer) for nothing, at the slightest thing • **perdre son temps à des riens** to waste one's time with trivia • **en un rien de temps** in no time at all. ■ **rien que** loc adv only, just • **la vérité, rien que la vérité** the truth and nothing but the truth • **rien que l'idée des vacances la comblait** just thinking about the holiday filled her with joy.

rieur, rieuse adj cheerful.

rigide adj **1.** rigid **2.** (muscle) tense.

rigidité nf **1.** rigidity **2.** (de muscle) tenseness **3.** (de principes, mœurs) strictness.

rigole nf channel.

rigoler vi fam **1.** (rire) to laugh **2.** (plaisanter) • **rigoler (de)** to joke (about).

rigolo, ote fam ◼ adj funny. ◼ nm, f péj phoney (UK), phony (US).

rigoureux, **euse** *adj* **1.** *(discipline, hiver)* harsh **2.** *(analyse)* rigorous.

rigueur *nf* **1.** *(de punition)* severity, harshness **2.** *(de climat)* harshness **3.** *(d'analyse)* rigour *(UK)*, rigor *(US)*, exactness. ■ **à la rigueur** *loc adv* if necessary, if need be.

rime *nf* rhyme.

rimer *vi* ◦ **rimer (avec)** to rhyme (with).

rinçage *nm* rinsing.

rincer *vt* **1.** *(bouteille)* to rinse out **2.** *(cheveux, linge)* to rinse.

ring *nm* **1.** *(boxe)* ring **2.** *(Belgique) (route)* bypass.

riposte *nf* **1.** *(réponse)* retort, riposte **2.** *(contre-attaque)* counterattack.

riposter ◼ *vt* ◦ **riposter que** to retort *ou* riposte that. ◼ *vi* **1.** *(répondre)* to riposte **2.** *(contre-attaquer)* to counter, to retaliate.

rire ◼ *nm* laugh ◦ **éclater de rire** to burst out laughing. ◼ *vi* **1.** *(gén)* to laugh **2.** *(plaisanter)* ◦ **pour rire** *fam* as a joke, for a laugh.

risée *nf* ridicule ◦ **être la risée de** to be the laughingstock of.

risible *adj* *(ridicule)* ridiculous.

risque *nm* risk ◦ **prendre des risques** to take risks ◦ **à tes/vos risques et périls** at your own risk.

risqué, **e** *adj* **1.** *(entreprise)* risky, dangerous **2.** *(plaisanterie)* risqué, daring.

risquer *vt* **1.** *(vie, prison)* to risk ◦ **risquer de faire qqch** to be likely to do sthg ◦ **je risque de perdre tout ce que j'ai** I'm running the risk of losing everything I have ◦ **cela ne risque rien** it will be all right **2.** *(tenter)* to venture. ◼ **se risquer** *vp* to venture ◦ **se risquer à faire qqch** to dare to do sthg.

rissoler *vi* to brown.

rite *nm* **1.** RELIG rite **2.** *fig (cérémonial)* ritual.

rituel, **elle** *adj* ritual. ◼ **rituel** *nm* ritual.

rivage *nm* shore.

rival, **e** ◼ *adj* rival *(avant nom)*. ◼ *nm, f* rival.

rivaliser *vi* ◦ **rivaliser avec** to compete with.

rivalité *nf* rivalry.

rive *nf* *(de rivière)* bank ◦ **la rive droite** *(à Paris)* the north bank of the Seine ◦ **la rive gauche** *(à Paris)* the south bank of the Seine.

river *vt* **1.** *(fixer)* ◦ **river qqch à qqch** to rivet sthg to sthg **2.** *(clou)* to clinch ◦ **être rivé à** *fig* to be riveted *ou* glued to.

riverain, **e** *nm, f* resident.

rivet *nm* rivet.

rivière *nf* river.

rixe *nf* fight, brawl.

riz *nm* rice.

rizière *nf* paddy (field).

RMI *(abr de* **revenu minimum d'insertion)** *nm* ≃ income support *(UK)*, ≃ welfare *(US)*.

robe *nf* **1.** *(de femme)* dress ◦ **robe de mariée** wedding dress **2.** *(peignoir)* ◦ **robe de chambre** dressing gown *(UK)*, (bath)robe *(US)* **3.** *(de cheval)* coat **4.** *(de vin)* colour *(UK)*, color *(US)*.

robinet *nm* tap *(UK)*, faucet *(US)*.

robinetterie *nf* *(installations)* taps *(pl) (UK)*, faucets *(pl) (US)*.

robot *nm* **1.** *(gén)* robot **2.** *(ménager)* food processor.

robotique *nf* robotics *(indénombrable)*.

robotisation *nf* automation, robotization *(US)*.

robuste *adj* **1.** *(personne, santé)* robust **2.** *(plante)* hardy **3.** *(voiture)* sturdy.

roc *nm* rock.

rocade *nf* bypass.

rocaille *nf* **1.** *(cailloux)* loose stones *pl* **2.** *(dans un jardin)* rockery.

rocailleux, **euse** *adj* **1.** *(terrain)* rocky **2.** *fig (voix)* harsh.

rocambolesque *adj* fantastic.

roche *nf* rock.

rocher *nm* rock.

rocheux, **euse** *adj* rocky. ◼ **Rocheuses** *nfpl* ◦ **les Rocheuses** the Rockies.

rock *nm* rock ('n' roll).

rodage *nm* **1.** *(de véhicule)* running in *(UK)*, break in *(US)* ◦ **en rodage** running in *(UK)* **2.** *fig (de méthode)* running-in *(UK) ou* breaking-in *(US) ou* debugging period.

rodéo *nm* **1.** rodeo **2.** *fig & iron* free-for-all.

roder vt **1.** (véhicule) to run in (UK), to break in (US) **2.** fam (méthode) to run in (UK), to break in (US), to debug **3.** fam (personne) to break in.

rôdeur, euse nm, f prowler.

rogne nf fam bad temper • **être/se mettre en rogne** to be in/to get into a bad mood, to be in/to get into a temper.

rogner ◼ vt **1.** (ongles) to trim **2.** (revenus) to eat into. ◼ vi • **rogner sur qqch** to cut down on sthg.

roi nm king • **tirer les rois** to celebrate Epiphany.

rôle nm role, part • **jeu de rôle** role play.

roller nm (sport) rollerblading • **les rollers** (patins) Rollerblades® • **faire du roller** to go rollerblading, to rollerblade.

romain, e adj Roman. ◼ **Romain, e** nm, f Roman.

roman, e adj **1.** (langue) Romance **2.** ARCHIT Romanesque. ◼ **roman** nm LITTÉR novel.

romance nf (chanson) love song.

romancier, ère nm, f novelist.

romanesque adj **1.** LITTÉR novelistic **2.** (aventure) fabulous, storybook (avant nom).

roman-feuilleton nm **1.** serial **2.** fig soap opera.

roman-photo nm story told in photographs.

romantique nmf & adj romantic.

romantisme nm **1.** ART Romantic movement **2.** (sensibilité) romanticism.

romarin nm rosemary.

rompre ◼ vt **1.** sout (objet) to break **2.** (charme, marché) to break **3.** (fiançailles, relations) to break off. ◼ vi to break • **rompre avec qqn** fig to break up with sb. ◼ **se rompre** vp to break • **se rompre le cou/les reins** to break one's neck/back.

ronce nf (arbuste) bramble.

ronchonner vi fam • **ronchonner (après)** to grumble (at).

rond, e adj **1.** (forme, chiffre) round **2.** (joue, ventre) chubby, plump **3.** fam (ivre) tight. ◼ **rond** nm **1.** (cercle) circle • **en rond** in a circle ou ring • **tourner en rond** fig to go round in circles **2.** (anneau) ring **3.** fam (argent) • **je n'ai pas un rond** I haven't got a penny ou bean.

ronde nf **1.** (de surveillance) rounds pl **2.** (de policier) beat **3.** (danse) round **4.** MUS semibreve (UK), whole note (US). ◼ **à la ronde** loc adv • **à des kilomètres à la ronde** for miles around.

rondelle nf **1.** (de saucisson) slice **2.** (de métal) washer.

rondement adv (efficacement) efficiently, briskly.

rondeur nf **1.** (forme) roundness **2.** (partie charnue) curve.

rond-point nm roundabout (UK), traffic circle (US).

ronflant, e adj péj grandiose.

ronflement nm **1.** (de dormeur) snore **2.** (de poêle, moteur) hum, purr.

ronfler vi **1.** (dormeur) to snore **2.** (poêle, moteur) to hum, to purr.

ronger vt **1.** (bois, os) to gnaw **2.** (métal, falaise) to eat away at **3.** fig to gnaw at, to eat away at. ◼ **se ronger** vp **1.** (grignoter) • **se ronger les ongles** to bite one's nails **2.** fig (se tourmenter) to worry, to torture o.s..

rongeur, euse adj gnawing, rodent (avant nom). ◼ **rongeur** nm rodent.

ronronner vi **1.** (chat) to purr **2.** (moteur) to purr, to hum.

ROR (abr de **rougeole oreillons rubéole**) nm MMR (vaccine).

rosace nf **1.** (ornement) rose **2.** (vitrail) rose window **3.** (figure géométrique) rosette.

rosbif nm (viande) roast beef.

rose ◼ nf rose. ◼ nm pink. ◼ adj pink.

rosé, e adj (teinte) rosy. ◼ **rosé** nm rosé. ◼ **rosée** nf dew.

roseau nm reed.

rosier nm rose bush.

rosir vt & vi to turn pink.

rosser vt to thrash.

rossignol nm (oiseau) nightingale.

rot nm burp.

rotatif, ive adj rotary.

rotation nf rotation.

roter vi fam to burp.

rôti, e adj roast. ◼ **rôti** nm roast, joint (UK).

rotin nm rattan.

rôtir ◼ vt to roast. ◼ vi CULIN to roast.

rôtisserie *nf* **1.** *(restaurant)* ≃ steakhouse **2.** *(magasin) pour expliquer à un anglophone de quoi il s'agit, vous pouvez dire* it is a shop that sells roast meat.

rotonde *nf (bâtiment)* rotunda.

rotule *nf* kneecap.

rouage *nm* cog, gearwheel • **les rouages de l'État** *fig* the wheels of State.

rouble *nm* rouble.

roucouler ⬛ *vt* **1.** to warble **2.** *fig* to coo. ⬛ *vi* **1.** to coo **2.** *fig* to bill and coo.

roue *nf* **1.** *(gén)* wheel • **la grande roue** the big wheel *(UK)*, the Ferris wheel *(US)* • **roue de secours** spare wheel • **un deux roues** a two-wheeled vehicle **2.** *(de paon)* • **faire la roue** to display **3.** *(gymnastique)* cartwheel.

rouer *vt* • **rouer qqn de coups** to thrash sb, to beat sb.

rouge ⬛ *nm* **1.** *(couleur)* red **2.** *fam (vin)* red (wine) **3.** *(fard)* rouge, blusher • **rouge à lèvres** lipstick **4.** AUTO • **passer au rouge** to turn red • *(conducteur)* to go through a red light. ⬛ *nmf péj* & POLIT Red. ⬛ *adj* **1.** *(gén)* red **2.** *(fer, tison)* red-hot **3.** *péj* & POLIT Red.

rouge-gorge *nm* robin.

rougeole *nf* measles *sing*.

rougeoyer *vi* to turn red.

rougeur *nf* **1.** *(de visage, de chaleur, d'effort)* flush **2.** *(de gêne)* blush **3.** *(sur peau)* red spot *ou* blotch.

rougir ⬛ *vt* **1.** *(colorer)* to turn red **2.** *(chauffer)* to make red-hot. ⬛ *vi* **1.** *(devenir rouge)* to turn red **2.** *(d'émotion)* • **rougir (de)** *(de plaisir, colère)* to flush (with) • *(de gêne)* to blush (with) **3.** *fig (avoir honte)* • **rougir de qqch** to be ashamed of sthg.

rougissant, e *adj* **1.** *(ciel)* reddening **2.** *(jeune fille)* blushing.

rouille ⬛ *nf* **1.** *(oxyde)* rust **2.** CULIN rouille *(red chilli and garlic sauce for fish soup).* ⬛ *adj inv* rust.

rouiller ⬛ *vt* to rust, to make rusty. ⬛ *vi* to rust.

roulade *nf (galipette)* roll.

rouleau *nm* **1.** *(gén & TECHNOL)* roller • **rouleau compresseur** steamroller **2.** *(de papier)* roll **3.** *(à pâtisserie)* rolling pin **4.** CULIN • **rouleau de printemps** spring roll, egg roll *(US)*.

roulement *nm* **1.** *(gén)* rolling **2.** *(de personnel)* rotation • **travailler par roulement** to work to a rota *(UK)* **3.** *(de tambour, tonnerre)* roll **4.** TECHNOL rolling bearing **5.** FIN circulation.

rouler ⬛ *vt* **1.** *(déplacer)* to wheel **2.** *(enrouler - tapis)* to roll up • *(- cigarette)* to roll **3.** *fam (balancer)* to sway **4.** LING to roll **5.** *fam fig (duper)* to swindle, to do *(UK)*. ⬛ *vi* **1.** *(ballon, bateau)* to roll **2.** *(véhicule)* to go, to run **3.** *(suj : personne)* to drive.

• **se rouler** *vp* to roll about • **se rouler par terre** to roll on the ground • **se rouler en boule** to roll o.s. into a ball.

roulette *nf* **1.** *(petite roue)* castor **2.** *(de dentiste)* drill **3.** *(jeux)* roulette.

roulis *nm* roll.

roulotte *nf* **1.** *(de gitan)* caravan **2.** *(de tourisme)* caravan *(UK)*, trailer *(US)* **3.** *fig* • **vol à la roulotte** theft of goods in car.

roumain, e *adj* Romanian. ■ **roumain** *nm (langue)* Romanian. ■ **Roumain, e** *nm, f* Romanian.

Roumanie *nf* • **la Roumanie** Romania.

rouquin, e *fam* ⬛ *adj* redheaded. ⬛ *nm, f* redhead.

rouspéter *vi fam* to grumble, to moan.

rousse ⊳ **roux**.

rousseur *nf* redness. ■ **taches de rousseur** *nfpl* freckles.

roussir ⬛ *vt* **1.** *(rendre roux)* to turn brown **2.** CULIN to brown **3.** *(brûler légèrement)* to singe. ⬛ *vi* **1.** to turn brown **2.** CULIN to brown.

route *nf* **1.** *(gén)* road • **en route** on the way • **en route !** let's go! • **mettre en route** *(démarrer)* to start up • *fig* to get under way • **route départementale** secondary road **2.** *(itinéraire)* route.

routier, ère *adj* road *(avant nom)*. ■ **routier** *nm* **1.** *(chauffeur)* long-distance lorry driver *(UK) ou* trucker *(US)* **2.** *(restaurant)* ≃ transport cafe *(UK)*, ≃ truck stop *(US)*.

routine *nf* routine.

routinier, ère *adj* routine.

rouvert, e *pp* ⊳ **rouvrir**.

rouvrir *vt* to reopen, to open again.
■ **se rouvrir** *vp* to reopen, to open again.

roux, rousse ⬛ *adj* **1.** *(cheveux)* red **2.** *(sucre)* brown. ⬛ *nm, f (personne)* redhead.
■ **roux** *nm (couleur)* red, russet.

royal, e *adj* 1. *(de roi)* royal 2. *(magnifique)* princely.

royaliste *nmf* & *adj* royalist.

royaume *nm* kingdom.

Royaume-Uni *nm* • **le Royaume-Uni** the United Kingdom.

royauté *nf* 1. *(fonction)* kingship 2. *(régime)* monarchy.

rte *abrév de* **route**.

RTT *(abr de* **réduction du temps de travail)** ◼ *nf* (statutory) reduction in working hours. ◼ *nm* (extra) day off • **poser/ prendre un RTT** to book *ou* claim a day's holiday, to take a day off *(US)*.

ruade *nf* kick.

ruban *nm* ribbon • **ruban adhésif** adhesive tape.

rubéole *nf* German measles *sing*, rubella.

rubis *nm (pierre précieuse)* ruby.

rubrique *nf* 1. *(chronique)* column 2. *(dans classement)* heading.

ruche *nf* 1. *(abri)* hive, beehive 2. *fig* hive of activity.

rude *adj* 1. *(surface)* rough 2. *(voix)* harsh 3. *(personne, manières)* rough, uncouth 4. *(hiver, épreuve)* harsh, severe 5. *(tâche, adversaire)* tough.

rudement *adv* 1. *(brutalement - tomber)* hard • *(- répondre)* harshly 2. *fam (très)* damn.

rudesse *nf* harshness, severity.

rudimentaire *adj* rudimentary.

rudoyer *vt* to treat harshly.

rue *nf* street • **rue piétonne** *ou* **piétonnière** pedestrian area *ou* street.

ruée *nf* rush.

ruelle *nf (rue)* alley, lane.

ruer *vi* to kick.
◼ **se ruer** *vp* • **se ruer sur** to pounce on.

rugby *nm* rugby.

rugir *vi* 1. to roar 2. *(vent)* to howl.

rugissement *nm* 1. roar, roaring *(indénombrable)* 2. *(de vent)* howling.

rugosité *nf* 1. *(de surface)* roughness 2. *(aspérité)* rough patch.

rugueux, euse *adj* rough.

ruine *nf* 1. *(gén) (financière)* ruin 2. *(effondrement)* ruin, downfall 3. *(humaine)* wreck.

ruiner *vt* to ruin.
◼ **se ruiner** *vp* to ruin o.s., to bankrupt o.s..

ruineux, euse *adj* ruinous.

ruisseau, x *nm* 1. *(cours d'eau)* stream 2. *fig* & *péj (caniveau)* gutter.

ruisseler *vi* • **ruisseler (de)** to stream (with).

rumeur *nf* 1. *(bruit)* murmur 2. *(nouvelle)* rumour *(UK)*, rumor *(US)*.

ruminer *vt* 1. to ruminate 2. *fig* to mull over.

rupture *nf* 1. *(cassure)* breaking 2. *fig (changement)* abrupt change 3. *(de négociations, fiançailles)* breaking off 4. *(de contrat)* breach 5. *(amoureuse)* breakup, split.

rural, e *adj* country *(avant nom)*, rural.

ruse *nf* 1. *(habileté)* cunning, craftiness 2. *(subterfuge)* ruse.

rusé, e *adj* cunning, crafty.

russe ◼ *adj* Russian. ◼ *nm (langue)* Russian. ◼ **Russe** *nmf* Russian.

Russie *nf* • **la Russie** Russia.

rustine *nf* rubber patch *(for repairing a bicycle tyre)*.

rustique *adj* rustic.

rustre *péj* ◼ *nmf* lout. ◼ *adj* loutish.

rutilant, e *adj (brillant)* gleaming.

rythme *nm* 1. MUS rhythm • **en rythme** in rhythm 2. *(de travail, production)* pace, rate.

rythmique *adj* rhythmical.

s, S *nm inv* **1.** *(lettre)* s, S **2.** *(forme)* zigzag. ■ **S** *(abr écrite de* **Sud)** S.

s/ *abrév de* **sur.**

SA *(abr de* **société anonyme)** *nf* ≃ Ltd *(UK)*, ≃ Inc. *(US)*

sabbatique *adj* **1.** RELIG Sabbath *(avant nom)* **2.** *(congé)* sabbatical.

sable *nm* sand • **sables mouvants** quicksand *(sing)*, quicksands.

sablé, e *adj (route)* sandy. ■ **sablé** *nm* ≃ shortbread *(indénombrable)*.

sabler *vt* **1.** *(route)* to sand **2.** *(boire)* • **sabler le champagne** to crack a bottle of champagne.

sablier *nm* hourglass.

sablonneux, euse *adj* sandy.

saborder *vt* **1.** *(navire)* to scuttle **2.** *fig (entreprise)* to wind up **3.** *fig (projet)* to scupper *(UK)*.

sabot *nm* **1.** *(chaussure)* clog **2.** *(de cheval)* hoof **3.** AUTO • **sabot de Denver** wheel clamp, Denver boot.

sabotage *nm* **1.** *(volontaire)* sabotage **2.** *(bâclage)* bungling.

saboter *vt* **1.** *(volontairement)* to sabotage **2.** *(bâcler)* to bungle.

saboteur, euse *nm, f* MIL & POLIT saboteur.

sabre *nm* sabre *(UK)*, saber *(US)*.

sac *nm* **1.** *(gén)* bag **2.** *(pour grains)* sack **3.** *(contenu)* bag, bagful, sack, sackful • **sac de couchage** sleeping bag • **sac à dos** rucksack • **sac à main** handbag • **sac (en) plastique** *(petit)* plastic bag • *(solide et grand)* plastic carrier (bag) *(UK)*, large plastic bag *(US)* • **sac poubelle** bin liner *(UK)*, garbage can liner *(US)* • *(noir)* black bag **4.** *fam (10 francs)* 10 francs **5.** *littéraire (pillage)* sack.

saccade *nf* jerk.

saccadé, e *adj* jerky.

saccage *nm* havoc.

saccager *vt* **1.** *(piller)* to sack **2.** *(dévaster)* to destroy.

sacerdoce *nm* **1.** priesthood **2.** *fig* vocation.

sachant *p prés* ▷ **savoir.**

sache, saches ▷ **savoir.**

sachet *nm* **1.** *(de bonbons)* bag **2.** *(de shampooing)* sachet • **sachet de thé** teabag • **soupe en sachet** packet soup *(UK)*, package soup *(US)*.

sacoche *nf* **1.** *(de médecin, d'écolier)* bag **2.** *(de cycliste)* pannier.

sac-poubelle *nm* **1.** *(petit)* dustbin *(UK)* ou garbage can *(US)* liner **2.** *(grand)* rubbish bag *(UK)*, garbage bag *(US)*.

sacre *nm* **1.** *(de roi)* coronation **2.** *(d'évêque)* consecration.

sacré, e *adj* **1.** *(gén)* sacred **2.** RELIG *(ordres, écritures)* holy **3.** *(avant nom)* fam *(maudit)* bloody *(UK)* *(avant nom)*, goddam *(US)* *(avant nom)*.

sacrement *nm* sacrament.

sacrément *adv fam vieilli* dashed.

sacrer *vt* **1.** *(roi)* to crown **2.** *(évêque)* to consecrate **3.** *fig (déclarer)* to hail.

sacrifice *nm* sacrifice.

sacrifié, e *adj* **1.** *(personne)* sacrificed **2.** *(prix)* giveaway *(avant nom)*.

sacrifier *vt (gén)* to sacrifice • **sacrifier qqn/qqch à** to sacrifice sb/sthg to. ■ **se sacrifier** *vp* • **se sacrifier à/pour** to sacrifice o.s. to/for.

sacrilège ■ *nm* sacrilege. ■ *adj* sacrilegious.

sacristain *nm* sacristan.

sacristie *nf* sacristy.

sadique ■ *nmf* sadist. ■ *adj* sadistic.

sadisme *nm* sadism.

safari *nm* safari.

safran *nm (épice)* saffron.

saga *nf* saga.

sage ◼ *adj* **1.** *(personne, conseil)* wise, sensible **2.** *(enfant, chien)* good **3.** *(goûts)* modest **4.** *(propos, vêtement)* sober. ◼ *nm* wise man, sage.

sage-femme *nf* midwife.

sagement *adv* **1.** *(avec bon sens)* wisely, sensibly **2.** *(docilement)* like a good girl/boy.

sagesse *nf* **1.** *(bon sens)* wisdom, good sense **2.** *(docilité)* good behaviour *(UK)* ou behavior *(US)*.

Sagittaire *nm* ASTROL Sagittarius.

Sahara *nm* • **le Sahara** the Sahara.

saignant, e *adj* **1.** *(blessure)* bleeding **2.** *(viande)* rare, underdone.

saignement *nm* bleeding.

saigner ◼ *vt* **1.** *(malade, animal)* to bleed **2.** *(financièrement)* • **saigner qqn (à blanc)** to bleed sb (white). ◼ *vi* to bleed • **je saigne du nez** my nose is bleeding, I've got a nosebleed.

saillant, e *adj* **1.** *(proéminent)* projecting, protruding **2.** *(muscles)* bulging **3.** *(pommettes)* prominent.

saillie *nf* *(avancée)* projection • **en saillie** projecting.

saillir *vi* **1.** *(balcon)* to project, to protrude **2.** *(muscles)* to bulge.

sain, e *adj* **1.** *(gén)* healthy • **sain et sauf** safe and sound **2.** *(lecture)* wholesome **3.** *(fruit)* fit to eat **4.** *(mur, gestion)* sound.

saint, e ◼ *adj* **1.** *(sacré)* holy **2.** *(pieux)* saintly **3.** *(extrême)* • **avoir une sainte horreur de qqch** to detest sthg. ◼ *nm, f* saint.

saint-bernard *nm inv* **1.** *(chien)* St Bernard **2.** *fig (personne)* good Samaritan.

saintement *adv* • **vivre saintement** to lead a saintly life.

sainte-nitouche *nf péj* • **c'est une sainte-nitouche** butter wouldn't melt in her mouth.

sainteté *nf* holiness.

saint-glinglin ◼ **à la saint-glinglin** *loc adv fam* till Doomsday.

Saint-Père *nm* Holy Father.

sais, sait ▷ **savoir.**

saisie *nf* **1.** *(fiscalité & DR)* distraint, seizure **2.** INFORM input • **saisie de données** data capture.

saisir *vt* **1.** *(empoigner)* to take hold of **2.** *(avec force)* to seize **3.** FIN & DR to seize, to distrain **4.** INFORM to capture **5.** *(comprendre)* to grasp **6.** *(suj : sensation, émotion)* to grip, to seize **7.** *(surprendre)* • **être saisi par** to be struck by **8.** CULIN to seal.

◼ **se saisir** *vp* • **se saisir de qqn/qqch** to seize sb/sthg, to grab sb/sthg.

saisissant, e *adj* **1.** *(spectacle)* gripping **2.** *(ressemblance)* striking **3.** *(froid)* biting.

saison *nf* season • **en/hors saison** in/out of season • **la haute/basse/morte saison** the high/low/off season.

saisonnier, ère ◼ *adj* seasonal. ◼ *nm, f* seasonal worker.

salace *adj* salacious.

salade *nf* **1.** *(plante)* lettuce **2.** *(plat)* (green) salad • **salade composée** mixed salad • **salade de fruits** fruit salad.

saladier *nm* salad bowl.

salaire *nm* **1.** *(rémunération)* salary, wage • **salaire brut/net/de base** gross/net/basic salary, gross/net/basic wage **2.** *fig (récompense)* reward.

salant ▷ **marais.**

salarial, e *adj* wage *(avant nom)*.

salarié, e ◼ *adj* **1.** *(personne)* wage-earning **2.** *(travail)* paid. ◼ *nm, f* salaried employee.

salaud *vulg* ◼ *nm* bastard. ◼ *adj m* shitty.

sale *adj* **1.** *(linge, mains)* dirty **2.** *(couleur)* dirty, dingy **3.** *(avant nom) (type, gueule, coup)* nasty **4.** *(tour, histoire)* dirty **5.** *(bête, temps)* filthy.

salé, e *adj* **1.** *(eau, saveur)* salty **2.** *(beurre)* salted **3.** *(viande, poisson)* salt *(avant nom)*, salted **4.** *fig (histoire)* spicy **5.** *fam fig (addition, facture)* steep.

saler *vt* **1.** *(gén)* to salt **2.** *fam fig (note)* to bump up.

saleté *nf* **1.** *(malpropreté)* dirtiness, filthiness **2.** *(crasse)* dirt *(indénombrable)*, filth *(indénombrable)* • **faire des saletés** to make a mess **3.** *fam (maladie)* bug **4.** *(obscénité)* dirty thing, obscenity • **il m'a dit des saletés** he used obscenities to me

5. *(action)* disgusting thing • **faire une saleté à qqn** to play a dirty trick on sb **6.** *(calomnie)* (piece of) dirt **7.** *fam péj (personne)* nasty piece of work *(UK).*

salière *nf* saltcellar, saltshaker *(US).*

salir *vt* **1.** *(linge, mains)* to (make) dirty, to soil **2.** *fig (réputation, personne)* to sully.

salissant, e *adj* **1.** *(tissu)* easily soiled **2.** *(travail)* dirty, messy.

salive *nf* saliva.

saliver *vi* to salivate.

salle *nf* **1.** *(pièce)* room • **en salle** *(dans un café)* inside • **salle d'attente** waiting room • **salle de bains** bathroom • **salle de classe** classroom • **salle d'eau, salle de douches** shower room • **salle d'embarquement** departure lounge • **salle à manger** dining room • **salle d'opération** operating theatre *(UK)* ou room *(US)* • **salle de séjour** living room • **salle de spectacle** theatre *(UK),* theater *(US)* • **salle des ventes** saleroom *(UK),* salesroom *(US)* **2.** *(de spectacle)* audience **3.** *(public)* audience, house • **faire salle comble** to have a full house.

salon *nm* **1.** *(de maison)* lounge *(UK),* living room **2.** *(commerce)* • **salon de coiffure** hairdressing salon, hairdresser's • **salon de thé** tearoom **3.** *(foire-exposition)* show.

salope *nf vulg* bitch.

saloperie *nf fam* **1.** *(pacotille)* rubbish *(indénombrable)* **2.** *(maladie)* bug **3.** *(saleté)* junk *(indénombrable),* rubbish *(indénombrable)* • **faire des saloperies** to make a mess **4.** *(action)* dirty trick • **faire des saloperies à qqn** to play dirty tricks on sb **5.** *(propos)* dirty comment.

salopette *nf* **1.** *(d'ouvrier)* overalls *pl* **2.** *(à bretelles)* dungarees *(pl) (UK),* overalls *(US).*

saltimbanque *nmf* acrobat.

salubrité *nf* healthiness.

saluer *vt* **1.** *(accueillir)* to greet **2.** *(dire au revoir à)* to take one's leave of **3.** *fig* & MIL to salute.

■ **se saluer** *vp* to say hello/goodbye (to one another).

salut ◼ *nm* **1.** *(de la main)* wave **2.** *(de la tête)* nod **3.** *(propos)* greeting **4.** MIL salute **5.** *(sauvegarde)* safety **6.** RELIG salvation. ◼ *interj fam* **1.** *(bonjour)* hi! **2.** *(au revoir)* bye!, see you!

salutaire *adj* **1.** *(conseil, expérience)* salutary **2.** *(remède, repos)* beneficial.

salutation *nf littéraire* salutation, greeting. ■ **salutations** *nfpl* • **veuillez agréer, Monsieur, mes salutations distinguées** ou **mes sincères salutations** *sout* yours faithfully *(UK),* yours sincerely.

salve *nf* salvo.

samedi *nm* Saturday • **nous sommes partis samedi** we left on Saturday • **samedi 13 septembre** Saturday 13th September *(UK),* Saturday September 13th *(US)* • **samedi dernier/prochain** last/next Saturday • **le samedi** on Saturdays.

SAMU, Samu *(abr de* **Service d'aide médicale d'urgence)** *nm* **1.** MÉD ≃ ambulance service *(UK),* ≃ EMS *(US)* **2.** *(aide sociale)* • **le SAMU social** *si vous voulez donner une définition à un anglophone, vous pouvez dire* it is a council service that provides help for the homeless and other people in need.

sanatorium *nm* sanatorium.

sanctifier *vt* **1.** *(rendre saint)* to sanctify **2.** *(révérer)* to hallow.

sanction *nf* **1.** sanction **2.** *fig (conséquence)* penalty, price • **prendre des sanctions contre** to impose sanctions on.

sanctionner *vt* to sanction.

sanctuaire *nm* **1.** *(d'église)* sanctuary **2.** *(lieu saint)* shrine.

sandale *nf* sandal.

sandalette *nf* sandal.

sandwich *nm* sandwich.

sandwicherie *nf* **1.** sandwich shop **2.** *(avec possibilité de manger sur place)* sandwich bar.

sang *nm* blood.

sang-froid *nm inv* calm • **de sang-froid** in cold blood • **perdre/garder son sang-froid** to lose/to keep one's head.

sanglant, e *adj* **1.** bloody **2.** *fig* cruel.

sangle *nf* **1.** strap **2.** *(de selle)* girth.

sangler *vt* **1.** *(attacher)* to strap **2.** *(cheval)* to girth.

sanglier *nm* boar.

sanglot *nm* sob • **éclater en sanglots** to burst into sobs.

sangloter *vi* to sob.

sangsue *nf* **1.** leech **2.** *fig (personne)* bloodsucker.

sanguin, e *adj* **1.** ANAT blood *(avant nom)* **2.** *(rouge - visage)* ruddy • *(- orange)* blood *(avant nom)* **3.** *(emporté)* quick-tempered.

sanguinaire *adj* **1.** *(tyran)* bloodthirsty **2.** *(lutte)* bloody.

Sanisette® *nf* ≃ Superloo *(UK), si vous voulez donner une définition à un Américain, vous pouvez dire* it is a coin-operated automatic washroom.

sanitaire *adj* **1.** *(service, mesure)* health *(avant nom)* **2.** *(installation, appareil)* bathroom *(avant nom)*. ■ **sanitaires** *nmpl* toilets and showers.

sans ◼ *prép* without • **sans argent** without any money • **sans faire un effort** without making an effort. ◼ *adv* • **passe-moi mon manteau, je ne veux pas sortir sans** pass me my coat, I don't want to go out without it. ■ **sans que** *loc conj (+ subjonctif)* • **sans que vous le sachiez** without your knowing.

sans-abri *nmf* homeless person.

sans-emploi *nmf* unemployed person.

sans-gêne ◼ *nm inv (qualité)* rudeness, lack of consideration. ◼ *nmf (personne)* rude *ou* inconsiderate person. ◼ *adj inv* rude, inconsiderate.

sans-plomb *nm inv* unleaded, unleaded petrol *(UK) ou* gas *(US)*, lead-free petrol *(UK) ou* gas *(US)*.

santé *nf* health • **à ta/votre santé !** cheers!, good health!

santon *nm* Christmas crib *(UK) ou* crèche *(US)* figurine *(in Provence)*.

saoul = **soûl**.

saouler = **soûler**.

sapeur-pompier *nm* fireman, firefighter.

saphir *nm* sapphire.

sapin *nm* **1.** *(arbre)* fir, firtree • **sapin de Noël** Christmas tree **2.** *(bois)* fir, deal *(UK)*.

sarcasme *nm* sarcasm.

sarcastique *adj* sarcastic.

sarcler *vt* to weed.

sarcophage *nm* sarcophagus.

Sardaigne *nf* • **la Sardaigne** Sardinia.

sardine *nf* sardine.

SARL, Sarl *(abr de* **société à responsabilité limitée)** *nf* limited liability company *(UK)* • **Leduc, SARL** ≃ Leduc Ltd *(UK)*, ≃ Leduc Inc *(US)*.

sarment *nm (de vigne)* shoot.

sas *nm* **1.** AÉRON & NAUT airlock **2.** *(d'écluse)* lock **3.** *(tamis)* sieve.

satanique *adj* satanic.

satelliser *vt* **1.** *(fusée)* to put into orbit **2.** *(pays)* to make a satellite.

satellite *nm* satellite • **satellite artificiel/météorologique/de télécommunications** artificial/meteorological/communications satellite.

satiété *nf* • **à satiété** *(boire, manger)* one's fill • *(répéter)* ad nauseam.

satin *nm* satin.

satiné, e *adj* **1.** satin *(avant nom)* **2.** *(peau)* satiny-smooth. ■ **satiné** *nm* satin-like quality.

satire *nf* satire.

satirique *adj* satirical.

satisfaction *nf* satisfaction.

satisfaire *vt* to satisfy.
■ **se satisfaire** *vp* • **se satisfaire de** to be satisfied with.

satisfaisant, e *adj* **1.** *(travail)* satisfactory **2.** *(expérience)* satisfying.

satisfait, e ◼ *pp* ▷ **satisfaire**. ◼ *adj* satisfied • **être satisfait de** to be satisfied with.

saturation *nf* saturation.

saturé, e *adj* • **saturé (de)** saturated (with).

saturne *nm vieilli* lead. ■ **Saturne** *nf* ASTRON Saturn.

satyre *nm* **1.** satyr **2.** *fig* sex maniac.

sauce *nf* CULIN sauce.

saucière *nf* sauceboat.

saucisse *nf* CULIN sausage.

saucisson *nm* slicing sausage.

sauf¹, sauve *adj* **1.** *(personne)* safe, unharmed **2.** *fig (honneur)* saved, intact.

sauf² *prép* **1.** *(à l'exclusion de)* except, apart from **2.** *(sous réserve de)* barring • **sauf que** except (that).

sauf-conduit *nm* safe-conduct.

sauge *nf* CULIN sage.

saugrenu, e *adj* ridiculous, nonsensical.

saule *nm* willow • **saule pleureur** weeping willow.

saumon *nm* salmon • **saumon fumé** CULIN smoked salmon *(UK)*, lox *(US)*.

saumoné, e *adj* salmon *(avant nom)*.

saumure *nf* brine.

sauna *nm* sauna.

saupoudrer *vt* • **saupoudrer qqch de** to sprinkle sthg with.

saurai, sauras ▷ **savoir.**

saut *nm* 1. *(bond)* leap, jump 2. SPORT • **saut en hauteur** high jump • **saut en longueur** long jump, broad jump *(US)* • **saut à l'élastique** bungee-jumping • **faire du saut à l'élastique** to go bungee-jumping 3. *(visite)* • **faire un saut chez qqn** *fig* to pop in and see sb 4. INFORM • **(insérer un) saut de page** (insert) page break.

sauté, e *adj* sautéed.

saute-mouton *nm inv* • **jouer à saute-mouton** to play leapfrog.

sauter ◼ *vi* 1. *(bondir)* to jump, to leap • **sauter à la corde** to skip *(UK)*, to skip *ou* jump rope *(US)* • **sauter d'un sujet à l'autre** *fig* to jump from one subject to another • **sauter de joie** *fig* to jump for joy • **sauter au cou de qqn** *fig* to throw one's arms around sb 2. *(exploser)* to blow up 3. *(fusible)* to blow 4. *(être projeté - bouchon)* to fly out • *(- serrure)* to burst off • *(- bouton)* to fly off • *(- chaîne de vélo)* to come off 5. *fam (personne)* to get the sack *(UK)*. ◼ *vt* 1. *(fossé, obstacle)* to jump *ou* leap over 2. *fig (page, repas)* to skip.

sauterelle *nf* ZOOL grasshopper.

sauteur, euse ◼ *adj (insecte)* jumping *(avant nom)*. ◼ *nm, f (athlète)* jumper.

sautiller *vi* to hop.

sautoir *nm (bijou)* chain.

sauvage ◼ *adj* 1. *(plante, animal)* wild 2. *(farouche - animal familier)* shy, timid • *(- personne)* unsociable 3. *(conduite, haine)* savage. ◼ *nmf* 1. *(solitaire)* recluse 2. *péj (brute, indigène)* savage.

sauvagerie *nf* 1. *(férocité)* brutality, savagery 2. *(insociabilité)* unsociableness.

sauvegarde *nf* 1. *(protection)* safeguard 2. INFORM saving 3. INFORM *(copie)* backup.

sauvegarder *vt* 1. *(protéger)* to safeguard 2. INFORM to save 3. INFORM *(copier)* to back up.

sauve-qui-peut ◼ *nm inv (débandade)* stampede. ◼ *interj* every man for himself!

sauver *vt* 1. *(gén)* to save • **sauver qqn/ qqch de** to save sb/sthg from, to rescue sb/sthg from 2. *(navire, biens)* to salvage. ◼ **se sauver** *vp* 1. • **se sauver (de)** to run away (from) 2. *(prisonnier)* to escape (from).

sauvetage *nm* 1. *(de personne)* rescue 2. *(de navire, biens)* salvage.

sauveteur *nm* rescuer.

sauvette ◼ **à la sauvette** *loc adv* hurriedly, at great speed.

savamment *adv* 1. *(avec érudition)* learnedly 2. *(avec habileté)* skilfully *(UK)*, skillfully *(US)*, cleverly.

savane *nf* savanna.

savant, e *adj* 1. *(érudit)* scholarly 2. *(habile)* skilful, clever 3. *(animal)* performing *(avant nom)*. ◼ **savant** *nm* scientist.

saveur *nf* 1. flavour *(UK)*, flavor *(US)* 2. *fig* savour *(UK)*, savor *(US)*.

savoir ◼ *vt* 1. *(gén)* to know • **faire savoir qqch à qqn** to tell sb sthg, to inform sb of sthg • **si j'avais su...** had I but known…, if I had only known… • **sans le savoir** unconsciously, without being aware of it • **tu (ne) peux pas savoir** *fam* you have no idea • **pas que je sache** not as far as I know 2. *(être capable de)* to know how to • **sais-tu conduire ?** can you drive? • **savoir s'y prendre avec les enfants** to know how to handle children, to be good with children. ◼ *nm* learning. ◼ **à savoir** *loc conj* namely, that is.

savoir-faire *nm inv* know-how, expertise.

savoir-vivre *nm inv* good manners *pl*.

savon *nm* 1. *(matière)* soap 2. *(pain)* cake *ou* bar of soap • **savon de Marseille** ≃ household soap 3. *fam (réprimande)* telling-off.

savonner *vt (linge)* to soap. ◼ **se savonner** *vp* to soap o.s..

savonnette *nf* guest soap.

savourer *vt* to savour *(UK)*, to savor *(US)*.

savoureux, euse *adj* 1. *(mets)* tasty 2. *fig (anecdote)* juicy.

saxophone *nm* saxophone.

s/c (*abr écrite de* **sous couvert de**) c/o.

scabreux, euse *adj* 1. (*propos*) shocking, indecent 2. (*entreprise*) risky.

scalpel *nm* scalpel.

scalper *vt* to scalp.

scandale *nm* 1. (*fait choquant*) scandal 2. (*indignation*) uproar 3. (*tapage*) scene ⸱ **faire du** OU **un scandale** to make a scene.

scandaleux, euse *adj* scandalous, outrageous.

scandaliser *vt* to shock, to scandalize.

scander *vt* 1. (*vers*) to scan 2. (*slogan*) to chant.

scandinave *adj* Scandinavian. ◼ **Scandinave** *nmf* Scandinavian.

Scandinavie *nf* ⸱ **la Scandinavie** Scandinavia.

scanner[1] *vt* to scan.

scanner[2] *nm* scanner.

scaphandre *nm* 1. (*de plongeur*) diving suit 2. (*d'astronaute*) spacesuit.

scarabée *nm* beetle, scarab.

scatologique *adj* scatological.

sceau *nm* 1. seal 2. *fig* stamp, hallmark.

scélérat, e *littéraire* ◼ *adj* wicked. ◼ *nm, f* 1. villain 2. *péj* rogue, rascal.

sceller *vt* 1. (*gén*) to seal 2. CONSTR (*fixer*) to embed.

scénario *nm* 1. CINÉ, LITTÉR & THÉÂTRE (*canevas*) scenario 2. CINÉ & TV (*découpage, synopsis*) screenplay, script 3. *fig* (*rituel*) pattern.

scénariste *nmf* scriptwriter.

scène *nf* 1. (*gén*) scene 2. (*estrade*) stage ⸱ **entrée en scène** THÉÂTRE entrance ⸱ *fig* appearance ⸱ **mettre en scène** THÉÂTRE to stage ⸱ CINÉ to direct.

scepticisme *nm* scepticism (*UK*), skepticism (*US*).

sceptique ◼ *nmf* sceptic (*UK*), skeptic (*US*). ◼ *adj* 1. (*incrédule*) sceptical (*UK*), skeptical (*US*) 2. PHILO sceptic (*UK*), skeptic (*US*).

sceptre *nm* sceptre (*UK*), scepter (*US*).

schéma *nm* (*diagramme*) diagram.

schématique *adj* 1. (*dessin*) diagrammatic 2. (*interprétation, exposé*) simplified.

schématiser *vt péj* (*généraliser*) to oversimplify.

schisme *nm* 1. RELIG schism 2. (*d'opinion*) split.

schizophrène *nmf & adj* schizophrenic.

schizophrénie *nf* schizophrenia.

sciatique ◼ *nf* sciatica. ◼ *adj* sciatic.

scie *nf* (*outil*) saw.

sciemment *adv* knowingly.

science *nf* 1. (*connaissances scientifiques*) science ⸱ **sciences humaines** OU **sociales** UNIV social sciences 2. (*érudition*) knowledge 3. (*art*) art.

science-fiction *nf* science fiction.

sciences-po *nfpl* UNIV political science *sing.* ◼ **Sciences-Po** *npr si vous voulez donner une définition à un anglophone, vous pouvez dire* it is a prestigious higher-education institution that provides specialist training in political science.

scientifique ◼ *nmf* scientist. ◼ *adj* scientific.

scier *vt* (*branche*) to saw.

scierie *nf* sawmill.

scinder *vt* ⸱ **scinder (en)** to split (into), to divide (into).
◼ **se scinder** *vp* ⸱ **se scinder (en)** to split (into), to divide (into).

scintiller *vi* to sparkle.

scission *nf* split.

sciure *nf* sawdust.

sclérose *nf* 1. sclerosis 2. *fig* ossification ⸱ **sclérose en plaques** multiple sclerosis.

sclérosé, e *adj* 1. sclerotic 2. *fig* ossified.

scolaire *adj* 1. school (*avant nom*) 2. *péj* bookish.

scolarisable *adj* of school age.

scolarité *nf* schooling ⸱ **frais de scolarité** SCOL school fees ⸱ UNIV tuition fees.

scooter *nm* scooter.

scorbut *nm* scurvy.

score *nm* SPORT score.

scorpion *nm* scorpion. ◼ **Scorpion** *nm* ASTROL Scorpio.

Scotch® *nm* (*adhésif*) ≃ Sellotape® (*UK*), ≃ Scotch tape® (*US*).

scotch *nm* (*alcool*) whisky, Scotch.

scotché, e *adj* ⸱ **être scotché devant la télévision** to be glued to the television.

scotcher *vt* to sellotape *(UK)*, to scotch-tape *(US)*.

scout, e *adj* scout *(avant nom).* ■ **scout** *nm* scout.

scribe *nm* HIST scribe.

script *nm* CINÉ & TV script.

scripte *nmf* CINÉ & TV continuity person.

scrupule *nm* scruple ◦ **avec scrupule** scrupulously ◦ **sans scrupules** *(être)* unscrupulous ◦ *(agir)* unscrupulously.

scrupuleux, euse *adj* scrupulous.

scrutateur, trice *adj* searching.

scruter *vt* to scrutinize.

scrutin *nm* **1.** *(vote)* ballot **2.** *(système)* voting system ◦ **scrutin majoritaire** first-past-the-post system *(UK)* ◦ **scrutin proportionnel** proportional representation system.

sculpter *vt* to sculpt.

sculpteur *nm* sculptor.

sculpture *nf* sculpture.

SDF *(abr de sans domicile fixe) nmf* ◦ **les SDF** the homeless.

se, s' *pron pers* **1.** *(réfléchi) (personne)* one-self, himself *(f* herself *pl* themselves) **2.** *(chose, animal)* itself *(pl* themselves *pl)* ◦ **elle se regarde dans le miroir** she looks at herself in the mirror **3.** *(réciproque)* each other, one another ◦ **ils se sont rencontrés hier** they met yesterday **4.** *(passif)* ◦ **ce produit se vend bien/partout** this product is selling well/is sold everywhere **5.** *(remplace l'adjectif possessif)* ◦ **se laver les mains** to wash one's hands ◦ **se couper le doigt** to cut one's finger.

séance *nf* **1.** *(réunion)* meeting, sitting, session **2.** *(période)* session **3.** *(de pose)* sitting **4.** CINÉ & THÉÂTRE performance ◦ **séance tenante** right away, forthwith.

seau *nm* **1.** *(récipient)* bucket **2.** *(contenu)* bucketful.

sec, sèche *adj* **1.** *(gén)* dry **2.** *(fruits)* dried **3.** *(personne - maigre)* lean ◦ *(- austère)* austere **4.** *fig (cœur)* hard **5.** *(voix, ton)* sharp **6.** *(sans autre prestation)* ◦ **vol sec** flight only. ■ **sec** *adv* **1.** *(beaucoup)* ◦ **boire sec** to drink heavily **2.** *(démarrer)* sharply. ◼ *nm* ◦ **tenir au sec** to keep in a dry place.

sécable *adj* divisible.

sécateur *nm* secateurs *pl.*

À PROPOS DE… **se**

Comparez les deux phrases suivantes : *Sue and Ted hate themselves* (= Sue déteste Sue et Ted déteste Ted) ; *Sue and Ted hate each other* (= Sue déteste Ted et Ted déteste Sue).

On utilise *each other* lorsque le sujet du verbe est constitué de deux personnes ou de deux groupes, et que l'action exprimée par le verbe est réciproque (*they send each other cards at Christmas*).

S'il y a plus de deux personnes ou groupes, on peut remplacer *each other* par *one another* (*my brothers and sisters are always arguing with one other*).

sécession *nf* secession ◦ **faire sécession (de)** to secede (from).

sèche-cheveux *nm inv* hairdryer.

sèche-linge *nm inv* tumble-dryer.

sécher ◼ *vt* **1.** *(linge)* to dry **2.** *arg scol (cours)* to skip, to skive off *(UK).* ◼ *vi* **1.** *(linge)* to dry **2.** *(peau)* to dry out **3.** *(rivière)* to dry up **4.** *arg scol (ne pas savoir répondre)* to dry up.

sécheresse *nf* **1.** *(de terre, climat, style)* dryness **2.** *(absence de pluie)* drought **3.** *(de réponse)* curtness.

séchoir *nm* **1.** *(tringle)* airer, clotheshorse **2.** *(électrique)* dryer ◦ **séchoir à cheveux** hairdryer.

second, e ◼ *adj num inv* second ◦ **dans un état second** dazed. ◼ *nm, f* second. ◦ *voir aussi* **sixième** ■ **seconde** *nf* **1.** *(unité de temps & MUS)* second **2.** SCOL ≃ fifth year *ou* form *(UK),* ≃ tenth grade *(US)* **3.** *(transports)* second class **4.** AUTO second gear.

secondaire ◼ *nm* ◦ **le secondaire** GÉOL the Mesozoic ◦ SCOL secondary education ◦ ÉCON the secondary sector. ◼ *adj* **1.** *(gén & SCOL)* secondary ◦ **effets secondaires** MÉD side effects **2.** GÉOL Mesozoic.

seconder *vt* to assist.

secouer *vt (gén)* to shake.
■ **se secouer** *vp fam* to snap out of it.

secourable *adj* helpful ◦ **main secourable** helping hand.

secourir *vt* **1.** *(blessé, miséreux)* to help **2.** *(personne en danger)* to rescue.

secouriste *nmf* first-aid worker.

secours *nm* 1. *(aide)* help • **appeler au secours** to call for help • **les secours** emergency services • **au secours !** help! 2. *(dons)* aid, relief 3. *(renfort)* relief, reinforcements *pl* 4. *(soins)* aid • **les premiers secours** first aid *(indénombrable)*. ■ **de secours** *loc adj* 1. *(trousse, poste)* first-aid *(avant nom)* 2. *(éclairage, issue)* emergency *(avant nom)* 3. *(roue)* spare.

secouru, e *pp* ▷ **secourir**.

secousse *nf* 1. *(mouvement)* jerk, jolt 2. fig *(bouleversement)* upheaval 3. *(psychologique)* shock 4. *(tremblement de terre)* tremor.

secret, ète *adj* 1. *(gén)* secret 2. *(personne)* reticent. ■ **secret** *nm* 1. *(gén)* secret 2. *(discrétion)* secrecy • **dans le plus grand secret** in the utmost secrecy.

secret(-)défense *adj inv et nm inv* classified, top secret • **ce dossier est classé secret défense** this file is classified • **un document secret défense** a top secret document.

secrétaire ◨ *nmf (personne)* secretary • **secrétaire de direction** executive secretary. ◨ *nm (meuble)* writing desk, secretaire.

secrétariat *nm* 1. *(bureau)* secretary's office 2. *(d'organisation internationale)* secretariat 3. *(personnel)* secretarial staff 4. *(métier)* secretarial work.

sécréter *vt* 1. to secrete 2. fig to exude.

sécrétion *nf* secretion.

sectaire *nmf & adj* sectarian.

secte *nf* sect.

secteur *nm* 1. *(zone)* area • **se trouver dans le secteur** fam to be somewhere ou someplace (US) around 2. ADMIN district 3. ÉCON, GÉOM & MIL sector • **secteur primaire/secondaire/tertiaire** primary/secondary/tertiary sector • **secteur privé/public** private/public sector 4. ÉLECTR mains • **sur secteur** off ou from the mains.

section *nf* 1. *(gén)* section 2. *(de parti)* branch 3. MIL platoon.

sectionner *vt* 1. fig *(diviser)* to divide into sections 2. *(trancher)* to sever.

séculaire *adj (ancien)* age-old.

sécurisant, e *adj* 1. *(milieu)* secure 2. *(attitude)* reassuring.

sécurité *nf* 1. *(d'esprit)* security 2. *(absence de danger)* safety • **la sécurité routière** road safety • **en toute sécurité** safe and sound 3. *(dispositif)* safety catch 4. *(organisme)* • **la Sécurité sociale** ≃ the DSS (UK), ≃ Social Security (US).

sédatif, ive *adj* sedative. ■ **sédatif** *nm* sedative.

sédentaire *adj* 1. *(personne, métier)* sedentary 2. *(casanier)* stay-at-home.

sédentariser ■ **se sédentariser** *vp (tribu)* to settle, to become settled.

sédiment *nm* sediment.

sédition *nf* sedition.

séducteur, trice ◨ *adj* seductive. ◨ *nm, f* seducer *(f seductress)*.

séduire *vt* 1. *(plaire à)* to attract, to appeal to 2. *(abuser de)* to seduce.

séduisant, e *adj* attractive.

séduit, e *pp* ▷ **séduire**.

segment *nm* GÉOM segment.

segmenter *vt* to segment.

ségrégation *nf* segregation.

seigle *nm* rye.

seigneur *nm* lord. ■ **Seigneur** *nm* • **le Seigneur** the Lord.

sein *nm* 1. breast 2. fig bosom • **donner le sein (à un bébé)** to breast-feed (a baby). ■ **au sein de** *loc prép* within.

Seine *nf* • **la Seine** the (River) Seine.

séisme *nm* earthquake.

seize *adj num inv & nm inv* sixteen. • *voir aussi* **six**

seizième *adj num inv, nm & nmf* sixteenth. • *voir aussi* **sixième**

séjour *nm* 1. *(durée)* stay • **interdit de séjour** ≃ banned • **séjour linguistique** stay abroad *(pour perfectionner ses connaissances linguistiques)* 2. *(pièce)* living room.

séjourner *vi* to stay.

sel *nm* 1. salt 2. fig piquancy.

sélection *nf* selection.

sélectionner *vt* 1. to select, to pick 2. INFORM to select.

self-service *nm* self-service cafeteria.

selle *nf (gén)* saddle.

seller *vt* to saddle.

selon *prép* 1. *(conformément à)* in accordance with 2. *(d'après)* according to. ■ **selon que** *loc conj* depending on whether.

semaine *nf (période)* week • **à la semaine** *(être payé)* by the week.

sémantique *adj* semantic.

semblable ◼ *nm (prochain)* fellow man • **il n'a pas son semblable** there's nobody like him. ◼ *adj* **1.** *(analogue)* similar • **semblable à** like, similar to **2.** *(avant nom) (tel)* such.

semblant *nm* • **un semblant de** a semblance of • **faire semblant (de faire qqch)** to pretend (to do sthg).

sembler ◼ *vi* to seem. ◼ *v impers* • **il (me/te) semble que** it seems (to me/you) that.

semelle *nf (de chaussure - dessous)* sole • *(- à l'intérieur)* insole.

semence *nf* **1.** *(graine)* seed **2.** *(sperme)* semen *(indénombrable)*.

semer *vt* **1.** *fig (planter)* to sow **2.** *(répandre)* to scatter • **semer qqch de** to scatter sthg with, to strew sthg with **3.** *fam (se débarrasser de)* to shake off **4.** *fam (perdre)* to lose **5.** *(propager)* to bring.

semestre *nm* **1.** half year, six-month period **2.** scol semester.

semestriel, elle *adj* **1.** *(qui a lieu tous les six mois)* half-yearly, six-monthly **2.** *(qui dure six mois)* six months', six-month.

séminaire *nm* **1.** relig seminary **2.** univ *(colloque)* seminar.

séminariste *nm* seminarist.

semi-remorque *nm* articulated lorry *(UK)*, semitrailer *(US)*, rig *(US)*.

semis *nm* **1.** *(méthode)* sowing broadcast **2.** *(plant)* seedling.

semoule *nf* semolina.

sempiternel, elle *adj* eternal.

sénat *nm* senate • **le Sénat** the French Senate, ≃ the House of Lords *(UK)*, ≃ the Senate *(US)*.

sénateur, trice *nm* senator.

Sénégal *nm* • **le Sénégal** Senegal.

sénile *adj* senile.

sénilité *nf* senility.

senior *adj & nmf* **1.** sport senior **2.** *(tourisme)* for the over-50s, for the young at heart **3.** *(menu)* over 50s' • **notre clientèle senior** our over-50s customers **4.** *(personnes de plus de 50 ans)* over-50 *(gén pl)*.

sens *nm* **1.** *(fonction, instinct, raison)* sense • **le sens du toucher** the sense of touch • **avoir le sens de la nuance** to be subtle • **avoir le sens de l'humour** to have a sense of humour *(UK)* ou humor *(US)* • **ne pas avoir le sens des réalités** to have no grasp of reality • **bon sens** good sense **2.** *(direction)* direction • **dans le sens de la longueur** lengthways • **dans le sens des aiguilles d'une montre** clockwise • **dans le sens contraire des aiguilles d'une montre** anticlockwise *(UK)*, counterclockwise *(US)* • **sens dessus dessous** upside down • **sens interdit** ou **unique** one-way street **3.** *(signification)* meaning • **cela n'a pas de sens !** it's nonsensical! • **ce que tu dis n'a pas de sens** *(c'est inintelligible, déraisonnable)* what you're saying doesn't make sense • **dans** ou **en un sens** in one sense • **porteur de sens** meaningful • **lourd** ou **chargé de sens** meaningful • **au sens propre/figuré** in the literal/figurative sense **4.** *fig (orientation)* line.

sensation *nf* **1.** *(perception)* sensation, feeling **2.** *(impression)* feeling.

sensationnel, elle *adj* sensational.

sensé, e *adj* sensible.

sensibiliser *vt* **1.** méd & photo to sensitize **2.** *fig (public)* • **sensibiliser (à)** to make aware (of).

sensibilité *nf* • **sensibilité (à)** sensitivity (to).

sensible *adj* **1.** *(gén)* • **sensible (à)** sensitive (to) **2.** *(notable)* considerable, appreciable.

À PROPOS DE... sensible

Il ne faut pas confondre la version française et la version anglaise du mot « sensible », lequel a un sens bien précis dans chaque langue. Ainsi, « elle est très sensible et s'inquiète facilement » se traduira par *she's very sensitive and can get easily upset*. En revanche, *sensible* en anglais signifie « raisonnable » ou « judicieux », comme dans *what she said wasn't very sensible*, « ce qu'elle a dit n'était pas très *raisonnable* ».

sensiblement *adv* **1.** *(à peu près)* more or less **2.** *(notablement)* appreciably, considerably.

sensoriel, elle *adj* sensory.

sensualité *nf* **1.** *(lascivité)* sensuousness **2.** *(charnelle)* sensuality.

sensuel, elle *adj* **1.** *(charnel)* sensual **2.** *(lascif)* sensuous.

sentence *nf* **1.** *(jugement)* sentence **2.** *(maxime)* adage.

sentencieux, euse *adj péj* sententious.

senteur *nf littéraire* perfume.

senti, e ⬛ *pp* ▷ **sentir.** ⬛ *adj* ∘ **bien senti** *(mots)* well-chosen.

sentier *nm* path.

sentiment *nm* feeling ∘ **veuillez agréer, Monsieur, l'expression de mes sentiments distingués/cordiaux/les meilleurs** yours faithfully *(UK)*/sincerely/truly.

sentimental, e ⬛ *adj* **1.** *(amoureux)* love *(avant nom)* **2.** *(sensible, romanesque)* sentimental. ⬛ *nm, f* sentimentalist.

sentinelle *nf* sentry.

sentir ⬛ *vt* **1.** *(percevoir - par l'odorat)* to smell ∘ *(- par le goût)* to taste ∘ *(- par le toucher)* to feel **2.** *(exhaler - odeur)* to smell of **3.** *(colère, tendresse)* to feel **4.** *(affectation, plagiat)* to smack of **5.** *(danger)* to sense, to be aware of ∘ **sentir que** to feel (that) **6.** *(beauté)* to feel, to appreciate. ⬛ *vi* ∘ **sentir bon/mauvais** to smell good/bad.
⬛ **se sentir** ⬛ *v att* ∘ **se sentir bien/fatigué** to feel well/tired. ⬛ *vp (être perceptible)* ∘ **ça se sent !** you can really tell!

séparation *nf* separation.

séparatiste *nmf* separatist.

séparé, e *adj* **1.** *(intérêts)* separate **2.** *(couple)* separated.

séparer *vt* **1.** *(gén)* ∘ **séparer (de)** to separate (from) **2.** *(suj : divergence)* to divide.
⬛ **se séparer** *vp* **1.** *(se défaire)* ∘ **se séparer de** to part with **2.** *(conjoints)* to separate, to split up ∘ **se séparer de** to separate from, to split up with **3.** *(participants)* to disperse **4.** *(route)* ∘ **se séparer (en)** to split (into), to divide (into).

sept *adj num inv & nm* seven. ∘ *voir aussi* **six**

septembre *nm* September ∘ **en septembre, au mois de septembre** in September ∘ **début septembre, au début du mois de septembre** at the beginning of September ∘ **fin septembre, à la fin du mois de septembre** at the end of September ∘ **d'ici septembre** by September ∘ **(à la) mi-septembre** (in) mid-September ∘ **le premier/deux/dix septembre** the first/second/tenth of September.

septennat *nm* seven-year term (of office).

septicémie *nf* septicaemia *(UK)*, septicemia *(US)*, blood poisoning.

septième *adj num inv, nm & nmf* seventh. ∘ *voir aussi* **sixième**

sépulcre *nm* sepulchre *(UK)*, sepulcher *(US)*.

sépulture *nf* **1.** *(lieu)* burial place **2.** *(inhumation)* burial.

séquelle *nf* **1.** *(gén pl)* aftermath **2.** MÉD aftereffect.

séquence *nf* **1.** sequence **2.** *(cartes à jouer)* run, sequence.

séquestrer *vt* **1.** *(personne)* to confine **2.** *(biens)* to impound.

serai, seras ▷ **être.**

serbe *adj* Serbian. ⬛ **Serbe** *nmf* Serb.

Serbie *nf* ∘ **la Serbie** Serbia.

serein, e *adj* **1.** *(calme)* serene **2.** *(impartial)* calm, dispassionate.

sérénade *nf* MUS serenade.

sérénité *nf* serenity.

serf, serve *nm, f* serf.

sergent *nm* sergeant.

série *nf* **1.** *(gén)* series *sing* **2.** SPORT rank **3.** *(au tennis)* seeding **4.** COMM *(dans l'industrie)* ∘ **produire qqch en série** to mass-produce sthg ∘ **hors série** custom-made ∘ *fig* outstanding, extraordinary.

sérieusement *adv* seriously.

sérieux, euse *adj* **1.** *(grave)* serious **2.** *(digne de confiance)* reliable **3.** *(client, offre)* genuine **4.** *(consciencieux)* responsible ∘ **ce n'est pas sérieux** it's irresponsible **5.** *(considérable)* considerable. ⬛ **sérieux** *nm* **1.** *(application)* sense of responsibility **2.** *(gravité)* seriousness ∘ **garder son sérieux** to keep a straight face ∘ **prendre qqn/qqch au sérieux** to take sb/sthg seriously.

serin, e *nm, f (oiseau)* canary.

seringue *nf* syringe.

serment *nm* **1.** *(affirmation solennelle)* oath ∘ **sous serment** on *ou* under oath **2.** *(promesse)* vow, pledge.

sermon *nm litt & fig* sermon.

séronégatif, ive *adj* HIV-negative.

séropositif, ive *adj* HIV-positive.

séropositivité *nf* HIV infection.

serpe *nf* billhook.

serpent *nm* ZOOL snake.

serpenter *vi* to wind.

serpillière *nf* floor cloth *(UK)*, mop *(US)*.

serre *nf* *(bâtiment)* greenhouse, glasshouse *(UK)*. ■ **serres** *nfpl* ZOOL talons, claws.

serré, e *adj* **1.** *(écriture)* cramped **2.** *(tissu)* closely-woven **3.** *(rangs)* serried **4.** *(vêtement, chaussure)* tight **5.** *(discussion)* closely argued **6.** *(match)* close-fought **7.** *(poing, dents)* clenched ▪ **la gorge serrée** with a lump in one's throat ▪ **j'en avais le cœur serré** *fig* it was heartbreaking **8.** *(café)* strong.

serrer ▪ *vt* **1.** *(saisir)* to grip, to hold tight ▪ **serrer la main à qqn** to shake sb's hand ▪ **serrer qqn dans ses bras** to hug sb **2.** *fig* *(rapprocher)* to bring together ▪ **serrer les rangs** to close ranks **3.** *(poing, dents)* to clench **4.** *(lèvres)* to purse **5.** *fig* *(cœur)* to wring **6.** *(suj : vêtement, chaussure)* to be too tight for **7.** *(vis, ceinture)* to tighten **8.** *(trottoir, bordure)* to hug. ▪ *vi* AUTO ▪ **serrer à droite/gauche** to keep right/left.
■ **se serrer** *vp* **1.** *(se blottir)* ▪ **se serrer contre** to huddle up to *ou* against **2.** *(se rapprocher)* to squeeze up.

serre-tête *nm inv* headband.

serrure *nf* lock.

serrurier *nm* locksmith.

sertir *vt* **1.** *(pierre précieuse)* to set **2.** TECHNOL *(assujettir)* to crimp.

sérum *nm* serum ▪ **sérum physiologique** saline.

servage *nm* **1.** serfdom **2.** *fig* bondage.

servante *nf* *(domestique)* maidservant.

serveur, euse *nm, f* **1.** *(de restaurant)* waiter *(f* waitress) **2.** *(de bar)* barman *(f* barmaid) *(UK)*, bartender *(US)*. ■ **serveur** *nm* INFORM server.

servi, e *pp* ▷ **servir**.

serviable *adj* helpful, obliging.

service *nm* **1.** *(gén)* service ▪ **être en service** to be in use, to be set up ▪ **hors service** out of order **2.** *(travail)* duty ▪ **pendant le service** while on duty **3.** *(département)* department ▪ **service d'ordre** police and stewards *(UK)* *(at a demonstration)* **4.** MIL ▪ **service (militaire)** military *ou* national service **5.** *(aide, assistance)* favour *(UK)*, favor *(US)* ▪ **rendre un service à qqn** to do sb a favour *(UK)* *ou* favor *(US)* ▪ **rendre service** to be helpful ▪ **service après-vente** after-sales service **6.** *(à table)* ▪ **premier/deuxième ser-**

vice first/second sitting **7.** *(pourboire)* service *(charge)* ▪ **service compris/non compris** service included/not included **8.** *(assortiment - de porcelaine)* service, set ▪ *(- de linge)* set **9.** SPORT service, serve.

serviette *nf* **1.** *(de table)* serviette, napkin **2.** *(de toilette)* towel **3.** *(porte-documents)* briefcase. ■ **serviette hygiénique** *nf* sanitary towel *(UK)* *ou* napkin *(US)*.

serviette-éponge *nf* terry towel.

servile *adj* **1.** *(gén)* servile **2.** *(traduction, imitation)* slavish.

servir ▪ *vt* **1.** *(gén)* to serve ▪ **servir qqch à qqn** to serve sb sthg, to help sb to sthg **2.** *(avantager)* to serve (well), to help. ▪ *vi* **1.** *(avoir un usage)* to be useful *ou* of use ▪ **ça peut toujours/encore servir** it may/may still come in useful **2.** *(être utile)* ▪ **servir à qqch/à faire qqch** to be used for sthg/for doing sthg ▪ **ça ne sert à rien** it's pointless **3.** *(tenir lieu)* ▪ **servir de** *(personne)* to act as ▪ *(chose)* to serve as **4.** *(domestique)* to be in service **5.** MIL & SPORT to serve **6.** *(jeu de cartes)* to deal.
■ **se servir** *vp* **1.** *(prendre)* ▪ **se servir (de)** to help o.s. (to) ▪ **servez-vous !** help yourself! **2.** *(utiliser)* ▪ **se servir de qqn/qqch** to use sb/sthg.

serviteur *nm* servant.

servitude *nf* **1.** *(esclavage)* servitude **2.** *(gén pl)* *(contrainte)* constraint.

session *nf* **1.** *(d'assemblée)* session, sitting **2.** UNIV exam session **3.** INFORM ▪ **ouvrir une session** to log in *ou* on ▪ **fermer** *ou* **clore une session** to log out *ou* off.

set *nm* **1.** TENNIS set **2.** *(napperon)* ▪ **set (de table)** set of table *ou* place mats.

seuil *nm* *litt* & *fig* threshold.

seul, e ▪ *adj* **1.** *(isolé)* alone ▪ **seul à seul** alone (together), privately **2.** *(sans compagnie)* alone, by o.s. ▪ **parler tout seul** to talk to o.s. **3.** *(sans aide)* on one's own, by o.s. **4.** *(unique)* ▪ **le seul...** the only... ▪ **un seul...** a single... ▪ **pas un seul...** not one..., not a single... **5.** *(esseulé)* lonely **6.** *(sans partenaire, non marié)* alone, on one's own. ▪ *nm, f* ▪ **le seul** the only one ▪ **un seul** a single one, only one.

seulement *adv* **1.** *(gén)* only **2.** *(exclusivement)* only, solely **3.** *(même)* even. ■ **non seulement... mais (encore)** *loc corrélative* not only... but (also).

sève *nf* BOT sap.

sévère *adj* severe.

sévérité *nf* severity.

sévices *nmpl* sout ill treatment *(indénombrable)*.

sévir *vi* **1.** *(épidémie, guerre)* to rage **2.** *(punir)* to give out a punishment.

sevrer *vt* to wean.

sexe *nm* **1.** *(gén)* sex **2.** *(organe)* genitals *pl*.

sexiste *nmf* & *adj* sexist.

sexologue *nmf* sexologist.

sex-shop *nm* sex shop.

sextant *nm* sextant.

sexualité *nf* sexuality.

sexuel, elle *adj* sexual.

sexy *adj inv* fam sexy.

seyant, e *adj* becoming.

shampooing *nm* shampoo.

shérif *nm* sheriff.

shit *fam nm* hash.

shopping *nm* shopping • **faire du shopping** to go (out) shopping.

short *nm* shorts *pl*, pair of shorts.

show-business *nm inv* show business.

si *nm inv* **1.** MUS B **2.** *(chanté)* ti.

---

si *adv*

1. POUR RENFORCER
• **elle est si belle** she is so beautiful
• **il roulait si vite qu'il a eu un accident** he was driving so fast (that) he had an accident
• **c'est un garçon si gentil que tout le monde l'aime** he's such a nice boy that everybody loves him
• **ce n'est pas si facile que ça** it's not as easy as that

2. SIGNIFIE « OUI », AVEC EFFET D'INSISTANCE, DANS LES RÉPONSES À DES PHRASES INTERROGATIVES NÉGATIVES
• **tu n'aimes pas le café ? – si** don't you like coffee? – yes, I do
• **je n'y arriverai jamais – mais si !** I'll never manage – of course you will!

3. INTRODUIT UNE CONCESSION
• **si vieux qu'il soit, il comprend parfaitement ce que tu dis** however old he may be *ou* old as he is, he understands perfectly well what you are saying

• **si gentiment qu'il ait parlé, il n'a convaincu personne** for all that he spoke nicely *ou* however nicely he may have spoken, he didn't convince anyone

---

si *conj*

1. EXPRIME UNE CONDITION, UNE ÉVENTUALITÉ
• **s'il fait beau demain, nous irons à la plage** if it's fine tomorrow, we'll go to the beach
• **si tu veux, on y va** we'll go if you want

2. EXPRIME UNE HYPOTHÈSE
• **si j'avais de l'argent, j'achèterais une belle maison pour mes parents** If I had money, I would buy a very nice house for my parents
• **et s'il ne venait pas ?** what if he didn't come? *ou* supposing he didn't come?
• **si j'avais su, je t'aurais téléphoné** if I had known, I would have called you

3. DANS UNE QUESTION INDIRECTE
• **dites-moi si vous venez** tell me if *ou* whether you're coming

4. PERMET D'EXPLICITER UN FAIT
• **s'il ne t'aide pas, c'est qu'il n'en a pas envie** if he doesn't help you, it's because he doesn't feel like it *ou* the reason he doesn't help you is that he doesn't feel like it
• **c'est un miracle s'il est encore en vie** it's a miracle (that) he's still alive

5. PERMET D'EXPRIMER UNE OPPOSITION
• **si lui est adroit, son frère, en revanche, casse tout ce qu'il touche** while *ou* whilst he is skilful, his brother on the other hand breaks everything he touches!

À PROPOS DE... si

Dans les questions indirectes, *if* et *whether* sont pratiquement interchangeables (*she asked me if I wanted to go out for lunch = she asked me whether I wanted to go out for lunch*). Notez bien, en revanche, que seul *if* sert à introduire une hypothèse (*if you have any problems, just phone me*).

SI *nm* *(abr de* **syndicat d'initiative***)* tourist office.

siamois, e *adj* ▸ **frères siamois, sœurs siamoises** MÉD Siamese twins ▸ *fig* inseparable companions.

Sibérie *nf* ▸ **la Sibérie** Siberia.

sibyllin, e *adj* enigmatic.

SICAV, Sicav (*abr de* **société d'investissement à capital variable**) *nf* **1.** (*société*) unit trust (UK), mutual fund (US) **2.** (*action*) share in a unit trust (UK) *ou* mutual fund (US).

Sicile *nf* ▸ **la Sicile** Sicily.

SIDA, Sida (*abr de* **syndrome immunodéficitaire acquis**) *nm* AIDS.

side-car *nm* sidecar.

sidéen, enne *nm, f* person with AIDS.

sidérer *vt fam* to stagger.

sidérurgie *nf* (*industrie*) iron and steel industry.

siècle *nm* **1.** (*cent ans*) century **2.** (*époque, âge*) age **3.** (*gén pl*) *fam* (*longue durée*) ages *pl*.

siège *nm* **1.** (*meuble & POLIT*) seat **2.** MIL siege **3.** (*d'organisme*) headquarters, head office ▸ **siège social** registered office **4.** MÉD ▸ **se présenter par le siège** to be in the breech position.

siéger *vi* **1.** (*juge, assemblée*) to sit **2.** *littéraire* (*mal*) to have its seat **3.** *littéraire* (*maladie*) to be located.

sien ■ **le sien, la sienne** *pron poss* **1.** (*d'homme*) his **2.** (*de femme*) hers **3.** (*de chose, d'animal*) its ▸ **les siens** his/her family ▸ **faire des siennes** to be up to one's usual tricks.

sieste *nf* siesta.

sifflement *nm* **1.** (*son*) whistling **2.** (*de serpent*) hissing.

siffler ■ *vi* **1.** to whistle **2.** (*serpent*) to hiss. ■ *vt* **1.** (*air de musique*) to whistle **2.** (*femme*) to whistle at **3.** (*chien*) to whistle (for) **4.** (*acteur*) to boo, to hiss **5.** *fam* (*verre*) to knock back.

sifflet *nm* whistle. ■ **sifflets** *nmpl* hissing (*indénombrable*), boos.

siffloter *vi & vt* to whistle.

sigle *nm* acronym, (set of) initials.

signal *nm* **1.** (*geste, son*) signal ▸ **signal d'alarme** alarm (signal) ▸ **donner le signal (de)** to give the signal (for) **2.** (*panneau*) sign.

signalement *nm* description.

signaler *vt* **1.** (*fait*) to point out ▸ **rien à signaler** nothing to report **2.** (*à la police*) to denounce.

signalétique *adj* identifying.

signalisation *nf* **1.** (*panneau*) signs *pl* **2.** (*au sol*) (road) markings *pl* **3.** NAUT signals *pl*.

signataire *nmf* signatory.

signature *nf* **1.** (*nom, marque*) signature **2.** (*acte*) signing.

signe *nm* **1.** (*gén*) sign ▸ **être né sous le signe de** ASTROL to be born under the sign of ▸ **signe avant-coureur** advance indication **2.** (*trait*) mark ▸ **signe particulier** distinguishing mark.

signer *vt* to sign. ■ **se signer** *vp* to cross o.s..

signet *nm* bookmark (*attached to spine of book*).

significatif, ive *adj* significant.

signification *nf* (*sens*) meaning.

signifier *vt* **1.** (*vouloir dire*) to mean **2.** (*faire connaître*) to make known **3.** DR to serve notice of.

silence *nm* **1.** (*gén*) silence ▸ **garder le silence (sur)** to remain silent (about) ▸ **silence radio** radio silence **2.** MUS rest.

silencieux, euse *adj* **1.** (*lieu, appareil*) quiet **2.** (*personne - taciturne*) quiet ▸ (*- muet*) silent. ■ **silencieux** *nm* AUTO silencer (UK), muffler (US).

silex *nm* flint.

silhouette *nf* **1.** (*de personne*) silhouette **2.** (*de femme*) figure **3.** (*d'objet*) outline **4.** ART silhouette.

silicium *nm* silicon.

silicone *nf* silicone.

sillage *nm* wake.

sillon *nm* **1.** (*tranchée, ride*) furrow **2.** (*de disque*) groove.

sillonner *vt* **1.** (*champ*) to furrow **2.** (*ciel*) to crisscross.

silo *nm* silo.

simagrées *nfpl péj* ▸ **faire des simagrées** to make a fuss.

similaire *adj* similar.

similicuir *nm* imitation leather.

similitude *nf* similarity.

simple ■ *adj* **1.** (*gén*) simple **2.** (*ordinaire*) ordinary **3.** (*billet*) ▸ **un aller simple** a single ticket. ■ *nm* TENNIS singles *sing*.

simplicité *nf* simplicity.

simplifier *vt* 1. *(procédé)* to simplify 2. *(explication)* to simplify, to make simpler.

simpliste *adj péj* simplistic.

simulacre *nm* 1. *(semblant)* • **un simulacre de** a pretence of, a sham 2. *(action simulée)* enactment.

simulateur, trice *nm, f* 1. pretender 2. *(de maladie)* malingerer. ■ **simulateur** *nm* TECHNOL simulator.

simulation *nf* 1. *(gén)* simulation 2. *(comédie)* shamming, feigning 3. *(de maladie)* malingering.

simuler *vt* 1. *(gén)* to simulate 2. *(feindre)* to feign, to sham.

simultané, e *adj* simultaneous.

sincère *adj* sincere.

sincèrement *adv* 1. *(franchement)* honestly, sincerely 2. *(vraiment)* really, truly.

sincérité *nf* sincerity.

sine qua non *adj* • **condition sine qua non** prerequisite.

Singapour *npr* Singapore.

singe *nm* 1. monkey 2. *(de grande taille)* ape.

singer *vt* 1. *(personne)* to mimic, to ape 2. *(sentiment)* to feign.

singerie *nf* 1. *(grimace)* face 2. *(manières)* fuss *(indénombrable)*.

singulariser *vt* to draw *ou* call attention to.
■ **se singulariser** *vp* to draw *ou* call attention to o.s..

singularité *nf* 1. *littéraire (bizarrerie)* strangeness 2. *(particularité)* peculiarity.

singulier, ère *adj* 1. *sout (bizarre)* strange 2. *sout (spécial)* uncommon 3. GRAMM singular 4. *(d'homme à homme)* • **combat singulier** single combat. ■ **singulier** *nm* GRAMM singular.

singulièrement *adv* 1. *littéraire (bizarrement)* strangely 2. *(beaucoup, très)* particularly.

sinistre ■ *nm* 1. *(catastrophe)* disaster 2. DR damage *(indénombrable)*. ■ *adj* 1. *(personne, regard)* sinister 2. *(maison, ambiance)* gloomy 3. *(avant nom) péj (crétin, imbécile)* dreadful, terrible.

sinistré, e ■ *adj* 1. *(région)* disaster *(avant nom)*, disaster-stricken 2. *(famille)* disaster-stricken. ■ *nm, f* disaster victim.

sinon *conj* 1. *(autrement)* or else, otherwise 2. *(sauf)* except, apart from 3. *(si ce n'est)* if not.

sinueux, euse *adj* 1. winding 2. *fig* tortuous.

sinuosité *nf* bend, twist.

sinus *nm* 1. ANAT sinus 2. MATH sine.

sinusite *nf* sinusitis *(indénombrable)*.

sionisme *nm* Zionism.

siphon *nm* 1. *(tube)* siphon 2. *(bouteille)* soda siphon.

siphonner *vt* to siphon.

sirène *nf* siren.

sirop *nm* syrup • **sirop d'érable** maple syrup • **sirop de grenadine** (syrup of) grenadine • **sirop de menthe** mint cordial.

siroter *vt fam* to sip.

sis, e *adj* DR located.

sismique *adj* seismic.

site *nm* 1. *(emplacement)* site • **site archéologique/historique** archaeological/historic site 2. *(paysage)* beauty spot 3. INFORM • **site Web** site, Web site.

sitôt *adv* • **sitôt après** immediately after • **pas de sitôt** not for some time, not for a while • **sitôt arrivé,...** as soon as I/he *etc* arrived,... • **sitôt dit, sitôt fait** no sooner said than done. ■ **sitôt que** *loc conj* as soon as.

situation *nf* 1. *(position, emplacement)* position, location 2. *(contexte, circonstance)* situation • **situation de famille** marital status 3. *(emploi)* job, position 4. FIN financial statement.

situer *vt* 1. *(maison)* to site, to situate 2. *(sur carte)* to locate.
■ **se situer** *vp* 1. *(scène)* to be set 2. *(dans classement)* to be.

six ■ *adj num inv* six • **il a six ans** he is six (years old) • **il est six heures** it's six (o'clock) • **le six janvier** (on) the sixth of January *(UK)*, (on) January sixth *(US)* • **daté du six septembre** dated the sixth of September *(UK) ou* September sixth *(US)* • **Charles Six** Charles the Sixth • **page six** page six. ■ *nm inv* 1. *(gén)* six • **six de pique** six of spades 2. *(adresse)* (number) six. ■ *pron* six • **ils étaient six** there were six of them • **six par six** six at a time.

sixième ■ *adj num inv* sixth. ■ *nmf* sixth • **arriver/se classer sixième** to come (in)/to be placed sixth. ◼ *nf* scol ≃ first year *ou* form (UK), ≃ sixth grade (US) • **être en sixième** to be in the first year *ou* form (UK), to be in sixth grade (US) • **entrer en sixième** to go to secondary school. ◼ *nm* **1.** (part) • **le/un sixième de** one/a sixth of • **cinq sixièmes** five sixths **2.** (arrondissement) sixth arrondissement **3.** (étage) sixth floor (UK), seventh floor (US).

skateboard *nm* skateboard.

sketch *nm* sketch (in a revue etc).

ski *nm* **1.** (objet) ski **2.** (sport) skiing • **faire du ski** to ski • **ski acrobatique/alpin/ de fond** freestyle/alpine/cross-country skiing • **ski nautique** water skiing.

skier *vi* to ski.

skieur, euse *nm, f* skier.

skipper *nm* **1.** (capitaine) skipper **2.** (barreur) helmsman.

slalom *nm* **1.** ski slalom **2.** (zigzags) • **faire du slalom** to zigzag.

slave *adj* Slavonic. ◼ **Slave** *nmf* Slav.

slip *nm* briefs *pl*, underpants *pl* • **slip de bain** (d'homme) swimming trunks *pl* • (de femme) bikini bottoms *pl*.

slogan *nm* slogan.

Slovaquie *nf* • **la Slovaquie** Slovakia.

Slovénie *nf* • **la Slovénie** Slovenia.

slow *nm* slow dance.

smasher *vi* tennis to smash (the ball).

SME (abr de **Système monétaire européen**) *nm* EMS.

SMIC, Smic (abr de **salaire minimum interprofessionnel de croissance**) *nm* minimum wage.

smiley *nm* smiley.

smoking *nm* dinner jacket, tuxedo (US).

SNCF (abr de **Société nationale des chemins de fer français**) *nf* French national railway company.

snob ◼ *nmf* snob. ◼ *adj* snobbish.

snober *vt* to snub, to cold-shoulder.

snobisme *nm* snobbery, snobbishness.

soap opera, soap *nm* soap (opera).

sobre *adj* **1.** (personne) temperate **2.** (style) sober **3.** (décor, repas) simple.

sobriété *nf* sobriety.

sobriquet *nm* nickname.

soc *nm* ploughshare (UK), plowshare (US).

sociable *adj* sociable.

social, e *adj* **1.** (rapports, classe, service) social **2.** comm • **capital social** share capital • **raison sociale** company name. ◼ **social** *nm* • **le social** social affairs *pl*.

socialisme *nm* socialism.

socialiste *nmf* & *adj* socialist.

sociétaire *nmf* member.

société *nf* **1.** (communauté, classe sociale, groupe) society • **en société** in society **2.** (présence) company, society **3.** comm company, firm.

sociologie *nf* sociology.

sociologue *nmf* sociologist.

socioprofessionnel, elle *adj* socio-professional.

socle *nm* **1.** (de statue) plinth, pedestal **2.** (de lampe) base.

socquette *nf* ankle *ou* short sock.

soda *nm* fizzy drink.

sodium *nm* sodium.

sodomiser *vt* to sodomize.

sœur *nf* **1.** (gén) sister • **grande/petite sœur** big/little sister **2.** relig nun, sister.

sofa *nm* sofa.

Sofia *npr* Sofia.

software *nm* software.

soi *pron pers* oneself • **chacun pour soi** every man for himself • **cela va de soi** that goes without saying. ◼ **soi-même** *pron pers* oneself.

soi-disant ◼ *adj inv* (avant nom) so-called. ◼ *adv fam* supposedly.

soie *nf* **1.** (textile) silk **2.** (poil) bristle.

soierie *nf* (gén pl) (textile) silk.

soif *nf* thirst • **soif (de)** *fig* thirst (for), craving (for) • **avoir soif** to be thirsty.

soigné, e *adj* **1.** (travail) meticulous **2.** (personne) well-groomed **3.** (jardin, mains) well-cared-for.

soigner *vt* **1.** (suj : médecin) to treat **2.** (suj : infirmière, parent) to nurse **3.** (invités, jardin, mains) to look after **4.** (travail, présentation) to take care over.
◼ **se soigner** *vp* to take care of o.s., to look after o.s..

soigneusement *adv* carefully.

soigneux, euse *adj* **1.** *(personne)* tidy, neat **2.** *(travail)* careful.

soin *nm* **1.** *(attention)* care » **avoir** *ou* **prendre soin de faire qqch** to be sure to do sthg » **avec soin** carefully » **sans soin** *(procéder)* carelessly » *(travail)* careless » **être aux petits soins pour qqn** *fig* to wait on sb hand and foot **2.** *(souci)* concern. ■ **soins** *nmpl* care *(indénombrable)* » **les premiers soins** first aid *sing.*

soir *nm* evening » **demain soir** tomorrow evening *ou* night » **le soir** in the evening » **à ce soir !** see you tonight!

soirée *nf* **1.** *(soir)* evening **2.** *(réception)* party.

sois ⟳ **être**.

soit[1] *adv* so be it.

soit[2] ■ *v* ⟳ **être**. ■ *conj* **1.** *(c'est-à-dire)* in other words, that is to say **2.** MATH *(étant donné)* » **soit une droite AB** given a straight line AB. ■ **soit... soit** *loc corrélative* either... or. ■ **soit que... soit que** *loc corrélative (+ subjonctif)* whether... or (whether).

soixante ■ *adj num inv* sixty » **les années soixante** the Sixties. ■ *nm* sixty. » *voir aussi* **six**

soixante-dix ■ *adj num inv* seventy » **les années soixante-dix** the Seventies. ■ *nm* seventy. » *voir aussi* **six**

soixante-dixième *adj num inv, nm & nmf* seventieth. » *voir aussi* **sixième**

soixantième *adj num inv, nm & nmf* sixtieth. » *voir aussi* **sixième**

soja *nm* soya.

sol *nm* **1.** *(terre)* ground **2.** *(de maison)* floor **3.** *(territoire)* soil **4.** MUS G **5.** *(chanté)* so.

solaire *adj* **1.** *(énergie, four)* solar **2.** *(crème)* sun *(avant nom)*.

solarium *nm* solarium.

soldat *nm* **1.** soldier **2.** *(grade)* private » **le soldat inconnu** the Unknown Soldier **3.** *(jouet)* (toy) soldier.

solde ■ *nm* **1.** *(de compte, facture)* balance » **solde créditeur/débiteur** credit/debit balance **2.** *(rabais)* » **en solde** *(acheter)* in a sale. ■ *nf* MIL pay. ■ **soldes** *nmpl* sales.

solder *vt* **1.** *(compte)* to close **2.** *(marchandises)* to sell off. ■ **se solder** *vp* » **se solder par** FIN to show » *fig (aboutir)* to end in.

sole *nf* sole.

soleil *nm* **1.** *(astre, motif)* sun » **soleil couchant/levant** setting/rising sun **2.** *(lumière, chaleur)* sun, sunlight » **au soleil** in the sun » **en plein soleil** right in the sun » **il fait (du) soleil** it's sunny » **prendre le soleil** to sunbathe.

solennel, elle *adj* **1.** *(cérémonieux)* ceremonial **2.** *(grave)* solemn **3.** *péj (pompeux)* pompous.

solennité *nf* **1.** *(gravité)* solemnity **2.** *(raideur)* stiffness, formality **3.** *(fête)* special occasion.

solfège *nm* » **apprendre le solfège** to learn the rudiments of music.

solidaire *adj* **1.** *(lié)* » **être solidaire de qqn** to be behind sb, to show solidarity with sb **2.** *(relié)* interdependent, integral.

solidarité *nf (entraide)* solidarity » **par solidarité** *(se mettre en grève)* in sympathy.

solide ■ *adj* **1.** *(état, corps)* solid **2.** *(construction)* solid, sturdy **3.** *(personne)* sturdy, robust **4.** *(argument)* solid, sound **5.** *(relation)* stable, strong. ■ *nm* solid » **il nous faut du solide** *fig* we need something solid *ou* concrete.

solidifier *vt* **1.** *(ciment, eau)* to solidify **2.** *(structure)* to reinforce. ■ **se solidifier** *vp* to solidify.

solidité *nf* **1.** *(de matière, construction)* solidity **2.** *(de mariage)* stability, strength **3.** *(de raisonnement, d'argument)* soundness.

soliloque *nm sout* soliloquy.

soliste *nmf* soloist.

solitaire ■ *adj* **1.** *(de caractère)* solitary **2.** *(esseulé, retiré)* lonely. ■ *nmf (personne)* loner, recluse. ■ *nm (jeu, diamant)* solitaire.

solitude *nf* **1.** *(isolement)* loneliness **2.** *(retraite)* solitude.

sollicitation *nf (gén pl)* entreaty.

solliciter *vt* **1.** *(demander - entretien, audience)* to request » *(- attention, intérêt)* to seek **2.** *(s'intéresser à)* » **être sollicité** to be in demand **3.** *(faire appel à)* » **solliciter qqn pour faire qqch** to appeal to sb to do sthg.

sollicitude *nf* solicitude, concern.

solo *nm* solo » **en solo** solo.

solstice *nm* » **solstice d'été/d'hiver** summer/winter solstice.

soluble *adj* **1.** *(matière)* soluble **2.** *(café)* instant **3.** *fig (problème)* solvable.

solution *nf* **1.** *(résolution)* solution, answer **2.** *(liquide)* solution.

solvable *adj* solvent, creditworthy.

solvant *nm* solvent.

Somalie *nf* • **la Somalie** Somalia.

sombre *adj* **1.** *(couleur, costume, pièce)* dark **2.** *fig (pensées, avenir)* dark, gloomy **3.** *(avant nom) fam (profond)* • **c'est un sombre crétin** he's a prize idiot.

sombrer *vi* to sink • **sombrer dans** *fig* to sink into.

sommaire ◙ *adj* **1.** *(explication)* brief **2.** *(exécution)* summary **3.** *(installation)* basic. ◙ *nm* summary.

sommation *nf* **1.** *(assignation)* summons *sing* **2.** *(ordre - de payer)* demand • *(- de se rendre)* warning.

somme ◙ *nf* **1.** *(addition)* total, sum **2.** *(d'argent)* sum, amount **3.** *(ouvrage)* overview. ◙ *nm* nap. ◙ **en somme** *loc adv* in short. ◙ **somme toute** *loc adv* when all's said and done.

sommeil *nm* sleep • **avoir sommeil** to be sleepy.

sommeiller *vi* **1.** *(personne)* to doze **2.** *fig (qualité)* to be dormant.

sommelier, ère *nm, f* wine waiter *(f* wine waitress).

sommes ⊳ **être**.

sommet *nm* **1.** *(de montagne)* summit, top **2.** *fig (de hiérarchie)* top **3.** *(de perfection)* height **4.** GÉOM apex.

sommier *nm* base, bed base.

sommité *nf (personne)* leading light.

somnambule ◙ *nmf* sleepwalker. ◙ *adj* • **être somnambule** to be a sleepwalker.

somnifère *nm* sleeping pill.

somnolent, e *adj* **1.** *(personne)* sleepy, drowsy **2.** *fig (vie)* dull **3.** *fig (économie)* sluggish.

somnoler *vi* to doze.

somptueux, euse *adj* sumptuous, lavish.

somptuosité *nf* lavishness *(indénombrable)*.

son[1] *nm* **1.** *(bruit)* sound • **au son de** to the sound of • **son et lumière** son et lumière **2.** *(céréale)* bran.

son[2]**, sa** *adj poss* **1.** *(possesseur défini - homme)* his • *(- femme)* her • *(- chose, animal)* its • **il aime son père** he loves his father

• **elle aime ses parents** she loves her parents • **la ville a perdu de son charme** the town has lost its charm **2.** *(possesseur indéfini)* one's **3.** *(après « chacun », « tout le monde » etc)* his/her, their.

sonate *nf* sonata.

sondage *nm* **1.** *(enquête)* poll, survey • **sondage d'opinion** opinion poll **2.** TECHNOL drilling **3.** MÉD probing.

sonde *nf* **1.** MÉTÉOR sonde **2.** *(spatiale)* probe **3.** MÉD probe **4.** NAUT sounding line **5.** TECHNOL drill.

sonder *vt* **1.** MÉD & NAUT to sound **2.** *(terrain)* to drill **3.** *fig (opinion, personne)* to sound out.

songe *nm littéraire* dream.

songer ◙ *vt* • **songer que** to consider . that. ◙ *vi* • **songer à** to think about.

songeur, euse *adj* pensive, thoughtful.

sonnant, e *adj* • **à six heures sonnantes** at six o'clock sharp.

sonné, e *adj* **1.** *(passé)* • **il est trois heures sonnées** it's gone three o'clock • **il a quarante ans bien sonnés** *fam fig* he's the wrong side of forty **2.** *fig (étourdi)* groggy.

sonner ◙ *vt* **1.** *(cloche)* to ring **2.** *(retraite, alarme)* to sound **3.** *(domestique)* to ring for **4.** *fam fig (siffler)* • **je ne t'ai pas sonné !** who asked you! **5.** *fam (assommer)* to knock out *(sép)*, to stun **6.** *fam (abasourdir)* to stun, to stagger, to knock (out). ◙ *vi (gén)* to ring • **sonner chez qqn** to ring sb's bell.

sonnerie *nf* **1.** *(bruit)* ringing **2.** *(mécanisme)* striking mechanism **3.** *(signal)* call.

sonnet *nm* sonnet.

sonnette *nf* bell.

sono *nf fam* **1.** *(de salle)* P.A. (system) **2.** *(de discothèque)* sound system.

sonore *adj* **1.** CINÉ & PHYS sound *(avant nom)* **2.** *(voix, rire)* ringing, resonant **3.** *(salle)* resonant.

sonorisation *nf* **1.** *(action - de film)* addition of the soundtrack • *(- de salle)* wiring for sound **2.** *(matériel - de salle)* public address system, P.A. (system) • *(- de discothèque)* sound system.

sonoriser *vt* **1.** *(film)* to add the soundtrack to **2.** *(salle)* to wire for sound.

sonorité *nf* **1.** *(de piano, voix)* tone **2.** *(de salle)* acoustics *pl*.

sont ⊳ être.

Sopalin® *nm* kitchen roll *(UK)*, paper towels *(US)*.

sophistiqué, e *adj* sophisticated.

soporifique ◼ *adj* soporific. ◼ *nm* sleeping drug, soporific.

soprano *nm* & *nmf* soprano.

sorbet *nm* sorbet *(UK)*, sherbet *(US)*.

Sorbonne *nf* ◦ **la Sorbonne** the Sorbonne *(highly respected Paris university)*.

sorcellerie *nf* witchcraft, sorcery.

sorcier, ère *nm, f* sorcerer *(f* witch).

sordide *adj* **1.** squalid **2.** *fig* sordid.

sornettes *nfpl* nonsense *(indénombrable)*.

sort *nm* **1.** *(maléfice)* spell ◦ **jeter un sort (à qqn)** to cast a spell (on sb) **2.** *(destinée)* fate **3.** *(condition)* lot **4.** *(hasard)* ◦ **le sort** fate ◦ **tirer au sort** to draw lots.

sortant, e *adj* **1.** *(numéro)* winning **2.** *(président, directeur)* outgoing *(avant nom)*.

sorte *nf* sort, kind ◦ **une sorte de** a sort of, a kind of ◦ **toutes sortes de** all kinds of, all sorts of.

sortie *nf* **1.** *(issue)* exit, way out **2.** *(d'eau, d'air)* outlet ◦ **sortie d'autoroute** motorway junction *ou* exit *(UK)*, freeway exit *(US)* ◦ **sortie de secours** emergency exit **3.** *(départ)* ◦ **c'est la sortie de l'école** it's home-time *(UK)* ◦ **à la sortie du travail** when work finishes, after work **4.** *(de produit)* launch, launching **5.** *(de disque)* release **6.** *(de livre)* publication **7.** *(gén pl)* *(dépense)* outgoings *pl (UK)*, expenditure *(indénombrable)* **8.** *(excursion)* outing **9.** *(au cinéma, au restaurant)* evening *ou* night out ◦ **faire une sortie** to go out **10.** MIL sortie **11.** INFORM ◦ **sortie imprimante** printout.

sortilège *nm* spell.

sortir ◼ *vi* **1.** *(de la maison, du bureau etc)* to leave, to go/come out ◦ **sortir de** to go/come out of, to leave **2.** *(pour se distraire)* to go out **3.** *fig (quitter)* ◦ **sortir de** *(réserve, préjugés)* to shed **4.** *fig* ◦ **sortir de** *(coma)* to come out of ◦ *(de maladie)* to get over, to recover from ◦ **je sors d'une grippe** I'm just recovering from a bout of flu **5.** *(film, livre, produit)* to come out **6.** *(disque)* to be released **7.** *(au jeu - carte, numéro)* to come up **8.** *(s'écarter de)* ◦ **sortir de** *(sujet)* to get away from ◦ *(légalité, compétence)* to be outside ◦ **sortir de l'ordinaire** to be out of the ordinary ◦ **d'où il sort, celui-là ?** where did HE spring from? ◼ *vt*

1. *(gén)* ◦ **sortir qqch (de)** to take sthg out (of) **2.** *(de situation difficile)* to get out, to extract **3.** *(produit)* to launch **4.** *(disque)* to bring out, to release **5.** *(livre)* to bring out, to publish.

◼ **se sortir** *vp* **1.** *fig (de pétrin)* to get out ◦ **s'en sortir** *(en réchapper)* to come out of it **2.** *(y arriver)* to get through it.

SOS *nm* SOS ◦ **lancer un SOS** to send out an SOS ◦ **SOS médecins/dépannage** emergency medical/repair service ◦ **SOS-Racisme** *si vous voulez donner une définition à un anglophone, vous pouvez dire* it is a French antiracism organization.

sosie *nm* double.

sot, sotte ◼ *adj* silly, foolish. ◼ *nm, f* fool.

sottise *nf* stupidity *(indénombrable)*, foolishness *(indénombrable)* ◦ **dire/faire une sottise** to say/do something stupid.

sou *nm* ◦ **être sans le sou** to be penniless. ◼ **sous** *nmpl fam* money *(indénombrable)*.

soubassement *nm* base.

soubresaut *nm* **1.** *(de voiture)* jolt **2.** *(de personne)* start.

souche *nf* **1.** *(d'arbre)* stump **2.** *(de carnet)* counterfoil, stub.

souci *nm* **1.** *(tracas)* worry ◦ **se faire du souci** to worry **2.** *(préoccupation)* concern **3.** *(fleur)* marigold.

soucier ◼ **se soucier** *vp* ◦ **se soucier de** to care about.

soucieux, euse *adj* **1.** *(préoccupé)* worried, concerned **2.** *(concerné)* ◦ **être soucieux de qqch/de faire qqch** to be concerned about sthg/about doing sthg.

soucoupe *nf* **1.** *(assiette)* saucer **2.** *(vaisseau)* ◦ **soucoupe volante** flying saucer.

soudain, e *adj* sudden. ◼ **soudain** *adv* suddenly, all of a sudden.

Soudan *nm* ◦ **le Soudan** the Sudan.

soude *nf* soda.

souder *vt* **1.** TECHNOL to weld, to solder **2.** MÉD to knit **3.** *fig (unir)* to bind together.

soudoyer *vt* to bribe.

soudure *nf* **1.** welding **2.** *(résultat)* weld.

souffert, e *pp* ⊳ souffrir.

souffle *nm* **1.** *(respiration)* breathing **2.** *(expiration)* puff, breath ◦ **un souffle d'air** *fig* a breath of air, a puff of wind **3.** *fig (inspiration)* inspiration **4.** *(d'explosion)* blast

5. MÉD • **souffle au cœur** heart murmur • **avoir le souffle coupé** to have one's breath taken away.

souffler ◙ *vt* **1.** *(bougie)* to blow out **2.** *(vitre)* to blow out, to shatter **3.** *(chuchoter)* • **souffler qqch à qqn** to whisper sthg to sb **4.** *fam (prendre)* • **souffler qqch à qqn** to pinch sthg from sb *(UK)* **5.** *fam (époustoufler - suj : événement, personne)* to take aback, to stagger, to knock out *(sép).* ◙ *vi* **1.** *(gén)* to blow **2.** *(respirer)* to puff, to pant **3.** *(se reposer)* to have a break.

soufflet *nm* **1.** *(instrument)* bellows *sing* **2.** *(de train)* connecting corridor, concertina vestibule **3.** COUT gusset.

souffleur, euse *nm, f* THÉÂTRE prompt. ◙ **souffleur** *nm (de verre)* blower.

souffrance *nf* suffering.

souffrant, e *adj* poorly.

souffre-douleur *nm inv* whipping boy.

souffrir ◙ *vi* to suffer • **souffrir de** to suffer from • **souffrir du dos/cœur** to have back/heart problems. ◙ *vt* **1.** *(ressentir)* to suffer **2.** *littéraire (supporter)* to stand, to bear.

soufre *nm* sulphur *(UK),* sulfur *(US).*

souhait *nm* wish • **à tes/vos souhaits !** bless you!

souhaiter *vt* • **souhaiter qqch** to wish for sthg • **souhaiter faire qqch** to hope to do sthg • **souhaiter qqch à qqn** to wish sb sthg • **souhaiter à qqn de faire qqch** to hope that sb does sthg • **souhaiter que...** *(+ subjonctif)* to hope that...

souiller *vt* **1.** *littéraire (salir)* to soil **2.** *fig & sout* to sully.

souillon *nf péj* slut.

soûl, e, saoul, e *adj* drunk.

soulagement *nm* relief.

S'EXPRIMER...

exprimer son soulagement

• Fortunately, we'll make it in time **Heureusement, on sera à l'heure**
• Phew, the vase didn't break! **Ouf, le vase n'est pas cassé !**
• There you are at last! **Te voilà enfin !**
• I'm so relieved that... **Je suis vraiment soulagé que...**

soulager *vt (gén)* to relieve.

soûler, saouler ◙ *vt* **1.** *fam (enivrer)* • **soûler qqn** to get sb drunk • *fig* to intoxicate sb **2.** *fig & péj (de plaintes)* • **soûler qqn** to bore sb silly. ◙ **se soûler** *vp fam* to get drunk.

soulèvement *nm* uprising.

soulever *vt* **1.** *(fardeau, poids)* to lift **2.** *(rideau)* to raise **3.** *fig (question)* to raise, to bring up **4.** *fig (enthousiasme)* to generate, to arouse **5.** *(tollé)* to stir up • **soulever qqn contre** to set sb up against. ◙ **se soulever** *vp* **1.** *(s'élever)* to raise o.s., to lift o.s. **2.** *(se révolter)* to rise up.

soulier *nm* shoe.

souligner *vt* **1.** *(par un trait)* to underline **2.** *fig (insister sur)* to underline, to emphasize **3.** *(mettre en valeur)* to emphasize.

soumettre *vt* **1.** *(astreindre)* • **soumettre qqn à** to subject sb to **2.** *(ennemi, peuple)* to subjugate **3.** *(projet, problème)* • **soumettre qqch (à)** to submit sthg (to). ◙ **se soumettre** *vp* • **se soumettre (à)** to submit (to).

soumis, e ◙ *pp* ▷ **soumettre**. ◙ *adj (gén)* submissive.

soumission *nf* submission.

soupape *nf* valve.

soupçon *nm (suspicion, intuition)* suspicion.

soupçonner *vt (suspecter)* to suspect • **soupçonner qqn de qqch/de faire qqch** to suspect sb of sthg/of doing sthg.

soupçonneux, euse *adj* suspicious.

soupe *nf* CULIN soup • **soupe populaire** soup kitchen.

souper ◙ *nm* supper. ◙ *vi* to have supper.

soupeser *vt* **1.** *(poids)* to feel the weight of **2.** *fig (évaluer)* to weigh up.

soupière *nf* tureen.

soupir *nm* **1.** *(souffle)* sigh • **pousser un soupir** to let out *ou* give a sigh **2.** MUS crotchet rest *(UK),* quarter-note rest *(US).*

soupirail *nm* barred basement window *(for ventilation purposes).*

soupirant *nm* suitor.

soupirer *vi (souffler)* to sigh.

souple *adj* **1.** *(gymnaste)* supple **2.** *(pas)* lithe **3.** *(paquet, col)* soft **4.** *(tissu, cheveux)* flowing **5.** *(tuyau, horaire, caractère)* flexible.

souplesse *nf* **1.** *(de gymnaste)* suppleness **2.** *(flexibilité - de tuyau)* pliability, flexibility ◦ *(- de matière)* suppleness **3.** *(de personne)* flexibility.

source *nf* **1.** *(gén)* source **2.** *(d'eau)* spring ◦ **prendre sa source à** to rise in **3.** *(cause)* source.

sourcil *nm* eyebrow ◦ **froncer les sourcils** to frown.

sourcilière ⊳ **arcade**.

sourciller *vi* ◦ **sans sourciller** without batting an eyelid.

sourcilleux, euse *adj* fussy, finicky.

sourd, e ◼ *adj* **1.** *(personne)* deaf **2.** *(bruit, voix)* muffled **3.** *(douleur)* dull **4.** *(lutte, hostilité)* silent. ◼ *nm, f* deaf person.

sourdement *adv* **1.** *(avec un bruit sourd)* dully **2.** *fig (secrètement)* silently.

sourdine *nf* mute ◦ **en sourdine** *(sans bruit)* softly ◦ *(secrètement)* in secret.

sourd-muet, sourde-muette *nm, f* deaf-mute, deaf-and-dumb person.

sourdre *vi* to well up.

souriant, e *adj* smiling, cheerful.

souricière *nf* **1.** mousetrap **2.** *fig* trap.

sourire ◼ *vi* to smile ◦ **sourire à qqn** to smile at sb ◦ *fig (campagne)* to appeal to sb ◦ *(destin, chance)* to smile on sb. ◼ *nm* smile.

souris *nf* INFORM & ZOOL mouse.

sournois, e *adj* **1.** *(personne)* underhand **2.** *fig (maladie, phénomène)* unpredictable.

sous *prép* **1.** *(gén)* under ◦ **nager sous l'eau** to swim underwater ◦ **sous la pluie** in the rain ◦ **sous cet aspect** *ou* **angle** from that point of view **2.** *(dans un délai de)* within ◦ **sous huit jours** within a week.

sous-alimenté, e *adj* malnourished, underfed.

sous-bois *nm inv* undergrowth.

souscription *nf* subscription.

souscrire *vi* FIN to apply for ◦ **souscrire à** to subscribe to.

sous-développé, e *adj* **1.** ÉCON underdeveloped **2.** *fig & péj* backward.

sous-directeur, trice *nm, f* assistant manager (*f* assistant manageress).

sous-ensemble *nm* subset.

sous-entendu *nm* insinuation.

sous-estimer *vt* to underestimate, to underrate.

sous-évaluer *vt* to underestimate.

sous-jacent, e *adj* underlying.

sous-louer *vt* to sublet.

sous-marin, e *adj* underwater *(avant nom)*. ◼ **sous-marin** *nm* submarine.

sous-officier *nm* non-commissioned officer.

sous-préfecture *nf* sub-prefecture.

sous-préfet *nm* sub-prefect.

sous-produit *nm* **1.** *(objet)* by-product **2.** *fig (imitation)* pale imitation.

sous-répertoire *nm* INFORM sub-directory.

soussigné, e ◼ *adj* ◦ **je soussigné** I the undersigned. ◼ *nm, f* undersigned.

sous-sol *nm* **1.** *(de bâtiment)* basement **2.** *(naturel)* subsoil.

sous-tasse *nf* saucer.

sous-titre *nm* subtitle.

soustraction *nf* MATH subtraction.

soustraire *vt* **1.** *(retrancher)* ◦ **soustraire qqch de** to subtract sthg from **2.** *sout (voler)* ◦ **soustraire qqch à qqn** to take sthg away from sb. ◼ **se soustraire** *vp* ◦ **se soustraire à** to escape from.

sous-traitant, e *adj* subcontracting. ◼ **sous-traitant** *nm* subcontractor.

sous-verre *nm inv* clip-frame picture.

sous-vêtement *nm* undergarment ◦ **sous-vêtements** underwear *(indénombrable)*, underclothes.

soutane *nf* cassock.

soute *nf* hold.

soutenance *nf* viva *(UK)*.

souteneur *nm* procurer.

soutenir *vt* **1.** *(immeuble, personne)* to support, to hold up **2.** *(effort, intérêt)* to sustain **3.** *(encourager)* to support **4.** POLIT to back, to support **5.** *(affirmer)* ◦ **soutenir que** to maintain (that) **6.** *(résister à)* to withstand **7.** *(regard, comparaison)* to bear.

soutenu, e *adj* 1. *(style, langage)* elevated 2. *(attention, rythme)* sustained 3. *(couleur)* vivid.

souterrain, e *adj* underground. ■ **souterrain** *nm* underground passage.

soutien *nm* support • **apporter son soutien à** to give one's support to.

soutien-gorge *nm* bra.

soutirer *vt fig (tirer)* • **soutirer qqch à qqn** to extract sthg from sb.

souvenir *nm* 1. *(réminiscence, mémoire)* memory 2. *(objet)* souvenir.
■ **se souvenir** *vp (ne pas oublier)* • **se souvenir de qqch/de qqn** to remember sthg/sb • **se souvenir que** to remember (that).

souvent *adv* often.

souvenu, e *pp* ▷ **souvenir**.

souverain, e ◩ *adj* 1. *(remède, état)* sovereign 2. *(indifférence)* supreme. ◩ *nm, f (monarque)* sovereign, monarch.

souveraineté *nf* sovereignty.

soviétique *adj* Soviet. ■ **Soviétique** *nmf* Soviet (citizen).

soyeux, euse *adj* silky.

soyez ▷ **être**.

SPA (*abr de* **Société protectrice des animaux**) *nf* ≃ RSPCA *(UK)*, ≃ SPCA *(US)*.

spacieux, euse *adj* spacious.

spaghettis *nmpl* spaghetti *(indénombrable)*.

spam *nm* INFORM spam.

sparadrap *nm* sticking plaster *(UK)*, Band-Aid® *(US)*.

spartiate *adj (austère)* Spartan.

spasme *nm* spasm.

spasmodique *adj* spasmodic.

spatial, e *adj* space *(avant nom)*.

spatule *nf* 1. *(ustensile)* spatula 2. *(de ski)* tip.

speaker, speakerine *nm, f* announcer.

spécial, e *adj* 1. *(particulier)* special 2. *fam (bizarre)* peculiar.

spécialiser *vt* to specialize.
■ **se spécialiser** *vp* • **se spécialiser (dans)** to specialize (in).

spécialiste *nmf* specialist.

spécialité *nf* speciality *(UK)*, specialty *(US)*.

spécifier *vt* to specify.

spécifique *adj* specific.

spécimen *nm* 1. *(représentant)* specimen 2. *(exemplaire)* sample.

spectacle *nm* 1. *(représentation)* show 2. *(domaine)* show business, entertainment 3. *(tableau)* spectacle, sight.

spectaculaire *adj* spectacular.

spectateur, trice *nm, f* 1. *(témoin)* witness 2. *(de spectacle)* spectator.

spectre *nm* 1. *(fantôme)* spectre *(UK)*, specter *(US)* 2. PHYS spectrum.

spéculateur, trice *nm, f* speculator.

spéculation *nf* speculation.

spéculer *vi* • **spéculer sur** FIN to speculate in • *fig (miser)* to count on.

speech *nm* speech.

speed *adj fam* hyper • **il est très speed** he's really hyper.

speeder *vi fam* to hurry.

spéléologie *nf* 1. *(exploration)* potholing *(UK)*, spelunking *(US)* 2. *(science)* speleology.

spermatozoïde *nm* sperm, spermatozoon.

sperme *nm* sperm, semen.

sphère *nf* sphere.

sphérique *adj* spherical.

spirale *nf* spiral.

spirituel, elle *adj* 1. *(de l'âme, moral)* spiritual 2. *(vivant, drôle)* witty.

spiritueux *nm* spirit.

splendeur *nf* 1. *(beauté, prospérité)* splendour *(UK)*, splendor *(US)* 2. *(merveille)* • **c'est une splendeur !** it's magnificent!

splendide *adj* magnificent, splendid.

spongieux, euse *adj* spongy.

sponsor *nm* sponsor.

sponsoriser *vt* to sponsor.

spontané, e *adj* spontaneous.

spontanéité *nf* spontaneity.

sporadique *adj* sporadic.

sport ◼ *nm* sport • **sports d'hiver** winter sports. ◼ *adj inv* **1.** *(vêtement)* sports *(avant nom)* **2.** *(fair play)* sporting.

- l'athlétisme **athletics** *(UK)*, **track and field** *(US)*
- le base-ball **baseball**
- la boxe **boxing**
- le basket-ball **basketball**
- la course **running**
- l'équitation **riding**
- l'escrime **fencing**
- le football **football** *(UK)*, **soccer** *(US)*
- le football américain **football**
- le golf **golf**
- le hockey sur glace **ice hockey** *(UK)*, **hockey** *(US)*
- le judo **judo**
- le kayak **canoeing**
- la natation **swimming**
- le patinage sur glace **ice-skating**
- la planche à voile **windsurfing**
- le rugby **rugby**
- le ski **skiing**
- le tennis **tennis**
- le tennis de table **ping pong**
- la voile **sailing**
- le volley-ball **volleyball**.

sportif, ive ◼ *adj* **1.** *(association, résultats)* sports *(avant nom)* **2.** *(personne, physique)* sporty, athletic **3.** *(fair play)* sportsman-like, sporting. ◼ *nm, f* sportsman *(f* sportswoman).

spot *nm* **1.** *(lampe)* spot, spotlight **2.** *(publicité)* • **spot (publicitaire)** commercial, advert *(UK)*.

sprint *nm* *(SPORT – accélération)* spurt • *(- course)* sprint.

square *nm* small public garden.

squash *nm* squash.

squelette *nm* skeleton.

squelettique *adj (corps)* emaciated.

St *(abr écrite de* **saint***)* St.

stabiliser *vt* **1.** *(gén)* to stabilize **2.** *(meuble)* to steady **3.** *(terrain)* to make firm. ◼ **se stabiliser** *vp* **1.** *(véhicule, prix, situation)* to stabilize **2.** *(personne)* to settle down.

stabilité *nf* stability.

stable *adj* **1.** *(gén)* stable **2.** *(meuble)* steady, stable.

stade *nm* **1.** *(terrain)* stadium **2.** *(étape &* MÉD*)* stage • **en être au stade de/où** to reach the stage of/at which.

Stade de France *nm* Stade de France *(stadium built for the 1998 World Cup in the north of Paris)*.

stage *nm* **1.** SCOL work placement *(UK)*, internship *(US)* **2.** *(sur le temps de travail)* in-service training • **faire un stage** *(cours)* to go on a training course • *(expérience professionnelle)* to go on a work placement *(UK)*, to undergo an internship *(US)*.

stagiaire ◼ *nmf* trainee, intern *(US)*. ◼ *adj* trainee *(avant nom)*.

stagnant, e *adj* stagnant.

stagner *vi* to stagnate.

stalactite *nf* stalactite.

stalagmite *nf* stalagmite.

stand *nm* **1.** *(d'exposition)* stand **2.** *(de fête)* stall.

standard ◼ *adj inv* standard. ◼ *nm* **1.** *(norme)* standard **2.** *(téléphonique)* switchboard.

standardiste *nmf* switchboard operator.

standing *nm* standing • **quartier de grand standing** select district.

star *nf* CINÉ star.

starter *nm* AUTO choke • **mettre le starter** to pull the choke out.

starting-block *nm* starting block.

start up *nf* start-up.

station *nf* **1.** *(de métro)* station • **à quelle station dois-je descendre ?** which stop do I get off at? • **station de taxis** taxi stand **2.** *(installations)* station • **station d'épuration** sewage treatment plant.

stationnaire *adj* stationary.

stationnement *nm* parking • **'stationnement interdit'** 'no parking'.

stationner *vi* to park.

station-service *nf* service station, petrol station *(UK)*, gas station *(US)*.

statique *adj* static.

statisticien, enne *nm, f* statistician.

statistique ◼ *adj* statistical. ◼ *nf (donnée)* statistic.

statue *nf* statue.

statuer *vi* • **statuer sur** to give a decision on.

statuette *nf* statuette.

statu quo *nm inv* status quo.

stature *nf* stature.

statut *nm* status. ■ **statuts** *nmpl* statutes, by laws *(US)*.

statutaire *adj* statutory.

Ste *(abr écrite de* **sainte***)* St.

Sté *(abr écrite de* **société***)* Co.

steak *nm* steak • **steak haché** mince *(UK)*, ground beef *(US)*.

stèle *nf* stele.

sténo ■ *nmf* stenographer. ■ *nf* shorthand.

sténodactylo *nmf* shorthand typist *(UK)*, stenographer *(US)*.

sténodactylographie *nf* shorthand typing.

stentor ⊳ **voix**.

steppe *nf* steppe.

stéréo ■ *adj inv* stereo. ■ *nf* stereo • **en stéréo** in stereo.

stéréotype *nm* stereotype.

stérile *adj* **1.** *(personne)* sterile, infertile **2.** *(terre)* barren **3.** *fig (inutile - discussion)* sterile • *(- efforts)* futile **4.** MÉD sterile.

stérilet *nm* IUD, intrauterine device.

stériliser *vt* to sterilize.

stérilité *nf* **1.** *litt & fig* sterility **2.** *(d'efforts)* futility.

sterling *adj inv & nm inv* sterling.

sternum *nm* breastbone, sternum.

stéthoscope *nm* stethoscope.

steward *nm* steward.

stigmate *nm (gén pl)* mark, scar.

stimulant, e *adj* stimulating. ■ **stimulant** *nm* **1.** *(remontant)* stimulant **2.** *(motivation)* incentive, stimulus.

stimulation *nf* stimulation.

stimuler *vt* to stimulate.

stipuler *vt* • **stipuler que** to stipulate (that).

stock *nm* stock • **en stock** in stock.

stocker *vt* **1.** *(marchandises)* to stock **2.** INFORM to store.

Stockholm *npr* Stockholm.

stoïque *adj* stoical.

stop ■ *interj* stop! ■ *nm* **1.** *(panneau)* stop sign **2.** *(auto-stop)* hitchhiking, hitching.

stopper ■ *vt (arrêter)* to stop, to halt. ■ *vi* to stop.

store *nm* **1.** *(de fenêtre)* blind **2.** *(de magasin)* awning.

STP *abrév de* **s'il te plaît**.

strabisme *nm* squint.

strangulation *nf* strangulation.

strapontin *nm (siège)* fold-down seat.

strass *nm* paste.

stratagème *nm* stratagem.

stratégie *nf* strategy.

stratégique *adj* strategic.

stress *nm* stress.

stressant, e *adj* stressful.

strict, e *adj* **1.** *(personne, règlement)* strict **2.** *(sobre)* plain **3.** *(absolu - minimum)* bare, absolute • *(- vérité)* absolute • **dans la plus stricte intimité** strictly in private • **au sens strict du terme** in the strict sense of the word.

strident, e *adj* strident, shrill.

strié, e *adj (rayé)* striped.

strier *vt* to streak.

strip-tease *nm* striptease.

strophe *nf* verse.

structure *nf* structure.

structurer *vt* to structure.

studieux, euse *adj* **1.** *(personne)* studious **2.** *(vacances)* study *(avant nom)*.

studio *nm* **1.** CINÉ, PHOTO & TV studio **2.** *(appartement)* studio flat *(UK)*, studio apartment *(US)*.

stupéfaction *nf* astonishment, stupefaction.

stupéfait, e *adj* astounded, stupefied.

stupéfiant, e *adj* astounding, stunning. ■ **stupéfiant** *nm* narcotic, drug.

stupeur *nf* **1.** *(stupéfaction)* astonishment **2.** MÉD stupor.

stupide *adj* **1.** *péj (abruti)* stupid **2.** *(insensé - mort)* senseless • *(- accident)* stupid.

stupidité *nf* stupidity.

style *nm* **1.** *(gén)* style **2.** GRAMM • **style direct/indirect** direct/indirect speech.

styliste *nmf* COUT designer.

stylo *nm* pen • **stylo plume** fountain pen.

stylo-feutre *nm* felt-tip pen.

suave *adj* **1.** *(voix)* smooth **2.** *(parfum)* sweet.

subalterne ◼ *nmf* subordinate, junior. ◼ *adj* **1.** *(rôle)* subordinate **2.** *(employé)* junior.

subconscient, e *adj* subconscious. ◼ **subconscient** *nm* subconscious.

subdiviser *vt* to subdivide.

subir *vt* **1.** *(conséquences, colère)* to suffer **2.** *(personne)* to put up with **3.** *(opération, épreuve, examen)* to undergo **4.** *(dommages, pertes)* to sustain, to suffer ▪ **subir une hausse** to be increased.

subit, e *adj* sudden.

subitement *adv* suddenly.

subjectif, ive *adj (personnel, partial)* subjective.

subjonctif *nm* subjunctive.

subjuguer *vt* to captivate.

sublime *adj* sublime.

submerger *vt* **1.** *(inonder)* to flood **2.** *(envahir)* to overcome, to overwhelm **3.** *(déborder)* to overwhelm ▪ **être submergé de travail** to be swamped with work.

subordination *nf* subordination.

subordonné, e ◼ *adj* GRAMM subordinate, dependent. ◼ *nm, f* subordinate.

subornation *nf* bribing, subornation.

subrepticement *adv* surreptitiously.

subsidiaire *adj* subsidiary.

subsistance *nf* subsistence.

subsister *vi* **1.** *(chose)* to remain **2.** *(personne)* to live, to subsist.

substance *nf* **1.** *(matière)* substance **2.** *(essence)* gist.

substantiel, elle *adj* substantial.

substantif *nm* noun.

substituer *vt* ▪ **substituer qqch à qqch** to substitute sthg for sthg. ◼ **se substituer** *vp* ▪ **se substituer à** *(personne)* to stand in for, to substitute for ▪ *(chose)* to take the place of.

substitut *nm* **1.** *(remplacement)* substitute **2.** DR deputy public prosecutor.

substitution *nf* substitution.

subterfuge *nm* subterfuge.

subtil, e *adj* subtle.

subtiliser *vt* to steal.

subtilité *nf* subtlety.

subvenir *vi* ▪ **subvenir à** to meet, to cover.

subvention *nf* grant, subsidy.

subventionner *vt* to give a grant to, to subsidize.

subversif, ive *adj* subversive.

succédané *nm* substitute.

succéder *vt* ▪ **succéder à** *(suivre)* to follow ▪ *(remplacer)* to succeed, to take over from.

succès *nm* **1.** *(gén)* success ▪ **avoir du succès** to be very successful ▪ **sans succès** *(essai)* unsuccessful ▪ *(essayer)* unsuccessfully **2.** *(chanson, pièce)* hit.

successeur *nm* **1.** *(gén)* successor **2.** DR successor, heir.

successif, ive *adj* successive.

succession *nf* **1.** *(gén)* succession ▪ **une succession de** a succession of ▪ **prendre la succession de qqn** to take over from sb, to succeed sb **2.** DR succession, inheritance ▪ **droits de succession** death duties *(UK)*, inheritance tax *(US)*.

succinct, e *adj* **1.** *(résumé)* succinct **2.** *(repas)* frugal.

succion *nf* suction, sucking.

succomber *vi* ▪ **succomber (à)** to succumb (to).

succulent, e *adj* delicious.

succursale *nf* branch.

sucer *vt* to suck.

sucette *nf (friandise)* lolly *(UK)*, lollipop.

sucre *nm* sugar ▪ **sucre en morceaux** lump sugar ▪ **sucre en poudre, sucre semoule** caster sugar *(UK)*, finely granulated sugar *(US)* ▪ **sucre roux** *ou* **brun** brown sugar.

sucré, e *adj (goût)* sweet.

sucrer *vt* **1.** *(café, thé)* to sweeten, to sugar **2.** *fam (permission)* to withdraw **3.** *fam (passage, réplique)* to cut ▪ **sucrer qqch à qqn** to take sthg away from sb.

sucrerie *nf* **1.** *(usine)* sugar refinery **2.** *(friandise)* sweet *(UK)*, candy *(US)*.

sucrette *nf* sweetener.

sucrier *nm* sugar bowl.

sud ◼ *nm* south ▪ **un vent du sud** a southerly wind ▪ **au sud** in the south ▪ **au sud (de)** to the south (of). ◼ *adj inv* **1.** *(gén)* south **2.** *(province, région)* southern.

sud-africain, e *adj* South African. ◼ **Sud-Africain, e** *nm, f* South African.

sud-américain, e *adj* South American. ■ **Sud-Américain, e** *nm, f* South American.

sudation *nf* sweating.

sud-est *nm & adj inv* southeast.

Sudoku® *nm* Sudoku.

sud-ouest *nm & adj inv* southwest.

Suède *nf* • **la Suède** Sweden.

suédois, e *adj* Swedish. ■ **suédois** *nm* (langue) Swedish. ■ **Suédois, e** *nm, f* Swede.

suer ⊠ *vi* (personne) to sweat. ⊠ *vt* to exude.

sueur *nf* sweat • **avoir des sueurs froides** *fig* to be in a cold sweat.

Suez *npr* • **le canal de Suez** the Suez Canal.

suffi *pp inv* ▷ **suffire**.

suffire ⊠ *vi* 1. (être assez) • **suffire pour qqch/pour faire qqch** to be enough for sthg/to do sthg, to be sufficient for sthg/to do sthg • **ça suffit !** that's enough! 2. (satisfaire) • **suffire à** to be enough for. ⊠ *v impers* • **il suffit de...** all that is necessary is..., all that you have to do is... • **il suffit d'un moment d'inattention pour que...** i... • **il suffit que** (+ subjonctif) . il suffit que vous lui écriviez all (that) you need do is write to him. ■ **se suffire** *vp* • **se suffire à soi-même** to be self-sufficient.

suffisamment *adv* sufficiently.

suffisant, e *adj* 1. (satisfaisant) sufficient 2. (vaniteux) self-important.

suffixe *nm* suffix.

suffocation *nf* suffocation.

suffoquer ⊠ *vt* 1. (suj : chaleur, fumée) to suffocate 2. *fig* (suj : colère) to choke 3. (suj : nouvelle, révélation) to astonish, to stun. ⊠ *vi* to choke.

suffrage *nm* vote.

suggérer *vt* 1. (proposer) to suggest • **suggérer qqch à qqn** to suggest sthg to sb • **suggérer à qqn de faire qqch** to suggest that sb (should) do sthg 2. (faire penser à) to evoke.

suggestif, ive *adj* 1. (musique) evocative 2. (pose, photo) suggestive.

suggestion *nf* suggestion.

suicidaire *adj* suicidal.

suicide *nm* suicide.

suicider ■ **se suicider** *vp* to commit suicide, to kill o.s..

suie *nf* soot.

suinter *vi* 1. (eau, sang) to ooze, to seep 2. (surface, mur) to sweat 3. (plaie) to weep.

suis ▷ **être**.

suisse ⊠ *adj* Swiss. ⊠ *nm* RELIG verger. ■ **Suisse** *nf* (pays) • **la Suisse** Switzerland • **la Suisse allemande/italienne/romande** German-/Italian-/French-speaking Switzerland. ⊠ *nmf* (personne) Swiss (person) • **les Suisses** the Swiss.

suite *nf* 1. (de liste, feuilleton) continuation 2. (série - de maisons, de succès) series • (- d'événements) sequence 3. (succession) • **prendre la suite de** (personne) to succeed, to take over from • (affaire) to take over • **à la suite** one after the other • **à la suite de** *fig* following 4. (escorte) retinue 5. MUS suite 6. (appartement) suite. ■ **suites** *nfpl* consequences. ■ **par la suite** *loc adv* afterwards. ■ **par suite de** *loc prép* owing to, because of.

suivant, e ⊠ *adj* next, following. ⊠ *nm, f* next *ou* following one • **au suivant !** next!

suivi, e ⊠ *pp* ▷ **suivre**. ⊠ *adj* 1. (visites) regular 2. (travail) sustained 3. (qualité) consistent. ■ **suivi** *nm* follow-up.

suivre ⊠ *vt* 1. (gén) to follow • **'faire suivre'** 'please forward' • (à suivre) to be continued 2. (suj : médecin) to treat. ⊠ *vi* 1. SCOL to keep up 2. (venir après) to follow. ■ **se suivre** *vp* to follow one another.

sujet, ette ⊠ *adj* • **être sujet à qqch** to be subject *ou* prone to sthg. ⊠ *nm, f* (de souverain) subject. ■ **sujet** *nm* (gén) subject • **c'est à quel sujet ?** what is it about? • **sujet de conversation** topic of conversation • **au sujet de** about, concerning.

sulfate *nm* sulphate (UK), sulfate (US).

sulfurique *adj* sulphuric (UK), sulfuric (US).

super *fam* ⊠ *adj inv* super, great. ⊠ *nm* four star (petrol) (UK), premium (US).

superbe *adj* 1. superb 2. (enfant, femme) beautiful.

supercherie *nf* deception, trickery.

superficie *nf* 1. (surface) area 2. *fig* (aspect superficiel) surface.

superficiel, elle *adj* superficial.

superflu, e *adj* superfluous. ■ **superflu** *nm* superfluity.

supérieur, e ■ adj **1.** (étage) upper **2.** (intelligence, qualité) superior • **intelligence supérieure à la moyenne** above-average intelligence • **supérieur à** (température) higher than, above • (notation) superior to • **une note supérieure à 10** a mark above 10 **3.** (dominant - équipe) superior • (- cadre) senior **4.** (SCOL - classe) upper, senior • (- enseignement) higher **5.** péj (air) superior. ■ nm, f superior.

supériorité nf superiority.

superlatif nm superlative.

supermarché nm supermarket.

superposer vt to stack.
■ **se superposer** vp to be stacked.

superproduction nf spectacular.

superpuissance nf superpower.

supersonique adj supersonic.

superstitieux, euse adj superstitious.

superstition nf (croyance) superstition.

superviser vt to supervise.

supplanter vt to supplant.

suppléant, e ■ adj acting (avant nom), temporary. ■ nm, f substitute, deputy.

suppléer vt **1.** littéraire (carence) to compensate for **2.** (personne) to stand in for.

supplément nm **1.** (surplus) • **un supplément de détails** additional details, extra details **2.** PRESSE supplement **3.** (de billet) extra charge.

supplémentaire adj extra, additional.

supplication nf plea.

supplice nm **1.** torture **2.** fig (souffrance) torture, agony.

supplier vt • **supplier qqn de faire qqch** to beg ou implore sb to do sthg • **je t'en** ou **vous en supplie** I beg ou implore you.

support nm **1.** (socle) support, base **2.** fig (de communication) medium • **support pédagogique** teaching aid • **support publicitaire** advertising medium.

supportable adj **1.** (douleur) bearable **2.** (conduite) tolerable, acceptable.

supporter[1] vt **1.** (soutenir, encourager) to support **2.** (endurer) to bear, to stand • **supporter que** (+ subjonctif) • il ne supporte pas qu'on le contredise he cannot bear being contradicted **3.** (résister à) to withstand.

■ **se supporter** vp (se tolérer) to bear ou stand each other.

supporter[2] nm supporter.

supposer vt **1.** (imaginer) to suppose, to assure • **en supposant que** (+ subjonctif) supposing (that) • **à supposer que** (+ subjonctif) supposing (that) **2.** (impliquer) to imply, to presuppose.

supposition nf supposition, assumption.

suppositoire nm suppository.

suppression nf **1.** (de permis de conduire) withdrawal **2.** (de document) suppression **3.** (de mot, passage) deletion **4.** (de loi, poste) abolition.

supprimer vt **1.** (document) to suppress **2.** (obstacle, difficulté) to remove **3.** (mot, passage) to delete **4.** (loi, poste) to abolish **5.** (témoin) to do away with, to eliminate **6.** (permis de conduire, revenus) • **supprimer qqch à qqn** to take sthg away from sb **7.** (douleur) to take away, to suppress **8.** INFORM to delete.

suprématie nf supremacy.

suprême adj (gén) supreme.

sur *prép*

1. INDIQUE UNE POSITION, SANS IDÉE DE MOUVE-MENT
- **le livre est sur la table** the book is on the table
- **il y a des crocodiles sur l'île** there are crocodiles on the island
- **je n'ai pas d'argent sur moi** I haven't got any money on me

2. INDIQUE UNE POSITION, AVEC UNE IDÉE DE MOU-VEMENT
- **mets un pull sur ton tee-shirt** put a jumper over your T-shirt
- **mets un couvercle sur la casserole, s'il te plaît** put a lid on the saucepan, please

3. INDIQUE UNE DIRECTION
- **la cathédrale est sur votre droite/gauche** the cathedral is on your right/left, to your right/left
- **il est revenu sur Paris hier** he returned to Paris yesterday

4. INDIQUE UNE DISTANCE
- **il y a des travaux sur 10 kilomètres** there are roadworks for 10 kilometres *(UK)* ou kilometers *(US)*
- **la plage s'étend sur 3 kilomètres** the beach extends for 3 kilometres *(UK)* ou kilometers *(US)*

5. EN FONCTION DE, SELON by
- **on ne devrait pas juger quelqu'un sur son apparence** one shouldn't judge someone by his/her appearance

6. INDIQUE LE MOYEN
- **il vit sur les revenus de ses parents** he lives on ou off his parents' income

7. INDIQUE UN THÈME, UN SUJET
- **c'est un film sur l'esclavage** it's a film on slavery
- **je suis allé à une conférence sur l'Inde hier** yesterday, I went to a conference about India

8. INDIQUE UN RAPPORT DE PROPORTION
- **9 élèves sur 10 ont choisi le premier sujet** 9 pupils out of 10 chose the first subject
- **j'ai eu 14 sur 20** I got 14 out of 20
- **ma chambre fait trois mètres sur qua-tre** my bedroom is ou measures three metres *(UK)* ou meters *(US)* by four
- **il travaille un jour sur deux** he works every other day
- **il est en retard une fois sur deux** he is late every other time

9. INDIQUE UNE RELATION DE SUPÉRIORITÉ
- **son chef a beaucoup d'influence sur lui** his boss has a lot of influence over him ou on him
- **les femmes doivent avoir des droits sur leur propre corps** women must have rights over their own bodies

10. INDIQUE UNE APPPROXIMATION
- **il a appelé sur les quatre heures** he called (at) about ou (at) around four
- **il va sur la cinquantaine** he's getting on for ou going on *(US)* fifty

11. INDIQUE UNE ACCUMULATION
- **sa fille fait bêtise sur bêtise** his daughter makes one blunder after another
- **elle a fumé trois cigarettes coup sur coup** she smoked three cigarettes one after another.

■ **sur ce** *loc adv*
- **sur ce, je vous laisse** on that note, I leave you.

sûr, e *adj* **1.** *(sans danger)* safe **2.** *(digne de confiance - personne)* reliable, trustworthy • *(- goût)* reliable, sound • *(- investisse-ment)* sound **3.** *(certain)* sure, certain • **sûr de** sure of • **sûr et certain** absolutely certain • **sûr de soi** self-confident.

surabondance *nf* overabundance.

suraigu, ë *adj* high-pitched, shrill.

suranné, e *adj littéraire* old-fashioned, outdated.

surcharge *nf* **1.** *(de poids)* excess load **2.** *(de bagages)* excess weight **3.** *fig (surcroît)* • **une surcharge de travail** extra work **4.** *(surabondance)* surfeit **5.** *(de document)* alteration.

surcharger *vt* **1.** *(véhicule, personne)* • **surcharger (de)** to overload (with) **2.** *(texte)* to alter extensively.

surchauffer *vt* to overheat.

surchemise *nf* overshirt.

surcroît *nm* • **un surcroît de travail/d'in-quiétude** additional work/anxiety.

surdimensionné, e *adj* oversize(d).

surdité *nf* deafness.

surdoué, e *adj* exceptionally ou highly gifted.

sureffectif *nm* overmanning, over-staffing.

surélever *vt* to raise, to heighten.

sûrement adv 1. (certainement) certainly ◦ **sûrement pas !** fam no way!, definitely not! 2. (sans doute) certainly, surely 3. (sans risque) surely, safely.

surenchère nf 1. higher bid 2. fig overstatement, exaggeration.

surenchérir vi 1. to bid higher 2. fig to try to go one better.

surendetté, e adj overindebted.

surendettement nm overindebtedness.

surestimer vt 1. (exagérer) to overestimate 2. (surévaluer) to overvalue.
■ **se surestimer** vp to overestimate o.s..

sûreté nf 1. (sécurité) safety ◦ **en sûreté** safe ◦ **de sûreté** safety (avant nom) 2. (fiabilité) reliability 3. DR surety.

surexposer vt to overexpose.

surf nm surfing ◦ **surf des neiges** snowboarding.

surface nf 1. (extérieur, apparence) surface 2. (superficie) surface area. ■ **grande surface** nf hypermarket (UK), supermarket (US).

surfait, e adj overrated.

surfer vi 1. SPORT to go surfing 2. INFORM to surf.

surgelé, e adj frozen. ■ **surgelé** nm frozen food.

surgir vi 1. to appear suddenly 2. fig (difficulté) to arise, to come up.

surhumain, e adj superhuman.

surimi nm surimi.

surimpression nf double exposure.

sur-le-champ loc adv immediately, straightaway.

surlendemain nm ◦ **le surlendemain** two days later ◦ **le surlendemain de mon départ** two days after I left.

surligner vt to highlight.

surligneur nm highlighter (pen).

surmenage nm overwork.

surmener vt to overwork.
■ **se surmener** vp to overwork.

surmonter vt 1. (obstacle, peur) to overcome, to surmount 2. (suj : statue, croix) to surmount, to top.

surnager vi 1. (flotter) to float (on the surface) 2. fig (subsister) to remain, to survive.

surnaturel, elle adj supernatural.
■ **surnaturel** nm ◦ **le surnaturel** the supernatural.

surnom nm nickname.

surpasser vt to surpass, to outdo.
■ **se surpasser** vp to surpass ou excel o.s..

surpeuplé, e adj overpopulated.

surplomb ■ **en surplomb** loc adj overhanging.

surplomber ◗ vt to overhang. ◗ vi to be out of plumb.

surplus nm (excédent) surplus.

surprenant, e adj surprising, amazing.

surprendre vt 1. (voleur) to catch (in the act) 2. (secret) to overhear 3. (prendre à l'improviste) to surprise, to catch unawares 4. (étonner) to surprise, to amaze.

surpris, e ◗ pp ⊳ **surprendre**. ◗ adj 1. (pris au dépourvu) surprised 2. (déconcerté) surprised.

surprise ◗ nf surprise ◦ **par surprise** by surprise ◦ **faire une surprise à qqn** to give sb a surprise. ◗ adj (inattendu) surprise (avant nom) ◦ **grève surprise** lightning strike.

surproduction nf overproduction.

surréalisme nm surrealism.

surréservation nm = **overbooking**.

sursaut nm 1. (de personne) jump, start ◦ **en sursaut** with a start 2. (d'énergie) burst, surge.

sursauter vi to start, to give a start.

sursis nm fig & DR reprieve ◦ **six mois avec sursis** six months' suspended sentence.

surtaxe nf surcharge.

surtout adv 1. (avant tout) above all 2. (spécialement) especially, particularly ◦ **surtout pas** certainly not. ■ **surtout que** loc conj fam especially as.

survécu pp ⊳ **survivre**.

surveillance nf 1. supervision 2. (de la police, de militaire) surveillance.

surveillant, e nm, f 1. supervisor 2. (de prison) guard, warder (UK).

surveiller vt 1. (enfant) to watch, to keep an eye on 2. (suspect) to keep a watch on 3. (travaux) to supervise 4. (examen) to invigilate (UK) 5. (ligne, langage) to watch.
■ **se surveiller** vp to watch o.s..

survenir *vi* (incident) to occur.

survêtement *nm* tracksuit.

survie *nf* (de personne) survival.

survitaminé, e *adj fam* (animateur, film) supercharged.

survivant, e ◼ *nm, f* survivor. ◼ *adj* surviving.

survivre *vi* to survive ◦ **survivre à** (personne) to outlive, to survive ◦ (accident, malheur) to survive.

survoler *vt* **1.** (territoire) to fly over **2.** (texte) to skim (through).

sus *interj* ◦ **sus à l'ennemi!** at the enemy! ◼ **en sus** *loc adv* moreover, in addition ◦ **en sus de** over and above, in addition to.

susceptibilité *nf* touchiness, sensitivity.

susceptible *adj* **1.** (ombrageux) touchy, sensitive **2.** (en mesure de) ◦ **susceptible de faire qqch** liable *ou* likely to do sthg ◦ **susceptible d'amélioration, susceptible d'être amélioré** open to improvement.

susciter *vt* **1.** (admiration, curiosité) to arouse **2.** (ennuis, problèmes) to create.

sushi *nm* sushi.

suspect, e ◼ *adj* **1.** (personne) suspicious **2.** (douteux) suspect. ◼ *nm, f* suspect.

suspecter *vt* to suspect, to have one's suspicions about ◦ **suspecter qqn de qqch/de faire qqch** to suspect sb of sthg/of doing sthg.

suspendre *vt* **1.** (lustre, tableau) to hang (up) **2.** (pourparlers) to suspend **3.** (séance) to adjourn **4.** (journal) to suspend publication of **5.** (fonctionnaire, constitution) to suspend **6.** (jugement) to postpone, to defer.

suspendu, e ◼ *pp* ▷ **suspendre**. ◼ *adj* **1.** (fonctionnaire) suspended **2.** (séance) adjourned **3.** (lustre, tableau) ◦ **suspendu au plafond/au mur** hanging from the ceiling/on the wall.

suspens ◼ **en suspens** *loc adv* in abeyance.

suspense *nm* suspense.

suspension *nf* **1.** (gén) suspension ◦ **en suspension** in suspension, suspended **2.** (de combat) halt **3.** (d'audience) adjournment **4.** (lustre) light fitting.

suspicion *nf* suspicion.

susurrer *vt & vi* to murmur.

suture *nf* suture.

svelte *adj* slender.

SVP = s'il vous plaît.

sweat-shirt *nm* sweatshirt.

syllabe *nf* syllable.

symbole *nm* symbol.

symbolique *adj* **1.** (figure) symbolic **2.** (geste, contribution) token (avant nom) **3.** (rémunération) nominal.

symboliser *vt* to symbolize.

symétrie *nf* symmetry.

symétrique *adj* symmetrical.

sympa *adj fam* **1.** (personne) likeable, nice **2.** (soirée, maison) pleasant, nice **3.** (ambiance) friendly.

sympathie *nf* **1.** (pour personne, projet) liking ◦ **accueillir un projet avec sympathie** to look sympathetically *ou* favourably on a project **2.** (condoléances) sympathy.

sympathique *adj* **1.** (personne) likeable, nice **2.** (soirée, maison) pleasant, nice **3.** (ambiance) friendly **4.** ANAT & MÉD sympathetic.

sympathique

« Sympathique » ne se traduit pas par *sympathetic*, du moins dans les contextes courants. *Sympathetic* veut dire « compatissant », « compréhensif » (*he was sympathetic when I told him of my troubles*, « il a compati quand je lui ai raconté mes problèmes »). C'est *nice* que l'on utilise le plus souvent pour traduire « sympathique » (« c'est un garçon vraiment sympathique », *he's a really nice boy*).

sympathiser *vi* to get on well ◦ **sympathiser avec qqn** to get on well with sb.

symphonie *nf* symphony.

symphonique *adj* **1.** (musique) symphonic **2.** (concert, orchestre) symphony (avant nom).

symptomatique *adj* symptomatic.

symptôme *nm* symptom.

synagogue *nf* synagogue.

synchroniser *vt* to synchronize.

syncope *nf* **1.** (évanouissement) blackout **2.** MUS syncopation.

syndic *nm* *(de copropriété)* managing agent.

syndicaliste ◆ *nmf* trade unionist *(UK)*, union activist *(US)*. ◆ *adj* (trade) union *(avant nom)* *(UK)*, labor union *(avant nom)* *(US)*.

syndicat *nm* **1.** *(d'employés, d'agriculteurs)* (trade) union *(UK)*, labor union *(US)* **2.** *(d'employeurs, de propriétaires)* association. ■ **syndicat d'initiative** *nm* tourist office.

syndiqué, e *adj* unionized.

syndrome *nm* syndrome • **syndrome immunodéficitaire acquis** acquired immunodeficiency syndrome.

synergie *nf* synergy, synergism.

synonyme ◆ *nm* synonym. ◆ *adj* synonymous.

syntaxe *nf* syntax.

synthé *nm* *fam* synth.

synthèse *nf* **1.** *(opération & CHIM)* synthesis **2.** *(exposé)* overview.

synthétique *adj* **1.** *(vue)* overall **2.** *(produit)* synthetic.

synthétiseur *nm* synthesizer.

syphilis *nf* syphilis.

Syrie *nf* • **la Syrie** Syria.

syrien, enne *adj* Syrian. ■ **Syrien, enne** *nm, f* Syrian.

systématique *adj* systematic.

systématiser *vt* to systematize.

système *nm* **1.** *(structure)* system • **système nerveux** nervous system • **système solaire** solar system **2.** POLIT & ÉCON • **système monétaire européen** European Monetary System **3.** INFORM • **système expert** expert system • **système d'exploitation** operating system.

t T

t, T *nm inv* t, T.

tabac *nm* **1.** *(plante, produit)* tobacco ▪ **tabac blond** mild *ou* Virginia tobacco ▪ **tabac brun** dark tobacco ▪ **tabac à priser** snuff **2.** *(magasin)* tobacconist's *(UK)*.

tabagisme *nm* **1.** *(intoxication)* nicotine addiction **2.** *(habitude)* smoking.

tabernacle *nm* tabernacle.

table *nf* **1.** *(meuble)* table ▪ **à table!** lunch/dinner *etc* is ready! ▪ **être à table** to be at table, to be having a meal ▪ **se mettre à table** to sit down to eat **2.** *fig* to come clean ▪ **dresser** *ou* **mettre la table** to lay the table ▪ **table de chevet** *ou* **de nuit** bedside table ▪ **table de cuisson** hob. ■ **table des matières** *nf* contents *pl*, table of contents. ■ **table de multiplication** *nf* (multiplication) table.

tableau *nm* **1.** *(peinture)* painting, picture **2.** *fig (description)* picture **3.** THÉÂTRE scene **4.** *(panneau)* board ▪ **tableau d'affichage** notice board *(UK)*, bulletin board *(US)* ▪ **tableau de bord** AÉRON instrument panel ▪ AUTO dashboard ▪ **tableau noir** blackboard **5.** *(de données)* table.

tabler *vi* ▪ **tabler sur** to count *ou* bank on.

tablette *nf* **1.** *(planchette)* shelf **2.** *(de chewing-gum)* stick **3.** *(de chocolat)* bar.

tableur *nm* INFORM spreadsheet.

tablier *nm* **1.** *(de cuisinière)* apron **2.** *(d'écolier)* smock **3.** *(de pont)* roadway, deck.

tabloïd(e) *nm* tabloid.

tabou, e *adj* taboo. ■ **tabou** *nm* taboo.

tabouret *nm* stool.

tabulateur *nm* tabulator, tab.

tac *nm* ▪ **du tac au tac** tit for tat.

tache *nf* **1.** *(de pelage)* marking **2.** *(de peau)* mark ▪ **tache de rousseur** *ou* **de son** freckle **3.** *(de couleur, lumière)* spot, patch **4.** *(sur nappe, vêtement)* stain.

tâche *nf* task.

tacher *vt* **1.** *(nappe, vêtement)* to stain, to mark **2.** *fig (réputation)* to tarnish.

tâcher *vi* ▪ **tâcher de faire qqch** to try to do sthg.

tacheter *vt* to spot, to speckle.

tacite *adj* tacit.

taciturne *adj* taciturn.

tact *nm (délicatesse)* tact ▪ **avoir du tact** to be tactful ▪ **manquer de tact** to be tactless.

tactique ■ *adj* tactical. ■ *nf* tactics *pl*.

taffe *nf fam* drag, puff.

tag *nm* tag.

tagueur, euse *nm, f* tagger.

taie *nf (enveloppe)* ▪ **taie (d'oreiller)** pillowcase, pillowslip.

taille *nf* **1.** *(action - de pierre, diamant)* cutting ▪ *(- d'arbre, de haie)* pruning **2.** *(stature)* height **3.** *(mesure, dimensions)* size ▪ **vous faites quelle taille ?** what size are you?, what size do you take? ▪ **ce n'est pas à ma taille** it doesn't fit me ▪ **de taille** sizeable, considerable **4.** *(milieu du corps)* waist **5.** *(partie d'un vêtement)* waist.

taille-crayon *nm* pencil sharpener.

tailler *vt* **1.** *(couper - chair, pierre, diamant)* to cut ▪ *(- arbre, haie)* to prune ▪ *(- crayon)* to sharpen ▪ *(- bois)* to carve **2.** *(vêtement)* to cut out.

tailleur *nm* **1.** *(couturier)* tailor **2.** *(vêtement)* (lady's) suit **3.** *(de diamants, pierre)* cutter.

taillis *nm* coppice, copse.

tain *nm* silvering ▪ **miroir sans tain** two-way mirror.

taire *vt* to conceal.
■ **se taire** *vp* **1.** *(rester silencieux)* to be silent *ou* quiet **2.** *(cesser de s'exprimer)* to fall silent ▪ **tais-toi !** shut up!

Taiwan *npr* Taiwan.

talc *nm* talcum powder.

talent *nm* talent ▪ **avoir du talent** to be talented, to have talent ▪ **les jeunes talents** young talent *(indénombrable)*.

talentueux, euse *adj* talented.

talisman *nm* talisman.

talkie-walkie *nm* walkie-talkie.

talon *nm* **1.** *(gén)* heel • **talons aiguilles/hauts** stiletto/high heels • **talons plats** low *ou* flat heels **2.** *(de chèque)* counterfoil *(UK)*, stub **3.** *(jeux de cartes)* stock.

talonner *vt* **1.** *(suj : poursuivant)* to be hard on the heels of **2.** *(suj : créancier)* to harry, to hound.

talonnette *nf* *(de chaussure)* heel cushion, heel-pad.

talquer *vt* to put talcum powder on.

talus *nm* embankment.

tambour *nm* **1.** *(instrument, cylindre)* drum **2.** *(musicien)* drummer **3.** *(porte à tourniquet)* revolving door.

tambourin *nm* **1.** *(à grelots)* tambourine **2.** *(tambour)* tambourin.

tambouriner *vi* • **tambouriner sur** *ou* **à** to drum on • **tambouriner contre** to drum against.

tamis *nm* *(crible)* sieve.

Tamise *nf* • **la Tamise** the Thames.

tamisé, e *adj* *(éclairage)* subdued.

tamiser *vt* **1.** *(farine)* to sieve **2.** *(lumière)* to filter.

tampon *nm* **1.** *(bouchon)* stopper, plug **2.** *(éponge)* pad • **tampon à récurer** scourer **3.** *(de coton, d'ouate)* pad • **tampon hygiénique** *ou* **périodique** tampon **4.** *(cachet)* stamp **5.** *litt & fig (amortisseur)* buffer.

tamponner *vt* **1.** *(document)* to stamp **2.** *(plaie)* to dab.

tam-tam *nm* tom-tom.

tandem *nm* **1.** *(vélo)* tandem **2.** *(duo)* pair • **en tandem** together, in tandem.

tandis ■ **tandis que** *loc conj* **1.** *(pendant que)* while **2.** *(alors que)* while, whereas.

tangage *nm* pitching, pitch.

tangent, e *adj* • **c'était tangent** *fig* it was close, it was touch and go. ■ **tangente** *nf* tangent.

tangible *adj* tangible.

tango *nm* tango.

tanguer *vi* to pitch.

tanière *nf* den, lair.

tank *nm* tank.

tanner *vt* **1.** *(peau)* to tan **2.** *fam (personne)* to pester, to annoy.

tant *adv* **1.** *(quantité)* • **tant de** so much • **tant de travail** so much work **2.** *(nombre)* • **tant de** so many • **tant de livres/d'élèves** so many books/pupils **3.** *(tellement)* such a lot, so much • **il l'aime tant** he loves her so much **4.** *(quantité indéfinie)* so much • **ça coûte tant** it costs so much **5.** *(un jour indéfini)* • **votre lettre du tant** your letter of such-and-such a date **6.** *(comparatif)* • **tant que** as much as **7.** *(valeur temporelle)* • **tant que** *(aussi longtemps que)* as long as • *(pendant que)* while. ■ **en tant que** *loc conj* as. ■ **tant bien que mal** *loc adv* after a fashion, somehow or other. ■ **tant mieux** *loc adv* so much the better • **tant mieux pour lui** good for him. ■ **tant pis** *loc adv* too bad • **tant pis pour lui** too bad for him.

tante *nf* *(parente)* aunt.

tantinet *nm* • **un tantinet exagéré/trop long** a bit exaggerated/too long.

tantôt *adv* **1.** *(parfois)* sometimes **2.** *vieilli (après-midi)* this afternoon.

tapage *nm* **1.** *(bruit)* row **2.** *fig (battage)* fuss *(indénombrable)*.

tapageur, euse *adj* **1.** *(hôte, enfant)* rowdy **2.** *(style)* flashy **3.** *(liaison, publicité)* blatant.

tape *nf* slap.

tape-à-l'œil *adj inv* flashy.

taper ◨ *vt* **1.** *(personne, cuisse)* to slap • **taper (un coup) à la porte** to knock at the door **2.** *(à la machine)* to type. ◨ *vi* **1.** *(frapper)* to hit • **taper du poing sur** to bang one's fist on • **taper dans ses mains** to clap **2.** *(à la machine)* to type **3.** *fam (soleil)* to beat down **4.** *fig (critiquer)* • **taper sur qqn** to knock sb.

tapis *nm* **1.** *(gén)* carpet **2.** *(de gymnase)* mat • **tapis roulant** *(pour bagages)* conveyor belt • *(pour personnes)* travelator • **dérouler le tapis rouge** *fig* to roll out the red carpet.

tapisser *vt* • **tapisser (de)** to cover (with).

tapisserie *nf* **1.** *(de laine)* tapestry **2.** *(papier peint)* wallpaper.

tapissier, ère *nm, f* **1.** *(artisan)* tapestry maker **2.** *(décorateur)* (interior) decorator **3.** *(commerçant)* upholsterer.

tapoter ◨ *vt* **1.** to tap **2.** *(joue)* to pat. ◨ *vi* • **tapoter sur** to tap on.

taquin, e *adj* teasing.

taquiner *vt* **1.** *(suj : personne)* to tease **2.** *(suj : douleur)* to worry.

tarabuster *vt* **1.** *(suj : personne)* to badger **2.** *(suj : idée)* to niggle at *(UK)*.

tard *adv* late • **plus tard** later • **au plus tard** at the latest.

tarder ◼ *vi* • **tarder à faire qqch** *(attendre pour)* to delay *ou* put off doing sthg • *(être lent à)* to take a long time to do sthg • **le feu ne va pas tarder à s'éteindre** it won't be long before the fire goes out • **elle ne devrait plus tarder maintenant** she should be here any time now. ◼ *v impers* • **il me tarde de te revoir/qu'il vienne** I am longing to see you again/for him to come.

tardif, ive *adj (heure)* late.

tare *nf* **1.** *(défaut)* defect **2.** *(de balance)* tare.

tarif *nm* **1.** *(prix - de restaurant, café)* price • *(- de service)* rate, price **2.** *(douanier)* tariff • **demi-tarif** half rate *ou* price • **tarif réduit** reduced price • *(au cinéma, théâtre)* concession *(UK)* • **à tarif réduit** *(loisirs)* reduced-price • *(transport)* reduced-fare **3.** *(tableau)* price list.

tarir *vi* to dry up • **elle ne tarit pas d'éloges sur son professeur** she never stops praising her teacher. ◼ **se tarir** *vp* to dry up.

tarot *nm* tarot. ◼ **tarots** *nmpl* tarot cards.

tartare *adj* Tartar • **steak tartare** steak tartare.

tarte ◼ *nf* **1.** *(gâteau)* tart, pie *(US)* **2.** *fam fig (gifle)* slap **3.** *(sujet, propos)* hackneyed. ◼ *adj (avec ou sans accord)* *fam (idiot)* stupid.

tartiflette *nf* cheese and potato gratin.

tartine *nf (de pain)* piece of bread and butter.

tartiner *vt* **1.** *(pain)* to spread • **chocolat/fromage à tartiner** chocolate/cheese spread **2.** *fam fig (pages)* to cover.

tartre *nm* **1.** *(de dents, vin)* tartar **2.** *(de chaudière)* fur, scale.

tas *nm* heap • **un tas de** a lot of.

tasse *nf* cup • **tasse à café/à thé** coffee/tea cup • **tasse de café/de thé** cup of coffee/tea.

tasser *vt* **1.** *(neige)* to compress, to pack down **2.** *(vêtements, personnes)* • **tasser qqn/qqch dans** to stuff sb/sthg into. ◼ **se tasser** *vp* **1.** *(fondations)* to settle **2.** *fig (vieillard)* to shrink **3.** *(personnes)* to squeeze up **4.** *fam fig (situation)* to settle down.

tâter *vt* **1.** to feel **2.** *fig* to sound out. ◼ **se tâter** *vp fam fig (hésiter)* to be in *(UK)* *ou* of *(US)* two minds.

tatillon, onne *adj* finicky.

tâtonnement *nm (gén pl) (tentative)* trial and error *(indénombrable)*.

tâtonner *vi* to grope around.

tâtons ◼ **à tâtons** *loc adv* • **marcher/procéder à tâtons** to feel one's way.

tatouage *nm (dessin)* tattoo.

tatouer *vt* to tattoo.

taudis *nm* slum.

taupe *nf litt & fig* mole.

taureau *nm (animal)* bull. ◼ **Taureau** *nm* ASTROL Taurus.

tauromachie *nf* bullfighting.

taux *nm* **1.** *(proportion)* rate **2.** *(de cholestérol, d'alcool)* level • **taux de natalité/mortalité** birth/death rate.

taverne *nf* tavern.

taxe *nf* tax • **hors taxe** COMM exclusive of tax, before tax • *(boutique, achat)* duty-free • **taxe sur la valeur ajoutée** value-added tax • **taxe d'habitation** ≃ council tax *(UK)*, ≃ local tax *(US)* • **toutes taxes comprises** inclusive of tax.

taxer *vt (imposer)* to tax.

taxi *nm* **1.** *(voiture)* taxi, cab *(US)* **2.** *(chauffeur)* taxi driver.

TB, tb *(abr écrite de* **très bien)** VG.

Tchad *nm* • **le Tchad** Chad.

tchatche *nf fam* • **avoir la tchatche** to have the gift of the gab.

tchatcher *vi fam* to chat (away).

tchécoslovaque *adj* Czechoslovakian. ◼ **Tchécoslovaque** *nmf* Czechoslovak.

Tchécoslovaquie *nf* • **la Tchécoslovaquie** Czechoslovakia.

tchèque ◼ *adj* Czech. ◼ *nm (langue)* Czech. ◼ **Tchèque** *nmf* Czech.

TD *(abr de* **travaux dirigés)** *nmpl* supervised practical work.

te, t' *pron pers* **1.** *(complément d'objet direct)* you **2.** *(complément d'objet indirect)* (to) you **3.** *(réfléchi)* yourself **4.** *(avec un présentatif)* • **te voici !** there you are!

technicien, enne *nm, f* **1.** *(professionnel)* technician **2.** *(spécialiste)* • **technicien (de)** expert (in).

technico-commercial, e *nm, f* sales engineer.

technique ◼ *adj* technical. ◼ *nf* technique.

techno *adj* & *nf* techno.

technocrate *nmf* technocrat.

technologie *nf* technology.

technologique *adj* technological.

teckel *nm* dachshund.

tee-shirt, T-shirt *nm* T-shirt.

teigne *nf* 1. *(mite)* moth 2. MÉD ringworm 3. *fam fig & péj (femme)* cow *(UK)* & *péj (homme)* bastard.

teindre *vt* to dye.

teint, e ◼ *pp* ▷ teindre. ◼ *adj* dyed. ◼ **teint** *nm (carnation)* complexion. ◼ **teinte** *nf* colour *(UK)*, color *(US)*.

teinté, e *adj* tinted ◦ **teinté de** *fig* tinged with.

teinter *vt* to stain.

teinture *nf* 1. *(action)* dyeing 2. *(produit)* dye. ◼ **teinture d'iode** *nf* tincture of iodine.

teinturerie *nf* 1. *(pressing)* dry cleaner's 2. *(métier)* dyeing.

teinturier, ère *nm, f (de pressing)* dry cleaner.

tel, telle *adj* 1. *(valeur indéterminée)* such-and-such a ◦ **tel et tel** such-and-such a 2. *(semblable)* such ◦ **un tel homme** such a man ◦ **de telles gens** such people ◦ **je n'ai rien dit de tel** I never said anything of the sort 3. *(valeur emphatique ou intensive)* such ◦ **un tel génie** such a genius ◦ **un tel bonheur** such happiness 4. *(introduit un exemple ou une énumération)* ◦ **tel (que)** such as, like 5. *(introduit une comparaison)* like ◦ **il est tel que je l'avais toujours rêvé** he's just like I always dreamt he would be ◦ **tel quel** as it is/was *etc.* ◼ **à tel point que** *loc conj* to such an extent that. ◼ **de telle manière que** *loc conj* in such a way that. ◼ **de telle sorte que** *loc conj* with the result that, so that.

tél. *(abr écrite de* **téléphone**) tel.

télé *nf fam* TV, telly *(UK)*.

téléachat *nm* TV teleshopping.

téléacteur, trice *nm, f* telesalesperson.

télébenne, télécabine *nf* cable car.

télécharger *vt* to download.

télécommande *nf* remote control.

télécommunication *nf* telecommunications *pl*.

télécopie *nf* fax.

télécopieur *nm* fax (machine).

téléfilm *nm* film made for television.

télégramme *nm* telegram, wire *(US)*, cable *(US)*.

télégraphe *nm* telegraph.

télégraphier *vt* to telegraph, to wire *(US)*, to cable *(US)*.

téléguider *vt* 1. to operate by remote control 2. *fig* to mastermind.

télématique *nf* telematics *(indénombrable)*.

téléobjectif *nm* telephoto lens *sing*.

téléopérateur, trice *nm, f* call centre agent.

télépathie *nf* telepathy.

téléphérique *nm* cableway.

téléphone *nm* telephone ◦ **téléphone à carte** cardphone ◦ **téléphone sans fil** cordless telephone.

téléphoner *vi* to telephone, to phone ◦ **téléphoner à qqn** to telephone sb, to phone sb (up) *(UK)*. ◼ **se téléphoner** *vp (emploi réciproque)* to call each other ◦ **on se téléphone, d'accord ?** we'll talk on the phone later, OK?

téléphonique *adj* telephone *(avant nom)*, phone *(avant nom)*.

téléprospection *nf* telemarketing.

téléréalité *nf* TV reality TV, fly-on-the-wall television ◦ **une émission de téléréalité** fly-on-the-wall documentary ◦ *(de style feuilleton)* docusoap.

télescope *nm* telescope.

télescoper *vt (véhicule)* to crash into. ◼ **se télescoper** *vp (véhicules)* to concertina *(UK)*.

télescopique *adj (antenne)* telescopic.

téléscripteur *nm* teleprinter *(UK)*, teletypewriter *(US)*.

télésiège *nm* chairlift.

téléski *nm* ski tow.

téléspectateur, trice *nm, f (television)* viewer.

télétravail *nm* teleworking.

télétravailleur, euse *nm, f* teleworker.

télévente *nf* **1.** *(à la télévision)* television selling **2.** *(via Internet)* online selling *ou* commerce, e-commerce.

téléviseur *nm* television (set).

télévision *nf* television • **à la télévision** on television • **télévision numérique** digital television • **télévision par satellite** satellite television.

télex *nm inv* telex.

tellement *adv* **1.** *(si, à ce point)* so **2.** *(+ comparatif)* so much • **tellement plus jeune que** so much younger than • **pas tellement** not especially, not particularly **3.** *(autant)* • **tellement de** *(personnes, objets)* so many • *(gentillesse, travail)* so much **4.** *(tant)* so much • **elle a tellement changé** she's changed so much • **je ne comprends rien tellement il parle vite** he talks so quickly that I can't understand a word.

téméraire ◼ *adj* **1.** *(audacieux)* bold **2.** *(imprudent)* rash. ◼ *nmf* hothead.

témérité *nf* **1.** *(audace)* boldness **2.** *(imprudence)* rashness.

témoignage *nm* **1.** DR testimony, evidence *(indénombrable)* • **faux témoignage** perjury **2.** *(gage)* token, expression • **en témoignage de** as a token of **3.** *(récit)* account.

témoigner ◼ *vt* **1.** *(manifester)* to show, to display **2.** DR • **témoigner que** to testify that. ◼ *vi* DR to testify • **témoigner contre** to testify against.

témoin ◼ *nm* **1.** *(spectateur)* witness • **être témoin de qqch** to be a witness to sthg, to witness sthg **2.** DR • **témoin oculaire** eyewitness **3.** *littéraire (marque)* • **témoin de** evidence *(indénombrable)* of **4.** SPORT baton. ◼ *adj (appartement)* show *(avant nom)*.

tempe *nf* temple.

tempérament *nm* temperament • **avoir du tempérament** to be hot-blooded.

température *nf* temperature • **avoir de la température** to have a temperature.

tempéré, e *adj (climat)* temperate.

tempérer *vt* **1.** *(adoucir)* to temper **2.** *fig (enthousiasme, ardeur)* to moderate.

tempête *nf* storm.

tempêter *vi* to rage.

temple *nm* **1.** HIST temple **2.** *(protestant)* church.

tempo *nm* tempo.

temporaire *adj* temporary.

temporairement *adv* temporarily.

temporel, elle *adj* **1.** *(défini dans le temps)* time *(avant nom)* **2.** *(terrestre)* temporal.

temps *nm* **1.** *(gén)* time • **à plein temps** full-time • **à mi-temps** half-time • **à temps partiel** part-time • **un temps partiel** a part-time job • **en un temps record** in record time • **au** *ou* **du temps où** (in the days) when • **de mon temps** in my day • **ça prend un certain temps** it takes some time • **ces temps-ci, ces derniers temps** these days • **pendant ce temps** meanwhile • **en temps utile** in due course • **en temps de guerre/paix** in wartime/peacetime • **il était temps !** *iron* and about time too! • **avoir le temps de faire qqch** to have time to do sthg • **temps libre** free time • **à temps** in time • **de temps à autre** now and then *ou* again • **de temps en temps** from time to time • **en même temps** at the same time • **tout le temps** all the time, the whole time • **avoir tout son temps** to have all the time in the world **2.** MUS beat **3.** GRAMM tense **4.** MÉTÉOR weather.

tenable *adj* bearable.

tenace *adj* 1. *(gén)* stubborn 2. *fig (odeur, rhume)* lingering.

ténacité *nf* 1. *(d'odeur)* lingering nature 2. *(de préjugé, personne)* stubbornness.

tenailler *vt* to torment.

tenailles *nfpl* pincers.

tenancier, ère *nm, f* manager (*f* manageress).

tendance *nf* 1. *(disposition)* tendency ◆ **avoir tendance à qqch/à faire qqch** to have a tendency to sthg/to do sthg, to be inclined to sthg/to do sthg 2. *(économique, de mode)* trend 3. ÉCON trend.

tendancieux, euse *adj* tendentious.

tendeur *nm (sangle)* elastic strap *(for fastening luggage etc)*.

tendinite *nf* tendinitis.

tendon *nm* tendon.

tendre¹ ◼ *adj* 1. *(gén)* tender 2. *(matériau)* soft 3. *(couleur)* delicate. ◼ *nmf* tender-hearted person.

tendre² *vt* 1. *(corde)* to tighten 2. *(muscle)* to tense 3. *(objet, main)* ◆ **tendre qqch à qqn** to hold out sthg to sb 4. *(bâche)* to hang 5. *(piège)* to set (up).
◼ **se tendre** *vp* 1. to tighten 2. *fig (relations)* to become strained.

tendresse *nf* 1. *(affection)* tenderness 2. *(indulgence)* sympathy.

tendu, e *adj* 1. *(fil, corde)* taut 2. *(personne)* tense 3. *(atmosphère, rapports)* strained 4. *(main)* outstretched.

ténèbres *nfpl* 1. darkness *sing*, shadows 2. *fig* depths.

ténébreux, euse *adj* 1. *fig (dessein, affaire)* mysterious 2. *(personne)* serious, solemn.

teneur *nf* 1. content 2. *(de traité)* terms *pl* ◆ **teneur en alcool/cuivre** alcohol/copper content.

tenir ◼ *vt* 1. *(objet, personne, solution)* to hold 2. *(garder, conserver, respecter)* to keep 3. *(gérer - boutique)* to keep, to run 4. *(apprendre)* ◆ **tenir qqch de qqn** to have sthg from sb 5. *(considérer)* ◆ **tenir qqn pour** to regard sb as. ◼ *vi* 1. *(être solide)* to stay up, to hold together 2. *(durer)* to last 3. *(pouvoir être contenu)* to fit 4. *(être attaché)* ◆ **tenir à** *(personne)* to care about ◆ *(privilèges)* to value 5. *(vouloir absolument)* ◆ **tenir à faire qqch** to insist on doing sthg 6. *(ressembler)* ◆ **tenir de** to take after 7. *(relever de)*

◆ **tenir de** to have something of 8. *(dépendre de)* ◆ **il ne tient qu'à toi de...** it's entirely up to you to... ◆ **tenir bon** to stand firm ◆ **tiens!** *(en donnant)* here! ◆ *(surprise)* well, well! ◆ *(pour attirer attention)* look!

◼ **se tenir** *vp* 1. *(réunion)* to be held 2. *(personnes)* to hold one another ◆ **se tenir par la main** to hold hands 3. *(être présent)* to be 4. *(être cohérent)* to make sense 5. *(se conduire)* to behave (o.s.) 6. *(se retenir)* ◆ **se tenir (à)** to hold on (to) 7. *(se borner)* ◆ **s'en tenir à** to stick to.

tennis ◼ *nm (sport)* tennis. ◼ *nmpl* tennis shoes, sneakers *(US)*.

ténor *nm* 1. *(chanteur)* tenor 2. *fig (vedette)* ◆ **un ténor de la politique** a political star performer.

tension *nf* 1. *(contraction, désaccord)* tension 2. MÉD pressure ◆ **avoir de la tension** to have high blood pressure 3. ÉLECTR voltage ◆ **haute/basse tension** high/low voltage.

tentaculaire *adj fig* sprawling.

tentant, e *adj* tempting.

tentation *nf* temptation.

tentative *nf* attempt ◆ **tentative de suicide** suicide attempt.

tente *nf* tent.

tenter *vt* 1. *(entreprendre)* ◆ **tenter qqch/de faire qqch** to attempt sthg/to do sthg 2. *(plaire)* to tempt ◆ **être tenté par qqch/de faire qqch** to be tempted by sthg/to do sthg.

tenture *nf* hanging.

tenu, e ◼ *pp* ▷ **tenir**. ◼ *adj* 1. *(obligé)* ◆ **être tenu de faire qqch** to be required *ou* obliged to do sthg 2. *(en ordre)* ◆ **bien/mal tenu** *(maison)* well/badly kept.

ténu, e *adj* 1. *(fil)* fine 2. *fig (distinction)* tenuous 3. *(voix)* thin.

tenue *nf* 1. *(entretien)* running 2. *(manières)* good manners *pl* 3. *(maintien du corps)* posture 4. *(costume)* dress ◆ **être en petite tenue** to be scantily dressed. ◼ **tenue de route** *nf* roadholding.

ter ◼ *adv* MUS three times. ◼ *adj* ◆ **12 ter** 12B.

TER *(abr de Train Express Régional) nm* intercity train.

Tergal® *nm* ≃ Terylene®.

tergiverser *vi* to shilly-shally.

terme *nm* **1.** *(fin)* end • **mettre un terme à** to put an end *ou* a stop to **2.** *(de grosse-se)* term • **avant terme** prematurely **3.** *(échéance)* time limit **4.** *(de loyer)* rent day • **à court/moyen/long terme** *(calculer)* in the short/medium/long term • *(projet)* short-/medium-/long-term **5.** *(mot, élément)* term. ∎ **termes** *nmpl* **1.** *(expressions)* words **2.** *(de contrat)* terms.

terminaison *nf* GRAMM ending.

terminal, e *adj* **1.** *(au bout)* final **2.** MÉD *(phase)* terminal. ∎ **terminal** *nm* terminal. ∎ **terminale** *nf* SCOL ≃ upper sixth year *ou* form (UK), ≃ twelfth grade (US).

terminer *vt* **1.** to end, to finish **2.** *(travail, repas)* to finish.
∎ **se terminer** *vp* to end, to finish.

terminologie *nf* terminology.

terminus *nm* terminus.

termite *nm* termite.

terne *adj* dull.

ternir *vt* **1.** to dirty **2.** *(métal, réputation)* to tarnish.

terrain *nm* **1.** *(sol)* soil • **vélo tout terrain** mountain bike **2.** *(surface)* piece of land **3.** *(emplacement - de football, rugby)* pitch (UK) • *(- de golf)* course • **terrain d'aviation** airfield • **terrain de camping** campsite **4.** *fig (domaine)* ground.

terrasse *nf* terrace.

terrassement *nm* *(action)* excavation.

terrasser *vt* **1.** *(suj : personne)* to bring down **2.** *(suj : émotion)* to overwhelm **3.** *(suj : maladie)* to conquer.

terre *nf* **1.** *(monde)* world **2.** *(sol)* ground • **par terre** on the ground • **terre à terre** *fig* down-to-earth **3.** *(matière)* earth, soil **4.** *(propriété)* land *(indénombrable)* **5.** *(territoire, continent)* land **6.** ÉLECTR earth (UK), ground (US). ∎ **Terre** *nf* • **la Terre** Earth.

terreau *nm* compost.

terre-plein *nm* platform.

terrer ∎ **se terrer** *vp* to go to earth.

terrestre *adj* **1.** *(croûte, atmosphère)* of the earth **2.** *(animal, transport)* land *(avant nom)* **3.** *(plaisir, paradis)* earthly **4.** *(considérations)* worldly.

terreur *nf* terror.

terrible *adj* **1.** *(gén)* terrible **2.** *(appétit, soif)* terrific, enormous **3.** *fam (excellent)* brilliant.

terriblement *adv* terribly.

terrien, enne ∎ *adj (foncier)* • **propriétaire terrien** landowner. ∎ *nm, f (habitant de la Terre)* earthling.

terrier *nm* **1.** *(tanière)* burrow **2.** *(chien)* terrier.

terrifier *vt* to terrify.

terrine *nf* terrine.

territoire *nm* **1.** *(pays, zone)* territory **2.** ADMIN area. ∎ **territoire d'outre-mer** *nm* (French) overseas territory.

territorial, e *adj* territorial.

terroir *nm* **1.** *(sol)* soil **2.** *(région rurale)* country.

terroriser *vt* to terrorize.

terrorisme *nm* terrorism.

terroriste *nmf* terrorist.

tertiaire ∎ *nm* tertiary sector. ∎ *adj* tertiary.

tesson *nm* piece of broken glass.

test *nm* test • **test de dépistage** screening test • **test de grossesse** pregnancy test.

testament *nm* **1.** will **2.** *fig* legacy.

tester *vt* to test.

testicule *nm* testicle.

tétaniser *vt* **1.** to cause to go into spasm **2.** *fig* to paralyse (UK), to paralyze (US).

tétanos *nm* tetanus.

têtard *nm* tadpole.

tête *nf* **1.** *(gén)* head • **de la tête aux pieds** from head to foot *ou* toe • **la tête en bas** head down • **la tête la première** head first • **calculer qqch de tête** to calculate sthg in one's head • **tête chercheuse** homing head • **tête de lecture** INFORM read head • **tête de liste** POLIT main candidate • **être tête en l'air** to have one's head in the clouds • **faire la tête** to sulk • **tenir tête à qqn** to stand up to sb **2.** *(visage)* face **3.** *(devant - de cortège, peloton)* head, front • **en tête** SPORT in the lead • **tête de série** SPORT seeded player.

tête-à-queue *nm inv* spin.

tête-à-tête *nm inv* tête-à-tête.

tête-bêche *loc adv* head to tail.

tétée *nf* feed.

tétine *nf* **1.** *(de biberon, mamelle)* nipple, teat **2.** *(sucette)* dummy (UK), pacifier (US).

Tétrabrick ® *nm* carton.

têtu, e *adj* stubborn.

teuf *nf fam* party, rave.

tex mex ◼ *adj* Tex Mex. ◼ *nm* Tex Mex food.

texte *nm* **1.** *(écrit)* wording **2.** *(imprimé)* text **3.** *(extrait)* passage.

textile ◼ *adj* textile *(avant nom)*. ◼ *nm* **1.** *(matière)* textile **2.** *(industrie)* ▪ **le textile** textiles *pl*, the textile industry.

textuel, elle *adj* **1.** *(analyse)* textual **2.** *(citation)* exact ▪ **il a dit ça, textuel** those were his very *ou* exact words **3.** *(traduction)* literal.

texture *nf* texture.

TGV *(abr de train à grande vitesse) nm* TGV *(French high-speed train)*.

thaïlandais, e *adj* Thai. ◼ **Thaïlandais, e** *nm, f* Thai.

Thaïlande *nf* ▪ **la Thaïlande** Thailand.

thalassothérapie *nf* seawater therapy.

thé *nm* tea.

théâtral, e *adj (ton)* theatrical.

théâtre *nm* **1.** *(bâtiment, représentation)* theatre *(UK)*, theater *(US)* **2.** *(art)* ▪ **faire du théâtre** to be on the stage ▪ **adapté pour le théâtre** adapted for the stage **3.** *(œuvre)* plays *pl* **4.** *(lieu)* scene ▪ **théâtre d'opérations** MIL theatre *(UK) ou* theater *(US)* of operations.

théière *nf* teapot.

thématique ◼ *adj* thematic. ◼ *nf* themes *pl*.

thème *nm* **1.** *(sujet & MUS)* theme **2.** SCOL prose.

théologie *nf* theology.

théorème *nm* theorem.

théoricien, enne *nm, f* theoretician.

théorie *nf* theory ▪ **en théorie** in theory.

théorique *adj* theoretical.

thérapeute *nmf* therapist.

thérapie *nf* therapy ▪ **thérapie génique** gene therapy.

thermal, e *adj* thermal.

thermes *nmpl* thermal baths.

thermique *adj* thermal.

thermomètre *nm (instrument)* thermometer.

Thermos ® *nm & nf* Thermos ®(flask).

thermostat *nm* thermostat.

thèse *nf* **1.** *(opinion)* argument **2.** PHILO & UNIV thesis ▪ **thèse de doctorat** doctorate **3.** *(théorie)* theory.

thon *nm* tuna.

thorax *nm* thorax.

thym *nm* thyme.

thyroïde *nf* thyroid (gland).

Tibet *nm* ▪ **le Tibet** Tibet.

tibia *nm* tibia.

tic *nm* tic.

ticket *nm* ticket ▪ **ticket de caisse** (till) receipt *(UK)*, sales slip *(US)* ▪ **ticket-repas** ≃ luncheon voucher *(UK)*, ≃ meal ticket *(US)*.

tic-tac *nm inv* tick-tock.

tiède *adj* **1.** *(boisson, eau)* tepid, lukewarm **2.** *(vent)* mild **3.** *fig (accueil)* lukewarm.

tiédir ◼ *vt* to warm. ◼ *vi* to become warm ▪ **faire tiédir qqch** to warm sthg.

tien ◼ **le tien, la tienne** *pron poss* yours ▪ **à la tienne !** cheers!

tierce ◼ *nf* **1.** MUS third **2.** *(cartes à jouer) (escrime)* tierce. ◼ *adj* ⤳ **tiers**.

tiercé *nm si vous voulez donner une définition à un anglophone, vous pouvez dire* it is a system for betting in which you say which horses will be the first three in a race.

tiers, tierce *adj* ▪ **une tierce personne** a third party. ◼ **tiers** *nm* **1.** *(étranger)* outsider, stranger **2.** *(tierce personne)* third party **3.** *(de fraction)* ▪ **le tiers de** one-third of.

tiers-monde *nm* ▪ **le tiers-monde** the Third World.

tiers-mondisation *nf* ▪ **la tiers-mondisation de ce pays** this country's economic degeneration to Third World levels.

tige *nf* **1.** *(de plante)* stem, stalk **2.** *(de bois, métal)* rod.

tignasse *nf fam* mop (of hair).

tigre *nm* tiger.

tigresse *nf* tigress.

tilleul *nm* lime (tree).

timbale *nf* **1.** *(gobelet)* (metal) cup **2.** MUS kettledrum.

timbre *nm* **1.** *(gén)* stamp **2.** *(de voix)* timbre **3.** *(de bicyclette)* bell.

timbrer *vt* to stamp.

timide ◼ adj 1. (personne) shy 2. (protestation, essai) timid 3. (soleil) uncertain. ◼ nmf shy person.

timing nm 1. (emploi du temps) schedule 2. (organisation) timing.

timoré, e adj fearful, timorous.

tintamarre nm fam racket.

tintement nm 1. (de cloche, d'horloge) chiming 2. (de pièces) jingling.

tinter vi 1. (cloche, horloge) to chime 2. (pièces) to jingle.

tir nm 1. (SPORT - activité) shooting ◦ (- lieu) ◦ **(centre de) tir** shooting range ◦ **tir au but** penalty shoot-out 2. (trajectoire) shot 3. (salve) fire (indénombrable) ◦ **tir de roquette** rocket attack 4. (manière, action de tirer) firing.

tirage nm 1. (de journal) circulation 2. (de livre) ◦ **à grand tirage** mass circulation 3. (du loto) draw ◦ **tirage au sort** drawing lots 4. (de cheminée) draught (UK), draft (US).

tiraillement nm (gén pl) 1. (crampe) cramp 2. fig (conflit) conflict.

tirailler ◼ vt 1. (tirer sur) to tug (at) 2. fig (écarteler) ◦ **être tiraillé par/entre qqch** to be torn by/between sthg. ◼ vi to fire wildly.

tiré, e adj (fatigué) ◦ **avoir les traits tirés** ou **le visage tiré** to look drawn.

tire-bouchon nm corkscrew. ◼ **en tire-bouchon** loc adv corkscrew (avant nom).

tirelire nf moneybox (UK), piggy bank (US).

tirer ◼ vt 1. (gén) to pull 2. (rideaux) to draw 3. (tiroir) to pull open 4. (tracer - trait) to draw 5. (revue, livre) to print 6. (avec arme) to fire 7. (faire sortir - vin) to draw off ◦ **tirer qqn de** litt & fig to help ou get sb out of ◦ **tirer un revolver/un mouchoir de sa poche** to pull a gun/a handkerchief out of one's pocket ◦ **tirer la langue** to stick out one's tongue 8. (aux cartes, au loto) to draw 9. (plaisir, profit) to derive 10. (déduire - conclusion) to draw ◦ (- leçon) to learn. ◼ vi 1. (tendre) ◦ **tirer sur** to pull on ou at 2. (aspirer) ◦ **tirer sur** (pipe) to draw ou pull on 3. (couleur) ◦ **bleu tirant sur le vert** greenish blue 4. (cheminée) to draw 5. (avec arme) to fire, to shoot 6. SPORT to shoot.

◼ **se tirer** vp 1. fam (s'en aller) to push off 2. (se sortir) ◦ **se tirer de** to get o.s. out of ◦ **s'en tirer** fam to escape.

tiret nm dash.

tireur, euse nm, f (avec arme) gunman ◦ **tireur d'élite** marksman (f markswoman).

tiroir nm drawer.

tiroir-caisse nm till.

tisane nf herb(al) tea.

tisonnier nm poker.

tissage nm weaving.

tisser vt 1. litt & fig to weave 2. (suj : araignée) to spin.

tissu nm 1. (étoffe) cloth, material 2. BIOL tissue.

titiller vt to titillate.

titre nm 1. (gén) title 2. (de presse) headline 3. (universitaire) diploma, qualification 4. DR title ◦ **titre de propriété** title deed 5. FIN security. ◼ **titre de transport** nm ticket. ◼ **à titre de** loc prép ◦ **à titre d'exemple** by way of example ◦ **à titre d'information** for information.

tituber vi to totter.

titulaire ◼ adj 1. (employé) permanent 2. UNIV with tenure. ◼ nmf 1. (de passeport, permis) holder 2. (de poste, chaire) occupant.

titulariser vt to give tenure to.

TNP (abr de **traité de non-prolifération**) nm NPT.

TNT (abr de **Télévision numérique terrestre**) nf DTTV.

toast nm 1. (pain grillé) toast (indénombrable) 2. (discours) toast ◦ **porter un toast à** to drink a toast to.

toboggan nm 1. (traîneau) toboggan 2. (de terrain de jeu) slide 3. (de piscine) chute.

toc ◼ interj ◦ **et toc !** so there! ◼ nm fam ◦ **c'est du toc** it's fake ◦ **en toc** fake (avant nom).

TOC (abr de **troubles obsessionnels compulsifs**) nmpl MÉD OCD.

Togo nm ◦ **le Togo** Togo.

toi pron pers you. ◼ **toi-même** pron pers yourself.

toile nf 1. (étoffe) cloth 2. (de lin) linen ◦ **toile cirée** oilcloth 3. (tableau) canvas, picture. ◼ **toile d'araignée** nf spider's web. ◼ **Toile** nf ◦ **la Toile** INFORM the Web, the web.

toilette *nf* 1. *(de personne, d'animal)* washing ◆ **faire sa toilette** to (have a) wash (UK), to wash up (US) 2. *(parure, vêtements)* outfit, clothes *pl.* ■ **toilettes** *nfpl* toilet(s) (UK), bath room (US), rest room (US).

toise *nf* height gauge.

toison *nf* 1. *(pelage)* fleece 2. *(chevelure)* mop (of hair).

toit *nm* roof ◆ **toit ouvrant** sunroof.

toiture *nf* roof, roofing.

tôle *nf (de métal)* sheet metal ◆ **tôle ondulée** corrugated iron.

tolérance *nf* 1. *(gén)* tolerance 2. *(liberté)* concession.

tolérant, e *adj* 1. *(large d'esprit)* tolerant 2. *(indulgent)* liberal.

tolérer *vt* to tolerate.
■ **se tolérer** *vp* to put up with *ou* tolerate each other.

tollé *nm* protest.

tomate *nf* tomato.

tombal, e *adj* ◆ **pierre tombale** gravestone.

tombant, e *adj* 1. *(moustaches)* drooping 2. *(épaules)* sloping.

tombe *nf (fosse)* grave, tomb.

tombeau *nm* tomb.

tombée *nf* fall ◆ **à la tombée du jour** *ou* **de la nuit** at nightfall.

tomber *vi* 1. *(gén)* to fall ◆ **faire tomber qqn** to knock sb over *ou* down ◆ **tomber raide mort** to drop down dead ◆ **tomber bien** *(robe)* to hang well ◆ *fig (visite, personne)* to come at a good time 2. *(cheveux)* to fall out 3. *(nouvelle)* to break 4. *(diminuer - prix)* to drop, to fall ◆ *(- fièvre, vent)* to drop ◆ *(- jour)* to come to an end ◆ *(- colère)* to die down 5. *(devenir brusquement)* ◆ **tomber malade** to fall ill ◆ **tomber amoureux** to fall in love ◆ **être bien/mal tombé** to be lucky/unlucky 6. *(trouver)* ◆ **tomber sur** to come across 7. *(attaquer)* ◆ **tomber sur** to set about 8. *(date, événement)* to fall on.

tombola *nf* raffle.

tome *nm* volume.

ton¹ *nm* 1. *(de voix)* tone ◆ **hausser/baisser le ton** to raise/lower one's voice 2. MUS key ◆ **donner le ton** to give the chord ◆ *fig* to set the tone 3. *(couleur)* tone, shade.

ton², ta *adj poss* your.

tonalité *nf* 1. MUS tonality 2. *(au téléphone)* dialling tone (UK), dial tone (US).

tondeuse *nf (à cheveux)* clippers *pl* ◆ **tondeuse (à gazon)** mower, lawnmower.

tondre *vt* 1. *(gazon)* to mow 2. *(mouton)* to shear 3. *(caniche, cheveux)* to clip.

tondu, e *adj* 1. *(caniche, cheveux)* clipped 2. *(pelouse)* mown.

tonicité *nf (des muscles)* tone.

tonifier *vt* 1. *(peau)* to tone 2. *(esprit)* to stimulate.

tonique *adj* 1. *(boisson)* tonic *(avant nom)* 2. *(froid)* bracing 3. *(lotion)* toning 4. LING & MUS tonic.

tonitruant, e *adj* booming.

tonnage *nm* tonnage.

tonnant, e *adj* thundering, thunderous.

tonne *nf (1000 kg)* tonne.

tonneau *nm* 1. *(baril)* barrel, cask 2. *(de voiture)* roll 3. NAUT ton.

tonnelle *nf* bower, arbour.

tonner *vi* to thunder.

tonnerre *nm* thunder ◆ **coup de tonnerre** thunderclap ◆ *fig* bombshell.

tonte *nf* 1. *(de mouton)* shearing 2. *(de gazon)* mowing 3. *(de caniche, cheveux)* clipping.

tonus *nm* 1. *(dynamisme)* energy 2. *(de muscle)* tone.

top *nm (signal)* beep.

toper *vi* ◆ **tope-là !** right, you're on!

topographie *nf* topography.

toque *nf* 1. *(de juge, de jockey)* cap 2. *(de cuisinier)* hat.

torche *nf* torch.

torcher *vt fam* 1. *(assiette, fesses)* to wipe 2. *(travail)* to dash off.

torchon *nm* 1. *(serviette)* cloth 2. *fam (travail)* mess.

tordre *vt (gén)* to twist.
■ **se tordre** *vp* ◆ **se tordre la cheville** to twist one's ankle ◆ **se tordre de rire** *fam fig* to double up with laughter.

tordu, e ◆ *pp* ▷ **tordre**. ◆ *adj fam* 1. *(bizarre, fou)* crazy 2. *(esprit)* warped.

tornade *nf* tornado.

torpeur *nf* torpor.

torpille *nf* MIL torpedo.

torpiller *vt* to torpedo.

torréfaction *nf* roasting.

torrent *nm* torrent • **un torrent de** *fig (injures)* a stream of • *(lumière, larmes)* a flood of.

torrentiel, elle *adj* torrential.

torride *adj* torrid.

torsade *nf* **1.** *(de cheveux)* twist, coil **2.** *(de pull)* cable.

torsader *vt* to twist.

torse *nm* chest.

torsion *nf* **1.** twisting **2.** PHYS torsion.

tort *nm* **1.** *(erreur)* fault • **avoir tort** to be wrong • **être dans son** *ou* **en tort** to be in the wrong • **à tort** wrongly **2.** *(préjudice)* wrong.

torticolis *nm* stiff neck.

tortiller *vt* **1.** *(enrouler)* to twist **2.** *(moustache)* to twirl.
■ **se tortiller** *vp* to writhe, to wriggle.

tortionnaire *nmf* torturer.

tortue *nf* **1.** tortoise **2.** *fig* slowcoach *(UK)*, slowpoke *(US)*.

tortueux, euse *adj* **1.** winding, twisting **2.** *fig* tortuous.

torture *nf* torture.

torturer *vt* to torture.

tôt *adv* **1.** *(de bonne heure)* early **2.** *(avant le moment prévu)* soon **3.** *(vite)* soon, early.
■ **au plus tôt** *loc adv* at the earliest.

total, e *adj* total. ■ **total** *nm* total.

totalement *adv* totally.

totaliser *vt* **1.** *(additionner)* to add up, to total **2.** *(réunir)* to have a total of.

totalitaire *adj* totalitarian.

totalitarisme *nm* totalitarianism.

totalité *nf* *(intégralité)* whole.

totem *nm* totem.

toubib *nmf fam* doc.

touchant, e *adj* touching.

touche *nf* **1.** *(de clavier)* key • **touche de fonction** function key **2.** *(de peinture)* stroke **3.** *fig (note)* • **une touche de** a touch of **4.** *(à la pêche)* bite **5.** (FOOTBALL - ligne) touch line • *(- remise en jeu)* throw-in **6.** *(rugby - ligne)* touch (line) • *(- remise en jeu)* line-out **7.** *(escrime)* hit.

toucher ◼ *nm* • **le toucher** the (sense of) touch • **au toucher** to the touch. ◼ *vt* **1.** *(palper, émouvoir)* to touch **2.** *(correspon-*dant) to contact, to reach **3.** *(cible)* to hit **4.** *(rivage)* to reach **5.** *(cible)* to hit **6.** *(salaire)* to get, to be paid **7.** *(chèque)* to cash **8.** *(gros lot)* to win **9.** *(concerner)* to affect, to concern. ◼ *vi* • **toucher à** to touch • *(problème)* to touch on • *(inconscience, folie)* to border *ou* verge on • *(maison)* to adjoin • **toucher à sa fin** to draw to a close.
■ **se toucher** *vp (maisons)* to be adjacent (to each other), to adjoin (each other).

touffe *nf* tuft.

touffu, e *adj* **1.** *(forêt)* dense **2.** *(barbe)* bushy.

---

toujours *adv*

1. INDIQUE UNE RÉPÉTITION
• **Mathilde est toujours en retard** Mathilde is always late

2. INDIQUE UNE CONTINUITÉ, UNE PERSISTANCE DANS LE PRÉSENT
• **il aime toujours sa femme** he still loves his wife
• **je ne sais pas s'il joue toujours pour Marseille** I don't know whether he still plays for Marseilles
• **elle est partie il y a une heure et elle n'est toujours pas revenue** she left an hour ago and she still hasn't come back
• **j'espère toujours qu'elle viendra** I'm still hoping *ou* I keep hoping she'll come
• **cette rue est toujours encombrée** this street is always *ou* constantly jammed

3. INDIQUE UNE CONTINUITÉ, UNE PERSISTANCE DANS LE FUTUR
• **ils s'aimeront toujours** they will always love one another, they will love one another forever
• **il est parti pour toujours** he's gone forever *ou* for good

4. DE TOUTE FAÇON
• **essayez toujours, il vous répondra peut-être** try anyway *ou* anyhow *ou* you may as well try, he might answer you.

■ **toujours est-il que** *loc conj*

the fact remains that
• **toujours est-il qu'il n'est pas venu** the fact remains, he hasn't turned up.

■ **toujours moins** *loc adv*

• **elle est toujours moins disponible à cause de son travail** she is less and less available because of her work.

■ **toujours plus** *loc adv*

• **il est toujours plus beau** he just keeps getting better looking.

■ **de toujours** *loc adj*

• **ce sont des amis de toujours** they are lifelong friends.

toupet *nm* 1. *(de cheveux)* quiff *(UK)*, tuft of hair 2. *fam fig (aplomb)* cheek • **avoir du toupet, ne pas manquer de toupet** *fam* to have a cheek.

toupie *nf* (spinning) top.

tour ◩ *nm* 1. *(périmètre)* circumference • **faire le tour de** to go round • **faire un tour** to go for a walk/drive *etc* • **tour d'horizon** survey • **tour de piste** SPORT lap • **tour de taille** waist measurement 2. *(rotation)* turn • **fermer à double tour** to double-lock 3. *(plaisanterie)* trick 4. *(succession)* turn • **c'est à mon tour** it's my turn • **à tour de rôle** in turn • **tour à tour** alternately, in turn 5. *(d'événements)* turn 6. *(de potier)* wheel. ◩ *nf* 1. *(monument, de château)* tower 2. *(immeuble)* tower-block *(UK)*, high rise *(US)* 3. *(échecs)* rook, castle. ■ **tour de contrôle** *nf* control tower. ■ **Tour de France** *npr m* • **le Tour de France** the Tour de France.

tourbe *nf* peat.

tourbillon *nm* 1. *(de vent)* whirlwind 2. *(de poussière, fumée)* swirl 3. *(d'eau)* whirlpool 4. *fig (agitation)* hurly-burly.

tourbillonner *vi* 1. to whirl, to swirl 2. *fig* to whirl (round).

tourelle *nf* turret.

tourisme *nm* tourism.

touriste *nmf* tourist.

touristique *adj* tourist *(avant nom)*.

tourment *nm sout* torment.

tourmente *nf* 1. *littéraire (tempête)* storm, tempest 2. *fig* turmoil.

tourmenter *vt* to torment.
■ **se tourmenter** *vp* to worry o.s., to fret.

tournage *nm* CINÉ shooting.

tournant, e *adj* 1. *(porte)* revolving 2. *(fauteuil)* swivel *(avant nom)* 3. *(pont)* swing *(avant nom)*. ■ **tournant** *nm* 1. bend 2. *fig* turning point.

tourné, e *adj (lait)* sour, off.

tourne-disque *nm* record player.

tournée *nf* 1. *(voyage)* tour 2. *fam (consommations)* round.

tourner ◩ *vt* 1. *(gén)* to turn 2. *(pas, pensées)* to turn, to direct 3. *(obstacle, loi)* to get round *(UK)* ou around *(US)* 4. CINÉ to shoot. ◩ *vi* 1. *(gén)* to turn 2. *(moteur)* to turn over 3. *(planète)* to revolve • **tourner autour de qqn** *fig* to hang around sb • **tourner autour du pot** ou **du sujet** *fig* to beat about the bush 4. *(entreprise)* to tick over *(UK)*, to go ok 5. *(lait)* to go off *(UK)*, to go bad *(US)*.
■ **se tourner** *vp* to turn (right) round *(UK)* ou around *(US)* • **se tourner vers** to turn towards ou toward *(UK)* ou around *(US)*.

tournesol *nm (plante)* sunflower.

tournevis *nm* screwdriver.

tourniquet *nm* 1. *(entrée)* turnstile 2. MÉD tourniquet.

tournis *nm fam* • **avoir le tournis** to feel dizzy ou giddy.

tournoi *nm* tournament.

tournoyer *vi* to wheel, to whirl.

tournure *nf* 1. *(apparence)* turn 2. *(formulation)* form • **tournure de phrase** turn of phrase.

tourteau *nm (crabe)* crab.

tourterelle *nf* turtledove.

Toussaint *nf* • **la Toussaint** All Saints' Day.

tousser *vi* to cough.

toussotement *nm* coughing.

toussoter *vi* to cough.

■ **tout, toute** *adj*

1. AVEC SUBSTANTIF SINGULIER DÉTERMINÉ
• **elle a bu tout le vin** she drank all the wine
• **il a dormi toute la journée/la nuit** he slept all day/night, the whole day/night
• **toute sa famille était fière de lui** all his family, his whole family was proud of him

• **tout le monde le sait** everybody knows

• **tout le monde est invité** everyone is invited

2. AVEC UN PRONOM DÉMONSTRATIF

• **je sais tout ceci/cela** I know all this/that

• **tout ce que je sais, c'est que je ne peux pas lui faire confiance** all I know is that I can't trust him.

tout *adj indéf*

1. AVEC SUBSTANTIF PLURIEL

• **tous les gâteaux sont frais** all the cakes are fresh

• **tous les deux sont charmants** both of us/them *etc* are charming

• **tous les trois sont responsables** all three of us/them *etc* are responsible

2. EXPRIME LA FRÉQUENCE every

• **il va à la piscine tous les jours** he goes to the swimming pool every day

• **tous les deux ans, ils vont au Japon** every two years *ou* every other year, they go to Japan

• **tous les combien ?** how often?

3. N'IMPORTE QUEL

• **toute personne susceptible de nous aider est la bienvenue** any person *ou* anyone able to help us is welcome

• **à toute heure** at any time

• **pour tout renseignement, appelez le numéro suivant** for all information, call the following number.

tout *pron indéf*

• **je t'ai tout dit** I've told you everything

• **ce sera tout ?** will that be all?

• **c'est tout** that's all.

■ **tout** *adv*

1. POUR RENFORCER

• **il est tout jeune** he's very young

• **elle est tout étonnée** she's very *ou* most surprised

• **c'est tout autre chose** that's quite another matter

• **ils étaient tout seuls** they were all alone

• **la boîte est tout en haut** the box is right at the top

2. AVEC UN GÉRONDIF, INDIQUE LA SIMULTANÉITÉ

• **il mange un sandwich tout en marchant** he's eating a sandwich while walking

3. AVEC UN GÉRONDIF, INDIQUE UNE OPPOSITION

• **tout en prétendant vouloir l'aider, il ne voulait pas qu'elle réussisse** although *ou* even though he claimed to help her, he didn't want her to succeed

4. MARQUE UNE OPPOSITION

• **tout intelligent qu'il soit, il n'est pas capable de résoudre ce problème** however intelligent he is *ou* no matter how intelligent he is, he can't solve this problem.

tout *nm*

• **un tout** a whole

• **le tout est de...** the main thing is to...

■ **du tout au tout** *loc adv*

completely, entirely

• **en deux ans, il a changé du tout au tout** in two years, he changed entirely.

■ **pas du tout** *loc adv*

not at all

• **je ne suis pas du tout fatiguée** I'm not at all tired *ou* I'm not tired at all.

■ **tout à fait** *loc adv*

1. COMPLÈTEMENT entirely

• **je suis tout à fait d'accord avec toi** I entirely agree with you

2. EXACTEMENT exactly

• **c'est tout à fait ce que je cherche** it's exactly what I'm looking for.

■ **tout à l'heure** *loc adv*

1. DANS LE FUTUR in a little while

• **à tout à l'heure !** see you later!

2. DANS LE PASSÉ a little while ago

• **je l'ai rencontré tout à l'heure** I met him a little while ago.

■ **tout de suite** *loc adv*

immediately, at once

• **j'arrive tout de suite !** I'll be right there.

tout-à-l'égout *nm inv* mains drainage.

toutefois *adv* however.

tout-petit *nm* toddler, tot.

tout-puissant, **toute-puissante** *adj* omnipotent, all-powerful.

toux *nf* cough.

toxicomane *nmf* drug addict.

toxine *nf* toxin.

toxique *adj* toxic.

trac *nm* 1. *(gén)* nerves *pl* 2. THÉÂTRE stage fright « **avoir le trac** to get nervous » THÉÂTRE to get stage fright.

traçabilité *nf* traceability.

tracas *nm* worry.

tracasser *vt* to worry, to bother. ■ **se tracasser** *vp* to worry.

tracasserie *nf* annoyance.

trace *nf* 1. *(d'animal, de fugitif)* track 2. *(de brûlure, fatigue)* mark 3. *(gén pl) (vestige)* trace 4. *(très petite quantité)* « **une trace de** a trace of.

tracé *nm* 1. *(lignes)* plan, drawing 2. *(de parcours)* line.

tracer *vt* 1. *(dessiner, dépeindre)* to draw 2. *(route, piste)* to mark out.

trachéite *nf* throat infection.

tract *nm* leaflet.

tractations *nfpl* negotiations, dealings.

tracter *vt* to tow.

tracteur *nm* tractor.

traction *nf* 1. *(action de tirer)* towing, pulling « **traction avant/arrière** front-/rear-wheel drive 2. TECHNOL tensile stress 3. *(SPORT - au sol)* press-up *(UK)*, push-up *(US)* « *(- à la barre)* pull-up.

tradition *nf* tradition.

traditionnel, elle *adj* 1. *(de tradition)* traditional 2. *(habituel)* usual.

traducteur, trice *nm, f* translator.

traduction *nf (gén)* translation.

traduire *vt* 1. *(texte)* to translate « **traduire qqch en français/anglais** to translate sthg into French/English 2. *(révéler - crise)* to reveal, to betray » *(- sentiments, pensée)* to render, to express 3. DR « **traduire qqn en justice** to bring sb before the courts.

trafic *nm* 1. *(de marchandises)* traffic, trafficking 2. *(circulation)* traffic.

trafiquant, e *nm, f* trafficker, dealer.

trafiquer ◨ *vt* 1. *(falsifier)* to tamper with 2. *fam (manigancer)* « **qu'est-ce que tu trafiques ?** what are you up to? ◨ *vi* to be involved in trafficking.

tragédie *nf* tragedy.

tragi-comédie *nf* tragicomedy.

tragique *adj* tragic.

tragiquement *adv* tragically.

trahir *vt* 1. *(gén)* to betray 2. *(suj : moteur)* to let down 3. *(suj : forces)* to fail 4. *(révéler, démasquer)* to betray, to give away *(sép)*. ■ **se trahir** *vp* to give o.s. away.

trahison *nf* 1. *(gén)* betrayal 2. DR treason.

train *nm* 1. *(transports)* train 2. *(allure)* pace « **être en train** *fig* to be on form. ■ **train de vie** *nm* lifestyle. ■ **en train de** *loc prép* « **être en train de lire/travailler** to be reading/working.

traînant, e *adj* 1. *(voix)* drawling 2. *(démarche)* dragging.

traîne *nf (de robe)* train « **être à la traîne** to lag behind.

traîneau *nm* sleigh, sledge.

traînée *nf* 1. *(trace)* trail 2. *fam péj (prostituée)* tart, whore.

traîner ◨ *vt* 1. *(tirer, emmener)* to drag 2. *(trimbaler)* to lug around, to cart around 3. *(maladie)* to be unable to shake off. ◨ *vi* 1. *(personne, animal)* to dawdle 2. *(maladie, affaire)* to drag on « **traîner en longueur** to drag 3. *(vêtements, livres)* to lie around *ou* about. ■ **se traîner** *vp* 1. *(personne)* to drag o.s. along 2. *(jour, semaine)* to drag.

train-train *nm fam* routine, daily grind.

traire *vt (vache)* to milk.

trait *nm* 1. *(ligne)* line, stroke « **trait d'union** hyphen 2. *(gén pl) (de visage)* feature 3. *(caractéristique)* trait, feature « **avoir trait à** to be to do with, to concern. ■ **d'un trait** *loc adv (boire, lire)* in one go.

traitant, e *adj (shampooing, crème)* medicated « ▷ **médecin**.

traite *nf* 1. *(de vache)* milking 2. COMM bill, draft 3. *(d'esclaves)* « **la traite des noirs** the slave trade « **la traite des blanches** the white slave trade. ■ **d'une seule traite** *loc adv* without stopping, in one go.

traité *nm* 1. *(ouvrage)* treatise 2. POLIT treaty « **traité de non-prolifération** non-proliferation treaty.

traitement *nm* 1. *(gén & MÉD)* treatment « **mauvais traitement** ill-treatment 2. *(rémunération)* wage 3. INFORM processing « **traitement de texte** word processing 4. *(procédé)* processing 5. *(de problème)* handling.

traiter ◨ *vt* 1. *(gén & MÉD)* to treat « **bien/mal traiter qqn** to treat sb well/badly 2. *(qualifier)* « **traiter qqn d'imbécile/de lâche** *etc* to call sb an imbecile/a coward *etc* **3.** *(question, thème)* to deal with **4.** *(dans l'industrie & INFORM)* to process. ◼ *vi* **1.** *(négocier)* to negotiate **2.** *(livre)* • **traiter de** to deal with.

traiteur *nm* caterer.

traître, esse ◼ *adj* treacherous. ◼ *nm, f* traitor.

traîtrise *nf* **1.** *(déloyauté)* treachery **2.** *(acte)* act of treachery.

trajectoire *nf* **1.** trajectory, path **2.** *fig* path.

trajet *nm* **1.** *(distance)* distance **2.** *(itinéraire)* route **3.** *(voyage)* journey.

trame *nf* **1.** weft **2.** *fig* framework.

tramer *vt sout* to plot.
◼ **se tramer** ◼ *vp* to be plotted. ◼ *v impers* • **il se trame quelque chose** there's something afoot.

tramontane *nf pour expliquer à un anglophone de quoi il s'agit, vous pouvez dire* it is a strong cold wind in southwest France.

trampoline *nm* trampoline.

tram(way) *nm* tram *(UK)*, streetcar *(US)*.

tranchant, e *adj* **1.** *(instrument)* sharp **2.** *(personne)* assertive **3.** *(ton)* curt.
◼ **tranchant** *nm* edge.

tranche *nf* **1.** *(de gâteau, jambon)* slice • **tranche d'âge** *fig* age bracket **2.** *(de livre, pièce)* edge **3.** *(période)* part, section **4.** *(de revenus)* portion **5.** *(de paiement)* instalment *(UK)*, installment *(US)* **6.** *(fiscale)* bracket.

trancher ◼ *vt* **1.** *(couper)* to cut **2.** *(pain, jambon)* to slice • **trancher la question** *fig* to settle the question. ◼ *vi* **1.** *fig (décider)* to decide **2.** *(contraster)* • **trancher avec** *ou* **sur** to contrast with.

tranquille *adj* **1.** *(endroit, vie)* quiet • **laisser qqn/qqch tranquille** to leave sb/sthg alone • **se tenir/rester tranquille** to keep/remain quiet **2.** *(rassuré)* at ease, easy • **soyez tranquille** don't worry.

tranquillement *adv* **1.** *(sans s'agiter)* quietly **2.** *(sans s'inquiéter)* calmly.

tranquillisant, e *adj* **1.** *(nouvelle)* reassuring **2.** *(médicament)* tranquillizing.
◼ **tranquillisant** *nm* tranquillizer *(UK)*, tranquilizer *(US)*.

tranquilliser *vt* to reassure.
◼ **se tranquilliser** *vp* to set one's mind at rest.

tranquillité *nf* **1.** *(calme)* peacefulness, quietness **2.** *(sérénité)* peace, tranquillity *(UK)*, tranquility *(US)*.

transaction *nf* transaction.

transat ◼ *nm* deckchair. ◼ *nf* transatlantic race.

transatlantique ◼ *adj* transatlantic. ◼ *nm* transatlantic liner. ◼ *nf* transatlantic race.

transcription *nf* **1.** *(de document & MUS)* transcription **2.** *(dans un autre alphabet)* transliteration • **transcription phonétique** phonetic transcription.

transcrire *vt* **1.** *(document & MUS)* to transcribe **2.** *(dans un autre alphabet)* to transliterate.

transcrit, e *pp* ▷ **transcrire**.

transe *nf* • **être en transe** *fig* to be beside o.s..

transférer *vt* to transfer.

transfert *nm* transfer.

transfigurer *vt* to transfigure.

transformateur, trice *adj (dans l'industrie)* processing *(avant nom)*. ◼ **transformateur** *nm* transformer.

transformation *nf* **1.** *(de pays, personne)* transformation **2.** *(dans l'industrie)* processing **3.** *(rugby)* conversion.

transformer *vt* **1.** *(gén)* to transform **2.** *(magasin)* to convert • **transformer qqch en** to turn sthg into **3.** *(dans l'industrie) (rugby)* to convert.
◼ **se transformer** *vp* • **se transformer en monstre/papillon** to turn into a monster/butterfly.

transfuge *nmf* renegade.

transfuser *vt (sang)* to transfuse.

transfusion *nf* • **transfusion (sanguine)** (blood) transfusion.

transgénique *adj* transgenic.

transgresser *vt* **1.** *(loi)* to infringe **2.** *(ordre)* to disobey.

transhumance *nf* transhumance.

transi, e *adj* • **être transi de** to be paralysed *(UK)* ou paralyzed *(US)*, to be transfixed with • **être transi de froid** to be chilled to the bone.

transiger *vi* • **transiger (sur)** to compromise (on).

transistor *nm* transistor.

transit *nm* transit.

transiter *vi* to pass in transit.

transitif, ive *adj* transitive.

transition *nf* transition • **sans transition** with no transition, abruptly.

transitivité *nf* transitivity.

transitoire *adj (passager)* transitory.

translucide *adj* translucent.

transmettre *vt* 1. *(message, salutations)* • **transmettre qqch (à)** to pass sthg on (to) 2. *(tradition, propriété)* • **transmettre qqch (à)** to hand sthg down (to) 3. *(fonction, pouvoir)* • **transmettre qqch (à)** to hand sthg over (to) 4. *(maladie)* • **transmettre qqch (à)** to transmit sthg (to), to pass sthg on (to) 5. *(concert, émission)* to broadcast.
■ **se transmettre** *vp* 1. *(maladie)* to be passed on, to be transmitted 2. *(nouvelle)* to be passed on 3. *(courant, onde)* to be transmitted 4. *(tradition)* to be handed down.

transmis, e *pp* ▷ **transmettre**.

transmissible *adj* 1. *(patrimoine)* transferable 2. *(maladie)* transmissible.

transmission *nf* 1. *(de biens)* transfer 2. *(de maladie)* transmission 3. *(de message)* passing on 4. *(de tradition)* handing down.

transparaître *vi* to show.

transparence *nf* transparency.

transparent, e *adj* transparent.
■ **transparent** *nm* transparency.

transpercer *vt* 1. to pierce 2. *fig (suj : froid, pluie)* to go right through.

transpiration *nf (sueur)* perspiration.

transpirer *vi (suer)* to perspire.

transplanter *vt* to transplant.

transport *nm* transport *(indénombrable)*, transportation *(indénombrable)* *(US)* • **transports en commun** public transport *sing*.

transportable *adj* 1. *(marchandise)* transportable 2. *(blessé)* fit to be moved.

transporter *vt (marchandises, personnes)* to transport.

transporteur *nm (personne)* carrier • **transporteur routier** road haulier *(UK)* *ou* hauler *(US)*.

transposer *vt* 1. *(déplacer)* to transpose 2. *(adapter)* • **transposer qqch (à)** to adapt sthg (for).

LES MOYENS DE TRANSPORTS

• l'avion the plane
• le bateau the boat
• la bicyclette/le vélo the bicycle/ the bike
• le bus the bus
• le camion the lorry *(UK)*, the truck *(US)*
• la camionnette the van
• l'hélicoptère the helicopter
• le métro the underground *(UK)*, the subway *(US)*
• la Mobylette the moped®
• le monospace the people carrier *(UK)*, the minivan *(US)*
• la moto the motorbike, the motor cycle *(US)*
• les rollers Rollerblades
• le scooter the scooter
• le train the train
• le tramway the tram *(UK)*, the streetcar *(US)*
• la trottinette the child's scooter
• la voiture the car.

---

transposition *nf* 1. *(déplacement)* transposition 2. *(adaptation)* • **transposition (à)** adaptation (for).

transsexuel, elle *adj* & *nm, f* transsexual.

transvaser *vt* to decant.

transversal, e *adj* 1. *(coupe)* cross *(avant nom)* 2. *(chemin)* running at right angles, cross *(avant nom) (US)* 3. *(vallée)* transverse.

trapèze *nm* 1. GÉOM trapezium 2. *(gymnastique)* trapeze.

trapéziste *nmf* trapeze artist.

trappe *nf* 1. *(ouverture)* trapdoor 2. *(piège)* trap.

trapu, e *adj* 1. *(personne)* stocky, solidly built 2. *(édifice)* squat.

traquenard *nm* 1. trap 2. *fig* trap, pitfall.

traquer *vt* 1. *(animal)* to track 2. *(personne, faute)* to track *ou* hunt down.

traumatiser *vt* to traumatize.

traumatisme *nm* traumatism.

travail *nm* 1. *(gén)* work *(indénombrable)* • **se mettre au travail** to get down to work • **demander du travail** *(projet)* to require some work 2. *(tâche, emploi)* job • **travail intérimaire** temporary work 3. *(du métal, du bois)* working 4. *(phénomène - du bois)* warping • *(- du temps, fermentation)* action 5. MÉD • **être en travail** to be in labour *(UK)* *ou* labor *(US)* • **entrer en travail** to go into

labour *(UK)* ou labor *(US)*. ■ **travaux**
nmpl **1.** *(d'aménagement)* work *(indénombrable)* **2.** *(routiers)* roadworks *(UK)*, roadwork *(US)* • **travaux publics** civil engineering *sing* **3.** scol • **travaux dirigés** class work • **travaux manuels** arts and crafts • **travaux pratiques** practical work *(indénombrable)*.

travaillé, e *adj* **1.** *(matériau)* wrought, worked **2.** *(style)* laboured *(UK)*, labored *(US)* **3.** *(tourmenté)* • **être travaillé par** to be tormented by.

travailler ◈ *vi* **1.** *(gén)* to work • **travailler chez/dans** to work at/in • **travailler à qqch** to work on sthg • **travailler à temps partiel** to work part-time **2.** *(métal, bois)* to warp. ◈ *vt* **1.** *(étudier)* to work at ou on **2.** *(piano)* to practise *(UK)*, to practice *(US)* **3.** *(essayer de convaincre)* to work on **4.** *(suj : idée, remords)* to torment **5.** *(matière)* to work, to fashion.

travailleur, euse ◈ *adj* hard-working. ◈ *nm, f* worker.

travelling *nm* *(mouvement)* travelling *(UK)* ou traveling *(US)* shot.

travers *nm* failing, fault. ■ **à travers** *loc adv* & *loc prép* through. ■ **au travers** *loc adv* through. ■ **au travers de** *loc prép* through. ■ **de travers** *loc adv* **1.** *(irrégulièrement - écrire)* unevenly • **marcher de travers** to stagger **2.** *(nez, escalier)* crooked **3.** *(obliquement)* sideways **4.** *(mal)* wrong • **aller de travers** to go wrong • **comprendre qqch de travers** to misunderstand sthg. ■ **en travers** *loc adv* crosswise. ■ **en travers de** *loc prép* across.

traverse *nf* **1.** *(de chemin de fer)* sleeper *(UK)*, tie *(US)* **2.** *(chemin)* short cut.

traversée *nf* crossing.

traverser *vt* **1.** *(rue, mer, montagne)* to cross **2.** *(ville)* to go through **3.** *(peau, mur)* to go through, to pierce **4.** *(crise, période)* to go through.

traversin *nm* bolster.

travesti, e ◈ *adj* **1.** *(pour s'amuser)* dressed up (in fancy dress) **2.** théâtre *(comédien)* playing a female part. ■ **travesti** *nm* *(homosexuel)* transvestite.

travestir *vt* **1.** *(déguiser)* to dress up **2.** fig *(vérité, idée)* to distort.
■ **se travestir** *vp* **1.** *(pour bal)* to wear fancy dress **2.** *(en femme)* to put on drag.

À PROPOS DE… **traverser**

L'idée rendue par le verbe « traverser » peut se traduire soit par *across* soit par *through*. *Across* suggère des surfaces planes et des espaces à deux dimensions (*I ran across the road* ; *he swam across the lake*), tandis que *through* évoque des espaces à trois dimensions, comprenant parfois un obstacle (*we walked through the wood* ; *the nail went right through the wall*).

trébucher *vi* • **trébucher (sur/contre)** to stumble (over/against).

trèfle *nm* **1.** *(plante)* clover **2.** *(carte)* club **3.** *(famille)* clubs *pl*.

treille *nf* **1.** *(vigne)* climbing vine **2.** *(tonnelle)* trellised vines *pl*, vine arbour.

treillis *nm* **1.** *(clôture)* trellis (fencing) **2.** *(toile)* canvas **3.** mil combat uniform.

treize *adj num inv* & *nm* thirteen. • *voir aussi* **six**

treizième *adj num inv*, *nm* & *nmf* thirteenth • **treizième mois** *pour expliquer à un anglophone de quoi il s'agit, vous pouvez dire* it is a bonus of an extra month's salary. • *voir aussi* **sixième**

trekking *nm* trek.

tréma *nm* diaeresis *(UK)*, dieresis *(US)*.

tremblant, e *adj* **1.** *(personne - de froid)* shivering • *(- d'émotion)* trembling, shaking **2.** *(voix)* quavering **3.** *(lumière)* flickering.

tremblement *nm* **1.** *(de corps)* trembling **2.** *(de voix)* quavering **3.** *(de feuilles)* fluttering. ■ **tremblement de terre** *nm* earthquake.

trembler *vi* **1.** *(personne - de froid)* to shiver • *(- d'émotion)* to tremble, to shake **2.** *(voix)* to quaver **3.** *(lumière)* to flicker **4.** *(terre)* to shake.

trembloter *vi* **1.** *(personne)* to tremble **2.** *(voix)* to quaver **3.** *(lumière)* to flicker.

trémousser ■ **se trémousser** *vp* to jig up and down.

trempe *nf* **1.** *(envergure)* calibre • **de sa trempe** of his/her calibre **2.** fam *(coups)* thrashing.

tremper ◼ vt 1. (mouiller) to soak 2. (plonger) • **tremper qqch dans** to dip sthg into 3. (métal) to harden, to quench. ◼ vi (linge) to soak.

tremplin nm 1. fig springboard 2. SKI ski jump.

trentaine nf 1. (nombre) • **une trentaine de** about thirty 2. (âge) • **avoir la trentaine** to be in one's thirties.

trente ◼ adj num inv thirty. ◼ nm thirty. • voir aussi **six**

trentième adj num inv, nm & nmf thirtieth. • voir aussi **sixième**

trépasser vi littéraire to pass away.

trépidant, e adj (vie) hectic.

trépied nm (support) tripod.

trépigner vi to stamp one's feet.

très adv very • **très bien** very well • **être très aimé** to be much ou greatly liked • **j'ai très envie de...** I'd very much like to...

trésor nm treasure. ◼ **Trésor** nm • **le Trésor public** the public revenue department.

trésorerie nf 1. (service) accounts department 2. (gestion) accounts pl 3. (fonds) finances pl, funds pl.

trésorier, ère nm, f treasurer.

tressaillement nm 1. (de joie) thrill 2. (de douleur) wince.

tressaillir vi 1. (de joie) to thrill 2. (de douleur) to wince 3. (sursauter) to start, to jump.

tressauter vi 1. (sursauter) to jump, to start 2. (dans véhicule) to be tossed about.

tresse nf 1. (de cheveux) plait 2. (de rubans) braid.

tresser vt 1. (cheveux) to plait 2. (osier) to braid 3. (panier, guirlande) to weave.

tréteau nm trestle.

treuil nm winch, windlass.

trêve nf 1. (cessez-le-feu) truce 2. fig (répit) rest, respite • **trêve de plaisanteries/de sottises** that's enough joking/nonsense. ◼ **sans trêve** loc adv relentlessly, unceasingly.

tri nm 1. (de lettres) sorting 2. (de candidats) selection • **faire le tri dans qqch** fig to sort sthg out 3. (déchets) • **tri sélectif (des ordures)** si vous voulez donner une défini-

tion à un anglophone, vous pouvez dire it is the sorting of household waste into different types for recycling.

triage nm 1. (de lettres) sorting 2. (de candidats) selection.

triangle nm triangle.

triangulaire adj triangular.

triathlon nm triathlon.

tribal, e adj tribal.

tribord nm starboard • **à tribord** on the starboard side, to starboard.

tribu nf tribe.

tribulations nfpl tribulations, trials.

tribunal, aux nm DR court • **tribunal correctionnel** ≃ magistrates' court (UK), ≃ county court (US) • **tribunal de grande instance** ≃ crown court (UK), ≃ circuit court (US).

tribune nf 1. (d'orateur) platform 2. (gén pl) (de stade) stand.

tribut nm littéraire tribute.

tributaire adj • **être tributaire de** to depend ou be dependent on.

tricher vi 1. (au jeu, à un examen) to cheat 2. (mentir) • **tricher sur** to lie about.

tricherie nf cheating.

tricheur, euse nm, f cheat.

tricolore adj 1. (à trois couleurs) three-coloured (UK), three-colored (US) 2. (français) French.

tricot nm 1. (vêtement) jumper (UK), sweater 2. (ouvrage) knitting • **faire du tricot** to knit 3. (étoffe) knitted fabric, jersey.

tricoter vi & vt to knit.

tricycle nm tricycle.

trier vt 1. (classer) to sort out 2. (sélectionner) to select.

trilingue adj trilingual.

trimestre nm SCOL term (UK), trimester (US), quarter (US).

trimestriel, elle adj 1. (loyer, magazine) quarterly 2. SCOL end-of-term (avant nom) (UK).

tringle nf rod • **tringle à rideaux** curtain rod.

trinité nf littéraire trinity. ◼ **Trinité** nf • **la Trinité** the Trinity.

trinquer vi (boire) to toast, to clink glasses • **trinquer à** to drink to.

trio nm trio.

triomphal, e adj 1. (succès) triumphal 2. (accueil) triumphant.

triomphant, e adj 1. (équipe) winning 2. (air) triumphant.

triomphe nm triumph.

triompher vi (gén) to triumph ▸ **triompher de** to triumph over.

tripes nfpl 1. (d'animal, de personne) guts 2. CULIN tripe sing.

triple ◪ adj triple. ◪ nm ▸ **le triple (de)** three times as much (as).

triplé, ées nm 1. (au turf) si vous voulez donner une définition à un anglophone, vous pouvez dire it is a bet that you place on three horses to win in three different races 2. SPORT (trois victoires) hat-trick of victories. ◪ **triplés, ées** nmf pl triplets.

triste adj 1. (personne, nouvelle) sad ▸ **être triste de qqch/de faire qqch** to be sad about sthg/about doing sthg 2. (paysage, temps) gloomy 3. (couleur) dull 4. (avant nom) (lamentable) sorry.

tristesse nf 1. (de personne, nouvelle) sadness 2. (de paysage, temps) gloominess.

triturer vt fam (mouchoir) to knead. ◪ **se triturer** vp fam ▸ **se triturer l'esprit** ou **les méninges** to rack one's brains.

trivial, e adj 1. (banal) trivial 2. péj (vulgaire) crude, coarse.

troc nm 1. (échange) exchange 2. (système économique) barter.

trois ◪ nm three. ◪ adj num inv 1. three 2. voir aussi **six**.

troisième ◪ adj num inv & nmf third. ◪ nm 1. third 2. (étage) third floor (UK), fourth floor (US). ◪ nf 1. SCOL ≃ fourth year ou form (UK), ≃ ninth grade (US) 2. (vitesse) third (gear). ▸ voir aussi **sixième**

trombe nf water spout.

trombone nm 1. (agrafe) paper clip 2. (instrument) trombone.

trompe nf 1. (instrument) trumpet 2. (d'éléphant) trunk 3. (d'insecte) proboscis 4. ANAT tube.

trompe-l'œil nm inv 1. (peinture) trompe-l'oeil ▸ **en trompe-l'œil** done in trompe-l'oeil 2. (apparence) deception.

tromper vt 1. (personne) to deceive 2. (époux) to be unfaithful to, to deceive 3. (vigilance) to elude. ■ **se tromper** vp to make a mistake, to be mistaken ▸ **se tromper de jour/maison** to get the wrong day/house.

tromperie nf deception.

trompette nf trumpet.

trompettiste nmf trumpeter.

trompeur, euse adj 1. (personne) deceitful 2. (calme, apparence) deceptive.

tronc nm 1. (d'arbre, de personne) trunk 2. (d'église) collection box. ■ **tronc commun** nm 1. (de programmes) common element ou feature 2. SCOL core syllabus.

tronçon nm 1. (morceau) piece, length 2. (de route, de chemin de fer) section.

tronçonneuse nf chain saw.

trône nm throne.

trôner vi 1. (personne) to sit enthroned 2. (objet) to have pride of place 3. hum (faire l'important) to lord it.

---

trop adv

1. DEVANT UN ADJECTIF too

▸ **je suis trop vieux maintenant** I am too old now

▸ **cette rue est trop bruyante** this street is too noisy

▸ **nous étions trop nombreux** there were too many of us

▸ **j'ai trop chaud/froid** I am too hot/cold

▸ **je suis trop stressé** I'm overstressed

▸ **c'est trop drôle !** it's so funny ou it's hilarious!

2. AVEC UN VERBE

▸ **nous étions trop** there were too many of us

▸ **il travaille trop** he works too much

▸ **il conduit trop vite** he drives too fast

▸ **je n'aime pas trop le chocolat** I don't like chocolate very much.

■ **trop de** loc adv

▸ **j'ai acheté trop de pain** I've bought too much bread

▸ **il y a trop de monde dans cette salle** there are too many people in this room ou this room is overcrowded.

■ **en trop, de trop** *loc adv*

• **2 euros de** *ou* **en trop** 2 euros too much

• **je sens que je suis de trop** I feel like a spare wheel.

trophée *nm* trophy.

tropical, e *adj* tropical.

tropique *nm* tropic. ■ **tropiques** *nmpl* tropics.

trop-plein *nm* **1.** *(excès)* excess **2.** *fig* excess, surplus.

troquer *vt* • **troquer qqch (contre)** to barter sthg (for) • *fig* to swap sthg (for).

trot *nm* trot • **au trot** at a trot.

trotter *vi* **1.** *(cheval)* to trot **2.** *(personne)* to run around.

trotteur, euse *nm, f* trotter. ■ **trotteuse** *nf* second hand.

trottiner *vi* to trot.

trottoir *nm* pavement *(UK)*, sidewalk *(US)*.

trou *nm* **1.** *(gén)* hole • **trou d'air** air pocket **2.** *(manque, espace vide)* gap • **trou de mémoire** memory lapse **3.** *fam (endroit reculé)* (little) place, hole *péj*, one-horse-town *hum*.

troublant, e *adj* disturbing.

trouble ◈ *adj* **1.** *(eau)* cloudy **2.** *(image, vue)* blurred **3.** *(affaire)* shady. ◈ *nm* **1.** *(désordre)* trouble, discord **2.** *(gêne)* confusion **3.** *(émoi)* agitation **4.** *(gén pl) (dérèglement)* disorder. ■ **troubles** *nmpl (sociaux)* unrest *(indénombrable)*.

trouble-fête *nmf* spoilsport.

troubler *vt* **1.** *(eau)* to cloud, to make cloudy **2.** *(image, vue)* to blur **3.** *(sommeil, événement)* to disrupt, to disturb **4.** *(esprit, raison)* to cloud **5.** *(inquiéter, émouvoir)* to disturb **6.** *(rendre perplexe)* to trouble. ■ **se troubler** *vp* **1.** *(eau)* to become cloudy **2.** *(personne)* to become flustered.

trouée *nf* **1.** gap **2.** MIL breach.

trouer *vt* **1.** *(chaussette)* to make a hole in **2.** *fig (silence)* to disturb.

trouille *nf fam* fear, terror.

troupe *nf* **1.** MIL troop **2.** *(d'amis)* group, band **3.** *(de singes)* troop **4.** THÉÂTRE theatre *(UK)* ou theater *(US)* group.

troupeau *nm* **1.** *(de vaches, d'éléphants)* herd **2.** *(de moutons, d'oies)* flock **3.** *péj (de personnes)* herd.

trousse *nf* case, bag • **trousse de secours** first-aid kit • **trousse de toilette** toilet bag.

trousseau *nm* **1.** *(de mariée)* trousseau **2.** *(de clefs)* bunch.

trouvaille *nf* **1.** *(découverte)* find, discovery **2.** *(invention)* new idea.

trouver ◈ *vt* to find • **trouver que** to feel (that) • **trouver bon/mauvais que...** to think (that) it is right/wrong that... • **trouver qqch à faire/à dire** *etc* to find sthg to do/say *etc*. ◈ *v impers* • **il se trouve que...** the fact is that... ■ **se trouver** *vp* **1.** *(dans un endroit)* to be **2.** *(dans un état)* to find o.s. **3.** *(se sentir)* to feel • **se trouver mal** *(s'évanouir)* to faint.

truand *nm* crook.

truc *nm* **1.** *(combine)* trick **2.** *fam (chose)* thing, thingamajig • **ce n'est pas son truc** it's not his thing.

trucage = **truquage**.

truculent, e *adj* colourful *(UK)*, colorful *(US)*.

truelle *nf* trowel.

truffe *nf* **1.** *(champignon)* truffle **2.** *(museau)* muzzle.

truffer *vt* **1.** *(volaille)* to garnish with truffles **2.** *fig (discours)* • **truffer de** to stuff with.

truie *nf* sow.

truite *nf* trout.

truquage, trucage *nm* CINÉ (special) effect.

truquer *vt* **1.** *(élections)* to rig **2.** CINÉ to use special effects in.

trust *nm* **1.** *(groupement)* trust **2.** *(entreprise)* corporation.

ts *abrév de* **tous.**

tsar, tzar *nm* tsar.

TSVP *(abr de* **tournez s'il vous plaît)** PTO.

tt *abrév de* **tout.**

tt conf. *abrév de* **tout confort.**

ttes *abrév de* **tout.**

TTX *(abr écrite de* **traitement de texte)** WP.

tu^1, e *pp* ▷ **taire.**

tu^2 *pron pers* you.

tuba *nm* **1.** MUS tuba **2.** *(de plongée)* snorkel.

tube *nm* **1.** *(gén)* tube • **tube cathodique** cathode ray tube **2.** *fam (chanson)* hit. ■ **tube digestif** *nm* digestive tract.

tubercule *nm* BOT tuber.

tuberculose *nf* tuberculosis.

tuer *vt* to kill.
■ **se tuer** *vp* **1.** *(se suicider)* to kill o.s. **2.** *(par accident)* to die.

tuerie *nf* slaughter.

tue-tête ■ **à tue-tête** *loc adv* at the top of one's voice.

tueur, euse *nm, f (meurtrier)* killer • **tueur en série** serial killer.

tuile *nf* **1.** *(de toit)* tile **2.** *fam (désagrément)* blow.

tulipe *nf* tulip.

tulle *nm* tulle.

tuméfié, e *adj* swollen.

tumeur *nf* tumour *(UK)*, tumor *(US)*.

tumulte *nm* **1.** *(désordre)* hubbub **2.** *littéraire (trouble)* tumult.

tunique *nf* tunic.

Tunisie *nf* • **la Tunisie** Tunisia.

tunisien, enne *adj* Tunisian. ■ **Tunisien, enne** *nm, f* Tunisian.

tunnel *nm* tunnel.

turban *nm* turban.

turbine *nf* turbine.

turbo *nm* & *nf* turbo.

turbulence *nf* MÉTÉOR turbulence.

turbulent, e *adj* boisterous.

turc, turque *adj* Turkish. ■ **turc** *nm (langue)* Turkish. ■ **Turc, Turque** *nm, f* Turk.

turf *nm (activité)* • **le turf** racing.

turnover *nm* turnover.

turque ⊳ **turc**.

Turquie *nf* • **la Turquie** Turkey.

turquoise *nf* & *adj inv* turquoise.

tutelle *nf* **1.** DR guardianship **2.** *(dépendance)* supervision.

tuteur, trice *nm, f* guardian. ■ **tuteur** *nm (pour plante)* stake.

tutoyer *vt* • **tutoyer qqn** to use the familiar "tu" form to sb • **elle tutoie son professeur** ≃ she's on first-name terms with her teacher.
■ **se tutoyer** *vp* to use the familiar "tu" form with each other.

tuyau *nm* **1.** *(conduit)* pipe • **tuyau d'arrosage** hosepipe **2.** *fam (renseignement)* tip.

tuyauterie *nf* piping *(indénombrable)*, pipes *pl*.

TV *(abr de* **télévision)** *nf* TV.

TVA *(abr de* **taxe à la valeur ajoutée)** *nf* ≃ VAT.

tweed *nm* tweed.

tympan *nm* ANAT eardrum.

type ◼ *nm* **1.** *(exemple caractéristique)* perfect example **2.** *(genre)* type **3.** *fam (individu)* guy, bloke *(UK)*. ◼ *adj inv (caractéristique)* typical.

typhoïde *nf* typhoid.

typhon *nm* typhoon.

typhus *nm* typhus.

typique *adj* typical.

typographie *nf* typography.

tyran *nm* tyrant.

tyrannique *adj* tyrannical.

tyranniser *vt* to tyrannize.

tzar = **tsar**.

tzigane, tsigane *nmf* gipsy.

u, U *nm inv* u, U.

UE (*abr de* **Union européenne**) *nf* EU.

UFR (*abr de* **unité de formation et de recherche**) *nf* university department.

Ukraine *nf* ▪ **l'Ukraine** the Ukraine.

ulcère *nm* ulcer.

ulcérer *vt* **1.** MÉD to ulcerate **2.** *sout (mettre en colère)* to enrage.

ULM (*abr de* **ultra léger motorisé**) *nm* microlight.

ultérieur, e *adj* later, subsequent.

ultimatum *nm* ultimatum.

ultime *adj* ultimate, final.

ultramoderne *adj* ultramodern.

ultrasensible *adj* **1.** *(personne)* ultra-sensitive **2.** *(pellicule)* high-speed.

ultrason *nm* ultrasound *(indénombrable)*.

ultraviolet, ette *adj* ultraviolet. ■ **ultraviolet** *nm* ultraviolet.

UMP (*abr de* **Union pour un mouvement populaire**) *nf* POLIT *pour expliquer à un anglophone de quoi il s'agit, vous pouvez dire* it is the main French right-wing political party.

un, une ■ *art indéf* a, an *(devant voyelle)* ▪ **un homme** a man ▪ **un livre** a book ▪ **une femme** a woman ▪ **une pomme** an apple. ■ *pron indéf* one ▪ **l'un de mes amis** one of my friends ▪ **l'un l'autre** each other ▪ **les uns les autres** one another ▪ **l'un..., l'autre** one..., the other ▪ **les uns..., les autres** some..., others ▪ **l'un et l'autre** both (of them) ▪ **l'un ou l'autre** either (of them) ▪ **ni l'un ni l'autre** neither one nor the other, neither (of them). ■ *adj num inv* one ▪ **une personne à la fois** one person at a time. ■ *nm* one. ▪ *voir aussi* **six** ■ **une** *nf* ▪ **faire la/être à la une** PRESSE to make the/to be on the front page.

unanime *adj* unanimous.

unanimité *nf* unanimity ▪ **faire l'unanimité** to be unanimously approved ▪ **à l'unanimité** unanimously.

UNESCO, Unesco (*abr de* **United Nations Educational, Scientific and Cultural Organization**) *nf* UNESCO.

uni, e *adj* **1.** *(joint, réuni)* united **2.** *(famille, couple)* close **3.** *(surface, mer)* smooth **4.** *(route)* even **5.** *(étoffe, robe)* plain, self-coloured *(UK)*, self-colored *(US)*.

UNICEF, Unicef (*abr de* **United Nations International Children's Emergency Fund**) *nm* UNICEF.

unifier *vt* **1.** *(régions, parti)* to unify **2.** *(programmes)* to standardize.

uniforme ■ *adj* **1.** uniform **2.** *(régulier)* regular. ■ *nm* uniform.

uniformiser *vt* **1.** *(couleur)* to make uniform **2.** *(programmes, lois)* to standardize.

unijambiste ■ *adj* one-legged. ■ *nmf* one-legged person.

unilatéral, e *adj* unilateral ▪ **stationnement unilatéral** parking on only one side of the street.

union *nf* **1.** *(de couleurs)* blending **2.** *(mariage)* union ▪ **union libre** cohabitation **3.** *(de pays)* union **4.** *(de syndicats)* confederation **5.** *(entente)* unity. ■ **Union euro-**

péenne nf European Union. ■ **Union soviétique** nf • **l'(ex-)Union soviétique** the (former) Soviet Union.

unique adj 1. (seul - enfant, veston) only • (- préoccupation) sole 2. (principe, prix) single 3. (exceptionnel) unique.

uniquement adv 1. (exclusivement) only, solely 2. (seulement) only, just.

unir vt 1. (assembler - mots, qualités) to put together, to combine • (- pays) to unite • **unir qqch à** (- pays) to unite sthg with • (- mot, qualité) to combine sthg with 2. (réunir - partis, familles) to unite 3. (marier) to unite, to join in marriage.
■ **s'unir** vp 1. (s'associer) to unite, to join together 2. (se marier) to be joined in marriage.

unitaire adj (à l'unité) • **prix unitaire** unit price.

unité nf 1. (cohésion) unity 2. COMM, MATH & MIL unit. ■ **unité centrale** nf INFORM central processing unit.

univers nm 1. universe 2. fig world.

universel, elle adj universal.

universitaire ◼ adj university (avant nom). ◼ nmf academic.

université nf university.

uranium nm uranium.

urbain, e adj 1. (de la ville) urban 2. littéraire (affable) urbane.

urbaniser vt to urbanize.

urbanisme nm town planning (UK), city planning (US).

urgence nf 1. (de mission) urgency 2. MÉD emergency • **les urgences** the casualty department (sing) (UK), emergency room (US). ■ **d'urgence** loc adv immediately.

urgent, e adj urgent.

urgentiste nmf MÉD A & E doctor.

urine nf urine.

uriner vi to urinate.

urinoir nm urinal.

urne nf 1. (vase) urn 2. (de vote) ballot box.

URSS (abr de **Union des républiques socialistes soviétiques**) nf • **l'(ex-)URSS** the (former) USSR.

urticaire nf urticaria, hives pl.

Uruguay nm • **l'Uruguay** Uruguay.

USA (abr de **United States of America**) nmpl USA.

usage nm 1. (gén) use • **à usage externe/ interne** for external/internal use • **hors d'usage** out of action 2. (coutume) custom 3. LING usage.

usagé, e adj worn, old.

usager nm user.

usé, e adj 1. (détérioré) worn • **eaux usées** waste water sing 2. (personne) worn-out 3. (plaisanterie) hackneyed, well-worn.

user ◼ vt 1. (consommer) to use 2. (vêtement) to wear out 3. (forces) to use up 4. (santé) to ruin 5. (personne) to wear out. ◼ vi (se servir) • **user de** (charme) to use • (droit, privilège) to exercise.
■ **s'user** vp 1. (chaussure) to wear out 2. (amour) to burn itself out.

usine nf factory.

usiner vt 1. (façonner) to machine 2. (fabriquer) to manufacture.

usité, e adj in common use • **très/peu usité** commonly/rarely used.

USP (abr de **unité de soins palliatifs**) nf MÉD palliative care unit.

ustensile nm implement, tool.

usuel, elle adj common, usual.

usufruit nm usufruct.

usure nf 1. (de vêtement, meuble) wear 2. (de forces) wearing down • **avoir qqn à l'usure** fam to wear sb down 3. (intérêt) usury.

usurier, ère nm, f usurer.

usurpateur, trice nm, f usurper.

usurper vt to usurp.

ut nm inv C.

utérus nm uterus, womb.

utile adj useful • **être utile à qqn** to be useful ou of help to sb, to help sb.

utilisateur, trice nm, f user.

utiliser vt to use.

utilitaire ◼ adj 1. (pratique) utilitarian 2. (véhicule) commercial. ◼ nm INFORM utility (program).

utilité nf 1. (usage) usefulness 2. DR • **entreprise d'utilité publique** public utility • **organisme d'utilité publique** registered charity.

utopie nf 1. (idéal) utopia 2. (projet irréalisable) unrealistic idea.

utopiste nmf utopian.

UV ◼ nf (abr de **unité de valeur**) course credit ou unit. ◼ (abr de **ultraviolet**) UV.

v, V *nm inv* v, V.

v. 1. LITTÉR (*abr écrite de* **vers**) v. **2.** (*abr écrite de* **verset**) v. **3.** (*environ*) (*abr écrite de* **vers**) approx.

va *interj* ◆ **courage, va !** come on, cheer up! ◆ **va donc !** come on! ◆ **va pour 10 euros/demain** OK, let's say 10 euros/ tomorrow.

vacance *nf* vacancy. ◾ **vacances** *nfpl* holiday (*sing*) (*UK*), vacation (*sing*) (*US*) ◆ **être/partir en vacances** to be/go on holiday ◆ **les grandes vacances** the summer holidays.

vacancier, ère *nm, f* holiday-maker (*UK*), vacationer (*US*).

vacant, e *adj* **1.** (*poste*) vacant **2.** (*logement*) vacant, unoccupied.

vacarme *nm* racket, din.

vacataire ◾ *adj* (*employé*) temporary. ◾ *nmf* temporary worker, temp.

vacation *nf* (*d'expert*) session.

vaccin *nm* vaccine.

vaccination *nf* vaccination.

vacciner *vt* ◆ **vacciner qqn (contre)** MÉD to vaccinate sb (against) ◆ *fam fig* to make sb immune (to).

vache ◾ *nf* **1.** ZOOL cow **2.** (*cuir*) cowhide **3.** *fam péj* (*femme*) cow (*UK*) **4.** *fam péj* (*homme*) pig. ◾ *adj fam* rotten.

vachement *adv fam* bloody (*UK*), dead (*UK*), real (*US*).

vaciller *vi* **1.** (*jambes, fondations*) to shake **2.** (*lumière*) to flicker ◆ **vaciller sur ses jambes** to be unsteady on one's legs **3.** (*mémoire, santé*) to fail.

va-et-vient *nm inv* **1.** (*de personnes*) comings and goings *pl*, toing and froing **2.** (*de balancier*) to-and-fro movement **3.** ÉLECTR two-way switch.

vagabond, e ◾ *adj* **1.** (*chien*) stray **2.** (*vie*) vagabond (*avant nom*) **3.** (*humeur*) restless. ◾ *nm, f* **1.** (*rôdeur*) vagrant, tramp **2.** *littéraire* (*voyageur*) wanderer.

vagabondage *nm* **1.** (*délit*) vagrancy **2.** (*errance*) wandering, roaming.

vagin *nm* vagina.

vagissement *nm* cry, wail.

vague ◾ *adj* **1.** (*idée, promesse*) vague **2.** (*vêtement*) loose-fitting **3.** (*avant nom*) (*quelconque*) ◆ **il a un vague travail dans un bureau** he has some job or other in an office **4.** (*avant nom*) (*cousin*) distant. ◾ *nf* wave ◆ **une vague de froid** a cold spell ◆ **vague de chaleur** heatwave.

vaguement *adv* vaguely.

vaillant, e *adj* **1.** (*enfant, vieillard*) hale and hearty **2.** *littéraire* (*héros*) valiant.

vain, e *adj* **1.** (*inutile*) vain, useless ◆ **en vain** in vain, to no avail **2.** *littéraire* (*vaniteux*) vain.

vaincre *vt* **1.** (*ennemi*) to defeat **2.** (*obstacle, peur*) to overcome.

vaincu, e ◾ *pp* ▷ **vaincre**. ◾ *adj* defeated. ◾ *nm, f* defeated person.

vainement *adv* vainly.

vainqueur ◾ *nm* **1.** (*de combat*) conqueror, victor **2.** SPORT winner. ◾ *adj m* victorious, conquering.

vaisseau *nm* **1.** NAUT vessel, ship ◆ **vaisseau spatial** AÉRON spaceship **2.** ANAT vessel **3.** ARCHIT nave.

vaisselle *nf* crockery ◆ **faire** *ou* **laver la vaisselle** to do the dishes, to wash up (*UK*).

val *nm* valley.

valable *adj* **1.** (*passeport*) valid **2.** (*raison, excuse*) valid, legitimate **3.** (*œuvre*) good, worthwhile.

valet *nm* **1.** (*serviteur*) servant **2.** (*cartes à jouer*) jack, knave.

valeur *nf* **1.** (*gén* & MUS) value ◆ **avoir de la valeur** to be valuable ◆ **mettre en valeur** (*talents*) to bring out ◆ (*terre*) to exploit ◆ **de (grande) valeur** (*chose*) (very) valuable ◆ (*personne*) of (great) worth *ou* merit **2.** (*gén pl*) FIN stocks and shares *pl*, securities *pl* **3.** (*mérite*) worth, merit **4.** fig (*importance*) value, importance **5.** (*équivalent*) ⚬ **la valeur de** the equivalent of.

valide *adj* **1.** (*personne*) spry **2.** (*contrat*) valid.

valider *vt* to validate, to authenticate.

validité *nf* validity.

valise *nf* case (UK), suitcase ⚬ **faire sa valise/ses valises** *litt* to pack one's case/cases ⚬ *fam fig* (*partir*) to pack one's bags.

vallée *nf* valley.

vallon *nm* small valley.

vallonné, e *adj* undulating.

valoir ◼ *vi* **1.** (*gén*) to be worth ⚬ **ça vaut combien ?** how much is it? ⚬ **que vaut ce film ?** is this film any good? ⚬ **ne rien valoir** not to be any good, to be worthless ⚬ **ça vaut mieux** *fam* that's best ⚬ **ça ne vaut pas la peine** it's not worth it ⚬ **faire valoir** (*vues*) to assert ⚬ (*talent*) to show **2.** (*règle*) ⚬ **valoir pour** to apply to, to hold good for. ◼ *vt* (*médaille, gloire*) to bring, to earn. ◼ *v impers* ⚬ **il vaudrait mieux que nous partions** it would be better if we left, we'd better leave.
◼ **se valoir** *vp* to be equally good/bad.

valoriser *vt* **1.** (*immeuble, région*) to develop **2.** (*individu, société*) to improve the image of.

valse *nf* waltz.

valser *vi* to waltz ⚬ **envoyer valser qqch** *fam fig* to send sthg flying.

valu *pp inv* ▷ **valoir**.

valve *nf* valve.

vampire *nm* **1.** (*fantôme*) vampire **2.** ZOOL vampire bat.

vandalisme *nm* vandalism.

vanille *nf* vanilla.

vanité *nf* vanity.

vaniteux, euse *adj* vain, conceited.

vanne *nf* **1.** (*d'écluse*) lockgate **2.** *fam* (*remarque*) gibe.

vannerie *nf* basketwork, wickerwork.

vantard, e ◼ *adj* bragging, boastful. ◼ *nm, f* boaster.

vanter *vt* to vaunt.
◼ **se vanter** *vp* to boast, to brag ⚬ **se vanter de faire qqch** to boast *ou* brag about doing sthg.

va-nu-pieds *nmf fam* beggar.

vapeur *nf* **1.** (*d'eau*) steam ⚬ **à la vapeur** steamed ⚬ **bateau à vapeur** steamboat, steamer ⚬ **locomotive à vapeur** steam engine **2.** (*émanation*) vapour (UK), vapor (US). ◼ **vapeurs** *nfpl* (*émanations*) fumes ⚬ **avoir ses vapeurs** *vieilli* to have the vapours (UK) *ou* vapors (US).

vapocuiseur *nm* pressure cooker.

vaporisateur *nm* **1.** (*atomiseur*) spray, atomizer **2.** (*dans l'industrie*) vaporizer.

vaporiser *vt* **1.** (*parfum, déodorant*) to spray **2.** PHYS to vaporize.

vaquer *vi* ⚬ **vaquer à** to see to, to attend to.

varappe *nf* rock climbing.

variable ◼ *adj* **1.** (*temps*) changeable **2.** (*distance, résultats*) varied, varying **3.** (*température*) variable. ◼ *nf* variable.

variante *nf* variant.

variateur *nm* ÉLECTR dimmer switch.

variation *nf* variation.

varice *nf* varicose vein.

varicelle *nf* chickenpox.

varié, e *adj* **1.** (*divers*) various **2.** (*non monotone*) varied, varying.

varier *vt & vi* to vary.

variété *nf* variety. ◼ **variétés** *nfpl* variety show *sing*.

variole *nf* smallpox.

Varsovie *npr* Warsaw ⚬ **le pacte de Varsovie** the Warsaw Pact.

vase ◼ *nm* vase. ◼ *nf* mud, silt.

vaseline *nf* Vaseline®, petroleum jelly (UK).

vaste *adj* vast, immense.

Vatican *nm* ⚬ **le Vatican** the Vatican.

vautour *nm* vulture.

vd (*abr écrite de* **vend**) ⚬ = **vendre**.

veau *nm* **1.** (*animal*) calf **2.** (*viande*) veal **3.** (*peau*) calfskin.

vecteur *nm* **1.** GÉOM vector **2.** (*intermédiaire*) vehicle **3.** MÉD carrier.

vécu, e ◼ *pp* ▷ **vivre**. ◼ *adj* real.

vedette *nf* **1.** NAUT patrol boat **2.** (*star*) star.

végétal, e *adj* **1.** (*huile*) vegetable (*avant nom*) **2.** (*cellule, fibre*) plant (*avant nom*).

végétalien, enne *adj & nm, f* vegan.

végétarien, enne *adj & nm, f* vegetarian.

végétation *nf* vegetation. ■ **végétations** *nfpl* adenoids.

végéter *vi* to vegetate.

véhémence *nf* vehemence.

véhicule *nm* vehicle.

veille *nf* **1.** *(jour précédent)* day before, eve ▪ **la veille de mon anniversaire** the day before my birthday ▪ **la veille de Noël** Christmas Eve **2.** *(éveil)* wakefulness **3.** *(privation de sommeil)* sleeplessness.

veillée *nf* **1.** *(soirée)* evening **2.** *(de mort)* wake, vigil.

veiller ◧ *vi* **1.** *(rester éveillé)* to stay up **2.** *(rester vigilant)* ▪ **veiller à qqch** to look after sthg ▪ **veiller à faire qqch** to see that sthg is done ▪ **veiller sur** to watch over. ◧ *vt* to sit up with.

veilleur *nm* ▪ **veilleur de nuit** night watchman.

veilleuse *nf* **1.** *(lampe)* nightlight **2.** AUTO sidelight **3.** *(de chauffe-eau)* pilot light.

veinard, e *fam* ◧ *adj* lucky. ◧ *nm, f* lucky devil.

veine *nf* **1.** *(gén)* vein **2.** *(de marbre)* vein **3.** *(de bois)* grain **4.** *(filon)* seam, vein **5.** *fam (chance)* luck.

veineux, euse *adj* **1.** ANAT venous **2.** *(marbre)* veined **3.** *(bois)* grainy.

véliplanchiste *nmf* windsurfer.

velléité *nf* whim.

vélo *nm fam* bike ▪ **faire du vélo** to go cycling.

vélocité *nf* swiftness, speed.

vélodrome *nm* velodrome.

vélomoteur *nm* light motorcycle, moped.

velours *nm* velvet.

velouté, e *adj* velvety. ■ **velouté** *nm* **1.** *(de peau)* velvetiness **2.** *(potage)* cream soup.

velu, e *adj* hairy.

vénal, e *adj* venal.

vendange *nf* **1.** *(récolte)* grape harvest, wine harvest **2.** *(période)* ▪ **les vendanges** (grape) harvest time *sing*.

vendanger *vi* to harvest the grapes.

vendeur, euse *nm, f* salesman (*f* saleswoman).

vendre *vt* to sell ▪ **'à vendre'** 'for sale'.

vendredi *nm* Friday ▪ **Vendredi Saint** Good Friday. ▪ *voir aussi* **samedi**

vendu, e ◧ *adj* **1.** *(cédé)* sold **2.** *(corrompu)* corrupt. ◧ *nm, f* traitor.

vénéneux, euse *adj* poisonous.

vénérable *adj* venerable.

vénération *nf* veneration, reverence.

vénérer *vt* to venerate, to revere.

vénérien, enne *adj* venereal.

Venezuela *nm* ▪ **le Venezuela** Venezuela.

vengeance *nf* vengeance.

venger *vt* to avenge.
■ **se venger** *vp* to get one's revenge ▪ **se venger de qqn** to take revenge on sb ▪ **se venger de qqch** to take revenge for sthg ▪ **se venger sur** to take it out on.

vengeur, vengeresse ◧ *adj* vengeful. ◧ *nm, f* avenger.

venimeux, euse *adj* venomous.

venin *nm* venom.

venir *vi*

1. INDIQUE UN DÉPLACEMENT EN DIRECTION DU LOCUTEUR
▪ **ma mère vient chez moi tous les samedis** my mother comes (round) to my place every Saturday
▪ **viens voir !** come and see!
▪ **il ne vient jamais aux fêtes** he never comes to parties

2. INDIQUE UN DÉPLACEMENT AVEC LE LOCUTEUR
▪ **tu viens avec moi à la piscine ?** are you coming to the swimming pool with me?

3. INDIQUE LA PROVENANCE, L'ORIGINE
▪ **mes voisins viennent du Guatémala** my neighbours are from Guatemala
▪ **ce riz vient du Japon** this rice comes from Japan
▪ **ce mot vient du suédois** this word comes from Swedish

4. POUR EXPRIMER LE PASSÉ PROCHE
▪ **je viens de la voir** I've just seen her
▪ **elle venait de téléphoner à son amie** she had just phoned her friend

5. POUSSER
▪ **cette plante vient bien dans un sol riche** this plant does well in a rich soil

6. DANS DES EXPRESSIONS
▪ **où veux-tu en venir ?** what are you getting at?

■ **venir à** *vi*

• **que se passerait-il s'il venait à mourir ?** what would happen if he was to die?

• **la situation empira quand l'eau vint à manquer** the situation got worse when the water started running out.

vent *nm* wind • **il fait** *ou* **il y a du vent** it's windy.

vente *nf* **1.** *(cession, transaction)* sale • **en vente** on sale *(UK)*, for sale *(US)* • **en vente libre** available over the counter **2.** *(technique)* selling.

venteux, euse *adj* windy.

ventilateur *nm* fan.

ventilation *nf* **1.** *(de pièce)* ventilation **2.** FIN breakdown.

ventouse *nf* **1.** *(de caoutchouc)* suction pad **2.** *(d'animal)* sucker **3.** MÉD ventouse **4.** TECHNOL air vent.

ventre *nm (de personne)* stomach • **avoir/prendre du ventre** to have/be getting (a bit of) a paunch • **à plat ventre** flat on one's stomach.

ventriloque *nmf* ventriloquist.

venu, e ■ *adj* • **bien venu** welcome • **mal venu** unwelcome • **il serait mal venu de faire cela** it would be improper to do that. ■ *nm, f* • **nouveau venu** newcomer. ■ **venue** *nf* coming, arrival.

vépéciste *nm* mail-order company.

vêpres *nfpl* vespers.

ver *nm* worm.

véracité *nf* truthfulness.

véranda *nf* veranda.

verbal, e *adj* **1.** *(promesse, violence)* verbal **2.** GRAMM verb *(avant nom)*.

verbaliser ■ *vt* to verbalize. ■ *vi* to make out a report.

verbe *nm* GRAMM verb.

verdeur *nf* **1.** *(de personne)* vigour *(UK)*, vigor *(US)*, vitality **2.** *(de langage)* crudeness.

verdict *nm* verdict.

verdir *vt & vi* to turn green.

verdoyant, e *adj* green.

verdure *nf (végétation)* greenery.

véreux, euse *adj* **1.** worm-eaten, maggoty **2.** *fig* shady.

verge *nf* **1.** ANAT penis **2.** *littéraire (baguette)* rod, stick.

verger *nm* orchard.

vergeture *nf* stretchmark.

verglas *nm* (black) ice.

véridique *adj* truthful.

vérification *nf (contrôle)* check, checking.

vérifier *vt* **1.** *(contrôler)* to check **2.** *(confirmer)* to prove, to confirm.

véritable *adj* **1.** real **2.** *(ami)* true.

vérité *nf* **1.** *(chose vraie, réalité, principe)* truth *(indénombrable)* **2.** *(sincérité)* sincerity. ■ **en vérité** *loc adv* actually, really.

vermeil, eille *adj* scarlet. ■ **vermeil** *nm* silver-gilt.

vermicelle *nm* vermicelli *(indénombrable)*.

vermine *nf (parasites)* vermin.

vermoulu, e *adj* **1.** riddled with woodworm **2.** *fig* moth-eaten.

verni, e *adj* **1.** *(bois)* varnished **2.** *(souliers)* • **chaussures vernies** patent-leather shoes **3.** *fam (chanceux)* lucky.

vernir *vt* to varnish.

vernis *nm* **1.** varnish **2.** *fig* veneer • **vernis à ongles** nail polish *ou* varnish.

vernissage *nm* **1.** *(de meuble)* varnishing **2.** *(d'exposition)* private viewing.

verre *nm* **1.** *(matière, récipient)* glass **2.** *(quantité)* glassful, glass • **verre dépoli** frosted glass **3.** *(optique)* lens • **verres de contact** contact lenses • **verres progressifs** progressive lenses, progressives *(UK)* **4.** *(boisson)* drink • **boire un verre** to have a drink.

verrière *nf (toit)* glass roof.

verrine *nf* verrine.

verrou *nm* bolt.

verrouillage *nm* AUTO • **verrouillage central** central locking.

verrouiller *vt* **1.** *(porte)* to bolt **2.** *(personne)* to lock up.

verrue *nf* wart • **verrue plantaire** verruca.

vers[1] ■ *nm* line. ■ *nmpl* • **en vers** in verse • **faire des vers** to write poetry.

vers[2] *prép* **1.** *(dans la direction de)* towards, toward *(US)* **2.** *(aux environs de - temporel)* around, about • *(- spatial)* near • **vers la fin du mois** towards *ou* toward *(US)* the end of the month.

versant *nm* side.

versatile *adj* changeable, fickle.

verse ■ **à verse** *loc adv* • **pleuvoir à verse** to pour down.

Verseau *nm* ASTROL Aquarius.

versement *nm* payment.

verser ◪ *vt* 1. *(eau)* to pour 2. *(larmes, sang)* to shed 3. *(argent)* to pay. ◪ *vi* to overturn, to tip over.

verset *nm* verse.

version *nf* 1. *(gén)* version • **version française/originale** French/original version 2. *(traduction)* translation *(into mother tongue)*.

verso *nm* back.

vert, e *adj* 1. *(couleur, fruit, légume, bois)* green 2. *fig (vieillard)* spry, sprightly 3. *(réprimande)* sharp 4. *(à la campagne)* • **le tourisme vert** country holidays *pl*. ■ **vert** *nm (couleur)* green. ■ **Verts** *nmpl* • **les Verts** POLIT the Greens.

vertébral, e *adj* vertebral.

vertèbre *nf* vertebra.

vertébré, e *adj* vertebrate. ■ **vertébré** *nm* vertebrate.

vertement *adv* sharply.

vertical, e *adj* vertical. ■ **verticale** *nf* vertical • **à la verticale** *(descente)* vertical • *(descendre)* vertically.

vertige *nm* 1. *(peur du vide)* vertigo 2. *(étourdissement)* dizziness 3. *fig* intoxication • **avoir des vertiges** to suffer from *ou* have dizzy spells.

vertigineux, euse *adj* 1. *fig (vue, vitesse)* breathtaking 2. *(hauteur)* dizzy.

vertu *nf* 1. *(morale, chasteté)* virtue 2. *(pouvoir)* properties *pl*, power.

vertueux, euse *adj* virtuous.

verve *nf* eloquence.

vésicule *nf* vesicle.

vessie *nf* bladder.

veste *nf (vêtement)* jacket • **veste croisée/droite** double-/single-breasted jacket.

vestiaire *nm* 1. *(au théâtre)* cloakroom 2. *(gén pl)* SPORT changing room *(UK)*, locker room *(US)*.

vestibule *nm (pièce)* hall, vestibule.

vestige *nm* 1. *(gén pl) (de ville)* remains *pl* 2. *fig (de civilisation, grandeur)* vestiges *pl*, relic.

vestimentaire *adj* 1. *(industrie)* clothing *(avant nom)* 2. *(dépense)* on clothes • **détail vestimentaire** accessory.

veston *nm* jacket.

vétéciste *nmf* hybrid bike rider.

vêtement *nm* garment, article of clothing • **vêtements** clothing *(indénombrable)*, clothes.

vétéran *nm* veteran.

vétérinaire *nmf* vet *(UK)*, veterinary surgeon *(UK)*, veterinarian *(US)*.

vététiste *nmf* mountain biker.

vêtir *vt* to dress. ■ **se vêtir** *vp* to dress, to get dressed.

veto *nm inv* veto • **mettre son veto à qqch** to veto sthg.

véto *nmf fam* vet.

vêtu, e ◪ *pp* ▷ **vêtir**. ◪ *adj* • **vêtu (de)** dressed (in).

vétuste *adj* dilapidated.

veuf, veuve *nm, f* widower *(f* widow).

veuvage *nm* 1. *(de femme)* widowhood 2. *(d'homme)* widowerhood.

vexation *nf (humiliation)* insult.

vexer *vt* to offend. ■ **se vexer** *vp* to take offence *(UK) ou* offense *(US)*.

via *prép* via.

viabiliser *vt* to service.

viable *adj* viable.

viaduc *nm* viaduct.

viager, ère *adj* life *(avant nom)*. ■ **viager** *nm* life annuity.

viande *nf* meat.

vibration *nf* vibration.

vibrer *vi* 1. *(trembler)* to vibrate 2. *fig (être ému)* • **vibrer (de)** to be stirred (with).

vibreur *nm* TÉLÉCOM VibraCall® (alert *ou* feature).

vice *nm* 1. *(de personne)* vice 2. *(d'objet)* fault, defect.

vice-président, e *nm, f* 1. POLIT vice-president 2. *(de société)* vice-chairman *(f* vice-chairwoman).

vice versa *loc adv* vice versa.

vicié, e *adj (air)* polluted, tainted.

vicieux, euse *adj* 1. *(personne, conduite)* perverted, depraved 2. *(animal)* restive 3. *(attaque)* underhand.

victime *nf* 1. victim 2. *(blessé)* casualty.

* le blouson en cuir the leather jacket
* le bonnet the woolly hat (UK), the wooly hat (US)
* le bonnet de bain the swimming-cap
* la botte the boot
* le caleçon de bain swimming trunks
* la chaussette the sock
* la chaussure the shoe
* la chaussure de sport the trainer (UK), the sneaker (US)
* la chemise the shirt
* la chemise de nuit the nightie
* le chemisier the blouse
* le collant tights (UK), pantyhose (US)
* la culotte panties
* l'écharpe the scarf
* le gant the glove
* le gilet the cardigan
* l'imperméable the raincoat
* le jean jeans
* la jupe the skirt
* les lunettes de soleil sunglasses
* le maillot de bain (de femme) the swimming costume (UK), the bathing suit (US)
* le manteau the coat
* la mini-jupe the mini skirt
* le pantalon trousers (UK), pants (US)
* la pantoufle the slipper
* le peignoir de bain the bathrobe
* le pull the sweater, the jumper (UK)
* le pyjama pyjamas
* la robe the dress
* la sandale the sandal
* le short shorts
* le slip underpants
* le slip de bain swimming trunks
* la socquette the ankle sock
* le soutien-gorge the bra
* le survêtement the tracksuit (UK), the sweatsuit (US)
* le tee-shirt the T-shirt
* la tennis the tennis shoe
* la veste (d'homme) the jacket
* la veste (de femme) the jacket.

victoire *nf* **1.** MIL victory **2.** POLIT & SPORT win, victory.

victorieux, euse *adj* **1.** MIL victorious **2.** POLIT & SPORT winning (avant nom), victorious **3.** (air) triumphant.

victuailles *nfpl* provisions.

vidange *nf* **1.** (action) emptying, draining **2.** AUTO oil change **3.** (mécanisme) waste outlet. ■ **vidanges** *nfpl* sewage (indénombrable).

vidanger *vt* to empty, to drain.

vide ◼ *nm* **1.** (espace) void **2.** fig (néant, manque) emptiness **3.** (absence d'air) vacuum • **conditionné sous vide** vacuum-packed **4.** (ouverture) gap, space **5.** DR • **vide juridique** legal vacuum. ◼ *adj* empty.

vidéo ◼ *adj inv* video (avant nom). ◼ *nf* video.

vidéocassette *nf* video cassette.

vidéoconférence = **visioconférence**.

vidéodisque *nm* videodisc (UK), videodisk (US).

vidéoprojecteur *nm* video projector.

vide-ordures *nm inv* rubbish chute (UK), garbage chute (US).

vidéothèque *nf* video library.

vidéotransmission *nf* video transmission.

vide-poches *nm inv* (de voiture) glove compartment.

vider *vt* **1.** (rendre vide) to empty **2.** (évacuer) • **vider les lieux** to vacate the premises **3.** (poulet) to clean **4.** fam (personne - épuiser) to drain • (- expulser) to chuck out. ◼ **se vider** *vp* **1.** (eaux) • **se vider dans** to empty into, to drain into **2.** (baignoire, salle) to empty.

videur *nm* bouncer.

vie *nf* **1.** (gén) life • **sauver la vie à qqn** to save sb's life • **être en vie** to be alive • **à vie** for life **2.** (subsistance) cost of living • **gagner sa vie** to earn one's living.

vieillard *nm* old man.

vieille ⊳ **vieux**.

vieillerie *nf* (objet) old thing.

vieillesse *nf* (fin de la vie) old age.

vieillir ◼ *vi* **1.** (personne) to grow old, to age **2.** CULIN to mature, to age **3.** (tradition, idée) to become dated ou outdated. ◼ *vt* • **vieillir qqn** to make sb look older • **c'est fou ce que les cheveux longs la vieillissent !** (coiffure, vêtement) long hair makes her look a lot older! • **ils m'ont vieilli de cinq ans** (personne) they said I was five years older than I actually am.

vieillissement *nm* (de personne) ageing.

Vienne npr (en Autriche) Vienna.

vierge ◨ nf virgin • **la (Sainte) Vierge** the (Blessed) Virgin. ◨ adj **1.** (personne) virgin **2.** (terre) virgin **3.** (page) blank **4.** (casier judiciaire) clean. ■ **Vierge** nf ASTROL Virgo.

Viêt Nam nm • **le Viêt Nam** Vietnam.

vieux, vieille ◨ adj (vieil devant voyelle ou h muet) old • **vieux jeu** old-fashioned. ◨ nm, f **1.** (personne âgée) old man (f woman) • **les vieux** the old **2.** fam (ami) • **mon vieux** old chap ou boy (UK), old buddy (US) • **ma vieille** old girl.

vif, vive adj **1.** (preste - enfant) lively • (- imagination) vivid **2.** (couleur, œil) bright • **rouge/jaune vif** bright red/yellow **3.** (reproche) sharp **4.** (discussion) bitter **5.** sout (vivant) alive **6.** (douleur, déception) acute **7.** (intérêt) keen **8.** (amour, haine) intense, deep. ■ **à vif** loc adj (plaie) open • **j'ai les nerfs à vif** fig my nerves are frayed.

vigie nf (NAUT - personne) lookout • (- poste) crow's nest.

vigilant, e adj vigilant, watchful.

vigile nm watchman.

vigne nf **1.** (plante) vine, grapevine **2.** (plantation) vineyard. ■ **vigne vierge** nf Virginia creeper.

vigneron, onne nm, f wine grower.

vignette nf **1.** (timbre) label **2.** (de médicament) price sticker (for reimbursement by the social security services) **3.** AUTO tax disc (UK) **4.** (motif) vignette.

vignoble nm **1.** (plantation) vineyard **2.** (vignes) vineyards pl.

vigoureux, euse adj **1.** (corps, personne) vigorous **2.** (bras, sentiment) strong.

vigueur nf vigour (UK), vigor (US). ■ **en vigueur** loc adj in force.

VIH, V.I.H. (abr de **virus d'immunodéficience humaine**) nm HIV.

vilain, e adj **1.** (gén) nasty **2.** (laid) ugly.

vilebrequin nm **1.** (outil) brace and bit **2.** AUTO crankshaft.

villa nf villa.

village nm village.

villageois, e nm, f villager.

ville nf **1.** (petite, moyenne) town **2.** (importante) city • **aller en ville** to go into town • **habiter en ville** to live in town • **ville d'eau** spa (town).

LA VILLE
- l'ambulance the ambulance
- l'arrêt de bus the bus stop
- la boutique the shop (UK), the store (US)
- la chaussée the road
- le cinéma the cinema (UK), the movie theater (US)
- le feu the traffic light
- le grand magasin the department store
- l'hôpital the hospital
- l'immeuble the building
- le kiosque à journaux the newsstand
- la mairie the town hall (UK), the city hall (US)
- le parking the car park (UK), the parking lot (US)
- le passage piétons the pedestrian crossing (UK), the crosswalk (US)
- le piéton the pedestrian
- la place the square
- la rue the street
- la station de taxis the taxi rank
- le taxi the taxi
- le trottoir the pavement (UK), the sidewalk (US)
- les vitrines the window displays.

villégiature nf holiday (UK), vacation (US).

vin nm wine • **vin blanc/rosé/rouge** white/rosé/red wine. ■ **vin d'honneur** nm reception.

vinaigre nm vinegar.

vinaigrette nf oil and vinegar dressing.

vindicatif, ive adj vindictive.

vingt adj num inv & nm twenty. • voir aussi **six**

vingtaine nf • **une vingtaine de** about twenty.

vingtième adj num inv, nm & nmf twentieth. • voir aussi **sixième**

vinicole adj wine-growing, wine-producing.

viol nm **1.** (de femme) rape **2.** (de sépulture) desecration **3.** (de sanctuaire) violation.

violation nf violation, breach.

violence nf violence • **se faire violence** to force o.s..

violent, e adj **1.** (personne, tempête) violent **2.** fig (douleur, angoisse, chagrin) acute **3.** (haine, passion) violent.

violer *vt* **1.** *(femme)* to rape **2.** *(loi, traité)* to break **3.** *(sépulture)* to desecrate **4.** *(sanctuaire)* to violate.

violet, ette *adj* **1.** purple **2.** *(pâle)* violet. ■ **violet** *nm* **1.** purple **2.** *(pâle)* violet.

violette *nf* violet.

violeur *nm* rapist.

violon *nm* *(instrument)* violin.

violoncelle *nm* *(instrument)* cello.

violoniste *nmf* violinist.

vipère *nf* viper.

virage *nm* **1.** *(sur route)* bend **2.** *(changement)* turn.

viral, e *adj* viral.

virement *nm* FIN transfer ▪ **virement automatique** automatic transfer, standing order ▪ **virement bancaire/postal** bank/giro (UK) transfer.

virer ■ *vi* **1.** *(tourner)* ▪ **virer à droite/à gauche** to turn right/left **2.** *(étoffe)* to change colour (UK) *ou* color (US) ▪ **virer au blanc/jaune** to go white/yellow **3.** MÉD to react positively. ■ *vt* **1.** FIN to transfer **2.** *fam (renvoyer)* to kick out.

virevolter *vi* *(tourner)* to twirl *ou* spin round (UK) *ou* around (US).

virginité *nf* **1.** *(de personne)* virginity **2.** *(de sentiment)* purity.

virgule *nf* **1.** *(entre mots)* comma **2.** *(entre chiffres)* (decimal) point.

viril, e *adj* virile.

virilité *nf* virility.

virtuel, elle *adj* potential.

virtuose *nmf* virtuoso.

virulence *nf* virulence.

virulent, e *adj* virulent.

virus *nm* INFORM & MÉD virus.

vis *nf* screw.

visa *nm* visa.

visage *nm* face.

vis-à-vis *nm* **1.** *(personne)* person sitting opposite **2.** *(immeuble)* ▪ **avoir un vis-à-vis** to have a building opposite. ■ **vis-à-vis de** *loc prép* **1.** *(en face de)* opposite **2.** *(en comparaison de)* beside, compared with **3.** *(à l'égard de)* towards, toward (US).

viscéral, e *adj* **1.** ANAT visceral **2.** *fam (réaction)* gut *(avant nom)* **3.** *fam (haine, peur)* deep-seated.

viscère *nm* *(gén pl)* innards *pl*.

viscose *nf* viscose.

visé, e *adj* **1.** *(concerné)* concerned **2.** *(vérifié)* stamped.

visée *nf* **1.** *(avec arme)* aiming **2.** *(gén pl)* fig *(intention, dessein)* aim.

viser ■ *vt* **1.** *(cible)* to aim at **2.** fig *(poste)* to aspire to, to aim for **3.** *(personne)* to be directed *ou* aimed at **4.** *(document)* to check, to stamp. ■ *vi* to aim, to take aim ▪ **viser à** to aim at ▪ **viser à faire qqch** to aim to do sthg, to be intended to do sthg ▪ **viser haut** fig to aim high.

viseur *nm* **1.** *(d'arme)* sights *pl* **2.** PHOTO viewfinder.

visibilité *nf* visibility.

visible *adj* **1.** *(gén)* visible **2.** *(personne)* ▪ **il n'est pas visible** he's not seeing visitors.

visiblement *adv* visibly.

visière *nf* **1.** *(de casque)* visor **2.** *(de casquette)* peak **3.** *(de protection)* eyeshade.

visioconférence, vidéoconférence *nf* videoconference.

vision *nf* **1.** *(faculté)* eyesight, vision **2.** *(représentation)* view, vision **3.** *(mirage)* vision.

visionnaire *nmf & adj* visionary.

visionner *vt* to view.

visite *nf* **1.** *(chez un ami, officielle)* visit ▪ **rendre visite à qqn** to pay sb a visit **2.** MÉD *(- à l'extérieur)* call, visit *(- à l'hôpital)* rounds *pl* ▪ **passer une visite médicale** to have a medical (UK) *ou* a physical (US) **3.** *(de monument)* tour **4.** *(d'expert)* inspection.

visiter *vt* **1.** *(en touriste)* to tour **2.** *(malade, prisonnier)* to visit.

visiteur, euse *nm, f* visitor.

vison *nm* mink.

visqueux, euse *adj* **1.** *(liquide)* viscous **2.** *(surface)* sticky.

visser *vt* **1.** *(planches)* to screw together **2.** *(couvercle)* to screw down **3.** *(bouchon)* to screw in **4.** *(écrou)* to screw on.

visualiser *vt* **1.** *(gén)* to visualize **2.** INFORM to display **3.** TECHNOL to make visible.

visuel, elle *adj* visual. ■ **visuel** *nm* INFORM visual display unit ▪ **visuel graphique** graphical display unit.

vital, e *adj* vital.

vitalité *nf* vitality.

vitamine *nf* vitamin.

vitaminé, e *adj* with added vitamins, vitamin-enriched.

vite *adv* 1. *(rapidement)* quickly, fast ▪ **fais vite !** hurry up! 2. *(tôt)* soon.

vitesse *nf* 1. *(gén)* speed ▪ **à toute vitesse** at top speed 2. AUTO gear.

viticole *adj* wine-growing.

viticulteur, trice *nm, f* wine-grower.

vitrail *nm* stained-glass window.

vitre *nf* 1. *(de fenêtre)* pane of glass, windowpane 2. *(de voiture, train)* window.

vitré, e *adj* glass *(avant nom)*.

vitreux, euse *adj* 1. *(roche)* vitreous 2. *(œil, regard)* glassy, glazed.

vitrifier *vt* 1. *(parquet)* to seal and varnish 2. *(émail)* to vitrify.

vitrine *nf* 1. *(de boutique)* (shop) window 2. fig showcase 3. *(meuble)* display cabinet.

vivable *adj* 1. *(appartement)* livable-in 2. *(situation)* bearable, tolerable 3. *(personne)* ▪ **il n'est pas vivable** he's impossible to live with.

vivace *adj* 1. *(plante)* perennial 2. *(arbre)* hardy 3. fig *(haine, ressentiment)* deep-rooted, entrenched 4. *(souvenir)* enduring.

vivacité *nf* 1. *(promptitude - de personne)* liveliness, vivacity ▪ **vivacité d'esprit** quick-wittedness 2. *(de coloris, teint)* intensity, brightness 3. *(de propos)* sharpness.

vivant, e *adj* 1. *(en vie)* alive, living 2. *(enfant, quartier)* lively 3. *(souvenir)* still fresh. ■ **vivant** *nm (personne)* ▪ **les vivants** the living.

vive¹ *nf (poisson)* weever.

vive² *interj* three cheers for ▪ **vive le roi !** long live the King!

vivement ■ *adv* 1. *(agir)* quickly 2. *(répondre)* sharply 3. *(affecter)* deeply. ■ *interj* ▪ **vivement les vacances !** roll on the holidays! ▪ **vivement que l'été arrive** I'll be glad when summer comes, summer can't come quick enough.

vivifiant, e *adj* invigorating, bracing.

vivisection *nf* vivisection.

vivre ■ *vi* 1. to live 2. *(être en vie)* to be alive ▪ **vivre de** to live on ▪ **faire vivre sa famille** to support one's family ▪ **être difficile/facile à vivre** to be hard/easy to get on with ▪ **avoir vécu** to have seen life. ■ *vt* 1. *(passer)* to spend 2. *(éprouver)* to experience. ■ **vivres** *nmpl* provisions.

vizir *nm* vizier.

vocable *nm* term.

vocabulaire *nm* 1. *(gén)* vocabulary 2. *(livre)* lexicon, glossary.

vocal, e *adj* ▪ **ensemble vocal** choir ▷ **corde**.

vocation *nf* 1. *(gén)* vocation 2. *(d'organisation)* mission.

vocifération *nf* shout, scream.

vociférer *vt* to shout, to scream.

vodka *nf* vodka.

vœu *nm* 1. RELIG *(résolution)* vow ▪ **faire vœu de silence** to take a vow of silence 2. *(souhait, requête)* wish. ■ **vœux** *nmpl* greetings.

S'EXPRIMER...

formuler des vœux

- Good luck! **Bonne chance !**
- Have a good time! **Amuse-toi bien ! Amusez-vous bien !**
- Happy Birthday! **Bon anniversaire !**
- Merry Christmas! **Joyeux Noël !**
- Happy New Year! **Bonne année !**

vogue *nf* vogue, fashion ▪ **en vogue** fashionable, in vogue.

voguer *vi* littéraire to sail.

voici *prép* 1. *(pour désigner, introduire)* here is/are ▪ **le voici** here he/it is ▪ **les voici** here they are ▪ **vous cherchiez des allumettes ? en voici** were you looking for matches? there are some here ▪ **voici ce qui s'est passé** this is what happened 2. *(il y a)* ▪ **voici trois mois** three months ago ▪ **voici quelques années que je ne l'ai pas vu** I haven't seen him for some years (now), it's been some years since I last saw him.

À PROPOS DE...

voici

Les expressions *here is* et *here are* servent à annoncer l'arrivée de quelqu'un ou de quelque chose, ou le fait que l'on vient de trouver quelque chose (*here's Charlie! ; here are the answers*). Le sujet (*Charlie ; answers*) se place à la fin de la phrase, sauf s'il s'agit d'un pronom personnel tel que *I, you, he,* etc (*here's Charlie! — here he is ; here are the answers — here they are*).

voie *nf* **1.** *(route)* road • **route à deux voies** two-lane road • **la voie publique** the public highway • **voie sans issue** no through road • **voie privée** private road **2.** *(rails)* track, line **3.** *(quai)* platform • **voie ferrée** railway line *(UK)*, railroad line *(US)* • **voie de garage** siding • *fig* dead-end job **4.** *(mode de transport)* route **5.** ANAT passage, tract • **par voie buccale** *ou* **orale** orally, by mouth • **par voie rectale** by rectum • **voie respiratoire** respiratory tract **6.** *fig (chemin)* way **7.** *(filière, moyen)* means *pl.* ■ **Voie lactée** *nf* • **la Voie lactée** the Milky Way. ■ **en voie de** *loc prép* on the way *ou* road to • **en voie de développement** developing.

voilà *prép* **1.** *(pour désigner)* there is/are • **le voilà** there he/it is • **les voilà** there they are • **me voilà** that's me, there I am • **vous cherchiez de l'encre ? en voilà** you were looking for ink? there is some (over) there • **nous voilà arrivés** we've arrived **2.** *(reprend ce dont on a parlé)* that is **3.** *(introduit ce dont on va parler)* this is • **voilà ce que j'en pense** this is/that is what I think • **voilà tout** that's all • **et voilà !** there we are! **4.** *(il y a)* • **voilà dix jours** ten days ago • **voilà dix ans que je le connais** I've known him for ten years (now).

voile ■ *nf* **1.** *(de bateau)* sail **2.** *(activité)* sailing. ■ *nm* **1.** *(textile)* voile **2.** *(coiffure)* veil **3.** *(de brume)* mist.

voilé, e *adj* **1.** *(visage, allusion)* veiled **2.** *(ciel, regard)* dull **3.** *(roue)* buckled **4.** *(son, voix)* muffled.

voiler *vt* **1.** *(visage)* to veil **2.** *(vérité, sentiment)* to hide **3.** *(suj : brouillard, nuages)* to cover.
■ **se voiler** *vp* **1.** *(femme)* to wear a veil **2.** *(ciel)* to cloud over **3.** *(yeux)* to mist over **4.** *(roue)* to buckle.

voilier *nm* *(bateau)* sailing boat *(UK)*, sailboat *(US)*.

voilure *nf* *(de bateau)* sails *pl.*

voir ■ *vt* *(gén)* to see • **je l'ai vu tomber** I saw him fall • **faire voir qqch à qqn** to show sb sthg • **ne rien avoir à voir avec** *fig* to have nothing to do with • **voyons,...** *(en réfléchissant)* let's see,... ■ *vi* to see.
■ **se voir** *vp* **1.** *(se regarder)* to see o.s., to watch o.s. **2.** *(s'imaginer)* to see *ou* to imagine *ou* to picture o.s. **3.** *(se rencontrer)* to

see one another *ou* each other **4.** *(se remarquer)* to be obvious, to show • **ça se voit !** you can tell!

voire *adv* even.

voirie *nf* ADMIN ≃ Department of Transport.

voisin, e ■ *adj* **1.** *(pays, ville)* neighbouring *(UK)*, neighboring *(US)* **2.** *(maison)* next-door **3.** *(idée)* similar. ■ *nm, f* neighbour *(UK)*, neighbor *(US)* • **voisin de palier** next-door neighbour *(in a flat)*.

voisinage *nm* **1.** *(quartier)* neighbourhood *(UK)*, neighborhood *(US)* **2.** *(environs)* vicinity **3.** *(relations)* • **rapports de bon voisinage** (good) neighbourliness *(UK)* *ou* neighborliness *(US)*.

voiture *nf* **1.** *(automobile)* car • **voiture de fonction** company car • **voiture de location** hire *(UK)* *ou* rental *(US)* car • **voiture d'occasion/de sport** second-hand/sports car **2.** *(de train)* carriage *(UK)*, car *(US)*.

voix *nf* **1.** *(gén)* voice • **voix de stentor** stentorian voice • **à mi-voix** in an undertone • **à voix basse** in a low voice, quietly • **à voix haute** *(parler)* in a loud voice • *(lire)* aloud • **de vive voix** in person **2.** *(suffrage)* vote.

vol *nm* **1.** *(d'oiseau, avion)* flight • **vol (en) charter** charter flight • **à vol d'oiseau** as the crow flies • **en plein vol** in flight **2.** *(groupe d'oiseaux)* flight, flock **3.** *(délit)* theft.

vol. *(abr écrite de* **volume***)* vol.

volage *adj littéraire* fickle.

volaille *nf* • **la volaille** poultry, (domestic) fowl.

volant, e ■ *adj* **1.** *(qui vole)* flying **2.** *(mobile)* • **feuille volante** loose sheet. ■ **volant** *nm* **1.** *(de voiture)* steering wheel **2.** *(de robe)* flounce **3.** *(de badminton)* shuttlecock.

volatiliser ■ **se volatiliser** *vp* **1.** to volatilize **2.** *fig* to vanish into thin air.

volcan *nm* **1.** volcano **2.** *fig* spitfire.

volcanique *adj* **1.** volcanic **2.** *fig (tempérament)* fiery.

volée *nf* **1.** *(de flèches)* volley • **une volée de coups** a hail of blows **2.** FOOTBALL & TENNIS volley.

voler ■ *vi* to fly. ■ *vt* **1.** *(personne)* to rob **2.** *(chose)* to steal.

volet *nm* **1.** *(de maison)* shutter **2.** *(de dépliant)* leaf **3.** *(d'émission)* part.

voleur, euse nm, f thief.

volière nf aviary.

volley-ball nm volleyball.

volontaire ◼ nmf volunteer. ◼ adj **1.** (omission) deliberate **2.** (activité) voluntary **3.** (enfant) strong-willed.

volonté nf **1.** (vouloir) will • **à volonté** unlimited, as much as you like **2.** (disposition) • **bonne volonté** willingness, good will • **mauvaise volonté** unwillingness **3.** (détermination) willpower.

volontiers adv **1.** (avec plaisir) with pleasure, gladly, willingly **2.** (affable, bavard) naturally.

volt nm volt.

voltage nm voltage.

volte-face nf inv **1.** about-turn (UK), about-face (US) **2.** fig U-turn, about-turn (UK), about-face (US).

voltige nf **1.** (au trapèze) trapeze work • **haute voltige** flying trapeze act • fam fig mental gymnastics (indénombrable) **2.** (à cheval) circus riding **3.** (en avion) aerobatics (indénombrable).

voltiger vi **1.** (insecte, oiseau) to flit ou flutter about **2.** (feuilles) to flutter about.

volubile adj voluble.

volume nm **1.** (tome) volume **2.** (en acoustique) volume **3.** (quantité globale) volume, amount **4.** (poids, épaisseur) volume **5.** INFORM (unité) volume.

volumineux, euse adj voluminous, bulky.

volupté nf **1.** (sensuelle) sensual ou voluptuous pleasure **2.** (morale, esthétique) delight.

voluptueux, euse adj voluptuous.

volute nf **1.** (de fumée) wreath **2.** ARCHIT volute, helix.

vomi nm fam vomit.

vomir vt **1.** (aliments) to bring up **2.** (fumées) to belch, to spew (out) **3.** (injures) to spit out.

vont ▷ **aller**.

vorace adj voracious.

voracité nf voracity.

vote nm vote.

voter ◼ vi to vote. ◼ vt **1.** POLIT to vote for **2.** (crédits) to vote **3.** (loi) to pass.

votre adj poss your.

vôtre ◼ **le vôtre, la vôtre** pron poss yours • **les vôtres** your family • **vous et les vôtres** people like you • **à la vôtre !** your good health!

vouer vt **1.** (promettre, jurer) • **vouer qqch à qqn** to swear ou vow sthg to sb **2.** (consacrer) to devote **3.** (condamner) • **être voué à** to be doomed to.

vouloir vt

1. EXIGER
- **je veux partir** I want to leave
- **je veux qu'il se taise** I want him to be quiet

2. ACCEPTER
- **je veux bien le faire** I don't mind doing it

3. SOUHAITER, DÉSIRER
- **il veut une nouvelle montre pour son anniversaire** he wants a new watch for his birthday
- **voulez-vous boire quelque chose ?** would you like something to drink?
- **si tu veux** if you like, if you want
- **je voudrais un verre d'eau, s'il vous plaît** I would like a glass of water, please
- **je voudrais savoir si ma sœur est arrivée** I would like to know if my sister has arrrived
- **il aurait voulu être là quand sa femme a accouché** he would have liked to have been there when his wife had her baby
- **j'aurais voulu que vous soyez là !** I wish you had been here!
- **sans le vouloir** without meaning ou wishing to, unintentionally

4. DANS DES DEMANDES POLIES
- **veuillez vous asseoir** please take a seat

5. EXPRIME UNE IMPUISSANCE
- **que voulez-vous, c'est comme ça, on n'y peut rien !** what can you do? that's the way it is and we can't do anything about it!
- **qu'est-ce que tu veux que je te dise ?** what do you want me to say? ou what can I say?
- **que voulez-vous que j'y fasse ?** what do you want ou expect me to do about it?
- **comment voulez-vous que je sache ?** how should I know?

6. EN PARLANT DE COUTUMES
• **l'usage veut que les genoux et les épaules soient couverts** custom requires covering the knees and shoulders
• **comme le veut la tradition, le gagnant du concours ira étudier trois semaines aux États-Unis** according to the tradition, the winner of the contest will go to America to study for 4 weeks

7. FAIRE UNE TENTATIVE
• **elle voulut se lever mais elle était trop faible** she tried to stand up but she was too weak
• **en voulant aider sa mère, il ne réussit qu'à lui faire perdre son temps** in trying to help his mother, he only succeeded in making her lose time

8. DANS DES EXPRESSSONS
• **si on veut** more or less, if you like
• **en vouloir à qqn** to have a grudge against sb.

■ **se vouloir** *vp*

• **elle se veut différente** she thinks she's different.

■ **s'en vouloir** *vp*

1. EMPLOI RÉFLÉCHI
• **s'en vouloir de faire qqch** to be cross with o.s. for doing sthg
• **je m'en veux d'avoir été dur avec elle** I wish I hadn't been hard with her

2. EMPLOI RÉCIPROQUE
• **elles s'en veulent à mort** they really have it in for each other.

voulu, e ■ *pp* ▷ **vouloir.** ■ *adj* **1.** *(requis)* requisite **2.** *(délibéré)* intentional.

vous *pron pers* **1.** *(sujet, objet direct)* you **2.** *(objet indirect)* (to) you **3.** *(après préposition, comparatif)* you **4.** *(réfléchi)* yourself (*pl* yourselves *pl*). ■ **vous-même** *pron pers* yourself. ■ **vous-mêmes** *pron pers* yourselves.

voûte *nf* **1.** ARCHIT vault **2.** *fig* arch **3.** ANAT
• **voûte du palais** roof of the mouth
• **voûte plantaire** arch (of the foot).

voûter *vt* to arch over, to vault.
■ **se voûter** *vp* to be *ou* become stooped.

vouvoyer *vt* • **vouvoyer qqn** to use the "vous" form to sb.
■ **se vouvoyer** *vp* to use the formal "vous" form with each other.

voyage *nm* journey, trip • **les voyages** travel *(sing)*, travelling *(indénombrable)* (UK), traveling *(indénombrable)* (US) • **partir en voyage** to go away, to go on a trip • **voyage d'affaires** business trip • **voyage organisé** package tour • **voyage de noces** honeymoon.

voyager *vi* to travel.

voyageur, euse *nm, f* traveller (UK), traveler (US).

voyance *nf* clairvoyance.

voyant, e ■ *adj* loud, gaudy. ■ *nm, f* *(devin)* seer. ■ **voyant** *nm* **1.** *(lampe)* light **2.** AUTO indicator (light) • **voyant d'essence/d'huile** petrol/oil warning light.

voyelle *nf* vowel.

voyeur, euse *nm, f* voyeur, Peeping Tom.

voyou *nm* **1.** *(garnement)* urchin **2.** *(loubard)* lout.

vrac ■ **en vrac** *loc adv* **1.** *(sans emballage)* loose **2.** *(en désordre)* higgledy-piggledy **3.** *(au poids)* in bulk.

vrai, e *adj* **1.** *(histoire)* true • **c'est** *ou* **il est vrai que...** it's true that... **2.** *(or, perle, nom)* real **3.** *(personne)* natural **4.** *(ami, raison)* real, true. ■ **vrai** *nm* • **à vrai dire, à dire vrai** to tell the truth.

vraiment *adv* really.

vraisemblable *adj* **1.** likely, probable **2.** *(excuse)* plausible.

vraisemblance *nf* **1.** likelihood, probability **2.** *(d'excuse)* plausibility.

V/Réf *(abr écrite de* **Votre référence**) your ref.

vrille *nf* **1.** BOT tendril **2.** *(outil)* gimlet **3.** *(spirale)* spiral.

vrombir *vi* to hum.

vrombissement *nm* humming *(indénombrable)*.

VTC *(abr de* **vélo tout chemin**) *nf* SPORT hybrid bike.

VTT *(abr de* **vélo tout terrain**) *nm* mountain bike.

vu, e ■ *pp* ▷ **voir.** ■ *adj* **1.** *(perçu)* • **être bien/mal vu** to be acceptable/unacceptable **2.** *(compris)* clear. ■ **vu** *prép* given, in view of. ■ **vue** *nf* **1.** *(sens, vision)* sight, eyesight **2.** *(regard)* gaze • **à première vue** at first sight • **de vue** by sight • **en vue** *(vedette)* in the public eye • **perdre**

qqn de vue to lose touch with sb **3.** *(panorama, idée)* view. ■ **en vue de** *loc prép* with a view to. ■ **vu que** *loc conj* given that, seeing that.

vulgaire *adj* **1.** *(grossier)* vulgar, coarse **2.** *(avant nom) péj (quelconque)* common.

vulgarisation *nf* popularization.

vulgariser *vt* to popularize.

vulgarité *nf* vulgarity, coarseness.

vulnérable *adj* vulnerable.

vulve *nf* vulva.

w, W *nm inv* w, W.

wagon *nm* carriage *(UK)*, car *(US)* • **wagon de première/seconde classe** first-class/second-class carriage *(UK)* ou car *(US)*.

wagon-lit *nm* sleeping car, sleeper.

wagon-restaurant *nm* restaurant *(UK)* ou dining *(US)* car.

Walkman® *nm* personal stereo, Walkman®.

wallon, onne *adj* Walloon. ■ **wallon** *nm (langue)* Walloon. ■ **Wallon, onne** *nm, f* Walloon.

Washington *npr* **1.** *(ville)* Washington DC **2.** *(État)* Washington State.

water-polo *nm* water polo.

waterproof *adj inv* waterproof.

watt *nm* watt.

W.-C. (*abr de* **water closet**) *nmpl* WC *sing*, toilets.

Web *nm* • **le Web** the Web, the web.

webcam *nf* webcam.

weblog *nm* blog.

webmestre, webmaster *nm* webmaster.

week-end *nm* weekend.

western *nm* western.

whisky *nm* **1.** *(écossais)* whisky, scotch **2.** *(irlandais ou américain)* whiskey.

white-spirit *nm* white spirit *(UK)*.

Wi-Fi *nm inv* Wi-Fi.

WWW (*abr de* **World Wide Web**) *nf* WWW.

x, X *nm inv* x, X • **l'X** the École polytechnique.

xénophobie *nf* xenophobia.

xérès *nm* sherry.

xylophone *nm* xylophone.

y¹, Y *nm inv* y, Y.

y² ◩ *adv (lieu)* there • **j'y vais demain** I'm going there tomorrow • **mets-y du sel** put some salt in it • **va voir sur la table si les clefs y sont** go and see if the keys are on the table • **ils ont ramené des vases anciens et y ont fait pousser des fleurs exotiques** they brought back some antique vases and grew exotic flowers in them. ◪ *pron pers* **1.** *(la traduction varie selon la préposition utilisée avec le verbe)* • **pensez-y** think about it • **n'y comptez pas** don't count on it • **j'y suis!** I've got it! **2.** *voir aussi* **aller, avoir** *etc.*

yacht *nm* yacht.

yaourt, yogourt, yoghourt *nm* yoghurt.

Yémen *nm* • **le Yémen** Yemen.

yen *nm* yen.

yiddish *nm inv* & *adj inv* Yiddish.

yoga *nm* yoga.

yoghourt = **yaourt**.

yogourt = **yaourt**.

yougoslave *adj* Yugoslav, Yugoslavian. ■ **Yougoslave** *nmf* Yugoslav, Yugoslavian.

Yougoslavie *nf* • **la Yougoslavie** Yugoslavia • **l'ex-Yougoslavie** the former Yugoslavia.

yoyo *nm* MÉD grommet.

z, Z *nm inv* z, Z.

Zaïre *nm* ▪ **le Zaïre** Zaïre.

zapper *vi* to zap.

zapping *nm* zapping, channel-hopping.

zèbre *nm* zebra ▪ **un drôle de zèbre** *fam fig* an oddball.

zébrure *nf* **1.** *(de pelage)* stripe **2.** *(marque)* weal.

zébu *nm* zebu.

zèle *nm* zeal ▪ **faire du zèle** *péj* to be over-zealous.

zélé, e *adj* zealous.

zénith *nm* zenith.

zéro ◼ *nm* **1.** *(chiffre)* zero, nought *(UK)*, zero **3.** *(nombre)* nought *(UK)*, nothing **4.** *(de graduation)* freezing point, zero ▪ **au-dessus/au-dessous de zéro** above/below (zero) ▪ **avoir le moral à** zéro *fig* to be *ou* feel down. ◼ *adj* ▪ **zéro faute** no mistakes.

zeste *nm* peel, zest.

zézayer *vi* to lisp.

zigzag *nm* zigzag ▪ **en zigzag** winding.

zigzaguer *vi* to zigzag (along).

zinc *nm* **1.** *(matière)* zinc **2.** *fam (comptoir)* bar **3.** *fam (avion)* crate.

zizi *nm fam* willy *(UK)*, peter *(US)*.

zodiaque *nm* zodiac.

zone *nf* **1.** *(région)* zone, area **2.** *fam (faubourg)* ▪ **la zone** the slum belt.

zoner *vi fam* to hang about, to hang around.

zoo *nm* zoo.

zoologie *nf* zoology.

zoom *nm* **1.** *(objectif)* zoom (lens) **2.** *(gros plan)* zoom.

zut *interj fam* damn!

Guide
pratique

Sommaire du guide pratique

Grammaire

Verbes

Guide de communication

Grammaire de l'anglais

Les adjectifs

■ En anglais, l'adjectif ne change jamais de forme. Il est invariable en genre et en nombre :

a young woman → **young women** ;
a young man → **young men.**

■ L'adjectif épithète se place toujours devant le nom qu'il qualifie :

green peppers *des poivrons verts* ;

my dirty old jeans *mon vieux jean tout sale* ;

a beautiful red Italian sports car *une belle voiture de sport italienne rouge.*

■ L'adjectif attribut se place après les verbes d'état (**be, seem,** etc.) :

Your hands are dirty. *Tu as les mains sales.*

That doesn't seem right to me. *Je crois qu'il y a quelque chose qui ne va pas.*

■ Certains adjectifs sont toujours attributs (**alive, asleep, afraid, alone, awake, ill, well, fine, better, cross, glad**).

The fish were still alive. *Les poissons étaient toujours vivants.*

The children, who were afraid, started to cry. *Les enfants, qui avaient peur, se sont mis à pleurer.*

■ S'il y a plusieurs adjectifs épithètes, l'ordre est généralement le suivant : taille, âge, couleur, origine, matière.

a large black London taxi *un grand taxi noir de Londres*

a small metal toy *un petit jouet en métal*

■ Un adjectif qui exprime un jugement personnel se place en premier.

a beautiful black dress *une belle robe noire*

Les adverbes

■ L'adverbe peut modifier le verbe, l'adjectif, la phrase entière ou un autre adverbe.

■ On peut former de nombreux adverbes, en particulier ceux de manière, en ajoutant le suffixe **-ly** à l'adjectif :

slow → **slowly** ; **clear** → **clearly**

■ Attention aux changements orthographiques :
  - -y → -ily : **happily** ; **tidily** ; **speedily** ;
  - -le → -ly ; **gently** ; **nobly** ;
  - -ll → -lly : **fully** ;
  - -ic → -ically : **drastically** ; **historically** mais **publicly.**

■ On peut également former un adverbe à partir du participe du verbe en lui ajoutant le suffixe -ly :

tiredly ; repeatedly ; pleasingly.

■ Lorsque l'adjectif se termine déjà par -ly, ce qui est le cas pour un certain nombre d'entre eux comme **friendly**, **silly**, **likely**, il faut utiliser l'expression **in a... way/manner** :

She smiled at him in a friendly way. *Elle lui a souri amicalement.*

Certains adverbes très courants ont la même forme que l'adjectif ou le déterminant correspondant : **fast**, **early**, **wrong**, **right**, **much**, **either**, **enough**, **late**.

Les articles

L'article indéfini

■ L'article indéfini s'écrit **a** devant une consonne, **an** devant une voyelle :

a branch ; a day ; a new boat ; an owl ; an egg ; an old boat.

■ Cependant, on emploie :
- **a** devant un nom qui commence par une voyelle se prononçant [j] ou [w] ou devant un « h » aspiré : **a university ; a one-way ticket ; a house ; a husband.**
- **an** devant un « h » muet : **an honour ; an hour.**

■ Il indique que le nom qu'il précède appartient à une classe. Il s'emploie devant un nom singulier dénombrable.

Lend me a pencil, will you? *Prête-moi un crayon, s'il te plaît.*

■ Il précède obligatoirement un nom de métier :

My sister is a musician. *Ma sœur est musicienne.*

■ Il s'emploie dans les indications de mesure avec un sens distributif :

90 km an hour *90 km à l'heure ;*
four times a day *quatre fois par jour.*

Au pluriel, on omet l'article indéfini : **a little house → little houses**.

L'article défini

■ L'article défini est **the**, et il précède le nom au singulier ou au pluriel :

the book; the boy; the truth; the girls; the bicycles.

■ L'article défini indique que le nom qu'il précède renvoie à une entité spécifique, et en principe connue du co-énonciateur :

Have you seen the keys? *As-tu vu les clés ?*

■ On emploie **the** pour désigner les entités repérées dans la situation d'énonciation ou seule représentante de la classe :

the Queen; the moon; the President.

■ On emploie **the** devant un adjectif substantivé ayant un sens générique. Ce procédé est très courant avec les adjectifs de nationalité ; dans ce cas, il désigne une nation entière. L'adjectif substantivé reste invariable et il est suivi d'un verbe au pluriel :

the old and the poor *les personnes âgées et les pauvres* ;
Do the French drink more wine than the Italians? *Est-ce que les Français boivent plus de vin que les Italiens ?*

Pour parler d'un membre de ce groupe, on doit adjoindre un nom à l'adjectif :

the blind → **a blind man** *les aveugles* → *un aveugle* ;
the Irish → **an Irish woman** *les Irlandais* → *une Irlandaise*.

L'absence d'article

■ Devant les **noms indénombrables** * ou les **dénombrables pluriels** *, l'absence d'article souligne l'aspect « générique » ou notionnel du nom :

I love chocolate. *J'adore le chocolat.*
Books don't interest me. *Les livres ne m'intéressent pas.*

■ Il n'y a pas d'article devant des noms indiquant :

– le lieu :

to be in bed *être au lit* ;
to travel to work *aller au travail* ;
to go to church *aller à l'église* ;
to go into hospital *aller à l'hôpital* ;
to walk to school *aller à l'école à pied* ;
to get home *rentrer chez soi* ;
from left to right *de gauche à droite*.

– les repas :

to have breakfast *prendre le petit déjeuner* ;
to meet for lunch *se retrouver pour déjeuner* ;
to invite some friends to dinner *inviter des amis à dîner*.

Les astérisques (*) renvoient à d'autres points abordés dans la grammaire de l'anglais.

– les moyens de transports :

> **to come by car** *venir en voiture*;
> **to go by bus/train** *prendre le bus/le train*;
> **to arrive on foot** *arriver à pied*

– le temps :

> **in spring** *au printemps*;
> **at night** *la nuit*;
> **next year** *l'année prochaine*,

mais

> **in the evening** *le soir*.

■ Les noms propres et les titres sont également employés sans article :

> **Doctor Allen** *le docteur Allen*;
> **King Louis XIV** *le Roi Louis XIV*;
> **President Kennedy** *le Président Kennedy*,

mais

> **the President of the United States** *le Président des États-Unis*.

■ Il n'y a pas d'article non plus devant les noms de pays, sauf s'ils sont formés à partir d'un nom commun :

> **France**, **England**, mais **the British Isles**, **the United States**.

Les auxiliaires

■ Les auxiliaires sont des opérateurs qui permettent d'indiquer le temps, la voix, la négation et la modalité.

– On utilise **be** et **have** pour former les temps et les formes composés :

> **Why are you looking at me?** *Pourquoi tu me regardes?*
> **I have never been to Brazil.** *Je ne suis jamais allé au Brésil.*

– On utilise **be** pour former le **passif***.

– On utilise **do**, suivi de la base verbale, pour les phrases négatives, interrogatives ou emphatiques :

> **She didn't go out at all last night.** *Elle n'est pas du tout sortie hier soir.*
> **Do you watch television?** *Est-ce que vous regardez la télévision?*
> **I do wish you would stop talking.** *J'aimerais bien que tu arrêtes de bavarder.*

■ **Be**, **do** et **have** peuvent être soit auxiliaire soit verbe lexical. Il est donc tout à fait possible de les trouver utilisés dans les deux emplois dans une seule et même phrase :

What do you do at the weekend? *Que fais-tu le weekend ?*

Have you had your breakfast yet? *As-tu déjà pris ton petit déjeuner ?*

Are you being stupid again? *Tu es encore en train de faire l'imbécile ?*

■ Les auxiliaires modaux sont un sous-groupe des auxiliaires : **can**, **could**, **may**, **might**, **must**, **shall**, **should**, **will** et **would** (et quelquefois **need** et **dare**). En utilisant ces auxiliaires, l'énonciateur donne son point de vue quant à ce qui peut ou doit arriver. Selon le modal employé, l'événement est présenté, entre autres, comme possible, probable ou obligatoire en ce qui concerne le sujet grammatical :

You must see his latest film. *Il faut que tu voies son dernier film.*

You should stop smoking. *Tu devrais arrêter de fumer.*

I might be a little late if there's a lot of traffic. *Il se peut que j'aie un peu de retard s'il y a beaucoup de circulation.*

He will be there. *Il sera là.*

Can I have some more cake? *Est-ce que je peux reprendre du gâteau ?*

■ Les modaux, ainsi que **be**, **have** et **do** lorsqu'ils sont auxiliaires, et le verbe **be** ont les propriétés suivantes :

  – ils peuvent se contracter, notamment à la forme négative :

He's gone away. *Il est parti.*

They don't know. *Ils ne savent pas.*

  – ils s'antéposent au sujet dans les questions :

Are you hungry? *Tu as faim ?*

Do you speak English? *Vous parlez anglais ?*

  – on les trouve seuls dans les reprises, les réponses courtes et les tags :

I worked much harder than you did. *J'ai travaillé beaucoup plus dur que toi.*

Would you like some tea? – Yes, I would. *Voulez-vous du thé ? – Oui, volontiers.*

You're Eric Von Stalhiem, aren't you? *Vous êtes Eric Von Stalhiem, n'est-ce pas ?*

  – lorsqu'ils sont accentués, ce n'est pas l'auxiliaire qui est mis en avant, mais l'ensemble du prédicat :

Don't be angry with him, he did try to call. *Ne lui en veux pas, il a essayé de t'appeler.*

■ Les auxiliaires modaux sont suivis :

  – de la base verbale :

I can see you. *Je te vois.*

– de l'infinitif passé, **have** + participe passé lorsque la phrase porte sur le passé :

> **She should have taken a taxi.** *Elle aurait dû prendre un taxi.*

– de l'auxiliaire de la forme progressive, **be** :

> **I will be seeing him tomorrow.** *Je le verrai demain.*

– de l'auxiliaire de la voix passive, **be** :

> **He must be caught immediately.** *Il faut l'arrêter tout de suite.*

■ Les modaux ont, au présent, une seule et unique forme :

> **I can go ; you can go ; he can go ; we can go ; they can go.**

■ Les modaux n'ont pas de forme en **-ing**, mais ils peuvent se combiner avec la forme **be + -ing**. On utilise souvent cette forme pour exprimer la probabilité :

> **He can't still be working.** [fortement improbable] *Il ne peut pas être encore en train de travailler.*
>
> **He must be joking.** [forte probabilité] *Il doit sûrement plaisanter.*

■ Seuls **can**, **may**, **will** et **shall** possèdent un prétérit :

> **can** → **could** ; **may** → **might** ; **will** → **would** ; **shall** → **should.**

Lorsque le prétérit des modaux a une valeur temporelle (chronologique), on constate la présence d'un repère temporel :

Mozart could play the piano when he was four. *Mozart savait jouer du piano à l'âge de quatre ans.*

Mais la forme prétérit sert souvent à nuancer la modalité et n'a aucune valeur temporelle :

It may rain later. *Il pourrait pleuvoir plus tard.*
It might rain later. *Il se pourrait qu'il pleuve plus tard.*

Pour insister sur la valeur du passé, on utilise parfois un équivalent « semi-modal ». On notera aussi qu'il est impossible d'employer deux modaux ensemble :

I can afford a car now. *J'ai maintenant les moyens de m'acheter une voiture.*
I'll soon be able to afford a car. *J'aurai bientôt les moyens de m'acheter une voiture.*
I wasn't able to afford a car. *Je n'avais pas les moyens de m'acheter une voiture.*

Le comparatif et le superlatif de l'adjectif

■ Le comparatif s'emploie pour comparer deux éléments. Il existe trois grandes catégories de comparatifs :

– le comparatif de supériorité (« plus… que ») se construit avec l'adjectif au comparatif, suivi de **than** :

He's much older than you. *Il est beaucoup plus âgé que toi.*

London is bigger than Paris. *Londres est plus étendu que Paris.*

– le comparatif d'infériorité (« moins… que ») se construit avec **less**, suivi de la forme de base de l'adjectif et de **than** :

The film was less interesting than I'd expected. *Le film était moins intéressant que je ne pensais.*

He is less happy about his job than (he was) last year. *Son travail lui plaît moins que l'année dernière.*

– le comparatif d'égalité (« aussi… que ») se construit en employant **as** avant et après l'adjectif :

My uncle is as handsome as Jude Law. *Mon oncle est aussi beau que Jude Law.*

■ Cette construction est cependant beaucoup plus fréquente au négatif, elle équivaut dans ce cas à un comparatif de supériorité ou d'infériorité :

German is not as easy as English. *L'allemand n'est pas aussi facile que l'anglais.*

■ Le superlatif s'emploie pour comparer un élément à un ensemble d'éléments. On distingue deux grandes catégories de superlatifs :

– le superlatif de supériorité (« le/la plus… ») se construit avec l'adjectif au superlatif, précédé de **the** ou d'un autre déterminant :

She is the brightest pupil in the class. *C'est l'élève la plus brillante de la classe.*

It's the most interesting book I've read this year. *C'est le livre le plus intéressant que j'aie lu cette année.*

Cunegonde is my best friend. *Cunégonde est ma meilleure amie.*

– le superlatif d'infériorité (« le/la moins… ») se construit avec **the least** devant l'adjectif à la forme neutre :

This is the least interesting part of the book. *C'est la partie la moins intéressante du livre.*

■ Lorsque la relation de supériorité concerne seulement deux choses ou deux personnes, le superlatif se construit avec **the**, suivi de l'adjectif au comparatif de supériorité et de **of** :

This is the likelier of the two possibilities. *C'est la plus probable des deux possibilités.*

■ Le comparatif et le superlatif de supériorité de l'adjectif peuvent se former de deux façons. On ajoute **-er** pour le comparatif, et **-est** pour le superlatif :

– aux adjectifs courts (d'une seule syllabe) :
fast → faster → fastest;

– aux adjectifs de deux syllabes, principalement ceux qui se terminent en **-y** et en **-ow** :
dirty → dirtier → dirtiest; **hollow → hollower → hollowest**;

– et à ces mêmes adjectifs lorsqu'ils sont précédés du préfixe **un-** :
unhappy → unhappier → unhappiest.

■ On emploie **more** pour le comparatif et **most** pour le superlatif :

– avec les adjectifs longs (de trois syllabes et plus) :
beautiful → more beautiful → most beautiful;

– avec la plupart des adjectifs de deux syllabes dont ceux qui se terminent en **-ful**, **-less**, **-al**, **-ant**, **-ent**, **-ic**, **-ive**, **-ous**, ou qui commencent par **a-** :
graceful → more graceful → most graceful;

– devant tous les participes :
boring → more boring → most boring;
spoilt → more spoilt → most spoilt.

■ Beaucoup d'adjectifs de deux syllabes peuvent former leur comparatif/superlatif des deux façons :

common ⟨ **commoner → commonest**
more common → most common

■ Dans le doute, préférez **more** et **most**, qui sonnent généralement mieux que **-er** et **-est** mal employés.

■ Attention aux changements orthographiques :

– après une voyelle courte, la consonne finale est doublée :
big → bigger → biggest;

– le **-y** final devient **-i** devant **-er** et **-est** :
silly → sillier → silliest;

– on ajoute **-r** ou **-st** aux adjectifs se terminant en **-e** :
rude → ruder → rudest.

Les adjectifs suivants ont un comparatif et un superlatif irréguliers :

ADJECTIF	COMPARATIF	SUPERLATIF
bad	worse	worst
far	farther/further	farthest/furthest
good	better	best
little	less	least
much/many	more	most
old	older/elder	oldest/eldest

Dénombrables et indénombrables

■ Les noms qui renvoient à des entités que l'on peut compter sont appelés les dénombrables :
- ils ont un singulier et un pluriel ;
- ils peuvent être précédés de l'article indéfini **a / an** (au singulier), d'un nombre, de **some** (au pluriel), d'un **adjectif possessif*** ou démonstratif :
  sandwich ; child ; inch ; idea ; chair ; loaf ; wish ; view.
  I want a fork. *Je veux une fourchette.*
  I want two forks. *Je veux deux fourchettes.*
  I made some sandwiches for lunch. *J'ai préparé des sandwichs pour le déjeuner.*

■ Les indénombrables renvoient à des ensembles d'objets, à de la matière, à des états, à des notions abstraites :
- ils n'ont pas de pluriel, mais ils peuvent représenter plusieurs objets ;
- ils sont employés sans article ou précédés de **some**, d'un adjectif possessif ou démonstratif :
  water ; furniture ; money ; weather ; happiness ; work ; advice.
  I want some food. *Je veux quelque chose à manger.*
  Money is the biggest problem. *Le plus gros problème, c'est l'argent.*

Quand un nom passe d'une catégorie à l'autre, il change généralement de sens :

DÉNOMBRABLE		INDÉNOMBRABLE	
Our flat has three rooms.	*Nous avons un trois pièces.*	**Our flat has plenty of room.**	*Notre appartement est très spacieux.*
I'm covered in cat hairs.	*Je suis couvert de poils de chat.*	**She has lovely hair.**	*Elle a de beaux cheveux.*

Le discours indirect

■ On emploie le discours indirect pour rapporter les paroles d'une tierce personne. Le discours indirect entraîne souvent des modifications des formes verbales ainsi que des pronoms et des repères temporels.

■ On utilise un verbe introductif tel que **say** ou **tell**, mais il existe quantité d'autres verbes introductifs tels que **add, answer, declare, promise, wonder, explain**.

■ Si le verbe introductif est au présent, cela n'entraîne aucune modification de temps dans la phrase rapportée :

> **Fred says that he doesn't like frogs.** *Fred dit qu'il n'aime pas les grenouilles.*

■ Si le verbe introductif est au prétérit, les verbes rapportés se mettent au prétérit ou au **past perfect** :

> **She said she could read at the age of four.** *Elle a dit qu'elle savait lire à l'âge de quatre ans.*
> **They answered that they had read the book the previous year.** *Ils ont répondu qu'ils avaient lu le livre l'année précédente.*
> **You told me you had already seen that film.** *Tu m'as dit que tu avais déjà vu ce film.*

■ Il n'y a pas de modification de temps si le verbe renvoie à quelque chose qui est toujours valable au moment de parler, ou à un état :

> **He told me that this book is very good.** *Il m'a dit que ce livre est très bon.*

L'interrogation indirecte

■ L'énonciateur emploie le verbe **ask** pour rapporter des questions. **Ask** est suivi de **if** pour rapporter les **yes/no questions**, et d'une forme en **wh-** pour rapporter une **wh- question** :

She asked me if I was crazy. *Elle m'a demandé si j'étais fou.*

Wayne asked Kathy where she lived. *Wayne a demandé à Kathy où elle habitait.*

Les formes du verbe

■ À l'exception du verbe **be**, le verbe anglais a, au plus, cinq formes différentes :
  – la base verbale : **write**
  – la forme en **-s** :
    She writes letters. *Elle écrit des lettres.*
  – la forme en **-ing** :
    I was writing a letter. *J'étais en train d'écrire une lettre.*
  – la forme du prétérit :
    I wrote a letter. *J'écrivis/J'ai écrit une lettre.*
  – la forme du participe passé :
    I have written a letter. *J'ai écrit une lettre.*

■ De plus, on distingue des formes simples et des formes composées :
  – la forme simple est constituée du verbe sans auxiliaire. On la trouve au **présent simple*** et au **prétérit simple***.
  – la forme composée comporte le verbe + un ou plusieurs auxiliaires placés devant lui. Il peut s'agir de l'auxiliaire de la forme progressive, de l'auxiliaire du **present perfect***, de celui de **la voix passive*** ou encore d'**auxiliaires modaux***.

■ On trouve la base verbale à toutes les personnes du **présent simple***, excepté à la troisième personne du singulier, qui prend un **-s**.

■ On la trouve aussi :
  – après l'auxiliaire **do** et les **modaux*** ;
  – à toutes les personnes de l'impératif.

■ On distingue trois catégories de verbes irréguliers :
  – première catégorie : le prétérit et le participe passé de ces verbes ont la même forme ;
  – deuxième catégorie : le prétérit et le participe passé ont des formes différentes ;
  – troisième catégorie : ces verbes, d'une seule syllabe, se terminent par **-d** ou **-t**, et ont une même forme pour la base verbale, le prétérit et le participe passé.

Le futur

■ En anglais, il n'y a pas de temps grammatical futur. Cependant, l'énonciateur dispose d'un certain nombre de moyens pour dire qu'un événement va avoir lieu dans l'avenir. Selon le point de vue qu'il adopte, il choisira une forme plutôt qu'une autre en fonction de la probabilité de réalisation de l'événement, par exemple, ou du moment de sa réalisation dans l'avenir (plus ou moins proche). Voici les différentes manières d'exprimer le futur :

– will / shall + base verbale. Il est souvent impossible de déterminer laquelle de ces deux formes est employée, puisqu'elles ont la même forme réduite 'll.

I'll start my diet on Monday. *Je me mettrai au régime lundi.*

They'll be here soon. *Ils seront bientôt là.*

Dans la pratique, **shall** s'emploie surtout à la première personne du singulier et du pluriel, pour faire une suggestion :

Shall we go out for a meal tonight? *Et si nous allions au restaurant ce soir?*

On utilise **will** pour dire que l'événement aura lieu dans l'avenir. Il n'y a pas de lien précis avec la situation présente.

I will be in London next week. *Je serai à Londres la semaine prochaine.*

– be going to + base verbale.

Cette forme exprime la certitude de la part de l'énonciateur qu'un événement aura lieu. La réalisation de cet événement est souvent liée au moment où l'énonciateur prend la parole.

Look at those clouds! It's going to rain. *Regarde ces nuages! Il va pleuvoir.*

– présent progressif

L'aspect « événement en cours » de cette forme présente l'événement comme s'il se déroulait déjà. C'est le complément de temps qui indique qu'il s'agit d'un futur. Cette forme s'emploie souvent pour évoquer un futur « planifié ».

She's taking me out to dinner tonight. *Elle m'emmène dîner ce soir.*

– will / shall + be + -ing

Cette forme permet de présenter l'événement futur dans son déroulement.

I'll be working late tomorrow. *Je travaillerai jusqu'à tard demain.*

– présent simple

L'événement futur est présenté comme un fait. Cette forme est assez fréquente pour indiquer les horaires.

The train leaves at eight o'clock. *Le train part à huit heures.*

– **be to** + base verbale

Cette forme indique uniquement que l'événement est déjà prévu et planifié et doit logiquement avoir lieu.

We're to see him on Tuesday. *Nous devons le voir mardi.*

The Prime Minister is to visit the factory on Friday. *Le Premier Ministre doit visiter l'usine vendredi.*

– **be about to** + base verbale

Cette forme indique que l'événement est sur le point d'avoir lieu.

They're about to leave. *Ils sont sur le point de partir.*

– **hope / intend / plan / want** + base verbale

On emploie également des verbes dont le sens indique qu'il s'agit d'un événement futur.

He intends to learn Greek when he has a little more time. *Il a l'intention d'apprendre le grec lorsqu'il aura un peu plus de temps.*

Les noms

Le genre

■ En anglais, il n'existe pas de genre grammatical. Tous les noms sont neutres et les articles définis (**the**) et indéfinis (**a / an**) sont invariables. Il existe un genre « naturel » (masculin, féminin, neutre) dont les **pronoms personnels*** et réfléchis portent obligatoirement la marque :

She's my sister. *C'est ma sœur.*

It's his fault, not mine! *C'est de sa faute, pas de la mienne !*

■ Certains noms, cependant, ont une forme féminine et une forme masculine :

waiter → waitress ; policeman → policewoman.

Le pluriel

■ La marque du pluriel est généralement **-s** :

book → books ; bird → birds ; hat → hats ; bag → bags.

■ Cependant, pour les noms se terminant par **-s, -sh, -ch, -x** ou par **-o**, la marque du pluriel est **-es** :

bus → buses ; box → boxes ; kiss → kisses ; tomato → tomatoes.

- Quelques exceptions, **piano**, **photo**, prennent un **-s**.

- Pour les noms terminés en **-y**, la marque du pluriel est **-ies** :
  baby → **babies**; **cherry** → **cherries**; **entry** → **entries**, sauf lorsque le **-y** est précédé d'une voyelle : **boy** → **boys**; **day** → **days**.

- Pour les noms terminés en **-f** ou **-fe**, la marque du pluriel est **-ves** :
  wife → **wives**; **knife** → **knives**; **leaf** → **leaves**.

- Quelques exceptions, **belief**, **chief**, **cliff**, **proof**, **safe**, prennent un **-s**.

- Pour certains noms, le pluriel entraîne une modification à l'intérieur du nom :
  man → **men**; **woman** → **women**; **child** → **children**; **foot** → **feet**; **tooth** → **teeth**; **goose** → **geese**; **mouse** → **mice**.

- Certains noms ont la même forme au singulier et au pluriel :
  sheep; **deer**; **fish**; **aircraft**; **series**; **species**.

La terminaison en **-s** n'est pas forcément la marque du pluriel. Certains noms en **-s**, par exemple des noms de jeux, de maladies et de matières, sont des **indénombrables** * toujours suivis d'un verbe au singulier : **news**, **mathematics**, **the United States**, **measles**, **politics**.
The news is bad. *C'est une mauvaise nouvelle.*
The United States is a very big country. *Les États-Unis sont un très grand pays.*

Les noms qui font référence à des groupes de personnes ou d'animaux, comme **government**, **team**, **school**, peuvent être suivis d'un verbe singulier ou d'un verbe pluriel :
England is/are winning 2-0. *L'Angleterre mène 2-0.*

Certains noms, qu'ils se terminent ou non par **-s**, sont suivis d'un verbe au pluriel : **people**, **cattle**, **police**, **trousers**, **scissors**, **clothes**, **outskirts**.
Some people are never satisfied! *Il y a des gens qui ne sont jamais contents !*

Le participe passé

- Le participe passé des verbes réguliers se forme en ajoutant **-ed** à la base verbale :
  I've finished my homework. *J'ai fini mes devoirs.*

■ À la forme négative, **not** se place devant le participe passé :
The subject is not dealt with in this book. *Cet ouvrage n'aborde pas le sujet.*

■ Les formes du **prétérit*** et du participe passé des verbes réguliers sont toujours les mêmes. Quand la base verbale se termine par une consonne non accentuée, on ajoute **-ed** à la base verbale :
looked ; cheated ; failed ; seemed ; appeared ; repaired.

■ Lorsque la base verbale se termine par :
 – -e, on ajoute -d :
  hoped ; liked ; judged ; debated ; invited ; agreed ;
 – une consonne + y, le y disparaît et la terminaison est -ied :
  tried ; replied ;
 – une voyelle + y, la terminaison est régulière, -ed :
  enjoyed ; played, mais **pay → paid ; lay → laid.**

■ Lorsque la base verbale se termine par une voyelle accentuée simple + une consonne, la consonne est doublée :
flopped ; banned ; knitted ; admitted ; barred ; referred.

■ Notez bien les verbes terminés par :
 – -c → -cked : **panic → panicked**
 – -m → -mmed : **program → programmed**
 – -p → -pped : **worship → worshipped**
 – -l → -lled : **travel → travelled**

■ Le participe passé peut avoir différentes fonctions et places dans la phrase :
 – au **present perfect** : **have** + participe passé ;
 – au **past perfect** : **had** + participe passé ;
 – au passif : **be / get** + participe passé ;
 – comme adjectif, par exemple **bored, tired, well-known** ;
 – dans les propositions en apposition :
  I found out from a letter written by a friend. *Je l'ai appris par une lettre d'un ami.*

Le « past perfect »

■ Le **past perfect** se construit avec **had** + **participe passé***. Cette structure s'emploie souvent dans les propositions subordonnées, en particulier dans le discours indirect ; elle indique qu'il y a un décalage temporel entre deux événements du passé. On parle parfois de « passé dans le passé ». Le **past perfect** sert de passé au **prétérit simple*** et au **present perfect*** :
  'Have you seen her yet?' « *Est-ce que tu l'as vue ?* »
  He asked me if I had seen her yet. *Il m'a demandé si je l'avais vue.*

'Did you go to the parents' meeting on Saturday?' « *Avez-vous assisté à la réunion des parents d'élèves samedi matin ?* » He asked me if I had been to the parents' meeting on Saturday morning. *Il m'a demandé si j'avais assisté à la réunion des parents d'élèves samedi matin.*

■ Le **past perfect** s'emploie pour insister sur l'antériorité d'un événement passé par rapport à un autre événement passé.

Hortenseknewwheretogo;shehadbeentherebefore. *Hortense savait où aller ; elle y était déjà allée.*

■ Dans les propositions introduites par **when**, **after**, etc., on peut employer le prétérit simple plutôt que le **past perfect**, si le décalage temporel dans le passé n'est pas explicitement mentionné :

I saw Ben some time after I spoke to you. *J'ai vu Ben quelque temps après t'avoir parlé.*

■ Le **past perfect** peut aussi avoir une valeur modale : il sert alors à désigner « l'irréel du passé », qui constitue un décalage entre ce qui s'est réellement passé et ce qui aurait pu se passer.

If I had known you were coming I would have stayed at home. *Si j'avais su que tu venais, je serais resté chez moi.*

■ Il s'emploie également avec **if only...** et **I wish...** :

If only you could come! *Si seulement tu pouvais venir !*
I wish I could help you. *J'aimerais pouvoir t'aider.*

■ Le **past perfect** peut se combiner avec la forme progressive, et dans ce cas il est souvent associé à **for** ou à **since** :

He had been sitting there for two hours before she arrived. *Ça faisait deux heures qu'il était assis là lorsqu'elle est arrivée.*

Le possessif

Le cas possessif

■ Le cas possessif indique souvent une relation de possession :

Mary's suitcase *la valise de Mary.*

■ Mais il indique dans de nombreux cas une simple relation entre les deux noms, le premier fonctionnant comme « repère » du deuxième :

London's underground *le métro de Londres*
today's paper *le journal d'aujourd'hui*
Kennedy's assassination *l'assassinat de Kennedy*

■ Pour tous les noms singuliers et pour les pluriels qui ne se terminent pas en **-s**, le nom du possesseur est suivi de **-'s**, puis du nom de la chose possédée :

the cat's food *la pâtée du chat*
my wife's car *la voiture de ma femme*
children's clothes *les vêtements pour enfants*
James's sister *la sœur de James*
the boss's desk *le bureau du patron*

■ Pour les noms au pluriel qui se terminent par un -s, le nom du possesseur est suivi de l'apostrophe, puis du nom de la chose possédée :

boys' clothes *les vêtements pour garçons*
the countries' leaders *les dirigeants des pays*

■ Au pluriel, c'est donc l'apostrophe qui marque la relation de possession :

my sister's friend (= the friend of my sister) *l'amie de ma sœur*
my sisters' friend (= the friend of my sisters) *l'amie de mes sœurs*

Le -s employé seul avec le possesseur peut faire référence à **shop** ou **house** ; il est inutile de préciser ce nom, car il est sous-entendu :

We bought some sausages at the butcher's. (= butcher's shop) *Nous avons acheté des saucisses chez le boucher.*

I heard the news at Steve's. (= Steves's house) *J'ai appris la nouvelle chez Steve.*

Le génitif ne désigne pas forcément un objet spécifique, mais un type d'objet ; on parle alors de « génitif générique » :

a girls' school *une école pour filles*.

Les adjectifs possessifs

		SINGULIER	PLURIEL
1re personne		**my**	**our**
2e personne		**your**	**your**
3e personne	- masculin	**his**	**their**
	- féminin	**her**	**their**
	- indéfini	**one's**	
	- neutre	**its**	

■ L'adjectif possessif est un déterminant qui marque la relation d'appartenance, de possession ou de lien. Il se place devant le nom.

■ À la troisième personne, le choix de l'adjectif possessif dépend du sexe du « possesseur » :

> **She's my best friend. Her father is a doctor.** *C'est ma meilleure amie. Son père est médecin.*

■ À la différence du français, l'adjectif possessif peut accompagner les parties du corps dont on parle :

> **I wash my hair every day.** *Je me lave les cheveux tous les jours.*
>
> **She broke her leg skiing.** *Elle s'est cassé la jambe au ski.*

Le « present perfect »

■ Pour former le **present perfect**, on emploie **have** au présent + **participe passé*** du verbe :

> **I've thought about it a lot and I still don't agree.** *J'y ai beaucoup réfléchi et je ne suis toujours pas d'accord.*

■ À la forme interrogative, il y a inversion du sujet et de l'**auxiliaire*** :

> **Have you seen the new James Bond film yet?** *Avez-vous vu le nouveau James Bond ?*

■ À la forme négative, la négation **not** se place derrière l'auxiliaire :

> **My pay hasn't gone up this year.** *Mon salaire n'a pas été augmenté cette année.*

■ Le **present perfect** s'emploie pour désigner un événement passé qui a un lien avec le présent. Soit parce que l'événement passé a des conséquences dans le présent, soit parce qu'il s'agit d'un événement ou d'un état qui n'est pas terminé. Lorsqu'il n'y a pas de lien avec le présent, ou qu'on emploie un marqueur de temps qui n'exprime pas un lien avec le présent, on doit employer le **prétérit***.

■ On emploie le **present perfect** pour décrire des faits qui sont toujours valables au moment présent :

> **She's taught French for twenty years.** [present perfect] *Ça fait vingt ans qu'elle enseigne le français.*

Mais

> **She taught French for twenty years before retiring.** [prétérit] *Elle a enseigné le français pendant vingt ans avant de partir en retraite.*

■ On l'emploie pour constater à un moment donné les conséquences d'un événement passé ou d'une action accomplie dans le passé :

There's been an accident! (Can you help me?) [present perfect] *Il y a eu un accident ! (Pouvez-vous m'aider ?)*

Mais

There was an accident on the way to school. (but we can't do anything about it now) [prétérit] *Il y a eu un accident alors que j'allais à l'école. (Il n'y a plus rien à faire.)*

■ On l'emploie également pour évoquer un événement qui a eu lieu plus d'une fois et qui peut encore se produire :

Liverpool have won the European Cup five times. *Liverpool a gagné cinq fois la Coupe d'Europe.*

■ Avec le **present perfect**, on place les événements dans un passé relativement vague. En revanche, si pour l'énonciateur l'événement est repéré avec précision dans le passé, il emploie alors le prétérit :

Have you seen the Van Gogh exhibition at the Tate Gallery? [present perfect] *Avez-vous vu l'exposition Van Gogh à la Tate Gallery ?*

Did you see the Van Gogh exhibition when you were in London? [prétérit] *Avez-vous vu l'exposition Van Gogh lorsque vous étiez à Londres ?*

■ Le prétérit s'emploie avec des repères temporels, adverbes ou expressions de temps qui sont en rupture avec le présent. Ces repères répondent à une question introduite par **when** :

a week ago *il y a une semaine*
last year *l'année dernière*
on Tuesday *mardi*
at one o'clock *à une heure*
when I was young *quand j'étais jeune*
in 1947 *en 1947*
We visited the museum yesterday. [prétérit] *Nous avons visité le musée hier.*

■ Le **present perfect** s'emploie avec des repères temporels qui englobent le moment présent. Ces repères temporels répondent à une question introduite par **how long, how often** : **so far, until now** (*jusqu'à maintenant*). Les propositions introduites par **since**, ou les compléments de temps introduits par **since** ou **for** peuvent également servir de repères temporels au **present perfect**, et expriment la notion de durée. **For** insiste davantage sur la durée elle-même, **since** met plutôt l'accent sur le point de départ :

He's known Lolita for five years/since 2000. *Il connaît Lolita depuis cinq ans/depuis 2000.*

■ Cependant, si le complément de temps introduit par **for** désigne une durée qui renvoie exclusivement au passé, on doit utiliser le prétérit :

He lived in Antibes for five years during the 1980s. *Il a vécu à Antibes pendant cinq ans dans les années 80.*

■ Le **present perfect** est souvent employé avec des adverbes de fréquence comme **always** et **never**, mais aussi avec **already**, **yet**, **not yet**, **recently**, **just**, **it's the first time** :

I've always wanted to go bungee jumping. *J'ai toujours voulu faire du saut à l'élastique.*

■ Dans les questions avec le **present perfect**, **ever** signifie « déjà » :

Have you ever eaten haggis? *Avez-vous déjà mangé de la panse de brebis farcie ?*

On rencontre le **present perfect** dans les temps composés suivants :
– **present perfect** progressif
– **past perfect**
– **past perfect** progressif
– **present perfect** et futur
– **present perfect**, futur et forme progressive
– **present perfect** et modaux

Le « present perfect » progressif

■ Le **present perfect** réunit les valeurs du **present perfect simple** * et celles du présent progressif. Il ne peut pas s'employer avec les verbes qui n'acceptent pas la forme progressive, par exemple les verbes d'état.

■ Le **present perfect** progressif se construit avec le **present perfect** de **be** (has / have been) suivi de la forme verbale en -ing :

It's been raining for three days. *Ça fait trois jours qu'il pleut.*

■ L'énonciateur emploie le **present perfect** progressif pour faire référence à des événements qui ont duré un certain temps et dont les conséquences sont encore visibles, constatables. Cela implique souvent que l'événement dont on parle n'est pas encore terminé au moment présent, qu'il se poursuit :

This seat's wet. It's been raining. *Ce siège est mouillé. Il a plu.*
You've been working far too much recently. *Tu travailles beaucoup trop ces derniers temps.*

■ L'événement dont on parle décrit souvent quelque chose qui s'est passé sur une courte période :

I've been working here for ten days now and I'm enjoying it.
[present perfect progressif] *Je travaille ici depuis dix jours maintenant et ça me plaît.*
I've worked here for ten years and I don't want to leave.
[present perfect] *Ça fait dix ans que je travaille ici et je n'ai pas l'intention de partir.*

■ Le **present perfect** progressif s'emploie souvent avec des verbes qui décrivent des états temporaires, comme **wait**, **sit**, **stand** et **stay**. Il est souvent associé à **for** et **since**, qui indiquent la durée ou le point de départ d'une action :

She's been sitting there for hours now. *Ça fait maintenant des heures qu'elle est assise là.*

Le présent progressif

■ On emploie le présent progressif (**present progressive**) pour parler d'un événement en cours :

I'm listening to the radio. Be quiet! *J'écoute la radio. Ne fais pas de bruit!*

■ Le présent progressif se forme avec l'auxiliaire **be** au présent + base verbale en **-ing**.

■ Dans la phrase interrogative, il y a inversion du sujet avec l'auxiliaire :

Is your mother making dinner? *Est-ce que ta mère prépare le dîner ?*

■ Dans les énoncés négatifs, on place la négation **not** après l'**auxiliaire***. À l'oral, on utilise généralement la forme contractée :

He isn't/He's not doing too well right now. *Il ne va pas très bien en ce moment.*

■ L'énonciateur emploie le présent progressif pour désigner un événement en cours au moment où il parle. L'événement a commencé dans le passé, continue dans le présent et n'est pas terminé :

'What's happening?' 'We're just going out.' « *Que se passe-t-il ?* » « *Nous sortons.* ».

■ Avec les verbes d'action, le présent progressif indique que l'action se produit au moment présent :

It's raining. *Il pleut.*

■ Avec les verbes exprimant des actions brèves et rapides, le présent progressif indique que l'action qui se déroule se répète plusieurs fois de suite :

The children are jumping up and down with excitement. *Les enfants sautent de joie.*

■ Avec des verbes exprimant le passage d'un état à un autre, le présent progressif indique que ce processus est en cours d'accomplissement :

The train is leaving the station. *Le train quitte la gare.*

■ Le présent progressif peut avoir une valeur de futur, souvent pour rendre compte de projets, d'actions programmées qui ont toutes les chances de se réaliser dans un avenir proche :

I'm starting work at the bakery on Monday. *Je commence à travailler à la boulangerie lundi.*

■ Pour mettre en évidence cette valeur de futur, le présent progressif est généralement associé à des expressions et adverbes de temps comme **soon, later, next week, in two months, tomorrow**. Cette valeur se rencontre souvent avec des verbes de mouvement :

Steve's coming home tomorrow. *Steve rentre demain.*

■ Le présent progressif peut aussi avoir la valeur de prise de position ou de commentaire de la part de l'énonciateur :

You are always criticizing me in public! *Tu n'arrêtes pas de me critiquer devant les autres !*

Certains verbes ne s'emploient pas avec la forme progressive :

– les verbes de perception, comme **feel, hear, see** (souvent employés avec **can**) ;
– les verbes exprimant des attitudes intellectuelles, psychiques ou spéculatives, comme **imagine, know, suppose, understand** ;
– les verbes exprimant des attitudes affectives, comme **like, hate, prefer, want** ;
– les verbes d'état, les verbes exprimant la possession, l'appartenance, comme **have**, et la caractéristique, comme **be**, à savoir **belong to, own, consist of, depend on, matter, resemble, appear**.

En revanche, certaines constructions avec **be** décrivant des attitudes momentanées, passagères, sont compatibles avec la forme progressive :

The children are being naughty. *Les enfants sont en train de faire des bêtises.*

Le présent simple

■ On emploie le présent simple (**simple present**) pour parler d'événements qui se répètent, d'habitudes, de caractéristiques, de goûts, de vérités générales. Il s'emploie également avec les verbes d'état :

> **My brother works in an insurance company.** *Mon frère travaille pour une compagnie d'assurances.*
> **Do you know Roger Toad?** *Est-ce que vous connaissez Roger Toad ?*

■ Au présent simple, toutes les formes du verbe, sauf celle de la troisième personne du singulier, sont constituées de la base verbale. La troisième personne du singulier se termine toujours par -s :

	SINGULIER	PLURIEL
1re personne	**I like music**	**We like music**
2e personne	**You like music**	**You like music**
3e personne	**He/she/it likes music**	**They like music**

■ Les verbes se terminant par -ss, -sh, -ch et -x prennent -es à la troisième personne :

> **stresses ; washes ; watches ; fixes.**

■ Pour les verbes se terminant par une consonne + y, le -y devient -ies :

> **tries ; replies.**

■ Mais ceux qui se terminent par une voyelle + y prennent un -s à la troisième personne du singulier :

> **enjoys ; plays.**

■ Les phrases interrogatives, négatives et emphatiques nécessitent toutes l'emploi d'un **auxiliaire***. Do est l'auxiliaire du présent.

■ La valeur du présent simple dépend en partie du sens du verbe conjugué :

> **I live in Versailles but I work in Buc.** *J'habite à Versailles mais je travaille à Buc.*
> **Do you remember the name of her sister?** *Tu te souviens du nom de sa sœur ?*

■ Le présent simple peut avoir une valeur de vérité générale : c'est vrai maintenant, ça l'a été dans le passé, ça le sera dans l'avenir. Les verbes d'état ne s'emploient jamais avec la forme progressive, mais avec le présent simple :

> **Jenny likes chocolate.** *Jenny aime le chocolat.*

■ Pour les verbes qui décrivent des actions, des événements, le présent simple indique que cet événement est habituel ou qu'il se répète. L'action ne se déroule pas nécessairement au moment où l'énonciateur parle. Les adverbes **often**, **sometimes**, **occasionally**, **never** renforcent cette valeur :

Nick plays tennis on Saturdays. *Nick joue au tennis le samedi.*
Don't you ever eat meat? *Tu ne manges jamais de viande?*

■ Au présent simple, certains verbes comme **promise**, **wish**, **accept** introduits par **I** ou **we** indiquent que l'énonciateur fait ce qu'il dit au moment même où il le dit :

We wish you every success in your exams. *Nous te souhaitons bonne chance pour tes examens.*

Le présent simple peut avoir valeur de commentaire d'événements ou d'actions au moment où ils se déroulent (commentaires sportifs, indications scéniques, mais aussi recettes de cuisine, instructions d'utilisation...) :

Giggs passes to Rooney. Rooney shoots, and it's a goal! *Passe de Giggs à Rooney. Tir de Rooney et but!*

■ Le présent simple est employé avec une valeur de futur :
  – dans les subordonnées introduites par **if**, **when** ou **after** :
    She'll see her mother when she goes to London next month. *Elle verra sa mère quand elle ira à Londres le mois prochain.*
  – lorsque l'événement décrit est une vérité générale :
    Christmas Day falls on a Saturday this year. *Noël tombe un samedi cette année.*
  – lorsque l'événement a été programmé, planifié :
    The plane leaves in ten minutes. *L'avion part dans dix minutes.*

Le prétérit progressif

■ Le prétérit progressif se forme avec **be** au **prétérit*** + base verbale + **-ing** :

I was watching television when you called. *J'étais en train de regarder la télévision lorsque tu as appelé.*

■ Dans la phrase interrogative, il y a inversion du sujet et de l'auxiliaire. Dans la phrase négative, la négation se place derrière l'auxiliaire :

Where were you going when I saw you? *Où allais-tu lorsque je t'ai rencontré?*
It wasn't raining when I left the house. *Il ne pleuvait pas lorsque je suis sorti de la maison.*

■ Le prétérit progressif associe les valeurs du prétérit et de la forme progressive. Le prétérit progressif s'emploie pour désigner un événement en cours de déroulement, mais dans un contexte passé. Le locuteur met l'accent sur le déroulement de ces événements dans le passé, sans considérer le moment où ils se terminent :

> **'What were you doing on Saturday?' 'We were visiting relatives.'** *« Qu'est-ce que vous avez fait samedi ? » « Nous sommes allés voir de la famille ».*

■ Il permet également à l'énonciateur de décrire les circonstances ou le contexte d'un événement :

> **They arrived while we were washing up.** *Nous faisions la vaisselle lorsqu'ils sont arrivés.*

■ Lorsque les événements ont lieu en même temps, la forme progressive peut être employée dans les deux propositions :

> **You were watching the television while I was washing up.** *Tu regardais la télévision pendant que je faisais la vaisselle.*

■ Lorsque le prétérit progressif est modifié par des adverbes comme **just**, **recently**, il désigne un événement passé très récent :

> **My sister was just saying that there's been a fire at her school.** *Ma sœur disait à l'instant qu'il y a eu un incendie dans son école.*

■ On peut l'employer pour évoquer un événement planifié qui n'a finalement pas eu lieu :

> **I was meeting Rupert for lunch but he can't come.** *Je devais déjeuner avec Rupert mais il ne peut pas venir.*

Le prétérit simple

■ Le prétérit (**simple past**) est le seul « vrai » temps du passé. L'événement dont on parle appartient complètement au passé, il est révolu. Il y a une rupture par rapport au moment présent :

> **He seemed to be happy about something.** *Il avait l'air content.*
>
> **We were very worried. Why didn't you phone?** *Nous étions très inquiets. Pourquoi tu n'as pas téléphoné ?*

■ Les formes du prétérit et du **participe passé** * des verbes réguliers sont toujours les mêmes :

> **looked ; cheated ; failed ; seemed ; appeared ; repaired.**

■ Dans les phrases affirmatives, le verbe au prétérit a la même forme à toutes les personnes. Les formes du verbe **be** sont :

SINGULIER	PLURIEL
I was	we were
you were	you were
he/she/it was	they were

I knew him when I was young. *Je le connaissais quand j'étais jeune.*

Jenny asked us whether we were happy. *Jenny nous a demandé si nous étions heureux.*

■ Les phrases interrogatives, négatives ou emphatiques nécessitent l'emploi de l'**auxiliaire* did**.

■ On emploie le prétérit simple pour parler d'événements passés complètement achevés. L'événement a eu lieu à un moment précis du passé, généralement explicitement mentionné par l'énonciateur. L'événement est vu dans sa totalité (début, déroulement, fin) :

The Romans invaded Britain in 44 AD. *Les Romains ont envahi la Grande-Bretagne en 44 apr. J.-C.*

In one year Jeremy sold 25 cars. *Jeremy a vendu 25 voitures en un an.*

■ Le prétérit simple est le temps du récit : histoires, contes de fées, romans, etc. :

There was once a beautiful princess who had a wicked stepmother... *Il était une fois une très belle princesse dont la belle-mère était très cruelle...*

■ Le prétérit simple est employé pour exprimer ce que l'on suppose ou ce que l'on souhaite, en particulier dans les propositions conditionnelles introduites par **if**, mais aussi après des expressions comme **I'd rather**, **it's (about) time** (prétérit modal) :

If you really loved me you wouldn't keep criticizing my mother. *Si tu m'aimais vraiment, tu arrêterais de critiquer ma mère.*

I'd rather you didn't come tomorrow. *Je préférerais que tu ne viennes pas demain.*

Les pronoms

Les pronoms personnels

■ Le pronom personnel remplace les noms et les groupes nominaux. Il peut être sujet ou complément d'objet (direct ou indirect).

		PRONOM SUJET	PRONOM COMPLÉMENT D'OBJET
singulier	1re personne	I	me
	2e personne	you	you
	3e personne		
	- masculin	he	him
	- féminin	she	her
	- indéfini	one	one
	- neutre	it	it
pluriel	1re personne	we	us
	2e personne	you	you
	3e personne	they	them

■ On emploie la forme de la deuxième personne du pluriel **you** aussi bien pour le singulier que pour le pluriel de la deuxième personne (= « tu », « vous »). On l'emploie (de même que les possessifs **your, yours**) quel que soit le degré de familiarité.

■ **They, them,** etc. sont souvent utilisés en anglais courant pour renvoyer à une seule personne si son sexe est inconnu ou s'il n'est pas essentiel de le connaître :

> **If you find a good piano teacher, give me their details.** *Si tu trouves un bon professeur de piano, donne-moi ses coordonnées.*

■ Des noms au singulier qui font référence à des groupes de personnes, comme, par exemple, les noms d'équipes sportives ou de sociétés commerciales, sont souvent considérés comme des **pluriels** * et sont repris par **they,** etc. :

> **The union say that they will go on strike.** *Le syndicat dit qu'il va se mettre en grève.*

■ On emploie le pronom sujet quand il est sujet du verbe :

> **Last night I saw someone I hadn't seen for years.** *Hier soir, j'ai rencontré quelqu'un que je n'avais pas vu depuis des années.*

■ On emploie le pronom complément d'objet :
– quand il est complément du verbe (il n'y a pas de différence entre le complément d'objet direct, indirect et d'attribution) :

Does Alistair know them well? *Est-ce que Alistair les connaît bien ?*

– après les prépositions :

Chris will be staying with us. *Chris va habiter chez nous.*

■ **He / she** portent respectivement la marque du masculin et du féminin. Ils désignent les personnes, mais peuvent être utilisés pour parler d'un animal domestique. **She** peut être utilisé pour désigner un bateau ou une voiture. **It** est le pronom personnel neutre. Il désigne les objets, les choses, les notions et les animaux non domestiques :

There's my brother. He's a postman. *Voici mon frère. Il est facteur.*

There's my sister. She's a bus driver. *Voici ma sœur. Elle est conductrice d'autobus.*

There's my car. It's a Ford. *Voici ma voiture. C'est une Ford.*

■ Certains noms peuvent désigner indifféremment l'un ou l'autre sexe :

doctor ; friend ; shop assistant ; dog.

■ Le choix du pronom dépend alors du sexe de la personne ou de l'animal :

There's my boss. Do you know him/her? *Voici mon/ma responsable. Vous le/la connaissez ?*

Les pronoms possessifs

■ On emploie les pronoms possessifs pour exprimer l'apparte-
nance. En anglais, l'accord du pronom possessif se fait avec le genre du possesseur :

This isn't your book, it's hers. *Ce n'est pas ton livre, c'est le sien/son livre à elle.*

		SINGULIER	PLURIEL
1re personne		mine	ours
2e personne		yours	yours
3e personne	– masculin	his	theirs
	– féminin	hers	theirs
	– indéfini	–	–
	– neutre	–	–

It et one n'ont pas de pronom possessif. Si nécessaire, on peut employer its own, one's own

■ On emploie le pronom possessif pour remplacer le groupe « adjectif possessif + groupe nominal » lorsque le nom a déjà été mentionné ou qu'il est inutile de le répéter :

> **'Whose is this suitcase? Is it yours or mine?' 'I think it's your brother's.'** « À qui est cette valise ? Est-ce la tienne ou la mienne ? » « Je crois que c'est celle de ton frère. »

Some et any

■ **Some** et **any** s'emploient comme déterminants devant un nom pluriel dénombrable ou indénombrable. Il s'agit de quantifieurs qui désignent une quantité (ou éventuellement une qualité) indéterminée. On emploie **some** à la forme affirmative et **any** aux formes négative et interrogative.

> **There are some books on the table.** *Il y a des livres sur la table.*
>
> **There's some coffee in the kitchen.** *Il y a du café dans la cuisine.*
>
> **Are there any good films on television tonight?** *Y a-t-il de bons films à la télévision ce soir ?*
>
> **I don't want any sugar.** *Je ne veux pas de sucre.*

■ On peut employer **some** dans une question si la réponse attendue est affirmative :

> **Would you like some cake?** *Tu veux du gâteau ?*

■ **Any** peut avoir le sens de « n'importe lequel ». Il s'emploie alors également à la forme affirmative.

> **Any good bookshop sells this dictionary.** *N'importe quelle bonne librairie vend ce dictionnaire.*

■ **Some** et **any** s'emploient également comme pronoms indéfinis. Ils peuvent, dans cet emploi, se combiner avec -**body**, -**one**, -**thing** et -**where** pour former des pronoms indéfinis composés :

> **I haven't got any money. Could you lend me some?** *Je n'ai pas d'argent. Pourrais-tu m'en prêter ?*
>
> **Something strange happened yesterday.** *Quelque chose d'étrange est arrivé hier.*
>
> **Somebody called last night.** *Quelqu'un a téléphoné hier soir.*
>
> **She lives somewhere in Milton Keynes.** *Elle habite quelque part à Milton Keynes.*

Used to

■ Pour insister sur l'aspect habituel ou répétitif d'un événement dans le passé, on peut employer l'expression **used to** :

They used to live just down the road. *Ils habitaient un peu plus loin dans la même rue.*

He used to smoke. *Autrefois, il fumait.*

■ Notez qu'en français, pour traduire cette valeur, on emploie l'imparfait.

Les verbes à particules et les verbes prépositionnels

■ De nombreux verbes anglais sont composés de la base verbale + un ou deux éléments. Cet élément peut être : une particule adverbiale (**up**, **down**, **off**) ou une préposition (**to**, **at**, **in**). On parlera donc de verbes à particules et de verbes prépositionnels. Ces éléments changent le sens du verbe :

He told me. *Il me l'a dit.*

He told me off. *Il m'a vilipendé.*

■ Comme tous les verbes, ces verbes peuvent être intransitifs (sans complément d'objet) :

Agnes turned up late. *Agnes est arrivée en retard.*

■ ou transitifs (suivis d'un complément d'objet) :

She turned up the music/She turned the music up. *Elle a augmenté le volume de la musique.*

■ On remarque par ailleurs que les constructions transitive et intransitive peuvent avoir des sens très différents.

■ Il y a trois types de construction où la base verbale est suivie d'un élément et d'un complément d'objet. Lorsque le complément est un nom, les trois constructions sont très semblables :

– verbes à particules :

He got his message over to his colleagues. *Il a réussi à faire passer le message auprès de ses collègues.*

– verbes prépositionnels :

The company got over its financial problems. *La société a surmonté ses difficultés financières.*

– verbes suivis d'une préposition :

The burglar got over the garden wall. *Le cambrioleur a escaladé le mur du jardin.*

■ Ces constructions ont un point commun, elles peuvent toutes être mises au **passif** * :

> **The message was got over clearly to his colleagues.** *Le message a été clairement communiqué à ses collègues.*
>
> **The company's problems have been finally got over.** *Les difficultés de la société ont finalement été surmontées.*
>
> **The wall is so high it cannot be got over.** *Le mur est si haut qu'on ne peut pas l'escalader.*

■ Mais il y a des différences grammaticales importantes entre les verbes à particules et les autres.

> Pour distinguer les verbes à particules des verbes prépositionnels, on les met à l'impératif. Le verbe à particules ne peut se séparer de sa particule ; elle fait partie intégrante du verbe :
>
> **I don't feel like getting up this morning.** *Je n'ai pas envie de me lever ce matin.*
>
> **Get up!** *Lève-toi !*
>
> À l'inverse, les verbes prépositionnels n'ont une préposition que lorsqu'ils sont suivis d'un complément. Sinon, on a simplement la base verbale :
>
> **He listened to me.** *Il m'a écouté.*
>
> **Listen!** *Écoute !*

Les verbes à particules

■ Dans les verbes à particules, la base verbale et la particule adverbiale forment un tout. La particule modifie le sens du verbe. Ces verbes peuvent être transitifs (suivis d'un complément) ou intransitifs (sans complément) :

> **turn off (a light)** *éteindre (une lumière)*
> **make up (a story)** *inventer (une histoire)*
> **bring up (a child)** *élever (un enfant)*
> **hold down (a job)** *garder (un travail)*

■ La particule est souvent un adverbe de lieu. Elle se place immédiatement après la base verbale :

> **Please sit down here.** *Asseyez-vous ici.*
> **The house blew up.** *La maison a sauté.*

■ Devant certains verbes à particules transitifs, quand le complément d'objet est un nom, il peut se placer avant ou après la particule :

> **I made the story up. = I made up the story.** *J'ai inventé cette histoire.*

■ Quand le complément d'objet est un pronom, il se place toujours devant la particule :

I made it up. *Je l'ai inventée.*

■ La particule reste derrière le verbe dans les questions et les propositions relatives :

What did you find out? *Qu'est-ce que tu as appris ?*
This is a project which you must see through. *Vous devez mener ce projet à bien.*

Les verbes à particules prépositionnels

■ Certains verbes à particules se construisent toujours avec une préposition et un complément. C'est le cas de :

put up with (discomfort) *supporter (une gêne)*
look forward to (a holiday) *attendre avec impatience (des vacances)*
check up on (a fact) *vérifier (un fait)*
look down on (poor people) *mépriser (les pauvres)*

■ La première particule suit presque toujours immédiatement le verbe. La préposition se comporte comme celle des verbes prépositionnels :

I hope you'll make up with her soon. *J'espère que tu vas bientôt te réconcilier avec elle.*
I'm looking forward greatly to their arrival. *J'ai vraiment hâte qu'ils arrivent.*

Les verbes prépositionnels

■ Les verbes prépositionnels sont formés d'une base verbale et d'une préposition. Ils sont toujours suivis d'un complément :

look at (a picture) *regarder (un tableau)*
ask for (some money) *demander (de l'argent)*
make for (the door) *se diriger vers (la porte)*
refer to (a book) *consulter (un livre)*

■ Le complément d'objet se place toujours après la préposition, qu'il soit ou non un pronom :

I looked at the picture. *J'ai regardé le tableau.*
I looked at it. *Je l'ai regardé.*

■ Dans les questions et les propositions relatives, la préposition reste derrière le verbe. La préposition ne se place devant le mot interrogatif ou le pronom relatif qu'en style soutenu :

Who are you thinking about? *À qui penses-tu ?*
About whom are you thinking? *À qui penses-tu ?*

La voix passive

■ Pour former le passif, on emploie l'**auxiliaire* be + participe passé*** du verbe :

> **Our school was opened by the Queen in 1985.** *La reine a inauguré notre école en 1985.*
> **Have all the lights been switched off?** *Est-ce que toutes les lumières sont éteintes ?*

■ La voix passive se combine avec tous les temps, aspects et modes du verbe (mais **been being** est rare) :

> **I wondered whether she'd been warned about the danger.** *Je me demandais si elle avait été prévenue du danger.*
> **You will be thrown out of school if your work doesn't improve.** *Tu vas être renvoyé de l'école si ton travail ne s'améliore pas.*

■ Le complément d'agent du verbe au passif est introduit par la préposition **by**, mais il n'est pas toujours mentionné :

> **The costumes were made by the children's mothers.** *Les costumes ont été réalisés par les mères des enfants.*
> **She was badly injured in a car crash.** *Elle a été grièvement blessée dans un accident de voiture.*

■ La plupart des verbes transitifs, c'est-à-dire susceptibles d'avoir un complément d'objet, et la plupart des **verbes prépositionnels ou à particules*** peuvent s'employer au passif. La préposition ou la particule se place après le verbe :

> **The matter will be dealt with tomorrow.** *On s'occupera de cette affaire demain.*

■ Certains verbes, comme **have, get, find**, peuvent avoir une valeur passive quand ils sont suivis du participe passé :

> **Have you had your nose done?** *Tu t'es fait refaire le nez ?*
> **I'm getting my car fixed.** *Je fais réparer ma voiture.*

■ Certains des verbes introducteurs peuvent être mis au passif. Mais ils se construisent alors avec **to** devant la base verbale (**ask, allow, expect, help, make, tell, persuade, invite, remind, believe**) :

> **We were made to do the washing-up.** *On nous a obligés à faire la vaisselle.*
> **She can't be persuaded to come.** *On n'arrive pas à la convaincre de venir.*

■ Pour d'autres verbes, comme **see**, la forme verbale au passif peut être suivie de **to + base verbale** ou du verbe en **-ing** :

> **He was seen leaving/to leave the building at nine o'clock.** *On l'a vu sortir de l'immeuble à neuf heures.*

■ L'énonciateur choisit la voix passive lorsqu'il veut mettre en relief le bénéficiaire ou le résultat d'une action (ils deviennent sujet du verbe au passif). Le complément d'agent (ex-sujet de la phrase active) peut être omis :

My son has cleaned the car. *Mon fils a lavé la voiture.*
The car has been cleaned (by my son). *La voiture a été lavée (par mon fils).*

■ Le passif s'emploie beaucoup en anglais journalistique, technique et scientifique, et correspond souvent à « on » en français :

This printer can be used with most computers. *Cette imprimante peut s'utiliser avec la plupart des ordinateurs.*
He was arrested yesterday. *On l'a arrêté hier.*

En anglais familier, **get** s'emploie plus souvent que **be** pour exprimer le passage d'un état à un autre ou pour désigner un événement plutôt qu'un état :

They got married in church last Saturday. *Ils se sont mariés à l'église samedi dernier.*

Verbes irréguliers anglais

Infinitive	Past Tense	Past Participle
arise	arose	arisen
awake	awoke	awoken
be	was, were	been
bear	bore	born(e)
beat	beat	beaten
become	became	become
begin	began	begun
bend	bent	bent
beseech	besought	besought
bet	bet (*also* betted)	bet (*also* betted)
bid	bid (*also* bade)	bid (*also* bidden)
bind	bound	bound
bite	bit	bitten
bleed	bled	bled
blow	blew	blown
break	broke	broken
breed	bred	bred
bring	brought	brought
build	built	built
burn	burnt (*also* burned)	burnt (*also* burned)
burst	burst	burst
buy	bought	bought
can	could	-
cast	cast	cast
catch	caught	caught
choose	chose	chosen
cling	clung	clung
come	came	come
cost	cost	cost
creep	crept	crept
cut	cut	cut
deal	dealt	dealt
dig	dug	dug
do	did	done
draw	drew	drawn
dream	dreamed (*also* dreamt)	dreamed (*also* dreamt)
drink	drank	drunk
drive	drove	driven
dwell	dwelt	dwelt
eat	ate	eaten

Infinitive	Past Tense	Past Participle
fall	fell	fallen
feed	fed	fed
feel	felt	felt
fight	fought	fought
find	found	found
flee	fled	fled
fling	flung	flung
fly	flew	flown
forbid	forbade	forbidden
forget	forgot	forgotten
forsake	forsook	forsaken
freeze	froze	frozen
get	got	got (*US* gotten)
give	gave	given
go	went	gone
grind	ground	ground
grow	grew	grown
hang	hung (*also* hanged)	hung (*also* hanged)
have	had	had
hear	heard	heard
hide	hid	hidden
hit	hit	hit
hold	held	held
hurt	hurt	hurt
keep	kept	kept
kneel	knelt (*also* kneeled)	knelt (*also* kneeled)
know	knew	known
lay	laid	laid
lead	led	led
lean	leant (*also* leaned)	leant (*also* leaned)
leap	leapt (*also* leaped)	leapt (*also* leaped)
learn	learnt (*also* learned)	learnt (*also* learned)
leave	left	left
lend	lent	lent
let	let	let
lie	lay	lain
light	lit (*also* lighted)	lit (*also* lighted)
lose	lost	lost
make	made	made
may	might	-

Infinitive	Past Tense	Past Participle
mean	meant	meant
meet	met	met
mistake	mistook	mistaken
mow	mowed	mown (*also* mowed)
pay	paid	paid
put	put	put
quit	quit (*also* quitted)	quit (*also* quitted)
read [ri:d]	read [red]	read [red]
rend	rent	rent
rid	rid	rid
ride	rode	ridden
ring	rang	rung
rise	rose	risen
run	ran	run
saw	sawed	sawn
say	said	said
see	saw	seen
seek	sought	sought
sell	sold	sold
send	sent	sent
set	set	set
shake	shook	shaken
shall	should	-
shear	sheared	shorn (*also* sheared)
shed	shed	shed
shine	shone	shone
shoot	shot	shot
show	showed	shown
shrink	shrank	shrunk
shut	shut	shut
sing	sang	sung
sink	sank	sunk
sit	sat	sat
slay	slew	slain
sleep	slept	slept
slide	slid	slid
sling	slung	slung
slit	slit	slit
smell	*smelt (also smelled)*	*smelt* (also smelled)
sow	sowed	sown (*also* sowed)

Infinitive	Past Tense	Past Participle
speak	spoke	spoken
speed	sped (*also* speeded)	sped (*also* speeded)
spell	spelt (*also* spelled)	spelt (*also* spelled)
spend	spent	spent
spill	spilt (*also* spilled)	spilt (*also* spilled)
spin	spun	spun
spit	spat	spat
split	split	split
spoil	spoiled (*also* spoilt)	spoiled (*also* spoilt)
spread	spread	spread
spring	sprang	sprung
stand	stood	stood
steal	stole	stolen
stick	stuck	stuck
sting	stung	stung
stink	stank	stunk
stride	strode	stridden
strike	struck	struck (*also* stricken)
strive	strove	striven
swear	swore	sworn
sweep	swept	swept
swell	swelled	swollen (*also* swelled)
swim	swam	swum
swing	swung	swung
take	took	taken
teach	taught	taught
tear	tore	torn
tell	told	told
think	thought	thought
throw	threw	thrown
thrust	thrust	thrust
tread	trod	trodden
wake	woke (*also* waked)	woken (*also* waked)
wear	wore	worn
weave	wove (*also* weaved)	woven (*also* weaved)
weep	wept	wept
win	won	won
wind	wound	wound
wring	wrung	wrung
write	wrote	written

Guide de
communication

À l'office du tourisme

Do you have a map of the town?
Avez-vous un plan de la ville?

I'd like a public transport UK (public transportation US) map.
Je voudrais un plan des transports en commun.

Is there a night bus?
Est-ce qu'il y a un bus de nuit?

Do you have a list of youth hostels / campsites UK (campgrounds US) in the area?
Avez-vous une liste des auberges de jeunessse / des campings de la région?

Do you have a restaurant guide for the town?
Avez-vous un guide des restaurants de la ville?

Do you have a listings guide?
Auriez-vous un programme des spectacles?

I'm looking for a reasonably priced hotel.
Je cherche un hôtel pas trop cher.

Could you recommend a hotel that's fairly central?
Pouvez-vous me recommander un hôtel près du centre?

Can you recommend somewhere to go in the evening?
Pouvez-vous nous conseiller un endroit pour sortir le soir?

What are the museum opening times?
Quels sont les horaires d'ouverture des musées?

Are there guided visits?
Y a-t-il des visites guidées?

Where can you hire UK (rent US) a car?
Où peut-on louer une voiture?

L'hébergement

A l'hôtel

Do you have any rooms left for tonight?
Vous reste-t-il des chambres pour la nuit?

Could you recommend another hotel?
Pourriez-vous nous conseiller un autre hôtel?

Do you do half board / full board UK (modified American plan / American plan US)?
Faites-vous la demi-pension / la pension complète?

What are your rates?
Quels sont vos tarifs?

We'd like a double room / two single rooms for the night.
Nous voudrions une chambre double / deux chambres simples pour la nuit.

I'd like a room with a shower/with a bath UK **(bathtub** US**).**
Je voudrais une chambre avec douche / avec baignoire.

I'd like a quiet room / a room with a sea UK **(an ocean** US**) view.**
J'aimerais une chambre tranquille / avec vue sur la mer.

We're intending to stay three nights.
Nous pensons rester trois nuits.

We'd like to stay another night.
Nous aimerions rester une nuit supplémentaire.

I reserved a room in the name of Pignon by phone / via the Internet.
J'ai réservé une chambre au nom de Pignon par téléphone / par Internet.

We've booked a room for two nights.
Nous avons réservé une chambre pour deux nuits.

Is there a lift UK **(an elevator** US**)?**
Est-ce qu'il y a un ascenseur?

Could you have my bags sent up?
Est-ce que vous pourriez faire monter mes bagages?

Do you have a safe where one can put one's valuables?
Avez-vous un coffre pour déposer les objets de valeur?

Is there somewhere I can get Internet access in the hotel?
Y a-t-il une borne internet dans l'hôtel?

Is there a car park UK **(parking garage** US**) for hotel guests?**
Y a-t-il un parking réservé aux clients de l'hôtel?

Could you wake me at seven o'clock?
Pourriez-vous me réveiller à sept heures?

What time is breakfast?
À quelle heure le petit déjeuner est-il servi?

The key to room 121, please.
La clé de la chambre 121, s'il vous plaît.

Are there any messages for me?
Est-ce qu'il y a des messages pour moi?

The air conditioning / The television isn't working.
L'air conditionné / la télévision ne marche pas.

There's no light in the bathroom.
Il n'y a pas de lumière dans la salle de bains.

Is it possible to have an extra blanket?
Est-il possible d'avoir une couverture supplémentaire ?

I'm leaving tomorrow. Could you get my bill ready, please?
Je pars demain. Pouvez-vous préparer ma note, s'il vous plaît ?

À l'auberge de jeunesse

Here's my youth hostel card.
Voici ma carte d'adhérent des auberges de jeunesse.

Do you have double rooms / rooms for four people?
Avez-vous des chambres doubles / pour quatre personnes ?

Do you just have dormitories?
Vous avez uniquement des dortoirs ?

Are the rooms mixed?
Les chambres sont-elles mixtes ?

What's the price of a night in the dormitory?
Quel est le prix d'une nuit en dortoir ?

Is breakfast included?
Le petit déjeuner est-il compris ?

Is there a kitchen where you can cook your own food?
Y a-t-il une cuisine équipée pour préparer les repas ?

Are there lockers?
Y a-t-il une consigne automatique ?

Is there a launderette?
Y a-t-il une laverie automatique ?

Are you open all night?
Est-ce qu'il y a un couvre-feu ?

What time do you have to be out of your room by?
À quelle heure faut-il libérer les chambres ?

Is it possible to get towels?
Est-il possible d'avoir des serviettes de toilette ?

Au camping

Do you have any spaces available?
Vous reste-t-il des emplacements libres ?

How much is a space for a tent and two people?
Combien coûte un emplacement pour une tente et deux personnes ?

We'd like a space for two tents and a car.
Nous voudrions un emplacement pour deux tentes et une voiture.

Is it possible to hire UK (rent US) a tent?
Est-il possible de louer une tente?

Do you hire out UK (rent out US) sleeping bags?
Est-ce que vous louez des sacs de couchage?

Where are the toilets UK (restrooms US) and showers?
Où se trouvent les sanitaires?

Does the campsite UK (campground US) provide any activities?
Le camping propose-t-il des activités?

Is there a disco at the campsite UK (campground US)?
Est-ce qu'il y a une discothèque dans le camping?

Se renseigner en ville

Could you help me? I think I'm lost.
Pourriez-vous m'aider? Je crois que je me suis perdu.

Could you show me where we are on the map?
Pourriez-vous m'indiquer où nous sommes sur le plan?

Can you tell me the way to the station, please?
Pouvez-vous m'indiquer la direction de la gare, s'il vous plaît?

Excuse me, I'm looking for the police station.
Excusez-moi, je cherche le commissariat.

Excuse me, I'm looking for the museum of modern art.
Excusez-moi, je cherche le musée d'art moderne.

Is it far? Can you walk there?
C'est loin? Peut-on y aller à pied?

Do you have to get the bus / the underground UK (subway US)?
Faut-il prendre le bus / le métro?

Is there a bus stop near here?
Y a-t-il un arrêt de bus à proximité?

Where's the nearest underground UK (subway US) station / the nearest taxi rank UK (taxi stand US)?
Où est la station de métro / la station de taxis la plus proche?

Where's the nearest hospital / the nearest chemist's UK (drugstore US)?
Où se trouve l'hôpital le plus proche / la pharmacie la plus proche?

Les transports en commun

Prendre le bus

Where do you buy tickets?
Où peut-on acheter des tickets?

Can you buy tickets from the bus driver?
Peut-on acheter des tickets au chauffeur du bus?

Two to the station, please.
Deux tickets pour la gare, s'il vous plaît.

What bus do you take for the airport?
Quel bus faut-il prendre pour aller à l'aéroport?

Excuse me, where's the stop for the number 20?
Excusez-moi, où se trouve l'arrêt du 20?

How long till the next number 48 comes?
Dans combien de temps passe le 48?

Does this bus go to the museum of archaeology?
Est-ce que ce bus va au musée archéologique?

Which station do I get off at for Princess Street?
À quel arrêt dois-je descendre pour aller à Princess Street?

Can you tell me when to get off?
Pourrez-vous me prévenir quand je devrai descendre?

Is this the terminus?
Nous sommes arrivés au terminus?

Prendre le train

When's the next train to Leeds?
A quelle heure part le prochain train pour Leeds?

Is there an earlier / a later train?
Y a-t-il un train plus tôt / tard?

Can I buy a ticket on the train?
Est-ce que je peux acheter le billet dans le train?

A single UK (one-way ticket US) to Glasgow, please.
Un aller simple pour Glasgow, s'il vous plaît.

A return UK (round-trip ticket US) to London, please.
Un aller-retour pour Londres, s'il vous plaît.

Do you have to change?
Est-ce qu'il y a un changement?

Is there a reduced fare for young people / groups?
Est-ce qu'il y a une réduction pour les jeunes / les groupes?

Is there a left-luggage office UK (baggage room US)?
Y a-t-il une consigne pour les bagages?

I'd like to reserve two first-class/second-class seats to Edinburgh.
Je voudrais réserver deux places en première / seconde classe pour Édimbourg.

I'd like to take the sleeper.
Je voudrais voyager en train couchettes.

Where can I date-stamp my ticket?
Où puis-je composter mon billet?

Which platforms do suburban trains leave from?
De quels quais partent les trains de banlieue?

Excuse me, is there anyone sitting here?
Excusez-moi, est-ce que cette place est libre?

Excuse me, I think you're in my seat.
Excusez-moi, je crois que vous êtes assis à ma place.

Can you let me know when we arrive at Manchester?
Pourrez-vous m'avertir quand nous serons arrivés à Manchester?

Is there a bar / a dining car on the train?
Y a-t-il un bar / une voiture-restaurant dans le train?

I've missed my connection.
J'ai raté ma correspondance.

Is there a connection for Brighton?
Y a-t-il une correspondance pour Brighton?

Prendre l'avion

Where is the Air France desk, please?
Où est le guichet Air France, s'il vous plaît?

What time is the next flight to Toulouse?
À quelle heure est le prochain vol pour Toulouse?

How much is a return UK (round-trip US) ticket to Paris?
Combien coûte un billet aller-retour pour Paris?

I'd like to book a one-way ticket to Nice.
Je voudrais réserver un aller simple pour Nice.

Put me on standby, please.
Mettez-moi en liste d'attente, s'il vous plaît.

I'm booked on the 9 o'clock flight to Paris.
J'ai une réservation sur le vol pour Paris de 9 heures.

I'd like an aisle / window seat.
Je voudrais une place côté couloir / côté hublot.

Where do we check in our luggage?
Où devons-nous enregistrer nos bagages?

Can you tell me where Gate 2 is?
Pouvez-vous me dire où se trouve la porte 2?

I've missed my connection to London.
J'ai raté ma correspondance pour Londres.

My luggage hasn't arrived.
Mes bagages ne sont pas arrivés.

Excuse me, I'm looking for a baggage trolley *UK* **(baggage cart** *US***).**
Excusez-moi, je cherche un chariot pour mes bagages.

Where are the buses / trains for the city centre *UK* **(for downtown** *US***) /
the central station?**
Où se trouvent les bus / trains pour se rendre au centre-ville / à la gare centrale?

Prendre un taxi

Could you call me a taxi?
Pourriez-vous m'appeler un taxi?

I'd like to book a taxi for 8 o'clock.
Je voudrais réserver un taxi pour 8h.

How much is a taxi from here to the town centre *UK* **(to downtown** *US***)?**
Combien coûte un taxi d'ici au centre-ville?

Do you have to pay extra for luggage?
Doit-on payer un supplément pour les bagages?

How long does it take to the airport?
Combien de temps met-on pour aller à l'aéroport?

Take me to that address, please.
Conduisez-moi à cette adresse, s'il vous plaît.

To the central station / To the airport, please.
À la gare centrale / À l'aéroport, s'il vous plaît.

Stop here / at the lights / at the corner.
Arrêtez-vous ici / au feu / au coin de la rue.

How much do I owe you?
Combien je vous dois ?

Keep the change.
Vous pouvez garder la monnaie.

La restauration

Au café

Is there table service?
Est-ce que vous servez en salle ?

Is this table free?
Cette table est-elle libre ?

Excuse me!
S'il vous plaît !

Could you bring us the drinks list?
Pourriez-vous nous apporter la carte des consommations ?

What sandwiches do you have?
Qu'avez-vous comme sandwichs ?

What hot / cold drinks do you have?
Qu'avez-vous comme boissons chaudes / fraîches ?

A coffee, an orange juice, and a croissant, please.
Un café, un jus d'orange et un croissant, s'il vous plaît.

A weak espresso, a latte, and a cappuccino, please.
Un café allongé, un grand crème et un cappuccino, s'il vous plaît.

A draught UK (draft US) beer, please.
Une bière pression, s'il vous plaît.

I'd like a non-alcoholic aperitif / a lemonade UK (soda US).
Je voudrais un apéritif sans alcool / une limonade, s'il vous plaît.

Can I have another glass of red wine, please?
Puis-je avoir un autre verre de vin rouge, s'il vous plaît ?

Could I have some ice?
Pourrais-je avoir des glaçons ?

The bill UK (check US), please!
L'addition, s'il vous plaît !

Can I just pay the waiter?
Est-ce que je peux régler directement au serveur?

Keep the change.
Gardez la monnaie.

Au restaurant

There are four of us.
Nous sommes quatre.

I'd like to reserve a table for this evening.
Je voudrais réserver une table pour ce soir.

We've got a reservation. The name's Lebras.
Nous avons réservé au nom de Lebras.

Could you bring us the menu / the wine list, please?
Pouvez-vous nous apporter le menu / la carte des boissons, s'il vous plaît?

What are the local specialities UK (specialties US)?
Quels sont les plats typiques de la région?

What's today's special?
Quel est le plat du jour?

To drink, a bottle of mineral water, please.
Comme boisson, une bouteille d'eau minérale, s'il vous plaît.

Can you recommend a good wine?
Est-ce que vous pouvez nous recommander un bon vin?

Rare / Medium rare / Well done, please!
Saignant / À point / Bien cuit, s'il vous plaît!

Could I have a glass of water / some bread, please?
Est-ce que je pourrais avoir un verre d'eau / du pain, s'il vous plaît?

It's not what I ordered.
Ce n'est pas ce que j'avais commandé.

The bill UK (check US), please!
L'addition, s'il vous plaît!

Is service included?
Le service est-il compris?

Do you take credit cards?
Vous acceptez les cartes de crédit?

Where are the toilets UK (restrooms US), please?
Où sont les toilettes, s'il vous plaît?

Dans les magasins

Can I ask you something?
Je peux vous demander un renseignement ?

No thanks, I'm just looking.
Non, merci, je ne fais que regarder.

I'm being attended to, thanks.
On s'occupe de moi, merci.

Can I try it on?
Est-ce que je peux l'essayer ?

Where are the changing rooms UK (fitting rooms US)?
Où se trouvent les cabines d'essayage ?

Have you got the next size up / down?
Avez-vous la taille au-dessus / en-dessous ?

Do you have it in another colour UK (color US)?
Est-ce que vous l'avez dans une autre couleur ?

And how much is this one?
Et celui-ci, combien coûte-t-il ?

I'll take this one, thanks.
Je vais prendre celui-ci, merci.

If it's not right, can I exchange it?
Si ça ne va pas, est-ce que je peux le changer ?

That's everything, thanks.
Ce sera tout, merci.

Can you gift-wrap it for me?

Pouvez-vous me faire un paquet-cadeau ?

À la pharmacie

I've got a prescription from my doctor in France.
J'ai une ordonnance de mon médecin français.

I'd like something for a headache / a sore throat.
Je voudrais un médicament contre les maux de tête / le mal de gorge.

Can you recommend something for a cough / diarrhoea UK (diarrhea US)?
Pouvez-vous me recommander quelque chose contre la toux / la diarrhée ?

Do you have a lotion for insect bites?
Auriez-vous une lotion contre les piqûres d'insectes ?

I've been stung by a wasp.
Je me suis fait piquer par une guêpe.

I'm allergic to aspirin.
Je suis allergique à l'aspirine.

I'm on antibiotics.
Je suis sous antibiotiques.

I have high blood pressure. Can I still take this medicine?
J'ai de la tension. Puis-je quand même prendre ce médicament ?

Do you have any homeopathic medicines?
Avez-vous des médicaments homéopathiques ?

Do I take these tablets before or after meals?
Dois-je prendre ces comprimés avant ou après les repas ?

How long do I have to take the medicine for?
Pendant combien de temps dois-je prendre ce médicament ?

Is there any risk of drowsiness with this medicine?
Y a-t-il des risques de somnolence avec ce médicament ?

Could you recommend a doctor / dentist?
Pourriez-vous me recommander un médecin / dentiste ?

Chez le médecin — À l'hôpital

I'd like to make an appointment with a GP.
Je voudrais prendre un rendez-vous avec un médecin généraliste.

Does the doctor see people without an appointment?
Ce médecin reçoit-il sans rendez-vous ?

I've got a very bad stomachache and this morning I had a temperature of 102.
J'ai très mal au ventre et ce matin j'avais 39°C de fièvre.

I think I've got the flu.
Je crois que j'ai la grippe.

I feel sick and I'm dizzy.
J'ai mal au cœur et j'ai des vertiges.

I spent the whole night being sick.
J'ai vomi toute la nuit.

I fell and hurt my arm / my leg.
Je suis tombé et mon bras / ma jambe me fait très mal.

I've twisted my ankle.
Je me suis foulé la cheville.

I got sunburned.
J'ai attrapé un coup de soleil.

I'm pregnant / diabetic / epileptic.
Je suis enceinte / diabétique / épileptique.

My blood group is 0 positive.
Mon groupe sanguin est 0 +.

Is it contagious?
C'est une maladie contagieuse ?

When do you think I'll be well enough to travel?
Quand pensez-vous que je serai en état de voyager ?

I'd prefer to be taken back to France.
Je préférerais me faire rapatrier en France.

Could you fill in these forms for my insurance?
Pourriez-vous remplir ces formulaires pour mon assurance ?

How much do I owe you, doctor?
Combien vous dois-je, Docteur ?

Au commissariat

We've been attacked.
Nous avons été agressés.

My bag's been stolen with all my papers in it.
On m'a volé mon sac avec tous mes papiers.

My car / My scooter's been stolen.
On m'a volé ma voiture / mon scooter.

There's been an accident.
Il y a eu un accident.

I've lost my identity card.
J'ai perdu ma carte d'identité.

À la banque

Can I change my traveller's cheques UK (traveler's checks US) here?
Est-ce que je peux changer mes traveller's cheques ici?

Where is there an ATM?
Où y a-t-il un distributeur de billets?

The ATM has swallowed my credit card.
Le distributeur automatique a avalé ma carte de crédit.

I'd like to withdraw some money.
Je voudrais retirer de l'argent.

I'm expecting a money transfer from France in the name of Jean Dupont. Has it come in?
J'attends un virement de France au nom de Jean Dupont. Est-il arrivé?

I'd like 10-pound notes UK (bills US).
Je voudrais des billets de 10 livres.

I'd like to change 100 euros into pounds / dollars.
Je voudrais changer 100 euros en livres / dollars.

À la poste

I'd like ten stamps for France.
Je voudrais dix timbres pour la France.

I'd like to send this letter / this parcel UK (package US) by registered post UK (mail US).
Je voudrais envoyer cette lettre / ce paquet en recommandé.

Where do I put the address of the adressee and that of the sender?
Où dois-je indiquer l'adresse du destinataire et celle de l'expéditeur?

How long will it take to get to France?
Ça met combien de temps pour arriver en France?

How much does it cost to send a parcel UK (package US) by express post UK (mail US)?
Combien coûte l'envoi d'un paquet par Chronopost?

Is there any post UK (mail US) for Daniel Legrand?
Y a-t-il du courrier au nom de Daniel Legrand?

I'm expecting a money order for Chabrier.
J'attends un mandat au nom de Chabrier.

Anglais
Français

a *art indéf*

forme non accentuée [ə], *forme accentuée* [eɪ], *devant une voyelle ou un* **h** *muet :* **an**, *forme non accentuée* [ən], *forme accentuée* [æn]

1. S'UTILISE DEVANT UN NOM LORSQU'IL Y A INDÉFINITION
- **I've bought a car** j'ai acheté une voiture
- **she ate an orange for breakfast** elle a mangé une orange pour le petit déjeuner

2. S'UTILISE DEVANT UN NOM DE PROFESSION
- **he is a doctor/lawyer/plumber** il est médecin/avocat/plombier

3. S'UTILISE EN TANT QUE NOMBRE
- **there were three men and a woman** il y avait trois hommes et une femme
- **it costs a hundred/thousand pounds** cela coûte cent/mille livres

4. POUR EXPRIMER LA FRÉQUENCE, LE PRIX OU LA VITESSE
- **he plays rugby twice a week/month** il joue au rugby deux fois par semaine/mois
- **it costs 20p a kilo** ça coûte 20p le kilo
- **the speed limit is 50 miles an hour** la limite de vitesse est de 75 km à l'heure

5. S'UTILISE PARFOIS DEVANT DES NOMS DE PERSONNES QUAND ON NE LES CONNAÎT PAS
- **there's a Mrs Jones to see you** une certaine Madame Jones demande à vous voir.

a (*pl* **a's**), **A** (*pl* **A's** *ou* **As**) [eɪ] *n* a *m* inv, A *m* inv · **to get from A to B** aller d'un point à un autre.
■ **A** *n* **1.** (*en musique*) la *m* inv **2.** A *m* inv.

AA *n* **1.** (*abr de* **Automobile Association**), automobile club britannique, ≃ ACF *m*, ≃ TCF *m* **2.** (*abr de* **Alcoholics Anonymous**) Alcooliques Anonymes *mpl*.

AAA *n* (*abr de* **American Automobile Association**), automobile club américain, ≃ ACF *m*, ≃ TCF *m*.

AB *n* (US) abrév de **Bachelor of Arts**.

aback [ə'bæk] *adv* · **to be taken aback** être déconcentré(e).

abandon [ə'bændən] ■ *vt* abandonner. ■ *n* · **with abandon** avec abandon.

abashed [ə'bæʃt] *adj* confus(e).

abate [ə'beɪt] *vi* **1.** (*tempête*) se calmer **2.** (*bruit*) faiblir.

abattoir ['æbətwɑːʳ] *n* abattoir *m*.

abbey ['æbɪ] *n* abbaye *f*.

abbot ['æbət] *n* abbé *m*.

abbreviate [ə'briːvɪeɪt] *vt* abréger.

abbreviation [ə,briːvɪ'eɪʃn] *n* abréviation *f*.

ABC *n* **1.** alphabet *m* **2.** *fig* B.A.-Ba *m*, abc *m*.

abdicate ['æbdɪkeɪt] *vt* & *vi* abdiquer.

abdomen ['æbdəmən] *n* abdomen *m*.

abduct [əb'dʌkt] *vt* enlever.

aberration [,æbə'reɪʃn] *n* aberration *f*.

abet [ə'bet] *vt* ▷ **aid**.

abeyance [ə'beɪəns] *n* · **in abeyance** en attente.

abhor [əb'hɔːʳ] *vt* exécrer, abhorrer.

abide [ə'baɪd] *vt* supporter, souffrir.
■ **abide by** *vt insép* respecter, se soumettre à.

ability [ə'bɪlətɪ] *n* **1.** aptitude *f* **2.** talent *m*.

abject ['æbdʒekt] *adj* **1.** (*misère*) noir(e) **2.** (*personne*) pitoyable **3.** (*comportement*) servile.

ablaze [ə'bleɪz] *adj* en feu.

able ['eɪbl] *adj* **1.** · **to be able to do sthg** pouvoir faire qqch **2.** compétent(e).

ably ['eɪblɪ] *adv* avec compétence, habilement.

abnormal [æb'nɔml] *adj* anormal(e).

aboard [ə'bɔd] ◼ *adv* à bord. ◼ *prép* **1.** à bord de **2.** dans.

abode [ə'bəʊd] *n sout* • **of no fixed abode** sans domicile fixe.

abolish [ə'bɒlɪʃ] *vt* abolir.

abolition [ˌæbə'lɪʃn] *n* abolition *f*.

abominable [ə'bɒmɪnəbl] *adj* abominable.

Aborigine [ˌæbə'rɪdʒənɪ] *n* aborigène *mf* d'Australie.

abort [ə'bɔt] *vt* **1.** interrompre *(grossesse)* **2.** *fig* abandonner, faire avorter **3.** INFORM abandonner.

abortion [ə'bɔʃn] *n* avortement *m*, interruption *f* volontaire de grossesse • **to have an abortion** se faire avorter.

abortive [ə'bɔtɪv] *adj (essai)* manqué(e).

abound [ə'baʊnd] *vi* abonder.

about [ə'baʊt] *adv*

1. INDIQUE L'APPROXIMATION
   • **she has got about 200 books** elle a environ 200 livres
   • **let's meet at about five o'clock** retrouvons-nous vers cinq heures
   • **I'm just about ready** je suis presque prêt

2. INDIQUE LA PROXIMITÉ GÉOGRAPHIQUE OU TEMPORELLE
   • **he's somewhere about** il est dans les parages *ou* quelque part par ici
   • **there's a lot of flu about** il y a beaucoup de cas de grippe en ce moment

3. INDIQUE L'ÉPARPILLEMENT
   • **he left his books lying about** il a laissé traîner ses livres partout

4. INDIQUE QU'UNE ACTION EST IMMINENTE
   • **to be about to do sthg** être sur le point de faire qqch.

about *prép*

1. INDIQUE UN THÈME, UN SUJET
   • **I'm reading a book about magic** je lis un livre sur la magie
   • **what is it about?** de quoi s'agit-il ?

2. INDIQUE LA PROXIMITÉ DANS L'ESPACE
   • **I left it about here** je l'ai laissé par ici

3. INDIQUE L'ÉPARPILLEMENT
   • **his belongings were scattered about the room** ses affaires étaient éparpillées dans toute la pièce

   • **to wander about the streets** errer de par les rues

4. APRÈS « HOW » OU « WHAT », EXPRIME UNE SUGGESTION
   • **what about going to the movies?** et si on allait au cinéma ?

À PROPOS DE... about

What about et *how about* servent, en anglais parlé, à émettre une suggestion. Ils peuvent être suivis d'un nom (*what/how about a game of cards?*), d'un pronom (*what/how about this one?*) ou d'un participe présent (*what/how about going to the cinema?*).
On utilise *be about to* pour dire que quelque chose est sur le point de se produire (*the train's about to leave*).

about-turn *(UK)*, **about-face** *(US) n* **1.** MIL demi-tour *m* **2.** *fig* volte-face *f inv* **3.** revirement *m*.

above [ə'bʌv] ◼ *adv* **1.** au-dessus **2.** ci-dessus, plus haut **3.** plus • **children aged 5 and above** les enfants âgés de 5 ans et plus *ou* de plus de 5 ans. ◼ *prép* **1.** au-dessus de **2.** plus de • **boys above the age of 7** les garçons âgés de plus de 7 ans.
   ◼ **above all** *adv* avant tout.

aboveboard [ə,bʌv'bɔd] *adj* honnête.

abrasive [ə'breɪsɪv] *adj* **1.** abrasif(ive) **2.** *fig* caustique, acerbe.

abreast [ə'brest] *adv* de front.
   ◼ **abreast of** *prép* • **to keep abreast of** se tenir au courant de.

abridged [ə'brɪdʒd] *adj* abrégé(e).

abroad [ə'brɔd] *adv* à l'étranger.

abrupt [ə'brʌpt] *adj* **1.** soudain(e), brusque **2.** abrupt(e).

abscess ['æbses] *n* abcès *m*.

abscond [əb'skɒnd] *vi* s'enfuir.

abseil ['æbseɪl] *vi (UK)* descendre en rappel.

absence ['æbsəns] *n* absence *f*.

absent ['æbsənt] *adj* • **absent (from)** absent(e) (de).

absentee [ˌæbsən'tiː] *n* absent *m*, -e *f*.

absent-minded [-'maɪndɪd] *adj* distrait(e).

absolute ['æbsəlu:t] *adj* absolu(e) • **it's an absolute scandal** c'est un véritable scandale.

absolutely ['æbsə'lu:tlɪ] *adv* absolument.

absolve [əb'zɒlv] *vt* • **to absolve sb (from)** absoudre qqn (de).

absorb [əb'zɔːb] *vt* 1. absorber 2. retenir, assimiler *(des informations)* • **to be absorbed in sthg** être absorbé(e) dans qqch.

absorbent [əb'zɔːbənt] *adj* absorbant(e).

absorption [əb'zɔːpʃn] *n* absorption *f*.

abstain [əb'steɪn] *vi* • **to abstain (from)** s'abstenir (de).

abstemious [æb'stiːmjəs] *adj* 1. *sout (repas)* frugal(e) 2. *(personne)* sobre.

abstention [əb'stenʃn] *n* abstention *f*.

abstract ['æbstrækt] ◼ *adj* abstrait(e). ◼ *n* résumé *m*, abrégé *m*.

absurd [əb'sɜːd] *adj* absurde.

ABTA ['æbtə] *(abr de* **Association of British Travel Agents)** *n* association des agences de voyage britanniques.

abundant [ə'bʌndənt] *adj* abondant(e).

abundantly [ə'bʌndəntlɪ] *adv* 1. parfaitement, tout à fait 2. en abondance.

abuse ◼ *n* [ə'bjuːs] *(indén)* 1. insultes *fpl*, injures *fpl* 2. mauvais traitement *m* 3. abus *m*. ◼ *vt* [ə'bjuːz] 1. insulter, injurier 2. maltraiter 3. abuser de.

abusive [ə'bjuːsɪv] *adj* grossier(ère), injurieux(euse).

abysmal [ə'bɪzml] *adj* épouvantable, abominable.

abyss [ə'bɪs] *n* abîme *m*, gouffre *m*.

AC *n (abr de* **alternating current)** courant *m* alternatif.

academic [,ækə'demɪk] ◼ *adj* 1. universitaire 2. intellectuel(elle) 3. théorique. ◼ *n* universitaire *mf*.

academy [ə'kædəmɪ] *n* 1. école *f* • **academy of music** conservatoire *m* 2. académie *f*.

ACAS ['eɪkæs] *(abr de* **Advisory Conciliation and Arbitration Service)** *n organisme britannique de conciliation des conflits du travail.*

accede [æk'siːd] *vi* 1. • **to accede to** agréer, donner suite à *(une demande)* 2. • **to accede to the throne** monter sur le trône.

accelerate [ək'seləreɪt] *vi* 1. *(voiture, automobiliste)* accélérer 2. *(croissance)* s'accélérer.

acceleration [ək,selə'reɪʃn] *n* accélération *f*.

accelerator [ək'seləreɪtər] *n* accélérateur *m*.

accent ['æksent] *n* accent *m*.

accept [ək'sept] *vt* 1. accepter 2. recevoir, admettre *(un membre dans un club)* 3. • **to accept that...** admettre que...

acceptable [ək'septəbl] *adj* acceptable.

acceptance [ək'septəns] *n* 1. acceptation *f* 2. admission *f (dans un club)*.

access ['ækses] *n* accès *m*.

accessible [ək'sesəbl] *adj* 1. accessible 2. disponible.

accessory [ək'sesərɪ] *n* 1. accessoire *m* 2. DR complice *mf*.

accident ['æksɪdənt] *n* accident *m* • **accident and emergency department** *(UK)* (service *m* des) urgences *fpl*.

accidental [,æksɪ'dentl] *adj* accidentel(elle).

accidentally [,æksɪ'dentəlɪ] *adv* 1. par mégarde 2. par hasard.

accident-prone *adj* prédisposé(e) aux accidents.

acclaim [ə'kleɪm] ◼ *n (indén)* éloges *mpl*. ◼ *vt* louer • **a book widely acclaimed by the critics** un livre salué par un grand nombre de critiques.

acclimatize *(UK)*, **-ise** [ə'klaɪmətaɪz], **acclimate** ['ækləmeɪt] *vi* • **to acclimatize (to)** s'acclimater (à).

accommodate [ə'kɒmədeɪt] *vt* 1. loger 2. satisfaire.

accommodating [ə'kɒmədeɪtɪŋ] *adj* obligeant(e).

accommodation [ə,kɒmə'deɪʃn] *n (UK)* logement *m*.

accompany [ə'kʌmpənɪ] *vt* accompagner.

accomplice [ə'kʌmplɪs] *n* complice *mf*.

accomplish [ə'kʌmplɪʃ] *vt* accomplir.

accomplishment [ə'kʌmplɪʃmənt] *n* 1. accomplissement *m* 2. réussite *f*. ◼ **accomplishments** *npl* talents *mpl*.

accord [ə'kɔːd] *n* • **to do sthg of one's own accord** faire qqch de son propre chef *ou* de soi-même.

accordance [əˈkɔdəns] n • **in accordance with** conformément à.

according [əˈkɔdɪŋ] ■ **according to** prép **1.** d'après • **to go according to plan** se passer comme prévu **2.** suivant, en fonction de.

accordingly [əˈkɔdɪŋlɪ] adv **1.** (agir) en conséquence **2.** par conséquent.

accordion [əˈkɔdjən] n accordéon m.

accost [əˈkɒst] vt accoster.

account [əˈkaʊnt] n **1.** compte m **2.** compte-rendu m **3.** appui m **4.** budget m • **to take account of sthg, to take sthg into account** prendre qqch en compte • **to be of no account** n'avoir aucune importance • **on no account** sous aucun prétexte, en aucun cas.
■ **accounts** npl comptabilité f, comptes mpl.
■ **by all accounts** adv d'après ce que l'on dit, au dire de tous.
■ **on account** adv à crédit.
■ **on account of** prép à cause de.
■ **on no account** adv en aucun cas, sous aucun prétexte.
■ **account for** vt insép **1.** justifier, expliquer **2.** représenter.

accountable [əˈkaʊntəbl] adj • **accountable (for)** responsable (de).

accountancy [əˈkaʊntənsɪ] n comptabilité f.

accountant [əˈkaʊntənt] n comptable mf.

accrue [əˈkruː] vi **1.** (argent) fructifier **2.** (intérêts) courir.

accumulate [əˈkjuːmjʊleɪt] ■ vt accumuler, amasser. ■ vi s'accumuler.

accuracy [ˈækjʊrəsɪ] n **1.** exactitude f **2.** précision f.

accurate [ˈækjʊrət] adj **1.** exact(e) **2.** précis(e).

accurately [ˈækjʊrətlɪ] adv **1.** fidèlement **2.** avec précision **3.** sans faute.

accusation [ˌækjuːˈzeɪʃn] n accusation f.

accuse [əˈkjuːz] vt • **to accuse sb of sthg/of doing sthg** accuser qqn de qqch/de faire qqch.

accused [əˈkjuːzd] (pl inv) n • **the accused** l'accusé m, -e f.

accustomed [əˈkʌstəmd] adj • **to be accustomed to sthg/to doing sthg** avoir l'habitude de qqch/de faire qqch.

ace [eɪs] n as m.

ache [eɪk] ■ n douleur f. ■ vi faire mal • **my head aches** j'ai mal à la tête.

achieve [əˈtʃiːv] vt **1.** obtenir, remporter (une victoire) **2.** atteindre **3.** réaliser (ses ambitions) **4.** parvenir à.

achievement [əˈtʃiːvmənt] n réussite f.

Achilles' tendon n tendon m d'Achille.

acid [ˈæsɪd] ■ adj litt & fig acide. ■ n acide m.

acid rain (indén) n pluies fpl acides.

acknowledge [əkˈnɒlɪdʒ] vt **1.** reconnaître • **to acknowledge one's mistakes** reconnaître ses erreurs **2.** • **to acknowledge (receipt of)** accuser réception de **3.** saluer.

acne [ˈæknɪ] n acné f.

acorn [ˈeɪkɒn] n gland m.

acoustic [əˈkuːstɪk] adj acoustique.
■ **acoustics** npl acoustique f.

acquaint [əˈkweɪnt] vt • **to acquaint sb with sthg** mettre qqn au courant de qqch • **to be acquainted with sb** connaître qqn.

acquaintance [əˈkweɪntəns] n connaissance f.

acquire [əˈkwaɪər] vt acquérir.

acquisitive [əˈkwɪzɪtɪv] adj avide de possessions.

acquit [əˈkwɪt] vt acquitter.

acquittal [əˈkwɪtl] n acquittement m.

acre [ˈeɪkər] n ≃ demi-hectare m (= 4046,9 m²).

acrid [ˈækrɪd] adj **1.** âcre **2.** fig acerbe.

acrimonious [ˌækrɪˈməʊnjəs] adj acrimonieux(euse).

acrobat [ˈækrəbæt] n acrobate mf.

across [əˈkrɒs] ■ adv **1.** en travers **2.** • **the river is 2 km across** la rivière mesure 2 km de large **3.** (dans les mots croisés) • **21 across** 21 horizontalement. ■ prép **1.** d'un côté à l'autre de, en travers de • **to walk across the road** traverser la route **2.** de l'autre côté de • **the house across the road** la maison d'en face.
■ **across from** prép en face de.

acrylic [əˈkrɪlɪk] ■ adj acrylique. ■ n acrylique m.

act [ækt] ■ n **1.** acte m • **to catch sb in the act of doing sthg** surprendre qqn en train de faire qqch **2.** loi f **3.** THÉÂTRE

acte *m* **4.** *(au cirque, au cabaret)* numéro *m* **5.** *fig* » **to put on an act** jouer la comédie » **to get one's act together** se reprendre en main. ◼ *vi* **1.** agir **2.** se comporter » **to act as if** se conduire comme si, se comporter comme si » **to act like** se comporter comme **3.** THÉÂTRE & CINÉ jouer **4.** *fig* jouer la comédie **5.** » **to act as** être » servir de. ◼ *vt* jouer.
◼ **act on** *vt insép* **1.** suivre **2.** exécuter **3.** *(médicament)* agir sur.

ACT *(abr de* **American College Test***) n examen américain de fin d'études secondaires.*

acting ['æktɪŋ] ◼ *adj* par intérim, provisoire. ◼ *n* THÉÂTRE & CINÉ interprétation *f*.

action ['ækʃn] *n* **1.** action *f* » **to take action** agir, prendre des mesures » **to put sthg into action** mettre qqch à exécution » **in action** en action » en marche » **out of action** hors de combat » hors service, hors d'usage **2.** DR procès *m*, action *f*.

action replay *n (UK)* répétition *f* immédiate (au ralenti).

activate ['æktɪveɪt] *vt* mettre en marche.

active ['æktɪv] *adj* **1.** actif(ive) **2.** *(encouragement)* vif(vive) **3.** *(volcan)* en activité.

actively ['æktɪvlɪ] *adv* activement.

activity [æk'tɪvətɪ] *n* activité *f*.

actor ['æktər] *n* acteur *m*, -trice *f*.

actress ['æktrɪs] *n* actrice *f*.

actual ['æktʃʊəl] *adj* réel(elle).

actually ['æktʃʊəlɪ] *adv* **1.** vraiment **2.** en fait.

acumen ['ækjʊmen] *n* flair *m*.

acupuncture ['ækjʊpʌŋktʃər] *n* acupuncture *f*, acuponcture *f*.

acute [ə'kjuːt] *adj* **1.** aigu(ë) **2.** sérieux (euse), grave **3.** perspicace **4.** *(vue)* perçant(e) **5.** *(ouïe)* fin(e) **6.** *(odorat)* développé(e) **7.** » **acute angle** angle *m* aigu » **e acute** e accent aigu.

ad [æd] *(abr de* **advertisement***) n fam* **1.** annonce *f* **2.** pub *f (à la télévision)*.

AD *(abr de* **Anno Domini***)* ap. J.-C.

adamant ['ædəmənt] *adj* résolu(e), inflexible.

Adam's apple ['ædəmz-] *n* pomme *f* d'Adam.

adapt [ə'dæpt] ◼ *vt* adapter. ◼ *vi* » **to adapt (to)** s'adapter (à).

adaptability [ə,dæptə'bɪlətɪ] *n* souplesse *f fig*.

adaptable [ə'dæptəbl] *adj* souple *fig*.

adapter, adaptor [ə'dæptər] *n (UK)* **1.** prise *f* multiple **2.** adaptateur *m*.

add [æd] *vt* **1.** » **to add sthg (to)** ajouter qqch (à) **2.** additionner.
◼ **add on** *vt sép* » **to add sthg on (to)** ajouter qqch (à) » rajouter qqch (à).
◼ **add to** *vt insép* ajouter à, augmenter.
◼ **add up** *vt sép* additionner.
◼ **add up to** *vt insép (somme, total)* s'élever à.

adder ['ædər] *n* vipère *f*.

addict ['ædɪkt] *n* drogué *m*, -e *f*.

addicted [ə'dɪktɪd] *adj* » **addicted (to)** drogué(e) (à) » *fig* passionné(e) (de).

addiction [ə'dɪkʃn] *n* » **addiction (to)** dépendance *f* (à) » *fig* penchant *m* (pour).

addictive [ə'dɪktɪv] *adj* qui rend dépendant(e).

addition [ə'dɪʃn] *n* addition *f* » **in addition (to)** en plus (de).

additional [ə'dɪʃənl] *adj* supplémentaire.

additive ['ædɪtɪv] *n* additif *m*.

address [ə'dres] ◼ *n* **1.** adresse *f* **2.** discours *m*. ◼ *vt* **1.** adresser **2.** prendre la parole à **3.** aborder, examiner *(un problème)*.

address book *n* carnet *m* d'adresses.

adenoids ['ædɪnɔɪdz] *npl* végétations *fpl*.

adept ['ædept] *adj* » **adept (at)** doué(e) (pour).

adequate ['ædɪkwət] *adj* adéquat(e).

adhere [əd'hɪər] *vi* **1.** » **to adhere (to)** adhérer (à) **2.** » **to adhere to** obéir à.

adhesive [əd'hiːsɪv] ◼ *adj* adhésif(ive). ◼ *n* adhésif *m*.

adhesive tape *n* ruban *m* adhésif.

adjacent [ə'dʒeɪsənt] *adj* » **adjacent (to)** adjacent(e) (à), contigu(ë) (à).

adjective ['ædʒɪktɪv] *n* adjectif *m*.

adjoining [ə'dʒɔɪnɪŋ] ◼ *adj* voisin(e). ◼ *prép* attenant à.

adjourn [ə'dʒɜːn] ◼ *vt* ajourner. ◼ *vi* suspendre la séance.

adjudicate [ə'dʒuːdɪkeɪt] *vi* » **to adjudicate (on** *ou* **upon)** se prononcer (sur).

adjust [ə'dʒʌst] ◪ *vt* ajuster, régler. ◪ *vi*
◦ **to adjust (to)** s'adapter (à).

adjustable [ə'dʒʌstəbl] *adj* réglable.

adjustment [ə'dʒʌstmənt] *n* **1.** ajustement *m* **2.** réglage *m* **3.** ◦ **adjustment (to)**
adaptation *f* (à).

ad lib [ˌæd'lɪb] ◪ *adj* improvisé(e). ◪ *adv*
à volonté. ◪ *n* improvisation *f*.
■ **ad-lib** *vi* improviser.

administer [əd'mɪnɪstər] *vt* **1.** administ
trer, gérer **2.** rendre *(la justice)* **3.** administrer *(un médicament)*.

administration [ədˌmɪnɪ'streɪʃn] *n* administration *f*.

administrative [əd'mɪnɪstrətɪv] *adj* ad-
ministratif(ive).

admirable ['ædmərəbl] *adj* admirable.

admiral ['ædmərəl] *n* amiral *m*.

admiration [ˌædmə'reɪʃn] *n* admiration
f.

admire [əd'maɪər] *vt* admirer.

admirer [əd'maɪərər] *n* admirateur *m*,
-trice *f*.

admission [əd'mɪʃn] *n* **1.** admission *f*
2. *(dans un musée)* entrée *f* **3.** confession *f*,
aveu *m*.

admit [əd'mɪt] ◪ *vt* **1.** reconnaître ◦ **to
admit (that)...** reconnaître que... ◦ **to
admit doing sthg** reconnaître avoir fait
qqch ◦ **to admit defeat** *fig* s'avouer vain-
cu(e) **2.** admettre. ◪ *vi* ◦ **to admit to** admettre, reconnaître.

admittance [əd'mɪtəns] *n* admission *f*
◦ **'no admittance'** 'entrée interdite'.

admittedly [əd'mɪtɪdlɪ] *adv* de l'aveu
général.

admonish [əd'mɒnɪʃ] *vt* réprimander.

ad nauseam [ˌæd'nɔːzɪæm] *adv* à n'en
plus finir.

ado [ə'duː] *n* ◦ **without further** *ou* **more
ado** sans plus de cérémonie.

adolescence [ˌædə'lesns] *n* adolescence *f*.

adolescent [ˌædə'lesnt] ◪ *adj* **1.** adoles-
cent(e) **2.** *péj* puéril(e). ◪ *n* adolescent
m, -e *f*.

adopt [ə'dɒpt] *vt* adopter.

adoption [ə'dɒpʃn] *n* adoption *f*.

adore [ə'dɔr] *vt* adorer.

adorn [ə'dɒn] *vt* orner.

adrenalin [ə'drenəlɪn] *n* adrénaline *f*.

Adriatic [ˌeɪdrɪ'ætɪk] *n* ◦ **the Adriatic
(Sea)** l'Adriatique *f*, la mer Adriatique.

adrift [ə'drɪft] *adj* à la dérive.

ADSL *(abr de* **Asymmetric Digital Subscriber Line)** *n* ADSL *m*, RNA *m* recomm *off*.

adult ['ædʌlt] ◪ *adj* **1.** adulte **2.** pour
adultes. ◪ *n* adulte *mf*.

adultery [ə'dʌltərɪ] *n* adultère *m*.

advance [əd'vɑːns] ◪ *n* **1.** avance *f*
2. progrès *m*. ◪ *en apposition* à l'avance. ◪ *vt* **1.** avancer **2.** faire progresser *ou*
avancer. ◪ *vi* **1.** avancer **2.** progresser.
■ **advances** *npl* ◦ **to make advances to
sb** faire des avances à qqn.
■ **in advance** *adv* à l'avance.

advanced [əd'vɑːnst] *adj* avancé(e).

advantage [əd'vɑːntɪdʒ] *n* avantage *m*
◦ **to take advantage of sthg** profiter de
qqch ◦ **to take advantage of sb** exploiter
qqn.

advent ['ædvənt] *n* avènement *m*.
■ **Advent** *n* Avent *m*.

adventure [əd'ventʃər] *n* aventure *f*.

adventure playground *n (UK)* aire *f* de
jeux.

adventurous [əd'ventʃərəs] *adj* aventu-
reux(euse).

adverb ['ædvɜːb] *n* adverbe *m*.

adverse ['ædvɜːs] *adj* défavorable.

advert ['ædvɜːt] *(UK)* = **advertisement**.

advertise ['ædvətaɪz] ◪ *vt* **1.** faire de la
publicité pour **2.** annoncer *(un événement)*. ◪ *vi* faire de la publicité.

advertisement [əd'vɜːtɪsmənt] *n* **1.** annonce *f* **2.** *fig* publicité *f*.

advertiser ['ædvətaɪzər] *n* annonceur
m, -euse *f*.

advertising ['ædvətaɪzɪŋ] *n (indén)* publicité *f*.

advice [əd'vaɪs] *n (indén)* conseils *mpl* ◦ **a
piece of advice** un conseil ◦ **to take sb's
advice** suivre les conseils de qqn.

advisable [əd'vaɪzəbl] *adj* conseillé(e),
recommandé(e).

advise [əd'vaɪz] *vt* **1.** ◦ **to advise sb to do
sthg** conseiller à qqn de faire qqch ◦ **to
advise sb against doing sthg** déconseiller à qqn de faire qqch **2.** ◦ **to advise sb
on sthg** conseiller qqn sur qqch **3.** ◦ **to
advise sb (of sthg)** aviser qqn (de qqch).

advisedly [əd'vaɪzɪdlɪ] *adv* en connaissance de cause, délibérément.

adviser, advisor [əd'vaɪzər] *n* conseiller *m*, -ère *f*.

advisory [əd'vaɪzərɪ] *adj* consultatif (ive).

advocate ◼ *n* ['ædvəkət] **1.** DR avocat *m*, -e *f* **2.** partisan *m*. ◼ *vt* ['ædvəkeɪt] préconiser, recommander.

Aegean [iː'dʒiːən] *n* • **the Aegean (Sea)** la mer Égée.

aerial ['eərɪəl] ◼ *adj* aérien(enne). ◼ *n* (UK) antenne *f*.

aerobics [eə'rəʊbɪks] *n* (indén) aérobic *m*.

aerodynamic [ˌeərəʊdaɪ'næmɪk] *adj* aérodynamique. ◼ **aerodynamics** ◼ *n* (indén) aérodynamique *f*. ◼ *npl* aérodynamisme *m*.

aeroplane ['eərəpleɪn] *n* (UK) avion *m*.

aerosol ['eərəsɒl] *n* aérosol *m*.

aesthetic, esthetic [iːs'θetɪk] *adj* esthétique.

afar [ə'fɑːr] *adv* • **from afar** de loin.

affable ['æfəbl] *adj* affable.

affair [ə'feər] *n* **1.** affaire *f* **2.** liaison *f* (amoureuse).

affect [ə'fekt] *vt* **1.** avoir un effet ou des conséquences sur **2.** affecter, émouvoir **3.** (prétendre) affecter.

affection [ə'fekʃn] *n* affection *f*.

affectionate [ə'fekʃnət] *adj* affectueux(euse).

affirm [ə'fɜːm] *vt* affirmer, soutenir.

affix [ə'fɪks] *vt* coller.

afflict [ə'flɪkt] *vt* affliger • **to be afflicted with** souffrir de.

affluence ['æfluəns] *n* prospérité *f*.

affluent ['æfluənt] *adj* riche.

afford [ə'fɔːd] *vt* **1.** • **to be able to afford sthg** avoir les moyens d'acheter qqch **2.** • **to be able to afford the time (to do sthg)** avoir le temps (de faire qqch) **3.** • **I can't afford to take any risks** je ne peux pas me permettre de prendre des risques **4.** procurer (de la joie, du plaisir).

affront [ə'frʌnt] ◼ *n* affront *m*, insulte *f*. ◼ *vt* insulter, faire un affront à.

Afghanistan [æf'gænɪstæn] *n* Afghanistan *m*.

afield [ə'fiːld] *adv* • **far afield** loin.

afloat [ə'fləʊt] *adj* litt & fig à flot.

afoot [ə'fʊt] *adj* en préparation.

afraid [ə'freɪd] *adj* **1.** • **to be afraid (of)** avoir peur (de), craindre **2.** • **to be afraid (that)...** regretter que... • **I'm afraid so/not** j'ai bien peur que oui/ non.

afresh [ə'freʃ] *adv* de nouveau.

Africa ['æfrɪkə] *n* Afrique *f*.

African ['æfrɪkən] ◼ *adj* africain(e). ◼ *n* Africain *m*, -e *f*.

aft [ɑːft] *adv* sur ou à l'arrière.

after ['ɑːftər] ◼ *prép* après • **to be after sb/sthg** fam chercher qqn/qqch • **after you!** après vous ! • **to name sb after sb** donner à qqn le nom de qqn. ◼ *adv* après • **two days after** deux jours plus tard. ◼ *conj* après que. ◼ **afters** *npl* (UK) fam dessert *m*. ◼ **after all** *adv* après tout. ◼ **one after another, one after the other** *adv* l'un après l'autre.

afterlife ['ɑːftəlaɪf] (pl **-lives** [-laɪvz]) *n* vie *f* future.

aftermath ['ɑːftəmæθ] *n* conséquences *fpl*, suites *fpl*.

afternoon [ˌɑːftə'nuːn] *n* après-midi *m inv* • **in the afternoon** l'après-midi • **good afternoon** bonjour.

aftershave ['ɑːftəʃeɪv] *n* après-rasage *m*.

aftertaste ['ɑːftəteɪst] *n* litt & fig arrière-goût *m*.

afterthought ['ɑːftəθɔːt] *n* pensée *f* ou réflexion *f* après coup.

afterwards ['ɑːftəwədz] (UK), **afterward** ['ɑːftəwəd] (US) *adv* après.

again [ə'gen] *adv* encore une fois, de nouveau • **to do again** refaire • **to say again** répéter • **to start again** recommencer • **again and again** à plusieurs reprises • **all over again** une fois de plus • **time and again** maintes et maintes fois • **come again?** fam comment ?, pardon ? • **then** ou **there again** d'autre part.

again

Attention à ne pas confondre *again* et *back*, adverbes dont les sens sont proches mais l'utilisation différente. *Again* signifie « encore », « une autre fois » (*don't do it again or you'll be in trouble*), alors que *back* implique un retour à un état précédent (*put it back in the closet*). *Back* sert aussi à exprimer l'idée de « rendre » quelque chose à quelqu'un (*give it back to me right now!*).

against [ə'genst] *prép & adv* contre • **(as) against** contre.

age [eɪdʒ] (*cont* **ageing**, *(UK) cont* **aging**, *(US)*) ◼ *n* **1.** âge *m* • **what age are you?** quel âge avez-vous ? • **to be under age** être mineur(e) • **to come of age** atteindre sa majorité **2.** vieillesse *f* **3.** époque *f*. ◼ *vt & vi* vieillir.
◼ **ages** *npl* • **ages ago** il y a une éternité • **I haven't seen him for ages** je ne l'ai pas vu depuis une éternité.

age

Aux États-Unis et en Grande-Bretagne, on peut voter à partir de 18 ans. Pour pouvoir boire ou acheter de l'alcool, il faut avoir 21 ans aux États-Unis et 18 en Grande-Bretagne. En revanche, on peut conduire dès 16 ans dans la plupart des États des États-Unis, et dès 17 en Grande-Bretagne. L'âge normal de la retraite est de 65 ans aux États-Unis ; en Grande-Bretagne, il varie en fonction du sexe : 65 ans pour les hommes et 60 pour les femmes.

aged ◼ *adj* **1.** [eɪdʒd] **aged 15** âgé(e) de 15 ans **2.** ['eɪdʒɪd] âgé(e), vieux(vieille). ◼ *npl* ['eɪdʒɪd] • **the aged** les personnes *fpl* âgées.

age group *n* tranche *f* d'âge.

agency ['eɪdʒənsɪ] *n* **1.** agence *f* **2.** organisme *m*.

agenda [ə'dʒendə] (*pl* **-s**) *n* ordre *m* du jour.

agent ['eɪdʒənt] *n* agent *m*, -e *f*.

aggravate ['ægrəveɪt] *vt* **1.** aggraver **2.** agacer.

aggregate ['ægrɪgət] ◼ *adj* total(e). ◼ *n* total *m*.

aggressive [ə'gresɪv] *adj* agressif(ive).

aggrieved [ə'griːvd] *adj* blessé(e), froissé(e).

aghast [ə'gɑːst] *adj* • **aghast (at sthg)** atterré(e) (par qqch).

agile [*(UK)* 'ædʒaɪl, *(US)* 'ædʒəl] *adj* agile.

aging in place *(US)* ['eɪdʒiːŋ ɪn pleɪs] *n* le fait de vieillir chez soi et non dans un établissement spécialisé et/ou médicalisé.

agitate ['ædʒɪteɪt] *vt* **1.** inquiéter **2.** agiter.

AGM (*abr de* **annual general meeting**) *n* *(UK)* AGA *f*.

agnostic [æg'nɒstɪk] ◼ *adj* agnostique. ◼ *n* agnostique *mf*.

ago [ə'gəʊ] *adv* • **a long time ago** il y a longtemps • **three days ago** il y a trois jours.

ago

Ago se place directement après une expression temporelle (*half an hour ago*). Le verbe peut être soit au prétérit (*the bus left 20 minutes ago*), soit au passé progressif (*I was living abroad five years ago*). Dans les questions, on utilise *how long ago* (*how long ago did this happen?*).

agog [ə'gɒg] *adj* • **to be agog (with)** être en effervescence (à propos de).

agonizing, -ising ['ægənaɪzɪŋ] *adj* **1.** angoissant(e) **2.** déchirant(e) **3.** atroce.

agony ['ægənɪ] *n* **1.** douleur *f* atroce • **to be in agony** souffrir le martyre **2.** angoisse *f*.

agony aunt *n* *(UK) fam* personne qui tient la rubrique du courrier du cœur.

agree [ə'griː] ◼ *vi* **1.** • **to agree (with/ about)** être d'accord (avec/au sujet de) • **to agree on** convenir de **2.** • **to agree (to sthg)** donner son consentement (à qqch) **3.** GRAMM concorder **4.** • **to agree with** réussir à • **rich food doesn't agree with me** la nourriture riche ne me réussit pas **5.** • **to agree (with)** s'accorder (avec). ◼ *vt* **1.** • **to agree (that)...** admettre que... **2.** • **to agree to do sthg** se mettre d'accord pour faire qqch **3.** accepter, convenir de.

agreeable [ə'griəbl] *adj* 1. agréable 2. ◦ **to be agreeable to** consentir à.

agreed [ə'griːd] *adj* ◦ **to be agreed (on sthg)** être d'accord (à propos de qqch).

agreement [ə'griːmənt] *n* 1. accord *m* ◦ **to be in agreement (with)** être d'accord (avec) 2. concordance *f*.

agricultural [ˌægrɪ'kʌltʃərəl] *adj* agricole.

agriculture ['ægrɪkʌltʃər] *n* agriculture *f*.

aground [ə'graund] *adv* ◦ **to run aground** s'échouer.

ahead [ə'hed] *adv* 1. devant, en avant ◦ **right** OU **straight ahead** droit devant 2. en avance ◦ **Scotland are ahead by two goals to one** l'Écosse mène par deux buts à un ◦ **to get ahead** réussir 3. à l'avance ◦ **the months ahead** les mois à venir.
■ **ahead of** *prép* 1. devant 2. avant.

aid [eɪd] ■ *n* aide *f* ◦ **in aid of** au profit de. ■ *vt* 1. aider 2. ◦ **to aid and abet sb** être complice de qqn.

AIDS, Aids (*abr de* **acquired immune deficiency syndrome**) [eɪdz] ■ *n* SIDA *m*, sida *m*. ■ *en apposition* ◦ **AIDS patient** sidéen *m*, -enne *f*.

ailing ['eɪlɪŋ] *adj* 1. souffrant(e) 2. *fig* dans une mauvaise passe.

ailment ['eɪlmənt] *n* maladie *f*.

aim [eɪm] ■ *n* but *m*, objectif *m*. ■ *vt* 1. ◦ **to aim a gun at** braquer une arme sur 2. *fig* ◦ **to be aimed at** (*plan, campagne*) être destiné(e) à, viser ◦ (*critique*) être dirigé(e) contre. ■ *vi* ◦ **to aim (at)** viser ◦ **to aim at** OU **for** *fig* viser ◦ **to aim to do sthg** viser à faire qqch.

aimless ['eɪmlɪs] *adj* 1. désœuvré(e) 2. sans but.

ain't [eɪnt] *fam* = **am not, are not, is not, has not, have not.**

air [eər] ■ *n* 1. air *m* ◦ **by air** par avion ◦ **to be (up) in the air** *fig* être vague 2. RADIO & TV ◦ **on the air** à l'antenne. ■ *en apposition* aérien(enne). ■ *vt* 1. aérer 2. faire connaître OU communiquer 3. RADIO & TV diffuser. ■ *vi* sécher.

airbag ['eəbæg] *n* Airbag® *m*.

airbase ['eəbeɪs] *n* base *f* aérienne.

airbed ['eəbed] *n* matelas *m* pneumatique.

airborne ['eəbɔːn] *adj* 1. aéroporté(e) 2. emporté(e) par le vent 3. (*avion*) qui a décollé.

air-conditioned [-kən'dɪʃnd] *adj* climatisé(e), à air conditionné.

air-conditioning [-kən'dɪʃnɪŋ] *n* climatisation *f*.

aircraft ['eəkrɑːft] (*pl inv*) *n* avion *m*.

aircraft carrier *n* porte-avions *m inv*.

airfield ['eəfiːld] *n* terrain *m* d'aviation.

airforce ['eəfɔːs] *n* armée *f* de l'air.

airgun ['eəgʌn] *n* carabine *f* OU fusil *m* à air comprimé.

air hostess ['eəˌhəustɪs] *n* (*UK*) *vieilli* hôtesse *f* de l'air.

airlift ['eəlɪft] ■ *n* pont *m* aérien. ■ *vt* transporter par pont aérien.

airline ['eəlaɪn] *n* compagnie *f* aérienne.

airliner ['eəlaɪnər] *n* 1. (*avion m*) moyen-courrier *m* 2. (*avion m*) long-courrier *m*.

airlock ['eəlɒk] *n* 1. poche *f* d'air 2. sas *m*.

airmail ['eəmeɪl] *n* poste *f* aérienne ◦ **by airmail** par avion.

airplane ['eəpleɪn] *n* (*US*) avion *m*.

airport ['eəpɔt] *n* aéroport *m*.

air raid *n* raid *m* aérien, attaque *f* aérienne.

air rifle *n* carabine *f* à air comprimé.

airsick ['eəsɪk] *adj* ◦ **to be airsick** avoir le mal de l'air.

airspace ['eəspeɪs] *n* espace *m* aérien.

air steward *n* steward *m*.

airstrip ['eəstrɪp] *n* piste *f* d'atterrissage.

air terminal *n* aérogare *f*.

airtight ['eətaɪt] *adj* hermétique.

air-traffic controller *n* aiguilleur *m* (du ciel).

airy ['eərɪ] *adj* 1. aéré(e) 2. chimérique, vain(e) 3. nonchalant(e).

aisle [aɪl] *n* 1. allée *f* 2. couloir *m* (central).

ajar [ə'dʒɑːr] *adj* entrouvert(e).

akin [ə'kɪn] *adj* ◦ **to be akin to** être semblable à.

alacrity [ə'lækrətɪ] *n* empressement *m*.

alarm [ə'lɑːm] ◼ n **1.** alarme f **2.** (émotion) alarme f, inquiétude f. ◼ vt alarmer, alerter.

alarm clock n réveil m, réveille-matin m inv.

alarming [ə'lɑːmɪŋ] adj alarmant(e), inquiétant(e).

alas [ə'læs] interj hélas !

Albania [æl'beɪnjə] n Albanie f.

Albanian [æl'beɪnjən] ◼ adj albanais(e). ◼ n **1.** Albanais m, -e f **2.** albanais m.

albeit [ɔːl'biːɪt] conj sout bien que (+ subjonctif).

Albert Hall ['ælbət-] n ◦ the Albert Hall salle de concert à Londres.

albino [æl'biːnəʊ] n (pl **-s**) albinos mf.

album ['ælbəm] n album m.

alcohol ['ælkəhɒl] n alcool m.

alcoholic [ˌælkə'hɒlɪk] ◼ adj **1.** alcoolique **2.** alcoolisé(e). ◼ n alcoolique mf.

alcopop ['ælkəʊpɒp] n (UK) boisson gazeuse faiblement alcoolisée.

alcove ['ælkəʊv] n alcôve f.

alderman ['ɔːldəmən] (pl **-men** [-mən]) n conseiller m municipal.

ale [eɪl] n bière f.

alert [ə'lɜːt] ◼ adj **1.** vigilant(e) **2.** (esprit, enfant) vif(vive), éveillé(e). ◼ n alerte f ◦ **on the alert** sur le qui-vive ◦ en état d'alerte. ◼ vt alerter ◦ **to alert sb to sthg** avertir qqn de qqch.

A level (abr de **Advanced level**) n ≃ baccalauréat m.

alfresco [æl'freskəʊ] adj & adv en plein air.

algae ['ældʒiː] npl algues fpl.

algebra ['ældʒɪbrə] n algèbre f.

Algeria [æl'dʒɪərɪə] n Algérie f.

alias ['eɪlɪəs] ◼ adv alias. ◼ n (pl **-es** [-iːz]) **1.** faux nom m, nom m d'emprunt **2.** INFORM alias m.

alibi ['ælɪbaɪ] n alibi m.

alien ['eɪljən] ◼ adj **1.** étranger(ère) **2.** extraterrestre. ◼ n **1.** extraterrestre mf **2.** étranger m, -ère f.

alienate ['eɪljəneɪt] vt aliéner.

alight [ə'laɪt] ◼ adj allumé(e), en feu. ◼ vi **1.** (oiseau) se poser **2.** ◦ **to alight from** descendre de (d'un bus, d'un train).

align [ə'laɪn] vt aligner.

alike [ə'laɪk] ◼ adj semblable ◦ **to look alike** se ressembler. ◼ adv de la même façon.

alimony ['ælɪmənɪ] n pension f alimentaire.

alive [ə'laɪv] adj **1.** vivant(e), en vie **2.** (tradition) vivace ◦ **to keep alive** préserver **3.** plein(e) de vitalité ◦ **to come alive** prendre vie ◦ s'animer.

alkali ['ælkəlaɪ] (pl **-s** ou **-es**) n alcali m.

all [ɔːl] ◼ adj **1.** (avec un nom sing) tout(toute) ◦ **all day/night/evening** toute la journée/la nuit/la soirée ◦ **all the drink** toute la boisson **2.** (avec un nom pl) tous(toutes) ◦ **all the boxes** toutes les boîtes ◦ **all men** tous les hommes. ◼ pron **1.** (sing) tout m **2.** (pl) tous(toutes) **3.** (avec un superl) ◦ ... **of all** ... de tous(toutes) ◦ **I like this one best of all** je préfère celui-ci entre tous **4.** ◦ **above all** ▷ **above** ◦ **after**

all ⊳ **after** ∘ **at all** ⊳ **at.** ◼ *adv*
1. complètement ∘ **I'd forgotten all about that** j'avais complètement oublié cela ∘ **all alone** tout seul(toute seule) **2.** SPORT ∘ **the score is five all** le score est de cinq partout **3.** *(avec un compar)* ∘ **to run all the faster** courir d'autant plus vite ∘ **all the better** d'autant mieux.
◼ **all but** *adv* presque, pratiquement.
◼ **all in all** *adv* dans l'ensemble.
◼ **in all** *adv* en tout.

Allah ['ælə] *n* Allah *m*.

all along *adv* depuis le début.

all-around *(US)* = **all-round**.

allay [ə'leɪ] *vt* **1.** apaiser, calmer **2.** dissiper *(des doutes)*.

all clear *n* **1.** signal *m* de fin d'alerte **2.** *fig* feu *m* vert.

allegation [,ælɪ'geɪʃn] *n* allégation *f*.

allege [ə'ledʒ] *vt* prétendre, alléguer ∘ **she is alleged to have done it** on prétend qu'elle l'a fait.

allegedly [ə'ledʒɪdlɪ] *adv* prétendument.

allegiance [ə'li:dʒəns] *n* allégeance *f*.

allergic [ə'lɜ:dʒɪk] *adj* ∘ **allergic (to)** allergique (à).

allergy ['ælədʒɪ] *n* allergie *f*.

alleviate [ə'li:vɪeɪt] *vt* apaiser, soulager.

alley(way) ['ælɪ(weɪ)] *n* **1.** ruelle *f* **2.** *(dans un parc)* allée *f*.

alliance [ə'laɪəns] *n* alliance *f*.

allied ['ælaɪd] *adj* **1.** MIL allié(e) **2.** connexe.

alligator ['ælɪgeɪtər] *(pl inv ou -s)* *n* alligator *m*.

all-important *adj* capital(e), crucial(e).

all-in *adj (UK)* global(e).
◼ **all in** *adv* tout compris.

all-night *adj* **1.** qui dure toute la nuit **2.** ouvert(e) toute la nuit.

allocate ['æləkeɪt] *vt* ∘ **to allocate sthg (to sb)** attribuer qqch (à qqn).

allot [ə'lɒt] *vt* **1.** assigner *(un emploi)* **2.** attribuer *(une somme d'argent)* **3.** allouer *(du temps)*.

allotment [ə'lɒtmənt] *n* **1.** *(UK)* jardin *m* ouvrier *(loué par la commune)* **2.** attribution *f* **3.** part *f*.

allow [ə'laʊ] *vt* **1.** autoriser, permettre ∘ **to allow sb to do sthg** permettre à qqn de faire qqch, autoriser qqn à faire qqch **2.** prévoir *(du temps, de la place)* **3.** ∘ **to allow that...** admettre que...
◼ **allow for** *vt insép* tenir compte de.

allowance [ə'laʊəns] *n* **1.** *(UK)* indemnité *f* **2.** *(US)* argent *m* de poche **3.** ∘ **to make allowances for sb** faire preuve d'indulgence envers qqn.

alloy ['ælɔɪ] *n* alliage *m*.

all right ◼ *adv* bien. ◼ *interj* d'accord. ◼ *adj* **1.** en bonne santé **2.** sain et sauf(saine et sauve) **3.** *fam* ∘ **it was all right** c'était pas mal ∘ **that's all right** ce n'est pas grave.

all-round *(UK)*, **all-around** *(US)* *adj* doué(e) dans tous les domaines.

all-time *adj* sans précédent.

allude [ə'lu:d] *vi* ∘ **to allude to** faire allusion à.

alluring [ə'ljʊərɪŋ] *adj* séduisant(e).

allusion [ə'lu:ʒn] *n* allusion *f*.

ally ◼ *n* ['ælaɪ] allié *n*, -e *f*. ◼ *vt* ∘ **to ally o.s. with** s'allier à.

almighty [ɔl'maɪtɪ] *adj fam (bruit)* terrible, énorme.

almond ['ɑːmənd] *n* amande *f*.

almost ['ɔːlməʊst] *adv* presque ∘ **I almost missed the bus** j'ai failli rater le bus.

alms [ɑːmz] *npl vieilli* aumône *f*.

aloft [ə'lɒft] *adv* en l'air.

alone [ə'ləʊn] ◼ *adj* seul(e). ◼ *adv* seul ∘ **to leave sthg alone** ne pas toucher à qqch ∘ **leave me alone!** laisse-moi tranquille !

along [ə'lɒŋ] ◼ *adv* ∘ **to walk along** se promener ∘ **to move along** avancer ∘ **can I come along (with you)?** est-ce que je peux venir (avec vous) ? ◼ *prép* le long de ∘ **to run/walk along the street** courir/marcher le long de la rue.

alongside [ə,lɒŋ'saɪd] ◼ *prép* le long de, à côté de. ◼ *adv* bord à bord.

aloof [ə'lu:f] ◼ *adj* distant(e). ◼ *adv* ∘ **to remain aloof** garder ses distances.

aloud [ə'laʊd] *adv* à voix haute, tout haut.

alphabet ['ælfəbet] *n* alphabet *m*.

alphabetical [,ælfə'betɪkl] *adj* alphabétique.

Alps [ælps] *npl* ∘ **the Alps** les Alpes *fpl*.

already [ɔl'redɪ] *adv* déjà.

alright [ˌɔl'raɪt] = **all right**.

Alsace [æl'sæs] *n* Alsace *f*.

Alsatian [æl'seɪʃn] *n* (UK) berger *m* allemand.

also ['ɔlsəʊ] *adv* aussi.

altar ['ɔltər] *n* autel *m*.

alter ['ɔltər] ∎ *vt* changer, modifier. ∎ *vi* changer.

alteration [ˌɔltə'reɪʃn] *n* modification *f*, changement *m*.

alternate ∎ *adj* [(UK) ɔl'tɜ:nət, (US) 'ɔltərnət] alterné(e), alternatif(ive) ◦ **on alternate days** tous les deux jours, un jour sur deux. ∎ *vt* ['ɔltərneɪt] faire alterner. ∎ *vi* ['ɔltərneɪt] ◦ **to alternate (with)** alterner (avec) ◦ **to alternate between sthg and sthg** passer de qqch à qqch.

alternately [ɔl'tɜ:nətlɪ] *adv* alternativement.

alternating current ['ɔltəneɪtɪŋ-] *n* courant *m* alternatif.

alternative [ɔl'tɜ:nətɪv] ∎ *adj* **1.** autre **2.** parallèle **3.** alternatif(ive). ∎ *n* **1.** alternative *f* **2.** ◦ **alternative (to)** solution *f* de remplacement (à) ◦ **to have no alternative but to do sthg** ne pas avoir d'autre choix que de faire qqch.

alternatively [ɔl'tɜ:nətɪvlɪ] *adv* ou bien.

alternative medicine *n* médecine *f* parallèle ou douce.

alternator ['ɔltəneɪtər] *n* alternateur *m*.

although [ɔl'ðəʊ] *conj* bien que (+ subjonctif).

altitude ['æltɪtju:d] *n* altitude *f*.

alto ['æltəʊ] (pl **-s**) *n* **1.** haute-contre *f* **2.** contralto *m*.

altogether [ˌɔltə'geðər] *adv* **1.** entièrement, tout à fait **2.** tout compte fait **3.** en tout.

aluminium (UK) [ˌæljʊ'mɪnɪəm], **aluminum** (US) [ə'lu:mɪnəm] ∎ *n* aluminium *m*. ∎ *en apposition* en aluminium.

always ['ɔlweɪz] *adv* toujours.

am [æm] ▷ **be**.

a.m. (abr de ante meridiem) ◦ **at 3 a.m.** à 3 h (du matin).

AM (abr de amplitude modulation) *n* AM *f*.

amalgamate [ə'mælgəmeɪt] *vt & vi* fusionner.

amass [ə'mæs] *vt* amasser.

amateur ['æmətər] ∎ *adj* **1.** amateur (inv) **2.** péj d'amateur (Québec). ∎ *n* amateur *m*.

amateurish [ˌæmətə'rɪʃ] *adj* d'amateur.

amaze [ə'meɪz] *vt* étonner, stupéfier.

amazed [ə'meɪzd] *adj* stupéfait(e).

amazement [ə'meɪzmənt] *n* stupéfaction *f*.

amazing [ə'meɪzɪŋ] *adj* **1.** étonnant(e), ahurissant(e) **2.** excellent(e).

Amazon ['æməzn] *n* **1.** ◦ **the Amazon** l'Amazone *f* **2.** ◦ **the Amazon (Basin)** l'Amazonie *f* ◦ **the Amazon rain forest** la forêt amazonienne.

ambassador [æm'bæsədər] *n* ambassadeur *m*, -drice *f*.

amber ['æmbər] *n* ambre *m*.

ambiguous [æm'bɪgjʊəs] *adj* ambigu(ë).

ambition [æm'bɪʃn] *n* ambition *f*.

ambitious [æm'bɪʃəs] *adj* ambitieux (euse).

amble ['æmbl] *vi* déambuler.

ambulance ['æmbjʊləns] *n* ambulance *f*.

ambush ['æmbʊʃ] ∎ *n* embuscade *f*. ∎ *vt* tendre une embuscade à.

amenable [ə'mi:nəbl] *adj* ◦ **amenable (to)** ouvert(e) (à).

amend [ə'mend] *vt* **1.** modifier **2.** amender.
∎ **amends** *npl* ◦ **to make amends (for)** se racheter (pour).

amendment [ə'mendmənt] *n* **1.** modification *f* **2.** amendement *m*.

amenities [ə'mi:nətɪz] *npl* **1.** agréments *mpl* **2.** équipements *mpl*.

America [ə'merɪkə] *n* Amérique *f* ◦ **in America** en Amérique.

American [ə'merɪkn] ∎ *adj* américain(e). ∎ *n* Américain *m*, -e *f*.

American Indian *n* Indien *m*, -enne *f* d'Amérique, Amérindien *m*, -enne *f*.

American Samoa *n* Samoa américaines *fpl*.

amiable ['eɪmjəbl] *adj* aimable.

amicable ['æmɪkəbl] *adj* amical(e).

the American Revolution
On désigne ainsi la guerre qui opposa les Américains aux Anglais de 1775 à 1783. Les Américains voulaient être indépendants, notamment pour ne plus avoir à payer d'impôts à l'Angleterre. Le 4 juillet 1776, Thomas Jefferson, futur président, signa la Déclaration d'indépendance, mais l'Angleterre la refusa et la guerre continua. George Washington, aidé de soldats français, menait les troupes américaines, et en 1783 la paix fut signée : les États-Unis d'Amérique étaient nés.

amid(st) [ə'mɪd(st)] *prép* au milieu de, parmi.

amiss [ə'mɪs] ◼ *adj* • **is there anything amiss?** y a-t-il quelque chose qui ne va pas ? ◼ *adv* • **to take sthg amiss** mal prendre qqch.

ammonia [ə'məʊnjə] *n* ammoniaque *f*.

ammunition [ˌæmjʊ'nɪʃn] (*indén*) *n* **1.** munitions *fpl* **2.** *fig* argument *m*.

amnesia [æm'niːzjə] *n* amnésie *f*.

amnesty ['æmnəstɪ] *n* amnistie *f*.

amok [ə'mɒk] *adv* • **to run amok** être pris(e) d'une crise de folie furieuse.

among [ə'mʌŋ], **amongst** [ə'mʌŋst] *prép* parmi, entre • **among other things** entre autres (choses).

amoral [ˌeɪ'mɒrəl] *adj* amoral(e).

amorous ['æmərəs] *adj* amoureux (euse).

amount [ə'maʊnt] *n* **1.** quantité *f* • **a great amount of** beaucoup de **2.** somme *f*, montant *m*.
◼ **amount to** *vt insép* **1.** s'élever à **2.** revenir à, équivaloir à.

amp [æmp] *n abrév de* **ampere**.

ampere ['æmpeəʳ] *n* ampère *m*.

amphibious [æm'fɪbɪəs] *adj* amphibie.

ample ['æmpl] *adj* **1.** suffisamment de, assez de **2.** ample.

amplifier ['æmplɪfaɪəʳ] *n* amplificateur *m*.

amputate ['æmpjʊteɪt] *vt & vi* amputer.

Amsterdam [ˌæmstə'dæm] *n* Amsterdam.

Amtrak® ['æmtræk] *n société nationale de chemins de fer aux États-Unis.*

amuse [ə'mjuːz] *vt* **1.** amuser, faire rire **2.** divertir, distraire • **to amuse o.s. (by doing sthg)** s'occuper (à faire qqch).

amused [ə'mjuːzd] *adj* **1.** amusé(e) • **to be amused at** *ou* **by sthg** trouver qqch amusant **2.** • **to keep o.s. amused** s'occuper.

amusement [ə'mjuːzmənt] *n* **1.** amusement *m* **2.** distraction *f*.

amusement arcade *n* (*UK*) galerie *f* de jeux (*notamment de jeux vidéo*).

amusement park *n* parc *m* d'attractions.

amusing [ə'mjuːzɪŋ] *adj* amusant(e).

an (*accentué* [æn], *non accentué* [ən]) ▷ **a**.

anabolic steroid [ˌænə'bɒlɪk-] *n* (stéroïde *m*) anabolisant *m*.

anaemic, anemic (*US*) [ə'niːmɪk] *adj* **1.** anémique **2.** *fig & péj* fade, plat(e).

anaesthetic, anesthetic (*US*) [ˌænɪs'θetɪk] *n* anesthésique *m* • **under anaesthetic** sous anesthésie • **local/general anaesthetic** anesthésie *f* locale/générale.

analogue (*UK*), **analog** (*US*) ['ænəlɒg] *adj* (*montre, pendule*) analogique.

analogy [ə'nælədʒɪ] *n* analogie *f*.

analyse (*UK*), **-yze** (*US*) ['ænəlaɪz] *vt* analyser.

analysis [ə'næləsɪs] (*pl* **-ses** [-siːz]) *n* analyse *f*.

analyst ['ænəlɪst] *n* analyste *mf*.

analytic(al) [ˌænə'lɪtɪk(l)] *adj* analytique.

analyze (*US*) = **analyse**.

anarchist ['ænəkɪst] *n* anarchiste *mf*.

anarchy ['ænəkɪ] *n* anarchie *f*.

anathema [ə'næθəmə] *n* anathème *m*.

anatomy [ə'nætəmɪ] *n* anatomie *f*.

ANC (*abr de* **African National Congress**) *n* ANC *m*.

ancestor ['ænsestəʳ] *n* *litt & fig* ancêtre *m*.

anchor ['æŋkəʳ] ◼ *n* **1.** ancre *f* **2.** (*US*) présentateur *m*, -trice *f*. ◼ *vt* **1.** ancrer **2.** (*US*) présenter. ◼ *vi* jeter l'ancre.

anchovy ['æntʃəvɪ] (*pl inv ou* **-ies**) *n* anchois *m*.

ancient ['eɪnʃənt] *adj* **1.** *(monument)* histo-rique **2.** *(coutume)* ancien(enne) **3.** *hum* antique **4.** *hum* vieux(vieille).

ancillary [æn'sɪlərɪ] *adj* auxiliaire.

and *(accentué,* [ænd]*, non accentué* [ənd] *ou* [ən]*) conj* **1.** et **2.** • **six and a half** six et de-mi **3.** • **come and look!** venez voir ! • **try and come** essayez de venir • **wait and see** vous verrez bien, on verra bien.
■ **and so on, and so forth** *adv* et ainsi de suite.

Andes ['ændiːz] *npl* • **the Andes** les An-des *fpl.*

Andorra [æn'dɔrə] *n* Andorre *f.*

anecdote ['ænɪkdəʊt] *n* anecdote *f.*

anemic *(US)* = **anaemic**.

anesthetic *etc (US)* = **anaesthetic** *etc.*

anew [ə'njuː] *adv* • **to start anew** recom-mencer (à zéro).

angel ['eɪndʒəl] *n* ange *m.*

anger ['æŋgəʳ] ■ *n* colère *f.* ■ *vt* fâcher, irriter.

anger management *n thérapie pour ai-der les gens coléreux à mieux se maîtriser.*

angina [æn'dʒaɪnə] *n* angine *f* de poitri-ne.

angle ['æŋgl] *n* **1.** angle *m* • **at an angle** de travers, en biais **2.** point *m* de vue.

angler ['æŋgləʳ] *n* pêcheur *m* (à la ligne).

Anglican ['æŋglɪkən] ■ *adj* anglican(e). ■ *n* anglican *m,* -e *f.*

angling ['æŋglɪŋ] *n* pêche *f* à la ligne.

angry ['æŋgrɪ] *adj* **1.** en colère, fâché(e) **2.** *(dispute)* violent(e).

anguish ['æŋgwɪʃ] *n* angoisse *f.*

angular ['æŋgjʊləʳ] *adj* anguleux(euse).

animal ['ænɪml] ■ *n* **1.** animal *m* **2.** *péj* brute *f.* ■ *adj* animal(e).

animate ['ænɪmət] *adj* animé(e), vi-vant(e).

animated ['ænɪmeɪtɪd] *adj* animé(e).

aniseed ['ænɪsiːd] *n* anis *m.*

ankle ['æŋkl] ■ *n* cheville *f.* ■ *en appo-sition* • **ankle socks** socquettes *fpl* • **ankle boots** bottines *fpl.*

annex, annexe ['æneks] *n* annexe *f.*

annihilate [ə'naɪəleɪt] *vt* anéantir, anni-hiler.

anniversary [,ænɪ'vɜːsərɪ] *n* anniversai-re *m.*

announce [ə'naʊns] *vt* annoncer.

announcement [ə'naʊnsmənt] *n* **1.** dé-claration *f* **2.** avis *m* *(dans un journal)* **3.** *(indén)* annonce *f.*

announcer [ə'naʊnsəʳ] *n* speaker *m,* speakerine *f.*

annoy [ə'nɔɪ] *vt* agacer, contrarier.

annoyance [ə'nɔɪəns] *n* contrariété *f.*

annoyed [ə'nɔɪd] *adj* mécontent(e), aga-cé(e) • **to get annoyed** se fâcher.

annoying [ə'nɔɪŋ] *adj* agaçant(e).

annual ['ænjʊəl] ■ *adj* annuel(elle). ■ *n* **1.** plante *f* annuelle **2.** publication *f* an-nuelle **3.** album *m* *(de bande dessinée).*

annual general meeting *n (UK)* assem-blée *f* générale annuelle.

annul [ə'nʌl] *vt* **1.** annuler **2.** abroger.

annum ['ænəm] *n* • **per annum** par an.

anomaly [ə'nɒmlɪ] *n* anomalie *f.*

anonymous [ə'nɒnɪməs] *adj* anonyme.

anorak ['ænəræk] *n* anorak *m.*

anorexia (nervosa) [,ænə'reksɪə (nɜː'vəʊsə)] *n* anorexie *f* (mentale).

anorexic [,ænə'reksɪk] ■ *adj* anorexi-que. ■ *n* anorexique *mf.*

another [ə'nʌðəʳ] ■ *adj* **1.** • **another apple** encore une pomme, une pomme de plus, une autre pomme • **in another few minutes** dans quelques minutes **2.** • **another job** un autre travail. ■ *pron* **1.** un autre(une autre), encore un(en-core une) • **one after another** l'un après l'autre(l'une après l'autre) **2.** un au-tre(une autre) • **one another** l'un l'au-tre(l'une l'autre).

answer ['ɑːnsəʳ] ■ *n* **1.** réponse *f* **2.** solu-tion *f.* ■ *vt* répondre à • **to answer the door** aller ouvrir la porte • **to answer the phone** répondre au téléphone. ■ *vi* répondre.
■ **answer back** ■ *vt sép* répondre (avec insolence) à. ■ *vi* répondre (avec inso-lence).
■ **answer for** *vt insép* être responsable de, répondre de.

answerable ['ɑːnsərəbl] *adj* • **answerable to sb/for sthg** responsable devant qqn/de qqch.

answering machine ['ɑːnsərɪŋ-] *n* ré-pondeur *m.*

ant [ænt] *n* fourmi *f.*

antagonism [æn'tægənɪzm] *n* antagonisme *m*, hostilité *f*.

antagonize, -ise [æn'tægənaɪz] *vt* éveiller l'hostilité de.

Antarctic [æn'tɑːktɪk] ■ *n* • the Antarctic l'Antarctique *m*. ■ *adj* antarctique.

antelope ['æntɪləʊp] (*pl inv ou* -s) *n* antilope *f*.

antenatal [ˌæntɪ'neɪtl] *adj* prénatal(e).

antenatal clinic *n* service *m* de consultation prénatale.

antenna [æn'tenə] *n* **1.** (*pl* -nae [-niː]) antenne *f* (*d'un insecte*) **2.** (*pl* -s) (*US*) antenne *f* (*d'une télévision*).

anthem ['ænθəm] *n* hymne *m*.

anthology [æn'θɒlədʒɪ] *n* anthologie *f*.

antibiotic [ˌæntɪbaɪ'ɒtɪk] *n* antibiotique *m*.

antibody ['æntɪˌbɒdɪ] *n* anticorps *m*.

anticipate [æn'tɪsɪpeɪt] *vt* **1.** s'attendre à, prévoir **2.** anticiper (*une demande*) **3.** prendre de l'avance sur **4.** savourer à l'avance.

anticipation [ænˌtɪsɪ'peɪʃn] *n* **1.** attente *f* **2.** impatience *f* • **in anticipation of** en prévision de.

anticlimax [ˌæntɪ'klaɪmæks] *n* déception *f*.

anticlockwise [ˌæntɪ'klɒkwaɪz] *adj* & *adv* (*UK*) dans le sens inverse des aiguilles d'une montre.

antics ['æntɪks] *npl* **1.** cabrioles *fpl* **2.** *péj* bouffonneries *fpl*.

anticyclone [ˌæntɪ'saɪkləʊn] *n* anticyclone *m*.

antidepressant [ˌæntɪdɪ'presnt] *n* antidépresseur *m*.

antidote ['æntɪdəʊt] *n litt* & *fig* • **antidote (to)** antidote *m* (contre).

antifreeze ['æntɪfriːz] *n* antigel *m*.

antihistamine [ˌæntɪ'hɪstəmɪn] *n* antihistaminique *m*.

antiperspirant [ˌæntɪ'pɜːspərənt] *n* antiperspirant *m*.

antiquated ['æntɪkweɪtɪd] *adj* dépassé(e).

antique [æn'tiːk] ■ *adj* ancien(enne). ■ *n* **1.** objet *m* ancien **2.** meuble *m* ancien.

antique shop *n* magasin *m* d'antiquités.

anti-Semitism [-semɪtɪzəm] *n* antisémitisme *m*.

antiseptic [ˌæntɪ'septɪk] ■ *adj* antiseptique. ■ *n* antiseptique *m*.

antisocial [ˌæntɪ'səʊʃl] *adj* **1.** antisocial(e) **2.** peu sociable, sauvage.

anus ['eɪnəs] *n* anus *m*.

anvil ['ænvɪl] *n* enclume *f*.

anxiety [æŋ'zaɪətɪ] *n* **1.** anxiété *f* **2.** souci *m* **3.** désir *m* farouche.

anxious ['æŋkʃəs] *adj* **1.** anxieux(euse), très inquiet(ète) • **to be anxious about** se faire du souci au sujet de **2.** • **to be anxious to do sthg** tenir à faire qqch • **to be anxious that** tenir à ce que (+ *subjonctif*).

2. DANS DES PHRASES INTERROGATIVES
• **do you want any more potatoes?** voulez-vous encore des pommes de terre ?
• **is that any better/clearer?** est-ce que c'est mieux/plus clair comme ça ?

anybody ['enɪ,bɒdɪ] = anyone.

anyhow ['enɪhaʊ] *adv* **1.** quand même, néanmoins **2.** n'importe comment **3.** de toute façon.

any more, anymore ['enɪmɔʳ] *adv*
• **they don't live here any more** ils n'habitent plus ici.

anyone ['enɪwʌn] *pron* **1.** *(dans des phrases négatives)* • **I didn't see anyone** je n'ai vu personne **2.** *(dans des phrases interrogatives)* quelqu'un **3.** n'importe qui.

anyplace ['enɪpleɪs] *(US)* = anywhere.

anything ['enɪθɪŋ] *pron* **1.** *(dans des phrases négatives)* • **I didn't see anything** je n'ai rien vu **2.** *(dans des phrases interrogatives)* quelque chose • **anything else?** et avec ceci ? **3.** n'importe quoi • **if anything happens...** s'il arrive quoi que ce soit...

anyway ['enɪweɪ] *adv* de toute façon.

anywhere ['enɪweəʳ], **anyplace** ['enɪpleɪs] *adv* **1.** *(dans des phrases négatives)* • **I haven't seen him anywhere** je ne l'ai vu nulle part **2.** *(dans des phrases interrogatives)* quelque part **3.** n'importe où.

apart [ə'pɑːt] *adv* **1.** • **we're living apart** nous sommes séparés **2.** à l'écart **3.** • **joking apart** sans plaisanter.
■ **apart from** *prép* **1.** à part, sauf **2.** en plus de, outre.

apartheid [ə'pɑːtheɪt] *n* apartheid *m*.

apartment [ə'pɑːtmənt] *n* appartement *m*.

apartment building *n* *(US)* immeuble *m* *(d'habitation)*.

apathy ['æpəθɪ] *n* apathie *f*.

ape [eɪp] ■ *n* singe *m*. ■ *vt* singer.

aperitif [əperə'tiːf] *n* apéritif *m*.

aperture ['æpə,tjʊəʳ] *n* orifice *m*, ouverture *f*.

apex ['eɪpeks] *(pl* -es [-iːz] *ou* apices ['eɪpɪsiːz]) *n* sommet *m*.

APEX ['eɪpeks] *(abr de* advance purchase excursion) *n* • **APEX ticket** billet *m* APEX.

apices ['eɪpɪsiːz] *npl* ▷ apex.

apiece [ə'piːs] *adv* **1.** *(personne)* chacun(e), par personne **2.** *(chose)* chacun(e), pièce *(inv)*.

apocalypse [ə'pɒkəlɪps] *n* apocalypse *f*.

apologetic [ə,pɒlə'dʒetɪk] *adj* d'excuse
• **to be apologetic about sthg** s'excuser de qqch.

apologize, -ise [ə'pɒlədʒaɪz] *vi* s'excuser.

apology [ə'pɒlədʒɪ] *n* excuses *fpl*.

apostle [ə'pɒsl] *n* apôtre *m*.

apostrophe [ə'pɒstrəfɪ] *n* apostrophe *f*.

appal *(UK)*, **appall** *(US)* [ə'pɔl] *vt* horrifier.

appalling [ə'pɔlɪŋ] *adj* épouvantable.

apparatus [,æpə'reɪtəs] *(pl inv ou* -es [-iːz]) *n* **1.** appareil *m*, dispositif *m* **2.** *(indén)* agrès *mpl*.

apparel [ə'pærəl] *n* *(US)* habillement *m*.

apparent [ə'pærənt] *adj* **1.** évident(e) **2.** apparent(e).

apparently [ə'pærəntlɪ] *adv* **1.** à ce qu'il paraît **2.** apparemment, en apparence.

appeal [ə'piːl] ■ *vi* **1.** • **to appeal (to sb for sthg)** lancer un appel (à qqn pour obtenir qqch) **2.** • **to appeal to** faire appel à **3.** • **to appeal (against)** faire appel (de) **4.** • **to appeal to sb** plaire à qqn • **it appeals to me** ça me plaît. ■ *n* **1.** appel *m* **2.** DR appel *m* **3.** intérêt *m*, attrait *m*.

appealing [ə'piːlɪŋ] *adj* attirant(e), sympathique.

appear [ə'pɪəʳ] *vi* **1.** apparaître **2.** *(livre)* sortir, paraître **3.** sembler, paraître **4.** CINÉ jouer **5.** DR comparaître.

appearance [ə'pɪərəns] *n* **1.** apparition *f* • **to make an appearance** se montrer **2.** apparence *f*, aspect *m*.

appease [ə'piːz] *vt* apaiser.

append [ə'pend] *vt* sout **1.** joindre *(un document)* **2.** apposer *(sa signature)*.

appendicitis [ə,pendɪ'saɪtɪs] *n* *(indén)* appendicite *f*.

appendix [ə'pendɪks] *(pl* -dixes [-dɪksiːz] *ou* -dices [-dɪsiːz]) *n* appendice *m* • **to have one's appendix out** *ou* **removed** *ou* **taken out** *(US)* se faire opérer de l'appendicite.

appetite ['æpɪtaɪt] *n* **1.** • **appetite (for)** appétit *m* (pour) **2.** *fig* • **appetite (for)** goût *m* (de *ou* pour).

appetizer, -iser ['æpɪtaɪzəʳ] n 1. amuse-gueule m inv 2. apéritif m.

appetizing, -ising ['æpɪtaɪzɪŋ] adj appétissant(e).

applaud [ə'plɔd]  vt 1. applaudir 2. approuver, applaudir à.  vi applaudir.

applause [ə'plɔz] n (indén) applaudissements mpl.

apple ['æpl] n pomme f.

apple tree n pommier m.

appliance [ə'plaɪəns] n appareil m.

applicable [ə'plɪkəbl] adj • applicable **(to)** applicable (à).

applicant ['æplɪkənt] n 1. • applicant **(for)** candidat m, -e f (à) • demandeur m, -euse f (de) 2. • college (US) ou university applicant candidat à l'inscription à l'université.

application [,æplɪ'keɪʃn] n 1. application f 2. • application **(for)** demande f (de).

application form n 1. dossier m de candidature 2. dossier m d'inscription.

applied [ə'plaɪd] adj appliqué(e).

apply [ə'plaɪ]  vt appliquer.  vi 1. • **apply (for)** faire une demande (de) • **to apply to sb (for sthg)** s'adresser à qqn (pour obtenir qqch) • **to apply for a job** poser sa candidature pour un emploi 2. • **to apply to** s'appliquer à, concerner.

appoint [ə'pɔɪnt] vt 1. • **to appoint sb (as sthg)** nommer qqn (qqch) 2. fixer (un lieu, une date de rendez-vous).

appointment [ə'pɔɪntmənt] n 1. nomination f, désignation f 2. poste m, emploi m 3. rendez-vous m.

apportion [ə'pɔʃn] vt répartir.

appraisal [ə'preɪzl] n évaluation f.

appreciable [ə'priːʃəbl] adj 1. appréciable 2. (différence) sensible.

appreciate [ə'priːʃɪeɪt]  vt 1. apprécier, aimer 2. comprendre, se rendre compte de 3. être reconnaissant(e) de.  vi FIN prendre de la valeur.

appreciation [ə,priːʃɪ'eɪʃn] n 1. contentement m 2. compréhension f 3. (gratitude) reconnaissance f.

appreciative [ə'priːʃjətɪv] adj 1. reconnaissant(e) 2. élogieux(euse).

apprehensive [,æprɪ'hensɪv] adj inquiet(ète).

apprentice [ə'prentɪs] n apprenti m, -e f.

apprenticeship [ə'prentɪsʃɪp] n apprentissage m.

approach [ə'prəʊtʃ]  n 1. approche f 2. démarche f, approche f.  vt 1. s'approcher de 2. parler à 3. aborder.  vi s'approcher.

approachable [ə'prəʊtʃəbl] adj accessible.

appropriate  adj [ə'prəʊprɪət] 1. (tenue) convenable 2. (comportement) approprié(e) 3. (moment) opportun(e).  vt [ə'prəʊprɪeɪt] 1. s'approprier 2. affecter (des fonds) à.

approval [ə'pruːvl] n approbation f • **on approval** à condition, à l'essai.

approve [ə'pruːv]  vi • **to approve (of sthg)** approuver (qqch).  vt approuver, ratifier.

approximate adj [ə'prɒksɪmət] approximatif(ive).

approximately [ə'prɒksɪmətlɪ] adv à peu près, environ.

apricot ['eɪprɪkɒt] n abricot m.

April ['eɪprəl] n avril m. • voir aussi September

April Fools' Day n le 1er avril.

April Fools' day

En Grande-Bretagne et aux États-Unis, le premier avril est l'occasion de farces et calembours en tous genres. Même la radio et les journaux diffusent des canulars. En revanche, la tradition du poisson en papier n'existe pas.

apron ['eɪprən] n tablier m.

apt [æpt] adj 1. pertinent(e), approprié(e) 2. • **to be apt to do sthg** avoir tendance à faire qqch.

aptitude ['æptɪtjuːd] n aptitude f, disposition f.

aptly ['æptlɪ] adv avec justesse, à propos.

aqualung ['ækwəlʌŋ] n scaphandre m autonome.

aquarium [ə'kweərɪəm] (pl -riums ou -ria [-rɪə]) n aquarium m.

Aquarius [ə'kweərɪəs] n Verseau m.

aquatic [ə'kwætɪk] *adj* **1.** *(animal, plante)* aquatique **2.** *(sport)* nautique.

aqueduct ['ækwɪdʌkt] *n* aqueduc *m*.

Arab ['ærəb] ◼ *adj* arabe. ◼ *n* Arabe *mf*.

Arabian [ə'reɪbjən] *adj* d'Arabie, arabe.

Arabic ['ærəbɪk] ◼ *adj* arabe. ◼ *n* arabe *m*.

Arabic numeral *n* chiffre *m* arabe.

arable ['ærəbl] *adj* arable.

arbitrary ['ɑːbɪtrərɪ] *adj* arbitraire.

arbitration [,ɑːbɪ'treɪʃn] *n* arbitrage *m*.

arcade [ɑː'keɪd] *n* **1.** galerie *f* marchande **2.** arcades *fpl* **3.** galerie *f* de jeux.

arch [ɑːtʃ] ◼ *adj* malicieux(euse), espiègle. ◼ *n* **1.** ARCHIT arc *m*, voûte *f* **2.** voûte *f* plantaire, cambrure *f*. ◼ *vt* cambrer, arquer. ◼ *vi* former une voûte.

archaeologist [,ɑːkɪ'ɒlədʒɪst] *n* archéologue *mf*.

archaeology [,ɑːkɪ'ɒlədʒɪ] *n* archéologie *f*.

archaic [ɑː'keɪɪk] *adj* archaïque.

archbishop [,ɑːtʃ'bɪʃəp] *n* archevêque *m*.

archenemy [,ɑːtʃ'enɪmɪ] *n* ennemi *m* numéro un.

archeology = **archaeology**.

archer ['ɑːtʃər] *n* archer *m*.

archery ['ɑːtʃərɪ] *n* tir *m* à l'arc.

archetypal [,ɑːkɪ'taɪpl] *adj* typique.

architect ['ɑːkɪtekt] *n litt & fig* architecte *mf*.

architecture ['ɑːkɪtektʃər] *n* architecture *f*.

archway ['ɑːtʃweɪ] *n* passage *m* voûté.

ardent ['ɑːdənt] *adj* fervent(e), passionné(e).

arduous ['ɑːdjʊəs] *adj* ardu(e).

are *(forme non accentuée* [ər]*, forme accentuée* [ɑːr]*)* ⊳ **be**.

area ['eərɪə] *n* **1.** région *f* • **parking area** aire *f* de stationnement • **in the area of** environ, à peu près **2.** aire *f*, superficie *f* **3.** domaine *m* *(d'étude, d'investigation)*.

area code *n* *(US)* indicatif *m* de zone.

arena [ə'riːnə] *n litt & fig* arène *f*.

aren't [ɑːnt] = **are not**.

Argentina [,ɑːdʒən'tiːnə] *n* Argentine *f*.

Argentine ['ɑːdʒəntaɪn], **Argentinian** [,ɑːdʒən'tɪnɪən] ◼ *adj* argentin(e). ◼ *n* Argentin *m*, -e *f*.

arguably ['ɑːgjʊəblɪ] *adv* • **she's arguably the best** on peut soutenir qu'elle est la meilleure.

argue ['ɑːgjuː] ◼ *vi* **1.** • **to argue (with sb about sthg)** se disputer (avec qqn à propos de qqch) **2.** • **to argue (for/against)** argumenter (pour/contre). ◼ *vt* débattre de, discuter de • **to argue that** soutenir *ou* maintenir que.

argument ['ɑːgjʊmənt] *n* **1.** dispute *f* **2.** argument *m* **3.** *(indén)* discussion *f*, débat *m*.

argumentative [,ɑːgjʊ'mentətɪv] *adj* querelleur(euse), batailleur(euse).

arid ['ærɪd] *adj litt & fig* aride.

Aries ['eəriːz] *n* Bélier *m*.

arise [ə'raɪz] *(prét* **arose***, pp* **arisen** [ə'rɪzn]*) vi* surgir, survenir • **to arise from** résulter de, provenir de • **if the need arises** si le besoin se fait sentir.

aristocrat [*(UK)* 'ærɪstəkræt, *(US)* ə'rɪstəkræt] *n* aristocrate *mf*.

arithmetic [ə'rɪθmətɪk] *n* arithmétique *f*.

ark [ɑːk] *n* arche *f*.

arm [ɑːm] ◼ *n* **1.** bras *m* • **arm in arm** bras dessus bras dessous • **to keep sb at arm's length** *(UK) fig* tenir qqn à distance • **to twist sb's arm** *fig* forcer la main à qqn **2.** manche *f* *(d'un vêtement)*. ◼ *vt* armer.

◼ **arms** *npl* armes *fpl* • **to take up arms** prendre les armes • **to be up in arms about sthg** s'élever contre qqch.

armaments ['ɑːməmənts] *npl* matériel *m* de guerre, armements *mpl*.

armchair ['ɑːmtʃeər] *n* fauteuil *m*.

armed [ɑːmd] *adj litt & fig* • **armed (with)** armé(e) (de).

armed forces *npl* forces *fpl* armées.

armhole ['ɑːmhəʊl] *n* emmanchure *f*.

armour *(UK)*, **armor** *(US)* ['ɑːmər] *n* **1.** armure *f* **2.** blindage *m*.

armoury *(UK)*, **armory** *(US)* ['ɑːmərɪ] *n* arsenal *m*.

armpit ['ɑːmpɪt] *n* aisselle *f*.

armrest ['ɑːmrest] *n* accoudoir *m*.

arms control ['ɑːmz-] *n* contrôle *m* des armements.

army ['ɑːmɪ] n litt & fig armée f.

aroma [ə'rəʊmə] n arôme m.

arose [ə'rəʊz] passé ▷ **arise**.

---

around [ə'raʊnd] adv

1. INDIQUE UNE PROXIMITÉ DANS L'ESPACE
• **have you seen him around?** l'avez-vous vu dans les parages ?
• **she'll be around soon** elle sera là bientôt
• **to walk around** se promener
• **to lie around** traîner

2. AUTOUR
• **there was a yard with a fence all around** il y avait une cour avec une clôture tout autour

3. DANS DES EXPRESSIONS
• **to turn around** se retourner
• **he has been around** fam il n'est pas né d'hier, il a de l'expérience.

---

around prép

1. AUTOUR DE
• **they walked around the lake** ils se sont promenés autour du lac

2. À TRAVERS
• **all around the country** dans tout le pays

3. EXPRIME UNE APPROXIMATION
• **I'll see you around 9 o'clock** je te verrai vers 9 heures
• **around here** par ici.

---

arouse [ə'raʊz] vt **1.** éveiller, susciter (un sentiment) **2.** exciter (une personne) **3.** réveiller.

arrange [ə'reɪndʒ] vt **1.** arranger, disposer (des fleurs, des meubles) **2.** organiser, fixer (une réunion, un rendez-vous) • **to arrange to do sthg** convenir de faire qqch.

arrangement [ə'reɪndʒmənt] n accord m, arrangement m • **to come to an arrangement** s'entendre, s'arranger.
■ **arrangements** npl dispositions fpl, préparatifs mpl.

array [ə'reɪ] ■ n étalage m. ■ vt disposer.

arrears [ə'rɪəz] npl arriéré m • **to be in arrears** être en retard • (endettement) avoir des arriérés.

arrest [ə'rest] ■ n arrestation f • **under arrest** en état d'arrestation. ■ vt arrêter.

arrival [ə'raɪvl] n **1.** arrivée f • **late arrival** retard m **2.** arrivant m, -e f • **new arrival** nouveau venu m, nouvelle venue f, nouveau-né m, nouveau-née f.

arrive [ə'raɪv] vi **1.** arriver **2.** être né(e).

arrogant ['ærəgənt] adj arrogant(e).

arrow ['ærəʊ] n flèche f.

arse (UK) [ɑːs], **ass** (US) [æs] n vulg cul m.

arsenal ['ɑːsənl] n arsenal m.

arsenic ['ɑːsnɪk] n arsenic m.

arson ['ɑːsn] n incendie m criminel ou volontaire.

art [ɑːt] ■ n art m. ■ en apposition **1.** d'art **2.** des beaux-arts.
■ **arts** npl **1.** (UK) lettres fpl **2.** • **the arts** les arts mpl.

artefact ['ɑːtɪfækt] = **artifact**.

artery ['ɑːtərɪ] n artère f.

art gallery n **1.** musée m d'art **2.** galerie f d'art.

arthritis [ɑː'θraɪtɪs] n arthrite f.

artichoke ['ɑːtɪtʃəʊk] n artichaut m.

article ['ɑːtɪkl] n article m • **article of clothing** vêtement m.

articulate ■ adj [ɑː'tɪkjʊlət] **1.** qui sait s'exprimer **2.** (élocution) clair(e), distinct(e). ■ vt [ɑː'tɪkjʊleɪt] formuler.

articulated lorry [ɑː'tɪkjʊleɪtɪd-] n (UK) semi-remorque m.

artifact ['ɑːtɪfækt] n objet m fabriqué.

artificial [ˌɑːtɪ'fɪʃl] adj **1.** artificiel(elle) **2.** affecté(e).

artillery [ɑː'tɪlərɪ] n artillerie f.

artist ['ɑːtɪst] n artiste mf.

artiste [ɑː'tiːst] n artiste mf.

artistic [ɑː'tɪstɪk] adj **1.** (personne) qui a une sensibilité d'artiste **2.** artistique.

artistry ['ɑːtɪstrɪ] n art m, talent m artistique.

artless ['ɑːtlɪs] adj naturel(elle), ingénu(e).

---

as conj

forme accentuée [æz], forme non accentuée [əz]

1. EXPRIME LA SIMULTANÉITÉ
• **she rang (just) as I was leaving** elle m'a téléphoné juste au moment où je partais

2. EXPRIME UN CHANGEMENT GRADUEL

 • **as time goes by** à mesure que le temps passe, avec le temps

 • **he grew grumpier as he got older** il devenait de plus en plus grognon en vieillissant

3. EXPRIME LA CAUSE

 • **as it's snowing, we'd better stay at home** comme il neige, nous ferions mieux de rester à la maison

4. CONFORMÉMENT À

 • **as you know, he is always late** comme tu le sais, il est toujours en retard

 • **do as I say** fais ce que je (te) dis

5. EXPRIME UNE OPPOSITION

 • **long as it was, I didn't find the lesson boring** bien que la leçon ait été longue, je ne me suis pas ennuyé.

■ **as** *prép*

1. INDIQUE UNE FONCTION, UN RÔLE

 • **she works as a nurse** elle est infirmière

 • **I'm speaking as your friend** je te parle en ami

2. EN TANT QUE

 • **it could be used as evidence against him** cela pourrait être utilisé comme preuve contre lui.

■ **as** *adv*

DANS UNE COMPARAISON

 • **he's as tall as I am** il est aussi grand que moi

 • **he runs as fast as his sister** il court aussi vite que sa sœur

 • **as much wine as** autant de vin que.

■ **as for** *prép*

 • **as for desert, there's some ice-cream in the freezer** pour ce qui est du dessert il y a de la glace au congélateur.

■ **as from, as of** *prép*

INDIQUE UN POINT DE DÉPART DANS LE TEMPS

 • **as of yesterday** depuis hier

 • **your ticket is valid as of Monday** votre ticket sera valable à partir de lundi.

■ **as if, as though** *conj*

comme si

 • **as if it mattered!** comme si ça avait de l'importance !

 • **it looks as if** *ou* **as though it will rain** on dirait qu'il va pleuvoir.

■ **as to** *prép*

en ce qui concerne, au sujet de

 • **I'm still uncertain as to his motivation** j'ai toujours des doutes en ce qui concerne *ou* au sujet de sa motivation.

À PROPOS DE... as

As... as s'utilise dans les comparaisons, pour exprimer l'égalité. Dans la langue de tous les jours, on le fait suivre d'un pronom objet tel que *me, him, her, etc* (*she's as tall as me*). Dans la langue soutenue, il peut être suivi d'un pronom sujet tel que *I, he, she, etc.*, et, éventuellement, d'un deuxième verbe (*she's not as tall as I*).

As if et *as though* ont le même sens. Si la personne qui parle a de sérieux doutes quant à la véracité de la comparaison, ou si elle est certaine que la comparaison n'est pas vraie, elle peut utiliser un verbe au subjonctif passé (*she went pale as if/though she were about to faint*).

asbestos [æs'bestəs] *n* asbeste *m*, amiante *m*.

ascend [ə'send] *vt* & *vi* monter.

ascendant [ə'sendənt] *n* • **to be in the ascendant** avoir le dessus.

ascent [ə'sent] *n litt* & *fig* ascension *f*.

ascertain [,æsə'teɪn] *vt* établir.

ascribe [ə'skraɪb] *vt* • **to ascribe sthg to** attribuer qqch à • *(faute)* imputer qqch à.

ash [æʃ] *n* **1.** cendre *f* **2.** frêne *m*.

ashamed [ə'ʃeɪmd] *adj* honteux(euse), confus(e) • **to be shamed of** avoir honte de.

ashen-faced ['æʃn,feɪst] *adj* blême.

ashore [ə'ʃɔr] *adv* à terre.

ashtray ['æʃtreɪ] *n* cendrier *m*.

Ash Wednesday *n* le mercredi des Cendres.

Asia [*(UK)* 'eɪʃə, *(US)* 'eɪʒə] *n* Asie *f*.

Asian [*(UK)* 'eɪʃn, *(US)* 'eɪʒn] ■ *adj* asiatique. ■ *n* Asiatique *mf*.

aside [ə'saɪd] ■ *adv* **1.** de côté • **to move aside** s'écarter **2.** à part • **to take sb aside**

prendre qqn à part ∗ **aside from** à l'exception de. ◼ n **1.** THÉÂTRE aparté m **2.** réflexion f, commentaire m.

ask [ɑːsk] vt **1.** demander ∗ **to ask sb sthg** demander qqch à qqn ∗ **he asked me my name** il m'a demandé mon nom ∗ **to ask sb for sthg** demander qqch à qqn **2.** poser (une question) **3.** inviter.

◼ **ask after** vt insép demander des nouvelles de.

◼ **ask for** vt insép **1.** demander à voir (quelqu'un) **2.** demander (quelque chose).

askance [ə'skæns] adv ∗ **to look askance at sb** regarder qqn d'un air désapprobateur.

askew [ə'skjuː] adj de travers.

asking price ['ɑːskɪŋ-] n prix m demandé.

asleep [ə'sliːp] adj endormi(e) ∗ **to fall asleep** s'endormir.

asparagus [ə'spærəgəs] n (indén) asperges fpl.

aspect ['æspekt] n **1.** aspect m **2.** orientation f (d'une maison).

aspersions [ə'spɜːʃnz] npl ∗ **to cast aspersions on** jeter le discrédit sur.

asphalt ['æsfælt] n asphalte m.

asphyxiate [əs'fɪksɪeɪt] vt asphyxier.

aspiration [ˌæspə'reɪʃn] n aspiration f.

aspire [ə'spaɪə'] vi ∗ **to aspire to sthg/to do sthg** aspirer à qqch/à faire qqch.

aspirin ['æsprɪn] n aspirine f.

ass [æs] n **1.** âne m **2.** fam imbécile mf, idiot m, -e f **3.** (US) vulg = **arse.**

assailant [ə'seɪlənt] n assaillant m, -e f.

assassin [ə'sæsɪn] n assassin m.

assassinate [ə'sæsɪneɪt] vt assassiner.

assassination [əˌsæsɪ'neɪʃn] n assassinat m.

assault [ə'sɔːlt] ◼ n **1.** ∗ **assault (on)** assaut m (de), attaque f (de) **2.** ∗ **assault (on sb)** agression f (contre qqn). ◼ vt **1.** agresser **2.** violenter.

assemble [ə'sembl] ◼ vt **1.** réunir **2.** assembler, monter. ◼ vi se réunir, s'assembler.

assembly [ə'semblɪ] n **1.** assemblée f **2.** assemblage m.

assembly line n chaîne f de montage.

assent [ə'sent] ◼ n consentement m, assentiment m. ◼ vi ∗ **to assent (to)** donner son consentement ou assentiment (à).

assert [ə'sɜːt] vt **1.** affirmer, soutenir **2.** imposer (son autorité).

assertive [ə'sɜːtɪv] adj **1.** assuré(e) **2.** péj péremptoire.

assess [ə'ses] vt évaluer, estimer.

assessment [ə'sesmənt] n **1.** opinion f **2.** évaluation f, estimation f.

assessor [ə'sesə'] n contrôleur m, -euse f des impôts.

asset ['æset] n avantage m, atout m.

◼ **assets** npl COMM actif m.

assign [ə'saɪn] vt **1.** ∗ **to assign sthg (to)** assigner qqch (à) **2.** ∗ **to assign sb (to sthg/to do sthg)** nommer qqn (à qqch/pour faire qqch).

assignment [ə'saɪnmənt] n **1.** mission f **2.** SCOL devoir m **3.** attribution f.

assimilate [ə'sɪmɪleɪt] vt assimiler.

assist [ə'sɪst] vt ∗ **to assist sb (with sthg/in doing sthg)** aider ou assister qqn (dans qqch/à faire qqch).

assistance [ə'sɪstəns] n aide f ∗ **to be of assistance (to)** être utile (à).

assistant [ə'sɪstənt] ◼ n assistant m, -e f ∗ **(shop) assistant** (UK) vendeur m, -euse f. ◼ en apposition adjoint(e) ∗ **assistant manager** sous-directeur m, -trice f.

associate ◼ adj [ə'səʊʃɪət] associé(e). ◼ n [ə'səʊʃɪət] associé m, -e f. ◼ vt [ə'səʊʃɪeɪt] ∗ **to associate sb/sthg (with)** associer qqn/qqch (à) ∗ **to be associated with** être associé(e) à. ◼ vi [ə'səʊʃɪeɪt] ∗ **to associate with sb** fréquenter qqn.

association [əˌsəʊsɪ'eɪʃn] n association f ∗ **in association with** avec la collaboration de.

assorted [ə'sɔːtɪd] adj varié(e).

assortment [ə'sɔːtmənt] n mélange m.

assume [ə'sjuːm] vt **1.** supposer, présumer **2.** assumer (ses responsabilités) **3.** adopter (une attitude).

assumed name [ə'sjuːmd-] n nom m d'emprunt.

assuming [ə'sjuːmɪŋ] conj en supposant que.

assumption [ə'sʌmpʃn] n supposition f.

assurance [ə'ʃʊərəns] n **1.** assurance f **2.** garantie f, promesse f.

assure [əˈʃʊəʳ] vt • **to assure sb (of)** assurer qqn (de).

assured [əˈʃʊəd] adj assuré(e).

asterisk [ˈæstərɪsk] n astérisque m.

astern [əˈstɜːn] adv en poupe.

asthma [ˈæsmə] n asthme m.

astonish [əˈstɒnɪʃ] vt étonner.

astonishment [əˈstɒnɪʃmənt] n étonnement m.

astound [əˈstaʊnd] vt stupéfier.

astray [əˈstreɪ] adv • **to go astray** s'égarer • **to lead sb astray** détourner qqn du droit chemin.

astride [əˈstraɪd] ◼ adv à cheval, à califourchon. ◼ prép à cheval ou califourchon sur.

astrology [əˈstrɒlədʒɪ] n astrologie f.

astronaut [ˈæstrənɔːt] n astronaute mf.

astronomical [ˌæstrəˈnɒmɪkl] adj astronomique.

astronomy [əˈstrɒnəmɪ] n astronomie f.

astute [əˈstjuːt] adj malin(igne).

asylum [əˈsaɪləm] n asile m.

at (accentué [æt], non accentué [ət]) prép **1.** à • **at home** à la maison, chez soi **2.** vers • **to look at sb** regarder qqn • **to shoot at sb** tirer sur qqn **3.** à • **at midnight/noon** à minuit/midi • **at Easter** à Pâques **4.** à • **at 52 (years of age)** à 52 ans • **at 100 mph** à 160 km/h • **at £50 a pair** 50 livres la paire **5.** en • **at peace/war** en paix/guerre • **to be at lunch** être en train de déjeuner **6.** (après adj) • **amused/appalled at sthg** diverti(e)/effaré(e) par qqch • **to be bad/good at sthg** être mauvais(e)/bon(bonne) en qqch **7.** arobase f.
◼ **at all** adv **1.** (dans des phrases négatives) • **not at all** je vous en prie • pas du tout **2.** • **anything at all will do** n'importe quoi fera l'affaire • **do you know her at all?** est-ce que vous la connaissez ?

ate [(UK) et, (US) eɪt] passé ▷ **eat**.

atheist [ˈeɪθɪɪst] n athée mf.

Athens [ˈæθɪnz] n Athènes.

athlete [ˈæθliːt] n athlète mf.

athletic [æθˈletɪk] adj athlétique.
◼ **athletics** npl **1.** (UK) athlétisme m **2.** (US) sports mpl.

Atlantic [ətˈlæntɪk] ◼ adj atlantique. ◼ n • **the Atlantic (Ocean)** l'océan m Atlantique, l'Atlantique m.

À PROPOS DE... at

Attention à ne pas confondre **at, in** et **on**, qui apparaissent tous dans des expressions temporelles.
At s'utilise avec des heures ou des moments précis (**at nine o'clock ; at lunch time**), avec les noms de certaines fêtes officielles (**at Christmas ; at New Year ; at Easter**), et enfin avec les mots **weekend** et **night** (**what did you do at the weekend? ; I do my homework at night**).
In précède les noms de mois (**in September**), les années (**in 1966**), les siècles (**in the 17th century**) et les saisons (**in spring**). On trouve aussi **in** dans des expressions contenant les mots **morning, afternoon, etc** (**in the evening we like to go out ; I'll call you in the afternoon**).
On est associé à un jour ou une date spécifique (**on Christmas Day ; on March 8th, 1998 ; on Monday I went swimming**), ou bien à un jour en général pour exprimer la répétition (**on Sundays I visit my grandparents**). On le trouve également dans des expressions contenant les mots **morning, afternoon, etc**, lorsqu'elles contiennent des informations supplémentaires (**on Saturday morning ; on wet afternoons**).

atlas [ˈætləs] n atlas m.

atmosphere [ˈætmə,sfɪəʳ] n atmosphère f.

atmospheric [ˌætməsˈferɪk] adj **1.** atmosphérique **2.** d'ambiance.

atom [ˈætəm] n **1.** atome m **2.** fig grain m, parcelle f.

atom bomb n bombe f atomique.

atomic [əˈtɒmɪk] adj atomique.

atomizer, -iser [ˈætəmaɪzəʳ] n atomiseur m, vaporisateur m.

atone [əˈtəʊn] vi • **to atone for** racheter.

A to Z n plan m de ville.

atrocious [əˈtrəʊʃəs] adj atroce, horrible.

atrocity [əˈtrɒsətɪ] n atrocité f.

attach [əˈtætʃ] vt **1.** • **to attach sthg (to)** attacher qqch (à) **2.** joindre (un document).

attaché case n attaché-case m.

attached [əˈtætʃt] adj • **attached to** attaché(e) à.

attachment [əˈtætʃmənt] n 1. accessoire m 2. • **attachment (to)** attachement m (à) 3. INFORM pièce f jointe.

attack [əˈtæk] ◼ n 1. • **attack (on)** attaque f (contre) 2. crise f. ◼ vt 1. attaquer 2. s'attaquer à (un problème).

attacker [əˈtækər] n 1. agresseur m 2. SPORT attaquant m, -e f.

attain [əˈteɪn] vt atteindre, parvenir à.

attainment [əˈteɪnmənt] n 1. réalisation f 2. talent m.

attempt [əˈtempt] ◼ n • **attempt (at)** tentative f (de) • **attempt on sb's life** tentative d'assassinat. ◼ vt tenter, essayer.

attend [əˈtend] ◼ vt 1. assister à (une réunion) 2. aller à (l'école, l'église). ◼ vi être présent(e).
◼ **attend to** vt insép 1. s'occuper de, régler 2. MÉD soigner.

attendance [əˈtendəns] n 1. assistance f, public m 2. présence f.

attendant [əˈtendənt] ◼ adj qui en découle. ◼ n 1. gardien m, -enne f 2. (station-service) pompiste mf.

attention [əˈtenʃn] ◼ n (indén) 1. attention f • **to draw sb's attention to sthg** attirer l'attention de qqn sur qqch • **to pay attention to** prêter attention à • **for the attention of** à l'attention de 2. soins mpl, attentions fpl. ◼ interj MIL garde-à-vous !

attentive [əˈtentɪv] adj 1. attentif(ive) 2. attentionné(e), prévenant(e).

attic [ˈætɪk] n grenier m.

attitude [ˈætɪtjuːd] n 1. • **attitude (to** OU **towards)** attitude f (envers) 2. pose f (affectée).

attorney [əˈtɜːnɪ] n (US) avocat m, -e f.

attorney general (pl **attorneys general**) n 1. (Au Royaume-Uni, sauf en Écosse) principal avocat de la couronne 2. (aux États-Unis) ministre m de la Justice.

attract [əˈtrækt] vt attirer.

attraction [əˈtrækʃn] n 1. attraction f • **attraction to sb** attirance f envers qqn 2. attrait m.

attractive [əˈtræktɪv] adj 1. attrayant(e), séduisant(e) 2. (prix, idée) intéressant(e).

attribute ◼ vt [əˈtrɪbjuːt] • **to attribute sthg to** attribuer qqch à. ◼ n [ˈætrɪbjuːt] attribut m.

attrition [əˈtrɪʃn] n usure f.

aubergine [ˈəʊbəʒiːn] n (UK) aubergine f.

auburn [ˈɔːbən] adj auburn (inv).

auction [ˈɔːkʃn] ◼ n vente f aux enchères. ◼ vt vendre aux enchères.

auctioneer [ˌɔːkʃəˈnɪər] n commissaire-priseur m.

audacious [ɔːˈdeɪʃəs] adj audacieux (euse).

audible [ˈɔːdəbl] adj audible.

audience [ˈɔːdjəns] n 1. public m, spectateurs mpl 2. téléspectateurs mpl 3. audience f.

audiovisual [ˌɔːdɪəʊvɪzjʊəl] adj audiovisuel(elle).

audit [ˈɔːdɪt] ◼ n audit m, vérification f des comptes. ◼ vt vérifier, apurer.

audition [ɔːˈdɪʃn] n 1. audition f 2. (séance f d')essai m.

auditor [ˈɔːdɪtər] n auditeur m, -trice f.

auditorium [ˌɔːdɪˈtɔːrɪəm] (pl **-riums** OU **-ria** [-rɪə]) n salle f.

augur [ˈɔːgər] vi • **to augur well/badly** être de bon/mauvais augure.

August [ˈɔːgəst] n août m. • voir aussi **September**

Auld Alliance [ˌɔːld-] n • **the Auld Alliance** l'ancienne alliance unissant l'Écosse et la France contre l'Angleterre.

Auld Lang Syne [ˌɔːldlæŋˈsaɪn] n chant traditionnel britannique correspondant à « Ce n'est qu'un au revoir, mes frères ».

aunt [ɑːnt] n tante f.

auntie, aunty [ˈɑːntɪ] n fam tata f, tantine f.

au pair [ˌəʊˈpeər] n jeune fille f au pair.

aura [ˈɔːrə] n atmosphère f.

aural [ˈɔːrəl] adj auditif(ive).

auspices [ˈɔːspɪsɪz] npl • **under the auspices of** sous les auspices de.

auspicious [ɔːˈspɪʃəs] adj prometteur(euse).

Aussie [ˈɒzɪ] fam ◼ adj australien(enne). ◼ n Australien m, -enne f.

austere [ɒˈstɪər] adj austère.

austerity [ɒˈsterətɪ] n austérité f.

Australia [ɒˈstreɪljə] n Australie f.

Australian [ɒ'streɪljən] ◾ adj australien(enne). ◾ n Australien m, -enne f.

Austria ['ɒstrɪə] n Autriche f.

Austrian ['ɒstrɪən] ◾ adj autrichien (enne). ◾ n Autrichien m, -enne f.

authentic [ɔ'θentɪk] adj authentique.

author ['ɔːθər] n auteur m.

authoritarian [ɔ,θɒrɪ'teərɪən] adj autoritaire.

authoritative [ɔ'θɒrɪtətɪv] adj 1. autoritaire 2. qui fait autorité.

authority [ɔ'θɒrətɪ] n 1. autorité f • to be in authority être le/la responsable 2. autorisation f 3. • authority (on sthg) expert m, -e f (en qqch).
◾ **authorities** npl • the authorities les autorités fpl.

authorize, -ise ['ɔːθəraɪz] vt • to authorize sb (to do sthg) autoriser qqn (à faire qqch).

autistic [ɔ'tɪstɪk] adj 1. (enfant) autiste 2. (comportement) autistique.

auto ['ɔːtəʊ] (pl -s) n (US) auto f, voiture f.

autobiography [,ɔːtəbaɪ'ɒgrəfɪ] n autobiographie f.

autocratic [,ɔːtə'krætɪk] adj autocratique.

autograph ['ɔːtəgraːf] ◾ n autographe m. ◾ vt 1. signer 2. dédicacer (un livre).

automate ['ɔːtəmeɪt] vt automatiser.

automatic [,ɔːtə'mætɪk] ◾ adj automatique • **automatic teller machine** (surtout US) distributeur m automatique (de billets). ◾ n 1. voiture f à transmission automatique 2. (arme) automatique m.

automatically [,ɔːtə'mætɪklɪ] adv automatiquement.

automation [,ɔːtə'meɪʃn] n automatisation f, automation f.

automobile ['ɔːtəməbiːl] n (US) automobile f.

autonomy [ɔ'tɒnəmɪ] n autonomie f.

autopsy ['ɔːtɒpsɪ] n autopsie f.

autumn ['ɔːtəm] n (surtout UK) automne m.

auxiliary [ɒg'zɪljərɪ] ◾ adj auxiliaire. ◾ n auxiliaire mf.

avail [ə'veɪl] ◾ n • to no avail en vain, sans résultat. ◾ vt • to avail o.s. of profiter de.

available [ə'veɪləbl] adj disponible.

avalanche ['ævəlɑːnʃ] n litt & fig avalanche f.

avarice ['ævərɪs] n avarice f.

Ave. (abr de **avenue**) av.

avenge [ə'vendʒ] vt venger.

avenue ['ævənjuː] n avenue f.

average ['ævərɪdʒ] ◾ adj moyen(enne). ◾ n moyenne f • **on average** en moyenne. ◾ vt • **the cars were averaging 90 mph** les voitures roulaient en moyenne à 150 km/h.
◾ **average out** vi • to average out at donner la moyenne de.

aversion [ə'vɜːʃn] n • **aversion (to)** aversion f (pour).

avert [ə'vɜːt] vt 1. écarter 2. empêcher (un accident) 3. détourner (le regard).

aviary ['eɪvjərɪ] n volière f.

avid ['ævɪd] adj • **avid (for)** avide (de).

avocado [,ævə'kɑːdəʊ] (pl -s ou -es) n • **avocado (pear)** avocat m.

avoid [ə'vɔɪd] vt éviter.

await [ə'weɪt] vt attendre.

awake [ə'weɪk] ◾ adj réveillé(e) • **are you awake?** tu dors ? ◾ vt (prét awoke ou awaked, pp awoken) 1. réveiller 2. fig éveiller. ◾ vi (prét awoke ou awaked, pp awoken) 1. se réveiller 2. fig s'éveiller.

awakening [ə'weɪknɪŋ] n 1. réveil m 2. fig éveil m.

award [ə'wɔd] ◾ n prix m (récompense). ◾ vt • to award sb sthg, to award sthg to sb décerner qqch à qqn • accorder qqch à qqn.

aware [ə'weər] adj • to be aware of sthg se rendre compte de qqch, être conscient(e) de qqch.

awareness [ə'weənɪs] n (indén) conscience f.

awash [ə'wɒʃ] adj litt & fig • **awash (with)** inondé(e) (de).

---

away [ə'weɪ] adv

1. EXPRIME L'ABSENCE, L'ÉLOIGNEMENT
• **I'll be away for two weeks** je serai absent deux semaines
• **she moved away from him** elle s'éloigna de lui
• **he looked away in disgust** de dégoût, il détourna le regard

2. EXPRIME LA DISTANCE
- **we live 4 miles away (from here)** nous habitons à 6 kilomètres (d'ici)

3. DANS DES EXPRESSIONS DE TEMPS
- **the elections are a month away** les élections se dérouleront dans un mois

4. INDIQUE QUE QQCH A ÉTÉ PLACÉ EN LIEU SÛR
- **he put the dictionary away on the shelf** il rangea le dictionnaire sur l'étagère

5. EXPRIME LA DISPARITION
- **the music faded away as the lights went on** la musique disparut lorsque la lumière s'alluma
- **I had two watches, so I gave one away** j'avais deux montres, donc j'en ai donné une

6. EXPRIME LA CONTINUATION
- **he was working away on a new project** il travaillait sans discontinuer sur un nouveau projet.

awe [ɔ] *n* respect *m* mêlé de crainte • **to be in awe of sb** être impressionné(e) par qqn.

awesome ['ɔsəm] *adj* impressionnant(e).

awful ['ɔfʊl] *adj* **1.** affreux(euse) **2.** *fam*
- **an awful lot (of)** énormément (de).

awfully ['ɔflɪ] *adv fam* **1.** affreusement **2.** extrêmement.

awhile [ə'waɪl] *adv littéraire* un moment.

awkward ['ɔkwəd] *adj* **1.** gauche, maladroit(e) **2.** mal à l'aise, gêné(e) **3.** *(personne, problème)* difficile **4.** incommode **5.** embarrassant(e), gênant(e).

awning ['ɔnɪŋ] *n* **1.** auvent *m (d'une tente)* **2.** banne *f (d'un magasin).*

awoke [ə'wəʊk] *passé* ⟶ **awake.**

awoken [ə'wəʊkn] *pp* ⟶ **awake.**

awry [ə'raɪ] ◨ *adj* de travers. ◨ *adv* • **to go awry** aller de travers, mal tourner.

axe, ax [æks] ◨ *n* hache *f.* ◨ *vt* **1.** abandonner *(un projet)* **2.** supprimer *(des emplois).*

axes ['æksiːz] *npl* ⟶ **axis.**

axis ['æksɪs] *(pl* **axes** ['æksiːz]) *n* axe *m.*

axle ['æksl] *n* essieu *m.*

aye [aɪ] ◨ *adv* oui. ◨ *n* **1.** oui *m* **2.** *(vote)* voix *f* pour.

azalea [ə'zeɪljə] *n* azalée *f.*

Azores [ə'zɔːz] *npl* • **the Azores** les Açores *fpl.*

b (*pl* b's *ou* bs), **B** (*pl* B's *ou* Bs [biː]) *n* b *m inv*, B *m inv*.
■ **B** *n* **1.** MUS si *m* **2.** SCOL B *m inv*.

B & B *n abrév de* **bed and breakfast**.

BA *n abrév de* **Bachelor of Arts**.

babble ['bæbl] ■ *n* murmure *m*, rumeur *f*. ■ *vi* **1.** babiller **2.** gazouiller.

baboon [bə'buːn] *n* babouin *m*.

baby ['beɪbɪ] *n* **1.** bébé *m* **2.** *fam* chéri *m*, -e *f*.

baby buggy *n* **1.** *(UK)* ▪ **Baby buggy**® poussette *f* **2.** *(US)* = **baby carriage**.

baby carriage *n* *(US)* landau *m*.

baby-sit *vi* faire du baby-sitting.

baby-sitter *n* baby-sitter *mf*.

bachelor ['bætʃələr] *n* célibataire *m*.

Bachelor of Arts *n* **1.** ≃ licence *f* de lettres **2.** ≃ licencié *m*, -e *f* en *ou* ès lettres.

Bachelor of Science *n* **1.** ≃ licence *f* de sciences **2.** ≃ licencié *m*, -e *f* en *ou* ès sciences.

back [bæk] *adv*

1. INDIQUE UN MOUVEMENT VERS L'ARRIÈRE
• **stand back!** reculez !
• **the company pushed back the offer until this week** la société a repoussé l'offre jusqu'à cette semaine

2. EXPRIME LE RETOUR DANS UN LIEU OU À UN ÉTAT ANTÉRIEUR
• **I'll be back at five** je rentrerai *ou* serai de retour à dix-sept heures
• **he drove me back home** il m'a raccompagnée à la maison
• **don't forget to put the book back on the shelf!** n'oublie pas de remettre le livre sur l'étagère !
• **to go back and forth** faire des allées et venues
• **to go back to sleep** se rendormir
• **to be back (in fashion)** revenir à la mode
• **to think back (to)** se souvenir (de)

3. EXPRIME LA RESTITUTION
• **give it back to me** rends-le-moi
• **I'd like my money back** je voudrais me faire rembourser

4. EXPRIME UNE ACTION EN RÉPONSE À UNE AUTRE
• **don't forget to call him back!** n'oublie pas de le rappeler !
• **if he hits you, hit him back** s'il te frappe, frappe-le !

back *n*

1. PARTIE DU CORPS dos
• **he's lying on his back** il est allongé sur le dos
• **he did it behind my back!** *fig* il l'a fait derrière mon dos !
• **I can't do anything! he's always on my back!** *fig* je ne peux rien faire ! il est toujours sur mon dos !

2. AU DOS D'UN DOCUMENT
• **don't forget to write your name on the back of the envelope** n'oubliez pas d'écrire votre nom au dos de l'enveloppe

3. À L'ARRIÈRE, AU FOND
• **she sat at the back of the car** elle s'est assise à l'arrière de la voiture
• **the sugar's at the back of the cupboard** le sucre est au fond du placard

4. EXPRIME L'ORIGINE, LA CAUSE
• **the Parliament is at the back of all this** le Parlement est à l'origine de tout ceci.

back *adj*

1. ARRIÈRE, DE DERRIÈRE
• **the map is on the back seat** la carte est sur le siège arrière
• **the back door is always closed** la porte de derrière est toujours fermée

2. EN RETARD, DÛ
• **he owes a back rent** il doit un arriéré de loyer.

back *vt*

1. EXPRIME UN MOUVEMENT VERS L'ARRIÈRE
• **she backed the car in the garage** elle a fait entrer la voiture en marche arrière dans le garage
2. EXPRIME UN SOUTIEN
• **he backed the government** il a soutenu le gouvernement
3. POUR PARIER
• **I'm backing Chelsea to win** je parie que le Chelsea va gagner.

back *vi*

INDIQUE UN MOUVEMENT VERS L'ARRIÈRE
• **she backed quickly out of the room** elle sortit rapidement de la pièce en reculant.

backache ['bækeɪk] *n* • **to have backache** *(UK)*, **to have a backache** *(US)* avoir mal aux reins *ou* au dos.

backbencher [,bæk'bentʃər] *n (UK) député qui n'a aucune position officielle au gouvernement ni dans aucun parti.*

backbone ['bækbəʊn] *n* **1.** épine *f* dorsale, colonne *f* vertébrale **2.** *fig* pivot *m*.

backdate [,bæk'deɪt] *vt* antidater.

back door *n* porte *f* de derrière.

backdoor draft *n enrôlement forcé d'anciennes troupes ou de soldats ayant terminé leur engagement volontaire.*

back down *vi* céder.

backdrop ['bækdrɒp] *n litt & fig* toile *f* de fond.

backfire [,bæk'faɪər] *vi* **1.** pétarader **2.** • **to backfire (on sb)** se retourner (contre qqn).

backgammon [bæk,gæmən] *n* backgammon *m*, ≃ jacquet *m*.

background ['bækgraʊnd] *n* **1.** arrière-plan *m* • **in the background** *litt* dans le fond, à l'arrière-plan • *fig* au second plan **2.** contexte *m* **3.** *(origines sociales)* milieu *m*.

backhand ['bækhænd] *n* revers *m*.

backhanded ['bækhændɪd] *adj* ambigu(ë), équivoque.

backhander ['bækhændər] *n (UK) fam* pot-de-vin *m*.

backing ['bækɪŋ] *n* **1.** soutien *m* **2.** *(matériau)* renforcement *m*.

backlash ['bæklæʃ] *n* contrecoup *m*, choc *m* en retour.

backlog ['bæklɒg] *n* • **backlog (of work)** travail *m* en retard.

back number *n* vieux numéro *m*.

back out *vi* se dédire.

backpack ['bækpæk] *n* sac *m* à dos.

back pay *n* rappel *m* de salaire.

back seat *n* siège *m ou* banquette *f* arrière • **to take a back seat** *fig* jouer un rôle secondaire.

backside [,bæk'saɪd] *n fam* postérieur *m*, derrière *m*.

backstage [,bæk'steɪdʒ] *adv* dans les coulisses.

back street *n* petite rue *f*.

backstroke ['bækstrəʊk] *n* dos *m* crawlé.

back up ◙ *vt insép* **1.** soutenir **2.** reculer **3.** sauvegarder, faire une copie de sauvegarde de. ◙ *vi* reculer.

backup ['bækʌp] ◙ *adj* de secours, de remplacement. ◙ *n* **1.** aide *f*, soutien *m* **2.** INFORM *(copie f de)*sauvegarde *f*.

backward ['bækwəd] ◙ *adj* **1.** en arrière **2.** arriéré(e) **3.** arriéré(e), attardé(e). ◙ *adv (US)* = **backwards**.

backwards ['bækwədz], **backward** ['bækwərd] *adv* **1.** en arrière, à reculons **2.** à rebours, à l'envers • **backwards and forwards** de va-et-vient, d'avant en arrière et d'arrière en avant • **to walk backwards and forwards** aller et venir.

backwater ['bæk,wɔːtər] *n* **1.** coin *m* tranquille **2.** *péj* coin *m* perdu.

backyard [,bæk'jɑːd] *n* **1.** *(UK)* arrière-cour *f* **2.** *(US)* jardin *m* de derrière.

bacon ['beɪkən] *n* bacon *m*.

bacteria [bæk'tɪərɪə] *npl* bactéries *fpl*.

bad [bæd] ◙ *adj (comp* **worse,** *superl* **worst)** **1.** mauvais(e) • **to be bad at sthg** être mauvais en qqch • **too bad!** dommage ! • **not bad** pas mal **2.** malade • **smoking is bad for you** le tabac est mauvais pour la santé • **I'm feeling bad** je ne suis pas dans mon assiette • **he's in a bad way** il va mal, il est en piteux état **3.** • **a bad cold** un gros rhume **4.** pourri(e), gâté(e) • **to go bad** se gâter, s'avarier **5.** • **to feel bad about sthg** se sentir coupable de qqch **6.** méchant(e). ◙ *adv (US)* = **badly**.

badge [bædʒ] *n* **1.** badge *m* **2.** écusson *m*.

badger ['bædʒə'] ◼ n blaireau m. ◼ vt • **to badger sb (to do sthg)** harceler qqn (pour qu'il fasse qqch).

badly ['bædlɪ] (comp **worse**, superl **worst**) adv 1. mal • **badly made/organized** mal fait(e)/organisé(e) 2. grièvement 3. gravement, sérieusement • **to be badly in need of sthg** avoir vraiment ou absolument besoin de qqch.

badly-off adj pauvre, dans le besoin.

bad-mannered [-'mænəd] adj 1. mal élevé(e) 2. impoli(e).

badminton ['bædmɪntən] n badminton m.

bad-tempered [-'tempəd] adj 1. qui a mauvais caractère 2. de mauvaise humeur.

baffle ['bæfl] vt déconcerter, dérouter.

bag [bæg] ◼ n 1. sac m • **to pack one's bags** fig plier bagage 2. sac m à main. ◼ vt (UK) fam garder.
◼ **bags** npl 1. poches fpl 2. (UK) fam • **bags of** plein ou beaucoup de.

bagel ['beɪgəl] n petit pain en couronne.

baggage ['bægɪdʒ] n (indén) bagages mpl.

baggage reclaim (UK), **baggage claim** (US) n retrait m des bagages.

baggy ['bægɪ] adj ample.

bagpipes ['bægpaɪps] npl cornemuse f.

Bahamas [bə'hɑːməz] npl • **the Bahamas** les Bahamas fpl.

bail [beɪl] n (indén) caution f • **on bail** sous caution.
◼ **bail out** ◼ vt sép 1. se porter garant(e) de 2. fig tirer d'affaire. ◼ vi insép (US) sauter (en parachute).

bailiff ['beɪlɪf] n huissier m.

bait [beɪt] ◼ n appât m. ◼ vt 1. appâter 2. tourmenter.

bake [beɪk] ◼ vt 1. faire cuire au four 2. cuire (des poteries, de l'argile). ◼ vi cuire au four.

baked beans [beɪkt-] npl haricots mpl blancs à la sauce tomate.

baked potato [beɪkt-] n pomme f de terre en robe des champs ou de chambre.

baker ['beɪkə'] n boulanger m, -ère f • **baker's (shop)** (UK) boulangerie f.

bakery ['beɪkərɪ] n boulangerie f.

baking ['beɪkɪŋ] n cuisson f.

balaclava (helmet) [,bælə'klɑːvə-] n passe-montagne m.

balance ['bæləns] ◼ n 1. équilibre m • **to keep/lose one's balance** garder/perdre l'équilibre • **off balance** déséquilibré(e) • **to strike a balance between the practical and the idealistic** trouver un juste milieu entre la réalité et l'idéal 2. fig contrepoids m 3. fig poids m, force f 4. (pour peser) balance f 5. FIN solde m. ◼ vt 1. maintenir en équilibre 2. • **to balance sthg against sthg** mettre qqch et qqch en balance 3. • **to balance a budget** équilibrer un budget • **to balance the books** clôturer les comptes, dresser le bilan. ◼ vi 1. se tenir en équilibre 2. (comptes, budget) s'équilibrer.
◼ **on balance** adv tout bien considéré.
◼ **balance out** vi insép • **the advantages and disadvantages balance out** les avantages contrebalancent ou compensent les inconvénients.

balanced diet [,bælənst-] n alimentation f équilibrée.

balance of payments n balance f des paiements.

balance of trade n balance f commerciale.

balance sheet n bilan m.

balcony ['bælkənɪ] n balcon m.

bald [bɔld] adj 1. chauve 2. (pneu) lisse.

bale [beɪl] n balle f.
◼ **bale out** (UK) ◼ vt sép écoper, vider. ◼ vi sauter en parachute.

Balearic Islands [,bælɪ'ærɪk-], **Balearics** [,bælɪ'ærɪks] npl • **the Balearic Islands** les Baléares fpl.

baleful ['beɪlful] adj littéraire sinistre.

balk [bɔk] vi • **to balk (at)** hésiter ou reculer (devant).

Balkans ['bɔlkənz], **Balkan States** ['bɔlkən-] npl • **the Balkans** les Balkans mpl, les États mpl balkaniques.

ball [bɔl] n 1. boule f 2. balle f 3. ballon m • **to be on the ball** fig connaître son affaire, s'y connaître 4. plante f (du pied) 5. bal m.
◼ **balls** vulg ◼ npl couilles fpl. ◼ n (indén) conneries fpl.

ballad ['bæləd] n ballade f.

ballast ['bæləst] n lest m.

ball bearing n bille f de roulement • **ball bearings** roulement m à billes.

ball boy n ramasseur m de balles.

ballerina [ˌbælə'riːnə] n ballerine f.

ballet ['bæleɪ] n **1.** (indén) danse f **2.** ballet m.

ballet dancer n danseur m, -euse f de ballet.

ball game n **1.** (US) match m de base-ball **2.** fam **it's a whole new ball game** c'est une autre paire de manches.

balloon [bə'luːn] n **1.** ballon m **2.** bulle f (de bande dessinée).

ballot ['bælət] ◼ n **1.** bulletin m de vote **2.** scrutin m. ◼ vt appeler à voter.

ballot box n **1.** urne f **2.** scrutin m.

ballot paper n bulletin m de vote.

ballroom ['bɔːlrʊm] n salle f de bal.

ballroom dancing n (indén) danse f de salon.

balm [bɑːm] n baume m.

balmy ['bɑːmɪ] adj doux(douce).

balsa(wood) ['bɒlsə(wʊd)] n balsa m.

balti ['bɔltɪ] n **1.** récipient métallique utilisé dans la cuisine indienne **2.** plat épicé préparé dans un 'balti'.

Baltic ['bɔltɪk] ◼ adj de la Baltique. ◼ n ◦ **the Baltic (Sea)** la Baltique.

Baltic Republic n ◦ **the Baltic Republics** les Républiques fpl baltes.

bamboo [bæm'buː] n bambou m.

bamboozle [bæm'buːzl] vt fam embobiner.

ban [bæn] ◼ n interdiction f ◦ **there is a ban on smoking** il est interdit de fumer. ◼ vt interdire ◦ **to ban sb from doing sthg** interdire à qqn de faire qqch.

banal [bə'nɑːl] adj péj banal(e), ordinaire.

banana [bə'nɑːnə] n banane f.

band [bænd] n **1.** MUS ◦ groupe m ◦ fanfare f ◦ orchestre m **2.** bande f **3.** rayure f **4.** tranche f.
◼ **band together** vi s'unir.

bandage ['bændɪdʒ] ◼ n bandage m, bande f. ◼ vt mettre un pansement ou un bandage sur.

Band-Aid® n pansement m adhésif.

bandit ['bændɪt] n bandit m.

bandstand ['bændstænd] n kiosque m à musique.

bandwagon ['bændwægən] n ◦ **to jump on the bandwagon** suivre le mouvement.

bandy ['bændɪ] adj **1.** qui a les jambes arquées **2.** ◦ **to have bandy legs** avoir les jambes arquées.
◼ **bandy about, bandy around** vt sép répandre (une expression), faire circuler (une histoire).

bang [bæŋ] ◼ adv ◦ **bang in the middle** en plein milieu ◦ **to be bang on time** être pile à l'heure. ◼ n **1.** coup m violent **2.** détonation f **3.** claquement m.
◼ vt **1.** frapper violemment **2.** claquer ◦ **to bang one's head/knee** se cogner la tête/le genou. ◼ vi **1.** ◦ **to bang on** frapper à **2.** (arme) détoner **3.** (porte) claquer **4.** ◦ **to bang into** se cogner contre. ◼ interj boum !
◼ **bangs** npl (US) frange f.

banger ['bæŋər] n (UK) **1.** fam saucisse f **2.** fam vieille guimbarde f **3.** pétard m.

bangle ['bæŋgl] n bracelet m.

banish ['bænɪʃ] vt bannir.

banister ['bænɪstər] n rampe f.

bank [bæŋk] ◼ n **1.** banque f **2.** rive f, bord m **3.** talus m **4.** masse f (de nuages) **5.** nappe f (de brouillard). ◼ vt mettre ou déposer à la banque. ◼ vi **1.** ◦ **to bank with** avoir un compte à **2.** (avion) tourner.
◼ **bank on** vt insép compter sur.

bank account n compte m en banque.

bank balance n (UK) solde m bancaire.

bank charges npl frais mpl bancaires.

bank draft n traite f bancaire.

banker ['bæŋkər] n banquier m.

banker's card n (UK) carte f d'identité bancaire.

bank holiday n (UK) jour m férié.

banking ['bæŋkɪŋ] n ◦ **to be in banking** travailler dans la banque.

bank manager n directeur m, -trice f de banque.

bank note n billet m de banque.

bank rate n taux m d'escompte.

bankrupt ['bæŋkrʌpt] adj failli(e) ◦ **to go bankrupt** faire faillite.

bankruptcy ['bæŋkrʌptsɪ] n faillite f.

bank statement n relevé m de compte.

banner ['bænər] n **1.** banderole f **2.** INFORM bandeau m.

banquet ['bæŋkwɪt] *n* banquet *m*.

banter ['bæntər] *n (indén)* plaisanterie *f*, badinage *m*.

bap [bæp] *n (UK)* petit pain *(rond) m*.

baptism ['bæptɪzm] *n* baptême *m*.

Baptist ['bæptɪst] *n* baptiste *mf*.

baptize, -ise [*(UK)* bæp'taɪz, *(US)* 'bæptaɪz] *vt* baptiser.

bar [bɑːr] ◼ *n* **1.** lingot *m* **2.** tablette *f (de chocolat)* ◦ **a bar of soap** une savonnette **3.** barre *f* ◦ **to be behind bars** être derrière les barreaux *ou* sous les verrous **4.** *fig* obstacle *m* **5.** bar *m* **6.** comptoir *m*, zinc *m* **7.** mesure *f*. ◼ *vt* **1.** barrer **2.** mettre des barreaux à ◦ **to bar sb's way** barrer la route *ou* le passage à qqn **3.** interdire, défendre ◦ **to bar sb (from)** interdire à qqn (de). ◼ *prép* sauf, excepté ◦ **bar none** sans exception.
◼ **Bar** *n* ◦ **the Bar** *(UK)* le barreau ◦ *(US)* les avocats *mpl*.

barbaric [bɑː'bærɪk] *adj* barbare.

barbecue ['bɑːbɪkjuː] *n* barbecue *m*.

barbed wire [bɑːbd-], **barbwire** ['bɑːrbwaɪər] *n (indén)* fil *m* de fer barbelé.

barber ['bɑːbər] *n* coiffeur *m* (pour hommes) ◦ **barber's (shop)** *(UK)* salon *m* de coiffure (pour hommes).

barbiturate [bɑː'bɪtjʊrət] *n* barbiturique *m*.

bar code *n* code-barres *m*.

bare [beər] ◼ *adj* **1.** nu(e) **2.** dénudé(e) **3.** ◦ **the bare facts** les simples faits ◦ **the bare minimum** le strict minimum **4.** vide. ◼ *vt* découvrir ◦ **to bare one's teeth** montrer les dents.

bareback ['beəbæk] *adv* à cru, à nu.

barefaced ['beəfeɪst] *adj* éhonté(e).

barefoot(ed) [,beə'fʊt(ɪd)] ◼ *adj* aux pieds nus. ◼ *adv* nu-pieds, pieds nus.

barely ['beəlɪ] *adv* à peine, tout juste.

bargain ['bɑːgɪn] ◼ *n* affaire *f*, occasion *f* ◦ **it's a real bargain!** c'est une affaire ! ◼ *vi* négocier ◦ **to bargain with sb for sth** négocier qqch avec qqn.
◼ **bargain for, bargain on** *vt insép* compter sur, prévoir.

barge [bɑːdʒ] ◼ *n* péniche *f*. ◼ *vi fam* ◦ **barge past sb** bousculer qqn.
◼ **barge in** *vi fam* ◦ **to barge in (on)** interrompre.

baritone ['bærɪtəʊn] *n* baryton *m*.

bark [bɑːk] ◼ *n* **1.** aboiement *m* **2.** écorce *f*. ◼ *vi* ◦ **to bark (at)** aboyer (après).

barley ['bɑːlɪ] *n* orge *f*.

barley sugar *n (UK)* sucre *m* d'orge.

barley water *n (UK)* orgeat *m*.

barmaid ['bɑːmeɪd] *n (UK)* barmaid *f*, serveuse *f* de bar.

barman ['bɑːmən] *(pl* **-men** [-mən]) *n (UK)* barman *m*, serveur *m* de bar.

barn [bɑːn] *n* grange *f*.

barometer [bə'rɒmɪtər] *n litt & fig* baromètre *m*.

baron ['bærən] *n* baron *m*.

baroness ['bærənɪs] *n* baronne *f*.

barrack ['bærək] *vt (UK)* huer, conspuer.
◼ **barracks** *npl* caserne *f*.

barrage ['bærɑːʒ] *n* **1.** *(UK)* barrage *m* **2.** *fig* avalanche *f (de coups, de lettres)*, déluge *m (de protestations)* **3.** MIL tir *m* de barrage.

barrel ['bærəl] *n* **1.** tonneau *m*, fût *m* **2.** baril *m* **3.** canon *m (d'une arme)*.

barren ['bærən] *adj* stérile.

barricade [,bærɪ'keɪd] *n* barricade *f*.

barrier ['bærɪər] *n litt & fig* barrière *f*.

barring ['bɑːrɪŋ] *prép* sauf.

barrister ['bærɪstər] *n (UK)* avocat *m*, -e *f*.

barrow ['bærəʊ] *n* brouette *f*.

bartender ['bɑːtendər] *n (US)* barman *m*.

barter ['bɑːtər] ◼ *n* troc *m*. ◼ *vt* ◦ **to barter sth (for)** troquer *ou* échanger qqch (contre). ◼ *vi* faire du troc.

base [beɪs] ◼ *n* base *f*. ◼ *vt* baser ◦ **to base sth on** *ou* **upon** baser *ou* fonder qqch sur. ◼ *adj* littéraire indigne, ignoble.

baseball ['beɪsbɔl] *n* base-ball *m*.

baseball cap *n* casquette *f* de base-ball.

Basel ['bɑːzl] *n* Bâle.

basement ['beɪsmənt] *n* sous-sol *m*.

base rate *n (UK)* taux *m* de base.

bases ['beɪsiːz] *npl* ▷ **basis**.

bash [bæʃ] *fam* ◼ *n* **1.** coup *m* **2.** *(UK)* ◦ **to have a bash** tenter le coup. ◼ *vt* **1.** frapper, cogner **2.** percuter.

bashful ['bæʃfʊl] *adj* timide.

basic ['beɪsɪk] *adj* **1.** fondamental(e) **2.** de base.
◼ **basics** *npl* éléments *mpl*, bases *fpl*.

BASIC ['beɪsɪk] (*abr de* **Beginner's All-purpose Symbolic Instruction Code**) *n* basic *m*.

basically ['beɪsɪklɪ] *adv* **1.** au fond, fondamentalement **2.** en fait.

basil ['bæzl] *n* basilic *m*.

basin ['beɪsn] *n* **1.** (UK) • terrine *f* • cuvette *f* **2.** (UK) lavabo *m* **3.** GÉOGR bassin *m*.

basis ['beɪsɪs] (*pl* **-ses** [-siːz]) *n* base *f* • **on the basis of** sur la base de • **on a regular basis** de façon régulière • **to be paid on a monthly basis** toucher un salaire mensuel.

bask [bɑːsk] *vi* • **to bask in the sun** se chauffer au soleil.

basket ['bɑːskɪt] *n* **1.** corbeille *f* **2.** panier *m*.

basketball ['bɑːskɪtbɔːl] *n* basket-ball *m*, basket *m*.

bass [beɪs] ◼ *adj* bas(basse). ◼ *n* **1.** basse *f* **2.** contrebasse *f*.

bass drum [beɪs-] *n* grosse caisse *f*.

bass guitar [beɪs-] *n* basse *f*.

bassoon [bə'suːn] *n* basson *m*.

bastard ['bɑːstəd] *n* **1.** bâtard *m*, -e *f*, enfant naturel *m*, enfant naturelle *f* **2.** *tfam* salaud *m*, saligaud *m*.

bastion ['bæstɪən] *n* bastion *m*.

bat [bæt] *n* **1.** chauve-souris *f* **2.** batte *f* **3.** (UK) raquette *f*.

batch [bætʃ] *n* **1.** tas *m*, liasse *f* **2.** série *f* **3.** lot *m* (*de produits*).

bated ['beɪtɪd] *adj* • **with bated breath** en retenant son souffle.

bath [bɑːθ] ◼ *n* **1.** (UK) baignoire *f* **2.** bain *m* • **to have** (UK) *ou* **take a bath** prendre un bain. ◼ *vt* (UK) baigner, donner un bain à.
◼ **baths** *npl* (UK) piscine *f*.

bathe [beɪð] ◼ *vt* **1.** laver **2.** • **to be bathed in** *ou* **with** être baigné(e) de. ◼ *vi* **1.** se baigner **2.** prendre un bain.

bathing ['beɪðɪŋ] *n* (*indén*) baignade *f*.

bathing cap *n* bonnet *m* de bain.

bathing costume (UK)**, bathing suit** *n* maillot *m* de bain.

bathrobe ['bɑːθrəʊb] *n* **1.** sortie *f* de bain **2.** peignoir *m*.

bathroom ['bɑːθrʊm] *n* **1.** salle *f* de bains **2.** (US) toilettes *fpl*.

bath towel *n* serviette *f* de bain.

bathtub ['bɑːθtʌb] *n* baignoire *f*.

baton ['bætən] *n* **1.** baguette *f* (*de chef d'orchestre*) **2.** (*dans une course*) témoin *m* **3.** (UK) matraque *f*.

batsman ['bætsmən] (*pl* **-men** [-mən]) *n* batteur *m*.

battalion [bə'tæljən] *n* bataillon *m*.

batten ['bætn] *n* planche *f*, latte *f*.

batter ['bætər] ◼ *n* (*indén*) CULIN pâte *f*. ◼ *vt* battre.

battered ['bætəd] *adj* **1.** battu(e) **2.** cabossé(e).

battery ['bætərɪ] *n* **1.** batterie *f* **2.** pile *f*.

battle ['bætl] ◼ *n* **1.** bataille *f* **2.** • **battle (for/against/with)** lutte *f* (pour/contre/avec). ◼ *vi* • **to battle (for/against/with)** se battre (pour/contre/avec).

battlefield ['bætlfiːld]**, battleground** ['bætlɡraʊnd] *n* champ *m* de bataille.

battlements ['bætlmənts] *npl* remparts *mpl*.

battleship ['bætlʃɪp] *n* cuirassé *m*.

bauble ['bɔːbl] *n* babiole *f*, colifichet *m*.

baulk [bɔːk] = **balk**.

bawdy ['bɔːdɪ] *adj* grivois(e), salé(e).

bawl [bɔːl] *vt & vi* brailler.

bay [beɪ] *n* **1.** GÉOGR baie *f* **2.** aire *f* (*de chargement*) **3.** place *f* (*de stationnement*) • **to keep sb/sthg at bay** tenir qqn/qqch à distance, tenir qqn/qqch en échec.

bay leaf *n* feuille *f* de laurier.

bay window *n* fenêtre *f* en saillie.

bazaar [bə'zɑːr] n **1.** bazar m **2.** vente f de charité.

BBC (abr de **British Broadcasting Corporation**) n office national britannique de radio-diffusion • **the BBC** la BBC.

CULTURE...

BBC

La BBC regroupe huit chaînes de télévision publiques et cinq stations de radio nationales au Royaume-Uni. On a longtemps considéré la prononciation des présentateurs de la BBC (surnommé le BBC English) comme étant la plus correcte, mais à l'heure actuelle on entend différents accents sur la BBC.

BC (abr de **before Christ**) av. J.-C.

be [biː] v aux (prét **was** ou **were**, pp **been**)

1. COMBINÉ AVEC LE PARTICIPE PRÉSENT, POUR COMPOSER LA FORME PROGRESSIVE
• **what is he doing?** qu'est-ce qu'il fait ?
• **it was snowing** il neigeait
• **they've been promising reform for years** ça fait des années qu'ils nous promettent des réformes

2. COMBINÉ AVEC LE PARTICIPE PRÉSENT, POUR FORMER LE FUTUR
• **I'm going to London next week** la semaine prochaine, je vais à Londres
• **I'll be coming back next Friday** je serai de retour vendredi prochain
• **Paul's leaving tomorrow morning** Paul part demain matin

3. COMBINÉ AVEC LE PARTICIPE PASSÉ, POUR FORMER LE PASSIF être
• **to be loved** être aimé(e)

4. DANS LES « TAGS »
• **the meal was delicious, wasn't it?** le repas était délicieux, non ? ou vous n'avez pas trouvé ?
• **were you late? – no, I wasn't** tu étais en retard ? – non

5. SUIVI DE « TO » + INFINITIF
• **I'm to be promoted** je vais avoir de l'avancement
• **you're not to tell anyone** ne le dis à personne
• **there was no one to be seen** il n'y avait personne.

be v

1. POUR DÉCRIRE QQN OU QQCH
• **to be a doctor** être médecin
• **she's attractive** elle est jolie
• **she's Italian** elle est italienne
• **where are you from?** tu viens/vous venez d'où ?
• **it's over there** c'est là-bas
• **Toulouse is in France** Toulouse se trouve ou est en France

2. POUR DÉCRIRE UN ÉTAT
• **she's hungry/thirsty** elle a faim/soif
• **I'm hot/cold** j'ai chaud/froid
• **how are you?** comment allez-vous ?

3. PRÉCÉDÉ DE « THERE »
• **is there a café nearby?** il y a un café dans le coin ?

4. POUR INDIQUER L'ÂGE avoir
• **how old are you?** quel âge avez-vous ?
• **I'm 20 (years old)** j'ai 20 ans

5. POUR INDIQUER LE PRIX coûter, faire
• **how much was it?** combien cela a-t-il coûté ?
• **that will be £10, please** cela fait 10 livres, s'il vous plaît

6. POUR INDIQUER L'HEURE être
• **it's two o'clock** il est deux heures

7. POUR PARLER DU TEMPS
• **it's hot/cold** il fait chaud/froid
• **it's windy** il y a du vent

8. AVEC « IT », POUR IDENTIFIER QQN OU QQCH
• **it's me/Paul** c'est moi/Paul

9. « TO HAVE BEEN TO »
• **I've been to the cinema** j'ai été ou je suis allé au cinéma

10. POUR INDIQUER LA MESURE, LA DISTANCE
• **how tall is he?** combien tu mesures ?
• **the table is one metre long** la table fait 1 mètre de long
• **it's 3 km to the next town** la ville voisine est à 3 km

11. POUR DONNER UN ORDRE
• **be quiet!** silence !
• **be careful!** fais/faites attention !

12. DANS DES EXPRESSIONS
• **be that as it may** quoi qu'il en soit
• **there you are** ah, te/vous voilà, tiens/tenez.

beach [biːtʃ] ◼ n plage f. ◼ vt échouer.

beacon ['biːkən] n **1.** feu m, fanal m **2.** phare m **3.** radiophare m.

bead [biːd] n **1.** perle f **2.** goutte f (de sueur).

beagle ['biːgl] n beagle m.

be

Présent : I am, you are, he/she/it is, we are, you are, they are. Prétérit : I was, you were, he/she/it was, we were, you were, they were. Participe présent : being. Participe passé : been.

Be est un verbe à part entière, doté de sens propres, et qui peut donc apparaître seul. Il remplit en outre la fonction d'auxiliaire, notamment dans la formation des temps progressifs (why are you staring at me?) et des constructions passives (my suit is being mended).

Notez bien que be s'utilise souvent pour traduire « avoir » ou « faire », par exemple lorsque l'on décrit des sensations ou des attitudes (I'm cold = « j'ai froid » ; are you hungry? = « as-tu faim ? » ; she's right = « elle a raison »), ou pour parler du temps qu'il fait (it's sunny = « il fait beau »).

Be to sert à exprimer l'idée d'un projet ou d'une tâche prévus par une personne autre que le sujet de la phrase (we're to meet at 10 o'clock). Son équivalent au prétérit, was to/were to, peut exprimer l'idée de quelque chose qui devait fatalement se produire (he was to become president at the age of 39).

Voir aussi go.

beak [biːk] n bec m.

beaker [ˈbiːkər] n gobelet m.

beam [biːm] ■ n 1. poutre f 2. rayon m (de lumière). ■ vt transmettre. ■ vi faire un sourire radieux.

bean [biːn] n 1. haricot m 2. grain m • to spill the beans fam manger le morceau.

beanbag [ˈbiːnbæg] n sacco m.

beanshoot [ˈbiːnʃuːt], **beansprout** [ˈbiːnspraut] n germe m ou pousse f de soja.

bear [beər] ■ n ours m. ■ vt (prét bore, pp borne) 1. porter 2. supporter 3. • to bear sb a grudge garder rancune à qqn. ■ vi (prét bore, pp borne) • to bear left/right se diriger vers la gauche/la droite • to bring pressure/influence to bear on sb exercer une pression/une influence sur qqn.

■ **bear out** vt sép confirmer, corroborer.

■ **bear up** vi tenir le coup.

■ **bear with** vt insép être patient(e) avec.

beard [bɪəd] n barbe f.

bearer [ˈbeərər] n 1. porteur m, -euse f 2. titulaire mf.

bearing [ˈbeərɪŋ] n 1. • bearing (on) rapport m (avec) 2. allure f, maintien m 3. TECHNOL palier m 4. position f (d'un bateau) • to get one's bearings s'orienter, se repérer.

beast [biːst] n 1. bête f 2. fam péj brute f.

beastly [ˈbiːstlɪ] adj (UK) vieilli 1. malveillant(e), cruel(elle) 2. (météo) épouvantable.

beat [biːt] ■ n 1. battement m 2. MUS mesure f, temps m 3. ronde f (de police). ■ vt (prét beat, pp beaten) 1. battre 2. être bien mieux que, valoir mieux que • beat it! fam décampe !, fiche le camp ! ■ vi (prét bore, pp beaten) battre.

■ **beat off** vt sép repousser.

■ **beat up** vt sép fam 1. tabasser 2. culpabiliser.

beating [ˈbiːtɪŋ] n 1. raclée f, rossée f 2. défaite f.

beautiful [ˈbjuːtɪful] adj 1. beau(belle) 2. fam joli(e).

beautifully [ˈbjuːtəflɪ] adv 1. élégamment 2. avec goût 3. fam parfaitement, à la perfection.

beauty [ˈbjuːtɪ] n beauté f.

beauty parlour (UK), **beauty parlor** (US) n institut m de beauté.

beauty salon = beauty parlour.

beauty spot n 1. site m pittoresque 2. grain m de beauté.

beaver [ˈbiːvər] n castor m.

became [bɪˈkeɪm] passé ⊳ become.

because [bɪˈkɒz] conj parce que.
■ **because of** prép à cause de.

beck [bek] n • to be at sb's beck and call être aux ordres ou à la disposition de qqn.

beckon [ˈbekən] ■ vt faire signe à. ■ vi • to beckon to sb faire signe à qqn.

become [bɪ'kʌm] (*prét* **became**, *pp* **become**) *vi* devenir ▪ **to become quieter** se calmer ▪ **to become irritated** s'énerver.

becoming [bɪ'kʌmɪŋ] *adj* **1.** seyant(e), qui va bien **2.** convenable.

bed [bed] *n* **1.** lit *m* ▪ **to go to bed** se coucher ▪ **to go to bed with sb** *euphém* coucher avec qqn **2.** parterre *m* (*de fleurs*) **3.** lit *m* (*d'une rivière*), fond *m* (*de la mer*).

bed and breakfast *n* ≃ chambre *f* d'hôte.

bed & breakfast

On trouve des *B & Bs*, également appelés *guest houses*, dans toutes les villes et les régions touristiques. Ce sont des résidences privées dont une ou plusieurs chambres sont réservées aux hôtes payants. Le prix de la chambre inclut le petit déjeuner, c'est-à-dire souvent un *English breakfast*, composé de saucisses, d'œufs, de bacon et de toasts, accompagnés de thé ou de café.

bedclothes ['bedkləʊðz] *npl* draps *mpl* et couvertures *fpl*.

bedlam ['bedləm] *n* pagaille *f*.

bed linen *n* (*indén*) draps *mpl* et taies *fpl*.

bedraggled [bɪ'drægld] *adj* **1.** débraillé(e) **2.** (*cheveux*) ébouriffé(e).

bedridden ['bed,rɪdn] *adj* grabataire.

bedroom ['bedrʊm] *n* chambre *f* (à coucher).

bedside ['bedsaɪd] *n* chevet *m*.

bedsore ['bedsɔr] *n* escarre *f*.

bedspread ['bedspred] *n* couvre-lit *m*, dessus-de-lit *m inv*.

bedtime ['bedtaɪm] *n* heure *f* du coucher.

bee [biː] *n* abeille *f*.

beeline ['biːlaɪn] *n* ▪ **to make a beeline for** *fam* aller tout droit *ou* directement vers.

been [biːn] *pp* ⊳ **be**.

beeper *n* = **bleeper**.

beer [bɪər] *n* bière *f*.

beet [biːt] *n* (*US*) betterave *f*.

beetle ['biːtl] *n* scarabée *m*.

beetroot ['biːtruːt] *n* (*UK*) betterave *f*.

before [bɪ'fɔr] ■ *adv* auparavant, avant ▪ **I've never been there before** je n'y suis jamais allé(e) ▪ **I've seen it before** je l'ai déjà vu. ■ *prép* **1.** avant **2.** devant. ■ *conj* avant de (*+ infinitif*), avant que (*+ subjonctif*) ▪ **before leaving** avant de partir ▪ **before you leave** avant que vous ne partiez.

beforehand [bɪ'fɔːhænd] *adv* à l'avance.

befriend [bɪ'frend] *vt* prendre en amitié.

beg [beg] ■ *vt* **1.** mendier **2.** solliciter, quémander **3.** demander (*pardon*) ▪ **to beg sb to do sthg** prier *ou* supplier qqn de faire qqch. ■ *vi* supplier ▪ **to beg for forgiveness** demander pardon.

began [bɪ'gæn] *passé* ⊳ **begin**.

beggar ['begər] *n* mendiant *m*, -e *f*.

begin [bɪ'gɪn] (*prét* **began**, *pp* **begun**) ■ *vt* commencer. ■ *vi* commencer.

beginner [bɪ'gɪnər] *n* débutant *m*, -e *f*.

beginning [bɪ'gɪnɪŋ] *n* début *m*, commencement *m*.

begrudge [bɪ'grʌdʒ] *vt* **1.** ▪ **to begrudge sb sthg** envier qqch à qqn **2.** ▪ **to begrudge doing sthg** rechigner à faire qqch.

begun [bɪ'gʌn] *pp* ⊳ **begin**.

behalf [bɪ'hɑːf] *n* ▪ **on behalf of** (*UK*) *ou* **in behalf of** (*US*) de la part de, au nom de.

behave [bɪ'heɪv] ■ *vt* ▪ **to behave o.s.** bien se conduire *ou* se comporter. ■ *vi* **1.** se conduire, se comporter **2.** fonctionner, marcher.

behaviour (*UK*), **behavior** (*US*) [bɪ'heɪvjər] *n* conduite *f*, comportement *m*.

behead [bɪ'hed] *vt* décapiter.

beheld [bɪ'held] *passé & pp* ⊳ **behold**.

behind [bɪ'haɪnd] ■ *prép* **1.** derrière **2.** en retard sur. ■ *adv* **1.** derrière **2.** en retard ▪ **to leave sthg behind** oublier qqch ▪ **to stay behind** rester ▪ **to be behind with sthg** être en retard dans qqch. ■ *n fam* derrière *m*, postérieur *m*.

behold [bɪ'həʊld] (*prét & pp* **beheld**) *vt* *littéraire* voir, regarder.

beige [beɪʒ] ■ *adj* beige. ■ *n* beige *m*.

being ['biːɪŋ] *n* **1.** être *m* (*créature*) **2.** ▪ **in being** existant(e) ▪ **to come into being** voir le jour, prendre naissance.

Beirut [,beɪ'ruːt] *n* Beyrouth.

belated [bɪ'leɪtɪd] *adj* tardif(ive).

belch [beltʃ] ■ *n* renvoi *m*, rot *m*. ■ *vt* vomir, cracher. ■ *vi* éructer, roter.

beleaguered [bɪ'li:gəd] *adj* 1. *litt* assiégé(e) 2. *fig* harcelé(e), tracassé(e).

Belgian ['beldʒən] ■ *adj* belge. ■ *n* Belge *mf*.

Belgium ['beldʒəm] *n* Belgique *f* • **in Belgium** en Belgique.

Belgrade [,bel'greɪd] *n* Belgrade.

belie [bɪ'laɪ] (*cont* **belying**) *vt* 1. démentir 2. donner une fausse idée de.

belief [bɪ'li:f] *n* 1. • **belief (in)** croyance *f* (en) 2. opinion *f*, conviction *f*.

believe [bɪ'li:v] ■ *vt* croire • **believe it or not** tu ne me croiras peut-être pas. ■ *vi* croire • **to believe in sb** croire en qqn.

believer [bɪ'li:vər] *n* 1. RELIG croyant *m*, -e *f* 2. • **believer in** partisan *m*, -e *f* de.

belittle [bɪ'lɪtl] *vt* dénigrer, rabaisser.

bell [bel] *n* 1. cloche *f* 2. clochette *f* 3. sonnette *f* 4. (*sur un vélo*) timbre *m*.

belligerent [bɪ'lɪdʒərənt] *adj* 1. belligérant(e) 2. belliqueux(euse).

bellow ['beləʊ] *vi* 1. (*personne*) brailler, beugler 2. (*taureau*) beugler.

bellows ['beləʊz] *npl* soufflet *m*.

belly ['belɪ] *n* 1. ventre *m* 2. (*animal*) panse *f*.

bellyache ['belɪeɪk] *n* mal *m* de ventre.

belly button *n fam* nombril *m*.

belong [bɪ'lɒŋ] *vi* 1. • **to belong to sb** appartenir *ou* être à qqn 2. • **to belong to sthg** être membre de qqch 3. être à sa place • **that chair belongs here** ce fauteuil va là.

belongings [bɪ'lɒŋɪŋz] *npl* affaires *fpl*.

beloved [bɪ'lʌvd] *adj* bien-aimé(e).

below [bɪ'ləʊ] ■ *adv* 1. en dessous, en bas 2. ci-dessous 3. en bas. ■ *prép* sous, au-dessous de • **to be below sb in rank** occuper un rang inférieur à qqn.

belt [belt] ■ *n* 1. ceinture *f* 2. TECHNOL courroie *f*. ■ *vt fam* flanquer une raclée à.

beltway ['belt,weɪ] *n* (*US*) route *f* périphérique.

bemused [bɪ'mju:zd] *adj* perplexe.

bench [bentʃ] *n* 1. banc *m* 2. banquette *f* 3. établi *m*.

bend [bend] ■ *n* 1. courbe *f*, virage *m* 2. coude *m* (*d'une rivière*) • **round** (*UK*) *ou*

around (*US*) **the bend** *fam* dingue, fou(folle). ■ *vt* (*prét & pp* **bent**) 1. plier 2. tordre, courber. ■ *vi* (*prét & pp* **bent**) 1. se baisser, se courber 2. plier • **to bend over backwards for sb** se mettre en quatre pour qqn.

beneath [bɪ'ni:θ] ■ *adv* dessous, en bas. ■ *prép* 1. sous 2. • **she thinks the work is beneath her** elle estime que le travail est indigne d'elle.

benefactor ['benɪfæktər] *n* bienfaiteur *m*.

beneficial [,benɪ'fɪʃl] *adj* • **beneficial (to sb)** salutaire (à qqn) • **beneficial (to sthg)** utile (à qqch).

beneficiary [,benɪ'fɪʃərɪ] *n* bénéficiaire *mf*.

benefit ['benɪfɪt] ■ *n* 1. avantage *m* • **for the benefit of** dans l'intérêt de • **to be to sb's benefit, to be of benefit to sb** être dans l'intérêt de qqn 2. (*administration*) allocation *f*, prestation *f*. ■ *vt* profiter à. ■ *vi* • **to benefit from** tirer avantage de, profiter de.

Benelux ['benɪlʌks] *n* Bénélux *m*.

benevolent [bɪ'nevələnt] *adj* bienveillant(e).

benign [bɪ'naɪn] *adj* 1. gentil(ille), bienveillant(e) 2. MÉD bénin(igne).

bent [bent] ■ *passé & pp* ➾ **bend**. ■ *adj* 1. tordu(e) 2. courbé(e), voûté(e) 3. (*UK*) *fam* véreux(euse) 4. • **to be bent on doing sthg** vouloir absolument faire qqch. ■ *n* • **bent (for)** penchant *m* (pour).

bento ['bentəʊ] *n* (*indén*) bento *m*.

bequeath [bɪ'kwi:ð] *vt litt & fig* léguer.

bequest [bɪ'kwest] *n* legs *m*.

berate [bɪ'reɪt] *vt* réprimander.

bereaved [bɪ'ri:vd] ■ *adj* endeuillé(e), affligé(e). ■ *n* (*pl inv*) • **the bereaved** la famille du défunt.

beret ['bereɪ] *n* béret *m*.

berk [bɜ:k] *n* (*UK*) *fam* idiot *m*, -e *f*, andouille *f*.

Berlin [bɜ:'lɪn] *n* Berlin.

berm [bɜ:m] *n* (*US*) bas-côté *m*.

Bermuda [bə'mju:də] *n* Bermudes *fpl*.

Bern [bɜ:n] *n* Berne.

berry ['berɪ] *n* baie *f*.

berserk [bə'zɜ:k] *adj* • **to go berserk** devenir fou furieux(folle furieuse).

berth [bɜːθ] ◼ n 1. poste m d'amarrage, mouillage m 2. couchette f. ◼ vi accoster, se ranger à quai.

beseech [bɪ'siːtʃ] (prét & pp besought ou beseeched) vt littéraire • to beseech sb (to do sthg) implorer ou supplier qqn (de faire qqch).

beset [bɪ'set] ◼ adj • beset with ou by assailli(e) de. ◼ vt (prét & pp beset) assaillir.

beside [bɪ'saɪd] prép 1. à côté de, auprès de 2. comparé(e) à, à côté de • to be beside o.s. with anger être hors de soi.

besides [bɪ'saɪdz] ◼ adv en outre, en plus. ◼ prép en plus de.

besiege [bɪ'siːdʒ] vt 1. assiéger 2. fig assaillir, harceler.

besotted [bɪ'sɒtɪd] adj • besotted (with sb) entiché(e) (de qqn).

besought [bɪ'sɔːt] passé & pp ▷ beseech.

best [best] ◼ adj le meilleur(la meilleure). ◼ adv le mieux. ◼ n le mieux • to do one's best faire de son mieux • all the best! meilleurs souhaits ! • to be for the best être pour le mieux • to make the best of sthg s'accommoder de qqch, prendre son parti de qqch. ◼ at best adv au mieux.

best man n garçon m d'honneur.

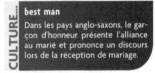

best man

Dans les pays anglo-saxons, le garçon d'honneur présente l'alliance au marié et prononce un discours lors de la réception de mariage.

bestow [bɪ'stəʊ] vt sout • to bestow sthg on sb conférer qqch à qqn.

best-seller n best-seller m.

bet [bet] ◼ n pari m. ◼ vt (prét & pp bet ou -ted) parier. ◼ vi (prét & pp bet ou -ted) parier • I wouldn't bet on it fig je n'en suis pas si sûr.

betray [bɪ'treɪ] vt trahir.

betrayal [bɪ'treɪəl] n trahison f.

better ['betər] ◼ adj (comparatif de good) meilleur(e) • to get better s'améliorer • (après une maladie) se remettre, se rétablir. ◼ adv (comparatif de well) mieux • I'd better leave je dois partir. ◼ n le meilleur(la meilleure) • to get the better of sb avoir raison de qqn. ◼ vt améliorer • to better o.s. améliorer sa situation.

better off adj 1. plus à son aise 2. mieux.

betting ['betɪŋ] n (indén) paris mpl.

betting shop n (UK) ≃ bureau m de P.M.U.

between [bɪ'twiːn] ◼ prép entre. ◼ adv • (in) between (dans l'espace) au milieu • (dans le temps) dans l'intervalle.

beverage ['bevərɪdʒ] n sout boisson f.

beware [bɪ'weər] vi • to beware (of) prendre garde (à), se méfier (de) • beware of... attention à...

bewildered [bɪ'wɪldəd] adj déconcerté(e), perplexe.

bewitching [bɪ'wɪtʃɪŋ] adj charmeur (euse), ensorcelant(e).

beyond [bɪ'jɒnd] ◼ prép 1. au-delà de 2. après, plus tard que 3. au-dessus de • it's beyond my control je n'y peux rien. ◼ adv au-delà.

bias ['baɪəs] n 1. préjugé m, parti m pris 2. tendance f.

biased ['baɪəst] adj partial(e) • to be biased towards sb/sthg favoriser qqn/qqch.

bib [bɪb] n bavoir m, bavette f.

Bible ['baɪbl] n • the Bible la Bible.

bicarbonate of soda [baɪ'kɑːbənət-] n bicarbonate m de soude.

biceps ['baɪseps] (pl inv) n biceps m.

bicker ['bɪkər] vi se chamailler.

bicycle ['baɪsɪkl] ◼ n bicyclette f, vélo m. ◼ vi aller à bicyclette ou à vélo.

bicycle path n piste f cyclable.

bicycle pump n pompe f à vélo.

bid [bɪd] ◼ n 1. tentative f 2. enchère f 3. COMM offre f. ◼ vt (prét & pp bid, cont bidding) faire une enchère de. ◼ vi (prét & pp bid, cont bidding) 1. • to bid

(for) faire une enchère (pour) **2.** • **to bid for sthg** briguer qqch **3.** COMM faire une soumission, répondre à un appel d'offres.

bidder ['bɪdə'] *n* enchérisseur *m*, -euse *f*.

bidding ['bɪdɪŋ] *n* (*indén*) enchères *fpl*.

bide [baɪd] *vt* • **to bide one's time** attendre son heure *ou* le bon moment.

bifocals [ˌbaɪˈfəʊklz] *npl* lunettes *fpl* bifocales.

big [bɪg] *adj* **1.** grand(e) **2.** gros(grosse).

Big Apple

The Big Apple, qui signifie la Grosse Pomme, est le surnom de la ville de New York. Ce nom fut utilisé pour la première fois par les jazzmen des années vingt, en référence au succès qu'ils pouvaient rencontrer dans cette ville. D'autre villes américaines, comme Chicago et Detroit, ont également un surnom : *the Windy City* pour la première, à cause des vents forts qui y soufflent, et *Motown* pour la seconde, car c'est la ville de l'automobile.

Big Ben

Big Ben est le surnom de la cloche de la tour des *Houses of Parliament* à Londres. Le son de cette cloche est très connu, car il annonce souvent les nouvelles à la radio et à la télévision. Beaucoup de gens pensent, à tort, que *Big Ben* est le nom de l'horloge ou de la tour elle-même.

---

bigamy ['bɪgəmɪ] *n* bigamie *f*.

big deal *fam* ◼ *n* • **it's no big deal** ce n'est pas dramatique • **what's the big deal?** où est le problème ? ◼ *interj* tu parles !, et alors ?

big dipper [-'dɪpə'] *n* **1.** (*UK*) montagnes *fpl* russes **2.** (*US*) • **the Big Dipper** la Grande Ourse.

bigheaded [ˌbɪgˈhedɪd] *adj fam* crâneur(euse).

bigot ['bɪgət] *n* sectaire *mf*.

bigoted ['bɪgətɪd] *adj* sectaire.

bigotry ['bɪgətrɪ] *n* sectarisme *m*.

big time *n fam* • **to make** *ou* **to hit the big time** réussir, arriver en haut de l'échelle.

big toe *n* gros orteil *m*.

big top *n* chapiteau *m*.

big wheel *n* (*UK*) grande roue *f*.

bike [baɪk] *n fam* **1.** vélo *m* **2.** bécane *f*, moto *f*.

bikeway ['baɪkweɪ] *n* (*US*) piste *f* cyclable.

bikini [bɪˈkiːnɪ] *n* Bikini® *m*.

bile [baɪl] *n* **1.** bile *f* **2.** mauvaise humeur *f*.

bilingual [baɪˈlɪŋgwəl] *adj* bilingue.

bill [bɪl] ◼ *n* **1.** • **bill (for)** note *f ou* facture *f* (de) • addition *f* (de) **2.** projet *m* de loi **3.** programme *m* (*d'un spectacle*) **4.** (*US*) billet *m* de banque **5.** • **'post** *ou* **stick** (*UK*) **no bills'** 'défense d'afficher' **6.** bec *m*. ◼ *vt* **1.** • **to bill sb (for)** envoyer une facture à qqn (pour) **2.** (*spectacle*) annoncer • **they're billed as the best band in the world** on les présente comme le meilleur groupe du monde.

billboard ['bɪlbɔːd] *n* panneau *m* d'affichage.

billet ['bɪlɪt] *n* logement *m* chez l'habitant.

billfold ['bɪlfəʊld] *n* (*US*) portefeuille *m*.

billiards ['bɪljədz] *n* billard *m*.

billion ['bɪljən] *num* **1.** (*US*) milliard *m* **2.** (*UK*) *vieilli* billion *m*.

Bill of Rights *n* • **the Bill of Rights** *les dix premiers amendements à la Constitution américaine.*

bimbo ['bɪmbəʊ] (*pl* -s *ou* -es) *n fam péj* • **she's a bit of a bimbo** c'est le genre « pin-up ».

bin [bɪn] *n* **1.** (*UK*) poubelle *f* **2.** coffre *m*.

bind [baɪnd] *vt* (*prét & pp* **bound**) **1.** attacher **2.** *fig* lier **3.** panser **4.** contraindre, forcer **5.** relier (*un livre*).

binder ['baɪndə'] *n* classeur *m*.

binding ['baɪndɪŋ] ◼ *adj* **1.** qui lie *ou* engage **2.** irrévocable. ◼ *n* reliure *f*.

binge [bɪndʒ] *fam* ◼ *n* • **to go on a binge** prendre une cuite. ◼ *vi* • **to binge on sthg** se gaver *ou* se bourrer de qqch.

binge drinking n *fait de boire de très grandes quantités d'alcool en une soirée, de façon régulière.*

bingo ['bɪŋɡəʊ] n bingo m, ≃ loto m.

CULTURE...

bingo

Jeu proche du loto, le *bingo* est souvent pratiqué dans des cinémas désaffectés ou de grandes salles municipales. On joue aussi au *bingo* dans les villes balnéaires, et ce sont alors de petits lots (jouets en peluche, *etc*) que l'on peut remporter.

binoculars [bɪ'nɒkjʊləz] npl jumelles fpl.

bio ['baɪəʊ] adj bio (inv).

biochemistry [ˌbaɪəʊ'kemɪstrɪ] n biochimie f.

biodegradable [ˌbaɪəʊdɪ'greɪdəbl] adj biodégradable.

biography [baɪ'ɒɡrəfɪ] n biographie f.

biological [ˌbaɪə'lɒdʒɪkl] adj 1. biologique 2. aux enzymes.

biology [baɪ'ɒlədʒɪ] n biologie f.

biometric [ˌbaɪəʊ'metrɪk] adj (données, lecteur) biométrique.

biotechnology [ˌbaɪəʊtek'nɒlədʒɪ] n biotechnologie f.

bipolar disorder [baɪ'pəʊlə-] n trouble m bipolaire.

birch [bɜːtʃ] n bouleau m.

bird [bɜːd] n 1. oiseau m 2. (UK) fam gonzesse f.

bird flu n grippe f aviaire.

birdie ['bɜːdɪ] n 1. petit oiseau m 2. GOLF birdie m.

bird's-eye view n 1. litt vue f aérienne 2. fig vue f d'ensemble.

bird-watcher [-ˌwɒtʃər] n observateur m, -trice f d'oiseaux.

Biro® ['baɪərəʊ] n (UK) stylo m à bille.

birth [bɜːθ] n litt & fig naissance f • **to give birth (to)** donner naissance (à).

birth certificate n acte m ou extrait m de naissance.

birth control n (indén) régulation f ou contrôle m des naissances.

birthday ['bɜːθdeɪ] n anniversaire m.

birthmark ['bɜːθmɑːk] n tache f de vin.

birth mother n mère f gestationnelle.

birthrate ['bɜːθreɪt] n (taux m de) natalité f.

Biscay ['bɪskeɪ] n • **the Bay of Biscay** le golfe de Gascogne.

biscuit ['bɪskɪt] n 1. (UK) petit pain rond non sucré 2. (US) biscuit m sec.

bisect [baɪ'sekt] vt couper ou diviser en deux.

bishop ['bɪʃəp] n 1. évêque mf 2. (au jeu d'échecs) fou m.

bison ['baɪsn] (pl inv ou -s) n bison m.

bit [bɪt] ■ passé ⟶ **bite**. ■ n 1. morceau m, bout m 2. • **bits and pieces** (UK) petites affaires fpl ou choses fpl • **to take sthg to bits** démonter qqch 3. • **a bit of shopping** quelques courses • **quite a bit of** pas mal de, beaucoup de 4. • **for a bit** pendant quelque temps 5. mèche f (d'une perceuse) 6. mors m 7. INFORM bit m.

■ **a bit** adv un peu.

■ **bit by bit** adv petit à petit.

À PROPOS DE...

a bit

A bit peut être un adverbe (*he's a bit shy*) ou un pronom (*would you like some cake? – yes, just a bit*). Si on veut l'utiliser directement devant un nom, il faut ajouter *of* (*a bit of paper*).
A bit et *a bit of* ont la même signification que *a little*, mais appartiennent à un registre moins soutenu.

bitch [bɪtʃ] n 1. chienne f 2. fam péj salope f, garce f.

bitchy [bɪtʃɪ] adj fam vache, rosse.

bite [baɪt] ■ n 1. morsure f, coup m de dent 2. fam • **to have a bite (to eat)** manger un morceau 3. piqûre f (d'insecte). ■ vt (prét bit, pp bitten) 1. mordre 2. (insecte, serpent) piquer, mordre. ■ vi (prét bit, pp bitten) • **to bite (into)** mordre (dans) • **to bite off sthg** arracher qqch d'un coup de dents.

biting ['baɪtɪŋ] adj 1. (froid) cinglant(e), piquant(e) 2. (humour, commentaire) mordant(e), caustique.

bitten ['bɪtn] pp ⟶ **bite**.

bitter ['bɪtər] ◼ adj 1. amer(ère) 2. glacial(e) 3. violent(e). ◼ n (UK) bière relativement amère, à forte teneur en houblon.

bitter lemon n Schweppes® m au citron.

bitterness ['bɪtənɪs] n 1. amertume f 2. âpreté f.

bizarre [bɪ'zɑːr] adj bizarre.

blab [blæb] vi fam cracher le morceau.

black [blæk] ◼ adj noir(e). ◼ n 1. (couleur) noir m 2. (personne) Noir m, -e f • in the black solvable, sans dettes. ◼ vt (UK) boycotter.
◼ **black out** vi s'évanouir.

blackberry ['blækbərɪ] n mûre f.

blackbird ['blækbɜːd] n merle m.

blackboard ['blækbɔːd] n tableau m (noir).

blackcurrant [ˌblæk'kʌrənt] n cassis m.

blacken ['blækn] ◼ vt noircir. ◼ vi s'assombrir.

black eye n œil m poché ou au beurre noir.

blackhead ['blækhed] n point m noir.

black ice n verglas m.

blackleg ['blækleg] n (UK) péj jaune m.

blacklist ['blæklɪst] ◼ n liste f noire. ◼ vt mettre sur la liste noire.

blackmail ['blækmeɪl] ◼ n litt & fig chantage m. ◼ vt 1. faire chanter 2. fig faire du chantage à.

black market n marché m noir.

blackout ['blækaʊt] n 1. black-out m 2. panne f d'électricité 3. évanouissement m.

black pudding n (UK) boudin m (noir).

Black Sea n • the Black Sea la Mer Noire.

black sheep n brebis f galeuse.

blacksmith ['blæksmɪθ] n 1. maréchalferrant m 2. forgeron m.

black spot n (UK) point m noir.

bladder ['blædər] n vessie f.

blade [bleɪd] n 1. lame f 2. pale f (d'hélice) 3. brin m (d'herbe).

blame [bleɪm] ◼ n responsabilité f, faute f • to take the blame for sthg endosser la responsabilité de qqch. ◼ vt blâmer, condamner • to blame sthg on rejeter la responsabilité de qqch sur, imputer qqch à • to blame sb/sthg for sthg reprocher qqch à qqn/qqch • to be to blame for sthg être responsable de qqch.

bland [blænd] adj 1. (personne) insipide, ennuyeux(euse) • mielleux(euse), doucereux(euse) 2. (nourriture) fade, insipide.

blank [blæŋk] ◼ adj 1. blanc(blanche) 2. nu(e) 3. fig vide, sans expression. ◼ n 1. (espace) blanc m 2. cartouche f à blanc.

blank cheque (UK), **blank check** (US) n 1. chèque m en blanc 2. fig carte f blanche.

blanket ['blæŋkɪt] n 1. couverture f 2. couche f, manteau m (de neige) 3. nappe f (de brouillard).

blare [bleər] vi 1. hurler 2. beugler.

blasphemy ['blæsfəmɪ] n blasphème m.

blast [blɑːst] ◼ n 1. explosion f 2. souffle m. ◼ vt creuser à la dynamite. ◼ interj (UK) fam zut !, mince !
◼ **(at) full blast** adv à pleins gaz ou tubes.

blasted ['blɑːstɪd] adj fam fichu(e), maudit(e).

blast-off n lancement m.

blatant ['bleɪtənt] adj criant(e), flagrant(e).

blaze [bleɪz] ◼ n 1. incendie m 2. fig éclat m, flamboiement m. ◼ vi 1. flamber 2. fig flamboyer.

blazer ['bleɪzər] n blazer m.

bleach [bliːtʃ] ◼ n eau f de Javel. ◼ vt 1. décolorer 2. blanchir.

bleached [bliːtʃt] adj décoloré(e).

bleachers ['bliːtʃəz] npl (US) gradins mpl.

bleak [bliːk] adj 1. sombre 2. lugubre, triste.

bleary-eyed [ˌblɪərɪ'aɪd] adj aux yeux troubles.

bleat [bliːt] ◼ n bêlement m. ◼ vi 1. bêler 2. fig se plaindre, geindre.

bleed [bliːd] (prét & pp bled [bled]) ◼ vi saigner. ◼ vt purger (un radiateur).

bleeper ['bliːpər] (UK) n bip m, biper m.

blemish ['blemɪʃ] n litt & fig défaut m.

blend [blend] ◼ n mélange m. ◼ vt • to blend sthg (with) mélanger qqch (avec ou à). ◼ vi • to blend (with) se mêler (à ou avec).

blender ['blendə'] n mixer m.

bless [bles] (prét & pp **-ed** ou **blest**) vt bénir ∗ **bless you!** à vos souhaits ! ∗ merci mille fois !

blessing ['blesɪŋ] n litt & fig bénédiction f.

blest [blest] passé & pp ⟹ **bless**.

blew [bluː] passé ⟹ **blow**.

blight [blaɪt] vt gâcher, briser.

blimey ['blaɪmɪ] interj (UK) fam zut alors !, mince alors !

blind [blaɪnd] ▪ adj litt & fig aveugle ∗ **to be blind to sthg** ne pas voir qqch. ▪ n **1.** store m **2.** (US) cachette f. ▪ npl ∗ **the blind** les aveugles mpl. ▪ vt aveugler.

blind alley n litt & fig impasse f.

blind corner n (UK) virage m sans visibilité.

blind date n rendez-vous avec quelqu'un que l'on ne connaît pas.

blinders ['blaɪndəz] npl (US) œillères fpl.

blindfold ['blaɪndfəʊld] ▪ adv les yeux bandés. ▪ n bandeau m. ▪ vt bander les yeux à.

blindly ['blaɪndlɪ] adv **1.** à l'aveuglette **2.** aveuglément.

blindness ['blaɪndnɪs] n cécité f.

blind spot n auto angle m mort.

bling (bling) ['blɪŋ('blɪŋ)] adj fam (ostentatoire) bling(-)bling, tape-à-l'œil.

blink [blɪŋk] ▪ n ∗ **on the blink** fam détraqué(e). ▪ vt cligner. ▪ vi **1.** cligner des yeux **2.** (lumière) clignoter.

blinkered ['blɪŋkəd] adj ∗ **to be blinkered** litt & fig avoir des œillères.

blinkers ['blɪŋkəz] npl (UK) œillères fpl.

bliss [blɪs] n bonheur m suprême, félicité f.

blissful ['blɪsfʊl] adj **1.** merveilleux (euse) **2.** (ignorance) total(e).

blister ['blɪstə'] ▪ n ampoule f, cloque f. ▪ vi **1.** (peau) se couvrir de cloques **2.** (peinture) cloquer, se boursoufler.

blithely ['blaɪðlɪ] adv gaiement, joyeusement.

blitz [blɪts] n bombardement m aérien.

blizzard ['blɪzəd] n tempête f de neige.

bloated ['bləʊtɪd] adj **1.** bouffi(e) **2.** ballonné(e).

blob [blɒb] n **1.** goutte f **2.** forme f ∗ **a blob of colour** une tache de couleur.

block [blɒk] ▪ n **1.** ∗ **office block** (UK) immeuble m de bureaux ∗ **block of flats** (UK) immeuble m **2.** (US) pâté m de maisons **3.** bloc m (de pierre, de glace) **4.** blocage m. ▪ vt **1.** boucher **2.** bloquer, empêcher.

blockade [blɒ'keɪd] ▪ n blocus m. ▪ vt faire le blocus de.

blockage ['blɒkɪdʒ] n obstruction f.

blockbuster ['blɒkbʌstə'] n fam **1.** best-seller m **2.** film m à succès.

block capitals npl majuscules fpl d'imprimerie ∗ **in block capitals** en majuscules.

block letters npl majuscules fpl d'imprimerie.

blog [blɒg] (abr de **weblog**) n inform blog m.

blogger ['blɒgə'] n bloggeur m, -euse f.

bloke [bləʊk] n (UK) fam type m.

blond(e) [blɒnd] adj blond(e).

blonde [blɒnd] ▪ adj blond(e). ▪ n blonde f.

blood [blʌd] n sang m ∗ **in cold blood** de sang-froid.

bloodbath ['blʌdbɑːθ] (pl [-bɑːðz]) n bain m de sang, massacre m.

blood cell n globule m.

blood donor n donneur m, -euse f de sang.

blood group n (UK) groupe m sanguin.

bloodhound ['blʌdhaʊnd] n limier m.

blood poisoning n septicémie f.

blood pressure n tension f artérielle.

bloodshed ['blʌdʃed] n carnage m.

bloodshot ['blʌdʃɒt] adj (yeux) injecté(e) de sang.

bloodstream ['blʌdstriːm] n sang m.

blood test n prise f de sang.

bloodthirsty ['blʌd,θɜːstɪ] adj sanguinaire.

blood transfusion n transfusion f sanguine.

bloody ['blʌdɪ] ▪ adj **1.** sanglant(e) **2.** (UK) tfam foutu(e) ∗ **you bloody idiot!** espèce de con ! ▪ adv (UK) tfam vachement.

bloody-minded [-'maɪndɪd] adj (UK) fam contrariant(e).

bloom [blu:m] ◼ *n* fleur *f*. ◼ *vi* fleurir.

blooming ['blu:mɪŋ] ◼ *adj* (UK) fam sacré(e), fichu(e). ◼ *adv* (UK) fam sacrément.

blossom ['blɒsəm] ◼ *n* fleurs *fpl*. ◼ *vi* **1.** fleurir **2.** *fig* s'épanouir.

blot [blɒt] ◼ *n litt & fig* tache *f*. ◼ *vt* **1.** faire des pâtés sur (*une feuille de papier*) **2.** (*encre*) sécher.

◼ **blot out** *vt sép* **1.** cacher, masquer **2.** effacer.

blotchy ['blɒtʃɪ] *adj* couvert(e) de marbrures *ou* taches.

blotting paper ['blɒtɪŋ-] *n* (indén) (papier *m*) buvard *m*.

blouse [blaʊz] *n* chemisier *m*.

blow [bləʊ] ◼ *vi* (*prét* blew, *pp* blown) **1.** souffler **2.** • **to blow off** s'envoler **3.** (*fusible*) sauter. ◼ *vt* (*prét* blew, *pp* blown) **1.** faire voler, chasser **2.** • **to blow one's nose** se moucher **3.** (*trompette, cor*) jouer de, souffler dans • **to blow a whistle** donner un coup de sifflet **4.** *fam* gâcher • **I blew it!** j'ai tout gâché ! ◼ *n* coup *m*.

◼ **blow out** *vi* **1.** (*bougie*) s'éteindre **2.** (*pneu*) éclater.

◼ **blow over** *vi* se calmer.

◼ **blow up** ◼ *vt sép* **1.** gonfler **2.** faire sauter **3.** (*photo*) agrandir. ◼ *vi* exploser.

blow-dry ◼ *n* Brushing® *m*. ◼ *vt* faire un Brushing® à.

blowlamp (UK) ['bləʊlæmp], **blowtorch** ['bləʊtɔtʃ] *n* chalumeau *m*, lampe *f* à souder.

blown [bləʊn] *pp* ▷ **blow**.

blowout ['bləʊaʊt] *n* **1.** (*surtout US*) éclatement *m* (*d'un pneu*) **2.** éruption *f*.

blowtorch = **blowlamp**.

blubber ['blʌbər] ◼ *n* graisse *f* de baleine. ◼ *vi* fam péj chialer.

bludgeon ['blʌdʒən] *vt* matraquer.

blue [blu:] ◼ *adj* **1.** bleu(e) **2.** *fam* triste, cafardeux(euse) **3.** *fam vieilli* porno (*inv*). ◼ *n* bleu *m* • **out of the blue** subitement • (*arriver*) à l'improviste.

◼ **blues** *npl* • **the blues** le blues • *fam* le blues, le cafard.

bluebell ['blu:bel] *n* jacinthe *f* des bois.

blueberry ['blu:bərɪ] *n* myrtille *f*.

bluebottle ['blu:ˌbɒtl] *n* mouche *f* bleue, mouche de la viande.

blue cheese *n* (fromage *m*) bleu *m*.

blue-collar *adj* ouvrier(ère) • **a blue-collar worker** un col bleu.

blue jeans *npl* (surtout US) blue-jean *m*, jean *m*.

blueprint ['blu:prɪnt] *n* **1.** Ozalyd® *f* **2.** *fig* plan *m*, projet *m*.

bluff [blʌf] ◼ *adj* franc(franche). ◼ *n* **1.** bluff *m* • **to call sb's bluff** prendre qqn au mot **2.** falaise *f* à pic. ◼ *vt* bluffer, donner le change à. ◼ *vi* faire du bluff, bluffer.

blunder ['blʌndər] ◼ *n* gaffe *f*, bévue *f*. ◼ *vi* faire une gaffe, commettre une bévue.

blunt [blʌnt] ◼ *adj* **1.** (*couteau*) émoussé(e) **2.** (*crayon*) épointé(e) **3.** (*instrument*) contondant(e) **4.** (*manières, personne*) direct(e), carré(e). ◼ *vt litt & fig* émousser.

blur [blɜːʳ] ◼ *n* forme *f* confuse, tache *f* floue. ◼ *vt* troubler, brouiller.

blurb [blɜːb] *n* texte *m* publicitaire.

blurt [blɜːt] ◼ **blurt out** *vt sép* laisser échapper.

blush [blʌʃ] ◼ *n* rougeur *f*. ◼ *vi* rougir.

blusher ['blʌʃər] *n* (UK) fard *m* à joues, blush *m*.

blustery ['blʌstərɪ] *adj* venteux(euse).

BMX (*abr de* **bicycle motorcross**) *n* bicross *m*.

BO *abrév de* **body odour**.

boar [bɔːʳ] *n* **1.** verrat *m* **2.** sanglier *m*.

board [bɔːd] ◼ *n* **1.** planche *f* **2.** panneau *m* d'affichage **3.** (*jeux*) tableau *m* **4.** (*échecs*) échiquier *m* **5.** tableau *m* (noir) **6.** • **board (of directors)** conseil *m* d'administration **7.** comité *m*, conseil *m* **8.** (UK) pension *f* • **board and lodging** pension • **full board** pension complète • **half board** demi-pension *f* **9.** • **on board** à bord. ◼ *vt* **1.** monter à bord de (*un bateau, un avion*) **2.** monter dans (*un train, un bus*).

boarder ['bɔːdər] *n* **1.** pensionnaire *mf* **2.** SCOL interne *mf*, pensionnaire *mf*.

boarding card ['bɔːdɪŋ-] *n* carte *f* d'embarquement.

boarding house ['bɔːdɪŋhaʊs] (*pl* [-haʊzɪz]) *n vieilli* pension *f* de famille.

boarding pass ['bɔːdɪŋ-] *n* carte *f* d'embarquement.

boarding school ['bɔːdɪŋ-] n pensionnat m, internat m.

Board of Trade n (UK) • **the Board of Trade** ≃ le ministère m du Commerce.

boardroom ['bɔːdrʊm] n salle f du conseil (d'administration).

boast [bəʊst] ◼ n vantardise f, fanfaronnade f. ◼ vi • **to boast (about)** se vanter (de).

boastful ['bəʊstfʊl] adj vantard(e), fanfaron(onne).

boat [bəʊt] n 1. bateau m 2. canot m, embarcation f • **by boat** en bateau.

boater ['bəʊtər] n canotier m.

boatswain ['bəʊsn] n maître m d'équipage.

bob [bɒb] ◼ n 1. coupe f au carré 2. (UK) fam vieilli shilling m. ◼ vi tanguer.

bobbin ['bɒbɪn] n bobine f.

bobby ['bɒbɪ] n (UK) fam vieilli agent m de police.

bobsleigh ['bɒbsleɪ] (UK), **bobsled** ['bɒbsled] (US) n bobsleigh m.

bode [bəʊd] vi littéraire • **to bode ill/well (for)** être de mauvais/bon augure (pour).

bodily ['bɒdɪlɪ] ◼ adj 1. (besoins) matériel(elle) 2. (douleur) physique. ◼ adv à bras-le-corps.

body ['bɒdɪ] n 1. corps m 2. (d'un mort) corps m, cadavre m 3. organisme m, organisation f 4. carrosserie f 5. fuselage m 6. (indén) corps m (en parlant du vin) 7. (indén) volume m (en parlant des cheveux) 8. (UK) body m.

body building n culturisme m.

bodyguard ['bɒdɪgɑːd] n garde m du corps.

body odour (UK), **body odor** (US) n odeur f corporelle.

bodywork ['bɒdɪwɜːk] n carrosserie f.

bog [bɒg] n marécage m.

bogged down [,bɒgd-] adj • **bogged down (in)** enlisé(e) (dans).

boggle ['bɒgl] vi • **the mind boggles!** ce n'est pas croyable !, on croit rêver !

bogus ['bəʊgəs] adj faux(fausse), bidon (inv).

boil [bɔɪl] ◼ n 1. furoncle m 2. • **to bring sthg to the boil** porter qqch à ébullition. ◼ vt 1. faire bouillir 2. mettre sur le feu. ◼ vi bouillir.

◼ **boil down to** vt insép fig revenir à, se résumer à.

◼ **boil over** vi 1. (liquide) déborder 2. fig (sentiments) exploser.

boiled ['bɔɪld] adj • **boiled egg** œuf m à la coque.

boiler ['bɔɪlər] n chaudière f.

boiler room n chaufferie f.

boiler suit n (UK) bleu m de travail.

boiling ['bɔɪlɪŋ] adj 1. bouillant(e) 2. fam très chaud(e), torride • **I'm boiling (hot)!** je crève de chaleur !

boiling point n point m d'ébullition.

boisterous ['bɔɪstərəs] adj turbulent(e), remuant(e).

bold [bəʊld] adj 1. hardi(e), audacieux(euse) 2. (couleurs) vif(vive), éclatant(e) 3. • **bold type** ou **print** caractères mpl gras.

bollard ['bɒlɑːd] n (UK) borne f.

bollocks ['bɒləks] (UK) tfam ◼ npl couilles fpl. ◼ interj quelles conneries f.

bolster ['bəʊlstər] ◼ n traversin m. ◼ vt renforcer, affirmer • **he bolstered my morale** il m'a remonté le moral.

◼ **bolster up** vt sép soutenir.

bolt [bəʊlt] ◼ n 1. verrou m 2. boulon m. ◼ adv • **bolt upright** droit(e) comme un piquet. ◼ vt 1. boulonner 2. verrouiller 3. engouffrer, engloutir (de la nourriture). ◼ vi détaler.

bomb [bɒm] ◼ n bombe f. ◼ vt bombarder.

bombard [bɒm'bɑːd] vt fig • **to bombard (with)** bombarder (de).

bombastic [bɒm'bæstɪk] adj pompeux(euse).

bomb disposal squad n équipe f de déminage.

bomber ['bɒmər] n 1. bombardier m 2. plastiqueur m.

bombing ['bɒmɪŋ] n bombardement m.

bombshell ['bɒmʃel] n fig bombe f.

bona fide [,bəʊnə'faɪdɪ] adj 1. véritable, authentique 2. (offre) sérieux(euse).

bond [bɒnd] ◼ *n* **1.** lien *m* **2.** engagement *m* **3.** FIN bon *m*, titre *m*. ◼ *vt* **1.** • **to bond sthg to sthg** coller qqch sur qqch **2.** *fig* unir.

bondage ['bɒndɪdʒ] *n* servitude *f*, esclavage *m*.

bone [bəʊn] ◼ *n* **1.** os *m* **2.** arête *f* (*de poisson*). ◼ *vt* **1.** (*viande*) désosser **2.** (*poisson*) enlever les arêtes de.

bone-dry *adj* tout à fait sec(sèche).

bone-idle *adj* (*UK*) *fam* paresseux(euse) comme une couleuvre *ou* un lézard.

bonfire ['bɒn,faɪər] *n* **1.** feu *m* de joie **2.** feu (*de jardin*).

Bonn [bɒn] *n* Bonn.

bonnet ['bɒnɪt] *n* **1.** (*UK*) capot *m* **2.** bonnet *m*.

bonny ['bɒnɪ] *adj* (*Écosse*) beau(belle), joli(e).

bonus ['bəʊnəs] (*pl* **-es** [-iːz]) *n* **1.** prime *f*, gratification *f* **2.** *fig* plus *m*.

bony ['bəʊnɪ] *adj* **1.** maigre, osseux (euse) **2.** (*viande*) plein(e) d'os **3.** (*poisson*) plein(e) d'arêtes.

boo [buː] ◼ *interj* hou ! ◼ *n* (*pl* **-s**) huée *f*. ◼ *vt* & *vi* huer.

boob [buːb] (*UK*), **boo-boo** [buːbuː] *n* *fam* gaffe *f*, bourde *f*.
◼ **boobs** *npl* *tfam* nichons *mpl*.

booby trap ['buːbɪ-] *n* **1.** objet *m* piégé **2.** farce *f*.

book [bʊk] ◼ *n* **1.** livre *m* **2.** carnet *m* (*de timbres, de chèques*) **3.** pochette *f* (*d'allumettes*). ◼ *vt* **1.** réserver • **to be fully booked** être complet(ète) **3.** *fam* coller un PV à **4.** (*UK*) prendre le nom de. ◼ *vi* réserver.
◼ **books** *npl* livres *mpl* de comptes.
◼ **book up** *vt sép* réserver, retenir.

bookcase ['bʊkkeɪs] *n* bibliothèque *f*.

Booker Prize ['bʊkə-] *n* • **the Booker Prize** prix littéraire britannique.

bookie ['bʊkɪ] *n* *fam* bookmaker *m*.

booking ['bʊkɪŋ] *n* **1.** réservation *f* **2.** (*UK*) • **to get a booking** recevoir un carton jaune.

booking office *n* (*UK*) bureau *m* de réservation *ou* location.

bookkeeping ['bʊk,kiːpɪŋ] *n* comptabilité *f*.

booklet ['bʊklɪt] *n* brochure *f*.

bookmaker ['bʊk,meɪkər] *n* bookmaker *m*.

bookmark ['bʊkmɑːk] *n* signet *m*.

bookseller ['bʊk,selər] *n* libraire *mf*.

bookshelf ['bʊkʃelf] (*pl* **-shelves** [-ʃelvz]) *n* rayon *m* *ou* étagère *f* à livres.

bookshop (*UK*) ['bʊkʃɒp], **bookstore** (*surtout US*) ['bʊkstɔːr] *n* librairie *f*.

book token *n* (*UK*) chèque-livre *m*.

boom [buːm] ◼ *n* **1.** grondement *m* **2.** boom *m* **3.** NAUT bôme *f* **4.** CINÉ & TV girafe *f*, perche *f*. ◼ *vi* **1.** gronder **2.** (*commerce*) être en plein essor *ou* en hausse.

boon [buːn] *n* aubaine *f*, bénédiction *f*.

boost [buːst] ◼ *n* **1.** augmentation *f* **2.** croissance *f*. ◼ *vt* **1.** stimuler **2.** accroître, renforcer.

booster ['buːstər] *n* MÉD rappel *m* • **booster shot** piqûre *f* de rappel.

boot [buːt] ◼ *n* **1.** chaussure *f* **2.** botte *f* **3.** (*UK*) coffre *m* (*de voiture*). ◼ *vt fam* flanquer des coups de pied à.
◼ **to boot** *adv* par-dessus le marché, en plus.

booth [buːð] *n* **1.** baraque *f* foraine **2.** cabine *f* **3.** isoloir *m*.

booty ['buːtɪ] *n* butin *m*.

booze [buːz] *fam* ◼ *n* (*indén*) alcool *m*, boisson *f* alcoolisée. ◼ *vi* picoler.

bop [bɒp] *fam* ◼ *n* **1.** coup *m* **2.** (*UK*) fête *f*. ◼ *vi* (*UK*) danser.

border ['bɔːdər] ◼ *n* **1.** frontière *f* **2.** bord *m* **3.** bordure *f*. ◼ *vt* **1.** être limitrophe de **2.** border.
◼ **border on** *vt insép* friser, être voisin(e) de.

borderline ['bɔːdəlaɪn] ◼ *adj* • **borderline case** cas *m* limite. ◼ *n* *fig* limite *f*, ligne *f* de démarcation.

bore [bɔːr] ◼ *passé* ▷ **bear**. ◼ *n* **1.** (*personne*) raseur *m*, -euse *f* **2.** (*chose*) corvée *f* **3.** calibre *m*. ◼ *vt* **1.** ennuyer, raser • **to bore sb stiff** *ou* **to tears** *ou* **to death** ennuyer qqn à mourir **2.** forer, percer.

bored [bɔːd] *adj* **1.** (*personne*) qui s'ennuie **2.** (*expression*) d'ennui • **to be bored with** en avoir assez de.

boredom ['bɔːdəm] *n* (*indén*) ennui *m*.

boring ['bɔːrɪŋ] *adj* ennuyeux(euse).

born [bɔːn] *adj* né(e) • **to be born** naître.

borne [bɔːn] *pp* ▷ **bear**.

borough ['bʌrə] n municipalité f.

borrow ['bɒrəʊ] vt emprunter.

Bosnia ['bɒznɪə] n Bosnie f.

Bosnia-Herzegovina [-,hɜːtsəgə'viːnə] n Bosnie-Herzégovine f.

Bosnian ['bɒznɪən] ■ adj bosniaque. ■ n Bosniaque mf.

bosom ['bʊzəm] n 1. poitrine f, seins mpl 2. fig sein m • **bosom friend** ami m, -e f intime.

boss [bɒs] n patron m, -onne f, chef m. ■ **boss about, boss around** vt sép péj donner des ordres à, régenter.

bossy ['bɒsɪ] adj péj autoritaire.

botany ['bɒtənɪ] n botanique f.

botch [bɒtʃ] ■ **botch up** vt sép fam bousiller, saboter.

both [bəʊθ] ■ adj les deux. ■ pron • **both (of them)** (tous) les, (toutes) les deux f • **both of us are coming** on vient tous les deux. ■ adv • **she is both intelligent and amusing** elle est à la fois intelligente et drôle.

bother ['bɒðə'] ■ vt 1. ennuyer, inquiéter • **to bother o.s. (about)** se tracasser (au sujet de) 2. embêter • **I'm sorry to bother you** excusez-moi de vous déranger. ■ vi • **to bother about sthg** s'inquiéter de qqch • **don't bother (to do it)** ce n'est pas la peine (de le faire). ■ n (indén)(surtout UK) embêtement m • **it's no bother at all** cela ne me dérange pas du tout.

bothered ['bɒðəd] adj inquiet(ète) • **I am really bothered that so many people are unemployed** cela m'inquiète que tant de personnes soient au chômage • **I am bothered about it** ou **by it** (UK) cela me dérange.

bottle ['bɒtl] ■ n 1. bouteille f 2. flacon m 3. biberon m. ■ vt 1. mettre en bouteilles 2. mettre en bocal. ■ **bottle up** vt sép refouler, contenir.

bottle bank n (UK) container m pour verre usagé.

bottleneck ['bɒtlnek] n 1. bouchon m, embouteillage m 2. goulet m d'étranglement.

bottle-opener n ouvre-bouteilles m inv, décapsuleur m.

bottom ['bɒtəm] ■ adj du bas. ■ n 1. fond m 2. bas m (d'une page, d'une rue) 3. pied m (d'une colline) 4. dernier m, -ère f (de la classe) 5. derrière m 6. • **to get to the bottom of sthg** aller au fond de qqch, découvrir la cause de qqch 7. bas m (d'un vêtement deux pièces). ■ **bottom out** vi atteindre son niveau le plus bas.

bottom line n fig • **the bottom line** l'essentiel m.

bough [baʊ] n branche f.

bought [bɔt] passé & pp ⊳ **buy**.

boulder ['bəʊldə'] n rocher m.

bounce [baʊns] ■ vi 1. rebondir 2. sauter 3. fam être sans provision. ■ vt faire rebondir. ■ n rebond m.

bouncer ['baʊnsə'] n fam videur m.

bound [baʊnd] ■ passé & pp ⊳ **bind**. ■ adj 1. • **he's bound to win** il va sûrement gagner • **she's bound to see it** elle ne peut pas manquer de le voir 2. • **to be bound to do sthg** être obligé(e) ou tenu(e) de faire qqch • **I'm bound to say/admit that...** je dois dire/reconnaître que… 3. • **to be bound for** (personne) être en route pour • (avion, train) être à destination de. ■ n bond m, saut m. ■ vt • **to be bounded by** (terrain) être limité(e) ou délimité(e) par • (pays) être limitrophe de.
■ **bounds** npl limites fpl • **out of bounds** interdit, défendu.

boundary ['baʊndəri] n **1.** frontière f **2.** limite f, borne f.

bourbon ['bɜːbən] n bourbon m.

bout [baʊt] n **1.** accès m (de fièvre) • **a bout of flu** une grippe **2.** période f **3.** combat m.

bow[superscript¹] [baʊ] ◼ n **1.** révérence f **2.** proue f, avant m. ◼ vt baisser, incliner. ◼ vi **1.** saluer **2.** • **to bow to** s'incliner devant.

bow[superscript²] [bəʊ] n **1.** arc m **2.** archet m **3.** nœud m.

bowl [bəʊl] ◼ n **1.** jatte f, saladier m **2.** bol m **3.** cuvette f **4.** cuvette f (des toilettes) **5.** fourneau m (d'une pipe). ◼ vi CRICKET lancer la balle.
◼ **bowls** n (indén) boules fpl (sur herbe).

bow-legged [,bəʊ'legɪd] adj aux jambes arquées.

bowler ['bəʊlər] n **1.** CRICKET lanceur m **2.** (UK) • **bowler (hat)** chapeau m melon.

bowling ['bəʊlɪŋ] n (indén) bowling m.

bowling alley n **1.** bowling m **2.** piste f de bowling.

bowling green n terrain m de boules (sur herbe).

bow tie [bəʊ-] n nœud m papillon.

box [bɒks] ◼ n **1.** boîte f **2.** THÉÂTRE loge f **3.** (UK) fam • **the box** la télé. ◼ vi boxer, faire de la boxe.

boxer ['bɒksər] n **1.** boxeur m, -euse f **2.** (chien) boxer m.

boxer shorts npl boxer-short m.

boxing ['bɒksɪŋ] n boxe f.

Boxing Day n le 26 décembre.

boxing glove n gant m de boxe.

box office n bureau m de location.

boxroom ['bɒksrʊm] n (UK) débarras m.

boy [bɔɪ] ◼ n garçon m. ◼ interj fam • **(oh) boy!** ben, mon vieux !, ben, dis-donc !

boycott ['bɔɪkɒt] ◼ n boycott m, boycottage m. ◼ vt boycotter.

boyfriend ['bɔɪfrend] n copain m, petit ami m.

boyish ['bɔɪɪʃ] adj **1.** gamin(e) **2.** de garçon.

BR (abr de **British Rail**) n ≃ SNCF f.

bra [brɑː] n soutien-gorge m.

brace [breɪs] ◼ n **1.** (UK) appareil m (dentaire) **2.** appareil m orthopédique. ◼ vt **1.** soutenir, consolider • **to brace o.s.**

s'accrocher, se cramponner **2.** fig • **to brace o.s. (for sthg)** se préparer (à qqch).
◼ **braces** npl **1.** (UK) bretelles fpl **2.** (US) appareil m (dentaire).

bracelet ['breɪslɪt] n bracelet m.

bracing ['breɪsɪŋ] adj vivifiant(e).

bracken ['brækn] n fougère f.

bracket ['brækɪt] ◼ n **1.** support m **2.** parenthèse f **3.** crochet m • **in brackets** entre parenthèses/crochets **4.** • **age/income bracket** tranche f d'âge/de revenus. ◼ vt mettre entre parenthèses/crochets.

brag [bræg] vi se vanter.

braid [breɪd] ◼ n **1.** galon m **2.** (surtout US) tresse f, natte f. ◼ vt (surtout US) tresser, natter.

brain [breɪn] n cerveau m.
◼ **brains** npl intelligence f.

brainchild ['breɪntʃaɪld] n fam idée f personnelle, invention f personnelle.

brainwash ['breɪnwɒʃ] vt faire un lavage de cerveau à.

brainwave ['breɪnweɪv] n (UK) idée f géniale ou de génie.

brainy ['breɪnɪ] adj fam intelligent(e).

brake [breɪk] ◼ n litt & fig frein m. ◼ vi freiner.

brake light n stop m, feu m arrière.

bramble ['bræmbl] n **1.** ronce f **2.** (UK) mûre f.

bran [bræn] n son m.

branch [brɑːntʃ] ◼ n **1.** branche f **2.** bifurcation f, embranchement m **3.** filiale f, succursale f **4.** agence f (d'une banque). ◼ vi bifurquer.
◼ **branch out** vi étendre ses activités, se diversifier.

brand [brænd] ◼ n **1.** COMM marque f **2.** fig type m, genre m. ◼ vt **1.** marquer au fer rouge **2.** fig • **to brand sb (as) sthg** étiqueter qqn comme qqch, coller à qqn l'étiquette de qqch.

brandish ['brændɪʃ] vt brandir.

brand name n marque f.

brand-new adj flambant neuf(flambant neuve), tout neuf(toute neuve).

brandy ['brændɪ] n cognac m.

brash [bræʃ] adj effronté(e).

brass [brɑːs] n 1. laiton m, cuivre m jaune 2. • **the brass** les cuivres mpl.

brass band n fanfare f.

brassiere [(UK) 'bræsɪər, (US) brə'zɪr] n soutien-gorge m.

brat [bræt] n fam péj sale gosse m.

bravado [brə'vɑːdəʊ] n bravade f.

brave [breɪv] ◼ adj courageux(euse), brave. ◼ n guerrier m indien, brave m. ◼ vt braver, affronter.

bravery ['breɪvərɪ] n courage m, bravoure f.

brawl [brɔl] n bagarre f, rixe f.

brawn [brɔn] n (indén) muscle m.

bray [breɪ] vi braire.

brazen ['breɪzn] adj 1. effronté(e), impudent(e) 2. éhonté(e).

brazier ['breɪzjər] n brasero m.

Brazil [brə'zɪl] n Brésil m.

Brazilian [brə'zɪljən] ◼ adj brésilien (enne). ◼ n Brésilien m, -enne f.

brazil nut n noix f du Brésil.

breach [briːtʃ] ◼ n 1. infraction f, violation f 2. • **breach of contract** rupture f de contrat 3. trou m, brèche f. ◼ vt 1. rompre 2. faire une brèche dans.

breach of the peace n atteinte f à l'ordre public.

bread [bred] n pain m • **bread and butter** tartine f beurrée, pain m beurré • fig gagne-pain m.

bread bin (UK), **bread box** (US) n boîte f à pain.

breadcrumbs ['bredkrʌmz] npl chapelure f.

breadline ['bredlaɪn] n • **to be on the breadline** être sans ressources ou sans le sou.

breadth [bretθ] n 1. largeur f 2. fig ampleur f, étendue f.

breadwinner ['bred,wɪnər] n soutien m de famille.

break [breɪk] ◼ n 1. • **break (in)** trouée f (dans) 2. fracture f 3. pause f 4. (UK) récréation f • **to take a break** faire une pause • prendre des jours de congé • **without a break** sans interruption • **to have a break from doing sthg** arrêter de faire qqch 5. fam • **(lucky) break** chance f, veine f. ◼ vt (prét **broke**, pp **broken**)

1. casser, briser • **to break one's arm** se casser le bras • **to break a record** battre un record 2. interrompre 3. rompre 4. enfreindre, violer 5. manquer à (sa promesse) 6. • **to break the news (of sthg to sb)** annoncer la nouvelle (de qqch à qqn). ◼ vi (prét **broke**, pp **broken**) 1. se casser, se briser • **to break loose** ou **free** se dégager, s'échapper 2. s'arrêter, faire une pause 3. (temps) se gâter 4. (voix) se briser 5. (à la puberté) muer 6. (nouvelle) se répandre, éclater • **to break even** rentrer dans ses frais.

◼ **break away** vi s'échapper.

◼ **break down** ◼ vt sép 1. démolir 2. enfoncer 3. analyser. ◼ vi 1. tomber en panne 2. céder 3. échouer 4. fondre en larmes.

◼ **break in** ◼ vi 1. entrer par effraction 2. • **to break in (on sb/sthg)** interrompre (qqn/qqch). ◼ vt sép 1. dresser (un cheval) 2. (chaussures) porter (pour user), faire.

◼ **break into** vt insép 1. entrer par effraction dans 2. • **to break into song/applause** se mettre à chanter/applaudir.

◼ **break off** ◼ vt sép 1. détacher 2. rompre 3. interrompre. ◼ vi 1. se casser, se détacher 2. s'interrompre, se taire.

◼ **break out** vi 1. (feu) se déclarer 2. (bagarre) éclater 3. • **to break out (of)** s'échapper (de), s'évader (de).

◼ **break up** ◼ vt sép 1. mettre en morceaux 2. détruire 3. mettre fin à. ◼ vi 1. se casser en morceaux 2. (navire) se briser 3. (relation) prendre fin 4. (école) finir, fermer • **to break up (with sb)** rompre (avec qqn) 5. se disperser.

breakage ['breɪkɪdʒ] n bris m.

breakdown ['breɪkdaʊn] n 1. panne f 2. échec m 3. rupture f 4. détail m.

breakfast ['brekfəst] n petit déjeuner m.

breakfast television n (UK) télévision f du matin.

break-in n cambriolage m.

breaking ['breɪkɪŋ] n • **breaking and entering** entrée f par effraction.

breakneck ['breɪknek] adj • **at breakneck speed** à fond de train.

breakthrough ['breɪkθruː] n percée f.

breakup ['breɪkʌp] n rupture f (d'une relation).

breast [brest] n 1. sein m 2. poitrine f 3. blanc m.

breast-feed *vt* & *vi* allaiter.

breast milk *n* (*indén*) lait *m* maternel.

breaststroke ['breststrəuk] *n* brasse *f*.

breath [breθ] *n* souffle *m*, haleine *f* • **to take a deep breath** inspirer profondément.

breathalyse (UK), **-yze** (US) ['breθəlaɪz] *vt* ≃ faire subir l'Alcootest® à.

breathe [briːð] ◼ *vi* respirer. ◼ *vt* **1.** respirer **2.** souffler des relents de.
  ■ **breathe in** *vi* & *vt sép* inspirer.
  ■ **breathe out** *vi* & *vt sép* expirer.

breather ['briːðər] *n fam* moment *m* de repos *ou* répit.

breathing ['briːðɪŋ] *n* respiration *f*.

breathless ['breθlɪs] *adj* **1.** hors d'haleine, essoufflé(e) **2.** fébrile, fiévreux(euse).

breathtaking ['breθ,teɪkɪŋ] *adj* à vous couper le souffle.

breed [briːd] (*prét* & *pp* **bred** [bred]) ◼ *n litt* & *fig* race *f*, espèce *f*. ◼ *vt* **1.** élever (*des animaux*) **2.** *fig* faire naître, engendrer (*des doutes, du mépris*). ◼ *vi* se reproduire.

breeding ['briːdɪŋ] *n* (*indén*) **1.** élevage *m* **2.** bonnes manières *fpl*, savoir-vivre *m*.

breeze [briːz] *n* brise *f*.

breezy ['briːzɪ] *adj* **1.** venteux(euse) **2.** jovial(e), enjoué(e).

brevity ['brevɪtɪ] *n* brièveté *f*.

brew [bruː] ◼ *vt* **1.** brasser (*de la bière*) **2.** faire infuser (*du thé*) **3.** préparer, faire (*du café*). ◼ *vi* se tramer • **there is trouble brewing** il y a des ennuis en perspective.

brewer ['bruːər] *n* brasseur *m*.

brewery ['bruərɪ] *n* brasserie *f*.

bribe [braɪb] ◼ *n* pot-de-vin *m*. ◼ *vt* • **to bribe sb (to do sthg)** soudoyer qqn (pour qu'il fasse qqch).

bribery ['braɪbərɪ] *n* corruption *f*.

brick [brɪk] *n* brique *f*.

bricklayer ['brɪk,leɪər] *n* maçon *m*.

bridal ['braɪdl] *adj* **1.** (*robe*) de mariée **2.** (*suite*) nuptial(e).

bride [braɪd] *n* mariée *f*.

bridegroom ['braɪdgrum] *n* marié *m*.

bridesmaid ['braɪdzmeɪd] *n* demoiselle *f* d'honneur.

bridge [brɪdʒ] ◼ *n* **1.** pont *m* **2.** passerelle *f* **3.** arête *f* (*du nez*) **4.** (*jeu de cartes et appareil dentaire*) bridge *m*. ◼ *vt fig* réduire (*un écart*).

bridle ['braɪdl] *n* bride *f*.

bridle path *n* piste *f* cavalière.

brief [briːf] ◼ *adj* bref(brève), court(e). ◼ *n* **1.** affaire *f*, dossier *m* **2.** (UK) instructions *fpl*. ◼ *vt* • **to brief sb (on)** mettre qqn au courant (de) • briefer qqn (sur).

briefs *npl* slip *m*.

briefcase ['briːfkeɪs] *n* serviette *f*.

briefing ['briːfɪŋ] *n* instructions *fpl*, briefing *m*.

briefly ['briːflɪ] *adv* **1.** un instant **2.** brièvement.

brigade [brɪ'geɪd] *n* brigade *f*.

brigadier [,brɪgə'dɪər] *n* général *m* de brigade.

bright [braɪt] *adj* **1.** clair(e) **2.** vif(vive) **3.** éclatant(e) **4.** (*yeux, avenir*) brillant(e) **5.** intelligent(e).

brighten ['braɪtn] *vi* **1.** s'éclaircir **2.** s'éclairer.
  ■ **brighten up** ◼ *vt sép* égayer. ◼ *vi* **1.** s'animer **2.** MÉTÉOR se dégager.

brilliance ['brɪljəns] *n* **1.** intelligence *f* **2.** éclat *m*.

brilliant ['brɪljənt] *adj* **1.** brillant(e) **2.** éclatant(e) **3.** *fam* super (*inv*), génial(e).

Brillo pad® ['brɪləʊ-] *n* ≃ tampon *m* Jex®.

brim [brɪm] ◼ *n* bord *m*. ◼ *vi* • **to brim with** *litt* & *fig* être plein(e) de.

brine [braɪn] *n* saumure *f*.

bring [brɪŋ] (*prét* & *pp* **brought**) *vt* **1.** amener **2.** apporter **3.** entraîner, causer • **to bring sthg to an end** mettre fin à qqch.
  ■ **bring about** *vt sép* causer, provoquer.
  ■ **bring around** *vt sép* ranimer.
  ■ **bring back** *vt sép* **1.** rapporter (*quelque chose*) **2.** ramener (*quelqu'un*) **3.** rappeler (*des souvenirs*) **4.** rétablir.
  ■ **bring down** *vt sép* **1.** abattre (*un avion*) **2.** renverser (*un gouvernement*) **3.** faire baisser (*les prix*).
  ■ **bring forward** *vt sép* **1.** avancer **2.** reporter.
  ■ **bring in** *vt sép* **1.** introduire (*une loi*) **2.** gagner **3.** rapporter.
  ■ **bring off** *vt sép* **1.** réaliser, réussir **2.** conclure, mener à bien (*une affaire*).

■ **bring out** vt sép **1.** lancer (un produit) **2.** publier, faire paraître (un livre) **3.** faire ressortir.

■ **bring up** vt sép **1.** élever (des enfants) **2.** mentionner **3.** rendre, vomir.

brink [brɪŋk] n ● **on the brink of** au bord de, à la veille de.

brisk [brɪsk] adj **1.** vif(vive), rapide **2.** déterminé(e).

bristle ['brɪsl] ■ n poil m. ■ vi litt & fig se hérisser.

Britain ['brɪtn] n Grande-Bretagne f ● **in Britain** en Grande-Bretagne.

British ['brɪtɪʃ] adj britannique.

British Isles npl ● **the British Isles** les îles fpl britanniques.

British Library n la bibliothèque nationale britannique.

British Rail n société des chemins de fer britanniques, ≃ SNCF f.

British Telecom [-'telɪkɒm] n société britannique de télécommunications.

Briton ['brɪtn] n Britannique mf.

Brittany ['brɪtəni] n Bretagne f.

brittle ['brɪtl] adj fragile.

broach [brəʊtʃ] vt aborder.

broad [brɔːd] adj **1.** large **2.** divers(e), varié(e) **3.** (description) général(e) **4.** (allusion) transparent(e) **5.** (accent) prononcé(e).

■ **in broad daylight** adv en plein jour.

broadband ['brɔːdbænd] n diffusion f en larges bandes de fréquence.

broad bean n fève f.

broadcast ['brɔːdkɑːst] (prét & pp **broadcast**) ■ n RADIO & TV émission f. ■ vt **1.** radiodiffuser **2.** téléviser.

broaden ['brɔːdn] ■ vt élargir. ■ vi s'élargir.

broad jump (US) n = **long jump**.

broadly ['brɔːdlɪ] adv généralement.

broccoli ['brɒkəlɪ] n (indén) brocoli m.

brochure ['brəʊʃər] n brochure f, prospectus m.

broil [brɔɪl] vt (US) griller.

broke [brəʊk] ■ passé ⊳ **break**. ■ adj fam fauché(e).

broken ['brəʊkn] ■ pp ⊳ **break**. ■ adj **1.** cassé(e) **2.** (voyage, sommeil) interrompu(e) **3.** (mariage, union) brisé(e) **4.** (couple, famille) désuni(e) **5.** ● **to speak in broken English** parler un anglais hésitant.

broker ['brəʊkər] n courtier m, -ère f ● **(insurance) broker** assureur m, courtier, -ère f d'assurances.

brolly ['brɒlɪ] n (UK) fam pépin m (parapluie).

bronchitis [brɒŋ'kaɪtɪs] n (indén) bronchite f.

bronze [brɒnz] ■ adj (couleur) bronze (inv). ■ n bronze m.

brooch [brəʊtʃ] n broche f.

brood [bruːd] ■ n couvée f. ■ vi ● **to brood (over** ou **about sthg)** ressasser (qqch), remâcher (qqch).

brook [brʊk] n ruisseau m.

broom [bruːm] n balai m.

broomstick ['bruːmstɪk] n manche m à balai.

broth [brɒθ] n bouillon m.

brothel ['brɒθl] n bordel m.

brother ['brʌðər] n frère m.

brother-in-law (pl **brothers-in-law**) n beau-frère m.

brought [brɔːt] passé & pp ⊳ **bring**.

brow [braʊ] n **1.** front m **2.** sourcil m **3.** sommet m.

brown [braʊn] ■ adj **1.** brun(e), marron (inv) **2.** bronzé(e), hâlé(e). ■ n marron m, brun m. ■ vt faire dorer.

Brownie point ['braʊnɪ-] n fam bon point m.

brown paper n papier m d'emballage, papier kraft.

brown rice n riz m complet.

brown sugar n sucre m roux.

browse [braʊz] ■ vi **1.** ● **I'm just browsing** je ne fais que regarder ● **to browse through** feuilleter **2.** (animal) brouter **3.** INFORM naviguer. ■ vt parcourir.

browser ['braʊzər] n navigateur m, browser m.

bruise [bruːz] ■ n (ecchymose) bleu m. ■ vt **1.** se faire un bleu à **2.** taler (des fruits) **3.** fig meurtrir, blesser.

brunch [brʌntʃ] n brunch m.

brunette [bruː'net] n brunette f.

brunt [brʌnt] n ● **to bear** ou **take the brunt of** subir le plus gros de.

brush [brʌʃ] ■ n **1.** brosse f **2.** pinceau m **3.** ● **to have a brush with the police** avoir des ennuis avec la police. ■ vt **1.** brosser **2.** effleurer.

■ **brush aside** *vt sép* fig écarter, repousser.
■ **brush off** *vt sép* envoyer promener.
■ **brush up** ◼ *vt sép* réviser. ◼ *vi* ▪ **to brush up on sthg** réviser qqch.

brush-off *n fam* ▪ **to give sb the brush-off** envoyer promener qqn.

brushwood ['brʌʃwʊd] *n (indén)* brindilles *fpl*.

brusque, brusk [bruːsk] *adj* brusque.

Brussels ['brʌslz] *n* Bruxelles.

brussels sprout *n* chou *m* de Bruxelles.

brutal ['bruːtl] *adj* brutal(e).

brute [bruːt] ◼ *adj* brutal(e). ◼ *n* brute *f*.

BSc (*abr de* **Bachelor of Science**) *n* **1.** *(UK)* ≃ licence *f* de sciences **2.** ≃ licencié *m*, -e *f* en *ou* ès sciences.

BT (*abr de* **British Telecom**) *n* société britannique de télécommunications.

bubble ['bʌbl] ◼ *n* bulle *f*. ◼ *vi* **1.** faire des bulles, bouillonner **2.** fig ▪ **to bubble with** déborder de.

bubble bath *n* bain *m* moussant.

bubble gum *n* bubble-gum *m*.

bubblejet printer ['bʌbldʒet-] *n* imprimante *f* à jet d'encre.

Bucharest [,bjuːkə'rest] *n* Bucarest.

buck [bʌk] ◼ *n* **1.** mâle *m* **2.** *(US) fam* dollar *m*. ◼ *vi (cheval)* ruer.

bucket ['bʌkɪt] *n* seau *m*.

Buckingham Palace ['bʌkɪŋəm-] *n* le palais de Buckingham.

CULTURE…

Buckingham Palace

Résidence officielle de la famille royale britannique à Londres, *Buckingham Palace* a été construit en 1703 pour le duc de Buckingham. Il se trouve à l'extrémité du *Mall*, entre *Green Park* et *St James's Park*. La cérémonie de la relève de la garde (*the Changing of the Guard*) a lieu chaque jour dans la cour du palais.

buckle ['bʌkl] ◼ *n* boucle *f*. ◼ *vt* **1.** boucler **2.** voiler. ◼ *vi* **1.** *(roue)* se voiler **2.** *(genoux, jambes)* se plier.

bud [bʌd] ◼ *n* bourgeon *m*. ◼ *vi* bourgeonner.

Budapest [,bjuːdə'pest] *n* Budapest.

Buddha ['bʊdə] *n* Bouddha *m*.

Buddhism ['bʊdɪzm] *n* bouddhisme *m*.

budding ['bʌdɪŋ] *adj* en herbe.

buddy ['bʌdɪ] *n fam* pote *m*.

budge [bʌdʒ] ◼ *vt* faire bouger. ◼ *vi* bouger.

budgerigar ['bʌdʒərɪgɑː] *n* perruche *f*.

budget ['bʌdʒɪt] ◼ *adj* pour petits budgets. ◼ *n* budget *m*.
■ **budget for** *vt insép* prévoir.

budgie ['bʌdʒɪ] *n fam* perruche *f*.

buff [bʌf] ◼ *adj* chamois *(inv)*. ◼ *n fam* mordu *m*, -e *f*.

buffalo ['bʌfələʊ] (*pl inv*, **-es** *ou* **-s**) *n* **1.** buffle *m* **2.** *(US)* bison *m*.

buffer ['bʌfər] *n* **1.** tampon *m* **2.** INFORM mémoire *f* tampon.

buffet[1] [*(UK)* 'bʊfeɪ, *(US)* bə'feɪ] *n* buffet *m* (*d'une gare, dans une réception*).

buffet[2] ['bʌfɪt] *vt* frapper.

buffet car ['bʊfeɪ-] *n (UK)* wagon-restaurant *m*.

bug [bʌg] ◼ *n* **1.** punaise *f* **2.** fam microbe *m* **3.** fam micro *m* **4.** INFORM bogue *m*, bug *m*. ◼ *vt fam* **1.** mettre sur table d'écoute **2.** embêter.

bugger ['bʌgər] *(UK) tfam* ◼ *n* con *m*, conne *f*. ◼ *interj* merde ! ▪ **bugger off!** fous le camp !

buggy ['bʌgɪ] *n* **1.** boghei *m* **2.** poussette *f* **3.** *(US)* landau *m*.

bugle ['bjuːgl] *n* clairon *m*.

build [bɪld] *vt* (*prét & pp* **built**) litt & fig construire, bâtir.
■ **build on, build upon** ◼ *vt insép* tirer avantage de. ◼ *vt sép* fonder sur.
■ **build up** ◼ *vt sép* **1.** développer (*une affaire*) **2.** bâtir (*une réputation*). ◼ *vi* **1.** (*nuages*) s'amonceler **2.** (*circulation*) augmenter.

builder ['bɪldər] *n* entrepreneur *m*, -euse *f*.

building ['bɪldɪŋ] *n* bâtiment *m*.

building and loan association *n (US)* société d'épargne et de financement immobilier.

building site *n* chantier *m*.

building society *n (UK)* ≃ société *f* d'épargne et de financement immobilier.

buildup ['bɪldʌp] *n* accroissement *m*.

built [bɪlt] *passé & pp* ▷ **build**.

built-in *adj* **1.** encastré(e) **2.** inné(e).

built-up *adj* • **built-up area** agglomération *f*.

bulb [bʌlb] *n* **1.** ÉLECTR ampoule *f* **2.** oignon *m*.

Bulgaria [bʌl'geərɪə] *n* Bulgarie *f*.

Bulgarian [bʌl'geərɪən] ◼ *adj* bulgare. ◼ *n* **1.** Bulgare *mf* **2.** Bulgare *m*.

bulge [bʌldʒ] ◼ *n* bosse *f*. ◼ *vi* • **to bulge (with)** être gonflé(e) (de).

bulk [bʌlk] ◼ *n* **1.** volume *m* **2.** corpulence *f* **3.** COMM • **in bulk** en gros **4.** • **the bulk of** le plus gros de. ◼ *adj* en gros.

bulky ['bʌlkɪ] *adj* volumineux(euse).

bull [bʊl] *n* **1.** taureau *m* **2.** mâle *m*.

bulldog ['bʊldɒg] *n* bouledogue *m*.

bulldozer ['bʊldəʊzər] *n* bulldozer *m*.

bullet ['bʊlɪt] *n* balle *f*.

bulletin ['bʊlətɪn] *n* bulletin *m*.

bullfight ['bʊlfaɪt] *n* corrida *f*.

bullfighter ['bʊl,faɪtər] *n* toréador *mf*.

bullfighting ['bʊl,faɪtɪŋ] *n (indén)* courses *fpl* de taureaux.

bullion ['bʊljən] *n (indén)* lingot *m*.

bullock ['bʊlək] *n* bœuf *m*.

bullring ['bʊlrɪŋ] *n* arène *f*.

bull's-eye *n* centre *m*.

bully ['bʊlɪ] ◼ *n* tyran *m*. ◼ *vt* tyranniser, brutaliser.

bum [bʌm] *n* **1.** *(UK) fam* derrière *m* **2.** *fam péj* clochard *m*.

bumblebee ['bʌmblbiː] *n* bourdon *m*.

bump [bʌmp] ◼ *n* **1.** bosse *f* **2.** choc *m* **3.** bruit *m* sourd. ◼ *vt* **1.** cogner **2.** heurter.
◼ **bump into** *vt insép* rencontrer par hasard.

bumper ['bʌmpər] ◼ *adj* exceptionnel(elle). ◼ *n* **1.** pare-chocs *m inv* **2.** *(US)* RAIL tampon *m*.

bumper cars *npl* auto *fpl* tamponneuses.

bumptious ['bʌmpʃəs] *adj* suffisant(e).

bumpy ['bʌmpɪ] *adj* **1.** défoncé(e) **2.** cahoteux(euse) **3.** *(traversée)* agité(e).

bun [bʌn] *n* **1.** *(UK)* petit pain *m* aux raisins **2.** *(UK)* petit pain au lait **3.** chignon *m*.

bunch [bʌntʃ] ◼ *n* **1.** groupe *m* **2.** bouquet *m* **3.** grappe *f* **4.** régime *m (de bananes)* **5.** trousseau *m*. ◼ *vi* se grouper.

bundle ['bʌndl] ◼ *n* **1.** paquet *m* **2.** liasse *f* **3.** fagot *m*. ◼ *vt* **1.** entasser **2.** fourrer.

bung [bʌŋ] ◼ *n* bonde *f*. ◼ *vt (UK) fam* envoyer.

bungalow ['bʌŋgələʊ] *n* bungalow *m*.

bungle ['bʌŋgl] *vt* gâcher, bâcler.

bunion ['bʌnjən] *n* oignon *m*.

bunk [bʌŋk] *n* couchette *f*.

bunk bed *n* lit *m* superposé.

bunker ['bʌŋkər] *n* GOLF & MIL bunker *m*.

bunny ['bʌnɪ] *n* • **bunny (rabbit)** lapin *m*.

bunting ['bʌntɪŋ] *n (indén)* guirlandes *fpl* (de drapeaux).

buoy [*(UK)* bɔɪ, *(US)* 'buːɪ] ◼ **buoy up** *vt sép* soutenir.

buoyant ['bɔɪənt] *adj* **1.** qui flotte **2.** *fig* enjoué(e) **3.** *(économie)* florissant(e) **4.** *(marché financier)* ferme.

burden ['bɜːdn] ◼ *n litt & fig* • **burden (on)** charge *f* (pour), fardeau *m* (pour). ◼ *vt* • **to burden sb with** accabler qqn de.

bureau ['bjʊərəʊ] *(pl -x* [-z]*)* *n* **1.** *(UK)* bureau *m (meuble)* **2.** *(US)* commode *f* **3.** bureau *m (lieu de travail)*.

bureaucracy [bjʊə'rɒkrəsɪ] *n* bureaucratie *f*.

burger ['bɜːgər] *n* hamburger *m*.

burglar ['bɜːglər] *n* cambrioleur *m*, -euse *f*.

burglar alarm *n* système *m* d'alarme.

burglary ['bɜːglərɪ] *n* cambriolage *m*.

burgle ['bɜːgl], **burglarize** ['bɜːgləraɪz] *vt* cambrioler.

Burgundy ['bɜːgəndɪ] *n* Bourgogne *f*.

burial ['berɪəl] *n* enterrement *m*.

burlap ['bɜːlæp] *n* jute *f*.

burly ['bɜːlɪ] *adj* bien charpenté(e).

Burma ['bɜːmə] *n* Birmanie *f* • **in Burma** en Birmanie.

burn [bɜːn] ◼ *vt (prét & pp burnt ou -ed)* **1.** brûler **2.** graver. ◼ *vi (prét & pp burnt ou -ed)* brûler.
◼ **burn down** ◼ *vt sép* incendier. ◼ *vi* brûler complètement.

burner ['bɜːnər] *n* brûleur *m*, graveur *m*.

Burns' Night [bɜ:nz-] *n fête célébrée en l'honneur du poète écossais Robert Burns, le 25 janvier.*

burnt [bɜ:nt] *passé & pp* ▷ **burn**.

burp [bɜ:p] *fam* ◼ *n* rot *m*. ◼ *vi* roter.

burrow ['bʌrəʊ] ◼ *n* terrier *m*. ◼ *vi* **1.** creuser un terrier **2.** fig fouiller.

bursar ['bɜ:sər] *n* **1.** intendant *m*, -e *f* **2.** (*Écosse*) boursier *m*, -ère *f*.

bursary ['bɜ:sərɪ] *n* (UK) bourse *f*.

burst [bɜ:st] ◼ *vi* (*prét & pp* **burst**) éclater. ◼ *vt* (*prét & pp* **burst**) faire éclater.
◼ **burst into** *vt insép* **1.** faire irruption dans **2.** ◦ **to burst into tears** fondre en larmes ◦ **to burst into flames** prendre feu.
◼ **burst out** *vt insép* s'exclamer ◦ **to burst out laughing** éclater de rire.

bursting ['bɜ:stɪŋ] *adj* **1.** plein(e), bourré(e) **2.** ◦ **bursting with** débordé(e) de.

bury ['berɪ] *vt* **1.** enterrer **2.** cacher, enfouir.

bus [bʌs] *n* **1.** autobus *m*, bus *m* **2.** car *m*.

bush [bʊʃ] *n* **1.** buisson *m* **2.** ◦ **the bush** la brousse ◦ **she doesn't beat about the bush** elle n'y va pas par quatre chemins.

bushy ['bʊʃɪ] *adj* touffu(e).

business ['bɪznɪs] *n* **1.** (*indén*) affaires *fpl* ◦ **on business** pour affaires ◦ **to go out of business** fermer, faire faillite **2.** entreprise *f* **3.** affaire *f* ◦ **to mean business** *fam* ne pas plaisanter ◦ **mind your own business!** *fam* occupe-toi de tes oignons ! **4.** histoire *f*, affaire *f*.

business class *n* classe *f* affaires.

businesslike ['bɪznɪslaɪk] *adj* systématique, méthodique.

businessman ['bɪznɪsmæn] (*pl* **-men** [-men]) *n* homme *m* d'affaires.

business trip *n* voyage *m* d'affaires.

businesswoman ['bɪznɪs,wʊmən] (*pl* **-women** [-,wɪmɪn]) *n* femme *f* d'affaires.

busing ['bʌsɪŋ] (US) *n* système de ramassage scolaire aux États-Unis, qui organise la répartition des enfants noirs et des enfants blancs dans les écoles, afin de lutter contre la ségrégation raciale.

busker ['bʌskər] *n* (UK) chanteur *m*, -euse *f* des rues.

bus shelter *n* Abribus® *m*.

bus station *n* gare *f* routière.

bus stop *n* arrêt *m* de bus.

bust [bʌst] ◼ *adj fam* **1.** foutu(e) **2.** ◦ **to go bust** faire faillite. ◼ *n* **1.** poitrine *f* **2.** buste *m*. ◼ *vt* (*prét & pp* **bust** *ou* **-ed**) *fam* péter.

bustle ['bʌsl] ◼ *n* (*indén*) remue-ménage *m inv*. ◼ *vi* s'affairer.

busy ['bɪzɪ] *adj* **1.** occupé(e) **2.** (*vie, semaine*) chargé(e) **3.** (*rue, ville*) animé(e).

busybody ['bɪzɪ,bɒdɪ] *n fam péj* mouche *f* du coche.

busy signal *n* (US) tonalité *f* « occupé ».

---

but [bʌt] *conj*

1. INDIQUE UNE OPPOSITION
◦ **I'm sorry, but I don't agree** je suis désolé, mais je ne suis pas d'accord
2. INDIQUE UNE CONTRADICTION
◦ **he's not Chinese but Japanese** il n'est pas chinois mais japonais.

but *prép*

AVEC « ALL », « EVERY », « ANY », « NO » ET LEURS COMPOSÉS, EXPRIME UNE RESTRICTION
◦ **he has no one but himself to blame** il ne peut s'en prendre qu'à lui-même
◦ **Spain won all but one of its matches** l'Espagne a gagné tous ses matchs sauf un.

but *adv*

sout SEULEMENT
◦ **she's but a child** ce n'est qu'une enfant
◦ **we can but try** on peut toujours essayer
◦ **had I but known!** si j'avais su !

◼ **but for** *prép*

sans
◦ **but for you, I would never have succeeded** sans vous, je n'aurais jamais réussi.

---

butcher ['bʊtʃər] ◼ *n* boucher *m*, -ère *f*. ◼ *vt* **1.** abattre **2.** fig massacrer.

butler ['bʌtlər] *n* maître *m* d'hôtel (*chez un particulier*).

butt [bʌt] ◼ *n* **1.** mégot *m* **2.** crosse *f* (*de fusil*) **3.** fesses *fpl* **4.** cible *f*. ◼ *vt* donner un coup de tête à.
◼ **butt in** *vi* ◦ **to butt in on sb** interrompre qqn ◦ **to butt in on sthg** s'immiscer *ou* s'imposer dans qqch.

butter ['bʌtər] ▪ *n* beurre *m*. ▪ *vt* beurrer.

buttercup ['bʌtəkʌp] *n (UK)* bouton *m* d'or.

butter dish *n* beurrier *m*.

butterfly ['bʌtəflaɪ] *n* papillon *m*.

buttocks ['bʌtəks] *npl* fesses *fpl*.

button ['bʌtn] *n* **1.** bouton *m* **2.** *(US)* badge *m*.
▪ **button up** *vt sép* boutonner.

button mushroom *n* champignon *m* de Paris.

buttress ['bʌtrɪs] *n* contrefort *m*.

buxom ['bʌksəm] *adj* bien en chair.

buy [baɪ] ▪ *vt* (*prét & pp* **bought**) acheter. ▪ *n* ▪ **a good buy** une bonne affaire.
▪ **buy up** *vt sép* acheter en masse.

buyer ['baɪər] *n* acheteur *m*, -euse *f*.

buyout ['baɪaʊt] *n* rachat *m*.

buzz [bʌz] ▪ *n* **1.** bourdonnement *m* **2.** *fam* ▪ **to give sb a buzz** passer un coup de fil à qqn. ▪ *vi* ▪ **to buzz (with)** bourdonner (de). ▪ *vt* appeler.

buzzer ['bʌzər] *n* sonnerie *f*.

buzzword ['bʌzwɜːd] *n fam* mot *m* à la mode.

by [baɪ] *prép*

1. AU PASSIF, INTRODUIT UN COMPLÉMENT D'AGENT
▪ **she was killed by a mad man** elle a été tuée par un fou

2. INTRODUIT L'AUTEUR D'UNE ŒUVRE
▪ **it's a poem by Shakespeare** c'est un poème de Shakespeare

3. EXPRIME LE MOYEN
▪ **I don't pay by cheque very often** je ne paie pas souvent par chèque
▪ **he generally travels by bus** il voyage généralement en bus
▪ **by doing a lot of sport, you can keep fit** vous pouvez garder la forme en faisant beaucoup de sport

4. POUR DÉCRIRE UNE PERSONNE
▪ **he's a lawyer by trade** il est avocat de son métier
▪ **by nature, she's very patient** elle est très patiente de nature

5. INDIQUE UNE PROXIMITÉ
▪ **she lives by the sea** elle habite au bord de la mer
▪ **I sat by her bed** j'étais assis à son chevet
▪ **she passed by me** elle est passée à côté de moi

6. INDIQUE UNE LIMITE TEMPORELLE
▪ **I'll be there by eight** j'y serai avant huit heures

7. SELON, EN CONFORMITÉ AVEC
▪ **by my watch it's 9 o'clock** à ma montre, il est neuf heures
▪ **by law** conformément à la loi

8. POUR DONNER SON AVIS
▪ **if that's okay by you, I'd like to leave now** si cela vous va, je souhaiterais partir maintenant
▪ **that's fine by me** je n'ai rien contre

9. DANS DES EXPRESSIONS DE CALCUL, DE MESURE, DE QUANTITÉ
▪ **divide/multiply 20 by 2** divisez/multipliez 20 par 2
▪ **2 metres by 4** 2 mètres sur 4
▪ **this fabric is sold by the yard** ce tissu se vend au mètre
▪ **the company decided to cut prices by 50%** l'entreprise a décidé de réduire les prix de 50 %

10. POUR EXPRIMER UNE DIFFÉRENCE, UN ÉCART
▪ **she won by five points** elle a gagné de cinq points
▪ **the bullet missed me by inches** la balle m'a raté de quelques centimètres

11. POUR EXPRIMER LA FRÉQUENCE
▪ **the workers are paid by the day** les travailleurs sont payés à la journée

12. POUR INDIQUER UN PROCESSUS GRADUEL
▪ **she grew thinner day by day** elle mincissait de jour en jour
▪ **one by one, they told their amazing stories** l'un après l'autre, ils racontèrent leurs histoires fantastiques

13. POUR INDIQUER LES MOMENTS DE LA JOURNÉE
▪ **we travelled by night and rested by day** nous voyagions de nuit et nous nous reposions le jour

14. POUR PRÊTER SERMENT
▪ **I swear by Almighty God** je jure devant Dieu

15. DANS DES EXPRESSIONS
▪ **(all) by oneself** (tout) seul, (toute) seule.

bye(-bye) [baɪ(baɪ)] *interj fam* au revoir !, salut !

by-election *(UK) n* élection *f* partielle.

bygone ['baɪgɒn] *adj* d'autrefois.
▪ **bygones** *npl* ▪ **to let bygones be bygones** oublier le passé.

bylaw ['baɪlɔ] *n* arrêté *m*.

À PROPOS DE...

by

Dans les constructions passives, l'agent – c'est-à-dire la personne ou la chose qui exécute l'action – est introduit par *by* (*the tickets were booked by my mother* ; *I was hurt by what he said*). L'instrument – la chose utilisée pour exécuter l'action – est introduit par *with* (*he was killed with a knife*).

bypass ['baɪpɑːs] ◼ *n* **1.** route *f* de contournement **2.** MÉD ◦ **bypass (operation)** pontage *m*. ◼ *vt* **1.** contourner **2.** éviter.

by-product, byproduct ['baɪprɒdʌkt] *n* **1.** dérivé *m* **2.** *fig* conséquence *f*.

bystander ['baɪˌstændər] *n* spectateur *m*, -trice *f*.

byte [baɪt] *n* octet *m*.

byword ['baɪwɜːd] *n* ◦ **to be a byword for** être synonyme de.

c [siː] (*pl* **c's** *ou* **cs**), **C** (*pl* **C's** *ou* **Cs**) *n* c *m inv*, C *m inv*.
■ **C** *n* **1.** MUS do *m* **2.** SCOL C *m inv* **3.** (*abr de* **Celsius, centigrade**) C.

cab [kæb] *n* **1.** taxi *m* **2.** cabine *f* (*de camion*).

cabaret ['kæbəreɪ] *n* cabaret *m*.

cabbage ['kæbɪdʒ] *n* chou *m*.

cabin ['kæbɪn] *n* **1.** cabine *f* **2.** cabane *f*.

cabin class *n* seconde classe *f*.

cabinet ['kæbɪnɪt] *n* **1.** meuble *m* **2.** cabinet *m* (*ministériel*).

cable ['keɪbl] ■ *n* câble *m*. ■ *vt* **1.** câbler **2.** câbler à.

cable car *n* téléphérique *m*.

cable television, cable TV *n* câble *m*.

cache [kæʃ] *n* **1.** cache *f* **2.** INFORM mémoire *f* cache, antémémoire *f*.

cackle ['kækl] *vi* **1.** caqueter **2.** jacasser.

cactus ['kæktəs] (*pl* **-tuses** [-təsiːz] *ou* **-ti** [-taɪ]) *n* cactus *m*.

cadet [kə'det] *n* élève *m* officier.

cadge [kædʒ] (*UK*) *fam vieilli* ■ *vt* ‣ **to cadge sthg off** *ou* **from sb** taper qqn de qqch. ■ *vi* ‣ **to cadge off** *ou* **from sb** taper qqn.

caesarean (section) (*UK*), **cesarean (section)** [sɪ'zeərɪən-] *n* césarienne *f*.

cafe, café ['kæfeɪ] *n* café *m*.

cafeteria [ˌkæfɪ'tɪərɪə] *n* cafétéria *f*, cantine *f*.

caffeine ['kæfiːn] *n* caféine *f*.

cage [keɪdʒ] *n* cage *f*.

cagey ['keɪdʒɪ] (*comp* **-ier**, *superl* **-iest**) *adj fam* discret(ète).

cagoule [kə'guːl] *n* (*UK*) K-way® *m inv*.

cajole [kə'dʒəʊl] *vt* ‣ **to cajole sb** enjôler qqn.

cake [keɪk] *n* **1.** gâteau *m* **2.** croquette *f* (*de poisson, de pommes de terre*) ‣ **it's a piece of cake** *fam fig* c'est du gâteau. **3.** pain *m* (*de savon*).

caked [keɪkt] *adj* ‣ **caked with mud** recouvert(e) de boue séchée.

calcium ['kælsɪəm] *n* calcium *m*.

calculate ['kælkjʊleɪt] *vt* **1.** calculer **2.** évaluer.

calculating ['kælkjʊleɪtɪŋ] *adj péj* calculateur(trice).

calculation [ˌkælkjʊ'leɪʃn] *n* calcul *m*.

calculator ['kælkjʊleɪtər] *n* calculatrice *f*.

calendar ['kælɪndər] *n* calendrier *m*.

calendar year *n* année *f* civile.

calf [kɑːf] (*pl* **calves** [kɑːvz]) *n* **1.** veau *m* **2.** éléphanteau *m* **3.** bébé *m* phoque **4.** mollet *m*.

calibre (*UK*), **caliber** ['kælɪbər] *n* calibre *m*.

California [ˌkælɪ'fɔːnjə] *n* Californie *f*.

calipers (*US*) = **callipers**.

call [kɔːl] ■ *n* **1.** appel *m*, cri *m* **2.** appel *m* (*téléphonique*) **3.** visite *f* ‣ **to pay a call on sb** rendre visite à qqn **4.** ‣ **call (for)** demander *f* (de). ■ *vt* **1.** appeler ‣ **what's this thing called?** comment ça s'appelle, ce truc ? ‣ **let's call it £10** disons 10 livres **2.** appeler ‣ **he called me a liar** il m'a traité de menteur **3.** convoquer (*quelqu'un*) **4.** lancer (*une grève*) **5.** appeler (*les passagers d'un vol*) **6.** annoncer (*des élections*). ■ *vi* **1.** crier **2.** TÉLÉCOM appeler ‣ **who's calling?** qui est à l'appareil ? **3.** passer.
■ **call away** *vt sép* ‣ **she's often called away on business** elle doit souvent partir en déplacement *ou* s'absenter pour affaires.
■ **call back** *vt sép* rappeler. ■ *vi* **1.** TÉLÉCOM rappeler **2.** repasser.
■ **call for** *vt insép* **1.** passer prendre **2.** demander.
■ **call in** ■ *vt sép* **1.** faire venir (*la police, un expert*) **2.** COMM rappeler (*des marchandises*) **3.** FIN exiger le remboursement de. ■ *vi* passer.
■ **call off** *vt sép* **1.** annuler **2.** rappeler.
■ **call on** *vt insép* **1.** passer voir **2.** ‣ **to call on sb to do sthg** demander à qqn de faire qqch.

■ **call out** ◼ vt sép **1.** appeler (la police, le médecin) **2.** crier. ◼ vi crier.

■ **call round** vi (UK) passer.

■ **call up** vt sép **1.** MIL & TÉLÉCOM appeler **2.** INFORM rappeler.

call box n (UK) cabine f téléphonique.

caller ['kɔlər] n **1.** visiteur m, -euse f **2.** TÉLÉCOM demandeur m.

call-in n (US) RADIO & TV programme m à ligne ouverte.

calling ['kɔlɪŋ] n **1.** métier m **2.** vocation f.

calling card n (US) carte f de visite.

callipers (UK), **calipers** (US) ['kælɪpəz] npl **1.** compas m **2.** appareil m orthopédique.

callous ['kæləs] adj dur(e).

callus ['kæləs] (pl **-es** [-iːz]) n cal m, durillon m.

calm [kɑːm] ◼ adj calme. ◼ n calme m ▪ **the calm before the storm** le calme avant la tempête. ◼ vt calmer.

■ **calm down** vi se calmer.

Calor gas® ['kælər-] n (UK) butane m.

calorie ['kælərɪ] n calorie f.

calves [kɑːvz] npl ⊳ **calf.**

camber ['kæmbər] n bombement m.

Cambodia [kæm'bəʊdjə] n Cambodge m.

camcorder ['kæm,kɔːdər] n Caméscope® m.

came [keɪm] passé ⊳ **come.**

camel ['kæml] n chameau m.

cameo ['kæmɪəʊ] (pl **-s**) n **1.** camée f **2.** CINÉ & THÉÂTRE courte apparition f (d'une grande vedette).

camera ['kæmərə] n **1.** appareil photo m **2.** caméra f.

■ **in camera** adv à huis clos.

cameraman ['kæmərəmæn] (pl **-men** [-men]) n cameraman m, cadreur m.

Cameroon [,kæmə'ruːn] n Cameroun m.

camouflage ['kæməflɑːʒ] ◼ n camouflage m. ◼ vt camoufler.

camp [kæmp] ◼ n camp m. ◼ vi camper.

■ **camp out** vi camper.

campaign [kæm'peɪn] ◼ n campagne f. ◼ vi ▪ **to campaign (for/against)** mener une campagne (pour/contre).

camp bed n (UK) lit m de camp.

camper ['kæmpər] n **1.** campeur m, -euse f **2.** camping-car m.

camper van n (UK) camping-car m.

campground ['kæmpgraʊnd] n (US) (terrain m de) camping m.

camping ['kæmpɪŋ] n camping m ▪ **to go camping** faire du camping.

camping site, campsite ['kæmpsaɪt] n (terrain m de) camping m.

campus ['kæmpəs] (pl **-es** [-iːz]) n campus m.

can [kæn] ◼ n ▪ **he brought a few cans of beer to the party** il a apporté des canettes de bière à la fête. ◼ vt (prét & pp **-ned**, cont **-ning**) ▪ **the fish is canned in this factory** le poisson est mis en boîte dans cette usine.

---

can aux modal

forme non accentuée [kən], forme accentuée [kæn], conditionnel et prétérit **could** ; forme négative **cannot** et **can't**

1. EXPRIME UNE POSSIBILITÉ (UNE IMPOSSIBILITÉ AVEC « CAN'T »)
▪ **can you come to lunch?** tu peux venir déjeuner ?
▪ **Peter can't come on Saturday** Peter ne peut pas venir samedi

2. AVEC DES VERBES DE PERCEPTION, NE SE TRADUIT PAS EN FRANÇAIS
▪ **can you see/hear/smell something?** tu vois/entends/sens quelque chose ?

3. INDIQUE UNE CAPACITÉ
▪ **can you drive?** tu sais conduire ?
▪ **she can speak three languages** elle parle trois langues

4. POUR DEMANDER OU DONNER UNE PERMISSION
▪ **you can use my car if you like** tu peux prendre ma voiture si tu veux
▪ **can I speak to John, please?** est-ce que je pourrais parler à John, s'il vous plaît ?

5. INDIQUE UNE PROBABILITÉ
▪ **what can she have done with it?** qu'est-ce qu'elle a bien pu en faire ?
▪ **you can't be serious!** tu ne parles pas sérieusement !

6. AVEC « COULD », INDIQUE UNE POSSIBILITÉ DE FAÇON POLIE
▪ **I could see you tomorrow** je pourrais vous voir demain

can

Can s'utilise dans les questions, pour demander la permission de faire quelque chose ou pour faire une demande (*can you tell me the way to the station?*). *Could* remplit la même fonction, mais dans les contextes où l'on veut être particulièrement poli (*could you help me with this, please?*).

Avec les verbes de perception tels que *hear* (entendre) ou *see* (voir), il est courant de faire précéder le verbe de *can* ou *can't*, qui ne se traduisent pas en français (*can you hear something?* = « est-ce que tu entends quelque chose ? » ; *I can't see the house from here* = « je ne vois pas la maison d'ici »).

Can et *can't* apparaissent aussi dans des phrases comme *I can speak English* ou *I can't swim*, pour dire que l'on sait faire quelque chose.

Voir aussi « pouvoir » dans la partie français-anglais du dictionnaire.

Canada ['kænədə] *n* Canada *m* • **in Canada** au Canada.

Canadian [kə'neɪdjən] ◼ *adj* canadien(enne). ◼ *n* Canadien *m*, -enne *f*.

canal [kə'næl] *n* canal *m*.

Canaries [kə'neərɪz] *npl* • **the Canaries** les Canaries *fpl*.

canary [kə'neərɪ] *n* canari *m*.

cancel ['kænsl] ((UK) *prét & pp* -**led**, *cont* -**ling**, (US) *prét & pp* -**ed**, *cont* -**ing**) *vt* **1.** annuler **2.** décommander **3.** oblitérer **4.** faire opposition à.

◼ **cancel out** *vt sép* annuler • **to cancel each other out** s'annuler.

cancellation [ˌkænsə'leɪʃn] *n* annulation *f*.

cancer ['kænsər] *n* cancer *m*.

◼ **Cancer** *n* Cancer *m*.

candelabra [ˌkændɪ'lɑːbrə] *n* candélabre *m*.

candid ['kændɪd] *adj* franc(franche).

candidate ['kændɪdət] *n* • **candidate (for)** candidat *m*, -e *f* (pour).

candle ['kændl] *n* bougie *f*, chandelle *f*.

candlelight ['kændllaɪt] *n* lueur *f* d'une bougie *ou* d'une chandelle.

candlelit ['kændllɪt] *adj* aux chandelles.

candlestick ['kændlstɪk] *n* bougeoir *m*.

candour (UK), **candor** (US) ['kændər] *n* franchise *f*.

candy ['kændɪ] *n* (US) **1.** (*indén*) confiserie *f* **2.** bonbon *m*.

candyfloss ['kændɪflɒs] *n* (UK) barbe *f* à papa.

cane [keɪn] ◼ *n* **1.** (*indén*) rotin *m* **2.** canne *f* **3.** • **the cane** la verge (*pour punir*) **4.** tuteur *m*. ◼ *vt* fouetter.

canine ['keɪnaɪn] ◼ *adj* canin(e). ◼ *n* • **canine (tooth)** canine *f*.

canister ['kænɪstər] *n* boîte *f*.

cannabis ['kænəbɪs] *n* cannabis *m*.

canned [kænd] *adj* en boîte.

cannibal ['kænɪbl] *n* cannibale *mf*.

cannon ['kænən] (*pl inv ou* -**s**) *n* canon *m*.

cannonball ['kænənbɔl] *n* boulet *m* de canon.

cannot ['kænɒt] *sout* = **can²**.

canny ['kænɪ] *adj* adroit(e).

canoe [kə'nuː] *n* canoë *m*, kayak *m*.

canoeing [kə'nuːɪŋ] *n* (*indén*) canoë-kayak *m*.

canon ['kænən] *n* canon *m*.

can opener *n* ouvre-boîtes *m inv*.

canopy ['kænəpɪ] *n* **1.** baldaquin *m* **2.** dais *m* **3.** *fig* voûte *f*.

can't [kɑːnt] = **cannot**.

cantankerous [kæn'tæŋkərəs] *adj* hargneux(euse).

canteen [kæn'tiːn] (UK) *n* cantine *f*.

canter ['kæntər] *n* petit galop *m*.

cantilever ['kæntɪliːvər] *n* cantilever *m*.

canvas ['kænvəs] *n* toile *f*.

canvass ['kænvəs] *vt* **1.** POLIT solliciter la voix de **2.** sonder (*les opinions*).

canyon ['kænjən] *n* canyon *m*.

cap [kæp] ◼ *n* **1.** casquette *f* **2.** capuchon *m* **3.** capsule *f* **4.** bouchon *m*. ◼ *vt* • **to cap it all** pour couronner le tout.

capability [ˌkeɪpə'bɪlətɪ] *n* capacité *f*.

capable ['keɪpəbl] *adj* • **capable (of)** capable (de).

capacity [kə'pæsɪtɪ] *n* **1.** (*indén*) capacité *f*, contenance *f* **2.** • **capacity (for)** aptitude *f* (à) **3.** qualité *f*.

cape [keɪp] *n* **1.** GÉOGR cap *m* **2.** cape *f*.

caper ['keɪpər] *n* **1.** câpre *f* **2.** *fam* coup *m*, combine *f*.

capital ['kæpɪtl] ◼ *adj* **1.** majuscule **2.** capital(e). ◼ *n* **1.** • **capital (city)** capitale *f* **2.** • **capital (letter)** majuscule *f* **3.** *(indén)* capital *m* • **to make capital (out) of** *fig* tirer profit de.

capital expenditure *n (indén)* dépenses *fpl* d'investissement.

capital gains tax *n* impôt *m* sur les plus-values.

capital goods *npl* biens *mpl* d'équipement.

capitalism ['kæpɪtəlɪzm] *n* capitalisme *m*.

capitalist ['kæpɪtəlɪst] ◼ *adj* capitaliste. ◼ *n* capitaliste *mf*.

capitalize, -ise ['kæpɪtəlaɪz] *vi* • **to capitalize on** tirer parti de.

capital punishment *n* peine *f* capitale *ou* de mort.

Capitol Hill *n* siège du Congrès à Washington.

capitulate [kə'pɪtjʊleɪt] *vi* capituler.

Capricorn ['kæprɪkɔn] *n* Capricorne *m*.

capsize [kæp'saɪz] ◼ *vt* faire chavirer. ◼ *vi* chavirer.

capsule ['kæpsjuːl] *n* **1.** capsule *f* **2.** gélule *f*.

captain ['kæptɪn] *n* capitaine *mf*.

caption ['kæpʃn] *n* légende *f*.

captivate ['kæptɪveɪt] *vt* captiver.

captive ['kæptɪv] ◼ *adj* captif(ive). ◼ *n* captif *m*, -ive *f*.

captor ['kæptər] *n* ravisseur *m*, -euse *f*.

capture ['kæptʃər] ◼ *vt* **1.** capturer **2.** prendre *(une ville)* **3.** conquérir **4.** captiver **5.** INFORM saisir. ◼ *n* **1.** capture *f* **2.** prise *f (d'une ville)*.

car [kɑːr] ◼ *n* **1.** voiture *f* **2.** wagon *m*, voiture *f*. ◼ *en apposition* **1.** de voiture **2.** automobile.

carafe [kə'ræf] *n* carafe *f*.

caramel ['kærəmel] *n* caramel *m*.

carat ['kærət] *n (UK)* carat *m* • **24-carat gold** or à 24 carats.

caravan ['kærəvæn] *n* **1.** *(UK)* caravane *f* **2.** roulotte *f*.

caravan site *n (UK)* camping *m* pour caravanes.

carbohydrate [ˌkɑːbəʊ'haɪdreɪt] *n* hydrate *m* de carbone.

◼ **carbohydrates** *npl* glucides *mpl*.

carbon ['kɑːbən] *n* carbone *m*.

carbonated ['kɑːbəneɪtɪd] *adj* gazeux(euse).

carbon copy *n* **1.** carbone *m* **2.** *fig* réplique *f*.

carbon dioxide [-daɪ'ɒksaɪd] *n* gaz *m* carbonique.

carbon monoxide *n* oxyde *m* de carbone.

carbon neutral *adj* qui compense ses émissions de gaz à effet de serre par un recours aux énergies renouvelables ou en finançant la reforestation.

carbon paper *n (indén)* (papier *m*) carbone *m*.

car-boot sale *n (UK)* brocante en plein air où les coffres des voitures servent d'étal.

carburettor *(UK)*, **carburetor** *(US)* [ˌkɑːbə'retər] *n* carburateur *m*.

carcass ['kɑːkəs] *n* carcasse *f*.

card [kɑːd] *n* **1.** carte *f* **2.** *(indén)* carton *m* **3.** INFORM carte *f*.

◼ **cards** *npl* • **to play cards** jouer aux cartes.

◼ **on the cards** *(UK)*, **in the cards** *(US)* *adv fam* • **it's on the cards that...** il y a de grandes chances pour que...

cardboard ['kɑːdbɔːd] ◼ *n (indén)* carton *m*. ◼ *en apposition* en carton.

cardboard box *n* boîte *f* en carton.

cardiac ['kɑːdiæk] *adj* cardiaque.

cardigan ['kɑːdɪgən] *n* cardigan *m*.

cardinal ['kɑːdɪnl] ◼ *adj* cardinal(e). ◼ *n* cardinal *m*.

card index *n (UK)* fichier *m*.

card table *n* table *f* de jeu.

care [keər] ◼ *n* **1.** *(indén)* soin *m*, attention *f* • **to take care of** s'occuper de • **take care!** faites bien attention à vous ! **2.** souci *m* **3.** *(UK)* • **the baby was put in care** *ou* **taken into care** on a retiré aux parents la garde de leur bébé.

◼ *vi* **1.** • **to care about** se soucier de **2.** • **I don't care** ça m'est égal • **who cares?** qu'est-ce que ça peut faire ?

◼ **care for** *vt insép vieilli* aimer.

career [kə'rɪər] ◼ *n* carrière *f (professionnelle)*. ◼ *vi* aller à toute vitesse.

careers adviser n (UK) conseiller m, -ère f d'orientation.

carefree ['keəfriː] adj insouciant(e).

careful ['keəful] adj 1. prudent(e) • **to be careful to do sthg** prendre soin de faire qqch, faire attention à faire qqch • **be careful!** fais attention ! 2. soigné(e) 3. consciencieux(euse).

carefully ['keəflɪ] adv 1. prudemment 2. soigneusement.

careless ['keəlɪs] adj 1. (travail) peu soigné(e) 2. (conducteur) négligent(e) 3. insouciant(e).

caress [kə'res] ◼ n caresse f. ◼ vt caresser.

caretaker ['keə,teɪkər] n (UK) concierge mf.

car ferry n ferry m.

cargo ['kɑːɡəʊ] n (pl -es ou -s) cargaison f.

car hire n (UK) location f de voitures.

Caribbean [(UK) kærɪ'biːən, (US) kə'rɪbɪən] n • **the Caribbean (Sea)** la mer des Caraïbes ou des Antilles.

caring ['keərɪŋ] adj bienveillant(e).

carnage ['kɑːnɪdʒ] n carnage m.

carnal ['kɑːnl] adj littéraire charnel(elle).

carnation [kɑː'neɪʃn] n œillet m.

carnival ['kɑːnɪvl] n 1. carnaval m 2. (US) fête f foraine.

carnivorous [kɑː'nɪvərəs] adj carnivore.

carol ['kærəl] n • **(Christmas) carol** chant m de Noël.

carousel [,kærə'sel] n 1. (US) manège m 2. (à l'aéroport) tapis m roulant à bagages.

carp [kɑːp] ◼ n (pl inv ou -s) carpe f. ◼ vi • **to carp (about sthg)** critiquer (qqch).

car park n (UK) parking m.

carpenter ['kɑːpəntər] n 1. charpentier m 2. menuisier m.

carpentry ['kɑːpəntrɪ] n 1. charpenterie f 2. menuiserie f.

carpet ['kɑːpɪt] ◼ n litt & fig tapis m • **(fitted) carpet** moquette f. ◼ vt recouvrir d'un tapis.

carpet slipper n pantoufle f.

carpet sweeper [-,swiːpər] n balai m mécanique.

car rental n (US) location f de voitures.

carriage ['kærɪdʒ] n 1. voiture f 2. (indén) (UK) transport m (de marchandises).

carriage return n retour m chariot.

carriageway ['kærɪdʒweɪ] n (UK) chaussée f.

carrier ['kærɪər] n 1. transporteur m 2. porteur m, -euse f.

carrier bag n sac m (en plastique).

carrot ['kærət] n carotte f.

carry ['kærɪ] ◼ vt 1. porter 2. transporter 3. transmettre (une maladie) 4. impliquer (la responsabilité) 5. entraîner (des conséquences) 6. voter 7. attendre (un enfant) 8. MATH retenir. ◼ vi (son) porter.
◼ **carry forward** vt sép FIN reporter.
◼ **carry off** vt sép 1. mener à bien 2. remporter.
◼ **carry on** ◼ vt insép continuer • **to carry on doing sthg** continuer à ou de faire qqch. ◼ vi 1. continuer • **to carry on with sthg** continuer qqch 2. fam faire des histoires.
◼ **carry out** vt insép 1. remplir (une mission) 2. exécuter (un ordre) 3. effectuer (une expérience) 4. mener (une enquête).
◼ **carry through** vt sép réaliser.

carryall ['kærɪɔːl] n (US) fourre-tout m inv.

carrycot ['kærɪkɒt] n (UK) couffin m.

carry-out, carryout n plat m à emporter.

carsick ['kɑː,sɪk] adj • **to be carsick** être malade en voiture.

cart [kɑːt] ◼ n charrette f. ◼ vt fam traîner.

carton ['kɑːtn] n 1. boîte f en carton 2. pot m (de yaourt) 3. carton m (de lait).

cartoon [kɑː'tuːn] n 1. dessin m humoristique 2. bande f dessinée 3. dessin m animé.

cartridge ['kɑːtrɪdʒ] n 1. cartouche f 2. PHOTO chargeur m.

cartwheel ['kɑːtwiːl] n roue f.

carve [kɑːv] ◼ vt 1. sculpter 2. graver 3. découper. ◼ vi CULIN découper.
◼ **carve out** vt sép fig se tailler.

carving ['kɑːvɪŋ] n sculpture f.

carving knife n couteau m à découper.

car wash n 1. lavage m de voitures 2. station f de lavage de voitures.

case [keɪs] n 1. cas m • **to be the case** être le cas • **in case of** en cas de • **in that case**

dans ce cas ▪ **in which case** auquel cas **2.** ▪ **case (for/against)** arguments *mpl* (pour/contre) **3.** DR affaire *f*, procès *m* **4.** caisse *f* **5.** étui *m* **6.** *(UK)* valise *f*. ▪ **in any case** *adv* de toute façon. ▪ **in case** ◼ *conj* au cas où. ◼ *adv* ▪ **(just) in case** à tout hasard.

cash [kæʃ] ◼ *n* (indén) **1.** liquide *m* ▪ **to pay (in) cash** payer comptant *ou* en espèces **2.** *fam* sous *mpl*, fric *m*. ◼ *vt* encaisser.

cash and carry *n (UK)* libre-service *m* de gros, cash-and-carry *m*.

cashbook ['kæʃbʊk] *n* livre *m* de caisse.

cash box *n* caisse *f*.

cash card *n* carte *f* de retrait.

cash desk *n (UK)* caisse *f*.

cash dispenser [-dɪˌspensər] *n* distributeur *m* automatique de billets.

cashew (nut) ['kæʃuː-] *n* noix *f* de cajou.

cashier [kæ'ʃɪər] *n* caissier *m*, -ère *f*.

cash machine *n* distributeur *m* de billets.

cashmere [kæʃ'mɪər] *n* cachemire *m*.

cash register *n* caisse *f* enregistreuse.

casing ['keɪsɪŋ] *n* **1.** revêtement *m* **2.** boîtier *m*.

casino [kə'siːnəʊ] *(pl -s)* *n* casino *m*.

cask [kɑːsk] *n* tonneau *m*.

casket ['kɑːskɪt] *n* **1.** coffret *m* **2.** *(US)* cercueil *m*.

casserole ['kæsərəʊl] *n* **1.** ragoût *m* **2.** cocotte *f*.

cassette [kæ'set] *n* **1.** cassette *f* **2.** PHOTO recharge *f*.

cassette player *n* lecteur *m* de cassettes.

cassette recorder *n* magnétophone *m* à cassettes.

cast [kɑːst] ◼ *n* **1.** acteurs *mpl* **2.** distribution *f* **3.** plâtre *m* ▪ **her arm was in a cast** elle avait un bras dans le plâtre. ◼ *vt* (prét & pp cast) **1.** jeter ▪ **to cast doubt on sthg** jeter le doute sur qqch ▪ **to cast lots** *(UK)* tirer au sort **2.** CINÉ & THÉÂTRE donner un rôle à **3.** ▪ **to cast one's vote** voter **4.** couler *(du métal)* **5.** mouler *(une statue)*.

▪ **cast aside** *vt sép fig* écarter, rejeter.

▪ **cast off** *vi* larguer les amarres.

castaway ['kɑːstəweɪ] *n* naufragé *m*, -e *f*.

caster ['kɑːstər] *n* roulette *f*.

caster sugar *n (UK)* sucre *m* en poudre.

casting vote *n* voix *f* prépondérante.

cast iron *n* fonte *f*.

castle ['kɑːsl] *n* **1.** château *m* **2.** tour *f*.

castor oil *n* huile *f* de ricin.

castrate [kæ'streɪt] *vt* châtrer.

casual ['kæʒʊəl] *adj* **1.** désinvolte **2.** sans-gêne **3.** fortuit(e) **4.** *(vêtements)* décontracté(e), sport *(inv)* **5.** *(travail)* temporaire.

casually ['kæʒʊəlɪ] *adv* avec désinvolture ▪ **casually dressed** habillé simplement.

casualty ['kæʒʊəltɪ] *n* **1.** mort *m*, -e *f*, victime *f* **2.** blessé *m*, -e *f* **3.** accidenté *m*, -e *f*.

casualty department *n (UK)* service *m* des urgences.

cat [kæt] *n* **1.** chat *m* **2.** fauve *m*.

catalogue, catalog ['kætəlɒg] ◼ *n* **1.** catalogue *m* **2.** fichier *m* (en bibliothèque). ◼ *vt* cataloguer.

catalyst ['kætəlɪst] *n litt & fig* catalyseur *m*.

catalytic convertor, catalytic converter [ˌkætə'lɪtɪkkən'vɜːtər] *n* pot *m* catalytique.

catapult ['kætəpʌlt] ◼ *n (UK)* lance-pierres *m inv*. ◼ *vt litt & fig* catapulter.

cataract ['kætərækt] *n* cataracte *f*.

catarrh [kə'tɑːr] *n* catarrhe *m*.

catastrophe [kə'tæstrəfɪ] *n* catastrophe *f*.

catch [kætʃ] ◼ *vt* (prét & pp caught) **1.** attraper ▪ **to catch sight** *ou* **a glimpse of** apercevoir ▪ **to catch sb's attention** attirer l'attention de qqn ▪ **to catch the post** *(UK)* arriver à temps pour la levée **2.** prendre, surprendre ▪ **to catch sb doing sthg** surprendre qqn à faire qqch **3.** saisir, comprendre **4.** ▪ **I caught my finger in the door** je me suis pris le doigt dans la porte **5.** frapper. ◼ *vi* (prét & pp caught) **1.** se prendre **2.** *(feu de cheminée)* prendre **3.** *(moteur)* démarrer. ◼ *n* **1.** prise *f* ▪ **he's a good catch** c'est une belle prise **2.** fermoir *m* **3.** loqueteau *m* **4.** loquet *m* **5.** hic *m*, entourloupette *f*.

▪ **catch on** *vi* **1.** prendre **2.** *fam* ▪ **to catch on (to sthg)** piger (qqch).

■ **catch up** ❚ *vt sép* rattraper. ❚ *vi* • **to catch up on sthg** rattraper qqch.

catching ['kætʃɪŋ] *adj* contagieux (euse).

catchment area ['kætʃmənt-] *n (UK)* **1.** secteur *m* de recrutement scolaire **2.** circonscription *f* hospitalière.

catchphrase ['kætʃfreɪz] *n* rengaine *f*.

catchy ['kætʃɪ] *adj* facile à retenir, entraînant(e).

categorically [,kætɪ'gɒrɪklɪ] *adv* catégoriquement.

category ['kætəgərɪ] *n* catégorie *f*.

cater ['keɪtər] *vi* s'occuper de la nourriture, prévoir les repas.
■ **cater for** *vt insép (UK)* **1.** pourvoir à, satisfaire *(des besoins)* **2.** s'adresser à • **this TV channel caters for teenagers** cette chaîne de télé s'adresse aux adolescents **3.** prévoir.
■ **cater to** *vt insép* satisfaire.

caterer ['keɪtərər] *n* traiteur *m*.

catering ['keɪtərɪŋ] *n* restauration *f (industrie)*.

caterpillar ['kætəpɪlər] *n* chenille *f*.

caterpillar tracks *npl* chenille *f*.

cathedral [kə'θiːdrəl] *n* cathédrale *f*.

Catholic ['kæθlɪk] ❚ *adj* catholique. ❚ *n* catholique *mf*.
■ **catholic** *adj* éclectique.

Catseyes® ['kætsaɪz] *npl (UK)* catadioptres *mpl*.

cattle ['kætl] *npl* bétail *m*.

catty ['kætɪ] *adj fam péj* rosse, vache.

catwalk ['kætwɔk] *n* passerelle *f*.

caucus ['kɔkəs] *n* **1.** *(US)* comité *m* électoral *(d'un parti)* **2.** *(UK)* comité *m* *(d'un parti)*.

caught [kɔt] *passé & pp* ⊳ **catch**.

cauliflower ['kɒlɪ,flaʊər] *n* chou-fleur *m*.

cause [kɔz] ❚ *n* cause *f* • **I have no cause for complaint** je n'ai pas à me plaindre, je n'ai pas lieu de me plaindre • **to have cause to do sthg** avoir lieu *ou* des raisons de faire qqch. ❚ *vt* causer • **to cause sb to do sthg** faire faire qqch à qqn.

caustic ['kɔstɪk] *adj* caustique.

caution ['kɔʃn] ❚ *n* **1.** *(indén)* précaution *f*, prudence *f* **2.** avertissement *m* **3.** *(UK)* DR réprimande *f*. ❚ *vt* • **to caution sb against doing sthg** déconseiller à qqn de faire qqch.

cautious ['kɔʃəs] *adj* prudent(e).

cavalry ['kævlrɪ] *n* cavalerie *f*.

cave [keɪv] *n* caverne *f*, grotte *f*.
■ **cave in** *vi (toit, plafond)* s'affaisser.

caveman ['keɪvmæn] *(pl* **-men** [-men]*) n* homme *m* des cavernes.

cavernous ['kævənəs] *adj* immense.

caviar(e) ['kævɪɑːr] *n* caviar *m*.

cavity ['kævətɪ] *n* cavité *f*.

cavort [kə'vɔt] *vi* gambader.

CB *n (abr de citizens' band)* CB *f*.

cc *n* **1.** *(abr de cubic centimetre)* cm³ **2.** *(abr de carbon copy)* pcc.

CD *n (abr de compact disc)* CD *m*.

CD player *n* lecteur *m* de CD.

CD-ROM [,siːdiː'rɒm] *(abr de compact disc read only memory) n* CD-ROM *m*, CD-Rom *m*.

cease [siːs] *sout* ❚ *vt* cesser • **to cease doing** *ou* **to do sthg** cesser de faire qqch. ❚ *vi* cesser.

cease-fire *n* cessez-le-feu *m inv*.

ceaseless ['siːslɪs] *adj sout* incessant(e), continuel(elle).

cedar (tree) ['siːdər-] *n* cèdre *m*.

cedilla [sɪ'dɪlə] *n* cédille *f*.

ceiling ['siːlɪŋ] *n litt & fig* plafond *m*.

celebrate ['selɪbreɪt] ❚ *vt* célébrer, fêter. ❚ *vi* faire la fête.

celebrated ['selɪbreɪtɪd] *adj* célèbre.

celebration [,selɪ'breɪʃn] *n* **1.** *(indén)* fête *f*, festivités *fpl* **2.** festivités *fpl*.

celebrity [sɪ'lebrətɪ] *n* célébrité *f*.

celery ['selərɪ] *n* céleri *m* (en branches).

celibate ['selɪbət] *adj* célibataire.

cell [sel] *n* cellule *f*.

cellar ['selər] *n* cave *f*.

cello ['tʃeləʊ] *(pl* **-s***) n* violoncelle *m*.

Cellophane® ['seləfeɪn] *n* Cellophane® *f*.

Celsius ['selsɪəs] *adj* Celsius *(inv)*.

Celt [kelt] *n* Celte *mf*.

Celtic ['keltɪk] ❚ *adj* celte. ❚ *n* celte *m*.

cement [sɪ'ment] ❚ *n* ciment *m*. ❚ *vt litt & fig* cimenter.

cement mixer n bétonnière f.

cemetery ['semɪtrɪ] n cimetière m.

censor ['sensər] ■ n censeur m. ■ vt censurer.

censorship ['sensəʃɪp] n censure f.

censure ['senʃər] ■ n blâme m, critique f. ■ vt blâmer, critiquer.

census ['sensəs] (pl -es [-i:z]) n recensement m.

cent [sent] n 1. cent m 2. centime m, (euro) cent m recomm off.

centenary (UK) [sen'ti:nərɪ], **centennial** (US) [sen'tenjəl] n centenaire m.

center (US) = **centre** etc.

centigrade ['sentɪgreɪd] adj centigrade.

centilitre (UK), **centiliter** (US) ['sentɪ,li:tər] n centilitre m.

centimetre (UK), **centimeter** (US) ['sentɪ,mi:tər] n centimètre m.

centipede ['sentɪpi:d] n mille-pattes m inv.

central ['sentrəl] adj central(e).

Central America n Amérique f centrale.

central heating n chauffage m central.

centralize, -ise ['sentrəlaɪz] vt centraliser.

central locking [-'lɒkɪŋ] n verrouillage m centralisé.

central reservation n (UK) terre-plein m central.

centre (UK), **center** (US) ['sentər] ■ n centre m. ■ adj 1. central(e) • **a centre parting** une raie au milieu 2. POLIT du centre, centriste. ■ vt centrer.

centre back (UK), **center back** (US) n arrière m central.

centre forward (UK), **center forward** (US) n avant-centre m inv.

centre half (UK), **center half** (US) n arrière m central.

century ['sentʃʊrɪ] n siècle m.

ceramic [sɪ'ræmɪk] adj en céramique.

cereal ['sɪərɪəl] n céréale f.

ceremonial [,serɪ'məʊnjəl] ■ adj 1. de cérémonie 2. honorifique. ■ n cérémonial m.

ceremony ['serɪmənɪ] n 1. cérémonie f 2. (indén) cérémonies fpl • **to stand on ceremony** faire des cérémonies.

certain ['sɜːtn] adj certain(e) • **he is certain to be late** il sera certainement en retard • **to be certain of sthg/of doing sthg** être sûr de qqch/de faire qqch • **to make certain** vérifier • **to make certain of** s'assurer de • **I know for certain that…** je suis sûr ou certain que… • **to a certain extent** jusqu'à un certain point, dans une certaine mesure.

certainly ['sɜːtnlɪ] adv certainement.

certainty ['sɜːtntɪ] n certitude f.

certificate [sə'tɪfɪkət] n certificat m.

certified ['sɜːtɪfaɪd] adj 1. diplômé(e) 2. (document) certifié(e).

certified mail n (US) envoi m recommandé.

certified public accountant n (US) expert-comptable m.

certify ['sɜːtɪfaɪ] vt 1. **to certify (that)** certifier ou attester que 2. déclarer mentalement aliéné(e).

cervical [sə'vaɪkl] adj du col de l'utérus.

cervical smear n (UK) frottis m vaginal.

cervix ['sɜːvɪks] (pl -ices [-ɪsi:z]) n col m de l'utérus.

cesarean [sɪ'zeərɪən-] (US) = **caesarean**.

cesspit ['sespɪt], **cesspool** ['sespu:l] n fosse f d'aisance.

CFC (abr de **chlorofluorocarbon**) n CFC m.

chafe [tʃeɪf] vt irriter, frotter contre.

chaffinch ['tʃæfɪntʃ] n pinson m.

chain [tʃeɪn] ■ n chaîne f • **chain of events** suite ou série f d'événements. ■ vt 1. enchaîner 2. attacher avec une chaîne.

chain reaction n réaction f en chaîne.

chain saw n tronçonneuse f.

chain-smoke vi fumer cigarette sur cigarette.

chain store n grand magasin m (à succursales multiples).

chair [tʃeər] ■ n 1. chaise f 2. fauteuil m 3. chaire f (à l'université) 4. présidence f 5. (US) fam • **the chair** la chaise électrique. ■ vt 1. présider 2. diriger.

chairlift n télésiège m.

chairman ['tʃeəmən] (pl -men [-mən]) n président m, -e f.

chairperson ['tʃeə,pɜːsn] (pl -s) n président m, -e f.

chalet ['ʃæleɪ] n chalet m.

chalk [tʃɔk] n craie f.

chalkboard ['tʃɔkbɔd] n (US) tableau m (noir).

challenge ['tʃælɪndʒ] ◼ n défi m. ◼ vt
1. ◦ **she challenged me to a race** elle m'a
défié à la course ◦ **to challenge sb to do
sthg** défier qqn de faire qqch 2. mettre
en question ou en doute.

challenging ['tʃælɪndʒɪŋ] adj 1. stimu-
lant(e) 2. provocateur(trice).

chamber ['tʃeɪmbər] n chambre f.

chambermaid ['tʃeɪmbəmeɪd] n femme
f de chambre.

chamber music n musique f de chambre.

chamber of commerce n chambre f
de commerce.

chameleon [kə'miːljən] n caméléon m.

champagne [ˌʃæm'peɪn] n champagne
m.

champion ['tʃæmpjən] n champion m,
-onne f.

championship ['tʃæmpjənʃɪp] n championnat m.

chance [tʃɑːns] ◼ n 1. (indén) hasard m
◦ **by chance** par hasard 2. chance f ◦ **she
didn't stand a chance (of doing sthg)** elle
n'avait aucune chance (de faire qqch)
◦ **on the off chance** à tout hasard 3. occasion f 4. risque m ◦ **to take a chance**
risquer le coup. ◼ adj fortuit(e), acci-
dentel(elle). ◼ vt risquer ◦ **to chance it**
tenter sa chance.
◼ **chances** npl chances fpl ◦ **what are
her chances of making a full recovery?**
quelles sont ses chances de se rétablir
complètement ?

chancellor ['tʃɑːnsələr] n 1. chancelier
m, -ère f 2. UNIV président m, -e f honoraire.

Chancellor of the Exchequer n (UK)
Chancelier m de l'Échiquier, ≃ ministre m des Finances.

chandelier [ˌʃændə'lɪər] n lustre m.

change [tʃeɪndʒ] ◼ n 1. ◦ **change of
clothes** vêtements mpl de rechange
◦ **for a change** pour changer 2. monnaie f. ◼ vt 1. changer ◦ **to change sthg
into sthg** changer ou transformer qqch
en qqch ◦ **to change one's mind** changer
d'avis 2. changer de (travail, train, côté)
3. faire la monnaie de 4. changer (des
euros en dollars).

◼ **change over** vi ◦ **to change over
from/to** passer de/à.

changeable ['tʃeɪndʒəbl] adj 1. (caractère)
versatile 2. (temps) variable.

change machine n distributeur m de
monnaie.

changeover ['tʃeɪndʒˌəʊvər] n ◦ **changeover (to)** passage m (à), changement m
(pour).

changing ['tʃeɪndʒɪŋ] adj changeant(e).

changing room n 1. (UK) SPORT vestiaire m
2. cabine f d'essayage.

channel ['tʃænl] ◼ n 1. TV chaîne f 2. RADIO
station f 3. canal m 4. conduit m 5. chenal m. ◼ vt ((UK) prét & pp -**led**, cont -**ling**,
(US) prét & pp -**ed**, cont -**ing**) litt & fig canaliser.
◼ **Channel** n ◦ **the (English) Channel** la
Manche.
◼ **channels** npl ◦ **to go through the
proper channels** suivre ou passer la filière.

Channel Islands npl ◦ **the Channel Islands** les îles fpl Anglo-Normandes.

Channel tunnel n ◦ **the Channel tunnel**
le tunnel sous la Manche.

chant [tʃɑːnt] ◼ n chant m. ◼ vt 1. RELIG
chanter 2. scander.

chaos ['keɪɒs] n chaos m.

chaotic [keɪ'ɒtɪk] adj chaotique.

chap [tʃæp] n (UK) fam type m.

chapel ['tʃæpl] n chapelle f.

chaplain ['tʃæplɪn] n aumônier m.

chapped [tʃæpt] adj gercé(e).

chapter ['tʃæptər] n chapitre m.

char [tʃɑːr] vt calciner.

character ['kærəktər] n 1. caractère m
2. personnage m (de roman, de film)
3. fam (personne excentrique) phénomène
m, original m.

characteristic [ˌkærəktə'rɪstɪk] ◼ adj caractéristique. ◼ n caractéristique f.

characterize, -ise ['kærəktəraɪz] vt caractériser.

charade [ʃə'rɑːd] n farce f.

charcoal ['tʃɑːkəʊl] n 1. (dessins, esquisses)
charbon m 2. charbon de bois.

charge [tʃɑːdʒ] ◼ n 1. prix m ◦ **free of
charge** gratuit 2. accusation f, inculpation f 3. ◦ **to take charge of** se charger
de ◦ **in charge** responsable 4. ÉLECTR & MIL

charge *f.* ◼ *vt* **1.** faire payer • **how much do you charge?** vous prenez combien ? • **to charge sthg to sb** mettre qqch sur le compte de qqn **2.** • **to charge sb (with)** accuser qqn (de) **3.** ÉLECTR & MIL charger. ◼ *vi* se précipiter, foncer.

charge card *n* carte *f* de compte crédit *(auprès d'un magasin).*

charger ['tʃɑːdʒər] *n* chargeur *m*, -euse *f.*

chariot ['tʃærɪət] *n* char *m.*

charisma [kə'rɪzmə] *n* charisme *m.*

charity ['tʃærətɪ] *n* charité *f.*

charm [tʃɑːm] ◼ *n* charme *m.* ◼ *vt* charmer.

charming ['tʃɑːmɪŋ] *adj* charmant(e).

chart [tʃɑːt] ◼ *n* **1.** graphique *m*, diagramme *m* **2.** carte *f.* ◼ *vt* **1.** porter sur une carte **2.** *fig* rendre compte de. ◼ *vi* être au hit-parade.
◼ **charts** *npl* • **the charts** le hit-parade.

charter ['tʃɑːtər] ◼ *n* charte *f.* ◼ *vt* affréter.

chartered accountant [,tʃɑːtəd-] *n (UK)* expert-comptable *m.*

charter flight *n* vol *m* charter.

charter member *n (US)* membre *m* fondateur.

chase [tʃeɪs] ◼ *n* poursuite *f*, chasse *f.* ◼ *vt* **1.** poursuivre **2.** chasser. ◼ *vi* • **to chase after sb/sthg** courir après qqn/qqch.

chasm ['kæzm] *n litt & fig* abîme *m.*

chassis ['ʃæsɪ] *(pl inv)* *n* châssis *m.*

chat [tʃæt] ◼ *n* causerie *f*, bavardage *m.* ◼ *vi* causer, bavarder.
◼ **chat up** *vt sép (UK) fam* baratiner.

chatline ['tʃætlaɪn] *n* **1.** réseau *m* téléphonique (payant) **2.** téléphone *m* rose.

chatroom ['tʃætrʊm] *n* INFORM salle *f* de chat.

chat show *n (UK)* talk-show *m.*

chatter ['tʃætər] ◼ *n* **1.** bavardage *m* **2.** caquetage *m.* ◼ *vi* **1.** bavarder **2.** *(animal)* jacasser, caqueter **3.** • **his teeth were chattering** il claquait des dents.

chatterbox ['tʃætəbɒks] *n fam* moulin *m* à paroles.

chatty ['tʃætɪ] *adj* **1.** bavard(e) **2.** plein(e) de bavardages.

chauffeur ['ʃəʊfər] *n* chauffeur *m.*

chauvinist ['ʃəʊvɪnɪst] *n* **1.** macho *m* **2.** chauvin *m*, -e *f.*

chav [tʃæv] *n (UK) fam péj* racaille *f*, lascar *m.*

cheap [tʃiːp] ◼ *adj* **1.** pas cher(chère), bon marché *(inv)* **2.** à prix réduit **3.** de mauvaise qualité **4.** *(plaisanterie)* facile. ◼ *adv* (à) bon marché.

cheapen ['tʃiːpn] *vt* rabaisser.

cheaply ['tʃiːplɪ] *adv* à bon marché, pour pas cher.

cheat [tʃiːt] ◼ *n* tricheur *m*, -euse *f.* ◼ *vt* tromper • **to cheat sb out of sthg** escroquer qqch à qqn. ◼ *vi* **1.** tricher **2.** *fam* • **to cheat on sb** tromper qqn.

check [tʃek] ◼ *n* **1.** • **check (on)** contrôle *m* (de) **2.** • **check (on)** frein *m* (à), restriction *f* (sur) • **to put a check on sthg** freiner qqch **3.** *(US)* note *f* **4.** carreaux *mpl (motif sur un tissu)* **5.** *(US)* coche *f* **6.** *(US)* = **cheque.** ◼ *vt* **1.** vérifier **2.** contrôler **3.** enrayer, arrêter. ◼ *vi* • **to check (for sthg)** vérifier (qqch) • **to check on sthg** vérifier *ou* contrôler qqch.
◼ **check in** *vt sép* enregistrer *(ses bagages).* ◼ *vi* **1.** *(à l'hôtel)* signer le registre **2.** *(à l'aéroport)* se présenter à l'enregistrement.
◼ **check into** *vt insép* • **to check into a hotel** descendre dans un hôtel.
◼ **check out** *vt sép* **1.** retirer *(ses bagages)* **2.** vérifier **3.** *fam* • **check this out** vise un peu ça • écoute-moi ça. ◼ *vi (à l'hôtel)* régler sa note.
◼ **check up** *vi* • **to check up on sb** prendre des renseignements sur qqn • **to check up (on sthg)** vérifier (qqch).

checkbook *(US)* = **chequebook.**

checked [tʃekt] *adj* à carreaux.

checkerboard [tʃekəbɔːd] *n (US)* damier *m.*

checkered *(US)* = **chequered.**

checkers ['tʃekəz] *n (indén) (US)* jeu *m* de dames.

check-in *n* enregistrement *m (des bagages).*

checking account ['tʃekɪŋ-] *n (US)* compte *m* courant.

checkmate ['tʃekmeɪt] *n* échec et mat *m.*

checkout ['tʃekaʊt] *n* caisse *f.*

checkpoint ['tʃekpɔɪnt] *n* (poste *m* de) contrôle *m.*

checkup ['tʃekʌp] n bilan m de santé, check-up m.

Cheddar (cheese) ['tʃedər-] n (fromage m de) cheddar m.

cheek [tʃiːk] n 1. joue f 2. fam culot m.

cheekbone ['tʃiːkbəʊn] n pommette f.

cheeky ['tʃiːkɪ] adj insolent(e), effronté(e).

cheer [tʃɪər] ◼ n acclamation f. ◼ vt 1. acclamer 2. réjouir. ◼ vi applaudir.
■ **cheers** interj 1. santé ! 2. (UK) fam ciao ! 3. (UK) fam merci.
■ **cheer up** ◼ vt sép remonter le moral à. ◼ vi se dérider.

cheerful ['tʃɪəfʊl] adj joyeux(euse), gai(e).

cheerio [,tʃɪərɪ'əʊ] interj (UK) fam au revoir !, salut !

cheese [tʃiːz] n fromage m.

cheeseboard ['tʃiːzbɔːd] n plateau m à fromage.

cheeseburger ['tʃiːz,bɜːgər] n cheeseburger m, hamburger m au fromage.

cheesecake ['tʃiːzkeɪk] n gâteau m au fromage blanc, cheesecake m.

cheetah ['tʃiːtə] n guépard m.

chef [ʃef] n chef mf.

chemical ['kemɪkl] ◼ adj chimique. ◼ n produit m chimique.

chemist ['kemɪst] n (UK) pharmacien m, -enne f.

chemistry ['kemɪstrɪ] n chimie f.

cheque (UK), **check** (US) [tʃek] n chèque m.

chequebook (UK), **checkbook** (US) ['tʃekbʊk] n chéquier m, carnet m de chèques.

cheque card n (UK) carte f bancaire.

chequered (UK), **checkered** (US) ['tʃekərd] ['tʃekəd] adj fig mouvementé(e).

cherish ['tʃerɪʃ] vt 1. chérir 2. nourrir, caresser (un espoir).

cherry ['tʃerɪ] n cerise f.

chess [tʃes] n (indén) échecs mpl.

chessboard ['tʃesbɔːd] n échiquier m.

chessman ['tʃesmæn] (pl **-men** [-men]) n pièce f (de jeu d'échecs).

chest [tʃest] n 1. poitrine f 2. coffre m.

chestnut ['tʃesnʌt] ◼ adj châtain (inv). ◼ n châtaigne f.

chest of drawers (pl **chests of drawers**) n commode f.

chew [tʃuː] ◼ n (UK) bonbon m (à mâcher). ◼ vt mâcher.
■ **chew up** vt sép mâchouiller.

chewing gum ['tʃuːɪŋ-] n chewing-gum m.

chic [ʃiːk] adj chic (inv).

chick [tʃɪk] n 1. oisillon m 2. poussin m.

chicken ['tʃɪkɪn] n 1. poulet m 2. fam froussard m, -e f.
■ **chicken out** vi fam se dégonfler.

chickenpox ['tʃɪkɪnpɒks] n (indén) varicelle f.

chickpea ['tʃɪkpiː] n pois m chiche.

chicory ['tʃɪkərɪ] n (UK) endive f.

chief [tʃiːf] ◼ adj 1. principal(e) 2. en chef. ◼ n chef m.

chief executive n directeur général m, directrice générale f.

chiefly ['tʃiːflɪ] adv 1. principalement 2. surtout.

chiffon ['ʃɪfɒn] n mousseline f.

chilblain ['tʃɪlbleɪn] n engelure f.

child [tʃaɪld] (pl **children** ['tʃɪldrən]) n enfant mf.

child benefit n (indén) (UK) ≃ allocations fpl familiales.

childbirth ['tʃaɪldbɜːθ] n (indén) accouchement m.

childhood ['tʃaɪldhʊd] n enfance f.

childish ['tʃaɪldɪʃ] adj péj puéril(e), enfantin(e).

childlike ['tʃaɪldlaɪk] adj enfantin(e), d'enfant.

childminder ['tʃaɪld,maɪndər] n (UK) assistante f maternelle, nourrice f.

childproof ['tʃaɪldpruːf] adj qui ne peut pas être ouvert par les enfants.

children ['tʃɪldrən] npl ▷ **child**.

children's home n maison f d'enfants.

child support n (US) pension f alimentaire.

Chile ['tʃɪlɪ] n Chili m.

Chilean ['tʃɪlɪən] ◼ adj chilien(enne). ◼ n Chilien m, -enne f.

chili ['tʃɪlɪ] = **chilli**.

chill [tʃɪl] ◼ *adj* frais(fraîche). ◼ *n* **1.** coup *m* de froid **2.** • **there's a chill in the air** le fond de l'air est frais **3.** frisson *m*. ◼ *vt* **1.** mettre au frais **2.** faire frissonner.

chilli [ˈtʃɪlɪ] (*pl* **-es**) *n* piment *m*.

chilling [ˈtʃɪlɪŋ] *adj* **1.** glacial(e) **2.** qui glace le sang.

chilly [ˈtʃɪlɪ] *adj* froid(e) • **to feel chilly** avoir froid • **it's chilly** il fait froid.

chime [tʃaɪm] ◼ *n* carillon *m*. ◼ *vt* sonner. ◼ *vi* carillonner.

chimney [ˈtʃɪmnɪ] *n* cheminée *f*.

chimneypot [ˈtʃɪmnɪpɒt] *n* mitre *f* de cheminée.

chimneysweep [ˈtʃɪmnɪswiːp] *n* ramoneur *m*.

chimp(anzee) [tʃɪmp(ənˈziː)] *n* chimpanzé *m*.

chin [tʃɪn] *n* menton *m*.

china [ˈtʃaɪnə] *n* porcelaine *f*.

China [ˈtʃaɪnə] *n* Chine *f*.

Chinese [ˌtʃaɪˈniːz] ◼ *adj* chinois(e). ◼ *n* chinois *m*.

Chinese cabbage *n* chou *m* chinois.

chink [tʃɪŋk] *n* **1.** fente *f* **2.** tintement *m*.

chip [tʃɪp] ◼ *n* **1.** *(UK)* frite *f* **2.** *(US)* chip *m* **3.** éclat *m* **4.** copeau *m* **5.** ébréchure *f* **6.** INFORM puce *f* **7.** jeton *m*. ◼ *vt* ébrécher.

◼ **chip in** *fam vi* **1.** contribuer **2.** mettre son grain de sel.

◼ **chip off** *vt sép* enlever petit morceau par petit morceau.

chip-and-pin *n* *(UK)* paiement *m* par carte à puce.

chipboard [ˈtʃɪpbɔːd] *n* aggloméré *m*.

chip shop *n* *(UK)* friterie *f*.

chiropodist [kɪˈrɒpədɪst] *n* pédicure *mf*.

chirp [tʃɜːp] *vi* **1.** pépier **2.** chanter.

chirpy [ˈtʃɜːpɪ] *adj* gai(e).

chisel [ˈtʃɪzl] ◼ *n* **1.** ciseau *m* **2.** burin *m*. ◼ *vt* ((*UK*) *prét & pp* **-led**, *cont* **-ling**, *(US) prét & pp* **-ed**, *cont* **-ing**) ciseler.

chit [tʃɪt] *n* note *f*, reçu *m*.

chitchat [ˈtʃɪttʃæt] *n* (*indén*) *fam* bavardage *m*.

chivalry [ˈʃɪvlrɪ] *n* (*indén*) **1.** *littéraire* chevalerie *f* **2.** galanterie *f*.

chives [tʃaɪvz] *npl* ciboulette *f*.

chlorine [ˈklɔːriːn] *n* chlore *m*.

choc-ice [ˈtʃɒkaɪs] *n* *(UK)* Esquimau® *m*.

chock [tʃɒk] *n* cale *f* (*d'une roue*).

chock-a-block, chock-full *adj fam* • **chock-a-block (with)** plein(e) à craquer (de).

chocolate [ˈtʃɒkələt] *n* chocolat *m*.

choice [tʃɔɪs] ◼ *n* choix *m*. ◼ *adj* de choix.

choir [ˈkwaɪər] *n* chœur *m*.

choirboy [ˈkwaɪəbɔɪ] *n* jeune choriste *m*.

choke [tʃəʊk] ◼ *n* starter *m*. ◼ *vt* **1.** étrangler, étouffer **2.** obstruer, boucher. ◼ *vi* s'étrangler.

cholera [ˈkɒlərə] *n* choléra *m*.

choose [tʃuːz] (*prét* **chose**, *pp* **chosen**) *vt* **1.** choisir **2.** • **to choose to do sthg** décider *ou* choisir de faire qqch.

choos(e)y [ˈtʃuːzɪ] (*comp* **-ier**, *superl* **-iest**) *adj* difficile.

chop [tʃɒp] ◼ *n* côtelette *f*. ◼ *vt* **1.** couper (*du bois*) **2.** hacher (*des légumes*) **3.** *fam fig* réduire • **to chop and change** changer sans cesse d'avis.

◼ **chops** *npl fam* babines *fpl*.

◼ **chop down** *vt sép* abattre (*un arbre*).

◼ **chop up** *vt sép* couper en morceaux.

chopper [ˈtʃɒpər] *n* **1.** couperet *m* **2.** *fam* hélico *m*.

choppy [ˈtʃɒpɪ] *adj* agité(e).

chord [kɔːd] *n* MUS accord *m*.

chore [tʃɔːr] *n* corvée *f* • **household chores** travaux *mpl* ménagers.

chortle [ˈtʃɔːtl] *vi* glousser.

chorus [ˈkɔːrəs] *n* **1.** refrain *m* **2.** chœur *m* **3.** *fig* concert *m* (*de louanges*).

chose [tʃəʊz] *passé* ▷ **choose**.

chosen [ˈtʃəʊzn] *pp* ▷ **choose**.

Christ [kraɪst] ◼ *n* Christ *m*. ◼ *interj* Seigneur !, bon Dieu !

christen [ˈkrɪsn] *vt* **1.** baptiser **2.** nommer.

christening [ˈkrɪsnɪŋ] *n* baptême *m*.

Christian [ˈkrɪstʃən] ◼ *adj* chrétien (enne). ◼ *n* chrétien *m*, -enne *f*.

Christianity [ˌkrɪstɪˈænətɪ] *n* christianisme *m*.

Christian name *n* prénom *m*.

Christmas [ˈkrɪsməs] *n* Noël *m* • **happy** *ou* **merry Christmas!** joyeux Noël !

Christmas card *n* carte *f* de Noël.

Christmas Day *n* jour *m* de Noël.

Christmas Eve *n* veille *f* de Noël.

Christmas pudding n (UK) pudding m (de Noël).

Christmas tree n arbre m de Noël.

chrome [krəʊm], **chromium** ['krəʊmɪəm] ◼ n chrome m. ◼ en apposition chromé(e).

chronic ['krɒnɪk] adj **1.** (maladie, chômage) chronique **2.** (menteur, fumeur) invétéré(e).

chronicle ['krɒnɪkl] n chronique f.

chronological [ˌkrɒnə'lɒdʒɪkl] adj chronologique.

chrysanthemum [krɪ'sænθəməm] (pl -s) n chrysanthème m.

chubby ['tʃʌbɪ] adj **1.** joufflu(e) **2.** potelé(e).

chuck [tʃʌk] vt fam **1.** lancer, envoyer **2.** laisser tomber (son petit ami, sa petite amie).
◼ **chuck away, chuck out** vt sép fam jeter, balancer.

chuckle ['tʃʌkl] vi glousser.

chug [tʃʌg] vi (voiture, train) faire teuf-teuf.

chum [tʃʌm] n fam copain m, copine f.

chunk [tʃʌŋk] n gros morceau m.

church [tʃɜːtʃ] n église f.

Church of England n ◦ **the Church of England** l'Église d'Angleterre.

churchyard ['tʃɜːtʃjɑːd] n cimetière m.

churlish ['tʃɜːlɪʃ] adj grossier(ère).

churn [tʃɜːn] ◼ n **1.** baratte f **2.** bidon m (de lait). ◼ vt battre.
◼ **churn out** vt sép fam produire en série.

chute [ʃuːt] n glissière f ◦ **rubbish** (UK) ou **garbage** (US) **chute** vide-ordures m inv.

chutney ['tʃʌtnɪ] n chutney m.

CIA (abr de **Central Intelligence Agency**) n CIA f.

CID (abr de **Criminal Investigation Department**) n la police judiciaire britannique.

cider ['saɪdər] n (UK) cidre m.

cigar [sɪ'gɑːr] n cigare m.

cigarette [ˌsɪgə'ret] n cigarette f.

cinder ['sɪndər] n cendre f.

Cinderella [ˌsɪndə'relə] n Cendrillon f.

cine-camera ['sɪnɪ-] n caméra f.

cine-film ['sɪnɪ-] n (UK) film m.

cinema ['sɪnəmə] n (UK) cinéma m.

cinnamon ['sɪnəmən] n cannelle f.

cipher ['saɪfər] n code m.

circa ['sɜːkə] prép environ.

circle ['sɜːkl] ◼ n **1.** cercle m **2.** (dans un théâtre) balcon m. ◼ vt **1.** entourer (d'un cercle) **2.** faire le tour de. ◼ vi tourner en rond.

circuit ['sɜːkɪt] n circuit m.

circuitous [sə'kjuːɪtəs] adj indirect(e).

circular ['sɜːkjʊlər] ◼ adj circulaire. ◼ n **1.** circulaire f **2.** prospectus m.

circulate ['sɜːkjʊleɪt] ◼ vi **1.** circuler **2.** se mêler aux invités. ◼ vt **1.** propager **2.** faire circuler.

circulation [ˌsɜːkjʊ'leɪʃn] n **1.** circulation f **2.** PRESSE tirage m.

circumcision [ˌsɜːkəm'sɪʒn] n circoncision f.

circumference [sə'kʌmfərəns] n circonférence f.

circumflex ['sɜːkəmfleks] n ◦ **circumflex (accent)** accent m circonflexe.

circumspect ['sɜːkəmspekt] adj circonspect(e).

circumstances ['sɜːkəmstənsɪz] npl circonstances fpl ◦ **under** ou **in no circumstances** en aucun cas.

circumvent [ˌsɜːkəm'vent] vt sout tourner, contourner.

circus ['sɜːkəs] n cirque m.

CIS (abr de **Commonwealth of Independent States**) n CEI f.

cistern ['sɪstən] n **1.** (UK) réservoir m d'eau **2.** réservoir m de chasse d'eau.

cite [saɪt] vt citer.

citizen ['sɪtɪzn] n **1.** citoyen m, -enne f **2.** habitant m, -e f.

Citizens' Advice Bureau n service britannique d'information et d'aide au consommateur.

Citizens' Band n citizen band f (fréquence radio réservée au public).

citizenship ['sɪtɪznʃɪp] n citoyenneté f.

citrus fruit ['sɪtrəs-] n agrume m.

city ['sɪtɪ] n ville f, cité f.
◼ **City** n (UK) ◦ **the City** la City (quartier financier de Londres).

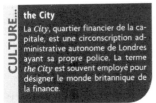

city centre (UK) n centre-ville m.

city hall n (US) ≃ mairie f, ≃ hôtel m de ville.

city technology college n (UK) établissement d'enseignement technique du secondaire subventionné par les entreprises.

civic ['sɪvɪk] adj 1. municipal(e) 2. civique.

civic centre (UK), **civic center** (US) n centre m administratif municipal.

civil ['sɪvl] adj 1. civil(e) 2. courtois(e), poli(e).

civil engineering n génie m civil.

civilian [sɪ'vɪljən] ■ n civil m, -e f. ■ en apposition civil(e).

civilization [ˌsɪvəlaɪ'zeɪʃn] n civilisation f.

civilized ['sɪvəlaɪzd] adj civilisé(e).

civil law n droit m civil.

civil liberties npl libertés fpl civiques.

civil partnership n loi britannique qui garantit aux couples homosexuels les mêmes droits qu'aux couples mariés en matière de succession, de retraite, et pour les questions de garde et d'éducation des enfants.

civil rights npl droits mpl civils.

civil servant n fonctionnaire mf.

civil service n fonction f publique.

civil war n guerre f civile.

cl (abr de **centilitre**) cl.

clad [klæd] adj littéraire ▪ **clad in** vêtu(e) de.

claim [kleɪm] ■ n 1. demande f 2. droit m ▪ **to lay claim to sthg** revendiquer qqch 3. affirmation f. ■ vt 1. réclamer 2. revendiquer 3. prétendre ▪ **she claims to have seen the murderer** elle prétend avoir vu l'assassin. ■ vi ▪ **to claim for sthg** faire une demande d'indemnité pour qqch ▪ **to claim (on one's insurance)** faire une déclaration de sinistre.

claimant ['kleɪmənt] n 1. prétendant m, -e f (au trône) 2. demandeur m, -eresse f (de prestations sociales), requérant m, -e f.

clairvoyant [kleə'vɔɪənt] n voyant m, -e f.

clam [klæm] n palourde f.

clamber ['klæmbər] vi grimper.

clammy ['klæmɪ] adj 1. (mains) moite 2. (temps) lourd et humide.

clamour (UK), **clamor** (US) ['klæmər] ■ n (indén) cris mpl. ■ vi ▪ **to clamour for sthg** demander qqch à cor et à cri.

clamp [klæmp] ■ n 1. pince f, agrafe f 2. serre-joint m 3. MÉD clamp m 4. sabot m de Denver. ■ vt 1. serrer 2. poser un sabot de Denver à. ■ **clamp down** vi ▪ **to clamp down (on)** sévir (contre).

clan [klæn] n clan m.

clandestine [klæn'destɪn] adj clandestin(e).

clang [klæŋ] n bruit m métallique.

clap [klæp] vt applaudir.

clapping ['klæpɪŋ] n (indén) applaudissements mpl.

claret ['klærət] n 1. (vin) bordeaux m rouge 2. (couleur) bordeaux m inv.

clarify ['klærɪfaɪ] vt éclaircir, clarifier.

clarinet [ˌklærə'net] n clarinette f.

clarity ['klærətɪ] n clarté f.

clash [klæʃ] ■ n 1. conflit m 2. heurt m, affrontement m 3. fracas m. ■ vi 1. se heurter 2. entrer en conflit 3. ▪ **to clash (with sthg)** tomber en même temps (que qqch) 4. (couleurs) jurer.

clasp [klɑːsp] ■ n 1. fermoir m 2. boucle f (de ceinture). ■ vt serrer.

class [klɑːs] ■ n 1. classe f 2. cours m, classe f 3. catégorie f. ■ vt classer.

classic ['klæsɪk] ■ *adj* classique. ■ *n* classique *m*.

classical ['klæsɪkl] *adj* classique.

classified ['klæsɪfaɪd] *adj* classé secret(classée secrète).

classified ad *n* petite annonce *f*.

classify ['klæsɪfaɪ] *vt* classifier, classer.

classmate ['klɑːsmeɪt] *n* camarade *mf* de classe.

classroom ['klɑːsrʊm] *n* (salle *f* de) classe *f*.

classroom assistant *n* aide-éducateur *m*, -rice *f*.

classy ['klɑːsɪ] *adj fam* chic (inv).

clatter ['klætər] *n* **1.** cliquetis *m* **2.** fracas *m*.

clause [klɔːz] *n* **1.** clause *f* **2.** GRAMM proposition *f*.

claw [klɔː] ■ *n* **1.** griffe *f* (d'un chat) **2.** pince *f* (de crabe). ■ *vt* griffer.

clay [kleɪ] *n* argile *f*.

clean [kliːn] ■ *adj* **1.** propre **2.** (feuille de papier) vierge **3.** (réputation) sans tache **4.** (plaisanterie) de bon goût **5.** net(nette). ■ *vt* nettoyer. ■ *vi* faire le ménage.
■ **clean out** *vt sép* nettoyer à fond.
■ **clean up** *vt sép* nettoyer.

cleaner ['kliːnər] *n* **1.** personne *f* qui fait le ménage **2.** produit *m* d'entretien.

cleaning ['kliːnɪŋ] *n* nettoyage *m*.

cleanliness ['klenlɪnɪs] *n* propreté *f*.

cleanse [klenz] *vt* **1.** nettoyer **2.** *fig* purifier.

cleanser ['klenzər] *n* **1.** détergent *m* **2.** démaquillant *m*.

clean-shaven [-'ʃeɪvn] *adj* rasé(e) de près.

clear [klɪər] ■ *adj* **1.** clair(e) **2.** (verre, plastique) transparent(e) **3.** (voie, espace) libre, dégagé(e). ■ *adv* • **to stand clear** s'écarter • **to stay** *ou* **steer clear of sb/sthg** éviter qqn/qqch. ■ *vt* **1.** dégager **2.** débarrasser **3.** enlever • **I went for a walk to clear my head** j'ai fait un tour pour m'éclaircir les idées **4.** innocenter **5.** sauter, franchir **6.** s'acquitter de **7.** donner le feu vert à. ■ *vi* **1.** (brouillard) se dissiper **2.** (ciel) s'éclaircir.
■ **clear away** *vt sép* **1.** débarrasser **2.** enlever.
■ **clear off** *vi (UK) fam* dégager.
■ **clear out** ■ *vt sép* **1.** vider **2.** ranger. ■ *vi fam* dégager.

■ **clear up** ■ *vt sép* **1.** ranger **2.** éclaircir. ■ *vi* **1.** s'éclaircir **2.** tout ranger.

clearance ['klɪərəns] *n* **1.** enlèvement *m* (des ordures) **2.** déblaiement *m* **3.** autorisation *f*.

clear-cut *adj* net(nette).

clearing ['klɪərɪŋ] *n* clairière *f*.

clearing bank *n (UK)* banque *f* de dépôt.

clearly ['klɪəlɪ] *adv* **1.** clairement **2.** manifestement.

clearway ['klɪəweɪ] *n (UK)* route où le stationnement n'est autorisé qu'en cas d'urgence.

cleavage ['kliːvɪdʒ] *n* décolleté *m*.

cleaver ['kliːvər] *n* couperet *m*.

clef [klef] *n* clef *f*.

cleft [kleft] *n* fente *f*.

clench [klentʃ] *vt* serrer.

clergy ['klɜːdʒɪ] *npl* • **the clergy** le clergé.

clergyman ['klɜːdʒɪmən] (*pl* **-men** [-mən]) *n* membre *m* du clergé.

clerical ['klerɪkl] *adj* **1.** de bureau **2.** clérical(e).

clerk [(UK) klɑːk, (US) klɜːrk] *n* **1.** employé *m*, -e *f* de bureau **2.** DR clerc *mf* **3.** (US) vendeur *m*, -euse *f*.

clever ['klevər] *adj* **1.** intelligent(e) **2.** ingénieux(euse) **3.** habile, adroit(e).

click [klɪk] ■ *n* **1.** déclic *m* **2.** claquement *m*. ■ *vt* **1.** faire claquer **2.** cliquer. ■ *vi* **1.** claquer **2.** faire un déclic.

client ['klaɪənt] *n* client *m*, -e *f*.

cliff [klɪf] *n* falaise *f*.

climate ['klaɪmɪt] *n* climat *m*.

climate canary *n organisme ou espèce en danger, annonciateur d'une catastrophe pour les autres espèces.*

climate change *n* changement *m* climatique.

climax ['klaɪmæks] *n* apogée *m*.

climb [klaɪm] ■ *n* ascension *f*, montée *f*. ■ *vt* **1.** monter à **2.** monter **3.** escalader. ■ *vi* **1.** (personne) monter, grimper **2.** (plante) grimper **3.** (rue) monter **4.** (avion) prendre de l'altitude **5.** augmenter.

climb-down *n (UK)* reculade *f*.

climber ['klaɪmər] *n* alpiniste *mf*, grimpeur *m*, -euse *f*.

climbing ['klaɪmɪŋ] *n* **1.** escalade *f* **2.** alpinisme *m*.

clinch [klɪntʃ] *vt* conclure.

cling [klɪŋ] (*prét & pp* **clung**) *vi* **1.** • **to cling (to)** s'accrocher (à), se cramponner (à) **2.** • **to cling (to)** coller (à).

clingfilm ['klɪŋfɪlm] *n* (UK) film *m* alimentaire transparent.

clinic ['klɪnɪk] *n* centre *m* médical, clinique *f*.

clinical ['klɪnɪkl] *adj* **1.** clinique **2.** *fig* froid(e).

clink [klɪŋk] *vi* tinter.

clip [klɪp] ■ *n* **1.** trombone *m* **2.** pince *f* (à cheveux) **3.** clip *m* (de boucle d'oreille) **4.** extrait *m*. ■ *vt* **1.** attacher **2.** couper **3.** tailler **4.** découper.

clipboard ['klɪpbɔd] *n* écritoire *f* à pince.

clippers ['klɪpəz] *npl* **1.** tondeuse *f* **2.** pince *f* à ongles **3.** cisaille *f* à haie **4.** sécateur *m*.

clipping ['klɪpɪŋ] *n* (US) coupure *f*.

cloak [kləʊk] *n* cape *f*.

cloakroom ['kləʊkrʊm] *n* **1.** vestiaire *m* **2.** (UK) toilettes *fpl*.

clock [klɒk] *n* **1.** horloge *f* **2.** pendule *f* • **(a)round the clock** 24 heures sur 24 **3.** AUTO compteur *m*.
■ **clock in, clock on** *vi* pointer (à l'arrivée).
■ **clock off, clock out** *vi* pointer (à la sortie).

clockwise ['klɒkwaɪz] *adj & adv* dans le sens des aiguilles d'une montre.

clockwork ['klɒkwɜːk] ■ *n* • **to go like clockwork** *fig* aller *ou* marcher comme sur des roulettes. ■ *en apposition* mécanique.

clog [klɒg] *vt* boucher.
■ **clog up** ■ *vt sép* boucher. ■ *vi* se boucher.

close¹ [kləʊs] ■ *adj* **1.** • **close (to)** proche (de), près (de) • **a close friend** un ami intime(une amie intime) • **close up, close to** de près • **close by, close at hand** tout près • **that was a close shave** *ou* **thing** *ou* **call** on l'a échappé belle **2.** (lien, ressemblance) fort(e) **3.** (collaboration) étroit(e) **4.** (interrogatoire) serré(e) **5.** (examen) minutieux(euse) • **to keep a close watch on sb/sthg** surveiller qqn/qqch de près • **to pay close attention** faire très atten-

tion **6.** (résultat, compétition) serré(e). ■ *adv* • **close (to)** près (de) • **to come closer (together)** se rapprocher.
■ **close on, close to** *prép* près de.

close² [kləʊz] ■ *vt* fermer, clore • **to close (a window)** fermer (une fenêtre) • **to close (an application)** quitter (une application). ■ *vi* **1.** fermer **2.** (se) fermer **3.** se terminer, finir.
■ **close down** *vt sép & vi* fermer.

closed [kləʊzd] *adj* fermé(e).

close-knit [,kləʊs-] *adj* (très) uni(e).

closely ['kləʊsli] *adv* **1.** de près **2.** beaucoup • **to be closely related to** *ou* **with** être proche parent de.

closet ['klɒzɪt] ■ *n* (US) placard *m*. ■ *adj fam* non avoué(e).

close-up ['kləʊs-] *n* gros plan *m*.

closing time ['kləʊzɪŋ-] *n* heure *f* de fermeture.

closure ['kləʊʒər] *n* fermeture *f*.

clot [klɒt] ■ *n* **1.** caillot *m* **2.** (UK) *fam* empoté *m*, -e *f*. ■ *vi* coaguler.

cloth [klɒθ] *n* **1.** (indén) tissu *m* **2.** chiffon *m* **3.** torchon *m*.

clothe [kləʊð] *vt sout* habiller.

clothes [kləʊðz] *npl* vêtements *mpl*, habits *mpl*.

clothes brush *n* brosse *f* à habits.

clothesline ['kləʊðzlaɪn] *n* corde *f* à linge.

clothes peg (UK), **clothespin** (US) ['kləʊðzpɪn] *n* pince *f* à linge.

clothing ['kləʊðɪŋ] *n* (indén) vêtements *mpl*, habits *mpl*.

cloud [klaʊd] *n* nuage *m*.
■ **cloud over** *vi* se couvrir.

cloudy ['klaʊdɪ] *adj* **1.** nuageux(euse) **2.** trouble.

clout [klaʊt] *fam* ■ *n* (indén) poids *m*, influence *f*. ■ *vt* donner un coup à.

clove [kləʊv] *n* • **a clove of garlic** une gousse d'ail.
■ **cloves** *npl* clous *mpl* de girofle.

clover ['kləʊvər] *n* trèfle *m*.

clown [klaʊn] ■ *n* **1.** clown *mf* **2.** pitre *m*. ■ *vi* faire le pitre.

cloying ['klɔɪɪŋ] *adj* **1.** écœurant(e) **2.** à l'eau de rose.

club [klʌb] ■ *n* **1.** club *m* **2.** massue *f* **3.** • **(golf) club** club *m*. ■ *vt* matraquer.

■ **clubs** npl trèfle m.
■ **club together** vi se cotiser.

club car n (US) wagon-restaurant m.

club class n classe f club.

clubhouse ['klʌbhaʊs] (pl [-haʊzɪz]) n club m, pavillon m.

cluck [klʌk] vi glousser.

clue [kluː] n 1. indice m • **I haven't (got) a clue (about)** je n'ai aucune idée (sur) 2. définition f (dans les mots croisés).

clued-up [kluːd-] adj (UK) fam calé(e).

clump [klʌmp] n massif m, bouquet m.

clumsy ['klʌmzɪ] adj maladroit(e), gauche.

clung [klʌŋ] passé & pp ▷ **cling**.

cluster ['klʌstər] ■ n groupe m. ■ vi 1. se rassembler 2. être regroupé(e).

clutch [klʌtʃ] ■ n embrayage m. ■ vt agripper. ■ vi • **to clutch at** s'agripper à.

clutter ['klʌtər] ■ n désordre m. ■ vt mettre en désordre.

cm (abr de **centimetre**) n cm.

CND (abr de **Campaign for Nuclear Disarmament**) n mouvement pour le désarmement nucléaire.

c/o (abr de **care of**) a/s.

Co. 1. (abr de **Company**) Cie 2. abrév de **County**.

coach [kəʊtʃ] ■ n 1. (UK) car m, autocar m 2. (UK) RAIL voiture f 3. carrosse m 4. entraîneur m 5. répétiteur m, -trice f. ■ vt 1. SPORT entraîner 2. donner des leçons (particulières) à.

coal [kəʊl] n charbon m.

coalfield ['kəʊlfiːld] n bassin m houiller.

coalition [,kəʊə'lɪʃn] n coalition f.

coalman ['kəʊlmæn] (pl **-men** [-men]) n (UK) charbonnier m.

coalmine ['kəʊlmaɪn] n mine f de charbon.

coarse [kɔːs] adj 1. (tissu) grossier(ère) 2. (cheveux) épais(aisse) 3. (peau) granuleux(euse) 4. (vulgaire) grossier(ère).

coast [kəʊst] ■ n côte f. ■ vi avancer en roue libre.

coastal ['kəʊstl] adj côtier(ère).

coaster ['kəʊstər] n dessous m de verre.

coastguard ['kəʊstgɑːd] n 1. garde-côte m 2. • **the coastguard** la gendarmerie maritime.

coastline ['kəʊstlaɪn] n côte f.

coat [kəʊt] ■ n 1. manteau m 2. pelage m 3. couche f. ■ vt • **to coat sthg (with)** recouvrir qqch (de) • enduire qqch (de).

coat hanger n cintre m.

coating ['kəʊtɪŋ] n 1. couche f 2. CULIN glaçage m.

coat of arms (pl coats of arms) n blason m.

coax [kəʊks] vt • **to coax sb (to do** OU **into doing sthg)** persuader qqn (de faire qqch) à force de cajoleries.

cob [kɒb] n ▷ **corn**.

cobbled ['kɒbld] adj pavé(e).

cobbler ['kɒblər] n cordonnier m, -ière f.

cobbles ['kɒblz], **cobblestones** ['kɒblstəʊnz] npl pavés mpl.

cobweb ['kɒbweb] n toile f d'araignée.

Coca-Cola® [,kəʊkə'kəʊlə] n Coca-Cola® m inv.

cocaine [kəʊ'keɪn] n cocaïne f.

cock [kɒk] ■ n 1. coq m 2. mâle m. ■ vt 1. armer (un pistolet) 2. incliner (la tête). ■ **cock up** vt sép (UK) tfam faire merder.

cockerel ['kɒkrəl] n jeune coq m.

cockeyed ['kɒkaɪd] adj fam 1. de travers 2. complètement fou(folle).

cockle ['kɒkl] n coque f (mollusque).

Cockney ['kɒknɪ] n (pl **Cockneys**) Cockney mf (personne issue des quartiers populaires de l'est de Londres).

cockpit ['kɒkpɪt] n cockpit m.

cockroach ['kɒkrəʊtʃ] n cafard m.

cocksure [,kɒk'ʃɔr] adj trop sûr(e) de soi.

cocktail ['kɒkteɪl] n cocktail m.

cock-up n (UK) tfam • **to make a cock-up** se planter.

cocky ['kɒkɪ] adj fam suffisant(e).

cocoa ['kəʊkəʊ] n cacao m.

coconut ['kəʊkənʌt] n noix f de coco.

cod [kɒd] (pl inv) n morue f.

code [kəʊd] ■ n code m. ■ vt coder.

cod-liver oil n huile f de foie de morue.

coerce [kəʊ'ɜːs] *vt* ◦ **to coerce sb (into doing sthg)** contraindre qqn (à faire qqch).

coffee ['kɒfɪ] *n* café *m*.

coffee bar *n (UK)* café *m (établissement)*.

coffee break *n* pause-café *f*.

coffee grinder *n* moulin *m* à café.

coffee morning *n (UK) réunion matinale pour prendre le café.*

coffeepot ['kɒfɪpɒt] *n* cafetière *f*.

coffee shop *n* **1.** *(UK)* café *m* **2.** *(US)* ≃ café-restaurant *m*.

coffee table *n* table *f* basse.

coffin ['kɒfɪn] *n* cercueil *m*.

cog [kɒg] *n* **1.** dent *f* **2.** roue *f* dentée.

coherent [kəʊ'hɪərənt] *adj* cohérent(e).

cohesive [kəʊ'hiːsɪv] *adj* cohésif(ive).

coil [kɔɪl] ◼ *n* **1.** rouleau *m (de corde)* **2.** boucle *f* **3.** ÉLECTR bobine *f* **4.** *(UK)* stérilet *m*. ◼ *vt* enrouler. ◼ *vi* s'enrouler. ◼ **coil up** *vt sép* enrouler.

coin [kɔɪn] ◼ *n* pièce *f* (de monnaie). ◼ *vt* inventer.

coinage ['kɔɪnɪdʒ] *n (indén)* monnaie *f*.

coincide [,kəʊɪn'saɪd] *vi* coïncider.

coincidence [kəʊ'ɪnsɪdəns] *n* coïncidence *f*.

coincidental [kəʊ,ɪnsɪ'dentl] *adj* de coïncidence.

Coke® [kəʊk] *n* Coca® *m*.

coke [kəʊk] *n* **1.** coke *m* **2.** *arg drogue* coco *f*, coke *f*.

cola ['kəʊlə] *n* cola *m*.

colander ['kʌləndər] *n* passoire *f*.

cold [kəʊld] ◼ *adj* froid(e) ◦ **it's cold** il fait froid ◦ **to be cold** avoir froid ◦ **to get cold** avoir froid ◦ refroidir ◦ **to catch (a) cold** attraper un rhume, s'enrhumer **2.** froid *m*.

cold-blooded [-'blʌdɪd] *adj fig* **1.** sans pitié **2.** de sang-froid.

cold sore *n* bouton *m* de fièvre.

cold war *n* ◦ **the cold war** la guerre froide.

coleslaw ['kəʊlslɔː] *n* chou *m* cru mayonnaise.

colic ['kɒlɪk] *n* colique *f*.

collaborate [kə'læbəreɪt] *vi* collaborer.

collapse [kə'læps] ◼ *n* **1.** écroulement *m*, effondrement *m* **2.** échec *m*. ◼ *vi* **1.** s'effondrer, s'écrouler **2.** échouer **3.** *(table, chaise)* être pliant(e).

collapsible [kə'læpsəbl] *adj* pliant(e).

collar ['kɒlər] ◼ *n* **1.** col *m* **2.** collier *m (de chien)* **3.** TECHNOL collier *m*, bague *f*. ◼ *vt fam* coincer.

collarbone ['kɒləbəʊn] *n* clavicule *f*.

collate [kə'leɪt] *vt* collationner.

collateral [kɒ'lætərəl] *n (indén)* nantissement *m*.

colleague ['kɒliːg] *n* collègue *mf*.

collect [kə'lekt] ◼ *vt* **1.** rassembler, recueillir **2.** ramasser ◦ **to collect o.s.** se reprendre **3.** collectionner **4.** recueillir *(de l'argent)* **5.** percevoir *(des taxes)*. ◼ *vi* **1.** se rassembler **2.** *(poussière, feuilles)* s'amasser, s'accumuler **3.** faire la quête. ◼ *adv (US)* ◦ **to call (sb) collect** téléphoner (à qqn) en PCV.

collection [kə'lekʃn] *n* **1.** collection *f* **2.** LITTÉR recueil *m* **3.** quête *f* **4.** *(poste)* levée *f*.

collective [kə'lektɪv] ◼ *adj* collectif(ive). ◼ *n* coopérative *f*.

collector [kə'lektər] *n* **1.** collectionneur *m*, -euse *f* **2.** encaisseur *m* ◦ **collector of taxes** percepteur *m*.

college ['kɒlɪdʒ] *n* **1.** ≃ école *f* d'enseignement (technique) supérieur **2.** *maison communautaire d'étudiants sur un campus universitaire.*

college of education *n* ≃ institut *m* de formation de maîtres.

collide [kə'laɪd] *vi* ◦ **to collide (with)** entrer en collision (avec).

collie ['kɒlɪ] *n* colley *m*.

colliery ['kɒljərɪ] *n (surtout UK)* mine *f*.

collision [kə'lɪʒn] *n* collision *f*.

colloquial [kə'ləʊkwɪəl] *adj* familier (ère).

collude [kə'luːd] *vi* ◦ **to collude with sb** comploter avec qqn.

Colombia [kə'lɒmbɪə] *n* Colombie *f*.

colon ['kəʊlən] *n* **1.** côlon *m* **2.** deux-points *m inv*.

colonel ['kɜːnl] *n* colonel *m*.

colonial [kə'ləʊnjəl] *adj* colonial(e).

colonize, -ise ['kɒlənaɪz] *vt* coloniser.

colony ['kɒlənɪ] *n* colonie *f*.

color *(US)* = **colour** etc.

colossal [kə'lɒsl] *adj* colossal(e).

colour *(UK)*, **color** *(US)* ['kʌlə'] ■ *n* couleur *f*. ■ *adj* en couleur. ■ *vt* 1. colorer 2. colorier 3. teindre 4. *fig* fausser *(un jugement)*. ■ *vi* rougir.

colour bar *(UK)*, **color bar** *(US)* *n* discrimination *f* raciale.

colour barrier *(UK)*, **color barrier** *(US)* *n* discrimination *f* raciale.

colour-blind *(UK)*, **color-blind** *(US)* *adj* 1. *litt* daltonien(enne) 2. *fig* qui ne fait pas de discrimination raciale.

coloured *(UK)*, **colored** *(US)* ['kʌləd] *adj* de couleur • **brightly coloured** de couleur vive.

colourful *(UK)*, **colorful** *(US)* ['kʌləfʊl] *adj* 1. coloré(e) 2. haut(e) en couleur.

colouring *(UK)*, **coloring** *(US)* ['kʌlərɪŋ] *n* 1. colorant *m* 2. *(indén)* teint *m*.

colour scheme *(UK)*, **color scheme** *(US)* *n* combinaison *f* de couleurs.

colt [kəʊlt] *n* poulain *m*.

column ['kɒləm] *n* 1. colonne *f* 2. rubrique *f*.

columnist ['kɒləmnɪst] *n* chroniqueur *m*.

coma ['kəʊmə] *n* coma *m*.

comb [kəʊm] ■ *n* peigne *m*. ■ *vt* 1. peigner 2. ratisser.

combat ['kɒmbæt] ■ *n* combat *m*. ■ *vt* combattre.

combination [,kɒmbɪ'neɪʃn] *n* combinaison *f*.

combine ■ *vt* [kəm'baɪn] 1. rassembler 2. combiner • **to combine sthg with sthg** mélanger qqch avec *ou* à qqch • *fig* allier qqch à qqch. ■ *vi* [kəm'baɪn] COMM & POLIT • **to combine (with)** fusionner (avec). ■ *n* ['kɒmbaɪn] cartel *m*.

combine harvester [-'hɑ:vɪstə'] *n* moissonneuse-batteuse *f*.

come [kʌm] *(prét* **came**, *pp* **come**) *vi* 1. venir 2. arriver • **coming!** j'arrive ! • **I've got people coming** j'ai des invités • il y a des gens qui viennent • **the news came as a shock** la nouvelle m'a/lui a *etc* fait un choc 3. • **to come up to** arriver à, monter jusqu'à • **to come down to** descendre *ou* tomber jusqu'à 4. arriver, se produire • **come what may** quoi qu'il arrive 5. • **to come true** se réaliser • **to**

come undone se défaire • **to come unstuck** se décoller 6. • **to come to do sthg** en venir à faire qqch 7. venir, être placé(e) • **P comes before Q** P vient avant Q, P précède Q • **she came second in the exam** elle était deuxième à l'examen.

■ **come about** *vi* arriver, se produire.

■ **come across** *vt insép* tomber sur, trouver par hasard.

■ **come along** *vi* 1. arriver 2. *(travail)* avancer 3. *(élève)* faire des progrès.

■ **come apart** *vi* 1. tomber en morceaux 2. se détacher.

■ **come around**, **come round** *(UK)* *vi* reprendre connaissance, revenir à soi.

■ **come at** *vt insép* attaquer.

■ **come back** *vi* 1. revenir 2. • **to come back (to sb)** revenir (à qqn).

■ **come by** *vt insép* trouver, dénicher.

■ **come down** *vi* 1. baisser 2. descendre.

■ **come down to** *vt insép* se résumer à, se réduire à.

■ **come down with** *vt insép* attraper *(la grippe, un rhume)*.

■ **come forward** *vi* se présenter.

■ **come from** *vt insép* venir de.

■ **come in** *vi* entrer.

■ **come in for** *vt insép* être l'objet de.

■ **come into** *vt insép* 1. hériter de 2. • **to come into being** prendre naissance, voir le jour.

■ **come off** *vi* 1. *(bouton)* se détacher 2. *(tache)* s'enlever 3. réussir • **come off it!** *fam* et puis quoi encore !, non mais sans blague !

■ **come on** *vi* 1. commencer, apparaître 2. s'allumer 3. avancer, faire des progrès 4. • **come on!** allez ! • allez, dépêche-toi ! • allons donc !

■ **come out** *vi* 1. être découvert(e) 2. *(livre, film)* sortir, paraître 3. *(soleil, lune)* apparaître 4. faire grève 5. • **to come out for/against sthg** se déclarer pour/contre qqch.

■ **come round** *(UK)* *vi* = **come around**.

■ **come through** *vt insép* survivre à.

■ **come to** ■ *vt insép* 1. • **to come to an end** se terminer, prendre fin • **to come to a decision** parvenir à *ou* prendre une décision 2. *(somme, total)* s'élever à. ■ *vi* revenir à soi, reprendre connaissance.

■ **come under** *vt insép* 1. dépendre de 2. tomber sous, être soumis à • **the government is coming under pressure** le gouvernement subit des pressions • **to come under attack (from)** être en butte aux attaques (de).

■ **come up** *vi* **1.** survenir **2.** approcher **3.** *(occasion)* se présenter **4.** *(soleil)* se lever.

■ **come up against** *vt insép* se heurter à.

■ **come up to** *vt insép* **1.** s'approcher de **2.** répondre à.

■ **come up with** *vt insép* proposer *(une réponse, une idée).*

comeback ['kʌmbæk] *n* come-back *m* ● **to make a comeback** revenir à la mode ● *(acteur)* revenir à la scène.

comedian [kə'miːdjən] *n* **1.** comique *m* **2.** THÉÂTRE comédien *m*.

comedown ['kʌmdaʊn] *n fam* ● **it was a comedown for her** elle est tombée bien bas pour faire ça.

comedy ['kɒmədɪ] *n* comédie *f*.

comet ['kɒmɪt] *n* comète *f*.

come-uppance [,kʌm'ʌpəns] *n* ● **to get one's come-uppance** *fam* recevoir ce que l'on mérite.

comfort ['kʌmfət] ■ *n* **1.** *(indén)* confort *m* **2.** commodité *f* **3.** réconfort *m*, consolation *f*. ■ *vt* réconforter, consoler.

comfortable ['kʌmftəbl] *adj* **1.** confortable **2.** *fig* à l'aise.

comfortably ['kʌmftəblɪ] *adv* **1.** confortablement **2.** à l'aise **3.** aisément.

comfort station *n (US) vieilli* toilettes *fpl* publiques.

comic ['kɒmɪk] ■ *adj* comique, amusant(e). ■ *n* **1.** comique *m*, actrice *f* comique **2.** bande *f* dessinée.

comical ['kɒmɪkl] *adj* comique, drôle.

comic strip *n* bande *f* dessinée.

coming ['kʌmɪŋ] ■ *adj* à venir, futur(e). ■ *n* ● **comings and goings** allées et venues *fpl*.

comma ['kɒmə] *n* virgule *f*.

command [kə'mɑːnd] ■ *n* **1.** ordre *m* **2.** *(indén)* commandement *m* **3.** maîtrise *f (du langage, d'un sujet)* ● **to have at one's command** maîtriser ● avoir à sa disposition **4.** INFORM commande *f*. ■ *vt* **1.** ● **to command sb to do sthg** ordonner à qqn de faire qqch **2.** MIL commander **3.** inspirer *(le respect)* **4.** mériter *(l'attention).*

commandeer [,kɒmən'dɪər] *vt* réquisitionner.

commander [kə'mɑːndər] *n* **1.** commandant *m* **2.** capitaine *m* de frégate.

commando [kə'mɑːndəʊ] *(pl* **-s** *ou* **-es)** *n* commando *m*.

commemorate [kə'meməreɪt] *vt* commémorer.

commemoration [kə,memə'reɪʃn] *n* commémoration *f*.

commence [kə'mens] *sout* ■ *vt* commencer, entamer ● **to commence doing sthg** commencer à faire qqch. ■ *vi* commencer.

commend [kə'mend] *vt* **1.** féliciter **2.** recommander.

commensurate [kə'menʃərət] *adj sout* ● **commensurate with** correspondant(e) à.

comment ['kɒment] ■ *n* commentaire *m*, remarque *f*. ■ *vt* ● **to comment that** remarquer que. ■ *vi* ● **to comment (on)** faire des commentaires *ou* remarques (sur).

commentary ['kɒməntrɪ] *n* commentaire *m*.

commentator ['kɒmənteɪtər] *n* commentateur *m*, -trice *f*.

commerce ['kɒmɜːs] *n (indén)* commerce *m*, affaires *fpl*.

commercial [kə'mɜːʃl] ■ *adj* commercial(e). ■ *n* RADIO & TV publicité *f*, spot *m* publicitaire.

commercial break *n* publicités *fpl*.

commiserate [kə'mɪzəreɪt] *vi* ● **to commiserate with sb** témoigner de la compassion pour qqn.

commission [kə'mɪʃn] ■ *n* **1.** commission *f* **2.** commande *f*. ■ *vt* commander ● **to commission sb to do sthg** charger qqn de faire qqch.

commissionaire [kə,mɪʃə'neər] *n (UK)* portier *m (d'un hôtel, etc).*

commissioner [kə'mɪʃnər] *n* commissaire *mf (de police).*

commit [kə'mɪt] *vt* **1.** commettre ● **to commit suicide** se suicider **2.** allouer ● **to commit o.s. (to sthg)** s'engager (à qqch) **3.** ● **to commit sb to prison** faire incarcérer qqn ● **to commit sthg to memory** apprendre qqch par cœur.

commitment [kə'mɪtmənt] *n* **1.** *(indén)* engagement *m* **2.** obligation *f*.

committee [kə'mɪtɪ] *n* commission *f*, comité *m*.

commodity [kə'mɒdətɪ] *n* marchandise *f*.

common ['kɒmən] ◼ *adj* **1.** courant(e) **2.** • **common (to)** commun(e) (à) **3.** banal(e) **4.** *(UK)* péj vulgaire. ◼ *n* terrain *m* communal.

common law *n* droit *m* coutumier.

commonly ['kɒmənlɪ] *adv* d'une manière générale, généralement.

Common Market *n vieilli* • **the Common Market** le Marché commun.

commonplace ['kɒmənpleɪs] *adj* banal(e), ordinaire.

common room *n* **1.** salle *f* des professeurs **2.** *(étudiants)* salle commune.

Commons ['kɒmənz] *npl (UK)* • **the Commons** les Communes *fpl*, la Chambre des Communes.

common sense *n (indén)* bon sens *m*.

Commonwealth ['kɒmənwelθ] *n* • **the Commonwealth** le Commonwealth.

Commonwealth of Independent States *n* • **the Commonwealth of Independent States** la Communauté des États Indépendants.

commotion [kə'məʊʃn] *n* remue-ménage *m*.

communal ['kɒmjʊnl] *adj* **1.** commun(e) **2.** communautaire, collectif(ive).

commune ◼ *n* ['kɒmju:n] communauté *f*. ◼ *vi* [kə'mju:n] • **to commune with** communier avec.

communicate [kə'mju:nɪkeɪt] *vt & vi* communiquer.

communication [kə,mju:nɪ'keɪʃn] *n* **1.** contact *m* **2.** TÉLÉCOM communication *f*.

communication cord *n (UK)* sonnette *f* d'alarme.

communion [kə'mju:njən] *n* communion *f*.
◼ **Communion** *n (indén)* RELIG communion *f*.

Communism ['kɒmjʊnɪzm] *n* communisme *m*.

Communist ['kɒmjʊnɪst] ◼ *adj* communiste. ◼ *n* communiste *mf*.

community [kə'mju:nətɪ] *n* communauté *f*.

community centre *(UK)*, **community center** *(US)* *n* foyer *m* municipal.

community charge *n (UK)* ≃ impôts *mpl* locaux.

commutation ticket [,kɒmju:'teɪʃn] *n (US)* carte *f* de transport.

commute [kə'mju:t] ◼ *vt* DR commuer. ◼ *vi* faire la navette pour se rendre à son travail.

commuter [kə'mju:tər] *n personne qui fait tous les jours la navette de banlieue en ville pour se rendre à son travail.*

compact ◼ *adj* [kəm'pækt] compact(e). ◼ *n* ['kɒmpækt] poudrier *m*.

compact disc *n* compact disc *m*.

compact disc player *n* lecteur *m* de CD.

companion [kəm'pænjən] *n* camarade *mf*.

companionship [kəm'pænjənʃɪp] *n* compagnie *f*.

company ['kʌmpənɪ] *n* **1.** COMM société *f*, compagnie *f* **2.** compagnie *f* • **to keep sb company** tenir compagnie à qqn **3.** THÉÂTRE troupe *f*.

company secretary *n* secrétaire général *m*, secrétaire générale *f*.

comparable ['kɒmprəbl] *adj* comparable.

comparative [kəm'pærətɪv] *adj* **1.** relatif(ive) **2.** comparatif(ive).

comparatively [kəm'pærətɪvlɪ] *adv* relativement.

compare [kəm'peər] ◼ *vt* • **to compare sb/sthg (with** *ou* **to)** comparer qqn/qqch (avec), comparer qqn/qqch (à) • **compared with** *ou* **to** par rapport à. ◼ *vi* • **to compare (with)** être comparable (à).

comparison [kəm'pærɪsn] *n* comparaison *f* • **in comparison with** *ou* **to** en comparaison de, par rapport à.

compartment [kəm'pɑːtmənt] n compartiment m.

compass ['kʌmpəs] n boussole f.
■ **compasses** npl ▪ **(a pair of) compasses** un compas.

compassion [kəm'pæʃn] n compassion f.

compassionate [kəm'pæʃənət] adj compatissant(e).

compatible [kəm'pætəbl] adj ▪ **compatible (with)** compatible (avec).

compel [kəm'pel] vt contraindre, obliger.

compelling [kəm'pelɪŋ] adj irrésistible.

compensate ['kɒmpenseɪt] ■ vt ▪ **to compensate sb for sthg** dédommager ou indemniser qqn de qqch. ■ vi ▪ **to compensate for sthg** compenser qqch.

compensation [,kɒmpen'seɪʃn] n 1. dédommagement 2. compensation.

compete [kəm'piːt] vi 1. ▪ **to compete with sb for sthg** disputer qqch à qqn ▪ **to compete for sthg** se disputer qqch 2. COMM ▪ **to compete** être en concurrence 3. être en compétition.

competence ['kɒmpɪtəns] n (indén) compétence f, capacité f.

competent ['kɒmpɪtənt] adj compétent(e).

competition [,kɒmpɪ'tɪʃn] n 1. (indén) rivalité f, concurrence f 2. (indén) COMM concurrence f 3. concours m, compétition f (sportive).

competitive [kəm'petətɪv] adj 1. qui a l'esprit de compétition 2. (sport) de compétition 3. COMM compétitif(ive), concurrentiel(elle).

competitor [kəm'petɪtər] n concurrent m, -e f.

compile [kəm'paɪl] vt rédiger.

complacency [kəm'pleɪsnsɪ] n autosatisfaction f.

complain [kəm'pleɪn] vi se plaindre.

complaint [kəm'pleɪnt] n 1. plainte f 2. (dans une boutique) réclamation f 3. affection f, maladie f.

complement ■ n ['kɒmplɪmənt] 1. accompagnement m 2. effectif m 3. GRAMM complément m. ■ vt ['kɒmplɪ,ment] aller bien avec.

complementary [,kɒmplɪ'mentərɪ] adj complémentaire.

complete [kəm'pliːt] ■ adj 1. complet(ète) 2. achevé(e). ■ vt 1. compléter 2. achever, terminer 3. remplir (un questionnaire).

completely [kəm'pliːtlɪ] adv complètement.

completion [kəm'pliːʃn] n achèvement m.

complex ['kɒmpleks] ■ adj complexe. ■ n complexe m.

complexion [kəm'plekʃn] n teint m.

compliance [kəm'plaɪəns] n ▪ **compliance (with)** conformité f (à).

complicate ['kɒmplɪkeɪt] vt compliquer.

complicated ['kɒmplɪkeɪtɪd] adj compliqué(e).

complication [,kɒmplɪ'keɪʃn] n complication f.

compliment ■ n ['kɒmplɪmənt] compliment m. ■ vt ['kɒmplɪ,ment] ▪ **to compliment sb (on)** féliciter qqn (de).

complimentary [,kɒmplɪ'mentərɪ] adj 1. flatteur(euse) 2. gratuit(e).

complimentary ticket n billet m de faveur.

comply [kəm'plaɪ] vi ▪ **to comply with** se conformer à.

component [kəm'pəʊnənt] n composant m.

compose [kəm'pəʊz] vt 1. composer ▪ **to be composed of** être composé de 2. ▪ **to compose o.s.** se calmer.

composed [kəm'pəʊzd] adj calme.

composer [kəm'pəʊzər] n compositeur m, -trice f.

composition [,kɒmpə'zɪʃn] n composition f.

compost [(UK) 'kɒmpɒst, (US) 'kɒmpəʊst] n compost m.

composure [kəm'pəʊʒər] n sang-froid m, calme m.

compound n ['kɒmpaʊnd] 1. CHIM & LING composé m 2. enceinte f.

compound fracture n fracture f multiple.

comprehend [,kɒmprɪ'hend] vt comprendre.

comprehension [,kɒmprɪ'henʃn] n compréhension f.

comprehensive [ˌkɒmprɪ'hensɪv] ◾ *adj* **1.** *(description, rapport)* exhaustif(ive), détaillé(e) **2.** *(assurance)* tous-risques *(inv).* ◾ *n (UK)* = **comprehensive school.**

comprehensive school *n* établissement secondaire britannique d'enseignement général.

compress [kəm'pres] *vt* **1.** comprimer **2.** condenser *(un texte).*

comprise [kəm'praɪz] *vt* comprendre, être composé de ◦ **to be comprised of** consister en, comprendre.

compromise ['kɒmprəmaɪz] ◾ *n* compromis *m.* ◾ *vt* compromettre. ◾ *vi* transiger.

compulsion [kəm'pʌlʃn] *n* **1.** ◦ **to have a compulsion to do sthg** ne pas pouvoir s'empêcher de faire qqch **2.** *(indén)* obligation *f.*

compulsive [kəm'pʌlsɪv] *adj* **1.** *(fumeur, menteur)* invétéré(e) **2.** *(livre, film)* captivant(e).

compulsory [kəm'pʌlsərɪ] *adj* obligatoire.

computer [kəm'pjuːtər] *n* ordinateur *m.*

computer game *n* jeu *m* électronique.

computerized, -ised [kəm'pjuːtəraɪzd] *adj* informatisé(e).

computer science *n* informatique *f.*

computer scientist *n* informaticien *m,* -enne *f.*

computing [kəm'pjuːtɪŋ] *n* informatique *f.*

comrade ['kɒmreɪd] *n* camarade *mf.*

con [kɒn] *fam* ◾ *n* escroquerie *f.* ◾ *vt* ◦ **to con sb** escroquer qqn.

concave [ˌkɒn'keɪv] *adj* concave.

conceal [kən'siːl] *vt* cacher, dissimuler ◦ **to conceal sthg from sb** cacher qqch à qqn.

concede [kən'siːd] ◾ *vt* concéder. ◾ *vi* céder.

conceit [kən'siːt] *n* vanité *f.*

conceited [kən'siːtɪd] *adj* vaniteux (euse).

conceive [kən'siːv] ◾ *vt* concevoir. ◾ *vi* MÉD concevoir.

concentrate ['kɒnsəntreɪt] ◾ *vt* concentrer. ◾ *vi* ◦ **to concentrate (on)** se concentrer (sur).

concentration [ˌkɒnsən'treɪʃn] *n* concentration *f.*

concentration camp *n* camp *m* de concentration.

concept ['kɒnsept] *n* concept *m.*

concern [kən'sɜːn] ◾ *n* **1.** souci *m,* inquiétude *f* **2.** COMM affaire *f.* ◾ *vt* **1.** inquiéter ◦ **to be concerned (about)** s'inquiéter (de) **2.** concerner, intéresser ◦ **as far as I'm concerned** en ce qui me concerne **3.** traiter de.

concerning [kən'sɜːnɪŋ] *prép* en ce qui concerne.

concert ['kɒnsət] *n* concert *m.*

concerted [kən'sɜːtɪd] *adj* concerté(e).

concert hall *n* salle *f* de concert.

concertina [ˌkɒnsə'tiːnə] *n* concertina *m.*

concerto [kən'tʃɜːtəʊ] *(pl* -s) *n* concerto *m.*

concession [kən'seʃn] *n* **1.** concession *f* **2.** *(UK)* réduction *f.*

conciliatory [kən'sɪliətrɪ] *adj* conciliant(e).

concise [kən'saɪs] *adj* concis(e).

conclude [kən'kluːd] ◾ *vt* conclure. ◾ *vi* **1.** *(réunion)* prendre fin **2.** *(orateur)* conclure.

conclusion [kən'kluːʒn] *n* conclusion *f.*

conclusive [kən'kluːsɪv] *adj* concluant(e).

concoct [kən'kɒkt] *vt* **1.** préparer **2.** *fig* concocter.

concoction [kən'kɒkʃn] *n* préparation *f.*

concourse ['kɒŋkɔs] *n* hall *m.*

concrete ['kɒŋkriːt] ◾ *adj* concret(ète). ◾ *n (indén)* béton *m.* ◾ *en apposition* en béton.

concubine ['kɒŋkjʊbaɪn] *n* concubine *f.*

concur [kən'kɜːr] *vi* ◦ **to concur (with)** être d'accord (avec).

concurrently [kən'kʌrəntlɪ] *adv* simultanément.

concussion [kən'kʌʃn] *n* commotion *f.*

condemn [kən'dem] *vt* condamner.

condensation [ˌkɒnden'seɪʃn] *n* condensation *f.*

condense [kən'dens] ◾ *vt* condenser. ◾ *vi* se condenser.

condensed milk [kən'denst-] n lait m concentré.

condescending [ˌkɒndɪ'sendɪŋ] adj condescendant(e).

condition [kən'dɪʃn] ◼ n 1. condition f ◦ **in (a) good/bad condition** en bon/mauvais état ◦ **out of condition** pas en forme 2. maladie f. ◼ vt conditionner.

conditional [kən'dɪʃənl] adj conditionnel(elle).

conditioner [kən'dɪʃnər] n 1. après-shampooing m 2. assouplissant m.

condolences [kən'dəʊlənsɪz] npl condoléances fpl.

condom ['kɒndəm] n préservatif m.

condominium [ˌkɒndə'mɪnɪəm] n (US) 1. appartement m dans un immeuble en copropriété 2. immeuble m en copropriété.

condone [kən'dəʊn] vt excuser.

conducive [kən'djuːsɪv] adj ◦ **to be conducive to sthg** inciter à qqch.

conduct ◼ n ['kɒndʌkt] conduite f. ◼ vt [kən'dʌkt] 1. conduire 2. ◦ **to conduct o.s. well/badly** se conduire bien/mal 3. mus diriger.

conducted tour [kən'dʌktɪd-] n (UK) visite f guidée.

conductor [kən'dʌktər] n 1. chef m d'orchestre 2. receveur m (d'autobus) 3. (US) chef m de train.

conductress [kən'dʌktrɪs] n receveuse f (d'autobus).

cone [kəʊn] n 1. cône m 2. cornet m (de glace) 3. pomme f de pin.

confectioner [kən'fekʃnər] n confiseur m.

confectionery [kən'fekʃnərɪ] n confiserie f.

confederation [kənˌfedə'reɪʃn] n confédération f.

Confederation of British Industry n ◦ **the Confederation of British Industry** ≃ le conseil du patronat.

confer [kən'fɜːr] ◼ vt ◦ **to confer sthg (on sb)** conférer qqch (à qqn). ◼ vi ◦ **to confer (with sb on** ou **about sthg)** s'entretenir (avec qqn de qqch).

conference ['kɒnfərəns] n conférence f.

confess [kən'fes] vt 1. avouer, confesser 2. relig confesser.

confession [kən'feʃn] n confession f.

confetti [kən'fetɪ] n (indén) confettis mpl.

confide [kən'faɪd] vi ◦ **to confide in sb** se confier à qqn.

confidence ['kɒnfɪdəns] n 1. confiance f en soi, assurance f 2. confiance f 3. confidence f ◦ **in confidence** en confidence.

confidence trick n abus m de confiance.

confident ['kɒnfɪdənt] adj 1. ◦ **to be confident** avoir confiance en soi 2. sûr(e).

confidential [ˌkɒnfɪ'denʃl] adj confidentiel(elle).

confine [kən'faɪn] vt 1. limiter ◦ **to confine o.s. to** se limiter à 2. enfermer, confiner.

confined [kən'faɪnd] adj (espace) restreint(e).

confinement [kən'faɪnmənt] n emprisonnement m.

confines ['kɒnfaɪnz] npl confins mpl.

confirm [kən'fɜːm] vt confirmer.

confirmation [ˌkɒnfə'meɪʃn] n confirmation f.

confirmed [kən'fɜːmd] adj 1. invétéré(e) 2. (célibataire) endurci(e) 3. (réservation) confirmé(e).

confiscate ['kɒnfɪskeɪt] vt confisquer.

conflict ◼ n ['kɒnflɪkt] conflit m. ◼ vi [kən'flɪkt] ◦ **to conflict (with)** s'opposer (à), être en conflit (avec).

conflicting [kən'flɪktɪŋ] adj contradictoire.

conform [kən'fɔːm] vi se conformer.

confound [kən'faʊnd] vt déconcerter.

confront [kən'frʌnt] vt 1. affronter 2. ◦ **to confront sb (with)** confronter qqn (avec).

confrontation [ˌkɒnfrʌn'teɪʃn] n affrontement m.

confuse [kən'fjuːz] vt 1. troubler 2. confondre.

confused [kən'fjuːzd] adj 1. compliqué(e) 2. troublé(e), désorienté(e) ◦ **I'm confused** je n'y comprends rien.

confusing [kən'fjuːzɪŋ] adj pas clair(e).

confusion [kən'fjuːʒn] n confusion f.

congeal [kən'dʒiːl] vi se coaguler.

congenial [kən'dʒiːnjəl] adj sympathique.

congested [kən'dʒestɪd] *adj* **1.** encombré(e) **2.** MÉD congestionné(e).

congestion [kən'dʒestʃn] *n* **1.** encombrement *m* **2.** MÉD congestion *f*.

congestion charge *n (UK)* taxe *f* anti-embouteillages.

conglomerate [,kən'glɒmərət] *n* conglomérat *m*.

congratulate [kən'grætʃʊleɪt] *vt* féliciter.

congratulations [kən,grætʃʊ'leɪʃənz] *npl* félicitations *fpl*.

congregate ['kɒŋgrɪgeɪt] *vi* se rassembler.

congregation [,kɒŋgrɪ'geɪʃn] *n* assemblée *f* des fidèles.

congress ['kɒŋgres] *n* congrès *m*.
■ **Congress** *n (US)* le Congrès.

congressman ['kɒŋgresmən] *(pl -men* [-mən]) *n (US)* membre *m* du Congrès.

conifer ['kɒnɪfəʳ] *n* conifère *m*.

conjugation [,kɒndʒʊ'geɪʃn] *n* GRAMM conjugaison *f*.

conjunction [kən'dʒʌŋkʃn] *n* GRAMM conjonction *f*.

conjunctivitis [kən,dʒʌŋktɪ'vaɪtɪs] *n* conjonctivite *f*.

conjure *vi* ['kʌndʒəʳ] faire des tours de prestidigitation.
■ **conjure up** *vt sép* évoquer.

conjurer ['kʌndʒərəʳ] *n* prestidigitateur *m*, -trice *f*.

conjuror ['kʌndʒərəʳ] = **conjurer**.

conk [kɒŋk] *n fam (UK)* pif *m*.
■ **conk out** *vi fam* tomber en panne.

conker ['kɒŋkəʳ] *n (UK)* marron *m*.

conman ['kɒnmæn] *(pl -men* [-men]) *n* escroc *m*.

connect [kə'nekt] ■ *vt* **1.** relier **2.** *(au téléphone)* mettre en communication **3.** associer **4.** ÉLECTR brancher. ■ *vi* • **to connect (with)** assurer la correspondance (avec).

connected [kə'nektɪd] *adj* • **to be connected with** avoir un rapport avec.

connection [kə'nekʃn] *n* **1.** • **connection (between/with)** rapport *m* (entre/avec) • **in connection with** à propos de **2.** ÉLECTR branchement *m*, connexion *f* **3.** communication *f* *(au téléphone)* **4.** *(avion, train, métro)* correspondance *f* **5.** relation *f* • **he has connections** il a des relations.

connive [kə'naɪv] *vi* comploter.

connoisseur [,kɒnə'sɜːʳ] *n* connaisseur *m*, -euse *f*.

conquer ['kɒŋkəʳ] *vt* **1.** conquérir **2.** vaincre.

conqueror ['kɒŋkərəʳ] *n* conquérant *m*, -e *f*.

conquest ['kɒŋkwest] *n* conquête *f*.

cons [kɒnz] *npl* **1.** *(UK) fam* • **all mod cons** tout confort **2.** ▷ **pro**.

conscience ['kɒnʃəns] *n* conscience *f*.

conscientious [,kɒnʃɪ'enʃəs] *adj* consciencieux(euse).

conscious ['kɒnʃəs] *adj* **1.** conscient(e) **2.** • **conscious of sthg** conscient(e) de qqch **3.** délibéré(e), intentionnel(elle) **4.** *(effort)* conscient(e).

consciousness ['kɒnʃəsnɪs] *n* conscience *f*.

conscript *n* ['kɒnskrɪpt] conscrit *m*.

conscription [kən'skrɪpʃn] *n* conscription *f*.

consecutive [kən'sekjʊtɪv] *adj* consécutif(ive).

consent [kən'sent] ■ *n (indén)* **1.** consentement *m* **2.** accord *m*. ■ *vi* consentir.

consequence ['kɒnsɪkwəns] *n* **1.** conséquence *f* • **in consequence** par conséquent **2.** importance *f*.

consequently ['kɒnsɪkwəntlɪ] *adv* par conséquent.

conservation [,kɒnsə'veɪʃn] *n* **1.** protection *f* **2.** conservation *f* *(du patrimoine)* **3.** économie *f* *(d'énergie)*.

conservative [kən'sɜːvətɪv] ◼ *adj* **1.** traditionaliste **2.** prudent(e). ◼ *n* traditionaliste *mf*.

◼ **Conservative** ◼ *adj* conservateur (trice). ◼ *n* conservateur *m*, -trice *f*.

Conservative Party *n* • the Conservative Party le parti conservateur.

conservatory [kən'sɜːvətrɪ] *n* jardin *m* d'hiver.

conserve ◼ *n* ['kɒnsɜːv] confiture *f*. ◼ *vt* [kən'sɜːv] **1.** économiser **2.** protéger.

consider [kən'sɪdər] *vt* **1.** examiner **2.** prendre en compte • **all things considered** tout compte fait **3.** considérer.

considerable [kən'sɪdrəbl] *adj* considérable.

considerably [kən'sɪdrəblɪ] *adv* considérablement.

considerate [kən'sɪdərət] *adj* prévenant(e).

consideration [kən,sɪdə'reɪʃn] *n* **1.** *(indén)* réflexion *f* • **to take sthg into consideration** tenir compte de qqch • **under consideration** à l'étude **2.** *(indén)* attention *f* **3.** facteur *m*.

considering [kən'sɪdərɪŋ] ◼ *prép* étant donné. ◼ *conj* étant donné que.

consign [kən'saɪn] *vt* reléguer.

consignment [,kən'saɪnmənt] *n* expédition *f*.

consist [kən'sɪst] ◼ **consist in** *vt insép* • **to consist in sthg** consister dans qqch • **to consist in doing sthg** consister à faire qqch. ◼ **consist of** *vt insép* consister en.

consistency [kən'sɪstənsɪ] *n* **1.** cohérence *f* **2.** consistance *f*.

consistent [kən'sɪstənt] *adj* **1.** *(comportement)* conséquent(e) **2.** *(progrès)* régulier(ère) **3.** *(soutien)* constant(e) **4.** cohérent(e) • **to be consistent with** être compatible avec • correspondre avec.

consolation [,kɒnsə'leɪʃn] *n* réconfort *m*.

console ◼ *n* ['kɒnsəʊl] **1.** tableau *m* de commande **2.** INFORM & MUS console *f*. ◼ *vt* [kən'səʊl] consoler.

consonant ['kɒnsənənt] *n* consonne *f*.

consortium [kən'sɔːtjəm] *(pl* **-tiums** OU **-tia** [-tjə]*) n* consortium *m*.

conspicuous [kən'spɪkjʊəs] *adj* voyant(e), qui se remarque.

conspiracy [kən'spɪrəsɪ] *n* conspiration *f*, complot *m*.

conspire [kən'spaɪər] *vt* • **to conspire to do sthg** comploter de faire qqch • contribuer à faire qqch.

constable ['kʌnstəbl] *n (UK)* agent *m* de police.

constabulary [kən'stæbjʊlərɪ] *n (UK)* police *f*.

constant ['kɒnstənt] *adj* **1.** constant(e). **2.** continuel(elle).

constantly ['kɒnstəntlɪ] *adv* constamment.

consternation [,kɒnstə'neɪʃn] *n* consternation *f*.

constipated ['kɒnstɪpeɪtɪd] *adj* constipé(e).

constipation [,kɒnstɪ'peɪʃn] *n* constipation *f*.

constituency [kən'stɪtjʊənsɪ] *n* circonscription *f* électorale.

constituent [kən'stɪtjʊənt] *n* **1.** électeur *m*, -trice *f* **2.** composant *m*.

constitute ['kɒnstɪtjuːt] *vt* **1.** représenter, constituer **2.** constituer.

constitution [,kɒnstɪ'tjuːʃn] *n* constitution *f*.

constraint [kən'streɪnt] *n* **1.** • **constraint (on)** limitation *f* (à) **2.** *(indén)* retenue *f*, réserve *f* **3.** contrainte *f*.

construct *vt* [kən'strʌkt] construire.

construction [kən'strʌkʃn] *n* construction *f*.

constructive [kən'strʌktɪv] *adj* constructif(ive).

construe [kən'struː] *vt sout* • **to construe sthg as** interpréter qqch comme.

consul ['kɒnsəl] *n* consul *m*, -e *f*.

consulate ['kɒnsjʊlət] *n* consulat *m*.

consult [kən'sʌlt] ◼ *vt* consulter. ◼ *vi* • **to consult with sb** s'entretenir avec qqn.

consultant [kən'sʌltənt] *n* **1.** expert-conseil *m* **2.** *(UK)* médecin-chef *m*.

consultation [,kɒnsəl'teɪʃn] *n* entretien *m*.

consulting [kən'sʌltɪŋ] *n* cabinet *m* d'expert.

consulting fee *n* honoraires *mpl* d'expert.

consulting room n cabinet m de consultation.

consume [kən'sju:m] vt consommer.

consumer [kən'sju:mər] n consommateur m, -trice f.

consumer goods npl biens mpl de consommation.

consumer society n société f de consommation.

consummate vt ['kɒnsəmeɪt] consommer.

consumption [kən'sʌmpʃn] n consommation f.

contact ['kɒntækt] ◆ n 1. (indén) contact m ◦ **in contact (with sb)** en rapport ou contact (avec qqn) 2. relation f, contact m. ◆ vt 1. contacter 2. (par téléphone) joindre.

contact lens n verre m ou lentille f de contact.

contacts ['kɒntækts] npl lentilles fpl (de contact).

contagious [kən'teɪdʒəs] adj contagieux(euse).

contain [kən'teɪn] vt 1. contenir, renfermer 2. sout contenir 3. sout circonscrire.

container [kən'teɪnər] n 1. récipient m 2. conteneur m, container m.

contaminate [kən'tæmɪneɪt] vt contaminer.

contemplate ['kɒntempleɪt] ◆ vt 1. envisager 2. sout contempler. ◆ vi méditer.

contemporary [kən'tempərəri] ◆ adj contemporain(e). ◆ n contemporain m, -e f.

contempt [kən'tempt] n 1. mépris m 2. DR ◦ **contempt (of court)** outrage m à la cour.

contemptuous [kən'temptʃʊəs] adj méprisant(e).

contend [kən'tend] ◆ vi 1. ◦ **to contend with sthg** faire face à qqch 2. ◦ **to contend for** se disputer ◦ se battre pour ◦ **to contend against** lutter contre. ◆ vt sout ◦ **to contend that...** soutenir ou prétendre que...

contender [kən'tendər] n 1. candidat m, -e f 2. concurrent m, -e f 3. prétendant m, -e f.

content ◆ adj [kən'tent] ◦ **content (with)** satisfait(e) (de), content(e) (de) ◦ **to be content to do sthg** ne pas demander mieux que de faire qqch. ◆ n ['kɒntent] 1. teneur f 2. contenu m. ◆ vt [kən'tent] ◦ **to content o.s. with sthg** se contenter de qqch.

◆ **contents** npl 1. contenu m 2. table f des matières.

contented [kən'tentɪd] adj satisfait(e).

contention [kən'tenʃn] n sout 1. assertion f, affirmation f 2. (indén) dispute f, contestation f.

contest ◆ n ['kɒntest] 1. concours m 2. combat m, lutte f (de pouvoir). ◆ vt [kən'test] 1. disputer 2. contester.

contestant [kən'testənt] n concurrent m, -e f.

context ['kɒntekst] n contexte m.

continent ['kɒntɪnənt] n continent m.
◆ **Continent** n (UK) ◦ **the Continent** l'Europe f continentale.

continental [,kɒntɪ'nentl] adj continental(e).

continental breakfast n petit déjeuner m (par opposition à 'English breakfast').

continental quilt n (UK) couette f.

contingency [kən'tɪndʒənsɪ] n éventualité f.

contingency plan n plan m d'urgence.

continual [kən'tɪnjʊəl] adj continuel (elle).

continually [kən'tɪnjʊəlɪ] adv continuellement.

continuation [kən,tɪnjʊ'eɪʃn] n 1. (indén) continuation f 2. suite f (d'un feuilleton).

continue [kən'tɪnju:] ◆ vt 1. continuer, poursuivre 2. reprendre. ◆ vi 1. continuer ◦ **to continue with sthg** poursuivre qqch 2. reprendre, se poursuivre.

continuous [kən'tɪnjʊəs] adj continu(e).

continuously [kən'tɪnjʊəslɪ] adv sans arrêt, continuellement.

contort [kən'tɔt] vt tordre.

contortion [kən'tɔʃn] n 1. (indén) torsion f 2. contorsion f.

contour ['kɒn,tʊər] n 1. contour m 2. courbe f de niveau.

contraband ['kɒntrəbænd] ◆ adj de contrebande. ◆ n contrebande f.

contraception [,kɒntrə'sepʃn] n contraception f.

contraceptive [ˌkɒntrəˈseptɪv] ◼ *adj*
1. contraceptif(ive), anticonceptionnel
(elle) **2.** sur la contraception. ◼ *n*
contraceptif *m*.

contract ◼ *n* [ˈkɒntrækt] contrat *m*. ◼ *vt*
[kənˈtrækt] **1.** contracter **2.** ▪ **to contract
sb** passer un contrat avec qqn. ◼ *vi* se
contracter.

contraction [kənˈtrækʃn] *n* contraction
f.

contractor [kənˈtræktər] *n* entrepreneur *m*.

contradict [ˌkɒntrəˈdɪkt] *vt* contredire.

contradiction [ˌkɒntrəˈdɪkʃn] *n* contradiction *f*.

contraflow [ˈkɒntrəfləʊ] *n (UK)* circulation *f* à contre-sens.

contraption [kənˈtræpʃn] *n* machin *m*,
truc *m*.

contrary [ˈkɒntrəri] ◼ *adj* **1.** ▪ **contrary
(to)** contraire (à), opposé(e) (à)
2. [kənˈtreəri] contrariant(e). ◼ *n*
contraire *m* ▪ **on the contrary** au
contraire.
◼ **contrary to** *prép* contrairement à.

contrast [kənˈtrɑːst] ◼ *n* [ˈkɒntrɑːst]
contraste *m* ▪ **by** *ou* **in contrast** par
contraste. ◼ *vt* contraster. ◼ *vi* ▪ **to contrast (with)** faire contraste (avec).

contravene [ˌkɒntrəˈviːn] *vt* enfreindre,
transgresser.

contribute [kənˈtrɪbjuːt] ◼ *vt* **1.** apporter **2.** donner, apporter. ◼ *vi* **1.** ▪ **to contribute (to)** contribuer (à) **2.** ▪ **to contribute (to)** collaborer à.

contribution [ˌkɒntrɪˈbjuːʃn] *n* **1.** ▪ **contribution (to)** cotisation *f* (à), contribution *f* (à) **2.** article *m*.

contributor [kənˈtrɪbjʊtər] *n* **1.** donateur *m*, -trice *f* **2.** collaborateur *m (dans
un journal)*, -trice *f*.

contrive [kənˈtraɪv] *vt sout* **1.** combiner
2. ▪ **to contrive to do sthg** trouver
moyen de faire qqch.

contrived [kənˈtraɪvd] *adj* tiré(e) par les
cheveux.

control [kənˈtrəʊl] ◼ *n* **1.** contrôle *m*
2. ▪ **to get sb/sthg under control** maîtriser qqn/qqch ▪ **to be in control of sthg**
diriger qqch ▪ avoir le contrôle de qqch
▪ maîtriser qqch ▪ **to lose control** perdre le contrôle de soi. ◼ *vt* **1.** diriger
2. commander, faire fonctionner **3.** en-

rayer **4.** mettre un frein à **5.** tenir *(des
enfants)* **6.** contenir *(une foule)* **7.** maîtriser, contenir *(ses émotions)* ▪ **to control
o.s.** se maîtriser, se contrôler.
◼ **controls** *npl* commandes *fpl*.

controller [kənˈtrəʊlər] *n* contrôleur *m*.

control panel *n* tableau *m* de bord.

control tower *n* tour *f* de contrôle.

controversial [ˌkɒntrəˈvɜːʃl] *adj* contro-
versé(e).

controversy [ˈkɒntrəvɜːsɪ, *(UK)* kənˈtrɒv-
əsɪ] *n* controverse *f*, polémique *f*.

convalesce [ˌkɒnvəˈles] *vi* se remettre
d'une maladie, relever de maladie.

convene [kənˈviːn] ◼ *vt* convoquer, réunir. ◼ *vi* se réunir, s'assembler.

convenience [kənˈviːnjəns] *n* **1.** commodité *f* **2.** agrément *m*, confort *m*.

convenience store *n (US)* petit supermarché de quartier.

convenient [kənˈviːnjənt] *adj* **1.** qui
convient **2.** pratique, commode.

convent [ˈkɒnvənt] *n* couvent *m*.

convention [kənˈvenʃn] *n* **1.** convention
f **2.** usage *m*, convention *f*.

conventional [kənˈvenʃənl] *adj* conven-
tionnel(elle).

converge [kənˈvɜːdʒ] *vi* ▪ **to converge
(on)** converger (sur).

conversant [kənˈvɜːsənt] *adj sout* ▪ **conversant with sthg** familiarisé(e) avec
qqch, qui connaît bien qqch.

conversation [ˌkɒnvəˈseɪʃn] *n* conversation *f*.

converse ◼ *n* [ˈkɒnvɜːs] ▪ **the converse**
le contraire, l'inverse *m*. ◼ *vi* [kənˈvɜːs]
sout converser.

conversely [kənˈvɜːslɪ] *adv sout* inversement.

conversion [kənˈvɜːʃn] *n* **1.** conversion *f*
2. aménagement *m*, transformation *f*.

convert ◼ *vt* [kənˈvɜːt] ▪ **to convert sthg
to** *ou* **into** convertir *ou* aménager *ou*
transformer qqch en ▪ **to convert sb
(to)** RELIG convertir qqn (à). ◼ *vi*
[kənˈvɜːt] ▪ **to convert from sthg to sthg**
passer de qqch à qqch. ◼ *n* [ˈkɒnvɜːt]
converti *m*, -e *f*.

convertible [kənˈvɜːtəbl] *n* (voiture *f*)
décapotable *f*.

convex [kɒn'veks] *adj* convexe.

convey [kən'veɪ] *vt* **1.** *sout* transporter **2.** • **to convey sthg (to sb)** communiquer qqch (à qqn).

conveyor belt [kən'veɪər-] *n* tapis *m* roulant.

convict ◼ *n* ['kɒnvɪkt] détenu *m*. ◼ *vt* [kən'vɪkt] • **to convict sb of sthg** reconnaître qqn coupable de qqch.

conviction [kən'vɪkʃn] *n* **1.** conviction *f* **2.** DR condamnation *f*.

convince [kən'vɪns] *vt* convaincre, persuader.

convincing [kən'vɪnsɪŋ] *adj* **1.** convaincant(e) **2.** retentissant(e), éclatant(e).

convoluted ['kɒnvəluːtɪd] *adj* compliqué(e).

convoy ['kɒnvɔɪ] *n* convoi *m*.

convulse [kən'vʌls] *vt* • **to be convulsed with** se tordre de.

convulsion [kən'vʌlʃn] *n* MÉD convulsion *f*.

coo [kuː] *vi* roucouler.

cook [kʊk] ◼ *n* cuisinier *m*, -ère *f*. ◼ *vt* **1.** faire cuire **2.** préparer. ◼ *vi* cuisiner.

cookbook ['kʊk,bʊk] = **cookery book**.

cooker ['kʊkər] *n* (UK) cuisinière *f*.

cookery ['kʊkərɪ] *n* cuisine *f*.

cookery book *n* (UK) livre *m* de cuisine.

cookie ['kʊkɪ] *n* **1.** (surtout US) biscuit *m*, gâteau *m* sec **2.** INFORM cookie *m*.

cooking ['kʊkɪŋ] *n* cuisine *f*.

cool [kuːl] ◼ *adj* **1.** frais(fraîche) **2.** léger(ère) **3.** calme **4.** froid(e) **5.** *fam* génial(e) **6.** *fam* branché(e). ◼ *vt* faire refroidir. ◼ *vi* refroidir. ◼ *n* • **to keep/lose one's cool** garder/perdre son sang-froid, garder/perdre son calme.
■ **cool down** *vi* **1.** refroidir **2.** se rafraîchir.

cool box *n* (UK) glacière *f*.

cooler *n* (US) glacière *f*.

coop [kuːp] ■ **coop up** *vt sép fam* confiner.

Co-op ['kəʊ,ɒp] (*abr de* **Co-operative society**) *n* Coop *f*.

cooperate [kəʊ'ɒpəreɪt] *vi* • **to cooperate** coopérer, collaborer.

cooperation [kəʊ,ɒpə'reɪʃn] *n* (*indén*) **1.** coopération *f*, collaboration *f* **2.** aide *f*, concours *m*.

cooperative [kəʊ'ɒpərətɪv] ◼ *adj* coopératif(ive). ◼ *n* coopérative *f*.

coordinate ◼ *n* [kəʊ'ɔːdɪnət] coordonnée *f*. ◼ *vt* [kəʊ'ɔːdɪneɪt] coordonner.

coordination [kəʊ,ɔːdɪ'neɪʃn] *n* coordination *f*.

cop [kɒp] *n fam* flic *m*.

cope [kəʊp] *vi* se débrouiller • **to cope with** faire face à.

Copenhagen [,kəʊpən'heɪgən] *n* Copenhague.

copier ['kɒpɪər] *n* copieur *m*, photocopieur *m*.

cop-out *n fam* dérobade *f*, échappatoire *f*.

copper ['kɒpər] *n* **1.** cuivre *m* **2.** (UK) *fam* flic *m*.

coppice ['kɒpɪs], **copse** [kɒps] *n* taillis *m*.

copy ['kɒpɪ] ◼ *n* **1.** copie *f*, reproduction *f* **2.** copie *f* **3.** exemplaire *m* (*d'un livre*) **4.** numéro *m* (*d'un magazine*). ◼ *vt* **1.** copier, imiter **2.** photocopier.

copyright ['kɒpɪraɪt] *n* copyright *m*, droit *m* d'auteur.

coral ['kɒrəl] *n* corail *m*.

cord [kɔːd] *n* **1.** ficelle *f* **2.** corde *f* **3.** ÉLECTR fil *m*, cordon *m* **4.** velours *m* côtelé.
■ **cords** *npl* pantalon *m* en velours côtelé.

cordial ['kɔːdjəl] ◼ *adj* cordial(e), chaleureux(euse). ◼ *n* cordial *m*.

cordon ['kɔːdn] *n* cordon *m*.
■ **cordon off** *vt sép* barrer (par un cordon de police).

corduroy ['kɔːdərɔɪ] *n* velours *m* côtelé.

core [kɔːr] *n* **1.** trognon *m* (*d'une pomme*) **2.** noyau *m* (*d'un câble*) **3.** fig essentiel *m* **4.** fig cœur *m* (*d'un sujet*).

Corfu [kɔː'fuː] *n* Corfou.

corgi ['kɔːgɪ] (*pl* **-s**) *n* corgi *m*.

coriander [,kɒrɪ'ændər] *n* coriandre *f*.

cork [kɔːk] *n* **1.** liège *m* **2.** bouchon *m*.

corkscrew ['kɔːkskruː] *n* tire-bouchon *m*.

corn [kɔːn] *n* **1.** (UK) grain *m* **2.** (US) maïs *m* • **corn on the cob** épi *m* de maïs cuit **3.** cor *m* (*au pied*).

cornea ['kɔːnɪə] (*pl* **-s**) *n* cornée *f*.

corned beef [kɔːnd-] *n* (UK) corned-beef *m inv*.

corner ['kɔnər'] ◼ n **1.** coin m, angle m • **to cut corners** fig brûler les étapes **2.** virage m, tournant m **3.** FOOTBALL corner m. ◼ vt **1.** acculer **2.** accaparer.

corner shop n magasin m du coin ou du quartier.

cornerstone ['kɔnəstəun] n fig pierre f angulaire.

cornet ['kɔnɪt] n **1.** cornet m à pistons **2.** (UK) cornet m de glace.

cornflakes ['kɔnfleɪks] npl corn-flakes mpl.

cornflour (UK) ['kɔnflauə'], **cornstarch** (US) ['kɔnstɑːtʃ] n ≃ Maïzena® f, fécule f de maïs.

Cornwall ['kɔnwɔl] n Cornouailles f.

corny ['kɔnɪ] adj fam **1.** (plaisanterie) peu original(e) **2.** (roman, film) à l'eau de rose.

coronary ['kɔrənrɪ], **coronary thrombosis** [-θrɒm'bəusɪs] (pl **-ses** [-siːz]) n infarctus m du myocarde.

coronation [,kɔrə'neɪʃn] n couronnement m.

coroner ['kɔrənər'] n coroner m.

corporal ['kɔpərəl] n **1.** caporal m **2.** brigadier m.

corporal punishment n châtiment m corporel.

corporate ['kɔpərət] adj **1.** corporatif(ive), de société **2.** collectif(ive).

corporation [,kɔpə'reɪʃn] n **1.** (UK) conseil m municipal **2.** compagnie f, société f enregistrée.

corps [kɔr] (pl inv) n corps m.

corpse [kɔps] n cadavre m.

correct [kə'rekt] ◼ adj **1.** correct(e), exact(e) **2.** correct(e), convenable. ◼ vt corriger.

correction [kə'rekʃn] n correction f.

correlation [,kɔrə'leɪʃn] n corrélation f.

correspond [,kɔrɪ'spɒnd] vi **1.** • **to correspond (with** ou **to)** correspondre (à) **2.** • **to correspond (with sb)** correspondre (avec qqn).

correspondence [,kɔrɪ'spɒndəns] n correspondance f.

correspondence course n cours m par correspondance.

correspondent [,kɔrɪ'spɒndənt] n correspondant m, -e f.

corridor ['kɔrɪdɔr'] n couloir m, corridor m.

corroborate [kə'rɒbəreɪt] vt corroborer.

corrode [kə'rəud] ◼ vt corroder, attaquer. ◼ vi se corroder.

corrosion [kə'rəuʒn] n corrosion f.

corrugated ['kɔrəgeɪtɪd] adj ondulé(e).

corrugated iron n tôle f ondulée.

corrupt [kə'rʌpt] ◼ adj corrompu(e). ◼ vt corrompre, dépraver.

corruption [kə'rʌpʃn] n corruption f.

corset ['kɔsɪt] n corset m.

Corsica ['kɔsɪkə] n Corse f.

cosh [kɒʃ] (UK) ◼ n matraque f, gourdin m. ◼ vt frapper, matraquer.

cosmetic [kɒz'metɪk] ◼ n cosmétique m, produit m de beauté. ◼ adj fig superficiel(elle).

cosmopolitan [kɒzmə'pɒlɪtn] adj cosmopolite.

cosset ['kɒsɪt] vt dorloter, choyer.

cost [kɒst] ◼ n litt & fig coût m • **at all costs** à tout prix, coûte que coûte. ◼ vt (prét & pp cost) litt & fig coûter. ◼ **costs** npl dépens mpl.

co-star ['kəu-] n partenaire mf.

Costa Rica [,kɒstə'riːkə] n Costa Rica m.

cost-effective adj rentable.

costing ['kɒstɪŋ] n évaluation f du coût.

costly ['kɒstlɪ] adj litt & fig coûteux(euse).

cost of living n coût m de la vie.

costume ['kɒstjuːm] n **1.** costume m **2.** (UK) maillot m (de bain).

costume jewellery (UK), **costume jewelry** (US) n (indén) bijoux mpl fantaisie.

cosy (UK), **cozy** (US) ['kəuzɪ] adj **1.** (maison, pièce) douillet(ette) **2.** (atmosphère) chaleureux(euse) • **to feel cosy** se sentir bien au chaud.

cot [kɒt] n **1.** (UK) lit m d'enfant, petit lit **2.** (US) lit m de camp.

cottage ['kɒtɪdʒ] n cottage m, petite maison f de campagne.

cottage cheese n fromage m blanc.

cottage pie n (UK) ≃ hachis m Parmentier.

cotton ['kɒtn] ◼ *n* coton *m*. ◼ *en apposition* de coton.

cotton candy *n (US)* barbe *f* à papa.

cotton wool *n (UK)* ouate *f*, coton *m* hydrophile.

couch [kaʊtʃ] *n* **1.** canapé *m*, divan *m* **2.** *(chez le médecin)* lit *m*.

cough [kɒf] ◼ *n* toux *f*. ◼ *vi* tousser.

cough drop *(US)*, **cough sweet** *(UK)* *n* pastille *f* pour la toux.

cough mixture *n (UK)* sirop *m* pour la toux.

cough syrup *(US)* = **cough mixture**.

could [kʊd] *aux modal* ▷ **can**.

couldn't ['kʊdnt] = **could not**.

could've ['kʊdəv] = **could have**.

council ['kaʊnsl] *n* conseil *m*.

council estate *n (UK)* quartier *m* de logements sociaux.

council house *n (UK)* maison *f* qui appartient à la municipalité, ≃ H.L.M. *m ou f*

councillor *(UK)*, **councilor** *(US)* ['kaʊnsələr] *n (UK)* conseiller *m*, -ère *f*.

councilman *(US)* = **councilor**.

councilor *(US)* = **councillor**.

council tax *n (UK)* ≃ impôts *mpl* locaux.

councilwoman *(US)* = **councilor**.

counsel ['kaʊnsəl] *n* **1.** *(indén) sout* conseil *m* **2.** avocat *m*, -e *f*.

counsellor *(UK)*, **counselor** *(US)* ['kaʊnsələr] *n* **1.** conseiller *m*, -ère *f* **2.** *(US)* avocat *m*.

count [kaʊnt] ◼ *n* **1.** total *m* ◦ **to keep count of** tenir le compte de ◦ **to lose count of sthg** ne plus savoir qqch **2.** comte *m*. ◼ *vt* compter. ◼ *vi* compter ◦ **to count (up) to** compter jusqu'à. ◼ **count (up)on** *vt insép* **1.** compter sur **2.** s'attendre à, prévoir. ◼ **count up** *vt insép* compter *(totaliser)*.

countdown ['kaʊntdaʊn] *n* compte *m* à rebours.

counter ['kaʊntər] ◼ *n* **1.** comptoir *m* *(d'une boutique, d'un pub)* **2.** pion *m*. ◼ *vt* ◦ **to counter sthg (with)** riposter à qqch (par). ◼ **counter to** *adv* contrairement à ◦ **to run counter to** aller à l'encontre de.

counteract [,kaʊntə'rækt] *vt* contrebalancer, compenser.

counterattack ['kaʊntərə,tæk] *vt & vi* contre-attaquer.

counterclockwise [,kaʊntə'klɒkwaɪz] *adj & adv (US)* dans le sens inverse des aiguilles d'une montre.

counterfeit ['kaʊntəfɪt] ◼ *adj* faux(fausse). ◼ *vt* contrefaire.

counterfoil ['kaʊntəfɔɪl] *n (UK)* talon *m*, souche *f*.

countermand [,kaʊntə'mɑːnd] *vt* annuler.

counterpart ['kaʊntəpɑːt] *n* **1.** homologue *mf* **2.** équivalent *m*, -e *f*.

counterproductive [,kaʊntəprə'dʌktɪv] *adj* qui a l'effet inverse.

countess ['kaʊntɪs] *n* comtesse *f*.

countless ['kaʊntlɪs] *adj* innombrable.

country ['kʌntrɪ] *n* **1.** pays *m* **2.** ◦ **the country** la campagne **3.** région *f* **4.** terrain *m*.

country dancing *n (indén) (UK)* danse *f* folklorique.

country house *n* manoir *m*.

countryman ['kʌntrɪmən] *(pl* **-men** [-mən]*)* *n* compatriote *m*.

country park *n (UK)* parc *m* naturel.

countryside ['kʌntrɪsaɪd] *n* campagne *f*.

county ['kaʊntɪ] *n* comté *m*.

county council *n (UK)* conseil *m* général.

coup [kuː] *n* ◦ **coup (d'état)** coup *m* d'État.

couple ['kʌpl] *n* **1.** couple *m* **2.** ◦ **a couple (of)** deux ◦ quelques, deux ou trois.

coupon ['kuːpɒn] *n* **1.** bon *m (de réduction)* **2.** coupon *m*.

courage ['kʌrɪdʒ] *n* courage *m* ◦ **to take courage** être encouragé.

courgette [kɔːˈʒet] *n (UK)* courgette *f*.

courier ['kʊrɪər] *n* **1.** *(UK)* guide *m*, accompagnateur *m*, -trice *f* **2.** coursier *m*, messager *m*.

course [kɔːs] *n* **1.** cours *m* ◦ **course of action** ligne *f* de conduite ◦ **in the course of** au cours de **2.** enseignement *m*, cours *mpl* ◦ **it's a five-year course** c'est un enseignement sur cinq ans **3.** *MÉD* série *f (d'injections)* ◦ **course of treatment** traitement *m* **4.** route *f* ◦ **to be on course**

fig être sur la bonne voie • **to be off course** faire fausse route **5.** plat *m* **6.** SPORT terrain *m*.

■ **of course** *adv* **1.** évidemment, naturellement **2.** bien sûr.

coursebook ['kɔːsbʊk] *n (UK)* livre *m* de cours.

coursework ['kɔːswɜːk] *n (indén)* travail *m* personnel.

court [kɔːt] ◼ *n* **1.** DR cour *f*, tribunal *m* • **the court** la justice • **to take sb to court** faire un procès à qqn **2.** SPORT court *m*, terrain *m* **3.** cour *f*. ◼ *vi vieilli* sortir ensemble, se fréquenter.

courteous ['kɜːtjəs] *adj* courtois(e), poli(e).

courtesy ['kɜːtɪsɪ] *n* courtoisie *f*, politesse *f*.

■ **(by) courtesy of** *prép* avec la permission de.

courthouse ['kɔːthaʊs] *(pl* [-haʊzɪz]) *n (US)* palais *m* de justice, tribunal *m*.

courtier ['kɔːtjər] *n* courtisan *m*.

court-martial *n (pl* **court-martials** OU **courts-martial**) cour *f* martiale.

courtroom ['kɔːtrʊm] *n* salle *f* de tribunal.

courtyard ['kɔːtjɑːd] *n* cour *f*.

cousin ['kʌzn] *n* cousin *m*, -e *f*.

cove [kəʊv] *n* crique *f*.

covenant ['kʌvənənt] *n* engagement *m* contractuel.

Covent Garden [ˌkɒvənt-] *n* ancien marché de Londres, aujourd'hui importante galerie marchande.

Covent Garden

Covent Garden, jadis marché aux fruits, légumes et fleurs du centre de Londres, est aujourd'hui une importante galerie marchande ; ce nom désigne également la *Royal Opera House,* située près de l'ancien marché.

cover ['kʌvər] ◼ *n* **1.** housse *f (recouvrant un meuble)* **2.** couvercle *m* **3.** couverture *f (d'un livre, d'un magazine)* **4.** couverture *f* **5.** abri *m* • **to take cover** s'abriter, se mettre à l'abri • **under cover** à l'abri, à couvert **6.** couverture *f* **7.** *(UK) (assurance)* couverture *f*, garantie *f* • **to have cover against sthg** être couvert OU assuré

contre qqch. ◼ *vt* **1.** • **to cover sthg (with)** couvrir qqch (de) **2.** englober, comprendre **3.** • **to cover sb against** couvrir qqn en cas de. ◼ *vi* • **to cover for sb** remplacer qqn.

■ **cover up** *vt sép fig* dissimuler, cacher.

coverage ['kʌvərɪdʒ] *n* reportage *m*.

cover charge *n* couvert *m*.

covering ['kʌvərɪŋ] *n* **1.** revêtement *m* **2.** couche *f*.

covering letter *(UK),* **cover letter** *(US)* *n* lettre *f* explicative OU d'accompagnement.

cover note *n (UK)* lettre *f* de couverture, attestation *f* provisoire d'assurance.

covert ['kʌvət] *adj* **1.** *(activité)* clandestin(e) **2.** *(regard)* furtif(ive).

cover-up *n* étouffement *m (d'une affaire).*

covet ['kʌvɪt] *vt* convoiter.

cow [kaʊ] ◼ *n* **1.** vache *f* **2.** femelle *f*. ◼ *vt* intimider, effrayer.

coward ['kaʊəd] *n* lâche *mf*.

cowardly ['kaʊədlɪ] *adj* lâche.

cowboy ['kaʊbɔɪ] *n* cow-boy *m*.

cower ['kaʊər] *vi* se recroqueviller.

cox [kɒks], **coxswain** ['kɒksən] *n* barreur *m*.

coy [kɔɪ] *adj* qui fait le/la timide.

cozy *(US)* = **cosy**.

CPA *n abrév de* **certified public accountant**.

CPS *(abr de* **Crown Prosecution Service**) *n* ≃ Ministère *m* public.

crab [kræb] *n* crabe *m*.

crab apple *n* pomme *f* sauvage.

crack [kræk] ◼ *n* **1.** fêlure *f* **2.** fissure *f* **3.** gerçure *f* **4.** entrebâillement *m* **5.** interstice *m* **6.** claquement *m* **7.** craquement *m* **8.** *fam* • **to have a crack at sthg** tenter qqch, essayer de faire qqch **9.** *arg drogue* crack *m*. ◼ *vt* **1.** fêler **2.** fissurer **3.** casser *(un œuf, une noix)* **4.** faire claquer *(un fouet)* **5.** • **to crack one's head** se cogner la tête **6.** résoudre **7.** déchiffrer **8.** *fam* faire *(une plaisanterie).* ◼ *vi* **1.** *(verre)* se fêler **2.** *(sol, mur)* se fissurer **3.** *(peau)* se crevasser, se gercer **4.** *(personne)* craquer, s'effondrer **5.** *(résistance)* se briser.

■ **crack down** *vi* ■ **to crack down (on)** sévir (contre).

■ **crack up** *vi* 1. se fissurer 2. se craqueler 3. se crevasser 4. *fam* craquer, s'effondrer ■ **I must be cracking up** je débloque 5. *fam* se tordre de rire.

cracker ['krækər] *n* 1. cracker *m*, craquelin *m* 2. *(UK) (pour Noël)* diablotin *m*.

Crackers

CULTURE...

En Grande-Bretagne, on trouve traditionnellement sur la table de Noël des *Christmas crackers*. Chacun de ces petits rouleaux en carton recouverts de papier-cadeau brillant doit être ouvert par deux personnes, chacune d'elle tirant sur un bout, ce qui déclenche un pétard. À l'intérieur se trouvent un petit jouet, une blague et un chapeau en papier.

crackers ['krækəz] *adj (UK) fam* dingue, cinglé(e).

crackle ['krækl] *vi* 1. crépiter 2. grésiller.

cradle ['kreɪdl] ■ *n* 1. berceau *m* 2. TECHNOL nacelle *f*. ■ *vt* 1. bercer 2. tenir délicatement.

craft [krɑːft] *(pl* **craft)** *n* 1. métier *m* 2. embarcation *f*.

craftsman ['krɑːftsmən] *(pl* **-men** [-mən]) *n* artisan *m*, homme *m* de métier.

craftsmanship ['krɑːftsmənʃɪp] *n (indén)* 1. dextérité *f*, art *m* 2. travail *m*, exécution *f*.

craftsmen *npl* ▷ **craftsman**.

crafty ['krɑːftɪ] *adj* 1. malin(igne), astucieux(euse) 2. *péj* rusé(e), roublard(e) 3. rusé(e).

crag [kræg] *n* rocher *m* escarpé.

cram [kræm] ■ *vt* 1. fourrer 2. ■ **to cram sthg with** bourrer qqch de. ■ *vi* bachoter.

cramp [kræmp] ■ *n* crampe *f*. ■ *vt* gêner, entraver.

cranberry ['krænbərɪ] *n* canneberge *f*, airelle *f*.

crane [kreɪn] *n* grue *f*.

crank [kræŋk] ■ *n* 1. TECHNOL manivelle *f* 2. *fam* excentrique *mf*. ■ *vt* 1. tourner 2. remonter (à la manivelle).

crankshaft ['kræŋkʃɑːft] *n* vilebrequin *m*.

cranny ['krænɪ] *n* ▷ **nook**.

crap [kræp] *n (indén) tfam* merde *f* ■ **it's a load of crap** tout ça, c'est des conneries.

crash [kræʃ] ■ *n* 1. accident *m* 2. fracas *m*. ■ *vt* 1. ■ **I crashed the car** j'ai eu un accident avec la voiture 2. planter. ■ *vi* 1. se percuter, se rentrer dedans 2. avoir un accident 3. s'écraser ■ **to crash into** rentrer dans, emboutir 4. faire faillite 5. *(Bourse)* s'effondrer 6. *fam* dormir, s'endormir.

crash course *n* cours *m* intensif.

crash helmet *n* casque *m* de protection.

crash-land *vi* atterrir en catastrophe.

crass [kræs] *adj* 1. lourd(e) 2. grossier (ère).

crate [kreɪt] *n* cageot *m*, caisse *f*.

crater ['kreɪtər] *n* cratère *m*.

cravat [krə'væt] *n* cravate *f*.

crave [kreɪv] ■ *vt* 1. avoir soif de 2. avoir un besoin fou *ou* maladif de. ■ *vi* ■ **to crave for** avoir soif de ■ avoir un besoin fou *ou* maladif de.

crawl [krɔːl] ■ *vi* 1. *(bébé)* marcher à quatre pattes 2. *(personne)* se traîner 3. *(insecte)* ramper 4. *(véhicule)* avancer au pas 5. *fam* ■ **to be crawling with** grouiller de. ■ *n* ■ **the crawl** le crawl.

crayfish ['kreɪfɪʃ] *(pl inv ou* **-es)** *n* écrevisse *f*.

crayon ['kreɪɒn] *n* crayon *m* de couleur.

craze [kreɪz] *n* engouement *m*.

crazy ['kreɪzɪ] *adj fam* 1. fou(folle) 2. ■ **to be crazy about sb/sthg** être fou(folle) de qqn/qqch.

creak [kriːk] *vi* 1. craquer 2. grincer.

cream [kriːm] ■ *adj* crème *(inv)*. ■ *n* crème *f*.

cream cake *n (UK)* gâteau *m* à la crème.

cream cheese *n* fromage *m* frais.

cream cracker *n (UK)* biscuit *m* salé *(que l'on mange généralement avec du fromage)*.

cream tea *n (UK) goûter se composant de thé et de "scones" servis avec de la crème et de la confiture.*

crease [kriːs] ■ *n* 1. pli *m* 2. (faux) pli *(fait accidentellement)*. ■ *vt* froisser. ■ *vi* se froisser.

create [kriː'eɪt] *vt* créer.

creation [kriːˈeɪʃn] n création f.

creative [kriːˈeɪtɪv] adj créatif(ive).

creature [ˈkriːtʃər] n créature f.

crèche [kreʃ] n (UK) crèche f.

credence [ˈkriːdns] n • **to give** ou **lend credence to sthg** ajouter foi à qqch.

credentials [krɪˈdenʃlz] npl 1. papiers mpl d'identité 2. fig capacités fpl 3. références fpl.

credibility [ˌkredəˈbɪlətɪ] n crédibilité f.

credit [ˈkredɪt] ◼ n 1. crédit m • **to be in credit** avoir un compte approvisionné • **on credit** à crédit 2. (indén) honneur m, mérite m • **to give sb credit for sthg** reconnaître que qqn a fait qqch 3. UNIV unité f de valeur. ◼ **en apposition** 1. du crédit 2. à crédit • **to run a credit check on sb** vérifier la solvabilité de qqn, vérifier que le compte de qqn est approvisionné • vérifier le passé bancaire de qqn. ◼ vt 1. FIN • **to credit £10 to an account** créditer un compte de 10 livres 2. fam croire 3. • **to credit sb with sthg** accorder ou attribuer qqch à qqn. ◼ **credits** npl CINÉ générique m.

credit card n carte f de crédit.

credit note n 1. avoir m 2. FIN note f de crédit.

creditor [ˈkredɪtər] n créancier m, -ère f.

creed [kriːd] n 1. principes mpl 2. RELIG croyance f.

creek [kriːk] n 1. crique f 2. (US) ruisseau m.

creep [kriːp] ◼ vi (prét & pp **crept**) 1. (insecte) ramper 2. (voitures) avancer au pas 3. se glisser. ◼ n fam sale type m. ◼ **creeps** npl • **to give sb the creeps** fam donner la chair de poule à qqn.

creeper [ˈkriːpər] n plante f grimpante.

creepy [ˈkriːpɪ] adj fam qui donne la chair de poule.

creepy-crawly [-ˈkrɔːlɪ] (pl **creepy-crawlies**) n fam bestiole f qui rampe.

cremate [krɪˈmeɪt] vt incinérer.

cremation [krɪˈmeɪʃn] n incinération f.

crematorium (UK) [ˌkreməˈtɔːrɪəm] (pl **-riums** ou **-ria** [-rɪə]), **crematory** (US) [ˈkremətrɪ] n crématorium m.

crepe [kreɪp] n 1. crêpe m 2. CULIN crêpe f.

crepe bandage n (UK) bande f Velpeau®.

crepe paper n (indén) papier m crépon.

crept [krept] passé & pp ▷ **creep**.

crescent [ˈkresnt] n 1. croissant 2. (UK) rue f en demi-cercle.

cress [kres] n cresson m.

crest [krest] n 1. crête f 2. timbre m (sur des armoiries).

crestfallen [ˈkrestˌfɔːln] adj découragé(e).

Crete [kriːt] n Crète f.

cretin [ˈkretɪn] n fam crétin m, -e f.

Creutzfeldt-Jakob disease [ˌkrɔɪtsfeltˈjækɒb-] n maladie f de Creutzfeldt-Jakob.

crevice [ˈkrevɪs] n fissure f.

crew [kruː] n 1. équipage m 2. équipe f.

crew cut n coupe f en brosse.

crib [krɪb] n lit m d'enfant.

crick [krɪk] n torticolis m.

cricket [ˈkrɪkɪt] n 1. cricket m 2. grillon m.

crime [kraɪm] n crime m • **crimes against humanity** crimes mpl contre l'humanité.

criminal [ˈkrɪmɪnl] ◼ adj criminel(elle). ◼ n criminel m, -elle f.

Criminal Records Bureau n organisme chargé de vérifier le casier judiciaire de personnels sensibles.

crimson [ˈkrɪmzn] ◼ adj 1. rouge foncé (inv) 2. cramoisi(e). ◼ n cramoisi m.

cringe [krɪndʒ] *vi* 1. avoir un mouvement de recul *(par peur)* 2. *fam* ∘ **to cringe (at sthg)** ne plus savoir où se mettre (devant qqch).

crinkle ['krɪŋkl] *vt* froisser.

cripple ['krɪpl] ▪ *n vieilli & injur* infirme *mf*. ▪ *vt* 1. estropier 2. paralyser *(un pays)* 3. endommager *(un bateau, un avion)*.

crisis ['kraɪsɪs] *(pl* crises ['kraɪsiːz]*) n* crise *f*.

crisp [krɪsp] *adj* 1. croustillant(e) 2. croquant(e) 3. *(neige)* craquant(e) 4. *(air)* vif(vive).
▪ **crisps** *npl (UK)* chips *fpl*.

crisscross ['krɪskrɒs] ▪ *adj* entrecroisé(e). ▪ *vt* entrecroiser.

criterion [kraɪˈtɪərɪən] *(pl* -rions *ou* -ria [-rɪə]*) n* critère *m*.

critic ['krɪtɪk] *n* 1. critique *mf* 2. détracteur *m*, -trice *f*.

critical ['krɪtɪkl] *adj* critique ∘ **to be critical of sb/sthg** critiquer qqn/qqch.

critically ['krɪtɪklɪ] *adv* 1. gravement ∘ **critically important** d'une importance capitale 2. de façon critique.

criticism ['krɪtɪsɪzm] *n* critique *f*.

criticize, -ise ['krɪtɪsaɪz] *vt & vi* critiquer.

croak [krəʊk] *vi* 1. *(grenouille)* coasser 2. *(corbeau)* croasser 3. parler d'une voix rauque.

Croat ['krəʊæt], **Croatian** [krəʊˈeɪʃn] ▪ *adj* croate. ▪ *n* 1. Croate *mf* 2. croate *m*.

Croatia [krəʊˈeɪʃə] *n* Croatie *f*.

crochet ['krəʊʃeɪ] *n* crochet *m (pour tricot ou dentelle)*.

crockery ['krɒkərɪ] *n* vaisselle *f*.

crocodile ['krɒkədaɪl] *(pl inv ou* -s*) n* crocodile *m*.

crocus ['krəʊkəs] *(pl* -es [-iːz]*) n* crocus *m*.

croft [krɒft] *n (UK)* petite ferme *f (particulièrement en Écosse)*.

crony ['krəʊnɪ] *n fam* copain *m*, copine *f*.

crook [krʊk] *n* 1. escroc *m* 2. pliure *f (du bras, du coude)* 3. houlette *f*.

crooked ['krʊkɪd] *adj* 1. courbé(e) 2. de travers 3. *fam* malhonnête.

crop [krɒp] *n* 1. AGRIC culture *f* 2. récolte *f* 3. cravache *f*.
▪ **crop up** *vi* survenir.

croquette [krɒˈket] *n* croquette *f*.

cross [krɒs] ▪ *adj* 1. fâché(e) 2. méchant(e) ∘ **to get cross (with sb)** se fâcher (contre qqn). ▪ *n* 1. croix *f* 2. croisement *m*. ▪ *vt* 1. traverser ∘ **the bridge crosses the river at Orléans** le pont franchit *ou* enjambe le fleuve à Orléans 2. croiser *(les bras, les jambes)* 3. *(UK)* barrer *(un chèque)*. ▪ *vi* 1. traverser ∘ **she crossed (over) to the other side of the road** elle a traversé la route 2. se croiser.
▪ **cross off, cross out** *vt sép* rayer.

crossbar ['krɒsbɑːr] *n* 1. SPORT barre *f* transversale 2. barre *f*.

cross-Channel *adj* transManche.

cross-country ▪ *adj* ∘ **cross-country running** cross *m* ∘ **cross-country skiing** ski *m* de fond. ▪ *n* cross-country *m*, cross *m*.

cross-examine *vt* 1. DR faire subir un contre-interrogatoire à 2. *fig* questionner de près.

cross-eyed [-aɪd] *adj* qui louche.

crossfire ['krɒsˌfaɪər] *n (indén)* feu *m* croisé.

crossing ['krɒsɪŋ] *n* 1. passage *m* clouté 2. passage *m* à niveau 3. traversée *f*.

cross-legged [-legd] *adv (s'asseoir)* en tailleur.

cross-purposes *npl* ∘ **to talk at cross-purposes** ne pas parler de la même chose ∘ **to be at cross-purposes** ne pas être sur la même longueur d'ondes.

cross-reference *n* renvoi *m*.

crossroads ['krɒsrəʊdz] *(pl inv) n* croisement *m*.

cross-section *n* 1. coupe *f* transversale 2. échantillon *m*.

crosswalk ['krɒswɔːk] *n (US)* passage *m* clouté, passage pour piétons.

crossways ['krɒsweɪz] = **crosswise**.

crosswind ['krɒswɪnd] *n* vent *m* de travers.

crosswise ['krɒswaɪz] *adv* en travers.

crossword (puzzle) ['krɒswɜːd-] *n* mots croisés *mpl*.

crotch [krɒtʃ] *n* entrejambe *m*.

crotchety ['krɒtʃɪtɪ] *adj (UK) fam* grognon(onne).

crouch [kraʊtʃ] *vi* s'accroupir.

crow [krəʊ] ◼ *n* corbeau *m* • **as the crow flies** à vol d'oiseau. ◼ *vi* 1. chanter 2. *fam* frimer.

crowbar ['krəʊbɑːʳ] *n* pied-de-biche *m*.

crowd [kraʊd] ◼ *n* foule *f*. ◼ *vi* s'amasser. ◼ *vt* 1. remplir 2. entasser.

crowded ['kraʊdɪd] *adj* • **crowded (with)** bondé(e) (de), plein(e) (de).

crown [kraʊn] ◼ *n* 1. couronne *f* 2. sommet *m* 3. fond *m* (d'un chapeau). ◼ *vt* couronner.
◼ **Crown** *n* • **the Crown** la Couronne.

crown jewels *npl* joyaux *mpl* de la Couronne.

crown prince *n* prince *m* héritier.

crow's feet *npl* pattes *fpl* d'oie.

crucial ['kruːʃl] *adj* crucial(e).

crucifix ['kruːsɪfɪks] *n* crucifix *m*.

Crucifixion [ˌkruːsɪ'fɪkʃn] *n* • **the Crucifixion** la Crucifixion.

crude [kruːd] *adj* 1. (matériau) brut(e) 2. (plaisanterie, dessin) grossier(ère).

crude oil *n* (indén) brut *m*.

cruel [krʊəl] *adj* cruel(elle).

cruelty ['krʊəltɪ] *n* (indén) cruauté *f*.

cruet ['kruːɪt] *n* service *m* à condiments.

cruise [kruːz] ◼ *n* croisière *f*. ◼ *vi* 1. NAUT croiser 2. (voiture) rouler 3. (avion) voler.

cruiser ['kruːzəʳ] *n* 1. croiseur *m* 2. yacht *m* de croisière.

crumb [krʌm] *n* miette *f*.

crumble ['krʌmbl] ◼ *n* crumble *m* (aux fruits). ◼ *vt* émietter. ◼ *vi* 1. (pain, fromage) s'émietter 2. (bâtiment, mur) s'écrouler 3. (falaise) s'ébouler 4. (plâtre) s'effriter 5. fig (société) s'effondrer.

crumbly ['krʌmblɪ] *adj* friable.

crumpet ['krʌmpɪt] *n* petite crêpe *f* épaisse.

crumple ['krʌmpl] *vt* froisser.

crunch [krʌntʃ] ◼ *n* crissement *m* • **when it comes to the crunch** *fam* au moment crucial *ou* décisif • **if it comes to the crunch** fam s'il le faut. ◼ *vt* croquer. ◼ *vi* (neige, gravier) crisser.

crunchy ['krʌntʃɪ] *adj* croquant(e).

crusade [kruː'seɪd] *n* littéraire & fig croisade *f*.

crush [krʌʃ] ◼ *n* 1. foule *f* 2. fam • **to have a crush on sb** avoir le béguin pour qqn. ◼ *vt* 1. écraser 2. broyer 3. piler (de la glace) 4. fig anéantir (des espoirs).

crust [krʌst] *n* croûte *f*.

crutch [krʌtʃ] *n* 1. béquille *f* 2. fig soutien *m*.

crux [krʌks] *n* nœud *m*.

cry [kraɪ] ◼ *n* cri *m*. ◼ *vi* 1. pleurer 2. crier.
◼ **cry out** ◼ *vt* crier. ◼ *vi* 1. crier 2. pousser un cri.

cryptic ['krɪptɪk] *adj* mystérieux(euse), énigmatique.

crystal ['krɪstl] *n* cristal *m*.

crystal clear *adj* clair(e) comme de l'eau de roche.

CSE (abr de **Certificate of Secondary Education**) *n* ancien brevet de l'enseignement secondaire en Grande-Bretagne.

cub [kʌb] *n* 1. petit *m* (d'un animal) 2. (scoutisme) louveteau *m*.

Cuba ['kjuːbə] *n* Cuba.

Cuban ['kjuːbən] ◼ *adj* cubain(e). ◼ *n* Cubain *m*, -e *f*.

cubbyhole ['kʌbɪhəʊl] *n* cagibi *m*.

cube [kjuːb] ◼ *n* cube *m*. ◼ *vt* MATH élever au cube.

cubic ['kjuːbɪk] *adj* cubique.

cubicle ['kjuːbɪkl] *n* cabine *f*.

Cub Scout *n* louveteau *m*.

cuckoo ['kʊkuː] *n* coucou *m*.

cuckoo clock *n* coucou *m*.

cucumber ['kjuːkʌmbəʳ] *n* concombre *m*.

cuddle ['kʌdl] ◼ *n* caresse *f*, câlin *m*. ◼ *vt* caresser, câliner. ◼ *vi* se faire un câlin, se câliner.

cuddly toy *n* jouet *m* en peluche.

cue [kjuː] *n* 1. RADIO, TV & THÉÂTRE signal *m* • **on cue** au bon moment 2. queue *f* (de billard).

cuff [kʌf] *n* 1. poignet *m* • **off the cuff** au pied levé 2. gifle *f*.

cuff link *n* bouton *m* de manchette.

cul-de-sac ['kʌldəsæk] *n* cul-de-sac *m*.

cull [kʌl] ◼ *n* massacre *m*. ◼ *vt* 1. massacrer 2. recueillir.

culminate ['kʌlmɪneɪt] *vi* ▪ **to culminate in sthg** se terminer par qqch, aboutir à qqch.

culmination [,kʌlmɪ'neɪʃn] *n* apogée *m*.

culottes [kju:'lɒts] *npl* jupe-culotte *f*.

culpable ['kʌlpəbl] *adj* coupable.

culprit ['kʌlprɪt] *n* coupable *mf*.

cult [kʌlt] ▪ *n* culte *m*. ▪ *en apposition* culte ▪ **cult film** film-culte.

cultivate ['kʌltɪveɪt] *vt* cultiver.

cultivation [,kʌltɪ'veɪʃn] *n* (indén) culture *f*.

cultural ['kʌltʃərəl] *adj* culturel(elle).

culture ['kʌltʃə] *n* culture *f*.

cultured ['kʌltʃəd] *adj* cultivé(e).

cumbersome ['kʌmbəsəm] *adj* encombrant(e).

cunning ['kʌnɪŋ] ▪ *adj* **1.** astucieux(euse), malin(igne) **2.** *péj* rusé(e), fourbe. ▪ *n* (indén) **1.** finesse *f*, astuce *f* **2.** *péj* ruse *f*, fourberie *f* **3.** habileté *f*, adresse *f*.

cup [kʌp] *n* **1.** tasse *f* **2.** *(prix, concours)* coupe *f* **3.** bonnet *m* *(de soutien-gorge)*.

cupboard ['kʌbəd] *n* placard *m*.

cup tie *n* (UK) match *m* de coupe.

curate ['kjuərət] *n* (UK) vicaire *m*.

curator [,kjuə'reɪtə] *n* conservateur *m*, -trice *f*.

curb [kɜ:b] ▪ *n* **1.** ▪ **curb (on)** frein *m* (à) **2.** *(US)* bord *m* du trottoir. ▪ *vt* mettre un frein à.

curdle ['kɜ:dl] *vi* cailler.

cure [kjuə] ▪ *n* ▪ **cure (for)** remède *m* (contre) ▪ *fig* remède *m* (à). ▪ *vt* **1.** guérir **2.** CULIN ▪ fumer ▪ saler ▪ sécher.

cure-all *n* panacée *f*.

curfew ['kɜ:fju:] *n* couvre-feu *m*.

curio ['kjuərɪəu] *(pl* -s*)* *n* bibelot *m*.

curiosity [,kjuərɪ'ɒsətɪ] *n* curiosité *f*.

curious ['kjuərɪəs] *adj* ▪ **curious (about)** curieux(euse) (à propos de).

curl [kɜ:l] ▪ *n* boucle *f* *(de cheveux)*. ▪ *vt* **1.** *(cheveux)* boucler **2.** enrouler. ▪ *vi* **1.** boucler **2.** s'enrouler.
▪ **curl up** *vi* se mettre en boule, se pelotonner.

curler ['kɜ:lə] *n* bigoudi *m*.

curling iron *n* (US) fer *m* à friser.

curling tongs *npl* (UK) fer *m* à friser.

curly ['kɜ:lɪ] *adj* bouclé(e).

currant ['kʌrənt] *n* raisin *m* de Corinthe, raisin sec.

currency ['kʌrənsɪ] *n* **1.** monnaie *f* **2.** *(indén)* devise *f*.

current ['kʌrənt] ▪ *adj* **1.** actuel(elle) **2.** en cours **3.** du moment ▪ **current issue** dernier numéro. ▪ *n* *(eau, air, électricité)* courant *m*.

current account *n* (UK) compte *m* courant.

current affairs *npl* actualité *f*, questions *fpl* d'actualité.

currently ['kʌrəntlɪ] *adv* actuellement.

curriculum [kə'rɪkjələm] *(pl* -**lums** *ou* -**la** [-lə]*)* *n* programme *m* d'études.

curriculum vitae [-'vi:taɪ] *(pl* **curricula vitae***)* *n* curriculum vitae *m*.

curry ['kʌrɪ] *n* curry *m*.

curse [kɜ:s] ▪ *n* **1.** malédiction *f* **2.** *fig* fléau *m* **3.** juron *m*. ▪ *vt* maudire. ▪ *vi* jurer.

cursor ['kɜ:sə] *n* curseur *m*.

cursory ['kɜ:sərɪ] *adj* superficiel(elle).

curt [kɜ:t] *adj* brusque.

curtail [kɜ:'teɪl] *vt* écourter.

curtain ['kɜ:tn] *n* rideau *m*.

curts(e)y ['kɜ:tsɪ] *(prét & pp* **curtsied***)* ▪ *n* révérence *f*. ▪ *vi* faire une révérence.

curve [kɜ:v] ▪ *n* courbe *f*. ▪ *vi* faire une courbe.

cushion ['kuʃn] ▪ *n* coussin *m*. ▪ *vt* amortir.

cushy ['kuʃɪ] *adj* *fam* pépère, peinard(e).

custard ['kʌstəd] *n* (UK) crème *f* anglaise.

custodian [kʌ'stəudjən] *n* **1.** gardien *m*, -enne *f* **2.** conservateur *m* *(d'un musée)*.

custody ['kʌstədɪ] *n* **1.** garde *f* **2.** DR ▪ **in custody** en garde à vue.

custom ['kʌstəm] *n* **1.** coutume *f* **2.** clientèle *f*.
▪ **customs** *n* douane *f*.

customary ['kʌstəmrɪ] *adj* **1.** coutumier(ère) **2.** habituel(elle).

customer ['kʌstəmə] *n* **1.** client *m*, -e *f* **2.** *fam* type *m*.

customize, -ise ['kʌstəmaɪz] *vt* fabriquer *ou* assembler sur commande.

Customs and Excise *n* (UK) ≃ service *m* des contributions indirectes.

customs duty n droit m de douane.

customs officer n douanier m, -ère f.

cut [kʌt] ◼ n 1. entaille f 2. coupure f 3. morceau m 4. ◦ **cut (in)** réduction f (de) ◦ coupure f (dans un film, un article) ◦ **budget cuts** compressions fpl budgétaires 5. coupe f (de cheveux, d'un costume). ◼ vt (prét & pp **cut**) couper. ◼ vi (prét & pp **cut**) 1. couper 2. se couper.
◼ **cut back** ◼ vt sép 1. tailler 2. réduire.
◼ vi ◦ **to cut back on** réduire, diminuer.
◼ **cut down** ◼ vt sép 1. couper 2. réduire, diminuer. ◼ vi ◦ **to cut down on spending** dépenser moins.
◼ **cut in** vi 1. ◦ **to cut in (on sb)** interrompre (qqn) 2. AUTO & SPORT se rabattre.
◼ **cut off** vt sép 1. couper 2. amputer 3. ◦ **to be cut off (from)** être coupé(e) (de) ◦ être isolé(e) (de).
◼ **cut out** vt sép 1. découper 2. COUT couper 3. COUT tailler 4. ◦ **to cut out smoking** arrêter de fumer ◦ **cut it out!** fam ça suffit ! 5. exclure.
◼ **cut up** vt sép couper, hacher.

cutback ['kʌtbæk] n ◦ **cutback (in)** réduction f (de).

cute [kju:t] adj mignon(onne).

cuticle ['kju:tɪkl] n envie f.

cutlery ['kʌtlərɪ] n (indén) couverts mpl.

cutlet ['kʌtlɪt] n côtelette f.

cutout ['kʌtaʊt] n 1. disjoncteur m 2. découpage m.

cut-price (UK), **cut-rate** (US) adj à prix réduit.

cutthroat ['kʌtθrəʊt] adj acharné(e).

cutting ['kʌtɪŋ] ◼ adj 1. cinglant(e) 2. acerbe. ◼ n 1. bouture f 2. (UK) coupure f (de presse) 3. (UK) tranchée f.

CV (abr de **curriculum vitae**) n CV m.

cyanide ['saɪənaɪd] n cyanure m.

cybercafé ['saɪbə,kæfeɪ] n cybercafé m.

cybernaut ['saɪbə,nɔt] n internaute mf.

cyberspace ['saɪbəspeɪs] n cyberespace m.

cybersurfer ['saɪbə,sɜ:fər] n internaute mf.

cycle ['saɪkl] ◼ n 1. cycle m 2. bicyclette f, vélo m. ◼ en apposition 1. (piste) cyclable 2. (course) cycliste 3. (magasin) de cycles. ◼ vi faire du vélo.

cycling ['saɪklɪŋ] n cyclisme m.

cyclist ['saɪklɪst] n cycliste mf.

cygnet ['sɪgnɪt] n jeune cygne m.

cylinder ['sɪlɪndər] n cylindre m.

cymbal ['sɪmbl] n cymbale f.

cynic ['sɪnɪk] n cynique mf.

cynical ['sɪnɪkl] adj cynique.

cynicism ['sɪnɪsɪzm] n cynisme m.

cypress ['saɪprəs] n cyprès m.

Cypriot ['sɪprɪət] ◼ adj chypriote. ◼ n Chypriote mf.

Cyprus ['saɪprəs] n Chypre f.

cyst [sɪst] n kyste m.

cystitis [sɪs'taɪtɪs] n cystite f.

czar [zɑ:r] n 1. tsar m 2. fig ◦ **the government's drug(s) czar** le « Monsieur drogue » du gouvernement.

Czech [tʃek] ◼ adj tchèque. ◼ n 1. Tchèque mf 2. tchèque m.

Czechoslovakian [,tʃekəslə'vækɪən] ◼ adj tchécoslovaque. ◼ n Tchécoslovaque mf.

d [diː] (pl **d's** OU **ds**), **D** (pl **D's** OU **Ds**) n d m inv, D m inv. ■ **D** n **1.** MUS ré m **2.** SCOL D m inv.

DA abrév de **district attorney**.

dab [dæb] ■ n **1.** petit peu m **2.** touche f. ■ vt tamponner.

dabble ['dæbl] vi • **to dabble in** toucher un peu à.

dachshund ['dækshund] n teckel m.

dad [dæd], **daddy** ['dædɪ] n fam papa m.

daddy longlegs [-'lɒŋlegz] (pl inv) n faucheur m.

daffodil ['dæfədɪl] n jonquille f.

daft [dɑːft] adj (UK) fam stupide, idiot(e).

dagger ['dægər] n poignard m.

daily ['deɪlɪ] ■ adj **1.** quotidien(enne) **2.** journalier(ère). ■ adv quotidiennement • **twice daily** deux fois par jour. ■ n quotidien m.

dainty ['deɪntɪ] adj délicat(e).

dairy ['deərɪ] n **1.** laiterie f **2.** crémerie f.

dairy products npl produits mpl laitiers.

dais ['deɪɪs] n estrade f.

daisy ['deɪzɪ] n **1.** (dans les champs) pâquerette f **2.** (cultivée) marguerite f.

daisy-wheel printer n imprimante f à marguerite.

dale [deɪl] n vallée f.

dam [dæm] ■ n barrage m. ■ vt construire un barrage sur.

damage ['dæmɪdʒ] ■ n **1.** dommage m, dégât m **2.** tort m. ■ vt **1.** endommager, abimer **2.** nuire à.
■ **damages** npl DR dommages et intérêts mpl.

damn [dæm] ■ adj fam fichu(e), sacré(e). ■ adv fam sacrément. ■ n fam • **not to give** OU **care a damn** se ficher pas mal. ■ vt damner. ■ interj fam zut !

damned [dæmd] fam ■ adj fichu(e), sacré(e) • **well I'll be** (US) OU **I'm damned!** (UK) c'est trop fort !, elle est bien bonne celle-là ! ■ adv sacrément.

damning ['dæmɪŋ] adj accablant(e).

damp [dæmp] ■ adj humide. ■ n humidité f. ■ vt humecter.

dampen ['dæmpən] vt **1.** humecter **2.** fig abattre.

damson ['dæmzn] n prune f de Damas.

dance [dɑːns] ■ n **1.** danse f **2.** bal m. ■ vi danser.

dancer ['dɑːnsər] n danseur m, -euse f.

dancing ['dɑːnsɪŋ] n (indén) danse f.

dandelion ['dændɪlaɪən] n pissenlit m.

dandruff ['dændrʌf] n (indén) pellicules fpl.

Dane [deɪn] n Danois m, -e f.

danger ['deɪndʒər] n • **danger (to)** risque m (pour) • **to be in danger of doing sthg** risquer de faire qqch.

dangerous ['deɪndʒərəs] adj dangereux(euse).

dangle ['dæŋgl] ■ vt laisser pendre. ■ vi pendre.

Danish ['deɪnɪʃ] ■ adj danois(e). ■ n **1.** danois m **2.** (US) = **Danish pastry**. ■ npl • **the Danish** les Danois mpl.

Danish pastry n gâteau feuilleté fourré aux fruits.

dank [dæŋk] adj humide et froid(e).

dapper ['dæpər] adj pimpant(e).

dappled ['dæpld] adj **1.** tacheté(e) **2.** (cheval, ciel) pommelé(e).

dare [deər] ■ vt **1.** • **to dare to do sthg** oser faire qqch **2.** • **to dare sb to do sthg** défier qqn de faire qqch. ■ vi oser. ■ n défi m.

daredevil ['deə,devl] n casse-cou m inv.

daring ['deərɪŋ] ■ adj audacieux(euse). ■ n audace f.

dark [dɑːk] ◼ *adj* **1.** sombre • **it's getting dark** il commence à faire nuit **2.** foncé(e) **3.** brun(e) **4.** basané(e). ◼ *n* **1.** • **the dark** l'obscurité *f* **2.** • **before/after dark** avant/après la tombée de la nuit.

darken ['dɑːkn] ◼ *vt* assombrir. ◼ *vi* s'assombrir.

dark glasses *npl* lunettes *fpl* noires.

darkness ['dɑːknɪs] *n* obscurité *f*.

darkroom ['dɑːkrʊm] *n* chambre *f* noire.

darling ['dɑːlɪŋ] ◼ *adj* chéri(e). ◼ *n* **1.** chéri *m*, -e *f* **2.** chouchou *m*, idole *f*.

darn [dɑːn] ◼ *vt* repriser. ◼ *adj fam* sacré(e), satané(e). ◼ *adv fam* sacrément.

dart [dɑːt] ◼ *n* fléchette *f*. ◼ *vi* se précipiter.
◼ **darts** *n* jeu *m* de fléchettes.

dartboard ['dɑːtbɔːd] *n* cible *f* de jeu de fléchettes.

dash [dæʃ] ◼ *n* **1.** goutte *f* **2.** soupçon *m* **3.** pincée *f* **4.** touche *(de couleur, de peinture)* *f* **5.** tiret *m* **6.** • **to make a dash for** se ruer vers. ◼ *vi* se précipiter.

dashboard ['dæʃbɔːd] *n* tableau *m* de bord.

dashing ['dæʃɪŋ] *adj* fringant(e).

data ['deɪtə] *n (indén)* données *fpl*.

database ['deɪtəbeɪs] *n* base *f* de données.

data processing *n* traitement *m* de données.

date [deɪt] ◼ *n* **1.** date *f* • **to date** à ce jour **2.** rendez-vous *m inv* **3.** petit ami *m*, petite amie *f* **4.** datte *f*. ◼ *vt* **1.** dater **2.** sortir avec.

dated ['deɪtɪd] *adj* qui date.

date of birth *n* date *f* de naissance.

daub [dɔːb] *vt* • **to daub sthg with sthg** barbouiller qqch de qqch.

daughter ['dɔːtər] *n* fille *f*.

daughter-in-law *(pl* **daughters-in-law)** *n* belle-fille *f*.

daunting ['dɔːntɪŋ] *adj* intimidant(e).

dawdle ['dɔːdl] *vi* flâner.

dawn [dɔːn] ◼ *n littéraire & fig* aube *f*. ◼ *vi* **1.** *(jour)* poindre **2.** *(ère, époque)* naître.
◼ **dawn (up)on** *vt insép* venir à l'esprit de.

day [deɪ] *n* **1.** jour *m* **2.** journée *f* • **the day before** la veille • **the day after** le lende-main • **the day before yesterday** avant-hier • **the day after tomorrow** après-demain • **any day now** d'un jour à l'autre • **one day, some day, one of these days** un jour (ou l'autre), un de ces jours • **to make sb's day** réchauffer le cœur de qqn.

daybreak ['deɪbreɪk] *n* aube *f* • **at daybreak** à l'aube.

daydream ['deɪdriːm] *vi* rêvasser.

daylight ['deɪlaɪt] *n* **1.** lumière *f* du jour **2.** aube *f*.

day off *(pl* **days off)** *n* jour *m* de congé.

day return *n (UK)* billet aller et retour valable pour une journée.

daytime ['deɪtaɪm] ◼ *n* jour *m*, journée *f*. ◼ *en apposition* de jour.

day-to-day *adj* journalier(ère) • **on a day-to-day basis** au jour le jour.

day trip *n* excursion *f* d'une journée.

daze [deɪz] ◼ *n* • **in a daze** hébété(e), ahuri(e). ◼ *vt* **1.** étourdir **2.** *fig* abasourdir, sidérer.

dazzle ['dæzl] *vt* éblouir.

DC *n (abr de* **direct current)** courant *m* continu.

D-day, D-Day ['diːdeɪ] *n fig* le jour J.

DEA *(abr de* **Drug Enforcement Administration)** *n agence américaine de lutte contre la drogue.*

deacon ['diːkn] *n* diacre *m*.

deactivate [ˌdiːˈæktɪveɪt] *vt* désamorcer.

dead [ded] ◼ *adj* **1.** mort(e) **2.** engourdi(e) **3.** *(batterie)* à plat **4.** de mort. ◼ *adv* **1.** • **dead ahead** droit devant soi • **dead on time** pile à l'heure **2.** *fam* tout à fait **3.** • **to stop dead** s'arrêter net.

deaden ['dedn] *vt* **1.** assourdir *(un bruit)* **2.** calmer *(une douleur)*.

dead end *n* impasse *f*.

dead heat *n* arrivée *f* ex-æquo.

deadline ['dedlaɪn] *n* dernière limite *f*.

deadlock ['dedlɒk] *n* impasse *f*.

dead loss *n (UK) fam* • **to be a dead loss** être complètement nul(nulle).

deadly ['dedlɪ] ◼ *adj* **1.** mortel(elle) **2.** imparable. ◼ *adv* tout à fait.

deadpan ['dedpæn] ◼ *adj* pince-sans-rire *(inv)*. ◼ *adv* impassiblement.

deaf [def] ◼ *adj* sourd(e) • **to be deaf to sthg** être sourd à qqch. ◼ *npl* • **the deaf** les sourds *mpl*.

deaf-and-dumb *adj* sourd-muet (sourde-muette).

deafen ['defn] *vt* assourdir.

deaf-mute ◼ *adj* sourd-muet(sourde-muette). ◼ *n* sourd-muet *m*, sourde-muette *f*.

deafness ['defnɪs] *n* surdité *f*.

deal [diːl] ◼ *n* 1. • **a good** OU **great deal (of)** beaucoup (de) 2. marché *m*, affaire *f* • **to do** OU **strike a deal with sb** conclure un marché avec qqn 3. *fam* • **to get a bad deal** ne pas faire une affaire. ◼ *vt* (*prét & pp* dealt) 1. • **to deal sb/sthg a blow, to deal a blow to sb/sthg** porter un coup à qqn/qqch 2. donner, distribuer. ◼ *vi* (*prét & pp* dealt) 1. donner, distribuer 2. faire du trafic de drogue.
◼ **deal in** *vt insép* COMM faire le commerce de.
◼ **deal out** *vt sép* distribuer.
◼ **deal with** *vt insép* 1. s'occuper de 2. traiter de 3. traiter OU négocier avec.

dealer ['diːlər] *n* 1. négociant *m* 2. (*drogue*) trafiquant *m*, dealer *m fam* 3. donneur *m*.

dealing ['diːlɪŋ] *n* commerce *m*.
◼ **dealings** *npl* relations *fpl*, rapports *mpl*.

dealt [delt] *passé & pp* ▷ **deal**.

dean [diːn] *n* doyen *m*.

dear [dɪər] ◼ *adj* • **dear (to)** cher(chère) (à) • **Dear Sir** Cher Monsieur • **Dear Madam** Chère Madame. ◼ *n* chéri *m*, -e *f*. ◼ *interj* • **oh dear!** mon Dieu !

dearly ['dɪəlɪ] *adv* de tout son cœur.

death [deθ] *n* mort *f* • **to frighten sb to death** faire une peur bleue à qqn • **to be sick to death of sthg/of doing sthg** en avoir marre de qqch/de faire qqch.

death certificate *n* acte *m* de décès.

death duty (UK), **death tax** (US) *n* droits *mpl* de succession.

deathly ['deθlɪ] *adj* de mort.

death penalty *n* peine *f* de mort.

death rate *n* taux *m* de mortalité.

death tax (US) = **death duty**.

death trap *n fam* véhicule *m*/bâtiment *m* dangereux.

debar [diː'bɑːr] *vt* • **to debar sb (from)** exclure qqn (de) • **to debar sb from doing sthg** interdire à qqn de faire qqch.

debase [dɪ'beɪs] *vt* dégrader • **to debase o.s.** s'avilir.

debate [dɪ'beɪt] ◼ *n* débat *m* • **open to debate** discutable. ◼ *vt* débattre, discuter • **to debate whether** s'interroger pour savoir si.

debating society [dɪ'beɪtɪŋ-] *n* (UK) club *m* de débats.

debauchery [dɪ'bɔːtʃərɪ] *n* débauche *f*.

debit ['debɪt] ◼ *n* débit *m*. ◼ *vt* débiter.

debit card *n* carte *f* de paiement à débit immédiat.

debit note *n* note *f* de débit.

debris ['deɪbriː] *n* (*indén*) débris *mpl*.

debt [det] *n* dette *f* • **to be in debt** avoir des dettes, être endetté(e) • **to be in sb's debt** être redevable à qqn.

debt collector *n* agent *m* de recouvrements.

debtor ['detər] *n* débiteur *m*, -trice *f*.

debug [,diː'bʌg] *vt* INFORM mettre au point, déboguer.

debunk [,diː'bʌŋk] *vt* démentir.

debut ['deɪbjuː] *n* débuts *mpl*.

decade ['dekeɪd] *n* décennie *f*.

decadence ['dekədəns] *n* décadence *f*.

decadent ['dekədənt] *adj* décadent(e).

decaffeinated [dɪ'kæfɪneɪtɪd] *adj* décaféiné(e).

decanter [dɪ'kæntər] *n* carafe *f*.

decathlon [dɪ'kæθlɒn] *n* décathlon *m*.

decay [dɪ'keɪ] ◼ *n* 1. pourriture *f*, putréfaction *f* 2. (*dent*) carie *f* 3. *fig* délabrement *m* 4. *fig* décadence *f*. ◼ *vi* 1. pourrir 2. (*dent*) se carier 3. *fig* se délabrer, tomber en ruines 3. *fig* tomber en décadence.

deceased [dɪ'siːst] ◼ *adj* décédé(e). ◼ *n* (*pl inv*) • **the deceased** le défunt, la défunte.

deceit [dɪ'siːt] *n* tromperie *f*, supercherie *f*.

deceitful [dɪ'siːtfʊl] *adj* trompeur (euse).

deceive [dɪ'siːv] *vt* 1. tromper, duper 2. (*mémoire*) jouer des tours à • **to deceive o.s.** se leurrer, s'abuser.

December [dɪ'sembə^r] *n* décembre *m*.
• *voir aussi* **September**

decency ['diːsnsɪ] *n* décence *f*, bienséance *f* • **to have the decency to do sthg** avoir la décence de faire qqch.

decent ['diːsnt] *adj* **1.** *(tenue, comportement)* décent(e) **2.** *(salaire, repas)* correct(e), décent(e) **3.** *(personne)* gentil(ille), brave.

deception [dɪ'sepʃn] *n* **1.** tromperie *f*, duperie *f* **2.** *(indén)* supercherie *f*.

deceptive [dɪ'septɪv] *adj* trompeur (euse).

decide [dɪ'saɪd] *vt* décider. ◼ *vi* se décider.
◼ **decide (up)on** *vt insép* se décider pour, choisir.

decided [dɪ'saɪdɪd] *adj* **1.** certain(e), incontestable **2.** décidé(e), résolu(e).

decidedly [dɪ'saɪdɪdlɪ] *adv* **1.** manifestement, incontestablement **2.** résolument.

deciduous [dɪ'sɪdjuəs] *adj* à feuilles caduques.

decimal ['desɪml] ◼ *adj* décimal(e). ◼ *n* décimale *f*.

decimal point *n* virgule *f*.

decimate ['desɪmeɪt] *vt* décimer.

decipher [dɪ'saɪfə^r] *vt* déchiffrer.

decision [dɪ'sɪʒn] *n* décision *f*.

decisive [dɪ'saɪsɪv] *adj* **1.** déterminé(e), résolu(e) **2.** décisif(ive).

deck [dek] *n* **1.** pont *m* *(d'un bateau)* **2.** étage *m* *(d'un gros avion)* **3.** jeu *m* *(de cartes)*.

deckchair ['dektʃeə^r] *n* chaise *f* longue, transat *m*.

declaration [,deklə'reɪʃn] *n* déclaration *f*.

Declaration of Independence *n* • **the Declaration of Independence** *la Déclaration d'Indépendance des États-Unis d'Amérique (1776).*

declare [dɪ'kleə^r] *vt* déclarer.

decline [dɪ'klaɪn] ◼ *n* déclin *m*. ◼ *vt* décliner • **to decline to do sthg** refuser de faire qqch. ◼ *vi* **1.** décliner **2.** refuser.

decode [,diː'kəʊd] *vt* décoder.

decompose [,diː'kəm'pəʊz] *vi* se décomposer.

decongestant [,diːkən'dʒestənt] *n* décongestionnant *m*.

decorate ['dekəreɪt] *vt* décorer.

decoration [,dekə'reɪʃn] *n* décoration *f*.

decorator ['dekəreɪtə^r] *n* décorateur *m*, -trice *f*.

decoy *n* ['diːkɔɪ] **1.** *(pour la chasse)* appât *m*, leurre *m* **2.** compère *m*.

decrease ◼ *n* ['diːkriːs] • **decrease (in)** diminution *f* (de), baisse *f* (de). ◼ *vt* [dɪ'kriːs] diminuer, réduire. ◼ *vi* [dɪ'kriːs] diminuer, décroître.

decree [dɪ'kriː] ◼ *n* **1.** décret *m* **2.** *(US)* DR arrêt *m*, jugement *m*. ◼ *vt* décréter, ordonner.

decree nisi [-'naɪsaɪ] *(pl decrees nisi) n (UK)* jugement *m* provisoire.

decrepit [dɪ'krepɪt] *adj* **1.** décrépit(e) **2.** délabré(e).

dedicate ['dedɪkeɪt] *vt* **1.** dédier **2.** consacrer.

dedication [,dedɪ'keɪʃn] *n* **1.** dévouement *m* **2.** dédicace *f*.

deduce [dɪ'djuːs] *vt* déduire, conclure.

deduct [dɪ'dʌkt] *vt* déduire, retrancher.

deduction [dɪ'dʌkʃn] *n* déduction *f*.

deed [diːd] *n* **1.** action *f*, acte *m* **2.** DR acte *m* notarié.

deem [diːm] *vt* juger, considérer.

deep [diːp] ◼ *adj* profond(e). ◼ *adv* profondément • **deep down** au fond.

deepen ['diːpn] *vi* **1.** *(fleuve, mer)* devenir profond(e) **2.** *(crise, récession)* s'aggraver.

deep freeze *n* congélateur *m*.

deeply ['diːplɪ] *adv* profondément.

deep-sea *adj* • **deep-sea diving** plongée *f* sous-marine • **deep-sea fishing** pêche *f* hauturière.

deer [dɪə^r] *(pl inv) n* cerf *m*.

deface [dɪ'feɪs] *vt* barbouiller.

defamatory [dɪ'fæmətrɪ] *adj* diffamatoire, diffamant(e).

default [dɪ'fɔlt] ◼ *n* **1.** défaillance *f* • **by default** par défaut **2.** INFORM valeur *f* par défaut. ◼ *vi* manquer à ses engagements.

defeat [dɪ'fiːt] ◼ *n* défaite *f* • **to admit defeat** s'avouer battu(e) *ou* vaincu(e). ◼ *vt* **1.** vaincre, battre **2.** rejeter.

defeatist [dɪ'fiːtɪst] ◼ *adj* défaitiste. ◼ *n* défaitiste *mf*.

defect ◼ *n* ['diːfekt] défaut *m*. ◼ *vi* [dɪ'fekt] • **to defect to** passer à.

defective [dɪ'fektɪv] *adj* défectueux (euse).

defence *(UK)*, **defense** *(US)* [dɪ'fens] *n* 1. défense *f* 2. protection *f* 3. DR • **the defence** la défense.

defenceless *(UK)*, **defenseless** *(US)* [dɪ'fenslɪs] *adj* sans défense.

defend [dɪ'fend] *vt* défendre.

defendant [dɪ'fendənt] *n* 1. défendeur *m*, -eresse *f* 2. *(dans un procès)* accusé *m*, -e *f*.

defender [dɪ'fendər] *n* défenseur *m*.

defense *(US)* = **defence**.

defenseless *(US)* = **defenceless**.

defensive [dɪ'fensɪv] ◼ *adj* défensif(ive). ◼ *n* • **on the defensive** sur la défensive.

defer [dɪ'fɜːr] ◼ *vt* différer. ◼ *vi* • **to defer to sb** s'en remettre à (l'opinion de) qqn.

deferential [ˌdefə'renʃl] *adj* respectueux(euse).

defiance [dɪ'faɪəns] *n* défi *m* • **in defiance of** au mépris de.

defiant [dɪ'faɪənt] *adj* 1. intraitable, intransigeant(e) 2. de défi.

deficiency [dɪ'fɪʃnsɪ] *n* 1. manque *m* 2. carence *f* 3. imperfection *f*.

deficient [dɪ'fɪʃnt] *adj* 1. • **to be deficient in** manquer de 2. insuffisant(e), médiocre.

deficit ['defɪsɪt] *n* déficit *m*.

defile [dɪ'faɪl] *vt* souiller, salir.

define [dɪ'faɪn] *vt* définir.

definite ['defɪnɪt] *adj* 1. *(plan)* bien déterminé(e) 2. *(date)* certain(e) 3. *(différence, progrès)* net(nette), marqué(e) 4. *(réponse)* précis(e), catégorique 5. *(personne, ton)* catégorique.

definitely ['defɪnɪtlɪ] *adv* 1. sans aucun doute, certainement 2. catégoriquement.

definition [defɪ'nɪʃn] *n* 1. définition *f* 2. clarté *f*, précision *f*.

deflate [dɪ'fleɪt] ◼ *vt* dégonfler. ◼ *vi* se dégonfler.

deflation [dɪ'fleɪʃn] *n* ÉCON déflation *f*.

deflect [dɪ'flekt] *vt* 1. faire dévier *(un projectile)* 2. détourner *(le cours d'un fleuve)*.

defogger [ˌdiː'fɒɡər] *n (US)* dispositif *m* anti-buée.

deformed [dɪ'fɔːmd] *adj* difforme.

defraud [dɪ'frɔːd] *vt* 1. escroquer 2. frauder.

defrost [ˌdiː'frɒst] ◼ *vt* 1. dégivrer 2. décongeler 3. dégivrer • désembuer. ◼ *vi* 1. dégivrer 2. se décongeler.

deft [deft] *adj* adroit(e).

defunct [dɪ'fʌŋkt] *adj* 1. qui n'existe plus 2. défunt(e).

defuse [ˌdiː'fjuːz] *vt* désamorcer.

defy [dɪ'faɪ] *vt* 1. défier 2. résister à, faire échouer *(des efforts)*.

degenerate ◼ *adj* [dɪ'dʒenərət] dégénéré(e). ◼ *vi* [dɪ'dʒenəreɪt] • **to degenerate (into)** dégénérer (en).

degrading [dɪ'ɡreɪdɪŋ] *adj* dégradant(e), avilissant(e).

degree [dɪ'ɡriː] *n* 1. degré *m* 2. UNIV diplôme *m* universitaire 3. • **to a certain degree** dans une certaine mesure • **a degree of risk** un certain risque • **a degree of truth** une certaine part de vérité • **by degrees** progressivement, petit à petit.

dehydrated [ˌdiːhaɪ'dreɪtɪd] *adj* déshydraté(e).

de-ice [diː'aɪs] *vt* dégivrer.

deign [deɪn] *vt* • **to deign to do sthg** daigner faire qqch.

deity ['diːɪtɪ] *n* dieu *m*, déesse *f*, divinité *f*.

dejected [dɪ'dʒektɪd] *adj* abattu(e), découragé(e).

delay [dɪ'leɪ] ◼ *n* retard *m*, délai *m*. ◼ *vt* 1. retarder 2. différer • **to delay doing sthg** tarder à faire qqch.

delayed [dɪ'leɪd] *adj* • **to be delayed** être retardé(e).

delectable [dɪ'lektəbl] *adj* délicieux (euse).

delegate ◼ *n* ['delɪɡət] délégué *m*, -e *f*. ◼ *vt* ['delɪɡeɪt] déléguer.

delegation [ˌdelɪ'ɡeɪʃn] *n* délégation *f*.

delete [dɪ'liːt] *vt* supprimer, effacer.

delete key *n* touche *f* effacer.

deli ['delɪ] *n fam abrév de* **delicatessen**.

deliberate ◼ *adj* [dɪ'lɪbərət] 1. voulu(e), délibéré(e) 2. lent(e), sans hâte. ◼ *vi* [dɪ'lɪbəreɪt] délibérer.

deliberately [dɪ'lɪbərətlɪ] *adv* exprès, à dessein.

delicacy ['delɪkəsɪ] n 1. délicatesse f 2. mets m délicat.

delicate ['delɪkət] adj 1. délicat(e) 2. gracieux(euse).

delicatessen [ˌdelɪkə'tesn] n épicerie f fine.

delicious [dɪ'lɪʃəs] adj délicieux(euse).

delight [dɪ'laɪt] ◼ n délice m ‣ **to take delight in doing sthg** prendre grand plaisir à faire qqch. ◼ vt enchanter, charmer.

delighted [dɪ'laɪtɪd] adj ‣ **delighted (by** ou **with)** enchanté(e) (de), ravi(e) (de).

delightful [dɪ'laɪtfʊl] adj 1. ravissant(e), charmant(e) 2. délicieux(euse).

delinquent [dɪ'lɪŋkwənt] ◼ adj délinquant(e). ◼ n délinquant m, -e f.

delirious [dɪ'lɪrɪəs] adj littéraire & fig délirant(e).

deliver [dɪ'lɪvər] vt 1. ‣ **to deliver sthg (to sb)** distribuer qqch (à qqn) ◾ comm livrer qqch (à qqn) 2. faire (un discours) 3. donner (une recommandation) 4. remettre (un message) 5. donner (des coups) 6. mettre au monde (un enfant) 7. délivrer 8. (US) polit obtenir (des voix).

delivery [dɪ'lɪvərɪ] n 1. comm livraison f 2. élocution f 3. accouchement m.

delude [dɪ'luːd] vt tromper, induire en erreur ‣ **to delude o.s.** se faire des illusions.

delusion [dɪ'luːʒn] n illusion f.

delve [delv] vi ‣ **to delve into** fouiller (le passé) ‣ fouiller dans (un sac).

demand [dɪ'mɑːnd] ◼ n 1. revendication f, exigence f ‣ **on demand** sur demande 2. ‣ **demand (for)** demande f (de) ‣ **in demand** demandé(e), recherché(e). ◼ vt réclamer, exiger ‣ **to demand to do sthg** exiger de faire qqch.

demanding [dɪ'mɑːndɪŋ] adj 1. astreignant(e) 2. exigeant(e).

demean [dɪ'miːn] vt ‣ **to demean o.s.** s'abaisser.

demeaning [dɪ'miːnɪŋ] adj avilissant(e), dégradant(e).

demeanour (UK), **demeanor** (US) [dɪ'miːnər] n (indén) sout comportement m.

demented [dɪ'mentɪd] adj fou(folle), dément(e).

demise [dɪ'maɪz] n 1. (indén) décès m 2. fig mort f, fin f.

demister [ˌdiː'mɪstər] n (UK) dispositif m anti-buée.

demo ['deməʊ] (abr de **demonstration**) n (UK) fam manif f.

democracy [dɪ'mɒkrəsɪ] n démocratie f.

democrat ['deməkræt] n démocrate mf. ◼ **Democrat** n (US) démocrate mf.

democratic [ˌdemə'krætɪk] adj démocratique. ◼ **Democratic** adj (US) démocrate.

Democratic Party n (US) ‣ **the Democratic Party** le Parti démocrate.

demolish [dɪ'mɒlɪʃ] vt démolir.

demonstrate ['demənstreɪt] ◼ vt 1. démontrer, prouver 2. faire une démonstration de. ◼ vi ‣ **to demonstrate** manifester.

demonstration [demən'streɪʃn] n 1. démonstration f 2. manifestation f.

demonstrator ['demənstreɪtər] n 1. manifestant m, -e f 2. démonstrateur m, -trice f.

demoralized [dɪ'mɒrəlaɪzd] adj démoralisé(e).

demote [ˌdiː'məʊt] vt rétrograder.

demure [dɪ'mjʊər] adj modeste, réservé(e).

den [den] n antre m, tanière f.

denial [dɪ'naɪəl] n 1. dénégation f 2. démenti m ‣ **in denial** en déni.

denier ['denɪər] n denier m.

denigrate ['denɪgreɪt] vt dénigrer.

denim ['denɪm] n jean m. ◼ **denims** npl ‣ **a pair of denims** un jean.

denim jacket n blouson m en jean, veste f en jean.

Denmark ['denmɑːk] n Danemark m.

denomination [dɪˌnɒmɪ'neɪʃn] n 1. confession f (religion) 2. valeur f (de l'argent).

denounce [dɪ'naʊns] vt dénoncer.

dense [dens] adj 1. (foule, forêt) dense 2. (brouillard) dense, épais(aisse) 3. fam (stupide) bouché(e).

density ['densətɪ] n densité f.

dent [dent] ◼ n bosse f. ◼ vt cabosser.

dental ['dentl] adj dentaire.

dental floss n fil m dentaire.

dental surgeon n chirurgien-dentiste m.

dentist ['dentɪst] n dentiste mf.

dentures ['dentʃəz] npl dentier m.

deny [dɪ'naɪ] vt 1. nier 2. refuser.

deodorant [diː'əʊdərənt] n déodorant m.

depart [dɪ'pɑːt] vi 1. • **to depart (from)** partir (de) 2. • **to depart from ·sthg** s'écarter de qqch.

department [dɪ'pɑːtmənt] n 1. service m 2. (dans un magasin) rayon m 3. UNIV département m, UFR m 4. (gouvernement) département m.

department store n grand magasin m.

departure [dɪ'pɑːtʃə'] n 1. départ m 2. nouveau départ m.

departure lounge n salle f d'embarquement.

depend [dɪ'pend] vi • **to depend on** dépendre de • compter sur • se reposer sur • **it depends** cela dépend • **depending on** selon.

dependable [dɪ'pendəbl] adj 1. sur qui l'on peut compter 2. sûr(e) 3. fiable.

dependant [dɪ'pendənt] n personne f à charge.

dependent [dɪ'pendənt] adj 1. • **dependent (on)** dépendant(e) (de) • **to be dependent on sb/sthg** dépendre de qqn/qqch 2. dépendant(e), accro.

depict [dɪ'pɪkt] vt 1. représenter 2. • **to depict sb/sthg as** dépeindre qqn/qqch comme.

deplete [dɪ'pliːt] vt épuiser.

deplorable [dɪ'plɔːrəbl] adj déplorable.

deplore [dɪ'plɔː'] vt déplorer.

deploy [dɪ'plɔɪ] vt déployer.

depopulation [diː,pɒpjʊ'leɪʃn] n dépeuplement m.

deport [dɪ'pɔːt] vt expulser.

depose [dɪ'pəʊz] vt déposer.

deposit [dɪ'pɒzɪt] ■ n 1. dépôt m • **to make a deposit** déposer de l'argent 2. caution f 3. acompte m 4. (bouteille) consigne f. ■ vt déposer.

deposit account n (UK) compte m sur livret.

depot ['depəʊ] n 1. dépôt m 2. (US) gare f.

depreciate [dɪ'priːʃɪeɪt] vi se déprécier.

depress [dɪ'pres] vt 1. déprimer 2. affaiblir (l'économie) 3. faire baisser (les prix).

depressed [dɪ'prest] adj 1. déprimé(e) 2. en déclin.

depressing [dɪ'presɪŋ] adj déprimant(e).

depression [dɪ'preʃn] n 1. dépression f 2. tristesse f.

deprivation [,deprɪ'veɪʃn] n privation f.

deprive [dɪ'praɪv] vt priver.

depth [depθ] n profondeur f • **to be out of one's depth** ne pas avoir pied • fig être dépassé. ■ **depths** npl • **the depths** les profondeurs fpl • le fin fond • **to be in the depths of despair** toucher le fond du désespoir.

deputation [,depjʊ'teɪʃn] n délégation f.

deputize, -ise ['depjʊtaɪz] vi • **to deputize for sb** assurer les fonctions de qqn, remplacer qqn.

deputy ['depjʊtɪ] ■ adj adjoint(e) • **deputy chairman** vice-président m • **deputy head** SCOL directeur m adjoint • **deputy leader** POLIT vice-président m. ■ n 1. adjoint m, -e f 2. (US) shérif m adjoint.

derail [dɪ'reɪl] vt faire dérailler.

deranged [dɪ'reɪndʒd] adj dérangé(e).

derby [(UK) 'dɑːbɪ, (US) 'dɜːbɪ] n 1. SPORT derby m 2. (US) chapeau m melon.

derelict ['derəlɪkt] adj en ruines.

deride [dɪ'raɪd] vt railler.

derisory [də'raɪzərɪ] adj 1. dérisoire 2. moqueur(euse).

derivative [dɪ'rɪvətɪv] ■ adj péj pas original(e). ■ n dérivé m.

derive [dɪ'raɪv] ■ vt • **to derive sthg from sthg** tirer qqch de qqch. ■ vi • **to derive from** venir de.

derogatory [dɪ'rɒgətrɪ] adj 1. désobligeant(e) 2. péjoratif(ive).

derv [dɜːv] n (UK) gas-oil m.

descend [dɪ'send] ■ vt sout descendre. ■ vi 1. sout descendre 2. • **to descend (on)** s'abattre (sur) (un ennemi) • (sujet : silence) tomber (sur) 3. • **to descend to sthg/to doing sthg** s'abaisser à qqch/à faire qqch.

descendant [dɪ'sendənt] n descendant m, -e f.

descended [dɪ'sendɪd] *adj* • **to be descended from sb** descendre de qqn.

descent [dɪ'sent] *n* **1.** descente *f* **2.** *(indén)* origine *f.*

describe [dɪ'skraɪb] *vt* décrire.

description [dɪ'skrɪpʃn] *n* **1.** description *f* **2.** sorte *f*, genre *m.*

desecrate ['desɪkreɪt] *vt* profaner.

desert ◼ *n* ['dezət] désert *m.* ◼ *vt* [dɪ'zɜːt] **1.** déserter **2.** déserter, abandonner. ◼ *vi* [dɪ'zɜːt] MIL déserter.

deserted [dɪ'zɜːtɪd] *adj* désert(e).

deserter [dɪ'zɜːtər] *n* déserteur *m.*

desert island ['dezət-] *n* île *f* déserte.

deserve [dɪ'zɜːv] *vt* mériter.

deserving [dɪ'zɜːvɪŋ] *adj* **1.** méritant(e) **2.** méritoire.

design [dɪ'zaɪn] ◼ *n* **1.** plan *m*, étude *f* **2.** *(indén)* ART design *m* **3.** motif *m*, dessin *m* **4.** ligne *f* **5.** style *m* **6.** *sout* dessein *m.* ◼ *vt* **1.** faire les plans de, dessiner **2.** créer **3.** concevoir, mettre au point.

designate ◼ *adj* ['dezɪgnət] désigné(e). ◼ *vt* ['dezɪgneɪt] désigner.

designer [dɪ'zaɪnər] ◼ *adj* de marque. ◼ *n* **1.** INDUST concepteur *m*, -trice *f* **2.** ARCHIT dessinateur *m*, -trice *f* **3.** *(dans la mode)* styliste *mf* **4.** THÉÂTRE décorateur *m*, -trice *f.*

desirable [dɪ'zaɪərəbl] *adj* **1.** désirable **2.** *sout* désirable, souhaitable.

desire [dɪ'zaɪər] ◼ *n* désir *m.* ◼ *vt* désirer.

desist [dɪ'zɪst] *vi sout* • **to desist (from doing sthg)** cesser (de faire qqch).

desk [desk] *n* bureau *m* • **reception desk** réception *f* • **information desk** bureau *m* de renseignements.

desktop publishing *n* publication *f* assistée par ordinateur.

desolate ['desələt] *adj* **1.** *(lieu)* abandonné(e) **2.** *(personne)* désespéré(e), désolé(e).

despair [dɪ'speər] ◼ *n* *(indén)* désespoir *m.* ◼ *vi* désespérer • **to despair of** désespérer de.

despairing [dɪ'speərɪŋ] *adj* de désespoir.

despatch [dɪ'spætʃ] *(UK)* = **dispatch**.

desperate ['desprət] *adj* désespéré(e) • **to be desperate for sthg** avoir absolument besoin de qqch.

desperately ['desprətlɪ] *adv* désespérément • **desperately ill** gravement malade.

desperation [,despə'reɪʃn] *n* désespoir *m* • **he agreed in desperation** en désespoir de cause, il a accepté.

despicable [dɪ'spɪkəbl] *adj* ignoble.

despise [dɪ'spaɪz] *vt* **1.** mépriser **2.** exécrer.

despite [dɪ'spaɪt] *prép* malgré.

despondent [dɪ'spɒndənt] *adj* abattu(e), consterné(e). ˙

dessert [dɪ'zɜːt] *n* dessert *m.*

dessertspoon [dɪ'zɜːtspuːn] *n* cuillère *f* à dessert.

destination [,destɪ'neɪʃn] *n* destination *f.*

destined ['destɪnd] *adj* **1.** • **destined for** destiné(e) à • **destined to do sthg** destiné à faire qqch **2.** • **destined for** à destination de.

destiny ['destɪnɪ] *n* destinée *f.*

destitute ['destɪtjuːt] *adj* indigent(e).

destroy [dɪ'strɔɪ] *vt* détruire.

destruction [dɪ'strʌkʃn] *n* destruction *f.*

detach [dɪ'tætʃ] *vt* **1.** détacher **2.** • **to detach o.s. from sthg** se détacher de qqch *(de la réalité)* • s'écarter de qqch *(des débats)*.

detached [dɪ'tætʃt] *adj* détaché(e).

detached house *n* *(UK)* maison *f* individuelle.

detachment [dɪ'tætʃmənt] *n* détachement *m.*

detail ['diːteɪl] ◼ *n* **1.** détail *m* • **to go into detail** entrer dans les détails • **in detail** en détail **2.** MIL détachement *m.* ◼ *vt* détailler.

◼ **details** *npl* coordonnées *fpl.*

detailed ['diːteɪld] *adj* détaillé(e).

detain [dɪ'teɪn] *vt* **1.** détenir *(au poste de police)* **2.** garder *(à l'hôpital)* **3.** *(retarder)* retenir.

detect [dɪ'tekt] *vt* **1.** déceler **2.** détecter.

detection [dɪ'tekʃn] *n* *(indén)* **1.** dépistage *m* **2.** détection *f.*

detective [dɪ'tektɪv] *n* détective *mf.*

detective novel *n* roman *m* policier.

detention [dɪ'tenʃn] *n* **1.** détention *f* **2.** SCOL retenue *f.*

deter [dɪ'tɜːr] vt dissuader.

detergent [dɪ'tɜːdʒənt] n détergent m.

deteriorate [dɪ'tɪərɪəreɪt] vi se détériorer.

determination [dɪ,tɜːmɪ'neɪʃn] n détermination f.

determine [dɪ'tɜːmɪn] vt 1. déterminer 2. sout • to determine to do sthg décider de faire qqch.

determined [dɪ'tɜːmɪnd] adj 1. déterminé(e) 2. obstiné(e).

deterrent [dɪ'terənt] n moyen m de dissuasion.

detest [dɪ'test] vt détester.

detonate ['detəneɪt] ◼ vt faire détoner. ◼ vi détoner.

detour ['diːˌtuər] ◼ n détour m. ◼ vi faire un détour. ◼ vt (faire) dévier.

detract [dɪ'trækt] vi • to detract from diminuer.

detriment ['detrɪmənt] n • to the detriment of au détriment de.

detrimental [ˌdetrɪ'mentl] adj préjudiciable.

deuce [djuːs] n TENNIS égalité f.

devaluation [ˌdiːvæljʊ'eɪʃn] n dévaluation f.

devastated ['devəsteɪtɪd] adj 1. dévasté(e) 2. fig accablé(e).

devastating ['devəsteɪtɪŋ] adj 1. dévastateur(trice) 2. accablant(e) 3. irrésistible.

develop [dɪ'veləp] ◼ vt 1. développer 2. développer, aménager (une région, un pays) 3. contracter (une maladie) 4. développer, exploiter (des ressources). ◼ vi 1. se développer 2. se déclarer.

developing country [dɪ'veləpɪŋ-] n pays m en voie de développement.

development [dɪ'veləpmənt] n 1. développement m 2. (indén) exploitation f 3. zone f d'aménagement 4. zone aménagée 5. lotissement m 6. (indén) évolution f (d'une maladie).

deviate ['diːvɪeɪt] vi • to deviate (from) dévier (de), s'écarter (de).

device [dɪ'vaɪs] n 1. appareil m, dispositif m 2. moyen m.

devil ['devl] n 1. diable m 2. fam type m • poor devil! pauvre diable ! ◼ **Devil** n • the Devil le Diable.

devious ['diːvjəs] adj 1. retors(e), sournois(e) 2. (moyens) détourné(e) 3. tortueux(euse).

devise [dɪ'vaɪz] vt concevoir.

devoid [dɪ'vɔɪd] adj sout • devoid of dépourvu(e) de, dénué(e) de.

devolution [ˌdiːvə'luːʃn] n POLIT décentralisation f.

devote [dɪ'vəʊt] vt • to devote sthg to sthg consacrer qqch à qqch.

devoted [dɪ'vəʊtɪd] adj dévoué(e).

devotee [ˌdevə'tiː] n passionné m, -e f.

devotion [dɪ'vəʊʃn] n 1. • devotion (to) dévouement m (à) 2. RELIG dévotion f.

devour [dɪ'vaʊər] vt littéraire & fig dévorer.

devout [dɪ'vaʊt] adj dévot(e).

dew [djuː] n rosée f.

diabetes [ˌdaɪə'biːtiːz] n diabète m.

diabetic [ˌdaɪə'betɪk] ◼ adj diabétique. ◼ n diabétique mf.

diabolic(al) [ˌdaɪə'bɒlɪk(l)] adj 1. diabolique 2. fam atroce.

diagnose ['daɪəgnəʊz] vt diagnostiquer.

diagnosis [ˌdaɪəg'nəʊsɪs] (pl -ses [-siːz]) n diagnostic m.

diagonal [daɪ'ægənl] ◼ adj diagonal(e). ◼ n diagonale f.

diagram ['daɪəgræm] n diagramme m.

dial ['daɪəl] ◼ n cadran m. ◼ vt (UK) prét & pp -led, cont -ling, (US) prét & pp -ed, cont -ing TÉLÉCOM composer (un numéro).

dialect ['daɪəlekt] n dialecte m.

dialling code ['daɪəlɪŋ-] n (UK) indicatif m.

dialling tone (UK) ['daɪəlɪŋ-], **dial tone** (US) n tonalité f.

dialogue (UK), **dialog** (US) ['daɪəlɒg] n dialogue m.

dial tone (US) = dialling tone.

dialysis [daɪ'ælɪsɪs] n dialyse f.

diameter [daɪ'æmɪtər] n diamètre m.

diamond ['daɪəmənd] n 1. diamant m 2. losange m. ◼ **diamonds** npl carreau m.

diaper ['daɪəpər] n (US) couche f.

diaphragm ['daɪəfræm] n diaphragme m.

diarrhoea *(UK)*, **diarrhea** *(US)* [,daɪəˈrɪə] *n* diarrhée *f*.

diary [ˈdaɪərɪ] *n* **1.** agenda *m* **2.** journal *m*.

dice [daɪs] ▪ *n* (*pl inv*) dé *m*. ▪ *vt* CULIN couper en dés.

dictate ▪ *vt* [dɪkˈteɪt] dicter. ▪ *n* [ˈdɪkteɪt] ordre *m*.

dictation [dɪkˈteɪʃn] *n* dictée *f*.

dictator [dɪkˈteɪtər] *n* dictateur *m*.

dictatorship [dɪkˈteɪtəʃɪp] *n* dictature *f*.

dictionary [ˈdɪkʃənrɪ] *n* dictionnaire *m*.

did [dɪd] *passé* ⫦ **do**.

diddle [ˈdɪdl] *vt fam* escroquer, rouler.

didn't [ˈdɪdnt] = **did not**.

die [daɪ] ▪ *n* (*pl* **dice**) dé *m*. ▪ *vi* (*prét & pp* **died**, *cont* **dying**) mourir • **to be dying** se mourir • **to be dying to do sthg** mourir d'envie de faire qqch • **to be dying for a drink** mourir d'envie de boire un verre.
▪ **die away** *vi* (*bruit*) s'éteindre.
▪ **die down** *vi* **1.** (*son*) s'affaiblir **2.** (*vent*) tomber **3.** (*feu*) baisser.
▪ **die out** *vi* s'éteindre, disparaître.

diehard [ˈdaɪhɑːd] *n* • **to be a diehard** être coriace • être réactionnaire.

diesel [ˈdiːzl] *n* diesel *m*.

diesel engine *n* **1.** AUTO moteur *m* diesel **2.** RAIL locomotive *f* diesel.

diesel fuel, diesel oil *n* diesel *m*.

diet [ˈdaɪət] ▪ *n* **1.** alimentation *f* **2.** régime *m* • **to be on a diet** être au régime • **to go on a diet** faire un régime • ▪ *en apposition* de régime. ▪ *vi* faire *ou* suivre un régime.

differ [ˈdɪfər] *vi* **1.** être différent(e), différer • **to differ from** être différent de **2.** • **to differ with sb (about sthg)** ne pas être d'accord avec qqn (à propos de qqch).

difference [ˈdɪfrəns] *n* différence *f* • **it doesn't make any difference** cela ne change rien.

different [ˈdɪfrənt] *adj* différent(e).

differentiate [,dɪfəˈrenʃɪeɪt] *vi* • **to differentiate (between)** faire la différence (entre).

difficult [ˈdɪfɪkəlt] *adj* difficile.

difficulty [ˈdɪfɪkəltɪ] *n* difficulté *f* • **to have difficulty in doing sthg** avoir des difficultés *ou* du mal à faire qqch.

diffident [ˈdɪfɪdənt] *adj* **1.** qui manque d'assurance **2.** hésitant(e).

diffuse *vt* [dɪˈfjuːz] diffuser, répandre.

dig [dɪg] ▪ *vi* (*prét & pp* **dug**) **1.** creuser **2.** • **to dig into the past** fouiller dans le passé. ▪ *vt* (*prét & pp* **dug**) **1.** creuser **2.** bêcher.
▪ **dig out** *vt sép fam* dénicher.
▪ **dig up** *vt sép* **1.** déterrer **2.** arracher (*des pommes de terre*) **3.** *fam* dénicher.

digest ▪ *n* [ˈdaɪdʒest] résumé *m*, digest *m*. ▪ *vt* [dɪˈdʒest] *litt & fig* digérer.

digestion [dɪˈdʒestʃn] *n* digestion *f*.

digestive biscuit [daɪˈdʒestɪv-] *n* (UK) ≃ sablé *m* (à la farine complète).

digibox [ˈdɪdʒɪbɒks] *n* (UK) TV décodeur *m* numérique.

digit [ˈdɪdʒɪt] *n* **1.** chiffre *m* **2.** doigt *m* **3.** orteil *m*.

digital [ˈdɪdʒɪtl] *adj* numérique.

digital camera *n* appareil *m* photo numérique.

dignified [ˈdɪgnɪfaɪd] *adj* digne, plein(e) de dignité.

dignity [ˈdɪgnətɪ] *n* dignité *f*.

digress [daɪˈgres] *vi* • **to digress (from)** s'écarter (de).

digs [dɪgz] *npl* (UK) *fam* piaule *f*.

dike [daɪk] *n* **1.** digue *f* **2.** *fam injur* gouine *f*.

dilapidated [dɪˈlæpɪdeɪtɪd] *adj* délabré(e).

dilate [daɪˈleɪt] ▪ *vt* dilater. ▪ *vi* se dilater.

dilemma [dɪˈlemə] *n* dilemme *m*.

diligent [ˈdɪlɪdʒənt] *adj* appliqué(e).

dilute [daɪˈluːt] ▪ *adj* dilué(e). ▪ *vt* diluer.

dim [dɪm] ▪ *adj* **1.** (*lumière*) faible **2.** (*chambre*) sombre **3.** (*souvenir, contours*) vague **4.** (*vue*) faible **5.** *fam* borné(e). ▪ *vt & vi* baisser.

dime [daɪm] *n* (US) (pièce *f* de) dix cents *mpl*.

dimension [dɪˈmenʃn] *n* dimension *f*.

diminish [dɪˈmɪnɪʃ] *vt & vi* diminuer.

diminutive [dɪˈmɪnjʊtɪv] *sout* ▪ *adj* minuscule. ▪ *n* GRAMM diminutif *m*.

dimmers [ˈdɪməz] *npl* (US) **1.** phares *mpl* code (*inv*) **2.** feux *mpl* de position.

dimmer (switch) ['dɪmər-] n variateur m de lumière.

dimple ['dɪmpl] n fossette f.

din [dɪn] n fam barouf m.

dine [daɪn] vi sout dîner.
■ **dine out** vi dîner dehors.

diner ['daɪnər] n 1. dîneur m, -euse f 2. (US) petit restaurant m sans façon.

dinghy ['dɪŋgɪ] n 1. dériveur m 2. (petit) canot m.

dingy ['dɪndʒɪ] adj 1. miteux(euse) 2. douteux(euse) 3. terne.

dining car ['daɪnɪŋ-] n wagon-restaurant m.

dining room ['daɪnɪŋ-] n 1. salle f à manger 2. restaurant m.

dinner ['dɪnər] n dîner m.

dinner jacket n smoking m.

dinner party n dîner m (sur invitation).

dinnertime ['dɪnətaɪm] n heure f du dîner.

dinosaur ['daɪnəsɔr] n dinosaure m.

dint [dɪnt] n sout • **by dint of** à force de.

dip [dɪp] ■ n 1. déclivité f 2. sauce f, dip m 3. baignade f (rapide). ■ vt • **to dip sthg in** ou **into** tremper ou plonger qqch dans. ■ vi 1. (soleil) descendre à l'horizon 2. (prix, température) baisser 3. (route) descendre.

diploma [dɪ'pləʊmə] (pl -s) n diplôme m.

diplomacy [dɪ'pləʊməsɪ] n diplomatie f.

diplomat ['dɪpləmæt] n diplomate m.

diplomatic [,dɪplə'mætɪk] adj 1. diplomatique 2. diplomate.

dipstick ['dɪpstɪk] n AUTO jauge f (de niveau d'huile).

dire ['daɪər] adj 1. extrême 2. funeste • **in dire straits** dans une situation désespérée.

direct [dɪ'rekt] ■ adj 1. direct(e) 2. manifeste. ■ vt 1. diriger 2. • **to direct sthg at sb** adresser qqch à qqn 3. CINÉ, THÉÂTRE & TV réaliser 4. diriger 5. THÉÂTRE mettre en scène 6. • **to direct sb to do sthg** ordonner à qqn de faire qqch. ■ adv directement.

direct current n courant m continu.

direct debit n (UK) prélèvement m automatique.

direction [dɪ'rekʃn] n direction f.

■ **directions** npl 1. indications fpl 2. instructions fpl.

directly [dɪ'rektlɪ] adv 1. directement 2. sans détours 3. exactement 4. immédiatement 5. tout de suite.

director [dɪ'rektər] n 1. directeur m, -trice f 2. THÉÂTRE metteur m en scène 3. CINÉ & TV réalisateur m, -trice f.

directory [dɪ'rektərɪ] n 1. annuaire m 2. INFORM répertoire m.

dirt [dɜrt] n (indén) 1. saleté f 2. terre f.

dirty ['dɜrtɪ] ■ adj 1. sale 2. grossier(ère) 3. cochon(onne). ■ vt salir.

disability [,dɪsə'bɪlətɪ] n infirmité f • **people with disabilities** les handicapés.

disabled [dɪs'eɪbld] ■ adj handicapé(e), infirme. ■ npl • **the disabled** les handicapés, les infirmes.

disadvantage [,dɪsəd'vɑːntɪdʒ] n désavantage m, inconvénient m • **to be at a disadvantage** être désavantagé.

disadvantaged [,dɪsəd'vɑːntɪdʒd] adj défavorisé(e).

disagree [,dɪsə'griː] vi 1. • **to disagree (with)** ne pas être d'accord (avec) 2. ne pas concorder.

disagreeable [,dɪsə'griːəbl] adj désagréable.

disagreement [,dɪsə'griːmənt] n 1. désaccord m 2. différend m.

disallow [,dɪsə'laʊ] vt 1. sout rejeter 2. refuser.

disappear [,dɪsə'pɪər] vi disparaître.

disappearance [,dɪsə'pɪərəns] n disparition f.

disappoint [,dɪsə'pɔɪnt] vt décevoir.

disappointed [,dɪsə'pɔɪntɪd] adj déçu(e).

disappointing [,dɪsə'pɔɪntɪŋ] adj décevant(e).

disappointment [,dɪsə'pɔɪntmənt] n déception f.

disapproval [,dɪsə'pruːvl] n désapprobation f.

disapprove [,dɪsə'pruːv] vi désapprouver.

disarm [dɪs'ɑːm] vt & vi litt & fig désarmer.

disarmament [dɪs'ɑːməmənt] n désarmement m.

disarray [ˌdɪsə'reɪ] n • **in disarray** en désordre • en pleine confusion.

disaster [dɪ'zɑːstəʳ] n **1.** catastrophe f **2.** (indén) échec m, désastre m **3.** fig désastre m • **as a manager, he's a disaster!** en tant que directeur, ce n'est pas une réussite !

disastrous [dɪ'zɑːstrəs] adj désastreux(euse).

disband [dɪs'bænd] ◪ vt dissoudre. ◪ vi se dissoudre.

disbelief [ˌdɪsbɪ'liːf] n • **in** ou **with disbelief** avec incrédulité.

disc (UK), **disk** (US) [dɪsk] n disque m.

discard [dɪ'skɑːd] vt mettre au rebut.

discern [dɪ'sɜːn] vt discerner, distinguer.

discerning [dɪ'sɜːnɪŋ] adj judicieux (euse).

discharge ◪ n ['dɪstʃɑːdʒ] **1.** autorisation f de sortie, décharge f **2.** DR relaxe f • **to get one's discharge** MIL être rendu à la vie civile **3.** émission f (de fumée) **4.** déversement m (d'ordures) **5.** MÉD écoulement m. ◪ vt [dɪs'tʃɑːdʒ] **1.** signer la décharge de (un patient) **2.** relaxer (un prisonnier) **3.** rendre à la vie civile (un soldat) **4.** émettre (de la fumée) **5.** déverser (des ordures).

disciple [dɪ'saɪpl] n disciple m.

discipline ['dɪsɪplɪn] ◪ n discipline f. ◪ vt **1.** discipliner **2.** punir.

disc jockey n disc-jockey m.

disclaim [dɪs'kleɪm] vt sout nier.

disclose [dɪs'kləʊz] vt révéler, divulguer.

disclosure [dɪs'kləʊʒəʳ] n révélation f, divulgation f.

disco ['dɪskəʊ] (pl -s) (abr de **discotheque**) n discothèque f.

discomfort [dɪs'kʌmfət] n **1.** (indén) douleur f **2.** (indén) malaise m.

disconcert [ˌdɪskən'sɜːt] vt déconcerter.

disconnect [ˌdɪskə'nekt] vt **1.** détacher **2.** débrancher **3.** TÉLÉCOM couper.

disconsolate [dɪs'kɒnsələt] adj triste, inconsolable.

discontent [ˌdɪskən'tent] n • **discontent (with)** mécontentement m (à propos de).

discontented [ˌdɪskən'tentɪd] adj mécontent(e).

discontinue [ˌdɪskən'tɪnjuː] vt cesser, interrompre.

discord ['dɪskɔːd] n **1.** (indén) discorde f, désaccord m **2.** dissonance f.

discotheque ['dɪskəʊtek] n discothèque f.

discount ◪ n ['dɪskaʊnt] remise f. ◪ vt [(UK) dɪs'kaʊnt, (US) 'dɪskaʊnt] ne pas tenir compte de.

discourage [dɪs'kʌrɪdʒ] vt décourager • **to discourage sb from doing sthg** dissuader qqn de faire qqch.

discover [dɪ'skʌvəʳ] vt découvrir.

discovery [dɪ'skʌvərɪ] n découverte f.

discredit [dɪs'kredɪt] ◪ n discrédit m. ◪ vt discréditer.

discreet [dɪ'skriːt] adj discret(ète).

discrepancy [dɪ'skrepənsɪ] n divergence f.

discretion [dɪ'skreʃn] n (indén) **1.** discrétion f **2.** jugement m, discernement m.

discriminate [dɪ'skrɪmɪneɪt] vi **1.** différencier, distinguer • **to discriminate between** faire la distinction entre **2.** • **to discriminate against sb** faire de la discrimination envers qqn.

discriminating [dɪ'skrɪmɪneɪtɪŋ] adj judicieux(euse).

discrimination [dɪˌskrɪmɪ'neɪʃn] n **1.** discrimination f **2.** discernement m, jugement m.

discus ['dɪskəs] (pl -es [-iːz]) n disque m (que l'on lance).

discuss [dɪ'skʌs] vt discuter (de).

discussion [dɪ'skʌʃn] n discussion f • **under discussion** en discussion.

disdain [dɪs'deɪn] n • **disdain (for)** dédain m (pour).

disease [dɪ'ziːz] n maladie f.

disembark [ˌdɪsɪm'bɑːk] vi débarquer.

disenchanted [ˌdɪsɪn'tʃɑːntɪd] adj • **disenchanted (with)** désenchanté(e) (de).

disengage [ˌdɪsɪn'geɪdʒ] vt **1.** • **to disengage sthg (from)** libérer ou dégager qqch (de) **2.** déclencher • **to disengage the gears** débrayer.

disfavour (UK), **disfavor** (US) [dɪs'feɪvəʳ] n désapprobation f.

disfigure [dɪs'fɪgəʳ] vt défigurer.

disgrace [dɪs'greɪs] ◼ n 1. *(sentiment)* honte *f* • **to bring disgrace on sb** jeter la honte sur qqn • **in disgrace** en défaveur 2. *(ce qui cause de la honte)* honte *f*, scandale *m*. ◼ vt faire honte à • **to disgrace o.s.** se couvrir de honte.

disgraceful [dɪs'greɪsfʊl] *adj* honteux(euse), scandaleux(euse).

disgruntled [dɪs'grʌntld] *adj* mécontent(e).

disguise [dɪs'gaɪz] ◼ n déguisement *m* • **in disguise** déguisé(e). ◼ vt 1. déguiser 2. dissimuler.

disgust [dɪs'gʌst] ◼ n • **disgust (at)** dégoût *m* (pour) • dégoût (devant). ◼ vt dégoûter, écœurer.

disgusting [dɪs'gʌstɪŋ] *adj* dégoûtant(e).

dish [dɪʃ] n 1. plat *m* 2. *(US)* assiette *f*.
◼ **dishes** *npl* vaisselle *f*.
◼ **dish out** vt *sép fam* distribuer.
◼ **dish up** vt *sép fam* servir.

dish aerial *(UK)*, **dish antenna** *(US)* n antenne *f* parabolique.

dishcloth ['dɪʃklɒθ] n lavette *f*.

disheartened [dɪs'hɑːtnd] *adj* découragé(e).

dishevelled *(UK)*, **disheveled** *(US)* [dɪ'ʃevəld] *adj* 1. *(personne)* échevelé(e) 2. *(cheveux)* en désordre.

dishonest [dɪs'ɒnɪst] *adj* malhonnête.

dishonour *(UK)*, **dishonor** *(US)* [dɪs'ɒnər] ◼ n déshonneur *m*. ◼ vt déshonorer.

dishonourable *(UK)*, **dishonorable** *(US)* [dɪs'ɒnərəbl] *adj* 1. peu honorable 2. déshonorant(e).

dishtowel ['dɪʃtaʊəl] n torchon *m*.

dishwasher ['dɪʃ,wɒʃər] n lave-vaisselle *m inv*.

dish(washing) soap n *(US)* liquide *m* pour la vaisselle.

disillusioned [,dɪsɪ'luːʒnd] *adj* désillusionné(e), désenchanté(e).

disincentive [,dɪsɪn'sentɪv] n 1. • **to be a disincentive** avoir un effet dissuasif 2. être démotivant(e).

disinclined [,dɪsɪn'klaɪnd] *adj* • **to be disinclined to do sthg** être peu disposé(e) à faire qqch.

disinfect [,dɪsɪn'fekt] vt désinfecter.

disinfectant [,dɪsɪn'fektənt] n désinfectant *m*.

disintegrate [dɪs'ɪntɪgreɪt] vi se désintégrer, se désagréger.

disinterested [,dɪs'ɪntrəstɪd] *adj* 1. désintéressé(e) 2. • **disinterested (in)** indifférent(e) (à).

disjointed [dɪs'dʒɔɪntɪd] *adj* décousu(e).

disk [dɪsk] n 1. INFORM disque *m*, disquette *f* 2. *(US)* = **disc**.

disk drive n INFORM lecteur *m* de disques *ou* de disquettes.

diskette [dɪs'ket] n INFORM disquette *f*.

dislike [dɪs'laɪk] ◼ n • **dislike (of)** aversion *f* (pour). ◼ vt ne pas aimer.

dislocate ['dɪsləkeɪt] vt 1. MÉD se démettre 2. désorganiser, perturber.

dislodge [dɪs'lɒdʒ] vt • **to dislodge sthg (from)** déplacer qqch (de) • décoincer qqch (de).

disloyal [,dɪs'lɔɪəl] *adj* déloyal(e).

dismal ['dɪzml] *adj* 1. lugubre 2. infructueux(euse) 3. lamentable.

dismantle [dɪs'mæntl] vt démanteler.

dismay [dɪs'meɪ] ◼ n consternation *f*. ◼ vt consterner.

dismiss [dɪs'mɪs] vt 1. • **to dismiss sb (from)** congédier qqn (de) 2. écarter *(une idée, une personne)* 3. rejeter *(un projet)* 4. laisser sortir *(des élèves)* 5. faire rompre les rangs à *(des troupes)* 6. DR dissoudre • **to dismiss a charge** rendre une ordonnance de non-lieu • **case dismissed!** affaire classée !

dismissal [dɪs'mɪsl] n 1. licenciement *m*, renvoi *m* 2. rejet *m*.

dismount [,dɪs'maʊnt] vi descendre (de).

disobedience [,dɪsə'biːdjəns] n désobéissance *f*.

disobedient [,dɪsə'biːdjənt] *adj* désobéissant(e).

disobey [,dɪsə'beɪ] vt désobéir à.

disorder [dɪs'ɔːdər] n 1. • **in disorder** en désordre 2. *(indén)* troubles *mpl* 3. MÉD trouble *m*.

disorderly [dɪs'ɔːdəlɪ] *adj* 1. en désordre 2. désordonné(e) 3. indiscipliné(e).

disorganized, -ised [dɪs'ɔːgənaɪzd] *adj* 1. désordonné(e), brouillon(onne) 2. mal conçu(e).

disoriented [dɪs'ɔːrɪəntɪd], **disorientated** *(UK)* [dɪs'ɔːrɪənteɪtɪd] *adj* désorienté(e).

disown [dɪs'əʊn] *vt* désavouer.

disparaging [dɪ'spærɪdʒɪŋ] *adj* désobligeant(e).

dispassionate [dɪ'spæʃnət] *adj* impartial(e).

dispatch [dɪ'spætʃ] ◼ *n* dépêche *f*. ◼ *vt* envoyer, expédier.

dispel [dɪ'spel] *vt* dissiper, chasser.

dispensary [dɪ'spensərɪ] *n* officine *f*.

dispense [dɪ'spens] *vt* administrer. ◼ **dispense with** *vt insép* **1.** se passer de **2.** rendre superflu(e) • **to dispense with the need for sthg** rendre qqch superflu.

dispensing chemist [dɪ'spensɪŋ-] *n (UK)* pharmacien *m*, -enne *f*.

disperse [dɪ'spɜːs] ◼ *vt* **1.** disperser *(une foule)* **2.** répandre, propager *(une nouvelle)*. ◼ *vi* se disperser.

dispirited [dɪ'spɪrɪtɪd] *adj* découragé(e), abattu(e).

displace [dɪs'pleɪs] *vt* **1.** déplacer **2.** supplanter.

display [dɪ'spleɪ] ◼ *n* **1.** exposition *f* **2.** manifestation *f* **3.** spectacle *m* **4.** INFORM • écran *m* • affichage *m*, visualisation *f*. ◼ *vt* **1.** exposer **2.** faire preuve de, montrer.

displease [dɪs'pliːz] *vt* déplaire à, mécontenter.

displeasure [dɪs'pleʒəʳ] *n* mécontentement *m*.

disposable [dɪ'spəʊzəbl] *adj* jetable.

disposal [dɪ'spəʊzl] *n* **1.** enlèvement *m* **2.** • **at sb's disposal** à la disposition de qqn.

dispose [dɪ'spəʊz] ◼ **dispose of** *vt insép* **1.** se débarrasser de **2.** résoudre.

disposed [dɪ'spəʊzd] *adj* **1.** • **to be disposed to do sthg** être disposé(e) à faire qqch **2.** • **to be well disposed to** *ou* **towards sb** être bien disposé(e) envers qqn.

disposition [ˌdɪspə'zɪʃn] *n* **1.** caractère *m*, tempérament *m* **2.** • **disposition to do sthg** tendance *f* à faire qqch.

disprove [ˌdɪs'pruːv] *vt* réfuter.

dispute [dɪ'spjuːt] ◼ *n* **1.** dispute *f* **2.** *(indén)* désaccord *m* **3.** INDUST conflit *m*. ◼ *vt* contester.

disqualify [ˌdɪs'kwɒlɪfaɪ] *vt* **1.** • **to disqualify sb (from doing sthg)** interdire à qqn (de faire qqch) **2.** SPORT disqualifier.

disquiet [dɪs'kwaɪət] *n* inquiétude *f*.

disregard [ˌdɪsrɪ'gɑːd] ◼ *n (indén)* • **disregard (for)** mépris *m* (pour) • indifférence *f* (à). ◼ *vt* **1.** ignorer **2.** mépriser **3.** ne pas tenir compte de.

disrepair [ˌdɪsrɪ'peəʳ] *n* délabrement *m* • **to fall into disrepair** se délabrer.

disreputable [dɪs'repjʊtəbl] *adj* peu respectable.

disrepute [ˌdɪsrɪ'pjuːt] *n* • **to bring sthg into disrepute** discréditer qqch • **to fall into disrepute** acquérir une mauvaise réputation.

disrupt [dɪs'rʌpt] *vt* perturber.

dissatisfaction ['dɪsˌsætɪs'fækʃn] *n* mécontentement *m*.

dissatisfied [ˌdɪs'sætɪsfaɪd] *adj* • **dissatisfied (with)** mécontent(e) (de), pas satisfait(e) (de).

dissect [dɪ'sekt] *vt litt & fig* disséquer.

dissent [dɪ'sent] ◼ *n* dissentiment *m*. ◼ *vi* • **to dissent** être en désaccord.

dissertation [ˌdɪsə'teɪʃn] *n* UNIV mémoire *m*.

disservice [ˌdɪs'sɜːvɪs] *n* • **to do sb a disservice** rendre un mauvais service à qqn.

dissimilar [ˌdɪ'sɪmɪləʳ] *adj* • **dissimilar (to)** différent(e) (de).

dissipate ['dɪsɪpeɪt] *vt* **1.** dissiper **2.** dilapider, gaspiller.

dissociate [dɪ'səʊʃɪeɪt] *vt* dissocier • **to dissociate o.s. from** se dissocier de.

dissolute ['dɪsəluːt] *adj* dissolu(e).

dissolve [dɪ'zɒlv] ◼ *vt* dissoudre. ◼ *vi* **1.** se dissoudre **2.** *fig* disparaître.

dissuade [dɪ'sweɪd] *vt* dissuader.

distance ['dɪstəns] *n* distance *f* • **from a distance** de loin • **in the distance** au loin.

distant ['dɪstənt] *adj* **1.** • **distant (from)** éloigné(e) (de) **2.** distant(e).

distaste [dɪs'teɪst] *n* • **distaste (for)** dégoût *m* (pour).

distasteful [dɪs'teɪstfʊl] *adj* répugnant(e), déplaisant(e).

distended [dɪ'stendɪd] *adj* ballonné(e), gonflé(e).

distil *(UK)*, **distill** *(US)* [dɪ'stɪl] *vt litt & fig* distiller.

distillery [dɪ'stɪlərɪ] *n* distillerie *f*.

distinct [dɪ'stɪŋkt] *adj* 1. ◦ **distinct (from)** distinct(e) (de), différent(e) (de) ◦ **as distinct from** par opposition à 2. *(amélioration)* net(nette).

distinction [dɪ'stɪŋkʃn] *n* 1. distinction *f*, différence *f* 2. *(indén)* distinction *f* 3. UNIV mention *f* très bien.

distinctive [dɪ'stɪŋktɪv] *adj* distinctif(ive).

distinguish [dɪ'stɪŋgwɪʃ].*vt* 1. ◦ **to distinguish sthg from sthg** distinguer qqch de qqch, faire la différence entre qqch et qqch 2. distinguer 3. caractériser.

distinguished [dɪ'stɪŋgwɪʃt] *adj* distingué(e).

distinguishing [dɪ'stɪŋgwɪʃɪŋ] *adj* distinctif(ive).

distort [dɪ'stɔt] *vt* déformer.

distract [dɪ'strækt] *vt* distraire.

distracted [dɪ'stræktɪd] *adj* distrait(e).

distraction [dɪ'strækʃn] *n* distraction *f*.

distraught [dɪ'strɔt] *adj* éperdu(e).

distress [dɪ'stres] ◼ *n* 1. détresse *f* 2. douleur *f*, souffrance *f*. ◼ *vt* affliger.

distressing [dɪ'stresɪŋ] *adj* pénible.

distribute [dɪ'strɪbjuːt] *vt* 1. distribuer 2. répartir.

distribution [ˌdɪstrɪ'bjuːʃn] *n* 1. distribution *f* 2. répartition *f*.

distributor [dɪ'strɪbjʊtər] *n* AUTO & COMM distributeur *m*.

district ['dɪstrɪkt] *n* 1. région *f* 2. quartier *m* 3. *(circonscription administrative)* district *m*.

district attorney *n (US)* ≃ procureur *m* de la République.

district council *n (UK)* ≃ conseil *m* général.

district nurse *n (UK)* infirmière *f* visiteuse *ou* à domicile.

distrust [dɪs'trʌst] ◼ *n* méfiance *f*. ◼ *vt* se méfier de.

disturb [dɪ'stɜːb] *vt* 1. déranger 2. inquiéter 3. troubler.

disturbance [dɪ'stɜːbəns] *n* 1. troubles *mpl* 2. tapage *m* 3. dérangement *m* 4. trouble *m*.

disturbed [dɪ'stɜːbd] *adj* 1. perturbé(e) 2. inquiet(ète).

disturbing [dɪ'stɜːbɪŋ] *adj* 1. bouleversant(e) 2. inquiétant(e).

disuse [ˌdɪs'juːs] *n* ◦ **to fall into disuse** tomber en désuétude.

disused [ˌdɪs'juːzd] *adj* désaffecté(e).

ditch [dɪtʃ] ◼ *n* fossé *m*. ◼ *vt fam* 1. plaquer *(son copain, sa copine)* 2. se débarrasser de *(ses vieux vêtements)* 3. abandonner *(un projet)*.

dither ['dɪðər] *vi* hésiter.

ditto ['dɪtəʊ] *adv* idem.

dive [daɪv] ◼ *vi* (*(UK) prét & pp* **-d**, *(US) prét & pp* **-d** *ou* **dove**) 1. plonger 2. piquer. ◼ *n* 1. plongeon *m* 2. piqué *m* 3. *fam péj (bar, restaurant)* bouge *m*.

diver ['daɪvər] *n* plongeur *m*, -euse *f*.

diverge [daɪ'vɜːdʒ] *vi* ◦ **to diverge (from)** diverger (de).

diversify [daɪ'vɜːsɪfaɪ] ◼ *vt* diversifier. ◼ *vi* se diversifier.

diversion [daɪ'vɜːʃn] *n* 1. distraction *f* 2. diversion *f* 3. *(UK)* déviation *f* 4. détournement *m*.

diversity [daɪ'vɜːsətɪ] *n* diversité *f*.

divert [daɪ'vɜːt] *vt* 1. *(UK)* dévier *(la circulation)* 2. détourner *(des fonds, le cours d'un fleuve)* 3. distraire.

divide [dɪ'vaɪd] ◼ *vt* 1. séparer 2. diviser, partager 3. ◦ **to divide sthg (into)** diviser qqch (en) 4. MATH ◦ **89 divided by 3** 89 divisé par 3 5. diviser *(des personnes)*. ◼ *vi* se diviser.

dividend ['dɪvɪdend] *n* dividende *m*.

divine [dɪ'vaɪn] *adj* divin(e).

diving ['daɪvɪŋ] *n* 1. *(indén)* plongeon *m* 2. plongée *f* (sous-marine).

diving board *n* plongeoir *m*.

divinity [dɪ'vɪnətɪ] *n* 1. divinité *f* 2. théologie *f*.

division [dɪ'vɪʒn] *n* 1. division *f* 2. séparation *f*.

divorce [dɪ'vɔs] ◼ *n* divorce *m*. ◼ *vt* divorcer.

divorced [dɪ'vɔst] *adj* divorcé(e).

divulge [daɪ'vʌldʒ] *vt* divulguer.

DIY (*abr de* **do-it-yourself**) *n (UK)* bricolage *m*.

dizzy ['dɪzɪ] *adj* ◦ **to feel dizzy** avoir la tête qui tourne.

DJ, deejay n (abr de **disc jockey**) disc-jockey m.

DNA (abr de **deoxyribonucleic acid**) n ADN m.

---

do [duː] v aux (prét **did**, pp **done**)

1. DANS LES PHRASES NÉGATIVES, EN L'ABSENCE D'UN AUTRE AUXILIAIRE
• **don't leave it there** ne le laisse pas là

2. DANS LES PHRASES INTERROGATIVES, EN L'ABSENCE D'UN AUTRE AUXILIAIRE
• **what did he want?** qu'est-ce qu'il voulait ?
• **do you think she'll come?** tu crois qu'elle viendra ?

3. POUR REPRENDRE UN VERBE
• **she reads more than I do** elle lit plus que moi

4. DANS LES QUESTION TAGS, EN L'ABSENCE D'UN AUTRE AUXILIAIRE
• **so you think you can dance, do you?** alors tu t'imagines que tu sais danser, c'est ça ?

5. EFFET D'INSISTANCE, D'EMPHASE
• **I did tell you but you've forgotten** je te l'avais bien dit, mais tu as oublié

6. EFFET DE CONTRASTE
• **I am not very fond of the piano. I do like Chopin though** je ne suis pas vraiment amateur de piano et pourtant j'aime Chopin

7. EFFET D'INVITATION, D'INCITATION
• **do come in** entrez donc.

---

do vt (prét **did**, pp **done**)

1. POUR EXPRIMER LA RÉALISATION D'UNE ACTION
• **she does the cooking, he does the housework** elle fait la cuisine, il fait le ménage
• **she's doing her hair** elle se coiffe
• **they do fish very well in this restaurant** ils cuisinent très bien le poisson dans ce restaurant
• **I did physics at school** j'ai étudié la physique à l'école

2. POUR QUESTIONNER QQN SUR SA PROFESSION
• **what do you do?** qu'est-ce que vous faites dans la vie ?

3. DANS DES EXPRESSIONS
• **shall we do lunch?** fam et si on allait déjeuner ensemble ?

---

do vi (prét **did**, pp **done**)

1. RÉALISER UNE ACTION faire
• **do as I tell you** fais comme je te dis

2. INTRODUIT UNE IDÉE DE RÉUSSITE
• **they're doing really well** leurs affaires marchent bien
• **he could do better** il pourrait mieux faire
• **how did you do in the exam?** comment ça a marché à l'examen ?

3. INDIQUE QUE QQCH EST SUFFISANT
• **will £6 do?** est-ce que 6 livres suffiront ?
• **that will do** ça suffit.

---

do n (pl **dos** ou **do's**)

(UK) fam fête
• **they had a big do** ils ont fait une grande fête.

■ **dos** npr

CONSIGNES
• **dos and don'ts** ce qu'il faut faire et ne pas faire.

À PROPOS DE... do

Présent : *I do, you do, he/she/it does, we do, you do, they do.* Prétérit : *I did, you did, he/she/it did, we did, you did, they did.* Participe présent : *doing.* Participe passé : *done.*

Do est un verbe à part entière, doté de sens propres, et qui peut donc apparaître seul. Il remplit en outre la fonction d'auxiliaire, notamment pour former les questions (*do you watch much television?*) et les tournures négatives (*I didn't see him at school today*), lorsque le verbe de la principale est au présent ou au prétérit. Aux autres temps, il faut utiliser les auxiliaires *be* ou *have.*

On peut également utiliser *do* lorsque l'on veut insister sur quelque chose (*you're wrong – I do know her*).

Voir aussi « faire » dans la partie français-anglais du dictionnaire.

---

do away with vt insép supprimer • **to do away with a law** supprimer une loi.

Doberman ['dəʊbəmən] (pl **-s**) n doberman m.

docile [(UK) 'dəʊsaɪl, (US) 'dɒsəl] adj docile.

dock [dɒk] ◼ n 1. docks mpl 2. DR banc m des accusés. ◼ vi arriver à quai.

docker ['dɒkər] n docker mf.

docklands ['dɒkləndz] npl (UK) docks mpl.

dockworker ['dɒkwɜːkər] = **docker**.

dockyard ['dɒkjɑːd] n chantier m naval.

doctor ['dɒktər] ◼ n 1. docteur m, médecin m 2. UNIV docteur m (titulaire d'un doctorat). ◼ vt 1. falsifier (un rapport, des résultats) 2. altérer (un texte, de la nourriture).

doctorate ['dɒktərət], **doctor's degree** n doctorat m.

doctrine ['dɒktrɪn] n doctrine f.

document n ['dɒkjʊmənt] document m.

documentary [,dɒkjʊ'mentərɪ] ◼ adj documentaire. ◼ n documentaire m.

dodge [dɒdʒ] ◼ n fam combine f. ◼ vt éviter, esquiver. ◼ vi s'esquiver.

dodgy ['dɒdʒɪ] adj (UK) fam douteux (euse).

doe [dəʊ] n 1. biche f 2. lapine f.

does (forme non accentuée [dəz], forme accentuée [dʌz]) ▷ **do**.

doesn't ['dʌznt] = **does not**.

dog [dɒg] ◼ n chien m, chienne f. ◼ vt 1. (sujet : personne) suivre de près 2. (sujet : malchance, problèmes) poursuivre.

dog collar n 1. collier m de chien 2. col m d'ecclésiastique.

dog-eared [-ɪəd] adj écorné(e).

dog food n nourriture f pour chiens.

dogged ['dɒgɪd] adj tenace.

doggy bag, doggie bag n sac pour emporter les restes d'un repas au restaurant.

dogsbody ['dɒgz,bɒdɪ] n (UK) fam 1. (femme) bonne f à tout faire 2. (homme) factotum m.

doing ['duːɪŋ] n ◦ is this your doing? c'est toi qui es cause de tout cela ?

do-it-yourself n (indén) bricolage m.

doldrums ['dɒldrəmz] npl ◦ to be in the doldrums fig être dans le marasme.

dole [dəʊl] n (UK) allocation f de chômage ◦ to be on the dole être au chômage.

doleful ['dəʊlfʊl] adj morne.

doll [dɒl] n poupée f.

dollar ['dɒlər] n dollar m.

dollop ['dɒləp] n fam bonne cuillerée f.

dolphin ['dɒlfɪn] n dauphin m.

domain [də'meɪn] n litt & fig domaine m.

dome [dəʊm] n dôme m.

domestic [də'mestɪk] ◼ adj 1. (politique, vol) intérieur(e) 2. (animal) domestique 3. (personne) casanier(ère). ◼ n domestique mf.

domestic appliance n appareil m ménager.

dominant ['dɒmɪnənt] adj 1. dominant(e) 2. dominateur(trice).

dominate ['dɒmɪneɪt] vt dominer.

domineering [,dɒmɪ'nɪərɪŋ] adj autoritaire.

dominion [də'mɪnjən] n 1. (indén) domination f 2. territoire m.

domino ['dɒmɪnəʊ] (pl -es) n domino m.

don [dɒn] n (UK) professeur m d'université.

donate [də'neɪt] vt faire don de.

done [dʌn] ◼ pp ▷ **do**. ◼ adj 1. achevé(e) ◦ I'm nearly done j'ai presque fini 2. cuit(e). ◼ interj tope !

donkey ['dɒŋkɪ] (pl -s) n âne m, ânesse f.

donor ['dəʊnər] n 1. MÉD donneur m, -euse f 2. donateur m, -trice f.

donor card n carte f de donneur.

don't [dəʊnt] = **do not**.

doodle ['duːdl] ◼ n griffonnage m. ◼ vi griffonner.

doom [duːm] n destin m.

doomed [duːmd] adj condamné(e) ◦ the plan was doomed to failure le plan était voué à l'échec.

door [dɔːr] n 1. porte f 2. portière f.

doorbell ['dɔːbel] n sonnette f.

doorknob ['dɔːnɒb] n bouton m de porte.

doorman ['dɔːmən] (pl -men [-mən]) n portier m.

doormat ['dɔːmæt] n litt & fig paillasson m.

doorstep ['dɔːstep] n pas m de la porte.

doorway ['dɔːweɪ] n embrasure f de la porte.

do out of vt sép fam ◦ to do sb out of sthg escroquer ou carotter qqch à qqn.

dope [dəup] ■ *n fam* **1.** *arg* drogue dope *f* **2.** dopant *m* **3.** *fam* imbécile *mf*. ■ *vt* doper.

dopey, dopy ['dəupı] (*comp* **-ier**, *superl* **-iest**) *adj fam* idiot(e), abruti(e).

dorm *fam n* (*US*) = **dormitory**.

dormant ['dɔːmənt] *adj* **1.** (*volcan*) endormi(e) **2.** (*loi*) inappliqué(e).

dormitory ['dɔːmɪtrı] *n* **1.** dortoir *m* **2.** (*US*) ≃ cité *f* universitaire.

Dormobile® ['dɔːməˌbiːl] *n* (*UK*) camping-car *m*.

DOS [dɒs] (*abr de* **disk operating system**) *n* DOS *m*.

dose [dəus] *n* **1.** MÉD dose *f* **2.** *fig* • **a dose of the measles** la rougeole.

dosser ['dɒsəʳ] *n* (*UK*) *fam* clochard *m*, -e *f*.

dosshouse ['dɒshaus] (*pl* [-hauzız]) *n* (*UK*) *fam* asile *m* de nuit.

dot [dɒt] ■ *n* point *m* • **on the dot** à l'heure pile. ■ *vt* • **dotted with** parsemé(e) de.

dote [dəut] ■ **dote (up)on** *vt insép* adorer.

dot-matrix printer *n* imprimante *f* matricielle.

dotted line ['dɒtıd-] *n* ligne *f* pointillée.

double ['dʌbl] ■ *adj* double. ■ *adv* **1.** • **double the amount** deux fois plus • **to see double** voir double **2.** en deux • **to bend double** se plier en deux. ■ *n* **1.** (le) double *m* • **I earn double what I used to** je gagne le double de ce que je gagnais auparavant **2.** • **at** *ou* **on the double** au pas de course **3.** CINÉ doublure *f*. ■ *vt* doubler.
■ **doubles** *npl* TENNIS double *m*.
■ **double back** *vi insép* tourner brusquement • **the path doubles back on itself** le sentier vous ramène sur vos pas.

double-barrelled (*UK*), **double-barreled** (*US*) [-'bærəld] *adj* **1.** (*fusil*) à deux coups **2.** (*UK*) (*nom*) à rallonge.

double bass [-beıs] *n* contrebasse *f*.

double bed *n* lit *m* pour deux personnes, grand lit.

double-breasted [-'brestıd] *adj* croisé(e).

double-check *vt* & *vi* revérifier.

double chin *n* double menton *m*.

double

Lorsque *double* est un nom, il est inutile de le faire précéder de *the* (*I only paid 10 dollars but he offered me double for it*). En revanche, si *double* est placé devant un autre nom ou devant une proposition, il faut faire précéder ceux-ci de *the*, *this/that* ou *what* (*I'd like double that amount* ; *she earns double what she got in her old job*).

double cream *n* (*UK*) crème *f* fraîche épaisse.

double-cross *vt* trahir.

double-decker [-'dekəʳ] *n* (*UK*) autobus *m* à impériale.

double Dutch *n* (*UK*) charabia *m*.

double-glazing [-'gleızıŋ] *n* double vitrage *m*.

double room *n* chambre *f* pour deux personnes.

double vision *n* vue *f* double.

doubly ['dʌblı] *adv* doublement.

doubt [daut] ■ *n* doute *m* • **there is no doubt that** il n'y a aucun doute que • **without (a) doubt** sans aucun doute • **to be in doubt** ne pas être sûr(e) • **to cast doubt on sthg** mettre qqch en doute. ■ *vt* douter de • **to doubt whether** *ou* **if** douter que.

doubtful ['dautful] *adj* **1.** incertain(e) **2.** douteux(euse).

doubtless ['dautlıs] *adv* sans aucun doute.

dough [dəu] *n* (*indén*) **1.** CULIN pâte *f* **2.** *tfam* fric *m*.

doughnut ['dəunʌt] *n* beignet *m*.

do up *vt sép* **1.** (*vêtement*) • **can you do up my dress?** peux-tu attacher *ou* boutonner ma robe ? **2.** (*rénover*) • **to do up the kitchen** refaire la cuisine.

douse [daus] *vt* **1.** éteindre **2.** tremper.

dove¹ [dʌv] *n* colombe *f*.

dove² [dəuv] (*US*) *passé* ▷ **dive**.

Dover ['dəuvəʳ] *n* Douvres.

dovetail ['dʌvteıl] *fig vi* coïncider.

dowdy ['daudı] *adj* sans chic.

do with *vt insép* **1.** (*indique un besoin, une nécessité*) • **I could do with a day off**

j'aurais bien besoin d'un jour de congé **2.** *(avoir un rapport avec)* • **that has nothing to do with it** ça n'a aucun rapport.

do without ▪ *vt insép* se passer de. ▪ *vi* s'en passer.

down [daʊn] ▪ *adv* **1.** en bas, vers le bas • **to bend down** se pencher • **to climb down** descendre • **to fall down** tomber (par terre) • **to pull down** tirer vers le bas **2.** • **we went down to have a look** on est allé jeter un coup d'œil • **I'm going down to the shop** je vais au magasin **3.** • **prices are coming down** les prix baissent • **down to the last detail** jusqu'au moindre détail. ▪ *prép* **1.** • **they ran down the stairs** ils ont descendu l'escalier en courant **2.** • **to walk down the street** descendre la rue. ▪ *adj* **1.** *fam* • **to feel down** avoir le cafard **2.** en panne. ▪ *n (indén)* duvet *m.* ▪ *vt* **1.** abattre **2.** avaler d'un trait.
▪ **downs** *npl (UK)* collines *fpl.*

down-and-out ▪ *adj* indigent(e). ▪ *n* personne *f* dans le besoin.

down-at-heel, **down-at-the-heels** *adj* déguenillé(e).

downbeat ['daʊnbiːt] *adj fam* pessimiste.

downcast ['daʊnkɑːst] *adj* démoralisé(e).

downfall ['daʊnfɔːl] *n (indén)* ruine *f (effondrement).*

downhearted [,daʊn'hɑːtɪd] *adj* découragé(e).

downhill [,daʊn'hɪl] ▪ *adj* en pente. ▪ *n (ski)* descente *f.* ▪ *adv* • **to walk downhill** descendre la côte • **her career is going downhill** *fig* sa carrière est sur le déclin.

Downing Street ['daʊnɪŋ-] *n rue du centre de Londres où réside le Premier ministre.*

down payment *n* acompte *m.*

downpour ['daʊnpɔːʳ] *n* pluie *f* torrentielle.

downright ['daʊnraɪt] ▪ *adj* effronté(e). ▪ *adv* franchement.

downstairs [,daʊn'steəz] *adj* **1.** du bas **2.** à l'étage en-dessous.

downstream [,daʊn'striːm] *adv* en aval.

down-to-earth *adj* terre-à-terre *(inv).*

downtown [,daʊn'taʊn] *(surtout US)* ▪ *adj* • **downtown Paris** le centre de Paris. ▪ *adv* en ville.

downturn ['daʊntɜːn] *n* • **downturn (in)** baisse *f* (de).

down under *adv* en Australie/Nouvelle-Zélande.

downward ['daʊnwəd] *adj* **1.** vers le bas **2.** à la baisse.

downwards ['daʊnwədz] *adv* vers le bas.

dowry ['daʊərɪ] *n* dot *f.*

doz. (abr de **dozen**) douz.

doze [dəʊz] ▪ *n* somme *m.* ▪ *vi* sommeiller.
▪ **doze off** *vi* s'assoupir.

dozen ['dʌzn] ▪ *adj num* • **a dozen eggs** une douzaine d'œufs. ▪ *n* douzaine *f* • **dozens of** *fam* des centaines de.

dozy ['dəʊzɪ] *adj* somnolent(e).

Dr. 1. (abr écrite de **Drive**) av **2.** (abr de **Doctor**) Dr.

drab [dræb] *adj* terne, fade.

draft [drɑːft] ▪ *n* **1.** premier jet *m*, ébauche *f* **2.** brouillon *m* **3.** traite *f* **4.** *(US)* MIL • **the draft** la conscription *f* **5.** *(US)* = **draught.** ▪ *vt* **1.** ébaucher, faire le plan de **2.** faire le brouillon de **3.** *(US)* MIL appeler **4.** muter.

draftsman *(US)* = **draughtsman.**

drafty *(US)* = **draughty.**

drag [dræg] ▪ *vt* **1.** traîner **2.** faire glisser. ▪ *vi* **1.** traîner **2.** *fig* traîner en longueur. ▪ *n* **1.** *fam* plaie *f* **2.** *fam* bouffée *f* **3.** • **in drag** en travesti.
▪ **drag on** *vi* s'éterniser.

dragon ['drægən] *n litt & fig* dragon *m.*

dragonfly ['drægnflaɪ] *n* libellule *f.*

drain [dreɪn] ▪ *n* **1.** égout *m* **2.** • **drain on** épuisement *m (de ressources).* ▪ *vt* **1.** égoutter *(des légumes)* **2.** assécher, drainer *(des terres)* **3.** épuiser *(quelqu'un).*

drainage ['dreɪnɪdʒ] *n* **1.** (système *m* du) tout-à-l'égout *m* **2.** drainage *m*.

draining board *(UK)* ['dreɪnɪŋ-], **drainboard** *(US)* ['dreɪnbɔrd] *n* égouttoir *m*.

drainpipe ['dreɪnpaɪp] *n* tuyau *m* d'écoulement.

dram [dræm] *n* (Écosse) goutte *f* (de whisky).

drama ['drɑːmə] *n* **1.** drame *m* **2.** (indén) théâtre *m*.

dramatic [drə'mætɪk] *adj* **1.** dramatique **2.** spectaculaire.

dramatist ['dræmətɪst] *n* dramaturge *mf*.

dramatize, -ise ['dræmətaɪz] *vt* **1.** adapter pour la télévision/la scène/l'écran **2.** *péj* dramatiser.

drank [dræŋk] *passé* ⊳ **drink**.

drape [dreɪp] *vt* draper.
■ **drapes** *npl (US)* rideaux *mpl*.

drapery ['dreɪpərɪ] *n (UK)* mercerie *f*.

drastic ['dræstɪk] *adj* **1.** drastique, radical(e) **2.** spectaculaire.

draught *(UK)*, **draft** *(US)* [drɑːft] *n* courant *m* d'air.
■ **draughts** *n (UK)* jeu *m* de dames.

draught beer *(UK)*, **draft beer** *(US)* *n* bière *f* à la pression.

draughtboard ['drɑːftbɔːd] *n (UK)* damier *m*.

draughtsman *(UK)*, **draftsman** *(US)* (*pl* **-men** [-mən] /['drɑːftsmən]) *n* dessinateur *m*, -trice *f*.

draughty *(UK)* (*comp* **-ier**, *superl* **-iest**), **drafty** *(US)* ['drɑːftɪ] *adj* plein(e) de courants d'air.

draw [drɔː] ■ *vt* (*prét* **drew**, *pp* **drawn**) **1.** tirer **2.** dessiner **3.** établir, faire (*une distinction*) **4.** attirer, entraîner • **to draw sb's attention to** attirer l'attention de qqn sur. ■ *vi* (*prét* **drew**, *pp* **drawn**) **1.** dessiner **2.** • **to draw near** s'approcher • (*date, événement*) approcher • **to draw away** reculer **3.** SPORT faire match nul. ■ *n* **1.** SPORT match *m* nul **2.** tirage *m* (*au sort*) **3.** attraction *f*.
■ **draw out** *vt sép* **1.** faire sortir de sa coquille **2.** prolonger **3.** faire un retrait de, retirer.
■ **draw up** ■ *vt sép* établir, dresser. ■ *vi* s'arrêter.

drawback ['drɔːbæk] *n* inconvénient *m*, désavantage *m*.

drawbridge ['drɔːbrɪdʒ] *n* pont-levis *m*.

drawer [drɔr] *n* tiroir *m*.

drawing ['drɔːɪŋ] *n* dessin *m*.

drawing board *n* planche *f* à dessin.

drawing pin *n (UK)* punaise *f*.

drawing room *n* salon *m*.

drawl [drɔl] *n* voix *f* traînante.

drawn [drɔn] *pp* ⊳ **draw**.

dread [dred] ■ *n (indén)* épouvante *f*. ■ *vt* appréhender.

dreadful ['dredfʊl] *adj* affreux(euse), épouvantable.

dreadfully ['dredfʊlɪ] *adv* **1.** terriblement **2.** extrêmement • **I'm dreadfully sorry** je regrette infiniment.

dream [driːm] ■ *n* rêve *m*. ■ *adj* de rêve. ■ *vt* (*prét* & *pp* **-ed** *ou* **dreamt**) rêver • **to dream (that)...** rêver que... ■ *vi* (*prét* & *pp* **-ed** *ou* **dreamt**) • **to dream (of** *ou* **about)** rêver (de) • **I wouldn't dream of it** cela ne me viendrait même pas à l'idée.
■ **dream up** *vt sép* inventer.

dreamt [dremt] *passé* & *pp* ⊳ **dream**.

dreamy ['driːmɪ] *adj* **1.** rêveur(euse) **2.** de rêve.

dreary ['drɪərɪ] *adj* **1.** morne **2.** ennuyeux(euse).

dredge [dredʒ] *vt* draguer (*une rivière*).

dregs [dregz] *npl litt* & *fig* lie *f*.

drench [drentʃ] *vt* tremper • **to be drenched in** *ou* **with** être inondé(e) de.

dress [dres] ■ *n* **1.** robe *f* **2.** *(indén)* costume *m*, tenue *f*. ■ *vt* **1.** habiller • **to be dressed** être habillé(e) • **to get dressed** s'habiller **2.** panser **3.** CULIN assaisonner. ■ *vi* s'habiller.
■ **dress up** *vi* **1.** se déguiser **2.** s'habiller élégamment.

dress circle *n (UK)* premier balcon *m*.

dresser ['dresər] *n* **1.** vaisselier *m* **2.** *(US)* commode *f*.

dressing ['dresɪŋ] *n* **1.** pansement *m* **2.** assaisonnement *m* **3.** *(US)* CULIN farce *f*.

dressing gown *(UK)* *n* robe *f* de chambre.

dressing room *n* **1.** THÉÂTRE loge *f* **2.** SPORT vestiaire *m*.

dressing table *n* coiffeuse *f*.

dressmaker ['dres,meɪkər] *n* couturier *m*, -ère *f*.

dressmaking ['dres,meɪkɪŋ] n couture f.

dress rehearsal n générale f.

dressy ['dresɪ] adj habillé(e).

drew [druː] passé ⟶ draw.

dribble ['drɪbl] ◼ n 1. bave f 2. traînée f. ◼ vt SPORT dribbler. ◼ vi 1. baver 2. tomber goutte à goutte, couler.

dried [draɪd] adj 1. (lait) en poudre 2. (fruits) sec(sèche). 3. (fleurs) séché(e).

drier ['draɪər] = dryer.

drift [drɪft] ◼ n 1. mouvement m 2. direction f, sens m 3. (signification) sens m général 4. congère f 5. amoncellement m, entassement m. ◼ vi 1. NAUT dériver 2. s'amasser, s'amonceler.

driftwood ['drɪftwʊd] n bois m flottant.

drill [drɪl] ◼ n 1. perceuse f 2. fraise f 3. perforatrice f 4. exercice m. ◼ vt 1. percer 2. fraiser 3. forer 4. MIL entraîner.

drink [drɪŋk] ◼ n 1. boisson f 2. verre m ▪ **we invited them in for a drink** nous les avons invités à prendre un verre 3. (indén) alcool m. ◼ vt (prét drank, pp drunk) boire.

drink-driving (UK), **drunk driving** (US), **drunken driving** (US) n conduite f en état d'ivresse.

drinker ['drɪŋkər] n buveur m, -euse f.

drinking water n eau f potable.

drip [drɪp] ◼ n 1. goutte f 2. MÉD goutte-à-goutte m inv. ◼ vi goutter, tomber goutte à goutte.

drip-dry adj qui ne se repasse pas.

drive [draɪv] ◼ n 1. trajet m (en voiture) ▪ **to go for a drive** faire une promenade (en voiture) 2. désir m, besoin m 3. campagne f 4. (indén) dynamisme m, énergie f 5. allée f. ◼ vt (prét drove, pp driven) 1. conduire 2. pousser ▪ **he drives himself too hard** il exige trop de lui-même 3. ▪ **to drive sb to sthg/to do sthg** pousser ou conduire qqn à qqch/à faire qqch ▪ **to drive sb mad** ou **crazy** rendre qqn fou 4. enfoncer (un clou).

drive-by (pl drive-bys) n fam ▪ **drive-by shooting** fusillade f en voiture.

drivel ['drɪvl] n (indén) fam foutaises fpl, idioties fpl.

driven ['drɪvn] pp ⟶ drive.

driver ['draɪvər] n 1. conducteur m, -trice f 2. chauffeur m.

driver's license (US) = driving licence.

drive shaft n arbre m de transmission.

driveway ['draɪvweɪ] n allée f.

driving ['draɪvɪŋ] ◼ adj 1. (pluie) battant(e) 2. (vent) cinglant(e). ◼ n (indén) conduite f.

driving instructor n moniteur m, -trice f d'auto-école.

driving lesson n leçon f de conduite.

driving licence (UK), **driver's license** (US) n permis m de conduire.

driving mirror n rétroviseur m.

driving school n auto-école f.

driving test n (examen m du) permis m de conduire.

drizzle ['drɪzl] ◼ n bruine f. ◼ v impers bruiner.

droll [drəʊl] adj drôle.

drone [drəʊn] n 1. ronronnement m (d'un moteur) 2. bourdonnement m (d'un insecte) 3. abeille f mâle, faux-bourdon m.

drool [druːl] vi baver ▪ **to drool over** fig baver (d'admiration) devant.

droop [druːp] vi 1. pencher 2. tomber.

drop [drɒp] ◼ n 1. goutte f 2. baisse f, chute f 3. dénivellation f ▪ **sheer drop** à-pic m inv 4. livraison f 5. parachutage m, droppage m 6. pastille f. ◼ vt 1. laisser tomber 2. baisser 3. abandonner 4. exclure 5. déposer 6. ▪ **to drop a hint that** laisser entendre que 7. ▪ **to drop sb a note** ou **line** écrire un petit mot à qqn. ◼ vi 1. tomber 2. baisser 3. (vent) se calmer.
  ◼ **drops** npl MÉD gouttes fpl.
  ◼ **drop in** vi fam passer chez qqn.
  ◼ **drop off** ◼ vt sép déposer. ◼ vi 1. s'endormir 2. baisser.
  ◼ **drop out** vi ▪ **to drop out of society** vivre en marge de la société.

dropout ['drɒpaʊt] n 1. marginal m, -e f 2. étudiant m, -e f qui abandonne ses études.

droppings ['drɒpɪŋz] npl 1. fiente f 2. crottes fpl.

drought [draʊt] n sécheresse f.

drove [drəʊv] passé ⟶ drive.

drown [draʊn] ◼ vt noyer. ◼ vi se noyer.

drowsy ['draʊzɪ] adj assoupi(e), somnolent(e).

drudgery ['drʌdʒərɪ] n (indén) corvée f.

drug [drʌg] ◼ n 1. médicament m 2. drogue f. ◼ vt droguer.

drug abuse n usage m de stupéfiants.

drug addict n drogué m, -e f, toxicomane mf.

druggist ['drʌgɪst] n (US) pharmacien m, -enne f.

drug test n contrôle m antidopage.

drum [drʌm] ◼ n 1. MUS tambour m 2. bidon m. ◼ vt & vi tambouriner.
◼ **drums** npl batterie f.
◼ **drum up** vt sép rechercher, solliciter.

drummer ['drʌmər] n 1. joueur m, -euse f de tambour 2. batteur m, -euse f.

drumstick ['drʌmstɪk] n 1. baguette f de tambour 2. pilon m (de poulet).

drunk [drʌŋk] ◼ pp ⮕ drink. ◼ adj ivre, soûl(e) • to get drunk se soûler, s'enivrer. ◼ n soûlard m, -e f.

drunkard ['drʌŋkəd] n alcoolique mf.

drunk driving (US) = **drink-driving**.

drunken ['drʌŋkn] adj 1. ivre 2. d'ivrognes.

drunken driving (US) = **drink-driving**.

dry [draɪ] ◼ adj 1. sec(sèche) 2. (jour) sans pluie 3. (rivière) asséché(e) 4. pince-sans-rire (inv). ◼ vt 1. sécher, faire sécher 2. essuyer. ◼ vi sécher.
◼ **dry up** ◼ vt sép essuyer. ◼ vi 1. s'assécher 2. se tarir.

dry cleaner n • dry cleaner's pressing m.

dryer ['draɪər] n séchoir m.

dry land n terre f ferme.

dry rot n pourriture f sèche.

dry ski slope n (surtout UK) piste f de ski artificielle.

drysuit ['draɪsuːt] n combinaison f de plongée (étanche).

DSS (abr de Department of Social Security) n ministère britannique de la sécurité sociale.

DTI (abr de Department of Trade and Industry) n ministère britannique du commerce et de l'industrie.

DTP (abr de desktop publishing) n PAO f.

dual ['djuːəl] adj double.

dual carriageway n (UK) route f à quatre voies.

dubbed [dʌbd] adj 1. (film) doublé(e) 2. surnommé(e).

dubious ['djuːbjəs] adj 1. douteux(euse) 2. hésitant(e), incertain(e).

Dublin ['dʌblɪn] n Dublin.

duchess ['dʌtʃɪs] n duchesse f.

duck [dʌk] ◼ n canard m. ◼ vt 1. baisser (la tête) 2. esquiver, se dérober à. ◼ vi se baisser.

duckling ['dʌklɪŋ] n caneton m.

duct [dʌkt] n 1. canalisation f 2. ANAT canal m.

dud [dʌd] ◼ adj 1. (bombe, obus) non éclaté(e) 2. (chèque) sans provision, en bois. ◼ n obus m non éclaté.

dude [djuːd] n (US fam) gars m, type m.

due [djuː] ◼ adj 1. • the book is due out in May le livre doit sortir en mai • she's due back shortly elle devrait rentrer sous peu • when is the train due? à quelle heure le train doit-il arriver ? 2. dû(due), qui convient • in due course en temps voulu • à la longue 3. (somme d'argent, loyer) dû(due). ◼ adv • due west droit vers l'ouest. ◼ n dû m.
◼ **dues** npl cotisation f.
◼ **due to** prép 1. dû à 2. provoqué par, à cause de.

duel ['djuːəl] ◼ n duel m. ◼ vi ((UK) prét & pp -led, cont -ling, (US) prét & pp -ed, cont -ing) se battre en duel.

duet [djuː'et] n duo m.

duffel bag ['dʌfl-] n sac m marin.

duffel coat ['dʌfl-] n duffel-coat m.

dug [dʌg] passé & pp ⮕ dig.

duke [djuːk] n duc m.

dull [dʌl] ◼ adj 1. ennuyeux(euse) 2. terne 3. maussade 4. (bruit, douleur) sourd(e). ◼ vt 1. atténuer (la douleur) 2. émousser (une lame, les sens) 3. ternir (des couleurs, du métal).

duly ['djuːlɪ] adv 1. dûment 2. comme prévu.

dumb [dʌm] adj 1. muet(ette) 2. fam idiot(e).

dumbfounded [dʌm'faundɪd] adj abasourdi(e), interloqué(e).

dummy ['dʌmɪ] ◼ adj faux(fausse). ◼ n 1. mannequin m (dans une vitrine) 2. maquette f 3. (UK) sucette f, tétine f 4. SPORT feinte f.

dump [dʌmp] ■ n 1. décharge f 2. MIL dépôt m. ■ vt 1. déposer 2. jeter 3. fam laisser tomber, plaquer. ■ vi fam • **to dump on sb** fam casser (injustement) du sucre sur le dos de qqn.

dumper (truck) (UK) ['dʌmpər-], **dump truck** (US) n tombereau m, dumper m.

dumping ['dʌmpɪŋ] n décharge f • **'no dumping'** 'décharge interdite'.

dumpling ['dʌmplɪŋ] n boulette f de pâte.

dumpy ['dʌmpɪ] adj fam boulot(otte).

dunce [dʌns] n cancre m.

dune [dju:n] n dune f.

dung [dʌŋ] n fumier m.

dungarees [,dʌŋgə'ri:z] npl (UK) 1. bleu m de travail 2. salopette f.

dungeon ['dʌndʒən] n cachot m.

Dunkirk [dʌn'kɜ:k] n Dunkerque.

duo ['dju:əʊ] n duo m.

duplex ['dju:pleks] n (US) 1. duplex m 2. maison f jumelée.

duplicate ■ adj ['dju:plɪkət] en double. ■ n ['dju:plɪkət] double m. ■ vt ['dju:plɪkeɪt] faire un double de.

durable ['djʊərəbl] adj solide, résistant(e).

duration [djʊ'reɪʃn] n durée f • **for the duration of** jusqu'à la fin de.

duress [djʊ'res] n • **under duress** sous la contrainte.

Durex® ['djʊəreks] n préservatif m.

during ['djʊərɪŋ] prép pendant, au cours de.

dusk [dʌsk] n crépuscule m.

dust [dʌst] ■ n (indén) poussière f. ■ vt épousseter.

dustbin ['dʌstbɪn] n (UK) poubelle f.

dustcart ['dʌstkɑ:t] n (UK) camion m des éboueurs.

duster ['dʌstər] n chiffon m (à poussière).

dust jacket n jaquette f.

dustman ['dʌstmən] (pl -men [-mən]) n (UK) éboueur m, -euse f.

dustpan ['dʌstpæn] n pelle f à poussière.

dusty ['dʌstɪ] adj poussiéreux(euse).

Dutch [dʌtʃ] ■ adj néerlandais(e), hollandais(e). ■ n néerlandais m, hollandais m.

dutiful ['dju:tɪfʊl] adj obéissant(e).

duty ['dju:tɪ] n 1. (indén) devoir m 2. • **to be on/off duty** être/ne pas être de service 3. droit m (taxe). ■ **duties** npl fonctions fpl.

duty-free adj hors taxe.

duvet ['du:veɪ] n (UK) couette f (literie).

duvet cover n (UK) housse f de couette.

DVD (abr de **Digital Video or Versatile Disc**) n DVD m.

DVD player n lecteur m de DVD.

dwarf [dwɔf] ■ n (pl -s ou **dwarves** [dwɔvz]) nain m, -e f. ■ vt écraser.

dwell [dwel] (prét & pp **dwelt** ou -**ed**) vi littéraire habiter. ■ **dwell on** vt insép s'étendre sur.

dwelling ['dwelɪŋ] n littéraire habitation f.

dwelt [dwelt] passé & pp ⊳ **dwell**.

dwindle ['dwɪndl] vi diminuer.

dye [daɪ] ■ n teinture f. ■ vt teindre.

dying ['daɪɪŋ] ■ prés progressif ⊳ **die**. ■ adj 1. (personne) mourant(e), moribond(e) 2. (plante, industrie) moribond(e).

dyke [daɪk] = **dike**.

dynamic [daɪ'næmɪk] adj dynamique.

dynamite ['daɪnəmaɪt] n (indén) litt & fig dynamite f.

dynamo ['daɪnəməʊ] (pl -s) n dynamo f.

dynasty [(UK) 'dɪnəstɪ, (US) 'daɪnəstɪ] n dynastie f.

dysfunctional [dɪs'fʌŋkʃənəl] adj dysfonctionnel(elle) • **dysfunctional family** famille f dysfonctionnelle.

dyslexia [dɪs'leksɪə] n dyslexie f.

dyslexic [dɪs'leksɪk] adj dyslexique.

e [i:] *(pl* **e's** *ou* **es**), **E** *(pl* **E's** *ou* **Es**) *n* e *m inv,* E *m inv.*
■ **E** *n* **1.** mi *m* **2.** *(abr de* **east**) E.

each [i:tʃ] ■ *adj* chaque. ■ *pron* chacun(e) • **the books cost £10.99 each** les livres coûtent 10,99 livres (la) pièce • **each other** l'un l'autre(l'une l'autre), les uns les autres(les unes les autres) • **they love each other** ils s'aiment • **we've known each other for years** nous nous connaissons depuis des années.

eager ['i:gər] *adj* passionné(e), avide • **to be eager for** être avide de • **to be eager to do sthg** être impatient de faire qqch.

eagle ['i:gl] *n* aigle *m.*

ear [ɪər] *n* **1.** oreille *f* **2.** épi *m (de blé, etc).*

earache ['ɪəreɪk] *n* • **to have earache, to have an earache** *(US)* avoir mal à l'oreille.

earbuds *npl* oreillettes *fpl.*

eardrum ['ɪədrʌm] *n* tympan *m.*

earl [ɜːl] *n* comte *m.*

earlier ['ɜːlɪər] ■ *adj* **1.** précédent(e) **2.** plus tôt. ■ *adv* plus tôt • **earlier on** plus tôt.

earliest ['ɜːlɪəst] ■ *adj* **1.** premier(ère) **2.** le plus tôt. ■ *n* • **at the earliest** au plus tôt.

earlobe ['ɪələʊb] *n* lobe *m* de l'oreille.

early ['ɜːlɪ] ■ *adj* **1.** de bonne heure • **the early train** le premier train • **to make an early start** partir de bonne heure **2.** • **in the early sixties** au début des années soixante. ■ *adv* **1.** en avance • **I was ten minutes early** j'étais en avance de dix minutes **2.** tôt, de bonne heure • **early on** tôt.

early retirement *n* retraite *f* anticipée.

earmark ['ɪəmɑːk] *vt* • **to be earmarked for** être réservé(e) à.

earn [ɜːn] *vt* **1.** gagner *(de l'argent)* **2.** FIN rapporter **3.** *fig* gagner, mériter *(le respect, des éloges).*

earnest ['ɜːnɪst] *adj* sérieux(euse). ■ **in earnest** ■ *adj* sérieux(euse). ■ *adv* pour de bon, sérieusement.

earnings ['ɜːnɪŋz] *npl* **1.** salaire *m,* gains *mpl* **2.** bénéfices *mpl.*

earphones ['ɪəfəʊnz] *npl* casque *m.*

earplugs ['ɪəplʌgz] *npl* boules *fpl* Quiès®.

earring ['ɪərɪŋ] *n* boucle *f* d'oreille.

earshot ['ɪəʃɒt] *n* • **within earshot** à portée de voix.

earth [ɜːθ] ■ *n* terre *f* • **how/what/ where/why on earth...?** mais comment/ que/où/pourquoi donc… ? • **to cost the earth** *(UK)* coûter les yeux de la tête. ■ *vt (UK)* • **to be earthed** être à la masse.

earthenware ['ɜːθnweər] *n (indén)* poteries *fpl.*

earthquake ['ɜːθkweɪk] *n* tremblement *m* de terre.

earthworm ['ɜːθwɜːm] *n* ver *m* de terre.

earthy ['ɜːθɪ] *adj* **1.** *fig* truculent(e) **2.** *(odeur, goût)* de terre, terreux(euse).

earwig ['ɪəwɪg] *n* perce-oreille *m.*

ease [i:z] ■ *n (indén)* **1.** facilité *f* • **to do sthg with ease** faire qqch sans difficulté *ou* facilement **2.** • **at ease** à l'aise. ■ *vt* **1.** calmer *(la douleur)* **2.** assouplir *(des restrictions)* **3.** • **to ease sthg in/out** faire entrer/sortir qqch délicatement. ■ *vi* **1.** *(problème)* s'arranger **2.** *(douleur)* s'atténuer **3.** *(pluie)* diminuer.
■ **ease off** *vi* **1.** *(douleur)* s'atténuer **2.** *(pluie)* diminuer.
■ **ease up** *vi* **1.** *(pluie)* diminuer **2.** se détendre.

easel ['i:zl] *n* chevalet *m.*

easily ['i:zɪlɪ] *adv* **1.** facilement **2.** de loin **3.** tranquillement.

east [i:st] ■ *n* **1.** est *m* **2.** • **the east** l'est *m.* ■ *adj* **1.** est *(inv)* **2.** d'est. ■ *adv* à l'est, vers l'est.
■ **East** *n* • **the East** l'Est *m* • l'Orient *m.*

East End *n* • **the East End** *les quartiers est de Londres.*

Easter ['i:stər] *n* Pâques *m*.

Easter egg *n* œuf *m* de Pâques.

easterly ['i:stəlı] *adj* 1. à l'est, de l'est 2. *(vent)* d'est.

eastern ['i:stən] *adj* de l'est.
■ **Eastern** *adj* 1. de l'Est 2. oriental(e).

East German ■ *adj* d'Allemagne de l'Est. ■ *n* Allemand *m*, -e *f* de l'Est.

East Germany *n* • **(former) East Germany** (l'ex-)Allemagne *f* de l'Est.

eastward ['i:stwəd] ■ *adj* à l'est, vers l'est. ■ *adv* = **eastwards**.

eastwards ['i:stwədz] *adv* vers l'est.

easy ['i:zı] ■ *adj* 1. facile 2. naturel(elle). ■ *adv* • **to take it** OU **things easy** *fam* ne pas se fatiguer.

easy chair *n* fauteuil *m*.

easygoing [,i:zı'gəʊıŋ] *adj* 1. *(personne)* facile à vivre 2. *(attitude)* complaisant(e).

eat [i:t] *(prét* **ate**, *pp* **eaten)** *vt & vi* manger.
■ **eat away, eat into** *vt insép* 1. *(rouille, acide)* ronger 2. grignoter.

eaten ['i:tn] *pp* ▷ **eat**.

eaves ['i:vz] *npl* avant-toit *m*.

eavesdrop ['i:vzdrɒp] *vi* • **to eavesdrop (on sb)** écouter (qqn) de façon indiscrète.

ebb [eb] ■ *n* reflux *m*. ■ *vi (marée)* descendre, refluer.

ebony ['ebənı] ■ *adj* noir(e) d'ébène. ■ *n* ébène *f*.

e-business *n* 1. cyberentreprise *f* 2. *(indén)* cybercommerce *m*, commerce *m* électronique.

eccentric [ık'sentrık] ■ *adj* excentrique, bizarre. ■ *n* excentrique *mf*.

echo ['ekəʊ] ■ *n (pl* **-es)** *litt & fig* écho *m*. ■ *vt* 1. répéter 2. faire écho à. ■ *vi* retentir, résonner.

éclair [eı'kleər] *n* éclair *m*.

eclipse [ı'klıps] ■ *n litt & fig* éclipse *f*. ■ *vt fig* éclipser.

eco-friendly *adj* qui respecte l'environnement.

ecological [,i:kə'lɒdʒıkl] *adj* écologique.

ecology [ı'kɒlədʒı] *n* écologie *f*.

e-commerce *n (indén)* commerce *m* électronique, cybercommerce *m*.

economic [,i:kə'nɒmık] *adj* 1. économique 2. rentable.

economical [,i:kə'nɒmıkl] *adj* 1. économique 2. économe.

Economic and Monetary Union *n* Union *f* économique et monétaire.

economics [,i:kə'nɒmıks] ■ *n (indén)* économie *f* (politique), sciences *fpl* économiques. ■ *npl* aspect *m* financier.

economize, -ise [ı'kɒnəmaız] *vi* économiser.

economy [ı'kɒnəmı] *n* économie *f*
• **economies of scale** économies d'échelle.

economy class *n* classe *f* touriste.

ecstasy ['ekstəsı] *n* 1. extase *f*, ravissement *m* 2. ecstasy *m* ou *f*.

ecstatic [ek'stætık] *adj* 1. en extase 2. extatique.

eczema ['eksımə] *n* eczéma *m*.

Eden ['i:dn] *n* • **(the Garden of) Eden** le jardin *m* d'Éden, l'Éden *m*.

edge [edʒ] ■ *n* 1. bord *m* 2. tranchant *m* 3. • **to have an edge over** OU **the edge on** avoir un léger avantage sur. ■ *vi* • **to edge forward** avancer tout doucement.
■ **on edge** *adj* contracté(e), tendu(e).

edgeways *(UK)* ['edʒweız], **edgewise** *(US)* ['edʒwaız] *adv* latéralement, de côté.

edgy ['edʒı] *adj* contracté(e), tendu(e).

edible ['edıbl] *adj* comestible.

edict ['i:dıkt] *n* décret *m*.

Edinburgh ['edınbrə] *n* Édimbourg.

edit ['edıt] *vt* 1. corriger *(un texte)* 2. CINÉ monter 3. RADIO & TV réaliser 4. PRESSE diriger 5. être le rédacteur en chef de.

edition [ı'dıʃn] *n* édition *f*.

editor ['edıtər] *n* 1. PRESSE directeur *m*, -trice *f* 2. PRESSE rédacteur *m*, -trice *f* en chef 3. PRESSE correcteur *m*, -trice *f* 4. CINÉ monteur *m*, -euse *f* 5. RADIO & TV réalisateur *m*, -trice *f*.

editorial [,edı'tɔːrıəl] ■ *adj* 1. de la rédaction 2. éditorial(e). ■ *n* éditorial *m*.

educate ['edʒʊkeıt] *vt* 1. SCOL & UNIV instruire 2. informer, éduquer.

education [,edʒʊ'keıʃn] *n* 1. éducation *f*
• **standards of education** niveau *m* scolaire 2. enseignement *m*, instruction *f*.

educational [ˌedʒʊ'keɪʃənl] *adj* **1.** péda-gogique **2.** éducatif(ive).

eel [iːl] *n* anguille *f*.

eery ['ɪərɪ] (*comp* **-ier,** *superl* **-iest**) *adj* in-quiétant(e), sinistre.

eery ['ɪərɪ] (*comp* **-ier,** *superl* **-iest**) *adj* in-quiétant(e), sinistre.

efface [ɪ'feɪs] *vt* effacer.

effect [ɪ'fekt] ◼ *n* effet *m* ◦ **to have an ef-fect on** avoir *ou* produire un effet sur ◦ **for effect** pour attirer l'attention ◦ **to take effect** *(loi)* entrer en vigueur ◦ **to put sthg into effect** *(politique, loi)* mettre qqch en application. ◼ *vt* **1.** effectuer *(des transformations)* **2.** conduire à *(une réconciliation)*.

effective [ɪ'fektɪv] *adj* **1.** efficace **2.** ef-fectif(ive).

effectively [ɪ'fektɪvlɪ] *adv* **1.** efficace-ment **2.** effectivement.

effectiveness [ɪ'fektɪvnɪs] *n* efficacité *f*.

effeminate [ɪ'femɪnət] *adj* efféminé(e).

effervescent [ˌefə'vesənt] *adj* **1.** effer-vescent(e) **2.** gazeux(euse).

efficiency [ɪ'fɪʃənsɪ] *n* **1.** efficacité *f* **2.** rendement *m*.

efficient [ɪ'fɪʃənt] *adj* efficace.

effluent ['efluənt] *n* effluent *m*.

effort ['efət] *n* effort *m* ◦ **to be worth the effort** valoir la peine ◦ **with effort** avec peine ◦ **to make the effort to do sthg** s'efforcer de faire qqch ◦ **to make an/no effort to do sthg** faire un effort/ne faire aucun effort pour faire qqch.

effortless ['efətlɪs] *adj* **1.** facile **2.** ai-sé(e).

effusive [ɪ'fjuːsɪv] *adj* **1.** démonstra-tif(ive) **2.** *(accueil)* d'une effusion exagé-rée.

e.g. *(abr de* **exempli gratia)** *adv* par exem-ple.

egg [eg] *n* œuf *m*.

eggcup ['egkʌp] *n* coquetier *m*.

eggplant ['egplɑːnt] *n* *(US)* aubergine *f*.

eggshell ['egʃel] *n* coquille *f* d'œuf.

egg white *n* blanc *m* d'œuf.

egg yolk *n* jaune *m* d'œuf.

ego ['iːgəʊ] (*pl* **-s**) *n* PSYCHO moi *m*.

egoism ['iːgəʊɪzm] *n* égoïsme *m*.

egoistic [ˌiːgəʊ'ɪstɪk] *adj* égoïste.

egotistic(al) [ˌiːgə'tɪstɪk(l)] *adj* égocen-trique.

Egypt ['iːdʒɪpt] *n* Égypte *f*.

Egyptian [ɪ'dʒɪpʃn] ◼ *adj* égyptien (enne). ◼ *n* Égyptien *m*, -enne *f*.

eiderdown ['aɪdədaʊn] *n* *(surtout UK)* édredon *m*.

eight [eɪt] *num* huit. ◦ *voir aussi* **six**

eighteen [ˌeɪ'tiːn] *num* dix-huit. ◦ *voir aussi* **six**

eighth [eɪtθ] *num* huitième. ◦ *voir aussi* **sixth**

eighty ['eɪtɪ] *num* quatre-vingts. ◦ *voir aussi* **sixty**

Eire ['eərə] *n* République *f* d'Irlande.

either ['aɪðər *ou* 'iːðər] ◼ *adj* **1.** l'un ou l'autre(l'une ou l'autre) (des deux) ◦ **she couldn't find either jumper** elle ne trou-va ni l'un ni l'autre des pulls ◦ **either way** de toute façon **2.** chaque ◦ **on either side** de chaque côté. ◼ *pron* ◦ **either (of them)** l'un ou l'autre *m*, l'une ou l'autre *f* ◦ **I don't like either (of them)** je n'aime aucun des deux, je n'aime ni l'un ni l'autre. ◼ *adv* *(dans des phrases négatives)* non plus ◦ **I don't either** moi non plus. ◼ *conj* ◦ **either... or** soit, ou... ou ◦ **I'm not fond of either him or his wife** je ne les aime ni lui ni sa femme.

À PROPOS DE... either

Lorsque *either* est un adjectif, il apparaît toujours devant des noms dénombrables au singulier (*either dictionary* ; *either alternative*). Lorsque *either* est le sujet de la phrase, ou qu'il accompagne un nom qui est le sujet, le verbe est toujours au singulier (*either is fi-ne* ; *either movie is fine with me*). Lorsque *either... or* accompagne le sujet de la phrase, le verbe est toujours au singulier (*either John or Deborah has taken it*).

---

eject [ɪ'dʒekt] *vt* **1.** expulser **2.** TECHNOL éjecter.

elaborate ◼ *adj* [ɪ'læbrət] **1.** *(procédure)* complexe **2.** *(explications)* détaillé(e), mi-nutieux(euse). ◼ *vi* [ɪ'læbəreɪt] ◦ **to elab-orate (on)** donner des précisions (sur).

elapse [ɪ'læps] *vi* s'écouler.

elastic [ɪˈlæstɪk] ◙ *adj litt & fig* élastique. ◙ *n (indén)* élastique *m*.

elasticated *(UK)* [ɪˈlæstɪkeɪtɪd], **elasticized** *(US)* [ɪˈlæstɪsaɪzd] *adj* élastique.

elastic band *n (UK)* élastique *m*, caoutchouc *m*.

elated [ɪˈleɪtɪd] *adj* transporté(e) (de joie).

elbow [ˈelbəʊ] *n* coude *m*.

elder [ˈeldəʳ] ◙ *adj* aîné(e). ◙ *n* 1. aîné *m*, -e *f* 2. ancien *m*.

elderly [ˈeldəlɪ] ◙ *adj* âgé(e). ◙ *npl* • **the elderly** les personnes *fpl* âgées.

eldest [ˈeldɪst] *adj* aîné(e).

elect [ɪˈlekt] ◙ *adj* élu(e). ◙ *vt* 1. élire 2. *sout* • **to elect to do sthg** choisir de faire qqch.

election [ɪˈlekʃn] *n* élection *f* • **to have** *ou* **hold an election** procéder à une élection.

electioneering [ɪˌlekʃəˈnɪərɪŋ] *n (indén)* péj propagande *f* électorale.

elector [ɪˈlektəʳ] *n* électeur *m*, -trice *f*.

electorate [ɪˈlektərət] *n* • **the electorate** l'électorat *m*.

electric [ɪˈlektrɪk] *adj litt & fig* électrique. ◙ **electrics** *npl (UK) fam* installation *f* électrique.

electrical [ɪˈlektrɪkl] *adj* électrique.

electrical shock = **electric shock**.

electric blanket *n* couverture *f* chauffante.

electric cooker *n* cuisinière *f* électrique.

electric fire *n* radiateur *m* électrique.

electrician [ˌɪlekˈtrɪʃn] *n* électricien *m*, -enne *f*.

electricity [ˌɪlekˈtrɪsətɪ] *n* électricité *f*.

electric shock *n* décharge *f* électrique.

electrify [ɪˈlektrɪfaɪ] *vt* 1. électrifier 2. *fig* galvaniser, électriser.

electrocute [ɪˈlektrəkjuːt] *vt* électrocuter.

electrolysis [ˌɪlekˈtrɒləsɪs] *n* électrolyse *f*.

electron [ɪˈlektrɒn] *n* électron *m*.

electronic [ˌɪlekˈtrɒnɪk] *adj* électronique. ◙ **electronics** ◙ *n (indén)* électronique *f*. ◙ *npl* (équipement *m*) électronique *f*.

electronic data processing *n* traitement *m* électronique de données.

electronic mail *n* courrier *m* électronique.

elegant [ˈelɪgənt] *adj* élégant(e).

element [ˈelɪmənt] *n* 1. élément *m* • **an element of truth** une part de vérité 2. ÉLECTR résistance *f*. ◙ **elements** *npl* rudiments *mpl*.

elementary [ˌelɪˈmentərɪ] *adj* élémentaire.

elementary school *n (US)* école *f* primaire.

elephant [ˈelɪfənt] *(pl inv ou -s)* *n* éléphant *m*.

elevate [ˈelɪveɪt] *vt* élever.

elevator [ˈelɪveɪtəʳ] *n (US)* ascenseur *m*.

eleven [ɪˈlevn] *num* onze. • *voir aussi* **six**

elevenses [ɪˈlevnzɪz] *n (indén) (UK)* ≃ pause-café *f (en fin de matinée)*.

eleventh [ɪˈlevnθ] *num* onzième. • *voir aussi* **sixth**

elicit [ɪˈlɪsɪt] *vt sout* • **to elicit sthg (from sb)** arracher qqch (à qqn).

eligible [ˈelɪdʒəbl] *adj* admissible • **to be eligible to do sthg** avoir le droit de faire qqch.

eliminate [ɪˈlɪmɪneɪt] *vt* • **to eliminate sb/sthg (from)** éliminer qqn/qqch (de).

elite [ɪˈliːt] ◙ *adj* d'élite. ◙ *n* élite *f*.

elitist [ɪˈliːtɪst] ◙ *adj* élitiste. ◙ *n* élitiste *mf*.

elk [elk] *(pl inv ou -s)* *n* élan *m*.

elm [elm] *n* • **elm (tree)** orme *m*.

elocution [ˌelə'kjuːʃn] *n* élocution *f*, diction *f*.

elongated ['iːlɒŋɡeɪtɪd] *adj* **1.** allongé(e) **2.** *(doigts)* long(longue).

elope [ɪ'ləup] *vi* • **to elope (with)** s'enfuir (avec).

eloquent ['eləkwənt] *adj* éloquent(e).

El Salvador [ˌel'sælvədɔr] *n* Salvador *m*.

else [els] *adv* • **anything else** n'importe quoi d'autre • **anything else?** et avec ça ?, ce sera tout ? • **he doesn't need anything else** il n'a besoin de rien d'autre • **everyone else** tous les autres • **nothing else** rien d'autre • **someone else** quelqu'un d'autre • **something else** quelque chose d'autre • **somewhere else** autre part • **who/what else?** qui/quoi d'autre ? • **where else?** (à) quel autre endroit ?
■ **or else** *conj* sinon, sans quoi.

elsewhere [els'weər] *adv* ailleurs, autre part.

elude [ɪ'luːd] *vt* échapper à.

elusive [ɪ'luːsɪv] *adj* **1.** insaisissable **2.** *(succès)* qui échappe.

emaciated [ɪ'meɪʃɪeɪtɪd] *adj* **1.** émacié(e) **2.** décharné(e).

e-mail, email *(abr de electronic mail) n* e-mail *m*, courrier *m* électronique • **to send an e-mail** envoyer un mail.

emanate ['eməneɪt] *sout vi* • **to emanate from** émaner de.

emancipate [ɪ'mænsɪpeɪt] *vt* • **to emancipate sb (from)** affranchir *ou* émanciper qqn (de).

embankment [ɪm'bæŋkmənt] *n* **1.** berge *f (d'une rivière)* **2.** remblai *m (d'une voie ferrée)*.

embark [ɪm'bɑːk] *vi* **1.** • **to embark (on)** embarquer (sur) **2.** • **to embark on** *ou* **upon sthg** s'embarquer dans qqch.

embarkation [ˌembɑː'keɪʃn] *n* embarquement *m*.

embarrass [ɪm'bærəs] *vt* embarrasser.

embarrassed [ɪm'bærəst] *adj* embarrassé(e).

embarrassing [ɪm'bærəsɪŋ] *adj* embarrassant(e).

embarrassment [ɪm'bærəsmənt] *n* embarras *m*.

embassy ['embəsɪ] *n* ambassade *f*.

embedded [ɪm'bedɪd] *adj* **1.** enfoncé(e) **2.** scellé(e) **3.** scellé(e), noyé(e) *(dans la boue)* **4.** enchâssé(e), incrusté(e).

embellish [ɪm'belɪʃ] *vt* **1.** • **to embellish sthg (with)** décorer qqch (de) • orner qqch (de) **2.** *fig* enjoliver.

embers ['embəz] *npl* braises *fpl*.

embezzle [ɪm'bezl] *vt* détourner.

embittered [ɪm'bɪtəd] *adj* aigri(e).

emblem ['embləm] *n* emblème *m*.

embody [ɪm'bɒdɪ] *vt* incarner • **to be embodied in sthg** être exprimé dans qqch.

embossed [ɪm'bɒst] *adj* **1.** • **embossed (on)** inscrit(e) (sur), gravé(e) en relief (sur) **2.** *(papier peint)* gaufré(e).

embrace [ɪm'breɪs] ■ *n* étreinte *f*. ■ *vt* embrasser. ■ *vi* s'embrasser, s'étreindre.

embroider [ɪm'brɔɪdər] ■ *vt* **1.** broder **2.** *péj* enjoliver. ■ *vi* broder.

embroidery [ɪm'brɔɪdərɪ] *n (indén)* broderie *f*.

embroil [ɪm'brɔɪl] *vt* • **to be embroiled (in)** être mêlé(e) (à).

embryo ['embrɪəu] *(pl -s) n* embryon *m*.

emerald ['emərəld] ■ *adj* émeraude *(inv)*. ■ *n* émeraude *f*.

emerge [ɪ'mɜːdʒ] ■ *vi* **1.** *(personne, animal)* • **to emerge (from)** émerger (de) **2.** *(faits, vérité)* • **to emerge from** se dégager de. ■ *vt* • **it emerges that...** il ressort *ou* il apparaît que...

emergence [ɪ'mɜːdʒəns] *n* émergence *f*.

emergency [ɪ'mɜːdʒənsɪ] ■ *adj* d'urgence. ■ *n* urgence *f* • **an emergency** *ou* **in emergencies** en cas d'urgence.

emergency exit *n* sortie *f* de secours.

emergency landing *n* atterrissage *m* forcé.

emergency services *npl* ≃ police-secours *f*.

emery board ['emərɪ-] *n* lime *f* à ongles.

emigrant ['emɪɡrənt] *n* émigré *m*, -e *f*.

emigrate ['emɪɡreɪt] *vi* • **to emigrate (to)** émigrer (en/à).

eminent ['emɪnənt] *adj* éminent(e).

emission [ɪ'mɪʃn] *n* émission *f*.

emit [ɪ'mɪt] *vt* émettre.

emotion [ɪ'məuʃn] *n* **1.** *(indén)* émotion *f* **2.** sentiment *m*.

emotional [ɪ'məuʃənl] *adj* **1.** émotif(ive) **2.** émouvant(e) **3.** émotionnel(elle).

empathize, -ise ['empəθaɪz] *vt* • **to empathize with** s'identifier à.

emperor ['empərər] *n* empereur *m*.

emphasis ['emfəsɪs] (*pl* **-ses** [-si:z]) *n* • **emphasis (on)** accent *m* (sur) • **to lay** *ou* **place emphasis on sthg** insister sur *ou* souligner qqch.

emphasize, -ise ['emfəsaɪz] *vt* insister sur.

emphatic [ɪm'fætɪk] *adj* catégorique.

emphatically [ɪm'fætɪklɪ] *adv* 1. catégoriquement 2. absolument.

empire ['empaɪər] *n* empire *m*.

employ [ɪm'plɔɪ] *vt* employer • **to be employed as** être employé comme.

employee [ɪm'plɔɪi:] *n* employé *m*, -e *f*.

employer [ɪm'plɔɪər] *n* employeur *m*, -euse *f*.

employment [ɪm'plɔɪmənt] *n* emploi *m*, travail *m*.

employment agency *n* bureau *ou* agence *f* de placement.

employment tribunal *n* DR conseil *m* de prud'hommes.

empower [ɪm'paʊər] *vt sout* • **to be empowered to do sthg** être habilité(e) à faire qqch.

empress ['emprɪs] *n* impératrice *f*.

empty ['emptɪ] ◼ *adj* 1. vide 2. *péj* vain(e). ◼ *vt* vider. ◼ *vi* se vider.

empty-handed [-'hændɪd] *adj* les mains vides.

EMS (*abr de* **European Monetary System**) *n* SME *m*.

emulate ['emjʊleɪt] *vt* imiter.

emulsion [ɪ'mʌlʃn] *n* (*UK*) • **emulsion (paint)** peinture *f* mate *ou* à émulsion.

enable [ɪ'neɪbl] *vt* • **to enable sb to do sthg** permettre à qqn de faire qqch.

enact [ɪ'nækt] *vt* 1. DR promulguer 2. THÉÂTRE jouer.

enamel [ɪ'næml] *n* 1. émail *m* 2. peinture *f* laquée.

encampment [ɪn'kæmpmənt] *n* campement *m*.

encapsulate [ɪn'kæpsjʊleɪt] *vt* • **to encapsulate sthg (in)** résumer qqch (en).

encase [ɪn'keɪs] *vt* • **to be encased in** être enfermé(e) dans • être bardé(e) de.

enchanted [ɪn'tʃɑːntɪd] *adj* • **enchanted (by/with)** enchanté(e) (par/de).

enchanting [ɪn'tʃɑːntɪŋ] *adj* enchanteur(eresse).

encircle [ɪn'sɜːkl] *vt* 1. entourer 2. MIL encercler.

enclose [ɪn'kləʊz] *vt* 1. entourer 2. joindre • **please find enclosed...** veuillez trouver ci-joint...

enclosure [ɪn'kləʊʒər] *n* 1. enceinte *f* 2. pièce *f* jointe (*dans une lettre*).

encompass [ɪn'kʌmpəs] *vt sout* 1. contenir 2. entourer.

encore ['ɒŋkɔːr] ◼ *n* rappel *m*. ◼ *interj* bis !

encounter [ɪn'kaʊntər] ◼ *n* rencontre *f*. ◼ *vt sout* rencontrer.

encourage [ɪn'kʌrɪdʒ] *vt* 1. • **to encourage sb (to do sthg)** encourager qqn (à faire qqch) 2. encourager, favoriser.

encouragement [ɪn'kʌrɪdʒmənt] *n* encouragement *m*.

encroach [ɪn'krəʊtʃ] *vi* • **to encroach on** *ou* **upon** empiéter sur.

encryption [en'krɪpʃn] *n* (*indén*) 1. INFORM cryptage *m* 2. TV codage *m*, encodage *m*.

encyclop(a)edia [ɪn,saɪklə'pi:djə] *n* encyclopédie *f*.

end [end] ◼ *n* 1. fin *f* • **at an end** terminé, fini • **to come to an end** se terminer, s'arrêter • **at the end of the day** *fig* en fin de compte • **in the end** finalement 2. bout *m*, extrémité *f* 3. côté *m* 4. mégot *m*. ◼ *vt* 1. mettre fin à 2. finir. ◼ *vi* se terminer • **to end in** se terminer par • **to end with** se terminer par *ou* avec.
◼ **on end** *adv* 1. debout 2. d'affilée.
◼ **end up** *vi* finir • **to end up doing sthg** finir par faire qqch.

endanger [ɪn'deɪndʒər] *vt* mettre en danger.

endearing [ɪn'dɪərɪŋ] *adj* engageant(e).

endeavour (*UK*), **endeavor** (*US*) *sout* [ɪn'devər] ◼ *n* effort *m*, tentative *f*. ◼ *vt* • **to endeavour to do sthg** s'efforcer *ou* tenter de faire qqch.

ending ['endɪŋ] *n* fin *f*, dénouement *m*.

endive ['endaɪv] *n* 1. (*US*) endive *f* 2. (*UK*) chicorée *f*.

endless ['endlɪs] *adj* 1. interminable 2. inépuisable 3. infini(e).

endorse [ɪn'dɔs] *vt* 1. approuver 2. endosser (*un chèque*).

endorsement [ɪn'dɔːsmənt] n approbation f.

endow [ɪn'daʊ] vt **1.** • **to be endowed with sthg** être doté(e) de qqch **2.** faire des dons à.

endurance [ɪn'djʊərəns] n endurance f.

endure [ɪn'djʊəʳ] ◙ vt supporter, endurer. ◙ vi perdurer.

endways (UK) ['endweɪz], **endwise** (US) ['endwaɪz] adv **1.** en long **2.** bout à bout.

enemy ['enɪmɪ] ◙ n ennemi m, -e f. ◙ en apposition ennemi(e).

energetic [ˌenə'dʒetɪk] adj **1.** énergique **2.** plein(e) d'entrain.

energy ['enədʒɪ] n énergie f.

enforce [ɪn'fɔːs] vt appliquer, faire respecter.

enforced [ɪn'fɔːst] adj forcé(e).

engage [ɪn'geɪdʒ] ◙ vt **1.** susciter, éveiller **2.** sout engager (embaucher) • **to be engaged in** ou **on sthg** prendre part à qqch. ◙ vi • **to engage in** s'occuper de.

engaged [ɪn'geɪdʒd] adj **1.** fiancé(e) • **to get engaged** se fiancer **2.** occupé(e) **3.** (UK) occupé(e).

engaged tone n (UK) tonalité f 'occupé'.

engagement [ɪn'geɪdʒmənt] n **1.** fiançailles fpl **2.** rendez-vous m inv.

engagement ring n bague f de fiançailles.

engaging [ɪn'geɪdʒɪŋ] adj **1.** engageant(e) **2.** attirant(e).

engender [ɪn'dʒendəʳ] vt sout engendrer, susciter.

engine ['endʒɪn] n **1.** moteur m **2.** RAIL locomotive f.

engine driver n (UK) mécanicien m.

engineer [ˌendʒɪ'nɪəʳ] n **1.** ingénieur m, -e f **2.** mécanicien m, -enne f (dans la marine marchande ou l'aéronautique) **3.** technicien m, -enne f **4.** (US) RAIL mécanicien m, -enne f.

engineering [ˌendʒɪ'nɪərɪŋ] n ingénierie f.

England ['ɪŋglənd] n Angleterre f • **in England** en Angleterre.

English ['ɪŋglɪʃ] ◙ adj anglais(e). ◙ n anglais m. ◙ npl • **the English** les Anglais.

English breakfast n petit déjeuner m anglais traditionnel.

English Channel n • **the English Channel** la Manche.

Englishman ['ɪŋglɪʃmən] (pl **-men** [-mən]) n Anglais m.

Englishwoman ['ɪŋglɪʃˌwʊmən] (pl **-women** [-wɪmɪn]) n Anglaise f.

engrave [ɪn'greɪv] vt • **to engrave sthg (on stone/in one's memory)** graver qqch (sur la pierre/dans sa mémoire).

engraving [ɪn'greɪvɪŋ] n gravure f.

engrossed [ɪn'grəʊst] adj • **to be engrossed (in sthg)** être absorbé(e) (par qqch).

engulf [ɪn'gʌlf] vt engloutir.

enhance [ɪn'hɑːns] vt améliorer.

enjoy [ɪn'dʒɔɪ] vt **1.** aimer • **to enjoy o.s.** s'amuser **2.** s'amuser **3.** sout jouir de (de privilèges, d'une bonne santé).

enjoyable [ɪn'dʒɔɪəbl] adj agréable.

enjoyment [ɪn'dʒɔɪmənt] n plaisir m.

enlarge [ɪn'lɑːdʒ] vt agrandir. ◙ **enlarge (up)on** vt insép développer.

enlargement [ɪn'lɑːdʒmənt] n **1.** extension f **2.** PHOTO agrandissement m.

enlighten [ɪn'laɪtn] vt éclairer.

enlightened [ɪn'laɪtnd] adj éclairé(e).

enlightenment [ɪn'laɪtnmənt] n (indén) éclaircissement m.

enlist [ɪn'lɪst] ◙ vt **1.** MIL enrôler **2.** recruter **3.** s'assurer. ◙ vi MIL s'enrôler.

enmity ['enmətɪ] n hostilité f.

enormity [ɪ'nɔːmətɪ] n étendue f.

enormous [ɪ'nɔːməs] adj **1.** énorme **2.** immense.

enough [ɪ'nʌf] ◙ adj assez de. ◙ pron assez • **more than enough** largement, bien assez • **to have had enough** en avoir assez. ◙ adv **1.** assez • **big enough for sthg/to do sthg** assez grand pour qqch/pour faire qqch • **to be good enough to do sthg** sout être assez aimable pour ou de faire qqch **2.** plutôt • **strangely enough** bizarrement.

À PROPOS DE...

enough

Si **enough** est utilisé avec un autre adjectif ou avec un adverbe, il se place après – et non avant – le mot auquel il se rapporte (**he's old enough to understand** ; **strangely enough, she couldn't remember**).

enquire [ɪn'kwaɪə] ◼ vt *(UK)* • to enquire when/whether/how... demander quand/si/comment... ◼ vi • to enquire (about) se renseigner (sur).

enquiry [ɪn'kwaɪərɪ] n 1. demande f de renseignements 2. enquête f.

enraged [ɪn'reɪdʒd] adj 1. furieux(ieuse) 2. *(animal)* enragé(e).

enrol *(UK)*, **enroll** *(US)* [ɪn'rəʊl] ◼ vt inscrire. ◼ vi • to enrol (in) s'inscrire (à).

ensign ['ensaɪn] n pavillon m.

ensue [ɪn'sjuː] vi s'ensuivre.

ensure [ɪn'ʃʊə] vt assurer • to ensure (that)... s'assurer que...

ENT *(abr de Ear, Nose & Throat)* n ORL f.

entail [ɪn'teɪl] vt entraîner • what does the work entail? en quoi consiste le travail ?

enter ['entə] ◼ vt 1. entrer dans *(une pièce, un véhicule)* 2. UNIV entrer à 3. SCOL s'inscrire à, s'inscrire dans 4. s'inscrire à *(un concours, une compétition)* 5. se lancer dans *(la politique)* 6. • to enter sb/sthg for sthg inscrire qqn/qqch à qqch. ◼ vi 1. entrer 2. • to enter (for) s'inscrire (à).
◼ **enter into** vt insép entamer.

enter key n INFORM *(touche f)* entrée f.

enterprise ['entəpraɪz] n entreprise f.

enterprise zone n *(UK)* zone dans une région défavorisée qui bénéficie de subsides de l'État.

enterprising ['entəpraɪzɪŋ] adj qui fait preuve d'initiative.

entertain [,entə'teɪn] vt 1. divertir 2. recevoir 3. sout considérer.

entertainer [,entə'teɪnə] n fantaisiste mf.

entertaining [,entə'teɪnɪŋ] adj divertissant(e).

entertainment [,entə'teɪnmənt] n 1. *(indén)* divertissement m 2. spectacle m.

enthral *(UK)*, **enthrall** *(US)* [ɪn'θrɔːl] vt captiver.

enthrone [ɪn'θrəʊn] vt introniser.

enthusiasm [ɪn'θjuːzɪæzm] n 1. • enthusiasm (for) enthousiasme m (pour) 2. passion f.

enthusiast [ɪn'θjuːzɪæst] n enthousiaste mf.

enthusiastic [ɪn,θjuːzɪ'æstɪk] adj enthousiaste.

entice [ɪn'taɪs] vt séduire.

entire [ɪn'taɪə] adj entier(ère).

entirely [ɪn'taɪəlɪ] adv entièrement, totalement.

entirety [ɪn'taɪrətɪ] n • in its entirety en entier.

entitle [ɪn'taɪtl] vt • to entitle sb to sthg donner droit à qqch à qqn • to entitle sb to do sthg autoriser qqn à faire qqch.

entitled [ɪn'taɪtld] adj 1. autorisé(e) • to be entitled to sthg avoir droit à qqch • to be entitled to do sthg avoir le droit de faire qqch 2. intitulé(e).

entitlement [ɪn'taɪtlmənt] n droit m • entitlement to social security droit à la sécurité sociale.

entrance ◼ n ['entrəns] 1. • entrance (to) entrée f (de) 2. *(acte d'entrer)* entrée f 3. • to gain entrance to obtenir l'accès à • être admis(e) dans. ◼ vt [ɪn'trɑːns] ravir, enivrer.

entrance examination n examen m d'entrée.

entrance fee n 1. *(musée, cinéma)* prix m d'entrée 2. *(club, association)* droit m d'inscription.

entrant ['entrənt] n concurrent m, -e f.

entreat [ɪn'triːt] vt • to entreat sb (to do sthg) supplier qqn (de faire qqch).

entrenched [ɪn'trentʃt] adj ancré(e).

entrepreneur [,ɒntrəprə'nɜː] n entrepreneur m.

entrust [ɪn'trʌst] vt • to entrust sthg to sb, to entrust sb with sthg confier qqch à qqn.

entry ['entrɪ] n 1. entrée f • to gain entry to avoir accès à • 'no entry' 'défense d'entrer' • AUTO 'sens interdit' 2. inscription f *(à un concours)* 3. entrée f *(d'un dictionnaire)* 4. écriture f *(dans un livre de comptes)*.

entry form n formulaire m ou feuille f d'inscription.

envelop [ɪn'veləp] vt envelopper.

envelope ['envələʊp] n enveloppe f.

envious ['envɪəs] adj envieux(euse).

environment [ɪn'vaɪərənmənt] n 1. milieu m, cadre m 2. • the environment l'environnement m.

environmental [ɪn,vaɪərən'mentl] *adj*
1. de l'environnement 2. sur l'environnement.

environmentally [ɪn,vaɪərən'mentəlɪ]
adv pour l'environnement ▪ **to be environmentally aware** être sensible aux problèmes de l'environnement.

environment-friendly *adj* 1. respectueux(euse) de l'environnement 2. *(produit)* non polluant(e).

envisage [ɪn'vɪzɪdʒ], **envision** *(US)*
[ɪn'vɪʒn] *vt* envisager.

envoy ['envɔɪ] *n* émissaire *m*.

envy ['envɪ] ◼ *n* envie *f*, jalousie *f*. ◼ *vt* envier.

epic ['epɪk] ◼ *adj* épique. ◼ *n* épopée *f*.

epidemic [,epɪ'demɪk] *n* épidémie *f*.

epileptic [,epɪ'leptɪk] ◼ *adj* épileptique. ◼ *n* épileptique *mf*.

episode ['epɪsəʊd] *n* épisode *m*.

epistle [ɪ'pɪsl] *n* épître *f*.

epitaph ['epɪtɑːf] *n* épitaphe *f*.

epitome [ɪ'pɪtəmɪ] *n* ▪ **the epitome of** le modèle de.

epitomize, -ise [ɪ'pɪtəmaɪz] *vt* incarner.

epoch ['iːpɒk] *n* époque *f*.

equable ['ekwəbl] *adj* égal(e), placide.

equal ['iːkwəl] ◼ *adj* 1. ▪ **equal (to)** égal(e) (à) ▪ **on equal terms** d'égal à égal 2. ▪ **equal to sthg** à la hauteur de qqch. ◼ *n* égal *m*, -e *f*. ◼ *vt* *(UK)* prét & pp **-led**, cont **-ling**, *(US)* prét & pp **-ed**, cont **-ing**) égaler.

equality [iː'kwɒlətɪ] *n* égalité *f*.

equalize, -ise ['iːkwəlaɪz] ◼ *vt* niveler. ◼ *vi* *(UK)* SPORT égaliser.

equalizer ['iːkwəlaɪzər] *n* *(UK)* but *m* égalisateur.

equally ['iːkwəlɪ] *adv* 1. tout aussi 2. en parts égales 3. en même temps.

equal opportunities *npl* égalité *f* des chances.

equanimity [,ekwə'nɪmətɪ] *n* sérénité *f*, égalité *f* d'humeur.

equate [ɪ'kweɪt] *vt* ▪ **to equate sthg with sthg** assimiler qqch à qqch.

equation [ɪ'kweɪʒn] *n* équation *f*.

equator [ɪ'kweɪtər] *n* ▪ **the equator** l'équateur *m*.

equilibrium [,iːkwɪ'lɪbrɪəm] *n* équilibre *m*.

equip [ɪ'kwɪp] *vt* équiper ▪ **he's well equipped for the job** il est bien préparé pour ce travail.

equipment [ɪ'kwɪpmənt] *n* *(indén)* équipement *m*, matériel *m*.

equities ['ekwətɪz] *npl* actions *fpl* ordinaires.

equivalent [ɪ'kwɪvələnt] ◼ *adj* équivalent(e). ◼ *n* équivalent *m*.

equivocal [ɪ'kwɪvəkl] *adj* équivoque.

er [ɜːr] *interj* euh !

era ['ɪərə] *(pl* **-s)** *n* ère *f*, période *f*.

eradicate [ɪ'rædɪkeɪt] *vt* éradiquer.

erase [ɪ'reɪz] *vt* 1. gommer 2. effacer *(un souvenir)* 3. éliminer *(la faim, la pauvreté)*.

eraser [ɪ'reɪzər] *n* gomme *f*.

erect [ɪ'rekt] ◼ *adj* 1. *(personne)* droit(e) 2. *(pénis)* en érection. ◼ *vt* 1. ériger *(une statue)* 2. construire *(un immeuble)* 3. dresser *(une tente)*.

erection [ɪ'rekʃn] *n* 1. *(indén)* érection *f (d'une statue)* 2. construction *f* 3. érection *f (du pénis)*.

ERM *(abr de* **Exchange Rate Mechanism)** *n* mécanisme *m* des changes (du SME).

ermine ['ɜːmɪn] *n* hermine *f*.

erode [ɪ'rəʊd] ◼ *vt* 1. éroder 2. *fig* réduire. ◼ *vi* 1. s'éroder 2. *fig* diminuer.

erosion [ɪ'rəʊʒn] *n* 1. érosion *f* 2. baisse *f* 3. diminution *f*.

erotic [ɪ'rɒtɪk] *adj* érotique.

err [ɜːr] *vi* se tromper.

errand ['erənd] *n* course *f*, commission *f*.

erratic [ɪ'rætɪk] *adj* irrégulier(ère).

error ['erər] *n* erreur *f* ▪ **a spelling/typing error** une faute d'orthographe/de frappe ▪ **in error** par erreur.

erupt [ɪ'rʌpt] *vi* 1. *(volcan)* entrer en éruption 2. *fig (guerre, conflit)* éclater.

eruption [ɪ'rʌpʃn] *n* 1. éruption *f (d'un volcan)* 2. explosion *f (de violence)* 3. déclenchement *m (d'une guerre)*.

escalate ['eskəleɪt] *vi* 1. *(conflit)* s'intensifier 2. *(prix)* monter en flèche.

escalator ['eskəleɪtər] *n* escalier *m* roulant.

escapade [,eskə'peɪd] *n* aventure *f*, exploit *m*.

escape [ɪ'skeɪp] ◼ *n* 1. fuite *f*, évasion *f* ▪ **to make one's escape** s'échapper ▪ **to**

have a lucky escape l'échapper belle **2.** fuite *f*. ◼ *vt* échapper à. ◼ *vi* **1.** s'échapper, fuir **2.** *(prisonnier)* s'évader • **to escape from** s'échapper de • échapper à **3.** s'en tirer.

escapism [ɪˈskeɪpɪzm] *n (indén)* évasion *f* (de la réalité).

escort ◼ *n* [ˈeskɔt] **1.** escorte *f* **2.** cavalier *m* **3.** hôtesse *f*. ◼ *vt* [ɪˈskɔt] escorter, accompagner.

Eskimo [ˈeskɪməʊ] *n (pl* -s*)* Esquimau *m*, -aude *f (attention : le terme « Eskimo », comme son équivalent français, est souvent considéré comme injurieux en Amérique du Nord. On préférera le terme 'Inuit').*

espadrille [ˌespəˈdrɪl] *n* espadrille *f*.

especially [ɪˈspeʃəlɪ] *adv* **1.** surtout **2.** particulièrement **3.** spécialement.

espionage [ˈespɪəˌnɑːʒ] *n* espionnage *m*.

esplanade [ˌespləˈneɪd] *n* esplanade *f*.

Esquire [ɪˈskwaɪəʳ] *n* • **G. Curry Esquire** Monsieur G. Curry.

essay [ˈeseɪ] *n* **1.** dissertation *f* **2.** essai *m*.

essence [ˈesns] *n* **1.** essence *f*, nature *f* **2.** CULIN essence *f*.

essential [ɪˈsenʃl] *adj* **1.** • **essential (to** OU **for)** indispensable (à) **2.** essentiel(elle), de base.
◼ **essentials** *npl* **1.** produits *mpl* de première nécessité **2.** essentiel *m*.

essentially [ɪˈsenʃəlɪ] *adv* essentiellement, fondamentalement.

establish [ɪˈstæblɪʃ] *vt* **1.** établir **2.** fonder, créer.

establishment [ɪˈstæblɪʃmənt] *n* **1.** établissement *m* **2.** fondation *f*, création *f*.

estate [ɪˈsteɪt] *n* **1.** propriété *f*, domaine *m* **2.** • **(housing) estate** lotissement *m* **3.** DR biens *mpl*.

estate agency *n (UK)* agence *f* immobilière.

estate agent *n (UK)* agent *m* immobilier.

estate car *n (UK)* break *m*.

esteem [ɪˈstiːm] ◼ *n* estime *f*. ◼ *vt* estimer.

esthetic *(US)* = **aesthetic** *etc.*

estimate ◼ *n* [ˈestɪmət] **1.** estimation *f*, évaluation *f* **2.** devis *m*. ◼ *vt* [ˈestɪmeɪt] estimer, évaluer.

estimation [ˌestɪˈmeɪʃn] *n* **1.** opinion *f* **2.** estimation *f*, évaluation *f*.

Estonia [eˈstəʊnɪə] *n* Estonie *f*.

estranged [ɪˈstreɪndʒd] *adj* **1.** *(couple)* séparé(e) **2.** *(conjoint)* dont on s'est séparé.

estuary [ˈestjʊərɪ] *n* estuaire *m*.

etching [ˈetʃɪŋ] *n* gravure *f* à l'eau forte.

eternal [ɪˈtɜːnl] *adj* **1.** éternel(elle) **2.** *fig (plaintes)* sempiternel(elle) **3.** *(vérité, valeur)* immuable.

eternity [ɪˈtɜːnətɪ] *n* éternité *f*.

ethic [ˈeθɪk] *n* éthique *f*, morale *f*.
◼ **ethics** *n (indén)* éthique *f*, morale *f*.

ethical [ˈeθɪkl] *adj* moral(e).

Ethiopia [ˌiːθɪˈəʊpɪə] *n* Éthiopie *f*.

ethnic [ˈeθnɪk] *adj* **1.** ethnique **2.** folklorique.

ethos [ˈiːθɒs] *n* éthos *m*.

etiquette [ˈetɪket] *n* convenances *fpl*, étiquette *f*.

e-trade *n (indén)* cybercommerce *m*, commerce *m* électronique.

EU *(abr de* **European Union***) n* UE *f* • **EU policy** la politique de l'Union européenne.

eulogy [ˈjuːlədʒɪ] *n* panégyrique *m*.

euphemism [ˈjuːfəmɪzm] *n* euphémisme *m*.

euphoria [juːˈfɔːrɪə] *n* euphorie *f*.

euro [ˈjʊərəʊ] *n* euro *m*.

Eurocheque [ˈjʊərəʊˌtʃek] *n (UK)* eurochèque *m*.

Europe [ˈjʊərəp] *n* Europe *f*.

European [ˌjʊərəˈpiːən] ◼ *adj* européen(enne). ◼ *n* Européen *m*, -enne *f*.

European Central Bank *n* Banque *f* centrale européenne.

European Commission *n* Commission *f* des Communautés européennes.

European Community *n* Communauté *f* européenne.

European Monetary System *n* Système *m* monétaire européen.

European Union *n* Union *f* européenne.

euthanasia [ˌjuːθəˈneɪzjə] *n* euthanasie *f*.

evacuate [ɪˈvækjʊeɪt] *vt* évacuer.

evade [ɪˈveɪd] *vt* **1.** échapper à **2.** esquiver, éluder.

evaluate [ɪ'væljʊeɪt] *vt* évaluer.

evaporate [ɪ'væpəreɪt] *vi* **1.** s'évaporer **2.** *(espoirs)* s'envoler **3.** *(peur)* disparaître.

evaporated milk [ɪ'væpəreɪtɪd-] *n* lait *m* condensé (non sucré).

evasion [ɪ'veɪʒn] *n* **1.** dérobade *f* **2.** faux-fuyant *m*.

evasive [ɪ'veɪsɪv] *adj* évasif(ive).

eve [iːv] *n* veille *f*.

even ['iːvn] *adj*

1. EXPRIME UNE RÉGULARITÉ
 • **the surface is even** la surface est régulière

2. EXPRIME UNE ÉGALITÉ
 • **the teams are even** les équipes sont à égalité
 • **the odds/chances are about even** *fig* les chances sont à peu près égales

3. EN MATHÉMATIQUES
 • **two is an even number** deux est un nombre pair.

even *adv*

1. EXPRIME LA SURPRISE, LA MOQUERIE
 • **he can't even dance** il ne sait même pas danser
 • **even my little brother can do it** même mon petit frère sait le faire
 • **even now** encore maintenant
 • **even then** même alors

2. PERMET D'APPORTER UNE PRÉCISION, UNE CLARIFICATION
 • **she's always been very nice to me, even generous on occasion** elle a toujours été sympathique à mon égard, même généreuse parfois

3. DANS UNE COMPARAISON, JOUE UN RÔLE INTENSIFICATEUR, D'EMPHASE
 • **it's even better now** c'est encore mieux maintenant.

■ **even if** *conj*

même si
 • **even if I knew, I wouldn't tell you** même si je le savais, je ne te le dirais pas.

■ **even so** *adv*

 • **yes, but even so** oui, mais quand même.

■ **even though** *conj*

bien que
 • **even though I asked politely, he still refused to help me** bien que je lui aie demandé poliment, il a refusé de m'aider.

evening ['iːvnɪŋ] *n* **1.** soir *m* **2.** soirée *f*
 • **in the evening** le soir.

evening class *n* cours *m* du soir.

evening dress *n* **1.** habit *m* de soirée **2.** robe *f* du soir.

even out ■ *vt sép* égaliser. ■ *vi* s'égaliser.

event [ɪ'vent] *n* **1.** événement *m* **2.** SPORT épreuve *f* **3.** • **in the event of** en cas de • **in the event that** au cas où.
 ■ **in any event** *adv* en tout cas, de toute façon.

eventful [ɪ'ventfʊl] *adj* mouvementé(e).

eventual [ɪ'ventʃʊəl] *adj* final(e).

eventuality [ɪ,ventʃʊ'ælətɪ] *n* éventualité *f*.

eventually [ɪ'ventʃʊəlɪ] *adv* finalement, en fin de compte.

ever ['evər] *adv*

1. DANS DES QUESTIONS AU PRÉSENT OU AU PRESENT PERFECT, POUR INTERROGER QQN SUR SES EXPÉRIENCES
 • **have you ever been to Paris?** êtes-vous déjà allé à Paris ?

2. AVEC DES MOTS AYANT UN SENS NÉGATIF
 • **I hardly ever see him** je ne le vois presque jamais
 • **nothing ever happens here** il ne se passe jamais rien ici

3. DANS DES PHRASES COMPARATIVES OU SUPERLATIVES
 • **it was more beautiful than ever** c'était plus beau que jamais
 • **it's the best film I've ever seen** c'est le meilleur film que j'aie jamais vu

4. INDIQUE UNE PERMANENCE, UNE CONTINUITÉ
 • **the danger is ever present** le danger est toujours présent
 • **she is as cheerful as ever** elle est toujours aussi gaie

5. EXPRIME UNE INTENSITÉ, UNE EMPHASE
 • **he's ever so nice** *(UK)* il est tellement gentil
 • **it's ever such a pity** *(UK)* c'est vraiment dommage.

■ **ever since** *adv*

INDIQUE UN POINT DE DÉPART DANS LE TEMPS
• she has loved him ever since elle l'aime depuis lors *ou* depuis ce moment-là.

ever since *conj*

depuis
• it's been raining ever since I arrived il pleut depuis que je suis arrivé.

ever since *prép*

depuis
• he's known her ever since his childhood il la connaît depuis son enfance.

evergreen ['evǝgri:n] ◼ *adj* à feuilles persistantes. ◼ *n* arbre *m* à feuilles persistantes.

everlasting [,evǝ'lɑ:stɪŋ] *adj* éternel (elle).

every ['evrɪ] *adj* chaque • **every morning** chaque matin, tous les matins.
◼ **every now and then, every so often** *adv* de temps en temps, de temps à autre.
◼ **every other** *adj* • **every other day** tous les deux jours, un jour sur deux.

everybody ['evrɪ,bɒdɪ] = **everyone**.

everyday ['evrɪdeɪ] *adj* quotidien (enne).

everyone ['evrɪwʌn] *pron* chacun, tout le monde.

everyplace *fam (US)* = **everywhere**.

everything ['evrɪθɪŋ] *pron* tout.

everywhere ['evrɪweǝʳ] *adv* partout.

evict [ɪ'vɪkt] *vt* expulser.

evidence ['evɪdǝns] *n (indén)* 1. preuve *f* 2. DR témoignage *m* • **to give evidence** témoigner.

evident ['evɪdǝnt] *adj* évident(e), manifeste.

evidently ['evɪdǝntlɪ] *adv* 1. apparemment 2. de toute évidence, manifestement.

evil ['i:vl] ◼ *adj* mauvais(e), malveillant(e). ◼ *n* mal *m*.

evoke [ɪ'vǝʊk] *vt* 1. évoquer *(des souvenirs)* 2. susciter *(une émotion, une réaction)*.

evolution [,i:vǝ'lu:ʃn] *n* évolution *f*.

evolve [ɪ'vɒlv] ◼ *vt* développer. ◼ *vi* • **to evolve (into/from)** se développer (en/à partir de).

ewe [ju:] *n* brebis *f*.

ex- [eks] *préf* ex-.

exacerbate [ɪg'zæsǝbeɪt] *vt* 1. exacerber 2. aggraver.

exact [ɪg'zækt] ◼ *adj* exact(e), précis(e)
• **to be exact** pour être exact *ou* précis, exactement. ◼ *vt* • **to exact sthg (from)** exiger qqch (de).

exacting [ɪg'zæktɪŋ] *adj* 1. *(travail)* astreignant(e) 2. *(personne)* exigeant(e).

exactly [ɪg'zæktlɪ] ◼ *adv* exactement. ◼ *interj* exactement !, parfaitement !

exaggerate [ɪg'zædʒǝreɪt] *vt & vi* exagérer.

exaggeration [ɪg,zædʒǝ'reɪʃn] *n* exagération *f*.

exalted [ɪg'zɔltɪd] *adj* haut placé(e).

exam [ɪg'zæm] *n* examen *m* • **to take** *ou* **sit (UK) an exam** passer un examen.

examination [ɪg,zæmɪ'neɪʃn] *n* examen *m*.

examine [ɪg'zæmɪn] *vt* 1. examiner 2. contrôler *(un passeport)* 3. DR, SCOL & UNIV interroger.

examiner [ɪg'zæmɪnǝʳ] *n (UK)* examinateur *m*, -trice *f*.

example [ɪg'zɑ:mpl] *n* exemple *m* • **for example** par exemple.

exasperate [ɪg'zæspǝreɪt] *vt* exaspérer.

exasperation [ɪg,zæspǝ'reɪʃn] *n* exaspération *f*.

excavate ['ekskǝveɪt] *vt* 1. creuser 2. déterrer.

exceed [ɪk'si:d] *vt* 1. excéder 2. dépasser.

exceedingly [ɪk'si:dɪŋlɪ] *adv* extrêmement.

excel [ɪk'sel] *vi* exceller.

excellence ['eksǝlǝns] *n* excellence *f*, supériorité *f*.

excellent ['eksǝlǝnt] *adj* excellent(e).

except [ɪk'sept] *prép & conj* • **except (for)** à part, sauf.

exception [ɪk'sepʃn] *n* 1. • **exception (to)** exception *f* (à) • **with the exception of** à l'exception de 2. • **to take exception to** s'offenser de, se froisser de.

exceptional [ɪk'sepʃənl] *adj* exceptionnel(elle).

excerpt ['eksɜːpt] *n* • **excerpt (from)** extrait *m* (de), passage *m* (de).

excess [ɪk'ses] *(avant un nom* ['ekses]*)* ◼ *adj* excédentaire. ◼ *n* excès *m*.

excess baggage *n* excédent *m* de bagages.

excess fare *n (UK)* supplément *m*.

excessive [ɪk'sesɪv] *adj* excessif(ive).

exchange [ɪks'tʃeɪndʒ] ◼ *n* échange *m*. ◼ *vt* échanger.

exchange rate *n* taux *m* de change.

Exchequer [ɪks'tʃekər] *n (UK)* • **the Exchequer** ≃ le ministère des Finances.

excise ['eksaɪz] *n (indén)* contributions *fpl* indirectes.

excite [ɪk'saɪt] *vt* exciter.

excited [ɪk'saɪtɪd] *adj* excité(e).

excitement [ɪk'saɪtmənt] *n* excitation *f.*

exciting [ɪk'saɪtɪŋ] *adj* 1. passionnant(e) 2. excitant(e).

exclaim [ɪk'skleɪm] ◼ *vt* s'écrier. ◼ *vi* s'exclamer.

exclamation [ˌeksklə'meɪʃn] *n* exclamation *f.*

exclamation mark *(UK)*, **exclamation point** *(US) n* point *m* d'exclamation.

exclude [ɪk'skluːd] *vt* • **to exclude sb/ sthg (from)** exclure qqn/qqch (de).

excluding [ɪk'skluːdɪŋ] *prép* sans compter, à l'exclusion de.

exclusive [ɪk'skluːsɪv] ◼ *adj* 1. *(club)* fermé(e) 2. exclusif(ive). ◼ *n* exclusivité *f.* ◼ **exclusive of** *prép* • **exclusive of interest** intérêts non compris.

excrement ['ekskrɪmənt] *n* excrément *m.*

excruciating [ɪk'skruːʃɪeɪtɪŋ] *adj* atroce.

excursion [ɪk'skɜːʃn] *n* excursion *f.*

excuse ◼ *n* [ɪk'skjuːs] excuse *f.* ◼ *vt* [ɪk'skjuːz] 1. excuser • **to excuse sb for sthg** excuser qqn de qqch • **excuse me** excusez-moi • pardon, excusez-moi • *(US)* pardon 2. • **to excuse sb (from)** dispenser qqn (de).

ex-directory *adj (UK)* TÉLÉCOM sur la liste rouge.

execute ['eksɪkjuːt] *vt* exécuter.

execution [ˌeksɪ'kjuːʃn] *n* exécution *f.*

executioner [ˌeksɪ'kjuːʃnər] *n* bourreau *m.*

executive [ɪg'zekjʊtɪv] ◼ *adj* exécutif(ive). ◼ *n* 1. cadre *m* 2. *(gouvernement)* exécutif *m* 3. *(parti politique)* comité *m* central, bureau *m.*

executive director *n* cadre *m* supérieur.

executor [ɪg'zekjʊtər] *n* exécuteur *m* testamentaire.

exemplify [ɪg'zemplɪfaɪ] *vt* 1. exemplifier 2. illustrer.

exempt [ɪg'zempt] ◼ *adj* • **exempt (from)** exempt(e) (de). ◼ *vt* • **to exempt sb (from)** exempter qqn (de).

exercise ['eksəsaɪz] ◼ *n* exercice *m.* ◼ *vt* exercer. ◼ *vi* faire de l'exercice.

exercise book *n (UK)* 1. cahier *m* d'exercices 2. livre *m* d'exercices.

exert [ɪg'zɜːt] *vt* 1. exercer 2. employer *(la force)* • **to exert o.s.** se donner du mal.

exertion [ɪg'zɜːʃn] *n* effort *m.*

exhale [eks'heɪl] ◼ *vt* exhaler. ◼ *vi* expirer.

exhaust [ɪg'zɔːst] ◼ *n* 1. *(indén)* gaz *mpl* d'échappement 2. • **exhaust (pipe)** pot *m ou* tuyau *m* d'échappement. ◼ *vt* épuiser.

exhausted [ɪg'zɔːstɪd] *adj* épuisé(e).

exhausting [ɪg'zɔːstɪŋ] *adj* épuisant(e).

exhaustion [ɪg'zɔːstʃn] *n* épuisement *m.*

exhaustive [ɪg'zɔːstɪv] *adj* complet(ète), exhaustif(ive).

exhibit [ɪg'zɪbɪt] ◼ *n* 1. ART objet *m* exposé 2. DR pièce *f* à conviction. ◼ *vt* 1. montrer 2. faire preuve de 3. ART exposer.

exhibition [ˌeksɪ'bɪʃn] *n* 1. ART exposition *f* 2. étalage *m (de sentiments)* • **to make an exhibition of o.s.** *(UK)* se donner en spectacle.

exhilarating [ɪg'zɪləreɪtɪŋ] *adj* 1. grisant(e) 2. vivifiant(e).

exile ['eksaɪl] ◼ *n* 1. exil *m* • **in exile** en exil 2. exilé *m*, -e *f* ◼ *vt* exiler.

exist [ɪg'zɪst] *vi* exister.

existence [ɪg'zɪstəns] *n* existence *f* • **in existence** qui existe, existant(e).

existing [ɪg'zɪstɪŋ] *adj* existant(e).

exit ['eksɪt] ◼ *n* sortie *f.* ◼ *vi* sortir.

exodus ['eksədəs] n exode m.

exonerate [ig'zɒnəreɪt] vt • **to exonerate sb (from)** disculper qqn (de).

exorbitant [ig'zɔːbɪtənt] adj exorbitant(e).

exotic [ig'zɒtɪk] adj exotique.

expand [ik'spænd] ◼ vt 1. accroître 2. développer. ◼ vi 1. s'accroître 2. se développer 3. (métal) se dilater.
◼ **expand (up)on** vt insép développer.

expanse [ik'spæns] n étendue f.

expansion [ik'spænʃn] n 1. accroissement m 2. développement m 3. dilatation f (d'un métal).

expect [ik'spekt] ◼ vt 1. s'attendre à 2. attendre • **when do you expect it to be ready?** quand pensez-vous que ce sera prêt ? • **to expect sb to do sthg** s'attendre à ce que qqn fasse qqch 3. compter sur 4. exiger, demander • **to expect sthg from sb** exiger qqch de qqn 5. (UK) supposer • **I expect so** je crois que oui. ◼ vi 1. • **to expect to do sthg** compter faire qqch 2. • **to be expecting** être enceinte, attendre un bébé.

expectant [ik'spektənt] adj qui est dans l'expectative.

expectant mother n femme f enceinte.

expectation [ˌekspek'teɪʃn] n 1. espoir m, attente f 2. • **it's my expectation that...** à mon avis,...

expedient [ik'spiːdjənt] sout ◼ adj indiqué(e). ◼ n expédient m.

expedition [ˌekspɪ'dɪʃn] n expédition f.

expel [ik'spel] vt 1. expulser 2. scol renvoyer.

expend [ik'spend] vt • **to expend time/money (on)** consacrer du temps/de l'argent (à).

expendable [ik'spendəbl] adj 1. superflu(e) 2. qui peut être sacrifié(e).

expenditure [ik'spendɪtʃəʳ] n (indén) dépense f.

expense [ik'spens] n 1. dépense f 2. (indén) frais mpl • **at the expense of** au prix de • **at sb's expense** aux frais de qqn • fig aux dépens de qqn.
◼ **expenses** npl frais mpl.

~~expense account~~ n frais mpl de représentation.

expensive [ik'spensɪv] adj 1. cher (chère), coûteux(euse) 2. (goûts) dispendieux(euse) 3. (faute, erreur) qui coûte cher.

experience [ik'spɪəriəns] ◼ n expérience f. ◼ vt 1. connaître (des difficultés) 2. éprouver, ressentir (une déception) 3. subir (une perte).

experienced [ik'spɪəriənst] adj expérimenté(e) • **to be experienced at** ou **in sthg** avoir de l'expérience en ou en matière de qqch.

experiment [ik'sperɪmənt] ◼ n expérience f • **to carry out an experiment** faire une expérience. ◼ vi • **to experiment (with sthg)** expérimenter (qqch).

expert ['ekspɜːt] ◼ adj 1. expert(e) 2. d'expert. ◼ n expert m, -e f.

expertise [ˌekspɜː'tiːz] n (indén) compétence f.

expiration (US) = **expiry**.

expire [ik'spaɪəʳ] vi expirer.

expiry [ik'spaɪərɪ] n (UK) expiration f.

explain [ik'spleɪn] ◼ vt expliquer • **to explain sthg to sb** expliquer qqch à qqn. ◼ vi s'expliquer • **to explain to sb (about sthg)** expliquer (qqch) à qqn.

explanation [ˌeksplə'neɪʃn] n explication f.

explicit [ik'splɪsɪt] adj explicite.

explode [ik'spləʊd] ◼ vt faire exploser. ◼ vi litt & fig exploser.

exploit ◼ n ['eksplɔɪt] exploit m. ◼ vt [ik'splɔɪt] exploiter.

exploitation [ˌeksplɔɪ'teɪʃn] n (indén) exploitation f.

exploration [ˌeksplə'reɪʃn] n exploration f.

explore [ik'splɔːʳ] vt & vi explorer.

explorer [ik'splɔːrəʳ] n explorateur m, -trice f.

explosion [ik'spləʊʒn] n 1. explosion f 2. débordement m.

explosive [ik'spləʊsɪv] ◼ adj litt & fig explosif(ive). ◼ n explosif m.

exponent [ik'spəʊnənt] n défenseur m.

export ◼ n ['ekspɔːt] exportation f. ◼ en apposition ['ekspɔːt] d'exportation. ◼ vt [ik'spɔːt] exporter.

exporter [ek'spɔːtəʳ] n exportateur m, -trice f.

expose [ɪk'spəʊz] *vt* 1. exposer, découvrir • **to be exposed to sthg** être exposé à qqch 2. révéler 3. démasquer.

exposed [ɪk'spəʊzd] *adj* exposé(e).

exposure [ɪk'spəʊʒər] *n* 1. exposition *f* 2. PHOTO • temps *m* de pose • pose *f* 3. *(indén)* publicité *f* 4. *(indén)* couverture *f*.

exposure meter *n* posemètre *m*.

expound [ɪk'spaʊnd] *sout* ◼ *vt* exposer. ◼ *vi* • **to expound on** faire un exposé sur.

express [ɪk'spres] ◼ *adj* 1. *(UK)* exprès *(inv)* 2. *(train)* express *(inv)*. ◼ *adv* exprès. ◼ *n (train)* rapide *m*, express *m*. ◼ *vt* exprimer.

expression [ɪk'spreʃn] *n* expression *f*.

expressive [ɪk'spresɪv] *adj* expressif(ive).

expressly [ɪk'preslɪ] *adv* expressément.

expressway [ɪk'spresweɪ] *n (US)* voie *f* express.

exquisite [ɪk'skwɪzɪt] *adj* exquis(e).

extend [ɪk'stend] ◼ *vt* 1. agrandir *(un bâtiment)* 2. prolonger 3. proroger *(un visa)* 4. repousser *(un délai)* 5. étendre (la portée de) 6. accroître *(son pouvoir)* 7. étendre *(le bras)* 8. apporter, offrir *(de l'aide)* 9. accorder *(un crédit)*. ◼ *vi* 1. s'étendre 2. continuer.

extension [ɪk'stenʃn] *n* 1. agrandissement *m* 2. prolongement *m* 3. prolongation *f* 4. prorogation *f* *(d'un visa)* 5. report *m* 6. accroissement *m* 7. élargissement *m (de la loi)* 8. TÉLÉCOM poste *m* 9. ÉLECTR prolongateur *m*.

extension cable *n* rallonge *f*.

extensive [ɪk'stensɪv] *adj* 1. considérable 2. vaste 3. *(discussion)* approfondi(e).

extensively [ɪk'stensɪvlɪ] *adv* 1. considérablement 2. abondamment, largement.

extent [ɪk'stent] *n* 1. étendue *f*, superficie *f* 2. *fig* étendue *(d'un problème)* 3. • **to what extent...?** dans quelle mesure... ? • **to the extent that** au point que • **to a certain extent** jusqu'à un certain point • **to some extent** en partie.

extenuating circumstances [ɪk'stenjʊeɪtɪŋ-] *npl* circonstances *fpl* atténuantes.

exterior [ɪk'stɪərɪər] ◼ *adj* extérieur(e). ◼ *n* 1. extérieur *m* 2. dehors *mpl*.

exterminate [ɪk'stɜːmɪneɪt] *vt* exterminer.

external [ɪk'stɜːnl] *adj* externe.

extinct [ɪk'stɪŋkt] *adj* 1. *(espèces)* disparu(e) 2. *(volcan)* éteint(e).

extinguish [ɪk'stɪŋgwɪʃ] *vt* éteindre.

extol, extoll [ɪk'stəʊl] *vt* louer *(chanter les louanges de)*.

extort [ɪk'stɔt] *vt* • **to extort sthg from sb** extorquer qqch à qqn.

extortionate [ɪk'stɔːʃnət] *adj péj* exorbitant(e).

extra ['ekstrə] ◼ *adj* supplémentaire. ◼ *n* 1. supplément *m* 2. CINÉ & THÉÂTRE figurant *m*, -e *f*. ◼ *adv* 1. extra 2. en plus.

extra- ['ekstrə] *préf* extra-.

extract ◼ *n* ['ekstrækt] extrait *m*. ◼ *vt* [ɪk'strækt] 1. arracher • **to extract sthg from** tirer qqch de 2. • **to extract sthg (from sb)** arracher qqch (à qqn), tirer qqch (de qqn) 3. extraire.

extradite ['ekstrədaɪt] *vt* extrader.

extramarital [,ekstrə'mærɪtl] *adj* extraconjugal(e).

extramural [,ekstrə'mjʊərəl] *adj* UNIV hors faculté.

extraordinary [ɪk'strɔːdnrɪ] *adj (UK)* extraordinaire.

extraordinary general meeting *n (UK)* assemblée *f* générale extraordinaire.

extravagance [ɪk'strævəgəns] *n* 1. *(indén)* gaspillage *m*, prodigalités *fpl* 2. extravagance *f*, folie *f*.

extravagant [ɪk'strævəgənt] *adj* 1. dépensier(ère) 2. *(goûts, luxe)* dispendieux(euse) 3. extravagant(e).

extreme [ɪk'striːm] ◼ *adj* extrême. ◼ *n* extrême *m*.

extremely [ɪk'striːmlɪ] *adv* extrêmement.

extremist [ɪk'striːmɪst] ◼ *adj* extrémiste. ◼ *n* extrémiste *mf*.

extricate ['ekstrɪkeɪt] *vt* • **to extricate sthg (from)** dégager qqch (de) • **to extricate o.s. (from)** s'extirper (de) • se tirer (de).

extrovert ['ekstrəvɜːt] ◼ *adj* extraverti(e). ◼ *n* extraverti *m*, -e *f*.

exuberance [ɪg'zjuːbərəns] *n* exubérance *f*.

exultant [ɪg'zʌltənt] *adj* triomphant(e).

eye [aɪ] ◼ n **1.** œil m • **to cast** ou **run one's eye over sthg** jeter un coup d'œil sur qqch • **to catch sb's eye** attirer l'attention de qqn • **to have one's eye on sb** avoir qqn à l'œil • **to keep one's eyes open for sthg** essayer de repérer qqch • **to keep an eye on sthg** surveiller qqch **2.** cout chas m. ◼ vt (cont **eyeing** ou **eying**) regarder, reluquer.

eyeball ['aɪbɔl] n globe m oculaire.

eyebath ['aɪbɑːθ] n œillère f (pour bains d'œil).

eyebrow ['aɪbraʊ] n sourcil m.

eyebrow pencil n crayon m à sourcils.

eyelash ['aɪlæʃ] n cil m.

eyelid ['aɪlɪd] n paupière f.

eyeliner ['aɪ,laɪnə'] n eye-liner m.

eye-opener n fam révélation f.

eye shadow n fard m à paupières.

eyesight ['aɪsaɪt] n vue f.

eyesore ['aɪsɔː'] n péj horreur f.

eyestrain ['aɪstreɪn] n fatigue f des yeux.

eyewitness [,aɪ'wɪtnɪs] n témoin mf oculaire.

f [ef] (*pl* **f's** *ou* **fs**), **F** (*pl* **F's** *ou* **Fs**) *n* f *m inv*, F *m inv*.
■ **F** *n* **1.** mus fa *m* **2.** *(abr de* **Fahrenheit***)* F.

fab [fæb] *adj fam* super.

fable ['feɪbl] *n* fable *f*.

fabric ['fæbrɪk] *n* **1.** tissu *m* **2.** structure *f*.

fabrication [,fæbrɪ'keɪʃn] *n* **1.** fabrication *f*, invention *f* **2.** fabrication *f*.

fabulous ['fæbjʊləs] *adj* **1.** fabuleux(euse) **2.** *fam* sensationnel(elle), fabuleux(euse).

facade, façade [fə'sɑːd] *n* façade *f*.

face [feɪs] ■ *n* **1.** visage *m*, figure *f* **2.** mine *f* ▪ **to make** *ou* **pull a face** faire la grimace **3.** face *f*, paroi *f (d'une montagne)* **4.** façade *f* **5.** cadran *m* **6.** face *f (d'une pièce de monnaie)* **7.** surface *f* **8.** ▪ **to save/lose face** sauver/perdre la face. ■ *vt* **1.** faire face à ▪ **the house faces the sea/south** la maison donne sur la mer/est orientée vers le sud **2.** être confronté(e) à **3.** faire face à **4.** admettre ▪ **we must face facts** il faut voir les choses comme elles sont **5.** *fam* affronter.
■ **face up to** *vt insép* faire face à.

facecloth ['feɪsklɒθ] *n (UK)* gant *m* de toilette.

face cream *n* crème *f* pour le visage.

facelift ['feɪslɪft] *n* **1.** lifting *m* **2.** *fig* restauration *f*, rénovation *f*.

face powder *n* poudre *f* de riz, poudre pour le visage.

face-saving [-,seɪvɪŋ] *adj* qui sauve la face.

facet ['fæsɪt] *n* facette *f*.

facetious [fə'siːʃəs] *adj* facétieux(euse).

face value *n* valeur *f* nominale ▪ **to take sthg at face value** prendre qqch au pied de la lettre.

facility [fə'sɪlətɪ] *n* fonction *f*.
■ **facilities** *npl* équipement *m*, aménagement *m*.

facing ['feɪsɪŋ] *adj* **1.** d'en face **2.** opposé(e).

facsimile [fæk'sɪmɪlɪ] *n* **1.** télécopie *f*, fax *m* **2.** fac-similé *m*.

fact [fækt] *n* **1.** fait *m* ▪ **to know sthg for a fact** savoir pertinemment qqch **2.** *(indén)* faits *mpl*, réalité *f*.
■ **in fact** *adv* en fait.

fact of life *n* fait *m*, réalité *f* ▪ **the facts of life** *euphém* les choses *fpl* de la vie.

factor ['fæktər] *n* facteur *m*, -trice *f*.

factory ['fæktərɪ] *n* usine *f*, fabrique *f*.

fact sheet *n* prospectus *m*, brochure *f*.

factual ['fæktʃʊəl] *adj* factuel(elle), basé(e) sur les faits.

faculty ['fækltɪ] *n* **1.** faculté *f* **2.** *(US)* ▪ **the faculty** le corps enseignant.

FA Cup *n en Angleterre, championnat de football dont la finale se joue à Wembley.*

fad [fæd] *n* engouement *m*, mode *f*.

fade [feɪd] ■ *vt* décolorer. ■ *vi* **1.** se décolorer **2.** *(couleurs)* passer **3.** *(fleurs)* se flétrir **4.** *(lumière)* baisser, diminuer **5.** *(son, sentiment, intérêt)* diminuer, s'affaiblir **6.** *(souvenir)* s'effacer.

faeces *(UK)*, **feces** *(US)* ['fiːsiːz] *npl* fèces *fpl*.

fag [fæg] *n fam* **1.** *(UK)* clope *m* **2.** *(US) injur* pédé *m*.

Fahrenheit ['færənhaɪt] *adj* Fahrenheit *(inv)*.

fail [feɪl] ■ *vt* **1.** rater, échouer à **2.** ▪ **to fail to do sthg** manquer *ou* omettre de faire qqch **3.** refuser *(un candidat)*. ■ *vi* **1.** ne pas réussir *ou* y arriver **2.** échouer *(à un examen)* **3.** *(freins)* lâcher **4.** *(jour, santé)* décliner **5.** *(vue)* baisser.

failing ['feɪlɪŋ] ■ *n* défaut *m*, point *m* faible. ■ *prép* à moins de ▪ **failing that** à défaut.

failure ['feɪljər] *n* **1.** échec *m* **2.** raté *m*, -e *f* **3.** défaillance *f* **4.** perte *f (des récoltes)*.

faint [feɪnt] ◼ *adj* **1.** *(odeur)* léger(ère) **2.** *(souvenir)* vague **3.** *(son, espoir)* faible **4.** *(chance)* petit, -e *f* ◼ *vi* s'évanouir.

fair [feər] ◼ *adj* **1.** juste, équitable **2.** grand(e), important(e) **3.** assez bon(assez bonne) **4.** blond(e) **5.** *(peau, teint)* clair(e) **6.** *(temps)* beau(belle). ◼ *n* **1.** *(UK)* fête *f* foraine **2.** foire *f*. ◼ *adv* loyalement.
◼ **fair enough** *adv fam* OK, d'accord.

fair-haired [-'heəd] *adj* blond(e).

fairly ['feəlɪ] *adv* **1.** assez • **fairly certain** presque sûr **2.** équitablement **3.** avec impartialité **4.** loyalement.

fairness ['feənɪs] *n* équité *f*.

fairy ['feərɪ] *n* **1.** fée *f* **2.** *fam injur* pédé *m*.

fairy tale *n* conte *m* de fées.

faith [feɪθ] *n* **1.** foi *f*, confiance *f* **2.** RELIG foi *f*.

faithful ['feɪθfʊl] *adj* fidèle.

faithfully ['feɪθfʊlɪ] *adv* fidèlement • **Yours faithfully** *(UK)* je vous prie d'agréer mes salutations distinguées.

fake [feɪk] ◼ *adj* faux(fausse). ◼ *n* **1.** faux *m* **2.** imposteur *m*. ◼ *vt* **1.** falsifier **2.** imiter **3.** simuler.

falcon ['fɔlkən] *n* faucon *m*.

Falkland Islands ['fɔklənd-], **Falklands** ['fɔkləndz] *npl* • **the Falkland Islands** les îles *fpl* Falkland, les Malouines *fpl*.

fall [fɔl] ◼ *vi* (*prét* **fell**, *pp* **fallen**) **1.** tomber • **to fall flat** tomber à plat • baisser **3.** • **to fall asleep** s'endormir • **to fall ill** tomber malade • **to fall in love** tomber amoureux(euse). ◼ *n* **1.** • **fall (in)** chute (de) **2.** *(US)* automne *m*.
◼ **fall apart** *vi* **1.** tomber en morceaux **2.** *fig* s'effondrer.
◼ **fall back** *vi* reculer.
◼ **fall back on** *vt insép* se rabattre sur.
◼ **fall behind** *vi* **1.** se faire distancer **2.** être en retard • **to fall behind with** *(UK)* ou **in** *(US)* **one's work** avoir du retard dans son travail.
◼ **fall for** *vt insép* **1.** *fam* tomber amoureux(euse) de **2.** se laisser prendre à.
◼ **fall in** *vi* **1.** s'écrouler, s'affaisser **2.** MIL former les rangs.
◼ **fall off** *vi* **1.** se détacher, tomber **2.** baisser, diminuer.
◼ **fall out** *vi* **1.** tomber **2.** se brouiller.
◼ **fall over** ◼ *vt insép* • **to fall over sthg** trébucher sur qqch et tomber. ◼ *vi* tomber.

◼ **fall through** *vi* échouer.

fallacy ['fæləsɪ] *n* erreur *f*, idée *f* fausse.

fallen ['fɔln] *pp* ▷ **fall**.

fallible ['fæləbl] *adj* faillible.

fallout ['fɔlaʊt] *n* *(indén)* retombées *fpl*.

fallout shelter *n* abri *m* antiatomique.

fallow ['fæləʊ] *adj* • **to lie fallow** être en jachère.

false [fɔls] *adj* faux(fausse).

false alarm *n* fausse alerte *f*.

falsely ['fɔlslɪ] *adv* **1.** à tort **2.** faussement.

false teeth *npl* dentier *m*.

falsify ['fɔlsɪfaɪ] *vt* falsifier.

falter ['fɔltər] *vi* **1.** chanceler **2.** devenir hésitant(e) **3.** hésiter.

fame [feɪm] *n* gloire *f*, renommée *f*.

familiar [fə'mɪljər] *adj* familier(ère) • **familiar with sthg** familiarisé(e) avec qqch.

familiarity [fə,mɪlɪ'ærətɪ] *n* *(indén)* • **familiarity with sthg** connaissance *f* de qqch, familiarité *f* avec qqch.

familiarize, -ise [fə'mɪljəraɪz] *vt* • **to familiarize o.s. with sthg** se familiariser avec qqch • **to familiarize sb with sthg** familiariser qqn avec qqch.

family ['fæmlɪ] *n* famille *f*.

family credit *n* *(indén)* *(UK)* ≃ complément *m* familial.

family doctor *n* médecin *m* de famille.

family planning *n* planning *m* familial.

famine ['fæmɪn] *n* famine *f*.

famished ['fæmɪʃt] *adj* *fam* affamé(e) • **I'm famished!** je meurs de faim !

famous ['feɪməs] *adj* • **famous (for)** célèbre (pour).

famously ['feɪməslɪ] *adv* *vieilli* • **to get on** ou **along famously** s'entendre comme larrons en foire.

fan [fæn] ◼ *n* **1.** éventail *m* **2.** ventilateur *m* **3.** fan *mf*. ◼ *vt* **1.** éventer **2.** attiser.

fanatic [fə'nætɪk] *n* fanatique *mf*.

fan belt *n* courroie *f* de ventilateur.

fanciful ['fænsɪfʊl] *adj* **1.** bizarre, fantasque **2.** extravagant(e).

fancy ['fænsɪ] ◼ *adj* **1.** extravagant(e) **2.** raffiné(e) **3.** *(restaurant, hôtel)* de luxe **4.** *(prix)* fantaisiste. ◼ *n* *(UK)* envie *f*, lubie *f* • **to take a fancy to sb** se prendre d'affection pour qqn • **to take a fancy to sthg** se mettre à aimer qqch • **to take sb's fancy** faire envie à qqn, plaire à qqn. ◙ *vt* **1.** *(UK) fam* avoir envie de • **to fancy doing sthg** avoir envie de faire qqch **2.** *(UK) fam* • **I fancy her** elle me plaît **3.** • **fancy that!** ça alors !

fancy dress *n (indén) (UK)* déguisement *m.*

fancy-dress party *n* fête *f* déguisée.

fanfare ['fænfeə*r*] *n* fanfare *f.*

fang [fæŋ] *n* **1.** *(chien)* croc *m* **2.** *(serpent)* crochet *m.*

fan heater *n* radiateur *m* soufflant.

fanny ['fænɪ] *n (US) fam* fesses *fpl.*

fantasize, -ise ['fæntəsaɪz] *vi* • **to fantasize (about sthg/about doing sthg)** fantasmer (sur qqch/sur le fait de faire qqch).

fantastic [fæn'tæstɪk] *adj* **1.** *fam* fantastique, formidable **2.** extraordinaire, incroyable.

fantasy ['fæntəsɪ] *n* **1.** rêve *m*, fantasme *m* **2.** *(indén)* fiction *f* **3.** fantaisie *f.*

fantasy football *n jeu où chaque participant se constitue une équipe virtuelle avec les noms de footballeurs réels, chaque but marqué par ceux-ci dans la réalité valant un point dans le jeu.*

far [fɑː*r*] ◙ *adv* **1.** loin • **how far is it?** c'est à quelle distance ?, (est-ce que) c'est loin ? • **have you come far?** vous venez de loin ? • **far away** *ou* **off** loin • **far and wide** partout • **as far as** jusqu'à **2.** • **so far** jusqu'ici **3.** bien • **I wouldn't trust him very far** je ne lui ferais pas tellement confiance • **as far as** autant que • **as far as I'm concerned** en ce qui me concerne • **by far** de loin • **far from it** loin de là, au contraire • **so far so good** jusqu'ici tout va bien • **to go so far as to do sthg** aller jusqu'à faire qqch • **to go too far** aller trop loin. ◙ *adj* (*comp* **farther** *ou* **further**, *superl* **farthest** *ou* **furthest**) • **the far end of the street** l'autre bout de la rue • **the far right** l'extrême droite • **the door on the far left** la porte la plus à gauche.

faraway ['fɑːrəweɪ] *adj* lointain(e).

farce [fɑːs] *n* **1.** THÉÂTRE farce *f* **2.** *fig* pagaille *f*, vaste rigolade *f.*

farcical ['fɑːsɪkl] *adj* grotesque.

fare [feə*r*] *n* **1.** prix *m*, tarif *m* **2.** *vieilli* nourriture *f.*

Far East *n* • **the Far East** l'Extrême-Orient *m.*

farewell [,feə'wel] ◙ *n* adieu *m.* ◙ *interj littéraire* adieu !

farm [fɑːm] ◙ *n* ferme *f.* ◙ *vt* cultiver.

farmer ['fɑːmə*r*] *n* fermier *m*, -ère *f.*

farmhand ['fɑːmhænd] *n* ouvrier *m*, -ère *f* agricole.

farmhouse ['fɑːmhaʊs] (*pl* [-haʊzɪz]) *n* ferme *f.*

farming ['fɑːmɪŋ] *n* **1.** *(indén)* agriculture *f* **2.** élevage *m.*

farm labourer *(UK)*, **farm laborer** *(US)* = **farmhand**.

farmland ['fɑːmlænd] *n (indén)* terres *fpl* cultivées *ou* arables.

farmstead ['fɑːmsted] *n (US)* ferme *f.*

farm worker = **farmhand**.

farmyard ['fɑːmjɑːd] *n* cour *f* de ferme.

far-reaching [-'riːtʃɪŋ] *adj* d'une grande portée.

farsighted [,fɑː'saɪtɪd] *adj* **1.** prévoyant(e) **2.** élaboré(e) avec clairvoyance **3.** *(US)* hypermétrope.

fart [fɑːt] *tfam* ◙ *n* pet *m.* ◙ *vi* péter.

farther ['fɑːðə*r*] *compar* ▷ **far.**

farthest ['fɑːðəst] *superl* ▷ **far.**

fascinate ['fæsɪneɪt] *vt* fasciner.

fascinating ['fæsɪneɪtɪŋ] *adj* **1.** fascinant(e) **2.** passionnant(e) **3.** très intéressant(e).

fascination [,fæsɪ'neɪʃn] *n* fascination *f.*

fascism ['fæʃɪzm] *n* fascisme *m.*

fashion ['fæʃn] ◙ *n* **1.** mode *f* • **to be in/out of fashion** être/ne plus être à la mode **2.** manière *f.* ◙ *vt sout* façonner, fabriquer.

fashionable ['fæʃnəbl] *adj* à la mode.

fashion show *n* défilé *m* de mode.

fast [fɑːst] ◙ *adj* **1.** rapide **2.** *(montre, pendule)* qui avance. ◙ *adv* vite • **fast asleep** profondément endormi. ◙ *n* jeûne *m.* ◙ *vi* jeûner.

fasten ['fɑːsn] *vt* **1.** fermer *(un sac, un blouson)* **2.** attacher *(sa ceinture de sécurité)* • **to fasten sthg to sthg** attacher qqch à qqch.

fastener ['fɑːsnə*r*] *n* **1.** fermoir *m* **2.** fermeture *f (d'un vêtement).*

fastening ['fɑːsnɪŋ] *n* fermeture *f* (*d'un vêtement*).

fast food *n* fast-food *m*, restauration *f* rapide.

fastidious [fə'stɪdɪəs] *adj* méticuleux(euse).

fat [fæt] ■ *adj* 1. gros(grosse), gras(grasse) • **to get fat** grossir 2. épais(aisse). ■ *n* 1. graisse *f* 2. (*indén*) matière *f* grasse.

fatal ['feɪtl] *adj* 1. fatal(e) 2. fatidique 3. mortel(elle).

fatality [fə'tæləti] *n* mort *m*.

fate [feɪt] *n* 1. destin *m* • **to tempt fate** tenter le diable 2. sort *m*.

fateful ['feɪtful] *adj* fatidique.

fat-free *adj* sans matières grasses.

father ['fɑːðər] *n* père *m*.

Father Christmas *n* (*UK*) le Père Noël.

father-in-law (*pl* **fathers-in-law**) *n* beau-père *m*.

fatherly ['fɑːðəlɪ] *adj* paternel(elle).

fathom ['fæðəm] ■ *n* brasse *f*. ■ *vt* • **to fathom sb/sthg (out)** comprendre qqn/qqch.

fatigue [fə'tiːg] *n* 1. épuisement *m* 2. TECHNOL fatigue *f* (*des métaux*).

fatten ['fætn] *vt* engraisser.

fattening ['fætnɪŋ] *adj* qui fait grossir.

fatty ['fætɪ] ■ *adj* gras(grasse). ■ *n* fam péj gros *m*, grosse *f*.

fatuous ['fætjʊəs] *adj* sout stupide, niais(e).

faucet ['fɔːsɪt] *n* (*US*) robinet *m*.

fault ['fɔːlt] ■ *n* 1. faute *f* • **it's my fault** c'est de ma faute 2. défaut *m* • **to find fault with sb/sthg** critiquer qqn/qqch • **at fault** fautif(ive) 3. GÉOL faille *f*. ■ *vt* • **to fault sb** prendre qqn en défaut.

faultless ['fɔːltlɪs] *adj* impeccable.

faulty ['fɔːltɪ] *adj* défectueux(euse).

fauna ['fɔːnə] *n* faune *f*.

favour (*UK*), **favor** (*US*) ['feɪvər] ■ *n* 1. faveur *f*, approbation *f* • **in sb's favour** en faveur de qqn • **to be in/out of favour with sb** avoir/ne pas avoir les faveurs de qqn, avoir/ne pas avoir la cote avec qqn 2. service *m* • **to do sb a favour** rendre (un) service à qqn 3. favoritisme *m*. ■ *vt* 1. préférer, privilégier 2. favoriser. ■ **in favour** *adv* pour, d'accord.

■ **in favour of** *prép* 1. au profit de 2. • **to be in favour of sthg/of doing sthg** être partisan(e) de qqch/de faire qqch.

favourable (*UK*), **favorable** (*US*) ['feɪvrəbl] *adj* favorable.

favourite (*UK*), **favorite** (*US*) ['feɪvrɪt] ■ *adj* favori(ite). ■ *n* favori *m*, -ite *f*.

favouritism (*UK*), **favoritism** (*US*) ['feɪvrɪtɪzm] *n* favoritisme *m*.

fawn [fɔːn] ■ *adj* fauve (*inv*). ■ *n* faon *m*. ■ *vi* • **to fawn on sb** flatter qqn servilement.

fax [fæks] ■ *n* fax *m*, télécopie *f*. ■ *vt* 1. envoyer un fax à 2. envoyer en fax.

fax machine *n* fax *m*, télécopieur *m*.

fax modem *n* modem *m* fax.

FBI (*abr de* **Federal Bureau of Investigation**) *n* (*US*) FBI *m*.

fear [fɪər] ■ *n* 1. (*indén*) peur *f* 2. crainte *f* 3. risque *m* • **for fear of** de peur de (*+ infinitif*), de peur que (*+ subjonctif*). ■ *vt* 1. craindre, avoir peur de 2. craindre • **to fear (that)...** craindre que..., avoir peur que...

fearful ['fɪəful] *adj* 1. *sout* peureux(euse) • **to be fearful of sthg** avoir peur de qqch 2. effrayant(e).

fearless ['fɪəlɪs] *adj* intrépide.

feasible ['fiːzəbl] *adj* faisable, possible.

feast [fiːst] ■ *n* festin *m*, banquet *m*. ■ *vi* • **to feast on** *ou* **off sthg** se régaler de qqch.

feat [fiːt] *n* exploit *m*, prouesse *f*.

feather ['feðər] *n* plume *f*.

feature ['fiːtʃər] ■ *n* 1. caractéristique *f* 2. GÉOGR particularité *f* 3. article *m* de fond 4. RADIO & TV émission *f* spéciale, spécial *m* 5. CINÉ long métrage *m*. ■ *vt* 1. mettre en vedette 2. présenter, comporter. ■ *vi* • **to feature (in)** figurer en vedette (dans). ■ **features** *npl* traits *mpl*.

feature film *n* long métrage *m*.

February ['februərɪ] *n* février *m*. • *voir aussi* **September**

feces (*US*) = **faeces**.

fed [fed] ■ *passé* & *pp* ▷ **feed**. ■ *n* (*US*) *fam* agent *m*, -e *f* du FBI.

federal ['fedrəl] *adj* fédéral(e).

federation [,fedə'reɪʃn] *n* fédération *f*.

fed up *adj* • **to be fed up (with)** en avoir marre (de).

fee [fi:] *n* **1.** frais *mpl* (*de scolarité*) **2.** (*chez le médecin*) honoraires *mpl* **3.** cotisation *f* **4.** tarif *m*, prix *m*.

feeble ['fi:bəl] *adj* faible.

feed [fi:d] ■ *vt* (*prét & pp* **fed**) **1.** nourrir **2.** alimenter **3.** • **to feed sthg into sthg** mettre *ou* insérer qqch dans qqch. ■ *vi* (*prét & pp* **fed**) • **to feed (on** *ou* **off)** se nourrir (de). ■ *n* **1.** repas *m* (*d'un bébé*) **2.** nourriture *f* (*pour animaux*).

feedback ['fi:dbæk] *n* (*indén*) **1.** réactions *fpl* **2.** ÉLECTR réaction *f*, rétroaction *f*.

feeding bottle ['fi:dɪŋ-] *n* (*UK*) biberon *m*.

feel [fi:l] ■ *vt* (*prét & pp* **felt**) **1.** toucher **2.** sentir **3.** ressentir • **to feel o.s. doing sthg** se sentir faire qqch **4.** • **to feel (that)...** croire que..., penser que... • **I'm not feeling myself today** je ne suis pas dans mon assiette aujourd'hui. ■ *vi* (*prét & pp* **felt**) **1.** • **to feel cold/hot/sleepy** avoir froid/chaud/sommeil • **to feel like sthg/like doing sthg** avoir envie de qqch/de faire qqch **2.** se sentir • **to feel angry** être en colère **3.** sembler • **it feels strange** ça fait drôle **4.** • **to feel for sthg** chercher qqch. ■ *n* **1.** toucher *m*, sensation *f* **2.** atmosphère *f*.

feeler ['fi:lə'] *n* antenne *f*.

feeling ['fi:lɪŋ] *n* **1.** sentiment *m* **2.** sensation *f* **3.** sentiment *m*, impression *f* **4.** sensibilité *f* • **to have a feeling for sthg** comprendre *ou* apprécier qqch. ■ **feelings** *npl* sentiments *mpl* • **to hurt sb's feelings** blesser (la sensibilité de) qqn • **no hard feelings!** sans rancune !

feet [fi:t] *npl* ▷ **foot**.

feign [feɪn] *vt sout* feindre.

fell [fel] ■ *passé* ▷ **fall**. ■ *vt* abattre.

fellow ['feləu] ■ *n* **1.** *vieilli* homme *m* **2.** camarade *m*, compagnon *m* **3.** membre *m*, associé *m*. ■ *adj* • **one's fellow men** ses semblables.

fellowship ['feləuʃɪp] *n* **1.** amitié *f*, camaraderie *f* **2.** association *f*, corporation *f* **3.** titre *m* de membre *ou* d'associé **4.** UNIV bourse *f* d'études de l'enseignement supérieur **5.** UNIV poste *m* de chercheur(euse).

felony ['feləni] *n* crime *m*, forfait *m*.

felt [felt] ■ *passé & pp* ▷ **feel**. ■ *n* (*indén*) feutre *m*.

felt-tip pen *n* stylo-feutre *m*.

female ['fi:meɪl] ■ *adj* **1.** de sexe féminin **2.** femelle **3.** féminin(e). ■ *n* femelle *f*.

feminine ['femɪnɪn] ■ *adj* féminin(e). ■ *n* GRAMM féminin *m*.

feminist ['femɪnɪst] *n* féministe *mf*.

fence [fens] ■ *n* clôture *f*. ■ *vt* clôturer, entourer d'une clôture.

fencing ['fensɪŋ] *n* escrime *f*.

fend [fend] *vi* • **to fend for o.s.** se débrouiller tout seul.
■ **fend off** *vt sép* **1.** parer (*des coups*) **2.** écarter (*des questions*).

fender ['fendə'] *n* **1.** pare-feu *m inv* **2.** défense *f* **3.** (*US*) aile *f*.

ferment ■ *n* ['fɜ:ment] (*indén*) agitation *f*, effervescence *f*. ■ *vi* [fə'ment] fermenter.

fern [fɜ:n] *n* fougère *f*.

ferocious [fə'rəuʃəs] *adj* féroce.

ferret ['ferɪt] *n* furet *m*.

Ferris wheel ['ferɪs-] *n* (*surtout US*) grande roue *f*.

ferry ['feri] ■ *n* **1.** ferry *m*, ferry-boat *m* **2.** bac *m*. ■ *vt* transporter.

fertile ['fɜ:taɪl] *adj* **1.** (*terre*) fertile **2.** (*femelle, imagination*) fécond(e).

fertilizer, -iser ['fɜ:tɪlaɪzə'] *n* engrais *m*.

fervent ['fɜ:vənt] *adj* fervent(e).

fester ['festə'] *vi* suppurer.

festival ['festəvl] *n* **1.** festival *m* **2.** fête *f*.

festive ['festɪv] *adj* de fête.

festive season *n* (*UK*) • **the festive season** la période des fêtes.

festivity [fes'tɪvəti] (*pl* **-ies**) *n* fête *f*. ■ **festivities** *npl* festivités *fpl*.

festoon [fe'stu:n] *vt* décorer de guirlandes • **to be festooned with** être décoré de.

fetch [fetʃ] *vt* **1.** aller chercher **2.** rapporter (*de l'argent*).

fetching ['fetʃɪŋ] *adj* séduisant(e).

fete, fête [feɪt] *n* fête *f*, kermesse *f*.

fetish ['fetɪʃ] *n* **1.** objet *m* de fétichisme **2.** manie *f*, obsession *f*.

fetus ['fi:təs] (*US*) = **foetus**.

feud [fju:d] ■ *n* querelle *f*. ■ *vi* se quereller.

feudal ['fju:dl] *adj* féodal(e).

fever ['fiːvər] n fièvre f.

feverish ['fiːvərɪʃ] adj fiévreux(euse).

---

few [fjuː] adj

- **few people come here** peu de gens viennent ici
- **the first few pages were interesting** les toutes premières pages étaient intéressantes
- **few and far between** rares.

few pron

- **few of them agree** peu d'entre eux sont d'accord
- **quite a few** ou **a good few** pas mal de ou un bon nombre de.

■ **a few** adj

- **I need a few books** j'ai besoin de quelques livres.

a few pron

- **a few of them are wearing hats** quelques-uns d'entre eux portent des chapeaux.

À PROPOS DE...

few

Attention à ne pas confondre *few* (« peu de ») et *a few* (« quelques »/« quelques-uns(unes) »). Devant les noms dénombrables au pluriel, on utilise *few* (*few women*), mais devant les noms indénombrables, c'est *little* qu'il faut utiliser (*little water*). Il ne faut pas confondre *a few* et *a little*. *A little* s'applique à des noms indénombrables (*a little sugar* ; *a little patience*) et *a few* à des noms dénombrables au pluriel (*a few good ideas*). *A little* peut aussi être un adverbe, contrairement à *a few*. Dans les phrases négatives il est possible de dire **not many** au lieu de *few*, et **not much** au lieu de *little*. Voir aussi *little*.

---

fewer ['fjuːər] ■ adj moins (de). ■ pron moins.

fewest ['fjuːəst] adj le moins (de).

fiancé [fɪˈɒnseɪ] n fiancé m.

fiancée [fɪˈɒnseɪ] n fiancée f.

fiasco [fɪˈæskəʊ] ((UK) pl **-s**, (surtout US) pl **-es**) n fiasco m.

fib [fɪb] fam ■ n bobard m, blague f. ■ vi raconter des bobards ou des blagues.

fibre (UK), **fiber** (US) ['faɪbər] n fibre f.

fibreglass (UK), **fiberglass** (US) ['faɪbəglɑːs] n (indén) fibre f de verre.

fickle ['fɪkl] adj inconstant.

fiction ['fɪkʃn] n fiction f.

fictional ['fɪkʃənl] adj fictif(ive).

fictitious [fɪkˈtɪʃəs] adj fictif(ive).

fiddle ['fɪdl] ■ vi • **to fiddle with sthg** tripoter qqch. ■ vt (UK) fam truquer. ■ n violon m.

fiddly ['fɪdlɪ] adj (UK) fam délicat(e).

fidget ['fɪdʒɪt] vi remuer.

field [fiːld] n **1.** champ m **2.** SPORT terrain m **3.** domaine m.

field day n • **to have a field day** s'en donner à cœur joie.

field glasses npl jumelles fpl.

field marshal n ≃ maréchal m (de France).

field trip n voyage m d'étude.

fieldwork ['fiːldwɜːk] n (indén) recherches fpl sur le terrain.

fiend [fiːnd] n **1.** monstre m **2.** fam fou m, folle f, mordu m, -e f.

fiendish ['fiːndɪʃ] adj **1.** diabolique **2.** fam abominable, atroce.

fierce [fɪəs] adj **1.** féroce **2.** (chaleur) torride **3.** (orage) violent(e).

fiery ['faɪərɪ] adj **1.** ardent(e) **2.** enflammé(e) **3.** fougueux(euse).

fifteen [fɪfˈtiːn] num quinze. • voir aussi **six**

fifth [fɪfθ] num cinquième. • voir aussi **sixth**

fifty ['fɪftɪ] num cinquante. • voir aussi **sixty**

fifty-fifty adj moitié-moitié, fifty-fifty • **to have a fifty-fifty chance** avoir cinquante pour cent de chances.

fig [fɪg] n figue f.

fight [faɪt] ■ n **1.** bagarre f • **to have a fight (with sb)** se battre (avec qqn), se bagarrer (avec qqn) • **to put up a fight** se battre, se défendre **2.** fig lutte f, combat m **3.** dispute f • **to have a fight (with sb)** se disputer (avec qqn). ■ vt (prét & pp **fought**) **1.** se battre contre ou

avec **2.** mener *(une guerre)* **3.** combattre. ◼ *vi (prét & pp* fought**) 1.** se battre **2.** *fig* ◦ **to fight for/against sthg** lutter pour/contre qqch **3.** ◦ **to fight (about** *ou* **over)** se battre *ou* se disputer (à propos de).
◼ **fight back** ◼ *vt insép* refouler *(ses larmes)*. ◼ *vi* riposter.

fighter ['faɪtər] *n* **1.** avion *m* de chasse, chasseur *m* **2.** combattant *m* **3.** battant *m*, -e *f*.

fighting ['faɪtɪŋ] *n* **1.** *(indén)* bagarres *fpl* **2.** conflits *mpl*.

figment ['fɪgmənt] *n* ◦ **a figment of sb's imagination** le fruit de l'imagination de qqn.

figurative ['fɪgərətɪv] *adj* figuré(e).

figure [*(UK)* 'fɪgər, *(US)* 'fɪgjər] ◼ *n* **1.** chiffre *m* **2.** silhouette *f*, forme *f* **3.** figure *f* **4.** ligne *f (du corps)*. ◼ *vt (surtout US)* penser, supposer. ◼ *vi* figurer, apparaître.
◼ **figure out** *vt sép* **1.** comprendre **2.** trouver.

figurehead ['fɪgəhed] *n* **1.** figure *f* de proue **2.** *fig & péj* homme *m* de paille.

figure of speech *n* figure *f* de rhétorique.

Fiji ['fiːdʒiː] *n* Fidji *fpl*.

file [faɪl] ◼ *n* **1.** dossier *m* ◦ **on file, on the files** répertorié dans les dossiers **2.** INFORM fichier *m* **3.** lime *f* **4.** ◦ **in single file** en file indienne. ◼ *vt* **1.** classer **2.** DR ◦ déposer *(une plainte)* ◦ intenter ◦ **to file an appeal** *(US)* faire appel **3.** limer. ◼ *vi* **1.** marcher en file indienne **2.** ◦ **to file for divorce** demander le divorce.

filet *(US)* ['fɪˈleɪ] = **fillet.**

filing cabinet ['faɪlɪŋ-] *n* classeur *m*, fichier *m*.

Filipino [ˌfɪlɪˈpiːnəʊ] ◼ *adj* philippin(e). ◼ *n (pl* **-s)** Philippin *m*, -e *f*.

fill [fɪl] *vt* **1.** remplir **2.** boucher **3.** ◦ **to fill a vacancy** *(employé)* prendre un poste vacant.
◼ **fill in** *vt sép* **1.** remplir **2.** ◦ **to fill sb in (on)** mettre qqn au courant (de). ◼ *vi* ◦ **to fill in for sb** remplacer qqn.
◼ **fill out** *vt sép* remplir.
◼ **fill up** ◼ *vt sép* remplir. ◼ *vi* se remplir.

fillet *(UK)* ['fɪlɪt] *n* filet *m*.

fillet steak *n* filet *m* de bœuf.

filling ['fɪlɪŋ] ◼ *adj* très nourrissant(e). ◼ *n* **1.** plombage *m* **2.** garniture *f*.

filling station *n* station-service *f*.

film [fɪlm] ◼ *n* **1.** film *m* **2.** PHOTO pellicule *f* **3.** images *fpl*. ◼ *vt & vi* filmer.

film star *n* vedette *f* de cinéma.

Filofax® ['faɪləʊfæks] *n* Filofax® *m*.

filter ['fɪltər] ◼ *n* filtre *m*. ◼ *vt* **1.** passer **2.** filtrer.

filter coffee *n* café *m* filtre.

filter lane *n (UK)* ≈ voie *f* de droite.

filter-tipped [-'tɪpt] *adj* à bout filtre.

filth [fɪlθ] *n (indén)* **1.** saleté *f*, crasse *f* **2.** obscénités *fpl*.

filthy ['fɪlθɪ] *adj* **1.** dégoûtant(e), répugnant(e) **2.** obscène.

fin [fɪn] *n* nageoire *f*.

final ['faɪnl] ◼ *adj* **1.** dernier(ère) **2.** final(e) **3.** définitif(ive). ◼ *n* finale *f*.
◼ **finals** *npl* examens *mpl* de dernière année.

finale [fɪˈnɑːlɪ] *n* finale *m*.

finalize, -ise ['faɪnəlaɪz] *vt* mettre au point.

finally ['faɪnəlɪ] *adv* enfin.

finance ◼ *n* ['faɪnæns] *(indén)* finance *f*. ◼ *vt* [faɪˈnæns] financer.
◼ **finances** *npl* finances *fpl*.

financial [fɪˈnænʃl] *adj* financier(ère).

find [faɪnd] *vt (prét & pp* found**) 1.** trouver **2.** ◦ **to find (that)...** s'apercevoir que... **3.** ◦ **to be found guilt** être déclaré(e) coupable.
◼ **find out** ◼ *vi* se renseigner. ◼ *vt insép* **1.** se renseigner sur **2.** découvrir, apprendre. ◼ *vt sép* démasquer.

findings ['faɪndɪŋz] *npl* conclusions *fpl*.

fine [faɪn] ◼ *adj* **1.** excellent(e) **2.** beau (belle) **3.** très bien ◦ **I'm fine** ça va bien **4.** fin(e) **5.** subtil(e) **6.** délicat(e). ◼ *adv* très bien. ◼ *n* amende *f*. ◼ *vt* condamner à une amende.

fine arts *npl* beaux-arts *mpl*.

finely ['faɪnlɪ] *adv* **1.** fin **2.** délicatement.

finery ['faɪnərɪ] *n (indén)* parure *f*.

fine-tune *vt* **1.** régler avec précision **2.** *fig* peaufiner.

finger ['fɪŋgər] ◼ *n* doigt *m*. ◼ *vt* palper.

fingernail ['fɪŋgəneɪl] *n* ongle *m (de la main)*.

fingerprint ['fɪŋɡəprɪnt] *n* empreinte *f* (digitale).

fingertip ['fɪŋɡətɪp] *n* bout *m* du doigt • **at one's fingertips** sur le bout des doigts.

finicky ['fɪnɪkɪ] *adj péj* **1.** difficile **2.** tatillon(onne).

finish ['fɪnɪʃ] ◙ *n* **1.** fin *f* **2.** arrivée *f* **3.** finition *f*. ◙ *vt* **1.** finir, terminer **2.** achever, tuer • **to finish doing sthg** finir *ou* terminer de faire qqch. ◙ *vi* **1.** finir **2.** *(école, film)* se terminer. ◾ **finish off** *vt sép* finir, terminer. ◾ **finish up** *vi* finir.

finishing line ['fɪnɪʃɪŋ-] *(UK)*, **finish line** *(US) n* ligne *f* d'arrivée.

finishing school ['fɪnɪʃɪŋ-] *n école privée pour jeunes filles axée essentiellement sur l'enseignement des bonnes manières.*

finite ['faɪnaɪt] *adj* fini(e).

Finland ['fɪnlənd] *n* Finlande *f*.

Finn [fɪn] *n* Finlandais *m*, -e *f*.

Finnish ['fɪnɪʃ] ◙ *adj* finlandais(e), finnois(e). ◙ *n* finnois *m*.

fir [fɜːʳ] *n* sapin *m*.

fire ['faɪəʳ] ◙ *n* **1.** feu *m* • **on fire** en feu • **to catch fire** prendre feu • **to set fire to sthg** mettre le feu à qqch **2.** incendie *m* **3.** *(indén)* coups *mpl* de feu. ◙ *vt* **1.** tirer **2.** *(surtout US)* renvoyer.

fire alarm *n* avertisseur *m* d'incendie.

firearm ['faɪərɑːm] *n* arme *f* à feu.

firebomb ['faɪəbɒm] *n* bombe *f* incendiaire.

fire brigade *(UK)*, **fire department** *(US) n* sapeurs-pompiers *mpl*.

fire door *n* porte *f* coupe-feu.

fire engine *n* voiture *f* de pompiers.

fire escape *n* escalier *m* de secours.

fire extinguisher *n* extincteur *m* d'incendie.

fireguard ['faɪəɡɑːd] *n* garde-feu *m inv*.

firehouse *(US)* = **fire station**.

firelighter ['faɪəlaɪtəʳ] *n* allume-feu *m inv*.

fireman ['faɪəmən] *(pl* **-men** [-mən]) *n* pompier *m*, -ère *f*.

fireplace ['faɪəpleɪs] *n* cheminée *f*.

fireproof ['faɪəpruːf] *adj* ignifugé(e).

fireside ['faɪəsaɪd] *n* • **by the fireside** au coin du feu.

fire station *n* caserne *f* des pompiers.

fire truck *(US)* = **fire engine**.

firewall ['faɪəwɔl] *n* pare-feu *m*.

firewood ['faɪəwʊd] *n* bois *m* de chauffage.

firework ['faɪəwɜːk] *n* pièce *f* d'artifice. ◾ **fireworks** *npl* **1.** étincelles *fpl* **2.** feu *m* d'artifice.

firing ['faɪərɪŋ] *n (indén)* MIL tir *m*, fusillade *f*.

firing squad *n* peloton *m* d'exécution.

firm [fɜːm] ◙ *adj* **1.** ferme • **to stand firm** tenir bon **2.** solide **3.** certain(e). ◙ *n* firme *f*, société *f*.

first [fɜːst] ◙ *adj* premier(ère) • **for the first time** pour la première fois • **first thing in the morning** tôt le matin. ◙ *adv* **1.** en premier **2.** d'abord • **first of all** tout d'abord **3.** (pour) la première fois. ◙ *n* **1.** premier *m*, -ère *f* **2.** première *f* *(événement sans précédent)* **3.** *(UK)* diplôme universitaire avec mention très bien. ◾ **at first** *adv* d'abord. ◾ **at first hand** *adv* de première main.

first aid *n (indén)* premiers secours *mpl*.

first-aid kit *n* trousse *f* de premiers secours.

first-class *adj* **1.** excellent(e) **2.** *(billet, compartiment)* de première classe **3.** *(timbre, courrier)* tarif normal.

first floor *n* **1.** *(UK)* premier étage *m* **2.** *(US)* rez-de-chaussée *m inv*.

firsthand [fɜːstˈhænd] *adj & adv* de première main.

first lady *n* première dame *f* du pays.

firstly ['fɜːstlɪ] *adv* premièrement.

First Minister *n* président *m* du Parlement écossais.

first name *n* prénom *m*.

first-rate *adj* excellent(e).

First Secretary *n* président *m* de l'Assemblée galloise.

firtree ['fɜːtriː] = **fir**.

fish [fɪʃ] ◙ *n (pl inv)* poisson *m*. ◙ *vt* pêcher dans. ◙ *vi* • **to fish (for sthg)** pêcher (qqch).

fish and chips

Le *fish and chips* est un plat bon marché typiquement britannique, composé de poisson pané frit et de frites. On l'achète dans un *fish-and-chip shop* et on l'emporte emballé dans du papier pour le manger chez soi ou dans la rue. Les Britanniques le dégustent salé et arrosé de vinaigre.

fish and chips *npl (UK)* poisson *m* frit avec des frites.

fish-and-chip shop *n (UK)* magasin vendant du poisson frit et des frites.

fishbowl ['fɪʃbəʊl] *n* bocal *m* (à poissons).

fishcake ['fɪʃkeɪk] *n* croquette *f* de poisson.

fisherman ['fɪʃəmən] *(pl -men [-mən]) n* pêcheur *m*, -euse *f*.

fish farm *n* centre *m* de pisciculture.

fish finger *(UK)*, **fish stick** *(US) n* bâtonnet *m* de poisson pané.

fishing ['fɪʃɪŋ] *n* pêche *f* • **to go fishing** aller à la pêche.

fishing boat *n* bateau *m* de pêche.

fishing line *n* ligne *f* de pêche.

fishing rod *n* canne *f* à pêche.

fishmonger ['fɪʃˌmʌŋgər] *n (UK)* poissonnier *m*, -ère *f* • **fishmonger's (shop)** poissonnerie *f*.

fishy ['fɪʃɪ] *adj* 1. de poisson 2. *fig* louche.

fist [fɪst] *n* poing *m*.

fit [fɪt] ◼ *adj* 1. convenable • **to be fit for sthg** être bon(bonne) à qqch • **to be fit to do sthg** être apte à faire qqch 2. en forme • **to keep fit** se maintenir en forme. ◼ *n* 1. ajustement *m* • **it's a tight fit** c'est un peu juste • **it's a good fit** c'est la bonne taille 2. crise *f* (d'épilepsie) • **to have a fit** avoir une crise • *fig* piquer une crise 3. accès *m* (de colère) 4. quinte *f* (de toux) 5. • **in fits and starts** par à-coups. ◼ *vt* 1. (vêtement) aller à 2. • **to fit sthg into sthg** insérer qqch dans qqch 3. correspondre à. ◼ *vi* 1. aller 2. entrer. ◼ **fit in** ◼ *vt sép* prendre. ◼ *vi* s'intégrer • **to fit in with sthg** correspondre à qqch • **to fit in with sb** s'accorder à qqn.

fitful ['fɪtfʊl] *adj* 1. (sommeil) agité(e) 2. (pluies) intermittent(e).

fitment ['fɪtmənt] *n (UK)* meuble *m* encastré.

fitness ['fɪtnɪs] *n (indén)* 1. forme *f* (bonne santé) 2. • **fitness (for)** aptitude *f* (pour).

fitted carpet [ˌfɪtəd-] *n (UK)* moquette *f*.

fitted kitchen [ˌfɪtəd-] *n (UK)* cuisine *f* intégrée *ou* équipée.

fitter ['fɪtər] *n* monteur *m*.

fitting ['fɪtɪŋ] ◼ *adj sout* approprié(e). ◼ *n* 1. appareil *m* 2. essayage *m*. ◼ **fittings** *npl (UK)* installations *fpl*.

fitting room *n* cabine *f* d'essayage.

five [faɪv] *num* cinq. • *voir aussi* **six**

fiver ['faɪvər] *n fam* 1. *(UK)* (billet *m* de) cinq livres *fpl* 2. *(US)* (billet *m* de) cinq dollars *mpl*.

fix [fɪks] ◼ *vt* 1. fixer 2. graver 3. réparer 4. *fam* truquer 5. préparer *(une boisson, un repas)*. ◼ *n* 1. *fam* • **to be in a fix** être dans le pétrin 2. *arg* drogue piqûre *f*. ◼ **fix up** *vt sép* 1. • **to fix sb up with sthg** obtenir qqch pour qqn 2. arranger.

fixation [fɪk'seɪʃn] *n* obsession *f*.

fixed [fɪkst] *adj* 1. fixé(e) 2. fixe 3. (sourire) figé(e).

fixture ['fɪkstʃər] *n* 1. installation *f* 2. tradition *f* bien établie 3. *(UK)* sport rencontre *f* (sportive).

fizz [fɪz] *vi* 1. pétiller 2. crépiter.

fizzle ['fɪzl] ◼ **fizzle out** *vi* 1. (feu) s'éteindre 2. (feu d'artifice) se terminer 3. (enthousiasme) se dissiper.

fizzy ['fɪzɪ] *adj* pétillant(e).

flabbergasted ['flæbəgɑːstɪd] *adj* sidéré(e).

flabby ['flæbɪ] *adj* mou(molle).

flag [flæg] ◼ *n* drapeau *m*. ◼ *vi* 1. faiblir 2. traîner. ◼ **flag down** *vt sép* héler *(un taxi)* • **to flag sb down** faire signe à qqn de s'arrêter.

flagpole ['flægpəʊl] *n* mât *m*.

flagrant ['fleɪgrənt] *adj* flagrant(e).

flagstaff = **flagpole**.

flagstone ['flægstəʊn] *n* dalle *f*.

flair [fleər] *n* 1. don *m* 2. (indén) style *m*.

flak [flæk] *n* (indén) 1. tir *m* antiaérien 2. *fam* critiques *fpl* sévères.

flake [fleɪk] ■ *n* **1.** écaille *f* (de peinture) **2.** flocon *m* (de neige, d'avoine) **3.** petit lambeau *m* (de peau). ■ *vi* **1.** (peinture) s'écailler **2.** (peau) peler.

flamboyant [flæm'bɔɪənt] *adj* **1.** extravagant(e) **2.** flamboyant(e).

flame [fleɪm] *n* flamme *f* ◦ **to burst into flames** s'enflammer.

flamingo [flə'mɪŋgəʊ] (*pl* **-s** *ou* **-es**) *n* flamant *m* rose.

flammable ['flæməbl] *adj* inflammable.

flan [flæn] *n* **1.** (UK) tarte *f* **2.** (US) flan *m*.

flank [flæŋk] ■ *n* flanc *m*. ■ *vt* ◦ **to be flanked by** être flanqué(e) de.

flannel ['flænl] *n* **1.** flanelle *f* **2.** (UK) gant *m* de toilette.

flap [flæp] ■ *n* **1.** rabat *m* **2.** (UK) fam ◦ **in a flap** paniqué(e). ■ *vt* & *vi* battre.

flapjack ['flæpdʒæk] *n* **1.** (UK) biscuit *m* à l'avoine **2.** (US) crêpe *f* épaisse.

flare [fleər] ■ *n* fusée *f* éclairante. ■ *vi* **1.** ◦ **to flare (up)** s'embraser **2.** ◦ **to flare (up)** (guerre, révolution) s'intensifier soudainement ◦ (personne) s'emporter **3.** (jupe) s'évaser **4.** (narines) se dilater. ■ **flares** *npl* (UK) pantalon *m* à pattes d'éléphant.

flash [flæʃ] ■ *n* **1.** éclat *m* ◦ **flash of lightning** éclair *m* **2.** PHOTO flash *m* **3.** éclair *m* ◦ **in a flash** en un rien de temps. ■ *vt* **1.** projeter ◦ **to flash one's headlights** faire un appel de phares **2.** envoyer (un signal) **3.** jeter (un regard) **4.** montrer. ■ *vi* **1.** briller **2.** clignoter **3.** (yeux) jeter des éclairs **4.** ◦ **to flash by** *ou* **past** passer comme un éclair.

flashback ['flæʃbæk] *n* flash-back *m*, retour *m* en arrière.

flashbulb ['flæʃbʌlb] *n* ampoule *f* de flash.

flashgun ['flæʃgʌn] *n* PHOTO flash *m*.

flashlight ['flæʃlaɪt] *n* (surtout US) lampe *f* électrique.

flashy ['flæʃɪ] *adj* fam tape-à-l'œil (inv).

flask [flɑːsk] *n* **1.** Thermos® *m ou f* **2.** ballon *m* **3.** flasque *f*.

flat [flæt] ■ *adj* **1.** plat(e) **2.** (pneu) crevé(e) **3.** (refus) catégorique **4.** (affaires, marché financier) calme **5.** (ton, voix) monotone **6.** (style) terne **7.** MUS ◦ qui chante trop grave ◦ (note) bémol **8.** (prix) fixe **9.** (bière, limonade) éventé(e) **10.** (batterie) à plat. ■ *adv* **1.** à plat **2.** ◦ **two hours flat** deux heures pile. ■ *n* **1.** (UK) appartement *m* **2.** MUS bémol *m*.

■ **flat out** *adv* **1.** d'arrache-pied **2.** le plus vite possible.

flatly ['flætlɪ] *adv* **1.** catégoriquement **2.** avec monotonie **3.** de façon terne.

flatmate ['flætmeɪt] *n* (UK) personne avec laquelle on partage un appartement.

flat rate *n* tarif *m* forfaitaire.

flatten ['flætn] *vt* **1.** aplatir **2.** aplanir **3.** raser.

■ **flatten out** *vi* s'aplanir.

flatter ['flætər] *vt* flatter.

flattering ['flætərɪŋ] *adj* **1.** flatteur(euse) **2.** seyant(e).

flattery ['flætərɪ] *n* flatterie *f*.

flaunt [flɔːnt] *vt* faire étalage de.

flavour (UK), **flavor** (US) ['fleɪvər] ■ *n* **1.** goût *m* **2.** parfum *m* (de glace) **3.** fig atmosphère *f*. ■ *vt* parfumer.

flavouring (UK), **flavoring** (US) ['fleɪvərɪŋ] *n* (indén) parfum *m*.

flaw [flɔː] *n* **1.** défaut *m* **2.** faille *f*.

flawless ['flɔːlɪs] *adj* parfait(e).

flax [flæks] *n* lin *m*.

flea [fliː] *n* puce *f*.

flea market *n* marché *m* aux puces.

fleck [flek] ■ *n* moucheture *f*, petite tache *f*. ■ *vt* ◦ **flecked with** moucheté(e) de.

fled [fled] *passé & pp* ▷ **flee**.

flee [fliː] (*prét & pp* **fled**) *vt & vi* fuir.

fleece [fliːs] ■ *n* **1.** toison *f* **2.** (laine) polaire *f*. ■ *vt* fam escroquer.

fleet [fliːt] *n* **1.** flotte *f* **2.** parc *m* (de bus, de cars).

fleeting ['fliːtɪŋ] *adj* **1.** bref(brève) **2.** fugitif(ive) **3.** éclair (inv).

Fleet Street *n* rue de Londres dont le nom est utilisé pour désigner la presse britannique.

Flemish ['flemɪʃ] ■ *adj* flamand(e). ■ *n* flamand *m*. ■ *npl* ◦ **the Flemish** les Flamands *mpl*.

flesh [fleʃ] *n* chair *f* ◦ **his/her flesh and blood** les siens.

flesh wound *n* blessure *f* superficielle.

flew [fluː] *passé* ▷ **fly**.

flex [fleks] ■ *n* fil *m*. ■ *vt* fléchir.

flexible ['fleksəbl] *adj* flexible.

flexitime ['fleksɪtaɪm], **flextime** ['flekstaɪm] *n (indén)* horaire *m* à la carte *ou* flexible.

flick [flɪk] *vt* appuyer sur.
■ **flick through** *vt insép* feuilleter.

flicker ['flɪkər] *vi* 1. *(bougie, lumière)* vaciller 2. *(ombre)* trembler 3. *(yeux)* ciller.

flick knife *n (UK)* couteau *m* à cran d'arrêt.

flight [flaɪt] *n* 1. vol *m (d'un oiseau, d'un avion)* 2. volée *f (de marches)* 3. fuite *f*.

flight attendant *n* steward *m*, hôtesse *f* de l'air.

flight crew *n* équipage *m*.

flight deck *n* 1. pont *m* d'envol 2. cabine *f* de pilotage.

flight recorder *n* enregistreur *m* de vol.

flimsy ['flɪmzɪ] *adj* 1. léger(ère) 2. peu solide 3. *(excuse)* piètre.

flinch [flɪntʃ] *vi* tressaillir • **to flinch from sthg/from doing sthg** reculer devant qqch/à l'idée de faire qqch.

fling [flɪŋ] ■ *n fam* aventure *f (sentimentale)*. ■ *vt (prét & pp* **flung)** lancer.

flint [flɪnt] *n* 1. silex *m* 2. pierre *f*.

flip [flɪp] *vt* 1. faire sauter 2. tourner 3. appuyer sur.
■ **flip through** *vt insép* feuilleter.

flip-flop *n* tong *f*.

flip-flopper [flɪpflɒpər] *n* homme ou femme politique qui change d'opinions politiques.

flippant ['flɪpənt] *adj* désinvolte.

flipper ['flɪpər] *n* 1. nageoire *f* 2. palme *f*.

flip phone *n* téléphone *m* à clapet.

flirt [flɜːt] ■ *n* flirt *m*. ■ *vi* • **to flirt (with sb)** flirter (avec qqn).

flirtatious [flɜːˈteɪʃəs] *adj* flirteur (euse).

flit [flɪt] *vi* voleter.

float [fləʊt] ■ *n* 1. flotteur *m* 2. char *m (dans un défilé)* 3. FIN encaisse *f*. ■ *vt* faire flotter. ■ *vi* 1. flotter 2. glisser.

flock [flɒk] *n* 1. vol *m (d'oiseaux)* 2. troupeau *m (de moutons)* 3. *fig* foule *f*.

flog [flɒg] *vt* 1. flageller 2. *(UK) fam* refiler.

flood [flʌd] ■ *n* 1. inondation *f* 2. déluge *m*, avalanche *f*. ■ *vt* inonder.

flooding ['flʌdɪŋ] *n (indén)* inondations *fpl*.

floodlight ['flʌdlaɪt] *n* projecteur *m*.

floor [flɔːr] ■ *n* 1. sol *m* 2. piste *f (de danse)* 3. fond *m (de la mer, d'une vallée)* 4. étage *m* 5. auditoire *m*. ■ *vt* 1. terrasser 2. dérouter.

floorboard ['flɔːbɔːd] *n* plancher *m*.

floor show *n* spectacle *m* de cabaret.

flop [flɒp] *fam·n* fiasco *m*.

floppy ['flɒpɪ] *adj* 1. *(oreilles de chien)* tombant(e) 2. *(vêtements)* lâche.

floppy (disk) *n* disquette *f*.

flora ['flɔːrə] *n* flore *f*.

florid ['flɒrɪd] *adj* 1. rougeaud(e) 2. fleuri(e).

florist ['flɒrɪst] *n* fleuriste *mf* • **florist's (shop)** magasin *m* de fleuriste.

flotsam ['flɒtsəm] *n (indén)* • **flotsam and jetsam** débris *mpl* • *fig* épaves *fpl*.

flounder ['flaʊndər] *vi* 1. patauger 2. bredouiller.

flour ['flaʊər] *n* farine *f*.

flourish ['flʌrɪʃ] ■ *vi* 1. *(plantes)* bien pousser 2. *(enfants)* être en pleine santé 3. *(affaires)* prospérer 4. *(arts)* s'épanouir. ■ *vt* brandir. ■ *n* grand geste *m*.

flout [flaʊt] *vt* bafouer.

flow [fləʊ] ■ *n* 1. circulation *f* 2. mouvement *m (de fonds)* 3. flot *m* 4. flux *m*. ■ *vi* 1. couler 2. s'écouler 3. flotter.

flow chart, flow diagram *n* organigramme *m*.

flower ['flaʊər] ■ *n* fleur *f*. ■ *vi* fleurir.

flowerbed ['flaʊəbed] *n* parterre *m*.

flowerpot ['flaʊəpɒt] *n* pot *m* de fleurs.

flowery ['flaʊərɪ] *adj* 1. à fleurs 2. *péj (style)* fleuri(e).

flown [fləʊn] *pp* ⊳ **fly**.

flu [fluː] *n (indén)* grippe *f*.

fluctuate ['flʌktʃʊeɪt] *vi* fluctuer.

fluency ['fluːənsɪ] *n* aisance *f*.

fluent ['fluːənt] *adj* 1. • **to speak fluent French** parler couramment le français 2. *(style)* fluide, aisé(e).

fluff [flʌf] *n (indén)* 1. duvet *m* 2. moutons *mpl (de poussière)*.

fluffy ['flʌfɪ] *adj* 1. duveteux(euse) 2. en peluche.

fluid ['fluːɪd] ◼ n **1.** fluide m **2.** liquide m. ◼ adj **1.** fluide **2.** changeant(e).

fluid ounce n = 0,03 litre.

fluke [fluːk] n fam coup de bol.

flummox ['flʌməks] vt désarçonner.

flung [flʌŋ] passé & pp ▷ **fling**.

flunk [flʌŋk] (surtout US) fam vt **1.** rater (un examen) **2.** recaler (un étudiant).

fluorescent [fluəˈresənt] adj fluorescent(e).

fluoride ['fluəraɪd] n fluorure m.

flurry ['flʌrɪ] n **1.** rafale f **2.** fig concert m **3.** fig débordement m.

flush [flʌʃ] ◼ adj ∘ **flush with** de niveau avec. ◼ n **1.** chasse f d'eau **2.** rougeur f **3.** accès m. ◼ vt ∘ **to flush the toilet** tirer la chasse d'eau. ◼ vi rougir.

flushed [flʌʃt] adj **1.** rouge **2.** ∘ **flushed with** exalté(e) par.

flustered ['flʌstəd] adj troublé(e).

flute [fluːt] n flûte f.

flutter ['flʌtər] ◼ n **1.** battement m **2.** fam émoi m. ◼ vi **1.** (insecte) voleter **2.** (ailes) battre **3.** (drapeau) flotter.

flux [flʌks] n ∘ **to be in a state of flux** être en proie à des changements permanents.

fly [flaɪ] ◼ n **1.** mouche f **2.** braguette f. ◼ vt (prét **flew**, pp **flown**) **1.** faire voler **2.** transporter par avion **3.** faire flotter. ◼ vi (prét **flew**, pp **flown**) **1.** voler **2.** faire voler un avion **3.** voyager en avion **4.** filer **5.** (drapeau) flotter.
◼ **fly away** vi s'envoler.

fly-fishing n pêche f à la mouche.

flying ['flaɪɪŋ] ◼ adj volant(e). ◼ n aviation f ∘ **to like flying** aimer prendre l'avion.

flying colours (UK), **flying colors** (US) npl ∘ **to pass (sthg) with flying colours** réussir (qqch) haut la main.

flying picket n piquet m de grève volant.

flying saucer n soucoupe f volante.

flying squad n (UK) force d'intervention rapide de la police.

flying start n ∘ **to get off to a flying start** prendre un départ sur les chapeaux de roue.

flying visit n visite f éclair.

flyover ['flaɪ,əʊvər] n (UK) saut-de-mouton m.

flysheet ['flaɪʃiːt] n (UK) auvent m.

fly spray n insecticide m.

FM n (abr de **frequency modulation**) FM f.

foal [fəʊl] n poulain m.

foam [fəʊm] ◼ n (indén) **1.** mousse f **2.** ∘ **foam (rubber)** caoutchouc m Mousse®. ◼ vi mousser.

fob [fɒb] ◼ **fob off** vt sép repousser ∘ **to fob sthg off on sb** refiler qqch à qqn ∘ **to fob sb off with sthg** se débarrasser de qqn à l'aide de qqch.

focal point n **1.** (optique) foyer m **2.** fig point m central.

focus ['fəʊkəs] ◼ n (pl **-cuses** [-kəsiːz] ou **-ci** [-saɪ]) **1.** PHOTO mise f au point ∘ **in focus** net ∘ **out of focus** flou **2.** foyer m **3.** centre m. ◼ vt mettre au point. ◼ vi **1.** se fixer **2.** accommoder ∘ **to focus on sthg** se fixer sur qqch ∘ fixer qqch **3.** ∘ **to focus on sthg** se concentrer sur qqch.

fodder ['fɒdər] n (indén) fourrage m.

foe [fəʊ] n littéraire ennemi m.

foetus (UK), **fetus** (US) ['fiːtəs] n fœtus m.

fog [fɒg] n (indén) brouillard m.

foggy ['fɒgɪ] adj brumeux(euse).

foghorn ['fɒghɔːn] n sirène f de brume.

fog lamp (UK), **fog light** (US) n feu m de brouillard.

foible ['fɔɪbl] n marotte f.

foil [fɔɪl] ◼ n (indén) ∘ feuille f (de métal) ∘ papier m d'aluminium. ◼ vt déjouer.

fold [fəʊld] ◼ vt **1.** plier ∘ **to fold one's arms** croiser les bras **2.** envelopper. ◼ vi **1.** (table, chaise) se plier **2.** (pétales) se refermer **3.** fam échouer **4.** THÉÂTRE quitter l'affiche. ◼ n pli m.
◼ **fold up** ◼ vt sép plier. ◼ vi **1.** se plier **2.** se refermer **3.** échouer.

folder ['fəʊldər] n **1.** chemise f **2.** classeur m.

folding ['fəʊldɪŋ] adj **1.** (table, parapluie) pliant(e) **2.** (porte) en accordéon.

foliage ['fəʊlɪɪdʒ] n feuillage m.

folk [fəʊk] ◼ adj **1.** folklorique **2.** populaire. ◼ npl gens mpl.
◼ **folks** npl fam famille f.

folklore ['fəʊklɔːr] n folklore m.

folk music n musique f folk.

folk song n chanson f folk.

follow ['fɒləʊ] ◼ vt suivre. ◼ vi 1. suivre 2. résulter • **it follows that...** il s'ensuit que...
◼ **follow up** vt sép 1. prendre en considération 2. donner suite à 3. • **to follow sthg up with** faire suivre qqch de.

follower ['fɒləʊər] n disciple mf.

following ['fɒləʊɪŋ] ◼ adj suivant(e). ◼ n groupe m d'admirateurs. ◼ prép après.

folly ['fɒlɪ] n (indén) folie f.

fond [fɒnd] adj affectueux(euse) • **to be fond of** aimer beaucoup.

fondle ['fɒndl] vt caresser.

font [fɒnt] n 1. fonts mpl baptismaux 2. police f (de caractères).

food [fu:d] n nourriture f.

food mixer n mixer m.

food poisoning [-,pɔɪznɪŋ] n intoxication f alimentaire.

food processor [-,prəʊsesər] n robot m ménager.

foodstuffs ['fu:dstʌfs] npl denrées fpl alimentaires.

fool [fu:l] ◼ n 1. idiot m, -e f 2. (UK) CULIN ≃ mousse f. ◼ vt duper • **to fool sb into doing sthg** amener qqn à faire qqch en le dupant. ◼ vi faire l'imbécile.
◼ **fool about, fool around** vi 1. faire l'imbécile 2. fam être infidèle.

foolhardy ['fu:l,hɑ:dɪ] adj téméraire.

foolish ['fu:lɪʃ] adj idiot(e), stupide.

foolproof ['fu:lpru:f] adj infaillible.

foot [fu:t] n 1. (pl feet [fi:t]) pied m 2. (pl feet [fi:t]) patte f 3. (pl feet [fi:t]) bas m (d'une page, d'un escalier) • **to be on one's feet** être debout • **to get to one's feet** se mettre debout, se lever • **on foot** à pied • **to put one's foot in it** mettre les pieds dans le plat • **to put one's feet up** se reposer.

footage ['fu:tɪdʒ] n (indén) CINÉ séquences fpl.

football ['fu:tbɔl] n 1. football m 2. foot m 3. football américain 4. ballon m de football ou de foot.

footballer ['fu:tbɔlər] n (UK) joueur m, -euse f de football, footballeur m, -euse f.

football ground n (UK) terrain m de football.

football player = **footballer**.

footbrake ['fu:tbreɪk] n frein m (à pied).

footbridge ['fu:tbrɪdʒ] n passerelle f.

foothills ['fu:thɪlz] npl contreforts mpl.

foothold ['fu:thəʊld] n prise f (de pied) • **to get a foothold** prendre pied, figfaire accepter.

footing ['fu:tɪŋ] n 1. prise f • **to lose one's footing** trébucher 2. fig position f.

footlights ['fu:tlaɪts] npl rampe f.

footnote ['fu:tnəʊt] n note f de bas de page.

footpath ['fu:tpɑ:θ] (pl [-pɑ:ðz]) n sentier m.

footprint ['fu:tprɪnt] n empreinte f (de pied), trace f (de pas).

footstep ['fu:tstep] n 1. bruit m de pas 2. empreinte f (de pied).

footwear ['fu:tweər] n (indén) chaussures fpl.

---

for [fɔr] prép

1. EXPRIME LE BUT, L'INTENTION
• **let's meet for a drink** retrouvons-nous pour prendre un verre
• **what's it for?** ça sert à quoi ?

2. INTRODUIT LA DESTINATION, LE DESTINATAIRE
• **the plane for Paris has already left** l'avion à destination de Paris est déjà parti
• **this is for him** c'est pour lui

3. EXPRIME LA DURÉE
• **she'll be away for a month** elle sera absente (pendant) un mois
• **I've lived here for 3 years** j'habite ici depuis 3 ans, cela fait 3 ans que j'habite ici

4. POUR INDIQUER UN DÉLAI
• **I can do it for you for tomorrow** je peux vous le faire pour demain

5. POUR EXPRIMER LA DISTANCE
• **this medical centre is the only one for 50 kilometres** ce centre médical est le seul sur 50 kilomètres
• **I walked for miles** j'ai marché (pendant) des kilomètres

6. EN FAVEUR DE
• **he voted for the Democratic candidate** il a voté pour le candidat démocrate
• **she was all for a negotiated political solution** elle était tout à fait pour ou en faveur d'une solution politique négociée

7. EXPRIME LA CAUSE
• **he did 20 years in prison for murder** il a passé 20 ans en prison pour meurtre
• **for various reasons I decided not to talk to her** pour plusieurs raisons, j'ai décidé de ne pas lui parler
• **I didn't say anything for fear of being ridiculed** je n'ai rien dit de ou par peur d'être ridiculisé

8. INDIQUE UNE OCCASION, UN ÉVÉNEMENT
• **she's coming home for Christmas** elle rentre à la maison pour Noël
• **what are you doing for your birthday?** que fais-tu pour ton anniversaire ?

9. À LA PLACE DE, AU NOM DE
• **let me do that for you** laissez-moi faire, je vais vous le faire
• **the MP for Barnsley was on TV yesterday** le député de Barnsley est passé à la télé hier

10. INDIQUE UNE ÉQUIVALENCE
• **P for Peter** P comme Peter
• **what's the Greek for 'mother'?** comment dit-on « mère » en grec ?

11. AVEC UN PRIX
• **they're 50p for ten** cela coûte 50p les dix
• **I bought/sold it for £10** je l'ai acheté/vendu 10 livres

12. INDIQUE UNE PROPORTION
• **there's 1 woman applicant for 5 men** un candidat sur 6 est une femme

for _conj_

SOUTPOUR EXPRIMER LA CAUSE
• **I always avoid him for I don't approve of his behaviour** je l'évite toujours car je n'approuve pas son comportement.

■ **for all** _prép_

POUR EXPRIMER LA CONCESSION
• **for all his money he had no friends** malgré tout son argent, il n'avait pas d'amis.

for all _conj_

• **for all I know** pour autant que je sache.

forage ['fɒrɪdʒ] _vi_ • **to forage (for)** fouiller (pour trouver).

foray ['fɒreɪ] _n_ • **foray (into)** _littéraire_ incursion _f_ (dans).

---

forbad [fə'bæd], **forbade** [fə'beɪd] _passé_ ▷ forbid.

forbid [fə'bɪd] (_prét_ -**bade** ou -**bad**, _pp_ for-**bid** ou -**bidden**) _vt_ interdire, défendre.

forbidden [fə'bɪdn] ■ _pp_ ▷ forbid. ■ _adj_ interdit(e), défendu(e).

forbidding [fə'bɪdɪŋ] _adj_ **1.** austère **2.** sinistre.

force [fɔːs] ■ _n_ **1.** force _f_ • **by force** de force • **the force of gravity** la pesanteur **2.** • **to be in/to come into force** (_loi, règlement_) être/entrer en vigueur. ■ _vt_ **1.** forcer • **to force sb to do sthg** forcer qqn à faire qqch **2.** • **to force sthg on sb** imposer qqch à qqn.
■ **forces** _npl_ • **the forces** les forces _fpl_ armées • **to join forces** joindre ses efforts.

force-feed _vt_ nourrir de force.

forceful ['fɔːsful] _adj_ **1.** énergique **2.** vigoureux(euse).

forceps ['fɔːseps] _npl_ forceps _m_.

forcibly ['fɔːsəblɪ] _adv_ **1.** de force **2.** avec vigueur.

ford [fɔːd] _n_ gué _m_.

fore [fɔː] ■ _adj_ NAUT à l'avant. ■ _n_ • **to come to the fore** s'imposer.

forearm ['fɔːrɑːm] _n_ avant-bras _m inv_.

foreboding [fɔː'bəʊdɪŋ] _n_ pressentiment _m_.

forecast ['fɔːkɑːst] ■ _n_ prévision _f_ • **(weather) forecast** prévisions météorologiques. ■ _vt_ (_prét & pp_ **forecast** ou -**ed**) prévoir.

foreclose [fɔː'kləʊz] ■ _vt_ saisir. ■ _vi_ • **to foreclose on sb** saisir les biens de qqn.

forecourt ['fɔːkɔːt] _n_ **1.** devant _m_ (_d'une station-service_) **2.** avant-cour _f_.

forefinger ['fɔːˌfɪŋgər] _n_ index _m_.

forefront ['fɔːfrʌnt] _n_ • **in** ou **at the forefront of** au premier plan de.

forego [fɔ'gəʊ] = **forgo**.

foregone conclusion ['fɔgɒn-] n • **it's a foregone conclusion** c'est couru d'avance.

foreground ['fɔgraʊnd] n premier plan m.

forehand ['fɔhænd] n TENNIS coup m droit.

forehead ['fɔhed] n front m.

foreign ['fɒrɪn] adj 1. étranger(ère) 2. à l'étranger 3. extérieur(e).

foreign affairs npl affaires fpl étrangères.

foreign currency n (indén) devises fpl étrangères.

foreigner ['fɒrənə'] n étranger m, -ère f.

foreign minister n ministre m des Affaires étrangères.

Foreign Office n (UK) • **the Foreign Office** ≃ le ministère des Affaires étrangères.

Foreign Secretary n (UK) ≃ ministre m des Affaires étrangères.

foreleg ['fɔleg] n 1. membre m antérieur 2. patte f de devant.

foreman ['fɔmən] (pl **-men** [-mən]) n 1. contremaître m, -esse f 2. DR président m du jury.

foremost ['fɔməʊst] ■ adj principal(e). ■ adv • **first and foremost** tout d'abord.

forensic [fə'rensɪk] adj médico-légal(e).

forensic medicine, forensic science n médecine f légale.

forerunner ['fɔˌrʌnə'] n précurseur m.

foresee [fɔ'siː] (prét **-saw** [-'sɔ], pp **-seen**) vt prévoir.

foreseeable [fɔ'siːəbl] adj prévisible • **for the foreseeable future** pour tous les jours/mois etc à venir.

foreseen [fɔ'siːn] pp ⤷ **foresee**.

foreshadow [fɔ'ʃædəʊ] vt présager.

foresight ['fɔsaɪt] n (indén) prévoyance f.

forest ['fɒrɪst] n forêt f.

forestall [fɔ'stɔl] vt 1. prévenir 2. devancer.

forestry ['fɒrɪstrɪ] n sylviculture f.

foretaste ['fɔteɪst] n avant-goût m.

foretell [fɔ'tel] (prét & pp **-told**) vt prédire.

foretold [fɔ'təʊld] passé & pp ⤷ **foretell**.

forever [fə'revə'] adv (pour) toujours.

forewarn [fɔ'wɔn] vt avertir.

foreword ['fɔwɜːd] n avant-propos m inv.

forfeit ['fɔfɪt] ■ n 1. amende f 2. gage m. ■ vt perdre.

forgave [fə'geɪv] passé ⤷ **forgive**.

forge [fɔdʒ] ■ n forge f. ■ vt 1. fig & INDUST forger 2. contrefaire 3. falsifier. ■ **forge ahead** vi prendre de l'avance.

forger ['fɔdʒə'] n faussaire mf.

forgery ['fɔdʒərɪ] n 1. (indén) contrefaçon f 2. faux m.

forget [fə'get] (prét **-got**, pp **-gotten**) ■ vt oublier • **to forget to do sthg** oublier de faire qqch • **forget it!** laisse tomber ! ■ vi • **to forget (about sthg)** oublier (qqch).

forgetful [fə'getfʊl] adj distrait(e), étourdi(e).

forget-me-not n myosotis m.

forgive [fə'gɪv] (prét **-gave**, pp **-given** [-'gɪvən]) vt pardonner • **to forgive sb for sthg/for doing sthg** pardonner qqch à qqn/à qqn d'avoir fait qqch.

forgiveness [fə'gɪvnɪs] n (indén) pardon m.

forgo [fɔ'gəʊ] (prét **-went**, pp **-gone** [-'gɒn]) vt sout renoncer à.

forgot [fə'gɒt] passé ⤷ **forget**.

forgotten [fə'gɒtn] pp ⤷ **forget**.

fork [fɔk] ■ n 1. fourchette f 2. fourche f 3. bifurcation f 4. embranchement m. ■ vi bifurquer. ■ **fork out** fam vt insép allonger, débourser.

forklift truck ['fɔklɪft-] n chariot m élévateur.

forlorn [fə'lɔn] adj 1. malheureux(euse), triste 2. (lieu, paysage) désolé(e) 3. désespéré(e).

form [fɔm] ■ n 1. forme f • **on form** (UK) ou **in form** (US) en pleine forme • **off form** (surtout UK) pas en forme • **in the form of** sous forme de 2. formulaire m 3. (UK) SCOL classe f. ■ vt former. ■ vi se former.

formal ['fɔml] adj 1. officiel(elle) 2. (personne) formaliste 3. (style, langue) soutenu(e).

formality [fɔ'mælətɪ] n formalité f.

format ['fɔmæt] ◼ n format m. ◼ vt IN-
FORM formater.

formation [fɔ'meɪʃn] n 1. formation f
2. élaboration f.

formative ['fɔmətɪv] adj formateur(trice).

former ['fɔmər] ◼ adj 1. ancien(enne)
• **former husband** ex-mari m • **former
pupil** ancien élève m, ancienne élève f 2. premier(ère) (des deux). ◼ n • **the
former** le premier(la première), celui-
là(celle-là).

formerly ['fɔməlɪ] adv autrefois.

formidable ['fɔmɪdəbl] adj redoutable,
terrible.

formula ['fɔmjʊlə] (pl **-as** ou **-ae** [-iː]) n
formule f.

formulate ['fɔmjʊleɪt] vt formuler.

forsake [fə'seɪk] (prét **forsook**, pp **forsaken**) vt littéraire 1. abandonner 2. renoncer à.

forsaken [fə'seɪkn] adj abandonné(e).

forsook [fə'sʊk] passé ▭ **forsake**.

fort [fɔt] n fort m (forteresse).

forte ['fɔtɪ] n point m fort.

forth [fɔθ] adv littéraire en avant.

forthcoming [fɔθ'kʌmɪŋ] adj 1. à venir
2. communicatif(ive).

forthright ['fɔθraɪt] adj franc(franche),
direct(e).

forthwith [ˌfɔθ'wɪθ] adv sout aussitôt.

fortified wine ['fɔtɪfaɪd-] n vin m de liqueur.

fortify ['fɔtɪfaɪ] vt 1. MIL fortifier 2. fig
renforcer.

fortnight ['fɔtnaɪt] n (UK) quinze jours
mpl, quinzaine f.

fortnightly ['fɔtˌnaɪtlɪ] ◼ adj (UK) bimen-
suel(elle). ◼ adv tous les quinze jours.

fortress ['fɔtrɪs] n forteresse f.

fortunate ['fɔtʃnət] adj heureux(euse)
• **to be fortunate** avoir de la chance.

fortunately ['fɔtʃnətlɪ] adv heureusement.

fortune ['fɔtʃuːn] n 1. fortune f 2. fortune f, chance f 3. • **to tell sb's fortune**
dire la bonne aventure à qqn.

fortune-teller [-ˌtelər] n diseuse f de
bonne aventure.

forty ['fɔtɪ] num quarante. • voir aussi
sixty

forward ['fɔwəd] ◼ adj 1. en avant 2. à
long terme 3. effronté(e). ◼ adv 1. en
avant • **to go** ou **move forward** avancer
2. • **to bring a meeting forward** avancer
la date d'une réunion. ◼ n SPORT avant
m. ◼ vt 1. faire suivre 2. expédier.

forwarding address ['fɔwədɪŋ-] n
adresse f où faire suivre le courrier.

forwards ['fɔwədz] adv = **forward**.

forwent [fɔ'went] passé ▭ **forgo**.

fossil ['fɒsl] n fossile m.

foster ['fɒstər] ◼ adj d'accueil. ◼ vt 1. accueillir 2. fig nourrir, entretenir.

foster child n enfant m placé en famille d'accueil.

foster parent n parent m nourricier.

fought [fɔt] passé & pp ▭ **fight**.

foul [faʊl] ◼ adj 1. infect(e) 2. croupi(e)
3. grossier(ère), ordurier(ère). ◼ n SPORT
faute f. ◼ vt sout 1. souiller, salir 2. SPORT
commettre une faute contre.

found [faʊnd] ◼ passé & pp ▭ **find**.
◼ vt 1. fonder 2. • **to found sthg on** fonder ou baser qqch sur.

foundation [faʊn'deɪʃn] n 1. fondation f
2. fondement m, base f 3. • **foundation
(cream)** fond m de teint.
◼ **foundations** npl fondations fpl.

founder ['faʊndər] ◼ n fondateur m,
-trice f. ◼ vi sombrer.

foundry ['faʊndrɪ] n fonderie f.

fountain ['faʊntɪn] n fontaine f.

fountain pen n stylo m à encre.

four [fɔr] num quatre • **on all fours** à
quatre pattes. • voir aussi **six**

four-letter word n mot m grossier.

four-poster (bed) n lit m à baldaquin.

foursome ['fɔsəm] n groupe m de quatre.

fourteen [ˌfɔ'tiːn] num quatorze. • voir
aussi **six**

fourth [fɔθ] num quatrième. • voir aussi
sixth

Fourth of July n • **the Fourth of July** Fête
de l'Indépendance américaine, célébrée le 4
juillet.

CULTURE…

the Fourth of July

Le 4 juillet, jour de l'indépendance américaine (*Independence Day*), est l'une des fêtes les plus importantes pour les Américains. De nombreuses villes organisent des défilés et des feux d'artifice bleus, blancs et rouges. Ces mêmes couleurs sont utilisées pour décorer les façades des immeubles, qui arborent aussi souvent des drapeaux américains. La plupart des familles passent la journée ensemble à pique-niquer ; le menu comprend généralement des hot-dogs et de la pastèque.

four-wheel drive *n* ‣ **with four-wheel drive** à quatre roues motrices.

fowl [faʊl] (*pl inv ou* **-s**) *n* volaille *f*.

fox [fɒks] ◼ *n* renard *m*. ◼ *vt* laisser perplexe.

foxglove ['fɒksglʌv] *n* digitale *f*.

foyer ['fɔɪeɪ] *n* **1.** foyer *m* (*de théâtre, d'hôtel*) **2.** (*US*) hall *m* d'entrée.

fracas ['frækɑː, (*US*) 'freɪkəs] ((*UK*) *pl inv*, (*US*) *pl* **-ses** [-siːz]) *n* bagarre *f*.

fraction ['frækʃn] *n* fraction *f*. ‣ **a fraction too big** légèrement *ou* un petit peu trop grand.

fractionally ['frækʃnəlɪ] *adv* un tout petit peu.

fracture ['fræktʃər] ◼ *n* fracture *f*. ◼ *vt* fracturer.

fragile ['frædʒaɪl] *adj* fragile.

fragment *n* ['frægmənt] fragment *m*.

fragrance ['freɪɡrəns] *n* parfum *m*.

fragrant ['freɪɡrənt] *adj* parfumé(e).

frail [freɪl] *adj* fragile.

frame [freɪm] ◼ *n* **1.** cadre *m* **2.** monture *f* (*de lunettes*) **3.** encadrement *m* (*de porte, de fenêtre*) **4.** carcasse *f* (*de bateau*) **5.** charpente *f*. ◼ *vt* **1.** encadrer **2.** formuler **3.** *fam* monter un coup contre.

frame of mind *n* état *m* d'esprit.

framework ['freɪmwɜːk] *n* **1.** armature *f*, carcasse *f* **2.** *fig* structure *f*, cadre *m*.

France [frɑːns] *n* France *f*.

franchise ['fræntʃaɪz] *n* **1.** droit *m* de vote **2.** comm franchise *f*.

frank [fræŋk] ◼ *adj* franc(franche). ◼ *vt* (*UK*) affranchir.

frankly ['fræŋklɪ] *adv* franchement.

frantic ['fræntɪk] *adj* frénétique.

fraternity [frə'tɜːnətɪ] *n* **1.** confrérie *f* **2.** (*indén*) fraternité *f* **3.** (*US*) club *m* d'étudiants (*de sexe masculin*).

fraternize, -ise ['frætənaɪz] *vi* fraterniser.

fraud [frɔːd] *n* **1.** (*indén*) fraude *f* **2.** *péj* imposteur *m*.

fraught [frɔːt] *adj* **1.** ‣ **fraught with** plein(e) de **2.** (*UK*) (*personne*) tendu(e) **3.** (*UK*) (*situation*) difficile.

fray [freɪ] ◼ *vt fig* ‣ **my nerves were frayed** j'étais extrêmement tendu(e), j'étais à bout de nerfs. ◼ *vi* s'user. ◼ *n littéraire* bagarre *f*.

frayed [freɪd] *adj* élimé(e).

freak [friːk] ◼ *adj* bizarre, insolite. ◼ *n* **1.** monstre *m*, phénomène *m* **2.** accident *m* bizarre **3.** *fam* fana *mf* ‣ **she's a fitness freak** c'est une accro de la gym. ◼ **freak out** *fam vi* **1.** exploser (de colère) **2.** paniquer.

freckle ['frekl] *n* tache *f* de rousseur.

free [friː] ◼ *adj* (*comp* **freer**, *superl* **freest**) **1.** libre ‣ **to be free to do sthg** être libre de faire qqch ‣ **feel free!** je t'en prie ! ‣ **to set free** libérer **2.** gratuit(e). ◼ *adv* **1.** gratuitement ‣ **free of charge** gratuitement ‣ **for free** gratuitement **2.** librement. ◼ *vt* (*prét & pp* **freed**) **1.** libérer **2.** dégager.

freedom ['friːdəm] *n* **1.** liberté *f* ‣ **freedom of speech** liberté d'expression **2.** ‣ **freedom (from)** exemption *f* (de).

Freefone® ['friːfəʊn] *n* (*indén*) (*UK*) ≈ numéro *m* vert.

free-for-all *n* mêlée *f* générale.

free gift *n* prime *f*.

freehand ['friːhænd] *adj & adv* à main levée.

freehold ['friːhəʊld] *n* propriété *f* foncière inaliénable.

free house *n* (*UK*) pub *m* en gérance libre.

free kick *n* coup *m* franc.

freelance ['friːlɑːns] ◼ *adj* indépendant(e), free-lance (*inv*). ◼ *n* indépendant *m*, -e *f*, free-lance *mf inv*.

freely ['fri:lɪ] *adv* **1.** librement **2.** sans compter.

Freemason ['fri:,meɪsn] *n* franc-maçon *m*.

Freepost® ['fri:pəʊst] *n (UK)* port *m* payé.

free-range *adj* de ferme.

freestyle ['fri:staɪl] *n* sport nage *f* libre.

free trade *n (indén)* libre-échange *m*.

freeway ['fri:weɪ] *n (US)* autoroute *f*.

freewheel ['fri:'wi:l] *vi* **1.** *(à vélo)* rouler en roue libre **2.** *(en voiture)* rouler au point mort.

free will *n (indén)* libre arbitre *m* ▪ **to do sthg of one's own free will** faire qqch de son propre gré.

freeze [fri:z] ■ *vt (prét* froze, *pp* frozen) **1.** geler **2.** congeler **3.** bloquer *(les prix, les salaires)*. ■ *vi (prét* froze, *pp* frozen) **1.** geler **2.** s'arrêter. ■ *n* **1.** gel *m* **2.** blocage *m (des prix, des salaires)*.

freeze-dried [-'draɪd] *adj* lyophilisé(e).

freezer ['fri:zə'] *n* congélateur *m*.

freezing ['fri:zɪŋ] ■ *adj* glacé(e) ▪ **I'm freezing** je gèle. ■ *n* = **freezing point**.

freezing point *n* point *m* de congélation.

freight [freɪt] *n* fret *m*.

freight train *n (US)* train *m* de marchandises.

French [frentʃ] ■ *adj* français(e). ■ *n* français *m*. ■ *npl* ▪ **the French** les Français *mpl*.

French bean *n (UK)* haricot *m* vert.

French bread *n (indén)* baguette *f (de pain)*.

French Canadian ■ *adj* canadien français (canadienne française). ■ *n* Canadien français *m*, Canadienne française *f*.

French doors = **French windows**.

French dressing *n* **1.** vinaigrette *f* **2.** sauce-salade à base de mayonnaise et de ketchup.

French fries *npl (surtout US)* frites *fpl*.

Frenchman ['frentʃmən] *(pl* -men [-mən]) *n* Français *m*.

French stick *n (UK)* baguette *f (de pain)*.

French windows *npl* porte-fenêtre *f*.

Frenchwoman ['frentʃ,wʊmən] *(pl -women [-,wɪmɪn]) n* Française *f*.

frenetic [frə'netɪk] *adj* frénétique.

frenzy ['frenzɪ] *n* frénésie *f*.

frequency ['fri:kwənsɪ] *n* fréquence *f*.

frequent ■ *adj* ['fri:kwənt] fréquent(e). ■ *vt* [frɪ'kwent] fréquenter.

frequently ['fri:kwəntlɪ] *adv* fréquemment.

fresh [freʃ] *adj* **1.** frais(fraîche) **2.** doux (douce) **3.** autre **4.** nouveau(elle) **5.** *fam vieilli* familier(ère).

freshen ['freʃn] ■ *vt* rafraîchir. ■ *vi* devenir plus fort(e).
■ **freshen up** *vi* faire un brin de toilette.

fresher ['freʃə'] *n (UK)* bizut *m*, étudiant *m*, -e *f* de première année.

freshly ['freʃlɪ] *adv* fraîchement.

freshman ['freʃmən] *(pl* -men [-mən]) *n (US)* bizut *m*, étudiant *m*, -e *f* de première année.

freshness ['freʃnɪs] *n (indén)* **1.** fraîcheur *f* **2.** nouveauté *f*.

freshwater ['freʃ,wɔtə'] *adj* d'eau douce.

fret [fret] *vi* s'inquiéter.

friar ['fraɪə'] *n* frère *m*.

friction ['frɪkʃn] *n (indén)* friction *f*.

Friday ['fraɪdɪ] *n* vendredi *m* ▪ *voir aussi* **Saturday**

fridge [frɪdʒ] *n* frigo *m*.

fridge-freezer *n (UK)* réfrigérateurcongélateur *m*.

fried [fraɪd] *adj* frit(e) ▪ **fried egg** œuf *m* au plat.

friend [frend] *n* ami *m*, -e *f* ▪ **to be friends with sb** être ami avec qqn ▪ **to make friends (with sb)** se lier d'amitié (avec qqn).

friendly ['frendlɪ] *adj* **1.** amical(e) **2.** ami(e) **3.** *(dispute)* sans conséquence ▪ **to be friendly with sb** être ami avec qqn.

friendship ['frendʃɪp] *n* amitié *f*.

fries [fraɪz] = **French fries**.

frieze [fri:z] *n* frise *f*.

fright [fraɪt] *n* peur *f* ▪ **to give sb a fright** faire peur à qqn ▪ **to take fright** prendre peur.

frighten ['fraɪtn] *vt* faire peur à, effrayer.

frightened ['fraɪtnd] *adj* apeuré(e) • **to be frightened of sthg/of doing sthg** avoir peur de qqch/de faire qqch.

frightening ['fraɪtnɪŋ] *adj* effrayant(e).

frightful ['fraɪtfʊl] *adj vieilli* effroyable.

frigid ['frɪdʒɪd] *adj* frigide.

frill [frɪl] *n* **1.** volant *m* (*sur une robe, une jupe*) **2.** *fam* supplément *m*.

fringe [frɪndʒ] *n* **1.** frange *f* **2.** bordure *f* **3.** lisière *f*.

fringe benefit *n* avantage *m* extrasalarial.

frisk [frɪsk] *vt* fouiller.

frisky ['frɪskɪ] *adj fam* vif(vive).

fritter ['frɪtər] *n* beignet *m*.
■ **fritter away** *vt sép* gaspiller.

frivolous ['frɪvələs] *adj* frivole.

frizzy ['frɪzɪ] *adj* crépu(e).

fro [frəʊ] ▷ **to**.

frock [frɒk] *n vieilli* robe *f*.

frog [frɒg] *n* grenouille *f* • **to have a frog in one's throat** avoir un chat dans la gorge.

frogman ['frɒgmən] (*pl* **-men** [-mən]) *n* homme-grenouille *m*.

frolic ['frɒlɪk] *vi* (*prét & pp* **-ked**, *cont* **-king**) folâtrer.

---

from *prép*

forme non accentuée [frəm], *forme accentuée* [frɒm]

1. INDIQUE L'ORIGINE
• **where are you from?** d'où venez-vous ?, d'où êtes-vous ?
• **she's from Italy** elle vient d'Italie, elle est originaire d'Italie

2. INDIQUE LA PROVENANCE
• **I got a letter from her today** j'ai reçu une lettre d'elle aujourd'hui
• **the 10 o'clock flight from Paris has just arrived** le vol de 10 heures en provenance de Paris vient juste d'arriver

3. INDIQUE UN POINT DE DÉPART DANS LE TEMPS
• **we worked from 2 pm to** *ou* **till 6 pm** nous avons travaillé de 14 h à 18 h
• **from the moment I saw him, I was in love** dès que *ou* dès l'instant où je l'ai vu, j'étais amoureuse

4. INDIQUE UN POINT DE DÉPART DANS L'ESPACE
• **it's 60 km from here** c'est à 60 km d'ici
• **seen from above/below, it seems much smaller** vu d'en haut/d'en bas, cela semble beaucoup plus petit
• **he ran away from home** il a fait une fugue, il s'est sauvé de chez lui

5. INDIQUE UN POINT DE DÉPART DE FAÇON PLUS GÉNÉRALE
• **prices start from £50** le premier prix est de 50 livres
• **you must translate from Spanish into English** vous devez traduire de l'espagnol vers l'anglais
• **he started drinking from a glass very early** il a commencé à boire dans un verre très tôt

6. INDIQUE UNE SÉPARATION, UNE INTERDICTION
• **it's hard for a child to be kept away from its mother** c'est difficile pour un enfant d'être séparé de sa mère
• **this amount will be deducted from your bank account** ce montant sera déduit *ou* retranché de votre compte bancaire
• **take that knife from the child!** enlevez *ou* prenez ce couteau à l'enfant !
• **he's been banned from driving for six months** il a eu une interdiction de conduire depuis six mois

7. INDIQUE UNE PROTECTION, UN EMPÊCHEMENT
• **a tree gave us shelter from the rain** un arbre nous a protégés de la pluie
• **he prevented her from coming** il l'a empêchée de venir

8. INDIQUE UNE DIFFÉRENCE
• **he is quite different from the others** il est très différent des autres
• **the two sisters are so similar it's almost impossible to tell one from another** les deux sœurs se ressemblent tellement qu'il est quasiment impossible de distinguer l'une de l'autre

9. EXPRIME UN CHANGEMENT, UNE MODIFICATION
• **the price went up from £100 to £150** le prix est passé *ou* monté de 100 livres à 150 livres
• **things got from bad to worse** les choses allèrent de mal en pis

10. INDIQUE LA MATIÈRE
• **it's made from wood/plastic** c'est en bois/plastique

11. INTRODUIT LA CAUSE
• **too many people still suffer from cold/hunger** trop de personnes souffrent encore du froid/de la faim

• he died from his injuries il est mort des suites de ses blessures
12. INTRODUIT UNE RÉFÉRENCE, UN POINT DE VUE
• from what I have heard, this is a very arduous task d'après ce que j'ai entendu, c'est une tâche très ardue
• from his point of view, she'll never help you d'après lui, elle ne t'aidera jamais.

front [frʌnt] ◼ n **1.** avant m **2.** devant m **3.** premier rang m **4.** MÉTÉOR & MIL front m **5.** • (sea) front front m de mer **6.** contenance f **7.** péj façade f. ◼ adj **1.** (dent, jardin) de devant **2.** (rang, page) premier(ère). ◼ **in front** adv **1.** devant **2.** à l'avant **3.** • **to be in front** mener. ◼ **in front of** prép devant.

frontbench [ˌfrʌnt'bentʃ] n (UK) à la chambre des Communes, bancs occupés respectivement par les ministres du gouvernement en exercice et ceux du gouvernement fantôme.

front door n porte f d'entrée.

frontier ['frʌn.tɪə, (US) frʌn'tɪər] n **1.** frontière f **2.** fig limite f.

front man n **1.** porte-parole m inv **2.** TV présentateur m.

front room n salon m.

front-runner n favori m, -ite f.

front-wheel drive n traction f avant.

frost [frɒst] n gel m.

frostbite ['frɒstbaɪt] n (indén) gelure f.

frosted ['frɒstɪd] adj **1.** dépoli(e) **2.** (US) glacé(e).

frosty ['frɒstɪ] adj **1.** glacial(e) **2.** gelé(e).

froth [frɒθ] n **1.** mousse f **2.** écume f.

frown [fraʊn] vi froncer les sourcils.
◼ **frown (up)on** vt insép désapprouver.

froze [frəʊz] passé ▷ **freeze**.

frozen ['frəʊzn] pp ▷ **freeze**. ◼ adj **1.** gelé(e) **2.** congelé(e).

frugal ['fruːgl] adj **1.** frugal(e) **2.** économe.

fruit [fruːt] n (pl inv ou -s) fruit m.

fruitcake ['fruːtkeɪk] n cake m.

fruiterer ['fruːtərər] n (UK) vieilli fruitier m.

fruitful ['fruːtfʊl] adj fructueux(euse).

fruition [fruː'ɪʃn] n • **to come to fruition** se réaliser.

fruit juice n jus m de fruits.

fruitless ['fruːtlɪs] adj vain(e).

fruit machine n (UK) machine f à sous.

fruit salad n salade f de fruits, macédoine f.

frumpy ['frʌmpɪ] adj mal habillé(e).

frustrate [frʌ'streɪt] vt **1.** frustrer **2.** faire échouer.

frustrated [frʌ'streɪtɪd] adj **1.** frustré(e) **2.** vain(e).

frustration [frʌ'streɪʃn] n frustration f.

fry [fraɪ] (prét & pp **fried**) vt & vi frire.

frying pan ['fraɪŋ-] n poêle f à frire.

ft. abrév de **foot**, **feet**.

fuck [fʌk] vulg vt & vi baiser.
◼ **fuck off** vi vulg • **fuck off!** fous le camp !

fudge [fʌdʒ] n (indén) caramel m (mou).

fuel [fjʊəl] ◼ n **1.** combustible m **2.** carburant m. ◼ vt ((UK) prét & pp **-led**, cont **-ling**, (US) prét & pp **-ed**, cont **-ing**) **1.** alimenter (en combustible/carburant) **2.** fig nourrir.

fuel pump n pompe f d'alimentation.

fuel tank n réservoir m à carburant.

fugitive ['fjuːdʒətɪv] n fugitif m, -ive f.

fulfil (UK), **fulfill** (US) [fʊl'fɪl] vt **1.** remplir (son devoir) **2.** réaliser (un projet, ses ambition) **3.** satisfaire (un désir).

fulfilment (UK), **fulfillment** (US) [fʊl'fɪlmənt] n (indén) **1.** grande satisfaction f **2.** réalisation f (d'un rêve) **3.** exécution f (d'un projet) **4.** satisfaction f (d'un besoin).

full [fʊl] ◼ adj **1.** plein(e) **2.** complet(ète) **3.** gavé(e), repu(e) **4.** total(e) **5.** entier(ère) **6.** (volume) maximum (inv) **7.** (vie) rempli(e) **8.** (emploi du temps) chargé(e) **9.** (saveur) riche **10.** rondelet(ette) **11.** (bouche) charnu(e) **12.** (jupe, manche) ample. ◼ adv • **you know full well that...** tu sais très bien que... ◼ n • **in full** complètement, entièrement.

full-blown [-'bləʊn] adj général(e) • **to have full-blown AIDS** avoir le Sida avéré.

full board n pension f complète.

full-fledged (US) = **fully-fledged**.

full moon n pleine lune f.

full-scale *adj* **1.** grandeur nature *(inv)* **2.** de grande envergure.

full stop *(UK)* *n* point *m*.

full time *n (UK)* SPORT fin *f* de match.
■ **full-time** *adj & adv* à temps plein.

full up *adj* **1.** complet(ète) **2.** gavé(e), repu(e).

fully ['fʊlɪ] *adv* **1.** tout à fait **2.** entièrement.

fully-fledged *(UK)*, **full-fledged** *(US)* [-'fledʒd] *adj* diplômé(e).

fulsome ['fʊlsəm] *adj* excessif(ive).

fumble ['fʌmbl] *vi* fouiller, tâtonner ■ **to fumble for** fouiller pour trouver.

fume [fju:m] *vi* rager.
■ **fumes** *npl* **1.** émanations *fpl* **2.** fumées *fpl* **3.** gaz *mpl* d'échappement.

fumigate ['fju:mɪɡeɪt] *vt* fumiger.

fun [fʌn] *n (indén)* **1.** ■ **to have fun** s'amuser ■ **for fun, for the fun of it** pour s'amuser **2.** ■ **to be full of fun** être plein(e) d'entrain **3.** ■ **to make fun of sb** se moquer de qqn.

function ['fʌŋkʃn] ■ *n* **1.** fonction *f* **2.** réception *f* officielle **3.** fonctionnalité *f*. ■ *vi* fonctionner ■ **to function as** servir de.

functional ['fʌŋkʃnəl] *adj* **1.** fonctionnel(elle) **2.** en état de marche.

fund [fʌnd] ■ *n* **1.** fonds *m* **2.** *fig* puits *m (de science)*. ■ *vt* financer.
■ **funds** *npl* fonds *mpl*.

fundamental [,fʌndə'mentl] *adj* ■ **fundamental (to)** fondamental(e) (à).

funding ['fʌndɪŋ] *n (indén)* financement *m*.

funeral ['fju:nərəl] *n* obsèques *fpl*.

funeral home *(US)* = **funeral parlour**.

funeral parlour *(UK)*, **funeral home** *(US)* *n* entreprise *f* de pompes funèbres.

funfair ['fʌnfeər] *n (UK)* fête *f* foraine.

fungus ['fʌŋɡəs] *(pl* -**gi** [-ɡaɪ] *ou* -**guses** [-ɡəsiːz]) *n* champignon *m*.

funnel ['fʌnl] *n* **1.** entonnoir *m* **2.** cheminée *f (d'un bateau).*

funny ['fʌnɪ] *adj* drôle.

fur [fɜːr] *n* fourrure *f*.

fur coat *n* (manteau *m* de) fourrure *f*.

furious ['fjʊərɪəs] *adj* **1.** furieux(euse) **2.** acharné(e) **3.** déchaîné(e).

furlong ['fɜːlɒŋ] *n* = 201,17 mètres.

furnace ['fɜːnɪs] *n* fournaise *f*.

furnish ['fɜːnɪʃ] *vt* **1.** meubler **2.** *sout* fournir.

furnished ['fɜːnɪʃt] *adj* meublé(e).

furnishings ['fɜːnɪʃɪŋz] *npl* mobilier *m*.

furniture ['fɜːnɪtʃər] *n (indén)* meubles *mpl* ■ **a piece of furniture** un meuble.

furrow ['fʌrəʊ] *n* **1.** sillon *m* **2.** ride *f*.

furry ['fɜːrɪ] *adj* **1.** à fourrure **2.** recouvert(e) de fourrure.

further ['fɜːðər] ■ *compar* ➣ **far**. ■ *adv* **1.** plus loin ■ **how much further is it?** combien de kilomètres y a-t-il ? ■ **further on** plus loin **2.** davantage **3.** plus avant **4.** de plus. ■ *adj* nouveau(elle), supplémentaire ■ **until further notice** jusqu'à nouvel ordre. ■ *vt* **1.** faire avancer **2.** encourager.

further education *n (UK & Australie)* éducation *f* post-scolaire.

furthermore [,fɜːðə'mɔːr] *adv* de plus.

furthest ['fɜːðɪst] ■ *superl* ➣ **far**. ■ *adj* le plus éloigné(la plus éloignée). ■ *adv* le plus loin.

furtive ['fɜːtɪv] *adj* **1.** sournois(e) **2.** furtif(ive).

fury ['fjʊərɪ] *n* fureur *f*.

fuse [fju:z] ■ *n* **1.** ÉLECTR fusible *m*, plomb *m* **2.** détonateur *m* **3.** amorce *f*. ■ *vt* **1.** réunir par la fusion **2.** fusionner. ■ *vi* **1.** ÉLECTR ■ **the lights have fused** les plombs ont sauté **2.** fondre.

fuse-box *n* boîte *f* à fusibles.

fused [fju:zd] *adj* avec fusible incorporé.

fuselage ['fju:zəlɑːʒ] *n* fuselage *m*.

fuss [fʌs] ■ *n* **1.** agitation *f* ■ **to make a fuss** faire des histoires **2.** *(indén)* protestations *fpl*. ■ *vi* faire des histoires.

fussy ['fʌsɪ] *adj* **1.** tatillon(onne) **2.** difficile **3.** tarabiscoté(e).

futile ['fju:taɪl] *adj* vain(e).

futon ['fu:tɒn] *n* futon *m*.

future ['fju:tʃər] ■ *n* **1.** avenir *m* ■ **in future** à l'avenir ■ **in the future** dans le futur, à l'avenir. GRAMM futur *m*. ■ *adj* futur(e).

fuze *(US)* = **fuse** (nom, sens 2).

fuzzy ['fʌzɪ] *adj* **1.** *(cheveux)* crépu(e) **2.** *(photo, image)* flou(e) **3.** *(pensées, esprit)* confus(e).

g[1] [dʒi:] (pl **g's** ou **gs**), **G** (pl **G's** ou **Gs**) n g m inv, G m inv.
■ **G** ■ n MUS sol m. ■ (abr écrite de **good**) B.

g[2] (abr de **gram**) g.

gab [gæb] ▷ **gift**.

gabble ['gæbl] ■ vt & vi baragouiner. ■ n charabia m.

gable ['geɪbl] n pignon m.

gadget ['gædʒɪt] n gadget m.

Gaelic ['geɪlɪk] ■ adj gaélique. ■ n gaélique m.

gag [gæg] ■ n 1. bâillon m 2. fam blague f, gag m. ■ vt bâillonner.

gage (US) = **gauge**.

gaiety ['geɪətɪ] n gaieté f.

gaily ['geɪlɪ] adv 1. gaiement 2. allègrement.

gain [geɪn] ■ n 1. profit m 2. augmentation f. ■ vt 1. gagner 2. prendre (de la vitesse) 3. gagner en (popularité, prestige). ■ vi 1. • **to gain in sthg** gagner en qqch 2. • **to gain from** ou **by sthg** tirer un avantage de qqch 3. avancer.
■ **gain on** vt insép rattraper.

gait [geɪt] n démarche f.

gal., gall. abrév de **gallon**.

gala ['gɑːlə] n gala m.

galaxy ['gæləksɪ] n galaxie f.

gale [geɪl] n grand vent m.

gall [gɔːl] n • **to have the gall to do sthg** avoir le toupet de faire qqch.

gallant adj 1. [['gælənt]] courageux (euse) 2. [['gəˈlænt] ou 'gælənt]] galant.

gall bladder n vésicule f biliaire.

gallery ['gælərɪ] n 1. galerie f 2. musée m 3. THÉÂTRE paradis m.

galley ['gælɪ] (pl -s) n 1. galère f 2. coquerie f.

Gallic ['gælɪk] adj français(e).

galling ['gɔːlɪŋ] adj humiliant(e).

gallivant [ˌgælɪˈvænt] vi fam mener une vie de patachon.

gallon ['gælən] n = 4,546 litres gallon m.

gallop ['gæləp] ■ n galop m. ■ vi galoper.

gallows ['gæləʊz] (pl inv) n gibet m.

gallstone ['gɔːlstəʊn] n calcul m biliaire.

galore [gəˈlɔːr] adj en abondance.

galvanize, -ise ['gælvənaɪz] vt TECHNOL galvaniser.

gambit ['gæmbɪt] n entrée f en matière.

gamble ['gæmbl] ■ n risque m. ■ vi 1. jouer • **to gamble on** jouer de l'argent sur 2. • **to gamble on** miser sur.

gambler ['gæmblər] n joueur m, -euse f.

gambling ['gæmblɪŋ] n (indén) jeu m.

game [geɪm] ■ n 1. jeu m 2. match m 3. (indén) gibier m. ■ adj 1. courageux (euse) 2. • **game (for sthg/to do sthg)** partant(e) (pour qqch/pour faire qqch).
■ **games** ■ n (indén) (UK) SCOL éducation f physique. ■ npl jeux mpl.

gamekeeper ['geɪmˌkiːpər] n garde-chasse m.

game reserve n réserve f (de chasse).

game show n jeu m télévisé.

gammon ['gæmən] n (surtout UK) jambon m fumé.

gamut ['gæmət] n gamme f.

gang [gæŋ] n 1. gang m 2. bande f.
■ **gang up** vi fam • **to gang up (on)** se liguer (contre).

gangland ['gæŋlænd] n (indén) milieu m.

gangrene ['gæŋgriːn] n gangrène f.

gangster ['gæŋstər] n gangster m.

gangway ['gæŋweɪ] n 1. (UK) allée f 2. passerelle f.

gantry ['gæntrɪ] n portique m.

gaol [dʒeɪl] (UK) vieilli = **jail**.

gap [gæp] n **1.** trou m **2.** blanc m (dans un texte) **3.** fig lacune f **4.** fig fossé m.

gape [geɪp] vi **1.** rester bouche bée **2.** bâiller.

gaping ['geɪpɪŋ] adj **1.** bouche bée (inv) **2.** béant(e) **3.** (chemise) grand ouvert (grande ouverte).

garage [(UK) 'gærɑːʒ ou 'gærɪdʒ, (US) gəˈrɑːʒ] n **1.** garage m **2.** (UK) station-service f.

garbage ['gɑːbɪdʒ] n (indén) **1.** (surtout US) détritus mpl **2.** fam idioties fpl.

garbage can n (US) poubelle f.

garbage truck n (US) camion-poubelle m.

garbled ['gɑːbld] adj **1.** embrouillé(e), confus(e) **2.** déformé(e), dénaturé(e).

garden ['gɑːdn] ◼ n jardin m. ◼ vi jardiner.

garden centre (UK), **garden center** (US) n jardinerie f.

gardener ['gɑːdnər] n **1.** jardinier m, -ère f **2.** personne f qui aime jardiner, amateur m, -trice f de jardinage.

gardening ['gɑːdnɪŋ] n jardinage m.

garden shed n abri m de jardin.

gargle ['gɑːgl] vi se gargariser.

gargoyle ['gɑːgɔɪl] n gargouille f.

garish ['geərɪʃ] adj criard(e).

garland ['gɑːlənd] n guirlande f de fleurs.

garlic ['gɑːlɪk] n ail m.

garlic bread n pain m à l'ail.

garment ['gɑːmənt] n sout vêtement m.

garnish ['gɑːnɪʃ] ◼ n garniture f. ◼ vt garnir.

garrison ['gærɪsn] n garnison f.

garrulous ['gærələs] adj volubile.

garter ['gɑːtər] n **1.** support-chaussette m **2.** jarretière f **3.** (US) jarretelle f.

gas [gæs] ◼ n (pl gases ou gasses ['gæsiːz]) **1.** gaz m inv **2.** (US) essence f. ◼ vt gazer.

gas cooker n (UK) cuisinière f à gaz.

gas cylinder n bouteille f de gaz.

gas fire n (UK) appareil m de chauffage à gaz.

gas gauge n (US) jauge f d'essence.

gas guzzler n (US) ◦ **to be a gas guzzler** consommer beaucoup (d'essence).

gash [gæʃ] ◼ n entaille f. ◼ vt entailler.

gasket ['gæskɪt] n joint m d'étanchéité.

gasman ['gæsmæn] (pl **-men** [-men]) n **1.** employé m du gaz **2.** installateur m de gaz.

gas mask n masque m à gaz.

gas meter n compteur m à gaz.

gasoline ['gæsəliːn] n (US) essence f.

gasp [gɑːsp] ◼ n halètement m. ◼ vi **1.** haleter **2.** avoir le souffle coupé.

gas pedal n (US) accélérateur m.

gas station n (US) station-service f.

gas tank n (US) réservoir m.

gas tap n **1.** robinet m de gaz **2.** prise f de gaz.

gastroenteritis ['gæstrəʊˌentəˈraɪtɪs] n gastro-entérite f.

gastronomy [gæsˈtrɒnəmɪ] n gastronomie f.

gastropub ['gæstrəʊpʌb] n (UK) pub m gastronomique.

gasworks ['gæswɜːks] (pl inv) n usine f à gaz.

gate [geɪt] n **1.** barrière f **2.** porte f **3.** grille f.

gatecrash ['geɪtkræʃ] fam ◼ vi **1.** s'inviter, jouer les pique-assiette **2.** resquiller. ◼ vt ◦ **to gatecrash a party** aller à une fête sans invitation.

gateway ['geɪtweɪ] n **1.** entrée f **2.** ◦ **gateway to** porte f de ◦ fig clé f de.

gather ['gæðər] ◼ vt **1.** ramasser **2.** cueillir (des fleurs) **3.** recueillir (des informations) **4.** rassembler (ses forces) ◦ **to gather together** rassembler **5.** ◦ **to gather (that)...** croire comprendre que... **6.** cout froncer. ◼ vi **1.** se rassembler **2.** (nuages) s'amonceler.

gathering ['gæðərɪŋ] n rassemblement m.

gaudy ['gɔːdɪ] adj voyant(e).

gauge, gage [geɪdʒ] ◼ n **1.** pluviomètre m **2.** jauge f (d'essence) **3.** manomètre m **4.** calibre m **5.** RAIL écartement m. ◼ vt **1.** mesurer **2.** jauger.

Gaul [gɔːl] n **1.** Gaule f **2.** Gaulois m, -e f.

gaunt [gɔːnt] adj **1.** émacié(e) **2.** désolé(e).

gauntlet ['gɔːntlɪt] n gant m (de protection).

gauze [gɔːz] n gaze f.

gave [geɪv] passé ▷ **give**.

gawk [gɔk], **gawp** (UK) [gɔp] vi fam • **to gawk (at)** rester bouche bée (devant).

gawky ['gɔkɪ] adj fam 1. dégingandé(e) 2. (mouvement) désordonné(e).

gay [geɪ] ◼ adj 1. gai(e) 2. homo (inv), gay (inv). ◼ n homo mf, gay mf.

gaze [geɪz] ◼ n regard m (fixe). ◼ vi regarder (fixement).

gazelle [gə'zel] (pl inv ou -s) n gazelle f.

gazetteer [,gæzɪ'tɪə'] n index m géographique.

gazump [gə'zʌmp] vt (UK) fam (dans l'immobilier) • **to be gazumped** être victime d'une suroffre.

GB[1] (abr de **Great Britain**) n G-B f.

GB[2] (abr de **gigabyte**), **Gb** n gigabyte m.

GCSE (abr de **General Certificate of Secondary Education**) n examen de fin d'études secondaires en Grande-Bretagne.

GDP (abr de **gross domestic product**) n PIB m.

gear [gɪə'] n 1. embrayage m 2. vitesse f • **to be in/out of gear** être en prise/au point mort 3. (indén) équipement m.
◼ **gear up** vi • **to gear up for sthg/to do sthg** se préparer pour qqch/à faire qqch.

gearbox ['gɪəbɒks] n (UK) boîte f de vitesses.

gear lever (UK), **gear stick** (UK), **gear shift** (US) n levier m de vitesse.

gearwheel n pignon m, roue f d'engrenage.

geek ['giːk] n fam débile mf • **a movie/computer geek** un dingue de cinéma/d'informatique.

geese [giːs] npl ⊳ **goose**.

gel [dʒel] ◼ n gel m. ◼ vi prendre (durcir).

gelatin ['dʒelətɪn], **gelatine** [,dʒelə'tiːn] n gélatine f.

gelignite ['dʒelɪgnaɪt] n gélignite f.

gem [dʒem] n 1. pierre f précieuse, gemme f 2. fig perle f.

Gemini ['dʒemɪnaɪ] n Gémeaux mpl.

gender ['dʒendə'] n 1. sexe m 2. GRAMM genre m.

gene [dʒiːn] n gène m.

general ['dʒenərəl] ◼ adj général(e). ◼ n général m.
◼ **in general** adv en général.

general anaesthetic, general anesthetic (US) n anesthésie f générale.

general delivery n (US) poste f restante.

general election n élections fpl législatives.

generalization, -isation [,dʒenərəlaɪ'zeɪʃn] n généralisation f.

general knowledge n culture f générale.

generally ['dʒenərəlɪ] adv 1. généralement 2. en général 3. en gros.

general practitioner n (médecin m) généraliste m.

general public n • **the general public** le grand public.

general strike n grève f générale.

generate ['dʒenəreɪt] vt 1. générer (de l'énergie, des emplois) 2. produire (de l'électricité) 3. susciter (l'intérêt).

generation [,dʒenə'reɪʃn] n 1. génération f 2. création f (d'emplois) 3. production f (d'électricité).

generator ['dʒenəreɪtə'] n génératrice f, générateur m.

generosity [,dʒenə'rɒsətɪ] n générosité f.

generous ['dʒenərəs] adj généreux (euse).

genetic [dʒɪ'netɪk] adj génétique.
◼ **genetics** n (indén) génétique f.

genetically [dʒɪ'netɪklɪ] adv génétiquement • **genetically modified organism** organisme m génétiquement modifié.

Geneva [dʒɪ'niːvə] n Genève.

genial ['dʒiːnjəl] adj 1. aimable, affable 2. cordial(e), chaleureux(euse).

genitals ['dʒenɪtlz] npl organes mpl génitaux.

genius ['dʒiːnjəs] (pl -es [-iːz]) n génie m.

gent [dʒent] n (UK) fam vieilli gentleman m.
◼ **gents** n (UK) 1. toilettes fpl pour hommes 2. (inscription sur la porte des toilettes) messieurs.

genteel [dʒen'tiːl] adj distingué(e).

gentle ['dʒentl] adj 1. doux(douce) 2. léger(ère).

gentleman ['dʒentlmən] (pl -men [-mən]) n 1. gentleman m 2. monsieur m.

gently ['dʒentlɪ] adv 1. doucement 2. avec douceur.

gentry ['dʒentrɪ] *n* petite noblesse *f.*

genuine ['dʒenjuɪn] *adj* **1.** authentique **2.** sérieux(euse) **3.** sincère.

geography [dʒɪ'ɒgrəfɪ] *n* géographie *f.*

geology [dʒɪ'ɒlədʒɪ] *n* géologie *f.*

geometric(al) [,dʒɪə'metrɪk(l)] *adj* géométrique.

geometry [dʒɪ'ɒmətrɪ] *n* géométrie *f.*

geranium [dʒɪ'reɪnjəm] (*pl* **-s**) *n* géranium *m.*

gerbil ['dʒɜːbɪl] *n* gerbille *f.*

geriatric [,dʒerɪ'ætrɪk] *adj* **1.** MÉD gériatrique **2.** *péj* décrépit(e) **3.** *péj* vétuste.

germ [dʒɜːm] *n* **1.** germe *m,* microbe *m* **2.** *fig* embryon *m.*

German ['dʒɜːmən] ◼ *adj* allemand(e). ◼ *n* **1.** Allemand *m,* -e *f* **2.** allemand *m.*

German measles *n* (*indén*) rubéole *f.*

Germany ['dʒɜːmənɪ] *n* Allemagne *f.*

germinate ['dʒɜːmɪneɪt] *vi litt* & *fig* germer.

gerund ['dʒerənd] *n* gérondif *m.*

gesticulate [dʒes'tɪkjʊleɪt] *vi sout* gesticuler.

gesture ['dʒestʃər] ◼ *n* geste *m.* ◼ *vi* • **to gesture to** *ou* **towards sb** faire signe à qqn.

get [get] *vt* (*(UK)* *prét* & *pp* **got**, *(US)* *prét* **got**, *pp* **gotten**)

1. RECEVOIR, OBTENIR
 • **what did you get for your birthday?** qu'est-ce que tu as eu pour ton anniversaire ?
 • **you need to get permission from the headmaster** tu dois avoir la permission du directeur

2. AVOIR
 • **do you get the feeling he doesn't like us?** tu n'as pas l'impression qu'il ne nous aime pas ?
 • **I got a chance to see my sister when I was in London** j'ai eu l'occasion de voir ma sœur quand j'étais à Londres

3. TROUVER
 • **they can't get jobs** ils n'arrivent pas à trouver de travail

 • **it's difficult to get a hotel room** c'est difficile de trouver une chambre d'hôtel
 • **you get a lot of artists here** on trouve *ou* il y a beaucoup d'artistes ici

4. AVOIR, ATTRAPER, EN PARLANT D'UNE MALADIE
 • **he never gets a cold** il n'attrape jamais de rhume

5. ALLER CHERCHER
 • **can I get you something to eat/drink?** est-ce que je peux vous offrir quelque chose à manger/boire ?
 • **call me when you arrive and I'll go down and get you** appelle-moi quand tu arriveras et je descendrai te chercher

6. COMPRENDRE, SAISIR
 • **I don't get it** *fam* je ne comprends pas
 • **I don't get the joke** je ne vois pas ce qu'il y a de drôle

7. FAIRE FAIRE
 • **I'll get my sister to help** je vais demander à ma sœur de nous aider
 • **I got the car fixed** j'ai fait réparer la voiture

8. INDIQUE UN CHANGEMENT D'ÉTAT
 • **your driving almost got us killed!** tu as failli nous tuer en conduisant comme ça !
 • **I can't get the car started** je n'arrive pas à faire démarrer la voiture.

get *vi*

1. INDIQUE UN CHANGEMENT D'ÉTAT
 • **he got suspicious when he heard police sirens** il est devenu méfiant quand il entendit les sirènes
 • **I'm getting cold/bored** je commence à avoir froid/à m'ennuyer
 • **it's getting late** il se fait tard

2. ARRIVER, PARVENIR, AU SENS PROPRE
 • **I got back yesterday** je suis rentré hier
 • **how do you get to the beach from here?** comment fait-on pour aller jusqu'à la plage d'ici ?

3. ARRIVER, PARVENIR, AU SENS FIGURÉ
 • **did you get to see him?** est-ce que tu as réussi à le voir ?
 • **how far have you got?** où en es-tu ?
 • **we're getting nowhere** on n'avance pas.

get *v aux*

INDIQUE UN CHANGEMENT D'ÉTAT

• **the children all get excited when it snows** les enfants s'excitent tous quand il neige
• **no one got hurt** personne n'a été blessé
• **let's get going** ou **moving** allons-y.

À PROPOS DE...

get

Dans la langue familière, *get* est plus fréquent que *be* dans les constructions passives qui décrivent un événement plutôt qu'un état (*they got married on Saturday* ; *the window got broken last night*). Il sert souvent à décrire une action effectuée sur soi-même (*he got washed*), ou à dire que quelque chose est arrivé de façon inattendue ou sans préparation (*he got left behind*). Certains considèrent cet usage de *get* comme un peu relâché.

---

get about *(UK)*, **get around** *vi* se déplacer • **she gets about** ou **gets around quickly on her bicycle** elle se déplace rapidement avec son vélo.

get along *vi* 1. *(se débrouiller)* • **he seems to be getting along well** il a l'air de bien se débrouiller 2. *(avancer, faire des progrès)* • **the project is getting along well** le projet avance bien 3. *(s'entendre)* • **she's easy to get along with** elle est facile à vivre.

get around, get round *(UK)* ◼ *vt insép* *(éviter, esquiver)* • **there's no way of getting around the problem** il n'y a aucun moyen de contourner le problème. ◼ *vi* 1. *(circuler, se répandre)* • **the news got around quickly** la nouvelle s'est vite répandue 2. *(suivi de « to » + vb se terminant en -ing)* • **to get around to (doing) sthg** trouver le temps de faire qqch 3. *voir aussi* **get about, get round.**

get at *vt insép* 1. *(parvenir à)* • **I put the presents in the attic where the children won't get at them** j'ai mis les cadeaux dans le grenier pour que les enfants ne puissent pas les trouver 2. *(vouloir dire)* • **what are you getting at?** où veux-tu en venir ?

get away *vi* 1. partir, s'en aller • **get away from me!** va-t-en ! 2. partir en va-

cances • **I'd like to get away this summer** j'aimerais bien partir en vacances cet été 3. s'échapper, s'évader • **they got away when the guards fell asleep** ils se sont échappés ou évadés quand les gardiens se sont endormis.

getaway ['getəweı] *n* fuite *f.*

get away with *vt insép* • **to let sb get away with sthg** . he got away with cheating on his taxes personne ne s'est aperçu qu'il avait fraudé le fisc.

get back ◼ *vt sép* • **I can't wait to get back home** j'ai hâte de rentrer à la maison. ◼ *vi (récupérer)* • **when he returned to France, he got his old job back** lorsqu'il est rentré en France, il a récupéré son (ancien) poste.

get back to *vt insép* 1. *(revenir à)* • **to get back to sleep** se rendormir • **to get back to work** se remettre au travail 2. *fam (reparler de)* • **I'll get back to you on that** je te reparlerai de ça plus tard.

get by *vi* • **it's not easy to get by on the minimum wage** ce n'est pas facile de se débrouiller ou de s'en sortir avec le SMIC.

get down *vt sép* 1. *(déprimer)* • **it gets me down when I watch the news** ça me déprime de regarder les infos 2. *(descendre)* • **could you get the large pot down from the shelf?** est-ce que tu peux attraper la grande casserole sur l'étagère ?

get down to *vt insép* • **to get down to doing sthg** se mettre à faire qqch.

get in *vi* 1. *(entrer)* • **the thief got in through the window** le voleur est entré par la fenêtre 2. *(monter)* • **I got into the taxi** je suis monté dans le taxi 3. *(arriver)* • **what time does the train get in?** à quelle heure le train arrive-t-il ? 4. *(rentrer)* • **I got in very late** je suis rentrée très tard.

get into *vt insép* 1. *(monter dans)* • **I was afraid of getting into the boat** j'avais peur de monter dans le bateau 2. *(se lancer dans)* • **to get into an argument with sb** se disputer avec qqn 3. *(faire l'expérience d'un état)* • **to get into a panic** s'affoler • **to get into trouble** s'attirer des ennuis • **to get into the habit of doing sthg** prendre l'habitude de faire qqch.

get off ◼ *vt sép (enlever)* • **get your wet things off** retire tes vêtements mouillés. ◼ *vt insép* 1. • **what time do you get off work?** à quelle heure tu quittes le travail ? **2.** • **I'm getting off at the next stop** je descends au prochain arrêt. **◼** *vi* **1.** descendre **2.** s'en tirer **3.** partir.

get on ◼ *vt insép* monter dans/sur. **◼** *vi* **1.** monter **2.** s'entendre, s'accorder **3.** réussir **4.** avancer, progresser • **how are you getting on?** comment ça va ? **5.** • **to get on (with sthg)** continuer (qqch), poursuivre (qqch).

get out ◼ *vt sép* **1.** sortir **2.** enlever. **◼** *vi* **1.** descendre **2.** s'ébruiter.

get out of *vt insép* **1.** descendre de **2.** s'évader de, s'échapper de **3.** éviter, se dérober à • **to get out of doing sthg** se dispenser de faire qqch.

get over *vt insép* **1.** se remettre de **2.** surmonter, venir à bout de.

get round *vt insép* & *vi (UK)* = **get around**.

get through ◼ *vt insép* **1.** arriver au bout de **2.** réussir à **3.** consommer **4.** endurer, supporter. **◼** *vi* **1.** obtenir la communication **2.** • **to get through (to sb)** se faire comprendre (de qqn).

get to *vt insép fam* taper sur les nerfs à.

get together ◼ *vt sép* **1.** rassembler **2.** préparer. **◼** *vi* se réunir.

get-together *n fam* réunion *f*.

get up ◼ *vi* se lever. **◼** *vt insép* organiser.

get up to *vt insép fam* faire *(des bêtises)*.

geyser ['giːzər] *n* **1.** geyser *m* **2.** *(UK)* chauffe-eau *m inv*.

Ghana ['gɑːnə] *n* Ghana *m*.

ghastly ['gɑːstlɪ] *adj* **1.** *fam* épouvantable **2.** effroyable.

gherkin ['gɜːkɪn] *n* cornichon *m*.

ghetto ['getəʊ] *(pl -s ou -es) n* ghetto *m*.

ghetto blaster [-ˌblɑːstər] *n fam* grand radiocassette *m* portatif.

ghost [gəʊst] *n* spectre *m*.

giant ['dʒaɪənt] **◼** *adj* géant(e). **◼** *n* géant *m*, -e *f*.

gibberish ['dʒɪbərɪʃ] *n (indén)* charabia *m*, inepties *fpl*.

gibe [dʒaɪb] *n* insulte *f*.

giblets ['dʒɪblɪts] *npl* abats *mpl*.

Gibraltar [dʒɪˈbrɔːltər] *n* Gibraltar *m*.

giddy ['gɪdɪ] *adj* • **to feel giddy** avoir la tête qui tourne.

gift [gɪft] *n* **1.** cadeau *m* **2.** don *m* • **the gift of the gab** le bagou.

gift certificate *(US)* = **gift token**.

gifted ['gɪftɪd] *adj* doué(e).

gift token, gift voucher *n (UK)* chèque-cadeau *m*.

gig [gɪg] *n fam* concert *(de jazz, de rock) m*.

gigabyte ['gaɪgəbaɪt] *n* INFORM giga-octet *m*.

gigantic [dʒaɪˈgæntɪk] *adj* énorme, gigantesque.

giggle ['gɪgl] **◼** *n* **1.** fou rire *m* **2.** *(UK) fam* • **to be a giggle** être marrant(e) ou tordant(e) • **to have a giggle** bien s'amuser. **◼** *vi* rire bêtement.

gilded ['gɪldɪd] *adj* = **gilt**.

gill [dʒɪl] *n* quart *m* de pinte *(= 0,142 litre)*.

gills [gɪlz] *npl* branchies *fpl*.

gilt [gɪlt] **◼** *adj* doré(e). **◼** *n (indén)* dorure *f*.

gimmick ['gɪmɪk] *n* astuce *f*.

gin [dʒɪn] *n* gin *m* • **gin and tonic** gin-tonic *m*.

ginger ['dʒɪndʒər] **◼** *n* **1.** gingembre *m* **2.** gingembre *m* en poudre. **◼** *adj (UK)* roux(rousse).

ginger ale *n boisson gazeuse au gingembre*.

ginger beer *n boisson britannique non-alcoolisée au gingembre*.

gingerbread ['dʒɪndʒəbred] *n* pain *m* d'épice.

ginger-haired [-ˈheəd] *adj (UK)* roux (rousse).

gingerly ['dʒɪndʒəlɪ] *adv* avec précaution.

gipsy *(UK),* **gypsy** *(US)* ['dʒɪpsɪ] **◼** *adj* gitan(e). **◼** *n* **1.** gitan *m*, -e *f* **2.** *péj* bohémien *m*, -enne *f*.

giraffe [dʒɪˈrɑːf] *(pl inv ou -s) n* girafe *f*.

girder ['gɜːdər] *n* poutrelle *f*.

girdle ['gɜːdl] *n* gaine *f*.

girl [gɜːl] *n* **1.** fille *f* **2.** petite amie *f*.

girlfriend ['gɜːlfrend] *n* **1.** petite amie *f* **2.** amie *f*.

girl guide *(UK),* **girl scout** *(US) n* vieilli éclaireuse *f*, guide *f*.

giro ['dʒaɪrəʊ] *(pl -s) n (UK)* **1.** *(indén)* virement *m* postal **2.** • **giro (cheque)** chèque *m* d'indemnisation *f* (chômage ou maladie).

girth [gɜːθ] n 1. circonférence f 2. tour m de taille 3. *(pour un cheval)* sangle f.

gist [dʒɪst] n substance f ⚬ **to get the gist of sthg** comprendre *ou* saisir l'essentiel de qqch.

give [gɪv] ◼ vt *(prét gave, pp given)* 1. donner 2. transmettre 3. consacrer ⚬ **to give sb/sthg sthg** donner qqch à qqn/qqch ⚬ **to give sb pleasure/a fright** faire plaisir/peur à qqn ⚬ **to give a sigh** pousser un soupir ⚬ **to give a speech** faire un discours. ◼ vi *(prét gave, pp given)* céder, s'affaisser.
◼ **give away** vt sép 1. donner 2. révéler.
◼ **give back** vt sép rendre.
◼ **give in** vi 1. abandonner, se rendre 2. ⚬ **to give in to sthg** céder à qqch.
◼ **give off** vt insép 1. exhaler *(une odeur)* 2. faire *(de la fumée)* 3. produire *(de la chaleur)*.
◼ **give out** ◼ vt sép distribuer. ◼ vi *(voiture)* lâcher.
◼ **give up** ◼ vt sép 1. renoncer à ⚬ **to give up smoking** arrêter de fumer 2. ⚬ **to give o.s. up (to sb)** se rendre (à qqn). ◼ vi abandonner, se rendre.

given ['gɪvn] ◼ adj 1. convenu(e), fixé(e) 2. ⚬ **to be given to sthg/to doing sthg** être enclin(e) à qqch/à faire qqch. ◼ prép étant donné ⚬ **given that** étant donné que.

given name n *(surtout US)* prénom m.

glacier ['glæsjər] n glacier m.

glad [glæd] adj 1. content(e) ⚬ **to be glad about** *ou* **of sthg** être content de qqch 2. ⚬ **to be glad to do sthg** faire qqch volontiers *ou* avec plaisir.

gladly ['glædlɪ] adv 1. avec joie 2. avec plaisir.

glamor *(US)* = **glamour**.

glamorous ['glæmərəs] adj 1. séduisant(e) 2. élégant(e) 3. prestigieux (euse).

glamour *(UK)*, **glamor** *(US)* ['glæmər] n 1. charme m 2. élégance f, chic m 3. prestige m.

glance [glɑːns] ◼ n regard m, coup d'œil m ⚬ **at a glance** d'un coup d'œil. ◼ vi ⚬ **to glance at** jeter un coup d'œil à.
◼ **glance off** vt insép ricocher sur.

glancing ['glɑːnsɪŋ] adj de côté, oblique.

gland [glænd] n glande f.

glandular fever [ˌglændjʊlər-] n *(UK)* mononucléose f infectieuse.

glare [gleər] ◼ n 1. regard m mauvais 2. *(indén)* lumière f aveuglante. ◼ vi 1. ⚬ **to glare at sb/sthg** regarder qqn/qqch d'un œil mauvais 2. briller d'une lumière éblouissante.

glaring ['gleərɪŋ] adj 1. flagrant(e) 2. aveuglant(e).

glasnost ['glæznɒst] n glasnost f, transparence f.

glass [glɑːs] ◼ n 1. verre m 2. *(indén)* verrerie f. ◼ en apposition 1. en *ou* de verre 2. vitré(e).
◼ **glasses** npl lunettes fpl.

glassware ['glɑːsweər] n *(indén)* verrerie f.

glassy ['glɑːsɪ] adj 1. lisse comme un miroir 2. vitreux(euse).

glaze [gleɪz] ◼ n 1. vernis m 2. CULIN glaçage m. ◼ vt 1. vernisser 2. CULIN glacer.

glazier ['gleɪzjər] n vitrier m, -ère f.

gleam [gliːm] ◼ n 1. reflet m 2. lueur f. ◼ vi 1. luire 2. briller.

gleaming ['gliːmɪŋ] adj brillant(e).

glean [gliːn] vt glaner.

glee [gliː] n *(indén)* joie f, jubilation f.

glen [glen] n *(Écosse)* vallée f.

glib [glɪb] adj péj 1. qui a du bagout 2. *(excuse)* facile.

glide [glaɪd] vi 1. glisser sans effort 2. se mouvoir sans effort 3. planer.

glider ['glaɪdər] n planeur m.

gliding ['glaɪdɪŋ] n vol m à voile.

glimmer ['glɪmər] n 1. faible lueur f 2. fig signe m, lueur f.

glimpse [glɪmps] ◼ n 1. aperçu m 2. idée f. ◼ vt 1. apercevoir, entrevoir 2. pressentir.

glint [glɪnt] ◼ n 1. reflet m 2. éclair m. ◼ vi étinceler.

glisten ['glɪsn] vi luire.

glitter ['glɪtər] ◼ n *(indén)* scintillement m. ◼ vi 1. scintiller 2. briller.

gloat [gləʊt] vi ⚬ **to gloat (over sthg)** se réjouir (de qqch).

global ['gləʊbl] adj mondial(e).

globalization, -isation *(UK)* [ˌgləʊbəlaɪˈzeɪʃn] n mondialisation f.

global warming [-ˈwɔːmɪŋ] n réchauffement m de la planète.

globe [gləʊb] n 1. ⚬ **the globe** la terre 2. globe m terrestre 3. globe m.

gloom [glu:m] n (indén) **1.** obscurité f **2.** tristesse f.

gloomy ['glu:mɪ] adj **1.** sombre **2.** triste, lugubre.

glorious ['glɔrɪəs] adj **1.** splendide **2.** formidable **3.** magnifique.

glory ['glɔrɪ] n **1.** (indén) gloire f **2.** (indén) splendeur f.

gloss [glɒs] n **1.** (indén) brillant m, lustre m **2.** peinture f brillante.
■ **gloss over** vt insép passer sur.

glossary ['glɒsərɪ] n glossaire m.

glossy ['glɒsɪ] adj **1.** (cheveux, surface) brillant(e) **2.** (livre, photo) sur papier glacé.

glove [glʌv] n gant m.

glove box, glove compartment n boîte f à gants.

glow [gləʊ] n (indén) lueur f. vi **1.** rougeoyer **2.** flamboyer **3.** briller.

glower ['glaʊər] vi ▸ **to glower (at)** lancer des regards noirs (à).

glucose ['glu:kəʊs] n glucose m.

glue [glu:] n (indén) colle f. vt (cont **glueing** ou **gluing**) coller.

glum [glʌm] adj triste, morose.

glut [glʌt] n surplus m.

glutton ['glʌtn] n glouton m, -onne f ▸ **to be a glutton for punishment** être maso, être masochiste.

GM (abr de **genetically modified**) adj génétiquement modifié(e).

gnarled [nɑ:ld] adj noueux(euse).

gnash [næʃ] vt ▸ **to gnash one's teeth** grincer des dents.

gnat [næt] n moucheron m.

gnaw [nɔ] vt ronger. vi ▸ **to gnaw (away) at sb** ronger qqn.

gnome [nəʊm] n gnome m, lutin m.

GNP (abr de **gross national product**) n PNB m.

GNVQ (UK) (abr de **general national vocational qualification**) n diplôme sanctionnant deux années d'études secondaires à la fin du secondaire, ≃ baccalauréat m professionnel.

go [gəʊ] vi (prét **went**, pp **gone**) **1.** aller ▸ **where are you going?** où vas-tu ? ▸ **he's gone to Portugal** il est allé au Portugal

▸ **we went by bus/train** nous sommes allés en bus/en train ▸ **where does this path go?** où mène ce chemin ? ▸ **to go and do sthg** aller faire qqch ▸ **to go swimming/shopping/jogging** aller nager/faire les courses/faire du jogging ▸ **to go for a walk** aller se promener, faire une promenade ▸ **to go to work** aller travailler ou à son travail **2.** partir, s'en aller ▸ **I must go** (surtout UK), **I have to go** il faut que je m'en aille ▸ **what time does the bus go?** (UK) à quelle heure part le bus ? ▸ **let's go!** allons-y ! **3.** devenir ▸ **to go grey** (UK) ou **gray** (US) grisonner ▸ **to go mad** ou **crazy** devenir fou(folle) **4.** passer **5.** marcher, se dérouler ▸ **the conference went very smoothly** la conférence s'est déroulée sans problème ou s'est très bien passée ▸ **to go well/badly** aller bien/mal ▸ **how's it going?** fam comment ça va ? **6.** marcher ▸ **the car won't go** (surtout UK) la voiture ne veut pas démarrer **7.** ▸ **to be going to do sthg** aller faire qqch ▸ **he said he was going to be late** il a prévenu qu'il allait arriver en retard ▸ **we're going (to go) to America in June** on va (aller) en Amérique en juin ▸ **she's going to have a baby** elle attend un bébé **8.** sonner **9.** sauter **10.** baisser **11.** ▸ **to go (with)** aller (avec) ▸ **those colours don't really go (well together)** ces couleurs ne vont pas bien ensemble **12.** aller, se mettre ▸ **the plates go in the cupboard** les assiettes vont ou se mettent dans le placard **13.** fam ▸ **now what's he gone and done?** qu'est-ce qu'il a fait encore ? n (pl **goes**) **1.** (UK) tour m ▸ **it's my go** c'est à moi (de jouer) **2.** fam ▸ **to have a go (at sthg)** essayer (de faire qqch) ▸ **to have a go at sb** (UK) fam s'en prendre à qqn, engueuler qqn ▸ **to be on the go** fam être sur la brèche.

■ **go about** vt insép ▸ **to go about one's business** vaquer à ses occupations. vi = **go around**.

■ **go ahead** vi **1.** ▸ **to go ahead with sthg** mettre qqch à exécution ▸ **go ahead!** allez-y ! **2.** avoir lieu.

■ **go along** vi avancer ▸ **as you go along** au fur et à mesure.

■ **go along with** vt insép **1.** appuyer, soutenir **2.** suivre.

■ **go around** vi **1.** ▸ **to go around with sb** fréquenter qqn **2.** circuler, courir.

■ **go away** vi insép partir, s'en aller ▸ **go away!** va-t'en ! ▸ **I'm going away for a few days** je pars pour quelques jours.

■ **go back on** *vt insép* revenir sur.
■ **go back to** *vt insép* **1.** reprendre, se remettre à • **to go back to sleep** se rendormir **2.** remonter à, dater de.
■ **go by** ◆ *vi* s'écouler, passer. ◆ *vt insép* **1.** suivre **2.** juger d'après.
■ **go down** ◆ *vi* **1.** baisser **2.** • **to go down well/badly** être bien/mal accueilli(e) **3.** *(soleil)* se coucher **4.** *(ballon, pneu)* se dégonfler. ◆ *vt insép* descendre.
■ **go for** *vt insép* **1.** choisir **2.** être attiré(e) par **3.** tomber sur, attaquer **4.** essayer d'obtenir.
■ **go in** *vi* entrer.
■ **go in for** *vt insép* **1.** prendre part à **2.** se présenter à **3.** aimer **4.** faire, s'adonner à.
■ **go into** *vt insép* **1.** étudier, examiner **2.** entrer dans.
■ **go off** ◆ *vi* **1.** exploser **2.** sonner **3.** *(UK)* *(nourriture)* se gâter **4.** s'éteindre **5.** *(US)* *fam* s'emporter. ◆ *vt insép* ne plus aimer.
■ **go on** ◆ *vi* **1.** se passer **2.** se mettre en marche **3.** • **to go on (doing)** continuer (à faire) **4.** • **to go on to sthg** passer à qqch • **to go on to do sthg** faire qqch après **5.** parler à n'en plus finir • **to go on about sthg** ne pas arrêter de parler de qqch. ◆ *vt insép* se fonder sur.
■ **go on at** *vt insép* *(UK)* *fam* harceler.
■ **go out** *vi* **1.** sortir **2.** • **to go out (with sb)** sortir (avec qqn) **3.** s'éteindre.
■ **go over** *vt insép* **1.** examiner, vérifier **2.** repasser, réviser.
■ **go round** *vi* *(UK)* tourner. • *voir aussi* **go around**
■ **go through** *vt insép* **1.** subir, souffrir **2.** examiner • **she went through his pockets** elle lui a fait les poches, elle a fouillé dans ses poches.
■ **go through with** *vt insép* aller jusqu'au bout de.
■ **go toward(s)** *vt insép* contribuer à.
■ **go under** *vi* *litt & fig* couler.
■ **go up** ◆ *vi* **1.** monter **2.** *(prix)* augmenter. ◆ *vt insép* monter.
■ **go without** ◆ *vt insép* se passer de. ◆ *vi* s'en passer.

goad [gəʊd] *vt* talonner.

go-ahead ◆ *adj* dynamique. ◆ *n (indén)* feu *m* vert *(permission)*.

goal [gəʊl] *n* but *m*.

goalkeeper ['gəʊl,ki:pər] *n* gardien *m* de but.

goalmouth ['gəʊlmaʊθ] *(pl* [-maʊðz]*) n* SPORT but *m*.

goalpost ['gəʊlpəʊst] *n* poteau *m* de but.

goat [gəʊt] *n* chèvre *f*.

gob [gɒb] *fam* ◆ *n* *(UK)* gueule *f*. ◆ *vi* mollarder.

gobble ['gɒbl] *vt* engloutir.
■ **gobble down**, **gobble up** *vt sép* engloutir.

go-between *n* intermédiaire *mf*.

gobsmacked ['gɒbsmækt] *adj* *(UK)* *fam* bouche bée *(inv)*.

go-cart = **go-kart**.

god [gɒd] *n* dieu *m*, divinité *f*.
■ **God** *n* Dieu *m* • **God knows** Dieu seul le sait • **for God's sake** pour l'amour de Dieu.

godchild ['gɒdtʃaɪld] *(pl* **-children** [-,tʃɪl-drən]*) n* filleul *m*, -e *f*.

goddaughter ['gɒd,dɔːtər] *n* filleule *f*.

goddess ['gɒdɪs] *n* déesse *f*.

godfather ['gɒd,fɑːðəʳ] n parrain m.

godforsaken ['gɒdfə,seɪkn] adj morne, désolé(e).

godmother ['gɒd,mʌðəʳ] n marraine f.

godsend ['gɒdsend] n aubaine f.

godson ['gɒdsʌn] n filleul m.

goes [gəʊz] ⊳ go.

goggles ['gɒglz] npl lunettes fpl protectrices.

going ['gəʊɪŋ] ◼ n (indén) **1.** allure f **2.** conditions fpl. ◼ adj **1.** (UK) disponible **2.** en vigueur.

go-kart [-kɑːt] n kart m.

gold [gəʊld] ◼ n (indén) or m. ◼ en apposition en or. ◼ adj doré(e).

golden ['gəʊldən] adj **1.** en or **2.** doré(e).

goldfish ['gəʊldfɪʃ] (pl inv) n poisson m rouge.

gold leaf n (indén) feuille f d'or.

gold medal n médaille f d'or.

goldmine ['gəʊldmaɪn] n litt & fig mine f d'or.

gold-plated [-'pleɪtɪd] adj plaqué(e) or.

goldsmith ['gəʊldsmɪθ] n orfèvre mf.

golf [gɒlf] n golf m.

golf ball n **1.** balle f de golf **2.** boule f (de machine à écrire).

golf club n club m de golf.

golf course n terrain m de golf.

golfer ['gɒlfəʳ] n golfeur m, -euse f.

gone [gɒn] ◼ pp ⊳ go. ◼ adj parti(e). ◼ prép (UK) • it's gone ten (o'clock) il est dix heures passées.

gong [gɒŋ] n gong m.

good [gʊd] ◼ adj (comp **better**, superl **best**) **1.** bon(bonne) • it's good to see you again ça fait plaisir de te revoir • to be good at sthg être bon en qqch • to be good with savoir y faire avec • être habile de (ses mains) • it's good for you c'est bon pour toi ou pour la santé **2.** gentil(ille) • to be good to sb être très attentionné(e) envers qqn • to be good enough to do sthg avoir l'amabilité de faire qqch **3.** sage **4.** correct(e) • be good! sois sage !, tiens-toi tranquille ! ◼ n **1.** (indén) bien m • it will do him good ça lui fera du bien **2.** utilité f • what's the good of ou in (surtout US) doing that? à quoi bon faire ça ? • it's no good crying/worrying ça ne sert à

rien de pleurer/de s'en faire **3.** (indén) bien m • to be up to no good préparer un sale coup.

◼ **goods** npl marchandises fpl, articles mpl.

◼ **as good as** adv pratiquement, pour ainsi dire.

◼ **for good** adv pour de bon, définitivement.

◼ **good afternoon** interj bonjour !

◼ **good evening** interj bonsoir !

◼ **good morning** interj bonjour !

◼ **good night** interj **1.** bonsoir ! **2.** bonne nuit !

goodbye [,gʊd'baɪ] ◼ interj au revoir ! ◼ n au revoir m.

Good Friday n Vendredi m saint.

good-humoured (UK), **good-humored** (US) [-'hjuːməd] adj **1.** (personne) de bonne humeur **2.** (remarque, plaisanterie) bon enfant (inv).

good-looking [-'lʊkɪŋ] adj beau(belle).

good-natured [-'neɪtʃəd] adj **1.** (personne) d'un naturel aimable **2.** (remarque, plaisanterie) bon enfant (inv).

goodness ['gʊdnɪs] ◼ n (indén) **1.** bonté f **2.** valeur f nutritive. ◼ interj • (my) goodness! mon Dieu !, Seigneur ! • for goodness' sake! par pitié !, pour l'amour de Dieu ! • thank goodness! grâce à Dieu !

goods train n (UK) train m de marchandises.

goodwill [,gʊd'wɪl] n bienveillance f.

goody ['gʊdɪ] fam ◼ n (UK) bon m. ◼ interj chouette !

◼ **goodies** npl fam **1.** friandises fpl **2.** merveilles fpl, trésors mpl.

goose [guːs] (pl **geese** [giːz]) n oie f.

gooseberry ['gʊzbərɪ] n groseille f à maquereau.

gooseflesh ['guːsfleʃ] n chair f de poule.

gore [gɔːʳ] ◼ n (indén) littéraire sang m. ◼ vt encorner.

gorge [gɔːdʒ] ◼ n gorge f, défilé m. ◼ vt • to gorge o.s. on ou with sthg se bourrer ou se goinfrer de qqch.

gorgeous ['gɔːdʒəs] adj **1.** divin(e) **2.** fam magnifique, splendide.

gorilla [gə'rɪlə] n gorille m.

gormless ['gɔːmlɪs] adj (UK) fam bêta (bêtasse).

gorse [gɔːs] n (indén) ajonc m.

gory ['gɔːrɪ] adj sanglant(e).

gosh [gɒʃ] interj fam ça alors !

go-slow n (UK) grève f du zèle.

gospel ['gɒspl] n évangile m.
■ **Gospel** n Évangile m.

gossip ['gɒsɪp] ■ n 1. bavardage m 2. péj commérage m 3. commère f. ■ vi 1. bavarder, papoter 2. péj cancaner.

gossip column n échos mpl.

got [gɒt] passé & pp ▷ **get**.

gotten ['gɒtn] (US) pp ▷ **get**.

goulash ['guːlæʃ] n goulache f.

gourmet ['gʊəmeɪ] ■ n gourmet m, gastronome m. ■ en apposition (restaurant, menu) gastronomique.

gout [gaʊt] n (indén) MÉD goutte f.

govern ['gʌvən] ■ vt 1. gouverner 2. régir. ■ vi POLIT gouverner.

governess ['gʌvənɪs] n gouvernante f.

government ['gʌvnmənt] n gouvernement m.

governor ['gʌvənər] n 1. POLIT gouverneur m 2. (UK) SCOL ≃ membre m du conseil d'établissement 3. (UK) gouverneur m (d'une banque) 4. (UK) directeur m (de prison).

gown [gaʊn] n 1. robe f 2. blouse f (de chirurgien) 3. DR & UNIV robe f, toge f.

GP n (UK) abrév de **general practitioner**.

GPS [,dʒiːpiːˈes] (abr de **Global Positioning System**) n GPS m.

grab [græb] ■ vt 1. saisir 2. fam avaler en vitesse • **to grab a few hours' sleep** dormir quelques heures 3. fam emballer (enthousiasmer). ■ vi • **to grab at sthg** faire un geste pour attraper qqch.

grace [greɪs] n 1. grâce f 2. (indén) répit m 3. RELIG grâces fpl.

graceful ['greɪsfʊl] adj gracieux(euse), élégant(e).

gracious ['greɪʃəs] ■ adj courtois(e). ■ interj • **(good) gracious!** vieilli juste ciel !

grade [greɪd] ■ n 1. catégorie f 2. (laine, papier) qualité f 3. (essence) type m 4. (œufs) calibre m 5. (US) classe f 6. (US) note f. ■ vt 1. classer 2. noter.

grade crossing n (US) passage m à niveau.

grade school n (US) école f primaire.

gradient ['greɪdjənt] n pente f, inclinaison f.

gradual ['grædʒʊəl] adj graduel(elle), progressif(ive).

gradually ['grædʒʊəlɪ] adv graduellement, petit à petit.

graduate ■ n ['grædʒʊət] 1. diplômé m, -e f 2. (US) ≃ titulaire mf du baccalauréat. ■ vi ['grædʒʊeɪt] 1. • **to graduate (from)** ≃ obtenir son diplôme (à) 2. (US) • **to graduate (from)** ≃ obtenir son baccalauréat (à).

graduation [,grædʒʊˈeɪʃn] n (indén) remise f des diplômes.

graffiti [grəˈfiːtɪ] n (indén) graffiti mpl.

graft [grɑːft] ■ n 1. BOT greffe f, greffon m 2. MÉD greffe f 3. (UK) boulot m 4. (US) fam graissage m de patte. ■ vt greffer.

grain [greɪn] n 1. grain m 2. (indén) céréales fpl 3. (indén) • fil m • grain m • veines fpl (dans le marbre).

gram [græm] n gramme m.

grammar ['græmər] n grammaire f.

grammar school n 1. ≃ lycée m 2. école f primaire.

grammatical [grəˈmætɪkl] adj grammatical(e).

gramme [græm] (UK) = **gram**.

gramophone ['græməfəʊn] n vieilli gramophone m, phonographe m.

gran [græn] n (UK) fam mamie f, mémé f.

grand [grænd] ■ adj 1. grandiose, imposant(e) 2. grand(e) 3. important(e) 4. distingué(e) 5. fam vieilli sensationnel(elle), formidable. ■ n (pl inv) fam 1. mille livres fpl 2. mille dollars mpl.

grandchild ['græntʃaɪld] (pl -children [-,tʃɪldrən]) n 1. petit-fils m 2. petite-fille f.
■ **grandchildren** npl petits-enfants mpl.

grand(d)ad ['grændæd] n fam papi m, pépé m.

granddaughter ['græn,dɔtər] n petite-fille f.

grandeur ['grændʒər] n splendeur f, magnificence f.

grandfather ['grænd,fɑːðər] n grand-père m.

grandma ['grænmɑː] n fam mamie f, mémé f.

grandmother ['græn,mʌðəʳ] *n* grand-mère *f*.

grandpa ['grænpɑː] *n fam* papi *m*, pépé *m*.

grandparents ['græn,peərənts] *npl* grands-parents *mpl*.

grand piano *n* piano *m* à queue.

grand slam *n* SPORT grand chelem *m*.

grandson ['grænsʌn] *n* petit-fils *m*.

grandstand ['grændstænd] *n* tribune *f*.

grand total *n* somme *f* globale, total *m* général.

granite ['grænɪt] *n* granit *m*.

granny ['grænɪ] *n fam* mamie *f*, mémé *f*.

grant [grɑːnt] ⬛ *n* 1. subvention *f* 2. bourse *f*. ⬛ *vt* 1. accorder 2. accéder à 3. admettre, reconnaître 4. accorder • **to take sb for granted** penser que tout ce que qqn fait va de soi • penser que qqn fait partie des meubles • **to take sthg for granted** considérer qqch comme acquis.

granulated sugar ['grænjʊleɪtɪd-] *n* sucre *m* cristallisé.

granule ['grænjuːl] *n* 1. granule *m* 2. *(sucre)* grain *m*.

grape [greɪp] *n* (grain *m* de) raisin *m* • **a bunch of grapes** une grappe de raisin.

grapefruit ['greɪpfruːt] *(pl inv ou -s) n* pamplemousse *m*.

grapevine ['greɪpvaɪn] *n* vigne *f* • **on the grapevine** *fig* par le téléphone arabe.

graph [grɑːf] *n* graphique *m*.

graphic ['græfɪk] *adj* 1. vivant(e) 2. ART graphique. ⬛ **graphics** *npl* art *m* graphique.

graphite ['græfaɪt] *n* (indén) graphite *m*, mine *f* de plomb.

graph paper *n* (indén) papier *m* millimétré.

grapple ['græpl] ⬛ **grapple with** *vt insép* 1. lutter avec 2. se débattre avec.

grasp [grɑːsp] ⬛ *n* 1. prise *f* 2. compréhension *f* • **to have a good grasp of sthg** avoir une bonne connaissance de qqch. ⬛ *vt* 1. empoigner 2. comprendre 3. saisir.

grasping ['grɑːspɪŋ] *adj péj* avide, cupide.

grass [grɑːs] *n arg drogue & BOT herbe *f*.

grasshopper ['grɑːs,hɒpəʳ] *n* sauterelle *f*.

grass roots ⬛ *npl fig* base *f*. ⬛ *en apposition* du peuple.

grass snake *n* couleuvre *f*.

grate [greɪt] ⬛ *n* grille *f* de foyer. ⬛ *vt* râper. ⬛ *vi* grincer, crisser.

grateful ['greɪtfʊl] *adj* reconnaissant(e).

grater ['greɪtəʳ] *n* râpe *f*.

gratify ['grætɪfaɪ] *vt* 1. • **to be gratified** être content(e), être satisfait(e) 2. satis-faire, assouvir.

grating ['greɪtɪŋ] ⬛ *adj* 1. grinçant(e) 2. *(voix)* de crécelle. ⬛ *n* grille *f*.

gratitude ['grætɪtjuːd] *n* (indén) gratitude *f*, reconnaissance *f*.

gratuitous [grəˈtjuːɪtəs] *adj sout* gra-tuit(e).

grave[1][greɪv] ⬛ *adj* 1. grave 2. sé-rieux(euse). ⬛ *n* tombe *f*.

grave[2][grɑːv] *adj* LING • **e grave** e *m* ac-cent grave.

gravel ['grævl] *n* (indén) gravier *m*.

gravestone ['greɪvstəʊn] *n* pierre *f* tom-bale.

graveyard ['greɪvjɑːd] *n* cimetière *m*.

gravity ['grævətɪ] *n* 1. gravité *f*, pesan-teur *f* 2. gravité *f*.

gravy ['greɪvɪ] *n* (indén) jus *m* de viande.

gray *(US)* = **grey**.

graze [greɪz] ⬛ *vt* 1. brouter, paître 2. fai-re paître 3. écorcher, égratigner 4. frô-ler, effleurer. ⬛ *vi* brouter, paître. ⬛ *n* écorchure *f*, égratignure *f*.

grease [griːs] ⬛ *n* graisse *f*. ⬛ *vt* graisser.

greaseproof paper [,griːspruːf-] *n* (in-dén) *(UK)* papier *m* sulfurisé.

greasy ['griːsɪ] *adj* 1. graisseux(euse) 2. taché(e) de graisse 3. gras(grasse).

great [greɪt] *adj* 1. grand(e) • **great big** énorme 2. *fam* génial(e), formidable • **to feel great** se sentir en pleine forme • **great!** super !, génial !

Great Britain *n* Grande-Bretagne *f* • **in Great Britain** en Grande-Bretagne. **Voir encadré page suivante.**

greatcoat ['greɪtkəʊt] *n* pardessus *m*.

Great Dane *n* *(chien)* danois *m*.

great-grandchild *n* 1. arrière-petit-fils *m* 2. arrière-petite-fille *f*.

CULTURE...

Great Britain

La Grande-Bretagne (*Great Britain*) est un terme géographique désignant l'île qui comprend l'Angleterre, le pays de Galles et l'Écosse. Le Royaume-Uni (*the United Kingdom*), dont le nom complet est the *United Kingdom of Great Britain and Northern Ireland*, désigne quant à lui le pays qui est composé de la Grande-Bretagne et de l'Irlande du Nord. Cependant, dans la langue de tous les jours, on emploie indifféremment ces deux mots pour désigner la même chose.

great-grandfather n arrière-grand-père m.

great-grandmother n arrière-grand-mère f.

greatly ['greɪtlɪ] adv 1. beaucoup 2. très.

greatness ['greɪtnɪs] n grandeur f.

Greece [griːs] n Grèce f.

greed [griːd] n (*indén*) 1. gloutonnerie f 2. *fig* • greed (for) avidité f (de).

greedy ['griːdɪ] adj 1. glouton(onne) 2. *fig* • greedy for sthg avide de qqch.

Greek [griːk] ◼ adj grec(grecque). ◼ n 1. Grec m, Grecque f 2. grec m.

green [griːn] ◼ adj 1. vert(e) 2. (*mouvement*) écologique 3. (*personne*) vert(e) 4. *fam* inexpérimenté(e), jeune. ◼ n 1. vert m 2. GOLF green m 3. • village green pelouse f communale.
◼ **Green** n vert m, -e f, écologiste mf • the Greens les Verts, les Écologistes.
◼ **greens** npl légumes mpl verts.

greenback ['griːnbæk] n (US) *fam* billet m vert.

green belt n (UK) ceinture f verte.

green card n 1. (UK) (*pour véhicule*) carte f verte 2. (US) carte f verte, ≃ carte f de séjour.

greenery ['griːnərɪ] n verdure f.

greenfly ['griːnflaɪ] n (*pl inv ou* -ies) n puceron m.

greengage ['griːngeɪdʒ] n reine-claude f.

greengrocer ['griːn,grəʊsər] n (*surtout UK*) marchand m, -e f de légumes.

greenhouse ['griːnhaʊs] (*pl* [-haʊzɪz]) n serre f.

greenhouse effect n • the greenhouse effect l'effet m de serre.

Greenland ['griːnlənd] n Groenland m.

green salad n salade f verte.

greet [griːt] vt 1. saluer 2. accueillir.

greeting ['griːtɪŋ] n salutation f, salut m.
◼ **greetings** npl • Christmas/birthday greetings vœux mpl de Noël/d'anniversaire.

greetings card (UK), **greeting card** (US) n carte f de vœux.

CULTURE...

greetings cards

Aux États-Unis comme en Grande-Bretagne, il existe des magasins qui vendent exclusivement des cartes : cartes de vœux pour Noël ou Pâques, pour la fête des Mères ou des Pères, cartes d'anniversaire ou de félicitations à l'occasion d'un mariage ou d'une naissance. Aux États-Unis, on trouve même des cartes pour la fête des Grands-Parents ou celle des Secrétaires.

grenade [grə'neɪd] n • (hand)grenade grenade f (à main).

grew [gruː] *passé* ▷ **grow**.

grey (UK), **gray** (US) [greɪ] ◼ adj 1. gris(e) 2. • to go grey grisonner 3. morne, triste. ◼ n gris m.

grey-haired (UK), **gray-haired** (US) [-'heəd] adj aux cheveux gris.

greyhound ['greɪhaʊnd] n lévrier m.

grid [grɪd] n 1. grille f 2. quadrillage m.

griddle ['grɪdl] n plaque f à cuire.

gridlock ['grɪdlɒk] n embouteillage m.

grief [griːf] n (*indén*) 1. chagrin m, peine f 2. *fam* ennuis mpl • to come to grief (*personne*) avoir de gros problèmes • (*projet*) échouer, tomber à l'eau • good grief! Dieu du ciel !, mon Dieu !

grievance ['griːvns] n grief m, doléance f.

grieve [griːv] vi être en deuil • to grieve for sb/sthg pleurer qqn/qqch.

grievous ['griːvəs] adj *sout* 1. grave 2. cruel(elle).

grievous bodily harm n *(indén)* coups *mpl* et blessures *fpl*.

grill [grɪl] ■ n gril m. ■ vt **1.** griller, faire griller **2.** *fam* cuisiner *(interroger)*.

grille [grɪl] n grille f.

grim [grɪm] adj **1.** sévère **2.** inflexible **3.** sinistre **4.** lugubre **5.** morne, triste.

grimace [grɪˈmeɪs] ■ n grimace f. ■ vi grimacer, faire la grimace.

grime [graɪm] n *(indén)* crasse f, saleté f.

grimy [ˈgraɪmɪ] adj sale, encrassé(e).

grin [grɪn] ■ n (large) sourire m. ■ vi sourire • **to grin at sb/sthg** adresser un large sourire à qqn/qqch.

grind [graɪnd] ■ vt *(prét & pp* **ground***)* moudre. ■ vi *(prét & pp* **ground***)* grincer. ■ n corvée f.
■ **grind up** vt *sép* pulvériser.

grinder [ˈgraɪndər] n moulin m.

grip [grɪp] ■ n **1.** prise f **2.** contrôle m • **he's got a good grip on the situation** il a la situation bien en main • **to get to grips with sthg** s'attaquer à qqch • **to get a grip on o.s.** se ressaisir **3.** adhérence f **4.** poignée f **5.** sac m (de voyage). ■ vt **1.** saisir **2.** adhérer à **3.** *fig* captiver.

gripe [graɪp] *fam* ■ n plainte f. ■ vi • **to gripe** râler ou rouspéter.

gripping [ˈgrɪpɪŋ] adj passionnant(e).

grisly [ˈgrɪzlɪ] adj macabre.

gristle [ˈgrɪsl] n *(indén)* nerfs *mpl*.

grit [grɪt] ■ n **1.** gravillon m **2.** poussière f **3.** *fam* cran m *(courage)*. ■ vt sabler.

gritty [ˈgrɪtɪ] adj **1.** couvert(e) de gravillon **2.** *fam* • qui a du cran • courageux(euse).

groan [grəʊn] ■ n gémissement m. ■ vi **1.** gémir **2.** grincer.

grocer [ˈgrəʊsər] n épicier m, -ère f • **grocer's (shop)** *(UK)* épicerie f.

groceries [ˈgrəʊsərɪz] *npl* provisions *fpl*.

grocery [ˈgrəʊsərɪ] n épicerie f.

groggy [ˈgrɒgɪ] adj **1.** faible, affaibli(e) **2.** groggy *(inv)*.

groin [grɔɪn] n aine f.

groom [gruːm] ■ n **1.** palefrenier m, -ère f, garçon m d'écurie **2.** marié m. ■ vt **1.** panser **2.** *fig* • **to groom sb (for sthg)** préparer ou former qqn (pour qqch).

groove [gruːv] n **1.** rainure f **2.** sillon m *(sur un disque)*.

groovy [ˈgruːvɪ] adj *fam vieilli* **1.** super, génial(e) **2.** branché(e).

grope [grəʊp] vi • **to grope (about** *(UK)* ou **around) for sthg** chercher qqch à tâtons.

gross [grəʊs] adj **1.** brut(e) **2.** *sout* • *(négligence)* coupable • *(comportement)* choquant(e) • *(inégalité)* flagrant(e) **3.** grossier(ère).

grossly [ˈgrəʊslɪ] adv extrêmement, énormément.

grotesque [grəʊˈtesk] adj grotesque.

grotto [ˈgrɒtəʊ] *(pl* **-es** ou **-s***)* n grotte f.

grotty [ˈgrɒtɪ] adj *(UK) fam* minable.

ground [graʊnd] ■ passé & pp ▷ **grind**. ■ n **1.** *(indén)* sol m, terre f • **above ground** en surface • **below ground** sous terre • **to work o.s. into the ground** se tuer au travail **2.** *(indén)* terrain m **3.** *SPORT* terrain m **4.** • **to gain/lose ground** gagner/perdre du terrain. ■ vt **1.** • **to be grounded on** ou **in sthg** être fondé(e) sur qqch **2.** interdire de vol **3.** *fam* priver de sortie **4.** *(US) ÉLECTR* • **to be grounded** être à la masse.
■ **grounds** *npl* **1.** motif m, raison f • **grounds for doing sthg** raisons de faire qqch **2.** parc m **3.** marc m *(de café)*.

ground crew n personnel m au sol.

ground floor n rez-de-chaussée m *inv*.

grounding [ˈgraʊndɪŋ] n • **grounding (in)** connaissances *fpl* de base (en).

groundless [ˈgraʊndlɪs] adj sans fondement.

groundsheet [ˈgraʊndʃiːt] n tapis m de sol.

ground staff n **1.** personnel m d'entretien *(d'un terrain de sport)* **2.** *(UK)* = **ground crew**.

groundswell [ˈgraʊndswel] n vague f de fond.

groundwork [ˈgraʊndwɜːk] n *(indén)* travail m préparatoire.

ground zero n hypocentre m, point m zéro.

group [gruːp] ■ n groupe m. ■ vt grouper, réunir. ■ vi • **to group (together)** se grouper.

groupie [ˈgruːpɪ] n *fam* groupie f.

grouse [graʊs] n *(pl inv* ou **-s***)* grouse f, coq m de bruyère.

grove [grəʊv] n bosquet m.

grovel ['grɒvl] (*(UK)* *prét* & *pp* **-led**, *cont* **-ling**, *(US)* *prét* & *pp* **-ed**, *cont* **-ing**) *vi* • **to grovel (to sb)** ramper (devant qqn).

grow [grəʊ] (*prét* **grew**, *pp* **grown**) ◼ *vi* 1. pousser 2. *(personne, animal)* grandir 3. *(entreprise, ville)* s'agrandir 4. *(peurs, influence, circulation)* augmenter, s'accroître 5. *(problème, projet)* prendre de l'ampleur 6. *(économie)* se développer 7. devenir • **to grow old** vieillir • **to grow tired of sthg** se fatiguer de qqch. ◼ *vt* 1. BOT faire pousser 2. se laisser pousser *(les cheveux, la barbe)*.
◼ **grow on** *vt insép* *fam* plaire de plus en plus à • **it'll grow on you** cela finira par te plaire.
◼ **grow out of** *vt insép* 1. *(vêtements, chaussures)* devenir trop grand(e) pour 2. perdre *(une habitude)*.
◼ **grow up** *vi* 1. grandir, devenir adulte • **grow up!** ne fais pas l'enfant ! 2. se développer.

grower ['grəʊə'] *n* cultivateur *m*, -trice *f*.

growl [graʊl] *vi* 1. *(animal)* grogner 2. *(moteur)* vrombir, gronder 3. *(personne)* grogner.

grown [grəʊn] ◼ *pp* ▷ **grow**. ◼ *adj* adulte.

grown-up ◼ *adj* 1. adulte, grand(e) 2. mûr(e). ◼ *n* adulte *mf*, grande personne *f*.

growth [grəʊθ] *n* 1. croissance *f* 2. développement *m* *(de l'opposition, d'une entreprise)* 3. augmentation *f*, accroissement *m* *(de la population)* 4. MÉD tumeur *f*, excroissance *f*.

grub [grʌb] *n* 1. larve *f* 2. *fam* bouffe *f*.

grubby ['grʌbɪ] *adj* sale, malpropre.

grudge [grʌdʒ] ◼ *n* rancune *f* • **to bear sb a grudge, to bear a grudge against sb** garder rancune à qqn. ◼ *vt* • **to grudge sb sthg** donner qqch à qqn à contrecœur • **en vouloir à qqn à cause de qqch.

gruelling *(UK)*, **grueling** *(US)* ['grʊəlɪŋ] *adj* épuisant(e), exténuant(e).

gruesome ['gruːsəm] *adj* horrible.

gruff [grʌf] *adj* 1. gros(grosse) 2. brusque, bourru(e).

grumble ['grʌmbl] *vi* 1. • **to grumble about sthg** rouspéter *ou* grommeler contre qqch 2. *(tonnerre)* gronder 3. *(estomac)* gargouiller.

grumpy ['grʌmpɪ] *adj* *fam* renfrogné(e).

grunge [grʌndʒ] *n* 1. *fam* crasse *f* 2. grunge *m*.

grunt [grʌnt] ◼ *n* grognement *m*. ◼ *vi* grogner.

G-string *n* cache-sexe *m inv*.

guarantee [ˌgærən'tiː] ◼ *n* garantie *f*. ◼ *vt* garantir.

guard [gɑːd] ◼ *n* 1. garde *m* 2. gardien *m* *(de prison)* 3. garde *f* • **to be on guard** être de garde *ou* de faction • **to catch sb off guard** prendre qqn au dépourvu 4. *(UK)* chef *m* de train 5. protection *f* 6. garde-feu *m inv*. ◼ *vt* 1. protéger, garder *(un bâtiment)* 2. protéger *(une personne)* 3. garder, surveiller *(un prisonnier)* 4. garder *(un secret)*.

guard dog *n* chien *m* de garde.

guarded ['gɑːdɪd] *adj* prudent(e).

guardian ['gɑːdjən] *n* 1. tuteur *m*, -trice *f* 2. gardien *m*, -enne *f*, protecteur *m*, -trice *f*.

guardrail ['gɑːdreɪl] *n* barrière *f* de sécurité.

guard's van *n* *(UK)* wagon *m* du chef de train.

guerilla [gə'rɪlə] = **guerrilla**.

Guernsey ['gɜːnzɪ] *n* Guernesey *f*.

guerrilla [gə'rɪlə] *n* guérillero *m*.

guerrilla warfare *n (indén)* guérilla *f*.

guess [ges] ◼ *n* conjecture *f*. ◼ *vt* deviner • **guess what?** tu sais quoi ? ◼ *vi* 1. deviner • **to guess at sthg** deviner qqch 2. • **I guess (so)** je suppose (que oui).

guesswork ['geswɜːk] *n (indén)* conjectures *fpl*, hypothèses *fpl*.

guest [gest] *n* 1. invité *m*, -e *f* 2. client *m*, -e *f*.

guesthouse ['gesthaʊs] (*pl* [-haʊzɪz]) *n* pension *f* de famille.

guestroom ['gestrʊm] *n* chambre *f* d'amis.

guffaw [gʌ'fɔː] ◼ *n* gros rire *m*. ◼ *vi* rire bruyamment.

guidance ['gaɪdəns] *n (indén)* 1. conseils *mpl* 2. direction *f*.

guide [gaɪd] ◼ *n* 1. guide *m* 2. indication *f*. ◼ *vt* 1. guider 2. diriger 3. • **to be guided by sb/sthg** se laisser guider par qqn/qqch.
◼ **Guide** *n* éclaireuse *f*, guide *f*.

guide book, guidebook ['gaɪdbʊk] *n* guide *m* (*livre*).

guide dog *n* chien *m* d'aveugle.

guidelines ['gaɪdlaɪnz] *npl* directives *fpl*, lignes *fpl* directrices.

guild [gɪld] *n* **1.** HIST corporation *f*, guilde *f* **2.** association *f*.

guile [gaɪl] *n* (*indén*) *littéraire* ruse *f*, astuce *f*.

guillotine ['gɪlə,tiːn] ◼ *n* **1.** guillotine *f* **2.** massicot *m*. ◼ *vt* guillotiner.

guilt [gɪlt] *n* culpabilité *f*.

guilty ['gɪltɪ] *adj* coupable ‣ **to be guilty of sthg** être coupable de qqch ‣ **to be found guilty/not guilty** DR être reconnu coupable/non coupable.

guinea pig ['gɪnɪpɪg] *n* cobaye *m*.

guise [gaɪz] *n* *sout* apparence *f*.

guitar [gɪ'tɑːr] *n* guitare *f*.

guitarist [gɪ'tɑːrɪst] *n* guitariste *mf*.

gulf [gʌlf] *n* **1.** golfe *m* **2.** ‣ **gulf (between)** abîme *m* (entre). ◼ **Gulf** *n* ‣ **the Gulf** le Golfe.

gull [gʌl] *n* mouette *f*.

gullet ['gʌlɪt] *n* **1.** œsophage *m* **2.** gosier *m* (*d'un oiseau*).

gullible ['gʌləbl] *adj* crédule.

gully ['gʌlɪ] *n* **1.** ravine *f* **2.** rigole *f*.

gulp [gʌlp] ◼ *n* **1.** grande gorgée *f* **2.** grosse bouchée *f*. ◼ *vt* avaler. ◼ *vi* avoir la gorge nouée. ◼ **gulp down** *vt sép* avaler.

gum [gʌm] *n* **1.** chewing-gum *m* **2.** colle *f*, gomme *f* **3.** ANAT gencive *f*.

gumboots ['gʌmbuːts] *npl* (*UK*) *vieilli* bottes *fpl* de caoutchouc.

gun [gʌn] *n* **1.** revolver *m* **2.** fusil *m* **3.** canon *m* **4.** pistolet *m* (*de starter*) **5.** agrafeuse *f*. ◼ **gun down** *vt sép* abattre.

gunboat ['gʌnbəʊt] *n* canonnière *f*.

gunfire ['gʌnfaɪər] *n* (*indén*) coups *mpl* de feu.

gunman ['gʌnmən] (*pl* **-men** [-mən]) *n* personne *f* armée.

gunpoint ['gʌnpɔɪnt] *n* ‣ **at gunpoint** sous la menace d'un fusil *ou* pistolet.

gunpowder ['gʌn,paʊdər] *n* poudre *f* à canon.

gunshot ['gʌnʃɒt] *n* coup *m* de feu.

gunsmith ['gʌnsmɪθ] *n* armurier *m*, -ère *f*.

gurgle ['gɜːgl] *vi* **1.** (*eau*) glouglouter **2.** (*bébé*) gazouiller.

guru ['gʊruː] *n* gourou *mf*, guru *mf*.

gush [gʌʃ] ◼ *n* jaillissement *m*. ◼ *vi* **1.** jaillir **2.** *péj* s'exprimer de façon exubérante.

gusset ['gʌsɪt] *n* gousset *m*.

gust [gʌst] *n* rafale *f*, coup *m* de vent.

gusto ['gʌstəʊ] *n* ‣ **with gusto** avec enthousiasme.

gut [gʌt] ◼ *n* intestin *m*. ◼ *vt* **1.** vider **2.** éventrer. ◼ **guts** *npl fam* **1.** ANAT intestins *mpl* ‣ **to hate sb's guts** ne pas pouvoir voir qqn en peinture **2.** cran *m*.

gutter ['gʌtər] *n* **1.** rigole *f* **2.** gouttière *f*.

gutter press *n* (*UK*) *péj* presse *f* à sensation.

guy [gaɪ] *n* **1.** *fam* type *m* **2.** copain *m*, copine *f* **3.** (*UK*) effigie de Guy Fawkes.

Guy Fawkes' Night [-'fɔːks-] *n* fête célébrée le 5 novembre en Grande-Bretagne.

CULTURE…

Guy Fawkes' Night

Cette fête annuelle, également appelée *Bonfire Night*, marque l'anniversaire de la découverte d'un complot catholique visant à assassiner le roi Jacques Iᵉʳ en faisant sauter le Parlement britannique (1605). À cette occasion, les enfants ont pour coutume de confectionner des pantins de chiffon à l'effigie de l'un des conspirateurs, *Guy Fawkes*, et de les exhiber dans la rue en demandant de l'argent. Dans la soirée, on tire des feux d'artifice et les effigies sont brûlées dans de grands feux de joie.

guyline (*US*) ['gaɪlaɪn], **guy rope** *n* corde *f* de tente.

guzzle ['gʌzl] ◼ *vt* **1.** bâfrer **2.** lamper. ◼ *vi* s'empiffrer.

gym [dʒɪm] *n fam* **1.** gymnase *m* **2.** gym *f*.

gymnasium [dʒɪm'neɪzjəm] (pl -iums OU -ia [-jə]) n gymnase m.

gymnast ['dʒɪmnæst] n gymnaste mf.

gymnastics [dʒɪm'næstɪks] n (indén) gymnastique f.

gym shoes npl (chaussures fpl de) tennis fpl.

gymslip ['dʒɪm,slɪp] n (UK) tunique f.

gynaecologist (UK), **gynecologist** (US) [,gaɪnə'kɒlədʒɪst] n gynécologue mf.

gynaecology (UK), **gynecology** (US) [,gaɪnə'kɒlədʒɪ] n gynécologie f.

gypsy ['dʒɪpsɪ] = **gipsy**.

gyrate [dʒaɪ'reɪt] vi tournoyer.

h [eɪtʃ] (*pl* **h's** *ou* **hs**), **H** (*pl* **H's** *ou* **Hs**) *n* h *m inv*, H *m inv*.

haberdashery ['hæbədæʃərɪ] *n (UK)* mercerie *f*.

habit ['hæbɪt] *n* **1.** habitude *f* ▪ **out of habit** par habitude ▪ **to make a habit of doing sthg** avoir l'habitude de faire qqch **2.** habit *m*.

habitat ['hæbɪtæt] *n* habitat *m*.

habitual [hə'bɪtʃʊəl] *adj* **1.** habituel(elle) **2.** invétéré(e).

hack [hæk] ▪ *n* écrivailleur *m*, -euse *f*.
▪ *vt* tailler.
▪ **hack into** *vt insép* INFORM pirater.

hacker ['hækər] *n* ▪ **(computer) hacker** pirate *m* informatique.

hackneyed ['hæknɪd] *adj* rebattu(e).

hacksaw ['hæksɔ] *n* scie *f* à métaux.

had *(forme non accentuée* [həd], *forme accentuée* [hæd]) *passé* & *pp* ⟹ **have.**

haddock ['hædək] *(pl inv)* *n* églefin *m*, aiglefin *m*.

hadn't ['hædnt] = **had not.**

haemophiliac *(UK)*, **hemophiliac** *(US)* [,hi:mə'fɪlɪæk] *n* hémophile *mf*.

haemorrhage *(UK)*, **hemorrhage** *(US)* ['hemərɪdʒ] *n* hémorragie *f*.

haemorrhoids *(UK)*, **hemorrhoids** *(US)* ['hemərɔɪdz] *npl* hémorroïdes *fpl*.

haggard ['hægəd] *adj* **1.** *(visage)* défait(e) **2.** *(personne)* abattu(e).

haggis ['hægɪs] *n plat typique écossais fait d'une panse de brebis farcie, le plus souvent servie avec des navets et des pommes de terre.*

haggle ['hægl] *vi* marchander ▪ **to haggle over** *ou* **about sthg** marchander qqch.

Hague [heɪg] *n* ▪ **The Hague** La Haye.

hail [heɪl] ▪ *n* **1.** grêle *f* **2.** *fig* pluie *f*. ▪ *vt* **1.** héler **2.** ▪ **to hail sb/sthg as sthg** acclamer qqn/qqch comme qqch. ▪ *v impers* grêler.

hailstone ['heɪlstəʊn] *n* grêlon *m*.

hair [heər] *n* **1.** *(indén)* cheveux *mpl* ▪ **to do one's hair** se coiffer **2.** *(indén)* poils *mpl* **3.** cheveu *m* **4.** poil *m*.

hairbrush ['heəbrʌʃ] *n* brosse *f* à cheveux.

haircut ['heəkʌt] *n* coupe *f* de cheveux.

hairdo ['heədu:] *(pl* **-s**) *n fam vieilli* coiffure *f*.

hairdresser ['heə,dresər] *n* coiffeur *m*, -euse *f* ▪ **hairdresser's (salon)** salon *m* de coiffure.

hairdryer ['heə,draɪə'] *n* 1. sèche-cheveux *m inv* 2. casque *m*.

hair gel *n* gel *m* coiffant.

hairgrip ['heəgrɪp] *n (UK)* pince *f* à cheveux.

hairpin ['heəpɪn] *n* épingle *f* à cheveux.

hairpin bend *(UK)*, **hairpin turn** *(US) n* virage *m* en épingle à cheveux.

hair-raising [-,reɪzɪŋ] *adj* 1. à faire dresser les cheveux sur la tête 2. effrayant(e).

hair remover [-rɪ,muːvə'] *n* (crème *f*) dépilatoire *m*.

hair slide *n (UK)* barrette *f*.

hairspray ['heəspreɪ] *n* laque *f*.

hairstyle ['heəstaɪl] *n* coiffure *f*.

hairy ['heərɪ] *adj* 1. velu(e), poilu(e) 2. *fam* à faire dresser les cheveux sur la tête.

Haiti ['heɪtɪ] *n* Haïti *m*.

hake [heɪk] *(pl inv ou* -s*) n* colin *m*, merluche *f*.

half [*(UK)* hɑːf, *(US)* hæf] ◼ *adj* demi(e) • half a dozen une demi-douzaine • half an hour une demi-heure • half a pound une demi-livre. ◼ *adv* 1. à moitié • half English à moitié anglais(e) • half-and-half moitié-moitié 2. de moitié 3. • half past ten dix heures et demie. ◼ *n (pl* halves *(sens 1 et 2)* [*(UK)* hɑːvz] [*(US)* hævz], halves *ou* halfs *(sens 3, 4 et 5))* 1. moitié *f* • in half en deux • to go halves (with sb) partager (avec qqn) 2. SPORT mi-temps *f* 3. demi *m* 4. *(UK)* demi-tarif *m*, tarif *m* enfant. ◼ *pron* la moitié • half of them la moitié d'entre eux.

halfback ['hɑːfbæk] *n* demi *m*.

half board *n (surtout UK)* demi-pension *f*.

half-breed ◼ *adj* métis(isse). ◼ *n* métis *m*, -isse *f (attention: le terme « half-breed » est considéré comme raciste).*

half-caste [-kɑːst] ◼ *adj* métis(isse). ◼ *n* métis *m*, -isse *f (attention: le terme « half-caste » est considéré raciste).*

half-hearted [-'hɑːtɪd] *adj* sans enthousiasme.

half hour *n* demi-heure *f*.

half-mast *n* • at half-mast en berne.

half moon *n* demi-lune *f*.

half note *n (US)* blanche *f*.

halfpenny ['heɪpnɪ] *(pl* -pennies *ou* -pence [-pens]*) n (UK)* demi-penny *m*.

half-price *adj* à moitié prix.

half term *n (UK)* congé *m* de mi-trimestre.

half-time *n (indén)* mi-temps *f*.

halfway [hɑːf'weɪ] ◼ *adj* à mi-chemin. ◼ *adv* 1. *(dans l'espace)* à mi-chemin 2. *(dans le temps)* à la moitié.

halibut ['hælɪbət] *(pl inv ou* -s*) n* flétan *m*.

hall [hɔːl] *n* 1. vestibule *m*, entrée *f* 2. salle *f* 3. manoir *m*.

hallmark ['hɔːlmɑːk] *n* 1. marque *f* 2. poinçon *m*.

hallo [hə'ləʊ] *(UK)* = hello.

hall of residence *(pl* halls of residence*) n (UK)* résidence *f* universitaire.

Hallowe'en, Halloween [,hæləʊ'iːn] *n* Halloween *f (fête des sorcières et des fantômes).*

hallucinate [hə'luːsɪneɪt] *vi* avoir des hallucinations.

hallway ['hɔːlweɪ] *n* vestibule *m*.

halo ['heɪləʊ] (pl **-es** ou **-s**) n **1.** nimbe m **2.** ASTRON halo m.

halt [hɔlt] ◼ n • **to come to a halt** s'arrêter, s'immobiliser • s'interrompre • **to call a halt to sthg** mettre fin à qqch. ◼ vt arrêter. ◼ vi s'arrêter.

halterneck ['hɔltənek], **halter top** adj dos nu (inv).

halve [(UK) hɑːv, (US) hæv] vt **1.** réduire de moitié **2.** couper en deux.

halves [(UK) hɑːvz, (US) hævz] npl ▷ **half**.

ham [hæm] ◼ n jambon m. ◼ en apposition au jambon.

hamburger ['hæmbɜːgər] n **1.** hamburger m **2.** (indén) (US) viande f hachée.

hamlet ['hæmlɪt] n hameau m.

hammer ['hæmər] ◼ n marteau m. ◼ vt **1.** marteler **2.** enfoncer à coups de marteau **3.** fig marteler du poing **4.** fam battre à plates coutures. ◼ vi • **to hammer (on)** cogner du poing (à).
◼ **hammer out** vt insép parvenir finalement à.

hammock ['hæmək] n hamac m.

hamper ['hæmpər] ◼ n **1.** (UK) panier m d'osier **2.** (US) panier m à linge sale. ◼ vt gêner.

hamster ['hæmstər] n hamster m.

hamstring ['hæmstrɪŋ] n tendon m du jarret.

hand [hænd] ◼ n **1.** main f • **to hold hands** se tenir la main • **by hand** à la main • **to get** ou **lay one's hands on** mettre la main sur • **to get out of hand** échapper à tout contrôle • **to have a situation in hand** avoir une situation en main • **to have one's hands full** avoir du pain sur la planche • **to try one's hand at sthg** s'essayer à qqch **2.** coup m de main • **to give** ou **lend sb a hand (with sthg)** donner un coup de main à qqn (pour faire qqch) **3.** ouvrier m, -ère f **4.** aiguille f (d'une montre, d'une pendule) **5.** écriture f **6.** (dans un jeu de cartes) jeu m, main f. ◼ vt • **to hand sthg to sb, to hand sb sthg** passer qqch à qqn.
◼ **(close) at hand** adv proche.
◼ **on hand** adv disponible.
◼ **on the other hand** conj d'autre part.
◼ **out of hand** adv d'emblée.
◼ **to hand** adv à portée de la main, sous la main.
◼ **hand down** vt sép transmettre.

◼ **hand in** vt sép remettre.
◼ **hand out** vt sép distribuer.
◼ **hand over** ◼ vt sép **1.** remettre **2.** transmettre. ◼ vi • **to hand over (to)** passer le relais (à).

handbag ['hændbæg] n sac m à main.

handball ['hændbɔl] n handball m.

handbook ['hændbʊk] n **1.** manuel m **2.** (UK) guide m (touristique).

handbrake ['hændbreɪk] n frein m à main.

handcuffs ['hændkʌfs] npl menottes fpl.

handful ['hændfʊl] n poignée f.

handgun ['hændgʌn] n revolver m, pistolet m.

handicap ['hændɪkæp] ◼ n handicap m. ◼ vt **1.** handicaper **2.** entraver.

handicapped ['hændɪkæpt] ◼ adj handicapé(e). ◼ npl • **the handicapped** les handicapés mpl.

handicraft ['hændɪkrɑːft] n activité f artisanale.

handiwork ['hændɪwɜːk] n (indén) ouvrage m.

handkerchief ['hæŋkətʃɪf] (pl **-chiefs** ou **-chieves** [-tʃiːvz]) n mouchoir m.

handle ['hændl] ◼ n **1.** poignée f, anse f **3.** manche m. ◼ vt **1.** manipuler **2.** toucher à **3.** s'occuper de **4.** faire face à **5.** traiter, s'y prendre avec.

handlebars ['hændlbɑːz] npl guidon m.

handler ['hændlər] n **1.** maître-chien m **2.** • **(baggage) handler** bagagiste m.

hand luggage n (indén) (UK) bagages mpl à main.

handmade [ˌhænd'meɪd] adj fait(e) (à la) main.

handout ['hændaʊt] n **1.** don m **2.** prospectus m.

handrail ['hændreɪl] n rampe f.

handset ['hændset] n combiné m (de téléphone).

handshake ['hændʃeɪk] n serrement m ou poignée f de main.

handsome ['hænsəm] adj **1.** beau(belle) **2.** (somme, victoire) beau(belle) **3.** (don) généreux(euse).

handstand ['hændstænd] n équilibre m (sur les mains).

handwriting ['hændˌraɪtɪŋ] n écriture f.

handy ['hændɪ] *adj fam* **1.** pratique • **to come in handy** être utile **2.** adroit(e) **3.** tout près, à deux pas.

handyman ['hændɪmæn] (*pl* **-men** [-men]) *n* bricoleur *m*.

hang [hæŋ] ◼ *vt* (*pp* hung *ou* hanged) pendre. ◼ *vi* **1.** (*pp* hung) pendre, être accroché(e) **2.** (*pp* hung *ou* hanged) être pendu(e) **3.** (*pp* hung) planter. ◼ *n* • **to get the hang of sthg** *fam* saisir le truc *ou* attraper le coup pour faire qqch.
◼ **hang about** (*UK*), **hang around** *vi* traîner • **she doesn't hang about** *ou* **around** elle ne perd pas de temps.
◼ **hang on** *vi* **1.** • **to hang on (to)** s'accrocher *ou* se cramponner (à) **2.** *fam* attendre **3.** tenir bon.
◼ **hang out** *vi fam* traîner.
◼ **hang round** *vt insép* (*UK*) = **hang about**.
◼ **hang up** ◼ *vt sép* pendre. ◼ *vi* (*au télé-phone*) raccrocher.
◼ **hang up on** *vt insép* (*au téléphone*) raccrocher au nez de.

hangar ['hæŋə*r*] *n* hangar *m*.

hanger ['hæŋə*r*] *n* cintre *m*.

hanger-on (*pl* **hangers-on**) *n péj* parasite *m*.

hang gliding *n* (*indén*) deltaplane *m*, vol *m* libre.

hangover ['hæŋ,əʊvə*r*] *n* gueule *f* de bois.

hang-up *n fam* complexe *m*.

hanker ['hæŋkə*r*] ◼ **hanker after**, **hanker for** *vt insép* convoiter.

hankie, hanky ['hæŋkɪ] (*abr de* **handker-chief**) *n fam* mouchoir *m*.

haphazard [,hæp'hæzəd] *adj* fait(e) au hasard.

hapless ['hæplɪs] *adj littéraire* infortu-né(e).

happen ['hæpən] *vi* **1.** arriver, se passer • **to happen to sb** arriver à qqn **2.** • **I just happened to meet him** je l'ai rencontré par hasard • **as it happens** en fait.

happening ['hæpənɪŋ] *n* événement *m*.

happily ['hæpɪlɪ] *adv* **1.** de bon cœur **2.** • **to be happily doing sthg** être bien tranquillement en train de faire qqch **3.** heureusement.

happiness ['hæpɪnɪs] *n* bonheur *m*.

happy ['hæpɪ] *adj* heureux(euse) • **to be happy to do sthg** être heureux de faire

qqch • **to be happy with** *ou* **about sthg** être heureux de qqch • **happy birth-day!** joyeux anniversaire ! • **happy Christmas!** (*UK*) joyeux Noël ! • **happy New Year!** bonne année !

happy-go-lucky *adj* décontracté(e).

happy medium *n* juste milieu *m*.

harangue [hə'ræŋ] ◼ *n* harangue *f*. ◼ *vt* haranguer.

harass ['hærəs] *vt* harceler.

harbour (*UK*), **harbor** (*US*) ['hɑ:bə*r*] ◼ *n* port *m*. ◼ *vt* **1.** entretenir (*un espoir, des soupçons*) **2.** garder (*rancune*) **3.** héber-ger.

hard [hɑ:d] ◼ *adj* **1.** dur(e) • **to be hard on sb/sthg** être dur avec qqn/pour qqch **2.** (*hiver*) rude **3.** (*eau*) calcaire **4.** (*fait*) concret(ète) **5.** (*UK*) POLIT • **hard left/right** extrême gauche/droite. ◼ *adv* **1.** (*travail*) dur **2.** (*écouter, se concentrer*) avec effort • **to try hard (to do sthg)** faire de son mieux (pour faire qqch) **3.** fort **4.** (*pleuvoir*) à verse **5.** (*neiger*) dru • **to feel hard done by** avoir l'impres-sion d'avoir été traité(e) injustement.

hardback ['hɑ:dbæk] ◼ *adj* relié(e). ◼ *n* livre *m* relié.

hardball ['hɑ:dbɔ:l] *n* • **to play hardball** *fam fig* employer les grands moyens.

hardboard ['hɑ:dbɔd] *n* (*pour l'isolation*) panneau *m* de fibres.

hard-boiled *adj* • **hard-boiled egg** œuf *m* dur.

hard cash *n* (*indén*) espèces *fpl*.

hard copy *n* INFORM sortie *f* papier.

hard disk *n* INFORM disque *m* dur.

harden ['hɑ:dn] ◼ *vt* **1.** durcir **2.** trem-per (*de l'acier*). ◼ *vi* **1.** (*béton, colle*) durcir **2.** (*opposition, regard*) se durcir.

hard-headed [-'hedɪd] *adj* pragmatique • **to be hard-headed** avoir la tête froide.

hard-hearted [-'hɑ:tɪd] *adj* insensible, impitoyable.

hard labour (*UK*), **hard labor** (*US*) *n* (*in-dén*) travaux *mpl* forcés.

hard-liner *n* partisan *m* de la manière forte.

hardly ['hɑ:dlɪ] *adv* à peine, ne... guère • **hardly ever/anything** presque jamais/rien • **I can hardly move/wait** je peux à peine bouger/attendre.

hardly

Hardly et *hard* n'ont pas le même sens, bien qu'ils soient tous deux des adverbes (*hard* est aussi un adjectif, bien sûr). *Hardly* se traduit par « à peine ». Comparez par exemple *I pedalled hard*, « j'ai pedalé dur », et *I hardly touched him*, « je l'ai à peine touché ».

hardness ['hɑːdnɪs] *n* **1.** dureté *f* **2.** difficulté *f*.

hardship ['hɑːdʃɪp] *n* **1.** (*indén*) épreuves *fpl* **2.** épreuve *f*.

hard shoulder *n* (*UK*) AUTO bande *f* d'arrêt d'urgence.

hard up *adj fam* fauché(e) • **hard up for sthg** à court de qqch.

hardware ['hɑːdweər] *n* (*indén*) **1.** quincaillerie *f* **2.** INFORM hardware *m*, matériel *m*.

hardware shop (*UK*), **hardware store** (*US*) *n* quincaillerie *f*.

hardwearing [,hɑːd'weərɪŋ] *adj* (*UK*) résistant(e).

hardworking [,hɑːd'wɜːkɪŋ] *adj* travailleur(euse).

hardy ['hɑːdɪ] *adj* **1.** vigoureux(euse), robuste **2.** résistant(e), vivace.

hare [heər] *n* lièvre *m*.

harebrained ['heə,breɪnd] *adj fam* **1.** (*personne*) écervelé(e) **2.** (*idée*) insensé(e).

harelip [,heə'lɪp] *n* bec-de-lièvre *m*.

haricot (bean) ['hærɪkəʊ-] *n* haricot *m* blanc.

harm [hɑːm] ■ *n* **1.** mal *m* **2.** dommage *m* **3.** tort *m* • **to do harm to sb, to do sb harm** faire du tort à qqn • **to do harm to sthg, to do sthg harm** endommager qqch • **to be out of harm's way** être en sûreté *ou* lieu sûr • être en lieu sûr. ■ *vt* **1.** faire du mal à **2.** endommager **3.** faire du tort à.

harmful ['hɑːmfʊl] *adj* nuisible, nocif(ive).

harmless ['hɑːmlɪs] *adj* **1.** inoffensif(ive) **2.** innocent(e).

harmonica [hɑː'mɒnɪkə] *n* harmonica *m*.

harmonize, -ise ['hɑːmənaɪz] ■ *vt* harmoniser. ■ *vi* s'harmoniser.

harmony ['hɑːmənɪ] *n* harmonie *f*.

harness ['hɑːnɪs] ■ *n* harnais *m*. ■ *vt* **1.** harnacher **2.** exploiter (*des ressources, de l'énergie*).

harp [hɑːp] *n* harpe *f*.
■ **harp on** *vi* rabâcher.

harpoon [hɑː'puːn] ■ *n* harpon *m*. ■ *vt* harponner.

harpsichord ['hɑːpsɪkɔːd] *n* clavecin *m*.

harrowing ['hærəʊɪŋ] *adj* **1.** éprouvant(e) **2.** déchirant(e).

harsh [hɑːʃ] *adj* **1.** rude **2.** sévère **3.** (*son*) discordant(e) **4.** (*voix, couleur*) criard(e) **5.** (*surface*) rugueux(euse), rêche **6.** (*goût*) âpre.

harvest ['hɑːvɪst] ■ *n* **1.** (*céréales*) moisson *f* **2.** (*fruits*) récolte *f* **3.** (*raisin*) vendange *f*, vendanges *fpl*. ■ *vt* **1.** moissonner (*des céréales*) **2.** récolter (*des fruits*) **3.** vendanger (*du raisin*).

has (*forme non accentuée* [həz], *forme accentuée* [hæz]) ▷ **have**.

has-been *n fam péj* ringard *m*, -e *f*.

hash [hæʃ] *n* **1.** hachis *m* **2.** (*UK*) *fam* • **to make a hash of sthg** faire un beau gâchis de qqch.

hashish ['hæʃiːʃ] *n* haschich *m*.

hasn't ['hæznt] = **has not**.

hassle ['hæsl] *fam* ■ *n* tracas *m*, embêtement *m*. ■ *vt* tracasser.

haste [heɪst] *n* hâte *f* • **to do sthg in haste** faire qqch à la hâte.

hasten ['heɪsn] *sout* ■ *vt* hâter, accélérer. ■ *vi* se hâter, se dépêcher • **to hasten to do sthg** s'empresser de faire qqch.

hastily ['heɪstɪlɪ] *adv* **1.** à la hâte **2.** sans réfléchir.

hasty ['heɪstɪ] *adj* **1.** hâtif(ive) **2.** irréfléchi(e).

hat [hæt] *n* chapeau *m*.

hatch [hætʃ] ■ *vt* **1.** faire éclore (*un poussin*) **2.** couver (*un œuf*) **3.** *fig* tramer. ■ *vi* éclore. ■ *n* • **(serving) hatch** passe-plats *m inv*.

hatchback ['hætʃ,bæk] *n* voiture *f* avec hayon.

hatchet ['hætʃɪt] *n* hachette *f*.

hatchway ['hætʃ,weɪ] *n* passe-plats *m inv*, guichet *m*.

hate [heɪt] ◪ n (indén) haine f. ◪ vt **1.** haïr **2.** détester • **to hate doing sthg** avoir horreur de faire qqch.

hateful ['heɪtfʊl] adj odieux(euse).

hatred ['heɪtrɪd] n (indén) haine f.

hat trick n FOOTBALL • **to score a hat trick** marquer trois buts.

haughty ['hɔːtɪ] adj hautain(e).

haul [hɔːl] ◪ n **1.** prise f, butin m **2.** • **long haul** long voyage m ou trajet m **3.** • **on the long haul** à long terme. ◪ vt traîner, tirer.

haulage ['hɔːlɪdʒ] n transport m routier ou ferroviaire, camionnage m.

haulier (UK) ['hɔːlɪər], **hauler** (US) ['hɔːlər] n entrepreneur m de transports routiers.

haunch [hɔːntʃ] n **1.** hanche f **2.** (pour un animal) derrière m, arrière-train m.

haunt [hɔːnt] ◪ n repaire m. ◪ vt hanter.

---

have [hæv] v aux (prét & pp had)

• **she has already eaten** elle a déjà mangé
• **I was out of breath, having run all the way** j'étais essoufflé d'avoir couru tout le long du chemin
• **she hasn't gone yet, has she?** elle n'est pas encore partie, si ?
• **I have made a mistake** je me suis trompé.

---

have vt

1. POUR EXPRIMER LA POSSESSION, L'OBLIGATION avoir
• **to have (got)** avoir
• **I don't have any money, I have no money, I haven't got any money** je n'ai pas d'argent
• **I've got things to do** j'ai (des choses) à faire

2. AVEC DES MALADIES avoir
• **to have flu** (UK) ou **the flu** avoir la grippe

3. OBTENIR, RECEVOIR
• **I had some news from her yesterday** j'ai reçu de ses nouvelles hier

4. S'UTILISE POUR DES ACTIONS À LA PLACE D'UN VERBE SPÉCIFIQUE
• **have a look at this!** (UK) regarde ça !
• **I have a bath every morning** (UK) je prends un bain tous les matins
• **he always has a cigarette after dinner** il fume toujours une cigarette après le dîner

5. DONNER NAISSANCE
• **my cousin has just had a baby** ma cousine vient d'avoir un bébé

6. FAIRE FAIRE
• **to have sb do sthg** faire faire qqch à qqn
• **I had him mow the lawn** je lui ai fait tondre la pelouse
• **to have sthg done** faire faire qqch
• **he had his hair cut** il s'est fait couper les cheveux
• **I had my car stolen** je me suis fait voler ma voiture

7. fam INDIQUE UNE TROMPERIE
• **I hate being had** je déteste me faire avoir

8. DANS DES EXPRESSIONS
• **to have it in for sb** en avoir après qqn, en vouloir à qqn
• **to have had it** avoir fait son temps.

---

have aux modal

1. EXPRIME L'OBLIGATION, LA NÉCESSITÉ
• **do you have to go?** ou **have you got to go?** (surtout UK) est-ce que tu dois partir ?
• **I've got to go to work** il faut que j'aille travailler

2. EXPRIME LA CERTITUDE
• **he has to be ready by now** il doit être prêt, maintenant
• **you've got to be joking!** vous plaisantez !, c'est une plaisanterie !

haven ['heɪvn] n havre m.

haven't ['hævnt] = **have not**.

have on vt sép **1.** porter (un vêtement) **2.** (UK) faire marcher.

have out vt sép • **to have one's appendix/tonsils out** se faire opérer de l'appendicite/des amygdales • **to have it out with sb** s'expliquer avec qqn.

haversack ['hævəsæk] n (UK) vieilli sac m à dos.

havoc ['hævək] n (indén) dégâts mpl • **to play havoc with** abîmer • détraquer • ruiner.

Hawaii [hə'waɪiː] n Hawaii m.

hawk [hɔːk] n faucon m.

hawker ['hɔːkər] n colporteur m, -euse f.

hay [heɪ] n foin m.

À PROPOS DE...

have

Présent : I have, you have, he/she/it has, we have, you have, they have. *Prétérit :* I had, you had, he/she/it had, we had, you had, they had. *Participe présent :* having. *Participe passé :* had.

Have est un verbe à part entière, doté de sens propres, et qui peut donc apparaître seul. Il remplit en outre la fonction d'auxiliaire, notamment pour former les temps composés du passé (*I have always liked you ; I wish they had told me before*).

On trouve aussi l'auxiliaire have dans les tournures passives (*he had his bike stolen the other day* = « il s'est fait voler son vélo l'autre jour »). On peut parfois avoir recours à *have* pour montrer que le sujet fait faire par quelqu'un d'autre l'action décrite par le verbe (*she's having the house painted ; he had his hair cut*).

Le verbe *have* peut avoir le sens de « posséder » ou « être le propriétaire de ». Lorsque c'est le cas, en anglais britannique parlé, on peut utiliser *got* dans des tournures interrogatives et négatives (*I haven't got any money ; have you got any money?*, au lieu de *I don't have any money ; do you have any money?*).

Voir aussi *must, need*.

hay fever n *(indén)* rhume m des foins.

haystack ['heɪˌstæk] n meule f de foin.

haywire ['heɪˌwaɪəʳ] adj fam • **to go haywire** perdre la tête • se détraquer.

hazard ['hæzəd] ◼ n hasard m. ◼ vt hasarder.

hazardous ['hæzədəs] adj hasardeux (euse).

hazard (warning) lights npl feux mpl de détresse.

haze [heɪz] n brume f.

hazel ['heɪzl] adj noisette *(inv)*.

hazelnut ['heɪzl,nʌt] n noisette f.

hazy ['heɪzɪ] adj **1.** brumeux(euse) **2.** flou(e), vague.

HDTV *(abr de* **high-definition television)** n TVHD f.

he [hiː] pron pers **1.** *(unstressed)* il • **he's tall** il est grand • **there he is** le voilà **2.** *(stressed)* lui • **HE can't do it** lui ne peut pas le faire.

À PROPOS DE...

he

He est le pronom personnel qui représente les personnes et les animaux familiers de sexe masculin (*there's my brother – he's a teacher ; there's my cat – isn't he funny?*) ; *she* est son équivalent féminin (*there's my sister – she's a nurse*). *It* représente les objets, les concepts et les animaux non familiers (*there's my car – it's a Ford*). Certains noms peuvent être soit masculins soit féminins, p. ex. *doctor, cousin, friend*. Le choix entre *he* et *she* dépend donc du sexe de la personne (*there's my boss – do you know him/her?*). On peut utiliser *it* pour les noms d'animaux, ainsi que pour certains noms comme *baby*, si l'on ignore le sexe (*listen to that baby – I wish it would be quiet!*).

Lorsque l'on ignore le sexe d'une personne, l'usage classique et soutenu veut que l'on utilise le pronom masculin (*if a student is sick, he must have a note from his parents*). La langue moderne et soutenue préconise l'usage des pronoms masculin *et* féminin (*if a student is sick, he or she must have a note from his or her parents*). L'utilisation de *they*, autrefois considérée comme familière, est désormais acceptée (*if a student is sick, they must have a note from their parents*).

head [hed] ◼ n **1.** tête f • **a** ou **per head** par tête, par personne • **to laugh one's head off** rire à gorge déployée • **to be off one's head** *(UK)* ou **to be out of one's head** *(US)* être dingue • **to be soft in the head** *(UK)* fam être débile • **to go to one's head** monter à la tête • **to keep one's head** garder son sang-froid • **to lose one's head** perdre la tête **2.** tête f *(de lit, d'un marteau)* **3.** haut m *(d'un escalier, d'une page)* **4.** tête f *(d'une fleur)* **5.** pomme f *(d'un chou)* **6.** chef m • **head of state** chef m d'État **7.** *(UK)* directeur m, -trice f. ◼ vt **1.** être en tête de **2.** être à la tête de 3. FOOTBALL • **to head the ball** faire une tête. ◼ *vi* • **where are you heading?** où allez-vous ?

◼ **heads** *npl* face *f* • **heads or tails?** pile ou face ?

◼ **head for** *vt insép* se diriger vers.

headache ['hedeɪk] *n* mal *m* de tête.

headband ['hedbænd] *n* bandeau *m*.

head boy *n (UK)* élève chargé de la discipline et qui siège aux conseils de son école.

headdress ['hed,dres] *n* coiffe *f*.

header ['hedər] *n* tête *f*.

headfirst [,hed'fɜːst] *adv* (la) tête la première.

head girl *n (UK)* élève chargée de la discipline et qui siège aux conseils de son école.

heading ['hedɪŋ] *n* titre *m*, intitulé *m*.

headlamp ['hedlæmp] *n (UK)* phare *m*.

headland ['hedlənd] *n* cap *m*.

headlight ['hedlaɪt] *n* phare *m*.

headline ['hedlaɪn] *n* 1. gros titre *m* 2. TV & RADIO grand titre *m*.

headlong ['hedlɒŋ] *adv* 1. à toute allure 2. tête baissée 3. (la) tête la première.

headmaster [,hed'mɑːstər] *n (UK)* directeur *m* (d'une école).

headmistress [,hed'mɪstrɪs] *n (UK)* directrice *f* (d'une école).

head office *n* siège *m* social.

head-on ◼ *adv* 1. de plein fouet 2. de front. ◼ *adj (collision)* frontal(e).

headphones ['hedfəʊnz] *npl* casque *m*.

headquarters [,hed'kwɔːtəz] *npl* 1. siège *m* 2. quartier *m* général.

headrest ['hedrest] *n* appui-tête *m*.

headroom ['hedrʊm] *n (indén)* hauteur *f*.

headscarf ['hedskɑːf] *(pl* **-scarves** [-skɑːvz] *ou* **-scarfs)** *n* foulard *m*.

headset ['hedset] *n* casque *m*.

head start *n* avantage *m* au départ • **head start on** *ou* **over** avantage sur.

headstrong ['hedstrɒŋ] *adj* volontaire, têtu(e).

head waiter *n* maître *m* d'hôtel.

headway ['hedweɪ] *n* • **to make headway** faire des progrès.

headwind ['hedwɪnd] *n* vent *m* contraire.

heady ['hedɪ] *adj* 1. grisant(e) 2. capiteux(euse).

heal [hiːl] ◼ *vt* 1. guérir 2. *fig* apaiser. ◼ *vi* se guérir.

healing ['hiːlɪŋ] ◼ *adj* curatif(ive). ◼ *n (indén)* guérison *f*.

health [helθ] *n* santé *f*.

health centre *n (UK)* ≃ centre *m* médico-social.

health food *n (indén)* produits *mpl* diététiques *ou* naturels *ou* biologiques.

health-food shop *n* magasin *m* de produits diététiques.

health service *n (UK)* ≃ sécurité *f* sociale.

healthy ['helθɪ] *adj* 1. sain(e) 2. en bonne santé, bien portant(e) 3. *fig (économie, entreprise)* qui se porte bien 4. *(revenus)* bon(bonne).

heap [hiːp] ◼ *n* tas *m*. ◼ *vt* entasser.

◼ **heaps** *npl fam* • **heaps of** des tas de • énormément de.

hear [hɪər] *(prét & pp heard* [hɜːd]) ◼ *vt* 1. entendre 2. apprendre • **to hear (that)...** apprendre que... ◼ *vi* 1. entendre 2. • **to hear about** entendre parler de 3. • **to hear about** avoir des nouvelles de • **to hear from sb** recevoir des nouvelles de qqn • **to have heard of** avoir entendu parler de • **I won't hear of it!** je ne veux pas en entendre parler !

hearing ['hɪərɪŋ] ◼ *n* 1. ouïe *f* • **hard of hearing** dur(e) d'oreille 2. DR audience *f*. ◼ *adj* entendant(e).

hearing aid *n* audiophone *m*.

hearsay ['hɪəseɪ] *n* ouï-dire *m*.

hearse [hɜːs] *n* corbillard *m*.

heart [hɑːt] *n litt & fig* cœur *m* • **from the heart** du fond du cœur • **to lose heart** perdre courage.

◼ **hearts** *npl* cœur *m*.

◼ **at heart** *adv* au fond (de soi).

◼ **by heart** *adv* par cœur.

heartache ['hɑːteɪk] *n fig* peine *f* de cœur.

heart attack *n* crise *f* cardiaque.

heartbeat ['hɑːtbiːt] *n* 1. battement *m* de cœur 2. pulsation *f* cardiaque.

heartbroken ['hɑːt,brəʊkn] *adj* qui a le cœur brisé.

heartburn ['hɑːtbɜːn] *n (indén)* brûlures *fpl* d'estomac.

heart failure *n* 1. arrêt *m* cardiaque 2. défaillance *f* cardiaque.

heartfelt ['hɑːtfelt] adj sincère.

hearth [hɑːθ] n foyer m.

heartless ['hɑːtlɪs] adj sans cœur.

heartwarming ['hɑːt,wɔːmɪŋ] adj réconfortant(e).

hearty ['hɑːtɪ] adj 1. cordial(e) 2. (repas) copieux(euse) 3. (appétit) gros(grosse).

heat [hiːt] ◼ n 1. (indén) chaleur f 2. (indén) fig pression f 3. SPORT éliminatoire f 4. ZOOL • on (UK) ou in (US) heat en chaleur. ◼ vt chauffer.
◼ **heat up** ◼ vt sép réchauffer. ◼ vi chauffer.

heated ['hiːtɪd] adj 1. (discussion) animé(e) 2. (piscine, pièce) chauffé(e).

heater ['hiːtər] n appareil m de chauffage.

heath [hiːθ] n lande f.

heathen ['hiːðn] ◼ adj païen(enne). ◼ n païen m, -enne f.

heather ['heðər] n bruyère f.

heating ['hiːtɪŋ] n chauffage m.

heatstroke ['hiːtstrəuk] n (indén) coup m de chaleur.

heat wave n canicule f, vague f de chaleur.

heave [hiːv] ◼ vt 1. tirer (avec effort) 2. pousser (avec effort) 3. fam lancer. ◼ vi 1. tirer 2. se soulever 3. avoir des haut-le-cœur.

heaven ['hevn] n paradis m.
◼ **heavens** interj • (good) heavens! juste ciel !

heavenly ['hevnlɪ] adj fam délicieux(euse), merveilleux(euse).

heavily ['hevɪlɪ] adv 1. énormément 2. (s'endetter) lourdement 3. solidement 4. (respirer, soupirer) péniblement, bruyamment 5. (s'asseoir, tomber) lourdement.

heavy ['hevɪ] adj 1. lourd(e) • how heavy is it? ça pèse combien ? 2. (circulation) dense 3. (pluie) battant(e) 4. (combat) acharné(e) 5. (pertes) nombreux(euses) 6. (buveur, fumeur) gros(grosse) 7. bruyant(e) 8. (emploi du temps) chargé(e) 9. (travail) pénible.

heavy cream n (US) crème f fraîche épaisse.

heavy goods vehicle n (UK) poids lourd m.

heavyweight ['hevɪweɪt] ◼ adj poids lourd. ◼ n poids lourd m.

Hebrew ['hiːbruː] ◼ adj hébreu, hébraïque. ◼ n 1. Hébreu m, Israélite mf 2. hébreu m.

Hebrides ['hebrɪdiːz] npl • the Hebrides les (îles fpl) Hébrides fpl.

heck [hek] interj fam • what/where/why the heck...? que/où/pourquoi diable... ? • a heck of a nice guy un type vachement sympa • a heck of a lot of people un tas de gens.

heckle ['hekl] ◼ vt interpeller. ◼ vi interrompre bruyamment.

hectic ['hektɪk] adj agité(e), mouvementé(e).

he'd [hiːd] = he had, he would.

hedge [hedʒ] ◼ n haie f. ◼ vi répondre de façon détournée.

hedgehog ['hedʒhɒg] n hérisson m.

heed [hiːd] ◼ n • to take heed of sthg tenir compte de qqch. ◼ vt sout tenir compte de.

heedless ['hiːdlɪs] adj • to be heedless of sthg ne pas tenir compte de qqch.

heel [hiːl] n talon m.

hefty ['heftɪ] adj 1. costaud(e) 2. gros (grosse).

heifer ['hefər] n génisse f.

height [haɪt] n 1. hauteur f 2. taille f • what height is it? ça fait quelle hauteur ? • what height are you? combien mesurez-vous ? 3. altitude f 4. • at the height of the summer au cœur de l'été • at the height of his fame au sommet de sa gloire.

heighten ['haɪtn] vt & vi augmenter.

heir [eər] n héritier m.

heiress ['eərɪs] n héritière f.

heirloom ['eəluːm] n 1. meuble m de famille 2. bijou m de famille.

heist [haɪst] n fam casse m.

held [held] passé & pp ▷ hold.

helicopter ['helɪkɒptər] n hélicoptère m.

helium ['hiːlɪəm] n hélium m.

hell [hel] ◼ n 1. litt & fig enfer m 2. fam • he's a hell of a nice guy c'est un type vachement sympa • what/where/why the hell...? que/où/pourquoi..., bon sang ? • to do sthg for the hell of it fam faire qqch pour le plaisir, faire qqch juste comme ça • **to give sb hell** *fam* engueuler qqn • **go to hell!** *tfam* va te faire foutre ! ◾ *interj fam* merde !, zut !

he'll [hi:l] = **he will.**

hellish ['helɪʃ] *adj* infernal(e).

hello [hə'ləʊ] *interj* **1.** bonjour ! **2.** *(au téléphone)* allô ! **3.** *(pour attirer l'attention)* hé !

helm [helm] *n litt* & *fig* & NAUT barre *f*.

helmet ['helmɪt] *n* casque *m*.

help [help] ◾ *n* **1.** *(indén)* aide *f* • **he gave me a lot of help** il m'a beaucoup aidé • **with the help of sthg** à l'aide de qqch • **with sb's help** avec l'aide de qqn • **to be of help** rendre service **2.** *(indén)* secours *m*. ◾ *vi* aider. ◾ *vt* **1.** aider • **to help sb (to) do sthg** aider qqn à faire qqch • **to help sb with sthg** aider qqn à faire qqch • **may I help you?** que désirez-vous ? **2.** • **I can't help it** je n'y peux rien • **I couldn't help laughing** je ne pouvais pas m'empêcher de rire • **to help o.s. (to sthg)** se servir (de qqch). ◾ *interj* au secours !, à l'aide !
◾ **help out** *vt sép* & *vi* aider.

helper ['helpər] *n* **1.** aide *mf* **2.** *(US)* femme *f* de ménage.

helpful ['helpfʊl] *adj* **1.** serviable **2.** utile.

helping ['helpɪŋ] *n* **1.** portion *f* **2.** part *f*.

helpless ['helplɪs] *adj* **1.** impuissant(e) **2.** *(regard, geste)* d'impuissance.

helpline ['helplaɪn] *n* ligne *f* d'assistance téléphonique.

Helsinki [hel'sɪŋkɪ] *n* Helsinki.

hem [hem] ◾ *n* ourlet *m*. ◾ *vt* ourler.

hemisphere ['hemɪˌsfɪər] *n* hémisphère *m*.

hemline ['hemlaɪn] *n* ourlet *m*.

hemophiliac [ˌhiːməˈfɪlɪæk] *(US)* = **haemophiliac.**

hemorrhage ['hemərɪdʒ] *(US)* = **haemorrhage.**

hemorrhoids ['hemərɔɪdz] *(US)* = **haemorrhoids.**

hen [hen] *n* **1.** poule *f* **2.** femelle *f*.

hence [hens] *adv sout* **1.** d'où **2.** d'ici.

henchman ['hentʃmən] *(pl* **-men** [-mən]*)* *n péj* acolyte *m*.

henna ['henə] *n* henné *m*.

henpecked ['henpekt] *adj péj* dominé(e) par sa femme.

her [hɜːr] ◾ *pron pers* **1.** *(complément d'objet direct)* la, elle • **I know/like her** je la connais/l'aime bien **2.** *(complément d'objet indirect)* lui • **we spoke to her** nous lui avons parlé • **he sent her a letter** il lui a envoyé une lettre **3.** *(précédé d'une préposition)* elle • **I'm shorter than her** je suis plus petit qu'elle. ◾ *adj poss* son(sa), ses *(pl)* • **her coat** son manteau • **it was her fault** c'était de sa faute à elle.

À PROPOS DE...

her

Si vous parlez d'une partie du corps, n'oubliez pas d'utiliser l'adjectif possessif *her*, et non pas *the* (*she put her hand up*, « elle a levé le bras » ; *she brushed her hair*, « elle s'est brossé les cheveux »).

herald ['herəld] ◾ *vt sout* annoncer. ◾ *n* héraut *m*.

herb [*(UK)* hɜːb, *(US)* ɜːrb] *n* herbe *f*.

herd [hɜːd] ◾ *n* troupeau *m*. ◾ *vt* **1.** mener **2.** *fig* conduire, mener **3.** *fig* parquer.

here [hɪər] *adv*

1. À CET ENDROIT
• **I've lived here for 5 years** j'habite ici depuis 5 ans
• **come here!** viens ici !
• **he's not here today** il n'est pas là aujourd'hui
2. POUR INDIQUER QUE L'ON EST PRÉSENT
• **Jenny Cooper? – here!** Jenny Cooper ? – présente !
3. POUR PRÉSENTER QQCH
• **here is what I want** voici ce que je veux
4. POUR PRÉSENTER QQN
• **here he is/they are** le/les voici
• **here comes John** voici John
5. DANS DES PHRASES EXCLAMATIVES, POUR ATTIRER L'ATTENTION, ET ÉVENTUELLEMENT EXPRIMER SON DÉSACCORD
• **here, I didn't promise you anything!** dites donc, je ne vous ai rien promis !

hereabouts *(UK)* [ˌhɪərəˈbaʊts], **hereabout** *(US)* [ˌhɪərəˈbaʊt] *adv* par ici.

hereafter [ˌhɪərˈɑːftər] ◾ *adv sout* ci-après. ◾ *n* • **the hereafter** l'au-delà *m*.

hereby [ˌhɪəˈbaɪ] *adv sout* par la présente.

hereditary [hɪ'redɪtrɪ] adj héréditaire.

heresy ['herəsɪ] n hérésie f.

herewith [,hɪə'wɪð] adv sout ci-joint, ci-inclus.

heritage ['herɪtɪdʒ] n héritage m, patrimoine m.

hermetically [hɜː'metɪklɪ] adv • **hermetically sealed** fermé(e) hermétiquement.

hermit ['hɜːmɪt] n ermite m.

hernia ['hɜːnjə] n hernie f.

hero ['hɪərəʊ] (pl **-es**) n héros m.

heroic [hɪ'rəʊɪk] adj héroïque.

heroin ['herəʊɪn] n héroïne f.

heroine ['herəʊɪn] n héroïne f.

heron ['herən] (pl inv ou **-s**) n héron m.

herring ['herɪŋ] (pl inv ou **-s**) n hareng m.

hers [hɜːz] pron poss le sien(la sienne), les siens(les siennes) (pl) • **that money is hers** cet argent est à elle ou est le sien • **a friend of hers** un ami à elle, un de ses amis.

herself [hɜː'self] pron 1. (réfléchi) se 2. (précédé d'une préposition) elle 3. (forme emphatique) elle-même.

he's [hiːz] = **he is**, **he has**.

hesitant ['hezɪtənt] adj hésitant(e).

hesitate ['hezɪteɪt] vi hésiter.

hesitation [,hezɪ'teɪʃn] n hésitation f.

heterogeneous [,hetərə'dʒiːnjəs] adj sout hétérogène.

heterosexual [,hetərəʊ'sekʃʊəl] ◼ adj hétérosexuel(elle). ◼ n hétérosexuel m, -elle f.

het up [het-] adj fam vieilli excité(e), énervé(e).

hexagon ['heksəgən] n hexagone m.

hey [heɪ] interj hé !

heyday ['heɪdeɪ] n âge m d'or.

HGV (abr de **heavy goods vehicle**) n PL m (abréviation de poids lourd).

hi [haɪ] interj fam salut !

hiatus [haɪ'eɪtəs] (pl **-es** [-iːz]) n sout pause f.

hibernate ['haɪbəneɪt] vi hiberner.

hiccup, hiccough ['hɪkʌp] ◼ n 1. hoquet m 2. fig accroc m • **to have (the) hiccups** avoir le hoquet. ◼ vi hoqueter.

hickey ['hɪkɪ] n (US) suçon m.

hid [hɪd] passé ⊏▷ **hide**.

hidden ['hɪdn] ◼ pp ⊏▷ **hide**. ◼ adj caché(e).

hide [haɪd] ◼ vt (prét **hid**, pp **hidden**) • **to hide sthg (from sb)** cacher qqch (à qqn) • taire qqch (à qqn). ◼ vi (prét **hid**, pp **hidden**) se cacher. ◼ n 1. peau f (d'un animal) 2. (UK) cachette f.

hide-and-seek n cache-cache m.

hideaway ['haɪdəweɪ] n cachette f.

hideous ['hɪdɪəs] adj 1. hideux(euse) 2. abominable.

hiding ['haɪdɪŋ] n 1. • **to be in hiding** se tenir caché(e) 2. fam • **to give sb a hiding** donner une raclée à qqn.

hiding place n cachette f.

hierarchy ['haɪərɑːkɪ] n hiérarchie f.

hi-fi ['haɪfaɪ] n hi-fi f inv.

high [haɪ] ◼ adj 1. haut(e) • **it's 3 feet high** cela fait 3 pieds de haut 2. élevé(e) 3. (voix) aigu(ë) 4. arg drogue qui plane, défoncé(e) 5. fam bourré(e). ◼ adv haut. ◼ n maximum m.

highbrow ['haɪbraʊ] adj péj intellectuel(elle).

high chair n chaise f haute (d'enfant).

high-class adj 1. (service, prestations) de premier ordre 2. (hôtel, restaurant) de grand standing.

high court n (US) Cour f suprême.

High Court n (UK) Cour f d'appel.

higher ['haɪər] adj supérieur(e). ◼ **Higher** n SCOL • **Higher (Grade)** examen de fin d'études secondaires en Écosse.

higher education n (indén) études fpl supérieures.

high gear n (US) 1. quatrième/cinquième vitesse f 2. fig • **to move into high gear** passer la surmultipliée.

high-handed [-'hændɪd] adj 1. autoritaire, despotique 2. cavalier(ère).

high heels npl talons mpl aiguilles.

high jump n saut m en hauteur.

Highland Games ['haɪlənd-] npl jeux mpl écossais.

Highlands ['haɪləndz] npl • **the Highlands** les Highlands fpl (région montagneuse du nord de l'Écosse).

highlight ['haɪlaɪt] ◼ n moment m ou point m fort. ◼ vt 1. souligner 2. surligner.

■ **highlights** *npl* reflets *mpl*, mèches *fpl*.

highlighter (pen) ['haɪlaɪtər-] *n* surligneur *m*.

highly ['haɪlɪ] *adv* **1.** extrêmement, très **2.** ■ **highly placed** haut placé(e) **3.** ■ **to think highly of sb/sthg** penser du bien de qqn/qqch.

highly-strung *adj* (UK) nerveux(euse).

Highness ['haɪnɪs] *n* ■ **His/Her/Your (Royal) Highness** Son/Votre Altesse (Royale).

high-pitched [-'pɪtʃt] *adj* aigu(ë).

high point *n* point *m* fort.

high-powered [-'pauəd] *adj* **1.** de forte puissance **2.** (poste) à haute responsabilité **3.** (personne) dynamique, entreprenant(e).

high-ranking [-'ræŋkɪŋ] *adj* de haut rang.

high rise *n* tour *f* (immeuble).

high school *n* **1.** (UK) établissement d'enseignement secondaire **2.** (US) ≃ lycée *m*.

high season *n* haute saison *f*.

high spot *n* point *m* fort.

high street *n* (UK) rue *f* principale.

high-tech [-'tek] *adj* de pointe.

high tide *n* marée *f* haute.

highway ['haɪweɪ] *n* **1.** (US) autoroute *f* **2.** grande route *f*.

Highway Code *n* (UK) ■ **the Highway Code** le code de la route.

hijack ['haɪdʒæk] ◼ *n* détournement *m*. ◼ *vt* détourner.

hijacker ['haɪdʒækər] *n* **1.** pirate *m* de l'air **2.** pirate *m* de la route.

hike [haɪk] ◼ *n* randonnée *f*. ◼ *vi* faire une randonnée.

hiker ['haɪkər] *n* randonneur *m*, -euse *f*.

hiking ['haɪkɪŋ] *n* marche *f*.

hilarious [hɪ'leərɪəs] *adj* hilarant(e).

hill [hɪl] *n* **1.** colline *f* **2.** côte *f*.

hillside ['hɪlsaɪd] *n* coteau *m*.

hilly ['hɪlɪ] *adj* vallonné(e).

hilt [hɪlt] *n* garde *f* ■ **to support/defend sb to the hilt** soutenir/défendre qqn à fond.

him [hɪm] *pron pers* **1.** (complément d'objet direct) le, lui ■ **I know/like him** je le connais/l'aime bien **2.** (complément d'objet indirect) lui ■ **we spoke to him** nous lui avons parlé ■ **she sent him a letter** elle lui a envoyé une lettre **3.** (précédé d'une préposition) lui ■ **I'm shorter than him** je suis plus petit que lui.

Himalayas [,hɪmə'leɪəz] *npl* ■ **the Himalayas** l'Himalaya *m*.

himself [hɪm'self] *pron* **1.** (réfléchi) se **2.** (précédé d'une préposition) lui **3.** (forme emphatique) lui-même.

hind [haɪnd] *adj* de derrière.

hinder ['hɪndər] *vt* gêner, entraver.

Hindi ['hɪndɪ] *n* hindi *m*.

hindrance ['hɪndrəns] *n* obstacle *m*.

hindsight ['haɪndsaɪt] *n* ■ **with the benefit of hindsight** avec du recul.

Hindu ['hɪnduː] ◼ *adj* hindou(e). ◼ *n* (pl **-s**) Hindou *m*, -e *f*.

hinge [hɪndʒ] *n* **1.** charnière *f* **2.** gond *m*. ■ **hinge (up)on** *vt insép* dépendre de.

hinky ['hɪŋkɪ] *adj* (US) fam bizarre, louche.

hint [hɪnt] ◼ *n* **1.** allusion *f* ■ **to drop a hint** faire une allusion **2.** conseil *m*, indication *f* **3.** soupçon *m* (petite quantité). ◼ *vi* ■ **to hint at sthg** faire allusion à qqch. ◼ *vt* ■ **to hint that...** insinuer que...

hip [hɪp] ◼ *n* hanche *f*. ◼ *adj fam* branché.

hippie ['hɪpɪ] = **hippy**.

hippo ['hɪpəʊ] (pl **-s**) *n* hippopotame *m*.

hippopotamus [,hɪpə'pɒtəməs] (pl **-muses** [-məsiːz] *ou* **-mi** [-maɪ]) *n* hippopotame *m*.

hippy ['hɪpɪ] *n* hippie *mf*.

hire ['haɪər] ◼ *n* (indén) (UK) location *f* ■ **for hire** à louer ■ (taxi) libre. ◼ *vt* **1.** (UK) louer **2.** employer les services de ■ **a hired killer** un tueur à gages. ■ **hire out** *vt sép* (UK) louer.

hire car *n* (UK) voiture *f* de location.

hire purchase *n* (indén) (UK) achat *m* à crédit *ou* à tempérament.

his [hɪz] ◼ *adj poss* son(sa), ses (pl) ■ **his name is Joe** il s'appelle Joe. ◼ *pron poss* le sien(la sienne), les siens(les siennes) (pl) ■ **that money is his** cet argent est à lui *ou* est le sien ■ **it wasn't her fault, it was his** ce n'était pas de sa faute à elle, c'était de sa faute à lui ■ **a friend of his** un ami à lui.

hiss [hɪs] ◼ *n* **1.** sifflement *m* **2.** sifflets *mpl* (huées). ◼ *vi* siffler.

historic [hɪ'stɒrɪk] *adj* historique.

historical [hɪ'stɒrɪkəl] *adj* historique.

history ['hɪstərɪ] *n* **1.** histoire *f* **2.** antécédents *mpl* • **medical history** passé *m* médical **3.** historique *m*.

hit [hɪt] ◼ *n* **1.** coup *m* **2.** coup *m* ou tir *m* réussi **3.** touche *f* **4.** succès *m* • **to be a hit** avoir plaire à **5.** INFORM visite *f* (d'un site Internet). ◼ *en apposition* à succès. ◼ *vt* (*prét & pp* **hit**) **1.** frapper **2.** taper sur **3.** heurter, percuter **4.** atteindre **5.** toucher, affecter • **to hit it off (with sb)** bien s'entendre (avec qqn).

hit-and-run *adj* avec délit de fuite • **hit-and-run driver** chauffard *m* (*qui a commis un délit de fuite*).

hitch [hɪtʃ] ◼ *n* ennui *m*. ◼ *vt* **1.** • **to hitch a lift** ou **a ride** faire du stop **2.** • **to hitch sthg on** ou **onto** accrocher ou attacher qqch à. ◼ *vi* faire du stop.
◼ **hitch up** *vt sép* remonter.

hitchhike ['hɪtʃhaɪk] *vi* faire de l'autostop.

hitchhiker ['hɪtʃhaɪkər] *n* auto-stoppeur *m*, -euse *f*.

hitherto [ˌhɪðə'tuː] *adv sout* jusqu'ici.

hit-or-miss *adj* aléatoire.

HIV (*abr de* **human immunodeficiency virus**) *n* VIH *m*, HIV *m* • **to be HIVpositive** être séropositif(ive).

hive [haɪv] *n* ruche *f*.

HNC (*abr de* **Higher National Certificate**) *n* brevet de technicien en Grande-Bretagne.

HND (*abr de* **Higher National Diploma**) *n* brevet de technicien supérieur en Grande-Bretagne.

hoard [hɔːd] ◼ *n* **1.** réserves *fpl* **2.** tas *m*. ◼ *vt* **1.** amasser **2.** faire des provisions de.

hoarding ['hɔːdɪŋ] *n* (*UK*) panneau *m* d'affichage publicitaire.

hoarfrost ['hɔːfrɒst] *n* gelée *f* blanche.

hoarse [hɔːs] *adj* **1.** enroué(e) **2.** rauque.

hoax [həʊks] *n* canular *m*.

hob [hɒb] *n* (*UK*) rond *m* (*de cuisinière*), plaque *f* (*de cuisson*).

hobble ['hɒbl] *vi* boitiller.

hobby ['hɒbɪ] *n* passe-temps *m inv*, hobby *m*, violon *m* d'Ingres.

hobbyhorse ['hɒbɪhɔːs] *n* **1.** cheval *m* à bascule **2.** *fig* dada *m*.

hobo ['həʊbəʊ] (*pl* **-es** ou **-s**) *n* (*US*) *vieilli* clochard *m*, -e *f*.

hockey ['hɒkɪ] *n* **1.** (*surtout UK*) hockey *m* **2.** (*US*) hockey *m* sur glace.

hoe [həʊ] ◼ *n* houe *f*. ◼ *vt* biner.

hog [hɒg] ◼ *n* **1.** (*US*) cochon *m* **2.** *fam* goinfre *m*. ◼ *vt fam* accaparer, monopoliser.

Hogmanay ['hɒgməneɪ] *n* la Saint-Sylvestre en Écosse.

hoist [hɔɪst] ◼ *n* treuil *m*. ◼ *vt* hisser.

hold [həʊld] ◼ *vt* (*prét & pp* **held**) **1.** tenir **2.** maintenir **3.** détenir • **to hold sb prisoner/hostage** détenir qqn prisonnier/comme otage **4.** *sout* considérer, estimer • **to hold sb responsible for sthg** rendre qqn responsable de qqch, tenir qqn pour responsable de qqch **5.** • **please hold (the line)** ne quittez pas, je vous prie **6.** retenir **7.** supporter **8.** contenir • **hold it!, hold everything!** attendez !, arrêtez ! • **to hold one's own** se défendre. ◼ *vi* (*prét & pp* **held**) **1.** tenir **2.** persister **3.** se maintenir • **to hold still** ou **steady** ne pas bouger, rester tranquille **4.** patienter (*au téléphone*). ◼ *n* **1.** prise *f*, étreinte *f* • **to take** ou **lay hold of sthg** saisir qqch • **to get hold of sthg** se procurer qqch • **to get hold of sb** joindre qqn **2.** prise *f* (*de contrôle*) **3.** cale *f*.
◼ **hold back** *vt sép* **1.** retenir **2.** réprimer • **to hold sb back from doing sthg** retenir qqn de faire qqch **3.** cacher.
◼ **hold down** *vt sép* garder.
◼ **hold off** *vt sép* **1.** tenir à distance **2.** reporter.
◼ **hold on** *vi* **1.** attendre **2.** (*au téléphone*) ne pas quitter **3.** • **to hold on (to sthg)** se tenir (à qqch).
◼ **hold out** ◼ *vt sép* tendre. ◼ *vi* **1.** durer **2.** résister.
◼ **hold up** *vt sép* **1.** lever **2.** retarder.

holdall ['həʊldɔːl] *n* (*UK*) fourre-tout *m inv*.

holder ['həʊldər] n **1.** porte-cigarettes m inv **2.** détenteur m, -trice f **3.** titulaire mf.

holding ['həʊldɪŋ] n **1.** FIN effets mpl en portefeuille **2.** ferme f.

hold-up ['həʊldʌp] n **1.** hold-up m **2.** retard m.

hole [həʊl] n trou m.

holiday ['hɒlɪdeɪ] n **1.** (UK) vacances fpl **2.** jour m férié.

CULTURE... holidays

En dehors de Noël, on compte parmi les principales fêtes britanniques *Boxing Day*, *Guy Fawkes' Night* (appelée aussi *Bonfire night*) et *Hogmanay* (la Saint-Sylvestre écossaise). En Irlande, on fête *Saint Patrick's Day*, la fête nationale. Aux États-Unis, les plus grandes fêtes sont *The Fourth of July* (ou *Independence Day*), *Halloween* et *Thanksgiving*.
Vous trouverez davantage d'informations en vous reportant à chacun des encadrés consacrés à ces fêtes.

holiday camp n (UK) camp m de vacances.

holidaymaker ['hɒlɪdɪ,meɪkər] n (UK) vacancier m, -ère f.

holiday pay n (UK) salaire payé pendant les vacances.

holiday resort n (UK) lieu m de vacances.

holistic [həʊˈlɪstɪk] adj holistique.

Holland ['hɒlənd] n Hollande f.

holler ['hɒlər] vi & vt fam gueuler, brailler.

hollow ['hɒləʊ] ◆ adj **1.** creux(creuse) **2.** (yeux) cave **3.** (promesse, victoire) faux(fausse) **4.** (rire) qui sonne faux. ◆ n creux m.
■ **hollow out** vt sép creuser, évider.

holly ['hɒlɪ] n houx m.

hollywood ['hɒlɪwʊd] n hollywood m.

holocaust ['hɒləkɔːst] n destruction f, holocauste m.
■ **Holocaust** n • the Holocaust l'holocauste m.

holster ['həʊlstər] n étui m de revolver.

CULTURE... Hollywood

Hollywood est un quartier de *Los Angeles* devenu depuis 1911 le cœur de l'industrie cinématographique américaine, notamment dans les années 30 et 40. À cette époque, de grands studios tels que la *20th Century Fox*, *Paramount* ou *Warner Brothers* produisaient chaque année des centaines de films. À l'origine, l'endroit fut choisi en raison de son climat privilégié permettant de tourner en extérieur toute l'année. *Hollywood* est aujourd'hui l'une des attractions touristiques majeures des États-Unis.

holy ['həʊlɪ] adj **1.** saint(e) **2.** sacré(e).

Holy Ghost n • the Holy Ghost le Saint-Esprit.

Holy Land n • the Holy Land la Terre sainte.

Holy Spirit n • the Holy Spirit le Saint-Esprit.

home [həʊm] ◆ n **1.** maison f • to make one's home s'établir, s'installer **2.** patrie f **3.** ville f natale **4.** foyer m • to leave home quitter la maison **5.** fig berceau m. ◆ adj **1.** intérieur(e) **2.** national(e) **3.** de famille **4.** domestique **5.** SPORT • sur son propre terrain • (équipe) qui reçoit. ◆ adv chez soi, à la maison. ■ **at home** adv **1.** chez soi, à la maison **2.** à l'aise • at home with sthg à l'aise dans qqch • to make o.s. at home faire comme chez soi.

home address n adresse f du domicile.

home brew n (indén) bière f faite à la maison.

home computer n ordinateur m domestique.

Home Counties npl • the Home Counties les comtés entourant Londres.

home economics n (indén) économie f domestique.

home help n (UK) aide f ménagère.

homeland ['həʊmlænd] n patrie f.

homeless ['həʊmlɪs] ◆ adj sans abri. ◆ npl • the homeless les sans-abri mpl.

homely ['həʊmlɪ] adj **1.** (UK) simple **2.** (US) ordinaire.

homemade [ˌhəʊm'meɪd] *adj* fait(e) (à la) maison.

Home Office *n* *(UK)* • **the Home Office** ≃ le ministère de l'Intérieur.

homeopath [ˌhəʊmɪ'ɒpəθ] *n* *(UK)* homéopathe *mf*.

homeopathy [ˌhəʊmɪ'ɒpəθɪ] *n* homéopathie *f*.

home page *n* INFORM page *f* d'accueil.

Home Secretary *n* *(UK)* ≃ ministre *m* de l'Intérieur.

homesick ['həʊmsɪk] *adj* qui a le mal du pays.

homeward ['həʊmwəd] ▪ *adj* de retour. ▪ *adv* vers la maison.

homewards ['həʊmwədz] *adv* *(UK)* = **homeward**.

homework ['həʊmwɜːk] *n* *(indén)* **1.** devoirs *mpl* **2.** *fam* boulot *m*.

homey, homy ['həʊmɪ] *adj* *(US)* confortable, agréable.

homicide ['hɒmɪsaɪd] *n* homicide *m*.

homoeopathy [ˌhəʊmɪ'ɒpəθɪ] *(UK)* = **homeopathy**.

homogeneous [ˌhɒmə'dʒiːnjəs] *adj* homogène.

homosexual [ˌhɒmə'sekʃʊəl] ▪ *adj* homosexuel(elle). ▪ *n* homosexuel *m*, -elle *f*.

homy = **homey**.

hone [həʊn] *vt* aiguiser.

honest ['ɒnɪst] ▪ *adj* **1.** honnête, probe **2.** franc(franche), sincère • **to be honest...** pour dire la vérité..., à dire vrai... **3.** légitime. ▪ *adv* *fam* = **honestly** *(sens 2)*.

honestly ['ɒnɪstlɪ] ▪ *adv* **1.** honnêtement **2.** je vous assure. ▪ *interj* *(pour exprimer la désapprobation)* franchement !

honesty ['ɒnɪstɪ] *n* honnêteté *f*, probité *f*.

honey ['hʌnɪ] *n* **1.** miel *m* **2.** chéri *m*, -e *f*.

honeycomb ['hʌnɪkəʊm] *n* gâteau *m* de miel.

honeymoon ['hʌnɪmuːn] ▪ *n* *litt* & *fig* lune *f* de miel. ▪ *vi* aller en voyage de noces, passer sa lune de miel.

honeysuckle ['hʌnɪˌsʌkl] *n* chèvrefeuille *m*.

Hong Kong [ˌhɒŋ'kɒŋ] *n* Hongkong, Hong Kong.

honk [hɒŋk] ▪ *vi* **1.** klaxonner **2.** *(oie)* cacarder. ▪ *vt* • **to honk the horn** klaxonner.

honor *(US)* = **honour**.

honorable *(US)* = **honourable**.

honorably *(US)* = **honourably**.

honorary [*(UK)* 'ɒnərərɪ, *(US)* ɒnə'reərɪ] *adj* honoraire.

honors *npl* *(US)* = **honours** *(sens 1)*.

honour *(UK)*, **honor** *(US)* ['ɒnər] ▪ *n* honneur *m*. ▪ *vt* honorer.

honourable *(UK)*, **honorable** *(US)* ['ɒnrəbl] *adj* honorable.

hood [hʊd] *n* **1.** capuchon *m* **2.** hotte *f* **3.** AUTO capote *f* **4.** *(US)* AUTO capot *m* **5.** *(US)* *fam* gangster *m*.

hoodlum ['huːdləm] *n* *fam* *vieilli* gangster *m*, truand *m*.

hoof [huːf *ou* hʊf] *(pl* **-s** *ou* **hooves** [huːvz]) *n* sabot *m*.

hook [hʊk] ▪ *n* **1.** crochet *m* **2.** hameçon *m* **3.** agrafe *f* **4.** *(téléphone)* • **off the hook** décroché. ▪ *vt* **1.** accrocher **2.** prendre. ▪ **hook up** *vt sép* • **to hook sthg up to sthg** connecter qqch à qqch.

hooked [hʊkt] *adj* **1.** crochu(e) **2.** *fam* • **to be hooked (on)** être accro (à).

hook(e)y ['hʊkɪ] *n* *(US)* *fam* • **to play hookey** faire l'école buissonnière.

hooligan ['huːlɪɡən] *n* hooligan *m*, vandale *m*.

hoop [huːp] *n* **1.** cercle *m* **2.** cerceau *m*.

hoot [huːt] ▪ *n* **1.** hululement *m* **2.** *(UK)* coup *m* de Klaxon® **3.** *(UK)* *fam* • **to be a hoot** être tordant(e). ▪ *vi* **1.** hululer **2.** *(UK)* klaxonner. ▪ *vt* *(UK)* • **to hoot the horn** klaxonner.

hooter ['huːtər] *n* *(UK)* Klaxon® *m*.

Hoover® *(UK)* ['huːvər] *n* aspirateur *m*. ▪ **hoover** *vt* passer l'aspirateur dans.

hooves [huːvz] *npl* ⊳ **hoof**.

hop [hɒp] ▪ *n* **1.** saut *m* **2.** saut à cloche-pied. ▪ *vi* **1.** sauter **2.** sauter à cloche-pied **3.** sautiller. ▪ **hops** *npl* houblon *m*.

hope [həʊp] ▪ *vi* espérer • **to hope for sthg** espérer qqch • **I hope so** j'espère bien • **I hope not** j'espère bien que non. ▪ *vt* • **to hope (that)** espérer que • **to hope to do sthg** espérer faire qqch. ▪ *n* espoir *m* • **in the hope of** dans l'espoir de.

hopeful ['həʊpfʊl] *adj* **1.** plein(e) d'espoir • **to be hopeful of doing sthg** avoir l'espoir de faire qqch • **to be hopeful of sthg** espérer qqch **2.** encourageant(e), qui promet.

hopefully ['həʊpfəlɪ] *adv* **1.** avec bon espoir, avec optimisme **2.** • **hopefully,...** espérons que...

hopeless ['həʊplɪs] *adj* **1.** désespéré(e) **2.** *(larmes)* de désespoir **3.** *fam* nul(nulle).

hopelessly ['həʊplɪslɪ] *adv* **1.** avec désespoir **2.** complètement.

horizon [hə'raɪzn] *n* horizon *m* • **on the horizon** *litt* & *fig* à l'horizon.

horizontal [ˌhɒrɪ'zɒntl] ■ *adj* horizontal(e). ■ *n* • **the horizontal** l'horizontale *f*.

hormone ['hɔːməʊn] *n* hormone *f*.

horn [hɔːn] *n* **1.** corne *f* **2.** MUS cor *m* **3.** Klaxon® *m* **4.** sirène *f* (de bateau).

hornet ['hɔːnɪt] *n* frelon *m*.

horny ['hɔːnɪ] *adj* **1.** corné(e) **2.** calleux(euse) **3.** *tfam* excité(e) (sexuellement).

horoscope ['hɒrəskəʊp] *n* horoscope *m*.

horrendous [hɒ'rendəs] *adj* horrible, atroce.

horrible ['hɒrəbl] *adj* horrible.

horrid ['hɒrɪd] *adj* horrible.

horrific [hɒ'rɪfɪk] *adj* horrible, épouvantable.

horrify ['hɒrɪfaɪ] *vt* horrifier.

horror ['hɒrə'] *n* horreur *f*.

horror film (*surtout UK*), **horror movie** (*surtout US*) *n* film *m* d'horreur *ou* d'épouvante.

horse [hɔːs] *n* cheval *m*.

horseback ['hɔːsbæk] ■ *adj* à cheval • **horseback riding** *(US)* équitation *f*. ■ *n* • **on horseback** à cheval.

horse chestnut *n* marron *m* d'Inde.

horseman ['hɔːsmən] (*pl* -**men** [-mən]) *n* cavalier *m*.

horsepower ['hɔːsˌpaʊə'] *n* puissance *f* en chevaux.

horse racing *n* (*indén*) courses *fpl* de chevaux.

horseradish ['hɔːsˌrædɪʃ] *n* raifort *m*.

horse riding *n* (*UK*) équitation *f*.

horseshoe ['hɔːsʃuː] *n* fer *m* à cheval.

horsewoman ['hɔːsˌwʊmən] (*pl* -**women** [-ˌwɪmɪn]) *n* cavalière *f*.

horticulture ['hɔːtɪkʌltʃə'] *n* horticulture *f*.

hose [həʊz] ■ *n* tuyau *m*. ■ *vt* arroser au jet.

hosepipe ['həʊzpaɪp] *n* = **hose**.

hosiery ['həʊzɪərɪ] *n* bonneterie *f*.

hospitable [hɒ'spɪtəbl] *adj* hospitalier(ère), accueillant(e).

hospital ['hɒspɪtl] *n* hôpital *m*.

hospitality [ˌhɒspɪ'tælətɪ] *n* hospitalité *f*.

host [həʊst] ■ *n* **1.** hôte *m* **2.** animateur *m*, -trice *f* **3.** • **a host of** une foule de. ■ *vt* **1.** *fig* présenter, animer **2.** héberger.

hostage ['hɒstɪdʒ] *n* otage *m*.

hostel ['hɒstl] *n* **1.** foyer *m* **2.** auberge *f* de jeunesse.

hostess ['həʊstes] *n* hôtesse *f*.

host family *n* famille *f* d'accueil.

hostile [(*UK*) 'hɒstaɪl, (*US*) 'hɒstl] *adj* • **hostile (to)** hostile (à).

hostility [hɒ'stɪlətɪ] *n* hostilité *f*.

hot [hɒt] *adj* **1.** chaud(e) • **I'm hot** j'ai chaud • **it's hot** il fait chaud **2.** épicé(e) **3.** de dernière heure *ou* minute **4.** colérique.

hot-air balloon *n* montgolfière *f*.

hotbed ['hɒtbed] *n* *fig* foyer *m* (*d'intrigues, d'agitation sociale*).

hot cross bun *n* petit pain sucré que l'on mange le Vendredi saint.

hot dog *n* hot dog *m*.

hotel [həʊ'tel] *n* hôtel *m*.

hot flush (*UK*), **hot flash** (*US*) *n* bouffée *f* de chaleur.

hotfoot ['hɒtˌfʊt] *adv* à toute vitesse.

hotheaded [ˌhɒt'hedɪd] *adj* impulsif(ive).

hothouse ['hɒthaʊs] (*pl* [-haʊzɪz]) serre *f*.

hot line *n* **1.** téléphone *m* rouge **2.** hot line *f*, assistance *f* téléphonique.

hotly ['hɒtlɪ] *adv* **1.** avec véhémence **2.** de près.

hotplate ['hɒtpleɪt] *n* plaque *f* chauffante.

hot-tempered [-'tempəd] *adj* colérique.

hot-water bottle *n* bouillotte *f*.

hound [haund] ◼ *n* chien *m*. ◼ *vt* **1.** poursuivre, pourchasser **2.** • **to hound sb out (of)** chasser qqn (de).

hour ['aʊəʳ] *n* heure *f* • **half an hour** une demi-heure • **on the hour** à l'heure juste.
◼ **hours** *npl* heures *fpl* d'ouverture.

hourly ['aʊəlɪ] *adj* & *adv* **1.** toutes les heures **2.** à l'heure.

house ◼ *n* [haʊs] (*pl* ['haʊzɪz]) **1.** maison *f* • **on the house** aux frais de la maison **2.** POLIT chambre *f* **3.** assistance *f* **4.** THÉÂTRE auditoire *m*, salle *f* • **to bring the house down** *fam* faire crouler la salle sous les applaudissements **5.** (*UK*) *au sein d'une école, répartition des élèves en groupes concurrents.* ◼ *vt* [haʊz] **1.** loger, héberger **2.** abriter. ◼ *adj* [haʊs] **1.** d'entreprise **2.** de la maison.

house arrest *n* • **under house arrest** en résidence surveillée.

houseboat ['haʊsbəʊt] *n* péniche *f* aménagée.

housebreaking ['haʊs,breɪkɪŋ] *n* (*indén*) cambriolage *m*.

housecoat ['haʊskəʊt] *n* peignoir *m*.

household ['haʊshəʊld] ◼ *adj* **1.** ménager(ère) **2.** (*mot, nom*) connu(e) de tous. ◼ *n* maison *f*, ménage *m*.

housekeeper ['haʊs,kiːpəʳ] *n* gouvernante *f*.

housekeeping ['haʊs,kiːpɪŋ] *n* (*indén*) ménage *m*.

house music *n* house music *f*.

House of Commons *n* (*UK*) • **the House of Commons** la Chambre des Communes.

House of Lords *n* (*UK*) • **the House of Lords** la Chambre des Lords.

House of Representatives *n* (*US*) • **the House of Representatives** la Chambre des Représentants.

houseplant ['haʊsplɑːnt] *n* plante *f* d'appartement.

Houses of Parliament *npl* • **the Houses of Parliament** le Parlement britannique (*où se réunissent la Chambre des Communes et la Chambre des Lords*).

housewarming (party) ['haʊs,wɔːmɪŋ-] *n* pendaison *f* de crémaillère.

housewife ['haʊswaɪf] (*pl* **-wives** [-waɪvz]) *n* femme *f* au foyer.

housework ['haʊswɜːk] *n* (*indén*) ménage *m*.

housing ['haʊzɪŋ] *n* (*indén*) logement *m*.

housing association *n* (*UK*) association *f* d'aide au logement.

housing benefit *n* (*indén*) (*UK*) allocation *f* logement.

housing estate (*UK*), **housing project** (*US*) *n* cité *f*.

hovel ['hɒvl] *n* masure *f*, taudis *m*.

hover ['hɒvəʳ] *vi* planer.

hovercraft ['hɒvəkrɑːft] (*pl inv ou* **-s**) *n* aéroglisseur *m*, hovercraft *m*.

how [haʊ] *adv* **1.** comment • **how do you do it?** comment fait-on ? • **how are you?** comment allez-vous ? • **how do you do?** enchanté(e) (*de faire votre connaissance*) **2.** • **how high is it?** combien cela fait-il de haut ? • **how long have you been waiting?** cela fait combien de temps que vous attendez ? • **how many**

people came? combien de personnes sont venues ? **3.** • **how nice!** que c'est bien ! • **how awful!** quelle horreur !

■ **how about** *adv* • **how about a drink?** si on prenait un verre ? • **how about you?** et toi ?

■ **how much** ◼ *pron* combien • **how much does it cost?** combien ça coûte ? ◼ *adj* combien de • **how much bread?** combien de pain ?

however [haʊ'evər] ◼ *adv* **1.** cependant, toutefois **2.** quelque… que (+ *subjonctif*), si… que (+ *subjonctif*) • **however many/much** peu importe la quantité de **3.** comment. ◼ *conj* de quelque manière que (+ *subjonctif*).

howl [haʊl] ◼ *n* **1.** hurlement *m* **2.** éclat *m* (*de rire*). ◼ *vi* **1.** hurler **2.** rire aux éclats.

hp (*abr de* **horsepower**) *n* CV *m*.

HP *n* **1.** (*UK*) (*abr de* **hire purchase**) • **to buy sthg on HP** acheter qqch à crédit **2.** = **hp.**

HQ (*abr de* **headquarters**) *n* QG *m*.

hr (*abr de* **hour**) h.

hub [hʌb] *n* **1.** moyeu *m* **2.** *fig* centre *m* **3.** INFORM & AÉRON hub *m*.

hubbub ['hʌbʌb] *n* vacarme *m*, brouhaha *m*.

hubcap ['hʌbkæp] *n* enjoliveur *m*.

huddle ['hʌdl] ◼ *vi* se blottir. ◼ *n* petit groupe *m*.

hue [hju:] *n* teinte *f*, nuance *f*.

huff [hʌf] *n* • **in a huff** froissé(e).

hug [hʌg] ◼ *n* étreinte *f* • **to give sb a hug** serrer qqn dans ses bras. ◼ *vt* **1.** étreindre, serrer dans ses bras **2.** tenir **3.** serrer.

huge [hju:dʒ] *adj* **1.** énorme **2.** vaste **3.** fou(folle).

hulk [hʌlk] *n* **1.** carcasse *f* **2.** malabar *m*, mastodonte *m*.

hull [hʌl] *n* coque *f*.

hullo [hə'ləʊ] *interj* (*UK*) = **hello.**

hum [hʌm] ◼ *vi* **1.** bourdonner **2.** (*machine*) vrombir, ronfler **3.** fredonner, chantonner **4.** être en pleine activité. ◼ *vt* fredonner, chantonner.

human ['hju:mən] ◼ *adj* humain(e). ◼ *n* • **human (being)** être *m* humain.

humane [hju:'meɪn] *adj* humain(e).

humanitarian [hju:,mænɪ'teərɪən] *adj* humanitaire.

humanity [hju:'mænətɪ] *n* humanité *f*.

■ **humanities** *npl* • **the humanities** les sciences *fpl* humaines.

human race *n* • **the human race** la race humaine.

human rights *npl* droits *mpl* de l'homme.

human trafficking *n* trafic *m* *ou* traite *f* d'êtres humains.

humble ['hʌmbl] ◼ *adj* **1.** humble **2.** modeste. ◼ *vt* humilier.

humbug ['hʌmbʌg] *n vieilli* hypocrisie *f*.

humdrum ['hʌmdrʌm] *adj* monotone.

humid ['hju:mɪd] *adj* humide.

humidity [hju:'mɪdətɪ] *n* humidité *f*.

humiliate [hju:'mɪlɪeɪt] *vt* humilier.

humiliation [hju:,mɪlɪ'eɪʃn] *n* humiliation *f*.

humility [hju:'mɪlətɪ] *n* humilité *f*.

humor (*US*) = **humour.**

humorous ['hju:mərəs] *adj* **1.** humoristique **2.** plein(e) d'humour.

humour (*UK*), **humor** (*US*) ['hju:mə] ◼ *n* **1.** humour *m* **2.** côté *m* comique (*d'une situation, d'une remarque*) **3.** *vieilli* humeur *f*. ◼ *vt* se montrer conciliant(e) envers.

hump [hʌmp] *n* bosse *f*.

humpbacked bridge ['hʌmpbækt-], **humpback bridge** ['hʌmpbæk-] *n* (*UK*) pont *m* en dos d'âne.

hunch [hʌntʃ] *n fam* pressentiment *m*, intuition *f*.

hunchback ['hʌntʃbæk] *n injur* bossu *m*, -e *f*.

hunched [hʌntʃt] *adj* voûté(e).

hundred ['hʌndrəd] *num* cent • **a** *ou* **one hundred** cent. • *voir aussi* **six**

■ **hundreds** *npl* des centaines.

hundredth ['hʌndrətθ] *num* centième. • *voir aussi* **sixth**

hundredweight ['hʌndrədweɪt] *n* **1.** poids *m* de 112 livres, = 50,8 kg **2.** poids *m* de 100 livres, = 45,3 kg.

hung [hʌŋ] *passé & pp* ▷ **hang.**

Hungarian [hʌŋ'geərɪən] ◼ *adj* hongrois(e). ◼ *n* **1.** Hongrois *m*, -e *f* **2.** hongrois *m*.

Hungary ['hʌŋgərɪ] *n* Hongrie *f*.

hunger ['hʌŋgər] n 1. faim f 2. soif f.
■ **hunger after, hunger for** vt insép fig avoir faim de, avoir soif de.

hunger strike n grève f de la faim.

hung over adj fam • **to be hung over** avoir la gueule de bois.

hungry ['hʌŋgrɪ] adj 1. • **to be hungry** avoir faim • être affamé(e) 2. • **to be hungry for** être avide de.

hung up adj fam • **to be hung up (on** ou **about)** être obsédé(e) (par).

hunk [hʌŋk] n 1. gros morceau m 2. fam beau mec m.

hunt [hʌnt] ■ n 1. chasse f 2. recherches fpl. ■ vi 1. chasser 2. (UK) chasser le renard 3. • **to hunt (for sthg)** chercher partout (qqch). ■ vt 1. chasser 2. poursuivre, pourchasser.

hunter ['hʌntər] n chasseur m, -euse f.

hunting ['hʌntɪŋ] n 1. chasse f 2. (UK) chasse f au renard.

hurdle ['hɜːdl] ■ n 1. SPORT haie f 2. obstacle m. ■ vt sauter.

hurl [hɜːl] vt 1. lancer avec violence 2. fig lancer (des injures).

hurray [hʊ'reɪ] interj hourra !

hurricane ['hʌrɪkən] n ouragan m.

hurried ['hʌrɪd] adj précipité(e).

hurriedly ['hʌrɪdlɪ] adv 1. précipitamment 2. vite, en toute hâte.

hurry ['hʌrɪ] ■ vt 1. faire se dépêcher 2. hâter. ■ vi se dépêcher, se presser • **to hurry to do sthg** se dépêcher ou se presser de faire qqch. ■ n hâte f, précipitation f • **to be in a hurry** être pressé(e) • **to do sthg in a hurry** faire qqch à la hâte.
■ **hurry up** vi se dépêcher.

hurt [hɜːt] ■ vt (prét & pp **hurt**) 1. blesser 2. faire du mal à • **to hurt o.s.** se faire mal 3. fig faire du mal à. ■ vi (prét & pp **hurt**) 1. faire mal • **my leg hurts** ma jambe me fait mal 2. fig faire du mal. ■ adj 1. blessé(e) 2. offensé(e).

hurtful ['hɜːtfʊl] adj blessant(e).

hurtle ['hɜːtl] vi aller à toute allure.

husband ['hʌzbənd] n mari m.

hush [hʌʃ] ■ n silence m. ■ interj silence !, chut !

husk [hʌsk] n enveloppe f.

husky ['hʌskɪ] ■ adj rauque. ■ n (chien) husky m.

hustle ['hʌsl] ■ vt pousser, bousculer. ■ n agitation f.

hut [hʌt] n 1. hutte f 2. cabane f.

hutch [hʌtʃ] n clapier m.

hyacinth ['haɪəsɪnθ] n jacinthe f.

hydrant ['haɪdrənt] n bouche f d'incendie.

hydraulic [haɪ'drɒlɪk] adj hydraulique.

hydroelectric [,haɪdrəʊɪ'lektrɪk] adj hydro-électrique.

hydrofoil ['haɪdrəfɔɪl] n hydroptère m.

hydrogen ['haɪdrədʒən] n hydrogène m.

hyena [haɪ'iːnə] n hyène f.

hygiene ['haɪdʒiːn] n hygiène f.

hygienic [haɪ'dʒiːnɪk] adj hygiénique.

hymn [hɪm] n hymne m, cantique m.

hype [haɪp] fam ■ n (indén) battage m publicitaire. ■ vt faire un battage publicitaire autour de.

hyperactive [,haɪpər'æktɪv] adj hyperactif(ive).

hypermarket ['haɪpə,mɑːkɪt] n (surtout UK) hypermarché m.

hyphen ['haɪfn] n trait m d'union.

hypnosis [hɪp'nəʊsɪs] n hypnose f.

hypnotic [hɪp'nɒtɪk] adj hypnotique.

hypnotize, -ise ['hɪpnətaɪz] vt hypnotiser.

hypocrisy [hɪ'pɒkrəsɪ] n hypocrisie f.

hypocrite ['hɪpəkrɪt] n hypocrite mf.

hypocritical [,hɪpə'krɪtɪkl] adj hypocrite.

hypothesis [haɪ'pɒθɪsɪs] (pl **-theses** [-θɪsiːz]) n hypothèse f.

hypothetical [,haɪpə'θetɪkl] adj hypothétique.

hysteria [hɪs'tɪərɪə] n hystérie f.

hysterical [hɪs'terɪkl] adj 1. hystérique 2. fam désopilant(e).

hysterics [hɪs'terɪks] npl 1. crise f de nerfs 2. fam fou rire m.

i [aɪ] (*pl* **i's**), **I** (*pl* **I's** *ou* **Is**) *n* i *m inv*, I *m inv*.

I [aɪ] *pron pers* **1.** je • **I like skiing** j'aime skier • **he and I are leaving for Paris** lui et moi (nous) partons pour Paris **2.** *(forme emphatique)* • **I can't do it** moi je ne peux pas le faire.

ice [aɪs] ◼ *n* **1.** glace *f* **2.** *(indén)* verglas *m* **3.** *(indén)* glaçons *mpl*. ◼ *vt* glacer.
◼ **ice over, ice up** *vi* **1.** *(lac)* geler **2.** *(pare-brise)* givrer **3.** *(route)* se couvrir de verglas.

ICE [aɪsiː] *(abr de* **In Case of Emergency)** *n* TÉLÉCOM *dans le répertoire d'un téléphone portable, nom et coordonnées des personnes à prévenir en cas d'accident.*

iceberg ['aɪsbɜːg] *n* iceberg *m*.

iceberg lettuce *n* laitue *f* iceberg.

icebox ['aɪsbɒks] *n* **1.** *(UK)* freezer *m* **2.** *(US) vieilli* réfrigérateur *m*.

ice cream *n* glace *f*.

ice cube *n* glaçon *m*.

ice hockey *n* *(UK)* hockey *m* sur glace.

Iceland ['aɪslənd] *n* Islande *f*.

Icelandic [aɪs'lændɪk] ◼ *adj* islandais(e). ◼ *n* islandais *m*.

ice lolly *n* *(UK)* sucette *f* glacée.

ice pick *n* pic *m* à glace.

ice rink *n* patinoire *f*.

ice skate *n* patin *m* à glace.
◼ **ice-skate** *vi* faire du patin (à glace).

ice-skating *n* patinage *m* (sur glace).

icicle ['aɪsɪkl] *n* glaçon *m* (naturel).

icing ['aɪsɪŋ] *n* *(indén)* glaçage *m*, glace *f*.

icing sugar *n* *(UK)* sucre *m* glace.

icon ['aɪkɒn] *n* icône *f*.

icy ['aɪsɪ] *adj* **1.** glacial(e) **2.** verglacé(e).

ID *n* *(indén)* *(abr de* **identification)** papiers *mpl*.

I'd [aɪd] = **I would, I had**.

idea [aɪ'dɪə] *n* **1.** idée *f* **2.** intention *f* • **to get the idea** *fam* piger.

ideal [aɪ'dɪəl] ◼ *adj* idéal(e). ◼ *n* idéal *m*.

ideally [aɪ'dɪəlɪ] *adv* **1.** idéalement **2.** parfaitement.

identical [aɪ'dentɪkl] *adj* identique.

identification [aɪˌdentɪfɪ'keɪʃn] *n* *(indén)* **1.** • **identification (with)** identification *f* (à) **2.** pièce *f* d'identité.

identification parade *n* *(UK) séance d'identification d'un suspect dans un échantillon de plusieurs personnes.*

identify [aɪ'dentɪfaɪ] ◼ *vt* **1.** identifier **2.** permettre de reconnaître **3.** • **to identify sb with sthg** associer qqn à qqch. ◼ *vi* • **to identify with** s'identifier à.

Identikit® picture [aɪ'dentɪkɪt-] *n* portrait-robot *m*.

identity [aɪ'dentətɪ] *n* identité *f*.

identity card *n* carte *f* d'identité.

ideology [ˌaɪdɪ'ɒlədʒɪ] *n* idéologie *f*.

idiom ['ɪdɪəm] *n* **1.** expression *f* idiomatique **2.** *sout* langue *f*.

idiomatic [ˌɪdɪə'mætɪk] *adj* idiomatique.

idiosyncrasy [ˌɪdɪə'sɪŋkrəsɪ] *n* particularité *f*, caractéristique *f*.

idiot ['ɪdɪət] *n* idiot *m*, -e *f*, imbécile *mf*.

idiotic [ˌɪdɪ'ɒtɪk] *adj* idiot(e).

idle ['aɪdl] ◼ *adj* **1.** oisif(ive), désœuvré(e) **2.** *(machine, usine)* arrêté(e) **3.** *(travailleur)* qui chôme, en chômage **4.** *(menace)* vain(e). ◼ *vi* *(moteur)* tourner au ralenti.
◼ **idle away** *vt sép* • **to idle away one's time** perdre son temps à ne rien faire.

idol ['aɪdl] *n* idole *f*.

idolize, -ise ['aɪdəlaɪz] *vt* idolâtrer, adorer.

idyllic [ɪ'dɪlɪk] *adj* idyllique.

i.e. *(abr de* **id est)** c-à-d.

IED [aɪiː'diː] *(abr de* **Improvised Explosive Device)** *n engin explosif improvisé, par exemple une voiture piégée.*

if [ɪf] *conj* **1.** si • **if I were you** à ta place, si j'étais toi **2.** bien que.

■ **if anything** *adv* plutôt • **he doesn't look any slimmer, if anything, he's put on weight** il n'a pas l'air plus mince, il a même plutôt grossi.

■ **if not** *conj* sinon.

■ **if only** ■ *conj* **1.** ne serait-ce que **2.** si seulement. ■ *interj* si seulement… !

igloo ['ɪgluː] *(pl* -s*) n* igloo *m*, iglou *m*.

ignite [ɪg'naɪt] ■ *vt* **1.** mettre le feu à, enflammer **2.** tirer *(un feu d'artifice).* ■ *vi* prendre feu, s'enflammer.

ignition [ɪg'nɪʃn] *n* **1.** ignition *f* **2.** AUTO allumage *m* • **to switch on the ignition** mettre le contact.

ignition key *n* clef *f* de contact.

ignorance ['ɪgnərəns] *n* ignorance *f*.

ignorant ['ɪgnərənt] *adj* **1.** ignorant(e) **2.** mal élevé(e).

ignore [ɪg'nɔːʳ] *vt* **1.** ne pas tenir compte de **2.** faire semblant de ne pas voir.

ilk [ɪlk] *n* • **of that ilk** de cet acabit, de ce genre.

ill [ɪl] ■ *adj* **1.** malade • **to feel ill** se sentir malade *ou* souffrant • **to be taken ill** *(surtout UK) ou* **to fall ill** tomber malade **2.** mauvais(e) • **ill luck** malchance *f.* ■ *adv* mal • **to speak/think ill of sb** dire/ penser du mal de qqn.

I'll [aɪl] = **I will, I shall**.

ill-advised [-əd'vaɪzd] *adj sout* **1.** peu judicieux(euse) **2.** malavisé(e).

ill at ease *adj* mal à l'aise.

illegal [ɪ'liːgl] *adj* illégal(e).

illegible [ɪ'ledʒəbl] *adj* illisible.

illegitimate [ˌɪlɪ'dʒɪtɪmət] *adj* illégitime.

ill-equipped [-ɪ'kwɪpt] *adj* • **to be ill-equipped to do sthg** être mal placé(e) pour faire qqch.

ill-fated [-'feɪtɪd] *adj* fatal(e), funeste.

ill feeling *n* animosité *f*.

ill health *n* mauvaise santé *f*.

illicit [ɪ'lɪsɪt] *adj* illicite.

illiteracy [ɪ'lɪtərəsɪ] *n* analphabétisme *m*, illettrisme *m*.

illiterate [ɪ'lɪtərət] ■ *adj* analphabète, illettré(e). ■ *n* analphabète *mf*, illettré *m*, -e *f*.

illness ['ɪlnɪs] *n* maladie *f*.

illogical [ɪ'lɒdʒɪkl] *adj* illogique.

ill-suited *adj* mal assorti(e) • **to be ill-suited for sthg** être inapte à qqch.

ill-timed [-'taɪmd] *adj* déplacé(e), mal à propos.

ill-treat *vt* maltraiter.

illuminate [ɪ'luːmɪneɪt] *vt* éclairer.

illumination [ɪˌluːmɪ'neɪʃn] *n sout* éclairage *m*.

illusion [ɪ'luːʒn] *n* illusion *f* • **to be under the illusion that** croire *ou* s'imaginer que.

illustrate ['ɪləstreɪt] *vt* illustrer.

illustration [ˌɪlə'streɪʃn] *n* illustration *f*.

illustrious [ɪ'lʌstrɪəs] *adj* illustre, célèbre.

ill will *n* animosité *f*.

I'm [aɪm] = **I am**.

image ['ɪmɪdʒ] *n* **1.** image *f* **2.** image *f* de marque.

imagery ['ɪmɪdʒrɪ] *n (indén) (dans la littérature)* images *fpl*.

imaginary [ɪ'mædʒɪnrɪ] *adj* imaginaire.

imagination [ɪˌmædʒɪ'neɪʃn] *n* **1.** imagination *f* **2.** invention *f*.

imaginative [ɪ'mædʒɪnətɪv] *adj* **1.** imaginatif(ive) **2.** plein(e) d'imagination.

imagine [ɪ'mædʒɪn] *vt* imaginer • **to imagine doing sthg** s'imaginer *ou* se voir faisant qqch • **imagine (that)!** tu t'imagines !

imam [ɪ'mɑːm] *n* imam *m*.

imbalance [ˌɪm'bæləns] *n* déséquilibre *m*.

imbecile ['ɪmbiːsiːl] *n* imbécile *mf*, idiot *m*, -e *f*.

IMF *(abr de* **International Monetary Fund)** *n* FMI *m*.

imitate ['ɪmɪteɪt] *vt* imiter.

imitation [ˌɪmɪ'teɪʃn] ■ *n* imitation *f*. ■ *adj* en toc • **imitation leather** imitation *f* cuir.

immaculate [ɪ'mækjʊlət] *adj* impeccable.

immaterial [ˌɪmə'tɪərɪəl] *adj* sans importance.

immature [ˌɪmə'tjʊəʳ] *adj* **1.** qui manque de maturité **2.** jeune, immature.

immediate [ɪ'miːdjət] *adj* 1. immédiat(e) 2. urgent(e) 3. le plus proche(la plus proche).

immediately [ɪ'miːdjətlɪ] ◼ *adv* 1. immédiatement 2. directement. ◼ *conj* dès que.

immense [ɪ'mens] *adj* 1. immense 2. énorme.

immerse [ɪ'mɜːs] *vt* immerger • **to immerse o.s. in sthg** *fig* se plonger dans qqch.

immersion heater [ɪ'mɜːʃn-] *n (UK)* chauffe-eau *m* électrique.

immigrant ['ɪmɪɡrənt] *n* immigré *m*, -e *f*.

immigration [ˌɪmɪ'ɡreɪʃn] *n* immigration *f*.

imminent ['ɪmɪnənt] *adj* imminent(e).

immobilize, -ise [ɪ'məʊbɪlaɪz] *vt* immobiliser.

immobilizer [ɪ'məʊbɪlaɪzər] *n* AUTO système *m* antidémarrage.

immoral [ɪ'mɒrəl] *adj* immoral(e).

immortal [ɪ'mɔːtl] ◼ *adj* immortel(elle). ◼ *n* immortel *m*, -elle *f*.

immortalize, -ise [ɪ'mɔːtəlaɪz] *vt* immortaliser.

immune [ɪ'mjuːn] *adj* 1. MÉD • **immune (to)** immunisé(e) (contre) 2. *fig* • **to be immune to** *ou* **from** être à l'abri de.

immunity [ɪ'mjuːnətɪ] *n* 1. MÉD • **immunity (to)** immunité *f* (contre) 2. *fig* • **immunity to** *ou* **from** immunité *f* contre.

immunize, -ise ['ɪmjuːnaɪz] *vt* MÉD • **to immunize sb (against)** immuniser qqn (contre).

imp [ɪmp] *n* 1. lutin *m* 2. petit diable *m*, coquin *m*, -e *f*.

impact ◼ *n* ['ɪmpækt] impact *m* • **to make an impact on** *ou* **upon sb** faire une forte impression sur qqn • **to make an impact on** *ou* **upon sthg** avoir un impact sur qqch. ◼ *vt* [ɪm'pækt] 1. entrer en collision avec 2. avoir un impact sur.

impair [ɪm'peər] *vt* 1. affaiblir, abîmer 2. réduire *(l'efficacité)*.

impart [ɪm'pɑːt] *vt sout* 1. • **to impart sthg (to sb)** communiquer *ou* transmettre qqch (à qqn) 2. • **to impart sthg (to)** donner qqch (à).

impartial [ɪm'pɑːʃl] *adj* impartial(e).

impassable [ɪm'pɑːsəbl] *adj* impraticable.

impassive [ɪm'pæsɪv] *adj* impassible.

impatience [ɪm'peɪʃns] *n* 1. impatience *f* 2. irritation *f*.

impatient [ɪm'peɪʃnt] *adj* 1. impatient(e) • **to be impatient for sthg** attendre qqch avec impatience 2. • **to become** *ou* **get impatient** s'impatienter.

impeccable [ɪm'pekəbl] *adj* impeccable.

impede [ɪm'piːd] *vt* 1. entraver, empêcher 2. *(personne)* gêner.

impediment [ɪm'pedɪmənt] *n* 1. obstacle *m* 2. défaut *m*.

impel [ɪm'pel] *vt* • **to impel sb to do sthg** inciter qqn à faire qqch.

impending [ɪm'pendɪŋ] *adj* imminent(e).

imperative [ɪm'perətɪv] ◼ *adj* impératif(ive), essentiel(elle). ◼ *n* impératif *m*.

imperfect [ɪm'pɜːfɪkt] ◼ *adj* imparfait(e). ◼ *n* GRAMM • **imperfect (tense)** imparfait *m*.

imperial [ɪm'pɪərɪəl] *adj* 1. impérial(e) 2. *qui a cours légal dans le Royaume-Uni*.

imperil [ɪm'perɪl] *((UK)* prét & pp **-led**, cont **-ling**, *(US)* prét & pp **-ed**, cont **-ing)** *vt* 1. mettre en péril *ou* en danger 2. compromettre *(un projet)*.

impersonal [ɪm'pɜːsnl] *adj* impersonnel(elle).

impersonate [ɪm'pɜːsəneɪt] *vt* se faire passer pour.

impersonation [ɪmˌpɜːsə'neɪʃn] *n* 1. usurpation *f* d'identité 2. imitation *f*.

impertinent [ɪm'pɜːtɪnənt] *adj* impertinent(e).

impervious [ɪm'pɜːvjəs] *adj* • **impervious to** indifférent(e) à.

impetuous [ɪm'petʃʊəs] *adj* impétueux(euse).

impetus ['ɪmpɪtəs] *n (indén)* 1. élan *m* 2. impulsion *f*.

impinge [ɪm'pɪndʒ] *vi* • **to impinge on sb/sthg** affecter qqn/qqch.

implant ◼ *n* ['ɪmplɑːnt] implant *m*. ◼ *vt* [ɪm'plɑːnt] implanter.

implausible [ɪm'plɔːzəbl] *adj* peu plausible.

implement ◼ n ['ɪmplɪmənt] outil m, instrument m. ◼ vt ['ɪmplɪment] exécuter, appliquer.

implication [,ɪmplɪ'keɪʃn] n implication f • **by implication** par voie de conséquence.

implicit [ɪm'plɪsɪt] adj **1.** implicite **2.** (confiance, foi) absolu(e).

implore [ɪm'plɔːʳ] vt implorer.

imply [ɪm'plaɪ] vt **1.** sous-entendre, laisser supposer ou entendre **2.** impliquer.

impolite [,ɪmpə'laɪt] adj impoli(e).

import ◼ n ['ɪmpɔt] importation f. ◼ vt [ɪm'pɔt] importer.

importance [ɪm'pɔtns] n importance f.

important [ɪm'pɔtnt] adj important(e) • **to be important to sb** importer à qqn.

importer [ɪm'pɔtəʳ] n importateur m, -trice f.

impose [ɪm'pəʊz] ◼ vt • **to impose sthg (on)** imposer qqch (à). ◼ vi • **to impose (on sb)** abuser (de la gentillesse de qqn).

imposing [ɪm'pəʊzɪŋ] adj imposant(e).

imposition [,ɪmpə'zɪʃn] n **1.** imposition f **2.** • **it's an imposition** c'est abuser de ma gentillesse.

impossible [ɪm'pɒsəbl] adj impossible.

impostor, imposter [ɪm'pɒstəʳ] n imposteur m.

impotent ['ɪmpətənt] adj impuissant(e).

impound [ɪm'paʊnd] vt confisquer.

impoverished [ɪm'pɒvərɪʃt] adj appauvri(e).

impractical [ɪm'præktɪkl] adj pas pratique.

impregnable [ɪm'pregnəbl] adj **1.** MIL imprenable **2.** fig inattaquable.

impregnate ['ɪmpregneɪt] vt **1.** • **to impregnate sthg with** imprégner qqch de **2.** sout féconder.

impress [ɪm'pres] vt **1.** impressionner **2.** • **to impress sthg on sb** faire bien comprendre qqch à qqn.

impression [ɪm'preʃn] n **1.** impression f • **to be under the impression (that)...** avoir l'impression que... • **to make an impression** faire impression **2.** imitation f **3.** impression f, empreinte f.

impressive [ɪm'presɪv] adj impressionnant(e).

imprint ['ɪmprɪnt] n **1.** empreinte f **2.** nom m de l'éditeur.

imprison [ɪm'prɪzn] vt emprisonner.

improbable [ɪm'prɒbəbl] adj improbable.

impromptu [ɪm'prɒmptjuː] adj impromptu(e).

improper [ɪm'prɒpəʳ] adj **1.** impropre **2.** incorrect(e) **3.** indécent(e).

improve [ɪm'pruːv] ◼ vi **1.** s'améliorer **2.** aller mieux • **to improve on** ou **upon sthg** améliorer qqch. ◼ vt améliorer.

improvement [ɪm'pruːvmənt] n • **improvement (in/on)** amélioration f (de/ par rapport à).

improvise ['ɪmprəvaɪz] vt & vi improviser.

impudent ['ɪmpjʊdənt] adj impudent(e).

impulse ['ɪmpʌls] n impulsion f • **on impulse** par impulsion.

impulsive [ɪm'pʌlsɪv] adj impulsif(ive).

impunity [ɪm'pjuːnətɪ] n • **with impunity** avec impunité.

impurity [ɪm'pjʊərətɪ] n impureté f.

---

in [ɪn] prép

1. INDIQUE UNE LOCALISATION
• **the key is in a box/bag/drawer** la clé est dans une boîte/un sac/un tiroir
• **they live in the country** ils habitent à la campagne
• **he is in hospital** (UK), **to be in the hospital** (US) il est à l'hôpital

2. AVEC DES TERMES GÉOGRAPHIQUES
• **they live in Paris** ils habitent à Paris

3. INDIQUE UNE DATE, UNE SAISON, UN MOMENT DE LA JOURNÉE
• **they went to Italy in 2004** ils sont allés en Italie en 2004
• **he will start working in April** il commencera à travailler en avril
• **you should visit London in (the) spring** vous devriez visiter Londres au printemps
• **I'll meet at two o'clock in the afternoon** je vous verrai à deux heures de l'après-midi

4. INDIQUE LA DURÉE
• **he learned to type in two weeks** il a appris à taper à la machine en deux semaines
• **I'll be ready in five minutes** je serai prêt dans cinq minutes

- **it's my first decent meal in weeks** c'est mon premier repas correct depuis des semaines

5. AVEC DES VÊTEMENTS
- **he was dressed in a suit** il était vêtu d'un costume

6. INDIQUE DES CONDITIONS DE VIE
- **many people still live/die in poverty** un grand nombre de personnes vivent/meurent encore dans la misère
- **she was in danger/difficulty** elle était en danger/difficulté

7. INDIQUE UN DOMAINE PROFESSIONNEL
- **he's in computers** il est dans l'informatique

8. EXPRIME LE MOYEN, LA MANIÈRE
- **you should write in pencil/ink** vous devriez écrire au crayon/à l'encre
- **he spoke to me in a loud/soft voice** il me parla d'une voix forte/douce
- **speak in English!** parlez (en) anglais !

9. EXPRIME LA CAUSE
- **in anger, he slammed the door shut** sous le coup de la colère, il claqua la porte

10. INDIQUE UNE PERSONNE OU UNE CATÉGORIE DE PERSONNES
- **pollen allergies are rare in adults** les allergies au pollen sont très rares chez les adultes
- **the theme of irony is even stronger in Shakespeare** le thème de l'ironie est encore plus fort chez Shakespeare
- **in him, the party sees a great leader** le parti voit en lui un excellent leader

11. AVEC DES QUANTITÉS, DES NOMBRES
- **don't buy in large/small quantities** n'achète pas en grande/petite quantité
- **letters of support arrived in (their) thousands** les lettres de soutien arrivèrent par milliers
- **she's in her sixties** elle a la soixantaine

12. INDIQUE LA DISTRIBUTION, LA RÉPARTITION
- **good things come in twos** les bonnes choses viennent par deux
- **they were standing in a line/row/circle** ils se tenaient en ligne/rang/cercle

13. INDIQUE UNE PROPORTION
- **one child in ten suffers from malnutrition in that country** dans ce pays, un enfant sur dix souffre de malnutrition

14. APRÈS UN SUPERLATIF
- **it is the longest river in the world** c'est le fleuve le plus long du monde

15. SUIVI DU PARTICIPE PRÉSENT
- **in doing sthg** en faisant qqch
- **In saying this, I would not for a minute suggest that the task is easy** en disant cela, je ne voudrais pas suggérer le moins du monde que la tâche est aisée.

in *adv*

1. INDIQUE LA PRÉSENCE
- **is Judith in?** est-ce que Judith est là ?
- **I'm staying in tonight** je reste à la maison *ou* chez moi ce soir

2. INDIQUE UN MOUVEMENT VERS L'INTÉRIEUR
- **the door opened and they all rushed in** la porte s'ouvrit et ils se précipitèrent tous à l'intérieur
- **she opened the safe and put the money in** elle ouvrit le coffre fort et y mit l'argent

3. EN PARLANT D'UN TRAIN
- **the train is in** le train est en gare

4. EN PARLANT DE LA MARÉE
- **the tide's in** c'est la marée haute

5. DANS DES EXPRESSIONS
- **we're in for some bad weather** nous allons avoir du mauvais temps
- **you're in for a shock** tu vas avoir un choc.

in *adj*

1. EN SPORT
- **the umpire said that the ball was in** l'arbitre a dit que la balle était bonne

2. *fam* BRANCHÉ, À LA MODE
- **long skirts are in this year** les jupes longues sont à la mode cette année.

■ **ins** *npl*
- **the ins and outs** les tenants et les aboutissants.

■ **in all** *adv*

en tout
- **there are 30 in all** il y en a 30 en tout.

■ **in between** *adv*

1. SENS SPATIAL
- **a row of bushes with little clumps of flowers in between** une rangée d'arbustes séparés par des petites touffes de fleurs

2. SENS TEMPOREL
• **in between customers, we chatted about our plans** entre deux clients, nous avons discuté de nos projets.

in between *prép*

entre
• **the house was located in between two roads** la maison était située entre deux routes.

in. *abrév de* **inch**.

inability [,ɪnə'bɪlətɪ] *n* • **inability (to do sthg)** incapacité *f* (à faire qqch).

inaccessible [,ɪnək'sesəbl] *adj* inaccessible.

inaccurate [ɪn'ækjʊrət] *adj* inexact(e).

inadequate [ɪn'ædɪkwət] *adj* insuffisant(e).

inadvertently [,ɪnəd'vɜːtəntlɪ] *adv* par inadvertance.

inadvisable [,ɪnəd'vaɪzəbl] *adj* déconseillé(e).

inane [ɪ'neɪn] *adj* **1.** inepte **2.** *(personne)* stupide.

inanimate [ɪn'ænɪmət] *adj* inanimé(e).

inappropriate [ɪnə'prəʊprɪət] *adj* **1.** inopportun(e) **2.** *(expression, mot)* impropre **3.** *(tenue vestimentaire)* peu approprié(e).

inarticulate [,ɪnɑː'tɪkjʊlət] *adj* **1.** inarticulé(e), indistinct(e) **2.** *(personne)* qui s'exprime avec difficulté **3.** *(explication)* mal exprimé(e).

inasmuch [,ɪnəz'mʌtʃ] ■ **inasmuch as** *conj sout* attendu que.

inaudible [ɪ'nɔːdɪbl] *adj* inaudible.

inaugural [ɪ'nɔːgjʊrəl] *adj* inaugural(e).

inauguration [ɪ,nɔːgjʊ'reɪʃn] *n* **1.** POLIT investiture *f* **2.** inauguration *f*.

in-between *adj* intermédiaire.

inborn [,ɪn'bɔn] *adj* inné(e).

inbound ['ɪnbaʊnd] *adj* qui arrive.

inbox ['ɪnbɒks] *n* INFORM boîte *f* de réception.

in-box *(US)* = **in-tray**.

inbred [,ɪn'bred] *adj* **1.** consanguin(e) **2.** *(animal)* croisé(e) **3.** inné(e).

inbuilt [,ɪn'bɪlt] *adj* inné(e).

Inc. [ɪŋk] *(abr de* **incorporated)** *(US)* ≃ SARL.

incapable [ɪn'keɪpəbl] *adj* incapable.

incapacitated [,ɪnkə'pæsɪteɪtɪd] *adj* inapte physiquement • **incapacitated for work** mis(e) dans l'incapacité de travailler.

incarcerate [ɪn'kɑːsəreɪt] *vt sout* incarcérer.

incendiary device [ɪn'sendjərɪ-] *n* dispositif *m* incendiaire.

incense ■ *n* ['ɪnsens] encens *m*. ■ *vt* [ɪn'sens] mettre en colère.

incentive [ɪn'sentɪv] *n* **1.** motivation *f* **2.** COMM récompense *f*, prime *f*.

incentive program *(US)*, **incentive scheme** *(UK)* *n* programme *m* d'encouragement.

inception [ɪn'sepʃn] *n sout* commencement *m*.

incessant [ɪn'sesnt] *adj* incessant(e).

incessantly [ɪn'sesntlɪ] *adv* sans cesse.

incest ['ɪnsest] *n* inceste *m*.

inch [ɪntʃ] ■ *n = 2,5 cm*, ≃ pouce *m*. ■ *vi* • **to inch forward** avancer petit à petit.

incidence ['ɪnsɪdəns] *n sout* fréquence *f*.

incident ['ɪnsɪdənt] *n* incident *m*.

incidental [,ɪnsɪ'dentl] *adj* accessoire.

incidentally [,ɪnsɪ'dentəlɪ] *adv* à propos.

incinerate [ɪn'sɪnəreɪt] *vt* incinérer.

incipient [ɪn'sɪpɪənt] *adj sout* naissant(e).

incisive [ɪn'saɪsɪv] *adj* incisif(ive).

incite [ɪn'saɪt] *vt* inciter.

inclination [,ɪnklɪ'neɪʃn] *n* **1.** *(indén)* inclination *f*, goût *m* **2.** • **inclination to do sthg** inclination *f* à faire qqch.

incline ■ *n* ['ɪnklaɪn] inclinaison *f*. ■ *vt* [ɪn'klaɪn] incliner.

inclined [ɪn'klaɪnd] *adj* **1.** • **to be inclined to sthg/to do sthg** avoir tendance à qqch/à faire qqch **2.** • **to be inclined to do sthg** être enclin(e) à faire qqch **3.** incliné(e).

include [ɪn'kluːd] *vt* inclure.

included [ɪn'kluːdɪd] *adj* inclus(e).

including [ɪn'kluːdɪŋ] *prép* y compris.

inclusive [ɪn'kluːsɪv] *adj* **1.** inclus(e) **2.** tout compris(toute comprise) • **inclusive of VAT** TVA incluse *ou* comprise.

incoherent [,ɪnkəʊ'hɪərənt] *adj* incohérent(e).

income ['ɪŋkʌm] *n* revenu *m*.

income support *n* (*indén*) *(UK)* allocations *supplémentaires accordées aux personnes ayant un faible revenu.*

income tax *n* impôt *m* sur le revenu.

incompatible [,ɪnkəm'pætɪbl] *adj* • **incompatible (with)** incompatible (avec).

incompetent [ɪn'kɒmpɪtənt] *adj* incompétent(e).

incomplete [,ɪnkəm'pliːt] *adj* incomplet(ète).

incomprehensible [ɪn,kɒmprɪ'hensəbl] *adj* incompréhensible.

inconceivable [,ɪnkən'siːvəbl] *adj* inconcevable.

inconclusive [,ɪnkən'kluːsɪv] *adj* peu concluant(e).

incongruous [ɪn'kɒŋgruəs] *adj* incongru(e).

inconsequential [,ɪnkɒnsɪ'kwenʃl] *adj* sans importance.

inconsiderable [,ɪnkən'sɪdərəbl] *adj* • **not inconsiderable** non négligeable.

inconsiderate [,ɪnkən'sɪdərət] *adj* 1. inconsidéré(e) 2. *(personne)* qui manque de considération.

inconsistency [,ɪnkən'sɪstənsɪ] *n* inconsistance *f*.

inconsistent [,ɪnkən'sɪstənt] *adj* 1. contradictoire 2. inconséquent(e) • **inconsistent with sthg** en contradiction avec qqch 3. inconsistant(e).

inconspicuous [,ɪnkən'spɪkjuəs] *adj* qui passe inaperçu(e).

inconvenience [,ɪnkən'viːnjəns] ◼ *n* désagrément *m*. ◼ *vt* déranger.

inconvenient [,ɪnkən'viːnjənt] *adj* inopportun(e).

incorporate [ɪn'kɔːpəreɪt] ◼ *vt* 1. incorporer 2. contenir, comprendre. ◼ *vi* COMM se constituer en société commerciale.

incorporated [ɪn'kɔːpəreɪtɪd] *adj* constitué(e) en société commerciale.

incorrect [,ɪnkə'rekt] *adj* incorrect(e).

incorrigible [ɪn'kɒrɪdʒəbl] *adj* incorrigible.

increase ◼ *n* ['ɪnkriːs] • **increase (in)** augmentation *f* (de) • **to be on the increase** aller en augmentant. ◼ *vt & vi* [ɪn'kriːs] augmenter.

increasing [ɪn'kriːsɪŋ] *adj* croissant(e).

increasingly [ɪn'kriːsɪŋlɪ] *adv* de plus en plus.

incredible [ɪn'kredəbl] *adj* incroyable.

incredulous [ɪn'kredjuləs] *adj* incrédule.

increment ['ɪnkrɪmənt] *n* augmentation *f*.

incriminating [ɪn'krɪmɪneɪtɪŋ] *adj* compromettant(e).

incubator ['ɪnkjubeɪtər] *n* incubateur *m*, couveuse *f*.

incumbent [ɪn'kʌmbənt] *sout n* titulaire *m* (*d'un poste*).

incur [ɪn'kɜːr] *vt* encourir.

indebted [ɪn'detɪd] *adj* redevable.

indecent [ɪn'diːsnt] *adj* 1. indécent(e) 2. malséant(e).

indecent assault *n* attentat *m* à la pudeur.

indecent exposure *n* outrage *m* public à la pudeur.

indecisive [,ɪndɪ'saɪsɪv] *adj* indécis(e).

indeed [ɪn'diːd] *adv* 1. vraiment • **indeed I am** *ou* **yes indeed** certainement 2. en effet 3. • **very big/bad indeed** extrêmement *ou* vraiment grand(e)/mauvais(e).

indefinite [ɪn'defɪnɪt] *adj* 1. indéfini(e) 2. vague.

indefinitely [ɪn'defɪnətlɪ] *adv* 1. indéfiniment 2. vaguement.

indemnity [ɪn'demnətɪ] *n* indemnité *f*.

indent [ɪn'dent] *vt* 1. entailler 2. TYPO mettre en retrait (*une ligne, un paragraphe*).

independence [,ɪndɪ'pendəns] *n* indépendance *f*.

Independence Day *n* fête de l'indépendance américaine, le 4 juillet.

independent [,ɪndɪ'pendənt] *adj* • **independent (of)** indépendant(e) (de).

independent school *n* *(UK)* école *f* privée.

in-depth *adj* approfondi(e).

indescribable [,ɪndɪ'skraɪbəbl] *adj* indescriptible.

indestructible [,ɪndɪ'strʌktəbl] *adj* indestructible.

index ['ɪndeks] n 1. (pl -dexes [-deksi:z]) index m 2. (pl -dexes [-deksi:z]) répertoire m, fichier m 3. (pl -dexes [-deksi:z] ou -dices [-dɪsi:z]) ÉCON indice m.

index card n fiche f.

index finger n index m (doigt).

index-linked (UK) [-,lɪŋkt], **indexed** (US) ['ɪndekst] adj indexé(e).

index page n INFORM index m, page f d'accueil.

India ['ɪndjə] n Inde f.

Indian ['ɪndjən] ◼ adj indien(enne). ◼ n Indien m, -enne f.

Indian Ocean n ▪ the Indian Ocean l'océan m Indien.

indicate ['ɪndɪkeɪt] ◼ vt indiquer. ◼ vi (UK) AUTO mettre son clignotant.

indication [,ɪndɪ'keɪʃn] n 1. indication f 2. signe m.

indicative [ɪn'dɪkətɪv] ◼ adj ▪ indicative of indicatif(ive) de. ◼ n GRAMM indicatif m.

indicator ['ɪndɪkeɪtər] n 1. indicateur m 2. (UK) AUTO clignotant m.

indices ['ɪndɪsi:z] npl ▷ index.

indict [ɪn'daɪt] vt ▪ to indict sb (for) accuser qqn (de), mettre qqn en examen (pour).

indictment [ɪn'daɪtmənt] n 1. acte m d'accusation 2. mise f en examen.

indifference [ɪn'dɪfrəns] n indifférence f.

indifferent [ɪn'dɪfrənt] adj 1. ▪ indifferent (to) indifférent(e) (à) 2. médiocre.

indigenous [ɪn'dɪdʒɪnəs] adj indigène.

indigestion [,ɪndɪ'dʒestʃn] n (indén) indigestion f.

indignant [ɪn'dɪgnənt] adj ▪ indignant (at) indigné(e) (de).

indignity [ɪn'dɪgnətɪ] n indignité f.

indigo ['ɪndɪgəʊ] ◼ adj indigo (inv). ◼ n indigo m.

indirect [,ɪndɪ'rekt] adj indirect(e).

indiscreet [,ɪndɪ'skri:t] adj indiscret (ète).

indiscriminate [,ɪndɪ'skrɪmɪnət] adj 1. (personne) qui manque de discernement 2. (traitement) sans distinction 3. (meurtre) commis au hasard.

indispensable [,ɪndɪ'spensəbl] adj indispensable.

indisputable [,ɪndɪ'spju:təbl] adj indiscutable.

indistinguishable [,ɪndɪ'stɪŋgwɪʃəbl] adj ▪ indistinguishable (from) que l'on ne peut distinguer (de).

individual [,ɪndɪ'vɪdʒʊəl] ◼ adj 1. individuel(elle) 2. personnel(elle). ◼ n individu m.

individually [,ɪndɪ'vɪdʒʊəlɪ] adv individuellement.

indoctrination [ɪn,dɒktrɪ'neɪʃn] n endoctrinement m.

Indonesia [,ɪndə'ni:zjə] n Indonésie f.

indoor ['ɪndɔːr] adj 1. d'intérieur 2. (piscine) couvert(e) 3. (sports) en salle.

indoors [,ɪn'dɔːz] adv à l'intérieur.

induce [ɪn'dju:s] vt provoquer.

inducement [ɪn'dju:smənt] n incitation f, encouragement m.

induction [ɪn'dʌkʃn] n 1. ▪ induction (into) installation f (à) 2. introduction f 3. induction f.

induction course n (UK) stage m d'initiation.

indulge [ɪn'dʌldʒ] ◼ vt 1. céder à 2. gâter. ◼ vi ▪ to indulge in sthg se permettre qqch.

indulgence [ɪn'dʌldʒəns] n 1. indulgence f 2. gâterie f.

indulgent [ɪn'dʌldʒənt] adj indulgent(e).

industrial [ɪn'dʌstrɪəl] adj industriel (elle).

industrial action (surtout UK), **job action** (US) n (surtout UK) ▪ to take industrial action se mettre en grève.

industrial estate (UK), **industrial park** (US) n zone f industrielle.

industrialist [ɪn'dʌstrɪəlɪst] n industriel m, -elle f.

industrial relations npl relations fpl patronat-syndicats.

industrial revolution n révolution f industrielle.

industrious [ɪn'dʌstrɪəs] adj industrieux(euse).

industry ['ɪndəstrɪ] n 1. industrie f 2. (indén) assiduité f, application f.

inebriated [ɪ'ni:brɪeɪtɪd] adj sout ivre.

inedible [ɪn'edɪbl] adj 1. immangeable 2. (champignon, plante) non comestible.

ineffective [ˌɪnɪˈfektɪv] *adj* inefficace.

ineffectual [ˌɪnɪˈfektʃʊəl] *adj* sout **1.** inefficace **2.** *(personne)* incapable, incompétent(e).

inefficiency [ˌɪnɪˈfɪʃnsɪ] *n* **1.** inefficacité *f* **2.** incapacité *f*, incompétence *f*.

inefficient [ˌɪnɪˈfɪʃnt] *adj* **1.** inefficace **2.** incapable, incompétent(e).

ineligible [ɪnˈelɪdʒəbl] *adj* inéligible • **to be ineligible for sthg** ne pas avoir droit à qqch.

inept [ɪˈnept] *adj* **1.** inepte **2.** stupide.

inequality [ˌɪnɪˈkwɒlətɪ] *n* inégalité *f*.

inert [ɪˈnɜːt] *adj* inerte.

inertia [ɪˈnɜːʃə] *n* inertie *f*.

inescapable [ˌɪnɪˈskeɪpəbl] *adj* inéluctable.

inevitable [ɪnˈevɪtəbl] ◼ *adj* inévitable. ◼ *n* • **the inevitable** l'inévitable *m*.

inevitably [ɪnˈevɪtəblɪ] *adv* inévitablement.

inexcusable [ˌɪnɪkˈskjuːzəbl] *adj* inexcusable, impardonnable.

inexhaustible [ˌɪnɪgˈzɔːstəbl] *adj* inépuisable.

inexpensive [ˌɪnɪkˈspensɪv] *adj* bon marché *(inv)*, pas cher(chère).

inexperienced [ˌɪnɪkˈspɪərɪənst] *adj* inexpérimenté(e), qui manque d'expérience.

inexplicable [ˌɪnɪkˈsplɪkəbl] *adj* inexplicable.

infallible [ɪnˈfæləbl] *adj* infaillible.

infamous [ˈɪnfəməs] *adj* infâme.

infancy [ˈɪnfənsɪ] *n* petite enfance *f* • **in its infancy** *fig* à ses débuts.

infant [ˈɪnfənt] *n* **1.** nouveau-né *m*, nouveau-née *f*, nourrisson *m* **2.** enfant *mf* en bas âge.

infantry [ˈɪnfəntrɪ] *n* infanterie *f*.

infant school *n* *(UK)* école *f* maternelle *(de 5 à 7 ans)*.

infatuated [ɪnˈfætjʊeɪtɪd] *adj* • **infatuated (with)** entiché(e) (de).

infatuation [ɪnˌfætjʊˈeɪʃn] *n* • **infatuation (with)** béguin *m* (pour).

infect [ɪnˈfekt] *vt* MÉD infecter.

infection [ɪnˈfekʃn] *n* infection *f*.

infectious [ɪnˈfekʃəs] *adj* **1.** MÉD infectieux(euse) **2.** *fig* contagieux(euse).

infer [ɪnˈfɜːr] *vt* • **to infer sthg (from)** déduire qqch (de).

inferior [ɪnˈfɪərɪər] ◼ *adj* **1.** inférieur(e) **2.** de qualité inférieure **3.** médiocre. ◼ *n* subalterne *mf*.

inferiority [ɪnˌfɪərɪˈɒrətɪ] *n* infériorité *f*.

inferiority complex *n* complexe *m* d'infériorité.

inferno [ɪnˈfɜːnəʊ] *(pl* **-s)** *n* brasier *m*.

infertile [ɪnˈfɜːtaɪl] *adj* **1.** stérile **2.** infertile.

infested [ɪnˈfestɪd] *adj* • **infested with** infesté(e) de.

infighting [ˈɪnˌfaɪtɪŋ] *n* *(indén)* querelles *fpl* intestines.

infiltrate [ˈɪnfɪltreɪt] *vt* infiltrer.

infinite [ˈɪnfɪnət] *adj* infini(e).

infinitive [ɪnˈfɪnɪtɪv] *n* infinitif *m*.

infinity [ɪnˈfɪnətɪ] *n* infini *m*.

infirm [ɪnˈfɜːm] *sout* ◼ *adj* infirme. ◼ *npl* • **the infirm** les infirmes *mpl*.

infirmary [ɪnˈfɜːmərɪ] *n* **1.** *(UK)* hôpital *m* **2.** *(US)* infirmerie *f*.

infirmity [ɪnˈfɜːmətɪ] *n* *sout* infirmité *f*.

inflamed [ɪnˈfleɪmd] *adj* MÉD enflammé(e).

inflammable [ɪnˈflæməbl] *adj* inflammable.

inflammation [ˌɪnfləˈmeɪʃn] *n* inflammation *f*.

inflatable [ɪnˈfleɪtəbl] *adj* gonflable.

inflate [ɪnˈfleɪt] *vt* **1.** gonfler **2.** ÉCON hausser, gonfler *(les prix, les salaires)*.

inflation [ɪnˈfleɪʃn] *n* inflation *f*.

inflationary [ɪnˈfleɪʃnrɪ] *adj* inflationniste.

inflict [ɪnˈflɪkt] *vt* • **to inflict sthg on sb** infliger qqch à qqn.

influence [ˈɪnflʊəns] ◼ *n* influence *f* • **under the influence of** sous l'influence de • sous l'effet *ou* l'empire de. ◼ *vt* influencer.

influential [ˌɪnflʊˈenʃl] *adj* influent(e).

influenza [ˌɪnflʊˈenzə] *n* *(indén)* grippe *f*.

influx [ˈɪnflʌks] *n* afflux *m*.

inform [ɪnˈfɔːm] *vt* • **to inform sb (of)** informer qqn de • **to inform sb about** renseigner qqn sur.
◼ **inform on** *vt insép* dénoncer.

informal [ɪn'fɔːml] *adj* **1.** simple **2.** *(vêtements)* de tous les jours **3.** *(négociations, visite)* officieux(euse) **4.** *(réunion)* informel(elle).

informant [ɪn'fɔːmənt] *n* informateur *m*, -trice *f*.

informatics [ˌɪnfə'mætɪks] *n (indén)* sciences *fpl* de l'information.

information [ˌɪnfə'meɪʃn] *n (indén)* • **information (on** OU **about)** renseignements *mpl* ou informations *fpl* (sur) • **for your information** *sout* à titre d'information.

information desk *n* bureau *m* de renseignements.

information technology *n* informatique *f*.

informative [ɪn'fɔːmətɪv] *adj* informatif(ive).

informer [ɪn'fɔːmər] *n* indicateur *m*, -trice *f*.

infrared [ˌɪnfrə'red] *adj* infrarouge.

infrastructure ['ɪnfrəˌstrʌktʃər] *n* infrastructure *f*.

infringe [ɪn'frɪndʒ] *vi* **1.** • **to infringe on** empiéter sur **2.** • **to infringe on** enfreindre.

infringement [ɪn'frɪndʒmənt] *n* **1.** • **infringement (of)** atteinte *f* (à) **2.** transgression *f*.

infuriating [ɪn'fjʊərieɪtɪŋ] *adj* exaspérant(e).

ingenious [ɪn'dʒiːnjəs] *adj* ingénieux (euse).

ingenuity [ˌɪndʒɪ'njuːətɪ] *n* ingéniosité *f*.

ingenuous [ɪn'dʒenjʊəs] *adj* ingénu(e), naïf(naïve).

ingot ['ɪŋgət] *n* lingot *m*.

ingrained [ˌɪn'greɪnd] *adj* **1.** incrusté(e) **2.** *fig* enraciné(e).

ingratiating [ɪn'greɪʃieɪtɪŋ] *adj péj* doucereux(euse), mielleux(euse).

ingredient [ɪn'griːdjənt] *n* **1.** ingrédient *m* **2.** *fig* élément *m*.

inhabit [ɪn'hæbɪt] *vt* habiter.

inhabitant [ɪn'hæbɪtənt] *n* habitant *m*, -e *f*.

inhale [ɪn'heɪl] ◼ *vt* inhaler, respirer. ◼ *vi* respirer.

inhaler [ɪn'heɪlər] *n* MÉD inhalateur *m*.

inherent [ɪn'hɪərənt OU ɪn'herənt] *adj* • **inherent (in)** inhérent(e) (à).

inherently [ɪn'hɪərəntlɪ OU ɪn'herəntlɪ] *adv* fondamentalement, en soi.

inherit [ɪn'herɪt] *vi* hériter.

inheritance [ɪn'herɪtəns] *n* héritage *m*.

inhibit [ɪn'hɪbɪt] *vt* **1.** empêcher **2.** PSYCHO inhiber.

inhibition [ˌɪnhɪ'bɪʃn] *n* inhibition *f*.

inhospitable [ˌɪnhɒ'spɪtəbl] *adj* inhospitalier(ère).

in-house *adj* **1.** interne **2.** de la maison.

inhuman [ɪn'hjuːmən] *adj* inhumain(e).

initial [ɪ'nɪʃl] ◼ *adj* initial(e), premier(ère) • **initial letter** initiale *f.* ◼ *vt* ((UK) *prét & pp* **-led,** *cont* **-ling,** (US) *prét & pp* **-ed,** *cont* **-ing**) parapher. ◼ **initials** *npl* initiales *fpl*.

initially [ɪ'nɪʃəlɪ] *adv* initialement, au début.

initiate [ɪ'nɪʃieɪt] *vt* **1.** engager *(des négociations)* **2.** ébaucher, inaugurer *(un projet)* **3.** • **to initiate sb into sthg** initier qqn à qqch.

initiative [ɪ'nɪʃətɪv] *n* **1.** initiative *f* **2.** • **to have the initiative** avoir l'avantage.

inject [ɪn'dʒekt] *vt* **1.** MÉD • **to inject sb with sthg, to inject sthg into sb** injecter qqch à qqn **2.** *fig* insuffler **3.** *fig* injecter *(de l'argent)*.

injection [ɪn'dʒekʃn] *n litt & fig* injection *f*.

injure ['ɪndʒər] *vt* blesser • **to injure one's arm** se blesser au bras.

injured ['ɪndʒəd] ◼ *adj* blessé(e). ◼ *npl* • **the injured** les blessés *mpl*.

injury ['ɪndʒərɪ] *n* **1.** blessure *f* **2.** *fig* coup *m*, atteinte *f*.

injury time *n (indén) (UK)* FOOTBALL arrêts *mpl* de jeu.

injustice [ɪn'dʒʌstɪs] *n* injustice *f* • **to do sb an injustice** se montrer injuste envers qqn.

ink [ɪŋk] *n* encre *f*.

ink-jet printer *n* imprimante *f* à jet d'encre.

inkling ['ɪŋklɪŋ] *n* • **to have an inkling of** avoir une petite idée de.

inlaid [ˌɪn'leɪd] *adj* • **inlaid (with)** incrusté(e) (de).

inland ◼ *adj* ['ɪnlənd] intérieur(e). ◼ *adv* [ɪn'lænd] à l'intérieur.

Inland Revenue *n* *(UK)* • **the Inland Revenue** ≃ le fisc.

in-laws *npl* *fam* **1.** beaux-parents *mpl* **2.** belle-famille *f*.

inlet ['ɪnlet] *n* avancée *f*.

inmate ['ɪnmeɪt] *n* **1.** *(en prison)* détenu *m*, -e *f* **2.** *(en hôpital psychiatrique)* interné *m*, -e *f*.

inn [ɪn] *n* auberge *f*.

innate [ɪ'neɪt] *adj* inné(e).

inner ['ɪnə'] *adj* **1.** interne, intérieur(e) **2.** intime.

inner city *n* • **the inner city** les quartiers *mpl* pauvres.

inner tube *n* chambre *f* à air.

innings ['ɪnɪŋz] *(pl inv)* *n* *(UK)* CRICKET tour *m* de batte.

innocence ['ɪnəsəns] *n* innocence *f*.

innocent ['ɪnəsənt] ◼ *adj* innocent(e) • **innocent of** non coupable de. ◼ *n* innocent *m*, -e *f*.

innocuous [ɪ'nɒkjuəs] *adj* inoffensif (ive).

innovation [,ɪnə'veɪʃn] *n* innovation *f*.

innovative ['ɪnəvətɪv] *adj* **1.** novateur(trice) **2.** *(produit, méthode)* innovant(e).

innuendo [,ɪnjuː'endəʊ] *(pl* **-es** *ou* **-s)** *n* insinuation *f*.

innumerable [ɪ'njuːmərəbl] *adj* innombrable.

inoculate [ɪ'nɒkjʊleɪt] *vt* • **to inoculate sb (with sthg)** inoculer (qqch à) qqn.

inordinately [ɪ'nɔːdɪnətlɪ] *adv* *sout* excessivement.

in-patient *n* malade hospitalisé *m*, malade hospitalisée *f*.

input ['ɪnpʊt] *n* **1.** contribution *f*, concours *m* **2.** INFORM & ÉLECTR entrée *f*.

inquest ['ɪnkwest] *n* enquête *f*.

inquire [ɪn'kwaɪə'] ◼ *vt* • **to inquire when/whether/how...** demander quand/si/comment... ◼ *vi* • **to inquire (about)** se renseigner (sur).
◼ **inquire after** *vt insép* s'enquérir de.
◼ **inquire into** *vt insép* enquêter sur.

inquiry [ɪn'kwaɪərɪ] *n* **1.** demande *f* de renseignements • **'Inquiries'** *(UK)* 'renseignements' **2.** enquête *f*.

inquiry desk *n* *(UK)* bureau *m* de renseignements.

inquisitive [ɪn'kwɪzətɪv] *adj* **1.** curieux(euse) **2.** *péj* indiscret(ète).

inroads ['ɪnrəʊdz] *npl* • **to make inroads into** entamer *(ses économies, ses réserves)*.

insane [ɪn'seɪn] *adj* fou(folle).

insanity [ɪn'sænətɪ] *n* folie *f*.

insatiable [ɪn'seɪʃəbl] *adj* insatiable.

inscription [ɪn'skrɪpʃn] *n* **1.** inscription *f* **2.** dédicace *f*.

inscrutable [ɪn'skruːtəbl] *adj* impénétrable.

insect ['ɪnsekt] *n* insecte *m*.

insecticide [ɪn'sektɪsaɪd] *n* insecticide *m*.

insect repellent *n* lotion *f* anti-moustiques.

insecure [,ɪnsɪ'kjʊə'] *adj* **1.** anxieux (euse) **2.** *(investissement, avenir)* incertain(e).

insensible [ɪn'sensəbl] *adj* **1.** inconscient(e) **2.** • **insensible of/to** insensible à.

insensitive [ɪn'sensətɪv] *adj* • **insensitive (to)** insensible (à).

inseparable [ɪn'seprəbl] *adj* inséparable.

insert *vt* [ɪn'sɜːt] insérer.

insertion [ɪn'sɜːʃn] *n* insertion *f*.

in-service training *n* formation *f* en cours d'emploi.

inshore ◼ *adj* ['ɪnʃɔː'] côtier(ère). ◼ *adv* [ɪn'ʃɔː'] **1.** *(être situé)* près de la côte **2.** *(se diriger)* vers la côte.

inside [ɪn'saɪd] ◼ *prép* **1.** à l'intérieur de, dans **2.** au sein de. ◼ *adv* dedans, à l'intérieur • **to go inside** entrer • **come inside!** entrez ! ◼ *adj* **1.** intérieur(e) **2.** • **inside left/right** inter *m* gauche/droit. ◼ *n* **1.** • **the inside** l'intérieur *m* • **inside out** à l'envers • **to know sthg inside out** connaître qqch à fond **2.** AUTO • **the inside** *(au Royaume-Uni)* la gauche • *(en Europe, aux États-Unis)* la droite.
◼ **insides** *npl* *fam* tripes *fpl*.
◼ **inside of** *prép* *(US)* à l'intérieur de, dans.

insight ['ɪnsaɪt] *n* **1.** sagacité *f*, perspicacité *f* **2.** • **insight (into)** aperçu *m* (de).

insignificant [,ɪnsɪg'nɪfɪkənt] *adj* insignifiant(e).

insincere [ˌɪnsɪn'sɪəʳ] adj pas sincère.

insinuate [ɪn'sɪnjʊeɪt] vt insinuer.

insipid [ɪn'sɪpɪd] adj insipide.

insist [ɪn'sɪst] ■ vt 1. • to insist (that)... insister sur le fait que... 2. • to insist (that)... insister pour que... (+ subjonctif). ■ vi • to insist (on sthg) exiger (qqch) • to insist on doing sthg vouloir absolument faire qqch.

insistent [ɪn'sɪstənt] adj 1. insistant(e) • to be insistent on insister sur 2. incessant(e).

insofar [ˌɪnsəʊ'fɑːʳ] ■ **insofar as** conj sout dans la mesure où.

insole ['ɪnsəʊl] n semelle f intérieure.

insolent ['ɪnsələnt] adj insolent(e).

insolvent [ɪn'sɒlvənt] adj insolvable.

insomnia [ɪn'sɒmnɪə] n insomnie f.

inspect [ɪn'spekt] vt 1. examiner 2. inspecter.

inspection [ɪn'spekʃn] n 1. examen m 2. inspection f.

inspector [ɪn'spektəʳ] n inspecteur m, -trice f.

inspiration [ˌɪnspə'reɪʃn] n inspiration f.

inspire [ɪn'spaɪəʳ] vt • to inspire sb to do sthg pousser ou encourager qqn à faire qqch • to inspire sb with sthg, to inspire sthg in sb inspirer qqch à qqn.

install [ɪn'stɔːl] vt installer.

installation [ˌɪnstə'leɪʃn] n installation f.

instalment (UK), **installment** (US) [ɪn'stɔːlmənt] n 1. acompte m • in instalments par acomptes 2. épisode m (d'un feuilleton, d'un récit).

instance ['ɪnstəns] n exemple m • for instance par exemple.

instant ['ɪnstənt] ■ adj 1. instantané(e), immédiat(e) 2. (café) soluble 3. (nourriture) à préparation rapide. ■ n instant m • the instant (that)... dès ou aussitôt que... • this instant tout de suite, immédiatement.

instantly ['ɪnstəntlɪ] adv immédiatement.

instant replay n (US) = **action replay**.

instead [ɪn'sted] adv au lieu de cela. ■ **instead of** prép au lieu de • **instead of him** à sa place.

instep ['ɪnstep] n cou-de-pied m.

instigate ['ɪnstɪgeɪt] vt être à l'origine de, entreprendre.

instil (UK), **instill** (US) [ɪn'stɪl] vt • **to instil sthg in** ou **into sb** instiller qqch à qqn.

instinct ['ɪnstɪŋkt] n 1. instinct m 2. réaction f, mouvement m.

instinctive [ɪn'stɪŋktɪv] adj instinctif(ive).

institute ['ɪnstɪtjuːt] ■ n institut m. ■ vt instituer.

institution [ˌɪnstɪ'tjuːʃn] n institution f.

instruct [ɪn'strʌkt] vt 1. • **to instruct sb to do sthg** charger qqn de faire qqch 2. instruire • **to instruct sb in sthg** enseigner qqch à qqn.

instruction [ɪn'strʌkʃn] n instruction f. ■ **instructions** npl mode m d'emploi, instructions fpl.

instructor [ɪn'strʌktəʳ] n 1. instructeur m, -trice f, moniteur m, -trice f 2. (US) enseignant m, -e f.

instrument ['ɪnstrəmənt] n litt & fig instrument m.

instrumental [ˌɪnstrʊ'mentl] adj • **to be instrumental in** contribuer à.

instrument panel n tableau m de bord.

insubordinate [ˌɪnsə'bɔːdɪnət] adj insubordonné(e).

insubstantial [ˌɪnsəb'stænʃl] adj 1. peu solide 2. (repas) peu substantiel(elle).

insufficient [ˌɪnsə'fɪʃnt] adj sout insuffisant(e).

insular ['ɪnsjʊləʳ] adj péj borné(e).

insulate ['ɪnsjʊleɪt] vt 1. isoler 2. calorifuger.

insulating tape ['ɪnsjʊleɪtɪŋ-] n (UK) chatterton m.

insulation [ˌɪnsjʊ'leɪʃn] n isolation f.

insulin ['ɪnsjʊlɪn] n insuline f.

insult ■ vt [ɪn'sʌlt] insulter, injurier. ■ n ['ɪnsʌlt] insulte f, injure f.

insuperable [ɪn'suːprəbl] adj sout insurmontable.

insurance [ɪn'ʃʊərəns] n 1. assurance f 2. fig protection f, garantie f.

insurance policy n police f d'assurance.

insure [ɪn'ʃʊəʳ] ■ vt 1. assurer 2. (US) s'assurer. ■ vi • **to insure against** se protéger de.

insurer [ɪn'ʃʊərəʳ] n assureur m.

insurmountable [ˌɪnsə'maʊntəbl] adj sout insurmontable.

intact [ɪn'tækt] *adj* intact(e).

intake ['ɪnteɪk] *n* 1. consommation *f* 2. *(UK)* SCOL & UNIV admission *f*.

integral ['ɪntɪgrəl] *adj* intégral(e) • **to be integral to sthg** faire partie intégrante de qqch.

integrate ['ɪntɪgreɪt] ◼ *vi* s'intégrer. ◼ *vt* intégrer.

integrity [ɪn'tegrətɪ] *n* 1. intégrité *f*, honnêteté *f* 2. *sout* intégrité *f*, totalité *f*.

intellect ['ɪntəlekt] *n* 1. intellect *m* 2. intelligence *f*.

intellectual [ˌɪntə'lektjʊəl] ◼ *adj* intellectuel(elle). ◼ *n* intellectuel *m*, -elle *f*.

intelligence [ɪn'telɪdʒəns] *n (indén)* 1. intelligence *f* 2. service *m* de renseignements 3. informations *fpl*.

intelligent [ɪn'telɪdʒənt] *adj* intelligent(e).

intelligent card *n* carte *f* à puce *ou* à mémoire.

intelligent design *n* dessein intelligent, *théorie selon laquelle la vie aurait été créée par une entité "intelligente".*

intend [ɪn'tend] *vt* avoir l'intention de • **to be intended for** être destiné(e) à • **to intend doing** *ou* **to do sthg** avoir l'intention de faire qqch.

intended [ɪn'tendɪd] *adj* 1. voulu(e) 2. *(cible)* visé(e).

intense [ɪn'tens] *adj* 1. intense 2. sérieux(euse).

intensely [ɪn'tenslɪ] *adv* 1. extrêmement 2. énormément 3. intensément.

intensify [ɪn'tensɪfaɪ] ◼ *vt* intensifier, augmenter. ◼ *vi* s'intensifier.

intensity [ɪn'tensətɪ] *n* intensité *f*.

intensive [ɪn'tensɪv] *adj* intensif(ive).

intensive care *n* • **to be in intensive care** être en réanimation.

intent [ɪn'tent] ◼ *adj* 1. absorbé(e) 2. • **to be intent on** *ou* **upon doing sthg** être résolu(e) *ou* décidé(e) à faire qqch. ◼ *n sout* intention *f*, dessein *m* • **to** *ou* **for all intents and purposes** pratiquement, virtuellement.

intention [ɪn'tenʃn] *n* intention *f*.

intentional [ɪn'tenʃənl] *adj* intentionnel(elle), voulu(e).

intently [ɪn'tentlɪ] *adv* avec attention, attentivement.

interact [ˌɪntər'ækt] *vi* 1. • **to interact (with sb)** communiquer (avec qqn) 2. • **to interact (with sthg)** interagir (avec qqch).

intercede [ˌɪntə'siːd] *vi sout* • **to intercede (with sb)** intercéder (auprès de qqn).

intercept [ˌɪntə'sept] *vt* intercepter.

interchange ◼ *n* ['ɪntətʃeɪndʒ] échange *m*. ◼ *vt* [ˌɪntə'tʃeɪndʒ] échanger.

interchangeable [ˌɪntə'tʃeɪndʒəbl] *adj* • **interchangeable (with)** interchangeable (avec).

intercity [ˌɪntə'sɪtɪ] *n système de trains rapides reliant les grandes villes en Grande-Bretagne.*

intercom ['ɪntəkɒm] *n* Interphone® *m*.

intercourse ['ɪntəkɔːs] *n (indén) (UK)* rapports *mpl* (sexuels).

interest ['ɪntrəst] ◼ *n* 1. intérêt *m* • **to lose interest** se désintéresser 2. centre *m* d'intérêt 3. *(indén)* FIN intérêt *m*, intérêts *mpl*. ◼ *vt* intéresser.

interested ['ɪntrəstɪd] *adj* intéressé(e) • **to be interested in** s'intéresser à • **I'm not interested in that** cela ne m'intéresse pas • **to be interested in doing sthg** avoir envie de faire qqch.

interesting ['ɪntrəstɪŋ] *adj* intéressant(e).

interest rate *n* taux *m* d'intérêt.

interface *n* ['ɪntəfeɪs] 1. INFORM interface *f* 2. *fig* rapports *mpl*, relations *fpl*.

interfere [ˌɪntə'fɪər] *vi* 1. • **to interfere in sthg** s'immiscer dans qqch, se mêler de qqch 2. • **to interfere with sthg** gêner *ou* contrarier qqch • déranger qqch.

interference [ˌɪntə'fɪərəns] *n (indén)* 1. • **interference (with** *ou* **in)** ingérence *f* (dans), intrusion *f* (dans) 2. TÉLÉCOM parasites *mpl*.

interim ['ɪntərɪm] ◼ *adj* provisoire. ◼ *n* • **in the interim** dans l'intérim, entretemps.

interior [ɪn'tɪərɪər] ◼ *adj* 1. intérieur(e) 2. POLIT de l'Intérieur. ◼ *n* intérieur *m*.

interlock [ˌɪntə'lɒk] *vi* 1. s'enclencher, s'engrener 2. *(doigts)* s'entrelacer.

interloper ['ɪntələʊpər] *n péj* intrus *m*, -e *f*.

interlude ['ɪntəluːd] *n* 1. intervalle *m* 2. interlude *m*.

intermediary [ˌɪntə'miːdjərɪ] *n* intermédiaire *mf*.

intermediate [,ɪntə'miːdjət] *adj* 1. intermédiaire 2. moyen(enne) 3. *(élève)* de niveau moyen.

interminable [ɪn'tɜːmɪnəbl] *adj* interminable, sans fin.

intermission [,ɪntə'mɪʃn] *n* entracte *m*.

intermittent [,ɪntə'mɪtənt] *adj* intermittent(e).

intern ◼ *vt* [ɪn'tɜːn] interner. ◼ *n* ['ɪntɜːn, *(US)*] 1. stagiaire *mf* 2. MÉD interne *mf*.

internal [ɪn'tɜːnl] *adj* 1. interne 2. intérieur(e).

internally [ɪn'tɜːnəlɪ] *adv* 1. • **to bleed internally** faire une hémorragie interne 2. à l'intérieur 3. intérieurement.

Internal Revenue Service *n (US)* • **the Internal Revenue Service** ≃ le fisc.

international [,ɪntə'næʃənl] *adj* international(e).

Internet ['ɪntənet] *n* • **the internet** l'Internet *m*.

Internet café *n* cybercafé *m*.

Internet Service Provider *n* fournisseur *m* d'accès.

interpret [ɪn'tɜːprɪt] ◼ *vt* • **to interpret sthg (as)** interpréter qqch (comme). ◼ *vi* servir d'interprète, interpréter.

interpreter [ɪn'tɜːprɪtər] *n* interprète *mf*.

interracial [,ɪntə'reɪʃl] *adj* entre des races différentes, racial(e).

interrelate [,ɪntərɪ'leɪt] ◼ *vt* mettre en corrélation. ◼ *vi* • **to interrelate (with)** être lié(e) (à), être en corrélation (avec).

interrogate [ɪn'terəgeɪt] *vt* interroger.

interrogation [ɪn,terə'geɪʃn] *n* 1. interrogation *f* 2. interrogatoire *m*.

interrogation mark *(UK)*, **interrogation point** *n (US)* point *m* d'interrogation.

interrogative [,ɪntə'rɒgətɪv] ◼ *adj* GRAMM interrogatif(ive). ◼ *n* GRAMM interrogatif *m*.

interrupt [,ɪntə'rʌpt] ◼ *vt* interrompre. ◼ *vi* interrompre.

interruption [,ɪntə'rʌpʃn] *n* interruption *f*.

intersect [,ɪntə'sekt] ◼ *vi* s'entrecroiser, s'entrecouper. ◼ *vt* croiser, couper.

intersection [,ɪntə'sekʃn] *n* croisement *m*, carrefour *m*.

intersperse [,ɪntə'spɜːs] *vt* • **to be interspersed with** être émaillé(e) de, être entremêlé(e) de.

interval ['ɪntəvl] *n* 1. intervalle *m* • **at intervals** par intervalles • **at monthly/yearly intervals** tous les mois/ans 2. *(UK) (au théâtre, au concert)* entracte *m*.

intervene [,ɪntə'viːn] *vi* 1. • **to intervene (in)** intervenir (dans), s'interposer (dans) 2. survenir 3. *(temps)* s'écouler.

intervention [,ɪntə'venʃn] *n* intervention *f*.

interview ['ɪntəvjuː] ◼ *n* 1. entrevue *f*, entretien *m* 2. interview *f*. ◼ *vt* 1. faire passer une entrevue *ou* un entretien à 2. interroger, sonder 3. PRESSE interviewer.

interviewer ['ɪntəvjuːər] *n* 1. personne *f* qui fait passer une entrevue 2. PRESSE interviewer *m*.

intestine [ɪn'testɪn] *n* intestin *m*.

intimacy ['ɪntɪməsɪ] *n* 1. • **intimacy (between/with)** intimité *f* (entre/avec) 2. familiarité *f*.

intimate *adj* ['ɪntɪmət] 1. intime 2. approfondi(e).

intimately ['ɪntɪmətlɪ] *adv* 1. étroitement 2. intimement 3. à fond.

intimidate [ɪn'tɪmɪdeɪt] *vt* intimider.

into ['ɪntʊ] *prép* 1. dans 2. • **to bump into sthg** se cogner contre qqch • **to crash into** rentrer dans 3. en • **to translate sthg into Spanish** traduire qqch en espagnol 4. • **research/investigation into** recherche/enquête sur 5. • **3 into 2** 2 divisé par 3 6. *fam* • **to be into sthg** être passionné(e) par qqch.

intolerable [ɪn'tɒlrəbl] *adj* intolérable, insupportable.

intolerance [ɪn'tɒlərəns] *n* intolérance *f*.

intolerant [ɪn'tɒlərənt] *adj* intolérant(e).

intoxicated [ɪn'tɒksɪkeɪtɪd] *adj* 1. ivre 2. *fig* • **to be intoxicated with sthg** être grisé(e) *ou* enivré(e) par qqch.

intractable [ɪn'træktəbl] *adj* 1. intraitable 2. insoluble.

intransitive [ɪn'trænzətɪv] *adj* intransitif(ive).

intravenous [,ɪntrə'viːnəs] *adj* intraveineux(euse).

in-tray *(surtout UK)*, **in-basket**, **in-box** *n* casier *m* des affaires à traiter.

intricate [ˈɪntrɪkət] *adj* compliqué(e).

intrigue [ɪnˈtriːg] ◼ *n* intrigue *f*. ◼ *vt* intriguer, exciter la curiosité de.

intriguing [ɪnˈtriːgɪŋ] *adj* fascinant(e).

intrinsic [ɪnˈtrɪnsɪk] *adj* intrinsèque.

introduce [ˌɪntrəˈdjuːs] *vt* **1.** présenter • **to introduce sb to sb** présenter qqn à qqn **2.** • **to introduce sthg (to** *ou* **into)** introduire qqch (dans) **3.** • **to introduce sb to sthg** initier qqn à qqch, faire découvrir qqch à qqn **4.** aborder (*un sujet*).

introduction [ˌɪntrəˈdʌkʃn] *n* **1.** introduction *f* **2.** • **introduction (to sb)** présentation *f* (à qqn).

introductory [ˌɪntrəˈdʌktrɪ] *adj* d'introduction, préliminaire.

introvert [ˈɪntrəvɜːt] *n* introverti *m*, -e *f*.

introverted [ˈɪntrəvɜːtɪd] *adj* introverti(e).

intrude [ɪnˈtruːd] *vi* faire intrusion • **to intrude on sb** déranger qqn.

intruder [ɪnˈtruːdər] *n* intrus *m*, -e *f*.

intrusive [ɪnˈtruːsɪv] *adj* gênant(e), importun(e).

intuition [ˌɪntjuːˈɪʃn] *n* intuition *f*.

inundate [ˈɪnʌndeɪt] *vt* **1.** *sout* inonder **2.** • **to be inundated with** être submergé(e) de.

invade [ɪnˈveɪd] *vt* **1.** *fig* & MIL envahir **2.** *fig* violer (*l'intimité de qqn*).

invalid ◼ *adj* [ɪnˈvælɪd] non valide, non valable. ◼ *n* [ˈɪnvəlɪd] invalide *mf*.

invaluable [ɪnˈvæljʊəbl] *adj* • **invaluable (to)** précieux(euse) (pour) • inestimable (pour).

invariably [ɪnˈveərɪəblɪ] *adv* invariablement, toujours.

invasion [ɪnˈveɪʒn] *n* *litt* & *fig* invasion *f*.

invent [ɪnˈvent] *vt* inventer.

invention [ɪnˈvenʃn] *n* invention *f*.

inventive [ɪnˈventɪv] *adj* inventif(ive).

inventor [ɪnˈventər] *n* inventeur *m*, -trice *f*.

inventory [ˈɪnvəntrɪ] *n* inventaire *m*.

invert [ɪnˈvɜːt] *vt* retourner.

inverted commas [ɪnˌvɜːtɪd-] *npl* (UK) guillemets *mpl*.

invest [ɪnˈvest] ◼ *vt* **1.** • **to invest sthg (in)** investir qqch (dans) **2.** • **to invest sthg in sthg/in doing sthg** consacrer qqch à qqch/à faire qqch, employer qqch à qqch/à faire qqch. ◼ *vi* FIN • **to invest (in sthg)** investir (dans qqch) **2.** *fig* • **to invest in sthg** se payer qqch, s'acheter qqch.

investigate [ɪnˈvestɪgeɪt] *vt* **1.** enquêter sur, faire une enquête sur **2.** faire des recherches sur.

investigation [ɪnˌvestɪˈgeɪʃn] *n* **1.** • **investigation (into)** enquête *f* (sur) • recherches *fpl* (sur) **2.** (indén) investigation *f*.

investment [ɪnˈvestmənt] *n* **1.** FIN investissement *m*, placement *m* **2.** dépense *f*.

investor [ɪnˈvestər] *n* investisseur *m*.

inveterate [ɪnˈvetərət] *adj* invétéré(e).

invidious [ɪnˈvɪdɪəs] *adj* **1.** ingrat(e) **2.** injuste.

invigilate [ɪnˈvɪdʒɪleɪt] (UK) ◼ *vi* surveiller les candidats (à un examen). ◼ *vt* surveiller.

invigorating [ɪnˈvɪgəreɪtɪŋ] *adj* tonifiant(e), vivifiant(e).

invincible [ɪnˈvɪnsɪbl] *adj* **1.** (champion, armée) invincible **2.** (record) imbattable.

invisible [ɪnˈvɪzɪbl] *adj* invisible.

invitation [ˌɪnvɪˈteɪʃn] *n* invitation *f*.

invite [ɪnˈvaɪt] *vt* **1.** • **to invite sb (to)** inviter qqn (à) **2.** • **to invite sb to do sthg** inviter qqn à faire qqch **3.** • **to invite trouble** aller au devant des ennuis • **to invite gossip** faire causer.

inviting [ɪnˈvaɪtɪŋ] *adj* **1.** attrayant(e), agréable **2.** (nourriture) appétissant(e).

invoice [ˈɪnvɔɪs] ◼ *n* facture *f*. ◼ *vt* **1.** envoyer la facture à **2.** facturer.

invoke [ɪnˈvəʊk] *vt* **1.** *sout* invoquer (la loi) **2.** susciter, faire naître (des sentiments) **3.** demander, implorer (l'aide de qqn).

involuntary [ɪnˈvɒləntrɪ] *adj* involontaire.

involve [ɪnˈvɒlv] *vt* **1.** nécessiter • **what's involved?** de quoi s'agit-il ? • **to involve doing sthg** nécessiter de faire qqch **2.** toucher **3.** • **to involve sb in sthg** impliquer qqn dans qqch.

involved [ɪnˈvɒlvd] *adj* **1.** complexe, compliqué(e) **2.** • **to be involved in sthg** participer *ou* prendre part à qqch **3.** • **to be involved with sb** avoir des relations intimes avec qqn.

involvement [ɪnˈvɒlvmənt] n 1. participation f 2. engagement m.

inward [ˈɪnwəd] ◼ adj 1. intérieur(e) 2. vers l'intérieur. ◼ adv (US) = **inwards**.

inwards [ˈɪnwədz] adv vers l'intérieur.

in-your-face adj fam provocant(e).

iodine [(UK) ˈaɪədiːn, (US) ˈaɪədaɪn] n iode m.

iota [aɪˈəʊtə] n fig brin m, grain m.

IOU (abr de **I owe you**) n reconnaissance f de dette.

IQ (abr de **intelligence quotient**) n QI m.

IRA n (abr de **Irish Republican Army**) IRA f.

Iran [ɪˈrɑːn] n Iran m.

Iranian [ɪˈreɪnjən] ◼ adj iranien(enne). ◼ n Iranien m, -enne f.

Iraq [ɪˈrɑːk] n Iraq m, Irak m.

Iraqi [ɪˈrɑːkɪ] ◼ adj iraquien(enne), irakien(enne). ◼ n Iraquien m, -enne f, Irakien m, -enne f.

irate [aɪˈreɪt] adj furieux(euse).

Ireland [ˈaɪələnd] n Irlande f.

iris [ˈaɪərɪs] (pl -es [-iːz]) n iris m.

Irish [ˈaɪrɪʃ] ◼ adj irlandais(e). ◼ n irlandais m. ◼ npl ⋆ **the Irish** les Irlandais.

Irishman [ˈaɪrɪʃmən] (pl -men [-mən]) n Irlandais m.

Irish Sea n ⋆ **the Irish Sea** la mer d'Irlande.

Irishwoman [ˈaɪrɪʃˌwʊmən] (pl -women [-ˌwɪmɪn]) n Irlandaise f.

irksome [ˈɜːksəm] adj ennuyeux(euse), assommant(e).

iron [ˈaɪən] ◼ adj 1. de ou en fer 2. fig de fer. ◼ n 1. fer m 2. fer m à repasser. ◼ vt repasser.
◼ **iron out** vt sép 1. aplanir (les difficultés) 2. résoudre (les problèmes).

Iron Curtain n ⋆ **the Iron Curtain** le rideau de fer.

ironic(al) [aɪˈrɒnɪk(l)] adj ironique.

ironing [ˈaɪənɪŋ] n repassage m.

ironing board n planche f ou table f à repasser.

ironmonger [ˈaɪənˌmʌŋgər] n (UK) vieilli quincaillier m ⋆ **ironmonger's (shop)** quincaillerie f.

irony [ˈaɪrənɪ] n ironie f.

irrational [ɪˈræʃənl] adj 1. irrationnel (elle), déraisonnable 2. non rationnel (elle).

irreconcilable [ɪˌrekənˈsaɪləbl] adj inconciliable.

irregular [ɪˈregjʊlər] adj irrégulier(ère).

irrelevant [ɪˈreləvənt] adj sans rapport.

irreparable [ɪˈrepərəbl] adj irréparable.

irreplaceable [ˌɪrɪˈpleɪsəbl] adj irremplaçable.

irrepressible [ˌɪrɪˈpresəbl] adj que rien ne peut entamer.

irresistible [ˌɪrɪˈzɪstəbl] adj irrésistible.

irrespective [ˌɪrɪˈspektɪv] ◼ **irrespective of** prép sans tenir compte de.

irresponsible [ˌɪrɪˈspɒnsəbl] adj irresponsable.

irrigate [ˈɪrɪgeɪt] vt irriguer.

irrigation [ˌɪrɪˈgeɪʃn] ◼ n irrigation f. ◼ en apposition d'irrigation.

irritable [ˈɪrɪtəbl] adj irritable.

irritate [ˈɪrɪteɪt] vt irriter.

irritating [ˈɪrɪteɪtɪŋ] adj irritant(e).

irritation [ˌɪrɪˈteɪʃn] n 1. irritation f 2. source f d'irritation.

IRS (abr de **Internal Revenue Service**) n (US) ⋆ **the IRS** ≃ le fisc.

is [ɪz] ▷ **be**.

Islam [ˈɪzlɑːm] n islam m.

Islamist [ˈɪzləmɪst] adj & n islamiste mf.

island [ˈaɪlənd] n 1. île f 2. AUTO refuge m pour piétons.

islander [ˈaɪləndər] n habitant m, -e f d'une île.

isle [aɪl] n île f.

Isle of Man n ⋆ **the Isle of Man** l'île f de Man.

Isle of Wight [-waɪt] n ⋆ **the Isle of Wight** l'île f de Wight.

isn't [ˈɪznt] = **is not**.

isobar [ˈaɪsəbɑːr] n isobare f.

isolate [ˈaɪsəleɪt] vt ⋆ **to isolate sb/sthg (from)** isoler qqn/qqch (de).

isolated [ˈaɪsəleɪtɪd] adj isolé(e).

Israel [ˈɪzreɪl] n Israël m.

Israeli [ɪzˈreɪlɪ] ◼ adj israélien(enne). ◼ n Israélien m, -enne f.

issue [ˈɪʃuː] ◼ n 1. question f, problème m 2. péj ⋆ **to make an issue of sthg** faire toute une affaire de qqch ⋆ **at issue** en question, en cause 3. PRESSE numéro m 4. émission f (de billets, de timbres). ◼ vt 1. faire (une déclaration) 2. lancer (un *avertissement)* **3.** émettre *(des billets, des timbres)* **4.** publier *(un livre)* **5.** délivrer *(un passeport).*

it

It est le pronom personnel qui représente les objets, les concepts et les animaux non familiers (***there's my car – it's a Ford***). *He* représente les personnes et les animaux familiers de sexe masculin (***there's my brother – he's a teacher** ; **there's my cat – isn't he funny?***) ; *she* est son équivalent féminin (***there's my sister – she's a nurse***). On peut utiliser *it* pour les noms d'animaux ainsi que pour certains noms désignant des personnes – dont *baby* – si l'on ignore le sexe (***listen to that baby – I wish it would be quiet!***). N'oubliez pas qu'il n'y a pas de pronom possessif correspondant à *it*. *Its* est uniquement un adjectif (***its fur is wet** ; **its lock is broken***). Les verbes servant à décrire le temps qu'il fait sont toujours précédés de *it*, et ils sont toujours à la troisième personne du singulier.

isthmus ['ɪsməs] *n* isthme *m*.

it [ɪt] ▪ *pron* **1.** *(sujet)* il (elle) **2.** *(objet direct)* le (la) ▪ **did you find it?** tu l'as trouvé(e) ? ▪ **give it to me** donne-moi ça **3.** *(objet indirect)* lui **4.** *(avec prépositions)* ▪ **put the vegetables in it** mettez-y les légumes ▪ **on it** dessus ▪ **under it** dessous ▪ **beside it** à côté ▪ **from/of it** en ▪ **he's very proud of it** il en est très fier **5.** *(usage impersonnel)* il, ce ▪ **it is cold today** il fait froid aujourd'hui ▪ **who is it? it's Mary** qui est-ce ? c'est Mary. ▪ *n fam* ▪ **you're it!** c'est toi le chat !

IT *n abrév de* **information technology**.

Italian [ɪ'tæljən] ▪ *adj* italien(enne). ▪ *n* **1.** Italien *m*, -enne *f* **2.** italien *m*.

italic [ɪ'tælɪk] *adj* italique. ▪ **italics** *npl* italiques *fpl*.

Italy ['ɪtəlɪ] *n* Italie *f*.

itch [ɪtʃ] ▪ *n* démangeaison *f*. ▪ *vi* **1.** ▪ **my arm itches** mon bras me démange **2.** *fig* ▪ **to be itching to do sthg** mourir d'envie de faire qqch.

itchy ['ɪtʃɪ] *adj* qui démange.

it'd ['ɪtəd] = **it would**, **it had**.

item ['aɪtəm] *n* **1.** chose *f*, article *m* **2.** question *f*, point *m* **3.** PRESSE article *m*.

itemize, -ise ['aɪtəmaɪz] *vt* détailler.

itinerary [aɪ'tɪnərərɪ] *n* itinéraire *m*.

it'll [ɪtl] = **it will**.

its [ɪts] *adj poss* son (sa), ses *(pl)*.

its

L'adjectif possessif qui accompagne les noms collectifs tels que *government*, *team* et *school* peut être soit *its*, soit *their*. Faites bien attention à mettre le verbe au singulier ou au pluriel selon le cas (***the government has made up its mind = the government have made up their minds***). Si vous parlez d'une partie du corps, n'oubliez pas d'utiliser l'adjectif possessif *its*, et non pas *the* (***the cat was licking its paws***, « le chat se léchait les pattes »).

it's [ɪts] = **it is**, **it has**.

itself [ɪt'self] *pron* **1.** *(réfléchi)* se **2.** *(précédé d'une préposition)* soi **3.** *(forme emphatique)* lui-même (elle-même) ▪ **in itself** en soi.

ITV *(abr de* **Independent Television***) n sigle désignant les programmes diffusés par les chaînes relevant de l'IBA.*

I've [aɪv] = **I have**.

ivory ['aɪvərɪ] *n* ivoire *m*.

ivy ['aɪvɪ] *n* lierre *m*.

Ivy League *n (US) les huit grandes universités de l'est des États-Unis.*

Ivy League

Le terme *Ivy League* désigne l'ensemble composé de *Dartmouth College* et des universités de *Brown, Columbia, Cornell, Harvard, Pennsylvania, Princeton* et *Yale*. Ces établissements comptent parmi les plus anciens des États-Unis (le mot *ivy*, « lierre », fait allusion aux murs des bâtiments anciens). Posséder un diplôme de l'*Ivy League* est une preuve de succès reconnue par tous.

j [dʒeɪ] (pl j's ou js), **J** (pl J's ou Js) n j m inv, J m inv.

jab [dʒæb] ◼ n **1.** (UK) fam piqûre f **2.** (boxe) direct m. ◼ vt ▪ **to jab sthg into** planter ou enfoncer qqch dans.

jabber ['dʒæbər] vt & vi baragouiner.

jack [dʒæk] n cric m.
◼ **jack up** vt sép soulever avec un cric.

jackal ['dʒækəl] n chacal m.

jackdaw ['dʒækdɔ:] n choucas m.

jacket ['dʒækɪt] n **1.** veste f **2.** peau f, pelure f (de pomme de terre) **3.** jaquette f (de livre) **4.** (US) pochette f (de disque vinyle).

jacket potato n (UK) pomme de terre f en robe de chambre.

jackhammer ['dʒæk,hæmər] n (US) marteau piqueur m.

jack plug n (UK) ÉLECTR jack m.

jackpot ['dʒækpɒt] n gros lot m.

jaded ['dʒeɪdɪd] adj blasé(e).

jagged ['dʒægɪd] adj déchiqueté(e), dentelé(e).

jail [dʒeɪl] ◼ n prison f. ◼ vt emprisonner, mettre en prison.

jailer ['dʒeɪlər] n geôlier m, -ère f.

jam [dʒæm] ◼ n **1.** confiture f **2.** embouteillage m, bouchon m **3.** fam ▪ **to get into/be in a jam** se mettre/être dans le pétrin. ◼ vt **1.** bloquer, coincer **2.** ▪ **to jam sthg into** entasser ou tasser qqch dans ▪ **to jam sthg onto** enfoncer qqch sur **3.** embouteiller **4.** surcharger **5.** RADIO brouiller. ◼ vi **1.** (porte, levier) se coincer **2.** (freins) se bloquer.

Jamaica [dʒə'meɪkə] n Jamaïque f.

jam-packed [-'pækt] adj fam plein(e) à craquer.

jangle ['dʒæŋgl] vt **1.** faire cliqueter (des clés) **2.** faire retentir (des cloches).

janitor ['dʒænɪtər] n (US & Écosse) concierge mf.

January ['dʒænjʊərɪ] n janvier m. ▪ voir aussi **September**

Japan [dʒə'pæn] n Japon m.

Japanese [,dʒæpə'ni:z] ◼ adj japonais(e). ◼ n (pl inv) japonais m. ◼ npl ▪ **the Japanese** les Japonais mpl.

jar [dʒɑ:r] ◼ n pot m. ◼ vt secouer. ◼ vi ▪ **to jar (on sb)** irriter (qqn), agacer (qqn).

jargon ['dʒɑ:gən] n jargon m.

jaundice ['dʒɔ:ndɪs] n jaunisse f.

jaundiced ['dʒɔ:ndɪst] adj fig aigri(e).

jaunt [dʒɔ:nt] n balade f.

jaunty ['dʒɔ:ntɪ] adj désinvolte, insouciant(e).

javelin ['dʒævlɪn] n javelot m.

jaw [dʒɔ:] n mâchoire f.

jawbone ['dʒɔ:bəʊn] n (os m) maxillaire m.

jay [dʒeɪ] n geai m.

jaywalker ['dʒeɪwɔ:kər] n piéton m qui traverse en dehors des clous.

jazz [dʒæz] n jazz m.
◼ **jazz up** vt sép fam égayer, animer.

jazzy ['dʒæzɪ] adj fam (vêtements, voiture) voyant(e).

jealous ['dʒeləs] adj jaloux(ouse).

jealousy ['dʒeləsɪ] n jalousie f.

jeans [dʒi:nz] npl jean m.

Jeep® [dʒi:p] n Jeep® f.

jeer [dʒɪər] ◼ vt huer, conspuer. ◼ vi ▪ **to jeer (at sb)** huer (qqn), conspuer (qqn).

Jehovah's Witness [dʒɪ,həʊvəz-] n témoin m de Jéhovah.

Jell-O® ['dʒeləʊ] n (US) gelée f.

jelly ['dʒelɪ] n (pl jellies) **1.** (UK) gelée f **2.** (surtout US) confiture f.

jellyfish ['dʒelɪfɪʃ] (pl inv ou -es [-i:z]) n méduse f.

jeopardize, -ise ['dʒepədaɪz] *vt* compromettre, mettre en danger.

jerk [dʒɜːk] ◼ *n* **1.** secousse *f*, saccade *f* **2.** *fam* abruti *m*, -e *f*. ◼ *vi* **1.** sursauter **2.** *(voiture)* cahoter.

jersey ['dʒɜːzɪ] *(pl* -s*)* *n* **1.** pull *m* **2.** jersey *m*.

Jersey ['dʒɜːzɪ] *n* **1.** *(UK)* Jersey *f* **2.** *(US)* New-Jersey *m*.

jest [dʒest] *n sout* plaisanterie *f* • **in jest** pour rire.

Jesus (Christ) ['dʒiːzəs-] *n* Jésus *m*, Jésus-Christ *m*.

jet [dʒet] *n* **1.** jet *m*, avion *m* à réaction **2.** jet *m (de liquide)* **3.** AUTO gicleur *m*.

jet-black *adj* noir(e) comme (du) jais.

jet engine *n* moteur *m* à réaction.

jetfoil ['dʒetfɔɪl] *n* hydroglisseur *m*.

jet lag *n* fatigue *f* due au décalage horaire.

jettison ['dʒetɪsən] *vt* **1.** jeter, larguer *(une cargaison)* **2.** *fig* abandonner, renoncer à.

jetty ['dʒetɪ] *n* jetée *f*.

Jew [dʒuː] *n* Juif *m*, -ive *f*.

jewel ['dʒuːəl] *n* **1.** bijou *m* **2.** TECHNOL rubis *m (d'une montre)*.

jeweller *(UK)*, **jeweler** *(US)* ['dʒuːələ⁽ʳ⁾] *n* bijoutier *m*, -ère *f*.

jewellery *(UK)*, **jewelry** *(US)* ['dʒuːəlrɪ] *n (indén)* bijoux *mpl*.

jewelry store *(US)* *n* bijouterie *f*.

Jewess ['dʒuːɪs] *n* juive *f*.

Jewish ['dʒuːɪʃ] *adj* juif(ive).

jib [dʒɪb] *n* NAUT foc *m*.

jibe [dʒaɪb] *n* sarcasme *m*, moquerie *f*.

jiffy ['dʒɪfɪ] *n fam* • **in a jiffy** en un clin d'œil.

Jiffy bag® *n (UK)* enveloppe *f* matelassée.

jig [dʒɪg] *n* gigue *f*.

jigsaw (puzzle) ['dʒɪgsɔː-] *n* puzzle *m*.

jilt [dʒɪlt] *vt* laisser tomber.

jingle ['dʒɪŋgl] ◼ *n* **1.** cliquetis *m* **2.** jingle *m*, indicatif *m*. ◼ *vi* **1.** tinter **2.** cliqueter.

jinx [dʒɪŋks] *n* poisse *f*.

jitters ['dʒɪtəz] *npl fam* • **the jitters** le trac.

job [dʒɒb] *n* **1.** emploi *m* **2.** travail *m*, tâche *f* **3.** • **to have a job doing sthg** avoir

du mal à faire qqch **4.** • **it's a good job they were home** heureusement qu'ils étaient à la maison • **we decided to make the best of a bad job** nous avons décidé de faire avec ce que nous avions.

job action *n (US)* = **industrial action**.

job centre *n (UK)* agence *f* pour l'emploi.

jobless ['dʒɒblɪs] *adj* au chômage.

jobsharing ['dʒɒbʃeərɪŋ] *n* partage *m* de l'emploi.

jockey ['dʒɒkɪ] *(pl* -s*)* ◼ *n* jockey *mf*. ◼ *vi* • **to jockey for position** manœuvrer pour devancer ses concurrents.

jocular ['dʒɒkjʊlə⁽ʳ⁾] *adj sout* **1.** enjoué(e), jovial(e) **2.** amusant(e).

jodhpurs ['dʒɒdpəz] *npl* jodhpurs *mpl*, culotte *f* de cheval.

jog [dʒɒg] ◼ *n* • **to go for a jog** faire du jogging. ◼ *vt* pousser • **to jog sb's memory** rafraîchir la mémoire de qqn. ◼ *vi* faire du jogging, jogger.

jogging ['dʒɒgɪŋ] *n* jogging *m*.

john [dʒɒn] *n (US) fam* petit coin *m*, cabinets *mpl*.

join [dʒɔɪn] ◼ *n* raccord *m*, joint *m*. ◼ *vt* **1.** unir, joindre **2.** relier **3.** rejoindre, retrouver **4.** devenir membre de **5.** s'inscrire à **6.** s'engager dans *(l'armée)* • **to join a queue** *(UK)* OU **to join a line** *(US)* faire la queue. ◼ *vi* **1.** se joindre **2.** devenir membre **3.** s'inscrire.
◼ **join in** ◼ *vt insép* prendre part à, participer à. ◼ *vi* participer.
◼ **join up** *vi* MIL s'engager dans l'armée.

joiner ['dʒɔɪnə⁽ʳ⁾] *n (UK)* menuisier *m*, -ère *f*.

joinery ['dʒɔɪnərɪ] *n (UK)* menuiserie *f*.

joint [dʒɔɪnt] ◼ *adj* **1.** conjugué(e) **2.** collectif(ive). ◼ *n* **1.** joint *m* **2.** ANAT articulation *f* **3.** CULIN rôti *m* **4.** *fam* bouge *m* **5.** *arg drogue* joint *m*.

joint account *n* compte *m* joint.

jointly ['dʒɔɪntlɪ] *adv* conjointement.

joke [dʒəʊk] ◼ *n* blague *f*, plaisanterie *f* • **to play a joke on sb** faire une blague à qqn, jouer un tour à qqn • **it's no joke** *fam* ce n'est pas de la tarte. ◼ *vi* plaisanter, blaguer • **to joke about sthg** plaisanter sur qqch, se moquer de qqch.

joker ['dʒəʊkə⁽ʳ⁾] *n* **1.** blagueur *m*, -euse *f* **2.** *(jeu de cartes)* joker *m*.

jolly ['dʒɒlɪ] ◼ *adj* **1.** jovial(e), enjoué(e) **2.** *vieilli* agréable. ◼ *adv (UK) fam vieilli* drôlement, rudement.

jolt [dʒəʊlt] ◼ *n* **1.** secousse *f*, soubresaut *m* **2.** choc *m*. ◼ *vt* secouer.

Jordan ['dʒɔːdn] *n* Jordanie *f*.

jostle ['dʒɒsl] ◼ *vt* bousculer. ◼ *vi* se bousculer.

jot [dʒɒt] *n* grain *m*, brin *m* (*de vérité, de savoir*).
◼ **jot down** *vt sép* noter.

journal ['dʒɜːnl] *n* **1.** revue *f* **2.** journal *m* (intime).

journalism ['dʒɜːnəlɪzm] *n* journalisme *m*.

journalist ['dʒɜːnəlɪst] *n* journaliste *mf*.

journey ['dʒɜːnɪ] (*pl* **-s**) *n* voyage *m*.

jovial ['dʒəʊvjəl] *adj* jovial(e).

jowls [dʒaʊlz] *npl* bajoues *fpl*.

joy [dʒɔɪ] *n* joie *f*.

joyful ['dʒɔɪfʊl] *adj* joyeux(euse).

joyride ['dʒɔɪraɪd] *n* virée *f* (*dans une voiture volée*).

joystick ['dʒɔɪstɪk] *n* **1.** AÉRON manche *m* (à balai) **2.** INFORM manette *f* (de jeux).

jubilant ['dʒuːbɪlənt] *adj* **1.** débordant(e) de joie, qui jubile **2.** (*cri*) de joie.

jubilee ['dʒuːbɪliː] *n* jubilé *m*.

judge [dʒʌdʒ] ◼ *n* juge *mf*. ◼ *vt* **1.** juger **2.** évaluer, juger. ◼ *vi* juger • **to judge from** OU **by, judging from** OU **by** à en juger par.

judg(e)ment ['dʒʌdʒmənt] *n* jugement *m*.

judicial [dʒuː'dɪʃl] *adj* judiciaire.

judiciary [dʒuː'dɪʃərɪ] *n* • **the judiciary** la magistrature.

judicious [dʒuː'dɪʃəs] *adj* judicieux(euse).

judo ['dʒuːdəʊ] *n* judo *m*.

jug [dʒʌg] *n* (*UK*) pot *m*, pichet *m*.

juggernaut ['dʒʌgənɔːt] *n* (*UK*) poids *m* lourd.

juggle ['dʒʌgl] ◼ *vt litt & fig* jongler avec. ◼ *vi* jongler.

juggler ['dʒʌglə^r] *n* jongleur *m*, -euse *f*.

jugular (vein) ['dʒʌgjʊlə^r-] *n* (veine *f*) jugulaire *f*.

juice [dʒuːs] *n* jus *m*.

juicy ['dʒuːsɪ] *adj* juteux(euse).

jukebox ['dʒuːkbɒks] *n* juke-box *m*.

July [dʒuː'laɪ] *n* juillet *m*. • *voir aussi* **September**

jumble ['dʒʌmbl] ◼ *n* mélange *m*, fatras *m*. ◼ *vt* • **to jumble (up)** mélanger, embrouiller.

jumble sale *n* (*UK*) vente *f* de charité (*où sont vendus des articles d'occasion*).

jumbo jet ['dʒʌmbəʊ-] *n* jumbo-jet *m*.

jumbo-sized [-saɪzd] *adj* énorme, géant(e).

jump [dʒʌmp] ◼ *n* **1.** saut *m*, bond *m* **2.** obstacle *m* **3.** flambée *f*, hausse *f* brutale. ◼ *vt* **1.** sauter, franchir d'un bond **2.** *fam* sauter sur, tomber sur. ◼ *vi* **1.** sauter, bondir **2.** sursauter **3.** grimper en flèche, faire un bond.
◼ **jump at** *vt insép fig* sauter sur.

jumper ['dʒʌmpə^r] *n* **1.** (*UK*) pull *m*, sweat *m* *fam* **2.** (*US*) robe *f* chasuble.

jump leads *npl* (*UK*) câbles *mpl* de démarrage.

jump rope *n* (*US*) corde *f* à sauter.

jump-start *vt* • **to jump-start a car** faire démarrer une voiture en la poussant.

jumpsuit ['dʒʌmpsuːt] *n* combinaison-pantalon *f*.

jumpy ['dʒʌmpɪ] *adj fam* nerveux(euse).

junction ['dʒʌŋkʃn] *n* (*UK*) **1.** carrefour *m* **2.** RAIL embranchement *m*.

June [dʒuːn] *n* juin *m*. • *voir aussi* **September**

jungle ['dʒʌŋgl] *n litt & fig* jungle *f*.

junior ['dʒuːnjə^r] ◼ *adj* **1.** jeune **2.** junior. ◼ *n* **1.** subalterne *mf* **2.** cadet *m*, -ette *f* **3.** (*US*) SCOL ≃ élève *mf* de première **4.** (*US*) UNIV ≃ étudiant *m*, -e *f* de troisième année **5.** (*US*) UNIV ≃ étudiant *m*, -e *f* en licence.

junior high school *n* (*US*) ≃ collège *m* d'enseignement secondaire.

junior school *n* (*UK*) école *f* primaire.

junk [dʒʌŋk] *n* bric-à-brac *m*.

junk food *n* (*indén*) *péj* • **to eat junk food** manger des cochonneries.

junkie ['dʒʌŋkɪ] *n arg drogue* drogué *m*, -e *f*.

junk mail *n* (*indén*) *péj* prospectus *mpl* publicitaires envoyés par la poste.

junk shop *n* boutique *f* de brocanteur.

Jupiter ['dʒuːpɪtə^r] *n* Jupiter *f*.

jurisdiction [,dʒʊərɪs'dɪkʃn] *n* juridiction *f*.

juror ['dʒʊərər] *n* juré *m*, -e *f*.

jury ['dʒʊərɪ] *n* jury *m*.

just [dʒʌst] ◼ *adv* 1. *(récemment)* ◦ **he's just left** il vient de partir 2. ◦ **I was just about to go** j'allais juste partir ◦ **I'm just going to do it now** je vais le faire tout de suite ◦ **she arrived just as I was leaving** elle est arrivée au moment même où je partais 3. *(seulement)* ◦ **just add water** vous n'avez plus qu'à ajouter de l'eau ◦ **just a minute** *ou* **moment** *ou* **second!** un (petit) instant ! 4. tout juste, à peine ◦ **I only just missed the train** j'ai manqué le train de peu ◦ **we have just enough time** on a juste assez de temps 5. *(pour accentuer)* ◦ **the coast is just marvellous** la côte est vraiment magnifique ◦ **just look at this mess!** non, mais regarde un peu ce désordre ! 6. tout à fait, exactement ◦ **it's just what I need** c'est tout à fait ce qu'il me faut 7. *(dans les demandes)* ◦ **could you just move over please?** pourriez-vous vous pousser un peu, s'il vous plaît ? ◼ *adj* juste, équitable.

◼ **just about** *adv* à peu près, plus ou moins.

◼ **just as** *adv* tout aussi ◦ **you're just as clever as he is** tu es tout aussi intelligent que lui.

◼ **just in case** ◼ *conj* juste au cas où ◦ **just in case we don't see each other** juste au cas où nous ne nous verrions pas. ◼ *adv* au cas où ◦ **take a coat, just in case** prends un manteau, au cas où.

◼ **just now** *adv* 1. il y a un moment, tout à l'heure 2. en ce moment.

◼ **just then** *adv* à ce moment-là.

◼ **just the same** *adv* quand même.

justice ['dʒʌstɪs] *n* 1. justice *f* 2. bienfondé *m*.

Justice of the Peace (*pl* **Justices of the Peace**) *n* juge *m* de paix.

justify ['dʒʌstɪfaɪ] *vt* justifier.

jut [dʒʌt] *vi* ◦ **to jut (out)** faire saillie, avancer.

juvenile ['dʒuːvənaɪl] ◼ *adj* 1. DR mineur(e), juvénile 2. puéril(e). ◼ *n* DR mineur *m*, -e *f*.

juxtapose [,dʒʌkstə'pəʊz] *vt* juxtaposer.

k¹ *(pl* **k's** *ou* **ks)**, **K** *(pl* **K's** *ou* **Ks)** [keɪ] *n* k *m inv*, K *m inv*.

K² **1.** *(abr de* **kilobyte)** Ko **2.** *(abr de* **thousand)** K.

kaleidoscope [kə'laɪdəskəʊp] *n* kaléidoscope *m*.

kangaroo [,kæŋgə'ru:] *n* kangourou *m*.

kaput [kə'pʊt] *adj fam* fichu(e), foutu(e).

karat ['kærət] *n (US)* carat *m*.

karate [kə'rɑ:tɪ] *n* karaté *m*.

kayak ['kaɪæk] *n* kayak *m*.

kB, KB *(abr de* **kilobyte(s))** *n* Ko *m*.

kebab [kɪ'bæb] *n (UK)* brochette *f*.

keel [ki:l] *n* quille *f* • **on an even keel** stable.
■ **keel over** *vi* **1.** NAUT chavirer **2.** *fig* tomber dans les pommes.

keen [ki:n] *adj* **1.** *(UK)* enthousiaste, passionné(e) • **to be keen on sthg** avoir la passion de qqch • **he's keen on her** elle lui plaît • **to be keen to do** *ou* **on doing sthg** tenir à faire qqch **2.** *(intérêt, esprit)* vif(vive) **3.** *(compétition)* âpre, acharné(e) **4.** *(odorat)* fin(e) **5.** *(vue)* perçant(e).

keep [ki:p] ■ *vt (prét & pp* **kept)** **1.** garder • **keep the change!** gardez la monnaie ! **2.** • **to keep sb/sthg from doing sthg** empêcher qqn/qqch de faire qqch **3.** retenir **4.** détenir *(un prisonnier)* • **to keep sb waiting** faire attendre qqn **5.** tenir *(une promesse)* **6.** aller à *(un rendez-vous)* **7.** être fidèle à **8.** • **to keep sthg from sb** cacher qqch à qqn • **to keep sthg to o.s.** garder qqch pour soi **9.** tenir *(un journal)* **10.** élever *(des moutons, des porcs)* **11.** tenir *(un magasin)* **12.** avoir, posséder *(une voiture)* **13.** • **they keep to themselves** ils restent entre eux, ils se tiennent à l'écart. ■ *vi (prét & pp* **kept)** **1.** • **to keep warm** se tenir au chaud • **to keep quiet** garder le silence • **keep quiet!** taisez-vous ! **2.** • **he keeps interrupting me** il n'arrête pas de m'interrompre • **to keep talking/walking** continuer à parler/à marcher **3.** • **to keep left/right** garder sa gauche/sa droite **4.** *(nourriture)* se conserver **5.** *(UK) vieilli* • **how are you keeping?** comment allez-vous ? ■ *n* • **to earn one's keep** gagner sa vie.
■ **keeps** *n* • **for keeps** pour toujours.
■ **keep away** ■ *vt sép* tenir éloigné(e), empêcher d'approcher • **spectators were kept away by the fear of violence** la peur de la violence tenait les spectateurs à distance. ■ *vi insép* ne pas s'approcher • **keep away from those people** évitez ces gens-là.
■ **keep back** *vt sép* **1.** tenir éloigné, empêcher de s'approcher **2.** cacher, ne pas divulguer.
■ **keep from** *vt insép* s'empêcher de, se retenir de • **I couldn't keep from laughing** je n'ai pas pu m'empêcher de rire.
■ **keep off** ■ *vt sép* **1.** éloigner **2.** protéger de • **this cream will keep the mosquitoes off** cette crème vous protégera contre les moustiques • **keep your hands off!** pas touche !, bas les pattes ! ■ *vt insép* • **'keep off the grass'** '(il est) interdit de marcher sur la pelouse'.
■ **keep on** *vi* **1.** • **to keep on (doing sthg)** continuer (de *ou* à faire qqch) • ne pas arrêter (de faire qqch) **2.** • **to keep on (about sthg)** ne pas arrêter de parler (de qqch).
■ **keep out** ■ *vt sép* empêcher d'entrer. ■ *vi* • **'keep out'** 'défense d'entrer'.
■ **keep to** *vt insép* respecter, observer.
■ **keep up** ■ *vt sép* continuer **2.** maintenir. ■ *vi* • **to keep up (with sb)** aller aussi vite (que qqn).

keeper ['ki:pər] *n* gardien *m*, -enne *f*.

keep-fit *(UK) n (indén)* gymnastique *f*.

keeping ['ki:pɪŋ] *n* **1.** garde *f* **2.** • **to be in/out of keeping with** être/ne pas être conforme à • *(meubles, vêtements)* aller/ne pas aller avec.

keepsake ['ki:pseɪk] *n* souvenir *m*.

keg [keg] *n* tonnelet *m*, baril *m*.

kennel ['kenl] n **1.** *(UK)* niche f **2.** *(US)* chenil m.
■ **kennels** npl *(UK)* chenil m.

Kenya ['kenjə] n Kenya m.

Kenyan ['kenjən] ◆ adj kenyan(e). ◆ n Kenyan m, -e f.

kept [kept] passé & pp ▷ **keep**.

kerb [kɜːb] n *(UK)* bordure f du trottoir.

kernel ['kɜːnl] n amande f.

kerosene ['kerəsiːn] n *(US)* paraffine f.

ketchup ['ketʃəp] n ketchup m.

kettle ['ketl] n bouilloire f.

key [kiː] ◆ n **1.** clef f, clé f • **the key (to sthg)** fig la clé (de qqch) **2.** touche f (d'un piano, du clavier d'un ordinateur) **3.** légende f (d'une carte). ◆ adj clé.

keyboard ['kiːbɔːd] n clavier m.

keyed up [ˌkiːd-] adj fam tendu(e), énervé(e).

keyhole ['kiːhəʊl] n trou m de serrure.

keynote ['kiːnəʊt] ◆ n note f dominante. ◆ en apposition • **keynote speech** discours-programme m.

keypad ['kiːpæd] n pavé m numérique.

key ring n porte-clés m inv.

khaki ['kɑːkɪ] ◆ adj kaki (inv). ◆ n kaki m.

kick [kɪk] ◆ n **1.** coup m de pied **2.** fam • **to get a kick from** ou **out of sthg** trouver qqch excitant • **to do sthg for kicks** faire qqch pour le plaisir. ◆ vt **1.** donner un coup de pied à • **to kick o.s.** fig se donner des gifles ou des claques **2.** fam • **to kick the habit** arrêter. ◆ vi **1.** donner des coups de pied **2.** donner un coup de pied **3.** (bébé) gigoter **4.** (cheval) ruer.
■ **kick around, kick about** *(UK)* ◆ vt sép **1.** • **to kick a ball around** jouer au ballon **2.** fam débattre • **we kicked a few ideas around** on a discuté à bâtons rompus. ◆ vi fam traîner.
■ **kick in** ◆ vt sép défoncer à coups de pied. ◆ vi insép fam entrer en action.
■ **kick off** vi **1.** FOOTBALL donner le coup d'envoi **2.** fam fig démarrer.
■ **kick out** vt sép fam vider, jeter dehors.

kid [kɪd] ◆ n **1.** fam gosse mf, gamin m, -e f **2.** fam petit jeune m, petite jeune f **3.** chevreau m. ◆ vt fam **1.** faire marcher **2.** • **to kid o.s.** se faire des illusions. ◆ vi fam • **to be kidding** plaisanter.

kidnap ['kɪdnæp] vt kidnapper, enlever.

kidnapper *(UK)* ['kɪdnæpər] n kidnappeur m, -euse f, ravisseur m, -euse f.

kidnapping ['kɪdnæpɪŋ] n enlèvement m.

kidney ['kɪdnɪ] (pl -s) n **1.** ANAT rein m **2.** CULIN rognon m.

kidney bean n haricot m rouge.

kill [kɪl] ◆ vt **1.** tuer **2.** fig mettre fin à **3.** fig supprimer. ◆ vi tuer. ◆ n mise f à mort.

killer ['kɪlər] n **1.** meurtrier m, -ère f **2.** tueur m, -euse f.

killing ['kɪlɪŋ] n meurtre m.

killjoy ['kɪldʒɔɪ] n péj rabat-joie m inv.

kiln [kɪln] n four m.

kilo ['kiːləʊ] (pl -s) (abr de **kilogram**) n kilo m.

kilobyte ['kɪləbaɪt] n kilo-octet m.

kilogram, kilogramme ['kɪləgræm] n kilogramme m.

kilohertz ['kɪləhɜːtz] (pl inv) n kilohertz m.

kilometre *(UK)* ['kɪləˌmiːtər], **kilometer** *(US)* [kɪˈlɒmɪtər] n kilomètre m.

kilowatt ['kɪləwɒt] n kilowatt m.

kilt [kɪlt] n kilt m.

kind [kaɪnd] ◆ adj gentil(ille), aimable. ◆ n genre m, sorte f • **they're two of a kind** ils se ressemblent • **a kind of** une sorte de, une espèce de • **I had a kind of (a) feeling you'd come** j'avais comme l'impression que tu viendrais • **kind of** fam plutôt • **it's kind of big and round** c'est plutôt ou dans le genre grand et rond • **I'm kind of sad about it** ça me rend un peu triste • **did you hit him?** — **well, kind of** tu l'as frappé ? – oui, si on veut.
■ **in kind** adv en nature • **to pay sb in kind** payer qqn en nature.

kindergarten ['kɪndəˌgɑːtn] n **1.** *(UK)* jardin m d'enfants **2.** *(US)* ≃ première année de maternelle.

kind-hearted [-ˈhɑːtɪd] adj qui a bon cœur, bon(bonne).

kindle ['kɪndl] vt **1.** allumer **2.** fig susciter.

kindly ['kaɪndlɪ] ◆ adj **1.** plein(e) de bonté, bienveillant(e) **2.** plein(e) de gentillesse. ◆ adv **1.** avec gentillesse **2.** sout • **will you kindly...?** veuillez…, je vous prie de…

kindness ['kaɪndnɪs] n gentillesse f.

kindred ['kɪndrɪd] *adj* semblable, similaire ▪ **kindred spirit** âme *f* sœur.

king [kɪŋ] *n* roi *m*.

kingdom ['kɪŋdəm] *n* **1.** royaume *m* **2.** règne *m (animal, végétal)*.

kingfisher ['kɪŋ,fɪʃəʳ] *n* martin-pêcheur *m*.

king-size(d) [-saɪz(d)] *adj* ▪ **a king-sized bed** un grand lit *(de 195 cm)*.

kinky ['kɪŋkɪ] *adj fam* vicieux(euse).

kiosk ['ki:ɒsk] *n* **1.** kiosque *m* **2.** *(UK)* cabine *f* (téléphonique).

kip [kɪp] *(UK) fam* ▪ *n* somme *m*, roupillon *m*. ▪ *vi* faire *ou* piquer un petit somme.

kipper ['kɪpəʳ] *n* hareng *m* fumé *ou* saur.

kiss [kɪs] ▪ *n* baiser *m* ▪ **to give sb a kiss** embrasser qqn, donner un baiser à qqn. ▪ *vt* embrasser. ▪ *vi* s'embrasser.

kiss of life *n (UK)* ▪ **the kiss of life** le bouche-à-bouche.

kit [kɪt] *n* **1.** trousse *f* **2.** *(indén)* SPORT affaires *fpl*, équipement *m* **3.** kit *m*.

kit bag *n* sac *m* de marin.

kitchen ['kɪtʃɪn] *n* cuisine *f*.

kitchen sink *n* évier *m*.

kitchen unit *n* élément *m* de cuisine.

kite [kaɪt] *n* cerf-volant *m*.

kith [kɪθ] *n vieilli* ▪ **kith and kin** parents et amis *mpl*.

kitten ['kɪtn] *n* chaton *m*.

kitty ['kɪtɪ] *n* **1.** cagnotte *f* **2.** *fam* chat(te).

kiwi ['ki:wi:] *n* **1.** *(oiseau)* kiwi *m*, aptéryx *m* **2.** *fam* Néo-Zélandais *m*, -e *f*.

km *(abr de* **kilometre)** km.

km/m *(abr de* **kilometres per hour)** km/h.

knack [næk] *n* ▪ **to have a** *ou* **the knack (for doing sthg)** avoir le coup (pour faire qqch).

knackered ['nækəd] *adj (UK) tfam* crevé(e), claqué(e).

knapsack ['næpsæk] *n* sac *m* à dos.

knead [ni:d] *vt* pétrir.

knee [ni:] *n* genou *m*.

kneecap ['ni:kæp] *n* rotule *f*.

kneel [ni:l] *((UK) prét & pp* **knelt**, *(US) prét & pp* **knelt** *ou* **-ed)** *vi* se mettre à genoux, s'agenouiller.
▪ **kneel down** *vi* se mettre à genoux, s'agenouiller.

knelt [nelt] *passé & pp* ▷ **kneel**.

knew [nju:] *passé* ▷ **know**.

knickers ['nɪkəz] *npl (UK)* culotte *f*.

knick-knack ['nɪknæk] *n* babiole *f*, bibelot *m*.

knife [naɪf] ▪ *n (pl* **knives** [naɪvz]) couteau *m*. ▪ *vt* donner un coup de couteau à, poignarder.

knight [naɪt] ▪ *n* **1.** chevalier *m* **2.** cavalier *m*. ▪ *vt* faire chevalier.

knighthood ['naɪthʊd] *n* titre *m* de chevalier.

knit [nɪt] ▪ *adj* ▪ **closely** *ou* **tightly knit** *fig* très uni(e). ▪ *vt (prét & pp* **knit** *ou* **-ted)** tricoter. ▪ *vi (prét & pp* **knit** *ou* **-ted) 1.** tricoter **2.** *(os cassés)* se souder.

knitting ['nɪtɪŋ] *n (indén)* tricot *m*.

knitting needle *n* aiguille *f* à tricoter.

knitwear ['nɪtweəʳ] *n (indén)* tricots *mpl*.

knives [naɪvz] *npl* ▷ **knife**.

knob [nɒb] *n* **1.** poignée *f*, bouton *m (de porte)* **2.** poignée *(d'un tiroir)* **3.** pommeau *m (d'une canne)* **4.** bouton *m (sur la télé, la radio)*.

knock [nɒk] ▪ *n* **1.** coup *m* **2.** *fam fig* coup *m* dur. ▪ *vt* **1.** frapper, cogner ▪ **to knock sb/sthg over** renverser qqn/qqch **2.** *fam* critiquer, dire du mal de. ▪ *vi* ▪ **to knock on** *ou* **at the door** frapper (à la porte).
▪ **knock down** *vt sép* **1.** *(UK)* renverser *(un piéton)* **2.** démolir.
▪ **knock out** *vt sép* **1.** assommer **2.** éliminer *(d'une compétition)*.
▪ **knock over** *vt sép* renverser, faire tomber.

knocker ['nɒkəʳ] *n* heurtoir *m*.

knock-kneed [-'ni:d] *adj* cagneux (euse).

knock-on effect *n (UK)* réaction *f* en chaîne.

knockout ['nɒkaʊt] *n* knock-out *m*, K.-O. *m*

knot [nɒt] ▪ *n* **1.** nœud *m* ▪ **to tie/untie a knot** faire/défaire un nœud **2.** petit attroupement *m*. ▪ *vt* nouer, faire un nœud à.

knotty ['nɒtɪ] *adj fig* épineux(euse).

know [nəʊ] ▪ *vt (prét* **knew**, *pp* **known) 1.** savoir **2.** savoir parler ▪ **to know (that)...** savoir que... ▪ **to let sb know (about sthg)** faire savoir (qqch) à qqn, informer qqn (de qqch) ▪ **to get to**

know sthg apprendre qqch **3.** connaître ∘ **to get to know sb** apprendre à mieux connaître qqn. ⬛ *vi* (*prét* **knew**, *pp* **known**) savoir ∘ **to know of sthg** connaître qqch ∘ **to know about** être au courant de ∘ **s'y** connaître en.

know-all *(UK)*, **know-it-all** *(US)* n (monsieur) je-sais-tout *m*, (madame) je-sais-tout *f*.

know-how n savoir-faire *m*, technique *f*.

knowing ['nəʊɪŋ] *adj* entendu(e).

knowingly ['nəʊɪŋlɪ] *adv* **1.** d'un air entendu **2.** sciemment.

know-it-all *(US)* = **know-all**.

knowledge ['nɒlɪdʒ] n (*indén*) **1.** connaissance *f* ∘ **without my knowledge** à mon insu ∘ **to the best of my knowledge** à ma connaissance, autant que je sache **2.** savoir *m*, connaissances *fpl*.

knowledgeable ['nɒlɪdʒəbl] *adj* bien informé(e).

known [nəʊn] *pp* ▷ **know**.

knuckle ['nʌkl] n **1.** ANAT articulation *f* ou jointure *f* du doigt **2.** jarret *m*.

knuckle-duster n coup-de-poing *m* américain.

koala (bear) [kəʊ'ɑ:lə-] n koala *m*.

Koran [kɒ'rɑ:n] n ∘ **the Koran** le Coran.

Korea [kə'rɪə] n Corée *f*.

Korean [kə'rɪən] ⬛ *adj* coréen(enne). ⬛ *n* **1.** Coréen *m*, -enne *f* **2.** coréen *m*.

kosher ['kəʊʃə^r] *adj* **1.** kasher (*inv*) **2.** *fam* O.K. (*inv*), réglo (*inv*).

kung fu [ˌkʌŋ'fu:] n kung-fu *m*.

Kurd [kɜ:d] n Kurde *mf*.

Kuwait [kʊ'weɪt], **Koweit** [kəʊ'weɪt] n **1.** Koweït *m* **2.** Koweït City.

l¹ [el] (pl **l's** ou **ls**), **L** (pl **L's** ou **Ls**) n l m inv, L m inv.

l² (abr de **litre**) l.

lab [læb] n fam labo m.

label ['leɪbl] ◼ n **1.** étiquette f **2.** label m, maison f de disques. ◼ vt ((UK) prét & pp **-led**, cont **-ling**, (US) prét & pp **-ed**, cont **-ing**) **1.** étiqueter **2.** • **to label sb (as)** cataloguer ou étiqueter qqn (comme).

labor (US) = **labour** etc.

laboratory [(UK) lə'bɒrətrɪ, (US) 'læbrə-ˌtɔrɪ] n laboratoire m.

laborious [lə'bɔrɪəs] adj laborieux(euse).

labor union n (US) syndicat m.

labour (UK), **labor** (US) ['leɪbəʳ] ◼ n **1.** travail m **2.** main d'œuvre f. ◼ vi travailler dur • **to labour at** ou **over** peiner sur. ◼ **Labour** (UK) ◼ adj POLIT travailliste. ◼ n (indén) POLIT les travaillistes mpl.

laboured (UK), **labored** (US) ['leɪbəd] adj **1.** pénible **2.** lourd(e), laborieux(euse).

labourer (UK), **laborer** (US) ['leɪbərəʳ] n **1.** travailleur m manuel, travailleuse f manuelle **2.** ouvrier m agricole, ouvrière f agricole.

Labour Party n (UK) • **the Labour Party** le parti travailliste.

Labrador ['læbrədɔʳ] n labrador m.

labyrinth ['læbərɪnθ] n labyrinthe m.

lace [leɪs] ◼ n **1.** dentelle f **2.** lacet m. ◼ vt **1.** lacer **2.** verser de l'alcool ou une drogue dans. ◼ **lace up** vt sép lacer.

lace-up n (UK) chaussure f à lacets.

lack [læk] ◼ n manque m • **for** ou **through lack of** par manque de • **no lack of** bien assez de. ◼ vt manquer de. ◼ vi • **to be lacking in sthg** manquer de qqch • **to be lacking** manquer, faire défaut.

lackadaisical [ˌlækə'deɪzɪkl] adj péj nonchalant(e).

lacklustre (UK), **lackluster** (US) ['læk-ˌlʌstəʳ] adj terne.

laconic [lə'kɒnɪk] adj sout laconique.

lacquer ['lækəʳ] ◼ n **1.** (pour le bois) vernis m, laque f **2.** (UK) (pour les cheveux) laque f. ◼ vt laquer.

lacrosse [lə'krɒs] n crosse f.

lad [læd] n (UK) fam garçon m, gars m.

ladder ['lædəʳ] ◼ n **1.** échelle f **2.** (UK) maille f filée, estafilade f. ◼ vt & vi (UK) (bas, collant) filer.

laden ['leɪdn] adj • **laden (with)** chargé(e) (de).

ladies (UK) ['leɪdɪz], **ladies' room** (US) n toilettes fpl (pour dames).

ladle ['leɪdl] ◼ n louche f. ◼ vt servir (à la louche).

lady ['leɪdɪ] n dame f.

ladybird (UK) ['leɪdɪbɜːd], **ladybug** (US) ['leɪdɪbʌg] n coccinelle f.

lady-in-waiting [-'weɪtɪŋ] (pl **ladies-in-waiting**) n dame f d'honneur.

ladylike ['leɪdɪlaɪk] adj distingué(e).

lag [læg] ◼ vi • **to lag (behind)** (personne) traîner • (économie) être en retard, avoir du retard. ◼ vt calorifuger. ◼ n décalage m.

lager ['lɑːgəʳ] n (bière f) blonde f.

lagoon [lə'guːn] n lagune f.

laid [leɪd] passé & pp ▷ **lay**.

laid-back adj fam relaxe, décontracté(e).

lain [leɪn] pp ▷ **lie**.

lair [leəʳ] n repaire m, antre m.

laity ['leɪətɪ] n RELIG • **the laity** les laïcs mpl.

lake [leɪk] n lac m.

Lake District n • **the Lake District** la région des lacs (au nord-ouest de l'Angleterre).

Lake Geneva n le lac Léman ou de Genève.

lamb [læm] n agneau m.

lambswool ['læmzwʊl] ◼ n lambswool m. ◼ en apposition en lambswool, en laine d'agneau.

lame [leɪm] adj litt & fig boiteux(euse).

lament [lə'ment] ◼ n lamentation f. ◼ vt se lamenter sur.

lamentable ['læməntəbl] adj lamentable.

laminated ['læmɪneɪtɪd] adj 1. (bois) stratifié(e) 2. (verre) feuilleté(e) 3. (métal) laminé(e).

lamp [læmp] n lampe f.

lampoon [læm'puːn] ◼ n satire f. ◼ vt faire la satire de.

lamppost ['læmppəʊst] n réverbère m.

lampshade ['læmpʃeɪd] n abat-jour m.

lance [lɑːns] ◼ n lance f. ◼ vt percer.

lance corporal n caporal m.

land [lænd] ◼ n 1. terre f (ferme) 2. terre, terrain m 3. terres fpl, propriété f 4. pays m. ◼ vt 1. débarquer 2. prendre (des poissons) 3. atterrir 4. fam décrocher 5. fam ▸ **to land sb in trouble** attirer des ennuis à qqn ▸ **to be landed with sthg** se coltiner qqch. ◼ vi 1. atterrir 2. tomber. ◼ **land up** vi fam atterrir.

landing ['lændɪŋ] n 1. palier m 2. atterrissage m 3. débarquement m (de marchandises sur un bateau).

landing card n carte f de débarquement.

landing gear n (indén) train m d'atterrissage.

landing stage n débarcadère m.

landing strip n piste f d'atterrissage.

landlady ['lænd,leɪdɪ] n propriétaire f.

landlord ['lændlɔːd] n 1. propriétaire m 2. (UK) patron m (d'un pub).

landmark ['lændmɑːk] n 1. point m de repère 2. fig événement m marquant.

landowner ['lænd,əʊnər] n propriétaire foncier m, propriétaire foncière f.

landscape ['lændskeɪp] n paysage m.

landslide ['lændslaɪd] n 1. glissement m de terrain 2. éboulement m 3. fig victoire f écrasante.

lane [leɪn] n 1. petite route f, chemin m 2. ruelle f 3. voie f ▸ **'keep in lane'** 'ne changez pas de file'. 4. AÉRON & SPORT couloir m.

language ['læŋgwɪdʒ] n 1. langue f 2. langage m.

language lab(oratory) n labo(ratoire) m de langues.

languid ['læŋgwɪd] adj littéraire langoureux(euse).

languish ['læŋgwɪʃ] vi languir.

lank [læŋk] adj terne.

lanky ['læŋkɪ] adj dégingandé(e).

lantern ['læntən] n lanterne f.

lap [læp] ◼ n 1. ▸ **on sb's lap** sur les genoux de qqn 2. SPORT tour m de piste. ◼ vt 1. laper 2. SPORT prendre un tour d'avance sur. ◼ vi clapoter.

lapel [lə'pel] n revers m (d'une veste).

Lapland ['læplænd] n Laponie f.

lapse [læps] ◼ n 1. défaillance f 2. écart m de conduite 3. intervalle m, laps m de temps. ◼ vi 1. (passeport) être périmé(e) 2. (abonnement) prendre fin 3. (tradition) se perdre 4. ▸ **to lapse into bad habits** prendre de mauvaises habitudes.

laptop computer n (ordinateur m) portable m.

larceny ['lɑːsənɪ] n (indén) vol m (simple).

lard [lɑːd] n saindoux m.

larder ['lɑːdər] n vieilli garde-manger m inv.

large [lɑːdʒ] adj 1. grand(e) 2. gros (grosse).
◼ **at large** adv 1. dans son ensemble 2. (prisonnier, animal) en liberté.
◼ **by and large** adv dans l'ensemble.

largely ['lɑːdʒlɪ] adv en grande partie.

lark [lɑːk] n 1. alouette f 2. fam blague f.

laryngitis [,lærɪn'dʒaɪtɪs] n (indén) laryngite f.

larynx ['lærɪŋks] n larynx m.

lasagne, lasagna [lə'zænjə] n lasagnes fpl.

laser ['leɪzər] n laser m.

laser printer n imprimante f (à) laser.

lash [læʃ] ◼ n 1. cil m 2. coup m de fouet. ◼ vt 1. fouetter 2. attacher.
◼ **lash out** vi 1. ▸ **to lash out (at** ou **against)** envoyer un coup (à) 2. (UK) fam ▸ **to lash out (on sthg)** faire une folie (en s'achetant qqch).

lass [læs] n (surtout Écosse) jeune fille f.

lasso [læ'suː] ◼ n (pl **-s**) lasso m. ◼ vt attraper au lasso.

last [lɑ:st] ◼ *adj* dernier(ère) • **last week/ year** la semaine/l'année dernière • **last night** hier soir • **down to the last detail/ penny** jusqu'au moindre détail/dernier sou • **last but one** avant-dernier (avant-dernière). ◼ *adv* **1.** la dernière fois **2.** en dernier, le dernier (la dernière). ◼ *pron* • **the Saturday before last** pas samedi dernier, mais le samedi d'avant • **the year before last** il y a deux ans • **to leave sthg till last** faire qqch en dernier. ◼ *n* • **the last I saw of him** la dernière fois que je l'ai vu. ◼ *vi* **1.** durer **2.** *(nourriture)* se garder, se conserver **3.** *(sentiment)* persister.
■ **at last** *adv* enfin.

last-ditch [lɑ:st] *adj* ultime, désespéré(e).

lasting [ˈlɑ:stɪŋ] *adj* durable.

lastly [ˈlɑ:stlɪ] *adv* pour terminer, finalement.

last-minute *adj* de dernière minute.

last name *n* nom *m* de famille.

latch [lætʃ] *n* loquet *m*.
■ **latch onto** *vt insép fam* s'accrocher à.

latchkey kid *n* enfant qui rentre seul après l'école et qui a la clé du domicile familial.

late [leɪt] ◼ *adj* **1.** • **to be late (for sthg)** être en retard (pour qqch) **2.** • **in late December** *ou* **late in December** vers la fin décembre • **at this late stage** à ce stade avancé **3.** tardif(ive) **4.** ancien(enne) **5.** • **her late husband** son défunt mari, feu son mari *sout.* ◼ *adv* **1.** en retard • **to arrive 20 minutes late** arriver avec 20 minutes de retard **2.** tard • **to work/ go to bed late** travailler/se coucher tard • **late in the afternoon** tard dans l'après-midi • **late in the day** *litt* vers la fin de la journée • **it's rather late in the day to be thinking about that** *fig* c'est un peu tard pour penser à ça.
■ **of late** *adv* récemment, dernièrement.

latecomer [ˈleɪtˌkʌmər] *n* retardataire *mf*.

lately [ˈleɪtlɪ] *adv* ces derniers temps, dernièrement.

latent [ˈleɪtənt] *adj* latent(e).

later [ˈleɪtər] ◼ *adj* **1.** ultérieur(e) **2.** postérieur(e). ◼ *adv* • **later (on)** plus tard.

lateral [ˈlætərəl] *adj* latéral(e).

latest [ˈleɪtɪst] ◼ *adj* dernier(ère). ◼ *n* • **at the latest** au plus tard.

lathe [leɪð] *n* TECHNOL tour *m*.

lather [ˈlɑːðər] ◼ *n* mousse *f* (de savon). ◼ *vt* savonner.

Latin [ˈlætɪn] ◼ *adj* latin(e). ◼ *n* latin *m*.

Latin America *n* Amérique *f* latine.

Latin-American *adj* latino-américain(e).

latitude [ˈlætɪtjuːd] *n* latitude *f*.

latter [ˈlætər] ◼ *adj* **1.** dernier(ère) **2.** deuxième. ◼ *n* • **the latter** celui-ci (celle-ci), ce dernier (cette dernière).

latterly [ˈlætəlɪ] *adv sout* récemment.

lattice [ˈlætɪs] *n* treillis *m*, treillage *m*.

Latvia [ˈlætvɪə] *n* Lettonie *f*.

laudable [ˈlɔːdəbl] *adj* louable.

laugh [lɑːf] ◼ *n* rire *m* • **we had a good laugh** *fam* on a bien rigolé, on s'est bien amusés • **to do sthg for laughs** *ou* **a laugh** *fam* faire qqch pour rire *ou* rigoler. ◼ *vi* rire.
■ **laugh at** *vt insép* se moquer de, rire de.
■ **laugh off** *vt sép* tourner en plaisanterie.

laughable [ˈlɑːfəbl] *adj* ridicule, risible.

laughingstock [ˈlɑːfɪŋstɒk] *n* risée *f*.

laughter [ˈlɑːftər] *n* (*indén*) rire *m*, rires *mpl*.

launch [lɔːntʃ] ◼ *n* lancement *m*. ◼ *vt* lancer.

launch(ing) pad, launchpad [ˈlɔːntʃ(ɪŋ)-] *n* pas *m* de tir.

launder [ˈlɔːndər] *vt* **1.** laver **2.** *fig* blanchir.

laundrette, Launderette® [lɔnˈdret], **Laundromat®** [ˈlɔːndrəmæt] *n* laverie *f* automatique.

laundry [ˈlɔːndrɪ] *n* **1.** (*indén*) lessive *f* **2.** blanchisserie *f*.

laurel ['lɒrəl] n laurier m.

lava ['lɑːvə] n lave f.

lavatory ['lævətrɪ] n (surtout UK) toilettes fpl.

lavender ['lævəndə] n lavande f.

lavish ['lævɪʃ] ◼ adj 1. généreux(euse) • **to be lavish with** être prodigue de 2. somptueux(euse). ◼ vt • **to lavish sthg on sb** prodiguer qqch à qqn.

law [lɔ] n 1. loi f • **against the law** contraire à la loi, illégal(e) • **to break the law** enfreindre ou transgresser la loi • **law and order** ordre m public 2. droit m 3. (règle, principe) loi f • **the law of supply and demand** la loi de l'offre et de la demande.

law-abiding [-ə,baɪdɪŋ] adj respectueux(euse) des lois.

law court n tribunal m, cour f de justice.

lawful ['lɔful] adj légal(e), licite.

lawn [lɔn] n pelouse f, gazon m.

lawnmower ['lɔn,məʊə] n tondeuse f à gazon.

lawn tennis n tennis m (sur gazon).

law school n faculté f de droit.

lawsuit ['lɔsuːt] n procès m.

lawyer ['lɔjə] n 1. avocat m 2. conseiller m, -ère f juridique 3. notaire m.

lax [læks] adj relâché(e).

laxative ['læksətɪv] n laxatif m.

lay [leɪ] ◼ passé ▷ **lie**. ◼ vt (prét & pp **laid**) 1. poser, mettre 2. fig • **to lay the blame for sthg on sb** rejeter la responsabilité de qqch sur qqn 3. tendre (un piège) 4. faire (des projets) • **to lay the table** (UK) mettre la table ou le couvert 5. pondre. ◼ adj 1. RELIG laïque 2. profane.
■ **lay aside** vt sép mettre de côté.
■ **lay down** vt sép 1. imposer, stipuler 2. déposer.
■ **lay off** ◼ vt sép licencier. ◼ vt insép fam 1. ficher la paix à 2. arrêter.
■ **lay out** vt sép 1. arranger, disposer 2. concevoir.

layabout ['leɪəbaʊt] n (UK) fam fainéant m, -e f.

lay-by (pl **lay-bys**) n (UK) aire f de stationnement.

layer ['leɪə] n 1. couche f 2. fig niveau m.

layman ['leɪmən] (pl **-men** [-mən]) n 1. profane m 2. laïc m.

layout ['leɪaʊt] n 1. agencement m 2. plan m (d'un jardin) 3. mise f en page.

laze [leɪz] vi • **to laze (around** ou **about)** (UK) paresser.

lazy ['leɪzɪ] adj 1. paresseux(euse), fainéant(e) 2. nonchalant(e).

lazybones ['leɪzɪbəʊnz] (pl inv) n fam paresseux m, -euse f, fainéant m, -e f.

lb (abr de **pound**), livre (unité de poids).

LCD (abr de **liquid crystal display**) n affichage à cristaux liquides.

lead¹ [liːd] ◼ n 1. • **to be in** ou **have the lead** mener, être en tête 2. initiative f, exemple m • **to take the lead** montrer l'exemple 3. THÉÂTRE • **the lead** le rôle principal 4. indice m 5. (UK) (pour chien) laisse f 6. câble m, fil m. ◼ adj principal(e). ◼ vt (prét & pp **led**) 1. mener, être à la tête de 2. guider, conduire 3. être à la tête de, diriger 4. • **to lead sb to do sthg** inciter ou pousser qqn à faire qqch. ◼ vi (prét & pp **led**) 1. mener, conduire • **to lead to/into** donner sur, donner accès à 2. SPORT mener 3. • **to lead to sthg** aboutir à qqch, causer qqch.
■ **lead up to** vt insép 1. conduire à, aboutir à 2. amener.

lead² [led] ◼ n 1. plomb m 2. mine f (de crayon). ◼ en apposition en ou de plomb.

leaded ['ledɪd] adj au plomb.

leader ['liːdə] n 1. chef mf 2. POLIT leader mf 3. premier m, -ère f 4. (UK) PRESSE éditorial m.

leadership ['liːdəʃɪp] n 1. • **the leadership** les dirigeants mpl 2. direction f 3. (indén) qualités fpl de chef.

lead-free [led-] adj sans plomb.

lead guitar [liːd-] n première f guitare.

leading ['liːdɪŋ] adj 1. principal(e) 2. de tête.

leading light n personnage m très important ou influent.

leaf [liːf] (pl **leaves** [liːvz]) n 1. BOT feuille f 2. abattant m 3. rallonge f (pour une table) 4. feuille f, page f.
■ **leaf through** vt insép parcourir, feuilleter.

leaflet ['liːflɪt] n prospectus m.

league [li:g] *n* **1.** ligue *f* **2.** SPORT championnat *m* • **to be in league with** être de connivence avec.

leak [li:k] ◼ *n litt & fig* fuite *f*. ◼ *vt* divulguer. ◼ *vi* fuir.
■ **leak out** *vi* **1.** fuir **2.** *fig* transpirer, être divulgué(e).

leakage ['li:kɪdʒ] *n* fuite *f*.

lean [li:n] ◼ *adj* **1.** mince **2.** *(viande)* maigre **3.** *fig (période)* mauvais(e). ◼ *vt* (*prét & pp* **leant** OU **-ed**) • **to lean sthg against** appuyer qqch contre, adosser qqch à. ◼ *vi* (*prét & pp* **leant** OU **-ed**) **1.** se pencher **2.** • **to lean on/against** s'appuyer sur/contre.

leaning ['li:nɪŋ] *n* • **leaning (towards)** penchant *m* (pour).

leant [lent] *passé & pp* ▷ **lean.**

lean-to (*pl* **lean-tos**) *n* appentis *m*.

leap [li:p] ◼ *n litt & fig* bond *m*. ◼ *vi* (*prét & pp* **leapt** OU **-ed**) **1.** bondir **2.** *fig* faire un bond.

leapfrog ['li:pfrɒg] ◼ *n* saute-mouton *m inv*. ◼ *vt* dépasser (d'un bond). ◼ *vi* • **to leapfrog over** sauter par-dessus.

leapt [lept] *passé & pp* ▷ **leap.**

leap year *n* année *f* bissextile.

learn [lɜ:n] (*prét & pp* **-ed** OU **learnt**) ◼ *vt* • **to learn (that)...** apprendre que... • **to learn (how) to do sthg** apprendre à faire qqch. ◼ *vi* • **to learn (of** OU **about sthg)** apprendre (qqch).

learned ['lɜ:nɪd] *adj* savant(e).

learner ['lɜ:nər] *n* débutant *m*, -e *f*.

learner (driver) *n* (UK) conducteur *m* débutant, conductrice *f* débutante (*qui n'a pas encore son permis*).

learning ['lɜ:nɪŋ] *n* savoir *m*, érudition *f*.

learning disability *n* difficultés *fpl* d'apprentissage.

learnt [lɜ:nt] *passé & pp* ▷ **learn.**

lease [li:s] ◼ *n* bail *m*. ◼ *vt* louer • **to lease sthg from sb** louer qqch à qqn • **to lease sthg to sb** louer qqch à qqn.

leasehold ['li:shəʊld] ◼ *adj* loué(e) à bail, tenu(e) à bail. ◼ *adv* à bail.

leash [li:ʃ] *n* (US) laisse *f*.

least [li:st] (*superlatif de* **little**) ◼ *adj* • **the least** le moindre(la moindre), le plus petit(la plus petite). ◼ *pron* • **the least** le moins • **it's the least (that) he can do**

c'est la moindre des choses qu'il puisse faire • **not in the least** pas du tout • **to say the least** c'est le moins qu'on puisse dire. ◼ *adv* • **(the) least** le moins (la moins).
■ **at least** *adv* **1.** au moins **2.** du moins.
■ **least of all** *adv* surtout pas, encore moins.
■ **not least** *adv* sout notamment.

leather ['leðər] ◼ *n* cuir *m*. ◼ *en apposition* en cuir.

leave [li:v] ◼ *vt* (*prét & pp* **left**) **1.** laisser • **to leave sb alone** laisser qqn tranquille **2.** quitter **3.** • **to leave sb sthg, to leave sthg to sb** léguer OU laisser qqch à qqn. ◼ *vi* (*prét & pp* **left**) partir. ◼ *n* **1.** congé *m* • **to be on leave** être en congé **2.** MIL permission *f* • **to be on leave** être en permission **3.** *sout* permission *f*, autorisation *f* • **by** OU **with your leave** avec votre permission **4.** congé *m* • **to take one's leave (of sb)** prendre congé (de qqn). • *voir aussi* **left**
■ **leave aside** *vt sép* laisser de côté.
■ **leave behind** *vt sép* **1.** abandonner, laisser • **she soon left the other runners behind** elle a vite distancé tous les autres coureurs **2.** oublier, laisser.
■ **leave out** *vt sép* omettre, exclure.
■ **leave over** *vt sép* laisser • **to be left over** rester • **there are still one or two left over** il en reste encore un ou deux.

leave of absence *n* congé *m*.

leaves [li:vz] *npl* ▷ **leaf.**

Lebanon ['lebənən] *n* Liban *m*.

lecherous ['letʃərəs] *adj péj* lubrique, libidineux(euse).

lecture ['lektʃər] ◼ *n* **1.** conférence *f* **2.** UNIV cours *m* magistral **3.** • **to give sb a lecture** réprimander qqn, sermonner qqn. ◼ *vt* réprimander, sermonner. ◼ *vi* • **to lecture on sthg** faire un cours sur qqch • **to lecture in sthg** être professeur de qqch.

lecturer ['lektʃərər] *n* **1.** conférencier *m*, -ère *f* **2.** (UK) UNIV maître assistant *m*.

led [led] *passé & pp* ▷ **lead¹.**

ledge [ledʒ] *n* **1.** rebord *m* (de fenêtre) **2.** corniche *f* (d'une montagne).

ledger ['ledʒər] *n* grand livre *m*.

leech [li:tʃ] *n litt & fig* sangsue *f*.

leek [li:k] *n* poireau *m*.

leer [lɪər] ◼ *n* regard *m* libidineux. ◼ *vi* • **to leer at** reluquer.

leeway ['li:weɪ] n marge f de manœuvre.

left [left] ◼ passé & pp ▷ **leave**. ◼ adj 1. ◦ **to be left** rester ◦ **have you** ou **do you have any money left?** il te reste de l'argent ? 2. gauche. ◼ adv à gauche. ◼ n ◦ **on** ou **to the left** à gauche. ◼ **Left** n POLIT ◦ **the Left** la Gauche.

left-hand adj de gauche ◦ **left-hand side** gauche f, côté m gauche.

left-hand drive adj avec la conduite à gauche.

left-handed [-'hændɪd] adj 1. gaucher(ère) 2. pour gaucher.

left luggage (office) n (UK) consigne f.

leftover ['leftəʊvər] adj qui reste, en surplus. ◼ **leftovers** npl restes mpl.

left wing n POLIT gauche f. ◼ **left-wing** adj POLIT de gauche.

leg [leg] n 1. jambe f 2. patte f ◦ **to pull sb's leg** faire marcher qqn 3. CULIN gigot m 4. CULIN cuisse f 5. pied m (d'une table) 6. étape f.

legacy ['legəsɪ] n litt & fig legs m, héritage m.

legal ['li:gl] adj 1. juridique 2. légal(e).

legalize, -ise ['li:gəlaɪz] vt légaliser, rendre légal.

legal tender n monnaie f légale.

legend ['ledʒənd] n litt & fig légende f.

leggings ['legɪŋz] npl caleçon m (pour femme).

legible ['ledʒəbl] adj lisible.

legislation [,ledʒɪs'leɪʃn] n législation f.

legislature ['ledʒɪsleɪtʃər] n corps m législatif.

legitimate [lɪ'dʒɪtɪmət] adj légitime.

legless ['leglɪs] adj (UK) fam bourré(e), rond(e).

legroom ['legrʊm] n (indén) place f pour les jambes.

legwarmers [-,wɔːməz] npl jambières fpl.

leisure [(UK) 'leʒər, (US) 'li:ʒər] n loisir m, temps m libre ◦ **at (one's) leisure** à loisir, tout à loisir.

leisure centre n (UK) centre m de loisirs.

leisurely [(UK) 'leʒəlɪ, (US) 'li:ʒərlɪ] ◼ adj lent(e), tranquille. ◼ adv sans se presser.

leisure time n (indén) temps m libre, loisirs mpl.

lemon ['lemən] n citron m.

lemonade [,lemə'neɪd] n 1. (UK) (gazeuse) limonade f 2. (surtout US) (non gazeuse) citronnade f 3. (US) citron m pressé.

lemon juice n jus m de citron.

lemon sole n limande-sole f.

lemon squash n (UK) citronnade f.

lemon squeezer [-'skwiːzər] n presse-citron m inv.

lemon tea n thé m (au) citron.

lend [lend] (prét & pp **lent**) vt 1. prêter ◦ **to lend sb sthg, to lend sthg to sb** prêter qqch à qqn 2. ◦ **to lend support (to sb)** offrir son soutien (à qqn) ◦ **to lend assistance (to sb)** prêter assistance (à qqn).

lending rate ['lendɪŋ-] n taux m de crédit.

length [leŋθ] n 1. longueur f ◦ **what length is it?** ça fait quelle longueur ? ◦ **it's five metres in length** cela fait cinq mètres de long 2. morceau m, bout m (de corde, de fil) 3. coupon m (de tissu) 4. durée f ◦ **to go to great lengths to do sthg** tout faire pour faire qqch. ◼ **at length** adv 1. enfin 2. à fond.

lengthen ['leŋθən] ◼ vt 1. rallonger 2. prolonger. ◼ vi allonger.

lengthways ['leŋθweɪz], **lengthwise** ['leŋθwaɪz] adv dans le sens de la longueur.

lengthy ['leŋθɪ] adj très long (longue).

lenient ['li:njənt] adj 1. indulgent(e) 2. clément(e).

lens [lenz] n 1. PHOTO objectif m 2. verre m (de lunettes) 3. verre m de contact, lentille f (cornéenne).

lent [lent] passé & pp ▷ **lend**.

Lent [lent] n Carême m.

lentil ['lentɪl] n lentille f.

Leo ['li:əʊ] n Lion m.

leopard ['lepəd] n léopard m.

leotard ['li:ətɑːd] n justaucorps m (pour la gymnastique).

leper ['lepər] n lépreux m, -euse f.

leprosy ['leprəsɪ] n lèpre f.

lesbian ['lezbɪən] n lesbienne f.

less [les] (comparatif de little) ◼ adj moins de ◦ **less money/time than me** moins d'argent/de temps que moi. ◼ pron moins ◦ **it costs less than you think** ça coûte moins cher que tu ne le crois ◦ **no less than £50** pas moins de 50 livres ◦ **the less... the less...** moins... moins... ◼ adv moins ◦ **less than five** moins de cinq ◦ **less and less** de moins en moins. ◼ prép moins ◦ **that's £300 less ten per cent for store-card holders** ça fait 300 livres moins dix pour cent avec la carte du magasin.
◼ **no less** adv rien de moins ◦ **he won the Booker prize, no less!** il a obtenu le Booker prize, rien de moins que ça !
◦ **taxes rose by no less than 15%** les impôts ont augmenté de 15 %, ni plus ni moins.

lessen ['lesn] ◼ vt 1. diminuer, réduire 2. atténuer (la douleur). ◼ vi 1. diminuer 2. (douleur) s'atténuer.

lesser ['lesə'] adj moindre ◦ **to a lesser extent** ou **degree** à un degré moindre.

lesson ['lesn] n leçon f, cours m ◦ **to teach sb a lesson** fig donner une (bonne) leçon à qqn.

let [let] (prét & pp let) vt 1. ◦ **to let sb do sthg** laisser qqn faire qqch ◦ **to let sb know sthg** dire qqch à qqn ◦ **to let go of sb/sthg** lâcher qqn/qqch ◦ **to let sb go** laisser (partir) qqn ◦ libérer qqn 2. ◦ **let's go!** allons-y ! ◦ **let's see** voyons ◦ **let them wait** qu'ils attendent 3. (surtout UK) louer ◦ **'to let'** 'à louer'.
◼ **let down** vt sép 1. (UK) dégonfler 2. décevoir.
◼ **let in** vt sép laisser ou faire entrer.
◼ **let off** vt sép 1. (UK) ◦ **to let sb off sthg** dispenser qqn de qqch 2. ne pas punir 3. faire éclater (une bombe) 4. faire partir (un feu d'artifice, une arme).
◼ **let on** vi ◦ **don't let on!** (UK) ne dis rien (à personne) !
◼ **let out** ◼ vt sép 1. laisser sortir ◦ **to let air out of sthg** dégonfler qqch 2. laisser échapper (un cri). ◼ vi (US) finir.
◼ **let up** vi (pluie) diminuer.

letdown ['letdaʊn] n fam déception f.

lethal ['li:θl] adj mortel(elle), fatal(e).

lethargic [lə'θɑ:dʒɪk] adj léthargique.

let's [lets] = **let us**.

letter ['letə'] n lettre f.

letter bomb n lettre f piégée.

letterbox ['letəbɒks] n (UK) boîte f aux ou à lettres.

letter of credit n lettre f de crédit.

lettuce ['letɪs] n laitue f, salade f.

letup ['letʌp] n 1. répit m (dans une dispute) 2. relâchement m (dans le travail).

leukaemia, leukemia [lu:'ki:mɪə] n leucémie f.

level ['levl] ◼ adj 1. à la même hauteur 2. horizontal(e) ◦ **to be level with** être au niveau de 3. à égalité 4. plat(e), plan(e). ◼ n niveau m. ◼ vt ((UK) prét & pp **-led**, cont **-ling**, (US) prét & pp **-ed**, cont **-ing**) 1. niveler, aplanir 2. raser.
◼ **level off, level out** vi 1. se stabiliser 2. AÉRON amorcer un palier.
◼ **level with** vt insép fam être franc (franche) ou honnête avec.

level crossing n (UK) passage m à niveau.

level-headed [-'hedɪd] adj raisonnable.

lever [(UK) 'li:və', (US) 'levə'] n levier m.

leverage [(UK) 'li:vərɪdʒ, (US) 'levərɪdʒ] n (indén) 1. ◦ **to get leverage on sthg** avoir une prise sur qqch 2. fig influence f.

levy ['levi] ◼ n prélèvement m, impôt m. ◼ vt prélever, percevoir.

lewd [lju:d] adj obscène.

liability [,laɪə'bɪlətɪ] n 1. responsabilité f 2. fig danger m public.
◼ **liabilities** npl FIN dettes fpl, passif m.

liable ['laɪəbl] adj 1. ◦ **to be liable to do sthg** risquer de faire qqch, être susceptible de faire qqch 2. ◦ **to be liable to sthg** être sujet(ette) à qqch 3. ◦ **to be liable (for)** être responsable (de) ◦ **to be liable to** être passible de.

liaise [lɪ'eɪz] vi (UK) ◦ **to liaise with** assurer la liaison avec.

liar ['laɪə'] n menteur m, -euse f.

libel ['laɪbl] ◼ n diffamation f. ◼ vt ((UK) prét & pp **-led**, cont **-ling**, (US) prét & pp **-ed**, cont **-ing**) diffamer.

liberal ['lɪbərəl] ◼ adj 1. libéral(e) 2. généreux(euse). ◼ n libéral m, -e f.
◼ **Liberal** ◼ adj libéral(e). ◼ n libéral m, -e f.

Liberal Democrat n adhérent du principal parti centriste britannique.

liberate ['lɪbəreɪt] vt libérer.

liberation [,lɪbə'reɪʃn] n libération f.

liberty ['lɪbətɪ] n liberté f • **at liberty** en liberté • **to be at liberty to do sthg** être libre de faire qqch • **to take liberties (with sb)** prendre des libertés (avec qqn).

Libra ['liːbrə] n Balance f.

librarian [laɪ'breərɪən] n bibliothécaire mf.

library ['laɪbrərɪ] n bibliothèque f.

library book n livre m de bibliothèque.

libretto [lɪ'bretəʊ] (pl **-s**) n livret m.

Libya ['lɪbɪə] n Libye f.

lice [laɪs] npl ⊳ **louse**.

licence (UK), **license** (US) ['laɪsəns] n **1.** (UK) permis m, autorisation f • **driving licence** (UK) ou **driver's licence** (US) permis m de conduire • **TV licence** redevance f télé **2.** (UK) COMM licence f.

license ['laɪsəns] ⬛ vt autoriser. ⬛ n (US) = **licence**.

licensed ['laɪsənst] adj **1.** • **to be licensed to do sthg** avoir un permis pour ou l'autorisation de faire qqch **2.** (UK) qui détient une licence de débit de boissons.

license plate n (US) plaque f d'immatriculation.

lick [lɪk] vt **1.** lécher **2.** fam écraser.

licorice ['lɪkərɪs] (US) = **liquorice**.

lid [lɪd] n **1.** couvercle m **2.** paupière f.

lie [laɪ] ⬛ n mensonge m • **to tell lies** mentir, dire des mensonges. ⬛ vi (prét **lay**, pp **lain**, cont **lying**) **1.** (prét & pp lied) **to lie (to sb)** mentir (à qqn) **2.** être allongé(e), être couché(e) **3.** s'allonger, se coucher **4.** se trouver, être • **to lie low** fam se planquer, se tapir.

⬛ **lie about, lie around** vi (UK) traîner.

⬛ **lie down** vi s'allonger, se coucher.

⬛ **lie in** vi (UK) rester au lit, faire la grasse matinée.

Liechtenstein ['lɪktənstaɪn] n Liechtenstein m.

lie-down n (UK) • **to have a lie-down** faire une sieste ou un (petit) somme.

lie-in n (UK) • **to have a lie-in** faire la grasse matinée.

lieutenant [(UK) lef'tenənt, (US) luː'tenənt] n lieutenant m, -e f.

life [laɪf] n (pl lives [laɪvz]) **1.** vie f • **for life** à vie • **that's life!** c'est la vie ! • **to scare the life out of sb** faire une peur bleue à qqn **2.** (animation) vie f • **there's more life in Sydney than in Wellington** Sydney est plus animé que Wellington • **to come to life** s'animer • **she was the life and soul of the party** c'est elle qui a mis de l'ambiance dans la soirée **3.** nature f • **to draw from life** dessiner d'après nature **4.** réalité f • **his novels are very true to life** ses romans sont très réalistes **5.** (indén) fam emprisonnement m à perpétuité.

life assurance (surtout UK) = **life insurance**.

lifebelt n bouée f de sauvetage.

lifeboat ['laɪfbəʊt] n canot m de sauvetage.

life buoy n bouée f de sauvetage.

life expectancy n espérance f de vie.

lifeguard ['laɪfgɑːd] n **1.** maître-nageur sauveteur m **2.** gardien m de plage.

life imprisonment [-ɪm'prɪznmənt] n emprisonnement m à perpétuité.

life insurance n assurance-vie f.

life jacket n gilet m de sauvetage.

lifeless ['laɪflɪs] adj **1.** sans vie, inanimé(e) **2.** qui manque de vie **3.** (ton, voix) monotone.

lifelike ['laɪflaɪk] adj **1.** qui semble vivant(e) **2.** ressemblant(e).

lifeline ['laɪflaɪn] n **1.** corde f (de sauvetage) **2.** fig lien m vital (avec l'extérieur).

lifelong ['laɪflɒŋ] adj de toujours.

life preserver [-prɪ,zɜːvər] n (US) **1.** bouée f de sauvetage **2.** gilet m de sauvetage.

life raft n canot m pneumatique (de sauvetage).

lifesaver ['laɪf,seɪvər] n maître-nageur sauveteur m.

life sentence n condamnation f à perpétuité.

life-size(d) [-saɪz(d)] adj grandeur nature (inv).

lifespan ['laɪfspæn] n **1.** espérance f de vie **2.** durée f de vie.

lifestyle ['laɪfstaɪl] n mode m ou style m de vie.

life-support system n respirateur m artificiel.

lifetime ['laɪftaɪm] n vie f • **in my lifetime** de mon vivant.

lift [lɪft] ◾ n 1. • **to give sb a lift** emmener ou prendre qqn en voiture 2. (UK) ascenseur m. ◾ vt 1. lever 2. soulever. ◾ vi 1. (couvercle) s'ouvrir 2. (brouillard) se lever.

liftoff n décollage m.

light [laɪt] ◾ adj 1. clair(e) 2. léger(ère) 3. fluide 4. facile. ◾ n 1. (indén) lumière f 2. lampe f 3. AUTO • feu m • phare m 4. feu m (pour une cigarette) • **have you got a light?** vous avez du feu ? • **to set light to sthg** mettre le feu à qqch 5. • **in light of, in the light of** (UK) à la lumière de • **in a good/bad light** sous un jour favorable/défavorable • **to come to light** être découvert(e) ou dévoilé(e). ◾ vt (prét & pp lit ou -ed) 1. allumer (une cigarette) 2. éclairer. ◾ adv • **to travel light** voyager léger.

◾ **light up** ◾ vt sép 1. éclairer 2. allumer (une cigarette). ◾ vi 1. (visage) s'éclairer 2. fam allumer une cigarette.

lightbulb n ampoule f.

lighten ['laɪtn] ◾ vt 1. éclairer 2. éclaircir 3. alléger. ◾ vi s'éclaircir.

lighter ['laɪtər] n briquet m.

light-headed [-'hedɪd] adj • **to feel light-headed** avoir la tête qui tourne.

light-hearted [-'hɑːtɪd] adj 1. joyeux (euse), gai(e) 2. amusant(e).

lighthouse ['laɪthaʊs] (pl [-haʊzɪz]) n phare m.

lighting ['laɪtɪŋ] n éclairage m.

light meter n posemètre m, cellule f photoélectrique.

lightning ['laɪtnɪŋ] n (indén) éclair m, foudre f.

lightweight ['laɪtweɪt] ◾ adj léger(ère). ◾ n poids m léger.

likable ['laɪkəbl] adj sympathique.

like [laɪk] ◾ prép 1. comme • **to look like sb/sthg** ressembler à qqn/qqch • **to taste like sthg** avoir un goût de qqch • **like this/that** comme ci/ça 2. tel que, comme. ◾ vt 1. aimer • **I like her** elle me plaît • **to like doing** ou **to do sthg** aimer faire qqch 2. • **would you like some more cake?** vous prendrez encore du gâteau ? • **I'd like to go** je voudrais bien ou j'aimerais y aller • **if you like** si vous voulez. ◾ n • **the like** une chose pareille.

◾ **likes** npl • **likes and dislikes** goûts mpl • **the likes of us/them** etc fam les gens comme nous/eux etc.

likeable ['laɪkəbl] = **likable**.

likelihood ['laɪklɪhʊd] n (indén) chances fpl, probabilité f.

likely ['laɪklɪ] adj 1. probable • **he's likely to get angry** il risque de se fâcher • **a likely story!** iron à d'autres ! 2. prometteur(euse).

liken ['laɪkn] vt • **to liken sb/sthg to** assimiler qqn/qqch à.

likeness ['laɪknɪs] n 1. • **likeness (to)** ressemblance f (avec) 2. portrait m.

likewise ['laɪkwaɪz] adv de même • **to do likewise** faire pareil ou de même.

liking ['laɪkɪŋ] n 1. affection f, sympathie f 2. goût m, penchant m • **to have a liking for sthg** avoir le goût de qqch • **to be to sb's liking** être du goût de qqn, plaire à qqn.

lilac ['laɪlək] ◾ adj lilas (inv). ◾ n lilas m.

Lilo® ['laɪləʊ] (pl -s) n (UK) matelas m pneumatique.

lily ['lɪlɪ] n lis m.

lily of the valley (pl lilies of the valley) n muguet m.

limb [lɪm] n 1. ANAT membre m 2. BOT branche f.

limbo ['lɪmbəʊ] (pl -s) n (indén) • **to be in limbo** être dans les limbes.

lime [laɪm] n 1. citron m vert 2. • **lime (juice)** jus m de citron vert 3. tilleul m 4. chaux f.

limelight ['laɪmlaɪt] n • **to be in the limelight** être au premier plan.

limerick ['lɪmərɪk] n poème humoristique en cinq vers.

limestone ['laɪmstəʊn] n (indén) pierre f à chaux, calcaire m.

limey ['laɪmɪ] (pl -s) n (US) fam terme péjoratif désignant un Anglais.

limit ['lɪmɪt] ◾ n limite f • **off limits** d'accès interdit • **within limits** dans une certaine mesure. ◾ vt limiter, restreindre.

limitation [ˌlɪmɪ'teɪʃn] n limitation f, restriction f.

limited ['lɪmɪtɪd] adj limité(e), restreint(e).

limited (liability) company n (UK) société f anonyme.

limousine ['lɪməziːn] *n* limousine *f*.

limp [lɪmp] ▨ *adj* mou(molle). ▨ *n* • **to have a limp** boiter. ▨ *vi* boiter • **to go limp** s'affaisser.

limpet ['lɪmpɪt] *n* zool patelle *f*, bernique *f*.

line [laɪn] ▨ *n* 1. ligne *f* 2. rangée *f* 3. file *f*, queue *f* • **to stand** ou **wait in line** faire la queue 4. rail voie *f* • ligne *f* 5. littér • ligne *f* • vers *m* 6. télécom ligne *f* • **hold the line!** ne quittez pas ! 7. • **to step out of line** faire l'action cavalier seul 8. ride *f* 9. corde *f* • **a fishing line** une ligne 10. frontière *f* • **to draw the line at sthg** refuser de faire ou d'aller jusqu'à faire qqch 11. comm gamme *f*. ▨ *vt* 1. tapisser 2. doubler (*un vêtement*).
■ **out of line** *adj* déplacé(e).
■ **line up** *vt sep* 1. aligner 2. prévoir. ▨ *vi* 1. s'aligner 2. faire la queue.

lined [laɪnd] *adj* 1. (*papier*) réglé(e) 2. ridé(e).

linen ['lɪnɪn] *n* (*indén*) 1. lin *m* 2. linge *m* (de maison).

liner ['laɪnər] *n* paquebot *m*.

linesman ['laɪnzmən] (*pl* -men [-mən]) *n* 1. tennis juge *m* de ligne 2. football juge de touche.

lineup ['laɪnʌp] *n* 1. sport équipe *f* 2. (US) rangée *f* de suspects (*pour identification par un témoin*).

linger ['lɪŋgər] *vi* 1. s'attarder 2. persister.

lingo ['lɪŋgəu] (*pl* -es) *n fam* jargon *m*.

linguist ['lɪŋgwɪst] *n* linguiste *mf*.

linguistics [lɪŋ'gwɪstɪks] *n* (*indén*) linguistique *f*.

lining ['laɪnɪŋ] *n* 1. doublure *f* (*d'un vêtement*) 2. muqueuse *f*.

link [lɪŋk] ▨ *n* 1. maillon *m* 2. • **link (between/with)** lien *m* (entre/avec) 3. inform lien *m* • **links to sthg** liens vers qqch. ▨ *vt* 1. relier 2. lier • **to link arms** se donner le bras. ▨ *vi* avoir un lien vers • **to link to sth** mettre un lien avec qqch.
■ **link up** *vt sep* relier • **to link sthg up with sthg** inform relier qqch avec ou à qqch.

links [lɪŋks] (*pl inv*) *n* terrain *m* de golf (au bord de la mer).

lino (UK) ['laɪnəu], **linoleum** [lɪ'nəuliəm] *n* lino *m*, linoléum *m*.

lintel ['lɪntl] *n* linteau *m*.

lion ['laɪən] *n* lion *m*.

lioness ['laɪənes] *n* lionne *f*.

lip [lɪp] *n* 1. lèvre *f* 2. rebord *m* (d'une tasse, d'un bol).

lip balm = **lip salve**.

lip-read *vi* lire sur les lèvres.

lip salve (UK), **lip balm** *n* pommade *f* pour les lèvres.

lip service *n* • **to pay lip service to sthg** approuver qqch pour la forme.

lipstick ['lɪpstɪk] *n* rouge *m* à lèvres.

liqueur [lɪ'kjuər] *n* liqueur *f*.

liquid ['lɪkwɪd] ▨ *adj* liquide. ▨ *n* liquide *m*.

liquidation [ˌlɪkwɪ'deɪʃn] *n* liquidation *f*.

liquidize, -ise ['lɪkwɪdaɪz] *vt* passer au mixer.

liquidizer, -iser ['lɪkwɪdaɪzər] *n* mixer *m*.

liquor ['lɪkər] *n* (*indén*) alcool *m*, spiritueux *mpl*.

liquorice (UK), **licorice** (US) ['lɪkərɪs] *n* réglisse *f*.

liquor store *n* (US) magasin *m* de vins et d'alcools.

Lisbon ['lɪzbən] *n* Lisbonne *f*.

lisp [lɪsp] ▨ *n* zézaiement *m*. ▨ *vi* zézayer.

list [lɪst] ▨ *n* liste *f*. ▨ *vt* 1. faire la liste de 2. énumérer.

listed building [ˌlɪstɪd-] *n* (UK) monument *m* classé.

listen ['lɪsn] *vi* • **to listen to (sb/sthg)** écouter (qqn/qqch) • **to listen for sthg** guetter qqch.

listener ['lɪsnər] *n* auditeur *m*, -trice *f*.

listless ['lɪstlɪs] *adj* apathique, mou (molle).

lit [lɪt] *passé & pp* ⊳ **light**.

liter (US) = **litre**.

literacy ['lɪtərəsɪ] *n* alphabétisation *f*.

literal ['lɪtərəl] *adj* littéral(e).

literally ['lɪtərəlɪ] *adv* littéralement • **to take sthg literally** prendre qqch au pied de la lettre.

literary ['lɪtərərɪ] *adj* littéraire.

literate ['lɪtərət] *adj* 1. qui sait lire et écrire 2. cultivé(e).

literature [ˈlɪtrətʃəʳ] *n* 1. littérature *f* 2. documentation *f*.

lithe [laɪð] *adj* souple, agile.

Lithuania [ˌlɪθjʊˈeɪnɪjə] *n* Lituanie *f*.

litigation [ˌlɪtɪˈɡeɪʃn] *n* litige *m* • **to go to litigation** aller en justice.

litre *(UK)*, **liter** *(US)* [ˈliːtəʳ] *n* litre *m*.

litter [ˈlɪtəʳ] ▪ *n* 1. *(indén)* ordures *fpl*, détritus *mpl* 2. ZOOL portée *f*. ▪ *vt* • **to be littered with** être couvert(e) de.

litterbin [ˈlɪtəˌbɪn] *n* (UK) boîte *f* à ordures.

little [ˈlɪtl] ▪ *adj* 1. petit(e) • **the shop is a little way along the street** le magasin se trouve un peu plus loin dans la rue • **a little while** un petit moment 2. *(comp* less, *superl* least) peu de • **little money** peu d'argent. ▪ *pron* 1. • **little of the money was left** il ne restait pas beaucoup d'argent, il restait peu d'argent 2. • **a little of everything** un peu de tout • **the little I saw looked excellent** le peu que j'en ai vu paraissait excellent. ▪ *adv* peu, pas beaucoup • **little by little** peu à peu. ▪ **a little** ▪ *n* un peu de • **I speak a little French** je parle quelques mots de français • **a little money** un peu d'argent. ▪ *pron* un peu • **would you like some more? – just a little** est-ce que vous en voulez plus ? – juste un peu. ▪ *adv* un peu • **I'm a little tired** je suis un peu fatigué • **I walked on a little** j'ai marché encore un peu.

little finger *n* petit doigt *m*, auriculaire *m*.

live[1] [lɪv] ▪ *vi* 1. vivre • **they don't earn enough to live** ils ne gagnent pas de quoi vivre • **he lives by teaching** il gagne sa vie en enseignant • **how does she live on that salary?** comment s'en sort-elle avec ce salaire ? 2. habiter, vivre • **to live in Paris** habiter (à) Paris. ▪ *vt* • **to live a quiet life** mener une vie tranquille • **she lived the life of a film star** elle a vécu comme une star de cinéma • **to live it up** *fam* faire la noce.

▪ **live down** *vt sép* faire oublier.

▪ **live off** *vt insép* 1. vivre de 2. vivre aux dépens de.

▪ **live on** ▪ *vt insép* vivre de. ▪ *vi (souvenir, sentiment)* rester, survivre.

▪ **live through** *vt insép* connaître • **they've lived through war and famine** ils ont connu la guerre et la famine.

▪ **live together** *vi* vivre ensemble.

▪ **live up to** *vt insép* • **to live up to sb's expectations** répondre à l'attente de qqn • **to live up to one's reputation** faire honneur à sa réputation.

▪ **live with** *vt insép* 1. vivre avec 2. *fam* se faire à, accepter.

live[2] [laɪv] *adj* 1. vivant(e) 2. ardent(e) 3. *(bombe)* non explosé(e) 4. ÉLECTR sous tension 5. RADIO & TV en direct, en public.

livelihood [ˈlaɪvlɪhʊd] *n* gagne-pain *m inv*.

lively [ˈlaɪvlɪ] *adj* 1. *(personne)* plein(e) d'entrain 2. *(discussion, débats)* animé(e) 3. *(esprit)* vif(vive).

liven [ˈlaɪvn] ▪ **liven up** ▪ *vt sép* 1. égayer 2. animer. ▪ *vi* s'animer.

liver [ˈlɪvəʳ] *n* foie *m*.

livery [ˈlɪvərɪ] *n* livrée *f*.

lives [laɪvz] *npl* ▷ **life**.

livestock [ˈlaɪvstɒk] *n* *(indén)* bétail *m*.

livid [ˈlɪvɪd] *adj* 1. *fam* furieux(euse) 2. *(ecchymose)* violacé(e).

living [ˈlɪvɪŋ] ▪ *adj* vivant(e), en vie. ▪ *n* • **to earn** OU **make a living** gagner sa vie • **what do you do for a living?** qu'est-ce que vous faites dans la vie ?

living conditions *npl* conditions *fpl* de vie.

living room *n* salle *f* de séjour, living *m*.

living standards *npl* niveau *m* de vie.

living wage *n* minimum *m* vital.

lizard [ˈlɪzəd] *n* lézard *m*.

llama [ˈlɑːmə] *n* (*pl inv* OU **-s**) lama *m*.

load [ləʊd] ▪ *n* 1. chargement *m*, charge *f* 2. • **loads of, a load of** *fam* des tas de, plein de • **a load of rubbish** *(surtout UK)* OU

of bull (surtout US) fam de la foutaise. ◼ vt 1. charger 2. mettre une vidéo-cassette dans ◦ **to load sb/sthg with** charger qqn/qqch de ◦ **to load a gun/camera (with)** charger un fusil/un appareil (avec) ◦ **to load the dice** piper les dés. ◼ vi 1. charger ◦ **the ship is loading** le navire est en cours de chargement 2. se charger.

◼ **load down** vt sép charger (lourdement) ◦ **he was loaded down with packages** il avait des paquets plein les bras ◦ **I'm loaded down with work** je suis surchargé de travail.

◼ **load up** vt sép & vi charger.

loaded ['ləʊdɪd] adj 1. insidieux(euse) 2. fam plein(e) aux as 3. (surtout US) ivre.

loading bay ['ləʊdɪŋ-] n aire f de chargement.

loaf [ləʊf] (pl **loaves** [ləʊvz]) n ◦ **a loaf (of bread)** un pain.

loafer ['ləʊfər] n mocassin m.

loan [ləʊn] ◼ n prêt m ◦ **on loan** prêté(e). ◼ vt prêter ◦ **to loan sthg to sb, to loan sb sthg** prêter qqch à qqn.

loath [ləʊθ] adj sout ◦ **to be loath to do sthg** ne pas vouloir faire qqch, hésiter à faire qqch.

loathe [ləʊð] vt détester ◦ **to loathe doing sthg** avoir horreur de ou détester faire qqch.

loathsome ['ləʊðsəm] adj dégoûtant(e), répugnant(e).

loaves [ləʊvz] npl ⊳ **loaf**.

lob [lɒb] ◼ n TENNIS lob m. ◼ vt 1. lancer 2. TENNIS ◦ **to lob a ball** lober, faire un lob.

lobby ['lɒbɪ] ◼ n 1. hall m 2. lobby m, groupe m de pression. ◼ vt faire pression sur.

lobe [ləʊb] n lobe m.

lobster ['lɒbstər] n homard m.

local ['ləʊkl] ◼ adj local(e). ◼ n fam 1. ◦ **the locals** les gens mpl du coin ou du pays 2. (UK) café m ou bistro m du coin.

local authority n (UK) autorités fpl locales.

local call n TÉLÉCOM communication f urbaine.

local government n administration f municipale.

locality [ləʊ'kælətɪ] n endroit m.

localization, -ise [,ləʊkəlaɪ'zeɪʃn] n localisation f.

localized, -ised ['ləʊkəlaɪzd] adj localisé(e).

locally ['ləʊkəlɪ] adv 1. localement 2. dans les environs, à proximité.

locate [(UK) ləʊ'keɪt, (US) 'ləʊkeɪt] vt 1. trouver, repérer 2. localiser 3. implanter, établir (une usine, une entreprise) ◦ **to be located** être situé(e).

location [ləʊ'keɪʃn] n 1. emplacement m 2. CINÉ ◦ **on location** en extérieur.

loch [lɒk ou lɒx] n (Écosse) loch m, lac m.

lock [lɒk] ◼ n 1. serrure f 2. écluse f 3. AUTO angle m de braquage 4. mèche f (de cheveux) 5. verrou m 6. percuteur m ◦ **shift** ou **caps lock** touche f de verrouillage majuscule. ◼ vt 1. fermer à clef 2. cadenasser (un vélo) 3. bloquer. ◼ vi 1. fermer à clef 2. se bloquer.

◼ **lock away** vt sép 1. mettre sous clef 2. incarcérer, mettre sous les verrous ◦ **we keep the alcohol locked away** nous gardons l'alcool sous clef.

◼ **lock in** vt sép enfermer (à clef).

◼ **lock out** vt sép 1. enfermer dehors, laisser dehors ◦ **to lock o.s. out** s'enfermer dehors 2. empêcher d'entrer, mettre à la porte.

◼ **lock up** vt sép 1. mettre en prison ou sous les verrous 2. enfermer (dans un asile) 3. fermer à clef 4. enfermer, mettre sous clef.

locker ['lɒkər] n casier m (fermant à clé).

locker room n vestiaire m.

locket ['lɒkɪt] n médaillon m.

locksmith ['lɒksmɪθ] n serrurier m, -ère f.

locomotive ['ləʊkə,məʊtɪv] n locomotive f.

locum ['ləʊkəm] (pl **-s**) n (surtout UK) remplaçant m, -e f.

locust ['ləʊkəst] n sauterelle f, locuste f.

lodge [lɒdʒ] ◼ n 1. loge f 2. pavillon m (de gardien) 3. pavillon m de chasse. ◼ vi 1. sout ◦ **to lodge with sb** loger chez qqn 2. se loger, se coincer 3. fig s'enraciner, s'ancrer. ◼ vt déposer (une plainte) ◦ **to lodge an appeal** interjeter ou faire appel.

lodger ['lɒdʒər] n locataire mf.

lodging ['lɒdʒɪŋ] n ⊳ **board**.

◼ **lodgings** npl chambre f meublée.

loft [lɒft] n grenier m.

lofty ['lɒftɪ] adj 1. noble 2. péj hautain(e), arrogant(e) 3. littéraire haut(e), élevé(e).

log [lɒg] ■ n 1. bûche f 2. journal m de bord 3. carnet m de vol. ■ vt consigner, enregistrer.

■ **log in, log on** vi INFORM ouvrir une session.

■ **log off, log out** vi INFORM fermer une session.

logbook ['lɒgbʊk] n 1. journal m de bord 2. carnet m de vol 3. (UK) ≃ carte f grise.

loggerheads ['lɒgəhedz] n • **at logger-heads** en désaccord.

logic ['lɒdʒɪk] n logique f.

logical ['lɒdʒɪkl] adj logique.

logistics [lə'dʒɪstɪks] ■ n (indén) logistique f. ■ npl fig organisation f.

logo ['ləʊgəʊ] (pl -s) n logo m.

loin [lɔɪn] n filet m.

loiter ['lɔɪtər] vi traîner.

loll [lɒl] vi 1. se prélasser 2. (tête, langue) pendre.

lollipop ['lɒlɪpɒp] n sucette f.

lollipop lady n (UK) dame qui fait traverser la rue aux enfants à la sortie des écoles.

lollipop man n (UK) monsieur qui fait traverser la rue aux enfants à la sortie des écoles.

lolly ['lɒlɪ] n (UK) fam 1. sucette f 2. sucette f glacée.

London ['lʌndən] n Londres.

Londoner ['lʌndənər] n Londonien m, -enne f.

lone [ləʊn] adj solitaire.

loneliness ['ləʊnlɪnɪs] n 1. solitude f 2. isolement m.

lonely ['ləʊnlɪ] adj 1. (personne) solitaire, seul(e) 2. (enfance) solitaire 3. (endroit) isolé(e).

loner ['ləʊnər] n solitaire mf.

lonesome ['ləʊnsəm] adj (US) fam 1. (personne) solitaire, seul(e) 2. (endroit) isolé(e).

long [lɒŋ] ■ adj long(longue). ■ adv longtemps • **how long will it take?** combien de temps cela va-t-il prendre ? • **how long will you be?** tu en as pour combien de temps ? • **so long!** fam au revoir !, salut !

■ **as long as, so long as** conj tant que.

■ **long for** vt insép 1. désirer ardemment 2. attendre avec impatience.

long-distance adj (coureur, course) de fond • **long-distance lorry** (UK) OU **truck** (US) **driver** routier m.

long-distance call n TÉLÉCOM communication f interurbaine.

longhand ['lɒŋhænd] n écriture f normale.

long-haul adj AÉRON long-courrier.

longing ['lɒŋɪŋ] ■ adj plein(e) de convoitise. ■ n 1. envie f, convoitise f • **a longing for** un grand désir OU une grande envie de 2. nostalgie f, regret m.

longitude ['lɒndʒɪtjuːd] n longitude f.

long jump n saut m en longueur.

long-life adj 1. (lait) longue conservation (inv) 2. (piles) longue durée (inv).

long-range adj 1. (missile) à longue portée 2. (projet, prévision) à long terme.

long shot n coup m à tenter (sans grand espoir de succès).

longsighted [,lɒŋ'saɪtɪd] adj (UK) presbyte.

long-standing adj de longue date.

long-suffering adj à la patience infinie.

long term n • **in the long term** à long terme.

long wave n (indén) grandes ondes fpl.

longwinded [,lɒŋ'wɪndɪd] adj 1. (personne) prolixe, verbeux(euse) 2. (discours) interminable, qui n'en finit pas.

loo [luː] (pl -s) n (UK) fam cabinets mpl, petit coin m.

look [lʊk] ■ n 1. regard m • **to take** OU **have a look (at sthg)** regarder (qqch), jeter un coup d'œil (à qqch) • **to give sb a look** jeter un regard à qqn, regarder qqn de travers 2. • **to have a look (for sthg)** chercher (qqch) 3. aspect m, air m • **by the look** OU **looks of it, by the look** OU **looks of things** vraisemblablement, selon toute probabilité. ■ vi 1. regarder 2. chercher 3. avoir l'air, sembler • **it looks like rain** OU **as if it will rain** on dirait qu'il va pleuvoir • **she looks like her mother** elle ressemble à sa mère 4. (bâtiment) • **to look (out) onto** donner sur.

■ **looks** npl beauté f.

■ **look after** vt insép s'occuper de.

■ **look around, look round** *(UK)* ◼ *vt insép* faire le tour de. ◼ *vvi* **1.** se retourner **2.** regarder *(autour de soi)*.

■ **look at** *vt insép* **1.** regarder **2.** examiner **3.** considérer.

■ **look down on** *vt insép* mépriser.

■ **look for** *vt insép* chercher.

■ **look forward to** *vt insép* attendre avec impatience.

■ **look into** *vt insép* examiner, étudier.

■ **look on** *vi* regarder.

■ **look out** *vi* prendre garde, faire attention ◆ **look out!** attention !

■ **look out for** *vt insép* **1.** guetter **2.** être à l'affût de, essayer de repérer.

■ **look round** *vt insép (UK)* = **look around**.

■ **look to** *vt insép* **1.** compter sur **2.** songer à.

■ **look up** ◼ *vt sép* **1.** chercher *(dans un livre)* **2.** aller *ou* passer voir. ◼ *vi* reprendre ◆ **things are looking up** ça va mieux, la situation s'améliore.

■ **look up to** *vt insép* admirer.

lookout ['lʊkaʊt] *n* **1.** poste *m* de guet **2.** guetteur *m* **3.** ◆ **to be on the lookout for** être à la recherche de.

loom [luːm] ◼ *n* métier *m* à tisser. ◼ *vi* **1.** se dresser **2.** *fig* être imminent(e).
■ **loom up** *vi* surgir.

loony ['luːnɪ] *fam* ◼ *adj* cinglé(e), timbré(e). ◼ *n* cinglé *m*, -e *f*, fou *m*, folle *f*.

loop [luːp] *n* **1.** boucle *f* **2.** stérilet *m*.

loophole ['luːphəʊl] *n* faille *f*, échappatoire *f*.

loose [luːs] *adj* **1.** desserré(e) **2.** branlant(e) **3.** *(dent)* qui bouge *ou* branle **4.** *(nœud)* défait(e) **5.** *(thé, bonbons)* en vrac, au poids **6.** *(vêtements)* ample, large **7.** *(cheveux)* dénoué(e) **8.** *(animal)* en liberté, détaché(e) **9.** approximatif(ive) **10.** vague ◆ **they have loose ties with other political groups** ils sont vaguement liés à d'autres groupes politiques **11.** *péj & vieilli* ◆ *(femme)* facile ◆ *(vie)* dissolu(e).

loose change *n* petite *ou* menue monnaie *f*.

loose end *n* ◆ **to be at a loose end** *(UK) ou* **to be at loose ends** *(US)* être désœuvré(e), n'avoir rien à faire.

loosely ['luːslɪ] *adv* **1.** sans serrer **2.** approximativement.

loosen ['luːsn] *vt* desserrer, défaire.
■ **loosen up** *vi* **1.** s'échauffer **2.** *fam* se détendre.

loot [luːt] ◼ *n* butin *m*. ◼ *vt* piller.

looting ['luːtɪŋ] *n* pillage *m*.

lop [lɒp] *vt* élaguer, émonder.
■ **lop off** *vt sép* couper.

lopsided [-'saɪdɪd] *adj* **1.** bancal(e), boiteux(euse) **2.** de travers.

lord [lɔːd] *n (UK)* seigneur *m*.
■ **Lord** *n* **1.** RELIG ◆ **the Lord** le Seigneur ◆ **good Lord!** Seigneur !, mon Dieu ! **2.** *(UK)* Lord *m* ◆ **my Lord** Monsieur le duc/comte *etc*.
■ **Lords** *npl (UK)* POLIT ◆ **the (House of) Lords** la Chambre des Lords.

Lordship ['lɔːdʃɪp] *n* ◆ **your/his Lordship** Monsieur le duc/comte *etc*.

lore [lɔːr] *n (indén)* traditions *fpl*.

lorry ['lɒrɪ] *n (UK)* camion *m*.

lorry driver *n (UK)* camionneur *m*, conducteur *m* de poids lourd.

lose [luːz] *(prét & pp* **lost**) ◼ *vt* **1.** perdre ◆ **he lost four games to Karpov** il a perdu quatre parties contre Karpov **2.** ◆ **to lose one's appetite** perdre l'appétit ◆ **to lose one's balance** perdre l'équilibre ◆ **to lose consciousness** perdre connaissance ◆ **to lose one's head** perdre la tête ◆ **to lose sight of** *litt & fig* perdre de vue ◆ **to lose one's way** se perdre, perdre son chemin ◆ *fig* être un peu perdu(e) ◆ **to lose weight** perdre du poids **2.** *(montre, pendule)* retarder de ◆ **to lose time** retarder **3.** semer *(des poursuivants)*. ◼ *vi* perdre.
■ **lose out** *vi* être perdant(e).

loser ['luːzər] *n* **1.** perdant *m*, -e *f* **2.** *fam péj* raté *m*, -e *f*.

loss [lɒs] *n* perte *f* ◆ **to be at a loss** être perplexe, être embarrassé(e).

lost [lɒst] ◼ *passé & pp* ▷ **lose.** ◼ *adj* perdu(e) ◆ **to get lost** se perdre ◆ **get lost!** *fam* fous/foutez le camp !

lost-and-found office *n (US)* bureau *m* des objets trouvés.

lost property office *n (UK)* bureau *m* des objets trouvés.

lot [lɒt] *n* **1.** ◆ **a lot (of), lots (of)** beaucoup (de) **2.** *(UK) fam* ◆ **the lot** le tout **3.** *(dans une vente aux enchères)* lot *m* **4.** sort *m* **5.** *(US)* terrain *m* **6.** *(US)* parking *m* ◆ **to draw lots** tirer au sort.
■ **a lot** *adv* beaucoup.

À PROPOS DE... lot

Lots et *lots of* appartiennent à un registre plus familier que *a lot* et *a lot of*.
Dans les questions et les tournures négatives, il arrive souvent que l'on remplace *a lot (of)* et *lots (of)* par *much* (avec des noms indénombrables) et *many* (avec des noms au pluriel) (*I haven't got much time* ; *were there many people at the party?*). On peut malgré tout utiliser *a lot (of)* et *(lots) of* si l'on souhaite mettre en relief l'idée qu'ils expriment (*there's not a lot to do here* ; *lots of people don't agree*).

lotion ['ləʊʃn] *n* lotion *f*.

lottery ['lɒtərɪ] *n litt & fig* loterie *f*.

loud [laʊd] ◾ *adj* 1. fort(e) 2. bruyant(e) 3. voyant(e). ◾ *adv* fort.

loudhailer [,laʊd'heɪlər] *n* (UK) mégaphone *m*, porte-voix *m inv*.

loudly ['laʊdlɪ] *adv* 1. fort 2. de façon voyante.

loudspeaker [,laʊd'spi:kər] *n* haut-parleur *m*.

lounge [laʊndʒ] ◾ *n* 1. (UK) salon *m* 2. (dans un aéroport) hall *m*, salle *f* 3. (UK) = **lounge bar**. ◾ *vi* se prélasser.

lounge bar *n* (UK) l'une des deux salles d'un bar, la plus confortable.

louse [laʊs] *n* 1. (pl lice [laɪs]) pou *m* 2. (pl -s) fam péj salaud *m*.

lousy ['laʊzɪ] *adj fam* 1. minable, nul(le) 2. pourri(e).

lout [laʊt] *n* rustre *m*.

louvre (UK), **louver** (US) ['lu:vər] *n* persienne *f*.

lovable ['lʌvəbl] *adj* adorable.

love [lʌv] ◾ *n* 1. amour *m* • **to be in love** être amoureux(euse) • **to fall in love** tomber amoureux(euse) • **to make love** faire l'amour • **give her my love** embrasse-la pour moi • **love from** affectueusement, grosses bises 2. (UK) fam mon chéri(ma chérie) 3. TENNIS zéro *m*. ◾ *vt* aimer • **to love to do sthg** OU **doing sthg** aimer OU adorer faire qqch.

love affair *n* liaison *f*.

love life *n* vie *f* amoureuse.

lovely ['lʌvlɪ] *adj* 1. très joli(e) 2. très agréable, excellent(e).

lover ['lʌvər] *n* 1. amant *m*, -e *f* 2. passionné *m*, -e *f*, amoureux *m*, -euse *f*.

loving ['lʌvɪŋ] *adj* 1. affectueux(euse) 2. tendre.

low [ləʊ] ◾ *adj* 1. bas(basse) 2. peu élevé(e) 3. mauvais(e) 4. faible 5. décolleté(e) 6. presque épuisé(e) 7. (voix) bas(basse) 8. (murmure, gémissement) faible 9. déprimé(e) 10. bas(basse). ◾ *adv* 1. bas 2. à voix basse 3. faiblement 4. bas • **stocks are running low** les réserves baissent • **the batteries are running low** les piles sont usées. ◾ *n* 1. niveau *m* OU point *m* bas 2. MÉTÉOR dépression *f*.

low-calorie *adj* à basses calories.

low-cut *adj* décolleté(e).

lower ['ləʊər] ◾ *adj* inférieur(e). ◾ *vt* 1. baisser 2. abaisser (un drapeau, une voile) 3. baisser (les prix, le niveau) 4. abaisser (l'âge de la retraite) 5. diminuer (la pression).

low-fat *adj* 1. allégé(e) 2. demi-écrémé(e).

low-key *adj* discret(ète).

lowly ['ləʊlɪ] *adj* modeste, humble.

low-lying *adj* bas(basse).

loyal ['lɔɪəl] *adj* loyal(e).

loyalty ['lɔɪəltɪ] *n* loyauté *f*.

lozenge ['lɒzɪndʒ] *n* 1. MÉD pastille *f* 2. losange *m*.

L-plate *n* (UK) plaque signalant que le conducteur du véhicule est en conduite accompagnée.

Ltd, ltd (abr de limited) (surtout UK) ≃ SARL • **Smith and Sons, Ltd** ≃ Smith & Fils, SARL.

lubricant ['lu:brɪkənt] *n* lubrifiant *m*.

lubricate ['lu:brɪkeɪt] *vt* lubrifier.

lucid ['lu:sɪd] *adj* lucide.

luck [lʌk] *n* chance *f* • **good luck** chance • **good luck!** bonne chance ! • **bad luck** malchance *f* • **bad** OU **hard luck!** pas de chance ! • **to be in luck** avoir de la chance • **with (any) luck** avec un peu de chance.

luckily ['lʌkɪlɪ] *adv* heureusement.

lucky ['lʌkɪ] *adj* 1. qui a de la chance 2. heureux(euse) 3. porte-bonheur (inv).

lucrative ['lu:krətɪv] *adj* lucratif(ive).

ludicrous ['lu:dɪkrəs] *adj* ridicule.

lug [lʌg] *vt fam* traîner.

luggage ['lʌgɪdʒ] *n (indén)* bagages *mpl*.

luggage rack *n* porte-bagages *m inv*.

lukewarm ['lu:kwɔm] *adj litt* & *fig* tiède.

lull [lʌl] ◼ *n* ◦ **lull (in)** accalmie *f* (de) ◦ arrêt *m* (de). ◼ *vt* ◦ **to lull sb to sleep** endormir qqn en le berçant ◦ **to lull sb into a false sense of security** endormir les soupçons de qqn.

lullaby ['lʌləbaɪ] *n* berceuse *f*.

lumber ['lʌmbər] *n (indén)* **1.** *(US)* bois *m* de charpente **2.** *(UK)* bric-à-brac *m inv*.
◼ **lumber with** *vt sép (UK) fam* ◦ **to lumber sb with sthg** coller qqch à qqn.

lumberjack ['lʌmbədʒæk] *n* bûcheron *m*, -onne *f*.

luminous ['lu:mɪnəs] *adj* **1.** lumineux (euse) **2.** phosphorescent(e).

lump [lʌmp] ◼ *n* **1.** morceau *m* **2.** motte *f* **3.** grumeau *m* **4.** *(tumeur)* grosseur *f*. ◼ *vt* ◦ **to lump sthg together** réunir qqch ◦ **to lump it** *fam* faire avec, s'en accommoder.

lump sum *n* somme *f* globale.

lunacy ['lu:nəsɪ] *n* folie *f*.

lunar ['lu:nər] *adj* lunaire.

lunatic ['lu:nətɪk] ◼ *adj péj* dément(e), démentiel(elle). ◼ *n* **1.** *péj* fou *m*, folle *f* **2.** *vieilli* fou *m*, folle *f*, aliéné *m*, -e *f*.

lunch [lʌntʃ] ◼ *n* déjeuner *m*. ◼ *vi* déjeuner.

luncheon ['lʌntʃən] *n sout* déjeuner *m*.

luncheon meat, lunchmeat [,lʌntʃ'mi:t] *n* sorte de saucisson.

luncheon voucher *n (UK)* ticket-restaurant *m*.

lunch hour *n* pause *f* de midi.

lunchtime ['lʌntʃtaɪm] *n* heure *f* du déjeuner.

lung [lʌŋ] *n* poumon *m*.

lunge [lʌndʒ] *vi* faire un brusque mouvement (du bras) en avant ◦ **to lunge at sb** s'élancer sur qqn.

lurch [lɜ:tʃ] ◼ *n* **1.** écart *m* brusque **2.** AUTO embardée *f* ◦ **to leave sb in the lurch** laisser qqn dans le pétrin. ◼ *vi* **1.** tituber **2.** AUTO faire une embardée.

lure [ljʊər] ◼ *n* charme *m* trompeur. ◼ *vt* attirer *ou* persuader par la ruse.

lurid ['ljʊərɪd] *adj* **1.** aux couleurs criardes **2.** affreux(euse).

lurk [lɜ:k] *vi* **1.** se cacher, se dissimuler **2.** *(souvenir, peur)* subsister.

luscious ['lʌʃəs] *adj* **1.** succulent(e) **2.** *fam fig* appétissant(e).

lush [lʌʃ] *adj* **1.** luxuriant(e) **2.** luxueux (euse).

lust [lʌst] *n* **1.** désir *m* **2.** *fig* ◦ **lust for sthg** soif *f* de qqch.
◼ **lust after, lust for** *vt insép* **1.** *fig* être assoiffé(e) de **2.** désirer.

lusty ['lʌstɪ] *adj* vigoureux(euse).

Luxembourg ['lʌksəmbɜ:g] *n* **1.** *(le pays)* Luxembourg *m* **2.** *(la ville)* Luxembourg.

luxurious [lʌg'ʒʊərɪəs] *adj* **1.** luxueux (euse) **2.** voluptueux(euse).

luxury ['lʌkʃərɪ] ◼ *n* luxe *m*. ◼ *en apposition* de luxe.

LW *(abr de* **long wave***)* GO.

Lycra® ['laɪkrə] ◼ *n* Lycra® *m*. ◼ *en apposition* en Lycra®.

lying ['laɪɪŋ] ◼ *adj* menteur(euse). ◼ *n (indén)* mensonges *mpl*.

lynch [lɪntʃ] *vt* lyncher.

lyric ['lɪrɪk] *adj* lyrique.

lyrical ['lɪrɪkl] *adj* lyrique.

lyrics ['lɪrɪks] *npl* paroles *fpl*.

m[1] [em] (*pl* **m's** *ou* **ms**), **M** (*pl* **M's** *ou* **Ms**) *n* m *m inv*, M *m inv*.

m[2] **1.** (*abr de* **metre**) m **2.** (*abr de* **million**) M **3.** *abrév de* **mile**.

M[3] (UK) *abrév de* **motorway**.

MA *n abrév de* **Master of Arts**.

mac [mæk] (*abr de* **mackintosh**) *n* (UK) *fam* imper *m*.

macaroni [,mækə'rəʊnɪ] *n* (*indén*) macaronis *mpl*.

Mace® [meɪs] ◼ *n* gaz *m* lacrymogène. ◼ *vt* (US) *fam* bombarder au gaz lacrymogène.

mace [meɪs] *n* **1.** masse *f* **2.** macis *m*.

machine [mə'ʃiːn] ◼ *n litt* & *fig* machine *f*. ◼ *vt* coudre à la machine.

machinegun [mə'ʃiːngʌn] *n* mitrailleuse *f*.

machine language *n* INFORM langage *m* machine.

machinery [mə'ʃiːnərɪ] *n* **1.** (*indén*) machines *fpl* **2.** *fig* mécanisme *m*.

macho ['mætʃəʊ] *adj fam* macho (*inv*).

mackerel ['mækrəl] (*pl inv ou* **-s**) *n* maquereau *m*.

mackintosh ['mækɪntɒʃ] *n* (UK) *vieilli* imperméable *m*.

mad [mæd] *adj* **1.** fou(folle) • **to go mad** devenir fou • **to be in a mad rush** *fam* être à la bourre *fam* **2.** (*surtout UK*) *fam* insensé(e) **3.** furieux(euse) **4.** • **to be mad about sb/sthg** *fam* être fou(folle) de qqn/qqch.

Madagascar [,mædə'gæskər] *n* Madagascar *m*.

madam ['mædəm] *n* madame *f*.

madcap ['mædkæp] *adj* risqué(e), insensé(e).

mad cow disease *n fam* maladie *f* de la vache folle.

madden ['mædn] *vt* exaspérer.

made [meɪd] *passé* & *pp* ▷ **make**.

Madeira [mə'dɪərə] *n* **1.** (*vin*) madère *m* **2.** Madère *f*.

made-to-measure *adj* fait(e) sur mesure.

made-up *adj* **1.** maquillé(e) **2.** fabriqué(e).

madly ['mædlɪ] *adv* comme un fou • **madly in love** follement amoureux (euse).

madman ['mædmən] (*pl* **-men** [-mən]) *n* fou *m*.

madness ['mædnɪs] *n litt* & *fig* folie *f*, démence *f*.

Madrid [mə'drɪd] *n* Madrid.

Mafia ['mæfɪə] *n* • **the Mafia** la Mafia.

magazine [,mægə'ziːn] *n* **1.** PRESSE revue *f*, magazine *m* **2.** RADIO & TV magazine **3.** magasin *m* (*d'un fusil*).

maggot ['mægət] *n* ver *m*, asticot *m*.

magic ['mædʒɪk] ◼ *adj* magique. ◼ *n* magie *f*.

magical ['mædʒɪkl] *adj* magique.

magician [mə'dʒɪʃn] *n* magicien *m*, -enne *f*.

magistrate ['mædʒɪstreɪt] *n* magistrat *m*, -e *f*, juge *m*.

magistrates' court ['mædʒɪstreɪts-] *n* (UK) ≃ tribunal *m* d'instance.

magnanimous [mæg'nænɪməs] *adj sout* magnanime.

magnate ['mægneɪt] *n* magnat *m*.

magnesium [mæg'niːzɪəm] *n* magnésium *m*.

magnet ['mægnɪt] *n* aimant *m*.

magnetic [mæg'netɪk] *adj litt* & *fig* magnétique.

magnetic tape *n* bande *f* magnétique.

magnificent [mæg'nɪfɪsənt] *adj* magnifique, superbe.

magnify ['mægnɪfaɪ] *vt* **1.** grossir (*avec une loupe*) **2.** amplifier (*un son*) **3.** *fig* exagérer.

magnifying glass ['mægnɪfaɪɪŋ-] n loupe f.

magnitude ['mægnɪtjuːd] n envergure f, ampleur f.

magpie ['mægpaɪ] n pie f.

mahogany [mə'hɒgənɪ] n acajou m.

maid [meɪd] n domestique f.

maiden ['meɪdn] ◼ adj (vol, traversée) premier(ère). ◼ n littéraire jeune fille f.

maiden aunt n vieilli tante f célibataire.

maiden name n nom m de jeune fille.

mail [meɪl] ◼ n 1. courrier m 2. poste f. ◼ vt (surtout US) poster.

mailbox ['meɪlbɒks] n (US) boîte f à ou aux lettres.

mailing list n liste f d'adresses.

mailman ['meɪlmæn] (pl -men [-mən]) n (US) facteur m, -trice f.

mail order n vente f par correspondance.

mailshot ['meɪlʃɒt] n (UK) publipostage m.

maim [meɪm] vt estropier.

main [meɪn] ◼ adj principal(e). ◼ n (canalisation) conduite f.

main course n plat m principal.

mainframe (computer) ['meɪnfreɪm-] n gros ordinateur m, processeur m central.

mainland ['meɪnlənd] ◼ adj continental(e). ◼ n • **the mainland** le continent.

main line n RAIL grande ligne f.

mainly ['meɪnlɪ] adv principalement.

main office n (surtout US) siège m social.

main road n route f à grande circulation.

mainstay ['meɪnsteɪ] n pilier m, élément m principal.

mainstream ['meɪnstriːm] ◼ adj dominant(e). ◼ n • **the mainstream** la tendance générale.

maintain [meɪn'teɪn] vt 1. maintenir 2. entretenir 3. • **to maintain (that)...** maintenir que..., soutenir que...

maintenance ['meɪntənəns] n 1. maintien m 2. entretien m, maintenance f 3. (UK) DR pension f alimentaire.

maize [meɪz] n (UK) maïs m.

majestic [mə'dʒestɪk] adj majestueux (euse).

majesty ['mædʒəstɪ] n majesté f.
◼ **Majesty** n • **His/Her Majesty** Sa Majesté le roi/la reine.

major ['meɪdʒər] ◼ adj 1. majeur(e) 2. principal(e) 3. MUS majeur(e). ◼ n 1. ≃ chef m de bataillon 2. commandant m 3. (US) UNIV matière f.

Majorca [mə'dʒɔːkə ou mə'jɔːkə] n Majorque f.

majority [mə'dʒɒrətɪ] n majorité f • **in a** ou **the majority** dans la majorité.

make [meɪk] ◼ vt (prét & pp made) 1. faire, fabriquer • **to make a meal** préparer un repas • **to make a film** (surtout UK) ou **movie** (surtout US) tourner ou réaliser un film • **to make a mistake** faire une erreur, se tromper • **to make a decision** prendre une décision • **to make sb do sthg** faire faire qqch à qqn, obliger qqn à faire qqch • **to make sb laugh** faire rire qqn • **2 and 2 make 4** 2 et 2 font 4 2. rendre • **to make sb happy/sad** rendre qqn heureux/triste 3. • **what's it made of?** c'est en quoi ? 4. (UK) • **I make it 50** d'après moi il y en a 50, j'en ai compté 50 • **what time do you make it?** quelle heure as-tu ? • **I make it 6 o'clock** il est 6 heures (à ma montre) 5. gagner, se faire • **to make a profit** faire des bénéfices • **to make a loss** essuyer des pertes 6. se faire • **to make friends (with sb)** se lier d'amitié (avec qqn) 7. arriver à. ◼ n COMM marque f.
◼ **make for** vt insép se diriger vers.
◼ **make of** ◼ vt sép comprendre. ◼ vt insép penser de • **what do you make of the Smiths?** qu'est-ce que tu penses des Smith ?
◼ **make off** vi fam filer.
◼ **make out** ◼ vt sép 1. discerner 2. comprendre 3. libeller (un chèque) 4. faire (une facture) 5. remplir (un formulaire). ◼ vt insép • **to make out (that)...** prétendre que... ◼ vi insép 1. fam se débrouiller • **how did you make out at work today?** comment ça s'est passé au boulot aujourd'hui ? 2. (US) tfam se peloter • **to make out with sb** s'envoyer qqn.
◼ **make over** vt sép 1. transférer, céder 2. transformer • **the garage had been made over into a workshop** le garage a été transformé en atelier.

■ **make up** ❚ vt sép **1.** composer, constituer **2.** inventer **3.** maquiller **4.** faire *(un paquet)* **5.** préparer **6.** compléter. ❚ vi se réconcilier.

■ **make up for** vt insép compenser.

■ **make up to** vt sép • **to make it up to sb (for sthg)** se racheter auprès de qqn (pour qqch).

make-believe n • **it's all make-believe** c'est de la pure fantaisie.

maker ['meɪkəʳ] n **1.** fabricant m, -e f **2.** CINÉ réalisateur m, -trice f.

makeshift ['meɪkʃɪft] adj de fortune.

make-up n **1.** maquillage m • **make-up remover** démaquillant m **2.** caractère m **3.** constitution f *(d'une équipe, d'un groupe).*

making ['meɪkɪŋ] n fabrication f • **his problems are of his own making** ses problèmes sont de sa faute • **in the making** en formation • **to have the makings of** avoir l'étoffe de.

malaise [məˈleɪz] n sout malaise m.

malaria [məˈleərɪə] n malaria f.

Malaya [məˈleɪə] n Malaisie f, Malaysia f occidentale.

Malaysia [məˈleɪzɪə] n Malaysia f.

male [meɪl] ❚ adj **1.** mâle **2.** masculin(e). ❚ n mâle m.

male nurse n vieilli infirmier m.

malevolent [məˈlevələnt] adj sout malveillant(e).

malfunction [mælˈfʌŋkʃn] vi mal fonctionner.

malice ['mælɪs] n méchanceté f.

malicious [məˈlɪʃəs] adj malveillant(e).

malign [məˈlaɪn] ❚ adj sout pernicieux(euse). ❚ vt calomnier.

malignant [məˈlɪgnənt] adj MÉD malin(igne).

mall [mɔl] n *(surtout US)* • **(shopping) mall** centre m commercial.

mallet ['mælɪt] n maillet m.

malnutrition [ˌmælnjuːˈtrɪʃn] n malnutrition f.

malpractice [ˌmælˈpræktɪs] n *(indén)* DR faute f professionnelle.

malt [mɔlt] n malt m.

Malta ['mɔltə] n Malte f.

mammal ['mæml] n mammifère m.

mammoth ['mæməθ] ❚ adj gigantesque. ❚ n mammouth m.

man [mæn] ❚ n *(pl* **men** [men]) **1.** homme m **2.** *(surtout US) fam* mon vieux. ❚ vt fournir du personnel pour *(un navire)*. ❚ interj fam • **man, was it big!** ah, la vache, qu'est-ce que c'était grand !

manage ['mænɪdʒ] ❚ vi **1.** se débrouiller, y arriver **2.** s'en sortir. ❚ vt **1.** • **to manage to do sthg** arriver à faire qqch **2.** gérer **3.** • **can you manage 9 o'clock/next Saturday?** pouvez-vous venir à 9 h/samedi prochain ? • **can you manage lunch tomorrow?** pouvez-vous déjeuner avec moi demain ?

manageable ['mænɪdʒəbl] adj maniable.

management ['mænɪdʒmənt] n **1.** gestion f **2.** direction f.

manager ['mænɪdʒəʳ] n **1.** directeur m, -trice f **2.** COMM gérant m, -e f **3.** manager m.

manageress [ˌmænɪdʒəˈres] n *(UK)* vieilli **1.** directrice f **2.** COMM gérante f.

managerial [ˌmænɪˈdʒɪərɪəl] adj directorial(e).

managing director ['mænɪdʒɪŋ-] n directeur général m, directrice générale f.

mandarin ['mændərɪn] n mandarine f.

mandate ['mændeɪt] n mandat m.

man date *(US)* [mæn deɪt] n rendez-vous amical ou professionnel entre deux hommes.

mandatory ['mændətrɪ] adj obligatoire.

mane [meɪn] n crinière f.

maneuver *(US)* = **manoeuvre**.

manfully ['mænfʊlɪ] *adv* courageuse-
ment, vaillamment.

mangle ['mæŋgl] *vt* mutiler, déchirer.

mango ['mæŋgəʊ] (*pl* **-es** *ou* **-s**) *n* mangue
f.

mangy ['meɪndʒɪ] *adj* galeux(euse).

manhandle ['mæn,hændl] *vt* malmener.

Manhattan [mæn'hætn] *npr* Manhattan.

CULTURE...

Manhattan

Manhattan, île située entre l'Hud-
son, l'East River et la rivière de Har-
lem, constitue le quartier central
de la ville de New York. On y trouve le *Central Park*, la 5ᵉ Avenue
et ses boutiques de luxe, *Broad-
way* et ses nombreux théâtres, de
célèbres gratte-ciel comme l'*Empire State Building*, ainsi que le
World Trade Center (dont les
Twin Towers ont été détruites
dans l'attentat du 11 septembre
2001).

manhole ['mænhəʊl] *n* regard *m*, bouche *f* d'égout.

manhood ['mænhʊd] *n* • **to reach manhood** devenir un homme.

man-hour *n* heure-homme *f*.

mania ['meɪnjə] *n* • **mania (for)** manie *f*
(de).

maniac ['meɪnɪæk] *n* fou *m*, folle *f* • **a sex
maniac** un obsédé sexuel(une obsédée
sexuelle).

manic ['mænɪk] *adj* **1.** *fig* surexcité(e)
2. *(comportement)* de fou.

manicure ['mænɪ,kjʊəʳ] *n* manucure *f*.

manifest ['mænɪfest] *sout* ◼ *adj* manifeste, évident(e). ◼ *vt* manifester.

manifesto [,mænɪ'festəʊ] (*pl* **-s** *ou* **-es**) *n*
manifeste *m*.

manipulate [mə'nɪpjʊleɪt] *vt litt* & *fig*
manipuler.

manipulative [mə'nɪpjʊlətɪv] *adj* **1.** ru-
sé(e) **2.** habile, subtil(e).

mankind [mæn'kaɪnd] *n* humanité *f*,
genre *m* humain.

manly ['mænlɪ] *adj* viril(e).

man-made *adj* **1.** *(tissu, fibre)* synthétique
2. *(environnement)* artificiel(elle) **3.** *(problème)* causé(e) par l'homme.

manner ['mænəʳ] *n* **1.** manière *f*, façon *f*
2. attitude *f*, comportement *m*.
◼ **manners** *npl* manières *fpl*.

mannerism ['mænərɪzm] *n* tic *m*, manie
f.

mannish ['mænɪʃ] *adj* masculin(e).

manoeuvre (*UK*), **maneuver** (*US*)
[mə'nu:vəʳ] ◼ *n* manœuvre *f*. ◼ *vt* & *vi*
manœuvrer.

manor ['mænəʳ] *n* manoir *m*.

manpower ['mæn,paʊəʳ] *n* main-d'œuvre *f*.

mansion ['mænʃn] *n* château *m*.

manslaughter ['mæn,slɔːtəʳ] *n* homicide
m involontaire.

mantelpiece ['mæntlpiːs] *n* (dessus *m*
de) cheminée *f*.

manual ['mænjʊəl] ◼ *adj* manuel(elle).
◼ *n* manuel *m*.

manual worker *n* travailleur *m* manuel, travailleuse *f* manuelle.

manufacture [,mænjʊ'fæktʃəʳ] ◼ *n* **1.** fabrication *f* **2.** construction *f* *(de voitures)*. ◼ *vt* **1.** fabriquer **2.** construire *(des
voitures)*.

manufacturer [,mænjʊ'fæktʃərəʳ] *n* **1.** fabricant *m* **2.** constructeur *m* *(de voitures)*.

manure [mə'njʊəʳ] *n* fumier *m*.

manuscript ['mænjʊskrɪpt] *n* manuscrit
m.

many ['menɪ] ◼ *adj* (*comp* **more**, *superl* **most**) • **many people came to the
party** beaucoup de gens sont venus à
la fête • **I've lived here for many years**
j'habite ici depuis des années • **I've told
him to come many times** je lui ai dit
bien des fois de venir • **how many...?**

combien de... ? • **too many** trop de • **as many... as** autant de... que • **so many** autant de • **a good** OU **great many** un grand nombre de. ▪ *pron* • **many believe that to be true** bien des gens croient que c'est vrai • **don't eat all the chocolates, there aren't many left** ne mange pas tous les chocolats, il n'en reste pas beaucoup.

map [mæp] *n* carte *f*.
▪ **map out** *vt sép* **1.** élaborer *(un plan)* **2.** établir *(un emploi du temps)* **3.** définir *(une tâche)*.

maple ['meɪpl] *n* érable *m*.

mar [mɑːr] *vt* gâter, gâcher.

marathon ['mærəθn] ▪ *adj* marathon *(inv)*. ▪ *n* marathon *m*.

marauder [mə'rɔːdər] *n* maraudeur *m*, -euse *f*.

marble ['mɑːbl] *n* **1.** marbre *m* **2.** bille *f*.

march [mɑːtʃ] ▪ *n* marche *f*. ▪ *vi* **1.** MIL marcher au pas **2.** manifester, faire une marche de protestation **3.** • **to march up to sb** s'approcher de qqn d'un pas décidé.

March [mɑːtʃ] *n* mars *m*. • *voir aussi* **September**

marcher ['mɑːtʃər] *n* marcheur *m*, -euse *f*.

mare [meər] *n* jument *f*.

marg [mɑːdʒ] *n (UK) fam* margarine *f*.

margarine [ˌmɑːdʒə'riːn OU ˌmɑːgə'riːn] *n* margarine *f*.

marg(e) [mɑːdʒ] *n (UK) fam* margarine *f*.

margin ['mɑːdʒɪn] *n* **1.** marge *f* • **to win by a narrow margin** gagner de peu OU de justesse **2.** bord *m*.

marginal ['mɑːdʒɪnl] *adj* marginal(e), secondaire.

marginally ['mɑːdʒɪnəlɪ] *adv* très peu.

marginal seat *n* en Grande-Bretagne, circonscription électorale où la majorité passe facilement d'un parti à un autre.

marigold ['mærɪgəʊld] *n* BOT souci *m*.

marijuana, marihuana [ˌmærɪ'wɑːnə] *n* marijuana *f*.

marine [mə'riːn] *adj* marin(e).

Marine *n* MIL marine *m*.

marital ['mærɪtl] *adj* **1.** conjugal(e) **2.** matrimonial(e).

marital status *n* situation *f* de famille.

maritime ['mærɪtaɪm] *adj* maritime.

mark [mɑːk] ▪ *n* **1.** marque *f* **2.** tache *f*, marque *f* **3.** *(surtout UK)* SCOL note *f*, point *m* **4.** *(niveau)* barre *f* **5.** *(monnaie)* mark *m*. ▪ *vt* **1.** marquer **2.** tacher **3.** *(surtout UK)* SCOL noter, corriger.
▪ **mark off** *vt sép* **1.** délimiter **2.** cocher.

marked [mɑːkt] *adj* **1.** marqué(e) **2.** sensible.

marker ['mɑːkər] *n* **1.** repère *m* **2.** marqueur *m*.

marker pen *n* marqueur *m*.

market ['mɑːkɪt] ▪ *n* **1.** marché *m* **2.** ÉCON marché *m* **3.** ÉCON indice *m* • **the market has risen 10 points** l'indice est en hausse de 10 points. ▪ *vt* commercialiser.

market garden *n (UK)* jardin *m* maraîcher.

marketing ['mɑːkɪtɪŋ] *n* marketing *m*.

marketplace ['mɑːkɪtpleɪs] *n* **1.** place *f* du marché **2.** ÉCON marché *m*.

market research *n* étude *f* de marché.

market value *n* valeur *f* marchande.

marking ['mɑːkɪŋ] *n* SCOL correction *f*.
▪ **markings** *npl* taches *fpl*, marques *fpl*.

marksman ['mɑːksmən] *(pl* **-men** [-mən]*) n* tireur *m* d'élite.

markswoman ['mɑːkswʊmən] *(pl* **-women** [-ˌwɪmɪn]*) n* tireuse *f* d'élite.

marmalade ['mɑːməleɪd] *n* confiture *f* d'oranges amères.

maroon [mə'ruːn] *adj* bordeaux *(inv)*.

marooned [mə'ruːnd] *adj* abandonné(e).

marquee [mɑː'kiː] *n (UK)* grande tente *f*.

marriage ['mærɪdʒ] *n* mariage *m*.

marriage bureau *n (UK)* agence *f* matrimoniale.

marriage certificate *n* acte *m* de mariage.

marriage guidance *(UK, Australie)*, **marriage counseling** *(US) n* conseil *m* conjugal.

married ['mærɪd] *adj* **1.** marié(e) • **to get married** se marier **2.** conjugal(e).

marrow ['mærəʊ] *n* **1.** *(UK)* courge *f* **2.** moelle *f*.

marry ['mærɪ] ▪ *vt* **1.** épouser, se marier avec **2.** marier. ▪ *vi* se marier.

Mars [mɑːz] *n* Mars *f*.

marsh [mɑːʃ] n marais m, marécage m.

marshal ['mɑːʃl] ◼ n 1. MIL maréchal m 2. membre m du service d'ordre 3. (US) officier m de police fédérale. ◼ vt ((UK) prét & pp **-led**, cont **-ling**, (US) prét & pp **-ed**, cont **-ing**) litt & fig rassembler.

martial arts npl arts mpl martiaux.

martial law n loi f martiale.

martyr ['mɑːtər] n martyr m, -e f.

martyrdom ['mɑːtədəm] n martyre m.

marvel ['mɑːvl] ◼ n merveille f. ◼ vi ((UK) prét & pp **-led**, cont **-ling**, (US) prét & pp **-ed**, cont **-ing**) • **to marvel (at)** s'émerveiller (de), s'étonner (de).

marvellous (UK), **marvelous** (US) ['mɑːvələs] adj merveilleux(euse).

Marxism ['mɑːksɪzm] n marxisme m.

Marxist ['mɑːksɪst] ◼ adj marxiste. ◼ n marxiste mf.

marzipan ['mɑːzɪpæn] n (indén) pâte f d'amandes.

mascara [mæs'kɑːrə] n mascara m.

masculine ['mæskjʊlɪn] adj masculin(e).

mash [mæʃ] vt (UK) fam faire une purée de.

mashed potato (UK) [mæʃt-] n purée f de pommes de terre.

mask [mɑːsk] litt & fig ◼ n masque m. ◼ vt masquer.

masochist ['mæsəkɪst] n masochiste mf.

mason ['meɪsn] n 1. maçon m 2. francmaçon m.

masonry ['meɪsnrɪ] n maçonnerie f.

masquerade [ˌmæskə'reɪd] vi • **to masquerade as** se faire passer pour.

mass [mæs] ◼ n masse f. ◼ adj 1. en masse, en nombre 2. massif(ive). ◼ vi se masser.
◼ **Mass** n messe f.
◼ **masses** npl 1. (surtout UK) fam • **masses (of)** des masses (de) • des tonnes (de) 2. • **the masses** les masses fpl.

massacre ['mæsəkər] ◼ n massacre m. ◼ vt massacrer.

massage [(UK) 'mæsɑːʒ, (US) mə'sɑːʒ] ◼ n massage m. ◼ vt masser.

massive ['mæsɪv] adj massif(ive), énorme.

mass media n & npl • **the mass media** les (mass) media mpl.

mass production n fabrication f ou production f en série.

mast [mɑːst] n 1. mât m 2. pylône m.

master ['mɑːstər] ◼ n 1. maître m 2. (UK) SCOL • instituteur m, maître m • professeur m. ◼ adj maître. ◼ vt 1. maîtriser 2. surmonter, vaincre 3. se rendre maître de (la situation).

master key n passe m, passe-partout m inv.

masterly ['mɑːstəlɪ] adj magistral(e).

mastermind ['mɑːstəmaɪnd] ◼ n cerveau m. ◼ vt organiser, diriger.

Master of Arts (pl **Masters of Arts**) n 1. maîtrise f de lettres 2. titulaire mf d'une maîtrise de lettres.

Master of Science (pl **Masters of Science**) n 1. maîtrise f de sciences 2. titulaire mf d'une maîtrise de sciences.

masterpiece ['mɑːstəpiːs] n chef-d'œuvre m.

master's degree n ≃ maîtrise f.

mastery ['mɑːstərɪ] n maîtrise f.

mat [mæt] n 1. petit tapis m 2. paillasson m 3. set m (de table) 4. dessous m de verre.

match [mætʃ] ◼ n 1. match m 2. allumette f 3. • **to be no match for sb** ne pas être de taille à lutter contre qqn. ◼ vt 1. correspondre à, s'accorder avec • **the gloves match the scarf** les gants sont assortis à l'écharpe 2. faire correspondre. ◼ vi 1. correspondre 2. être assorti(e).

matchbox ['mætʃbɒks] n boîte f d'allumettes.

matching ['mætʃɪŋ] adj assorti(e).

mate [meɪt] ◼ n 1. (UK) fam copain m, copine f, pote m 2. (UK) fam mon vieux 3. ZOOL mâle m, femelle f. ◼ vi s'accoupler.

material [mə'tɪərɪəl] ◼ adj 1. matériel (elle) 2. important(e), essentiel(elle). ◼ n 1. matière f, substance f 2. matériau m 3. tissu m, étoffe f 4. (indén) matériaux mpl.
◼ **materials** npl matériaux mpl.

materialistic [mə,tɪərɪə'lɪstɪk] adj matérialiste.

materialize, -ise [mə'tɪərɪəlaɪz] *vi* **1.** *(offre, menace)* se concrétiser, se réaliser **2.** *(personne, objet)* apparaître.

maternal [mə'tɜːnl] *adj* maternel(elle).

maternity [mə'tɜːnətɪ] *n* maternité *f.*

maternity dress *n* robe *f* de grossesse.

maternity hospital *n* maternité *f.*

math *(US)* = **maths.**

mathematical [ˌmæθə'mætɪkl] *adj* mathématique.

mathematics [ˌmæθə'mætɪks] *n (indén)* mathématiques *fpl.*

maths *(UK)* [mæθs], **math** *(US)* [mæθ] *(abr de* **mathematics***) n fam (indén)* maths *fpl.*

matinée, matinee ['mætɪneɪ] *n* THÉÂTRE matinée *f.*

mating season *n* saison *f* des amours.

matrices ['meɪtrɪsiːz] *npl* ⊳ **matrix.**

matriculation [mə,trɪkjʊ'leɪʃn] *n* inscription *f.*

matrimonial [ˌmætrɪ'məʊnjəl] *adj sout* matrimonial(e), conjugal(e).

matrimony ['mætrɪmənɪ] *n (indén) sout* mariage *m.*

matrix ['meɪtrɪks] *(pl* **matrices** ['meɪtrɪsiːz] *ou* **-es** [-iːz]*) n* **1.** contexte *m*, structure *f* **2.** MATH & TECHNOL matrice *f.*

matron ['meɪtrən] *n* **1.** *(UK)* infirmière *f* en chef **2.** *(UK)* SCOL infirmière *f.*

matronly ['meɪtrənlɪ] *adj euphém* **1.** *(femme)* qui a l'allure d'une matrone **2.** *(attitude)* de matrone.

matt *(UK)*, **matte** *(US)* [mæt] *adj* mat(e).

matted ['mætɪd] *adj* emmêlé(e).

matter ['mætər] ◼ *n* **1.** question *f*, affaire *f* • that's another *ou* a different matter c'est tout autre chose, c'est une autre histoire • as a matter of course automatiquement • to make matters worse aggraver la situation • that's a matter of opinion c'est (une) affaire *ou* question d'opinion **2.** • there's something the matter with my radio il y a quelque chose qui cloche *ou* ne va pas dans ma radio • what's the matter? qu'est-ce qu'il y a ? • what's the matter with him? qu'est-ce qu'il a ? **3.** PHYS matière *f* **4.** *(indén)* matière *f* • reading matter choses *fpl* à lire. ◼ *vi* importer, avoir de l'importance • it doesn't matter cela n'a pas d'importance.

◼ **as a matter of fact** *adv* en fait, à vrai dire.

◼ **for that matter** *adv* d'ailleurs.

◼ **no matter** *adv* • **no matter what** coûte que coûte, à tout prix • **no matter how hard I try to explain...** j'ai beau essayer de lui expliquer...

Matterhorn ['mætəˌhɔn] *n* • **the Matterhorn** le mont Cervin.

matter-of-fact *adj* terre-à-terre, neutre.

mattress ['mætrɪs] *n* matelas *m.*

mature [mə'tjʊər] ◼ *adj* **1.** *(personne)* mûr(e) **2.** *(fromage)* fait(e) **3.** *(vin)* arrivé(e) à maturité. ◼ *vi* **1.** *(personne)* mûrir **2.** *(vin, fromage)* se faire.

mature student *n (UK)* étudiant qui a commencé ses études sur le tard.

maul [mɔl] *vt* mutiler.

mauve [məʊv] ◼ *adj* mauve. ◼ *n* mauve *m.*

maxim ['mæksɪm] *(pl* **-s***) n* maxime *f.*

maximum ['mæksɪməm] ◼ *adj* maximum *(inv).* ◼ *n (pl* **maxima** ['mæksɪmə] *ou* **-s***)* maximum *m.*

may [meɪ] *aux modal*

1. EXPRIME UNE ÉVENTUALITÉ, UNE PROBABILITÉ
• **it may rain** il se peut qu'il pleuve, il va peut-être pleuvoir
• **she may have phoned** elle a peut-être appelé

2. POUR DEMANDER OU DONNER UNE PERMISSION pouvoir
• **may I come in?** puis-je entrer ?
• **you may sit down** vous pouvez vous asseoir

3. POUR EXPRIMER UN CONTRASTE
• **he may be fat, but he can still run fast** il est certes gros mais il court vite
• **be that as it may** quoi qu'il en soit

4. *sout* EXPRIME UNE POSSIBILITÉ pouvoir
• **on a clear day the coast may be seen** on peut voir la côte par temps clair

5. *sout* POUR FORMULER UN SOUHAIT
• **may they be happy!** qu'ils soient heureux !
• **may he rest in peace!** qu'il repose en paix !

6. DANS DES EXPRESSIONS
• **may I go home now? -- you may as well** est-ce que je peux rentrer chez moi maintenant ? – tu ferais aussi bien
• **we may as well play another game** tant qu'à faire, faisons une autre partie.

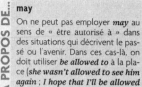

May [meɪ] *n* mai *m*. ◦ *voir aussi* **September**

maybe ['meɪbiː] *adv* peut-être ◦ **maybe I'll come** je viendrai peut-être.

May Day *n* le Premier mai.

mayhem ['meɪhem] *n* pagaille *f*.

mayonnaise [,meɪə'neɪz] *n* mayonnaise *f*.

mayor [meəʳ] *n* maire *m*.

mayoress ['meərɪs] *n* (*surtout UK*) **1.** femme *f* maire **2.** femme *f* du maire.

maze [meɪz] *n litt* & *fig* labyrinthe *m*, dédale *m*.

MB (*abr de* **megabyte**) Mo.

MD *n* (*UK*) *abrév de* **managing director**.

me [miː] *pron pers* **1.** me ◦ **can you see/hear me?** tu me vois/m'entends ? ◦ **it's me** c'est moi ◦ **they spoke to me** ils m'ont parlé ◦ **she gave it to me** elle me l'a donné **2.** moi ◦ **you can't expect me to do it** tu ne peux pas exiger que ce soit moi qui le fasse ◦ **she's shorter than me** elle est plus petite que moi.

meadow ['medəʊ] *n* prairie *f*, pré *m*.

meagre (*UK*), **meager** (*US*) ['miːgəʳ] *adj* maigre.

meal [miːl] *n* repas *m*.

mealtime ['miːltaɪm] *n* heure *f* du repas.

mean [miːn] ◼ *vt* (*prét* & *pp* **meant**) **1.** signifier, vouloir dire ◦ **I mean** c'est vrai ◦ je veux dire **2.** ◦ **to mean to do sthg** vouloir faire qqch, avoir l'intention de faire qqch ◦ **I didn't mean to drop it** je n'ai pas fait exprès de le laisser tomber ◦ **to be meant for sb/sthg** être destiné(e) à qqn/qqch ◦ **to be meant to do sthg** être censé(e) faire qqch ◦ **to mean well** agir dans une bonne intention **3.** ◦ **I mean it** je suis sérieux(euse) **4.** occasionner, entraîner. ◼ *adj* **1.** (*UK*) radin(e), chiche

◦ **to be mean with sthg** être avare de qqch **2.** mesquin(e), méchant(e) ◦ **to be mean to sb** être mesquin envers qqn **3.** moyen(enne). ◼ *n* moyenne *f*. ◦ *voir aussi* **means**

meander [mɪ'ændəʳ] *vi* **1.** (*route, fleuve*) serpenter **2.** (*personne*) errer.

meaning ['miːnɪŋ] *n* sens *m*, signification *f*.

meaningful ['miːnɪŋfʊl] *adj* **1.** significatif(ive) **2.** important(e).

meaningless ['miːnɪŋlɪs] *adj* **1.** dénué(e) ou vide de sens **2.** sans importance.

means [miːnz] ◼ *n* moyen *m* ◦ **by means of** au moyen de. ◼ *npl* moyens *mpl*, ressources *fpl*.
◼ **by all means** *adv* mais certainement, bien sûr.
◼ **by no means** *adv* nullement, en aucune façon.

meant [ment] *passé* & *pp* ▷ **mean**.

meantime ['mi:n,taɪm] n • **in the meantime** en attendant.

meanwhile ['mi:n,waɪl] adv **1.** pendant
ce temps **2.** en attendant.

measles ['mi:zlz] n • **(the) measles** la
rougeole.

measly ['mi:zlɪ] adj fam misérable, minable.

measure ['meʒəʳ] ▪ n **1.** mesure f **2.** • **it is
a measure of her success that...** la preu-
ve de son succès, c'est que… ▪ vt & vi
mesurer.

measurement ['meʒəmənt] n mesure f.

meat [mi:t] n viande f.

meatball ['mi:tbɔl] n boulette f de viande.

meat pie n tourte f à la viande.

meaty ['mi:tɪ] adj fig important(e).

Mecca ['mekə] n La Mecque.

mechanic [mɪ'kænɪk] n mécanicien m,
-enne f.
▪ **mechanics** ▪ n (indén) mécanique f.
▪ npl fig mécanisme m.

mechanical [mɪ'kænɪkl] adj **1.** (panne)
mécanique **2.** (personne) fort(e) en mécanique **3.** (réponse, action) machinal(e).

mechanism ['mekənɪzm] n litt & fig mécanisme m.

medal ['medl] n médaille f.

medallion [mɪ'dæljən] n médaillon m.

meddle ['medl] vi • **to meddle in** se mêler de.

media ['mi:djə] ▪ npl ▷ **medium**. ▪ n &
npl • **the media** les médias mpl.

mediaeval [,medɪ'i:vl] = **medieval**.

median ['mi:djən] n (US) bande f médiane (qui sépare les deux côtés d'une grande
route).

mediate ['mi:dɪeɪt] ▪ vt négocier. ▪ vi
• **to mediate (for/between)** servir de
médiateur (pour/entre).

mediator ['mi:dɪeɪtəʳ] n médiateur m,
-trice f.

Medicaid ['medɪkeɪd] n (US) assistance
médicale aux personnes sans ressources.

medical ['medɪkl] ▪ adj médical(e). ▪ n
(UK) examen m médical.

medical officer n **1.** médecin m du travail **2.** médecin militaire.

Medicare ['medɪkeəʳ] n (US) programme
fédéral d'assistance médicale pour personnes âgées.

medicated ['medɪkeɪtɪd] adj traitant(e).

medicine ['medsɪn] n **1.** médecine f
2. médicament m.

medieval [,medɪ'i:vl] adj médiéval(e).

mediocre [,mi:dɪ'əʊkəʳ] adj médiocre.

meditate ['medɪteɪt] vi • **to meditate (on
ou upon)** méditer (sur).

Mediterranean [,medɪtə'reɪnjən] ▪ n
• **the Mediterranean (Sea)** la (mer) Méditerranée. ▪ adj méditerranéen(enne).

medium ['mi:djəm] ▪ adj moyen
(enne). ▪ n **1.** (pl media ['mi:djə])
moyen m **2.** (pl mediums) médium m.

medium-size(d) [-saɪz(d)] adj de taille
moyenne.

medium wave n onde f moyenne.

medley ['medlɪ] (pl **-s**) n **1.** mélange m
2. mus pot-pourri m.

meek [mi:k] adj docile.

meet [mi:t] ▪ vt (prét & pp met) **1.** rencontrer **2.** retrouver • **fancy meeting
you here!** je ne m'attendais pas à vous
trouver ici ! **3.** aller/venir chercher
4. aller/venir attendre **5.** satisfaire, répondre à (un besoin, des exigences) **6.** résoudre (un problème) **7.** répondre à (un
défi) **8.** payer (des dépenses, une addition). ▪ vi (prét & pp met) **1.** se rencontrer **2.** se retrouver **3.** se réunir **4.** (lignes, routes) se joindre. ▪ n (US) meeting
m.
▪ **meet up** vi se retrouver • **to meet up
with sb** rencontrer qqn, retrouver qqn.
▪ **meet with** vt insép **1.** être accueilli(e)
par **2.** remporter (un succès) **3.** essuyer
(un échec) **4.** (US) retrouver.

meeting ['mi:tɪŋ] n **1.** réunion f **2.** rencontre f **3.** entrevue f.

megabyte ['megəbaɪt] n méga-octet m.

megaphone ['megəfəʊn] n mégaphone
m, porte-voix m inv.

melancholy ['melənkəlɪ] ▪ adj **1.** mélancolique **2.** triste. ▪ n mélancolie f.

mellow ['meləʊ] ▪ adj **1.** doux (douce)
2. moelleux(euse). ▪ vi s'adoucir.

melody ['melədɪ] n mélodie f.

melon ['melən] n melon m.

melt [melt] ■ *vt* faire fondre. ■ *vi* **1.** fondre **2.** *fig* • **his heart melted at the sight** il fut tout attendri devant ce spectacle **3.** • **to melt (away)** fondre. ■ **melt down** *vt sép* fondre.

meltdown ['meltdaʊn] *n* **1.** fusion *f* du cœur (du réacteur) **2.** *fam* effondrement *m*.

melting pot ['meltɪŋ-] *n fig* creuset *m*.

member ['membər] *n* **1.** membre *m* **2.** adhérent *m*, -e *f*.

Member of Congress (*pl* Members of Congress) *n* (*US*) membre *m* du Congrès.

Member of Parliament (*pl* Members of Parliament) *n* (*UK*) ≃ député *m*.

Member of the Scottish Parliament (*pl* Members of the Scottish Parliament) *n* membre *m* du Parlement écossais.

membership ['membəʃɪp] *n* **1.** adhésion *f* **2.** nombre *m* d'adhérents **3.** • **the membership** les membres *mpl*.

membership card *n* carte *f* d'adhésion.

memento [mɪ'mentəʊ] (*pl* -s) *n* souvenir *m*.

memo ['meməʊ] (*pl* -s) *n* note *f* de service.

memoirs ['memwɑːz] *npl* mémoires *mpl*.

memorandum [,memə'rændəm] (*pl* -da [-də] *ou* -dums) *n sout* note *f* de service.

memorial [mɪ'mɔːrɪəl] ■ *adj* commémoratif(ive). ■ *n* monument *m*.

memorize, -ise ['meməraɪz] *vt* **1.** retenir **2.** apprendre par cœur.

memory ['memərɪ] *n* **1.** mémoire *f* • **from memory** de mémoire **2.** souvenir *m*.

men [men] *npl* ▷ **man**.

menace ['menəs] ■ *n* **1.** menace *f* **2.** *fam* plaie *f*. ■ *vt* menacer.

menacing ['menəsɪŋ] *adj* menaçant(e).

mend [mend] ■ *n fam* • **to be on the mend** aller mieux. ■ *vt* **1.** réparer **2.** raccommoder **3.** repriser.

menial ['miːnjəl] *adj* avilissant(e).

meningitis [,menɪn'dʒaɪtɪs] *n* (*indén*) méningite *f*.

menopause ['menəpɔːz] *n* • **the menopause** (*UK*) *ou* **menopause** (*US*) la ménopause.

men's room *n* (*US*) • **the men's room** les toilettes *fpl* pour hommes.

menstruation [,menstrʊ'eɪʃn] *n* menstruation *f*.

menswear ['menzweər] *n* (*indén*) vêtements *mpl* pour hommes.

mental ['mentl] *adj* **1.** mental(e) **2.** (*image*) dans la tête.

mental hospital *n* hôpital *m* psychiatrique.

mentality [men'tælətɪ] *n* mentalité *f*.

mentally handicapped *npl* • **the mentally handicapped** les handicapés *mpl* mentaux.

mention ['menʃn] ■ *vt* mentionner, signaler • **not to mention** sans parler de • **don't mention it!** je vous en prie ! ■ *n* mention *f*.

menu ['menjuː] *n* menu *m*.

meow (*US*) = **miaow**.

MEP (*abr de* **Member of the European Parliament**) *n* parlementaire *m* européen.

mercenary ['mɜːsɪnrɪ] ■ *adj péj* mercenaire. ■ *n* mercenaire *m*.

merchandise ['mɜːtʃəndaɪz] *n* (*indén*) marchandises *fpl*.

merchant ['mɜːtʃənt] *n* marchand *m*, -e *f*, commerçant *m*, -e *f*.

merchant bank *n* banque *f* d'affaires.

merchant navy (*UK*), **merchant marine** (*US*) *n* marine *f* marchande.

merciful ['mɜːsɪfʊl] *adj* **1.** clément(e) **2.** qui est une délivrance.

merciless ['mɜːsɪlɪs] *adj* impitoyable.

mercury ['mɜːkjʊrɪ] *n* mercure *m*.

Mercury ['mɜːkjʊrɪ] *n* Mercure *f*.

mercy ['mɜːsɪ] *n* **1.** pitié *f* • **at the mercy of** *fig* à la merci de **2.** • **what a mercy that...** quelle chance que…

mere [mɪər] *adj* seul(e) • **she's a mere child** ce n'est qu'une enfant • **it cost a mere £10** cela n'a coûté que 10 livres.

merely ['mɪəlɪ] *adv* seulement, simplement.

merge [mɜːdʒ] ■ *vt* COMM & INFORM fusionner. ■ *vi* **1.** COMM • **to merge (with)** fusionner (avec) **2.** • **to merge (with)** se joindre (à) **3.** (*couleurs*) se fondre.

merger ['mɜːdʒər] *n* COMM & FIN fusion *f*.

meringue [mə'ræŋ] *n* meringue *f*.

merit ['merɪt] ◼ n mérite m, valeur f. ◼ vt sout mériter.

◼ **merits** npl qualités fpl.

mermaid ['mɜːmeɪd] n sirène f.

merry ['merɪ] (UK) adj **1.** joyeux(euse) • **Merry Christmas!** joyeux Noël ! **2.** fam gai(e), éméché(e).

merry-go-round n manège m.

mesh [meʃ] n maille f (du filet) • **wire mesh** grillage m.

mesmerize, -ise ['mezməraɪz] vt • **to be mesmerized by** être fasciné(e) par.

mess [mes] n **1.** désordre m **2.** fig gâchis m **3.** MIL mess m.

◼ **mess around, mess about** (UK) fam ◼ vt sép • **to mess sb around** traiter qqn par-dessus ou par-dessous la jambe. ◼ vi **1.** perdre ou gaspiller son temps **2.** • **to mess around with sthg** s'immiscer dans qqch.

◼ **mess up** vt sép fam **1.** mettre en désordre **2.** salir **3.** fig gâcher.

message ['mesɪdʒ] n message m.

messenger ['mesɪndʒər] n messager m, -ère f.

messy ['mesɪ] adj **1.** sale **2.** désordonné(e) • **a messy job** un travail salissant **3.** fam (divorce) difficile **4.** fam (situation) embrouillé(e).

met [met] passé & pp ⯈ **meet**.

metal ['metl] ◼ n métal m. ◼ **en apposition** en ou de métal.

metallic [mɪ'tælɪk] adj **1.** (son) métallique **2.** (peinture) métallisé(e).

metalwork ['metəlwɜːk] n ferronnerie f.

metaphor ['metəfər] n métaphore f.

meteor ['miːtɪər] n météore m.

meteorology [miːtjə'rɒlədʒɪ] n météorologie f.

meter ['miːtər] ◼ n **1.** compteur m **2.** (US) = **metre**. ◼ vt établir la consommation de (gaz, électricité).

metered ['miːtəd] adj décompté(e) à la minute.

method ['meθəd] n méthode f.

methodical [mɪ'θɒdɪkl] adj méthodique.

Methodist ['meθədɪst] ◼ adj méthodiste. ◼ n méthodiste mf.

meths [meθs] n (indén) (UK) fam alcool m à brûler.

methylated spirits ['meθɪleɪtɪd-] n (indén) alcool m à brûler.

meticulous [mɪ'tɪkjʊləs] adj méticuleux(euse).

metre (UK), **meter** (US) ['miːtər] n mètre m.

metric ['metrɪk] adj métrique.

metronome ['metrənəʊm] n métronome m.

metropolitan [,metrə'pɒlɪtn] adj métropolitain(e).

Metropolitan Police npl • **the Metropolitan Police** la police de Londres.

mettle ['metl] n • **to be on one's mettle** être d'attaque • **to show** ou **prove one's mettle** montrer ce dont on est capable.

mew [mjuː] = **miaow**.

mews [mjuːz] (pl inv) n (UK) ruelle f.

Mexican ['meksɪkn] ◼ adj mexicain(e). ◼ n Mexicain m, -e f.

Mexico ['meksɪkəʊ] n Mexique m.

MI5 (abr de **Military Intelligence 5**) n service de contre-espionnage britannique.

MI6 (abr de **Military Intelligence 6**) n service de renseignements britannique.

miaow (UK) [miː'aʊ], **meow** (US) [mɪ'aʊ] ◼ n miaulement m, miaou m. ◼ vi miauler.

mice [maɪs] npl ⯈ **mouse**.

mickey ['mɪkɪ] n • **to take the mickey out of sb** (UK) fam se payer la tête de qqn, faire marcher qqn.

microchip ['maɪkrəʊtʃɪp] n INFORM puce f.

microcomputer [,maɪkrəʊkəm'pjuːtər] n micro-ordinateur m.

microfilm ['maɪkrəʊfɪlm] n microfilm m.

microgreen (US) ['maɪkrəʊgriːn] n pousse f de salade, graine f germée.

microphone ['maɪkrəfəʊn] n microphone m, micro m.

microscope ['maɪkrəskəʊp] n microscope m.

microscopic [,maɪkrə'skɒpɪk] adj microscopique.

microwave (oven) ['maɪkrəweɪv-] n (four m à) micro-ondes m.

mid- [mɪd] préf • **mid-height** mi-hauteur • **mid-morning** milieu de la matinée • **mid-winter** plein hiver.

midair [mɪd'eəʳ] ◼ *adj* en plein ciel. ◼ *n* ◦ **in midair** en plein ciel.

midday [mɪd'deɪ] *n* midi *m*.

middle ['mɪdl] ◼ *adj* du milieu, du centre. ◼ *n* **1.** milieu *m*, centre *m* ◦ **in the middle (of)** au milieu (de) **2.** milieu *m* ◦ **to be in the middle of doing sthg** être en train de faire qqch ◦ **to be in the middle of a meeting** être en pleine réunion **3.** ANAT taille *f*.

middle-aged *adj* d'une cinquantaine d'années.

Middle Ages *npl* ◦ **the Middle Ages** le Moyen Âge.

middle-class *adj* bourgeois(e).

middle classes *npl* ◦ **the middle classes** la bourgeoisie.

Middle East *n* ◦ **the Middle East** le Moyen-Orient.

middleman ['mɪdlmæn] (*pl* **-men** [-men]) *n* intermédiaire *mf*.

middle name *n* second prénom *m*.

middleweight ['mɪdlweɪt] *n* poids *m* moyen.

middling ['mɪdlɪŋ] *adj* moyen(enne).

Mideast [,mɪd'iːst] *n* (*US*) ◦ **the Mideast** le Moyen-Orient.

midfield [,mɪd'fiːld] *n* FOOTBALL milieu *m* de terrain.

midge [mɪdʒ] *n* moucheron *m*.

midget ['mɪdʒɪt] *n injur* nain *m*, -e *f*.

midi system, MIDI system ['mɪdɪ-] *n* (*UK*) chaîne *f* midi.

Midlands ['mɪdləndz] *npl* ◦ **the Midlands** *les comtés du centre de l'Angleterre*.

midnight ['mɪdnaɪt] *n* minuit *m*.

midriff ['mɪdrɪf] *n* ANAT diaphragme *m*.

midst [mɪdst] *n sout* **1.** ◦ **in the midst of** au milieu de **2.** ◦ **to be in the midst of doing sthg** être en train de faire qqch.

midsummer ['mɪd,sʌməʳ] *n* cœur *m* de l'été.

Midsummer Day *n* 24 juin.

mid-term election *n* (*US*) élection *f* de mi-mandat.

midway [,mɪd'weɪ] *adv* **1.** ◦ **midway (between)** à mi-chemin (entre) **2.** ◦ **midway through the meeting** en pleine réunion.

midweek ◼ *adj* ['mɪdwiːk] du milieu de la semaine. ◼ *adv* [mɪd'wiːk] en milieu de semaine.

midwife ['mɪdwaɪf] (*pl* **-wives** [-waɪvz]) *n* sage-femme *f*.

midwifery ['mɪd,wɪfərɪ] *n* obstétrique *f*.

---

might [maɪt] *aux modal*

1. EXPRIME UNE ÉVENTUALITÉ OU UNE PROBABILITÉ, AVEC UN FAIBLE DEGRÉ DE CERTITUDE

◦ **the criminal might be armed** il se pourrait que le criminel soit armé

◦ **she might have got lost** il se pourrait qu'elle se soit perdue, elle s'est peut-être perdue

2. EXPRIME UN REPROCHE

◦ **you might at least say "thank you"** tu pourrais au moins dire « merci »

3. *sout* AU DISCOURS INDIRECT, EST L'ÉQUIVALENT DE « MAY »

◦ **he asked if he might leave the room** il demanda s'il pouvait sortir de la pièce.

---

might *n*

indén

force

◦ **with all one's might** de toutes ses forces.

À PROPOS DE... **might**

May et *might* servent tous deux à exprimer une possibilité réelle. Mais, si l'on utilise *might*, le degré d'incertitude est plus grand. Comparez par exemple *you may be right but I'll have to check* et *if you phone now, you might catch him in his office.*

---

mighty ['maɪtɪ] ◼ *adj* puissant(e). ◼ *adv* (*US*) *fam* drôlement, vachement.

migraine ['miːgreɪn *ou* 'maɪgreɪn] *n* migraine *f*.

migrant ['maɪgrənt] ◼ *adj* migrateur (trice). ◼ *n* **1.** (*oiseau*) migrateur *m* **2.** (*personne*) émigré *m*, -e *f*.

migrate [(*UK*) maɪ'greɪt, (*US*) 'maɪgreɪt] *vi* **1.** (*oiseau*) migrer **2.** (*personne*) émigrer.

mike [maɪk] (*abr de* **microphone**) *n fam* micro *m*.

mild [maɪld] *adj* **1.** léger(ère) **2.** doux (douce) **3.** MÉD bénin(igne).

mildew ['mɪldjuː] n (indén) moisissure f.

mildly ['maɪldlɪ] adv **1.** doucement • that's putting it mildly c'est le moins qu'on puisse dire **2.** légèrement **3.** un peu.

mile [maɪl] n **1.** mile m **2.** NAUT mille m • to be miles away fig être très loin.

mileage ['maɪlɪdʒ] n distance f en miles, ≈ kilométrage m.

mil(e)ometer [maɪ'lɒmɪtə'] n (UK) compteur m de miles, ≈ compteur kilométrique.

milestone ['maɪlstəʊn] n **1.** borne f **2.** fig événement m marquant ou important.

militant ['mɪlɪtənt] ◼ adj militant(e). ◼ n militant m, -e f.

military ['mɪlɪtrɪ] ◼ adj militaire. ◼ n • the military les militaires mpl, l'armée f.

militia [mɪ'lɪʃə] n milice f.

milk [mɪlk] ◼ n lait m. ◼ vt **1.** traire **2.** fig exploiter.

milk chocolate n chocolat m au lait.

milkman ['mɪlkmən] (pl -men [-mən]) n laitier m, -ère f.

milk shake n milk-shake m.

milky ['mɪlkɪ] adj **1.** (café) avec beaucoup de lait **2.** laiteux(euse).

Milky Way n • the Milky Way la Voie lactée.

mill [mɪl] ◼ n **1.** moulin m **2.** usine f. ◼ vt moudre.

millennium [mɪ'lenɪəm] (pl millennia [mɪ'lenɪə]) n millénaire m.

miller ['mɪlə'] n meunier m, -ère f.

millet ['mɪlɪt] n millet m.

milligram, milligramme ['mɪlɪɡræm] n milligramme m.

millimetre (UK), **millimeter** (US) ['mɪlɪˌmiːtə'] n millimètre m.

millinery ['mɪlɪnrɪ] n chapellerie f féminine.

million ['mɪljən] n million m.

millionaire [ˌmɪljə'neə'] n millionnaire mf.

millstone ['mɪlstəʊn] n meule f.

mime [maɪm] ◼ n mime m. ◼ vt & vi mimer.

mimic ['mɪmɪk] ◼ n imitateur m, -trice f. ◼ vt (prét & pp -ked, cont -king) imiter.

mimicry ['mɪmɪkrɪ] n imitation f.

mince [mɪns] ◼ n (UK) viande f hachée. ◼ vt (UK) hacher. ◼ vi marcher à petits pas maniérés.

mincemeat ['mɪnsmiːt] n **1.** mélange de pommes, raisins secs et épices utilisé en pâtisserie **2.** (UK) viande f hachée.

mince pie n tartelette f de Noël.

mincer ['mɪnsə'] n (UK) hachoir m.

mind [maɪnd] ◼ n **1.** esprit m • state of mind état d'esprit • to bear sthg in mind ne pas oublier qqch • to come into/cross sb's mind venir à/traverser l'esprit de qqn • to have sthg on one's mind avoir l'esprit préoccupé, être préoccupé(e) par qqch • to keep an open mind réserver son jugement • to have sthg in mind avoir qqch dans l'idée • to have a mind to do sthg avoir bien envie de faire qqch • to make one's mind up se décider **2.** to put one's mind to sthg s'appliquer à qqch • to keep one's mind on sthg se concentrer sur qqch **3.** • to change one's mind changer d'avis • to my mind à mon avis • to speak one's mind parler franchement • to be in (UK) ou of (US) two minds (about sthg) se tâter ou être indécis(e) (à propos de qqch) **4.** (personne) cerveau m. ◼ vi • I don't mind ça m'est égal • I hope you don't mind j'espère que vous n'y voyez pas d'inconvénient • do you mind! iron vous permettez ? • non mais ! • never mind ne t'en fais pas • ça ne fait rien. ◼ vt **1.** • I wouldn't mind a beer je prendrais bien une bière **2.** (surtout UK) faire attention à, prendre garde à **3.** (surtout UK) • garder, surveiller • tenir (un magasin).

◼ **mind you** adv remarquez.

minder ['maɪndə'] n (UK) fam ange m gardien.

mindful ['maɪndfʊl] adj • mindful of attentif(ive) à • soucieux(euse) de.

mindless ['maɪndlɪs] adj stupide, idiot(e).

mine[1] [maɪn] pron poss le mien (la mienne), les miens (les miennes) (pl) • that money is mine cet argent est à moi • it wasn't your fault, it was mine ce n'était pas de votre faute, c'était de la mienne ou de ma faute à moi • a friend of mine un ami à moi, un de mes amis.

mine[2] [maɪn] ◼ n mine f. ◼ vt **1.** extraire (du charbon, de l'or) **2.** miner.

minefield ['maɪnfiːld] *n* **1.** champ *m* de mines **2.** *fig* situation *f* explosive.

miner ['maɪnər] *n* mineur *m*, -euse *f*.

mineral ['mɪnərəl] ■ *adj* minéral(e). ■ *n* minéral *m*.

mineral water *n* eau *f* minérale.

minesweeper ['maɪn,swiːpər] *n* dragueur *m* de mines.

minging ['mɪŋɪŋ] *adj* (UK) *tfam* horrible.

mingle ['mɪŋgl] *vi* • **to mingle (with)** se mélanger (à) *(des sons, des parfums)* • se mêler (à) *(des gens)*.

miniature ['mɪnətʃər] ■ *adj* miniature. ■ *n* **1.** miniature *f* **2.** bouteille *f* miniature.

minibus ['mɪnɪbʌs] *(pl -es)* *n* minibus *m*.

minicab ['mɪnɪkæb] *n (UK)* radiotaxi *m*.

minimal ['mɪnɪml] *adj* **1.** insignifiant(e) **2.** minime.

minimum ['mɪnɪməm] *adj* minimum *(inv)*.

mining ['maɪnɪŋ] ■ *n* exploitation *f* minière. ■ *adj* minier(ère).

miniskirt ['mɪnɪskɜːt] *n* minijupe *f*.

minister ['mɪnɪstər] *n* **1.** POLIT ministre *m* **2.** RELIG pasteur *m*.
■ **minister to** *vt insép* **1.** donner *ou* prodiguer ses soins à **2.** pourvoir à.

ministerial [,mɪnɪ'stɪərɪəl] *adj* ministériel(elle).

minister of state *n (UK)* secrétaire *mf* d'État.

ministry ['mɪnɪstrɪ] *n* **1.** POLIT ministère *m* **2.** RELIG • **the ministry** le saint ministère.

mink [mɪŋk] *(pl inv)* *n* vison *m*.

minnow ['mɪnəʊ] *n* vairon *m*.

minor ['maɪnər] ■ *adj* **1.** mineur(e) **2.** petit(e) **3.** secondaire. ■ *n* mineur *m*, -e *f*.

minority [maɪ'nɒrətɪ] *n* minorité *f*.

mint [mɪnt] ■ *n* **1.** menthe *f* **2.** bonbon *m* à la menthe **3.** • **the Mint** l'hôtel de la Monnaie • **in mint condition** en parfait état. ■ *vt* battre *(des pièces de monnaie)*.

minus ['maɪnəs] ■ *prép* moins. ■ *adj* négatif(ive). ■ *n (pl -es [-iːz])* **1.** MATH signe *m* moins **2.** handicap *m*.

minus sign *n* signe *m* moins.

minute[1] ['mɪnɪt] ■ *n* minute *f* • **at any minute** à tout moment, d'une minute à l'autre • **stop that this minute!** arrête tout de suite *ou* immédiatement ! ■ *adj* • **up-to-the-minute** de dernière heure. ■ **minutes** *npl* procès-verbal *m*, compte rendu *m*.

minute[2] [maɪ'njuːt] *adj* minuscule.

miracle ['mɪrəkl] *n* miracle *m*.

miraculous [mɪ'rækjʊləs] *adj* miraculeux(euse).

mirage [mɪ'rɑːʒ] *n litt & fig* mirage *m*.

mire [maɪər] *n* fange *f*, boue *f*.

mirror ['mɪrər] ■ *n* miroir *m*, glace *f*. ■ *vt* **1.** refléter **2.** donner un site miroir à.

mirth [mɜːθ] *n littéraire* hilarité *f*, gaieté *f*.

misadventure [,mɪsəd'ventʃər] *n (UK)* DR • **death by misadventure** mort *f* accidentelle.

misapprehension ['mɪs,æprɪ'henʃn] *n* idée *f* fausse.

misappropriation ['mɪsə,prəʊprɪ'eɪʃn] *n* détournement *m*.

miscalculate [,mɪs'kælkjʊleɪt] ■ *vt* mal calculer. ■ *vi* se tromper.

miscarriage [,mɪs'kærɪdʒ] *n* fausse couche *f* • **to have a miscarriage** faire une fausse couche.

miscarriage of justice *n* erreur *f* judiciaire.

miscellaneous [,mɪsə'leɪnjəs] *adj* varié(e), divers(es).

mischief ['mɪstʃɪf] *n (indén)* **1.** malice *f*, espièglerie *f* **2.** sottises *fpl*, bêtises *fpl* **3.** dégât *m*.

mischievous ['mɪstʃɪvəs] *adj* **1.** malicieux(euse) **2.** espiègle, coquin(e).

misconception [,mɪskən'sepʃn] *n* idée *f* fausse.

misconduct [,mɪs'kɒndʌkt] *n* inconduite *f*.

misconstrue [,mɪskən'struː] *vt sout* mal interpréter.

miscount [,mɪs'kaʊnt] *vt & vi* mal compter.

misdeed [,mɪs'diːd] *n sout* méfait *m*.

misdemeanour *(UK)*, **misdemeanor** *(US)* [,mɪsdɪ'miːnər] *n* délit *m*.

miser ['maɪzər] *n* avare *mf*.

miserable [ˈmɪzrəbl] *adj* **1.** malheureux(euse), triste **2.** misérable **3.** dérisoire **4.** maussade **5.** pitoyable, lamentable.

miserly [ˈmaɪzəlɪ] *adj* avare.

misery [ˈmɪzərɪ] *n* **1.** tristesse *f* **2.** misère *f*.

misfire [ˌmɪsˈfaɪəʳ] *vi* rater ou manquer son coup.

misfit [ˈmɪsfɪt] *n* inadapté *m*, -e *f*.

misfortune [mɪsˈfɔːtʃuːn] *n* **1.** malchance *f* **2.** malheur *m*.

misgivings [mɪsˈgɪvɪŋz] *npl* craintes *fpl*, doutes *mpl* • **to have misgivings about** avoir des doutes quant à, douter de.

misguided [ˌmɪsˈgaɪdɪd] *adj* **1.** malavisé(e) **2.** malencontreux(euse) **3.** peu judicieux(euse).

mishandle [ˌmɪsˈhændl] *vt* **1.** manier sans précaution **2.** mal mener *(des négociations)* **3.** mal gérer *(une affaire)*.

mishap [ˈmɪshæp] *n* mésaventure *f*.

misinterpret [ˌmɪsɪnˈtɜːprɪt] *vt* mal interpréter.

misjudge [ˌmɪsˈdʒʌdʒ] *vt* **1.** mal évaluer **2.** méjuger, se méprendre sur.

mislay [ˌmɪsˈleɪ] *(prét & pp* **-laid** [-ˈleɪd]*) vt* égarer.

mislead [ˌmɪsˈliːd] *(prét & pp* **-led***) vt* induire en erreur.

misleading [ˌmɪsˈliːdɪŋ] *adj* trompeur (euse).

misled [ˌmɪsˈled] *passé & pp* ⊳ **mislead**.

misnomer [ˌmɪsˈnəʊməʳ] *n* nom *m* mal approprié.

misplace [ˌmɪsˈpleɪs] *vt* égarer.

misprint [ˈmɪsprɪnt] *n* TYPO faute *f* d'impression.

miss [mɪs] ◼ *vt* **1.** rater, manquer **2.** • **I miss my family/her** ma famille/elle me manque **3.** échapper à • **I just missed being run over** j'ai failli me faire écraser **4.** manquer de • **I'm missing two books from my collection** il me manque deux livres dans ma collection, deux livres de ma collection ont disparu. ◼ *vi* rater ou manquer son coup. ◼ *n* • **to give school a miss** *(UK) fam* ne pas aller à l'école.

■ **miss out** ◼ *vt sép (UK)* **1.** oublier **2.** omettre. ◼ *vi* • **to miss out on sthg** ne pas pouvoir profiter de qqch.

Miss [mɪs] *n* Mademoiselle *f*.

misshapen [ˌmɪsˈʃeɪpn] *adj* difforme.

missile [*(UK)* ˈmɪsaɪl, *(US)* ˈmɪsəl] *n* **1.** missile *m* **2.** projectile *m*.

missing [ˈmɪsɪŋ] *adj* **1.** perdu(e), égaré(e) **2.** manquant(e), qui manque.

mission [ˈmɪʃn] *n* mission *f*.

missionary [ˈmɪʃənrɪ] *n* missionnaire *mf*.

misspend [ˌmɪsˈspend] *(prét & pp* **-spent** [-ˈspent]*) vt* gaspiller.

mist [mɪst] *n* brume *f*.

■ **mist over, mist up** *vi* s'embuer.

mistake [mɪˈsteɪk] ◼ *n* erreur *f* • **by mistake** par erreur • **to make a mistake** faire une erreur, se tromper. ◼ *vt (prét* **-took***, pp* **-taken***)* **1.** mal comprendre **2.** se méprendre sur **3.** • **to mistake sb/sthg for** prendre qqn/qqch pour, confondre qqn/qqch avec.

mistaken [mɪˈsteɪkn] ◼ *pp* ⊳ **mistake**. ◼ *adj* **1.** • **to be mistaken (about)** se tromper (en ce qui concerne *ou* sur) **2.** erroné(e), faux (fausse).

mister [ˈmɪstəʳ] *n fam* monsieur *m*.

■ **Mister** *n* Monsieur *m*.

mistletoe [ˈmɪsltəʊ] *n* gui *m*.

mistook [mɪˈstʊk] *passé* ⊳ **mistake**.

mistreat [ˌmɪsˈtriːt] *vt* maltraiter.

mistress [ˈmɪstrɪs] *n* maîtresse *f*.

mistrust [ˌmɪsˈtrʌst] ◼ *n* méfiance *f*. ◼ *vt* se méfier de.

misty [ˈmɪstɪ] *adj* brumeux(euse).

misunderstand [ˌmɪsʌndəˈstænd] *(prét & pp* **-stood***) vt & vi* mal comprendre.

misunderstanding [ˌmɪsʌndəˈstændɪŋ] *n* malentendu *m*.

misunderstood [ˌmɪsʌndəˈstʊd] *passé & pp* ⊳ **misunderstand**.

misuse ◼ *n* [ˌmɪsˈjuːs] **1.** mauvais emploi *m* **2.** abus *m (de pouvoir)* **3.** détournement *m (de fonds)*. ◼ *vt* [ˌmɪsˈjuːz] **1.** mal employer **2.** abuser de **3.** détourner.

miter *(US)* = **mitre**.

mitigate [ˈmɪtɪgeɪt] *vt* atténuer, mitiger.

mitre (UK), **miter** (US) ['maɪtər] n **1.** mitre f **2.** onglet m.

mitt [mɪt] n **1.** fam = **mitten 2.** gant m de baseball.

mitten ['mɪtn] n moufle f.

mix [mɪks] ◼ vt **1.** mélanger **2.** ∘ **to mix sthg with sthg** combiner ou associer qqch et qqch **3.** préparer (un cocktail) **4.** malaxer (du ciment). ◼ vi **1.** se mélanger **2.** ∘ **to mix with** fréquenter. ◼ n **1.** mélange m **2.** MUS mixage m.
◼ **mix up** vt sép **1.** confondre **2.** mélanger.

mixed [mɪkst] adj **1.** assortis(ies) **2.** (école) mixte.

mixed-ability adj (UK) tous niveaux confondus.

mixed grill n (UK) assortiment m de grillades.

mixed up adj **1.** qui ne sait plus où il/elle en est, paumé(e) **2.** embrouillé(e) **3.** ∘ **to be mixed up in sthg** être mêlé(e) à qqch.

mixer ['mɪksər] n mixer m.

mixture ['mɪkstʃər] n **1.** mélange m **2.** MÉD préparation f.

mix-up n fam confusion f.

moan [məʊn] ◼ n gémissement m. ◼ vi **1.** gémir **2.** fam ∘ **to moan (about)** rouspéter ou râler (à propos de).

moat [məʊt] n douves fpl.

mob [mɒb] ◼ n foule f. ◼ vt assaillir.

mobile ['məʊbaɪl] ◼ adj **1.** mobile **2.** motorisé(e). ◼ n **1.** (UK) téléphone m portable **2.** mobile m.

mobile home n auto-caravane f, mobil-home m.

mobile phone n (surtout UK) téléphone m portable.

mobilize, -ise ['məʊbɪlaɪz] vt & vi mobiliser.

mock [mɒk] ◼ adj faux(fausse) ∘ **mock exam** (UK) examen blanc. ◼ vt se moquer de. ◼ vi se moquer.

mockery ['mɒkərɪ] n moquerie f.

mod cons [,mɒd-] (abr de **modern conveniences**) npl (UK) fam ∘ **all mod cons** tout confort, tt conf.

mode [məʊd] n (façon, manière) mode m.

model ['mɒdl] ◼ n **1.** modèle m **2.** mannequin m ◼ adj **1.** modèle **2.** (en) modèle réduit. ◼ vt ((UK) prét & pp -**led**, cont -**ling**, (US) prét & pp -**ed**, cont -**ing**) **1.** modeler **2.** ∘ **to model a dress** présenter un modèle de robe **3.** ∘ **to model o.s. on sb** prendre modèle ou exemple sur qqn, se modeler sur qqn. ◼ vi ((UK) prét & pp -**led**, cont -**ling**, (US) prét & pp -**ed**, cont -**ing**) être mannequin.

modem ['məʊdem] n modem m.

moderate ◼ adj ['mɒdərət] modéré(e). ◼ n ['mɒdərət] POLIT modéré m, -e f. ◼ vt ['mɒdəreɪt] modérer. ◼ vi ['mɒdəreɪt] se modérer.

moderation [,mɒdə'reɪʃn] n modération f ∘ **in moderation** avec modération.

modern ['mɒdən] adj moderne.

modernize, -ise ['mɒdənaɪz] ◼ vt moderniser. ◼ vi se moderniser.

modern languages npl langues fpl vivantes.

modest ['mɒdɪst] adj modeste.

modesty ['mɒdɪstɪ] n modestie f.

modicum ['mɒdɪkəm] n minimum m.

modify ['mɒdɪfaɪ] vt modifier.

module ['mɒdjuːl] n module m.

mogul ['məʊgl] n fig magnat m.

mohair ['məʊheər] n mohair m.

moist [mɔɪst] adj **1.** humide **2.** (gâteau) moelleux(euse).

moisten ['mɔɪsn] vt humecter.

moisture ['mɔɪstʃər] n humidité f.

moisturizer, -iser ['mɔɪstʃəraɪzər] n crème f hydratante, lait m hydratant.

molar ['məʊlər] n molaire f.

molasses [mə'læsɪz] n (indén) mélasse f.

mold (US) = **mould**.

molding (US) = **moulding**.

moldy (US) = **mouldy**.

mole [məʊl] n **1.** taupe f **2.** grain m de beauté.

molecule ['mɒlɪkjuːl] n molécule f.

molest [mə'lest] vt **1.** attenter à la pudeur de **2.** importuner, agresser.

mollusc (UK), **mollusk** (US) ['mɒləsk] n mollusque m.

mollycoddle ['mɒlɪ,kɒdl] vt fam chouchouter.

molt (US) = **moult**.

molten ['məʊltn] adj en fusion.

mom [mɒm] n (US) fam maman f.

moment ['məʊmənt] *n* moment *m*, instant *m* • **at any moment** d'un moment à l'autre • **at the moment** en ce moment.

momentarily ['məʊməntərɪlɪ] *adv* **1.** momentanément **2.** *(US)* très bientôt.

momentary ['məʊməntrɪ] *adj* momentané(e), passager(ère).

momentous [mə'mentəs] *adj* capital(e), très important(e).

momentum [mə'mentəm] *n (indén)* **1.** PHYS moment *m* **2.** *fig* vitesse *f* • **to gather momentum** prendre de la vitesse.

momma ['mɒmə], **mommy** ['mɒmɪ] *n (US) fam* maman *f*.

Monaco ['mɒnəkəʊ] *n* Monaco.

monarch ['mɒnək] *n* monarque *m*.

monarchy ['mɒnəkɪ] *n* monarchie *f*.

monastery ['mɒnəstrɪ] *n* monastère *m*.

Monday ['mʌndɪ] *n* lundi *m*. • *voir aussi* **Saturday**

monetary ['mʌnɪtrɪ] *adj* monétaire.

money ['mʌnɪ] *n* argent *m* • **to make money** gagner de l'argent • **to get one's money's worth** en avoir pour son argent.

moneybox ['mʌnɪbɒks] *n (UK)* tirelire *f*.

moneylender ['mʌnɪ,lendər] *n* prêteur *m*, -euse *f* sur gages.

money order *n* mandat *m* postal.

money-spinner [-,spɪnər] *n (surtout UK) fam* mine *f* d'or.

mongol ['mɒŋgəl] *vieilli & injur n* mongolien *m*, -enne *f*.

Mongolia [mɒŋ'gəʊlɪə] *n* Mongolie *f*.

mongrel ['mʌŋgrəl] *n (chien)* bâtard *m*.

monitor ['mɒnɪtər] ◼ *n* INFORM & MÉD moniteur *m*. ◼ *vt* **1.** contrôler, suivre de près **2.** RADIO être à l'écoute de.

monk [mʌŋk] *n* moine *m*.

monkey ['mʌŋkɪ] *(pl -s) n* singe *m*.

monkey nut *n (UK)* cacahuète *f*.

monkey wrench *n* clef *f* à molette.

monochrome ['mɒnəkrəʊm] *adj* monochrome.

monocle ['mɒnəkl] *n* monocle *m*.

monologue, monolog ['mɒnəlɒg] *n* monologue *m*.

monopolize, -ise [mə'nɒpəlaɪz] *vt* monopoliser.

monopoly [mə'nɒpəlɪ] *n* • **monopoly (on** *ou* **of)** monopole *m* (de).

monotone ['mɒnətəʊn] *n* ton *m* monocorde.

monotonous [mə'nɒtənəs] *adj* monotone.

monotony [mə'nɒtənɪ] *n* monotonie *f*.

monsoon [mɒn'suːn] *n* mousson *f*.

monster ['mɒnstər] *n* **1.** monstre *m* **2.** colosse *m*.

monstrosity [mɒn'strɒsɪtɪ] *n* monstruosité *f*.

monstrous ['mɒnstrəs] *adj* monstrueux(euse).

Mont Blanc [,mɔ̃'blɑ̃] *n* le mont Blanc.

month [mʌnθ] *n* mois *m*.

monthly ['mʌnθlɪ] ◼ *adj* mensuel(elle). ◼ *adv* mensuellement. ◼ *n* PRESSE mensuel *m*.

Montreal [,mɒntrɪ'ɔːl] *n* Montréal *m*.

monument ['mɒnjʊmənt] *n* monument *m*.

monumental [,mɒnjʊ'mentl] *adj* monumental(e).

moo [muː] ◼ *n (pl -s)* meuglement *m*, beuglement *m*. ◼ *vi* meugler, beugler.

mood [muːd] *n* humeur *f*.

moody ['muːdɪ] *adj péj* **1.** lunatique **2.** de mauvaise humeur, mal luné(e).

moon [muːn] *n* lune *f*.

moonlight ['muːnlaɪt] ◼ *n* clair *m* de lune. ◼ *vi (prét & pp -ed)* travailler au noir.

moonlighting ['muːnlaɪtɪŋ] *n (indén)* travail *m* au noir.

moonlit ['muːnlɪt] *adj (paysage)* éclairé(e) par la lune • **a moonlit night** une nuit de lune.

moor [mɔːr] ◼ *n* lande *f*. ◼ *vt* amarrer. ◼ *vi* NAUT mouiller.

moorland ['mɔːlənd] *n (surtout UK)* lande *f*.

moose [muːs] *(pl inv) n* ZOOL orignal *m*.

mop [mɒp] ◼ *n* **1.** balai *m* à franges **2.** *fam* tignasse *f*. ◼ *vt* **1.** laver **2.** essuyer • **to mop one's brow** s'essuyer le front. ◼ **mop up** *vt sép* éponger.

mope [məʊp] *vi* broyer du noir.

moped ['məʊped] *n* vélomoteur *m*.

moral ['mɒrəl] ◼ adj moral(e). ◼ n morale f.

◼ **morals** npl moralité f.

morale [mə'rɑːl] n (indén) moral m.

morality [mə'rælətɪ] n moralité f.

morass [mə'ræs] n fig fatras m.

morbid ['mɔːbɪd] adj morbide.

more [mɔːr] ◼ adv 1. (avec adj et adv) plus • **more important (than)** plus important (que) • **more often/quickly (than)** plus souvent/rapidement (que) 2. plus, davantage 3. • **once/twice more** une fois/deux fois de plus, encore une fois/deux fois. ◼ adj 1. plus de, davantage de • **there are more trains in the morning** il y a plus de trains le matin • **more than 70 people died** plus de 70 personnes ont péri 2. encore (de) • **I finished two more chapters** j'ai fini deux autres ou encore deux chapitres • **have some more tea** prends encore du thé • **we need more money/time** il nous faut plus d'argent/de temps, il nous faut davantage d'argent/de temps. ◼ pron plus, davantage • **more than five** plus de cinq • **he's got more than I have** il en a plus que moi • **no more no less** ni plus ni moins.

◼ **any more** adv • **not... any more** ne... plus.

◼ **more and more** ◼ adv & pron de plus en plus • **more and more depressed** de plus en plus déprimé(e). ◼ adj de plus en plus de • **there are more and more cars on the roads** il y a de plus en plus de voitures sur les routes.

◼ **more or less** adv 1. plus ou moins 2. environ, à peu près.

◼ **not... any more** adv • **we don't go there any more** nous n'y allons plus • **he still works here, doesn't he? – not any more (he doesn't)** il travaille encore ici, n'est-ce pas ? – non, plus maintenant.

moreover [mɔː'rəʊvər] adv de plus.

morgue [mɔg] n morgue f.

Mormon ['mɔːmən] n mormon m, -e f.

morning ['mɔːnɪŋ] n 1. matin m 2. matinée f • **I work in the morning** je travaille le matin • **I'll do it tomorrow morning** ou **in the morning** je le ferai demain matin.

◼ **mornings** adv le matin.

Moroccan [mə'rɒkən] ◼ adj marocain(e). ◼ n Marocain m, -e f.

Morocco [mə'rɒkəʊ] n Maroc m.

moron ['mɔːrɒn] n fam idiot m, -e f, crétin m, -e f.

morose [mə'rəʊs] adj morose.

morphine ['mɔfiːn] n morphine f.

Morse (code) [mɔs-] n morse m.

morsel ['mɔsl] n bout m, morceau m.

mortal ['mɔːtl] ◼ adj mortel(elle). ◼ n mortel m, -elle f.

mortality [mɔ'tælətɪ] n mortalité f.

mortar ['mɔtər] n mortier m.

mortgage ['mɔːgɪdʒ] ◼ n emprunt-logement m. ◼ vt hypothéquer.

mortified ['mɔtɪfaɪd] adj mortifié(e).

mortuary ['mɔtʃʊərɪ] n morgue f.

mosaic [mə'zeɪɪk] n mosaïque f.

Moscow ['mɒskəʊ] n Moscou.

Moslem ['mɒzləm] vieilli = **Muslim**.

mosque [mɒsk] n mosquée f.

mosquito [mə'skiːtəʊ] (pl **-es** ou **-s**) n moustique m.

moss [mɒs] n mousse f.

most [məʊst] (superlatif de **many**) ◼ adj 1. la plupart de • **most tourists here are German** la plupart des touristes ici sont allemands 2. • **(the) most** le plus de • **she's got (the) most money** c'est elle qui a le plus d'argent. ◼ pron 1. la plupart • **most of the tourists here are German** la plupart des touristes ici sont allemands • **most of them** la plupart d'entre eux 2. • **(the) most** le plus • **at most** au maximum, tout au plus • **to make the most of sthg** profiter de qqch au maximum. ◼ adv 1. • **(the) most** le plus 2. sout très, fort.

À PROPOS DE...

most

Notez que, lorsque *most* veut dire « la majorité » ou « la majorité de », il n'est jamais précédé de *the* (*most people don't go to work on Sundays* ; *most of my friends go to the same school as me*).

mostly ['məʊstlɪ] adv principalement, surtout.

MOT (UK) n (abr de **Ministry of Transport (test)**), contrôle technique annuel obligatoire pour les véhicules de plus de trois ans.

motel [məʊ'tel] n motel m.

moth [mɒθ] *n* **1.** papillon *m* de nuit **2.** mite *f*.

mothball ['mɒθbɔl] *n* boule *f* de naphtaline.

mother ['mʌðəʳ] ◼ *n* mère *f*. ◼ *vt* materner, dorloter.

motherhood ['mʌðəhʊd] *n* maternité *f*.

mother-in-law (*pl* **mothers-in-law**) *n* belle-mère *f*.

motherly ['mʌðəlɪ] *adj* maternel(elle).

mother-of-pearl *n* nacre *f*.

mother-to-be (*pl* **mothers-to-be**) *n* future maman *f*.

mother tongue *n* langue *f* maternelle.

motif [məʊ'tiːf] *n* motif *m*.

motion ['məʊʃn] ◼ *n* **1.** mouvement *m* • **to set sthg in motion** mettre qqch en branle **2.** POLIT motion *f*. ◼ *vt* • **to motion sb to do sthg** faire signe à qqn de faire qqch. ◼ *vi* • **to motion to sb** faire signe à qqn.

motionless ['məʊʃənlɪs] *adj* immobile.

motion picture *n* (US) film *m*.

motivated ['məʊtɪveɪtɪd] *adj* motivé(e).

motivation [,məʊtɪ'veɪʃn] *n* motivation *f*.

motive ['məʊtɪv] *n* **1.** motif *m* **2.** DR mobile *m*.

motley ['mɒtlɪ] *adj péj* hétéroclite.

motor ['məʊtəʳ] ◼ *adj* automobile. ◼ *n* moteur *m*.

motorbike ['məʊtəbaɪk] *n* (UK) *fam* moto *f*.

motorboat ['məʊtəbəʊt] *n* canot *m* automobile.

motor car *n* (UK) *vieilli* automobile *f*, voiture *f*.

motorcycle ['məʊtə,saɪkl] *n* moto *f*.

motorcyclist ['məʊtə,saɪklɪst] *n* motocycliste *mf*.

motorist ['məʊtərɪst] *n* automobiliste *mf*.

motor racing *n* (*indén*) (UK) course *f* automobile.

motor scooter *n* scooter *m*.

motorsport ['məʊtəspɔt] *n* sport *m* mécanique.

motor vehicle *n* véhicule *m* automobile.

motorway ['məʊtəweɪ] (UK) *n* autoroute *f*.

mottled ['mɒtld] *adj* **1.** tacheté (e) **2.** (*peau*) marbré(e).

motto ['mɒtəʊ] (*pl* **-s** *ou* **-es**) *n* devise *f*.

mould (UK), **mold** (US) [məʊld] ◼ *n* **1.** moisissure *f* **2.** moule *m*. ◼ *vt* **1.** mouler, modeler **2.** *fig* former, façonner.

moulding (UK), **molding** (US) ['məʊldɪŋ] *n* moulure *f*.

mouldy (UK), **moldy** (US) ['məʊldɪ] *adj* moisi(e).

moult (UK), **molt** (US) [məʊlt] *vi* muer.

mound [maʊnd] *n* **1.** tertre *m*, butte *f* **2.** tas *m*, monceau *m*.

mount [maʊnt] ◼ *n* **1.** monture *f* (*d'un bijou*) **2.** support *m* **3.** (*cheval*) monture *f* **4.** mont *m*. ◼ *vt* monter • **to mount a horse** monter sur un cheval • **to mount a bike** monter sur *ou* enfourcher un vélo. ◼ *vi* **1.** monter, augmenter **2.** (*équitation*) se mettre en selle.

mountain ['maʊntɪn] *n litt* & *fig* montagne *f*.

mountain bike *n* VTT *m*.

mountaineer [,maʊntɪ'nɪəʳ] *n* alpiniste *mf*.

mountaineering [,maʊntɪ'nɪərɪŋ] *n* alpinisme *m*.

mountainous ['maʊntɪnəs] *adj* montagneux(euse).

mounted police *n* • **the mounted police** la police montée.

mourn [mɔn] ◼ *vt* pleurer (*la perte de qqn*). ◼ *vi* • **to mourn (for sb)** pleurer (qqn).

mourner ['mɔnəʳ] *n* **1.** parent *m* du défunt **2.** ami *m*, -e *f* du défunt.

mournful ['mɔnfʊl] *adj* **1.** triste **2.** lugubre.

mourning ['mɔːnɪŋ] n deuil m • **in mourning** en deuil.

mouse [maʊs] (pl **mice** [maɪs]) n ZOOL & INFORM souris f.

mouse potato n fam personne qui passe son temps devant l'ordinateur.

mousetrap ['maʊstræp] n souricière f.

mousse [muːs] n mousse f.

moustache [mə'stɑːʃ], **mustache** (US) ['mʌstæʃ] n moustache f.

mouth n [maʊθ] (pl [maʊðz]) **1.** bouche f **2.** gueule f **3.** entrée f (d'une caverne) **4.** embouchure f (d'un fleuve).

mouthful ['maʊθfʊl] n **1.** bouchée f **2.** gorgée f.

mouth organ ['maʊθ,ɔːgən] n harmonica m.

mouthpiece ['maʊθpiːs] n **1.** microphone m **2.** bec m (d'un instrument de musique) **3.** porte-parole m inv.

mouthwash ['maʊθwɒʃ] n eau f dentifrice.

mouth-watering [-,wɔːtərɪŋ] adj alléchant(e).

movable ['muːvəbl] adj mobile.

move [muːv] ▪ n **1.** mouvement m • **to get a move on** fam se remuer, se grouiller **2.** déménagement m **3.** changement m d'emploi **4.** coup m **5.** tour m. ▪ vt **1.** déplacer, bouger **2.** changer de • **to move house** (UK) déménager **3.** émouvoir **4.** • **to move sb to do sthg** inciter qqn à faire qqch. ▪ vi **1.** bouger **2.** déménager **3.** changer d'emploi **4.** agir.
▪ **move about** vi (UK) = **move around**.
▪ **move along** ▪ vt sép faire avancer. ▪ vi se déplacer • **the police asked him to move along** la police lui a demandé de circuler.
▪ **move around** vi **1.** remuer **2.** voyager.
▪ **move away** vi partir.
▪ **move in** vi emménager.
▪ **move on** ▪ vi se remettre en route. ▪ vi (US) se tourner vers l'avenir.
▪ **move out** vi déménager.
▪ **move over** vi s'écarter, se pousser.
▪ **move up** vi **1.** se déplacer **2.** fig • **you've moved up in the world!** tu en as fait du chemin !

moveable ['muːvəbl] = **movable**.

movement ['muːvmənt] n mouvement m.

movie ['muːvɪ] n (surtout US) film m.

movie camera n caméra f.

moving ['muːvɪŋ] adj **1.** émouvant(e), touchant(e) **2.** mobile.

mow [məʊ] (prét **-ed**, pp **-ed** ou **mown**) vt **1.** faucher **2.** tondre.
▪ **mow down** vt sép faucher.

mower ['məʊər] n tondeuse f à gazon.

mown [məʊn] pp ▷ **mow**.

MP n **1.** (abr de **Military Police**) PM **2.** (UK) (abr de **Member of Parliament**) ≃ député m.

mpg (abr de **miles per gallon**) n miles au gallon.

mph (abr de **miles per hour**) n miles à l'heure.

Mr ['mɪstər] n **1.** Monsieur m **2.** M.

Mrs ['mɪsɪz] n **1.** Madame f **2.** Mme.

MS n (abr de **multiple sclerosis**) SEP f.

Ms [mɪz] n titre que les femmes peuvent utiliser au lieu de madame ou mademoiselle pour éviter la distinction entre les femmes mariées et les célibataires.

MSc (abr de **Master of Science**) n (titulaire d'une) maîtrise de sciences.

MSP n abrév de **Member of the Scottish Parliament**.

much [mʌtʃ] adj (comp **more**, superl **most**)

s'utilise généralement avec des indénombrables au singulier

• **there isn't much rice left** il ne reste pas beaucoup de riz
• **as much money as...** autant d'argent que...
• **too much** trop de
• **how much...?** combien de... ?
• **how much do you earn?** tu gagnes combien ?

much pron

• **I don't think much of his new house** sa nouvelle maison ne me plaît pas trop
• **too much** trop
• **I'm not much of a cook** je suis un piètre cuisinier
• **so much for all my hard work** tout ce travail pour rien
• **I thought as much** c'est bien ce que je pensais.

much *adv*

- **I don't go out much** je ne sors pas beaucoup *ou* souvent
- **it doesn't interest me much** ça ne m'intéresse pas beaucoup
- **thank you very much** merci beaucoup
- **without so much as...** sans même...

■ **much as** *conj*

- **much as I wanted to go, I had to stay in and finish my homework** même si j'avais envie d'y aller, j'ai dû rester et finir mes devoirs.

À PROPOS DE... much

On trouve **much** principalement dans les questions (*is there much traffic in town today?*) et les tournures négatives (*I haven't got much money*). Dans les phrases affirmatives, on tend en revanche à utiliser *a lot (of)* et *lots (of)*, même si l'on trouve également **much** dans les expressions *too much*, *how much* et *so much*. Voir aussi *lot, plenty.*

muck [mʌk] *fam n (indén)* **1.** saletés *fpl* **2.** fumier *m*.
■ **muck about, muck around** *fam* ■ *vt sép* • **to muck sb about** faire perdre son temps à qqn. ■ *vi* traîner.
■ **muck up** *vt sép fam* gâcher.

mucky ['mʌkɪ] *adj* **1.** sale **2.** *(UK) fam* pornographique.

mucus ['mju:kəs] *n* mucus *m*.

mud [mʌd] *n* boue *f*.

muddle ['mʌdl] ■ *n* désordre *m*, fouillis *m*. ■ *vt* **1.** mélanger **2.** embrouiller.
■ **muddle along** *vi* se débrouiller tant bien que mal.
■ **muddle through** *vi* se tirer d'affaire, s'en sortir tant bien que mal.
■ **muddle up** *vt sép* mélanger.

muddy ['mʌdɪ] ■ *adj* boueux(euse). ■ *vt fig* embrouiller.

mudguard ['mʌdgɑːd] *n* garde-boue *m inv*.

mudslinging ['mʌd,slɪŋɪŋ] *n (indén) fig* attaques *fpl*.

muesli ['mju:zlɪ] *n* muesli *m*.

muff [mʌf] ■ *n* manchon *m*. ■ *vt fam* louper.

muffin ['mʌfɪn] *n* muffin *m*.

muffle ['mʌfl] *vt* étouffer.

muffler ['mʌflər] *n (US)* silencieux *m*.

mug [mʌg] ■ *n* **1.** (grande) tasse *f* **2.** *(UK) fam* andouille *f*, bonne poire *f*. ■ *vt* agresser.

mugging ['mʌgɪŋ] *n* agression *f*.

muggy ['mʌgɪ] *adj* lourd(e), moite.

mule [mju:l] *n* mule *f*.

mull [mʌl] ■ **mull over** *vt sép* ruminer, réfléchir à.

mulled [mʌld] *adj* • **mulled wine** vin *m* chaud.

multicoloured *(UK)*, **multicolored** *(US)* ['mʌltɪ,kʌləd] *adj* multicolore.

multifaith ['mʌltɪfeɪθ] *adj* multiconfessionnel(le) • **multifaith organization** organisation multiconfessionnelle.

multigym ['mʌltɪdʒɪm] *n* appareil *m* de musculation.

multilateral [,mʌltɪ'lætərəl] *adj* multilatéral(e).

multinational [,mʌltɪ'næʃənl] *n* multinationale *f*.

multiple ['mʌltɪpl] ■ *adj* multiple. ■ *n* multiple *m*.

multiple sclerosis [-sklɪ'rəʊsɪs] *n* sclérose *f* en plaques.

multiplex cinema *(UK)*, **multiplex theater** *(US) n* complexe *m* multisalles.

multiplication [,mʌltɪplɪ'keɪʃn] *n* multiplication *f*.

multiply ['mʌltɪplaɪ] ■ *vt* multiplier. ■ *vi* se multiplier.

multistorey *(UK)*, **multistory** *(US)* [,mʌltɪ'stɔːrɪ] ■ *adj* à étages. ■ *n* parking *m* à étages.

multitude ['mʌltɪtjuːd] *n* multitude *f*.

mum [mʌm] *fam* ■ *n (UK)* maman *f*. ■ *adj* • **to keep mum** ne pas piper mot.

mumble ['mʌmbl] *vt & vi* marmotter.

mummy ['mʌmɪ] *n* **1.** *(UK) fam* maman *f* **2.** momie *f*.

mumps [mʌmps] *n (indén)* oreillons *mpl*.

munch [mʌntʃ] *vt & vi* croquer.

mundane [mʌn'deɪn] *adj* banal(e), ordinaire.

municipal [mjuˈnɪsɪpl] *adj* municipal(e).

municipality [mjuˌnɪsɪˈpælətɪ] *n* municipalité *f*.

mural [ˈmjuːərəl] *n* peinture *f* murale.

murder [ˈmɜːdər] ◼ *n* meurtre *m*. ◼ *vt* assassiner.

murderer [ˈmɜːdərər] *n* meurtrier *m*, assassin *m*.

murderous [ˈmɜːdərəs] *adj* meurtrier (ère).

murky [ˈmɜːkɪ] *adj* 1. sombre 2. *(eau, passé)* trouble.

murmur [ˈmɜːmər] ◼ *n* 1. murmure *m* 2. MÉD souffle *m* au cœur. ◼ *vt* & *vi* murmurer.

muscle [ˈmʌsl] *n* 1. muscle *m* 2. *fig* poids *m*, impact *m*.

muscular [ˈmʌskjʊlər] *adj* 1. musculaire 2. musclé(e).

muse [mjuːz] ◼ *n* muse *f*. ◼ *vi* méditer, réfléchir.

museum [mjuːˈziːəm] *n* musée *m*.

mushroom [ˈmʌʃrʊm] ◼ *n* champignon *m*. ◼ *vi* 1. se développer, grandir 2. *(villes)* pousser comme des champignons.

music [ˈmjuːzɪk] *n* musique *f*.

musical [ˈmjuːzɪkl] ◼ *adj* 1. musical(e) 2. doué(e) pour la musique, musicien(enne). ◼ *n* comédie *f* musicale.

musical instrument *n* instrument *m* de musique.

music centre (UK), **music center** (US) *n* chaîne *f* compacte.

music hall *n* (UK) music-hall *m*.

musician [mjuːˈzɪʃn] *n* musicien *m*, -enne *f*.

Muslim [ˈmʊzlɪm] ◼ *adj* musulman(e). ◼ *n* Musulman *m*, -e *f*.

muslin [ˈmʌzlɪn] *n* mousseline *f*.

musn't [mʌsnt] = **must not**.

mussel [ˈmʌsl] *n* moule *f*.

must [mʌst] *aux modal*

1. EXPRIME L'OBLIGATION
 • **I must go** je dois partir
 • **you must come and visit** il faut absolument que tu viennes nous voir

2. À LA FORME NÉGATIVE, EXPRIME L'INTERDICTION
 • **you mustn't talk during the lesson** tu ne dois pas parler pendant le cours, c'est interdit de parler pendant le cours

3. EXPRIME UNE FORTE PROBABILITÉ, UNE DÉDUCTION LOGIQUE
 • **Paul is not here today, he must be ill** Paul n'est pas là aujourd'hui, il doit être malade
 • **I must have made a mistake** j'ai dû me tromper
 • **they must have known** ils devaient le savoir
 • **you must be kidding!** vous plaisantez !

4. EXPRIME UNE EMPHASE
 • **I must say, he's really stupid** franchement, il est vraiment stupide.

must *n fam*

• **a must** un must, un impératif.

À PROPOS DE... **must**

Must a la même signification que *have got to* et *have to* lorsqu'il exprime une obligation (*I must get up early tomorrow* = *I have (got) to get up early tomorrow*). Lorsqu'il a ce sens, *must* n'est généralement pas employé dans les questions (*Do I have to/Have I got to get up early tomorrow?*), ni dans les phrases qui expriment la répétition ou l'habitude (*I have to get up early every morning*). *Must* n'a pas non plus de passé (*I had to get up early yesterday*). Ne confondez pas, par exemple, *she mustn't leave* (« elle ne doit pas partir ») et *she doesn't have to leave* (« elle n'est pas obligée de partir »). Voir aussi *need*.

mustache (US) = **moustache**.

mustard [ˈmʌstəd] *n* moutarde *f*.

muster [ˈmʌstər] *vt* rassembler. ◼ *vi* se réunir, se rassembler.

must've [ˈmʌstəv] = **must have**.

musty [ˈmʌstɪ] *adj* 1. *(odeur)* de moisi 2. *(pièce)* qui sent le renfermé *ou* le moisi.

mute [mjuːt] ◼ *adj* muet(ette). ◼ *n* muet *m*, -ette *f*.

muted ['mju:tɪd] *adj* **1.** *(son, couleur)* sourd(e) **2.** *(réaction)* peu marqué(e) **3.** *(protestation)* voilé(e).

mutilate ['mju:tɪleɪt] *vt* mutiler.

mutiny ['mju:tɪnɪ] ◼ *n* mutinerie *f.* ◼ *vi* se mutiner.

mutter ['mʌtər] ◼ *vt* marmonner. ◼ *vi* marmotter, marmonner.

mutton ['mʌtn] *n* CULIN mouton *m.*

mutual ['mju:tʃʊəl] *adj* **1.** réciproque, mutuel(elle) **2.** commun(e).

mutually ['mju:tʃʊəlɪ] *adv* mutuellement, réciproquement.

muzzle ['mʌzl] ◼ *n* **1.** museau *m* **2.** muselière *f* **3.** gueule *f (de canon)*. ◼ *vt litt & fig* museler.

MW *(abr de* **medium wave***)* PO.

my [maɪ] *adj poss* **1.** mon (ma), mes *(pl)* ▪ **my dog** mon chien ▪ **my house** ma maison ▪ **my children** mes enfants ▪ **my name is Joe/Sarah** je m'appelle Joe/Sarah **2.** ▪ **yes, my Lord** oui, monsieur le comte/duc *etc.*

myriad ['mɪrɪəd] *littéraire* ◼ *adj* innombrable. ◼ *n* myriade *f.*

À PROPOS DE...

my

Si vous parlez d'une partie du corps, n'oubliez pas d'utiliser l'adjectif possessif *my*, et non pas *the* (*I closed my eyes*, « j'ai fermé les yeux » ; *I washed my hair*, « je me suis lavé les cheveux »).

myself [maɪ'self] *pron* **1.** *(réfléchi)* me **2.** *(précédé d'une préposition)* moi **3.** *(forme emphatique)* moi-même ▪ **I did it myself** je l'ai fait tout seul.

mysterious [mɪ'stɪərɪəs] *adj* mystérieux (euse).

mystery ['mɪstərɪ] *n* mystère *m.*

mystical ['mɪstɪkl] *adj* mystique.

mystified ['mɪstɪfaɪd] *adj* perplexe.

mystifying ['mɪstɪfaɪɪŋ] *adj* inexplicable, déconcertant(e).

mystique [mɪ'sti:k] *n* mystique *f.*

myth [mɪθ] *n* mythe *m.*

mythical ['mɪθɪkl] *adj* mythique.

mythology [mɪ'θɒlədʒɪ] *n* mythologie *f.*

n [en] (pl **n's** ou **ns**), **N** (pl **N's** ou **Ns**) n n m
inv, N m inv.
■ **N** (abr écrite de **north**) N.

n/a, N/A (abr de **not applicable**) s.o.

nab [næb] vt fam **1.** pincer (arrêter) **2.** attraper, accaparer.

nag [næg] ■ vt harceler. ■ n fam canas-
son m.

nagging ['nægɪŋ] adj **1.** persistant(e), tenace **2.** enquiquineur(euse).

nail [neɪl] ■ n **1.** clou m **2.** ongle m. ■ vt
clouer.
■ **nail down** vt sép **1.** clouer **2.** fig ▪ to
nail sb down to sthg faire préciser qqch
à qqn.

nailbrush ['neɪlbrʌʃ] n brosse f à ongles.

nail file n lime f à ongles.

nail polish n vernis m à ongles.

nail scissors npl ciseaux mpl à ongles.

nail varnish n (UK) vernis m à ongles.

nail varnish remover [-rɪ'mu:vəʳ] n (UK)
dissolvant m.

naive, naïve [naɪ'i:v] adj naïf(ïve).

naked ['neɪkɪd] adj **1.** nu(e) ▪ with the
naked eye à l'œil nu **2.** (émotions) manifeste, évident(e) **3.** (agression) non dégui-
sé(e).

name [neɪm] ■ n **1.** nom m ▪ in my/his
name à mon/son nom ▪ in the name of
peace au nom de la paix ▪ to call sb
names traiter qqn de tous les noms, injurier qqn **2.** réputation f **3.** grand nom
m, célébrité f. ■ vt nommer ▪ to name
sb/sthg after donner à qqn/à qqch le
nom de.

nameless ['neɪmlɪs] adj **1.** inconnu(e),
sans nom **2.** anonyme.

namely ['neɪmlɪ] adv à savoir, c'est-à-
dire.

namesake ['neɪmseɪk] n homonyme m.

nanny ['nænɪ] n (UK) nurse f, bonne f
d'enfants.

nap [næp] ■ n ▪ to have ou take a nap faire un petit somme. ■ vi faire un petit
somme ▪ to be caught napping fam fig
être pris(e) au dépourvu.

nape [neɪp] n nuque f.

napkin ['næpkɪn] n serviette f.

nappy ['næpɪ] n (UK) couche f.

nappy liner n (UK) change m (jetable).

narcissus [nɑː'sɪsəs] (pl **-cissuses** ou **-cissi**
[-sɪsaɪ]) n narcisse m.

narcotic [nɑː'kɒtɪk] n stupéfiant m.

narrative ['nærətɪv] ■ adj narratif(ive).
■ n **1.** récit m, narration f **2.** art m de la
narration.

narrator [(UK) nə'reɪtəʳ, (US) 'næreɪtəʳ] n
narrateur m, -trice f.

narrow ['nærəʊ] ■ adj **1.** étroit(e) ▪ to
have a narrow escape l'échapper belle
2. (majorité) faible. ■ vt **1.** réduire, limiter
2. fermer à demi, plisser (les yeux). ■ vi
litt & fig se rétrécir.
■ **narrow down** vt sép réduire, limiter.

narrowly ['nærəʊlɪ] adv **1.** (gagner, perdre)
de justesse **2.** (manquer, rater) de peu.

narrow-minded [-'maɪndɪd] adj à l'esprit étroit, borné(e).

nasal ['neɪzl] adj nasal(e).

NASDAQ [næzdæk] (abr de **National Association of Securities Dealers Automated
Quotation**) n FIN NASDAQ m.

nasty ['nɑːstɪ] adj **1.** (odeur, impression)
mauvais(e) **2.** (temps) vilain(e), mau-
vais(e) **3.** méchant(e) **4.** (problème, situation) difficile, délicat(e) **5.** (blessure) vi-
lain(e) **6.** (accident) grave **7.** (chute) mau-
vais(e).

nation ['neɪʃn] n nation f.

national ['næʃənl] ■ adj **1.** national(e)
2. à l'échelon national **3.** du pays, de la
nation. ■ n ressortissant m, -e f.

national anthem n hymne m national.

national dress n costume m national.

National Health Service *n* • **the National Health Service** le service national de santé britannique.

National Insurance *(UK)* *n* (indén) **1.** système de sécurité sociale (maladie, retraite) et d'assurance chômage **2.** ≃ contributions *fpl* à la Sécurité sociale.

nationalism ['næʃnəlɪzm] *n* nationalisme *m*.

nationalist ['næʃnəlɪst] ◼ *adj* nationaliste. ◼ *n* nationaliste *mf*.

nationality [,næʃə'nælətɪ] *n* nationalité *f*.

nationalize, -ise ['næʃnəlaɪz] *vt* nationaliser.

national park *n* parc *m* national.

national service *n* service *m* national *ou* militaire.

National Trust *n* *(UK)* • **the National Trust** organisme non gouvernemental assurant la conservation de certains sites et monuments historiques.

nationwide ['neɪʃənwaɪd] ◼ *adj* **1.** dans tout le pays **2.** à l'échelon national. ◼ *adv* à travers tout le pays.

native ['neɪtɪv] ◼ *adj* **1.** *(pays)* natal(e) **2.** *(langue)* maternel(elle) • **a native English speaker** une personne de langue maternelle anglaise **3.** *(plante, animal)* indigène • **native to** originaire de. ◼ *n* **1.** autochtone *mf* **2.** indigène *mf*.

Native American *n* Indien *m*, -enne *f* d'Amérique, Amérindien *m*, -enne *f*.

NATO ['neɪtəʊ] *(abr de* **North Atlantic Treaty Organization)** *n* OTAN *f*.

natural ['nætʃrəl] *adj* **1.** naturel(elle) **2.** inné(e) **3.** *(musicien, footballeur)* né(e).

natural gas *n* gaz *m* naturel.

natural history *n* histoire *f* naturelle.

naturalize, -ise ['nætʃrəlaɪz] *vt* naturaliser • **to be naturalized** se faire naturaliser.

naturally ['nætʃrəlɪ] *adv* **1.** naturellement **2.** sans affectation, avec naturel.

natural wastage *n* (indén) *(UK)* départs *mpl* volontaires.

nature ['neɪtʃər] *n* nature *f* • **by nature** par essence • de nature, naturellement.

nature reserve *n* réserve *f* naturelle.

naughty ['nɔːtɪ] *adj* **1.** vilain(e), méchant(e) **2.** grivois(e).

nausea ['nɔːzjə] *n* nausée *f*.

nauseating ['nɔːsɪeɪtɪŋ] *adj* litt & fig écœurant(e).

nautical ['nɔːtɪkl] *adj* nautique.

naval ['neɪvl] *adj* naval(e).

nave [neɪv] *n* nef *f*.

navel ['neɪvl] *n* nombril *m*.

navigate ['nævɪgeɪt] ◼ *vt* **1.** piloter **2.** gouverner **3.** naviguer sur. ◼ *vi* **1.** NAUT & AÉRON naviguer **2.** AUTO lire la carte.

navigation [,nævɪ'geɪʃn] *n* navigation *f*.

navigator ['nævɪgeɪtər] *n* navigateur *m*.

navvy ['nævɪ] *n* *(UK)* fam vieilli terrassier *m*.

navy ['neɪvɪ] ◼ *n* marine *f*. ◼ *adj* bleu marine *(inv)*.

navy blue ◼ *adj* bleu marine *(inv)*. ◼ *n* bleu *m* marine.

Nazareth ['næzərɪθ] *n* Nazareth.

Nazi ['nɑːtsɪ] ◼ *adj* nazi(e). ◼ *n* *(pl* -s*)* Nazi *m*, -e *f*.

near [nɪər] ◼ *adj* proche • **a near disaster** une catastrophe évitée de justesse *ou* de peu • **in the near future** dans un proche avenir, dans un avenir prochain • **it was a near thing** *(UK)* il était moins cinq • **your nearest and dearest** *hum* vos proches. ◼ *adv* **1.** près **2.** • **near impossible** presque impossible • **nowhere near ready/enough** loin d'être prêt(e)/assez. ◼ *prép* • **near (to)** *(dans l'espace)* près de • *(dans le temps)* près de, vers • **near (to) tears** au bord des larmes • **near (to) death** sur le point de mourir. ◼ *vt* approcher de. ◼ *vi* approcher.

nearby [nɪə'baɪ] ◼ *adj* proche. ◼ *adv* tout près, à proximité.

nearly ['nɪəlɪ] *adv* presque • **I nearly fell** j'ai failli tomber • **not nearly enough/as good** loin d'être suffisant(e)/aussi bon (bonne).

near miss *n* **1.** SPORT coup *m* qui a raté de peu **2.** quasi-collision *f*.

nearside ['nɪəsaɪd] *(UK)* *n* **1.** AUTO côté *m* gauche **2.** AUTO côté droit.

nearsighted [,nɪə'saɪtɪd] *adj* *(US)* myope.

neat [niːt] *adj* **1.** *(maison, chambre)* bien tenu(e), en ordre **2.** *(travail)* soigné(e) **3.** *(écriture)* net(nette) **4.** *(solution)* habile, ingénieux(euse) **5.** *(US)* fam chouette, super *(inv)*.

neatly ['niːtlɪ] *adv* **1.** *(arranger)* avec ordre **2.** *(écrire)* soigneusement **3.** *(s'habiller)* avec soin **4.** habilement, adroitement.

nebulous ['nebjʊləs] *adj* nébuleux (euse).

necessarily [*(UK)* 'nesəsrəlɪ, *(US)* ˌnesə-'serɪlɪ] *adv* forcément, nécessairement.

necessary ['nesəsrɪ] *adj* **1.** nécessaire, indispensable • **to make the necessary arrangements** faire le nécessaire **2.** inévitable, inéluctable.

necessity [nɪ'sesətɪ] *n* nécessité *f* • **of necessity** inévitablement, fatalement.

neck [nek] ▪ *n* **1.** ANAT cou *m* **2.** encolure *f* **3.** col *m*, goulot *m* (*d'une bouteille*). ▪ *vi fam vieilli* se bécoter.

necklace ['neklɪs] *n* collier *m*.

neckline ['neklaɪn] *n* encolure *f*.

necktie ['nektaɪ] *n (US) sout* cravate *f*.

nectarine ['nektərɪn] *n* brugnon *m*, nectarine *f*.

---

need [niːd] *n*

EXPRIME UN BESOIN, UNE NÉCESSITÉ

• **there's no need to get up** ce n'est pas la peine de te lever
• **there's no need for such language** tu n'as pas besoin d'être grossier
• **need for sthg/to do sthg** besoin de qqch/de faire qqch
• **to be in** *ou* **have need of sthg** *sout* avoir besoin de qqch
• **if need be** si besoin est, si nécessaire
• **in need** dans le besoin.

need *vt*

1. EXPRIME UN BESOIN

• **he needs new shoes** il a besoin de nouvelles chaussures
• **the kitchen needs repainting** *ou* **to be repainted** la cuisine a besoin d'être repeinte

2. EXPRIME UNE OBLIGATION

• **I need to leave right away** je dois partir tout de suite
• **to need to do sthg** être obligé(e) de faire qqch.

need *aux modal*

fonctionne comme un auxiliaire

• **need we go?** faut-il qu'on y aille ?
• **it need not happen** cela ne doit pas forcément se produire
• **you needn't shout!** ce n'est pas la peine de crier !

À PROPOS DE... need

Need peut s'employer avec un participe présent : *my car needs washing* (= *my car needs to be washed*). Il s'agit d'une construction très fréquente.

Need, utilisé dans les questions (*need we finish this today?*), leur donne un ton très soutenu, c'est pourquoi il est souvent remplacé par *have to* ou *have got to* (*do we have to/have we got to finish this today?*).

Dans les tournures négatives, *needn't* signifie « il n'est pas nécessaire de... » (*you needn't get up early tomorrow*). Comparez avec *mustn't*, qui signifie « il est nécessaire de ne pas... » (*you mustn't make so much noise, you'll wake the baby*).

---

needle ['niːdl] ▪ *n* **1.** aiguille *f* **2.** saphir *m* (*d'électrophone*). ▪ *vt fam* asticoter, lancer des piques à.

needless ['niːdlɪs] *adj* **1.** inutile **2.** *(remarque)* déplacé(e) • **needless to say...** bien entendu...

needlework ['niːdlwɜːk] *n* **1.** travail *m* d'aiguille **2.** *(indén)* couture *f*.

needn't ['niːdnt] = **need not**.

needy ['niːdɪ] *adj* nécessiteux(euse), indigent(e).

negative ['negətɪv] ▪ *adj* négatif(ive). ▪ *n* **1.** négatif *m* **2.** négation *f* • **to answer in the negative** répondre négativement *ou* par la négative.

neglect [nɪ'glekt] ▪ *n* **1.** mauvais entretien *m* **2.** manque *m* de soins **3.** manquement *m* (*au devoir*). ▪ *vt* **1.** négliger **2.** laisser à l'abandon.

neglectful [nɪ'glektfʊl] *adj* négligent(e).

negligee ['neglɪʒeɪ] *n* déshabillé *m*, négligé *m*.

negligence ['neglɪdʒəns] *n* négligence *f*.

negligible ['neglɪdʒəbl] *adj* négligeable.

negotiate [nɪ'gəʊʃɪeɪt] ▪ *vt* **1.** COMM & POLIT négocier **2.** franchir (*un obstacle*) **3.** prendre, négocier (*un virage*). ▪ *vi* négocier • **to negotiate with sb (for sthg)** engager des négociations avec qqn (pour obtenir qqch).

negotiation [nɪ,gəʊʃɪ'eɪʃn] *n* négociation *f*.

Negress ['niːgrɪs] *n* négresse *f (attention : le terme 'Negress' est considéré comme raciste).*

Negro ['niːgrəʊ] ◗ *adj* noir(e). ◗ *n (pl* -es) Noir *m (attention : le terme 'Negro' est considéré comme raciste).*

neigh [neɪ] *vi* hennir.

neighbour *(UK)*, **neighbor** *(US)* ['neɪbər] *n* voisin *m*, -e *f*.

neighbourhood *(UK)*, **neighborhood** *(US)* ['neɪbəhʊd] *n* **1.** voisinage *m*, quartier *m* **2.** ◗ **in the neighbourhood of £300** environ 300 livres, dans les 300 livres.

neighbouring *(UK)*, **neighboring** *(US)* ['neɪbərɪŋ] *adj* avoisinant(e).

neighbourly *(UK)*, **neighborly** *(US)* ['neɪbəlɪ] *adj* bon voisin(bonne voisine).

neither ['naɪðər *OU* 'niːðər] ◗ *adv* ◗ **neither good nor bad** ni bon ni mauvais ◗ **that's neither here nor there** cela n'a rien à voir. ◗ *pron* & *adj* ni l'un ni l'autre(ni l'une ni l'autre). ◗ *conj* ◗ **neither do I** moi non plus.

neither

Lorsque *neither* est un adjectif, il apparaît toujours devant des noms dénombrables (*neither dictionary ; neither alternative*).
Lorsque *neither* est le sujet de la phrase, ou qu'il accompagne un nom qui est le sujet, le verbe est toujours au singulier (*neither film appeals to me ; neither appeals to me*). Notez que le verbe est toujours à la forme affirmative.
Neither of peut être suivi d'un verbe, soit au singulier soit au pluriel (*neither of us like/likes blue*).
Lorsque *neither... nor* accompagne le sujet de la phrase, le verbe est toujours au singulier (*neither John nor Deborah is coming tonight*).

neon ['niːɒn] *n* néon *m*.

neon light *n* néon *m*, lumière *f* au néon.

nephew ['nefjuː] *n* neveu *m*.

Neptune ['neptjuːn] *n* Neptune *f*.

nerve [nɜːv] *n* **1.** ANAT nerf *m* **2.** courage *m*, sang-froid *m inv* ◗ **to lose one's nerve** se dégonfler, flancher **3.** culot *m*, toupet *m*.
◗ **nerves** *npl* nerfs *mpl* ◗ **to get on sb's nerves** taper sur les nerfs de qqn.

nerve-racking [-,rækɪŋ] *adj* angoissant (e), éprouvant(e).

nervous ['nɜːvəs] *adj* **1.** nerveux(euse) **2.** inquiet(ète) **3.** qui a le trac ◗ **to be nervous about sthg** appréhender qqch.

nervous breakdown *n* dépression *f* nerveuse.

nest [nest] ◗ *n* nid *m* ◗ **nest of tables** table *f* gigogne. ◗ *vi* faire son nid, nicher.

nest egg *n* pécule *m*, bas *m* de laine.

nestle ['nesl] *vi* se blottir.

net¹ [net] ◗ *adj* net (nette) ◗ **net result** résultat final. ◗ *n* **1.** filet *m* **2.** voile *m*, tulle *m*. ◗ *vt* **1.** prendre au filet **2.** FIN *(personne)* toucher net, gagner net **3.** FIN *(affaire)* rapporter net.

net², **Net** [net] *n* ◗ **the net** le Net ◗ **to surf the net** surfer sur le Net.

netball ['netbɔːl] *n* netball *m*.

net curtains *npl (UK)* voilage *m*.

Netherlands ['neðələndz] *npl* ◗ **the Netherlands** les Pays-Bas *mpl*.

net profit *n* bénéfice *m* net.

net revenue *n (US)* chiffre *m* d'affaires.

net surfer, Net surfer *n* internaute *mf*.

nett [net] *adj (UK)* = **net**¹.

netting ['netɪŋ] *n* **1.** grillage *m* **2.** voile *m*, tulle *m*.

nettle ['netl] *n* ortie *f*.

network ['netwɜːk] ◗ *n* réseau *m*. ◗ *vt* RADIO & TV diffuser.

neurosis [,njʊə'rəʊsɪs] *(pl* -ses [-siːz]) *n* névrose *f*.

neurotic [,njʊə'rɒtɪk] ◗ *adj* névrosé(e). ◗ *n* névrosé *m*, -e *f*.

neuter ['njuːtər] ◗ *adj* neutre. ◗ *vt* châtrer.

neutral ['njuːtrəl] ◗ *adj* neutre. ◗ *n* AUTO point *m* mort.

neutrality [njuː'trælətɪ] *n* neutralité *f*.

neutralize, -ise ['njuːtrəlaɪz] *vt* neutraliser.

never ['nevər] *adv* jamais... ne, ne... jamais ◗ **never ever** jamais, au grand jamais ◗ **well I never!** ça par exemple !

never-ending *adj* interminable.

nevertheless [,nevəðə'les] *adv* néanmoins, pourtant.

new *adj* [nju:] **1.** nouveau(elle) • **there's nothing new under the sun** *prov* (il n'y a) rien de nouveau sous le soleil **2.** neuf(neuve) • **as good as new** comme neuf.

■ **news** *n* [nju:z] (*indén*) **1.** nouvelle *f* • **a piece of news** une nouvelle • **that's news to me** première nouvelle **2.** TV journal *m* télévisé **3.** RADIO informations *fpl*.

newborn ['nju:bɔn] *adj* nouveau-né(e).

newcomer ['nju:,kʌmər] *n* nouveau-venu *m*, nouvelle-venue *f*.

newfangled [,nju:'fæŋgld] *adj fam péj* ultramoderne, trop moderne.

newfound *adj* récent(e), de fraîche date.

newly ['nju:lɪ] *adv* récemment, fraîchement.

newlyweds ['nju:lɪwedz] *npl* nouveaux *ou* jeunes mariés *mpl*.

new moon *n* nouvelle lune *f*.

news agency *n* agence *f* de presse.

newsagent (*UK*) ['nju:zeɪdʒənt], **newsdealer** (*US*) ['nju:zdi:lər] *n* marchand *m* de journaux.

newscaster ['nju:zkɑ:stər] *n* présentateur *m*, -trice *f*.

newsdealer (*US*) = **newsagent**.

newsflash ['nju:zflæʃ] *n* flash *m* d'information.

newsletter ['nju:z,letər] *n* bulletin *m*.

newspaper ['nju:z,peɪpər] *n* journal *m*.

newsprint ['nju:zprɪnt] *n* papier *m* journal.

newsreader ['nju:z,ri:dər] *n* (*UK*) présentateur *m*, -trice *f*.

newsreel ['nju:zri:l] *n* actualités *fpl* filmées.

newsstand ['nju:zstænd] *n* kiosque *m* à journaux.

newt [nju:t] *n* ZOOL triton *m*.

new town *n* ville *f* nouvelle.

New Year *n* nouvel an *m*, nouvelle année *f* • **Happy New Year!** bonne année !

New Year's Day *n* jour *m* de l'an, premier *m* de l'an.

New Year's Eve *n* la Saint-Sylvestre.

New York [-'jɔk] *n* **1.** • **New York (City)** New York **2.** • **New York (State)** l'État *m* de New York.

New Zealand [-'zi:lənd] *n* Nouvelle-Zélande *f*.

New Zealander [-'zi:ləndər] *n* Néo-Zélandais *m*, -e *f*.

next [nekst] ■ *adj* **1.** prochain(e) **2.** (*chambre*) d'à côté **3.** (*page*) suivant(e) • **next Tuesday** mardi prochain • **next time** la prochaine fois • **next week** la semaine prochaine • **the next week** la semaine suivante *ou* d'après • **next, please!** au suivant ! • **the day after next** le surlendemain • **the week after next** dans deux semaines. ■ *adv* **1.** ensuite, après **2.** la prochaine fois **3.** (*avec superlatif*) • **he's the next biggest after Dan** c'est le plus grand après *ou* à part Dan.

■ **next to** *prép* à côté de • **it cost next to nothing** cela a coûté une bagatelle *ou* trois fois rien • **I know next to nothing** je ne sais presque *ou* pratiquement rien.

next door *adv* à côté.

■ **next-door** *adj* • **next-door neighbour** voisin *m*, -e *f* d'à côté.

next of kin *n* plus proche parent *m*.

NF *n* (*abr de* **National Front**) ≃ FN *m*.

NHS (*abr de* **National Health Service**) *n* service national de santé en Grande-Bretagne, ≃ Sécurité sociale *f*.

NI *n abrév de* **National Insurance**.

nib [nɪb] *n* plume *f*.

nibble ['nɪbl] *vt* grignoter, mordiller.

Nicaragua [,nɪkə'rægjuə] *n* Nicaragua *m*.

nice [naɪs] *adj* **1.** bon(bonne) **2.** beau (belle) **3.** joli(e) **4.** gentil(ille), sympathique • **to be nice to sb** être gentil *ou* aimable avec qqn.

nice-looking [-'lʊkɪŋ] *adj* joli(e), beau (belle).

nicely ['naɪslɪ] *adv* **1.** bien **2.** joliment • **that will do nicely** cela fera très bien l'affaire **3.** poliment, gentiment **4.** (*se comporter*) bien.

niche [ni:ʃ] *n* **1.** niche *f* **2.** *fig* bonne situation *f*, voie *f*.

nick [nɪk] ■ *n* entaille *f*, coupure *f* • **in the nick of time** juste à temps. ■ *vt* **1.** couper, entailler **2.** (*UK*) *fam* piquer, faucher **3.** (*UK*) *fam* pincer, choper.

nickel ['nɪkl] n 1. nickel m 2. (US) pièce f de cinq cents.

nickname ['nɪkneɪm] ◼ n sobriquet m, surnom m. ◼ vt surnommer.

nicotine ['nɪkətiːn] n nicotine f.

niece [niːs] n nièce f.

Nigeria [naɪ'dʒɪərɪə] n Nigeria m.

Nigerian [naɪ'dʒɪərɪən] ◼ adj nigérian(e). ◼ n Nigérian m, -e f.

niggle ['nɪgl] vt 1. (UK) tracasser 2. faire des réflexions à, critiquer.

night [naɪt] n 1. nuit f ◦ at night la nuit 2. soir m ◦ at night le soir ◦ to have an early night se coucher de bonne heure ◦ to have a late night veiller, se coucher tard. ◼ nights adv 1. (US) la nuit 2. (UK) ◦ to work nights travailler ou être de nuit.

nightcap ['naɪtkæp] n boisson alcoolisée que l'on prend avant de se coucher.

night class n (US) = **evening class**.

nightclub ['naɪtklʌb] n boîte f de nuit.

nightdress ['naɪtdres] n chemise f de nuit.

nightfall ['naɪtfɔl] n tombée f de la nuit ou du jour.

nightgown ['naɪtgaʊn] n chemise f de nuit.

nightie ['naɪtɪ] n fam chemise f de nuit.

nightingale ['naɪtɪŋgeɪl] n rossignol m.

nightlife ['naɪtlaɪf] n vie f nocturne, activités fpl nocturnes.

nightly ['naɪtlɪ] adj & adv toutes les nuits, tous les soirs.

nightmare ['naɪtmeəʳ] n litt & fig cauchemar m.

night porter n (UK) veilleur m de nuit.

night school n (indén) cours mpl du soir.

night shift n poste m de nuit.

nightshirt ['naɪtʃɜːt] n chemise f de nuit d'homme.

nighttime ['naɪttaɪm] n nuit f.

nil [nɪl] n 1. néant m 2. (UK) SPORT zéro m.

Nile [naɪl] n ◦ **the Nile** le Nil.

nimble ['nɪmbl] adj 1. agile, leste 2. fig (esprit) vif(vive).

nine [naɪn] num neuf. ◦ voir aussi **six**

nineteen [ˌnaɪn'tiːn] num dix-neuf. ◦ voir aussi **six**

ninety ['naɪntɪ] num quatre-vingt-dix. ◦ voir aussi **sixty**

ninth [naɪnθ] num neuvième. ◦ voir aussi **sixth**

nip [nɪp] ◼ n 1. pinçon m 2. morsure f 3. goutte f, doigt m (d'alcool). ◼ vt 1. pincer 2. mordre.

nipple ['nɪpl] n 1. bout m de sein, mamelon m 2. (US) tétine f.

nit [nɪt] n 1. lente f 2. (UK) fam idiot m, -e f, crétin m, -e f.

nitpicking ['nɪtpɪkɪŋ] n fam ergotage m, pinaillage m.

nitrogen ['naɪtrədʒən] n azote m.

nitty-gritty [ˌnɪtɪ'grɪtɪ] n fam ◦ to get down to the nitty-gritty en venir à l'essentiel ou aux choses sérieuses.

no [nəʊ] ◼ adv 1. non 2. mais non 3. ◦ no bigger/smaller pas plus grand/petit ◦ no better pas mieux. ◼ adj aucun(e), pas de ◦ there's no telling what will happen impossible de dire ce qui va se passer ◦ he's no friend of mine je ne le compte pas parmi mes amis. ◼ n (pl noes [nəʊz]) non m ◦ she won't take no for an answer elle n'accepte pas qu'on lui dise non.

À PROPOS DE...

no

Lorsque *no* est un adjectif, il peut s'employer avec des noms dénombrables ou indénombrables (*no bread ; no books*).
Dans une phrase où *no* est un adjectif, le verbe est à la forme affirmative (*no changes have occurred ; that's no problem*).
N'oubliez pas que *no* n'est jamais un pronom. C'est *none* qu'il faut utiliser pour remplir cette fonction (*there are no cookies left – there are none left*).
Voir aussi *some*.

nobility [nə'bɪlətɪ] n noblesse f.

noble ['nəʊbl] ◼ adj noble. ◼ n noble m.

nobody ['nəʊbədɪ] ◼ pron personne, aucun(e). ◼ n péj rien-du-tout mf, moins que rien m.

nocebo [nəʊsɪ'bəʊ] n substance inoffensive que l'on associe néanmoins à des effets nocifs ou gênants.

nocturnal [nɒk'tɜːnl] adj nocturne.

nod [nɒd] ■ *vt* • **to nod one's head** incliner la tête, faire un signe de tête. ■ *vi* **1.** faire un signe de tête affirmatif, faire signe que oui **2.** faire un signe de tête *(pour indiquer qqch)* **3.** • **to nod to sb** saluer qqn d'un signe de tête.
■ **nod off** *vi fam* somnoler, s'assoupir.

noise [nɔɪz] *n* bruit *m*.

noisy ['nɔɪzɪ] *adj* bruyant(e).

no-man's-land *n* no man's land *m*.

nominal ['nɒmɪnl] *adj* **1.** de nom seulement, nominal(e) **2.** nominal(e), insignifiant(e).

nominate ['nɒmɪneɪt] *vt* **1.** • **to nominate sb (for/as sthg)** proposer qqn (pour/comme qqch) **2.** • **to nominate sb (as sthg)** nommer qqn (qqch) • **to nominate sb (to sthg)** nominer qqn (à qqch).

nominee [ˌnɒmɪ'niː] *n* personne *f* nommée *ou* désignée.

non- [nɒn] *préf* non-.

nonalcoholic [ˌnɒnælkə'hɒlɪk] *adj* non-alcoolisé(e).

nonaligned [ˌnɒnə'laɪnd] *adj* non-aligné(e).

nonchalant [*(UK)* 'nɒnʃələnt, *(US)* ˌnɒnʃə'lɑːnt] *adj* nonchalant(e).

noncommittal [ˌnɒnkə'mɪtl] *adj* évasif(ive).

nonconformist [ˌnɒnkən'fɔːmɪst] ■ *adj* non-conformiste. ■ *n* non-conformiste *mf*.

nondescript [*(UK)* 'nɒndɪskrɪpt, *(US)* ˌnɒndɪ'skrɪpt] *adj* quelconque, terne.

none [nʌn] ■ *pron* **1.** aucun(e) • **there was none left** il n'y en avait plus, il n'en restait plus • **I'll have none of your nonsense** je ne tolérerai pas de bêtises de ta part **2.** personne, nul(nulle). ■ *adv* • **none the worse/wiser** pas plus mal/avancé(e) • **none the better** pas mieux. ■ **none too** *adv* pas tellement *ou* trop.

nonentity [nɒ'nentətɪ] *n* nullité *f*, zéro *m*.

nonetheless [ˌnʌnðə'les] *adv* néanmoins, pourtant.

non-event *n* événement *m* raté *ou* décevant.

nonexistent [ˌnɒnɪg'zɪstənt] *adj* inexistant(e).

nonfiction [ˌnɒn'fɪkʃn] *n* (*indén*) ouvrages *mpl* non romanesques.

À PROPOS DE...

none

N'oubliez pas que *none* n'est jamais un adjectif. C'est *no* qu'il faut utiliser pour remplir cette fonction *(there are none left – there are no cookies left)*.
Dans une phrase où *none* est un pronom, le verbe est à la forme affirmative *(none of this is your fault)*.
Voir aussi *no, some*.

no-nonsense *adj* direct(e), sérieux (euse).

nonpayment [ˌnɒn'peɪmənt] *n* non-paiement *m*.

nonplussed, nonplused [ˌnɒn'plʌst] *adj* déconcerté(e), perplexe.

nonreturnable [ˌnɒnrɪ'tɜːnəbl] *adj* non consigné(e).

nonsense ['nɒnsəns] ■ *n* (*indén*) **1.** charabia *m* **2.** • **it was nonsense to suggest...** il était absurde de suggérer... **3.** bêtises *fpl*, idioties *fpl* • **to make (a) nonsense of sthg** gâcher *ou* saboter qqch. ■ *interj* quelles bêtises *ou* foutaises !

nonsensical [nɒn'sensɪkl] *adj* absurde, qui n'a pas de sens.

nonsmoker [ˌnɒn'sməʊkəʳ] *n* non-fumeur *m*, -euse *f*, personne *f* qui ne fume pas.

nonstick [ˌnɒn'stɪk] *adj* (*poêle*) qui n'attache pas, téflonisé(e).

nonstop [ˌnɒn'stɒp] ■ *adj* **1.** (*vol*) direct(e), sans escale **2.** (*activité*) continu(e) **3.** (*pluie*) continuel(elle). ■ *adv* **1.** sans arrêt **2.** sans discontinuer.

noodles ['nuːdlz] *npl* nouilles *fpl*.

nook [nʊk] *n* coin *m*, recoin *m* • **every nook and cranny** tous les coins, les coins et les recoins.

noon [nuːn] *n* midi *m*.

no one *pron* = **nobody**.

noose [nuːs] *n* nœud *m* coulant.

noplace *(US)* ['nəʊpleɪs] = **nowhere**.

nor [nɔːʳ] *conj* • **nor do I** moi non plus
▷ **neither**.

norm [nɔːm] *n* norme *f*.

normal ['nɔːml] *adj* normal(e).

normality [nɔː'mælɪtɪ], **normalcy** ['nɔːmlsɪ] *n* normalité *f*.

normally ['nɔːməlɪ] *adv* normalement.

Normandy ['nɔːməndɪ] *n* Normandie *f*.

north [nɔːθ] ◼ *n* **1.** nord *m* **2.** • **the north** le nord. ◼ *adj* **1.** nord *(inv)* **2.** du nord. ◼ *adv* au nord, vers le nord • **north of** au nord de.

North Africa *n* Afrique *f* du Nord.

North America *n* Amérique *f* du Nord.

North American ◼ *adj* nord-américain(e). ◼ *n* Nord-Américain *m*, -e *f*.

northeast [,nɔːθ'iːst] ◼ *n* **1.** *(direction)* nord-est *m* **2.** *(région)* • **the northeast** le nord-est. ◼ *adj* **1.** nord-est *(inv)* **2.** *(wind)* du nord-est. ◼ *adv* au nord-est, vers le nord-est • **northeast of** au nord-est de.

northerly ['nɔːðəlɪ] *adj* du nord • **in a northerly direction** vers le nord, en direction du nord.

northern ['nɔːðən] *adj* du nord, nord *(inv)*.

Northern Ireland *n* Irlande *f* du Nord.

northernmost ['nɔːðənməʊst] *adj* le plus au nord(la plus au nord), à l'extrême nord.

North Korea *n* Corée *f* du Nord.

North Pole *n* • **the North Pole** le pôle Nord.

North Sea *n* • **the North Sea** la mer du Nord.

northward ['nɔːθwəd] ◼ *adj* au nord. ◼ *adv* = **northwards**.

northwards ['nɔːθwədz] *adv* au nord, vers le nord.

northwest [,nɔːθ'west] ◼ *n* **1.** *(direction)* nord-ouest *m* **2.** *(région)* • **the northwest** le nord-ouest. ◼ *adj* **1.** nord-ouest *(inv)* **2.** *(vent)* du nord-ouest. ◼ *adv* au nord-ouest, vers le nord-ouest • **northwest of** au nord-ouest de.

Norway ['nɔːweɪ] *n* Norvège *f*.

Norwegian [nɔː'wiːdʒən] ◼ *adj* norvégien(enne). ◼ *n* **1.** Norvégien *m*, -enne *f* **2.** norvégien *m*.

nose [nəʊz] *n* nez *m* • **keep your nose out of my business** occupe-toi *ou* mêle-toi de tes affaires • **to look down one's nose at sb** *fig* prendre qqn de haut • **to look down one's nose at sthg** *fig* considérer qqch avec mépris • **on the nose** *(US) fam* dans le mille • **to poke** *ou* **stick one's**

nose into sthg mettre *ou* fourrer son nez dans qqch • **to turn up one's nose at sthg** dédaigner qqch.
◼ **nose about** *(UK)*, **nose around** *(US) vi* fouiner, fureter.

nosebleed ['nəʊzbliːd] *n* • **to have a nosebleed** saigner du nez.

nosedive ['nəʊzdaɪv] ◼ *n* AÉRON piqué *m*. ◼ *vi* **1.** AÉRON descendre en piqué, piquer du nez **2.** *fig* dégringoler **3.** *fig* s'écrouler.

nosey ['nəʊzɪ] = **nosy**.

nostalgia [nɒ'stældʒə] *n* • **nostalgia (for sthg)** nostalgie *f* (de qqch).

nostril ['nɒstrəl] *n* narine *f*.

nosy ['nəʊzɪ] *adj* curieux(euse), fouinard(e).

not [nɒt] *adv* ne pas, pas • **not that...** ce n'est pas que..., non pas que... • **not at all** pas du tout • de rien, je vous en prie.

notable ['nəʊtəbl] *adj* notable, remarquable • **to be notable for sthg** être célèbre pour qqch.

notably ['nəʊtəblɪ] *adv* **1.** notamment, particulièrement **2.** sensiblement, nettement.

notary ['nəʊtərɪ] *n* • **notary (public)** notaire *m*.

notch [nɒtʃ] *n* **1.** entaille *f*, encoche *f* **2.** *fig* cran *m*.

note [nəʊt] ◼ *n* **1.** note *f* **2.** mot *m* • **to take note of sthg** prendre note de qqch **3.** *(UK)* billet *m* (de banque). ◼ *vt* **1.** remarquer, constater **2.** mentionner, signaler.
◼ **note down** *vt sép* noter, inscrire.

notebook ['nəʊtbʊk] *n* **1.** carnet *m*, calepin *m* **2.** INFORM ordinateur *m* portable compact.

noted ['nəʊtɪd] *adj* célèbre, éminent(e).

notepad ['nəʊtpæd] *n* bloc-notes *m*.

notepaper ['nəʊtpeɪpə] *n* papier *m* à lettres.

noteworthy ['nəʊt,wɜːðɪ] *adj* remarquable, notable.

nothing ['nʌθɪŋ] ◼ *pron* rien • **I've got nothing to do** je n'ai rien à faire • **for nothing** pour rien • **nothing if not** avant tout, surtout • **nothing but** ne... que, rien que. ◼ *adv* • **you're nothing like your brother** tu ne ressembles pas du tout *ou* en rien à ton frère • **I'm nothing like finished** je suis loin d'avoir fini.

notice ['nəʊtɪs] ◼ n 1. affiche f, placard m 2. • **to take notice (of sb/sthg)** faire ou prêter attention (à qqn/qqch) • **to take no notice (of sb/sthg)** ne pas faire attention (à qqn/qqch) 3. avis m, avertissement m • **at short notice** dans un bref délai • **until further notice** jusqu'à nouvel ordre 4. • **to be given one's notice** recevoir son congé, être renvoyé(e) • **to hand in one's notice** donner sa démission, demander son congé. ◼ vt remarquer, s'apercevoir de.

noticeable ['nəʊtɪsəbl] adj sensible, perceptible.

notice board n (UK) panneau m d'affichage.

notify ['nəʊtɪfaɪ] vt • **to notify sb (of sthg)** avertir ou aviser qqn (de qqch).

notion ['nəʊʃn] n idée f, notion f.

notorious [nəʊ'tɔːrɪəs] adj 1. (criminel) notoire 2. (endroit) mal famé(e).

notwithstanding [ˌnɒtwɪð'stændɪŋ] sout ◼ prép malgré, en dépit de. ◼ adv néanmoins, malgré tout.

nought [nɔt] num zéro m.

noun [naʊn] n nom m.

nourish ['nʌrɪʃ] vt nourrir.

nourishing ['nʌrɪʃɪŋ] adj nourrissant(e).

nourishment ['nʌrɪʃmənt] n (indén) nourriture f, aliments mpl.

novel ['nɒvl] ◼ adj nouveau(nouvelle), original(e). ◼ n roman m.

novelist ['nɒvəlɪst] n romancier m, -ère f.

novelty ['nɒvltɪ] n 1. nouveauté f 2. gadget m.

November [nə'vembər] n novembre m. • voir aussi **September**

novice ['nɒvɪs] n novice mf.

now [naʊ] ◼ adv 1. maintenant • **any day/time now** d'un jour/moment à l'autre • **now and then** ou **again** de temps en temps, de temps à autre 2. à ce moment-là, alors 3. • **now let's just calm down** bon, on se calme maintenant. ◼ conj • **now (that)** maintenant que. ◼ n • **for now** pour le présent • **from now on** à partir de maintenant, désormais • **up until now** jusqu'à présent • **by now** déjà.

nowadays ['naʊədeɪz] adv actuellement, aujourd'hui.

nowhere ['nəʊweər], **noplace** (US) ['nəʊpleɪs] adv nulle part • **nowhere near** loin de • **we're getting nowhere** on n'avance pas, on n'arrive à rien.

nozzle ['nɒzl] n TECHNOL ajutage m, buse f.

nuance ['njuːɒns] n nuance f.

nuclear ['njuːklɪər] adj nucléaire.

nuclear bomb n bombe f nucléaire.

nuclear disarmament n désarmement m nucléaire.

nuclear energy n énergie f nucléaire.

nuclear power n énergie f nucléaire.

nuclear reactor n réacteur m nucléaire.

nucleus ['njuːklɪəs] (pl **-lei** [-lɪaɪ]) n litt & fig noyau m.

nude [njuːd] ◼ adj nu(e). ◼ n nu m • **in the nude** nu(e).

nudge [nʌdʒ] vt 1. pousser du coude 2. fig encourager, pousser.

nudist ['njuːdɪst] ◼ adj nudiste. ◼ n nudiste mf.

nugget ['nʌgɪt] n pépite f.

nuisance ['njuːsns] n ennui m, embêtement m • **it's a nuisance having to attend all these meetings** c'est pénible de devoir assister à toutes ces réunions • **to make a nuisance of o.s.** embêter le monde • **what a nuisance!** quelle plaie !

nuke [njuːk] fam ◼ n bombe f nucléaire. ◼ vt atomiser.

null [nʌl] adj • **null and void** nul et non avenu.

numb [nʌm] ◼ adj engourdi(e) • **to be numb with** (fear) paralysé(e) par • (cold) être transi(e) de. ◼ vt engourdir.

number ['nʌmbər] ◼ n 1. chiffre m 2. numéro m 3. nombre m • **a number of** un certain nombre de, plusieurs • **any number of** un grand nombre de, bon nombre de 4. chanson f. ◼ vt 1. compter 2. numéroter. ◼ vi • **she numbers among the great writers of the century** elle compte parmi les grands écrivains de ce siècle.

number one ◼ adj premier(ère), principal(e). ◼ n fam soi, sa pomme.

numberplate ['nʌmbəpleɪt] n (UK) plaque f d'immatriculation.

Number Ten n la résidence officielle du premier ministre britannique.

numeral ['nju:mərəl] n chiffre m.

numerate ['nju:mərət] adj qui sait compter.

numerical [nju:'merɪkl] adj numérique.

numerous ['nju:mərəs] adj nombreux (euse).

nun [nʌn] n religieuse f, sœur f.

nurse [nɜ:s] ◼ n infirmière f ◦ **(male) nurse** infirmier m. ◼ vt **1.** soigner **2.** fig nourrir (un espoir, une ambition) **3.** allaiter.

nursery ['nɜ:sərɪ] n **1.** garderie f **2.** pépinière f.

nursery rhyme n comptine f.

nursery school n (école f) maternelle f.

nursery slopes npl (UK) pistes fpl pour débutants.

nursing ['nɜ:sɪŋ] n métier m d'infirmière.

nursing home n **1.** maison f de retraite privée **2.** (UK) maternité f privée.

nurture ['nɜ:tʃər] vt **1.** élever (des enfants) **2.** bien s'occuper de (ses plantes) **3.** fig nourrir (un désir, un espoir).

nut [nʌt] n **1.** terme générique désignant les fruits tels que les noix, noisettes, etc **2.** écrou m **3.** fam cinglé m, -e f. ◼ **nuts** ◼ adj fam ◦ **to be nuts** être dingue. ◼ interj (US) fam zut !

nutcrackers ['nʌt,krækəz] npl casse-noix m inv, casse-noisettes m inv.

nutmeg ['nʌtmeg] n (noix f de) muscade f.

nutritious [nju:'trɪʃəs] adj nourrissant (e).

nutshell ['nʌtʃel] n ◦ **in a nutshell** en un mot.

nuzzle ['nʌzl] ◼ vt frotter son nez contre. ◼ vi ◦ **to nuzzle (up) against** se frotter contre, frotter son nez contre.

NVQ (abr de **National Vocational Qualification**) n (UK) examen sanctionnant une formation professionnelle.

nylon ['naɪlɒn] ◼ n Nylon® m. ◼ en apposition en Nylon®.

o [əʊ] *(pl* **o's** *ou* **os**), **O** *(pl* **O's** *ou* **Os**) *n* **1.** o *m inv*, O *m inv* **2.** zéro *m*.

oak [əʊk] ◼ *n* chêne *m*. ◼ *en apposition* de *ou* en chêne.

OAP *(abr de* **old age pensioner)** *n (UK)* retraité *m*, -e *f*.

oar [ɔːʳ] *n* rame *f*, aviron *m*.

oasis [əʊ'eɪsɪs] *(pl* **oases** [əʊ'eɪsiːz]) *n* oasis *f*.

oatcake ['əʊtkeɪk] *n* galette *f* d'avoine.

oath [əʊθ] *n* **1.** serment *m* • **on** *ou* **under oath** sous serment **2.** juron *m*.

oatmeal ['əʊtmiːl] *n (indén)* flocons *mpl* d'avoine.

oats [əʊts] *npl* avoine *f*.

obedience [ə'biːdjəns] *n* obéissance *f*.

obedient [ə'biːdjənt] *adj* obéissant(e), docile.

obese [əʊ'biːs] *adj sout* obèse.

obey [ə'beɪ] ◼ *vt* obéir à. ◼ *vi* obéir.

obituary [ə'bɪtʃʊərɪ] *n* nécrologie *f*.

object ◼ *n* ['ɒbdʒɪkt] **1.** objet *m* **2.** objectif *m*, but *m* **3.** GRAMM complément *m* d'objet. ◼ *vt* [ɒb'dʒekt] objecter. ◼ *vi* [ɒb'dʒekt] protester • **to object to sthg** faire objection à qqch, s'opposer à qqch • **to object to doing sthg** se refuser à faire qqch.

objection [əb'dʒekʃn] *n* objection *f* • **to have no objection to sthg/to doing sthg** ne voir aucune objection à qqch/à faire qqch.

objectionable [əb'dʒekʃənəbl] *adj* **1.** désagréable **2.** choquant(e).

objective [əb'dʒektɪv] ◼ *adj* objectif (ive). ◼ *n* objectif *m*.

obligation [,ɒblɪ'ɡeɪʃn] *n* obligation *f*.

obligatory [ə'blɪɡətrɪ] *adj* obligatoire.

oblige [ə'blaɪdʒ] *vt* • **to oblige sb to do sthg** forcer *ou* obliger qqn à faire qqch.

obliging [ə'blaɪdʒɪŋ] *adj* obligeant(e).

oblique [ə'bliːk] ◼ *adj* **1.** oblique **2.** *(allusion)* indirect(e). ◼ *n* TYPO barre *f* oblique.

obliterate [ə'blɪtəreɪt] *vt* détruire, raser.

oblivion [ə'blɪvɪən] *n* oubli *m*.

oblivious [ə'blɪvɪəs] *adj* • **to be oblivious to** *ou* **of** être inconscient(e) de.

oblong ['ɒblɒŋ] ◼ *adj* rectangulaire. ◼ *n* rectangle *m*.

obnoxious [əb'nɒkʃəs] *adj* **1.** *(personne)* odieux(euse) **2.** *(odeur)* infect(e), fétide **3.** *(remarque)* désobligeant(e).

oboe ['əʊbəʊ] *n* hautbois *m*.

obscene [əb'siːn] *adj* obscène.

obscure [əb'skjʊəʳ] ◼ *adj* obscur(e). ◼ *vt* **1.** obscurcir **2.** masquer.

observance [əb'zɜːvəns] *n* observation *f*.

observant [əb'zɜːvnt] *adj* observateur (trice).

observation [,ɒbzə'veɪʃn] *n* observation *f*.

observatory [əb'zɜːvətrɪ] *n* observatoire *m*.

observe [əb'zɜːv] *vt* **1.** observer **2.** remarquer, faire observer.

observer [əb'zɜːvəʳ] *n* observateur *m*, -trice *f*.

obsess [əb'ses] *vt* obséder • **to be obsessed by** *ou* **with sb/sthg** être obsédé(e) par qqn/qqch.

obsessive [əb'sesɪv] *adj* **1.** *(personne)* obsessionnel(elle) **2.** *(souvenir, sentiment)* obsédant(e).

obsolescent [,ɒbsə'lesnt] *adj* **1.** qui tombe en désuétude **2.** *(machine)* obsolescent(e).

obsolete ['ɒbsəliːt] *adj* obsolète.

obstacle ['ɒbstəkl] *n* obstacle *m*.

obstetrics [ɒb'stetrɪks] *n (indén)* obstétrique *f*.

obstinate ['ɒbstənət] *adj* **1.** obstiné(e) **2.** *(toux)* persistant(e) **3.** tenace.

obstruct [əb'strʌkt] *vt* **1.** obstruer **2.** entraver, gêner.

obstruction [əb'strʌkʃn] *n* **1.** encombrement *m (sur la route)* **2.** engorgement *m (d'un tuyau)* **3.** SPORT obstruction *f.*

obtain [əb'teɪn] *vt* obtenir.

obtainable [əb'teɪnəbl] *adj* que l'on peut obtenir.

obtrusive [əb'truːsɪv] *adj* **1.** qui attire l'attention **2.** *(odeur)* fort(e).

obtuse [əb'tjuːs] *adj* obtus(e).

obvious ['ɒbvɪəs] *adj* évident(e).

obviously ['ɒbvɪəslɪ] *adv* **1.** bien sûr **2.** manifestement.

occasion [ə'keɪʒn] ■ *n* **1.** occasion *f* **2.** événement *m* • **to rise to the occasion** se montrer à la hauteur de la situation. ■ *vt* provoquer, occasionner.

occasional [ə'keɪʒənl] *adj* **1.** passager(ère) **2.** occasionnel(elle) • **I have the occasional drink** je bois un verre de temps à autre.

occasionally [ə'keɪʒnəlɪ] *adv* de temps en temps, quelquefois.

occult [ɒ'kʌlt] *adj* occulte.

occupant ['ɒkjʊpənt] *n* **1.** occupant *m*, -e *f* **2.** passager *m (d'un véhicule).*

occupation [ˌɒkjʊ'peɪʃn] *n* **1.** profession *f* **2.** occupation *f.*

occupational hazard *n* risque *m* du métier.

occupational therapy *n* thérapeutique *f* occupationnelle, ergothérapie *f.*

occupier ['ɒkjʊpaɪə'] *n* occupant *m*, -e *f.*

occupy ['ɒkjʊpaɪ] *vt* occuper • **to occupy o.s.** s'occuper.

occur [ə'kɜːr] *vi* **1.** avoir lieu, se produire **2.** se présenter **3.** se trouver, être présent(e) **4.** • **to occur to sb** venir à l'esprit de qqn.

occurrence [ə'kʌrəns] *n* événement *m*, circonstance *f.*

OCD *(abr de* **obsessive compulsive disorder)** *n* PSYCHO TOC *m.*

ocean ['əʊʃn] *n* océan *m* • **oceans of** *fam fig* des tonnes de.

oceangoing ['əʊʃn,gəʊɪŋ] *adj* au long cours.

ochre *(UK)*, **ocher** *(US)* ['əʊkə'] *adj* ocre *(inv).*

o'clock [ə'klɒk] *adv* • **two o'clock** deux heures.

octave ['ɒktɪv] *n* octave *f.*

October [ɒk'təʊbə'] *n* octobre *m.* • *voir aussi* **September**

octopus ['ɒktəpəs] *(pl* **-puses** *ou* **-pi** [-paɪ]) *n* pieuvre *f.*

OD *abrév de* **overdose, overdrawn.**

odd [ɒd] *adj* **1.** bizarre, étrange **2.** • **I play the odd game of tennis** je joue au tennis de temps en temps **3.** dépareillé(e) **4.** *(nombre)* impair(e) • **twenty odd years** une vingtaine d'années.
■ **odds** *npl* • **the odds** les chances *fpl* • **the odds are that...** il y a des chances pour que..., il est probable que... • **against the odds** envers et contre tout • **odds and sods** *fam (UK) ou* **odds and ends** objets *mpl* divers, bric-à-brac *m inv* • **restes** *mpl* • **to be at odds with sb** être en désaccord avec qqn.

oddity ['ɒdɪtɪ] *n* **1.** personne *f* bizarre **2.** chose *f* bizarre **3.** étrangeté *f.*

odd jobs *npl* petits travaux *mpl.*

oddly ['ɒdlɪ] *adv* curieusement • **oddly enough** chose curieuse.

oddments ['ɒdmənts] *npl* fins *fpl* de série.

odds-on ['ɒdz-] *adj fam* • **odds-on favourite** grand favori.

odometer [əʊ'dɒmɪtə'] *n* odomètre *m.*

odor *(US)* = **odour.**

odour *(UK)*, **odor** *(US)* ['əʊdə'] *n* odeur *f.*

of *(accentué* [ɒv]*, non accentué* [əv]*) prép* **1.** de • **the cover of a book** la couverture d'un livre • **to die of cancer** mourir d'un cancer • **thousands of people** des milliers de gens • **a piece of cake** un morceau de gâteau • **a cup of coffee** une tasse de café • **a pound of tomatoes** une livre de tomates • **a child of five** un enfant de cinq ans **2.** en • **a ring of solid gold** une bague en or massif **3.** • **the 12th of February** le 12 février.

off [ɒf] *adv*

1. INDIQUE UN ÉLOIGNEMENT DANS L'ESPACE • **we're off to Japan today** nous partons pour le Japon aujourd'hui • **the station is 10 miles off** la gare est à 16 kilomètres

2. INDIQUE UN ÉLOIGNEMENT DANS LE TEMPS
- **my holiday is two days off** je suis en vacances dans deux jours

3. INDIQUE UNE SÉPARATION
- **take your coat off** enlève ton manteau
- **the lid was off** le couvercle n'était pas mis

4. INDIQUE UNE INTERRUPTION, UN NON-FONCTIONNEMENT
- **don't forget to switch off the light** n'oubliez pas d'éteindre la lumière
- **the TV is off** la télévision est éteinte

5. AVEC DES PRIX, EXPRIME UNE RÉDUCTION
- **I had £10 off** j'ai eu 10 livres de remise *ou* réduction
- **she gave me 30% off** elle m'a fait une remise *ou* réduction de 30 %

6. POUR PARLER DES CONGÉS
- **I've got my afternoon off** je ne travaille pas cet après-midi
- **she's got a week off next month** elle a une semaine de vacances le mois prochain

7. EXPRIME UNE IDÉE D'ACHÈVEMENT
- **I'll finish off this work over the weekend** je terminerai ce travail pendant le week-end
- **climate change killed off a variety of mammals about 11,000 years ago** un changement de climat a entraîné l'extinction d'un grand nombre de mammifères il y a environ 11 000 ans.

off *prép*

1. EXPRIME UN MOUVEMENT DE HAUT EN BAS
- **he got off the bus at the next stop** il descendit du bus à l'arrêt suivant
- **he stood up and took a book off the shelf** il se leva et prit un livre sur l'étagère

2. INDIQUE UNE PROXIMITÉ DANS L'ESPACE
- **the hotel is located off the main street** l'hôtel se trouve près de la rue principale
- **the island is just off the coast** l'île est au large de la côte

3. POUR INDIQUER L'ABSENCE
- **he's off work today** il ne travaille pas aujourd'hui
- **she's been off school for weeks** cela fait des semaines qu'elle est absente de l'école

4. INDIQUE UN REFUS, UN ABANDON
- **she's off her food** elle n'a pas d'appétit

- **he's off drugs now** il ne prend plus de drogue maintenant

5. DANS DES EXPRESSIONS
- **to buy sthg off sb** *fam* acheter qqch à qqn

off *adj*

1. EXPRIME UNE DÉTÉRIORATION
- **the milk is off** le lait a tourné
- **this meat is off** cette viande est avariée

2. EXPRIME UNE INTERRUPTION, UN NON-FONCTIONNEMENT
- **are the lights off?** est-ce que les lumières sont éteintes ?

3. EXPRIME UNE ANNULATION
- **the match is off** le match est annulé

4. INDIQUE UNE ABSENCE
- **he's off this week** il est absent cette semaine

5. DANS DES EXPRESSIONS
- **he was a bit off with me** *(UK) fam* il n'a pas été sympa avec moi.

offal ['ɒfl] *n (indén)* abats *mpl*.

off-chance *n* - **on the off-chance that...** au cas où...

off colour *adj (UK)* patraque.

off duty *adj* **1.** qui n'est pas de service **2.** *(médecin, infirmière)* qui n'est pas de garde.

offence *(UK)*, **offense** *(US)* [ə'fens] *n* **1.** délit *m* **2.** - **to cause sb offence** vexer qqn - **to take offence** se vexer.

offend [ə'fend] *vt* offenser.

offender [ə'fendər] *n* **1.** criminel *m*, -elle *f* **2.** coupable *mf*.

offense ['ɒfens] *(US) n* **1.** = **offence 2.** attaque *f*.

offensive [ə'fensɪv] ◼ *adj* **1.** *(comportement, remarque)* blessant(e) **2.** *(arme, action)* offensif(ive). ◼ *n* offensive *f*.

offer ['ɒfər] ◼ *n* **1.** offre *f*, proposition *f* **2.** COMM promotion *f* - **on offer** en vente - en réclame, en promotion. ◼ *vt* **1.** offrir - **to offer sthg to sb, to offer sb sthg** offrir qqch à qqn - **to offer to do sthg** proposer *ou* offrir de faire qqch **2.** proposer **3.** donner. ◼ *vi* s'offrir.

offering ['ɒfərɪŋ] *n* offrande *f*.

off-guard *adv* au dépourvu.

offhand [ˌɒf'hænd] ◼ *adj* **1.** désinvolte, cavalier(ère) **2.** brusque. ◼ *adv* tout de suite.

office ['ɒfɪs] *n* **1.** bureau *m* **2.** département *m*, service *m* **3.** fonction *f*, poste *m* • **in office** en fonction • **to take office** entrer en fonction.

office automation *n* bureautique *f*.

office block *n* (UK) immeuble *m* de bureaux.

office hours *npl* heures *fpl* de bureau.

officer ['ɒfɪsər] *n* **1.** officier *m* **2.** agent *mf*, fonctionnaire *mf* **3.** officier *m* (de police).

office worker *n* employé *m*, -e *f* de bureau.

official [ə'fɪʃl] ◼ *adj* officiel(elle). ◼ *n* fonctionnaire *mf*.

officialdom [ə'fɪʃəldəm] *n* bureaucratie *f*.

offing ['ɒfɪŋ] *n* • **in the offing** en vue, en perspective.

off-licence *n* (UK) magasin autorisé à vendre des boissons alcoolisées à emporter.

off-line *adj* INFORM non connecté(e).

off-peak *adj* **1.** (électricité) utilisée(e) aux heures creuses **2.** (tarif) réduit(e) aux heures creuses.

off-putting [-ˌpʊtɪŋ] *adj* désagréable, rébarbatif(ive).

off season *n* • **the off season** la mortesaison.

offset [ˌɒf'set] (prét & pp offset) *vt* compenser.

offshoot ['ɒfʃuːt] *n* • **to be an offshoot of sthg** être né(e) ou provenir de qqch.

offshore ['ɒfʃɔ] ◼ *adj* **1.** (plate-forme pétrolière) en mer, offshore (inv) **2.** (île) proche de la côte **3.** (pêche) côtier(ère). ◼ *adv* au large.

offside (UK) ◼ *adj* [ˌɒf'saɪd] **1.** AUTO de droite, de gauche **2.** SPORT hors-jeu (inv). ◼ *adv* [ˌɒf'saɪd] SPORT hors-jeu.

offspring ['ɒfsprɪŋ] (pl inv) *n* rejeton *m*.

offstage [ˌɒf'steɪdʒ] *adj & adv* dans les coulisses.

off-the-peg (UK), **off-the-rack** (US) *adj* de prêt-à-porter.

off-the-record ◼ *adj* officieux(euse). ◼ *adv* confidentiellement.

off-white *adj* blanc cassé (inv).

often ['ɒfn ou 'ɒftn] *adv* souvent, fréquemment • **how often do you visit her?** vous la voyez tous les combien ? • **as often as not** assez souvent • **every so often** de temps en temps • **more often than not** le plus souvent, la plupart du temps.

ogle ['əʊgl] *vt* reluquer.

oh [əʊ] *interj* **1.** oh ! **2.** euh !

oil [ɔɪl] ◼ *n* **1.** huile *f* **2.** mazout *m* **3.** pétrole *m*. ◼ *vt* graisser, lubrifier.

oilcan ['ɔɪlkæn] *n* burette *f* d'huile.

oilfield ['ɔɪlfiːld] *n* gisement *m* pétrolifère.

oil filter *n* filtre *m* à huile.

oil-fired [-ˌfaɪəd] *adj* au mazout.

oil painting *n* peinture *f* à l'huile.

oilrig ['ɔɪlrɪg] *n* **1.** (en mer) plate-forme *f* de forage ou pétrolière **2.** (sur terre) derrick *m*.

oilskins ['ɔɪlskɪnz] *npl* ciré *m*.

oil slick *n* marée *f* noire.

oil tanker *n* **1.** pétrolier *m*, tanker *m* **2.** camion-citerne *m*.

oil well *n* puits *m* de pétrole.

oily ['ɔɪlɪ] *adj* **1.** (chiffon) graisseux(euse) **2.** (nourriture, peau, cheveux) gras(grasse).

ointment ['ɔɪntmənt] *n* pommade *f*.

OK, okay [ˌəʊ'keɪ] *fam* ◼ *adj* • **is it OK with** ou **by you?** ça vous va ?, vous êtes d'accord ? • **are you OK?** ça va ? ◼ *interj* **1.** d'accord, OK **2.** • **OK, can we start now?** bon, on commence ? ◼ *vt* (prét & pp **-ed**, cont **-ing**) approuver, donner le feu vert à.

old [əʊld] ◼ *adj* **1.** vieux(vieille), âgé(e) • **how old are you ?** quel âge as-tu ? • **I'm 20 years old** j'ai 20 ans **2.** ancien(enne) **3.** *fam* • **any old** n'importe quel(n'importe quelle). ◼ *npl* • **the old** les personnes *fpl* âgées.

old age *n* vieillesse *f*.

old age pensioner *n* (UK) retraité *m*, -e *f*.

Old Bailey [-'beɪlɪ] *n* • **the Old Bailey** la Cour d'assises de Londres.

old-fashioned [-'fæʃnd] *adj* **1.** démodé(e), passé(e) de mode **2.** vieux jeu (inv).

old people's home *n* hospice *m* de vieillards.

O level *n* (UK) examen optionnel destiné, jusqu'en 1988, aux élèves de niveau secondaire ayant obtenu de bons résultats.

olive ['ɒlɪv] ■ *adj* olive *(inv)*. ■ *n* olive *f*.

olive green *adj* vert olive *(inv)*.

olive oil *n* huile *f* d'olive.

Olympic [ə'lɪmpɪk] *adj* olympique.
■ **Olympics** *npl* • **the Olympics** les Jeux *mpl* olympiques.

Olympic Games *npl* • **the Olympic Games** les Jeux *mpl* olympiques.

ombudsman ['ɒmbʊdzmən] *(pl* **-men** [-mən]) *n* ombudsman *m*.

omelette *(UK)*, **omelet** *(US)* ['ɒmlɪt] *n* omelette *f* • **mushroom omelette** omelette aux champignons.

omen ['əʊmen] *n* augure *m*, présage *m*.

ominous ['ɒmɪnəs] *adj* **1.** *(événement, situation)* de mauvais augure **2.** *(sign)* inquiétant(e) **3.** *(regard, silence)* menaçant(e).

omission [ə'mɪʃn] *n* omission *f*.

omit [ə'mɪt] *vt* omettre • **to omit to do sthg** oublier de faire qqch.

omnibus ['ɒmnɪbəs] *n* **1.** recueil *m* **2.** *(UK)* RADIO & TV diffusion groupée des épisodes de la semaine.

on [ɒn] *prép*

1. INDIQUE UNE LOCALISATION
• **your book is on the chair** ton livre est sur la chaise
• **there were posters on the walls** il y avait des posters au mur
• **the information is on disk** l'information est sur disquette
• **the museum is on the left/right** le musée est sur la gauche/droite *ou* à gauche/droite

2. EN PARLANT DES MÉDIAS OU DES TÉLÉCOMMUNICATIONS
• **the video was shown on TV for the first time on Thursday** le clip est passé à la télé pour la première fois jeudi
• **I heard on the radio that Chet Baker had died** j'ai appris la mort de Chet Baker à la radio
• **you're on the air** vous êtes en direct *ou* à l'antenne
• **she's on the telephone at the moment** elle est au téléphone

3. POUR INDIQUER UN MOYEN DE TRANSPORT
• **they travelled on a bus/train/ship** ils ont voyagé en bus/en train/en bateau
• **I was on the bus** j'étais dans le bus
• **are you on foot?** êtes-vous à pied ?

4. INDIQUE UN THÈME, UN SUJET
• **he's fond of books on astronomy** il aime les livres sur l'astronomie
• **have you heard him on this project?** l'avez-vous entendu parler de ce projet ?

5. INTRODUIT UNE DATE
• **I have an appointment on Thursday** j'ai rendez-vous jeudi
• **on the 10th of February, we will fly to Cuba** le 10 février, nous prendrons l'avion pour Cuba
• **it was snowing on my birthday** il neigeait le jour de mon anniversaire

6. SUIVI D'UN GÉRONDIF, INDIQUE UNE QUASI-SIMULTANÉITÉ
• **on hearing the news, she burst into tears** en apprenant la nouvelle, elle fondit en larmes

7. INDIQUE UN MOYEN DE SUBSISTANCE OU UNE DÉPENDANCE
• **one cannot live on water alone** on ne peut pas vivre d'amour et d'eau fraîche
• **the robin lives on fruit** le rouge-gorge vit *ou* se nourrit de fruits
• **the car runs on petrol** la voiture marche à l'essence
• **he's on tranquilizers** il prend des tranquillisants
• **I think she's on drugs again** je pense qu'elle se drogue à nouveau

8. POUR PARLER D'UN REVENU
• **how much are you on?** combien gagnez-vous ?
• **he's on £25,000 a year** il gagne 25 000 livres par an
• **housing benefit helps people on a low income to pay their rent** l'allocation logement aide les personnes à faible revenu à payer leur loyer
• **his grandmother is on social security** sa grand-mère reçoit l'aide sociale

9. INDIQUE UNE PROPORTION
• **25 cents on the dollar** 25 cents par dollar

10. AVEC DES INSTRUMENTS DE MUSIQUE
• **he played the tune on the violin/flute** il a joué l'air au violon/à la flûte

11. *fam* INDIQUE CELUI QUI PAIE
• **the drinks are on me** c'est moi qui régale, c'est ma tournée
• **we had a drink on the house** nous avons bu un verre aux frais du patron *ou* de la maison.

on *adv*

1. INDIQUE QUE QQCH EST À SA PLACE
- **I left the lid on the pot** j'ai laissé le couvercle sur la casserole

2. EN PARLANT DE VÊTEMENTS
- **it's cold outside, you should put a sweater on** il fait froid dehors, tu devrais mettre un pull
- **what did she have on?** qu'est-ce qu'elle portait ?
- **he had nothing on** il était tout nu

3. INDIQUE UNE MISE SOUS TENSION, UN BRANCHEMENT
- **switch the light on, please** allume la lumière, s'il te plaît
- **turn the power on** mets le courant

4. EXPRIME LA CONTINUATION
- **if you read on, you'll find this book very interesting** si tu continues à lire, tu trouveras ce livre très intéressant
- **they walked on for hours** ils marchèrent des heures sans s'arrêter

5. INDIQUE UN CHEMINEMENT
- **send my mail on (to me)** faites suivre mon courrier

6. DANS DES EXPRESSIONS
- **later on** plus tard
- **earlier on** plus tôt.

on *adj*

1. INDIQUE LA MISE SOUS TENSION, LE FONCTIONNEMENT
- **the radio was on** la radio était allumée
- **the washing machine is on** le lave-linge est en marche
- **the lights are on** les lumières sont allumées
- **the tap is on** le robinet est ouvert

2. POUR PARLER DE LA TENUE D'UN ÉVÉNEMENT
- **there's a conference on next week** il y a une conférence la semaine prochaine
- **it's on at the local cinema** ça passe au cinéma du quartier
- **your favourite TV programme is on tonight** il y a ton émission préférée à la télé ce soir
- **is our deal still on?** est-ce que notre affaire tient toujours ?

3. *fam* INDIQUE UNE POSSIBILITÉ
- **we'll never be ready by tomorrow: it just isn't on** nous ne serons jamais prêts pour demain, c'est tout simplement impossible
- **are you still on for dinner?** ça marche toujours pour le dîner ?

- **shall we say £10? – you're on!** disons 10 livres ? – d'accord *ou* tope là !

■ from... on *adv*

- **from now on** dorénavant, désormais
- **from then on** à partir de ce moment-là.

■ on and off *adv*

DE FAÇON IRRÉGULIÈRE
- **I worked on and off for about a year** j'ai travaillé par intermittence pendant à peu près un an.

once [wʌns] ■ *adv* **1.** une fois • **once a day** une fois par jour • **once again** *ou* **more** encore une fois • **once and for all** une fois pour toutes • **once in a while** de temps en temps • **once or twice** une ou deux fois • **for once** pour une fois **2.** autrefois, jadis • **once upon a time** il était une fois. ■ *conj* dès que.
■ **at once** *adv* **1.** immédiatement **2.** en même temps • **all at once** tout d'un coup.

oncoming [ˈɒnˌkʌmɪŋ] *adj* **1.** *(circulation)* venant en sens inverse **2.** *(danger)* imminent(e).

one [wʌn] ■ *num* un(une) • **page one** page un • **one of my friends** l'un de mes amis, un ami à moi **2.** • **one fifth** un cinquième. ■ *adj* **1.** seul(e), unique • **it's her one ambition/love** c'est son unique ambition/son seul amour **2.** • **one of these days** un de ces jours. ■ *pron* **1.** • **which one do you want?** lequel voulez-vous ? • **this one** celui-ci *m*, celle-ci *f* • **that one** celui-là *m*, celle-là *f* • **she's the one I told you about** c'est celle dont je vous ai parlé **2.** *(surtout UK)* sout on • **one can only do one's best** on fait ce qu'on peut • **to do one's duty** faire son devoir.

■ **for one** *adv* • **I for one remain unconvinced** pour ma part je ne suis pas convaincu.

one-armed bandit *n fam* machine *f* à sous.

one-man *adj (entreprise)* dirigé(e) par un seul homme.

one-man band *n* homme-orchestre *m*.

one-off *(UK) fam* ■ *adj* unique. ■ *n* • **a one-off** un exemplaire unique • un événement unique.

one-on-one *(US)* = **one-to-one**.

one-parent family *n* famille *f* monoparentale.

oneself [wʌn'self] *pron (surtout UK) sout* **1.** *(réfléchi)* se **2.** *(précédé d'une préposition)* soi **3.** *(emphatique)* soi-même.

one-sided [-'saɪdɪd] *adj* **1.** inégal(e) **2.** partial(e).

one-to-one *(UK)*, **one-on-one** *(US) adj* en tête-à-tête • **one-to-one tuition** cours *mpl* particuliers.

one-upmanship [ˌwʌn'ʌpmənʃɪp] *n art m* de faire toujours mieux que les autres.

one-way *adj* **1.** *(rue)* à sens unique **2.** • **a one-way ticket** un aller simple.

ongoing ['ɒnˌgəʊɪŋ] *adj* en cours, continu(e).

onion ['ʌnjən] *n* oignon *m*.

online ['ɒnlaɪn] *adj* & *adv* INFORM en ligne.

onlooker ['ɒnˌlʊkər] *n* spectateur *m*, -trice *f*.

only ['əʊnlɪ] ■ *adj* seul(e), unique • **an only child** un enfant unique. ■ *adv* **1.** ne... que, seulement • **he only reads science fiction** il ne lit que de la science fiction • **it's only a scratch** c'est juste une égratignure • **he left only a few minutes ago** il est parti il n'y a pas deux minutes **2.** • **I only wish I could** je voudrais bien • **it's only natural (that)...** c'est tout à fait normal que... • **I was only too willing to help** je ne demandais qu'à aider • **not only... but also** non seule-

ment... mais encore • **I only just caught the train** j'ai eu le train de justesse. ■ *conj* seulement, mais.

onset ['ɒnset] *n* début *m*, commencement *m*.

onshore ['ɒnʃɔr] *adj* & *adv* **1.** du large **2.** à terre.

onslaught ['ɒnslɔt] *n* attaque *f*.

onto *(accentué* ['ɒntuː]*, non accentué devant une consonne* ['ɒntə]*, non accentué devant une voyelle* ['ɒntʊ]*) prép* sur, dans • **he jumped onto his bicycle** il a sauté sur sa bicyclette • **she got onto the bus** elle est montée dans le bus • **stick the photo onto the page with glue** colle la photo sur la page • **to be onto sb** être sur la piste de qqn • **get onto the factory** *(UK)* contactez l'usine.

onus ['əʊnəs] *n* responsabilité *f*, charge *f*.

onward ['ɒnwəd] *adj* & *adv* en avant.

onwards ['ɒnwədz] *adv* en avant • **from now onwards** dorénavant, désormais • **from then onwards** à partir de ce moment-là.

ooze [uːz] ■ *vt fig* • **he oozes confidence** il déborde d'assurance. ■ *vi* • **to ooze from** *ou* **out of sthg** suinter de qqch.

opaque [əʊ'peɪk] *adj* **1.** opaque **2.** *fig* obscur(e).

OPEC ['əʊpek] *(abr de* **Organization of Petroleum Exporting Countries**) *n* OPEP *f*.

open ['əʊpn] ■ *adj* **1.** ouvert(e) **2.** dégagé(e) **3.** découvert(e) **4.** public(ique) **5.** ouvert(e) à tous **6.** • **to be open (to)** être réceptif(ive) (à) **7.** manifeste, évident(e) **8.** non résolu(e). ■ *n* **1.** • **in the open** à la belle étoile • au grand air • **to bring sthg out into the open** divulguer qqch, exposer qqch au grand jour **2.** TENNIS • **the British Open** l'open *m ou* le tournoi open de Grande-Bretagne. ■ *vt* **1.** ouvrir **2.** inaugurer. ■ *vi* **1.** s'ouvrir **2.** ouvrir • **what time do you open?** à quelle heure ouvrez-vous ? **3.** commencer.

■ **open on to** *vt insép (pièce)* donner sur.

■ **open up** ■ *vt sép* **1.** ouvrir **2.** exploiter, développer. ■ *vi* **1.** s'offrir, se présenter **2.** ouvrir.

opener ['əʊpnər] *n* **1.** ouvre-boîtes *m inv* **2.** ouvre-bouteilles *m inv*, décapsuleur *m*.

opening ['əʊpnɪŋ] ◼ adj **1.** premier(ère) **2.** préliminaire. ◼ n **1.** commencement m, début m **2.** trou m, percée f **3.** trouée f, déchirure f (dans les nuages) **4.** occasion f **5.** débouché m **6.** poste m.

opening hours npl heures fpl d'ouverture.

openly ['əʊpənlɪ] adv ouvertement, franchement.

open-minded [-'maɪndɪd] adj qui a l'esprit large.

open-plan adj non cloisonné(e).

Open University n (UK) • **the Open University** ≃ centre m national d'enseignement à distance.

opera ['ɒpərə] n opéra m.

opera house n opéra m.

operate ['ɒpəreɪt] ◼ vt **1.** faire marcher, faire fonctionner **2.** COMM diriger. ◼ vi **1.** (règle, loi) jouer, être appliqué(e) **2.** (machine) fonctionner, marcher **3.** COMM opérer, travailler **4.** MÉD opérer • **to operate on sb/sthg** opérer qqn/de qqch.

operating theatre (UK), **operating room** (US) ['ɒpəreɪtɪŋ-] n salle f d'opération.

operation [,ɒpə'reɪʃn] n **1.** opération f • **to have an operation (for)** se faire opérer (de) **2.** marche f, fonctionnement m • **to be in operation** (machine) être en marche ou en service • (loi) être en vigueur **3.** exploitation f **4.** administration f, gestion f.

operational [,ɒpə'reɪʃənl] adj en état de marche.

operative ['ɒprətɪv] ◼ adj en vigueur. ◼ n ouvrier m, -ère f.

operator ['ɒpəreɪtə*] n **1.** standardiste mf **2.** opérateur m, -trice f **3.** directeur m, -trice f.

opinion [ə'pɪnjən] n opinion f, avis m • **to be of the opinion that** être d'avis que, estimer que • **in my opinion** à mon avis.

opinionated [ə'pɪnjəneɪtɪd] adj péj dogmatique.

opinion poll n sondage m d'opinion.

opponent [ə'pəʊnənt] n adversaire mf.

opportune ['ɒpətjuːn] adj opportun(e).

opportunist [,ɒpə'tjuːnɪst] n opportuniste mf.

opportunity [,ɒpə'tjuːnətɪ] n occasion f • **to take the opportunity to do** ou **of doing sthg** profiter de l'occasion pour faire qqch.

oppose [ə'pəʊz] vt s'opposer à.

opposed [ə'pəʊzd] adj opposé(e) • **to be opposed to** être contre, être opposé à • **as opposed to** par opposition à.

opposing [ə'pəʊzɪŋ] adj opposé(e).

opposite ['ɒpəzɪt] ◼ adj **1.** opposé(e) **2.** d'en face. ◼ adv en face. ◼ prép en face de. ◼ n contraire m.

opposite number n homologue mf.

opposition [,ɒpə'zɪʃn] n **1.** opposition f **2.** adversaire mf.
■ **Opposition** n (UK) • **the Opposition** l'opposition.

oppress [ə'pres] vt **1.** opprimer **2.** oppresser.

oppressive [ə'presɪv] adj **1.** oppressif (ive) **2.** étouffant(e), lourd(e) **3.** oppressant(e).

opt [ɒpt] ◼ vt • **to opt to do sthg** choisir de faire qqch. ◼ vi • **to opt for** opter pour.
■ **opt in** vi • **to opt in (to)** choisir de participer (à).
■ **opt out** vi • **to opt out (of)** choisir de ne pas participer (à) • se dérober (à) • (UK) ne plus faire partie (de).

optical ['ɒptɪkl] adj optique.

optician [ɒp'tɪʃn] n **1.** opticien m, -enne f **2.** ophtalmologiste mf.

optimist ['ɒptɪmɪst] n optimiste mf.

optimistic [,ɒptɪ'mɪstɪk] adj optimiste.

optimum ['ɒptɪməm] adj optimum (inv).

option ['ɒpʃn] n option f, choix m • **to have the option to do** ou **of doing sthg** pouvoir faire qqch, avoir la possibilité de faire qqch.

optional ['ɒpʃənl] adj facultatif(ive).

or [ɔː*] conj **1.** ou **2.** • **he can't read or write** il ne sait ni lire ni écrire **3.** sinon **4.** ou plutôt.

oral ['ɔːrəl] ◼ adj **1.** oral(e) **2.** MÉD • **par voie orale**, par la bouche • buccal(e). ◼ n SCOL & UNIV oral m, épreuve f orale.

orally ['ɔːrəlɪ] adv **1.** oralement **2.** MÉD par voie orale.

orange ['ɒrɪndʒ] ◼ adj orange (inv). ◼ n **1.** (fruit) orange f **2.** (couleur) orange m.

orator ['ɒrətə*] n orateur m, -trice f.

orbit ['ɔbɪt] ◼ n orbite f. ◼ vt décrire une orbite autour de.

orchard ['ɔtʃəd] n verger m • **apple orchard** champ m de pommiers, pommeraie f.

orchestra ['ɔkɪstrə] n orchestre m.

orchestral [ɔ'kestrəl] adj orchestral(e).

orchid ['ɔkɪd] n orchidée f.

ordain [ɔ'deɪn] vt 1. ordonner, décréter 2. • **to be ordained** être ordonné prêtre.

ordeal [ɔ'diːl] n épreuve f.

order ['ɔdə'] ◼ n 1. ordre m • **to be under orders to do sthg** avoir (reçu) l'ordre de faire qqch 2. commande f • **to place an order with sb for sthg** passer une commande de qqch à qqn • **to order** sur commande 3. ordre m • **in order** dans l'ordre • **in order of importance** par ordre d'importance 4. • **in working order** en état de marche • **out of order** en panne • (comportement) déplacé(e) • **in order** en ordre 5. (indén) • ordre m • discipline f 6. • **(money) order** mandat m • **pay to the order of A. Jones** payez à l'ordre de A. Jones 7. (surtout US) part f. ◼ vt 1. ordonner • **to order sb to do sthg** ordonner à qqn de faire qqch • **to order that** ordonner que 2. commander.
◼ **order about** (UK), **order around** vt sép commander.

order form n bulletin m de commande.

orderly ['ɔdəlɪ] ◼ adj 1. ordonné(e) 2. discipliné(e) 3. en ordre. ◼ n MÉD garçon m de salle.

ordinarily ['ɔdənrəlɪ] adv d'habitude, d'ordinaire.

ordinary ['ɔdənrɪ] ◼ adj 1. ordinaire 2. péj ordinaire, quelconque. ◼ n • **out of the ordinary** qui sort de l'ordinaire, exceptionnel(elle).

ordnance ['ɔdnəns] n (indén) 1. matériel m militaire 2. artillerie f.

ore [ɔ'] n minerai m.

oregano [ˌɒrɪ'gɑːnəʊ] n origan m.

organ ['ɔgən] n 1. organe m 2. orgue m.

organic [ɔ'gænɪk] adj 1. organique 2. biologique, bio (inv).

organization, -isation [ˌɔgənaɪ'zeɪʃn] n organisation f.

organize, -ise ['ɔgənaɪz] vt organiser.

organizer, -iser ['ɔgənaɪzə'] n 1. organisateur m, -trice f 2. (agenda) organiseur m.

orgasm ['ɔgæzm] n orgasme m.

orgy ['ɔdʒɪ] n litt & fig orgie f.

Orient ['ɔrɪənt] n • **the Orient** l'Orient m.

oriental [ˌɔrɪ'entl] adj oriental(e).

orienteering [ˌɔrɪən'tɪərɪŋ] n (indén) course f d'orientation.

origami [ˌɒrɪ'gɑːmɪ] n origami m.

origin ['ɒrɪdʒɪn] n 1. source f 2. origine f 3. • **country of origin** pays m d'origine. ◼ **origins** npl origines fpl.

original [ə'rɪdʒənl] ◼ adj 1. original(e) 2. originel(elle) 3. premier(ère). ◼ n original m.

originally [ə'rɪdʒənəlɪ] adv à l'origine, au départ.

originate [ə'rɪdʒəneɪt] ◼ vt être l'auteur de, être à l'origine de. ◼ vi • **to originate (in)** prendre naissance (dans) • **to originate from** provenir de.

Orkney Islands ['ɔknɪ-], **Orkneys** ['ɔknɪz] npl • **the Orkney Islands** les Orcades fpl.

ornament ['ɔnəmənt] n 1. bibelot m 2. (indén) ornement m.

ornamental [ˌɔnə'mentl] adj 1. d'agrément 2. décoratif(ive).

ornate [ɔ'neɪt] adj orné(e).

ornithology [ˌɔnɪ'θɒlədʒɪ] n ornithologie f.

orphan ['ɔfn] ◼ n orphelin m, -e f. ◼ vt • **to be orphaned** devenir orphelin(e).

orphanage ['ɔfənɪdʒ] n orphelinat m.

orthodox ['ɔθədɒks] adj 1. orthodoxe 2. traditionaliste.

orthopaedic (UK), **orthopedic** (US) [ˌɔθə'piːdɪk] adj orthopédique.

oscillate ['ɒsɪleɪt] vi litt & fig osciller.

Oslo ['ɒzləʊ] n Oslo.

ostensible [ɒ'stensəbl] adj prétendu(e).

ostentatious [ˌɒstən'teɪʃəs] adj ostentatoire.

osteopath ['ɒstɪəpæθ] n ostéopathe mf.

ostracize, -ise ['ɒstrəsaɪz] vt frapper d'ostracisme, mettre au ban.

ostrich ['ɒstrɪtʃ] n autruche f.

other [ˈʌðəʳ] ▪ *adj* autre ▪ **the other one** l'autre ▪ **the other day/week** l'autre jour/semaine. ▪ *adv* ▪ **there was nothing to do other than confess** il ne pouvait faire autrement que d'avouer ▪ **other than John** John à part. ▪ *pron* ▪ **the other l'autre ▪ others** d'autres ▪ **the others** les autres ▪ **one after the other** l'un après l'autre (l'une après l'autre) ▪ **one or other of you** l'un (l'une) de vous deux ▪ **none other than** nul (nulle) autre que.

▪ **something or other** *pron* quelque chose, je ne sais quoi.

▪ **somehow or other** *adv* d'une manière ou d'une autre.

otherwise [ˈʌðəwaɪz] ▪ *adv* autrement ▪ **or otherwise** ou non. ▪ *conj* sinon.

otter [ˈɒtəʳ] *n* loutre *f*.

ouch [aʊtʃ] *interj* aïe !, ouïe !

ought [ɔt] *aux modal*

1. POUR FORMULER UNE RECOMMANDATION
▪ **you ought to see a doctor** tu devrais aller chez le docteur
▪ **I really ought to go** il faudrait que je m'en aille

2. POUR FORMULER UN REPROCHE
▪ **you ought not to have done that** tu n'aurais pas dû faire ça
▪ **you ought to look after your children better** tu devrais t'occuper un peu mieux de tes enfants

3. POUR EXPRIMER UNE PROBABILITÉ
▪ **she ought to be here soon** elle devrait être là bientôt
▪ **she ought to pass her exam** elle devrait réussir à son examen.

À PROPOS DE...

ought

Ought to suivi du participe passé peut servir à exprimer des regrets (*I ought to have called on her birthday*, « j'aurais dû l'appeler pour son anniversaire ») ou un reproche (*you ought to have been more careful*, « tu aurais dû faire plus attention »).

ounce [aʊns] *n* once *f* (= 28,35 g).

our [ˈaʊəʳ] *adj poss* notre, nos *(pl)* ▪ **our money/house** notre argent/maison ▪ **our children** nos enfants ▪ **it wasn't our fault** ce n'était pas de notre faute.

À PROPOS DE...

our

Si vous parlez d'une partie du corps, n'oubliez pas d'utiliser l'adjectif possessif *our*, et non pas *the* (*we washed our hair*, « nous nous sommes lavé les cheveux »).

ours [ˈaʊəz] *pron poss* le nôtre(la nôtre), les nôtres *(pl)* ▪ **that money is ours** cet argent est à nous *ou* est le nôtre ▪ **it wasn't their fault, it was ours** ce n'était pas de leur faute, c'était de notre faute à nous *ou* de la nôtre ▪ **a friend of ours** un ami à nous, un de nos amis.

ourselves [aʊəˈselvz] *pron* **1.** *(réfléchi)* nous **2.** *(forme emphatique)* nous-mêmes ▪ **we did it by ourselves** nous l'avons fait tout seuls.

oust [aʊst] *vt* ▪ **to oust sb (from)** évincer qqn (de).

out [aʊt] *adv* **1.** dehors ▪ **I'm going out for a walk** je sors me promener ▪ **to run out** sortir en courant ▪ **out here** ici ▪ **out there** là-bas **2.** sorti(e) ▪ **John's out at the moment** John est sorti, John n'est pas là en ce moment ▪ **an afternoon out** une sortie l'après-midi **3.** éteint(e) ▪ **the lights went out** les lumières se sont éteintes **4.** ▪ **the tide is out** la marée est basse **5.** démodé(e), passé(e) de mode **6.** en fleur **7.** ▪ **before the year is out** avant la fin de l'année **8.** ▪ **to be out to do sthg** être résolu(e) *ou* décidé(e) à faire qqch.

▪ **out of** *prép* **1.** en dehors de ▪ **to go out of the room** sortir de la pièce ▪ **to be out of the country** être à l'étranger **2.** par ▪ **out of spite/love/boredom** par dépit/amour/ennui **3.** de, dans ▪ **a page out of a book** une page d'un livre ▪ **it's made out of plastic** c'est en plastique **4.** sans ▪ **out of petrol/money** à court d'essence/d'argent **5.** à l'abri de ▪ **we're out of the wind here** nous sommes à l'abri du vent ici **6.** sur ▪ **one out of ten people** une personne sur dix ▪ **ten out of ten** dix sur dix.

out-and-out *adj* **1.** *(menteur)* fieffé(e) **2.** *(succès, échec)* total(e).

outback [ˈaʊtbæk] *n* ▪ **the outback** l'intérieur *m* du pays *(en Australie)*.

outboard (motor) [ˈaʊtbɔd-] *n* (moteur *m*) hors-bord *m*.

outbreak ['aʊtbreɪk] n 1. début m, déclenchement m 2. éruption f (cutanée).

outburst ['aʊtbɜːst] n explosion f.

outcast ['aʊtkɑːst] n paria m.

outcome ['aʊtkʌm] n issue f, résultat m.

outcrop ['aʊtkrɒp] n affleurement m.

outcry ['aʊtkraɪ] n tollé m.

outdated [,aʊt'deɪtɪd] adj démodé(e), vieilli(e).

outdid [,aʊt'dɪd] passé ▷ **outdo**.

outdo [,aʊt'duː] (prét -**did**, pp -**done** [-'dʌn]) vt surpasser.

outdoor ['aʊtdɔːr] adj 1. en plein air 2. (sports, activités) de plein air.

outdoors [aʊt'dɔːz] adv dehors.

outer ['aʊtər] adj extérieur(e).

outer space n cosmos m.

outfit ['aʊtfɪt] n 1. tenue f 2. fam équipe f.

outfitters ['aʊt,fɪtəz] n (UK) vieilli magasin m spécialisé de confection pour hommes.

outgoing ['aʊt,gəʊɪŋ] adj 1. (président, directeur) sortant(e) 2. (courrier) à expédier 3. (train) en partance 4. (personne) ouvert(e).
■ **outgoings** npl (UK) dépenses fpl.

outgrow [,aʊt'grəʊ] (prét -**grew**, pp -**grown**) vt 1. devenir trop grand(e) pour 2. se défaire de.

outhouse ['aʊthaʊs] (pl [-haʊzɪz]) n 1. (UK) remise f 2. (US) toilettes fpl extérieures.

outing ['aʊtɪŋ] n sortie f.

outlandish [aʊt'lændɪʃ] adj bizarre.

outlaw ['aʊtlɔː] ■ n hors-la-loi m inv. ■ vt proscrire.

outlay ['aʊtleɪ] n dépenses fpl.

outlet ['aʊtlet] n 1. exutoire m 2. sortie f (d'un tunnel) 3. • **retail outlet** point m de vente 4. (US) prise f (de courant).

outline ['aʊtlaɪn] ■ n 1. grandes lignes fpl • **in outline** en gros 2. silhouette f. ■ vt exposer les grandes lignes de.

outlive [,aʊt'lɪv] vt survivre à.

outlook ['aʊtlʊk] n 1. attitude f, conception f 2. perspective f.

outlying ['aʊt,laɪɪŋ] adj 1. reculé(e) 2. écarté(e).

outmoded [,aʊt'məʊdɪd] adj démodé(e).

outnumber [,aʊt'nʌmbər] vt surpasser en nombre.

out-of-date adj 1. périmé(e) 2. démodé(e) 3. dépassé(e).

out of doors adv dehors.

out-of-the-way adj 1. perdu(e) 2. peu fréquenté(e).

outpatient ['aʊt,peɪʃnt] n malade mf en consultation externe.

outpost ['aʊtpəʊst] n avant-poste m.

output ['aʊtpʊt] n 1. production f 2. INFORM sortie f.

outrage ['aʊtreɪdʒ] ■ n 1. indignation f 2. atrocité f. ■ vt outrager.

outrageous [aʊt'reɪdʒəs] adj 1. scandaleux(euse), monstrueux(euse) 2. choquant(e) 3. (US) fam extravagant(e).

outright ■ adj ['aʊtraɪt] absolu(e), total(e). ■ adv [,aʊt'raɪt] 1. carrément, franchement 2. complètement, totalement.

outset ['aʊtset] n • **at the outset** au commencement, au début • **from the outset** depuis le commencement ou début.

outside ■ adj ['aʊtsaɪd] 1. extérieur(e) • **an outside opinion** une opinion indépendante 2. (chance, possibilité) faible. ■ adv [,aʊt'saɪd] à l'extérieur • **to go/run/look outside** aller/courir/regarder dehors. ■ prép ['aʊtsaɪd] 1. à l'extérieur de, en dehors de 2. • **outside office hours** en dehors des heures de bureau. ■ n ['aʊtsaɪd] extérieur m.
■ **outside of** prép à part • **nobody, outside of a few close friends, was invited** personne, en dehors de ou à part quelques amis intimes, n'était invité.

outside lane n 1. (au Royaume-Uni) voie f de droite 2. (en Europe, aux États-Unis) voie f de gauche.

outside line n TÉLÉCOM ligne f extérieure.

outsider [,aʊt'saɪdər] n 1. outsider m 2. étranger m, -ère f.

outsize ['aʊtsaɪz], **outsized** ['aʊtsaɪzd] adj 1. énorme, colossal(e) 2. grande taille (inv).

outskirts ['aʊtskɜːts] npl • **the outskirts** la banlieue.

outspoken [,aʊt'spəʊkn] adj franc(franche).

outstanding [,aʊt'stændɪŋ] *adj* 1. exceptionnel(elle), remarquable 2. marquant (e) 3. impayé(e) 4. en suspens.

outstay [,aʊt'steɪ] *vt* • **I don't want to outstay my welcome** je ne veux pas abuser de votre hospitalité.

outstretched [,aʊt'stretʃt] *adj* 1. *(bras)* tendu(e) 2. *(aile)* déployé(e).

outstrip [,aʊt'strɪp] *vt* devancer.

outward ['aʊtwəd] ▪ *adj* 1. • **outward journey** aller *m* 2. extérieur(e). ▪ *adv* = **outwards**.

outwardly ['aʊtwədlɪ] *adv* en apparence.

outwards ['aʊtwədz] *adv* vers l'extérieur.

outweigh [,aʊt'weɪ] *vt fig* primer sur.

outwit [,aʊt'wɪt] *vt* se montrer plus malin(igne) que.

oval ['əʊvl] ▪ *adj* ovale. ▪ *n* ovale *m*.

Oval Office *n* • **the Oval Office** bureau *du* président des États-Unis à la Maison-Blanche.

ovary ['əʊvərɪ] *n* ovaire *m*.

ovation [əʊ'veɪʃn] *n* ovation *f* • **the audience gave her a standing ovation** le public l'a ovationnée.

oven ['ʌvn] *n* four *m*.

ovenproof ['ʌvnpruːf] *adj* qui va au four.

over ['əʊvəʳ] *prép*

1. INDIQUE UNE LOCALISATION
• **there's a lamp over the table** il y a une lampe au-dessus de la table
• **it would be nicer if you put a cloth over the table** ce serait plus joli si tu mettais une nappe sur la table
• **they live over the road** ils habitent en face

2. INDIQUE UN FRANCHISSEMENT, UN DÉPASSEMENT
• **he jumped over the fence** il a sauté par-dessus la clôture
• **the water came over his waist** l'eau lui arrivait au-dessus de la taille
• **to go over the border** franchir la frontière
• **she's over forty** elle a plus de 40 ans

• **he's over me at work** il occupe un poste plus élevé que le mien

3. INDIQUE UN THÈME, UN SUJET
• **they argued over the price** ils ont débattu le prix
• **they fell out over politics** ils se sont brouillés pour une question de politique

4. INDIQUE UNE PÉRIODE, UNE DURÉE
• **it happened over the Christmas holiday** cela s'est passé pendant les fêtes de Noël
• **I haven't seen him much over the last few years** je ne l'ai pas vu beaucoup ces dernières années.

over *adv*

1. INDIQUE UN MOUVEMENT D'ÉLOIGNEMENT OU DE RAPPROCHEMENT
• **they flew over to America** ils se sont envolés pour les États-Unis
• **we invited them over** nous les avons invités chez nous
• **over here** ici
• **over there** là-bas

2. INDIQUE UN DÉPASSEMENT
• **I would recommend this book to children aged 7 and over** je recommanderais ce livre aux enfants âgés de 7 ans et plus

3. EXPRIME UNE NOTION D'EXCÈS
• **don't be over-anxious** ne sois pas trop anxieux

4. S'UTILISE POUR PARLER DE CE QUI RESTE
• **there is some meat over** il reste de la viande
• **there's nothing (left) over** il ne reste rien

5. EN MATHÉMATIQUES
• **three into twenty-two goes seven and one over** vingt-deux divisé par trois font sept et il reste un

6. INDIQUE UN MOUVEMENT EFFECTUÉ POUR FAIRE TOMBER QQCH OU QQN
• **don't knock the bottle over** ne renversez pas la bouteille
• **he pushed me and I fell over** il m'a poussé et je suis tombé à la renverse

7. EXPRIME UNE RÉPÉTITION
• **he did it ten times over** il l'a fait 10 fois de suite
• **over and over again** à maintes reprises, maintes fois

8. EXPRIME UNE IDÉE D'ATTENTION, DE RIGUEUR
• **think it over** réfléchissez-y bien
• **you'd better read it over** vous feriez mieux de le lire avec attention.

over *adj*

INDIQUE LA FIN, L'ACHÈVEMENT DE QQCH

• **the party's over** la fête est terminée
• **the repression of dissidents continued after the war was over** la répression des dissidents continua après la fin de la guerre
• **I'll be glad when this is all over** je serai heureux quand tout cela sera fini.

■ **all over** *prép*

• **all over the world** dans le monde entier.

all over *adv*

• **the house was painted green all over** la maison était peinte tout en vert.

all over *adj*

fini(e)
• **that's all over now** c'est fini, maintenant.

overall ■ *adj* ['əʊvərɔl] d'ensemble. ■ *adv* [,əʊvər'ɔl] en général. ■ *n* ['əʊvərɔl] **1.** *(UK)* tablier *m* **2.** *(US)* bleu *m* de travail.
■ **overalls** *npl* **1.** *(UK)* bleu *m* de travail **2.** *(US)* salopette *f*.

overawe [,əʊvər'ɔ] *vt* impressionner.

overbalance [,əʊvə'bæləns] *vi* basculer.

overbearing [,əʊvə'beərɪŋ] *adj* autoritaire.

overboard ['əʊvəbɔd] *adv* • **to fall overboard** tomber par-dessus bord.

overbook [,əʊvə'bʊk] *vi* surréserver.

overcame [,əʊvə'keɪm] *passé* ⊳ **overcome.**

overcast [,əʊvə'kɑst] *adj (temps, ciel)* couvert(e).

overcharge [,əʊvə'tʃɑdʒ] *vt* • **to overcharge sb (for sthg)** faire payer (qqch) trop cher à qqn.

overcoat ['əʊvəkəʊt] *n* pardessus *m*.

overcome [,əʊvə'kʌm] *(prét* **-came,** *pp* **-come)** *vt* **1.** surmonter **2.** • **to be overcome (by** *ou* **with)** être submergé(e) (de) • être accablé(e) (de).

overcrowded [,əʊvə'kraʊdɪd] *adj* bondé(e).

overcrowding [,əʊvə'kraʊdɪŋ] *n* surpeuplement *m*.

overdo [,əʊvə'du] *(prét* **-did** [-'dɪd], *pp* **-done)** *vt* **1.** exagérer **2.** trop faire • **to overdo it** se surmener **3.** trop cuire.

overdone [,əʊvə'dʌn] ■ *pp* ⊳ **overdo.** ■ *adj* trop cuit(e).

overdose *n* ['əʊvədəʊs] overdose *f*.

overdraft ['əʊvədrɑft] *n* découvert *m*.

overdrawn [,əʊvə'drɔn] *adj* à découvert.

overdue [,əʊvə'dju] *adj* **1.** • **overdue (for)** en retard (pour) **2.** • **(long) overdue** attendu(e) (depuis longtemps) **3.** arriéré(e), impayé(e).

overestimate [,əʊvər'estɪmeɪt] *vt* surestimer.

overflow ■ *vi* [,əʊvə'fləʊ] **1.** déborder **2.** • **to be overflowing (with)** regorger (de). ■ *n* ['əʊvəfləʊ] trop-plein *m*.

overgrown [,əʊvə'grəʊn] *adj* envahi(e) par les mauvaises herbes.

overhaul ■ *n* ['əʊvəhɔl] **1.** révision *f* *(d'une voiture, d'une machine)* **2.** *fig* refonte *f*, remaniement *m*. ■ *vt* [,əʊvə'hɔl] **1.** réviser *(une voiture, une machine)* **2.** *fig* refondre, remanier.

overhead ■ *adj* ['əʊvəhed] aérien (enne). ■ *adv* [,əʊvə'hed] au-dessus. ■ *n* ['əʊvəhed] *(indén) (US)* frais *mpl* généraux.
■ **overheads** *npl (UK)* frais *mpl* généraux.

overhead projector *n* rétroprojecteur *m*.

overhear [,əʊvə'hɪə] *(prét & pp* **-heard** [-'hɜd])* *vt* entendre par hasard.

overheat [,əʊvə'hit] ■ *vt* surchauffer. ■ *vi (moteur)* chauffer.

overjoyed [,əʊvə'dʒɔɪd] *adj* • **overjoyed (at)** transporté(e) de joie (à).

overkill ['əʊvəkɪl] *n* • **that would be overkill** ce serait de trop.

overladen [,əʊvə'leɪdn] ■ *pp* ⊳ **overload.** ■ *adj* surchargé(e).

overland ['əʊvəlænd] *adj & adv* par voie de terre.

overlap *vi litt & fig* se chevaucher.

overleaf [,əʊvə'lif] *adv* au verso, au dos.

overload [,əʊvə'ləʊd] *(pp* **-loaded** *ou* **-laden)** *vt* surcharger.

overlook [,əʊvə'lʊk] *vt* **1.** donner sur **2.** oublier, négliger **3.** passer sur, fermer les yeux sur.

overnight ■ *adj* ['əʊvənaɪt] **1.** de nuit **2.** d'une nuit **3.** *fig* • **overnight success** succès *m* immédiat. ■ *adv* [,əʊvə'naɪt] **1.** la nuit **2.** du jour au lendemain.

overpass ['əʊvəpɑːs] *n (US)* ≃ saut-de-mouton *m*.

overpower [,əʊvə'paʊəʳ] *vt* **1.** vaincre **2.** *fig* accabler, terrasser.

overpowering [,əʊvə'paʊərɪŋ] *adj* **1.** irrésistible **2.** *(parfum)* entêtant(e).

overran [,əʊvə'ræn] *passé* ▷ **overrun.**

overrated [,əʊvə'reɪtɪd] *adj* surfait(e).

override [,əʊvə'raɪd] *(prét* **-rode,** *pp* **-ridden)** *vt* **1.** l'emporter sur, prévaloir sur **2.** annuler.

overriding [,əʊvə'raɪdɪŋ] *adj* primordial(e).

overrode [,əʊvə'rəʊd] *passé* ▷ **override.**

overrule [,əʊvə'ruːl] *vt* **1.** prévaloir contre **2.** annuler *(une décision, un jugement)* **3.** rejeter *(une objection).*

overrun [,əʊvə'rʌn] *(prét* **-ran,** *pp* **-run)** ■ *vt* **1.** occuper **2.** *fig* • **to be overrun with** être envahi(e) de • être infesté(e) de. ■ *vi* dépasser (le temps alloué).

oversaw [,əʊvə'sɔ] *passé* ▷ **oversee.**

overseas ■ *adj* ['əʊvəsiːz] **1.** à l'étranger **2.** *(marché)* extérieur(e) **3.** étranger(ère) • **overseas aid** aide *f* aux pays étrangers. ■ *adv* [,əʊvə'siːz] à l'étranger.

oversee [,əʊvə'siː] *(prét* **-saw,** *pp* **-seen** [-'siːn]) *vt* surveiller.

overseer ['əʊvə,siːəʳ] *n* contremaître *m*.

overshadow [,əʊvə'ʃædəʊ] *vt* **1.** dominer **2.** *fig* éclipser.

overshoot [,əʊvə'ʃuːt] *(prét & pp* **-shot)** *vt* dépasser, rater.

oversight ['əʊvəsaɪt] *n* oubli *m* • **through oversight** par mégarde.

oversleep [,əʊvə'sliːp] *(prét & pp* **-slept** [-'slept]) *vi* ne pas se réveiller à temps.

overspill ['əʊvəspɪl] *n* excédent *m* de population.

overstep [,əʊvə'step] *vt* dépasser • **to overstep the mark** dépasser la mesure.

overt ['əʊvɜːt] *adj* déclaré(e), non déguisé(e).

overtake [,əʊvə'teɪk] *(prét* **-took,** *pp* **-taken** [-'teɪkn]) ■ *vt* **1.** *(UK)* AUTO doubler, dépasser **2.** frapper. ■ *vi (UK)* AUTO doubler.

overthrow ■ *n* ['əʊvəθrəʊ] coup *m* d'État. ■ *vt* [,əʊvə'θrəʊ] *(prét* **-threw** [-'θruː], *pp* **-thrown** [-'θrəʊn])** renverser.

overtime ['əʊvətaɪm] ■ *n (indén)* **1.** heures *fpl* supplémentaires **2.** *(US)* SPORT prolongations *fpl*. ■ *adv* • **to work overtime** faire des heures supplémentaires.

overtones ['əʊvətəʊnz] *npl* notes *fpl*, accents *mpl*.

overtook [,əʊvə'tʊk] *passé* ▷ **overtake.**

overture ['əʊvə,tjʊəʳ] *n* ouverture *f*.

overturn [,əʊvə'tɜːn] ■ *vt* **1.** renverser **2.** annuler *(une décision).* ■ *vi* **1.** se renverser **2.** chavirer.

overweight [,əʊvə'weɪt] *adj* trop gros (grosse).

overwhelm [,əʊvə'welm] *vt* **1.** accabler • **to be overwhelmed with joy** être au comble de la joie **2.** MIL écraser.

overwhelming [,əʊvə'welmɪŋ] *adj* **1.** irrésistible, irrépressible **2.** *(victoire, défaite)* écrasant(e).

overwork [,əʊvə'wɜːk] ■ *n* surmenage *m*. ■ *vt* surmener.

overwrought [,əʊvə'rɔt] *adj* excédé(e), à bout.

owe [əʊ] *vt* • **to owe sthg to sb, to owe sb sthg** devoir qqch à qqn.

owing ['əʊɪŋ] *adj* dû(due).
■ **owing to** *prép* à cause de, en raison de.

owl [aʊl] *n* hibou *m*.

own [əʊn] ■ *adj* propre • **my own car** ma propre voiture • **she has her own style** elle a son style à elle. ■ *pron* • **I've got my own** j'ai le mien • **he has a house of his own** il a une maison à lui, il a sa propre maison • **on one's own** tout seul(toute seule) • **to get one's own back** *fam* prendre sa revanche. ■ *vt* posséder.

■ **own up** *vi* • **to own up (to sthg)** avouer *ou* confesser (qqch).

owner ['əʊnəʳ] *n* propriétaire *mf*.

ownership ['əʊnəʃɪp] *n* propriété *f*.

ox [ɒks] (*pl* **oxen** ['ɒksn]) *n* bœuf *m*.

Oxbridge ['ɒksbrɪdʒ] *n désignation collective des universités d'Oxford et de Cambridge*.

oxen ['ɒksn] *npl* ▷ **ox**.

oxtail soup ['ɒksteɪl-] *n* soupe *f* à la queue de bœuf.

oxygen ['ɒksɪdʒən] *n* oxygène *m*.

oxygen mask *n* masque *m* à oxygène.

oxygen tent *n* tente *f* à oxygène.

oyster ['ɔɪstər] *n* huître *f*.

oz. *abrév de* **ounce**.

ozone ['əʊzəʊn] *n* ozone *m*.

ozone-friendly *adj* qui préserve la couche d'ozone.

ozone layer *n* couche *f* d'ozone.

CULTURE...

Oxbridge

L'université d'*Oxford* et celle de *Cambridge*, qui datent toutes deux du XIIIe siècle, sont les plus anciennes et les plus prestigieuses de Grande-Bretagne. Elles sont divisées en *colleges*, dont certains occupent de très beaux bâtiments ; elles observent encore aujourd'hui certaines traditions très anciennes. Le fait d'avoir fait ses études à *Oxford* ou *Cambridge* est considéré comme un avantage dans la vie professionnelle, et il n'est pas rare que les diplômés occupent à leur sortie des postes importants au gouvernement, dans les médias, *etc.* Il existe une rivalité très marquée entre les deux universités, notamment dans le domaine du sport.

p¹ *(pl* **p's** *ou* **ps),** **P** *(pl* **P's** *ou* **Ps)** [piː] *n* p *m inv,* P *m inv.*

p² **1.** *(abr de* **page)** p **2.** *abrév de* **penny, pence.**

p & p *(UK) abrév de* **postage and packing.**

pa [pɑː] *n (surtout US) fam* papa *m.*

PA *n* **1.** *(UK) abrév de* **personal assistant 2.** *(abr de* **public address system)** sono *f.*

pace [peɪs] ◼ *n* **1.** vitesse *f,* allure *f* ◦ **to keep pace (with sb)** marcher à la même allure (que qqn) ◦ **to keep pace (with sthg)** se maintenir au même niveau (que qqch) **2.** pas *m.* ◼ *vi* ◦ **to pace (up and down)** faire les cent pas.

pacemaker ['peɪsˌmeɪkəʳ] *n* **1.** MÉD stimulateur *m* cardiaque **2.** SPORT meneur *m,* -euse *f.*

Pacific [pə'sɪfɪk] ◼ *adj* du Pacifique. ◼ *n* ◦ **the Pacific (Ocean)** l'océan *m* Pacifique, le Pacifique.

pacifier ['pæsɪfaɪəʳ] *n (US)* tétine *f.*

pacifist ['pæsɪfɪst] *n* pacifiste *mf.*

pacify ['pæsɪfaɪ] *vt* **1.** apaiser **2.** pacifier *(un pays).*

pack [pæk] ◼ *n* **1.** sac *m* **2.** *(surtout US)* paquet *m* **3.** jeu *m (de cartes)* **4.** meute *f* **5.** bande *f (de loups, de voleurs).* ◼ *vt* **1.** emballer ◦ **to pack one's bags** faire ses bagages **2.** remplir ◦ **to be packed into** être entassé(e) dans. ◼ *vi* faire ses bagages *ou* sa valise.

◼ **pack in** *(UK) fam* ◼ *vt sép* plaquer ◦ **pack it in!** arrête !, ça suffit maintenant ! ◦ **la ferme !** ◼ *vi* tomber en panne.

◼ **pack off** *vt sép fam* expédier.

package ['pækɪdʒ] ◼ *n* **1.** paquet *m* **2.** *fig* ensemble *m,* série *f* **3.** INFORM progiciel *m.* ◼ *vt* conditionner.

package deal *n* forfait *m* global.

package tour *n* vacances *fpl* organisées.

packaging ['pækɪdʒɪŋ] *n* conditionnement *m.*

packed [pækt] *adj* ◦ **packed (with)** bourré(e) (de).

packed lunch *n (UK)* panier-repas *m.*

packet ['pækɪt] *n* paquet *m.*

packing ['pækɪŋ] *n* emballage *m.*

packing case *n (UK)* caisse *f* d'emballage.

pact [pækt] *n* pacte *m.*

pad [pæd] ◼ *n* **1.** morceau *m (de coton)* **2.** bloc *m (de papier)* **3.** ◦ **(launch) pad** pas *m* de tir **4.** ZOOL coussinet *m* **5.** *fam* pénates *mpl.* ◼ *vt* **1.** rembourrer **2.** tamponner. ◼ *vi* marcher à pas feutrés.

padding ['pædɪŋ] *n* **1.** rembourrage *m* **2.** *fig* délayage *m.*

paddle ['pædl] ◼ *n* **1.** pagaie *f* **2.** *(UK)* ◦ **to have a paddle** faire trempette. ◼ *vi* **1.** avancer en pagayant **2.** *(UK)* faire trempette.

paddle steamer, paddle boat *(US) n* bateau *m* à aubes.

paddling pool ['pædlɪŋ-] *n (UK)* **1.** pataugeoire *f* **2.** piscine *f* gonflable.

paddock ['pædək] *n* **1.** enclos *m* **2.** paddock *m.*

paddy field ['pædɪ-] *n* rizière *f.*

padlock ['pædlɒk] ◼ *n* cadenas *m.* ◼ *vt* cadenasser.

paediatrics *(UK),* **pediatrics** *(US)* [ˌpiːdɪ'ætrɪks] *n* pédiatrie *f.*

pagan ['peɪgən] ◼ *adj* païen(enne). ◼ *n* païen *m,* -enne *f.*

page [peɪdʒ] ◼ *n* **1.** page *f* **2.** feuille *f.* ◼ *vt (dans un lieu public)* appeler au micro.

pageant ['pædʒənt] *n* spectacle *m* historique.

pageantry ['pædʒəntrɪ] *n* apparat *m.*

paid [peɪd] ◼ *passé & pp* ▷ **pay.** ◼ *adj* rémunéré(e), payé(e).

pail [peɪl] *n vieilli* seau *m.*

pain [peɪn] n **1.** douleur f • **to be in pain** souffrir **2.** fam • **it's/he is such a pain** c'est/il est vraiment assommant.
■ **pains** npl • **to take pains to do sthg** se donner beaucoup de mal ou peine pour faire qqch.

pained [peɪnd] adj peiné(e).

painful ['peɪnfʊl] adj **1.** douloureux(euse) **2.** pénible.

painfully ['peɪnfʊlɪ] adv **1.** douloureusement **2.** péniblement.

painkiller ['peɪn,kɪlər] n calmant m.

painless ['peɪnlɪs] adj **1.** indolore, sans douleur **2.** fig sans heurt.

painstaking ['peɪnz,teɪkɪŋ] adj **1.** assidu(e) **2.** soigné(e).

paint [peɪnt] ■ n peinture f. ■ vt peindre.

paintbrush ['peɪntbrʌʃ] n pinceau m.

painter ['peɪntər] n peintre mf.

painting ['peɪntɪŋ] n tableau m.

paint stripper n décapant m.

paintwork ['peɪntwɜːk] n (indén) surfaces fpl peintes.

pair [peər] n **1.** paire f • **a pair of trousers** un pantalon **2.** couple m.

pajamas [pə'dʒɑːməz] (US) = **pyjamas.**

Pakistan [(UK) ,pɑːkɪ'stɑːn, (US) ,pækɪ'stæn] n Pakistan m.

Pakistani [(UK) ,pɑːkɪ'stɑːnɪ, (US) 'pækɪstænɪ] ■ adj pakistanais(e). ■ n Pakistanais m, -e f.

pal [pæl] n fam **1.** copain m, copine f **2.** mon vieux m.

palace ['pælɪs] n palais m.

palatable ['pælətəbl] adj **1.** agréable au goût **2.** fig acceptable, agréable.

palate ['pælət] n palais m.

palaver [pə'lɑːvər] n (indén) fam **1.** palabres fpl **2.** histoire f, affaire f.

pale [peɪl] adj pâle.

Palestine ['pælə,staɪn] n Palestine f.

Palestinian [,pælə'stɪnɪən] ■ adj palestinien(enne). ■ n Palestinien m, -enne f.

palette ['pælət] n palette f.

palings ['peɪlɪŋz] npl palissade f.

pall [pɔːl] ■ n **1.** voile m (de fumée) **2.** cercueil m. ■ vi perdre de son charme.

pallet ['pælɪt] n palette f.

palliative care n (indén) soins mpl palliatifs.

pallor ['pælər] n pâleur f.

palm [pɑːm] n **1.** palmier m **2.** paume f.
■ **palm off** vt sép fam • **to palm sthg off on sb** refiler qqch à qqn.

Palm Sunday n dimanche m des Rameaux.

palmtop n ordinateur m de poche.

palm tree n palmier m.

palpable ['pælpəbl] adj évident(e).

paltry ['pɔːltrɪ] adj dérisoire.

pamper ['pæmpər] vt choyer, dorloter.

pamphlet ['pæmflɪt] n brochure f.

pan [pæn] ■ n **1.** casserole f **2.** (US) moule m (à gâteaux). ■ vt fam démolir. ■ vi CINÉ faire un panoramique.

panacea [,pænə'sɪə] n panacée f.

panama [,pænə'mɑː] n • **panama (hat)** panama m.

Panama ['pænəmɑː] n Panama m.

Panama Canal n • **the Panama Canal** le canal de Panama.

pancake ['pænkeɪk] n crêpe f.

Pancake Day n mardi gras m.

Pancake Tuesday n mardi gras m.

panda ['pændə] (pl inv ou -s) n panda m.

panda car n (UK) fam vieilli voiture f de patrouille.

pandemonium [,pændɪ'məʊnjəm] n tohu-bohu m inv.

pander ['pændər] vi • **to pander to sb** se prêter aux exigences de qqn • **to pander to sthg** se plier à qqch.

pane [peɪn] n vitre f, carreau m.

panel ['pænl] n **1.** invités mpl **2.** comité m **3.** panneau m (en bois) **4.** tableau m de bord.

panelling (UK), **paneling** (US) ['pænəlɪŋ] n (indén) lambris m.

pang [pæŋ] n tiraillement m.

panic ['pænɪk] ■ n panique f. ■ vi (prét & pp **-ked**, cont **-king**) paniquer.

panicky ['pænɪkɪ] adj **1.** paniqué(e) **2.** (sentiment) de panique.

panic-stricken adj affolé(e).

panorama [,pænə'rɑːmə] n panorama m.

pansy ['pænzɪ] n pensée f.

pant [pænt] *vi* haleter.

panther ['pænθə'] *(pl inv ou -s) n* panthère *f.*

panties ['pæntɪz] *npl fam* culotte *f.*

pantihose ['pæntɪhəʊz] *(US)* = **pantyhose**.

pantomime ['pæntəmaɪm] *n (UK)* spectacle de Noël pour enfants, généralement inspiré de contes de fées.

pantry ['pæntrɪ] *n* garde-manger *m inv.*

pants [pænts] *npl* **1.** *(UK)* ◦ *(pour homme)* slip *m* ◦ *(pour femme)* culotte *f*, slip **2.** *(US)* pantalon *m.*

pantyhose ['pæntɪhəʊz] *npl (US)* collant *m.*

papa [*(UK)* pə'pɑː, *(US)* 'pæpə] *n* papa *m.*

paper ['peɪpə'] ■ *n* **1.** *(indén)* papier *m* ◦ **a piece of paper** une feuille de papier ◦ **on paper** par écrit **2.** journal *m* **3.** épreuve *f* **4.** copie *f* **5. paper (on)** essai *m* (sur). ■ *adj* en papier. ■ *vt* tapisser.

paperback ['peɪpəbæk] *n* ◦ **paperback (book)** livre *m* de poche.

paper clip *n* trombone *m.*

paper handkerchief *n* mouchoir *m* en papier.

paper knife *n* coupe-papier *m inv.*

paper shop *n (UK)* marchand *m* de journaux.

paperweight ['peɪpəweɪt] *n* presse-papiers *m inv.*

paperwork ['peɪpəwɜːk] *n* paperasserie *f.*

paprika ['pæprɪkə] *n* paprika *m.*

Pap smear [pæp↓] *(US)* = **cervical smear**.

par [pɑːr] *n* **1.** ◦ **on a par with** à égalité avec **2.** GOLF par *m*, normale *f (Québec)* **3.** ◦ **below** *ou* **under par** pas en forme.

parable ['pærəbl] *n* parabole *f.*

paracetamol [,pærə'siːtəmɒl] *n (UK)* paracétamol *m.*

parachute ['pærəʃuːt] ■ *n* parachute *m.* ■ *vi* sauter en parachute.

parade [pə'reɪd] ■ *n* **1.** parade *f*, revue *f* **2.** MIL défilé *m.* ■ *vt* **1.** faire défiler **2.** montrer **3.** *fig* afficher. ■ *vi* défiler.

paradise ['pærədaɪs] *n* paradis *m.*

paradox ['pærədɒks] *n* paradoxe *m.*

paradoxically [,pærə'dɒksɪklɪ] *adv* paradoxalement.

paraffin ['pærəfɪn] *n (UK)* paraffine *f.*

paragliding ['pærə,glaɪdɪŋ] *n* parapente *m.*

paragon ['pærəgən] *n* modèle *m*, parangon *m.*

paragraph ['pærəgrɑːf] *n* paragraphe *m.*

Paraguay ['pærəgwaɪ] *n* Paraguay *m.*

parallel ['pærəlel] ■ *adj litt & fig* ◦ **parallel (to** *ou* **with)** parallèle (à). ■ *n* **1.** GÉOM parallèle *f* **2.** GÉOGR parallèle *m* **3.** *fig* parallèle *m*, équivalent *m.*

paralyse *(UK)*, **paralyze** *(US)* ['pærəlaɪz] *vt litt & fig* paralyser.

paralysis [pə'rælɪsɪs] *(pl* **-lyses** [-lɪsiːz]) *n litt & fig* paralysie *f.*

paramedic [,pærə'medɪk] *n* auxiliaire médical *m*, auxiliaire médicale *f.*

parameter [pə'ræmɪtə'] *n* paramètre *m.*

paramount ['pærəmaʊnt] *adj* primordial(e) ◦ **of paramount importance** d'une importance suprême.

paranoid ['pærənɔɪd] *adj* paranoïaque.

paraphernalia [,pærəfə'neɪljə] *n (indén)* attirail *m*, bazar *m.*

parasite ['pærəsaɪt] *n litt & fig* parasite *m.*

parasol ['pærəsɒl] *n* **1.** parasol *m* **2.** ombrelle *f.*

paratrooper ['pærətruːpə'] *n* parachutiste *mf.*

parcel ['pɑːsl] *(UK) n* paquet *m.* ■ **parcel up** *vt sép* empaqueter.

parched [pɑːtʃt] *adj* desséché(e).

parchment ['pɑːtʃmənt] *n* parchemin *m.*

pardon ['pɑːdn] ■ *n* **1.** grâce *f* **2.** *(indén)* pardon *m* ◦ **I beg your pardon?** comment ?, pardon ? ◦ **I beg your pardon!** je vous demande pardon ! ■ *vt* **1.** pardonner ◦ **to pardon sb for sthg** pardonner qqch à qqn ◦ **pardon me!** pardon !, excusez-moi ! **2.** gracier. ■ *interj* comment ?

parent ['peərənt] *n* père *m*, mère *f.* ■ **parents** *npl* parents *mpl.*

parental [pə'rentl] *adj* parental(e).

parenthesis [pə'renθɪsɪs] *(pl* **-theses** [-θɪsiːz]) *n* parenthèse *f.*

Paris ['pærɪs] *n* Paris.

parish ['pærɪʃ] *n* 1. paroisse *f* 2. *(UK)* commune *f*.

Parisian [pə'rɪzjən] ◼ *adj* parisien(enne). ◼ *n* Parisien *m*, -enne *f*.

parity ['pærətɪ] *n* égalité *f*.

park [pɑːk] ◼ *n* parc *m*, jardin *m* public. ◼ *vt* garer. ◼ *vi* se garer, stationner.

parking ['pɑːkɪŋ] *n* stationnement *m* • **'no parking'** 'défense de stationner'.

parking lot *n (US)* parking *m*.

parking meter *n* parcmètre *m*.

parking ticket *n* contravention *f*, PV *m*.

parlance ['pɑːləns] *n* • **in common/legal parlance** en langage courant/juridique.

parliament ['pɑːləmənt] *n* parlement *m*.

parliamentary [,pɑːlə'mentərɪ] *adj* parlementaire.

parlour *(UK)*, **parlor** *(US)* ['pɑːlər] *n* vieilli salon *m*.

parochial [pə'rəʊkjəl] *adj péj* de clocher.

parody ['pærədɪ] ◼ *n* parodie *f*. ◼ *vt* parodier.

parole [pə'rəʊl] *n (indén)* parole *f* • **on parole** en liberté conditionnelle.

parrot ['pærət] *n* perroquet *m*.

parry ['pærɪ] *vt* 1. parer 2. éluder.

parsley ['pɑːslɪ] *n* persil *m*.

parsnip ['pɑːsnɪp] *n* panais *m*.

parson ['pɑːsn] *n* pasteur *m*.

part [pɑːt] ◼ *n* 1. partie *f* • **for the most part** dans l'ensemble 2. épisode *m* *(d'une série télévisée)* 3. pièce *f* 4. mesure *f* 5. théâtre rôle *m* 6. • **to play an important part in** jouer un rôle important dans • **to take part in** participer à • **for my part** en ce qui me concerne 7. *(US) (cheveux)* raie *f*. ◼ *adv* en partie. ◼ *vt* • **to part one's hair** se faire une raie. ◼ *vi* 1. se séparer 2. s'écarter, s'ouvrir. ◼ **parts** *npl* • **in these parts** dans cette région. ◼ **part with** *vt insép* 1. débourser 2. se défaire de.

part exchange *n (UK)* reprise *f* • **to take sthg in part exchange** reprendre qqch.

partial ['pɑːʃl] *adj* 1. partiel(elle) 2. partial(e) 3. • **to be partial to** avoir un penchant pour.

participant [pɑː'tɪsɪpənt] *n* participant *m*, -e *f*.

participate [pɑː'tɪsɪpeɪt] *vi* • **to participate (in)** participer (à).

participation [pɑː,tɪsɪ'peɪʃn] *n* participation *f*.

participle ['pɑːtɪsɪpl] *n* participe *m*.

particle ['pɑːtɪkl] *n* particule *f*.

parti-coloured *(UK)*, **parti-colored** *(US)* ['pɑːtɪ-] *adj* bariolé(e).

particular [pə'tɪkjʊlər] *adj* 1. particulier(ère) 2. pointilleux(euse) • **particular about** exigeant(e) à propos de. ◼ **in particular** *adv* en particulier.

particularly [pə'tɪkjʊləlɪ] *adv* particulièrement.

parting ['pɑːtɪŋ] *n* 1. séparation *f* 2. *(UK)* raie *f*.

partisan [,pɑːtɪ'zæn] ◼ *adj* partisan(e). ◼ *n* partisan *m*, -e *f*.

partition [pɑː'tɪʃn] ◼ *n* cloison *f*. ◼ *vt* 1. cloisonner 2. partager.

partly ['pɑːtlɪ] *adv* partiellement, en partie.

partner ['pɑːtnər] ◼ *n* 1. partenaire *mf* 2. conjoint *m*, -e *f* 3. compagnon *m*, compagne *f* 4. associé *m*, -e *f*. ◼ *vt* être le(la) partenaire de.

partnership ['pɑːtnəʃɪp] *n* association *f*.

partridge ['pɑːtrɪdʒ] *n* perdrix *f*.

part-time *adj* & *adv* à temps partiel.

party ['pɑːtɪ] ◼ *n* 1. polit parti *m* 2. fête *f*, réception *f* • **to have** *ou* **throw a party** donner une fête 3. groupe *m* 4. dr partie *f*. ◼ *vi fam* faire la fête.

party line *n* 1. polit ligne *f* du parti 2. télécom ligne *f* commune à deux abonnés.

pass [pɑːs] ◼ *n* 1. sport passe *f* 2. laissez-passer *m inv* 3. carte *f* d'abonnement 4. *(UK)* mention *f* passable 5. col *m* • **make a pass at sb** faire du plat à qqn. ◼ *vt* 1. passer • **to pass sthg to sb, to pass sb sthg** passer qqch à qqn 2. croiser 3. passer devant 4. auto dépasser, doubler 5. réussir *(un examen)* 6. recevoir, admettre 7. voter 8. émettre 9. rendre, prononcer. ◼ *vi* 1. passer 2. auto doubler, dépasser 3. sport faire une passe 4. réussir, être reçu(e). ◼ **pass as** *vt insép* passer pour. ◼ **pass away** *vi euphém* s'éteindre.

■ **pass by** ◼ *vt sép* ▪ **the news passed him by** la nouvelle ne l'a pas affecté. ◼ *vi* passer à côté.

■ **pass for** *vt insép* = **pass as**.

■ **pass on** ◼ *vt sép* ▪ **to pass sthg on (to)** faire passer qqch (à) ▪ transmettre qqch (à). ◼ *vi* **1.** continuer son chemin **2.** *euphém* = **pass away**.

■ **pass out** *vi* s'évanouir.

■ **pass over** *vt insép* passer sous silence.

■ **pass up** *vt sép* laisser passer.

passable ['pɑːsəbl] *adj* **1.** passable **2.** praticable **3.** franchissable.

passage ['pæsɪdʒ] *n* **1.** passage *m* **2.** couloir *m* **3.** NAUT traversée *f*.

passageway ['pæsɪdʒweɪ] *n* **1.** passage *m* **2.** couloir *m*.

passbook ['pɑːsbʊk] *n* (UK) livret *m* (d'épargne).

passenger ['pæsɪndʒər] *n* passager *m*, -ère *f*.

passerby [,pɑːsə'baɪ] (*pl* **passersby** [,pɑːsəz'baɪ]) *n* passant *m*, -e *f*.

passing ['pɑːsɪŋ] *adj* **1.** en passant **2.** passager(ère).

■ **in passing** *adv* en passant.

passion ['pæʃn] *n* passion *f*.

passionate ['pæʃənət] *adj* passionné(e).

passive ['pæsɪv] *adj* passif(ive).

Passover ['pɑːs,əʊvər] *n* ▪ **(the) Passover** la Pâque juive.

passport ['pɑːspɔːt] *n* passeport *m*.

passport control *n* contrôle *m* des passeports.

password ['pɑːswɜːd] *n* mot *m* de passe.

past [pɑːst] ◼ *adj* **1.** passé(e) ▪ **for the past five years** ces cinq dernières années ▪ **the past week** la semaine dernière **2.** fini(e). ◼ *adv* **1.** ▪ **it's ten past** il est dix **2.** ▪ **to drive past** passer (devant) en voiture. ◼ *n* passé *m* ▪ **in the past** dans le temps. ◼ *prép* **1.** ▪ **it's half past eight** il est huit heures et demie ▪ **it's five past nine** il est neuf heures cinq **2.** devant ▪ **we drove past them** nous les avons dépassés **3.** après, au-delà de ▪ **just past the church** juste après l'église.

pasta ['pæstə] *n (indén)* pâtes *fpl*.

paste [peɪst] ◼ *n* **1.** pâte *f* **2.** CULIN pâté *m* **3.** *(indén)* colle *f*. ◼ *vt* coller.

pastel ['pæstl] ◼ *adj* pastel *(inv)*. ◼ *n* pastel *m*.

pasteurize, -ise ['pɑːstʃəraɪz] *vt* pasteuriser.

pastille ['pæstɪl] *n* pastille *f*.

pastime ['pɑːstaɪm] *n* passe-temps *m inv*.

pastor ['pɑːstər] *n* pasteur *m*.

past participle *n* participe *m* passé.

pastry ['peɪstrɪ] *n* **1.** pâte *f* **2.** pâtisserie *f*.

past tense *n* passé *m*.

pasture ['pɑːstʃər] *n* pâturage *m*, pré *m*.

pasty[1] ['peɪstɪ] *adj* blafard(e), terreux (euse).

pasty[2] ['pæstɪ] *n (UK)* petit pâté *m*, friand *m*.

pat [pæt] ◼ *n* **1.** petite tape *f* **2.** caresse *f* *(à un animal)*. ◼ *vt* **1.** tapoter, donner une tape à **2.** caresser *(un animal)*.

patch [pætʃ] ◼ *n* **1.** pièce *f* **2.** bandeau *m* **3.** plaque *f (de verglas)* **4.** parcelle *f* ▪ **vegetable patch** carré *m* de légumes **5.** MÉD patch *m* **6.** ▪ **a difficult patch** une mauvaise passe. ◼ *vt* rapiécer.

■ **patch up** *vt sép* **1.** rafistoler **2.** *fig* régler, arranger ▪ **to patch up a relationship** se raccommoder.

patchwork ['pætʃwɜːk] *n* patchwork *m*.

patchy ['pætʃɪ] *adj* **1.** inégal(e) **2.** *(connaissances)* insuffisant(e), imparfait(e).

pâté ['pæteɪ] *n* pâté *m*.

patent [*(UK)* 'peɪtənt, *(US)* 'pætənt] ◼ *adj* évident(e), manifeste. ◼ *n* brevet *m* (d'invention). ◼ *vt* faire breveter.

patent leather *n* cuir *m* verni.

paternal [pə'tɜːnl] *adj* paternel(elle).

path [pɑːθ] (*pl* [pɑːðz]) *n* **1.** chemin *m*, sentier *m* **2.** voie *f*, chemin *m* **3.** trajectoire *f* **4.** chemin *m* (d'accès).

pathetic [pə'θetɪk] *adj* **1.** pitoyable, attendrissant(e) **2.** pitoyable, minable.

pathname ['pɑːθneɪm] *n* chemin *m* (d'accès).

pathological [,pæθə'lɒdʒɪkl] *adj* pathologique.

pathology [pə'θɒlədʒɪ] *n* pathologie *f*.

pathos ['peɪθɒs] *n* pathétique *m*.

pathway ['pɑːθweɪ] *n* chemin *m*.

patience ['peɪʃns] *n* **1.** patience *f* **2.** *(UK) (jeu de cartes)* réussite *f*.

patient ['peɪʃnt] ◼ adj patient(e). ◼ n
1. patient m, -e f, malade mf 2. patient.

patio ['pætɪəʊ] (pl -s) n patio m.

patriotic [(UK) ,pætrɪ'ɒtɪk, (US) ,peɪtrɪ-
'ɒtɪk] adj 1. patriotique 2. patriote.

patrol [pə'trəʊl] ◼ n patrouille f. ◼ vt
patrouiller dans, faire une patrouille
dans.

patrol car n voiture f de police.

patrolman [pə'trəʊlmən] (pl -men
[-mən]) n (US) agent m de police.

patron ['peɪtrən] n 1. mécène m, protecteur m, -trice f 2. (UK) parrain m, marraine f (d'une fondation, d'une œuvre cari-
tative) 3. sout client m, -e f.

patronize, -ise ['pætrənaɪz] vt 1. traiter
avec condescendance 2. sout patron-
ner, protéger.

patronizing, -ising ['pætrənaɪzɪŋ] adj
condescendant(e).

patter ['pætər] ◼ n crépitement m. ◼ vi
trottiner.

pattern ['pætən] n 1. motif m, dessin m
2. schéma m 3. mode m 4. cout ◼ **(sewing) pattern** patron m 5. modèle m.

paunch [pɔntʃ] n bedaine f.

pauper ['pɔpər] n vieilli indigent m, -e f.

pause [pɔz] ◼ n 1. pause f, silence m
2. pause f, arrêt m. ◼ vi 1. marquer un
temps 2. faire une pause, s'arrêter.

pave [peɪv] vt paver ◦ **to pave the way
for sb/sthg** ouvrir la voie à qqn/qqch.

pavement ['peɪvmənt] n 1. (UK) trottoir
m 2. (US) chaussée f.

pavilion [pə'vɪljən] n pavillon m.

paving ['peɪvɪŋ] n (indén) pavé m.

paving stone n pavé m.

paw [pɔ] n patte f.

pawn [pɔn] ◼ n litt & fig pion m. ◼ vt
mettre en gage.

pawnbroker ['pɔn,brəʊkər] n prêteur m,
-euse f sur gages.

pawnshop ['pɔnʃɒp] n boutique f de
prêteur sur gages.

pay [peɪ] ◼ vt (prét & pp paid) 1. payer
◦ **to pay money into an account** verser
de l'argent sur un compte ◦ **to pay a
cheque into an account** déposer un chèque sur un compte 2. rapporter à 3. ◦ **to
pay attention (to sb/sthg)** prêter attention (à qqn/qqch) ◦ **to pay sb a compli-**

ment faire un compliment à qqn ◦ **to
pay sb a visit** rendre visite à qqn. ◼ vi
(prét & pp paid) payer ◦ **to pay dearly for
sthg** fig payer qqch cher. ◼ n salaire m.
◼ **pay back** vt sép 1. rembourser 2. re-
valoir ◦ **I'll pay you back for that** tu me
le paieras.
◼ **pay off** ◼ vt sép 1. s'acquitter de, régler 2. rembourser 3. licencier 4. soudoyer. ◼ vi être payant(e).
◼ **pay up** vi payer.

payable ['peɪəbl] adj 1. payable 2. (sur un
chèque) ◦ **payable to** à l'ordre de.

pay-as-you-go [,peɪəzjʊ'gəʊ] n (télépho-
nie mobile) système m sans forfait.

paycheck ['peɪtʃek] n (US) paie f.

payday ['peɪdeɪ] n jour m de paie.

payee [peɪ'i:] n bénéficiaire mf.

pay envelope n (US) salaire m.

payment ['peɪmənt] n paiement m.

pay packet n (UK) 1. enveloppe f de paie
2. paie f.

pay phone n cabine f téléphonique.

payroll ['peɪrəʊl] n registre m du personnel.

payslip ['peɪslɪp] n (UK) feuille f ou bulletin m de paie.

pc (abr écrite de per cent) p. cent.

PC n 1. (abr de personal computer) PC m,
micro m 2. (UK) abrév de police constable.

PE (abr de physical education) n EPS f.

pea [pi:] n pois m.

peace [pi:s] n (indén) 1. paix f 2. calme m,
tranquillité f.

peaceable ['pi:səbl] adj paisible, pacifique.

peaceful ['pi:sfʊl] adj 1. paisible, calme
2. pacifique 3. non-violent(e).

peacetime ['pi:staɪm] n temps m de
paix.

peach [pi:tʃ] ◼ adj couleur pêche (inv).
◼ n pêche f.

peacock ['pi:kɒk] n paon m.

peak [pi:k] ◼ n 1. sommet m, cime f 2. fig
apogée m, sommet m. ◼ adj optimum
(inv). ◼ vi atteindre un niveau maximum.

peaked [pi:kt] adj à visière.

peak hours npl heures fpl de pointe.

peak period n période f de pointe.

peak rate n tarif m normal.

peal [pi:l] ◼ n **1.** carillon m **2.** éclat m (de rire) **3.** coup m (de tonnerre). ◼ vi carillonner.

peanut ['pi:nʌt] n cacahuète f.

peanut butter n beurre m de cacahuètes.

pear [peəʳ] n poire f.

pearl [pɜ:l] n perle f.

peasant ['peznt] n paysan m, -anne f.

peat [pi:t] n tourbe f.

pebble ['pebl] n galet m, caillou m.

peck [pek] ◼ n **1.** coup m de bec **2.** bise f. ◼ vt **1.** picoter **2.** ∘ **to peck sb on the cheek** faire une bise à qqn.

pecking order ['pekiŋ-] n hiérarchie f.

peckish ['pekiʃ] adj (UK) fam ∘ **to feel peckish** avoir un petit creux.

peculiar [pɪ'kju:ljəʳ] adj **1.** bizarre **2.** ∘ **to feel peculiar** se sentir tout drôle(toute drôle) **3.** ∘ **peculiar to** propre à, particulier(ère) à.

peculiarity [pɪˌkju:lɪ'ærətɪ] n **1.** bizarrerie f **2.** particularité f, caractéristique f.

pedal ['pedl] ◼ n pédale f. ◼ vi ((UK) prét & pp **-led**, cont **-ling**, (US) prét & pp **-ed**, cont **-ing**) pédaler.

pedal bin n (UK) poubelle f à pédale.

pedantic [pɪ'dæntɪk] adj péj pédant(e).

peddle ['pedl] vt **1.** (drogue) faire le trafic de **2.** colporter, répandre.

pedestal ['pedɪstl] n piédestal m.

pedestrian [pɪ'destrɪən] n piéton m.

pedestrian crossing n (UK) passage m (pour) piétons.

pedestrian precinct (UK), **pedestrian zone** (US) n zone f piétonne.

pediatrics [ˌpi:dɪ'ætrɪks] (US) = **paediatrics**.

pedigree ['pedɪgri:] ◼ adj de race. ◼ n **1.** pedigree m **2.** ascendance f.

pedlar (UK), **peddler** (US) ['pedləʳ] n colporteur m.

pee [pi:] fam ◼ n pipi m. ◼ vi faire pipi.

peek [pi:k] fam ◼ n coup m d'œil furtif. ◼ vi jeter un coup d'œil furtif.

peel [pi:l] ◼ n **1.** peau f (de pomme de terre) **2.** écorce f (d'orange, de citron). ◼ vt éplu-

cher, peler. ◼ vi **1.** (peinture) s'écailler **2.** (papier peint) se décoller **3.** (peau) peler.

peelings ['pi:lɪŋz] npl épluchures fpl.

peep [pi:p] ◼ n **1.** coup m d'œil **2.** fam bruit m. ◼ vi jeter un coup d'œil furtif.
◼ **peep out** vi apparaître, se montrer.

peephole ['pi:phəʊl] n judas m.

peer [pɪəʳ] ◼ n pair m. ◼ vi scruter.

peerage ['pɪərɪdʒ] n pairie f ∘ **the peerage** les pairs mpl.

peer group n pairs mpl.

peeved [pi:vd] adj fam fâché(e), irrité(e).

peevish ['pi:vɪʃ] adj grincheux(euse).

peg [peg] ◼ n **1.** cheville f **2.** (UK) pince f à linge **3.** piquet m (de tente). ◼ vt fig bloquer (les prix).

pejorative [pɪ'dʒɒrətɪv] adj péjoratif(ive).

Pekinese [ˌpi:kə'ni:z], **Pekingese** [ˌpi:kɪŋ'i:z] n (pl inv) pékinois m.

Peking [pi:'kɪŋ] n Pékin.

pelican ['pelɪkən] (pl inv ou **-s**) n pélican m.

pelican crossing n (UK) passage pour piétons avec feux de circulation.

pellet ['pelɪt] n **1.** boulette f **2.** plomb m (pour fusil).

pelmet ['pelmɪt] n (UK) lambrequin m.

pelt [pelt] ◼ n peau f, fourrure f. ◼ vt ∘ **to pelt sb (with sthg)** bombarder qqn (de qqch). ◼ vi ∘ **to pelt along** courir ventre à terre ∘ **to pelt down the stairs** dévaler l'escalier.
◼ **pelt down** v impers ∘ **it's pelting down** il pleut à verse.

pelvis ['pelvɪs] (pl **-vises** ou **-ves** [-vi:z]) n pelvis m, bassin m.

pen [pen] ◼ n **1.** stylo m **2.** parc m, enclos m **3.** (US) fam (abr écrite de **penitentiary**) taule f. ◼ vt parquer.

penal ['pi:nl] adj pénal(e).

penalize, -ise ['pi:nəlaɪz] vt **1.** pénaliser **2.** désavantager.

penalty ['penltɪ] n **1.** pénalité f ∘ **to pay the penalty (for sthg)** fig supporter ou subir les conséquences (de qqch) **2.** amende f **3.** SPORT (hockey) pénalité f ∘ **penalty (kick)** FOOTBALL penalty m.

penance ['penəns] n **1.** pénitence f **2.** fig corvée f, pensum m.

pence [pens] (UK) npl ▷ **penny**.

penchant [*(UK)* 'pɑːnʃɑːn, *(US)* 'pentʃɑnt] *n* • **to have a penchant for sthg** avoir un faible pour qqch • **to have a penchant for doing sthg** avoir tendance à *ou* bien aimer faire qqch.

pencil ['pensl] ◼ *n* crayon *m*. ◼ *vt* (*(UK)* *prét* & *pp* **-led**, *cont* **-ling**, *(US)* *prét* & *pp* **-ed**, *cont* **-ing**) griffonner au crayon, crayonner.

pencil case *n* trousse *f* (*d'écolier*).

pencil sharpener *n* taille-crayon *m*.

pendant ['pendənt] *n* pendentif *m*.

pending ['pendɪŋ] *sout* ◼ *adj* **1.** imminent(e) **2.** DR en instance. ◼ *prép* en attendant.

pendulum ['pendjʊləm] (*pl* **-s**) *n* balancier *m*.

penetrate ['penɪtreɪt] *vt* **1.** pénétrer dans **2.** percer **3.** s'infiltrer dans **4.** (*espion*) infiltrer.

pen friend *n (UK)* correspondant *m*, -e *f*.

penguin ['peŋgwɪn] *n* manchot *m*.

penicillin [ˌpenɪ'sɪlɪn] *n* pénicilline *f*.

peninsula [pə'nɪnsjʊlə] (*pl* **-s**) *n* péninsule *f*.

penis ['piːnɪs] (*pl* **penises** ['piːnɪsɪz]) *n* pénis *m*.

penitentiary [ˌpenɪ'tenʃərɪ] *n (US)* prison *f*.

penknife ['pennaɪf] (*pl* **-knives** [-naɪvz]) *n* canif *m*.

pen name *n* pseudonyme *m*.

pennant ['penənt] *n* fanion *m*, flamme *f*.

penniless ['penɪlɪs] *adj* sans le sou.

penny ['penɪ] *n* **1.** (*pl* -ies) *(UK)* penny *m* **2.** (*pl* -ies) *(US)* cent *m* **3.** (*pl* pence [pens]) *(UK)* pence *m*.

pen pal *n fam* correspondant *m*, -e *f*.

pension ['penʃn] *n* **1.** retraite *f* **2.** pension *f*.

pensioner ['penʃənər] *n (UK)* • **(old-age) pensioner** retraité *m*, -e *f*.

pensive ['pensɪv] *adj* songeur(euse).

pentagon ['pentəgən] *n* pentagone *m*.

Pentagon *n (US)* • **the Pentagon** le Pentagone (*siège du ministère américain de la Défense*).

Pentecost ['pentɪkɒst] *n* Pentecôte *f*.

penthouse ['penthaʊs] (*pl* [-haʊzɪz]) *n* appartement *m* de luxe (au dernier étage).

pent-up ['pent-] *adj* **1.** (*émotions*) refoulé(e) **2.** (*énergie*) contenu(e).

penultimate [pe'nʌltɪmət] *adj* avant-dernier(ère).

people ['piːpl] ◼ *n* nation *f*, peuple *m*. ◼ *npl* **1.** personnes *fpl* • **few/a lot of people** peu/beaucoup de monde *ou* de gens **2.** gens *mpl* • **people say that...** on dit que... **3.** habitants *mpl* **4.** • **the people** le peuple. ◼ *vt* • **to be peopled by** *ou* **with** être peuplé(e) de.

pep [pep] *n* (*indén*) (*indén*) *fam* entrain *m*, punch *m*.
◼ **pep up** *vt sép fam* **1.** remonter, requinquer **2.** animer.

pepper ['pepər] *n* **1.** poivre *m* **2.** poivron *m*.

pepperbox ['pepəbɒks] *n (US)* = **pepper pot**.

peppermint ['pepəmɪnt] *n* **1.** bonbon *m* à la menthe **2.** menthe *f* poivrée.

pepper pot *(UK)*, **pepperbox** *(US)* ['pepəbɒks] *n* poivrier *m*.

pep talk *n fam* paroles *fpl* d'encouragement.

per [pɜːr] *prép* • **per person** par personne • **to be paid £10 per hour** être payé 10 livres de l'heure • **per kilo** le kilo • **as per instructions** conformément aux instructions.

per annum *adv* par an.

per capita [pə'kæpɪtə] *adj* & *adv* par personne.

perceive [pə'siːv] *vt* **1.** percevoir **2.** remarquer, s'apercevoir de **3.** • **to perceive sb/sthg as** considérer qqn/qqch comme.

percent [pə'sent] *adv* pour cent.

percentage [pə'sentɪdʒ] *n* pourcentage *m*.

perception [pə'sepʃn] *n* 1. perception *f* 2. perspicacité *f*, intuition *f*.

perceptive [pə'septɪv] *adj* perspicace.

perch [pɜːtʃ] ◼ *n* 1. *littéraire* & *fig* perchoir *m* 2. *(pl inv ou -es)* *(poisson)* perche *f*. ◼ *vi* se percher.

percolator ['pɜːkəleɪtər] *n* cafetière *f* à pression.

percussion [pə'kʌʃn] *n* percussion *f*.

perennial [pə'renjəl] ◼ *adj* 1. permanent(e), perpétuel(elle) 2. BOT vivace. ◼ *n* plante *f* vivace.

perfect ◼ *adj* ['pɜːfɪkt] parfait(e) • **he's a perfect nuisance** il est absolument insupportable. ◼ *n* ['pɜːfɪkt] • **perfect (tense)** parfait *m*. ◼ *vt* [pə'fekt] parfaire.

perfection [pə'fekʃn] *n* perfection *f* • **to perfection** parfaitement (bien).

perfectionist [pə'fekʃənɪst] *n* perfectionniste *mf*.

perfectly ['pɜːfɪktlɪ] *adv* parfaitement • **you know perfectly well** tu sais très bien.

perfect storm ['pɜːfekt stɔːrm] *n* survenance simultanée d'événements de moindre importance mais dont la combinaison engendre une situation catastrophique.

perforate ['pɜːfəreɪt] *vt* perforer.

perforations [,pɜːfə'reɪʃnz] *npl* pointillés *mpl*.

perform [pə'fɔm] ◼ *vt* 1. exécuter 2. remplir *(une fonction)* 3. jouer. ◼ *vi* 1. fonctionner 2. • **to perform well/ badly** avoir de bons/mauvais résultats 3. jouer 4. chanter.

performance [pə'fɔməns] *n* 1. exécution *f* 2. représentation *f* 3. interprétation *f (d'un acteur, d'un chanteur)* 4. performance *f (d'une voiture, d'un moteur)*.

performer [pə'fɔmər] *n* artiste *mf*, interprète *mf*.

perfume ['pɜːfjuːm] *n* parfum *m*.

perfunctory [pə'fʌŋktərɪ] *adj* rapide, superficiel(elle).

perhaps [pə'hæps] *adv* peut-être.

peril ['perɪl] *n* danger *m*, péril *m*.

perimeter [pə'rɪmɪtər] *n* périmètre *m* • **perimeter fence** clôture *f* • **perimeter wall** mur *m* d'enceinte.

period ['pɪərɪəd] ◼ *n* 1. période *f* 2. SCOL ≃ heure *f* 3. *(menstruation)* règles *fpl* 4. *(US) (ponctuation)* point *m*. ◼ *en apposition* d'époque.

periodic [,pɪərɪ'ɒdɪk] *adj* périodique.

periodical [,pɪərɪ'ɒdɪkl] ◼ *adj* = **periodic**. ◼ *n* périodique *m*.

peripheral [pə'rɪfərəl] ◼ *adj* 1. secondaire 2. périphérique. ◼ *n* INFORM périphérique *m*.

perish ['perɪʃ] *vi* 1. périr, mourir 2. pourrir, se gâter 3. se détériorer.

perishable ['perɪʃəbl] *adj* périssable.

perjury ['pɜːdʒərɪ] *n (indén)* parjure *m*, faux témoignage *m*.

perk [pɜːk] *n fam* à-côté *m*, avantage *m*. ◼ **perk up** *vi* se ragaillardir.

perky ['pɜːkɪ] *adj fam* 1. guilleret(ette) 2. plein(e) d'entrain.

perm [pɜːm] *n* permanente *f*.

permanent ['pɜːmənənt] ◼ *adj* permanent(e). ◼ *n (US)* permanente *f*.

permeate ['pɜːmɪeɪt] *vt* 1. s'infiltrer dans 2. *(idée, sentiment)* se répandre dans.

permissible [pə'mɪsəbl] *adj sout* acceptable, admissible.

permission [pə'mɪʃn] *n* permission *f*, autorisation *f*.

permissive [pə'mɪsɪv] *adj* permissif (ive).

permit [pə'mɪt] ◼ *vt* permettre • **to permit sb to do sthg** permettre à qqn de faire qqch, autoriser qqn à faire qqch • **to permit sb sthg** permettre qqch à qqn. ◼ *n* ['pɜːmɪt] permis *m*.

pernicious [pə'nɪʃəs] *adj sout* pernicieux(euse).

pernickety [pə'nɪkətɪ] *adj (UK) fam* tatillon(onne), pointilleux(euse).

perpendicular [,pɜːpən'dɪkjʊlər] ◼ *adj* perpendiculaire. ◼ *n* perpendiculaire *f*.

perpetrate ['pɜːpɪtreɪt] *vt* perpétrer, commettre.

perpetual [pə'petʃʊəl] *adj* 1. *péj* continuel(elle), incessant(e) 2. perpétuel (elle).

perplex [pə'pleks] *vt* rendre perplexe.

perplexing [pə'pleksɪŋ] *adj* déroutant (e).

persecute ['pɜːsɪkjuːt] *vt* persécuter, tourmenter.

perseverance [ˌpɜːsɪ'vɪərəns] n persévérance f, ténacité f.

persevere [ˌpɜːsɪ'vɪər] vi 1. persévérer, persister • **to persevere with** persévérer ou persister dans 2. • **to persevere in doing sthg** persister à faire qqch.

Persian ['pɜːʃn] adj 1. persan(e) 2. HIST perse.

persist [pə'sɪst] vi • **to persist (in doing sthg)** persister ou s'obstiner (à faire qqch).

persistence [pə'sɪstəns] n persistance f.

persistent [pə'sɪstənt] adj 1. continuel(elle) 2. constant(e) 3. tenace, obstiné(e).

person ['pɜːsn] (pl people ['piːpl] ou **persons**) sout n 1. personne f 2. sout • **about one's person** sur soi.

personable ['pɜːsnəbl] adj sympathique.

personal ['pɜːsənl] adj 1. personnel(elle) 2. péj désobligeant(e).

personal assistant n secrétaire mf de direction.

personal column n petites annonces fpl.

personal computer n ordinateur m personnel ou individuel.

personality [ˌpɜːsə'nælətɪ] n personnalité f.

personally ['pɜːsnəlɪ] adv personnellement • **to take sthg personally** se sentir visé(e) par qqch.

personal organizer, -iser (UK) n organiseur m.

personal property n (indén) biens mpl personnels.

personal stereo n baladeur m, Walkman® m.

personify [pə'sɒnɪfaɪ] vt personnifier.

personnel [ˌpɜːsə'nel] n (indén) service m du personnel. npl personnel m.

perspective [pə'spektɪv] n 1. perspective f 2. point m de vue, optique f.

Perspex® ['pɜːspeks] n (UK) ≃ Plexiglas® m.

perspiration [ˌpɜːspə'reɪʃn] n 1. sueur f 2. transpiration f.

persuade [pə'sweɪd] vt • **to persuade sb to do sthg** persuader ou convaincre qqn de faire qqch • **to persuade sb that** convaincre qqn que • **to persuade sb of** convaincre qqn de.

persuasion [pə'sweɪʒn] n 1. persuasion f 2. RELIG confession f 3. POLIT conviction f.

persuasive [pə'sweɪsɪv] adj 1. persuasif(ive) 2. convaincant(e).

pert [pɜːt] adj mutin(e), coquin(e).

pertain [pə'teɪn] vi sout • **pertaining to** concernant, relatif(ive) à.

pertinent ['pɜːtɪnənt] adj pertinent(e), approprié(e).

perturb [pə'tɜːb] vt inquiéter, troubler.

Peru [pə'ruː] n Pérou m.

peruse [pə'ruːz] vt sout lire attentivement.

pervade [pə'veɪd] vt sout 1. (odeur) se répandre dans 2. (sentiment) envahir.

perverse [pə'vɜːs] adj 1. contrariant(e) 2. malin(igne).

perversion [(UK) pə'vɜːʃn, (US) pə'vɜːrʒn] n 1. perversion f 2. travestissement m.

pervert ◼ n [pə'vɜːt] pervers m, -e f. ◼ vt [pə'vɜːt] 1. travestir, déformer 2. entraver (le cours de la justice) 3. pervertir.

pessimist ['pesɪmɪst] n pessimiste mf.

pessimistic [ˌpesɪ'mɪstɪk] adj pessimiste.

pest [pest] n 1. insecte m nuisible 2. animal m nuisible 3. fam casse-pieds mf inv.

pester ['pestər] vt harceler, importuner.

pet [pet] ◼ adj • **pet subject** dada m • **pet hate** bête f noire. ◼ n 1. animal m (familier) 2. chouchou m, -oute f. ◼ vt caresser, câliner. ◼ vi se peloter fam, se caresser.

petal ['petl] n pétale m.

peter ['piːtər] ◼ **peter out** vi 1. (chemin) s'arrêter, se perdre 2. (intérêt) diminuer.

petite [pə'tiːt] adj menu(e).

petition [pɪ'tɪʃn] ◼ n pétition f. ◼ vt adresser une pétition à.

petrified ['petrɪfaɪd] adj paralysé(e) ou pétrifié(e) de peur.

petrol ['petrəl] n (UK) essence f.

petrol bomb n (UK) cocktail m Molotov.

petrol can n (UK) bidon m à essence.

petroleum [pɪ'trəʊljəm] n pétrole m.

petrol pump n (UK) pompe f à essence.

petrol station n (UK) station-service f.

petrol tank n (UK) réservoir m d'essence.

pet shop n animalerie f.

petticoat ['petɪkəʊt] n jupon m.

petty ['petɪ] adj 1. mesquin(e) 2. insignifiant(e), sans importance.

petty cash n (indén) caisse f des dépenses courantes.

petty officer n second maître m.

petulant ['petjʊlənt] adj irritable.

pew [pju:] n banc m d'église.

pewter ['pju:tər] n étain m.

phantom ['fæntəm] ◼ adj fantomatique, spectral(e). ◼ n fantôme m.

pharmaceutical [,fɑːmə'sjuːtɪkl] adj pharmaceutique.

pharmacist ['fɑːməsɪst] n pharmacien m, -enne f.

pharmacy ['fɑːməsɪ] n pharmacie f.

phase [feɪz] n phase f.
■ **phase in** vt sép introduire progressivement.
■ **phase out** vt sép supprimer progressivement.

PhD (abr de Doctor of Philosophy) n (titulaire d'un) doctorat de 3ᵉ cycle.

pheasant ['feznt] (pl inv ou -s) n faisan m.

phenomena [fɪ'nɒmɪnə] npl ▷ **phenomenon.**

phenomenal [fɪ'nɒmɪnl] adj phénoménal(e), extraordinaire.

phenomenon [fɪ'nɒmɪnən] (pl -mena [-mɪnə]) n phénomène m.

phial ['faɪəl] n fiole f.

philanthropist [fɪ'lænθrəpɪst] n philanthrope mf.

philately [fɪ'lætəlɪ] n philatélie f.

Philippine ['fɪlɪpiːn] adj philippin(e).
■ **Philippines** npl ▪ **the Philippines** les Philippines fpl.

philosopher [fɪ'lɒsəfər] n philosophe mf.

philosophical [,fɪlə'sɒfɪkl] adj 1. philosophique 2. philosophe.

philosophy [fɪ'lɒsəfɪ] n philosophie f.

phlegm [flem] n flegme m.

phlegmatic [fleg'mætɪk] adj flegmatique.

phobia ['fəʊbjə] n phobie f.

phone [fəʊn] ◼ n téléphone m. ◼ en apposition téléphonique. ◼ vt téléphoner à, appeler. ◼ vi téléphoner.
■ **phone up** vt sép & vi téléphoner.

phone book n annuaire m (du téléphone).

phone booth, phone box (UK) n cabine f téléphonique.

phone call n coup m de téléphone ou fil ▪ **to make a phone call** passer ou donner un coup de fil.

phonecard ['fəʊnkɑːd] n ≃ Télécarte® f.

phone-in n (UK) RADIO & TV programme m à ligne ouverte.

phone number n numéro m de téléphone.

phonetics [fə'netɪks] n (indén) phonétique f.

phoney, phony fam ['fəʊnɪ] ◼ adj 1. bidon (inv) 2. hypocrite, pas franc (pas franche). ◼ n poseur m, -euse f.

phosphorus ['fɒsfərəs] n phosphore m.

photo ['fəʊtəʊ] n photo f ▪ **to take a photo of sb/sthg** photographier qqn/qqch, prendre qqn/qqch en photo.

photocopier ['fəʊtəʊ,kɒpɪər] n photocopieur m, copieur m.

photocopy ['fəʊtəʊ,kɒpɪ] ◼ n photocopie f. ◼ vt photocopier.

photograph ['fəʊtəɡrɑːf] ◼ n photographie f ▪ **to take a photograph (of sb/sthg)** prendre (qqn/qqch) en photo. ◼ vt photographier.

photographer [fə'tɒɡrəfər] n photographe mf.

photography [fə'tɒɡrəfɪ] n photographie f.

photoshoot ['fəʊtəʊʃuːt] n prise f de vue.

phrasal verb ['freɪzl-] n verbe m à postposition.

phrase [freɪz] ◼ n expression f. ◼ vt exprimer, tourner (une phrase).

phrasebook ['freɪzbʊk] n guide m de conversation (pour touristes).

physical ['fɪzɪkl] ◼ adj 1. physique 2. matériel(elle). ◼ n visite f médicale.

physical education n éducation f physique.

physically ['fɪzɪklɪ] adv physiquement.

physically handicapped ◙ adj • **to be physically handicapped** être handicapé(e) physique. ◙ npl • **the physically handicapped** les handicapés mpl physiques.

physician [fɪ'zɪʃn] n sout médecin m.

physicist ['fɪzɪsɪst] n physicien m, -enne f.

physics ['fɪzɪks] n (indén) physique f.

physiotherapist [,fɪzɪəʊ'θerəpɪst] n (UK) kinésithérapeute mf.

physiotherapy [,fɪzɪəʊ'θerəpɪ] n (UK) kinésithérapie f.

physique [fɪ'ziːk] n physique m.

pianist ['pɪənɪst] n pianiste mf.

piano [pɪ'ænəʊ] (pl -s) n piano m.

pick [pɪk] ◙ n 1. pioche f, pic m 2. • **to take one's pick** choisir 3. • **the pick of** le meilleur(la meilleure) de. ◙ vt 1. choisir, sélectionner 2. cueillir 3. enlever 4. • **to pick one's nose** se curer le nez • **to pick one's teeth** se curer les dents 5. chercher • **to pick a fight** chercher la bagarre 6. crocheter.
■ **pick on** vt insép s'en prendre à, être sur le dos de.
■ **pick out** vt sép 1. repérer, reconnaître 2. choisir, désigner.
■ **pick up** ◙ vt sép 1. ramasser 2. aller chercher 3. apprendre 4. prendre (une habitude) 5. découvrir • **to pick up speed** prendre de la vitesse 6. fam draguer 7. RADIO & TÉLÉCOM capter 8. reprendre (son travail), continuer (une conversation). ◙ vi reprendre.

pickaxe (UK), **pickax** (US) ['pɪkæks] n pioche f, pic m.

picket ['pɪkɪt] ◙ n piquet m de grève. ◙ vt mettre un piquet de grève devant.

picket line n piquet m de grève.

pickle ['pɪkl] ◙ n 1. (UK) pickles mpl 2. (US) cornichon m 3. • **to be in a pickle** fam vieilli être dans le pétrin. ◙ vt conserver dans du vinaigre, de la saumure, etc.

pickpocket ['pɪk,pɒkɪt] n pickpocket m, voleur m à la tire.

pick-up n camionnette f.

picnic ['pɪknɪk] ◙ n pique-nique m. ◙ vi (prét & pp **-ked**, cont **-king**) pique-niquer.

pictorial [pɪk'tɔːrɪəl] adj illustré(e).

picture ['pɪktʃər] ◙ n 1. tableau m, peinture f 2. dessin m 3. photo f, photographie f 4. image f 5. film m 6. tableau m, image f 7. fig tableau m • **to get the picture** fam piger • **to put sb in the picture** mettre qqn au courant. ◙ vt 1. imaginer, s'imaginer, se représenter 2. photographier 3. représenter, peindre.
■ **pictures** npl (UK) vieilli • **the pictures** le cinéma.

picture book n livre m d'images.

picturesque [,pɪktʃə'resk] adj pittoresque.

pie [paɪ] n 1. (salée) tourte f 2. (sucrée) tarte f.

piece [piːs] n 1. morceau m 2. bout m • **a piece of furniture** un meuble • **a piece of clothing** un vêtement • **a piece of advice** un conseil • **to fall to pieces** tomber en morceaux • **to take sthg to pieces** démonter qqch • **in pieces** en morceaux • **in one piece** intact(e) • sain et sauf(saine et sauve) 3. pièce f (de monnaie, de jeu d'échecs) 4. pion m 5. PRESSE article m.
■ **piece together** vt sép coordonner.

piecemeal ['piːsmiːl] ◙ adj fait(e) petit à petit. ◙ adv petit à petit, peu à peu.

piecework ['piːswɜːk] n (indén) travail m à la pièce ou aux pièces.

pie chart n camembert m (schéma), graphique m rond.

pier [pɪər] n jetée f.

pierce [pɪəs] vt percer, transpercer • **to have one's ears pierced** se faire percer les oreilles.

piercing ['pɪəsɪŋ] adj 1. perçant(e) 2. pénétrant(e).

pig [pɪg] n 1. porc m, cochon m 2. fam péj goinfre m 3. fam péj sale type m.

pigeon ['pɪdʒɪn] n (pl inv ou **-s**) pigeon m.

pigeonhole ['pɪdʒɪnhəʊl] ◙ n casier m. ◙ vt étiqueter, cataloguer.

piggy bank ['pɪgɪbæŋk] n tirelire f.

pigheaded [,pɪg'hedɪd] adj têtu(e).

pigment ['pɪgmənt] n pigment m.

pigpen (US) = **pigsty**.

pigskin ['pɪgskɪn] n (peau f de) porc m.

pigsty ['pɪgstaɪ], **pigpen** ['pɪgpen] n litt & fig porcherie f.

pigtail ['pɪgteɪl] n natte f.

pike [paɪk] (pl -s) n 1. (pl inv) brochet m 2. pique f.

pilchard ['pɪltʃəd] n pilchard m.

pile [paɪl] ◼ n 1. tas m ⚫ **a pile of, piles of** un tas ou des tas de 2. pile f 3. (indén) poils mpl (de tapis). ◼ vt empiler.
◼ **piles** npl hémorroïdes fpl.
◼ **pile into** vt insép fam s'entasser dans, s'empiler dans.
◼ **pile up** ◼ vt sép empiler, entasser. ◼ vi 1. s'entasser 2. fig s'accumuler.

pileup ['paɪlʌp] n carambolage m.

pilfer ['pɪlfə'] ◼ vt chaparder. ◼ vi ⚫ **to pilfer (from)** faire du chapardage (dans).

pilgrim ['pɪlgrɪm] n pèlerin m.

pilgrimage ['pɪlgrɪmɪdʒ] n pèlerinage m.

pill [pɪl] n 1. pilule f 2. ⚫ **the pill** la pilule ⚫ **to be on the pill** prendre la pilule.

pillage ['pɪlɪdʒ] vt piller.

pillar ['pɪlə'] n litt & fig pilier m.

pillar box n (UK) boîte f aux lettres.

pillion ['pɪljən] n siège m arrière ⚫ **to ride pillion** monter derrière.

pillow ['pɪləʊ] n 1. oreiller m 2. (US) coussin m.

pillowcase ['pɪləʊkeɪs], **pillowslip** ['pɪləʊslɪp] n taie f d'oreiller.

pilot ['paɪlət] ◼ n 1. AÉRON & NAUT pilote mf 2. TV émission f pilote. ◼ en apposition pilote. ◼ vt piloter.

pilot burner, pilot light n veilleuse f.

pilot study n étude f pilote ou expérimentale.

pimp [pɪmp] n fam maquereau m.

pimple ['pɪmpl] n bouton m.

pin [pɪn] ◼ n 1. épingle f 2. (US) broche f 3. (UK) punaise f 4. épingle f à nourrice 5. ÉLECTR fiche f 6. TECHNOL goupille f, cheville f. ◼ vt ⚫ **to pin sthg to/on sthg** épingler qqch à/sur qqch ⚫ **to pin sb against** ou **to** clouer qqn contre ⚫ **to pin sthg on sb** mettre ou coller qqch sur le dos de qqn ⚫ **to pin one's hopes on sb/sthg** mettre tous ses espoirs en qqn/dans qqch.
◼ **pin down** vt sép 1. définir, identifier 2. ⚫ **to pin sb down** obliger qqn à prendre une décision.

pinafore ['pɪnəfɔ'] n tablier m.

pinball ['pɪnbɔl] n flipper m.

pincers ['pɪnsəz] npl 1. tenailles fpl 2. pinces fpl (de crabe).

pinch [pɪntʃ] ◼ n 1. pincement m 2. pincée f. ◼ vt 1. pincer 2. serrer 3. (UK) fam piquer, faucher.

pincushion ['pɪn,kʊʃn] n pelote f à épingles.

pine [paɪn] ◼ n pin m. ◼ vi ⚫ **to pine for** désirer ardemment.
◼ **pine away** vi languir.

pineapple ['paɪnæpl] n ananas m.

pinetree ['paɪntriː] n pin m.

ping [pɪŋ] n 1. tintement m 2. bruit m métallique.

Ping-Pong® [-pɒŋ] n ping-pong m.

pink [pɪŋk] ◼ adj rose ⚫ **to go** ou **turn pink** rosir, rougir. ◼ n rose m.

pinkeye (US) = **conjunctivitis**.

pinnacle ['pɪnəkl] n 1. pic m, cime f 2. fig apogée m.

pinpoint ['pɪnpɔɪnt] vt 1. définir, mettre le doigt sur 2. localiser.

pin-striped [-,straɪpt] adj à très fines rayures.

pint [paɪnt] n 1. (UK) = 0,568 litre, ≃ demi-litre m 2. (US) = 0,473 litre, ≃ demi-litre m 3. (UK) ≃ demi m.

pioneer [,paɪə'nɪə'] ◼ n litt & fig pionnier m. ◼ vt ⚫ **to pioneer sthg** être un des premiers(une des premières) à faire qqch.

pious ['paɪəs] adj 1. pieux(pieuse) 2. péj moralisateur(trice).

pip [pɪp] n 1. pépin m 2. (UK) TÉLÉCOM top m.

pipe [paɪp] ◼ n 1. tuyau m 2. pipe f. ◼ vt acheminer par tuyau.
◼ **pipes** npl cornemuse f.
◼ **pipe down** vi fam se taire, la fermer.
◼ **pipe up** vi fam se faire entendre.

pipe cleaner n cure-pipe m.

pipe dream n projet m chimérique.

pipeline ['paɪplaɪn] n 1. gazoduc m 2. oléoduc m, pipeline m.

piper ['paɪpə'] n joueur m, -euse f de cornemuse.

piping hot ['paɪpɪŋ-] adj bouillant(e).

pique [piːk] n dépit m.

pirate ['paɪrət] ◼ adj pirate. ◼ n pirate m. ◼ vt pirater.

pirate radio n (UK) radio f pirate.

pirouette [ˌpɪrʊ'et] ◼ n pirouette f. ◼ vi pirouetter.

Pisces ['paɪsiːz] n Poissons mpl.

piss [pɪs] vulg ◼ n pisse f. ◼ vi pisser.

pissed [pɪst] adj vulg 1. (UK) bourré(e) 2. (US) en rogne, furax.

pissed off adj vulg en rogne, furax.

pistol ['pɪstl] n pistolet m.

piston ['pɪstən] n piston m.

pit [pɪt] ◼ n 1. trou m 2. petit trou 3. marque f 4. fosse f (d'orchestre) 5. mine f 6. (US) noyau m. ◼ vt • **to pit sb against sb** opposer qqn à qqn. ◼ **pits** npl • **the pits** les stands mpl.

pitch [pɪtʃ] ◼ n 1. (UK) SPORT terrain m 2. MUS ton m 3. degré m 4. (UK) place f 5. fam baratin m. ◼ vt 1. lancer 2. fixer 3. adapter (un discours) 4. dresser (une tente) 5. établir (un camp). ◼ vi 1. rebondir 2. • **to pitch forward** être projeté(e) en avant 3. tanguer.

pitch-black adj • **it's pitch-black in here** il fait noir comme dans un four.

pitched battle n bataille f rangée.

pitcher ['pɪtʃər] n 1. (US) cruche f 2. (au base-ball) lanceur m.

pitchfork ['pɪtʃfɔːk] n fourche f.

piteous ['pɪtɪəs] adj pitoyable.

pitfall ['pɪtfɔːl] n piège m.

pith [pɪθ] n 1. BOT moelle f 2. peau f blanche (d'un fruit).

pithy ['pɪθɪ] adj 1. concis(e) 2. piquant (e).

pitiful ['pɪtɪfʊl] adj 1. pitoyable 2. lamentable.

pitiless ['pɪtɪlɪs] adj sans pitié, impitoyable.

pit stop n 1. (courses automobiles) arrêt m aux stands 2. (surtout US) hum arrêt m pipi.

pittance ['pɪtəns] n salaire m de misère.

pity ['pɪtɪ] ◼ n pitié f • **what a pity!** quel dommage ! • **it's a pity** c'est dommage ! ◼ vt plaindre.

pivot ['pɪvət] n litt & fig pivot m.

pizza ['piːtsə] n pizza f.

placard ['plækɑːd] n affiche f.

placate [plə'keɪt] vt calmer, apaiser.

place [pleɪs] ◼ n 1. endroit m, lieu m 2. place f 3. • **at/to my place** chez moi 4. • **to lose one's place** perdre sa page 5. • **decimal place** décimale f 6. • **in the first place... and in the second place...** premièrement… et deuxièmement… • **to take place** avoir lieu • **to take the place of** prendre la place de, remplacer. ◼ vt 1. placer, mettre 2. • **to place the responsibility for sthg on sb** tenir qqn pour responsable de qqch 3. remettre 4. passer (un ordre) • **to place a bet** parier 5. • **to be placed** être placé(e). ◼ **all over the place** adv partout. ◼ **in place** adv 1. à sa place 2. mis(e) en place. ◼ **in place of** prép à la place de. ◼ **out of place** adv 1. pas à sa place 2. fig déplacé(e).

place mat n set m (de table).

placement ['pleɪsmənt] n placement m.

placid ['plæsɪd] adj 1. placide 2. calme.

plagiarize, -ise ['pleɪdʒəraɪz] vt plagier.

plague [pleɪg] ◼ n 1. peste f 2. fig fléau m. ◼ vt • **to be plagued by** être poursuivi(e) par • être rongé(e) par • **to plague sb with questions** harceler qqn de questions.

plaice [pleɪs] (pl inv) n carrelet m.

plaid [plæd] n plaid m.

Plaid Cymru [ˌplaɪd'kʌmrɪ] n parti nationaliste gallois.

plain [pleɪn] ◼ adj 1. uni(e) 2. simple 3. clair(e), évident(e) 4. franc (franche) 5. pur(e) (et simple) 6. quelconque. ◼ adv fam complètement. ◼ n plaine f.

plain chocolate n (UK) chocolat m à croquer.

plain-clothes adj en civil.

plain flour n (UK) farine f (sans levure).

plainly ['pleɪnlɪ] adv 1. manifestement 2. clairement 3. sans détours 4. simplement.

plaintiff ['pleɪntɪf] n DR demandeur m, -eresse f.

plait [plæt] ◼ n natte f. ◼ vt natter, tresser.

plan [plæn] ◼ n plan m, projet m • **to go according to plan** aller comme prévu(e). ◼ vt 1. préparer 2. • **to plan to do sthg** projeter de faire qqch, avoir l'in-

tention de faire qqch **3.** concevoir. ■ *vi*
• **to plan (for sthg)** faire des projets
(pour qqch).
■ **plans** *npl* plans *mpl*, projets *mpl*
• **have you any plans for tonight?** avez-vous prévu quelque chose pour ce soir ?
■ **plan on** *vt insép* • **to plan on doing sthg** prévoir de faire qqch.

plane [pleɪn] ■ *adj* plan(e). ■ *n* **1.** avion *m*
2. GÉOM plan *m* **3.** *fig* niveau *m* **4.** rabot *m*
5. platane *m*.

planet ['plænɪt] *n* planète *f*.

plank [plæŋk] *n* planche *f*.

planning ['plænɪŋ] *n* **1.** planification *f*
2. préparation *f*, organisation *f*.

planning permission *n* (UK) permis *m*
de construire.

plant [plɑːnt] ■ *n* **1.** plante *f* **2.** usine *f*
3. (*indén*) matériel *m*. ■ *vt* **1.** planter
2. poser (*une bombe*).

plantation [plæn'teɪʃn] *n* plantation *f*.

plaque [plɑːk] *n* **1.** plaque *f* **2.** (*indén*) plaque *f* dentaire.

plaster ['plɑːstər] ■ *n* **1.** plâtre *m* **2.** (UK)
pansement *m* adhésif. ■ *vt* **1.** plâtrer
2. • **to plaster sthg (with)** couvrir qqch
(de).

plaster cast *n* **1.** plâtre *m* **2.** moule *m*.

plastered ['plɑːstəd] *adj* *fam* bourré(e).

plasterer ['plɑːstərər] *n* plâtrier *m*.

plaster of Paris *n* plâtre *m* de moulage.

plastic ['plæstɪk] ■ *adj* plastique. ■ *n*
plastique *m*.

Plasticine® (UK) ['plæstɪsiːn] *n* pâte *f* à
modeler.

plastic surgery *n* chirurgie *f* esthétique
ou plastique.

plastic wrap *n* (US) film *m* alimentaire.

plate [pleɪt] ■ *n* **1.** assiette *f* **2.** tôle *f* **3.** (*indén*) • **gold/silver plate** plaqué *m* or/ar-
gent **4.** planche *f* (*illustration d'un livre*)
5. dentier *m*. ■ *vt* • **to be plated (with)**
être plaquée(e) (de).

plateau ['plætəʊ] (*pl* **-s** *ou* **-x** [-z]) *n* **1.** plateau *m* **2.** *fig* phase *f* *ou* période *f* de stabilité.

plate-glass *adj* vitré(e).

platform ['plætfɔːm] *n* **1.** estrade *f* **2.** tribune *f* **3.** plate-forme *f* **4.** RAIL quai *m*.

platform ticket *n* (UK) ticket *m* de quai.

platinum ['plætɪnəm] *n* platine *m*.

platoon [plə'tuːn] *n* MIL section *f*.

platter ['plætər] *n* plat *m*.

plausible ['plɔːzəbl] *adj* plausible.

play [pleɪ] ■ *n* **1.** (*indén*) jeu *m*, amusement *m* **2.** pièce *f* (de théâtre) • **a radio
play** une pièce radiophonique **3.** • **play
on words** jeu *m* de mots **4.** TECHNOL jeu
m. ■ *vt* **1.** jouer • **to play a part** *ou* **role
in** *fig* jouer un rôle dans **2.** jouer à (*un
jeu, un sport*) **3.** jouer contre (*une équipe,
un adversaire*) **4.** MUS jouer de • **to play
it safe** ne pas prendre de risques. ■ *vi*
jouer.
■ **play along** *vi* • **to play along (with sb)**
entrer dans le jeu (de qqn).
■ **play down** *vt sép* minimiser.
■ **play up** *vt sép* insister sur.

play-act *vi* jouer la comédie.

playboy ['pleɪbɔɪ] *n* playboy *m*.

player ['pleɪər] *n* **1.** joueur *m*, -euse *f*
2. acteur *m*, -trice *f*.

playful ['pleɪfʊl] *adj* **1.** taquin(e) **2.** jou-
eur(euse).

playground ['pleɪɡraʊnd] *n* **1.** (UK) cour *f*
de récréation **2.** aire *f* de jeu.

playgroup ['pleɪɡruːp] *n* (UK) jardin *m*
d'enfants.

playing card ['pleɪɪŋ-] *n* carte *f* à jouer.

playing field ['pleɪɪŋ-] *n* terrain *m* de
sport.

playmate ['pleɪmeɪt] *n* camarade *mf*.

playoff *n* **1.** SPORT belle *f* **2.** (US) finale *f* de
championnat.

playpen ['pleɪpen] *n* parc *m*.

playschool ['pleɪskuːl] *n* (UK) jardin *m*
d'enfants.

plaything ['pleɪθɪŋ] *n* *litt* & *fig* jouet *m*.

playtime ['pleɪtaɪm] *n* récréation *f*.

playwright ['pleɪraɪt] *n* dramaturge *m*.

plc (UK) *abrév de* **public limited company**.

plea [pliː] *n* **1.** supplication *f* **2.** appel *m*
3. • **to enter a plea of not guilty** plaider
non coupable.

plead [pliːd] (*prét* & *pp* **-ed** *ou* **pled**) ■ *vt*
1. DR plaider **2.** invoquer. ■ *vi* **1.** • **to
plead with sb** supplier qqn • **to plead for
sthg** implorer qqch **2.** DR plaider.

pleasant ['pleznt] *adj* agréable.

pleasantry ['plezntrɪ] *n* ◦ **to exchange pleasantries** échanger des propos aimables.

please [pliːz] ◪ *vt* plaire à, faire plaisir à ◦ **to please o.s.** faire comme on veut ◦ **please yourself!** comme vous voulez ! ◪ *vi* plaire, faire plaisir ◦ **to do as one pleases** faire comme on veut. ◪ *adv* s'il vous plaît.

pleased [pliːzd] *adj* 1. ◦ **to be pleased (with)** être content(e) (de) 2. ◦ **to be pleased (about)** être heureux(euse) (de) ◦ **pleased to meet you!** enchanté(e) !

pleasing ['pliːzɪŋ] *adj* plaisant(e).

pleasure ['pleʒər] *n* plaisir *m* ◦ **with pleasure** avec plaisir, volontiers ◦ **it's a pleasure, my pleasure** je vous en prie.

pleat [pliːt] ◪ *n* pli *m*. ◪ *vt* plisser.

pled [pled] *passé & pp* ⊳ **plead**.

pledge [pledʒ] ◪ *n* 1. promesse *f* ◦ **pledge of allegiance** serment *m* de fidélité 2. gage. *m*. ◪ *vt* 1. promettre 2. ◦ **to pledge o.s. to** s'engager à ◦ **to pledge sb to secrecy** faire promettre le secret à qqn 3. mettre en gage.

plentiful ['plentɪfʊl] *adj* abondant(e).

plenty ['plentɪ] ◪ *n (indén)* abondance *f*. ◪ *pron* ◦ **plenty of** beaucoup de. ◪ *adv (US)* très.

pliable ['plaɪəbl], **pliant** ['plaɪənt] *adj* 1. pliable, souple 2. *fig* docile.

pliers ['plaɪəz] *npl* tenailles *fpl*, pinces *fpl*.

plight [plaɪt] *n* condition *f* critique.

plimsoll ['plɪmsəl] *n (UK)* tennis *m*.

plinth [plɪnθ] *n* socle *m*.

PLO *(abr de Palestine Liberation Organization) n* OLP *f*.

plod [plɒd] *vi* 1. marcher lentement *ou* péniblement 2. peiner.

plodder ['plɒdər] *n fam péj* bûcheur *m*, -euse *f*.

plonk [plɒŋk] *(UK) fam n (indén)* pinard *m*.
◪ **plonk down** *vt sép* poser brutalement.

plot [plɒt] ◪ *n* 1. complot *m*, conspiration *f* 2. intrigue *f (d'un roman, d'un film)* 3. (parcelle *f* de) terrain *m*. ◪ *vt* 1. comploter ◦ **to plot to do sthg** comploter de faire qqch 2. NAUT déterminer, marquer *(une route)* 3. tracer *(un diagramme)*. ◪ *vi* comploter.

plotter ['plɒtər] *n* conspirateur *m*, -trice *f*.

plough *(UK)*, **plow** *(US)* [plaʊ] ◪ *n* charrue *f*. ◪ *vt* labourer.
◪ **plough into** *vt sép* investir. ◪ *vt insép* rentrer dans.

ploughman's ['plaʊmənz] *(pl inv) n (UK)* ◦ **ploughman's (lunch)** repas de pain, fromage et pickles.

plow *(US)* = **plough** *etc.*

ploy [plɔɪ] *n* stratagème *m*, ruse *f*.

pls *(abr de please) adv* svp.

pluck [plʌk] ◪ *vt* 1. cueillir 2. arracher 3. plumer *(un poulet)* 4. épiler 5. pincer *(les cordes d'une guitare)*. ◪ *n (indén)* courage *m*, cran *m*.
◪ **pluck up** *vt insép* ◦ **to pluck up the courage to do sthg** rassembler son courage pour faire qqch.

plucky ['plʌkɪ] *adj* qui a du cran, courageux(euse).

plug [plʌg] ◪ *n* 1. prise *f* de courant 2. *(US)* INFORM jack *m* 3. bonde *f*. ◪ *vt* boucher, obturer.
◪ **plug away** *vi insép* travailler dur.
◪ **plug in** *vt sép* brancher.

plughole ['plʌghəʊl] *n (UK)* bonde *f*, trou *m* d'écoulement.

plum [plʌm] ◪ *adj* 1. prune *(inv)* 2. ◦ **a plum job** un poste en or. ◪ *n* prune *f*.

plumb [plʌm] ◪ *adv* 1. *(UK)* exactement, en plein 2. *(US)* complètement. ◪ *vt* ◦ **to plumb the depths of** toucher le fond de.

plumber ['plʌmər] *n* plombier *m*.

plumbing ['plʌmɪŋ] *n (indén)* 1. plomberie *f*, tuyauterie *f* 2. plomberie *f*.

plume [pluːm] *n* 1. plume *f* 2. panache *m* 3. *fig* ◦ **a plume of smoke** un panache de fumée.

plummet ['plʌmɪt] *vi* 1. plonger 2. *fig* dégringoler.

plump [plʌmp] *adj* bien en chair.

plum pudding *n (UK) vieilli* pudding *m* de Noël.

plunder ['plʌndər] ◼ *n (indén)* **1.** pillage *m* **2.** butin *m*. ◼ *vt* piller.

plunge [plʌndʒ] ◼ *n* **1.** plongeon *m* ◦ **to take the plunge** se jeter à l'eau **2.** *fig* dégringolade *f*, chute *f*. ◼ *vt* ◦ **to plunge sthg into** plonger qqch dans. ◼ *vi* **1.** plonger, tomber **2.** *fig* dégringoler.

plunger ['plʌndʒər] *n* débouchoir *m* à ventouse.

pluperfect [ˌpluːˈpɜːfɪkt] *n* ◦ **pluperfect (tense)** plus-que-parfait *m*.

plural ['plʊərəl] ◼ *adj* **1.** pluriel(elle) **2.** collectif(ive) **3.** multiculturel(elle). ◼ *n* pluriel *m*.

plus [plʌs] ◼ *adj* ◦ **30 plus** 30 ou plus. ◼ *n* (*pl* **pluses** *ou* **plusses** [plʌsiːz]) **1.** signe *m* plus **2.** *fam* plus *m*, atout *m*. ◼ *conj* et plus.

plush [plʌʃ] *adj* luxueux(euse), somptueux(euse).

plus sign *n* signe *m* plus.

pluto *(US)* [pluːtəʊ] *v* dévaluer *(qqn ou qqch)* ◦ **to be plutoed** se faire dévaluer.

Pluto [pluːtəʊ] *n* Pluton *f*.

plutonium [pluːˈtəʊnɪəm] *n* plutonium *m*.

ply [plaɪ] ◼ *n* **1.** fil *m (de laine)* **2.** pli *m*. ◼ *vt* **1.** exercer **2.** ◦ **to ply sb with drink** ne pas arrêter de remplir le verre de qqn. ◼ *vi* faire la navette.

plywood ['plaɪwʊd] *n* contreplaqué *m*.

p.m., pm *(abr de post meridiem)* ◦ **at 3 p.m.** à 15 h.

PM *abrév de* **prime minister**.

PMT *(UK) abrév de* **premenstrual tension**.

pneumatic [njuːˈmætɪk] *adj* pneumatique.

pneumatic drill *n (UK)* marteau piqueur *m*.

pneumonia [njuːˈməʊnjə] *n (indén)* pneumonie *f*.

poach [pəʊtʃ] ◼ *vt* **1.** pêcher sans permis **2.** chasser sans permis **3.** *fig* voler **4.** CULIN pocher. ◼ *vi* braconner.

poacher ['pəʊtʃər] *n* braconnier *m*.

poaching ['pəʊtʃɪŋ] *n* braconnage *m*.

PO Box *(abr de Post Office Box)* *n* BP *f*.

pocket ['pɒkɪt] ◼ *n litt & fig* poche *f* ◦ **to be out of pocket** *(UK)* en être de sa poche ◦ **to pick sb's pocket** faire les poches à qqn. ◼ *adj* de poche. ◼ *vt* empocher.

pocketbook ['pɒkɪtbʊk] *n* **1.** carnet *m* **2.** *(US)* sac *m* à main.

pocketknife ['pɒkɪtnaɪf] *(pl* **-knives** [-naɪvz]) *n* canif *m*.

pocket money *n (UK)* argent *m* de poche.

pockmark ['pɒkmɑːk] *n* marque *f* de la petite vérole.

pod [pɒd] *n* **1.** cosse *f* **2.** nacelle *f (d'engin spatial)*.

podcast ['pɒdkæst] *n* INFORM podcast *m*.

podgy ['pɒdʒɪ] *adj (UK) fam* boulot(otte), rondelet(ette).

podiatrist [pəˈdaɪətrɪst] *n (US)* pédicure *mf*.

podiatry [pəˈdaɪətrɪ] *n (US)* pédicure *f*.

podium ['pəʊdɪəm] *(pl* **-s** *ou* **-dia** [-dɪə]) *n* podium *m*.

poem ['pəʊɪm] *n* poème *m*.

poet ['pəʊɪt] *n* poète *m*.

poetic [pəʊˈetɪk] *adj* poétique.

poetry ['pəʊɪtrɪ] *n* poésie *f*.

poignant ['pɔɪnjənt] *adj* poignant(e).

point [pɔɪnt] ◼ *n* **1.** pointe *f* **2.** endroit *m*, point *m* **3.** stade *m*, moment *m* **4.** question *f*, détail *m* ◦ **you have a point** il y a du vrai dans ce que vous dites ◦ **to make a point** faire une remarque ◦ **to make one's point** dire son mot **5.** point *m* essentiel ◦ **to get** *ou* **come to the point** en venir au fait ◦ **to miss the point** ne pas comprendre ◦ **beside the point** à côté de la question **6.** ◦ **good point** qualité *f* ◦ **bad point** défaut *m* **7.** ◦ **what's the point in buying a new car?** à quoi bon acheter une nouvelle voiture ? ◦ **there's no point in having a meeting** cela ne sert à rien d'avoir une réunion **8.** point *m* **9.** MATH ◦ **two point six** deux virgule six **10.** aire *f* du vent **11.** *(UK)* prise *f* (de courant) **12.** point *m* ◦ **to make a point of doing sthg** ne pas manquer de faire qqch. ◼ *vt* ◦ **to point sthg (at)** braquer qqch (sur) ◦ pointer qqch (sur). ◼ *vi* **1.** ◦ **to point (at sb/sthg), to point (to sb/sthg)** montrer (qqn/qqch) du doigt **2.** *fig* ◦ **to point to sthg** suggérer qqch, laisser supposer qqch.

■ **points** *npl (UK)* RAIL aiguillage *m*.

■ **up to a point** *adv* jusqu'à un certain point.

■ **on the point of** *prép* sur le point de.

■ **point out** *vt sép* 1. montrer 2. signaler.

point-blank *adv* 1. catégoriquement 2. de but en blanc 3. *(tirer)* à bout portant.

pointed ['pɔɪntɪd] *adj* 1. pointu(e) 2. *fig* mordant(e), incisif(ive).

pointer ['pɔɪntər] *n* 1. *fam* tuyau *m*, conseil *m* 2. aiguille *f* 3. baguette *f* 4. INFORM pointeur *m*.

pointless ['pɔɪntlɪs] *adj* 1. inutile, vain(e) 2. gratuit(e).

point of view (*pl* **points of view**) *n* point *m* de vue.

poise [pɔɪz] *n* calme *m*, sang-froid *m inv*.

poised [pɔɪzd] *adj* 1. ◦ **poised (for)** prêt(e) (pour) ◦ **to be poised to do sthg** se tenir prêt à faire qqch 2. *fig* calme, posé(e).

poison ['pɔɪzn] ◼ *n* poison *m*. ◼ *vt* 1. empoisonner 2. polluer.

poisoning ['pɔɪznɪŋ] *n* empoisonnement *m* ◦ **food poisoning** intoxication *f* alimentaire.

poisonous ['pɔɪznəs] *adj* 1. toxique 2. vénéneux(euse) 3. venimeux(euse).

poke [pəʊk] ◼ *vt* 1. pousser, donner un coup de coude à 2. fourrer 3. attiser. ◼ *vi* sortir, dépasser.

■ **poke about** *(UK)*, **poke around** *vi fam* fouiller, fourrager.

poker ['pəʊkər] *n* 1. poker *m* 2. tisonnier *m*.

poker-faced [-ˌfeɪst] *adj* au visage impassible.

poky ['pəʊkɪ] *adj péj* exigu(ë), minuscule.

Poland ['pəʊlənd] *n* Pologne *f*.

polar ['pəʊlər] *adj* polaire.

Polaroid® ['pəʊlərɔɪd] *n* 1. Polaroïd® *m* 2. photo *f* polaroïd.

pole [pəʊl] *n* 1. perche *f*, mât *m* 2. ÉLECTR & GÉOGR pôle *m*.

Pole [pəʊl] *n* Polonais *m*, -e *f*.

pole vault *n* ◦ **the pole vault** le saut à la perche.

police [pə'liːs] ◼ *npl* 1. ◦ **the police** la police 2. agents *mpl* de police. ◼ *vt* maintenir l'ordre dans.

police car *n* voiture *f* de police.

police constable *n (UK)* agent *m* de police.

police force *n* police *f*.

policeman [pə'liːsmən] (*pl* **-men** [-mən]) *n* agent *m* de police.

police officer *n* policier *m*.

police record *n* casier *m* judiciaire.

police station *n* commissariat *m* (de police).

policewoman [pə'liːsˌwʊmən] (*pl* **-women** [-ˌwɪmɪn]) *n* femme *f* agent de police.

policy ['pɒləsɪ] *n* 1. politique *f* 2. police *f* *(d'assurance)*.

polio ['pəʊlɪəʊ] *n* polio *f*.

polish ['pɒlɪʃ] ◼ *n* 1. cirage *m* 2. cire *f*, encaustique *f* 3. brillant *m*, lustre *m* 4. *fig* raffinement *m*. ◼ *vt* 1. cirer 2. astiquer 3. faire briller.

■ **polish up** *vt sép* 1. perfectionner 2. peaufiner.

Polish ['pəʊlɪʃ] ◼ *adj* polonais(e). ◼ *n* polonais *m*. ◼ *npl* ◦ **the Polish** les Polonais *mpl*.

polished ['pɒlɪʃt] *adj* 1. raffiné(e) 2. accompli(e), parfait(e).

polite [pə'laɪt] *adj* poli(e).

politic ['pɒlətɪk] *adj sout* politique.

political [pə'lɪtɪkl] *adj* politique.

politically correct [pəˌlɪtɪklɪ-] *adj* conforme au mouvement qui préconise de remplacer les termes jugés discriminants par d'autres 'politiquement corrects'.

politically correct

Le *politically correct*, ou « politiquement correct », est un ensemble d'attitudes et de principes né dans les milieux libéraux, notamment de gauche, aux États-Unis. L'objectif de cette tendance linguistique est de faire en sorte que tous soient traités de façon plus juste, notamment en boycottant les mots qui sont le signe d'une discrimination à l'encontre d'une frange particulière de la société. Il est *PC* de dire, par exemple, *Native American* au lieu de *American Indian*, et *differently abled* au lieu de *disabled*.

politician [ˌpɒlɪˈtɪʃn] *n* homme *m* politique, femme *f* politique.

politics [ˈpɒlətɪks] ◼ *n* (*indén*) politique *f*. ◼ *npl* **1.** ∘ **what are his politics?** de quel bord est-il ? **2.** politique *f*.

polka [ˈpɒlkə] *n* polka *f*.

polka dot *n* pois *m*.

poll [pəʊl] ◼ *n* vote *m*, scrutin *m*. ◼ *vt* **1.** interroger, sonder **2.** obtenir. ◼ **polls** *npl* ∘ **to go to the polls** aller aux urnes.

pollen [ˈpɒlən] *n* pollen *m*.

polling booth *n* (*UK*) isoloir *m*.

polling day *n* (*UK*) jour *m* du scrutin.

polling station *n* bureau *m* de vote.

pollute [pəˈluːt] *vt* polluer.

pollution [pəˈluːʃn] *n* pollution *f*.

polo [ˈpəʊləʊ] *n* polo *m*.

polo neck *n* (*UK*) **1.** col *m* roulé **2.** pull *m* à col roulé.

polyamory [pɒliˈæməriː] *n* amour *m* libre.

polyethylene (*US*) = **polythene**.

Polynesia [ˌpɒlɪˈniːzjə] *n* Polynésie *f*.

polystyrene [ˌpɒlɪˈstaɪriːn] *n* polystyrène *m*.

polytechnic [ˌpɒlɪˈteknɪk] *n* (*UK*) établissement d'enseignement supérieur : en 1993, les 'polytechnics' ont été transformés en universités.

polythene (*UK*) [ˈpɒliθiːn], **polyethylene** (*US*) [ˌpɒlɪˈeθiliːn] *n* polyéthylène *m*.

polythene bag *n* (*UK*) sac *m* en plastique.

pomegranate [ˈpɒmɪˌɡrænɪt] *n* grenade *f*.

pomp [pɒmp] *n* pompe *f*, faste *m*.

pompom [ˈpɒmpɒm] *n* pompon *m*.

pompous [ˈpɒmpəs] *adj* **1.** fat(e), suffisant(e) **2.** pompeux(euse).

pond [pɒnd] *n* étang *m*, mare *f*.

ponder [ˈpɒndəʳ] *vt* considérer, peser.

ponderous [ˈpɒndərəs] *adj* **1.** lourd(e) **2.** pesant(e).

pong [pɒŋ] (*UK*) *fam n* puanteur *f*.

pontoon [pɒnˈtuːn] *n* **1.** ponton *m* **2.** (*UK*) (*jeu de cartes*) vingt-et-un *m*.

pony [ˈpəʊnɪ] *n* poney *m*.

ponytail [ˈpəʊnɪteɪl] *n* queue-de-cheval *f*.

pony-trekking [-ˌtrekɪŋ] *n* (*UK*) randonnée *f* à cheval *ou* en poney.

poodle [ˈpuːdl] *n* caniche *m*.

pool [puːl] ◼ *n* **1.** mare *f* **2.** flaque *f* **3.** piscine *f* **4.** billard *m* américain. ◼ *vt* mettre en commun.
◼ **pools** *npl* (*UK*) ∘ **the pools** ≃ le loto sportif.

poor [pɔːʳ] ◼ *adj* **1.** pauvre **2.** médiocre, mauvais(e). ◼ *npl* ∘ **the poor** les pauvres *mpl*.

poorly [ˈpɔːlɪ] ◼ *adj* (*UK*) *fam* souffrant(e). ◼ *adv* mal, médiocrement.

pop [pɒp] ◼ *n* **1.** (*indén*) мus pop *m* **2.** (*indén*) *fam* boisson *f* gazeuse **3.** (*surtout US*) *fam* papa *m* **4.** (*son*) pan *m*. ◼ *vt* **1.** faire éclater, crever **2.** mettre, fourrer. ◼ *vi* **1.** (*ballon*) éclater, crever **2.** (*bouchon*) sauter **3.** ∘ **his eyes popped** il a écarquillé les yeux.
◼ **pop in** *vi* faire une petite visite.
◼ **pop up** *vi* surgir.

pop concert *n* concert *m* pop.

popcorn [ˈpɒpkɔːn] *n* pop-corn *m*.

pope [pəʊp] *n* pape *m*.

pop group *n* groupe *m* pop.

poplar ['pɒplə^r] n peuplier m.

poppy ['pɒpɪ] n coquelicot m, pavot m.

Popsicle® ['pɒpsɪkl] n (US) sucette f glacée.

populace ['pɒpjʊləs] n sout • **the populace** le peuple.

popular ['pɒpjʊlə^r] adj 1. populaire 2. à la mode.

popularize, -ise ['pɒpjʊləraɪz] vt 1. populariser 2. vulgariser.

population [,pɒpjʊ'leɪʃn] n population f.

porcelain ['pɔːsəlɪn] n porcelaine f.

porch [pɔːtʃ] n 1. (UK) porche m 2. (US) véranda f.

porcupine ['pɔːkjʊpaɪn] n porc-épic m.

pore [pɔː^r] ■ **pore over** vt insép examiner de près.

pork [pɔːk] n porc m.

pork pie n (UK) pâté m de porc en croûte.

pornography [pɔː'nɒgrəfɪ] n pornographie f.

porous ['pɔːrəs] adj poreux(euse).

porridge ['pɒrɪdʒ] n porridge m.

port [pɔːt] n 1. port m 2. bâbord m 3. porto m 4. INFORM port m.

portable ['pɔːtəbl] adj portatif(ive).

portent ['pɔːtent] n présage m.

porter ['pɔːtə^r] n 1. (UK) concierge m, portier m 2. porteur m 3. (US) vieilli employé m, -e f des wagons-lits.

portfolio [,pɔːt'fəʊljəʊ] (pl -s) n 1. serviette f 2. portfolio m 3. FIN portefeuille m.

porthole ['pɔːthəʊl] n hublot m.

portion ['pɔːʃn] n portion f, part f.

portly ['pɔːtlɪ] adj corpulent(e).

portrait ['pɔːtreɪt] n portrait m.

portray [pɔː'treɪ] vt 1. jouer, interpréter 2. dépeindre 3. faire le portrait de.

Portugal ['pɔːtʃʊgl] n Portugal m.

Portuguese [,pɔːtʃʊ'giːz] ■ adj portugais(e). ■ n portugais m. ■ npl • **the Portuguese** les Portugais mpl.

pose [pəʊz] ■ n 1. pose f 2. péj pose f, affectation f. ■ vt 1. présenter 2. poser. ■ vi 1. péj poser 2. • **to pose as** se faire passer pour.

posh [pɒʃ] adj fam 1. chic (inv) 2. (UK) de la haute.

position [pə'zɪʃn] ■ n 1. position f 2. poste m, emploi m 3. situation f. ■ vt placer, mettre en position.

positive ['pɒzətɪv] adj 1. positif(ive) 2. sûr(e), certain(e) 3. positif(ive), optimiste 4. formel(elle), précis(e) 5. irréfutable, indéniable 6. véritable.

posse ['pɒsɪ] n (US) détachement m, troupe f.

possess [pə'zes] vt posséder.

possession [pə'zeʃn] n possession f.

possessive [pə'zesɪv] ■ adj possessif (ive). ■ n possessif m.

possibility [,pɒsə'bɪlətɪ] n 1. possibilité f, chances fpl • **there is a possibility that...** il se peut que... 2. option f.

possible ['pɒsəbl] ■ adj possible • **as much as possible** autant que possible • **as soon as possible** dès que possible. ■ n possible m.

possibly ['pɒsəblɪ] adv 1. peut-être 2. • **how could he possibly have known?** mais comment a-t-il pu le savoir ? 3. • **I can't possibly accept your money** je ne peux vraiment pas accepter cet argent.

post [pəʊst] ■ n 1. (UK) • **the post** la poste • **by post** par la poste 2. (UK) courrier m 3. (UK) levée f 4. poteau m 5. poste m, emploi m 6. MIL poste m. ■ vt 1. (UK) poster, mettre à la poste 2. muter 3. INFORM envoyer sur Internet.

postage ['pəʊstɪdʒ] n affranchissement m • **postage and packing** (UK) frais mpl de port et d'emballage.

postal ['pəʊstl] adj postal(e).

postal order n (UK) mandat m postal.

postbox ['pəʊstbɒks] n (UK) boîte f aux lettres.

postcard ['pəʊstkɑːd] n carte f postale.

postcode ['pəʊstkəʊd] n (UK) code m postal.

postdate [,pəʊst'deɪt] vt postdater.

poster ['pəʊstə^r] n 1. affiche f 2. poster m.

poste restante [,pəʊst'restɑːnt] n (UK) poste f restante.

posterior [pɒ'stɪərɪə^r] ■ adj postérieur(e). ■ n hum postérieur m, derrière m.

postgraduate [,pəust'grædʒuət] ■ adj de troisième cycle. ■ n étudiant m, -e f de troisième cycle.

posthumous ['postjuməs] adj posthume.

postman ['pəustmən] (pl **-men** [-mən]) n (UK) facteur m, -trice f.

postmark ['pəustmɑːk] ■ n cachet m de la poste. ■ vt timbrer, tamponner.

postmaster ['pəust,mɑːstər] n receveur m des postes.

postmortem [,pəust'mɔːtəm] n litt & fig autopsie f.

post office n 1. • **the Post Office** la Poste f 2. (bureau m de) poste f.

post-office box n boîte f postale.

postpone [,pəust'pəun] vt reporter, remettre.

postscript ['pəustskript] n 1. post-scriptum m inv 2. fig supplément m, addenda m inv.

posture ['postʃər] n 1. (indén) position f, posture f 2. fig attitude f.

postwar [,pəust'wɔːr] adj d'après-guerre.

posy ['pəuzı] n petit bouquet m de fleurs.

pot [pot] ■ n 1. marmite f, casserole f 2. théière f 3. cafetière f 4. pot m 5. (indén) fam herbe f. ■ vt mettre en pot (une plante).

potassium [pə'tæsıəm] n potassium m.

potato [pə'teıtəu] (pl **-es**) n pomme f de terre.

potato peeler [-,piːlər] n (couteau m) éplucheur m.

potent ['pəutənt] adj 1. puissant(e) 2. fort(e) 3. viril(e).

potential [pə'tenʃl] ■ adj 1. potentiel (elle) 2. possible 3. en puissance. ■ n 1. (indén) capacités fpl latentes • **to have potential** promettre 2. avoir de l'avenir 3. offrir des possibilités.

potentially [pə'tenʃəlı] adv potentiellement.

pothole ['pothəul] n nid-de-poule m.

potholing ['pot,həulıŋ] n (UK) • **to go potholing** faire de la spéléologie.

potion ['pəuʃn] n breuvage m • **love potion** philtre m.

potluck [,pot'lʌk] n • **to take potluck** choisir au hasard • manger à la fortune du pot.

potshot ['pot,ʃot] n • **to take a potshot (at sthg)** tirer (sur qqch) sans viser.

potted ['potıd] adj (UK) conservé(e) en pot.

potter ['potər] n potier m, -ère f.
■ **potter about, potter around** vi (UK) bricoler.

pottery ['potərı] n poterie f.

potty ['potı] fam ■ adj • **potty (about)** toqué(e) (de). ■ n (UK) pot m (de chambre).

pouch [pautʃ] n 1. petit sac m 2. poche f ventrale.

poultry ['pəultrı] ■ n (indén) volaille f.
■ npl volailles fpl.

pounce [pauns] vi • **to pounce (on)** fondre (sur) • se jeter (sur).

pound [paund] ■ n 1. (UK) livre f 2. = 453,6 grammes, ≃ livre f 3. fourrière f.
■ vt 1. marteler 2. piler, broyer. ■ vi 1. • **to pound on** donner de grands coups à 2. battre fort • **my head is pounding** j'ai des élancements dans la tête.

pound sterling n livre f sterling.

pour [pɔːr] ■ vt verser • **shall I pour you a drink?** je te sers quelque chose à boire ?
■ vi 1. couler à flots 2. fig • **to pour in/out** entrer/sortir en foule. ■ v impers pleuvoir à verse.
■ **pour in** vi affluer.
■ **pour out** vt sép 1. vider 2. verser, servir.

pouring ['pɔːrıŋ] adj torrentiel(elle).

pout [paut] vi faire la moue.

poverty ['povətı] n 1. pauvreté f 2. fig indigence f, manque m.

poverty-stricken adj 1. dans la misère 2. misérable, très pauvre.

powder ['paudər] ■ n poudre f. ■ vt poudrer.

powder compact n poudrier m.

powdered ['paudəd] adj 1. en poudre 2. poudré(e).

powder puff n houppette f.

powder room n vieilli toilettes fpl pour dames.

power ['pauər] ■ n 1. (indén) pouvoir m • **to take power** prendre le pouvoir • **to come to power** parvenir au pouvoir • **to**

be in power être au pouvoir • **to be in** OU **within one's power to do sthg** être en son pouvoir de faire qqch **2.** puissance f, force f **3.** (indén) énergie f **4.** courant m, électricité f. ◼ vt faire marcher, actionner.

powerboat ['paʊəbəʊt] n hors-bord m inv.

power cut n (UK) coupure f de courant.

power failure n panne f de courant.

powerful ['paʊəfʊl] adj **1.** puissant(e) **2.** fort(e) **3.** émouvant(e).

powerless ['paʊəlɪs] adj impuissant(e).

power point n (UK) prise f de courant.

power station n (UK) centrale f électrique.

power steering n direction f assistée.

PR n **1.** abrév de **proportional representation 2.** abrév de **public relations**.

practicable ['præktɪkəbl] adj sout réalisable, faisable.

practical ['præktɪkl] ◼ adj **1.** pratique **2.** réalisable. ◼ n épreuve f pratique.

practicality [,præktɪ'kælətɪ] n (indén) aspect m pratique.

practical joke n farce f.

practically ['præktɪklɪ] adv **1.** d'une manière pratique **2.** presque, pratiquement.

practice ['præktɪs] ◼ n **1.** (indén) entraînement m **2.** MUS répétition f • **to be out of practice** être rouillé(e) **3.** séance f d'entraînement **4.** répétition f **5.** • **to put sthg into practice** mettre qqch en pratique • **in practice** en réalité, en fait **6.** pratique f, coutume f **7.** (indén) exercice m **8.** cabinet m (de médecin, d'avocat) **9.** étude f (de notaire). ◼ vt & vi (US) = **practise**.

practicing (US) = **practising**.

practise (UK), **practice** (US) ['præktɪs] ◼ vt **1.** s'entraîner à (un sport) **2.** s'exercer à (un instrument de musique) **3.** suivre, pratiquer **4.** pratiquer **5.** exercer. ◼ vi **1.** SPORT s'entraîner **2.** MUS s'exercer **3.** exercer.

practising (UK), **practicing** (US) ['præktɪsɪŋ] adj **1.** (médecin, avocat) en exercice **2.** RELIG pratiquant(e).

practitioner [præk'tɪʃnə] n praticien m, -enne f.

Prague [prɑːg] n Prague.

prairie ['preərɪ] n prairie f.

praise [preɪz] ◼ n louange f, louanges fpl. ◼ vt louer, faire l'éloge de.

praiseworthy ['preɪz,wɜːðɪ] adj louable, méritoire.

pram [præm] n (UK) landau m.

prance [prɑːns] vi **1.** se pavaner **2.** (cheval) caracoler.

prank [præŋk] n tour m, niche f.

prawn [prɔːn] n crevette f rose.

pray [preɪ] vi • **to pray (to sb)** prier (qqn).

prayer [preə] n litt & fig prière f.

prayer book n livre m de messe.

preach [priːtʃ] ◼ vt **1.** prêcher **2.** prononcer (un sermon). ◼ vi **1.** • **to preach (to sb)** prêcher (qqn) **2.** péj • **to preach (at sb)** sermonner (qqn).

preacher ['priːtʃə] n prédicateur m, -trice f, pasteur m, -e f.

precarious [prɪ'keərɪəs] adj précaire.

precaution [prɪ'kɔːʃn] n précaution f.

precede [prɪ'siːd] vt précéder.

precedence ['presɪdəns] n • **to take precedence over sthg** avoir la priorité sur qqch • **to have** OU **take precedence over sb** avoir la préséance sur qqn.

precedent ['presɪdənt] n précédent m.

precinct ['priːsɪŋkt] n **1.** (UK) • **pedestrian precinct** zone f piétonne • **shopping precinct** centre m commercial **2.** (US) circonscription f (administrative). ◼ **precincts** npl enceinte f.

precious ['preʃəs] adj **1.** précieux(euse) **2.** fam iron sacré(e) **3.** affecté(e).

precipice ['presɪpɪs] n précipice m, paroi f à pic.

precipitate sout vt [prɪ'sɪpɪteɪt] hâter, précipiter.

precise [prɪ'saɪs] adj **1.** précis (e) **2.** exact(e).

precisely [prɪ'saɪslɪ] adv précisément, exactement.

precision [prɪ'sɪʒn] n précision f, exactitude f.

preclude [prɪ'kluːd] vt sout **1.** empêcher • **to preclude sb from doing sthg** empêcher qqn de faire qqch **2.** écarter (une possibilité).

precocious [prɪ'kəʊʃəs] adj précoce.

preconceived [,priːkən'siːvd] adj préconçu(e).

precondition [ˌpriːkənˈdɪʃn] *n sout* condition *f* sine qua non.

predator [ˈpredətər] *n* **1.** prédateur *m*, rapace *m* **2.** *fig* corbeau *m*.

predecessor [ˈpriːdɪsesər] *n* **1.** prédécesseur *m* **2.** précédent *m*, -e *f*.

predicament [prɪˈdɪkəmənt] *n* situation *f* difficile ◆ **to be in a predicament** être dans de beaux draps.

predict [prɪˈdɪkt] *vt* prédire.

predictable [prɪˈdɪktəbl] *adj* prévisible.

prediction [prɪˈdɪkʃn] *n* prédiction *f*.

predispose [ˌpriːdɪsˈpəʊz] *vt* ◆ **to be predisposed to sthg/to do sthg** être prédisposé(e) à qqch/à faire qqch.

predictive texting [prɪˈdɪktɪv-] *n* TÉLÉCOM *(sur téléphone portable)* écriture *f* prédictive, T9 *m*.

predominant [prɪˈdɒmɪnənt] *adj* prédominant(e).

predominantly [prɪˈdɒmɪnəntlɪ] *adv* principalement, surtout.

preempt [ˌpriːˈempt] *vt* devancer, prévenir.

preemptive [ˌpriːˈemptɪv] *adj* préventif(ive).

preen [priːn] *vt* **1.** *(oiseau)* lisser, nettoyer *(ses plumes)* **2.** *fig* ◆ **to preen o.s.** se faire beau(belle).

prefab [ˈpriːfæb] *n (UK) fam* maison *f* préfabriquée.

preface [ˈprefɪs] *n* ◆ **preface (to)** préface *f* (de), préambule *m* (de).

prefect [ˈpriːfekt] *n (UK) élève de terminale qui aide les professeurs à maintenir la discipline.*

prefer [prɪˈfɜːr] *vt* préférer.

preferable [ˈprefrəbl] *adj* ◆ **preferable (to)** préférable (à).

preferably [ˈprefrəblɪ] *adv* de préférence.

preference [ˈprefərəns] *n* préférence *f*.

preferential [ˌprefəˈrenʃl] *adj* préférentiel(elle).

prefix [ˈpriːfɪks] *n* préfixe *m*.

pregaming *(US)* [ˌpriːˈɡeɪmɪŋ] *n consommation d'alcool avant d'assister à un événement sportif.*

pregnancy [ˈpreɡnənsɪ] *n* grossesse *f*.

pregnant [ˈpreɡnənt] *adj* **1.** *(femme)* enceinte **2.** *(animal)* pleine.

prehistoric [ˌpriːhɪˈstɒrɪk] *adj* préhistorique.

prejudice [ˈpredʒʊdɪs] ◼ *n* **1.** ◆ **prejudice (in favour of/against)** préjugé *m* (en faveur de/contre), préjugés *mpl* (en faveur de/contre) **2.** *(indén)* préjudice *m*, tort *m*. ◼ *vt* **1.** ◆ **to prejudice sb (in favour of/against)** prévenir qqn (pour/contre), influencer qqn (pour/contre) **2.** porter préjudice à.

prejudiced [ˈpredʒʊdɪst] *adj* **1.** qui a des préjugés **2.** *(idée)* préconçu(e) ◆ **to be prejudiced in favour of/against** avoir des préjugés en faveur de/contre.

prejudicial [ˌpredʒʊˈdɪʃl] *adj* ◆ **prejudicial (to)** préjudiciable (à), nuisible (à).

preliminary [prɪˈlɪmɪnərɪ] *adj* préliminaire.

prelude [ˈpreljuːd] *n* ◆ **prelude to sthg** prélude *m* de qqch.

premarital [ˌpriːˈmærɪtl] *adj* avant le mariage.

premature [ˈpremətjʊər] *adj* prématuré(e).

premeditated [ˌpriːˈmedɪteɪtɪd] *adj* prémédité(e).

premenstrual syndrome, premenstrual tension *(UK)* [priːˈmenstrʊəl-] *n* syndrome *m* prémenstruel.

premier [ˈpremjər] ◼ *adj* primordial(e), premier(ère). ◼ *n* premier ministre *m*.

premiere [ˈpremɪeər] *n* THÉÂTRE & CINÉ première *f*.

premise [ˈpremɪs] *n* prémisse *f*.
◼ **premises** *npl* local *m*, locaux *mpl* ◆ **on the premises** sur place, sur les lieux.

premium [ˈpriːmjəm] *n* prime *f* ◆ **at a premium** à prix d'or ◆ très recherché(e) *ou* demandé(e).

premium bond *n (UK)* ≃ billet *m* de loterie.

premonition [ˌpreməˈnɪʃn] *n* prémonition *f*, pressentiment *m*.

pre-nup *n fam* contrat *m* de mariage.

preoccupied [prɪˈɒkjʊpaɪd] *adj* ◆ **preoccupied (with)** préoccupé(e) (de).

prep [prep] *n (indén) (UK) fam* devoirs *mpl*.

prepaid [ˈpriːpeɪd] *adj* **1.** payé(e) d'avance **2.** *(enveloppe)* affranchi(e).

preparation [ˌprepə'reɪʃn] *n* préparation *f*.

■ **preparations** *npl* préparatifs *mpl*.

preparatory [prɪ'pærətrɪ] *adj* 1. préparatoire 2. préliminaire.

preparatory school *n* 1. école *f* primaire privée 2. *école privée qui prépare à l'enseignement supérieur.*

prepare [prɪ'peəʳ] ■ *vt* préparer. ■ *vi* • **to prepare for sthg/to do sthg** se préparer à qqch/à faire qqch.

prepared [prɪ'peəd] *adj* 1. préparé(e) d'avance 2. • **to be prepared to do sthg** être prêt(e) *ou* disposé(e) à faire qqch 3. • **to be prepared for sthg** être prêt(e) pour qqch.

preposition [ˌprepə'zɪʃn] *n* préposition *f*.

preposterous [prɪ'pɒstərəs] *adj* ridicule, absurde.

prerequisite [ˌpriː'rekwɪzɪt] *n* condition *f* préalable.

prerogative [prɪ'rɒgətɪv] *n* prérogative *f*, privilège *m*.

Presbyterian [ˌprezbɪ'tɪərɪən] ■ *adj* presbytérien(enne). ■ *n* presbytérien *m*, -enne *f*.

preschool [ˌpriː'skuːl] ■ *adj* préscolaire. ■ *n (US)* école *f* maternelle.

prescribe [prɪ'skraɪb] *vt* 1. prescrire 2. ordonner, imposer.

prescription [prɪ'skrɪpʃn] *n* 1. ordonnance *f* 2. médicament *m*.

prescriptive [prɪ'skrɪptɪv] *adj* normatif(ive).

presence ['prezns] *n* présence *f* • **to be in sb's presence** *ou* **in the presence of sb** être en présence de qqn.

presence of mind *n* présence *f* d'esprit.

present ■ *adj* ['preznt] 1. actuel(elle) 2. présent(e) • **to be present at** assister à. ■ *n* ['preznt] 1. • **the present** le présent • **at present** actuellement, en ce moment 2. cadeau *m* 3. GRAMM • **present (tense)** présent *m*. ■ *vt* [prɪ'zent] 1. présenter 2. donner, remettre • **to present sb with sthg, to present sthg to sb** donner *ou* remettre qqch à qqn 3. représenter, décrire 4. • **to present o.s.** se présenter.

presentable [prɪ'zentəbl] *adj* présentable.

presentation [ˌprezn'teɪʃn] *n* 1. présentation *f* 2. remise *f* (de récompense/de prix) 3. exposé *m* 4. THÉÂTRE représentation *f*.

present day *n* • **the present day** aujourd'hui.

■ **present-day** *adj* d'aujourd'hui, contemporain(e).

presenter [prɪ'zentəʳ] *n (UK)* présentateur *m*, -trice *f*.

presently ['prezntlɪ] *adv* 1. bientôt, tout à l'heure 2. actuellement, en ce moment.

preservation [ˌprezə'veɪʃn] *n (indén)* 1. maintien *m* 2. protection *f*, conservation *f*.

preservative [prɪ'zɜːvətɪv] *n* conservateur *m*.

preserve [prɪ'zɜːv] ■ *vt* 1. maintenir 2. conserver 3. mettre en conserve. ■ *n* confiture *f*.

preset [ˌpriː'set] *(prét & pp* **preset)** *vt* prérégler.

president ['prezɪdənt] *n* 1. président *m* 2. *(US)* P-DG *m*.

presidential [ˌprezɪ'denʃl] *adj* présidentiel(elle).

press [pres] ■ *n* 1. pression *f* 2. • **the press** la presse, les journaux *mpl* • **the press** les journalistes *mpl* 3. *(imprimerie)* presse *f* 4. *(pour le vin, les olives)* pressoir *m*. ■ *vt* 1. appuyer sur • **to press sthg against sthg** appuyer qqch sur qqch 2. serrer 3. repasser 4. • **to press sb (to do sthg** *ou* **into doing sthg)** presser qqn (de faire qqch) 5. insister sur. ■ *vi* 1. • **to press (on sthg)** appuyer (sur qqch) 2. • **to press (on sthg)** serrer (qqch) 3. se presser.

■ **press for** *vt insép* demander avec insistance.

■ **press on** *vi* • **to press on (with sthg)** continuer (qqch), ne pas abandonner (qqch).

press agency *n* agence *f* de presse.

press conference *n* conférence *f* de presse.

pressed [prest] *adj* • **to be pressed for time/money** être à court de temps/d'argent.

pressing ['presɪŋ] *adj* urgent(e).

press officer *n* attaché *m* de presse.

press release *n* communiqué *m* de presse.

press stud n (UK) pression f.

press-up n (UK) pompe f, traction f.

pressure ['preʃər] n (indén) **1.** pression f • **to put pressure on sb (to do sthg)** faire pression sur qqn (pour qu'il fasse qqch) **2.** tension f.

pressure cooker n Cocotte-Minute® f, autocuiseur m.

pressure gauge n manomètre m.

pressure group n groupe m de pression.

pressurize, -ise ['preʃəraiz] vt **1.** pressuriser **2.** (UK) • **to pressurize sb to do** OU **into doing sthg** forcer qqn à faire qqch.

prestige [pre'stiːʒ] n prestige m.

presumably [prɪ'zjuːməblɪ] adv vraisemblablement.

presume [prɪ'zjuːm] vt présumer • **to presume (that)...** supposer que... • **missing, presumed dead** porté disparu, présumé mort.

presumption [prɪ'zʌmpʃn] n **1.** supposition f **2.** (indén) (audace) présomption f.

presumptuous [prɪ'zʌmptʃʊəs] adj présomptueux(euse).

pretence (UK), **pretense** (US) ['pretens] n prétexte m • **under false pretences** sous des prétextes fallacieux.

pretend [prɪ'tend] ◼ vt • **to pretend to do sthg** faire semblant de faire qqch. ◼ vi faire semblant.

pretense (US) = **pretence**.

pretension [prɪ'tenʃn] n prétention f.

pretentious [prɪ'tenʃəs] adj prétentieux(euse).

pretext ['priːtekst] n prétexte m • **on** OU **under the pretext that...** sous prétexte que...

pretty ['prɪtɪ] ◼ adj **1.** joli(e) **2.** péj précieux(euse). ◼ adv plutôt • **pretty much** OU **well** pratiquement, presque.

prevail [prɪ'veɪl] vi **1.** avoir cours, régner **2.** • **to prevail (over)** prévaloir (sur), l'emporter (sur).

prevailing [prɪ'veɪlɪŋ] adj **1.** actuel(elle) **2.** dominant(e).

prevalent ['prevələnt] adj courant(e), répandu(e).

prevent [prɪ'vent] vt empêcher.

preventive [prɪ'ventɪv] adj préventif(ive).

preview ['priːvjuː] n avant-première f.

previous ['priːvjəs] adj **1.** antérieur(e) **2.** précédent(e).

previously ['priːvjəslɪ] adv avant, auparavant.

prewar [,priː'wɔː] adj d'avant-guerre.

prey [preɪ] n proie f.
◼ **prey on** vt insép **1.** faire sa proie de **2.** • **to prey on sb's mind** ronger qqn, tracasser qqn.

price [praɪs] ◼ n prix m • **at any price** à tout prix. ◼ vt fixer le prix de.

priceless ['praɪslɪs] adj sans prix, inestimable.

price list n tarif m.

price tag n étiquette f.

pricey ['praɪsɪ] adj fam chérot (inv).

prick [prɪk] ◼ n **1.** piqûre f **2.** vulg bite f **3.** vulg con m, conne f. ◼ vt piquer.
◼ **prick up** vt insép • **to prick up one's ears** (animal) dresser les oreilles • (personne) dresser OU tendre l'oreille.

prickle ['prɪkl] ◼ n **1.** épine f **2.** picotement m. ◼ vi picoter.

prickly ['prɪklɪ] adj **1.** épineux(euse) **2.** fig irritable.

prickly heat n (indén) boutons mpl de chaleur.

pride [praɪd] ◼ n (indén) **1.** fierté f • **to take pride in sthg/in doing sthg** être fier de qqch/de faire qqch **2.** amour-propre m **3.** péj orgueil m. ◼ vt • **to pride o.s. on sthg** être fier(fière) de qqch.

priest [priːst] n prêtre m.

priestess ['priːstɪs] n prêtresse f.

priesthood ['priːsthʊd] n **1.** • **the priesthood** le sacerdoce **2.** • **the priesthood** le clergé.

prig [prɪg] n péj petit saint m, petite sainte f.

prim [prɪm] adj péj guindé(e).

primarily ['praɪmərɪlɪ] adv principalement.

primary ['praɪmərɪ] ◼ adj **1.** premier (ère), principal(e) **2.** SCOL primaire. ◼ n (US) POLIT primaire f.

primary school n école f primaire.

primate ['praɪmeɪt] n **1.** primate m **2.** RELIG primat m.

prime [praɪm] ◼ adj **1.** principal(e), primordial(e) **2.** excellent(e) • **prime qual-**

ity première qualité. ◼ *n* ▪ **to be in one's prime** être dans la fleur de l'âge. ◼ *vt* ▪ **to prime sb about sthg** mettre qqn au courant de qqch.

prime minister *n* premier ministre *m*.

primer ['praɪmər] *n* 1. apprêt *m* 2. introduction *f*.

primeval [praɪ'miːvl] *adj* primitif(ive).

primitive ['prɪmɪtɪv] *adj* primitif(ive).

primrose ['prɪmrəʊz] *n* primevère *f*.

Primus stove® ['praɪməs-] *n* (UK) réchaud *m* de camping.

prince [prɪns] *n* prince *m*.

princess [prɪn'ses] *n* princesse *f*.

principal ['prɪnsəpl] ◼ *adj* principal(e). ◼ *n* 1. (surtout UK) SCOL directeur *m*, -trice *f* 2. UNIV doyen *m*, -enne *f*.

principle ['prɪnsəpl] *n* principe *m* ▪ **on principle, as a matter of principle** par principe.
▪ **in principle** *adv* en principe.

print [prɪnt] ◼ *n* 1. (indén) caractères *mpl* ▪ **to be in print** être disponible ▪ **to be out of print** être épuisé(e) 2. gravure *f* 3. PHOTO épreuve *f* 4. imprimé *m* 5. empreinte *f*. ◼ *vt* 1. imprimer 2. publier 3. écrire en caractères d'imprimerie. ◼ *vi* imprimer.
▪ **print out** *vt sép* INFORM imprimer.

printed matter ['prɪntɪd-] *n* (indén) imprimés *mpl*.

printer ['prɪntər] *n* 1. imprimeur *mf* 2. imprimante *f*.

printing ['prɪntɪŋ] *n* (indén) 1. impression *f* 2. imprimerie *f*.

printout ['prɪntaʊt] *n* INFORM sortie *f* d'imprimante, listing *m*.

prior ['praɪər] ◼ *adj* antérieur(e), précédent(e). ◼ *n* prieur *m*.
▪ **prior to** *prép* avant ▪ **prior to doing sthg** avant de faire qqch.

priority [praɪ'ɒrəti] *n* priorité *f* ▪ **to have** OU **take priority (over)** avoir la priorité (sur).

prise [praɪz] *vt* ▪ **to prise sthg away from sb** arracher qqch à qqn ▪ **to prise sthg open** forcer qqch.

prison ['prɪzn] *n* prison *f*.

prisoner ['prɪznər] *n* prisonnier *m*, -ère *f*.

prisoner of war (*pl* **prisoners of war**) *n* prisonnier *m*, -ère *f* de guerre.

privacy [(UK) 'prɪvəsɪ, (US) 'praɪvəsɪ] *n* intimité *f*.

private ['praɪvɪt] ◼ *adj* 1. privé(e) 2. confidentiel(elle) 3. personnel(elle) 4. secret(ète). ◼ *n* (simple) soldat *m*.

private enterprise *n* (indén) entreprise *f* privée.

private eye *n* détective *m* privé.

privately ['praɪvɪtlɪ] *adv* 1. ▪ **privately owned** du secteur privé 2. en privé 3. intérieurement, dans son for intérieur.

private property *n* propriété *f* privée.

private school *n* école *f* privée.

privatize, -ise ['praɪvɪtaɪz] *vt* privatiser.

privet ['prɪvɪt] *n* troène *m*.

privilege ['prɪvɪlɪdʒ] *n* privilège *m*.

privy ['prɪvɪ] *adj* ▪ **to be privy to sthg** être dans le secret de qqch.

Privy Council *n* (UK) ▪ **the Privy Council** le Conseil privé.

prize [praɪz] ◼ *adj* 1. très précieux(euse) 2. (animal) primé(e) 3. parfait(e). ◼ *n* prix *m*. ◼ *vt* priser.

prize-giving [-,gɪvɪŋ] *n* (UK) distribution *f* des prix.

prizewinner ['praɪz,wɪnər] *n* gagnant *m*, -e *f*.

pro [prəʊ] (*pl* -s) *n* 1. *fam* pro *mf* 2. ▪ **the pros and cons** le pour et le contre.

probability [,prɒbə'bɪlətɪ] *n* probabilité *f*.

probable ['prɒbəbl] *adj* probable.

probably ['prɒbəblɪ] *adv* probablement.

probation [prə'beɪʃn] *n* (indén) 1. DR mise *f* à l'épreuve ▪ **to put sb on probation** mettre qqn en sursis avec mise à l'épreuve 2. essai *m* ▪ **to be on probation** être à l'essai.

probe [prəʊb] ◼ *n* 1. ▪ **probe (into)** enquête *f* (sur) 2. MÉD & TECHNOL sonde *f*. ◼ *vt* sonder.

problem ['prɒbləm] ◼ *n* problème *m* ▪ **no problem!** *fam* pas de problème ! ◼ *en apposition* difficile.

procedure [prə'siːdʒər] *n* procédure *f*.

proceed ◼ *vt* [prə'siːd] ▪ **to proceed to do sthg** se mettre à faire qqch. ◼ *vi* [prə'siːd] 1. ▪ **to proceed (with sthg)** continuer (qqch), poursuivre (qqch) 2. *sout* avancer.
▪ **proceeds** *npl* ['prəʊsiːdz] FIN recette *f*.

proceedings [prə'si:dɪŋz] *npl* 1. débats *mpl* 2. DR poursuites *fpl*.

process ['prəʊses] ■ *n* 1. processus *m* • **in the process of doing sthg** être en train de faire qqch 2. procédé *m*. ■ *vt* traiter.

processing ['prəʊsesɪŋ] *n* traitement *m*, transformation *f*.

procession [prə'seʃn] *n* cortège *m*, procession *f*.

proclaim [prə'kleɪm] *vt* proclamer.

procrastinate [prə'kræstɪneɪt] *vi sout* faire traîner les choses.

procure [prə'kjʊər] *vt sout* 1. se procurer 2. procurer, obtenir.

prod [prɒd] *vt* pousser doucement.

prodigal ['prɒdɪgl] *adj sout* prodigue.

prodigy ['prɒdɪdʒɪ] *n* prodige *m*.

produce ■ *n* ['prɒdju:s] *(indén)* produits *mpl*. ■ *vt* [prə'dju:s] 1. produire 2. provoquer, causer 3. présenter *(un spectacle)* 4. *(UK)* THÉÂTRE mettre en scène.

producer [prə'dju:sər] *n* 1. producteur *m*, -trice *f* 2. *(UK)* THÉÂTRE metteur *m* en scène.

product ['prɒdʌkt] *n* produit *m*.

production [prə'dʌkʃn] *n* 1. *(indén)* production *f* 2. *(indén)* rendement *m* 3. *(indén)* *(UK)* THÉÂTRE mise *f* en scène 4. *(spectacle)* représentation *f* 5. THÉÂTRE pièce *f*.

production line *n* chaîne *f* de fabrication.

productive [prə'dʌktɪv] *adj* 1. productif(ive) 2. fructueux(euse).

productivity [,prɒdʌk'tɪvətɪ] *n* productivité *f*.

profane [prə'feɪn] *adj sout* impie.

profession [prə'feʃn] *n* profession *f* • **by profession** de son métier.

professional [prə'feʃənl] ■ *adj* 1. professionnel(elle) 2. de (haute) qualité. ■ *n* professionnel *m*, -elle *f*.

professor [prə'fesər] *n* 1. *(UK)* professeur *m*, -e *f* (de faculté) 2. *(US & Canada)* professeur *m*.

proficiency [prə'fɪʃənsɪ] *n* • **proficiency (in)** compétence *f* (en).

profile ['prəʊfaɪl] *n* profil *m*.

profit ['prɒfɪt] ■ *n* 1. bénéfice *m*, profit *m* 2. *(avantage)* profit *m*. ■ *vi* 1. être le bénéficiaire 2. tirer avantage OU profit.

profitability [,prɒfɪtə'bɪlətɪ] *n* rentabilité *f*.

profitable ['prɒfɪtəbl] *adj* 1. rentable, lucratif(ive) 2. fructueux(euse), profitable.

profiteering [,prɒfɪ'tɪərɪŋ] *n* affairisme *m*, mercantilisme *m*.

profound [prə'faʊnd] *adj* profond(e).

profusely [prə'fju:slɪ] *adv* abondamment • **to apologize profusely** se confondre en excuses.

profusion [prə'fju:ʒn] *n sout* profusion *f*.

progeny ['prɒdʒənɪ] *n sout* progéniture *f*.

prognosis [prɒg'nəʊsɪs] *(pl* **-ses** [-si:z]) *n* pronostic *m*.

program ['prəʊgræm] ■ *n* 1. programme *m* 2. *(US)* = **programme**. ■ *vt* *(prét & pp* **-med** *OU* **-ed**, *cont* **-ming** *OU* **-ing)* 1. programmer 2. *(US)* = **programme**.

programme *(UK)*, **program** *(US)* ['prəʊgræm] ■ *n* 1. programme *m* 2. RADIO & TV émission *f*. ■ *vt* programmer • **to programme sthg to do sthg** programmer qqch pour faire qqch.

programmer ['prəʊgræmər] *n* INFORM programmeur *m*, -euse *f*.

programming ['prəʊgræmɪŋ] *n* programmation *f*.

progress ■ *n* ['prəʊgres] progrès *m* • **to make progress** faire des progrès • **to make progress in sthg** avancer dans qqch • **in progress** en cours. ■ *vi* [prə'gres] 1. progresser, avancer 2. faire des progrès.

progressive [prə'gresɪv] *adj* 1. progressiste 2. progressif(ive).

prohibit [prə'hɪbɪt] *vt* prohiber • **to prohibit sb from doing sthg** interdire OU défendre à qqn de faire qqch.

project ■ *n* ['prɒdʒekt] 1. projet *m*, plan *m* 2. • **project (on)** dossier *m* (sur), projet *m* (sur). ■ *vt* [prə'dʒekt] 1. projeter 2. prévoir. ■ *vi* [prə'dʒekt] faire saillie.

projectile [prə'dʒektaɪl] *n* projectile *m*.

projection [prə'dʒekʃn] *n* 1. prévision *f* 2. saillie *f* 3. *(indén)* projection *f*.

projector [prə'dʒektər] *n* projecteur *m*.

proletariat [,prəʊlɪ'teərɪət] *n* prolétariat *m*.

prolific [prə'lɪfɪk] *adj* prolifique.

prologue, prolog ['prəʊlɒg] *n litt & fig* prologue *m*.

prolong [prə'lɒŋ] *vt* prolonger.

prom [prɒm] *n* **1.** *(UK) fam (abr de* promenade*)* promenade *f*, front *m* de mer **2.** *(US)* bal *m* d'étudiants.

promenade [ˌprɒmə'nɑːd] *n (UK)* promenade *f*, front *m* de mer.

promenade concert *n (UK)* concert *m* promenade.

prominent ['prɒmɪnənt] *adj* **1.** important(e) **2.** proéminent(e).

promiscuous [prɒ'mɪskjʊəs] *adj* **1.** aux mœurs légères **2.** immoral(e).

promise ['prɒmɪs] ■ *n* promesse *f*. ■ *vt* ◆ **to promise (sb) to do sthg** promettre (à qqn) de faire qqch ◆ **to promise sb sthg** promettre qqch à qqn. ■ *vi* promettre.

promising ['prɒmɪsɪŋ] *adj* prometteur (euse).

promontory ['prɒməntrɪ] *n* promontoire *m*.

promote [prə'məʊt] *vt* promouvoir.

promoter [prə'məʊtər] *n* **1.** organisateur *m*, -trice *f* **2.** promoteur *m*, -trice *f*.

promotion [prə'məʊʃn] *n* promotion *f*, avancement *m*.

prompt [prɒmpt] ■ *adj* rapide, prompt(e). ■ *adv* ◆ **at nine o'clock prompt** à neuf heures précises. ■ *vt* **1.** ◆ **to prompt sb (to do sthg)** inciter qqn (à faire qqch) **2.** THÉÂTRE souffler sa réplique à. ■ *n* THÉÂTRE réplique *f*.

promptly ['prɒmptlɪ] *adv* **1.** rapidement, promptement **2.** ponctuellement.

prone [prəʊn] *adj* **1.** ◆ **to be prone to sthg** être sujet(ette) à qqch ◆ **to be prone to do sthg** avoir tendance à faire qqch **2.** étendu(e) face contre terre.

prong [prɒŋ] *n* dent *f (d'une fourchette, d'une fourche)*.

pronoun ['prəʊnaʊn] *n* pronom *m*.

pronounce [prə'naʊns] ■ *vt* prononcer. ■ *vi* ◆ **to pronounce on** se prononcer sur.

pronounced [prə'naʊnst] *adj* prononcé(e).

pronouncement [prə'naʊnsmənt] *n* déclaration *f*.

pronunciation [prəˌnʌnsɪ'eɪʃn] *n* prononciation *f*.

proof [pruːf] *n* **1.** preuve *f* **2.** épreuve *f (d'un livre)* **3.** teneur *f* en alcool.

prop [prɒp] ■ *n* **1.** support *m*, étai *m* **2.** *fig* soutien *m*. ■ *vt* ◆ **to prop sthg against** appuyer qqch contre *ou* à. ■ **prop up** *vt sép* **1.** soutenir, étayer **2.** *fig* soutenir.

propaganda [ˌprɒpə'gændə] *n* propagande *f*.

propel [prə'pel] *vt* **1.** propulser **2.** *fig* pousser.

propeller [prə'pelər] *n* hélice *f*.

propelling pencil [prə'pelɪŋ-] *n (UK)* porte-mine *m*.

propensity [prə'pensətɪ] *n* ◆ **propensity (for** *ou* **to)** propension *f* (à).

proper ['prɒpər] *adj* **1.** vrai(e) **2.** correct(e), bon(bonne) **3.** convenable.

properly ['prɒpəlɪ] *adv* **1.** correctement **2.** convenablement, comme il faut.

proper name, proper noun *n* nom *m* propre.

property ['prɒpətɪ] *n* **1.** *(indén)* biens *mpl*, propriété *f* **2.** bien *m* immobilier **3.** terres *fpl* **4.** CHIM & PHYS propriété *f*.

property owner *n* propriétaire *m* (foncier).

prophecy ['prɒfɪsɪ] *n* prophétie *f*.

prophesy ['prɒfɪsaɪ] *vt* prédire.

prophet ['prɒfɪt] *n* prophète *m*.

proportion [prə'pɔːʃn] *n* **1.** part *f*, partie *f* **2.** proportion *f* **3.** ◆ **in proportion** proportionné(e) ◆ **out of proportion** mal proportionné ◆ **a sense of proportion** *fig* le sens de la mesure.

proportional [prə'pɔːʃənl] *adj* proportionnel(elle).

proportional representation *n* représentation *f* proportionnelle.

proportionate [prə'pɔːʃnət] *adj* proportionnel(elle).

proposal [prə'pəʊzl] *n* **1.** proposition *f*, offre *f* **2.** demande *f* en mariage.

propose [prə'pəʊz] ■ *vt* **1.** proposer **2.** ◆ **to propose to do** *ou* **doing sthg** avoir l'intention de faire qqch, se proposer de faire qqch **3.** porter *(un toast)*. ■ *vi* faire une demande en mariage ◆ **to propose to sb** demander qqn en mariage.

proposition [ˌprɒpə'zɪʃn] n proposition f.

proprietor [prə'praɪətər] n propriétaire mf.

propriety [prə'praɪətɪ] sout n (indén) bienséance f.

pro rata [-'rɑːtə] ◼ adj proportionnel (elle). ◼ adv au prorata.

prose [prəʊz] n (indén) prose f.

prosecute ['prɒsɪkjuːt] ◼ vt poursuivre (en justice). ◼ vi 1. engager des poursuites judiciaires 2. (avocat) représenter la partie plaignante.

prosecution [ˌprɒsɪ'kjuːʃn] n poursuites fpl judiciaires, accusation f • **the prosecution** la partie plaignante • (dans un procès d'assises) ≃ le ministère public.

prosecutor ['prɒsɪkjuːtər] n (surtout US) plaignant m, -e f.

prospect n ['prɒspekt] 1. possibilité f, chances fpl 2. perspective f.

prospecting [prə'spektɪŋ] n prospection f.

prospective [prə'spektɪv] adj éventuel (elle).

prospector [prə'spektər] n prospecteur m, -trice f.

prospectus [prə'spektəs] (pl -es) n prospectus m.

prosper ['prɒspər] vi prospérer.

prosperity [prɒ'sperətɪ] n prospérité f.

prosperous ['prɒspərəs] adj prospère.

prostitute ['prɒstɪtjuːt] n prostituée f.

prostrate adj ['prɒstreɪt] 1. à plat ventre 2. prostré(e).

protagonist [prə'tægənɪst] n protagoniste m.

protect [prə'tekt] vt protéger.

protection [prə'tekʃn] n protection f.

protective [prə'tektɪv] adj 1. de protection 2. protecteur(trice).

protein ['prəʊtiːn] n protéine f.

protest ◼ n ['prəʊtest] protestation f. ◼ vt [prə'test] 1. protester de 2. (US) protester contre. ◼ vi [prə'test] • **to protest (about/against)** protester (à propos de/contre).

Protestant ['prɒtɪstənt] ◼ adj protestant(e). ◼ n protestant m, -e f.

protester [prə'testər] n manifestant m, -e f.

protest march n manifestation f, marche f de protestation.

protocol ['prəʊtəkɒl] n protocole m.

prototype ['prəʊtətaɪp] n prototype m.

protracted [prə'træktɪd] adj prolongé(e).

protrude [prə'truːd] vi avancer, dépasser.

protuberance [prə'tjuːbərəns] n sout protubérance f.

proud [praʊd] adj 1. fier(fière) 2. péj orgueilleux(euse), fier(fière).

prove [pruːv] (pp -d ou **proven**) ◼ vt prouver • **to prove o.s. to be sthg** se révéler être qqch. ◼ vi • **to prove (to be) false/useful** s'avérer faux(fausse)/utile.

proven ['pruːvn ou 'prəʊvn] ◼ pp ▷ **prove**. ◼ adj avéré(e), établi(e).

Provence [prɒ'vɑːns] n Provence f.

proverb ['prɒvɜːb] n proverbe m.

provide [prə'vaɪd] vt fournir • **to provide sb with sthg** fournir qqch à qqn • **to provide sthg for sb** fournir qqch à qqn.
◼ **provide for** vt insép 1. subvenir aux besoins de 2. sout prévoir.

provided [prə'vaɪdɪd] ◼ **provided (that)** conj à condition que, pourvu que.

providing [prə'vaɪdɪŋ] ◼ **providing (that)** conj à condition que, pourvu que.

province ['prɒvɪns] n 1. province f 2. domaine m, compétence f.

provincial [prə'vɪnʃl] adj 1. de province 2. péj provincial(e).

provision [prə'vɪʒn] n 1. (indén) • **provision (of)** approvisionnement m (en) 2. réserve f 3. (indén) • **to make provision**

for prendre des mesures pour • pourvoir aux besoins de **4. clause** f, disposition f.

provisional [prə'vɪʒənl] adj provisoire.

proviso [prə'vaɪzəʊ] (pl -s) n condition f, stipulation f • **with the proviso that** à (la) condition que (+ subjonctif).

provocative [prə'vɒkətɪv] adj provocant(e).

provoke [prə'vəʊk] vt **1.** agacer, contrarier **2.** provoquer **3.** susciter.

prow [praʊ] n proue f.

prowess ['praʊɪs] n prouesse f.

prowl [praʊl] ■ n • **to be on the prowl** rôder. ■ vt rôder dans. ■ vi rôder.

prowler ['praʊlə'] n rôdeur m, -euse f.

proxy ['prɒksɪ] n • **by proxy** par procuration.

prudent ['pru:dnt] adj prudent(e).

prudish ['pru:dɪʃ] adj péj prude.

prune [pru:n] ■ n pruneau m. ■ vt BOT tailler.

pry [praɪ] vi se mêler de ce qui ne nous regarde pas • **to pry into sthg** chercher à découvrir qqch.

PS (abr de postscript) n PS m.

psalm [sɑ:m] n psaume m.

pseudonym ['sju:dənɪm] n pseudonyme m.

psyche ['saɪkɪ] n psyché f.

psychiatric [ˌsaɪkɪ'ætrɪk] adj psychiatrique.

psychiatrist [saɪ'kaɪətrɪst] n psychiatre mf.

psychiatry [saɪ'kaɪətrɪ] n psychiatrie f.

psychic ['saɪkɪk] ■ adj **1.** doué(e) de seconde vue **2.** (phénomène) parapsychologique **3.** psychique. ■ n médium m.

psychoanalysis [ˌsaɪkəʊə'næləsɪs] n psychanalyse f.

psychoanalyst [ˌsaɪkəʊ'ænəlɪst] n psychanalyste mf.

psychological [ˌsaɪkə'lɒdʒɪkl] adj psychologique.

psychologist [saɪ'kɒlədʒɪst] n psychologue mf.

psychology [saɪ'kɒlədʒɪ] n psychologie f.

psychopath ['saɪkəpæθ] n psychopathe mf.

psychotic [saɪ'kɒtɪk] ■ adj psychotique. ■ n psychotique mf.

pt abrév de **pint**, **point**.

PT (abr de physical training) n (UK) EPS f.

pub [pʌb] n pub m.

puberty ['pju:bətɪ] n puberté f.

pubic ['pju:bɪk] adj pubien(enne).

public ['pʌblɪk] ■ adj **1.** public(ique) **2.** municipal(e). ■ n • **the public** le public.

public-address system n système m de sonorisation.

publican ['pʌblɪkən] n (UK & Australie) gérant m, -e f d'un pub.

publication [ˌpʌblɪ'keɪʃn] n publication f.

public bar n (UK) bar m.

public company n société f anonyme (cotée en Bourse).

public convenience n (UK) toilettes fpl publiques.

public holiday n (UK) jour m férié.

public house n (UK) pub m.

publicity [pʌb'lɪsɪtɪ] n (indén) publicité f.

publicize, -ise ['pʌblɪsaɪz] vt faire connaître au public.

public limited company n (UK) société f anonyme (cotée en Bourse).

public opinion n (indén) opinion f publique.

public prosecutor n (UK) ≃ procureur m de la République.

public relations n (indén) relations fpl publiques.

public school n 1. (UK) école f privée 2. (US & Écosse) école f publique.

public-spirited adj qui fait preuve de civisme.

public transport (UK), **public transportation** (US) n (indén) transports mpl en commun.

publish ['pʌblɪʃ] vt publier.

publisher ['pʌblɪʃər] n éditeur m, -trice f.

publishing ['pʌblɪʃɪŋ] n (indén) édition f.

pub lunch n (UK) repas de midi servi dans un pub.

pucker ['pʌkər] vt plisser.

pudding ['pʊdɪŋ] n 1. entremets m 2. pudding m 3. (indén) (UK) dessert m.

puddle ['pʌdl] n flaque f.

puff [pʌf] n 1. bouffée f (de cigarette) 2. souffle m. vt tirer sur (une cigarette). vi 1. • **to puff at** ou **on sthg** fumer qqch 2. haleter.
■ **puff out** vt sép gonfler.

puffed [pʌft] adj • **puffed (up)** gonflé(e).

puffin ['pʌfɪn] n macareux m.

puff pastry n (indén) pâte f feuilletée.

puffy ['pʌfɪ] adj gonflé(e), bouffi(e).

pugnacious [pʌgˈneɪʃəs] adj sout querelleur(euse), batailleur(euse).

pull [pʊl] vt 1. tirer 2. se froisser 3. arracher (une dent) 4. attirer 5. sortir (une arme). vi tirer. n 1. • **to give sthg a pull** tirer sur qqch 2. (indén) influence f.
■ **pull apart** vt sép séparer.
■ **pull at** vt insép tirer sur.
■ **pull away** vi 1. AUTO démarrer 2. prendre de l'avance.
■ **pull down** vt sép démolir.
■ **pull in** vi AUTO se ranger.
■ **pull off** vt sép 1. enlever, ôter 2. réussir.
■ **pull out** vt sép retirer. vi 1. RAIL partir, démarrer 2. AUTO déboîter 3. se retirer.
■ **pull over** vi AUTO se ranger.
■ **pull through** vi s'en sortir, s'en tirer.
■ **pull together** vt sép • **to pull o.s. together** se ressaisir, se reprendre.
■ **pull up** vt sép 1. remonter 2. avancer. vi s'arrêter.

pulley ['pʊlɪ] (pl -s) n poulie f.

pullover ['pʊl,əʊvər] n pull m.

pulp [pʌlp] adj de quatre sous. n 1. pâte f à papier 2. pulpe f.

pulpit ['pʊlpɪt] n chaire f.

pulsate [pʌlˈseɪt] vi 1. battre fort 2. vibrer.

pulse [pʌls] n 1. pouls m 2. TECHNOL impulsion f. vi battre, palpiter.
■ **pulses** npl légumes mpl secs.

puma ['pjuːmə] (pl inv ou -s) n puma m.

pumice (stone) ['pʌmɪs-] n pierre f ponce.

pummel ['pʌml] ((UK) prét & pp -led, cont -ling, (US) prét & pp -ed, cont -ing) vt bourrer de coups.

pump [pʌmp] n pompe f. vt 1. pomper 2. fam essayer de tirer les vers du nez à. vi battre fort.
■ **pumps** npl escarpins mpl.

pumpkin ['pʌmpkɪn] n potiron m.

pun [pʌn] n jeu m de mots, calembour m.

punch [pʌntʃ] n 1. coup m de poing 2. poinçonneuse f 3. (boisson) punch m. vt 1. donner un ou des coups de poing à 2. poinçonner 3. perforer.

Punch-and-Judy show [-ˈdʒuːdɪ-] n guignol m.

punch(ed) card [pʌntʃ(t)-] n carte f perforée.

punch line n chute f (d'une histoire drôle).

punch-up n (UK) fam bagarre f.

punchy ['pʌntʃɪ] adj fam incisif(ive).

punctual ['pʌŋktʃʊəl] adj ponctuel (elle).

punctuation [,pʌŋktʃʊˈeɪʃn] n ponctuation f.

punctuation mark n signe m de ponctuation.

puncture ['pʌŋktʃər] n crevaison f. vt 1. crever (un pneu, un ballon) 2. piquer (la peau).

pundit ['pʌndɪt] n pontife m.

pungent ['pʌndʒənt] adj 1. âcre 2. piquant(e) 3. fig caustique, acerbe.

punish ['pʌnɪʃ] vt punir.

punishing ['pʌnɪʃɪŋ] adj 1. épuisant(e), éreintant(e) 2. (défaite) cuisant(e).

punishment ['pʌnɪʃmənt] n punition f, châtiment m.

punk [pʌŋk] adj punk (inv). n 1. (indén) • **punk (rock)** punk m 2. fam loubard m.

punt [pʌnt] n bateau m à fond plat.

punter ['pʌntər] n (UK) 1. parieur m, -euse f 2. fam client m, -e f.

puny ['pju:nɪ] adj chétif(ive).

pup [pʌp] n 1. chiot m 2. bébé phoque m.

pupil ['pju:pl] n 1. élève mf 2. pupille f.

puppet ['pʌpɪt] n 1. marionnette f 2. péj fantoche m, pantin m.

puppy ['pʌpɪ] n chiot m.

purchase ['pɜːtʃəs] ◾ n achat m. ◾ vt acheter.

purchaser ['pɜːtʃəsər] n acheteur m, -euse f.

purchasing power ['pɜːtʃəsɪŋ-] n pouvoir m d'achat.

pure [pjʊər] adj pur(e).

puree ['pjʊəreɪ] n purée f.

purely ['pjʊəlɪ] adv purement.

purge [pɜːdʒ] ◾ n MÉD & POLIT purge f. ◾ vt MÉD & POLIT purger.

purify ['pjʊərɪfaɪ] vt purifier, épurer.

purist ['pjʊərɪst] n puriste mf.

puritan ['pjʊərɪtən] ◾ adj puritain(e). ◾ n puritain m, -e f.

purity ['pjʊərətɪ] n pureté f.

purl [pɜːl] ◾ n maille f à l'envers. ◾ vt tricoter à l'envers.

purple ['pɜːpl] ◾ adj violet(ette). ◾ n violet m.

purport [pə'pɔːt] vi sout • **to purport to do/be sthg** prétendre faire/être qqch.

purpose ['pɜːpəs] n 1. raison f, motif m 2. but m, objet m • **to no purpose** en vain, pour rien 3. détermination f.
■ **on purpose** adv exprès.

purposeful ['pɜːpəsfʊl] adj résolu(e), déterminé(e).

purr [pɜːr] vi ronronner.

purse [pɜːs] ◾ n 1. porte-monnaie m inv, bourse f 2. (US) sac m à main. ◾ vt pincer.

purser ['pɜːsər] n NAUT commissaire m de bord.

pursue [pə'sjuː] vt 1. poursuivre, pourchasser 2. poursuivre (un objectif) 3. continuer à débattre (d'une question) 4. approfondir (un sujet) 5. donner suite à (un projet) • **to pursue an interest in sthg** se livrer à qqch.

pursuer [pə'sjuːər] n poursuivant m, -e f.

pursuit [pə'sjuːt] n 1. (indén) recherche f, poursuite f 2. (course) poursuite f 3. occupation f, activité f.

pus [pʌs] n pus m.

push [pʊʃ] ◾ vt 1. pousser 2. appuyer sur (un bouton) 3. • **to push sb (to do sthg)** inciter ou pousser qqn (à faire qqch) 4. • **to push sb (into doing sthg)** obliger qqn (à faire qqch) 5. fam faire de la réclame pour. ◾ vi 1. pousser 2. appuyer (sur un bouton) 3. • **to push for sthg** faire pression pour obtenir qqch. ◾ n 1. poussée f 2. effort m.
■ **push around** vt sép fam fig marcher sur les pieds de.
■ **push in** vi resquiller.
■ **push off** vi fam filer, se sauver.
■ **push on** vi continuer.
■ **push through** vt sép faire accepter (une loi, une réforme).

pushchair ['pʊʃtʃeər] n (UK) poussette f.

pushed [pʊʃt] adj fam • **to be pushed for sthg** être à court de qqch • **to be hard pushed to do sthg** avoir du mal ou de la peine à faire qqch.

pusher ['pʊʃər] n arg drogue dealer m.

pushover ['pʊʃ,əʊvər] n fam • **it's a pushover** c'est un jeu d'enfant.

push-up n (surtout US) pompe f, traction f.

pushy ['pʊʃɪ] adj péj qui se met toujours en avant.

puss [pʊs], **pussy (cat)** ['pʊsɪ-] n fam minet m, minou m.

put [pʊt] (prét & pp put) vt 1. mettre 2. poser, placer • **to put the children to bed** coucher les enfants 3. dire, exprimer 4. poser (une question) 5. estimer, évaluer 6. • **to put money into** investir de l'argent dans.
■ **put across** vt sép faire comprendre.
■ **put away** vt sép 1. ranger 2. fam enfermer.
■ **put back** vt sép 1. remettre (à sa place ou en place) 2. (ajourner) remettre 3. retarder.
■ **put by** vt sép mettre de côté.
■ **put down** vt sép 1. poser, déposer 2. réprimer 3. inscrire, noter 4. (UK) • **to have a dog/cat put down** faire piquer un chien/chat.
■ **put down to** vt sép attribuer à.

■ **put forward** *vt sép* **1.** proposer **2.** avancer *(un rendez-vous)*.

■ **put in** *vt sép* **1.** passer *(du temps)* **2.** présenter.

■ **put off** *vt sép* **1.** remettre (à plus tard) **2.** décommander **3.** dissuader **4.** déconcerter **5.** dégoûter **6.** éteindre.

■ **put on** *vt sép* **1.** mettre, enfiler **2.** organiser, monter **3.** ◦ **to put on weight** prendre du poids, grossir **4.** allumer, mettre *(la radio, la télé)* ◦ **to put the light on** allumer (la lumière) ◦ **to put the brake on** freiner **5.** mettre *(un CD, un DVD)* **6.** mettre à cuire **7.** feindre **8.** parier, miser **9.** ajouter.

■ **put out** *vt sép* **1.** mettre dehors **2.** publier *(un livre)* **3.** sortir *(un CD, un DVD)* **4.** éteindre ◦ **to put the light out** éteindre (la lumière) **5.** tendre *(la main)* **6.** ◦ **to be put out** être contrarié(e) **7.** déranger.

■ **put through** *vt sép* TÉLÉCOM passer.

■ **put up** ◙ *vt sép* **1.** ériger **2.** dresser *(une tente)* **3.** ouvrir *(un parapluie)* **4.** hisser *(un drapeau)* **5.** accrocher **6.** fournir **7.** proposer **8.** *(UK)* augmenter **9.** loger. ◙ *vt insép* ◦ **to put up a fight** se défendre.

■ **put up with** *vt insép* supporter.

putrid ['pjuːtrɪd] *adj* putride.

putt [pʌt] ◙ *n* putt *m*. ◙ *vt & vi* putter.

putting green ['pʌtɪŋ-] *n* green *m*.

putty ['pʌtɪ] *n* mastic *m*.

puzzle ['pʌzl] ◙ *n* **1.** puzzle *m* **2.** devinette *f* **3.** mystère *m*, énigme *f*. ◙ *vt* rendre perplexe. ◙ *vi* ◦ **to puzzle over sthg** essayer de comprendre qqch.

■ **puzzle out** *vt sép* comprendre.

puzzling ['pʌzlɪŋ] *adj* curieux(euse).

pwn [pəʊn] *v fam* vaincre *(qqn)*.

pyjamas [pə'dʒɑːməz] *npl (UK)* pyjama *m* ◦ **a pair of pyjamas** un pyjama.

pylon ['paɪlən] *n* pylône *m*.

pyramid ['pɪrəmɪd] *n* pyramide *f*.

Pyrenees [ˌpɪrə'niːz] *npl* ◦ **the Pyrenees** les Pyrénées *fpl*.

Pyrex® ['paɪreks] *n* Pyrex® *m*.

python ['paɪθn] *(pl inv ou* **-s)** *n* python *m*.

q [kju:] (pl **q's** ou **qs**), **Q** (pl **Q's** ou **Qs**) n q m inv, Q m inv.

quack [kwæk] n **1.** coin-coin m inv **2.** fam péj charlatan m.

quad [kwɒd] n fam quadruplé m, -e f.

quadrangle ['kwɒdræŋgl] n **1.** quadrilatère m **2.** cour f.

quadruple [kwɒ'dru:pl] ■ adj quadruple. ■ vt & vi quadrupler.

quadruplet ['kwɒdrʊplɪt] n quadruplé m, -e f.

quagmire ['kwægmaɪəʳ] n bourbier m.

quail [kweɪl] n (pl inv ou **-s**) caille f.

quaint [kweɪnt] adj **1.** pittoresque **2.** au charme désuet **3.** bizarre, étrange.

quake [kweɪk] ■ n fam (abr de **earthquake**) tremblement m de terre. ■ vi trembler.

Quaker ['kweɪkəʳ] n quaker m, -eresse f.

qualification [,kwɒlɪfɪ'keɪʃn] n **1.** diplôme m **2.** compétence f **3.** (restriction) réserve f.

qualified ['kwɒlɪfaɪd] adj **1.** diplômé(e) **2.** ⬝ **to be qualified to do sthg** avoir la compétence nécessaire pour faire qqch **3.** restreint(e), modéré(e).

qualify ['kwɒlɪfaɪ] ■ vt **1.** apporter des réserves à **2.** ⬝ **to qualify sb to do sthg** qualifier qqn pour faire qqch. ■ vi **1.** obtenir un diplôme **2.** ⬝ **to qualify (for sthg)** avoir droit (à qqch), remplir les conditions requises (pour qqch) **3.** SPORT se qualifier.

quality ['kwɒlətɪ] ■ n qualité f. ■ en apposition de qualité.

qualms [kwɑ:mz] npl doutes mpl.

quandary ['kwɒndərɪ] n embarras m ⬝ **to be in a quandary about** ou **over sthg** être bien embarrassé(e) à propos de qqch.

quantify ['kwɒntɪfaɪ] vt quantifier.

quantity ['kwɒntətɪ] n quantité f.

quantity surveyor n (UK) métreur m, -euse f.

quarantine ['kwɒrəntiːn] ■ n quarantaine f. ■ vt mettre en quarantaine.

quark [kwɑ:k] n PHYS quark m.

quarrel ['kwɒrəl] ■ n querelle f, dispute f. ■ vi ((UK) prét & pp **-led**, cont **-ling**, (US) prét & pp **-ed**, cont **-ing**) ⬝ **to quarrel (with)** se quereller (avec), se disputer (avec).

quarrelsome ['kwɒrəlsəm] adj querelleur(euse).

quarry ['kwɒrɪ] n **1.** carrière f **2.** proie f.

quart [kwɔt] n **1.** (UK) = 1,136 litre **2.** (US) = 0,946 litre, ≃ litre m.

quarter ['kwɔtəʳ] n **1.** quart m ⬝ **a quarter past two** ou **after two** (US) deux heures et quart ⬝ **a quarter to two** ou **of two** (US) deux heures moins le quart **2.** trimestre m **3.** (US) pièce f de 25 cents **4.** quartier m (d'une ville) **5.** ⬝ **from all quarters** de tous côtés.
■ **at close quarters** adv de près.

quarterfinal [,kwɔtə'faɪnl] n quart m de finale.

quarterly ['kwɔtəlɪ] ■ adj trimestriel(elle). ■ adv trimestriellement. ■ n publication f trimestrielle.

quartermaster ['kwɔtə,mɑ:stəʳ] n MIL intendant m.

quartet [kwɔ'tet] n quatuor m.

quartz [kwɔts] n quartz m.

quartz watch n montre f à quartz.

quash [kwɒʃ] vt **1.** annuler, casser (un jugement) **2.** réprimer.

quasi- ['kweɪzaɪ] préf quasi-.

quaver ['kweɪvəʳ] ■ n **1.** (UK) MUS croche f **2.** tremblement m, chevrotement m. ■ vi trembler, chevroter.

quay [ki:] n quai m.

quayside ['ki:saɪd] n bord m du quai.

queasy ['kwi:zɪ] adj ⬝ **to feel queasy** avoir mal au cœur.

Quebec [kwɪ'bek] n Québec m.

queen [kwi:n] *n* **1.** reine *f* **2.** *(aux jeux de cartes)* dame *f*.

Queen Mother *n* ▪ **the Queen Mother** la Reine mère.

queer [kwɪəʳ] ▪ *adj* étrange, bizarre. ▪ *n injur* pédé *m*, homosexuel *m*.

quell [kwel] *vt* réprimer, étouffer.

quench [kwentʃ] *vt* ▪ **to quench one's thirst** se désaltérer.

querulous [ˈkwerʊləs] *adj sout* **1.** ronchonneur(euse) **2.** plaintif(ive).

query [ˈkwɪərɪ] ▪ *n* question *f*. ▪ *vt* mettre en doute, douter de.

quest [kwest] *n littéraire* ▪ **quest (for)** quête *f* (de).

question [ˈkwestʃn] ▪ *n* **1.** question *f* ▪ **to ask (sb) a question** poser une question (à qqn) **2.** doute *m* ▪ **to call** *ou* **bring sthg into question** mettre qqch en doute ▪ **without question** sans aucun doute ▪ **beyond question** sans aucun doute ▪ **there's no question of...** il n'est pas question de... ▪ *vt* **1.** questionner **2.** mettre en question.
▪ **in question** *adv* ▪ **the... in question** le/la/les... en question.
▪ **out of the question** *adv* hors de question.

questionable [ˈkwestʃənəbl] *adj* **1.** discutable **2.** douteux(euse).

question mark *n* point *m* d'interrogation.

questionnaire [ˌkwestʃəˈneəʳ] *n* questionnaire *m*.

queue [kju:] *(UK)* ▪ *n* queue *f*, file *f*. ▪ *vi* faire la queue.

quibble [ˈkwɪbl] *péj* ▪ *n* chicane *f*. ▪ *vi* ▪ **to quibble (over** *ou* **about)** chicaner (à propos de).

quiche [ki:ʃ] *n* quiche *f*.

quick [kwɪk] ▪ *adj* rapide, prompt(e). ▪ *adv fam* vite, rapidement.

quicken [ˈkwɪkn] *vt* accélérer, presser. ▪ *vi* s'accélérer.

quickly [ˈkwɪklɪ] *adv* **1.** vite, rapidement **2.** promptement, immédiatement.

quicksand [ˈkwɪksænd] *n* sables *mpl* mouvants.

quick-witted [-ˈwɪtɪd] *adj* à l'esprit vif.

quid [kwɪd] *(pl inv)* *n (UK) fam* livre *f*.

quiet [ˈkwaɪət] ▪ *adj* **1.** tranquille **2.** *(voix)* bas (basse) **3.** silencieux (euse) ▪ **be**

quiet! taisez-vous ! ▪ **to keep quiet about sthg** ne rien dire à propos de qqch, garder qqch secret **4.** calme **5.** intime **6.** discret(ète), sobre. ▪ *n* tranquillité *f* ▪ **on the quiet** *fam* en douce. ▪ *vt (US)* calmer.
▪ **quiet down** ▪ *vt sép* calmer, apaiser. ▪ *vi* se calmer.

quieten [ˈkwaɪətn] *(UK)* ▪ **quieten down** ▪ *vt sép* calmer, apaiser. ▪ *vi* se calmer.

quietly [ˈkwaɪətlɪ] *adv* **1.** sans faire de bruit, silencieusement **2.** doucement **3.** tranquillement **4.** discrètement.

quilt [kwɪlt] *n* édredon *m* ▪ **(continental) quilt** *(UK)* couette *f*.

quin *(UK)* [kwɪn], **quint** *(US)* [kwɪnt] *n fam* quintuplé *m*, -e *f*.

quinine [kwɪˈni:n] *n* quinine *f*.

quintet [kwɪnˈtet] *n* quintette *m*.

quintuplet [kwɪnˈtjuːplɪt] *n* quintuplé *m*, -e *f*.

quip [kwɪp] ▪ *n* raillerie *f*. ▪ *vi* railler.

quirk [kwɜːk] *n* bizarrerie *f*.

quit [kwɪt] (*(UK)* *prét & pp* quit *ou* -ted, *(US)* *prét & pp* quit) ▪ *vt* **1.** quitter **2.** ▪ **to quit smoking** arrêter de fumer **3.** INFORM quitter ▪ **to quit an application** quitter une application. ▪ *vi* **1.** démissionner **2.** abandonner.

quite [kwaɪt] *adv* **1.** tout à fait, complètement ▪ **I quite agree** je suis entièrement d'accord ▪ **not quite** pas tout à fait ▪ **I don't quite understand** je ne comprends pas bien **2.** assez, plutôt **3.** ▪ **she's quite a singer** c'est une chanteuse formidable **4.** *(UK)* ▪ **quite (so)!** exactement !

quits [kwɪts] *adj fam* ▪ **to be quits** être quitte ▪ **to call it quits** en rester là.

quiver ['kwɪvər] ◼ *n* **1.** frisson *m* **2.** carquois *m*. ◼ *vi* frissonner.

quiz [kwɪz] ◼ *n* (*pl* **quizzes**) **1.** quiz *m*, jeu-concours *m* **2.** *(US)* SCOL interrogation *f*. ◼ *vt* ▪ **to quiz sb (about sthg)** interroger qqn (au sujet de qqch).

quizzical ['kwɪzɪkl] *adj* **1.** interrogateur(trice) **2.** ironique, narquois(e).

quota ['kwəʊtə] *n* quota *m*.

quotation [kwəʊ'teɪʃn] *n* **1.** citation *f* **2.** devis *m*.

quotation marks *npl* guillemets *mpl* ▪ **in quotation marks** entre guillemets.

quote [kwəʊt] ◼ *n* **1.** citation *f* **2.** devis *m*. ◼ *vt* **1.** citer **2.** COMM indiquer, spécifier. ◼ *vi* **1.** ▪ **to quote (from sthg)** citer (qqch) **2.** ▪ **to quote for sthg** établir un devis pour qqch.

quotient ['kwəʊʃnt] *n* quotient *m*.

r[ɑːr] (*pl* **r's** *ou* **rs**), **R** (*pl* **R's** *ou* **Rs**) *n* r *m inv*, R *m inv*.

R[2] **1.** (*abr de* **right**) dr. **2.** *abrév de* **River 3.** (*abr de* **restricted**), *aux États-Unis, indique qu'un film est interdit aux moins de 17 ans* **4.** (*US*) *abrév de* **Republican 5.** (*UK*) (*abr de* **Rex**), *suit le nom d'un roi* **6.** (*UK*) (*abr de* **Regina**), *suit le nom d'une reine*.

R & D (*abr de* **research and development**) *n* R-D *f*.

rabbi ['ræbaɪ] *n* rabbin *m*.

rabbit ['ræbɪt] *n* lapin *m*.

rabbit hutch *n* clapier *m*.

rabble ['ræbl] *n* cohue *f*.

rabies ['reɪbiːz] *n* rage *f*.

RAC (*abr de* **Royal Automobile Club**) *n* club automobile britannique, ≃ TCF *m*, ≃ ACF *m*.

race [reɪs] ◼ *n* **1.** course *f* **2.** race *f*. ◼ *vt* **1.** faire la course avec **2.** faire courir. ◼ *vi* **1.** courir ◦ **to race against sb** faire la course avec qqn **2.** ◦ **to race in/out** entrer/sortir à toute allure **3.** être très rapide **4.** (*moteur*) s'emballer.

race car (*US*) = **racing car**.

racecourse ['reɪskɔːs] *n* champ *m* de courses.

race driver (*US*) = **racing driver**.

racehorse ['reɪshɔːs] *n* cheval *m* de course.

racetrack ['reɪstræk] *n* **1.** piste *f* **2.** (*US*) champ *m* de course.

racewalking ['reɪswɔːkɪŋ] *n* marche *f* athlétique.

racial discrimination ['reɪʃl-] *n* discrimination *f* raciale.

racing ['reɪsɪŋ] *n* (*indén*) ◦ **(horse) racing** les courses *fpl*.

racing car (*UK*), **race car** (*US*) *n* voiture *f* de course.

racing driver (*UK*), **race driver** (*US*) *n* coureur *m* automobile, pilote *m* de course.

racism ['reɪsɪzm] *n* racisme *m*.

racist ['reɪsɪst] ◼ *adj* raciste. ◼ *n* raciste *mf*.

rack [ræk] *n* **1.** casier *m* (*à bouteilles*) **2.** porte-bagages *m inv* **3.** égouttoir *m* ◦ **toast rack** porte-toasts *m inv* **4.** ◦ **rack of lamb** carré *m* d'agneau.

racket ['rækɪt] *n* **1.** *fam* boucan *m* **2.** racket *m* **3.** raquette *f*.

racquet ['rækɪt] *n* (*UK*) sport raquette *f*.

racy ['reɪsɪ] *adj* osé(e).

radar ['reɪdɑː] *n* radar *m*.

radiant ['reɪdjənt] *adj* radieux(euse).

radiate ['reɪdɪeɪt] ◼ *vt* **1.** émettre, dégager **2.** respirer. ◼ *vi* **1.** irradier **2.** rayonner.

radiation [ˌreɪdɪ'eɪʃn] *n* radiation *f*.

radiator ['reɪdɪeɪtə] *n* radiateur *m*.

radical ['rædɪkl] ◼ *adj* radical(e). ◼ *n* polit radical *m*, -e *f*.

radically ['rædɪklɪ] *adv* radicalement.

radii ['reɪdɪaɪ] *npl* ▷ **radius**.

radio ['reɪdɪəʊ] ◼ *n* (*pl* **-s**) radio *f* ◦ **on the radio** à la radio. ◼ *en apposition* de radio. ◼ *vt* **1.** appeler par radio **2.** envoyer par radio.

radioactive [ˌreɪdɪəʊ'æktɪv] *adj* radioactif(ive).

radio alarm *n* radio-réveil *m*.

radio-controlled [-kən'trəʊld] *adj* téléguidé(e).

radiography [ˌreɪdɪ'ɒɡrəfɪ] *n* radiographie *f*.

radiology [ˌreɪdɪ'ɒlədʒɪ] *n* radiologie *f*.

radiotherapy [ˌreɪdɪəʊ'θerəpɪ] *n* radiothérapie *f*.

radish ['rædɪʃ] *n* radis *m*.

radius ['reɪdɪəs] (*pl* **radii** ['reɪdɪaɪ]) *n* **1.** math rayon *m* **2.** anat radius *m*.

RAF *n* (*UK*) *abrév de* **Royal Air Force**.

raffle ['ræfl] ◼ *n* tombola *f*. ◼ *vt* mettre en tombola.

raft [rɑːft] n radeau m.

rafter ['rɑːftər] n chevron m.

rag [ræg] n **1.** chiffon m **2.** péj (journal) torchon m.
■ **rags** npl guenilles fpl.

rag-and-bone man n (UK) chiffonnier m.

rag doll n poupée f de chiffon.

rage [reɪdʒ] ■ n **1.** rage f, fureur f **2.** fam • **to be (all) the rage** faire fureur. ■ vi **1.** être furieux(euse) **2.** faire rage.

ragged ['rægɪd] adj **1.** en haillons **2.** en lambeaux **3.** inégal(e).

rag week n (UK) semaine de carnaval organisée par des étudiants afin de collecter des fonds pour des œuvres charitables.

raid [reɪd] ■ n **1.** raid m **2.** hold-up m inv **3.** descente f (de police). ■ vt **1.** MIL faire un raid sur **2.** faire un hold-up dans **3.** faire une descente dans.

raider ['reɪdər] n **1.** agresseur m **2.** braqueur m.

rail [reɪl] ■ n **1.** bastingage m **2.** rampe f **3.** garde-fou m **4.** barre f **5.** rail m • **by rail** en train. ■ en apposition **1.** (transport, voyage) par le train **2.** (grève) des cheminots.

railcard ['reɪlkɑːd] n (UK) carte donnant droit à des tarifs préférentiels sur les chemins de fer.

railing ['reɪlɪŋ] n **1.** grille f **2.** bastingage m **3.** rampe f **4.** garde-fou m.

railway (UK) ['reɪlweɪ], **railroad** (US) ['reɪlrəʊd] n **1.** chemin m de fer **2.** voie f ferrée.

railway line (UK), **railroad line** (US) n **1.** ligne f de chemin de fer **2.** voie f ferrée.

railwayman ['reɪlweɪmən] (pl -men [-mən]) n (UK) cheminot m.

railway station (UK), **railroad station** (US) n gare f.

railway track (UK), **railroad track** (US) n voie f ferrée.

rain [reɪn] ■ n pluie f. ■ v impers pleuvoir • **it's raining** il pleut. ■ vi pleuvoir.

rainbow ['reɪnbəʊ] n arc-en-ciel m.

rain check n (US) • **I'll take a rain check (on that)** une autre fois peut-être.

raincoat ['reɪnkəʊt] n imperméable m.

raindrop ['reɪndrɒp] n goutte f de pluie.

rainfall ['reɪnfɔːl] n **1.** chute f de pluie **2.** précipitations fpl.

rain forest n forêt f tropicale humide.

rainy ['reɪnɪ] adj pluvieux(euse).

raise [reɪz] ■ vt **1.** lever • **to raise o.s.** se lever **2.** augmenter **3.** élever • **to raise one's voice** élever la voix **4.** soulever (des doutes) **5.** évoquer (des souvenirs) **6.** élever (des enfants) **7.** cultiver **8.** ériger. ■ n (US) augmentation f (de salaire).

raisin ['reɪzn] n raisin m sec.

rake [reɪk] ■ n râteau m. ■ vt **1.** ratisser **2.** râteler.

rally ['rælɪ] ■ n **1.** rassemblement m **2.** rallye m **3.** SPORT échange m. ■ vt rallier. ■ vi **1.** se rallier **2.** (patient) aller mieux **3.** (prix) remonter.
■ **rally around**, **rally round** (UK) vt insép apporter son soutien à.

ram [ræm] ■ n bélier m. ■ vt **1.** percuter contre, emboutir **2.** tasser.

RAM [ræm] (abr de **random access memory**) n RAM f.

ramble ['ræmbl] ■ n randonnée f. ■ vi **1.** faire une promenade à pied **2.** péj radoter.
■ **ramble on** vi péj radoter.

rambler ['ræmblər] n randonneur m, -euse f.

rambling ['ræmblɪŋ] adj **1.** plein(e) de coins et recoins **2.** décousu(e).

ramp [ræmp] n **1.** rampe f **2.** (UK) ralentisseur m **3.** (US) bretelle f (d'autoroute).

rampage [ræm'peɪdʒ] n • **to go on the rampage** tout saccager.

rampant ['ræmpənt] adj qui sévit.

ramparts ['ræmpɑːts] npl rempart m.

ramshackle ['ræm,ʃækl] adj branlant(e).

ran [ræn] passé ⊳ **run**.

ranch [rɑːntʃ] n ranch m.

rancher ['rɑːntʃər] n propriétaire mf de ranch.

rancid ['rænsɪd] adj rance.

rancour (UK), **rancor** (US) ['ræŋkər] n sout rancœur f.

random ['rændəm] ■ adj **1.** fait(e) au hasard **2.** aléatoire. ■ n • **at random** au hasard.

random access memory n mémoire f vive.

R and R (*abr de* **rest and recreation**) *n (surtout US)* permission *f.*

randy ['rændɪ] *adj (surtout UK) fam* excité(e).

rang [ræŋ] *passé* ⬅ **ring.**

range [reɪndʒ] ◼ *n* **1.** portée *f* ◦ **at close range** à bout portant **2.** COMM gamme *f* ◦ **price range** éventail *m* des prix **3.** chaine *f* **4.** champ *m* de tir **5.** MUS tessiture *f.* ◼ *vt* mettre en rang. ◼ *vi* **1.** ◦ **to range between... and...** varier entre… et… ◦ **to range from... to...** varier de… à… **2.** ◦ **to range over sthg** couvrir qqch.

ranger ['reɪndʒər] *n* garde *m* forestier.

rank [ræŋk] ◼ *adj* **1.** complet(ète) **2.** flagrant(e) ◦ **he's a rank outsider** il n'a aucune chance **3.** fétide. ◼ *n* **1.** grade *m* **2.** rang *m* **3.** rangée *f* ◦ **the rank and file** la masse ◦ **to rank** classer. ◼ *vi* ◦ **to rank among** compter parmi ◦ **to rank as** être aux rangs de.
◼ **ranks** *npl* **1.** MIL ◦ **the ranks** le rang **2.** *fig* rangs *mpl.*

rankle ['ræŋkl] *vi* ◦ **it rankled with him** ça lui est resté sur l'estomac *ou* le cœur.

ransack ['rænsæk] *vt* **1.** mettre tout sens dessus dessous dans **2.** saccager.

ransom ['rænsəm] *n* rançon *f* ◦ **to hold sb to ransom** mettre qqn à rançon ◦ *fig* exercer un chantage sur qqn.

rant [rænt] *vi* déblatérer.

rap [ræp] ◼ *n* **1.** coup *m* sec **2.** MUS rap *m.* ◼ *vt* **1.** frapper sur **2.** taper sur.

rape [reɪp] ◼ *n* **1.** viol *m* **2.** *fig* destruction *f* **3.** colza *m.* ◼ *vt* violer.

rapeseed ['reɪpsiːd] *n* graine *f* de colza.

rapid ['ræpɪd] *adj* rapide.
◼ **rapids** *npl* rapides *mpl.*

rapidly ['ræpɪdlɪ] *adv* rapidement.

rapist ['reɪpɪst] *n* violeur *m.*

rapport [ræ'pɔːr] *n* rapport *m.*

rapture ['ræptʃər] *n littéraire* ravissement *m.*

rapturous ['ræptʃərəs] *adj* enthousiaste.

rare [reər] *adj* **1.** rare **2.** *(viande)* saignant(e).

rarely ['reəlɪ] *adv* rarement.

raring ['reərɪŋ] *adj* ◦ **to be raring to go** être impatient(e) de commencer.

rarity ['reərətɪ] *n* rareté *f.*

rascal ['rɑːskl] *n* polisson *m,* -onne *f.*

rash [ræʃ] ◼ *adj* irréfléchi(e), imprudent(e). ◼ *n* **1.** MÉD éruption *f* **2.** succession *f,* série *f.*

rasher ['ræʃər] *n* tranche *f.*

rasp [rɑːsp] *n* grincement *m.*

raspberry ['rɑːzbərɪ] *n* framboise *f.*

rat [ræt] *n* **1.** rat *m* **2.** *fam péj* ordure *f,* salaud *m.*

rate [reɪt] ◼ *n* **1.** vitesse *f* **2.** fréquence *f* ◦ **at this rate** à ce train-là **3.** taux *m* **4.** tarif *m.* ◼ *vt* **1.** ◦ **I rate her very highly** je la tiens en haute estime ◦ **to rate sb/sthg as** considérer qqn/qqch comme ◦ **to rate sb/sthg among** classer qqn/qqch parmi **2.** mériter.
◼ **rates** *npl (UK) vieilli* impôts *mpl* locaux.
◼ **at any rate** *adv* en tout cas.

ratepayer ['reɪtˌpeɪər] *n (UK) vieilli* contribuable *mf.*

rather ['rɑːðər] *adv* **1.** plutôt **2.** un peu **3.** ◦ **I'd rather wait** je préférerais attendre ◦ **she'd rather not go** elle préférerait ne pas y aller **4.** ◦ **(but) rather...** au contraire…
◼ **rather than** *conj* plutôt que.

ratify ['rætɪfaɪ] *vt* ratifier, approuver.

rating ['reɪtɪŋ] *n* cote *f (de popularité).*

ratio ['reɪʃɪəʊ] *(pl* **-s**) *n* rapport *m.*

ration ['ræʃn] ◼ *n* ration *f.* ◼ *vt* rationner.
◼ **rations** *npl* vivres *mpl.*

rational ['ræʃənl] *adj* rationnel(elle).

rationale [ˌræʃə'nɑːl] *n* logique *f.*

rationalize, -ise ['ræʃənəlaɪz] *vt* rationaliser.

rat race *n* jungle *f.*

rattle ['rætl] ◼ *n* 1. cliquetis *m* 2. bruit *m* de ferraille 3. hochet *m.* ◼ *vt* 1. faire s'entrechoquer *(des bouteilles)* 2. faire cliqueter *(des clés)* 3. secouer. ◼ *vi* 1. *(bouteilles)* s'entrechoquer 2. *(clés)* cliqueter 3. *(moteur)* faire un bruit de ferraille.

rattlesnake ['rætlsneɪk], **rattler** ['rætlər] *fam n* serpent *m* à sonnettes.

raucous ['rɔkəs] *adj* 1. rauque 2. bruyant(e).

ravage ['rævɪdʒ] *vt* ravager.
◼ **ravages** *npl* ravages *mpl.*

rave [reɪv] ◼ *adj* élogieux(euse). ◼ *n (UK) fam* rave *f.* ◼ *vi* 1. ◦ **to rave at** *ou* **against** tempêter *ou* fulminer contre 2. ◦ **to rave about** parler avec enthousiasme de.

raven ['reɪvn] *n* corbeau *m.*

ravenous ['rævənəs] *adj* 1. affamé(e) 2. vorace.

ravine [rə'viːn] *n* ravin *m.*

raving ['reɪvɪŋ] *adj fam* ◦ **raving lunatic** fou furieux(folle furieuse).

ravioli [ˌrævɪ'əʊlɪ] *n (indén)* ravioli *mpl.*

ravishing ['rævɪʃɪŋ] *adj littéraire* ravissant(e), enchanteur(eresse).

raw [rɔ] *adj* 1. cru(e) 2. brut(e) 3. à vif 4. novice 5. *(temps)* froid(e) 6. *(vent)* âpre.

raw deal *n* ◦ **to get a raw deal** être défavorisé(e).

raw material *n* matière *f* première.

ray [reɪ] *n* 1. rayon *m* 2. *fig* lueur *f.*

rayon ['reɪɒn] *n* rayonne *f.*

raze [reɪz] *vt* raser.

razor ['reɪzər] *n* rasoir *m.*

razor blade *n* lame *f* de rasoir.

Rd *abrév de* **Road**.

re [riː] *prép* concernant.

RE *n (abr de* **religious education***)* instruction *f* religieuse.

reach [riːtʃ] ◼ *vt* joindre, contacter. ◼ *n* portée *f* ◦ **within reach** à portée ◦ à proximité ◦ **out of** *ou* **beyond sb's reach** hors de portée ◦ difficilement accessible.

react [rɪ'ækt] *vi* réagir.

reaction [rɪ'ækʃn] *n* réaction *f.*

reactionary [rɪ'ækʃənrɪ] ◼ *adj* réactionnaire. ◼ *n* réactionnaire *mf.*

reactor [rɪ'æktər] *n* réacteur *m.*

read [riːd] ◼ *vt (prét & pp* **read** [red]*)* 1. lire 2. dire 3. interpréter 4. *(thermomètre)* indiquer 5. *(UK)* UNIV étudier. ◼ *vi (prét & pp* **read** [red]*)* lire.
◼ **read out** *vt sép* lire à haute voix.
◼ **read up on** *vt insép* étudier.

readable ['riːdəbl] *adj* agréable à lire.

reader ['riːdər] *n* lecteur *m*, -trice *f.*

readership ['riːdəʃɪp] *n* nombre *m* de lecteurs.

readily ['redɪlɪ] *adv* 1. volontiers 2. facilement.

reading ['riːdɪŋ] *n* 1. *(indén)* lecture *f* 2. interprétation *f* 3. indications *fpl.*

readjust [ˌriːə'dʒʌst] ◼ *vt* 1. régler (de nouveau) 2. rajuster 3. rectifier. ◼ *vi* ◦ **to readjust (to)** se réadapter (à).

readout ['riːdaʊt] *n* INFORM affichage *m.*

ready ['redɪ] ◼ *adj* 1. prêt(e) ◦ **to be ready to do sthg** être prêt à faire qqch ◦ **to get ready** se préparer ◦ **to get sthg ready** préparer qqch 2. ◦ **to be ready to do sthg** être prêt(e) *ou* disposé(e) à faire qqch. ◼ *vt* préparer.

ready cash *n* liquide *m.*

ready-made *adj litt & fig* tout fait(toute faite).

ready meal *n (UK)* plat *m* préparé.

ready money *n* liquide *m.*

ready-to-wear *adj* prêt-à-porter.

reafforestation ['riːəˌfɒrɪ'steɪʃn] *n (UK)* reboisement *m.*

real ['rɪəl] ◼ *adj* 1. vrai(e), véritable ◦ **real life** réalité *f* ◦ **for real** pour de vrai ◦ **this is the real thing** c'est de l'authentique ◦ c'est pour de bon 2. réel(elle) ◦ **in real terms** dans la pratique. ◼ *adv (US)* très.

real estate *n (indén)* biens *mpl* immobiliers.

realign [ˌriːə'laɪn] *vt* POUT regrouper.

realism ['rɪəlɪzm] *n* réalisme *m.*

realistic [ˌrɪə'lɪstɪk] *adj* réaliste.

reality [rɪ'ælətɪ] *n* réalité *f.*

reality TV *n (indén)* télévision *f* réalité.

realization, -isation [ˌrɪəlaɪ'zeɪʃn] *n* réalisation *f.*

realize, -ise ['rɪəlaɪz] *vt* **1.** se rendre compte de **2.** réaliser *(un rêve, une ambition)*.

really ['rɪəlɪ] ◼ *adv* **1.** vraiment **2.** en réalité. ◼ *interj* **1.** vraiment ? **2.** pas possible ! **3.** franchement !, ça alors !

realm [relm] *n* **1.** *fig* domaine *m* **2.** royaume *m*.

realtor ['rɪəltər] *n (US)* agent *m* immobilier.

reap [riːp] *vt* **1.** moissonner **2.** *fig* récolter.

reappear [ˌriːə'pɪər] *vi* réapparaître.

rear [rɪər] ◼ *adj* arrière *(inv)*, de derrière. ◼ *n* **1.** arrière *m* **2.** *fam* derrière *m*. ◼ *vt* élever *(des enfants)*. ◼ *vi (cheval)* • **to rear (up)** se cabrer.

rearm [riː'ɑːm] *vt* & *vi* réarmer.

rearmost ['rɪəməʊst] *adj* dernier(ère).

rearrange [ˌriːə'reɪndʒ] *vt* **1.** réarranger **2.** changer **3.** changer l'heure de **4.** changer la date de.

rearview mirror ['rɪəvjuː-] *n* rétroviseur *m*.

reason ['riːzn] ◼ *n* **1.** • **reason (for)** raison *f* (de) • **for some reason** pour une raison ou pour une autre **2.** *(indén)* • **to have reason to do sthg** avoir de bonnes raisons de faire qqch **3.** bon sens *m* • **he won't listen to reason** on ne peut pas lui faire entendre raison. ◼ *vt* déduire. ◼ *vi* raisonner.
◼ **reason with** *vt insép* raisonner.

reasonable ['riːznəbl] *adj* raisonnable.

reasonably ['riːznəblɪ] *adv* **1.** assez **2.** raisonnablement.

reasoned ['riːznd] *adj* raisonné(e).

reasoning ['riːznɪŋ] *n* raisonnement *m*.

reassess [ˌriːə'ses] *vt* réexaminer.

reassurance [ˌriːə'ʃʊərəns] *n* **1.** réconfort *m* **2.** assurance *f*.

reassure [ˌriːə'ʃʊər] *vt* rassurer.

reassuring [ˌriːə'ʃʊərɪŋ] *adj* rassurant(e).

rebate ['riːbeɪt] *n* rabais *m* • **tax rebate** ≃ dégrèvement *m* fiscal.

rebel ◼ *n* ['rebl] rebelle *mf*. ◼ *adj* ['rebl] **1.** rebelle **2.** *(camp, territoire)* des rebelles **3.** *(attaque)* de rebelles. ◼ *vi* [rɪ'bel] • **to rebel (against)** se rebeller (contre).

rebellion [rɪ'beljən] *n* rébellion *f*.

rebellious [rɪ'beljəs] *adj* rebelle.

reboot [ˌriː'buːt] *vi* INFORM redémarrer, réamorcer *recomm off*.

rebound ◼ *n* ['riːbaʊnd] rebond *m*. ◼ *vi* [rɪ'baʊnd] rebondir.

rebuff [rɪ'bʌf] *n* rebuffade *f*.

rebuild [ˌriː'bɪld] *(prét & pp* **rebuilt** [ˌriː'bɪlt])* *vt* reconstruire.

rebuke [rɪ'bjuːk] *sout* ◼ *n* réprimande *f*. ◼ *vt* réprimander.

rebuttal [rɪ'bʌtl] *n sout* réfutation *f*.

recalcitrant [rɪ'kælsɪtrənt] *adj sout* récalcitrant(e).

recall [rɪ'kɔːl] ◼ *n* rappel *m*. ◼ *vt* **1.** se rappeler, se souvenir de **2.** rappeler.

recant [rɪ'kænt] *vi* **1.** *sout* se rétracter **2.** abjurer.

recap ['riːkæp] ◼ *n* récapitulation *f*. ◼ *vt* & *vi* récapituler.

recapitulate [ˌriːkə'pɪtjʊleɪt] *vt* & *vi sout* récapituler.

recede [riː'siːd] *vi* **1.** s'éloigner **2.** *(espoirs)* s'envoler.

receding [rɪ'siːdɪŋ] *adj* **1.** dégarni(e) **2.** *(menton)* fuyant(e).

receipt [rɪ'siːt] *n* **1.** reçu *m* **2.** *(indén)* réception *f*.
◼ **receipts** *npl* recettes *fpl*.

receive [rɪ'siːv] *vt* **1.** recevoir **2.** apprendre *(une nouvelle)* **3.** accueillir, recevoir.

receiver [rɪ'siːvər] *n* **1.** TÉLÉCOM récepteur *m*, combiné *m* **2.** RADIO & TV récepteur *m* **3.** receleur *m*, -euse *f*.

recent ['riːsnt] *adj* récent(e).

recently ['riːsntlɪ] *adv* récemment • **until recently** jusqu'à ces derniers temps.

receptacle [rɪ'septəkl] *n sout* récipient *m*.

reception [rɪ'sepʃn] *n* réception *f*.

reception desk *n* réception *f*.

receptionist [rɪ'sepʃənɪst] *n* réceptionniste *mf*.

recess ['riːses *ou* rɪ'ses] *n* **1.** niche *f* **2.** recoin *m* **3.** *(Parlement)* • **to be in recess** être en vacances **4.** *(US)* SCOL récréation *f*.

recession [rɪ'seʃn] *n* récession *f*.

recharge [ˌriː'tʃɑːdʒ] *vt* recharger.

recipe ['resɪpɪ] *n litt* & *fig* recette *f*.

recipient [rɪ'sɪpɪənt] n 1. destinataire mf (d'une lettre) 2. bénéficiaire mf (d'un chèque) 3. récipiendaire mf (d'un prix).

reciprocal [rɪ'sɪprəkl] adj réciproque.

recital [rɪ'saɪtl] n récital m.

recite [rɪ'saɪt] vt 1. réciter 2. énumérer.

reckless ['reklɪs] adj 1. imprudent(e) ◆ **reckless driving** conduite f imprudente 2. irréfléchi 3. téméraire.

reckon ['rekn] vt 1. fam penser 2. considérer 3. calculer.
■ **reckon on** vt insép compter sur.
■ **reckon with** vt insép s'attendre à.

reckoning ['rekənɪŋ] n (indén) calculs mpl.

reclaim [rɪ'kleɪm] vt 1. réclamer 2. mettre en valeur (des terres), assécher (des marécages).

recline [rɪ'klaɪn] vi être allongé(e).

reclining [rɪ'klaɪnɪŋ] adj (fauteuil, chaise) à dossier réglable.

recluse [rɪ'kluːs] n reclus m, -e f.

recognition [,rekəg'nɪʃn] n reconnaissance f ◆ **in recognition of** en reconnaissance de ◆ **beyond** ou **out of all recognition** méconnaissable.

recognizable ['rekəgnaɪzəbl], **-isable** ['rekəgnaɪzəbl] adj reconnaissable.

recognize, -ise ['rekəgnaɪz] vt reconnaître.

recoil ■ vi [rɪ'kɔɪl] ◆ **to recoil (from)** reculer (devant). ■ n ['riːkɔɪl] recul m.

recollect [,rekə'lekt] vt se rappeler.

recollection [,rekə'lekʃn] n souvenir m.

recommend [,rekə'mend] vt 1. (signaler à l'attention de) ◆ **to recommend sb/sthg (to sb)** recommander qqn/qqch (à qqn) 2. conseiller, recommander.

recompense ['rekəmpens] sout ■ n dédommagement m. ■ vt dédommager.

reconcile ['rekənsaɪl] vt 1. concilier 2. réconcilier 3. ◆ **to reconcile o.s. to sthg** se faire à l'idée de qqch.

reconditioned [,riːkən'dɪʃnd] adj remis(e) en état.

reconnaissance [rɪ'kɒnɪsəns] n MIL reconnaissance f.

reconnoitre (UK), **reconnoiter** (US) [,rekə'nɔɪtər] ■ vt MIL reconnaître. ■ vi MIL aller en reconnaissance.

reconsider [,riːkən'sɪdər] ■ vt reconsidérer. ■ vi reconsidérer la question.

reconstruct [,riːkən'strʌkt] vt 1. reconstruire 2. reconstituer (un crime).

record ■ n ['rekɔːd] 1. rapport m 2. dossier m ◆ **to keep sthg on record** archiver qqch ◆ **(police) record** casier m judiciaire ◆ **off the record** non officiel 3. MUS disque m 4. record m. ■ adj ['rekɔːd] record (inv). ■ vt [rɪ'kɔːd] 1. noter 2. enregistrer (sur cassette vidéo, CD, DVD).

recorded delivery [rɪ'kɔːdɪd-] n recommandé.

recorder [rɪ'kɔːdər] n flûte f à bec.

record holder n détenteur m, -trice f du record.

recording [rɪ'kɔːdɪŋ] n enregistrement m.

recount ■ n ['riːkaʊnt] deuxième dépouillement m du scrutin. ■ vt 1. [rɪ'kaʊnt] raconter 2. [,riː'kaʊnt] recompter.

recoup [rɪ'kuːp] vt récupérer.

recourse [rɪ'kɔːs] n ◆ **to have recourse to** avoir recours à.

recover [rɪ'kʌvər] ■ vt 1. récupérer ◆ **to recover sthg from sb** reprendre qqch à qqn 2. retrouver (son équilibre) 3. reprendre (connaissance). ■ vi 1. se rétablir 2. se remettre 3. reprendre 4. (économie, affaires) se redresser.

recovery [rɪ'kʌvərɪ] n 1. guérison f, rétablissement m 2. fig redressement m, reprise f 3. récupération f.

recreation [,rekrɪ'eɪʃn] n (indén) récréation f, loisirs mpl.

recrimination [rɪ,krɪmɪ'neɪʃn] n récrimination f.

recruit [rɪ'kruːt] ■ n recrue f. ■ vt recruter ◆ **to recruit sb to do sthg** fig embaucher qqn pour faire qqch. ■ vi recruter.

recruitment [rɪ'kruːtmənt] n recrutement m.

rectangle ['rek,tæŋgl] n rectangle m.

rectangular [rek'tæŋgjʊlər] adj rectangulaire.

rectify ['rektɪfaɪ] vt sout rectifier.

rector ['rektər] n 1. pasteur m 2. (Écosse) ◆ SCOL directeur m ◆ UNIV président élu par les étudiants.

rectory ['rektərɪ] n presbytère m.

recuperate [rɪ'kuːpəreɪt] vi se rétablir.

recur [rɪˈkɜːr] vi **1.** se reproduire **2.** revenir **3.** réapparaître.

recurrence [rɪˈkʌrəns] n répétition f.

recurrent [rɪˈkʌrənt] adj **1.** qui se reproduit souvent **2.** qui revient souvent.

recycle [ˌriːˈsaɪkl] vt recycler.

recycling [ˌriːˈsaɪklɪŋ] n recyclage m.

red [red] ◼ adj **1.** rouge **2.** roux(rousse). ◼ n rouge m ▪ **to be in the red** fam être à découvert.

red card n FOOTBALL ▪ **to be shown the red card, to get a red card** recevoir un carton rouge.

red carpet n ▪ **to roll out the red carpet for sb** dérouler le tapis rouge pour qqn. ■ **red-carpet** adj ▪ **to give sb the red-carpet treatment** recevoir qqn en grande pompe.

Red Cross n ▪ **the Red Cross** la Croix-Rouge.

redcurrant [ˈredˌkʌrənt] n **1.** groseille f **2.** groseillier m.

redden [ˈredn] vt & vi rougir.

redecorate [ˌriːˈdekəreɪt] ◼ vt **1.** refaire les peintures de **2.** retapisser. ◼ vi **1.** refaire les peintures **2.** refaire les papiers peints.

redeem [rɪˈdiːm] vt **1.** FIN & RELIG racheter **2.** dégager (un objet en gage).

redeeming [rɪˈdiːmɪŋ] adj qui rachète (les défauts).

redeploy [ˌriːdɪˈplɔɪ] vt **1.** MIL redéployer **2.** réorganiser, réaffecter.

red-faced [-ˈfeɪst] adj **1.** rougeaud(e), rubicond(e) **2.** rouge de confusion.

red-haired [-ˈheəd] adj roux(rousse).

red-handed [-ˈhændɪd] adj ▪ **to catch sb red-handed** prendre qqn en flagrant délit.

redhead [ˈredhed] n roux m, rousse f.

red herring n fig fausse piste f.

red-hot adj **1.** brûlant(e) **2.** chauffé(e) au rouge **3.** ardent(e).

redid [ˌriːˈdɪd] passé ▷ **redo**.

redirect [ˌriːdɪˈrekt] vt **1.** réorienter (de l'argent) **2.** détourner (la circulation) **3.** (UK) faire suivre (le courrier).

rediscover [ˌriːdɪˈskʌvər] vt redécouvrir.

red light n feu m rouge.

red-light district n quartier m chaud.

redneck [ˈrednek] (US) fam péj n Américain d'origine modeste qui a des idées réactionnaires et des préjugés racistes.

redo [ˌriːˈduː] (prét **-did**, pp **-done**) vt refaire.

redolent [ˈredələnt] adj littéraire **1.** ▪ **redolent of** qui rappelle, évocateur(trice) de **2.** ▪ **redolent of lemon** qui sent le citron.

redone [ˌriːˈdʌn] pp ▷ **redo**.

redouble [ˌriːˈdʌbl] vt ▪ **to redouble one's efforts (to do sthg)** redoubler d'efforts (pour faire qqch).

redraft [ˌriːˈdrɑːft] vt rédiger à nouveau.

redress [rɪˈdres] ◼ n (indén) sout réparation f. ◼ vt ▪ **to redress the balance** rétablir l'équilibre.

Red Sea n ▪ **the Red Sea** la mer Rouge.

red tape n fig paperasserie f administrative.

reduce [rɪˈdjuːs] vt réduire ▪ **to be reduced to doing sthg** en être réduit(e) à faire qqch ▪ **to reduce sb to tears** faire pleurer qqn.

reduction [rɪˈdʌkʃn] n **1.** ▪ **reduction (in)** réduction f (de), baisse f (de) **2.** rabais m, réduction f.

redundancy [rɪˈdʌndənsɪ] n (UK) **1.** licenciement m **2.** chômage m.

redundant [rɪˈdʌndənt] adj **1.** (UK) ▪ **to be made redundant** être licencié(e) **2.** superflu(e).

reed [riːd] n **1.** roseau m **2.** MUS anche f.

reef [riːf] n récif m, écueil m.

reek [riːk] ◼ n relent m. ◼ vi ▪ **to reek (of sthg)** puer (qqch), empester (qqch).

reel [riːl] ◼ n **1.** bobine f **2.** (pour la pêche) moulinet m. ◼ vi chanceler. ■ **reel in** vt sép remonter. ■ **reel off** vt sép débiter.

reenact [ˌriːɪˈnækt] vt **1.** reproduire **2.** reconstituer.

ref [ref] n **1.** fam (abr de **referee**) arbitre m **2.** (abr de **reference**) réf. f

refectory [rɪˈfektərɪ] n réfectoire m.

refer [rɪˈfɜːr] vt **1.** ▪ **to refer sb to** envoyer qqn à ▪ adresser qqn à ▪ renvoyer qqn à **2.** ▪ **to refer sthg to** soumettre qqch à. ■ **refer to** vt insép **1.** parler de, faire allusion à **2.** concerner **3.** se référer à.

referee [,refə'ri:] ◼ n 1. SPORT arbitre mf 2. (UK) répondant m, -e f. ◼ vt SPORT arbitrer. ◼ vi SPORT être arbitre.

reference ['refrəns] n 1. • **reference (to)** allusion f (à), mention f (de) • **with reference to** comme suite à 2. (indén) • **reference (to)** consultation f (de), référence f (à) 3. référence f (d'un produit) 4. renvoi m (dans un livre) • **map reference** coordonnées fpl 5. (pour un emploi) références fpl.

reference book n ouvrage m de référence.

reference number n numéro m de référence.

referendum [,refə'rendəm] (pl **-s** OU **-da** [-də]) n référendum m.

refill ◼ n ['ri:fɪl] 1. recharge f 2. fam • **would you like a refill?** vous voulez encore un verre ? ◼ vt [,ri:'fɪl] remplir à nouveau.

refine [rɪ'faɪn] vt 1. raffiner 2. fig peaufiner.

refined [rɪ'faɪnd] adj 1. raffiné(e) 2. perfectionné(e).

refinement [rɪ'faɪnmənt] n 1. perfectionnement m 2. (indén) raffinement m.

reflect [rɪ'flekt] ◼ vt 1. (être le signe de) refléter 2. réfléchir, refléter (une image, de la lumière) 3. réverbérer (de la chaleur) 4. • **to reflect that...** se dire que... ◼ vi • **to reflect (on** OU **upon)** réfléchir (sur), penser (à).

reflection [rɪ'flekʃn] n 1. indication f, signe m 2. • **reflection on** critique f de 3. reflet m 4. (indén) PHYS réflexion f 5. (pensée) réflexion f • **on reflection** réflexion faite.

reflector [rɪ'flektər] n réflecteur m.

reflex ['ri:fleks] n • **reflex (action)** réflexe m.

reflexive [rɪ'fleksɪv] adj GRAMM réfléchi(e).

reflexively [rɪ'fleksɪvlɪ] adv 1. GRAMM au sens réfléchi 2. GRAMM à la forme réfléchie.

reforestation [ri:,fɒrɪ'steɪʃn] (US) = **reafforestation**.

reform [rɪ'fɔm] ◼ n réforme f. ◼ vt 1. réformer 2. corriger. ◼ vi se corriger, s'amender.

Reformation [,refə'meɪʃn] n • **the Reformation** la Réforme.

reformatory [rɪ'fɒmətrɪ] n (US) centre m d'éducation surveillée (pour jeunes délinquants).

reformer [rɪ'fɔmər] n réformateur m, -trice f.

refrain [rɪ'freɪn] ◼ n refrain m. ◼ vi • **to refrain from doing sthg** s'abstenir de faire qqch.

refresh [rɪ'freʃ] vt rafraîchir, revigorer.

refreshed [rɪ'freʃt] adj reposé(e).

refresher course [rɪ'freʃər-] n cours m de remise à niveau.

refreshing [rɪ'freʃɪŋ] adj 1. agréable, réconfortant(e) 2. rafraîchissant(e).

refreshments [rɪ'freʃmənts] npl rafraîchissements mpl.

refrigerator [rɪ'frɪdʒəreɪtər] n réfrigérateur m, Frigidaire® m.

refuel [,ri:'fjʊəl] (UK) prét & pp **-led**, cont **-ling**, (US) prét & pp **-ed**, cont **-ing**) vi se ravitailler en carburant.

refuge ['refju:dʒ] n litt & fig refuge m, abri m • **to take refuge in** se réfugier dans.

refugee [,refjʊ'dʒi:] n réfugié m, -e f.

refund ◼ n ['ri:fʌnd] remboursement m. ◼ vt [rɪ'fʌnd] • **to refund sthg to sb, to refund sb sthg** rembourser qqch à qqn.

refurbish [,ri:'fɜ:bɪʃ] vt remettre à neuf.

refusal [rɪ'fju:zl] n • **refusal (to do sthg)** refus m (de faire qqch).

refuse[1] [rɪ'fju:z] ◼ vt refuser • **to refuse to do sthg** refuser de faire qqch. ◼ vi refuser.

refuse[2] ['refju:s] n (indén) sout ordures fpl.

refuse collection ['refju:s-] n (UK) sout enlèvement m des ordures ménagères.

refute [rɪ'fju:t] vt sout réfuter.

regain [rɪ'geɪn] vt 1. retrouver (son équilibre) 2. reprendre (son titre, une initiative).

regal ['ri:gl] adj majestueux(euse), royal(e).

regalia [rɪ'geɪljə] n (indén) insignes mpl.

regard [rɪ'gɑ:d] ◼ n 1. (indén) estime f, respect m 2. • **in this/that regard** à cet égard. ◼ vt considérer • **to regard o.s. as** se considérer comme • **to be highly regarded** être tenu(e) en haute estime.

■ **regards** *npl* • **(with best) regards** bien amicalement • **give her my regards** faites-lui mes amitiés.

■ **as regards** *prép* en ce qui concerne.
■ **in regard to, with regard to** *prép* en ce qui concerne, relativement à.

regarding [rɪ'gɑːdɪŋ] *prép* concernant, en ce qui concerne.

regardless [rɪ'gɑːdlɪs] *adv* quand même.

■ **regardless of** *prép* sans tenir compte de.

Reggaeton ['regeɪtɒn] *n style musical latino-américain mélangeant reggae, hip-hop et rap.*

regime [reɪ'ʒiːm] *n* POLIT régime *m.*

regiment ['redʒɪmənt] *n* régiment *m.*

region ['riːdʒən] *n* région *f* • **in the region of** environ.

regional ['riːdʒənl] *adj* régional(e).

register ['redʒɪstər] ■ *n* registre *m.* ■ *vt* **1.** indiquer **2.** exprimer. ■ *vi* **1.** s'inscrire **2.** *(à l'hôtel)* signer le registre **3.** *fam* • **it didn't register** je n'ai pas compris.

registered ['redʒɪstəd] *adj* **1.** inscrit(e) **2.** *(véhicule)* immatriculé(e) **3.** agréé(e) par le gouvernement **4.** *(lettre, paquet)* recommandé(e).

Registered Trademark *n* marque *f* déposée.

registrar [,redʒɪ'strɑːr] *n* **1.** officier *m* de l'état civil **2.** UNIV secrétaire *m* général.

registration [,redʒɪ'streɪʃn] *n* **1.** enregistrement *m*, inscription *f* **2.** = **registration number**.

registration number *n* numéro *m* d'immatriculation.

registry ['redʒɪstrɪ] *n* (UK) bureau *m* de l'enregistrement.

registry office *n* (UK) bureau *m* de l'état civil.

regret [rɪ'gret] ■ *n* regret *m.* ■ *vt* regretter.

regretfully [rɪ'gretfʊlɪ] *adv* à regret.

regrettable [rɪ'gretəbl] *adj* regrettable, fâcheux(euse).

regroup [,riː'gruːp] *vi* se regrouper.

regular ['regjʊlər] ■ *adj* **1.** régulier(ère) **2.** *(client)* fidèle **3.** habituel(elle) **4.** standard *(inv).* ■ *n* **1.** COMM habitué *m*, -e *f* **2.** COMM client *m*, -e *f* fidèle.

regularly ['regjʊləlɪ] *adv* régulièrement.

regulate ['regjʊleɪt] *vt* régler.

regulation [,regjʊ'leɪʃn] ■ *adj* réglementaire. ■ *n* **1.** règlement *m* **2.** *(indén)* réglementation *f.*

rehabilitate [,riːə'bɪlɪteɪt] *vt* **1.** réinsérer, réhabiliter **2.** rééduquer.

rehearsal [rɪ'hɜːsl] *n* THÉÂTRE répétition *f.*

rehearse [rɪ'hɜːs] *vt & vi* THÉÂTRE répéter.

reign [reɪn] ■ *n* règne *m.* ■ *vi* • **to reign (over)** *litt & fig* régner (sur).

reimburse [,riːɪm'bɜːs] *vt* • **to reimburse sb (for)** rembourser qqn (de).

rein [reɪn] *n fig* • **to give (a) free rein to sb, to give sb free rein** laisser la bride sur le cou à qqn.

■ **reins** *npl* rênes *fpl.*

reindeer ['reɪn,dɪər] *(pl inv) n* renne *m.*

reinforce [,riːɪn'fɔːs] *vt* **1.** renforcer **2.** appuyer, étayer.

reinforced concrete [,riːɪn'fɔːst-] *n* béton *m* armé.

reinforcement [,riːɪn'fɔːsmənt] *n* **1.** *(indén)* renforcement *m* **2.** renfort *m.*

■ **reinforcements** *npl* renforts *mpl.*

reinstall *vt* réinstaller.

reinstate [,riːɪn'steɪt] *vt* **1.** réintégrer *(un employé)* **2.** rétablir *(une méthode, une politique).*

reissue [riː'ɪʃuː] ■ *n* **1.** réédition *f* **2.** rediffusion *f.* ■ *vt* **1.** rééditer *(un livre)* **2.** ressortir *(un CD, un DVD).*

reiterate [riː'ɪtəreɪt] *vt sout* réitérer.

reject ■ *n* ['riːdʒekt] article *m* de rebut. ■ *vt* [rɪ'dʒekt] **1.** rejeter **2.** refuser.

rejection [rɪ'dʒekʃn] *n* **1.** rejet *m* **2.** refus *m.*

rejoice [rɪ'dʒɔɪs] *vi* • **to rejoice (at ou in)** se réjouir (de).

rejuvenate [rɪ'dʒuːvəneɪt] *vt* rajeunir.

rekindle [,riː'kɪndl] *vt fig* ranimer, raviver.

relapse [rɪ'læps] ■ *n* rechute *f.* ■ *vi* • **to relapse into** retomber dans.

relate [rɪ'leɪt] ■ *vt* **1.** • **to relate sthg to sthg** établir un lien *ou* rapport entre qqch et qqch **2.** raconter. ■ *vi* **1.** • **to relate to** avoir un rapport avec **2.** • **to relate to** se rapporter à **3.** • **to relate (to sb)** s'entendre (avec qqn).

■ **relating to** *prép* concernant.

related [rɪˈleɪtɪd] *adj* 1. apparenté(e) 2. lié(e).

relation [rɪˈleɪʃn] *n* 1. ■ **relation (to/between)** rapport *m* (avec/entre) 2. parent *m*, -e *f*. ■ **relations** *npl* relations *fpl*, rapports *mpl*.

relationship [rɪˈleɪʃnʃɪp] *n* 1. relations *fpl*, rapports *mpl* 2. liaison *f (amoureuse)* 3. rapport *m*, lien *m*.

relative [ˈrelətɪv] ■ *adj* relatif(ive). ■ *n* parent *m*, -e *f*. ■ **relative to** *prép* 1. relativement à 2. se rapportant à, relatif(ive) à.

relatively [ˈrelətɪvlɪ] *adv* relativement.

relax [rɪˈlæks] ■ *vt* 1. détendre, relaxer 2. décontracter 3. desserrer *(son emprise)* 4. relâcher *(son attention, ses efforts)*. ■ *vi* 1. se détendre 2. se desserrer.

relaxation [ˌriːlækˈseɪʃn] *n* 1. relaxation *f*, détente *f* 2. relâchement *m*.

relaxed [rɪˈlækst] *adj* détendu(e), décontracté(e).

relaxing [rɪˈlæksɪŋ] *adj* relaxant(e).

relay [ˈriːleɪ] ■ *n* 1. SPORT ■ **relay (race)** course *f* de relais 2. RADIO & TV retransmission *f*. ■ *vt* 1. RADIO & TV relayer 2. transmettre, communiquer.

release [rɪˈliːs] ■ *n* 1. libération *f* 2. délivrance *f* 3. communiqué *m* 4. échappement *m* 5. *(indén)* sortie *f (d'un film, d'un CD)* 6. *(nouveau film, CD, DVD)* nouveauté *f*. ■ *vt* 1. libérer 2. ■ **to release sb from** dégager qqn de 3. libérer 4. débloquer 5. lâcher 6. desserrer 7. déclencher 8. ■ **to be released (from/into)** se dégager (de/dans), s'échapper (de/dans) 9. sortir *(un film, un CD)* 10. publier *(un rapport)*.

relegate [ˈrelɪɡeɪt] *vt* reléguer.

relent [rɪˈlent] *vi* 1. se laisser fléchir 2. *(vent, tempête)* se calmer.

relentless [rɪˈlentlɪs] *adj* implacable.

relevant [ˈreləvənt] *adj* 1. ■ **relevant (to)** qui a un rapport (avec) 2. ■ **relevant (to)** important(e) (pour) 3. utile.

reliable [rɪˈlaɪəbl] *adj* 1. fiable 2. sérieux(euse).

reliably [rɪˈlaɪəblɪ] *adv* de façon fiable.

reliant [rɪˈlaɪənt] *adj* ■ **to be reliant on** être dépendant(e) de.

relic [ˈrelɪk] *n* 1. relique *f* 2. vestige *m*.

relief [rɪˈliːf] *n* 1. soulagement *m* 2. aide *f*, assistance *f* 3. *(US)* aide *f* sociale.

relieve [rɪˈliːv] *vt* 1. soulager ■ **to relieve sb of sthg** délivrer qqn de qqch 2. relayer 3. secourir, venir en aide à.

religion [rɪˈlɪdʒn] *n* religion *f*.

religious [rɪˈlɪdʒəs] *adj* 1. religieux(euse) 2. *(livre)* de piété.

relinquish [rɪˈlɪŋkwɪʃ] *vt* 1. abandonner *(le pouvoir)* 2. renoncer à *(un projet)* 3. quitter *(son poste)*.

relish [ˈrelɪʃ] ■ *n* 1. ■ **with (great) relish** avec délectation 2. condiment *m*. ■ *vt* prendre plaisir à ■ **I don't relish the thought** *ou* **idea of seeing him** la perspective de le voir ne m'enchante guère.

relocate [ˌriːləʊˈkeɪt] ■ *vt* installer ailleurs, transférer. ■ *vi* s'installer ailleurs, déménager.

reluctance [rɪˈlʌktəns] *n* répugnance *f*.

reluctant [rɪˈlʌktənt] *adj* peu enthousiaste ■ **to be reluctant to do sthg** être peu disposé(e) à faire qqch.

reluctantly [rɪˈlʌktəntlɪ] *adv* à contre-cœur.

rely [rɪˈlaɪ] ■ **rely on** *vt insép* 1. compter sur ■ **to rely on sb to do sthg** compter sur qqn pour faire qqch 2. dépendre de.

remain [rɪˈmeɪn] ■ *vt* rester ■ **to remain to be done** rester à faire. ■ *vi* rester. ■ **remains** *npl* 1. restes *mpl* 2. ruines *fpl*, vestiges *mpl*.

remainder [rɪˈmeɪndə] *n* reste *m*.

remaining [rɪˈmeɪnɪŋ] *adj* qui reste.

remand [rɪˈmɑːnd] ■ *n* ■ **on remand** en détention préventive. ■ *vt* ■ **to remand sb (in custody)** placer qqn en détention préventive.

remark [rɪˈmɑːk] ■ *n* remarque *f*, observation *f*. ■ *vt* ■ **to remark that...** faire remarquer que...

remarkable [rɪˈmɑːkəbl] *adj* remarquable.

remarry [ˌriːˈmærɪ] *vi* se remarier.

remedial [rɪˈmiːdjəl] *adj* 1. *(cours)* de rattrapage 2. *(exercices, traitement)* correctif(ive) 3. *(mesures, action)* rectificatif(ive).

remedy [ˈremədɪ] ■ *n* ■ **remedy (for)** remède *m* (pour *ou* contre) ■ *fig* remède (à *ou* contre). ■ *vt* remédier à.

remember [rɪ'membər] ◙ *vt* se souvenir de, se rappeler • **to remember to do sthg** ne pas oublier de faire qqch, penser à faire qqch • **to remember doing sthg** se souvenir d'avoir fait qqch, se rappeler avoir fait qqch. ◙ *vi* se souvenir, se rappeler.

remembrance [rɪ'membrəns] *n* • **in remembrance of** en souvenir ou mémoire de.

Remembrance Day *n (UK & Canada)* l'Armistice *m*.

remind [rɪ'maɪnd] *vt* • **to remind sb of** ou **about sthg** rappeler qqch à qqn • **to remind sb to do sthg** rappeler à qqn de faire qqch, faire penser à qqn à faire qqch.

reminder [rɪ'maɪndər] *n* **1.** • **to give sb a reminder (to do sthg)** faire penser à qqn (à faire qqch) **2.** *(administration & comm)* rappel *m* **3.** pense-bête *m*.

reminisce [ˌremɪ'nɪs] *vi* évoquer des souvenirs • **to reminisce about sthg** évoquer qqch.

reminiscent [ˌremɪ'nɪsnt] *adj* • **reminiscent of** qui rappelle, qui fait penser à.

remiss [rɪ'mɪs] *adj* négligent(e).

remit[1] [rɪ'mɪt] *vt* envoyer, verser.

remit[2] ['riːmɪt] *n (UK)* attributions *fpl*.

remittance [rɪ'mɪtns] *n* **1.** versement *m* **2.** comm règlement *m*, paiement *m*.

remnant ['remnənt] *n* **1.** reste *m*, restant *m* **2.** coupon *m (de tissu)*.

remorse [rɪ'mɔs] *n (indén)* remords *m*.

remorseful [rɪ'mɔsfʊl] *adj* plein(e) de remords.

remorseless [rɪ'mɔslɪs] *adj* implacable.

remote [rɪ'məʊt] *adj* **1.** éloigné(e) **2.** distant(e) **3.** *(possibilité, chance)* vague.

remote control *n* télécommande *f*.

remotely [rɪ'məʊtlɪ] *adv* **1.** • **not remotely** pas le moins du monde, absolument pas **2.** au loin.

remould ['riːməʊld] *n (UK)* pneu *m* rechapé.

removable [rɪ'muːvəbl] *adj* détachable, amovible.

removal [rɪ'muːvl] *n* **1.** *(indén)* enlèvement *m (d'un meuble)* **2.** *(UK)* déménagement *m*.

removal van *n (UK)* camion *m* de déménagement.

remove [rɪ'muːv] *vt* **1.** enlever **2.** faire partir *(une tache)* **3.** résoudre *(un problème)* **4.** dissiper *(des doutes)* **5.** ôter, enlever *(ses vêtements)* **6.** renvoyer *(un employé)*.

remuneration [rɪˌmjuːnə'reɪʃn] *n* sout rémunération *f*.

render ['rendər] *vt* **1.** rendre **2.** porter *(assistance)* **3.** comm présenter *(le compte de qqch)*.

rendering ['rendərɪŋ] *n* interprétation *f*.

rendezvous ['rɒndɪvuː] *(pl inv)* *n* rendez-vous *m inv*.

renegade ['renɪɡeɪd] *n* renégat *m*, -e *f*.

renew [rɪ'njuː] *vt* **1.** renouveler **2.** reprendre *(des négiociations, des forces)* **3.** faire renaître *(l'intérêt)* • **to renew acquaintance with sb** renouer connaissance avec qqn.

renewable [rɪ'njuːəbl] *adj* renouvelable.

renewal [rɪ'njuːəl] *n* **1.** reprise *f* **2.** renouvellement *m*.

renounce [rɪ'naʊns] *vt* renoncer à.

renovate ['renəveɪt] *vt* rénover.

renown [rɪ'naʊn] *n* renommée *f*.

renowned [rɪ'naʊnd] *adj* • **renowned (for)** renommé(e) (pour).

rent [rent] ◙ *n* loyer *m*. ◙ *vt* louer.

rental ['rentl] ◙ *adj* de location. ◙ *n* **1.** prix *m* de location **2.** loyer *m*.

rental car *n (US)* voiture *f* de location.

renunciation [rɪˌnʌnsɪ'eɪʃn] *n* renonciation *f*.

reorganize, -ise [ˌriː'ɔːɡənaɪz] *vt* réorganiser.

rep [rep] *n fam* **1.** *(abr de* **representative***)* VRP *m* **2.** *abrév de* **repertory**.

repaid [riː'peɪd] *passé & pp* ▷ **repay**.

repair [rɪ'peər] ◙ *n* réparation *f* • **in good/bad repair** en bon/mauvais état. ◙ *vt* réparer.

repair kit *n* trousse *f* à outils.

repartee [ˌrepɑː'tiː] *n* repartie *f*.

repatriate [ˌriː'pætrɪeɪt] *vt* rapatrier.

repay [riː'peɪ] *(prét & pp* **repaid***)* *vt* **1.** • **to repay sb sthg, to repay sthg to sb** rembourser qqch à qqn **2.** récompenser.

repayment [riː'peɪmənt] *n* remboursement *m*.

repeal [rɪ'piːl] ◼ n abrogation f. ◼ vt abroger.

repeat [rɪ'piːt] ◼ vt 1. répéter 2. RADIO & TV rediffuser. ◼ n RADIO & TV reprise f, rediffusion f.

repeatedly [rɪ'piːtɪdlɪ] adv à maintes reprises, très souvent.

repel [rɪ'pel] vt repousser.

repellent [rɪ'pelənt] ◼ adj répugnant(e). ◼ n • insect repellent crème f anti-insecte.

repent [rɪ'pent] ◼ vt se repentir de. ◼ vi • to repent (of) se repentir (de).

repentance [rɪ'pentəns] n (indén) repentir m.

repercussions [ˌriːpə'kʌʃnz] npl répercussions fpl.

repertoire ['repətwɑːr] n fig & THÉÂTRE répertoire m.

repertory ['repətrɪ] n THÉÂTRE répertoire m.

repetition [ˌrepɪ'tɪʃn] n répétition f.

repetitious [ˌrepɪ'tɪʃəs], **repetitive** [rɪ'petɪtɪv] adj 1. répétitif(ive) 2. qui a des redites.

replace [rɪ'pleɪs] vt 1. remplacer 2. replacer, remettre (à sa place).

replacement [rɪ'pleɪsmənt] n 1. remplacement m 2. replacement m 3. • replacement (for sb) remplaçant m, -e f (de qqn).

replay ◼ n ['riːpleɪ] SPORT match m rejoué. ◼ vt [ˌriː'pleɪ] 1. SPORT rejouer (un match) 2. repasser (un CD, un DVD).

replenish [rɪ'plenɪʃ] vt • to replenish one's supply of sthg se réapprovisionner en qqch.

replica ['replɪkə] n copie f exacte, réplique f.

reply [rɪ'plaɪ] ◼ n • reply (to) réponse f (à). ◼ vt & vi répondre.

reply coupon n coupon-réponse m.

report [rɪ'pɔt] ◼ n 1. rapport m, compte m rendu 2. PRESSE reportage m 3. (UK) bulletin m (scolaire). ◼ vt 1. rapporter, signaler (une nouvelle, un crime) 2. • to report that... annoncer que... 3. • to report sb (to) dénoncer qqn (à). ◼ vi 1. • to report (on) faire un rapport (sur) 2. PRESSE faire un reportage (sur) 3. • to report (to sb/for sthg) se présenter (à qqn/pour qqch).

report card n (US) bulletin m (scolaire).

reportedly [rɪ'pɔtɪdlɪ] adv à ce qu'il paraît.

reporter [rɪ'pɔtər] n reporter m.

repose [rɪ'pəʊz] n littéraire repos m.

repossess [ˌriːpə'zes] vt saisir.

reprehensible [ˌreprɪ'hensəbl] adj sout répréhensible.

represent [ˌreprɪ'zent] vt représenter.

representation [ˌreprɪzen'teɪʃn] n représentation f.

representative [ˌreprɪ'zentətɪv] ◼ adj représentatif(ive). ◼ n représentant m, -e f.

repress [rɪ'pres] vt réprimer.

repression [rɪ'preʃn] n 1. répression f 2. refoulement m.

reprieve [rɪ'priːv] ◼ n 1. sursis m, répit m 2. DR sursis m. ◼ vt accorder un sursis à.

reprimand ['reprɪmɑːnd] ◼ n réprimande f. ◼ vt réprimander.

reprisal [rɪ'praɪzl] (indén) n représailles fpl.

reproach [rɪ'prəʊtʃ] ◼ n reproche m. ◼ vt • to reproach sb for ou with sthg reprocher qqch à qqn.

reproachful [rɪ'prəʊtʃful] adj 1. réprobateur(trice) 2. (regard, paroles) de reproche.

reproduce [ˌriːprə'djuːs] ◼ vt reproduire. ◼ vi se reproduire.

reproduction [ˌriːprə'dʌkʃn] n reproduction f.

reproof [rɪ'pruːf] n sout reproche m, blâme m.

reprove [rɪ'pruːv] vt sout • to reprove sb (for) réprimander qqn (pour).

reptile ['reptaɪl] n reptile m.

republic [rɪ'pʌblɪk] n république f.

republican [rɪ'pʌblɪkən] ◼ adj républicain(e). ◼ n républicain m, -e f. ◼ **Republican** ◼ adj républicain(e) • **the Republican Party** (US) le parti républicain. ◼ n républicain m, -e f.

repudiate [rɪ'pjuːdɪeɪt] vt sout 1. rejeter (une offre) 2. renier (un ami).

repulse [rɪ'pʌls] vt repousser.

repulsive [rɪ'pʌlsɪv] adj repoussant(e).

reputable ['repjutəbl] adj de bonne réputation.

reputation [,repjʊ'teɪʃn] n réputation f.

repute [rɪ'pjuːt] n • **of good repute** de bonne réputation.

reputed [rɪ'pjuːtɪd] adj réputé(e) • **to be reputed to be sthg** être réputé pour être qqch, avoir la réputation d'être qqch.

reputedly [rɪ'pjuːtɪdlɪ] adv à ou d'après ce qu'on dit.

request [rɪ'kwest] ◼ n • **request (for)** demande f (de) • **on request** sur demande. ◼ vt demander • **to request sb to do sthg** demander à qqn de faire qqch.

request stop n (UK) (bus) arrêt m facultatif.

require [rɪ'kwaɪəʳ] vt 1. avoir besoin de 2. nécessiter • **to require sb to do sthg** exiger de qqn qu'il fasse qqch.

requirement [rɪ'kwaɪəmənt] n besoin m.

requisition [,rekwɪ'zɪʃn] vt réquisitionner.

reran [,riː'ræn] passé ⊳ **rerun**.

rerun ◼ n ['riːrʌn] 1. ⊤v rediffusion f, reprise f 2. fig répétition f. ◼ vt [,riː'rʌn] (prét -ran, pp -run) 1. réorganiser 2. ⊤v rediffuser 3. repasser (un CD, un film).

resat [,riː'sæt] passé & pp ⊳ **resit**.

rescind [rɪ'sɪnd] vt sout 1. annuler (un contrat) 2. abroger (une loi).

rescue ['reskjuː] ◼ n 1. (indén) secours mpl 2. sauvetage m. ◼ vt sauver, secourir.

rescuer ['reskjʊəʳ] n sauveteur m, -euse f.

research [,rɪ'sɜːtʃ] ◼ n (indén) • **research (on** ou **into)** recherche f (sur), recherches fpl (sur) • **research and development** recherche et développement m. ◼ vt faire des recherches sur.

researcher [rɪ'sɜːtʃəʳ] n chercheur m, -euse f.

resemblance [rɪ'zembləns] n • **resemblance (to)** ressemblance f (avec).

resemble [rɪ'zembl] vt ressembler à.

resent [rɪ'zent] vt être indigné(e) par.

resentful [rɪ'zentfʊl] adj plein(e) de ressentiment.

resentment [rɪ'zentmənt] n ressentiment m.

reservation [,rezə'veɪʃn] n 1. réservation f 2. • **without reservation** sans ré-

serve • **to have reservations about sthg** faire ou émettre des réserves sur qqch 3. (US) réserve f indienne.

reserve [rɪ'zɜːv] ◼ n 1. réserve f • **in reserve** en réserve 2. sport remplaçant m, -e f. ◼ vt garder, réserver.

reserved [rɪ'zɜːvd] adj réservé(e).

reservoir ['rezəvwɑːʳ] n réservoir m.

reset [,riː'set] (prét & pp reset) vt 1. remettre à l'heure 2. remettre à zéro 3. informréinitialiser.

reshape [,riː'ʃeɪp] vt réorganiser.

reshuffle [,riː'ʃʌfl] ◼ n remaniement m • **cabinet reshuffle** polit remaniement ministériel. ◼ vt remanier.

reside [rɪ'zaɪd] vi sout résider.

residence ['rezɪdəns] n résidence f.

residence hall (US) = **hall of residence**.

residence permit n permis m de séjour.

resident ['rezɪdənt] ◼ adj 1. résidant(e) 2. (domestique) à demeure. ◼ n résident m, -e f.

residential [,rezɪ'denʃl] adj • **residential course** stage ou formation avec logement sur place • **residential institution** internat m.

residential area n quartier m résidentiel.

residue ['rezɪdjuː] n 1. reste m 2. résidu m.

resign [rɪ'zaɪn] ◼ vt 1. démissionner de 2. • **to resign o.s. to** se résigner à. ◼ vi • **to resign (from)** démissionner (de).

resignation [,rezɪg'neɪʃn] n 1. démission f 2. résignation f.

resigned [rɪ'zaɪnd] adj • **resigned (to)** résigné(e) (à).

resilient [rɪ'zɪlɪənt] adj 1. élastique 2. qui a du ressort.

resin ['rezɪn] n résine f.

resist [rɪ'zɪst] vt résister à.

resistance [rɪ'zɪstəns] n résistance f.

resit (UK) ◼ n ['riːsɪt] univ deuxième session f. ◼ vt [,riː'sɪt] (prét & pp -sat) repasser, se représenter à (un examen).

resolute ['rezəluːt] adj résolu(e).

resolution [,rezə'luːʃn] n résolution f.

resolve [rɪ'zɒlv] ■ n (indén) résolution f. ■ vt 1. • **to resolve (that)...** décider que... • **to resolve to do sthg** résoudre ou décider de faire qqch 2. résoudre.

resort [rɪ'zɔt] n 1. lieu m de vacances 2. recours m • **as a last resort, in the last resort** en dernier ressort. ■ **resort to** vt insép recourir à.

resound [rɪ'zaʊnd] vi 1. résonner 2. • **to resound with** retentir de.

resounding [rɪ'zaʊndɪŋ] adj 1. retentissant(e) 2. sonore 3. violent(e).

resource [rɪ'sɔs] n ressource f.

resourceful [rɪ'sɔsfʊl] adj plein(e) de ressources, débrouillard(e).

respect [rɪ'spekt] ■ n 1. • **respect (for)** respect m (pour) • **with respect** avec respect • **with respect,...** sauf votre respect,... 2. • **in this** ou **that respect** à cet égard • **in some respects** à certains égards. ■ vt respecter • **to respect sb for sthg** respecter qqn pour qqch. ■ **respects** npl respects mpl, hommages mpl. ■ **with respect to** prép en ce qui concerne.

respectable [rɪ'spektəbl] adj 1. respectable 2. raisonnable, honorable.

respectful [rɪ'spektfʊl] adj respectueux(euse).

respective [rɪ'spektɪv] adj respectif (ive).

respectively [rɪ'spektɪvlɪ] adv respectivement.

respite ['respaɪt] n répit m.

resplendent [rɪ'splendənt] adj littéraire resplendissant(e).

respond [rɪ'spɒnd] vi • **to respond (to)** répondre (à).

response [rɪ'spɒns] n réponse f.

responsibility [rɪ,spɒnsə'bɪlətɪ] n • **responsibility (for)** responsabilité f (de).

responsible [rɪ'spɒnsəbl] adj 1. • **responsible (for sthg)** responsable (de qqch) • **to be responsible to sb** être responsable devant qqn 2. qui comporte des responsabilités.

responsibly [rɪ'spɒnsəblɪ] adv de façon responsable.

responsive [rɪ'spɒnsɪv] adj 1. qui réagit bien 2. • **responsive (to)** attentif(ive) (à).

rest [rest] ■ n 1. • **the rest (of)** le reste (de) • **the rest (of them)** les autres mf pl 2. repos m • **to have a rest** se reposer 3. support m, appui m. ■ vt 1. faire ou laisser reposer 2. • **to rest sthg on/against** appuyer qqch sur/contre. ■ vi 1. se reposer 2. • **to rest on/against** s'appuyer sur/contre 3. fig • **to rest on** reposer sur • **rest assured** soyez certain(e).

restaurant ['restərɒnt] n restaurant m.

restaurant car n (UK) wagon-restaurant m.

restful ['restfʊl] adj reposant(e).

rest home n maison f de repos.

restive ['restɪv] adj agité(e).

restless ['restlɪs] adj agité(e).

restoration [,restə'reɪʃn] n 1. rétablissement m 2. restauration f.

restore [rɪ'stɔ] vt 1. rétablir (l'ordre) 2. redonner (la confiance) 3. restaurer (un bâtiment, un tableau) 4. rendre, restituer.

restrain [rɪ'streɪn] vt 1. contenir, retenir (la foule) 2. maîtriser, contenir (ses émotions) • **to restrain o.s. from doing sthg** se retenir de faire qqch.

restrained [rɪ'streɪnd] adj 1. mesuré(e) 2. qui se domine.

restraint [rɪ'streɪnt] n 1. restriction f, entrave f 2. (indén) mesure f, retenue f.

restrict [rɪ'strɪkt] vt restreindre, limiter.

restriction [rɪ'strɪkʃn] n restriction f, limitation f.

restrictive [rɪ'strɪktɪv] adj restrictif (ive).

rest room n (US) toilettes fpl.

result [rɪ'zʌlt] ■ n résultat m • **as a result** en conséquence • **as a result of** à la suite de • à cause de. ■ vi 1. • **to result in** aboutir à 2. • **to result (from)** résulter (de).

resume [rɪ'zjuːm] vt & vi reprendre.

résumé ['rezjuːmeɪ] n 1. résumé m 2. (US) curriculum vitae m inv, CV m.

resumption [rɪ'zʌmpʃn] n reprise f.

resurgence [rɪ'sɜːdʒəns] n réapparition f.

resurrection [,rezə'rekʃn] n fig résurrection f.

resuscitation [rɪ,sʌsɪ'teɪʃn] n réanimation f.

retail ['ri:teɪl] ◼ n (indén) détail m. ◼ adv au détail.

retailer ['ri:teɪlə*r*] n détaillant m, -e f.

retail price n prix m de détail.

retain [rɪ'teɪn] vt conserver.

retainer [rɪ'teɪnə*r*] n provision f.

retaliate [rɪ'tælieɪt] vi rendre la pareille, se venger.

retaliation [rɪ,tælɪ'eɪʃn] n (indén) vengeance f, représailles fpl.

retarded [rɪ'tɑːdɪd] adj injur retardé(e).

retch [retʃ] vi avoir des haut-le-cœur.

retentive [rɪ'tentɪv] adj (mémoire) fidèle.

reticent ['retɪsənt] adj peu communicatif(ive) • **to be reticent about sthg** ne pas beaucoup parler de qqch.

retina ['retɪnə] (pl **-nas** ou **-nae** [-niː]) n rétine f.

retinue ['retɪnjuː] n (escorte) suite f.

retire [rɪ'taɪə*r*] vi **1.** prendre sa retraite **2.** se retirer **3.** sout (aller) se coucher.

retired [rɪ'taɪəd] adj à la retraite, retraité(e).

retirement [rɪ'taɪəmənt] n retraite f.

retiring [rɪ'taɪərɪŋ] adj réservé(e).

retort [rɪ'tɔːt] ◼ n riposte f. ◼ vt riposter.

retrace [rɪ'treɪs] vt • **to retrace one's steps** revenir sur ses pas.

retract [rɪ'trækt] vt **1.** rétracter **2.** rentrer, escamoter (un train d'atterrissage) **3.** rentrer (ses griffes).

retrain [,riː'treɪn] vt recycler.

retraining [,riː'treɪnɪŋ] n recyclage m.

retread n ['riːtred] pneu m rechapé.

retreat [rɪ'triːt] ◼ n retraite f. ◼ vi **1.** se retirer **2.** MIL battre en retraite.

retribution [,retrɪ'bjuːʃn] n châtiment m.

retrieval [rɪ'triːvl] n (indén) INFORM recherche f et extraction f.

retrieve [rɪ'triːv] vt **1.** récupérer **2.** INFORM rechercher et extraire.

retriever [rɪ'triːvə*r*] n retriever m.

retrograde ['retrəgreɪd] adj sout rétrograde.

retrospect ['retrəspekt] n • **in retrospect** après coup.

retrospective [,retrə'spektɪv] adj **1.** rétrospectif(ive) **2.** rétroactif(ive).

return [rɪ'tɜːn] ◼ n **1.** (indén) retour m **2.** TENNIS • **return of service** retour m de service **3.** (UK) aller et retour m **4.** rapport m, rendement m. ◼ vt **1.** rendre **2.** rembourser **3.** rapporter **4.** renvoyer **5.** remettre. ◼ vi **1.** revenir **2.** retourner. ◼ **returns** npl COMM recettes fpl • **many happy returns (of the day)!** bon anniversaire !

◼ **in return** adv en retour, en échange.
◼ **in return for** prép en échange de.

return ticket n (UK) aller et retour m.

reunification [,riːjuːnɪfɪ'keɪʃn] n réunification f.

reunion [,riː'juːnjən] n réunion f.

reunite [,riːjuː'naɪt] vt • **to be reunited with sb** retrouver qqn.

rev [rev] fam ◼ n (abr de **revolution**) tour m. ◼ vt • **to rev the engine (up)** emballer le moteur.

revamp [,riː'væmp] vt fam **1.** réorganiser **2.** retaper.

reveal [rɪ'viːl] vt révéler.

revealing [rɪ'viːlɪŋ] adj **1.** décolleté(e) **2.** qui laisse deviner le corps **3.** révélateur(trice).

reveille [(UK) rɪ'vælɪ, (US) 'revəlɪ] n réveil m.

revel ['revl] ((UK) prét & pp **-led**, cont **-ling**, (US) prét & pp **-ed**, cont **-ing**) vi • **to revel in sthg** se délecter de qqch.

revelation [,revə'leɪʃn] n révélation f.

revenge [rɪ'vendʒ] ◼ n vengeance f • **to take revenge (on sb)** se venger (de qqn). ◼ vt venger • **to revenge o.s. on sb** se venger de qqn.

revenue ['revənjuː] n revenu m.

reverberate [rɪ'vɜːbəreɪt] vi **1.** retentir, se répercuter **2.** fig avoir des répercussions.

reverberations [rɪ,vɜːbə'reɪʃnz] npl **1.** réverbérations fpl **2.** fig répercussions fpl.

revere [rɪ'vɪə*r*] vt révérer, vénérer.

reverence ['revərəns] n révérence f, vénération f.

Reverend ['revərənd] n révérend m.

reverie ['revərɪ] n littéraire rêverie f.

reversal [rɪ'vɜːsl] n **1.** revirement m **2.** revers m de fortune.

reverse [rɪ'vɜːs] ◼ adj inverse. ◼ n **1.** AUTO • **reverse (gear)** marche f arrière **2.** • **the**

reverse le contraire **3.** • **the reverse** le verso, le dos • le revers. ◼ *vt* **1.** inverser **2.** renverser **3.** retourner. ◼ *vi* AUTO faire marche arrière.

reverse-charge call *n (UK)* appel *m* en PCV.

reversing light [rɪ'vɜːsɪŋ-] *n (UK)* feu *m* de marche arrière.

revert [rɪ'vɜːt] *vi* • **to revert to** retourner à.

review [rɪ'vjuː] ◼ *n* **1.** révision *f* **2.** examen *m* **3.** critique *f*, compte rendu *m*. ◼ *vt* **1.** réviser **2.** examiner **3.** faire la critique de **4.** MIL passer en revue.

reviewer [rɪ'vjuːə^r] *n* critique *mf*.

revile [rɪ'vaɪl] *vt* injurier.

revise [rɪ'vaɪz] *vt* **1.** modifier **2.** corriger **3.** *(UK)* réviser.

revision [rɪ'vɪʒn] *n* révision *f*.

revitalize, -ise [ˌriː'vaɪtəlaɪz] *vt* revitaliser.

revival [rɪ'vaɪvl] *n* **1.** reprise *f (de l'économie)* **2.** regain *m (d'intérêt)*.

revive [rɪ'vaɪv] ◼ *vt* **1.** ranimer *(une personne)* **2.** relancer *(l'économie)* **3.** faire renaître *(l'intérêt)* **4.** rétablir *(une tradition)* **5.** reprendre *(un spectacle)* **6.** ranimer, raviver *(des souvenirs)*. ◼ *vi* **1.** reprendre connaissance **2.** *(économie)* repartir, reprendre **3.** *(espoirs)* renaître.

revolt [rɪ'vəʊlt] ◼ *n* révolte *f*. ◼ *vt* révolter, dégoûter. ◼ *vi* se révolter.

revolting [rɪ'vəʊltɪŋ] *adj* **1.** dégoûtant(e) **2.** infect(e).

revolution [ˌrevə'luːʃn] *n* **1.** révolution *f* **2.** TECHNOL tour *m*, révolution *f*.

revolutionary [ˌrevə'luːʃnərɪ] ◼ *adj* révolutionnaire. ◼ *n* révolutionnaire *mf*.

revolve [rɪ'vɒlv] *vi* • **to revolve (around)** tourner (autour de).

revolver [rɪ'vɒlvə^r] *n* revolver *m*.

revolving [rɪ'vɒlvɪŋ] *adj* **1.** tournant(e) **2.** *(fauteuil, chaise)* pivotant(e).

revolving door *n* tambour *m*.

revue [rɪ'vjuː] *n* revue *f*.

revulsion [rɪ'vʌlʃn] *n* répugnance *f*.

reward [rɪ'wɔd] ◼ *n* récompense *f*. ◼ *vt* • **to reward sb (for/with sthg)** récompenser qqn (de/par qqch).

rewarding [rɪ'wɔdɪŋ] *adj* **1.** *(travail)* qui donne de grandes satisfactions **2.** *(livre)* qui vaut la peine d'être lu(e).

rewind [ˌriː'waɪnd] *(prét & pp* **rewound**) *vt* rembobiner.

rewire [ˌriː'waɪə^r] *vt* refaire l'installation électrique de.

reword [ˌriː'wɜːd] *vt* reformuler.

rewound [ˌriː'waʊnd] *passé & pp* ▷ **rewind**.

rewrite [ˌriː'raɪt] *(prét* **rewrote** [ˌriː'rəʊt], *pp* **rewritten** [ˌriː'rɪtn]) *vt* récrire.

Reykjavik ['rekjəvɪk] *n* Reykjavik.

rhapsody ['ræpsədɪ] *n* rhapsodie *f* • **to go into rhapsodies about sthg** s'extasier sur qqch.

rhetoric ['retərɪk] *n* rhétorique *f*.

rhetorical question [rɪ'tɒrɪkl-] *n* question *f* pour la forme.

rheumatism ['ruːmətɪzm] *n (indén)* rhumatisme *m*.

Rhine [raɪn] *n* • **the (River) Rhine** le Rhin.

rhino ['raɪnəʊ] *(pl inv ou -s)*, **rhinoceros** [raɪ'nɒsərəs] *(pl inv ou -es)* *n* rhinocéros *m*.

rhododendron [ˌrəʊdə'dendrən] *n* rhododendron *m*.

Rhône [rəʊn] *n* • **the (River) Rhône** le Rhône.

rhubarb ['ruːbɑːb] *n* rhubarbe *f*.

rhyme [raɪm] ◼ *n* **1.** rime *f* **2.** poème *m*. ◼ *vi* • **to rhyme (with)** rimer (avec).

rhythm ['rɪðm] *n* rythme *m*.

rib [rɪb] *n* **1.** ANAT côte *f* **2.** baleine *f (de parapluie)* **3.** membrure *f*.

ribbed [rɪbd] *adj* à côtes.

ribbon ['rɪbən] *n* ruban *m*.

rice [raɪs] *n* riz *m*.

rice pudding *n* riz *m* au lait.

rich [rɪtʃ] ◼ *adj* **1.** riche **2.** somptueux(euse) • **to be rich in** être riche en. ◼ *npl* • **the rich** les riches *mpl*. ◼ **riches** *npl* richesses *fpl*, richesse *f*.

richly ['rɪtʃlɪ] *adv* **1.** largement **2.** très bien **3.** richement.

richness ['rɪtʃnɪs] *n (indén)* richesse *f*.

rickets ['rɪkɪts] *n (indén)* rachitisme *m*.

rickety ['rɪkətɪ] *adj* branlant(e).

rickshaw ['rɪkʃɔ] *n* pousse-pousse *m inv*.

ricochet ['rɪkəʃeɪ] ◼ n ricochet m. ◼ vi (prét & pp -ed ou -ted, cont -ing ou ting) • to ricochet (off) ricocher (sur).

rid [rɪd] vt (prét rid ou -ded, pp rid) • to rid sb/sthg of débarrasser qqn/qqch de • to get rid of se débarrasser de.

ridden ['rɪdn] pp ▷ ride.

riddle ['rɪdl] n énigme f.

riddled ['rɪdld] adj • to be riddled with être criblé(e) de.

ride [raɪd] ◼ n promenade f, tour m • to go for a ride faire une promenade à cheval • faire une promenade à vélo • faire un tour en voiture • to take sb for a ride fam fig faire marcher qqn. ◼ vt (prét rode, pp ridden) 1. • to ride a horse/a bicycle monter à cheval/à bicyclette 2. (US) prendre (le bus, le métro, l'ascenseur) 3. parcourir. ◼ vi (prét rode, pp ridden) 1. monter à cheval 2. faire du vélo • to ride in a car/bus aller en voiture/bus.

rider ['raɪdər] n 1. cavalier m, -ère f 2. cycliste mf 3. motocycliste mf.

ridge [rɪdʒ] n 1. crête f, arête f 2. strie f.

ridicule ['rɪdɪkjuːl] ◼ n ridicule m. ◼ vt ridiculiser.

ridiculous [rɪ'dɪkjʊləs] adj ridicule.

riding ['raɪdɪŋ] n équitation f.

riding school n école f d'équitation.

rife [raɪf] adj répandu(e).

riffraff ['rɪfræf] n racaille f.

rifle ['raɪfl] ◼ n fusil m. ◼ vt vider (un tiroir, un sac).

rifle range n 1. stand m de tir 2. champ m de tir.

rift [rɪft] n 1. GÉOL fissure f 2. désaccord m.

rig [rɪg] ◼ n 1. • (oil) rig derrick m • (en mer) plate-forme f de forage 2. (US) semi-remorque m. ◼ vt truquer.
◼ rig up vt sép installer avec les moyens du bord.

rigging ['rɪgɪŋ] n gréement m.

right [raɪt] ◼ adj 1. juste, exact(e) 2. bon(bonne) • to be right (about) avoir raison (au sujet de) 3. bien (inv) • to be right to do sthg avoir raison de faire qqch 4. qui convient 5. droit(e) 6. (UK) fam véritable. ◼ n 1. (indén) bien m • to be in the right avoir raison 2. droit m • by rights en toute justice 3. droite f. ◼ adv

1. correctement 2. à droite 3. • right down/up tout en bas/en haut • right here ici (même) • right in the middle en plein milieu • go right to the end of the street allez tout au bout de la rue • right now tout de suite • right away immédiatement. ◼ vt 1. réparer (une injustice) 2. redresser (un bateau, une voiture). ◼ interj bon !
◼ **Right** n • the Right la droite.

right angle n angle m droit • to be at right angles (to) faire un angle droit (avec).

righteous ['raɪtʃəs] adj sout 1. droit(e) 2. justifié(e).

rightful ['raɪtfʊl] adj sout légitime.

right-hand adj de droite • right-hand side droite f, côté m droit.

right-hand drive adj avec conduite à droite.

right-handed [-'hændɪd] adj droitier (ère).

right-hand man n bras m droit.

rightly ['raɪtlɪ] adv 1. correctement 2. bien 3. à juste titre.

right of way n 1. AUTO priorité f 2. droit m de passage.

right-on adj (UK) fam idéologiquement correct(e).

right wing n • the right wing la droite.
◼ **right-wing** adj de droite.

rigid ['rɪdʒɪd] adj 1. rigide 2. strict(e).

rigmarole ['rɪgmərəʊl] n péj 1. comédie f 2. galimatias m.

rigor (US) = **rigour**.

rigorous ['rɪgərəs] adj rigoureux(euse).

rigour (UK), **rigor** (US) ['rɪgər] n rigueur f.

rile [raɪl] vt agacer.

rim [rɪm] n 1. bord m 2. jante f (d'une roue) 3. monture f (de lunettes).

rind [raɪnd] n 1. peau f (d'un fruit) 2. croûte f (d'un fromage) 3. couenne f (de lard).

ring [rɪŋ] ◼ n 1. (UK) • to give sb a ring passer un coup de téléphone à qqn 2. sonnerie f 3. anneau m 4. bague f 5. rond m (de serviette) 6. cercle m 7. ring m 8. réseau m. ◼ vt (prét rang, pp rung) 1. (UK) téléphoner à 2. (faire) sonner • to ring the doorbell sonner à la porte 3. (prét & pp ringed) entourer.

◼ vi (prét **rang**, pp **rung**) 1. (UK) téléphoner 2. sonner ◦ **to ring for sb** sonner
qqn. ◦ **to ring with** résonner de.
■ **ring back** vt sép & vi (UK) rappeler.
■ **ring off** vi (UK) raccrocher.
■ **ring up** vt sép (UK) appeler.

ring binder n classeur m à anneaux.

ringing ['rɪŋɪŋ] n 1. sonnerie f 2. tintement m.

ringing tone n sonnerie f.

ringleader ['rɪŋ,li:dər] n chef m.

ringlet ['rɪŋlɪt] n (coiffure) anglaise f.

ring road n (UK) (route f) périphérique
m.

rink [rɪŋk] n 1. patinoire f 2. skating m.

rinse [rɪns] vt rincer ◦ **to rinse one's
mouth out** se rincer la bouche.

riot ['raɪət] ◼ n émeute f ◦ **to run riot** se
déchaîner. ◼ vi participer à une émeu-
te.

rioter ['raɪətər] n émeutier m, -ère f.

riotous ['raɪətəs] adj 1. tapageur(euse)
2. séditieux(euse) 3. bruyant(e).

riot police npl ≃ CRS mpl.

rip [rɪp] ◼ n déchirure f, accroc m. ◼ vt
1. déchirer 2. arracher. ◼ vi se déchirer.

RIP (abr de **rest in peace**) qu'il/elle repose
en paix.

ripe [raɪp] adj (fruit) mûr(e).

ripen ['raɪpn] vt & vi mûrir.

rip-off n fam ◦ **that's a rip-off!** c'est de
l'escroquerie ou de l'arnaque !

ripple ['rɪpl] ◼ n ondulation f, ride f ◦ **a
ripple of applause** des applaudissements discrets. ◼ vt rider.

rise [raɪz] ◼ n 1. augmentation f, hausse f
2. (UK) augmentation f (de salaire) 3. ascension f 4. côte f, pente f ◦ **to give rise
to** donner lieu à. ◼ vi (prét **rose**, pp **ris-
en** ['rɪzn]) 1. s'élever, monter ◦ **to rise
to power** arriver au pouvoir ◦ **to rise to
fame** devenir célèbre ◦ **to rise to the occasion** se montrer à la hauteur de la
situation 2. se lever 3. augmenter 4. (voix,
niveau) s'élever 5. (rebelles) se soulever.

rising ['raɪzɪŋ] ◼ adj 1. (marée) mon-
tant(e) 2. en hausse 3. à l'avenir prometteur. ◼ n soulèvement m.

risk [rɪsk] ◼ n risque m, danger m ◦ **at
one's own risk** à ses risques et périls ◦ **at**

risk en danger. ◼ vt risquer ◦ **to risk
doing sthg** courir le risque de faire
qqch.

risky ['rɪskɪ] adj risqué(e).

risqué ['ri:skeɪ] adj risqué(e), osé(e).

rissole ['rɪsəʊl] n rissole f.

rite [raɪt] n rite m.

ritual ['rɪtʃʊəl] ◼ adj rituel(elle). ◼ n rituel m.

rival ['raɪvl] ◼ adj rival(e), concurrent(e).
◼ n rival m, -e f. ◼ vt ((UK) prét & pp **-led**,
cont **-ling**, (US) prét & pp **-ed**, cont **-ing**)
rivaliser avec.

rivalry ['raɪvlrɪ] n rivalité f.

river ['rɪvər] n rivière f, fleuve m.

river bank n berge f, rive f.

riverbed ['rɪvəbed] n lit m (de rivière ou
de fleuve).

riverside ['rɪvəsaɪd] n ◦ **the riverside** le
bord de la rivière ou du fleuve.

rivet ['rɪvɪt] ◼ n rivet m. ◼ vt 1. river, ri-
veter 2. fig ◦ **to be riveted by** être fasci-
né(e) par.

Riviera [,rɪvɪ'eərə] n ◦ **the French Riviera**
la Côte d'Azur ◦ **the Italian Riviera** la Riviera italienne.

road [rəʊd] ◼ n 1. route f 2. chemin m
3. rue f ◦ **by road** par la route ◦ **on the
road to** fig sur le chemin de.

roadblock ['rəʊdblɒk] n barrage m routier.

road hog n fam péj chauffard m.

road map n carte f routière.

road rage n accès de colère de la part d'un
automobiliste, se traduisant parfois par un
acte de violence.

road safety n sécurité f routière.

roadside ['rəʊdsaɪd] n ◦ **the roadside** le
bord de la route.

road sign n panneau m de signalisation.

road tax n (UK) ≃ vignette f.

roadway ['rəʊdweɪ] n chaussée f.

roadwork ['rəʊdwɜ:k] n (US) travaux
mpl (de réfection des routes).

roadworthy ['rəʊd,wɜ:ðɪ] adj en bon
état de marche.

roam [rəʊm] ◼ vt errer dans. ◼ vi errer.

roar [rɔ:r] ◼ vi 1. (lion) rugir 2. (mer, vent)
mugir 3. (tonnerre) gronder 4. (moteur)

vrombir • **to roar with laughter** se tordre de rire. ◼ *vt* hurler. ◼ *n* **1.** rugissement *m* **2.** mugissement *m* **3.** grondement *m* **4.** vrombissement *m*.

roaring ['rɔːrɪŋ] *adj* • **a roaring fire** une belle flambée • **roaring drunk** complètement saoul(e).

roast [rəʊst] ◼ *adj* rôti(e). ◼ *n* rôti *m*. ◼ *vt* **1.** rôtir **2.** griller.

roast beef *n* rôti *m* de bœuf, rosbif *m*.

rob [rɒb] *vt* **1.** voler **2.** dévaliser • **to rob sb of sthg** voler *ou* dérober qqch à qqn • enlever qqch à qqn.

robber ['rɒbər] *n* voleur *m*, -euse *f*.

robbery ['rɒbərɪ] *n* vol *m*.

robe [rəʊb] *n* **1.** robe *f* **2.** *(surtout US)* peignoir *m*.

robin ['rɒbɪn] *n* rouge-gorge *m*.

robot ['rəʊbɒt] *n* robot *m*.

robust [rəʊ'bʌst] *adj* robuste.

rock [rɒk] ◼ *n* **1.** *(indén)* roche *f* **2.** rocher *m* **3.** *(US)* caillou *m* **4.** rock *m* **5.** *(UK)* sucre *m* d'orge. ◼ *en apposition* de rock. ◼ *vt* **1.** bercer **2.** balancer **3.** secouer. ◼ *vi* (se) balancer.

◼ **on the rocks** *adv* **1.** avec des glaçons **2.** près de la rupture.

rock and roll *n* rock *m*, rock and roll *m*.

rock bottom *n* • **at rock bottom** au plus bas • **to hit rock bottom** toucher le fond.

◼ **rock-bottom** *adj* sacrifié(e).

rockery ['rɒkərɪ] *n (UK)* rocaille *f*.

rocket ['rɒkɪt] ◼ *n* fusée *f*, roquette *f*. ◼ *vi* monter en flèche.

rocket launcher [-ˌlɔːntʃər] *n* lance-fusées *m inv*, lance-roquettes *m inv*.

rocking chair *n* fauteuil *m* à bascule, rocking-chair *m*.

rocking horse *n* cheval *m* à bascule.

rocky ['rɒkɪ] *adj* **1.** rocailleux(euse), caillouteux(euse) **2.** *fig* précaire.

Rocky Mountains *npl* • **the Rocky Mountains** les montagnes *fpl* Rocheuses.

rod [rɒd] *n* **1.** tige *f* **2.** baguette *f* • **(fishing) rod** canne *f* à pêche.

rode [rəʊd] *passé* ⊳ **ride**.

rodent ['rəʊdənt] *n* rongeur *m*.

roe [rəʊ] *n (indén)* œufs *mpl* de poisson.

roe deer *n* chevreuil *m*.

rogue [rəʊg] *n* **1.** coquin *m*, -e *f* **2.** *vieilli* filou *m*, crapule *f*.

role [rəʊl] *n* rôle *m*.

roll [rəʊl] ◼ *n* **1.** rouleau *m* **2.** petit pain *m* **3.** liste *f* **4.** roulement *m (de tambour, de tonnerre)*. ◼ *vt* **1.** rouler **2.** faire rouler. ◼ *vi* rouler.

◼ **roll around, roll about** *(UK) vi* **1.** *(personne)* se rouler **2.** *(objet)* rouler çà et là.

◼ **roll over** *vi* se retourner.

◼ **roll up** *vt sép* **1.** rouler *(un tapis, un poster)* **2.** retrousser *(ses manches)*.

roll call *n* MIL & SCOL appel *m*.

roller ['rəʊlər] *n* rouleau *m*.

rollerblading ['rəʊləbleɪdɪŋ] *n* roller *m*.

roller coaster *n* montagnes *fpl* russes.

roller skate *n* patin *m* à roulettes.

rolling ['rəʊlɪŋ] *adj* onduleux(euse).

rolling pin *n* rouleau *m* à pâtisserie.

rolling stock *n* matériel *m* roulant.

roll-on *adj (déodorant)* à bille.

ROM [rɒm] *(abr de* read only memory*) n* ROM *f*.

Roman ['rəʊmən] ◼ *adj* romain(e). ◼ *n* Romain *m*, -e *f*.

Roman Catholic ◼ *adj* catholique. ◼ *n* catholique *mf*.

romance [rəʊ'mæns] *n* **1.** *(indén)* charme *m* **2.** idylle *f* **3.** roman *m* (d'amour).

Romania [ruːˈmeɪnjə] *n* Roumanie *f*.

Romanian [ruːˈmeɪnjən] ◼ *adj* roumain(e). ◼ *n* **1.** Roumain *m*, -e *f* **2.** roumain *m*.

romantic [rəʊ'mæntɪk] *adj* romantique.

Rome [rəʊm] *n* Rome.

romp [rɒmp] ◼ *n* ébats *mpl*. ◼ *vi* s'ébattre.

rompers ['rɒmpəz] *npl* barboteuse *f*.

roof [ruːf] *n* **1.** toit *m* **2.** plafond *m* • **the roof of the mouth** ANAT la voûte du palais • **to go through** *ou* **hit the roof** *fig* exploser.

roofing ['ruːfɪŋ] *n* toiture *f*.

roof rack *n (UK)* galerie *f*.

rooftop ['ruːftɒp] *n* toit *m*.

rook [rʊk] *n* **1.** ZOOL freux *m* **2.** ÉCHECS tour *f*.

rookie ['rʊkɪ] *n (surtout US) fam* MIL bleu *m*.

room [ruːm *ou* rʊm] *n* **1.** pièce *f* **2.** chambre *f* **3.** *(indén)* place *f*.

roomer ['ruːmər] *n (US)* locataire *mf*.

rooming house ['ruːmɪŋ-] *n (US)* immeuble comportant des chambres à louer.

roommate ['ruːmmeɪt] *n* **1.** camarade *mf* de chambre **2.** *(US)* personne avec qui l'on partage un logement.

room service *n (hôtel)* service *m* dans les chambres.

roomy ['ruːmɪ] *adj* spacieux(euse).

roost [ruːst] ◼ *n* perchoir *m*, juchoir *m*. ◼ *vi* se percher, se jucher.

rooster ['ruːstər] *n (surtout US)* coq *m*.

root [ruːt] *n* **1.** racine *f* **2.** *fig* origine *f* ◦ **to take root** *litt & fig* prendre racine.
◼ **root for** *vt insép fam* encourager.
◼ **root out** *vt sép* extirper.

rope [rəʊp] ◼ *n* corde *f* ◦ **to know the ropes** *fam* connaître son affaire, être au courant. ◼ *vt* **1.** corder **2.** encorder *(des alpinistes)*.
◼ **rope in** *vt sép fam* enrôler.

rosary ['rəʊzərɪ] *n* rosaire *m*.

rose [rəʊz] ◼ *passé* ⊳ **rise**. ◼ *adj* rose.
◼ *n* rose *f*.

rosé ['rəʊzeɪ] *n* rosé *m*.

rosebud ['rəʊzbʌd] *n* bouton *m* de rose.

rose bush *n* rosier *m*.

rosemary ['rəʊzmərɪ] *n* romarin *m*.

rosette [rəʊ'zet] *n* rosette *f*.

roster ['rɒstər] *n* liste *f*, tableau *m* de service.

rostrum ['rɒstrəm] *(pl* **-trums** *ou* **-tra** [-trə]) *n* tribune *f*.

rosy ['rəʊzɪ] *adj* rose.

rot [rɒt] ◼ *n (indén)* **1.** pourriture *f* **2.** *(UK) fam vieilli* bêtises *fpl*, balivernes *fpl*. ◼ *vt & vi* pourrir.

rota ['rəʊtə] *n (UK)* liste *f*, tableau *m* de service.

rotary ['rəʊtərɪ] *adj* rotatif(ive).

rotate [rəʊ'teɪt] ◼ *vt* faire tourner. ◼ *vi* tourner.

rotation [rəʊ'teɪʃn] *n* rotation *f*.

rote [rəʊt] *n* ◦ **by rote** de façon machinale, par cœur.

rotten ['rɒtn] *adj* **1.** pourri(e) **2.** *fam* moche **3.** *fam* ◦ **to feel rotten** ne pas être dans son assiette.

rouge [ruːʒ] *n* rouge *m* à joues.

rough [rʌf] ◼ *adj* **1.** rugueux(euse) **2.** *(route)* accidenté(e) **3.** *(mer)* agité(e) **4.** *(traversée)* mauvais(e) **5.** brutal(e) **6.** rude **7.** *(endroit)* mal fréquenté(e) **8.** approximatif(ive) ◦ **rough copy, rough draft** brouillon *m* ◦ **rough sketch** ébauche *f* **9.** *(voix, vin)* âpre **10.** *(vie)* dur(e) ◦ **to have a rough time** en baver. ◼ *n* **1.** brute *f* **2.** ◦ **in rough** au brouillon. ◼ *vt* ◦ **to rough it** vivre à la dure.
◼ **rough up** *vt sép fam* tabasser.

roughage ['rʌfɪdʒ] *n (indén)* fibres *fpl* alimentaires.

rough and ready *adj* rudimentaire.

roughcast ['rʌfkɑːst] *n* crépi *m*.

roughen ['rʌfn] *vt* rendre rugueux(euse) *ou* rêche.

roughly ['rʌflɪ] *adv* **1.** approximativement **2.** brutalement **3.** grossièrement.

roulette [ruː'let] *n (jeu)* roulette *f*.

round [raʊnd] ◼ *adj* rond(e). ◼ *prép (UK)* autour de ◦ **round here** par ici ◦ **all round the country** dans tout le pays ◦ **just round the corner** au coin de la rue ◦ *fig* tout près ◦ **to go round sthg** contourner qqch ◦ **to go round a museum** visiter un musée. ◼ *adv (UK)* **1.** ◦ **all round** tout autour **2.** ◦ **round about** dans le coin **3.** ◦ **10 metres round** 10 mètres de diamètre **4.** ◦ **to go round** faire le tour ◦ **to turn round** se retourner ◦ **to look round** se retourner (pour regarder) **5.** ◦ **come round and see us** venez *ou* passez nous voir ◦ **he's round at her house** il est chez elle **6.** ◦ **round (about)** vers, environ. ◼ *n* **1.** série *f* ◦ **a round of applause** une salve d'applaudissements **2.** partie *f (de cartes)* **3.** visites *fpl (du médecin)* **4.** tournée *f (du facteur)* **5.** cartouche *f* **6.** *(dans un bar)* tournée *f* **7.** *(boxe)* reprise *f*, round *m* **8.** GOLF partie *f*. ◼ *vt* **1.** tourner **2.** prendre *(un virage)*.
◼ **rounds** *npl* visites *fpl* ◦ **to do** *ou* **go the rounds** circuler ◦ faire des ravages.
◼ **round down** *vt sép* arrondir au chiffre inférieur.
◼ **round off** *vt sép* terminer, conclure.
◼ **round up** *vt sép* **1.** rassembler **2.** arrondir au chiffre supérieur.

roundabout ['raʊndəbaʊt] ◼ *adj* détourné(e). ◼ *n (UK)* **1.** rond-point *m* **2.** *(à la fête foraine)* manège *m*.

rounders ['raʊndəz] *n (UK)* sorte de baseball.

roundly ['raʊndlɪ] *adv* **1.** complètement **2.** franchement, carrément.

round-shouldered [-'ʃəʊldəd] *adj* voûté(e).

round trip *n* aller et retour *m*.

roundup ['raʊndʌp] *n* résumé *m*.

rouse [raʊz] *vt* **1.** réveiller **2.** ▪ **to rouse o.s. to do sthg** se forcer à faire qqch ▪ **to rouse sb to action** pousser *ou* inciter qqn à agir **3.** susciter, provoquer.

rousing ['raʊzɪŋ] *adj* **1.** vibrant(e), passionné(e) **2.** enthousiaste.

rout [raʊt] ■ *n* déroute *f*. ■ *vt* mettre en déroute.

route [(UK) ruːt, (US) raʊt] ■ *n* **1.** itinéraire *m* **2.** *fig* chemin *m*, voie *f*. ■ *vt* acheminer.

route map *n* **1.** croquis *m* d'itinéraire **2.** carte *f* du réseau.

routine [ruː'tiːn] ■ *adj* **1.** habituel(elle), de routine **2.** *péj* routinier(ère). ■ *n* routine *f*.

roving ['rəʊvɪŋ] *adj* itinérant(e).

row[1] [rəʊ] ■ *n* **1.** rangée *f* **2.** rang *m* **3.** *fig* série *f* ▪ **in a row** d'affilée, de suite. ■ *vt* **1.** faire aller à la rame **2.** transporter en canot *ou* bateau. ■ *vi* ramer.

row[2] [raʊ] *(UK)* ■ *n* **1.** dispute *f*, querelle *f* **2.** *fam* vacarme *m*, raffut *m*. ■ *vi* se disputer, se quereller.

rowboat ['rəʊbəʊt] *n (US)* canot *m*.

rowdy ['raʊdɪ] *adj* chahuteur(euse), tapageur(euse).

row house [rəʊ-] *n (US) maison attenante aux maisons voisines.*

rowing ['rəʊɪŋ] *n* SPORT aviron *m*.

rowing boat *n (UK)* canot *m*.

royal ['rɔɪəl] ■ *adj* royal(e). ■ *n fam* membre *m* de la famille royale.

Royal Air Force *n* ▪ **the Royal Air Force** l'armée *f* de l'air britannique.

royal family *n* famille *f* royale.

Royal Mail *n* ▪ **the Royal Mail** la Poste britannique.

Royal Navy *n* ▪ **the Royal Navy** la marine de guerre (britannique).

royalty ['rɔɪəltɪ] *n* royauté *f*.
■ **royalties** *npl* droits *mpl* d'auteur.

rpm *npl* (*abr de* **revolutions per minute**) tours *mpl* par minute, tr/min.

RSPCA (*abr de* **Royal Society for the Prevention of Cruelty to Animals**) *n société britannique protectrice des animaux,* ≃ SPA *f*.

rub [rʌb] ■ *vt* frotter ▪ **to rub one's eyes/ hands** se frotter les yeux/les mains ▪ **to rub sthg in** faire pénétrer qqch (en frottant) ▪ **to rub sb up the wrong way** *(UK) ou* **to rub sb the wrong way** *(US)* prendre qqn à rebrousse-poil. ■ *vi* frotter.
■ **rub off on** *vt insép* déteindre sur.
■ **rub out** *vt sép* effacer.

rubber ['rʌbər] ■ *adj* en caoutchouc. ■ *n* **1.** caoutchouc *m* **2.** *(UK)* gomme *f* **3.** *fam* préservatif *m* **4.** *(au bridge)* robre *m*, rob *m*.

rubber band *n* élastique *m*.

rubber plant *n* BOT caoutchouc *m*.

rubber stamp *n* tampon *m*.

rubbish ['rʌbɪʃ] (*surtout UK*) *n* (*indén*) **1.** détritus *mpl* **2.** *fam* camelote *f* ▪ **the play was rubbish** la pièce était nulle **3.** *fam* bêtises *fpl*.

rubbish bin *n (UK)* poubelle *f*.

rubbish dump *n (UK)* dépotoir *m*.

rubble ['rʌbl] *n* (*indén*) décombres *mpl*.

ruby ['ruːbɪ] *n* rubis *m*.

rucksack ['rʌksæk] *n* sac *m* à dos.

ructions ['rʌkʃnz] *npl fam* grabuge *m*.

rudder ['rʌdər] *n* gouvernail *m*.

ruddy ['rʌdɪ] *adj* **1.** coloré(e) **2.** *(UK) fam vieilli* sacré(e).

rude [ruːd] *adj* **1.** impoli(e) **2.** grossier (ère) **3.** incongru(e) **4.** ▪ **it was a rude awakening** le réveil fut pénible.

rudimentary [,ruːdɪ'mentərɪ] *adj* rudimentaire.

rueful ['ruːfʊl] *adj* triste.

ruffian ['rʌfjən] *n vieilli* voyou *m*.

ruffle ['rʌfl] *vt* **1.** ébouriffer **2.** troubler *(la surface de l'eau)* **3.** froisser *(contrarier)*.

rug [rʌg] *n* **1.** tapis *m* **2.** couverture *f*.

rugby ['rʌgbɪ] *n* rugby *m*.

rugged ['rʌgɪd] *adj* **1.** *(paysage)* accidenté(e) **2.** *(traits)* rude **3.** robuste.

rugger ['rʌgər] *n (UK) fam* rugby *m*.

ruin ['ruːɪn] ■ *n* ruine *f*. ■ *vt* **1.** ruiner **2.** abîmer.
■ **in ruin(s)** *adv litt* & *fig* en ruine.

rule [ruːl] ■ *n* **1.** règle *f* ▪ **as a rule** en règle générale **2.** règlement *m* **3.** (*indén*) autorité f. ◧ vt **1.** dominer **2.** gouverner **3.** ▸ **to rule (that)...** décider que… ◧ vi **1.** décider **2.** statuer **3.** sout prévaloir **4.** régner **5.** gouverner.

■ **rule out** vt sép exclure, écarter.

ruled [ruːld] adj réglé(e).

ruler ['ruːləʳ] n **1.** règle f **2.** chef m d'État.

ruling ['ruːlɪŋ] ◧ adj au pouvoir. ◧ n décision f.

rum [rʌm] n rhum m.

rumble ['rʌmbl] ◧ n **1.** grondement m **2.** gargouillement m. ◧ vi **1.** gronder **2.** gargouiller.

rummage ['rʌmɪdʒ] vi fouiller.

rumour (UK), **rumor** (US) ['ruːməʳ] n rumeur f.

rumoured (UK), **rumored** (US) ['ruːməd] adj ▸ **he is rumoured to be very wealthy** le bruit court qu'il est très riche.

rump [rʌmp] n **1.** croupe f **2.** fam derrière m.

rump steak n romsteck m.

rumpus ['rʌmpəs] n fam chahut m.

run [rʌn] ◧ n **1.** course f ▸ **to go for a run** faire un petit peu de course à pied ▸ **on the run** en fuite **2.** tour m (en voiture) **3.** trajet m **4.** suite f, série f ▸ **a run of bad luck** une période de déveine ▸ **in the short/long run** à court/long terme **5.** THÉÂTRE ▸ **to have a long run** tenir longtemps l'affiche **6.** ▸ **run on** ruée f sur **7.** échelle f **8.** (base-ball et cricket) point m **9.** piste f. ◧ vt (prét ran, pp run) **1.** courir **2.** diriger **3.** tenir (un hôtel, un magasin) **4.** organiser **5.** faire marcher **6.** avoir, entretenir **7.** faire couler (de l'eau, un bain) **8.** publier **9.** fam ▸ **can you run me to the station?** tu peux m'amener à la gare ? **10.** ▸ **to run sthg along/over sthg** passer qqch le long de/sur qqch. ◧ vi (prét ran, pp run) **1.** courir **2.** passer ▸ **to run through sthg** traverser qqch **3.** ▸ **to run (for)** être candidat (à) **4.** marcher **5.** (moteur) tourner ▸ **everything is running smoothly** tout va bien ▸ **to run on sthg** marcher à qqch ▸ **to run off sthg** marcher sur qqch **6.** (bus, trains) faire le service ▸ **trains run every hour** il y a un train toutes les heures **7.** couler ▸ **my nose is running** j'ai le nez qui coule **8.** (couleur) déteindre **9.** (encre) baver **10.** (contrat, assurance) être valide **11.** (pièce de théâtre) se jouer.

■ **run across** vt insép tomber sur.

■ **run away** vi ▸ **to run away (from)** s'enfuir (de) ▸ **to run away from home** faire une fugue.

■ **run down** ◧ vt sép **1.** (véhicule) renverser **2.** dénigrer **3.** restreindre **4.** réduire l'activité de. ◧ vi **1.** (montre) s'arrêter **2.** (batterie) se décharger.

■ **run into** vt insép **1.** se heurter à **2.** tomber sur **3.** rentrer dans.

■ **run off** ◧ vt sép tirer. ◧ vi ▸ **to run off (with)** s'enfuir (avec).

■ **run out** vi **1.** s'épuiser ▸ **time is running out** il ne reste plus beaucoup de temps **2.** (licence, contrat) expirer.

■ **run out of** vt insép manquer de ▸ **to run out of petrol** tomber en panne d'essence.

■ **run over** vt sép renverser.

■ **run through** vt insép **1.** répéter **2.** parcourir.

■ **run to** vt insép monter à, s'élever à.

■ **run up** vt insép laisser accumuler (des factures, des dettes).

■ **run up against** vt insép se heurter à.

runaway ['rʌnəweɪ] ◧ adj **1.** fou(folle) **2.** (cheval) emballé(e) **3.** (inflation) galopant(e) ▸ **a runaway victory** une victoire remportée haut la main. ◧ n fuyard m, fugitif m, -ive f.

rundown ['rʌndaʊn] n **1.** bref résumé m **2.** réduction f.

■ **run-down** adj **1.** délabré(e) **2.** épuisé(e).

rung [rʌŋ] ◧ pp ▷ **ring.** ◧ n échelon m, barreau m.

runner ['rʌnəʳ] n **1.** coureur m, -euse f **2.** contrebandier m, -ère f **3.** patin m **4.** glissière f.

runner bean n (UK) haricot m à rames.

runner-up (pl **runners-up**) n second m, -e f.

running ['rʌnɪŋ] ◧ adj **1.** continu(e) **2.** ▸ **three weeks running** trois semaines de suite **3.** courant(e) ▸ **to be up and running** être opérationnel(elle). ◧ n **1.** (indén) SPORT course f ▸ **to go running** faire de la course **2.** direction f, administration f **3.** marche f, fonctionnement m ▸ **to be in the running (for)** avoir des chances de réussir (dans) ▸ **to be out of the running (for)** n'avoir aucune chance de réussir (dans).

runny ['rʌnɪ] adj **1.** (nourriture) liquide **2.** (nez) qui coule.

run-of-the-mill adj banal(e), ordinaire.

runt [rʌnt] n avorton m.

run-up n 1. • **in the run-up to sthg** dans la période qui précède qqch 2. SPORT course f d'élan.

runway ['rʌnweɪ] n piste f.

rupture ['rʌptʃəʳ] n rupture f.

rural ['rʊərəl] adj rural(e).

ruse [ru:z] n ruse f.

rush [rʌʃ] ◼ n 1. hâte f 2. ruée f, bousculade f • **to make a rush for sthg** se ruer ou se précipiter vers qqch • **a rush of air** une bouffée d'air 3. • **rush (on** ou **for)** ruée f (sur). ◼ vt 1. faire à la hâte 2. bousculer 3. expédier (un repas) 4. transporter ou envoyer d'urgence 5. prendre d'assaut. ◼ vi 1. se dépêcher • **to rush into sthg** faire qqch sans réfléchir 2. se précipiter, se ruer • **the blood rushed to her head** le sang lui monta à la tête.
◼ **rushes** npl joncs mpl.

rush hour n heures fpl de pointe ou d'affluence.

rusk [rʌsk] n (UK) biscotte f.

Russia ['rʌʃə] n Russie f.

Russian ['rʌʃn] ◼ adj russe. ◼ n 1. Russe mf 2. russe m.

rust [rʌst] ◼ n rouille f. ◼ vi se rouiller.

rustic ['rʌstɪk] adj rustique.

rustle ['rʌsl] ◼ vt 1. froisser (du papier) 2. (US) voler (du bétail). ◼ vi 1. (feuilles) bruire 2. (papier) produire un froissement.

rusty ['rʌstɪ] adj litt & fig rouillé(e).

rut [rʌt] n ornière f • **to get into a rut** s'encroûter • **to be in a rut** être prisonnier(ère) de la routine.

ruthless ['ru:θlɪs] adj impitoyable.

RV n (US) (abr de **recreational vehicle**) camping-car m.

rye [raɪ] n seigle m.

rye bread n pain m de seigle.

s¹(*pl* **ss** *ou* **s's**), **S** (*pl* **Ss** *ou* **S's**) [es] *n* s *m inv*, S *m inv*.

S² (*abr de* **south**) S.

Sabbath ['sæbəθ] *n* • **the Sabbath** le sabbat.

sabbatical [sə'bætɪkl] *n* année *f* sabbatique • **to be on sabbatical** faire une année sabbatique.

sabotage ['sæbətɑːʒ] ■ *n* sabotage *m*. ■ *vt* saboter.

saccharin(e) ['sækərɪn] *n* saccharine *f*.

sachet ['sæʃeɪ] *n* sachet *m*.

sack [sæk] ■ *n* **1.** sac *m* **2.** (*UK*) *fam* • **to get** *ou* **be given the sack** être renvoyé(e), se faire virer. ■ *vt* (*UK*) *fam* renvoyer, virer.

sacking ['sækɪŋ] *n* **1.** toile *f* à sac **2.** (*UK*) *fam* licenciement *m*.

sacred ['seɪkrɪd] *adj* sacré(e).

sacrifice ['sækrɪfaɪs] *litt* & *fig* ■ *n* sacrifice *m*. ■ *vt* sacrifier.

sacrilege ['sækrɪlɪdʒ] *n litt* & *fig* sacrilège *m*.

sacrosanct ['sækrəʊsæŋkt] *adj litt* & *fig* sacro-saint(e).

sad [sæd] *adj* triste.

sadden ['sædn] *vt* attrister, affliger.

saddle ['sædl] ■ *n* selle *f*. ■ *vt* **1.** seller **2.** *fig* • **to saddle sb with sthg** coller qqch à qqn.

saddlebag ['sædlbæg] *n* sacoche *f* (*de selle ou de bicyclette*).

sadistic [sə'dɪstɪk] *adj* sadique.

sadly ['sædlɪ] *adv* **1.** tristement **2.** malheureusement.

sadness ['sædnɪs] *n* tristesse *f*.

safari [sə'fɑːrɪ] *n* safari *m*.

safe [seɪf] ■ *adj* **1.** sans danger **2.** prudent(e) • **it's safe to say (that)...** on peut dire à coup sûr que... **3.** hors de danger, en sécurité • **safe and sound** sain et sauf (saine et sauve) **4.** (*méthode*) sans

risque **5.** (*investissement*) sûr(e) • **to be on the safe side** par précaution. ■ *n* coffre-fort *m*.

safe-conduct *n* sauf-conduit *m*.

safeguard ['seɪfgɑːd] ■ *n* sauvegarde *f* (contre). ■ *vt* sauvegarder, protéger.

safekeeping [ˌseɪf'kiːpɪŋ] *n* bonne garde *f*.

safely ['seɪflɪ] *adv* **1.** sans danger **2.** en toute sécurité, à l'abri du danger **3.** à bon port, sain et sauf (saine et sauve) **4.** • **I can safely say (that)...** je peux dire à coup sûr que...

safe sex *n* sexe *m* sans risques, S.S.R. *m*.

safety ['seɪftɪ] *n* sécurité *f*.

safety belt *n* ceinture *f* de sécurité.

safety-deposit box *n* (*surtout UK*) coffre-fort *m*.

safety pin *n* épingle *f* de sûreté *ou* à nourrice.

saffron ['sæfrən] *n* safran *m*.

sag [sæg] *vi* s'affaisser, fléchir.

sage [seɪdʒ] ■ *adj* sage. ■ *n* **1.** (*indén*) sauge *f* **2.** sage *m*.

Sagittarius [ˌsædʒɪ'teərɪəs] *n* Sagittaire *m*.

Sahara [sə'hɑːrə] *n* • **the Sahara (Desert)** le (désert du) Sahara.

said [sed] *passé* & *pp* ▷ **say**.

sail [seɪl] ■ *n* **1.** voile *f* • **to set sail** faire voile, prendre la mer **2.** tour *m* en bateau. ■ *vt* **1.** piloter **2.** parcourir (*les mers*). ■ *vi* **1.** aller en bateau **2.** faire de la voile **3.** naviguer **4.** partir, prendre la mer **5.** *fig* voler.
■ **sail through** *vt insép fig* réussir les doigts dans le nez.

sailboat (*US*) = **sailing boat**.

sailing ['seɪlɪŋ] *n* **1.** (*indén*) SPORT voile *f* • **to go sailing** faire de la voile **2.** départ *m*.

sailing boat (*UK*), **sailboat** (*US*) ['seɪlbəʊt] *n* bateau *m* à voiles, voilier *m*.

sailing ship n voilier m.

sailor ['seɪlər] n marin m, matelot m.

saint [seɪnt] n saint m, -e f.

saintly ['seɪntlɪ] adj (vie, comportement) de saint • **she was a saintly woman** c'était une vraie sainte.

Saint Patrick's Day [-'pætrɪks-] n la Saint-Patrick.

> **CULTURE...**
>
> **Saint Patrick's Day**
>
> La Saint-Patrick (17 mars) est une fête célébrée par les Irlandais et descendants d'Irlandais du monde entier. De grands défilés serpentent dans les rues de Dublin, New York et Sydney. La coutume veut que chacun arbore une feuille de trèfle à la boutonnière, ou porte un vêtement de couleur verte, puisque le vert symbolise l'Irlande. A cette occasion, certains bars américains servent même de la bière verte.

sake [seɪk] n • **for the sake of sb** par égard pour qqn, pour (l'amour de) qqn • **for the children's sake** pour les enfants • **for the sake of argument** à titre d'exemple • **for God's sake** pour l'amour de Dieu.

salad ['sæləd] n salade f.

salad bowl n saladier m.

salad cream n (UK) sorte de mayonnaise douce.

salad dressing n vinaigrette f.

salami [sə'lɑːmɪ] n salami m.

salary ['sælərɪ] n salaire m, traitement m.

sale [seɪl] n **1.** vente f • **on sale** (UK) ou **for sale** (US) en vente • **(up) for sale** à vendre **2.** soldes mpl.
■ **sales** npl **1.** ventes fpl **2.** • **the sales** les soldes mpl.

saleroom (UK) ['seɪlrʊm], **salesroom** (US) ['seɪlzrʊm] n salle f des ventes.

sales assistant ['seɪlz-] (UK), **salesclerk** ['seɪlzklɜːrk] (US) n vendeur m, -euse f.

salesman ['seɪlzmən] (pl **-men** [-mən]) n **1.** vendeur m **2.** représentant m de commerce.

sales rep n fam représentant m de commerce.

saleswoman ['seɪlz,wʊmən] (pl **-women** [-,wɪmɪn]) n **1.** vendeuse f **2.** représentante f de commerce.

salient ['seɪljənt] adj sout saillant(e).

saliva [sə'laɪvə] n salive f.

sallow ['sæləʊ] adj cireux(euse).

salmon ['sæmən] (pl inv ou **-s**) n saumon m.

salmonella [,sælmə'nelə] n salmonelle f.

salon ['sælɒn] n salon m.

saloon [sə'luːn] n **1.** (UK) berline f **2.** (US) saloon m **3.** (UK) • **saloon (bar)** bar m **4.** salon m.

salt [sɔlt ou sɒlt] ■ n sel m. ■ vt **1.** saler **2.** mettre du sel sur.
■ **salt away** vt sép mettre de côté.

saltcellar (UK) ['sɔːlt,selər], **saltshaker** [-,ʃeɪkər] n salière f.

saltwater ['sɔːlt,wɔːtər] ■ n eau f de mer. ■ adj de mer.

salty ['sɔːltɪ] adj **1.** salé(e) **2.** (dépôt) de sel.

salutary ['sæljʊtrɪ] adj sout salutaire.

salute [sə'luːt] ■ n salut m. ■ vt saluer. ■ vi faire un salut.

salvage ['sælvɪdʒ] ■ n (indén) **1.** sauvetage m **2.** biens mpl sauvés. ■ vt sauver.

salvation [sæl'veɪʃn] n salut m.

Salvation Army n • **the Salvation Army** l'Armée f du Salut.

same [seɪm] ■ adj même • **she was wearing the same jumper as I was** elle portait le même pull que moi • **at the same time** en même temps • **one and the same** un seul et même(une seule et même). ■ pron • **the same** le même(la même), les mêmes (pl) • **I'll have the same as you** je prendrai la même chose que toi • **she earns the same as I do** elle gagne autant que moi • **to do the same** faire de même • **all** ou **just the same** quand même, tout de même • **it's all the same to me** ça m'est égal • **it's not the same** ce n'est pas pareil. ■ adv • **the same** de la même manière.

sample ['sɑːmpl] ■ n échantillon m. ■ vt goûter.

sanatorium, sanitorium [,sænə'tɔːrɪəm] (pl **-riums** ou **-ria** [-rɪə]) n sanatorium m.

sanctimonious [,sæŋktɪ'məʊnjəs] adj moralisateur(trice).

sanction ['sæŋkʃn] ◼ n sanction f. ◼ vt sanctionner.

sanctity ['sæŋktətɪ] n sainteté f.

sanctuary ['sæŋktʃʊərɪ] n 1. sanctuaire m 2. asile m 3. • **wildlife sanctuary** réserve f animale.

sand [sænd] ◼ n sable m. ◼ vt poncer.

sandal ['sændl] n sandale f.

sandalwood ['sændlwʊd] n (bois m de) santal m.

sandbox (US) = **sandpit**.

sandcastle ['sænd,kɑːsl] n château m de sable.

sand dune n dune f.

sandpaper ['sænd,peɪpər] ◼ n (indén) papier m de verre. ◼ vt poncer (au papier de verre).

sandpit (UK) ['sændpɪt], **sandbox** (US) ['sændbɒks] n bac m à sable.

sandstone ['sændstəʊn] n grès m.

sandwich ['sænwɪdʒ] ◼ n sandwich m. ◼ vt fig • **to be sandwiched between** être (pris(e)) en sandwich entre.

sandwich board n panneau m publicitaire (d'homme sandwich ou posé comme un tréteau).

sandwich course n (UK) stage m de formation professionnelle.

sandwich generation n génération s'occupant à la fois de leurs parents et de leurs propres enfants à charge.

sandy ['sændɪ] adj 1. de sable 2. (sol) sablonneux(euse) 3. (eau) sableux(euse) 4. (couleur) sable (inv).

sane [seɪn] adj 1. sain(e) d'esprit 2. sensé(e).

sang [sæŋ] passé ▷ **sing**.

sanitary ['sænɪtrɪ] adj 1. sanitaire 2. hygiénique, salubre.

sanitary towel (UK), **sanitary napkin** (US) n serviette f hygiénique.

sanitation [,sænɪ'teɪʃn] n (indén) installations fpl sanitaires.

sanity ['sænətɪ] n (indén) 1. santé f mentale, raison f 2. bon sens m.

sank [sæŋk] passé ▷ **sink**.

Santa (Claus) ['sæntə,klɔːz] n le père Noël.

sap [sæp] ◼ n sève f. ◼ vt saper (le moral).

sapling ['sæplɪŋ] n jeune arbre m.

sapphire ['sæfaɪər] n saphir m.

sarcastic [sɑː'kæstɪk] adj sarcastique.

sardine [sɑː'diːn] n sardine f.

Sardinia [sɑː'dɪnjə] n Sardaigne f.

sardonic [sɑː'dɒnɪk] adj sardonique.

SAS (abr de Special Air Service) n commando d'intervention spéciale de l'armée britannique.

sash [sæʃ] n écharpe f (sur un uniforme).

sat [sæt] passé & pp ▷ **sit**.

SAT [sæt] n 1. (abr de Standard Assessment Test), examen national en Grande-Bretagne pour les élèves de 7 ans, 11 ans et 14 ans 2. (abr de Scholastic Aptitude Test), examen d'entrée à l'université aux États-Unis.

Satan ['seɪtn] n Satan m.

satchel ['sætʃəl] n cartable m.

satellite ['sætəlaɪt] ◼ n satellite m. ◼ en apposition satellite.

satellite TV n télévision f par satellite.

satin ['sætɪn] ◼ n satin m. ◼ en apposition 1. de ou en satin 2. satiné(e).

satire ['sætaɪər] n satire f.

satisfaction [,sætɪs'fækʃn] n satisfaction f.

satisfactory [,sætɪs'fæktərɪ] adj satisfaisant(e).

satisfied ['sætɪsfaɪd] adj • **satisfied (with)** satisfait(e) (de).

satisfy ['sætɪsfaɪ] vt 1. satisfaire 2. convaincre, persuader • **to satisfy sb that** convaincre qqn que.

satisfying ['sætɪsfaɪɪŋ] adj satisfaisant(e).

satsuma [,sæt'suːmə] n satsuma f.

saturate ['sætʃəreɪt] vt • **to saturate sthg (with)** saturer qqch (de).

Saturday ['sætədɪ] ◼ n samedi m • **it's Saturday** on est samedi • **on Saturday** samedi • **on Saturdays** le samedi • **last Saturday** samedi dernier • **this Saturday** ce samedi • **next Saturday** samedi prochain • **every Saturday** tous les samedis • **every other Saturday** un samedi sur deux • **the Saturday before** l'autre samedi • **the Saturday before last** pas samedi dernier, mais le samedi d'avant • **the Saturday after next, Saturday week** (UK) ou **a week on Saturday** (UK) samedi en huit. ◼ **en apposition** du ou de samedi » **Saturday morning/afternoon/evening** samedi matin/après-midi/soir.

sauce [sɔs] n sauce f.

saucepan ['sɔspən] n casserole f.

saucer ['sɔsər] n sous-tasse f, soucoupe f.

saucy ['sɔsɪ] adj fam coquin(e).

Saudi Arabia ['saʊdɪ-] n Arabie f Saoudite.

Saudi (Arabian) ['saʊdɪ-] ◼ adj saoudien(enne). ◼ n Saoudien m, -enne f.

sauna ['sɔnə] n sauna m.

saunter ['sɔntər] vi flâner.

sausage ['sɒsɪdʒ] n saucisse f.

sausage roll n (UK) feuilleté m à la saucisse.

sauté [(UK) 'səʊteɪ, (US) sɔː'teɪ] ◼ adj sauté(e). ◼ vt (prét & pp sautéed OU sauté) **1.** faire sauter (des pommes de terre) **2.** faire revenir (des oignons).

savage ['sævɪdʒ] ◼ adj féroce. ◼ n sauvage mf. ◼ vt attaquer avec férocité.

save [seɪv] ◼ vt **1.** sauver » **to save sb's life** sauver la vie à ou de qqn **2.** mettre de côté **3.** économiser **4.** gagner (du temps) **5.** économiser **6.** garder (de la nourriture) **7.** éviter, épargner » **to save sb sthg** épargner qqch à qqn » **to save sb from doing sthg** éviter à qqn de faire qqch **8.** SPORT arrêter **9.** INFORM sauvegarder. ◼ vi mettre de l'argent de côté. ◼ n SPORT arrêt m. ◼ prép sout » **save (for)** sauf, à l'exception de.
◼ **save up** vi mettre de l'argent de côté.

saving grace ['seɪvɪŋ-] n » **its saving grace was...** ce qui le rachetait, c'était...

savings ['seɪvɪŋz] npl économies fpl.

savings account n (US) compte m d'épargne.

savings and loan association n (US) société f de crédit immobilier.

savings bank n caisse f d'épargne.

saviour (UK), **savior** (US) ['seɪvjər] n sauveur m.

savour (UK), **savor** (US) ['seɪvər] vt litt & fig savourer.

savoury (UK), **savory** (US) ['seɪvəri] ◼ adj **1.** (surtout UK) salé(e) **2.** recommandable. ◼ n (UK) petit plat m salé.

saw [sɔ] ◼ passé ⟶ see. ◼ n scie f. ◼ vt ((UK) prét -ed, pp sawn, (US) prét & pp -ed) scier.

sawdust ['sɔdʌst] n sciure f (de bois).

sawmill ['sɔmɪl] n scierie f.

sawn [sɔn] (UK) pp ⟶ saw.

sawn-off shotgun (UK), **sawed-off shotgun** ['sɔd-] (US) n carabine f à canon scié.

saxophone ['sæksəfəʊn] n saxophone m.

say [seɪ] ◼ vt (prét & pp said) **1.** dire » **could you say that again?** vous pouvez répéter ce que vous venez de dire ? » **(let's) say you won the lottery...** supposons que tu gagnes le gros lot... » **it says a lot about him** cela en dit long sur lui » **she's said to be...** on dit qu'elle est... » **that goes without saying** cela va sans dire » **it has a lot to be said for it** cela a beaucoup d'avantages **2.** indiquer » **the clock says 11.40** la pendule indique 11 h 40. ◼ n » **to have a/no say** avoir/ne pas avoir voix au chapitre » **to have a say in sthg** avoir son mot à dire sur qqch » **to have one's say** dire ce que l'on a à dire, dire son mot.
◼ **that is to say** adv c'est-à-dire.

saying ['seɪɪŋ] n dicton m.

scab [skæb] n croûte f (d'une blessure).

scaffold ['skæfəʊld] n échafaud m.

scaffolding ['skæfəldɪŋ] n échafaudage m.

scald [skɔld] ◼ n brûlure f. ◼ vt ébouillanter » **to scald one's arm** s'ébouillanter le bras.

scale [skeɪl] ◼ n **1.** échelle f » **to scale** à l'échelle **2.** graduation f **3.** MUS gamme f **4.** écaille f **5.** (US) = **scales**. ◼ vt **1.** escalader **2.** écailler.
◼ **scale down** vt insép réduire.

scale model n modèle m réduit.

scallop ['skɒləp] ◼ n coquille f Saint-Jacques. ◼ vt cout festonner.

scalp [skælp] ◼ n **1.** cuir m chevelu **2.** scalp m. ◼ vt scalper.

scalpel ['skælpəl] n scalpel m.

scamper ['skæmpər] vi trottiner.

scampi ['skæmpɪ] n (indén) (UK) scampi mpl.

scan [skæn] ▸ n 1. MÉD scanographie f 2. MÉD échographie f. ▸ vt 1. scruter 2. parcourir 3. PHYS balayer 4. INFORM scanner.

scandal ['skændl] n 1. scandale m 2. médisance f.

scandalize, -ise ['skændəlaız] vt scandaliser.

Scandinavia [,skændı'neıvjə] n Scandinavie f.

Scandinavian [,skændı'neıvjən] ▸ adj scandinave. ▸ n Scandinave mf.

scant [skænt] adj insuffisant(e).

scanty ['skæntı] adj 1. insuffisant(e) 2. (revenu) maigre 3. (robe) minuscule.

scapegoat ['skeıpgəut] n bouc m émissaire.

scar [skɑːr] n cicatrice f.

scarce ['skeəs] adj rare, peu abondant(e).

scarcely ['skeəslı] adv à peine ▪ **scarcely anyone** presque personne ▪ **I scarcely ever go there now** je n'y vais presque ou pratiquement plus jamais.

scare [skeər] ▸ n 1. ▪ **to give sb a scare** faire peur à qqn 2. panique f ▪ **bomb scare** alerte f à la bombe. ▸ vt effrayer. ▸ **scare away, scare off** vt sép faire fuir.

scarecrow ['skeəkrəu] n épouvantail m.

scared ['skeəd] adj apeuré(e) ▪ **to be scared** avoir peur ▪ **to be scared stiff** ou **to death** être mort(e) de peur.

scarf [skɑːf] (pl -s ou **scarves** [skɑːvz]) n 1. écharpe f 2. foulard m.

scarlet ['skɑːlət] ▸ adj écarlate. ▸ n écarlate f.

scarlet fever n scarlatine f.

scarves [skɑːvz] npl ▷ **scarf**.

scathing ['skeıðıŋ] adj 1. acerbe 2. cinglant(e).

scatter ['skætər] ▸ vt éparpiller. ▸ vi se disperser.

scatterbrained ['skætəbreınd] adj fam écervelé(e).

scavenger ['skævındʒər] n 1. animal m nécrophage 2. personne f qui fait les poubelles.

scenario [sı'nɑːrıəu] (pl -s) n 1. hypothèse f, scénario m 2. CINÉ scénario m.

scene [siːn] n 1. scène f ▪ **behind the scenes** dans les coulisses 2. spectacle m, vue f 3. tableau m 4. lieu m, endroit m 5. ▪ **the political scene** la scène politique ▪ **the music scene** le monde de la musique ▪ **to set the scene for sb** mettre qqn au courant de la situation ▪ **to set the scene for sthg** préparer la voie à qqch.

scenery ['siːnərı] n (indén) 1. paysage m 2. THÉÂTRE décor m, décors mpl.

scenic ['siːnık] adj touristique ▪ **a scenic view** un beau panorama.

scent [sent] n 1. senteur f, parfum m 2. odeur f, fumet m 3. (indén) parfum m.

scepter (US) = **sceptre**.

sceptic (UK), **skeptic** (US) ['skeptık] n sceptique mf.

sceptical (UK), **skeptical** (US) ['skeptıkl] adj ▪ **sceptical (about)** sceptique (sur).

sceptre (UK), **scepter** (US) ['septər] n sceptre m.

schedule [(UK) 'ʃedjuːl, (US) 'skedʒʊl] ▸ n 1. programme m, plan m ▪ **on schedule** à l'heure (prévue) ▪ à la date prévue ▪ **ahead of/behind schedule** en avance/en retard (sur le programme) 2. horaire m 3. tarif m 4. (US) calendrier m 5. emploi m du temps. ▸ vt ▪ **to schedule sthg (for)** prévoir qqch (pour).

scheduled flight n vol m régulier.

scheme [skiːm] ▸ n 1. plan m, projet m 2. péj combine f 3. arrangement m ▪ **colour scheme** combinaison f de couleurs. ▸ vi péj conspirer.

scheming ['skiːmıŋ] adj intrigant(e).

schism ['sızm ou 'skızm] n schisme m.

schizophrenic [,skıtsə'frenık] ▸ adj schizophrène. ▸ n schizophrène mf.

scholar ['skɒlər] n 1. érudit m, -e f, savant m, -e f 2. vieilli écolier m, -ère f, élève mf 3. boursier m, -ère f.

scholarship ['skɒləʃıp] n 1. bourse f (d'études) 2. érudition f.

school [skuːl] n 1. école f 2. lycée m, collège m 3. faculté f 4. (US) université f.

school age n âge m scolaire.

CULTURE...

school

En Grande-Bretagne, on va d'abord à la *primary school*, de 5 ans à 11 ans, ou à la *infant school*, de 5 à 7 ans, puis à la *junior school*, de 7 à 11 ans. Les élèves âgés de 11 à 16 ans (ou de 11 à 18 ans) fréquentent l'école secondaire, la *secondary school*.

Aux États-Unis, on va d'abord à l'*elementary school* (ou *grade school* ou *grammar school*) de 6 à 12 ans, puis au *junior high school*, de 12 à 14 ans, et ensuite au *high school* à partir de 14 ans. Le C.P. correspond au *year 1* en Grande-Bretagne et au *1st grade* aux États-Unis. L'équivalent de la terminale est le *year 13* en Grande-Bretagne et le *12th grade* aux États-Unis. Dans les deux pays, les écoles privées (*private schools*) sont assez répandues. Attention, en Grande-Bretagne, les plus prestigieuses d'entre-elles sont appelées *public schools* ! Les écoles publiques sont appelées *state schools* en Grande-Bretagne et *public schools* aux États-Unis.

schoolbook ['sku:lbʊk] n manuel m scolaire, livre m de classe.

schoolboy ['sku:lbɔɪ] n écolier m, élève m.

schoolchild ['sku:ltʃaɪld] (pl -children [-tʃɪldrən]) n écolier m, -ère f, élève mf.

schooldays ['sku:ldeɪz] npl années fpl d'école.

schoolgirl ['sku:lgɜ:l] n écolière f, élève f.

schooling ['sku:lɪŋ] n instruction f.

school-leaver [-,li:vər] n (UK) élève qui a fini ses études secondaires.

schoolmaster ['sku:l,mɑ:stər] n vieilli instituteur m.

schoolmistress ['sku:l,mɪstrɪs] n vieilli institutrice f.

school of thought n école f (de pensée).

schoolteacher ['sku:l,ti:tʃər] n 1. instituteur m, -trice f 2. professeur m.

schoolyard n (US) cour f de récréation.

school year n année f scolaire.

schooner ['sku:nər] n 1. schooner m, goélette f 2. (UK) grand verre m à xérès.

sciatica [saɪ'ætɪkə] n sciatique f.

science ['saɪəns] n science f.

science fiction n science-fiction f.

scientific [,saɪən'tɪfɪk] adj scientifique.

scientist ['saɪəntɪst] n scientifique mf.

scintillating ['sɪntɪleɪtɪŋ] adj brillant(e).

scissors ['sɪzəz] npl ciseaux mpl.

sclerosis [sklɪ'rəʊsɪs] ⊳ **multiple sclerosis**.

scoff [skɒf] ◼ vt (UK) fam bouffer, s'empiffrer de. ◼ vi • **to scoff (at)** se moquer (de).

scold [skəʊld] vt gronder, réprimander.

scone [skɒn] n scone m.

scoop [sku:p] ◼ n 1. pelle f à main 2. cuillère f à glace 3. boule f (de glace) 4. PRESSE exclusivité f, scoop m. ◼ vt 1. prendre avec les mains 2. prendre avec une pelle à main.
◼ **scoop out** vt sép évider.

scooter ['sku:tər] n 1. trottinette f 2. scooter m.

scope [skəʊp] n (indén) 1. occasion f, possibilité f 2. étendue f, portée f.

scorch [skɔtʃ] vt 1. brûler légèrement, roussir (des vêtements) 2. brûler (la peau) 3. dessécher (de l'herbe, une région).

scorching ['skɔtʃɪŋ] adj fam 1. torride 2. brûlant(e).

score [skɔr] ◼ n 1. SPORT score m 2. SCOL note f 3. vieilli vingt 4. MUS partition f 5. • **on that score** à ce sujet. ◼ vt 1. marquer • **to score 100** avoir 100 sur 100 2. remporter 3. entailler. ◼ vi SPORT marquer (un but/point).

scoreboard ['skɔbɔd] n tableau m d'affichage (du score).

scorer ['skɔrər] n SPORT marqueur m.

scorn [skɒn] ◼ n (indén) mépris m, dédain m. ◼ vt 1. mépriser 2. rejeter, dédaigner.

scornful ['skɒnfʊl] adj méprisant(e) • **to be scornful of sthg** dédaigner qqch.

Scorpio ['skɔpɪəʊ] (pl -s) n Scorpion m.

scorpion ['skɔpjən] n scorpion m.

Scot [skɒt] n Écossais m, -e f.

scotch [skɒtʃ] vt 1. étouffer (une rumeur) 2. faire échouer (un projet).

Scotch [skɒtʃ] ■ *adj* écossais(e). ■ *n* scotch *m*, whisky *m*.

Scotch (tape)® *n (US)* Scotch® *m*.

scot-free *adj fam* • **to get off scot-free** s'en tirer sans être puni(e).

Scotland ['skɒtlənd] *n* Écosse *f*.

Scots [skɒts] ■ *adj* écossais(e). ■ *n* écossais *m*.

Scotsman ['skɒtsmən] (*pl* -men [-mən]) *n* Écossais *m*.

Scotswoman ['skɒtswomən] (*pl* -women [-,wimin]) *n* Écossaise *f*.

Scottish ['skɒtiʃ] *adj* écossais(e).

Scottish Parliament *n* Parlement *m* écossais.

scoundrel ['skaundrəl] *n vieilli* gredin *m*.

scour [skauər] *vt* 1. récurer 2. parcourir 3. battre *(la campagne)*.

scourge [skɜːdʒ] *n sout* fléau *m*.

scout [skaut] *n* éclaireur *m*.
■ **Scout** *n* Scout *m*.
■ **scout around** *vi* • **to scout around (for)** aller à la recherche (de).

scowl [skaul] ■ *n* regard *m* noir. ■ *vi* se renfrogner, froncer les sourcils • **to scowl at sb** jeter des regards noirs à qqn.

scrabble ['skræbl] *vi* 1. • **to scrabble at sthg** gratter qqch 2. • **to scrabble around for sthg** tâtonner pour trouver qqch.

scraggy ['skrægi] *adj* décharné(e), maigre.

scramble ['skræmbl] ■ *n* bousculade *f*, ruée *f*. ■ *vi* 1. • **to scramble up a hill** grimper une colline en s'aidant des mains *ou* à quatre pattes 2. • **to scramble for sthg** se disputer qqch.

scrambled eggs ['skræmbld-] *npl* œufs *mpl* brouillés.

scrap [skræp] ■ *n* 1. bout *m* 2. fragment *m* 3. bribe *f (de conversation)* 4. ferraille *f* 5. *fam* bagarre *f*. ■ *vt* 1. mettre à la ferraille 2. abandonner, laisser tomber.
■ **scraps** *npl* restes *mpl*.

scrapbook ['skræpbuk] *n* album *m (de coupures de journaux)*.

scrap dealer *n* ferrailleur *m*.

scrape [skreip] ■ *n* 1. raclement *m*, grattement *m* 2. *fam vieilli* • **to get into a scrape** se fourrer dans le pétrin. ■ *vt*

1. gratter, racler • **to scrape sthg off sthg** enlever qqch de qqch en grattant *ou* raclant 2. érafler. ■ *vi* gratter.
■ **scrape through** *vt insép* réussir de justesse.

scraper ['skreipər] *n* grattoir *m*, racloir *m*.

scrap merchant *n (UK)* ferrailleur *m*, marchand *m* de ferraille.

scrap paper, scratch paper *(US) n* (papier *m*) brouillon *m*.

scrapyard ['skræpjɑːd] *n* parc *m* à ferraille.

scratch [skrætʃ] ■ *n* 1. *(blessure)* égratignure *f* 2. *(trace sur peinture, verre)* éraflure *f* • **to be up to scratch** être à la hauteur • **to do sthg from scratch** faire qqch à partir de rien. ■ *vt* 1. écorcher, égratigner 2. rayer 3. gratter 4. sport annuler *(un match)*. ■ *vi* 1. gratter 2. se gratter.

scratch card *n* carte *f* à gratter.

scrawl [skrɔːl] ■ *n* griffonnage *m*, gribouillage *m*. ■ *vt* griffonner, gribouiller.

scrawny ['skrɔːni] *adj* 1. efflanqué(e) 2. décharné(e).

scream [skriːm] ■ *n* 1. cri *m* perçant, hurlement *m* 2. éclat *m (de rire)*. ■ *vt* hurler. ■ *vi* crier, hurler.

scree [skriː] *n* éboulis *m*.

screech [skriːtʃ] ■ *n* 1. cri *m* perçant 2. crissement *m*. ■ *vt* hurler. ■ *vi* 1. pousser des cris perçants 2. crisser.

screen [skriːn] ■ *n* 1. écran *m* 2. paravent *m*. ■ *vt* 1. ciné & tv projeter 2. cacher, masquer 3. protéger 4. passer au crible, filtrer.

screen break *n* pause *f*.

screening ['skriːnɪŋ] *n* 1. ciné projection *f* 2. tv passage *m* à la télévision 3. sélection *f*, tri *m* 4. méd dépistage *m*.

screenplay ['skriːnpleɪ] *n* scénario *m*.

screenshot ['skriːnʃɑːt] *n* 1. copie *f* d'écran 2. capture *f* d'écran.

screw [skruː] ■ *n* vis *f*. ■ *vt* 1. • **to screw sthg to sthg** visser qqch à *ou* sur qqch 2. visser 3. *vulg* baiser. ■ *vi* se visser.
■ **screw up** *vt sép* 1. froisser, chiffonner 2. plisser 3. tordre 4. *vulg* gâcher, bousiller.

screwdriver ['skruː,draɪvər] *n* tournevis *m*.

scribble ['skrɪbl] ◼ n gribouillage m, griffonnage m. ◼ vt & vi gribouiller, griffonner.

script [skrɪpt] n 1. scénario m, script m 2. écriture f 3. (écriture f) script m.

Scriptures ['skrɪptʃəz] npl ◾ the Scriptures les (saintes) Écritures fpl.

scriptwriter ['skrɪpt,raɪtəʳ] n scénariste mf.

scroll [skrəʊl] ◼ n rouleau m. ◼ vt INFORM faire défiler.

scrounge [skraʊndʒ] fam vt ◾ to scrounge money off sb taper qqn ◾ can I scrounge a cigarette off you? je peux te piquer une cigarette ?

scrounger ['skraʊndʒəʳ] n fam parasite m.

scrub [skrʌb] ◼ n 1. ◾ to give sthg a scrub nettoyer qqch à la brosse 2. (indén) broussailles fpl. ◼ vt 1. laver ou nettoyer à la brosse 2. frotter 3. récurer.

scruff [skrʌf] n ◾ by the scruff of the neck par la peau du cou.

scruffy ['skrʌfɪ] adj mal soigné(e).

scrum(mage) ['skrʌm(ɪdʒ)] n RUGBY mêlée f.

scruples ['skruːplz] npl scrupules mpl.

scrutinize, -ise ['skruːtɪnaɪz] vt scruter, examiner attentivement.

scrutiny ['skruːtɪnɪ] n (indén) examen m attentif.

scuba diving ['skuːbə-] n plongée f sous-marine (avec bouteilles).

scuff [skʌf] vt 1. érafler 2. ◾ to scuff one's feet traîner les pieds.

scuffle ['skʌfl] n bagarre f.

scullery ['skʌlərɪ] n arrière-cuisine f.

sculptor ['skʌlptəʳ] n sculpteur m, -e f ou -trice f.

sculpture ['skʌlptʃəʳ] ◼ n sculpture f. ◼ vt sculpter.

scum [skʌm] n (indén) 1. écume f, mousse f 2. tfam péj salaud m 3. tfam péj déchets mpl.

scupper ['skʌpəʳ] vt 1. NAUT couler 2. (UK) fig saboter, faire tomber à l'eau.

scurrilous ['skʌrələs] adj sout calomnieux(euse).

scurry ['skʌrɪ] vi se précipiter ◾ to scurry away ou off se sauver, détaler.

scuttle ['skʌtl] ◼ n seau m à charbon. ◼ vi courir précipitamment ou à pas précipités.

scythe [saɪð] n faux f.

SDLP (abr de **Social Democratic and Labour Party**) n parti travailliste d'Irlande du Nord.

sea [siː] ◼ n mer f ◾ at sea en mer ◾ by sea par mer ◾ by the sea au bord de la mer ◾ out to sea au large ◾ to be all at sea nager complètement. ◼ en apposition 1. (voyage) en mer 2. (animal) marin(e), de mer.

seabed ['siːbed] n ◾ the seabed le fond de la mer.

seaboard ['siːbɔːd] n littoral m, côte f.

sea breeze n brise f de mer.

seafood ['siːfuːd] n (indén) fruits mpl de mer.

seafront ['siːfrʌnt] n front m de mer.

seagull ['siːgʌl] n mouette f.

seal [siːl] ◼ n (pl inv ou -s) 1. phoque m 2. cachet m, sceau m. ◼ vt 1. coller, fermer 2. sceller, cacheter 3. obturer, boucher.

◾ seal off vt sép interdire l'accès de.

sea level n niveau m de la mer.

sea lion (pl inv ou -s) n otarie f.

seam [siːm] n 1. couture f 2. couche f, veine f (de charbon).

seaman ['siːmən] (pl -men [-mən]) n marin m.

seamy ['siːmɪ] adj sordide.

séance ['seɪɒns] n séance f de spiritisme.

seaplane ['siːpleɪn] n hydravion m.

seaport ['siːpɔːt] n port m de mer.

search [sɜːtʃ] ◼ n 1. fouille f 2. recherche f, recherches fpl ◾ search for recherche de ◾ in search of à la recherche de. ◼ vt 1. fouiller (une maison, une personne) 2. fouiller dans (un tiroir, ses souvenirs). ◼ vi ◾ to search (for sb/sthg) chercher (qqn/qqch).

search engine n INFORM moteur m de recherche.

searching ['sɜːtʃɪŋ] adj 1. (question) poussé(e), approfondi(e) 2. (regard) pénétrant(e) 3. (examen) minutieux(euse).

searchlight ['sɜːtʃlaɪt] n projecteur m.

search party n équipe f de secours.

search warrant *n* mandat *m* de perquisition.

seashell ['siːʃel] *n* coquillage *m*.

seashore ['siːʃɔr] *n* ▪ **the seashore** le rivage, la plage.

seasick ['siːsɪk] *adj* ▪ **to be** *ou* **feel seasick** avoir le mal de mer.

seaside ['siːsaɪd] *n* ▪ **the seaside** le bord de la mer.

seaside resort *n* station *f* balnéaire.

season ['siːzn] ◼ *n* **1.** saison *f* ▪ **in season** de saison ▪ **out of season** hors saison **2.** cycle *m* (*de films*). ◼ *vt* assaisonner.

seasonal ['siːzənl] *adj* saisonnier(ère).

seasoned ['siːznd] *adj* **1.** chevronné(e), expérimenté(e) **2.** (*soldat*) aguerri(e).

seasoning ['siːznɪŋ] *n* assaisonnement *m*.

season ticket *n* carte *f* d'abonnement.

seat [siːt] ◼ *n* **1.** siège *m* **2.** fauteuil *m* ▪ **take a seat!** asseyez-vous ! **3.** place *f* (*dans le bus, le train*) **4.** fond *m* (*de pantalon*). ◼ *vt* faire asseoir, placer ▪ **please be seated** veuillez vous asseoir.

seat belt *n* ceinture *f* de sécurité.

seating ['siːtɪŋ] *n* (*indén*) sièges *mpl*, places *fpl* (assises).

seawater ['siːˌwɔtər] *n* eau *f* de mer.

seaweed ['siːwiːd] *n* (*indén*) algue *f*.

seaworthy ['siːˌwɜːðɪ] *adj* en bon état de navigabilité.

sec. *abrév de* **second**.

secede [sɪˈsiːd] *vi sout* ▪ **to secede (from)** se séparer (de), faire sécession (de).

secluded [sɪˈkluːdɪd] *adj* retiré(e), écarté(e).

seclusion [sɪˈkluːʒn] *n* solitude *f*, retraite *f*. ▪

second ['sekənd] ◼ *n* **1.** seconde *f* ▪ **second (gear)** seconde **2.** (*UK*) UNIV ≃ licence *f* avec mention assez bien. ◼ *num* deuxième, second(e) ▪ **his score was second only to hers** il n'y a que elle qui ait fait mieux que lui. ◼ *vt* appuyer. ▪ *voir aussi* **sixth**
◼ **seconds** *npl* **1.** COMM articles *mpl* de second choix **2.** rabiot *m*.

secondary ['sekəndrɪ] *adj* secondaire ▪ **to be secondary to** être moins important(e) que.

secondary school *n* (*UK*) école *f* secondaire, lycée *m*.

second-class ['sekənd-] *adj* **1.** *péj* (*citoyen*) de deuxième zone **2.** *péj* (*produit*) de second choix **3.** (*billet*) de seconde *ou* deuxième classe **4.** (*timbre*) à tarif réduit **5.** (*UK*) UNIV ≃ avec mention assez bien.

second hand ['sekənd-] *n* trotteuse *f*.

second-hand ['sekənd-] ◼ *adj* **1.** d'occasion **2.** *fig* (*information*) de seconde main. ◼ *adv* d'occasion.

secondly ['sekəndlɪ] *adv* deuxièmement, en second lieu.

secondment [sɪˈkɒndmənt] *n* (*UK*) affectation *f* temporaire.

second-rate ['sekənd-] *adj péj* médiocre.

second thought ['sekənd-] *n* ▪ **to have second thoughts about sthg** avoir des doutes sur qqch ▪ **on second thoughts** (*UK*) *ou* **on second thought** (*US*) réflexion faite, tout bien réfléchi.

secrecy ['siːkrəsɪ] *n* (*indén*) secret *m*.

secret ['siːkrɪt] *adj* secret(ète).

secretarial [ˌsekrəˈteərɪəl] *adj* (*école, formation*) de secrétariat, de secrétaire ▪ **secretarial staff** secrétariat *m*.

secretary [(*UK*) 'sekrətrɪ, (*US*) 'sekrəˌterɪ] *n* **1.** secrétaire *mf* **2.** ministre *mf*.

Secretary of State *n* **1.** (*UK*) ▪ **Secretary of State (for)** ministre *m* (de) **2.** (*US*) ≃ ministre *m* des Affaires étrangères.

secretive ['siːkrətɪv] *adj* secret(ète), dissimulé(e).

secretly ['siːkrɪtlɪ] *adv* secrètement.

sect [sekt] *n* secte *f*.

sectarian [sekˈteərɪən] *adj* d'ordre religieux.

section ['sekʃn] ◼ *n* **1.** section *f*, partie *f* **2.** tronçon *m* (*d'une route*) **3.** article *m* (*de loi*) **4.** GÉOM coupe *f*, section *f*. ◼ *vt* sectionner.

sector ['sektər] *n* secteur *m*.

secular ['sekjʊlər] *adj* **1.** (*vie*) séculier(ère) **2.** (*école*) laïque **3.** (*musique*) profane.

secure [sɪˈkjʊər] ◼ *adj* **1.** fixe **2.** bien fermé(e) **3.** (*avenir*) sûr(e) **4.** (*objets de valeur*) en sécurité **5.** (*enfance*) tranquille **6.** (*mariage*) solide. ◼ *vt* **1.** obtenir **2.** attacher **3.** bien fermer **4.** assurer la sécurité de.

security [sɪˈkjʊərətɪ] *n* sécurité *f*.
◼ **securities** *npl* FIN titres *mpl*, valeurs *fpl*.

security gate *n* portique *m*.

security guard *n* garde *m* de sécurité.

sedan [sɪ'dæn] n (US) berline f.

sedate [sɪ'deɪt] ■ adj posé(e), calme. ■ vt donner un sédatif à.

sedation [sɪ'deɪʃn] n (indén) sédation f • **under sedation** sous calmants.

sedative ['sedətɪv] n calmant m.

sediment ['sedɪmənt] n sédiment m, dépôt m.

seduce [sɪ'djuːs] vt séduire • **to seduce sb into doing sthg** amener ou entraîner qqn à faire qqch.

seductive [sɪ'dʌktɪv] adj séduisant(e).

see [siː] (prét saw, pp seen) ■ vt **1.** voir • **see you!** au revoir ! • **see you soon/later/tomorrow!** etc à bientôt/tout à l'heure/demain ! etc **2.** • **I saw her to the door** je l'ai accompagnée jusqu'à la porte • **I saw her onto the train** je l'ai accompagnée au train **3.** • **to see (that)...** s'assurer que... ■ vi voir • **you see,...** voyez-vous,... • **I see** je vois, je comprends • **let's see, let me see** voyons, voyons voir.
■ **see about** vt insép s'occuper de.
■ **see off** vt sép **1.** accompagner (pour dire au revoir) **2.** (UK) faire partir ou fuir.
■ **see out** vt sép raccompagner à la porte • **can you see yourself out?** pouvez-vous trouver la sortie tout seul ?
■ **see through** vt insép voir clair dans • **to see through sb** voir dans le jeu de qqn. ■ vt sép mener à terme.
■ **see to** vt insép s'occuper de.

seed [siːd] n graine f.
■ **seeds** npl fig germes mpl, semences fpl.

seedling ['siːdlɪŋ] n semis m.

seedy ['siːdɪ] adj miteux(euse).

seek [siːk] (prét & pp sought) vt **1.** chercher **2.** rechercher • **to seek to do sthg** chercher à faire qqch **3.** demander (conseil, de l'aide).

seem [siːm] ■ vi sembler, paraître • **to seem sad** avoir l'air triste. ■ v impers • **it seems (that)...** il semble ou paraît que...

seemingly ['siːmɪŋlɪ] adv apparemment.

seen [siːn] pp ➢ **see**.

seep [siːp] vi suinter.

seesaw ['siːsɔ] n bascule f.

seethe [siːð] vi **1.** être furieux(euse) **2.** • **to be seething with** grouiller de.

see-through adj transparent(e).

segment ['segmənt] n **1.** partie f, section f **2.** quartier m (de fruit).

segregate ['segrɪgeɪt] vt séparer.

Seine [seɪn] n • **the (River) Seine** la Seine.

seize [siːz] vt **1.** saisir, attraper **2.** s'emparer de, prendre **3.** DR arrêter **4.** fig saisir.
■ **seize (up)on** vt insép saisir.
■ **seize up** vi **1.** s'ankyloser **2.** (moteur) se gripper.

seizure ['siːʒə'] n **1.** MÉD crise f, attaque f **2.** (indén) capture f (d'une ville, d'un criminel) **3.** prise f (de pouvoir).

seldom ['seldəm] adv peu souvent.

select [sɪ'lekt] ■ adj **1.** choisi(e) **2.** de premier ordre, d'élite. ■ vt sélectionner.

selection [sɪ'lekʃn] n sélection f, choix m.

selective [sɪ'lektɪv] adj **1.** sélectif(ive) **2.** (personne) difficile.

self [self] (pl **selves** [selvz]) n moi m • **she's her old self again** elle est redevenue elle-même.

self-addressed stamped envelope [-ə'drest-] n (US) enveloppe f affranchie pour la réponse.

self-assured adj sûr(e) de soi.

self-catering adj (UK) • en maison louée • en appartement loué.

self-centred (UK), **self-centered** (US) [-'sentəd] adj égocentrique.

self-confessed [-kən'fest] adj de son propre aveu.

self-confident adj sûr(e) de soi.

self-conscious adj timide.

self-contained [-kən'teɪnd] adj (appartement) indépendant(e), avec entrée particulière.

self-control n maîtrise f de soi.

self-defence (UK), **self-defense** (US) n autodéfense f.

self-discipline n **1.** maîtrise f de soi **2.** autodiscipline f.

self-employed [-ɪm'plɔɪd] adj qui travaille à son propre compte.

self-esteem n respect m de soi, estime f de soi.

self-evident adj qui va de soi, évident(e).

self-explanatory adj évident(e).

self-government n autonomie f.

self-important *adj* suffisant(e).

self-indulgent *adj péj* **1.** qui ne se refuse rien **2.** nombriliste.

self-interest *n (indén) péj* intérêt *m* personnel.

selfish ['selfɪʃ] *adj* égoïste.

selfishness ['selfɪʃnɪs] *n* égoïsme *m*.

selfless ['selflɪs] *adj* désintéressé(e).

self-made *adj* ▪ **self-made man** self-made-man *m*.

self-medication *n* automédication *f*.

self-opinionated *adj* opiniâtre.

self-pity *n* apitoiement *m* sur son sort.

self-portrait *n* autoportrait *m*.

self-possessed *adj* maître (maîtresse) de soi.

self-raising flour *(UK)* [-ˌreɪzɪŋ-], **self-rising flour** *(US)* *n* farine *f* avec levure incorporée.

self-reliant *adj* indépendant(e).

self-respect *n* respect *m* de soi.

self-respecting [-rɪs'pektɪŋ] *adj* qui se respecte.

self-restraint *n (indén)* retenue *f*, mesure *f*.

self-righteous *adj* suffisant(e).

self-sacrifice *n* abnégation *f*.

self-satisfied *adj* suffisant(e), content(e) de soi.

self-service *n* libre-service *m*.

self-study ▪ *n* autoformation *f*. ▪ *adj* d'autoformation.

self-sufficient *adj* autosuffisant(e) ▪ **to be self-sufficient in** satisfaire à ses besoins en.

self-taught *adj* autodidacte.

sell [sel] *(prét & pp* **sold)** ▪ *vt* **1.** vendre ▪ **to sell sthg for £100** vendre qqch 100 livres ▪ **to sell sthg to sb, to sell sb sthg** vendre qqch à qqn **2.** *fig* ▪ **to sell sthg to sb, to sell sb sthg** faire accepter qqch à qqn. ▪ *vi* se vendre ▪ **it sells for** *ou* **at £10** il se vend 10 livres.
▪ **sell off** *vt sép* vendre, liquider.
▪ **sell out** ▪ *vt sép* ▪ **the performance is sold out** il ne reste plus de places, tous les billets ont été vendus. ▪ *vi* **1.** ▪ **we've sold out** on n'en a plus **2.** être infidèle à ses principes.

sell-by date *n (UK)* date *f* limite de vente.

seller ['selər] *n* vendeur *m*, -euse *f*.

selling price *n* prix *m* de vente.

Sellotape® ['seləteɪp] *n (UK)* ≃ Scotch® *m*.

sell-out *n* ▪ **the match was a sell-out** on a joué à guichets fermés.

selves [selvz] *npl* ▷ **self**.

semaphore ['seməfɔːr] *n (indén)* signaux *mpl* à bras.

semblance ['sembləns] *n* semblant *m*.

semen ['siːmen] *n (indén)* sperme *m*.

semester [sɪ'mestər] *n* semestre *m*.

semicircle ['semɪˌsɜːkl] *n* demi-cercle *m*.

semicolon [ˌsemɪ'kəʊlən] *n* point-virgule *m*.

semidetached [ˌsemɪdɪ'tætʃt] *(UK)* ▪ *adj* jumelé(e). ▪ *n* maison *f* jumelée.

semifinal [ˌsemɪ'faɪnl] *n* demi-finale *f*.

seminar ['semɪnɑːr] *n* séminaire *m*.

seminary ['semɪnərɪ] *n* séminaire *m*.

semiskilled [ˌsemɪ'skɪld] *adj* spécialisé(e).

semolina [ˌsemə'liːnə] *n* semoule *f*.

Senate ['senɪt] *n* ▪ **the Senate** le Sénat ▪ **the United States Senate** le Sénat américain.

senator ['senətər] *n* sénateur *m*, -trice *f*.

send [send] *(prét & pp* **sent)** *vt* envoyer, expédier ▪ **to send sb sthg, to send sthg to sb** envoyer qqch à qqn ▪ **send her my love** embrasse-la pour moi ▪ **to send sb for sthg** envoyer qqn chercher qqch.
▪ **send for** *vt insép* **1.** faire venir **2.** commander par correspondance.
▪ **send in** *vt sép* envoyer, soumettre.
▪ **send off** *vt sép* **1.** expédier **2.** *(UK)* expulser.
▪ **send off for** *vt insép* commander par correspondance.

sender ['sendər] *n* expéditeur *m*, -trice *f*.

send-off *n* fête *f* d'adieu.

senile ['siːnaɪl] *adj* sénile.

senior ['siːnjər] ▪ *adj* **1.** plus haut placé(e) **2.** ▪ **senior to sb** d'un rang plus élevé que qqn **3.** grand(e). ▪ *n* **1.** aîné *m*, -e *f* **2.** grand *m*, -e *f*.

senior citizen *n* personne *f* âgée *ou* du troisième âge.

sensation [sen'seɪʃn] *n* sensation *f*.

sensational [sen'seɪʃənl] *adj* sensationnel(elle).

sensationalist [sen'seɪʃnəlɪst] *adj* à sensation.

sense [sens] ◼ *n* **1.** sens *m* • **to make sense** avoir un sens • **sense of smell** odorat *m* **2.** sentiment *m* **3.** bon sens *m*, intelligence *f* • **to make sense** être logique • **to come to one's senses** revenir à la raison • reprendre connaissance. ◼ *vt* sentir.

senseless ['senslɪs] *adj* **1.** stupide **2.** sans connaissance.

sensibility [,sensɪ'bɪlətɪ] (*pl* -ies) *n* sensibilité *f*.

sensible ['sensəbl] *adj* raisonnable, judicieux(euse).

sensitive ['sensɪtɪv] *adj* **1.** • **sensitive (to)** sensible (à) **2.** délicat(e) **3.** • **sensitive (about)** susceptible (en ce qui concerne).

sensual ['sensjʊəl] *adj* sensuel(elle).

sensuous ['sensjʊəs] *adj* qui affecte les sens.

sent [sent] *passé & pp* ▷ **send**.

sentence ['sentəns] ◼ *n* **1.** phrase *f* **2.** condamnation *f*, sentence *f*. ◼ *vt* • **to sentence sb (to)** condamner qqn (à).

sentiment ['sentɪmənt] *n* **1.** sentiment *m* **2.** opinion *f*, avis *m*.

sentimental [,sentɪ'mentl] *adj* sentimental(e).

sentry ['sentrɪ] *n* sentinelle *f*.

separate ◼ *adj* ['seprət] **1.** • **separate (from)** séparé(e) (de) **2.** distinct(e). ◼ *vt* ['sepəreɪt] **1.** • **to separate sb/sthg (from)** séparer qqn/qqch (de) • **to separate sthg into** diviser *ou* séparer qqch en **2.** • **to separate sb/sthg (from)** distinguer qqn/qqch (de). ◼ *vi* ['sepəreɪt] se séparer • **to separate into** se diviser *ou* se séparer en.

separately ['seprətlɪ] *adv* séparément.

separation [,sepə'reɪʃn] *n* séparation *f*.

September [sep'tembər] *n* septembre *m* • **in September** en septembre • **last September** en septembre dernier • **this September** en septembre de cette année • **next September** en septembre prochain • **by September** en septembre, d'ici septembre • **every September** tous les ans en septembre • **during September** pendant le mois de septembre • **at the beginning of September** début septembre • **at the end of September** fin septembre • **in the middle of September** à la mi-septembre.

septic ['septɪk] *adj* infecté(e).

septic tank *n* fosse *f* septique.

sequel ['si:kwəl] *n* **1.** • **sequel (to)** (*livre, film*) suite *f* (de) **2.** • **sequel (to)** conséquence *f* (de).

sequence ['si:kwəns] *n* **1.** suite *f*, succession *f* **2.** ordre *m* **3.** CINÉ séquence *f*.

Serbia ['sɜ:bjə] *n* Serbie *f*.

Serbian ['sɜ:bjən], **Serb** [sɜ:b] ◼ *adj* serbe. ◼ *n* **1.** Serbe *mf* **2.** serbe *m*.

serene [sɪ'ri:n] *adj* serein(e), tranquille.

sergeant ['sɑ:dʒənt] *n* **1.** MIL sergent *m*, -e *f* **2.** (*dans la police*) brigadier *m*, -ère *f*.

sergeant major *n* sergent-major *m*.

serial ['sɪərɪəl] *n* feuilleton *m*.

serial number *n* numéro *m* de série.

series ['sɪəri:z] (*pl inv*) *n* série *f*.

serious ['sɪərɪəs] *adj* **1.** sérieux(euse) **2.** grave • **to be serious about doing sthg** songer sérieusement à faire qqch.

seriously ['sɪərɪəslɪ] *adv* **1.** sérieusement **2.** (*malade*) gravement **3.** (*blessé*) grièvement • **to take sb/sthg seriously** prendre qqn/qqch au sérieux.

seriousness ['sɪərɪəsnɪs] *n* **1.** gravité *f* **2.** sérieux *m*.

sermon ['sɜ:mən] *n* sermon *m*.

serrated [sɪ'reɪtɪd] *adj* en dents de scie.

servant ['sɜ:vənt] *n* domestique *mf*.

serve [sɜ:v] ◼ *vt* **1.** servir **2.** • **to serve to do sthg** servir à faire qqch • **to serve a purpose** servir à un usage **3.** desservir **4.** servir (*un repas, un client*) • **to serve sthg to sb, to serve sb sthg** servir qqch à qqn **5.** DR • **to serve sb with a summons/writ** signifier une assignation/ une citation à qqn **6.** purger, faire (*une peine de prison*) **7.** faire (*un apprentissage*) **8.** TENNIS servir **9.** • **it serves him/you right** c'est bien fait pour lui/toi. ◼ *vi* servir • **to serve as** servir de. ◼ *n* TENNIS service *m*.

◼ **serve out, serve up** *vt sép* servir.

service ['sɜ:vɪs] ◼ *n* **1.** service *m* • **in/ out of service** en/hors service • **to be of service (to sb)** être utile (à qqn), rendre service (à qqn) **2.** révision f **3.** entretien m **4.** TENNIS service m. ◼ vt **1.** réviser **2.** assurer l'entretien de.

◼ **services** npl **1.** (UK) aire f de services **2.** • **the services** les forces fpl armées.

serviceable [ˈsɜːvɪsəbl] adj pratique.

service area n (UK) aire f de services.

service charge n service m.

serviceman [ˈsɜːvɪsmən] (pl **-men** [-mən]) n soldat m, militaire m.

service provider n INFORM fournisseur m d'accès.

service station n station-service f.

serviette [ˌsɜːvɪˈet] n (UK) serviette f (de table).

sesame [ˈsesəmɪ] n sésame m.

session [ˈseʃn] n **1.** séance f **2.** (US) UNIV trimestre m.

set [set] ◼ adj **1.** fixe • **set expression** OU **phrase** expression f figée **2.** (UK) SCOL au programme **3.** • **set (for sthg/to do sthg)** prêt(e) (à qqch/à faire qqch) **4.** • **to be set on sthg** vouloir absolument qqch • **to be set on doing sthg** être résolu(e) à faire qqch • **to be dead set against sthg** s'opposer formellement à qqch. ◼ n **1.** ensemble m **2.** jeu m (de clés) **3.** collection f (de timbres) **4.** série f (de casseroles) • **a set of teeth** une dentition, une denture • un dentier **5.** poste m **6.** CINÉ plateau m **7.** THÉÂTRE scène f **8.** manche f, set m. ◼ vt (prét & pp set) **1.** placer, poser, mettre **2.** sertir, monter **3.** • **to set sb free** libérer qqn, mettre qqn en liberté • **to set sthg in motion** mettre qqch en branle OU en route • **to set sthg on fire** mettre le feu à qqch **4.** tendre (un piège) **5.** mettre (la table) **6.** régler **7.** fixer (une date, un délai) **8.** donner (l'exemple) **9.** lancer (une mode) **10.** établir (un record) **11.** donner (des devoirs) **12.** poser (un problème) **13.** MÉD plâtrer **14.** • **to be set in** se passer à, se dérouler à. ◼ vi (prét & pp set) **1.** (soleil) se coucher **2.** (mayonnaise) prendre **3.** (ciment) durcir.

◼ **set about** vt insép entreprendre, se mettre à • **to set about doing sthg** se mettre à faire qqch.

◼ **set aside** vt sép **1.** mettre de côté **2.** rejeter, écarter.

◼ **set back** vt sép retarder.

◼ **set off** ◼ vt sép **1.** déclencher, provoquer **2.** faire exploser (une bombe) **3.** faire partir (un feu d'artifice). ◼ vi se mettre en route, partir.

◼ **set out** ◼ vt sép **1.** disposer **2.** présenter, exposer. ◼ vt insép • **to set out to do sthg** entreprendre OU tenter de faire qqch. ◼ vi se mettre en route, partir.

◼ **set up** vt sép **1.** créer, fonder **2.** constituer, mettre en place **3.** arranger, organiser **4.** dresser, ériger **5.** placer, installer **6.** préparer, installer **7.** fam monter un coup contre.

◼ **set upon** vt insép attaquer, s'en prendre à.

setback [ˈsetbæk] n contretemps m, revers m.

set menu n menu m fixe.

settee [seˈtiː] n canapé m.

setting [ˈsetɪŋ] n **1.** décor m, cadre m **2.** réglage m.

settle [ˈsetl] ◼ vt **1.** régler • **that's settled then** (c'est) entendu **2.** régler, payer **3.** calmer • **to settle one's stomach** calmer les douleurs d'estomac **4.** installer. ◼ vi **1.** s'installer **2.** (poussière) retomber **3.** (sédiments) se déposer **4.** (oiseau, insecte) se poser.

◼ **settle down** vi **1.** • **to settle down to sthg/to doing sthg** se mettre à qqch/à faire qqch **2.** s'installer **3.** se ranger **4.** se calmer.

◼ **settle for** vt insép accepter, se contenter de.

◼ **settle in** vi s'adapter.

◼ **settle on** vt insép fixer son choix sur, se décider pour.

◼ **settle up** vi • **to settle up (with sb)** régler (qqn).

settlement [ˈsetlmənt] n **1.** accord m **2.** colonie f **3.** règlement m.

settler [ˈsetlər] n colon m.

set-up n fam **1.** • **what's the set-up?** comment est-ce que c'est organisé ? **2.** coup m monté.

seven [ˈsevn] num sept. • voir aussi **six**

seventeen [ˌsevnˈtiːn] num dix-sept. • voir aussi **six**

seventeenth [ˌsevnˈtiːnθ] num dix-septième. • voir aussi **sixth**

seventh [ˈsevnθ] num septième. • voir aussi **sixth**

seventy [ˈsevntɪ] num soixante-dix. • voir aussi **sixty**

sever ['sevər] *vt* **1.** couper **2.** *fig* rompre.

several ['sevrəl] ◼ *adj* plusieurs. ◼ *pron* plusieurs *mf pl*.

severance ['sevrəns] *n sout* rupture *f*.

severance pay *n* indemnité *f* de licenciement.

severe [sɪ'vɪər] *adj* **1.** rude, rigoureux (euse) **2.** *(choc)* gros(grosse), dur(e) **3.** *(douleur)* violent(e) **4.** *(maladie, blessure)* grave **5.** sévère.

severity [sɪ'verətɪ] *n* **1.** violence *f* **2.** gravité *f* **3.** sévérité *f*.

sew [səʊ] *((UK) pp* sewn, *prét & pp* -ied, *(US) pp* sewed *ou* sewn) *vt & vi* coudre.
◼ **sew up** *vt sép* recoudre.

sewage ['suːɪdʒ] *n (indén)* eaux usées.

sewer ['suər] *n* égout *m*.

sewing ['səʊɪŋ] *n (indén)* **1.** couture *f* **2.** ouvrage *m*.

sewing machine *n* machine *f* à coudre.

sewn [səʊn] *pp* ▷ **sew**.

sex [seks] *n* **1.** sexe *m* **2.** *(indén)* rapports *mpl* (sexuels) • **to have sex with** avoir des rapports (sexuels) avec.

sexist ['seksɪst] ◼ *adj* sexiste. ◼ *n* sexiste *mf*.

sexual ['sekʃʊəl] *adj* sexuel(elle).

sexual harassment *n* harcèlement *m* sexuel.

sexual intercourse *n (indén)* rapports *mpl* (sexuels).

sexy ['seksɪ] *adj fam* sexy *(inv)*.

shabby ['ʃæbɪ] *adj* **1.** *(vêtements)* élimé(e), râpé(e) **2.** *(personne)* minable **3.** *(endroit)* miteux(euse) **4.** *(comportement)* méprisable.

shack [ʃæk] *n* cabane *f*, hutte *f*.

shackle ['ʃækl] *vt* **1.** enchaîner **2.** *fig* entraver.
◼ **shackles** *npl* **1.** fers *mpl* **2.** *fig* entraves *fpl*.

shade [ʃeɪd] ◼ *n* **1.** *(indén)* ombre *f* **2.** abatjour *m inv* **3.** *(couleur)* nuance *f*, ton *m* **4.** *fig* nuance *f*. ◼ *vt* abriter.
◼ **shades** *npl fam* lunettes *fpl* de soleil.

shadow ['ʃædəʊ] *n* ombre *f* • **there's not a** *ou* **the shadow of a doubt** il n'y a pas l'ombre d'un doute.

shadow cabinet *n (UK)* cabinet *m* fantôme.

shadowy ['ʃædəʊɪ] *adj* **1.** ombreux(euse) **2.** mystérieux(euse).

shady ['ʃeɪdɪ] *adj* **1.** ombragé(e) **2.** qui donne de l'ombre **3.** *fam* louche.

shaft [ʃɑːft] *n* **1.** puits *m* **2.** cage *f (d'ascenseur)* **3.** AUTO & TECHNOL arbre *m* **4.** rayon *m (de lumière)* **5.** manche *m (d'un outil)*.

shaggy ['ʃægɪ] *adj* hirsute.

shake [ʃeɪk] ◼ *vt (prét* shook, *pp* shaken) **1.** secouer **2.** agiter • **to shake hands** se serrer la main • **to shake one's head** secouer la tête • faire non de la tête **3.** *(choc)* ébranler, secouer. ◼ *vi (prét* shook, *pp* shaken) trembler.
◼ **shake off** *vt sép* **1.** semer *(des poursuivants)* **2.** se débarrasser *(d'une maladie)*.

shaken ['ʃeɪkn] *pp* ▷ **shake**.

Shakespeare [ˈʃeɪkspɪər] *n* Shakespeare.

CULTURE

Shakespeare

Le dramaturge et poète *William Shakespeare* (1564-1616) est considéré comme le plus grand écrivain de la langue anglaise. Il est né à *Stratford-upon-Avon*, ville du centre de l'Angleterre, aujourd'hui haut lieu du théâtre britannique, puisque la *Royal Shakespeare Company* s'y est établie et y joue notamment les œuvres de Shakespeare. Parmi ses pièces les plus célèbres, on peut citer les tragédies *Hamlet, Macbeth, Romeo and Juliet*, ses comédies *A Midsummer Night's Dream* (le Songe d'une nuit d'été) ou *Much Ado about Nothing* (Beaucoup de bruit pour rien), ou encore ses œuvres historiques *Julius Caesar* et *Richard III*. Shakespeare, à la fois auteur dramatique et comédien, jouait dans ses propres pièces.

shaky ['ʃeɪkɪ] *adj* **1.** branlant(e) **2.** tremblant(e) **3.** faible **4.** incertain(e).

shall *v aux*

forme non accentuée [ʃəl], *forme accentuée* [ʃæl]

1. POUR EXPRIMER LE FUTUR (1ʳᵉ PERS. SING & 1ʳᵉ PERS. PL)
• **I shall be in Ireland next week** je serai en Irlande la semaine prochaine

• **we shall not** OU **shan't be there before 6** nous n'y serons pas avant 6 heures **2.** POUR FAIRE UNE SUGGESTION (1ᴿᴱ PERS. SING & 1ᴿᴱ PERS. PL)
• **let's go, shall we?** on y va ?
• **shall we have lunch now?** tu veux qu'on déjeune maintenant ?
3. DANS DES QUESTIONS
• **where shall I put this?** où est-ce qu'il faut mettre ça ?
4. POUR DONNER UN ORDRE
• **you shall tell me!** tu vas OU dois me le dire !
• **thou shalt not kill**BIBLE tu ne tueras point.

> ### À PROPOS DE... shall
>
> *Shall* peut être associé à *I* ou *we* dans les phrases interrogatives, pour faire une suggestion (*shall I make you a cup of tea?*), formuler une invitation (*shall we go for a picnic on Sunday?*) ou demander un conseil (*what shall I wear?*). En dehors de ces quelques cas, *shall* n'est pas très souvent utilisé, en particulier en anglais d'Amérique. La forme négative *shan't* l'est encore moins. *Should* est la forme passée de *shall*.

shallow ['ʃæləʊ] *adj* **1.** peu profond(e) **2.** *péj* superficiel(elle).

sham [ʃæm] ◙ *adj* feint(e). ◙ *n* comédie *f*.

shambles ['ʃæmblz] *n* pagaille *f*.

shame [ʃeɪm] ◙ *n* **1.** *(indén)* honte *f* • **to bring shame on** OU **upon sb** faire la honte de qqn **2.** • **it's a shame (that...)** c'est dommage (que...) *(+ subjonctif)* • **what a shame!** quel dommage ! ◙ *vt* faire honte à • **to shame sb into doing sthg** obliger qqn à faire qqch en lui faisant honte.

shamefaced [,ʃeɪm'feɪst] *adj* honteux (euse), penaud(e).

shameful ['ʃeɪmfʊl] *adj* honteux(euse), scandaleux(euse).

shameless ['ʃeɪmlɪs] *adj* effronté(e), éhonté(e).

shampoo [ʃæm'puː] ◙ *n (pl -s)* shampooing *m*. ◙ *vt (prét & pp -ed, cont -ing)* • **to shampoo sb** OU **sb's hair** faire un shampooing à qqn.

shamrock ['ʃæmrɒk] *n* trèfle *m*.

shandy ['ʃændɪ] *n* panaché *m*.

shan't [ʃɑːnt] = **shall not**.

shantytown ['ʃæntɪtaʊn] *n* bidonville *m*.

shape [ʃeɪp] ◙ *n* **1.** forme *f* • **to take shape** prendre forme OU tournure **2.** • **to be in good/bad shape** être en bonne/mauvaise forme. ◙ *vt* **1.** • **to shape sthg (into)** façonner OU modeler qqch (en) **2.** former *(le caractère de qqn)*.
■ **shape up** *vi* **1.** se développer, progresser **2.** prendre forme.

-shaped ['ʃeɪpt] *suffixe* en forme de.

shapeless ['ʃeɪplɪs] *adj* informe.

shapely ['ʃeɪplɪ] *adj* bien fait(e).

share [ʃeəʳ] ◙ *n* part *f*. ◙ *vt* partager. ◙ *vi* • **to share (in sthg)** partager (qqch).
■ **shares** *npl* FIN actions *fpl*.
■ **share out** *vt sép* partager, répartir.

shareholder ['ʃeə,həʊldəʳ] *n* actionnaire *mf*.

shark [ʃɑːk] *(pl inv* OU **-s)** *n* requin *m*.

sharp [ʃɑːp] ◙ *adj* **1.** tranchant(e), affilé(e) **2.** pointu(e) **3.** *(image, contours)* net(nette) **4.** *(esprit, personne)* vif(vive) **5.** *(vue)* perçant(e) **6.** *(changement)* brusque, soudain(e) **7.** *(coup)* sec(sèche) **8.** *(ordre, parole)* cinglant(e) **9.** *(cri)* perçant(e) **10.** *(douleur, froid)* vif(vive) **11.** *(goût)* piquant(e) **12.** dièse. ◙ *adv* • **at 8 o'clock sharp** à 8 heures pile **2.** • **sharp left/right** tout à fait à gauche/droite. ◙ *n* MUS dièse *m*.

sharpen ['ʃɑːpn] *vt* **1.** aiguiser **2.** tailler.

sharpener ['ʃɑːpnəʳ] *n* **1.** taille-crayon *m* **2.** aiguisoir *m* (pour couteaux).

sharp-eyed [-'aɪd] *adj* • **she's very sharp-eyed** elle remarque tout.

sharply ['ʃɑːplɪ] *adv* **1.** nettement **2.** brusquement **3.** sévèrement, durement.

shat [ʃæt] *passé & pp* ▷ **shit**.

shatter ['ʃætəʳ] ◙ *vt* **1.** briser, fracasser **2.** détruire. ◙ *vi* se fracasser, voler en éclats.

shattered ['ʃætəd] *adj* **1.** bouleversé(e) **2.** *(UK) fam* crevé(e).

shave [ʃeɪv] ◙ *n* • **to have a shave** se raser. ◙ *vt* **1.** raser **2.** planer, raboter. ◙ *vi* se raser.

shaver ['ʃeɪvəʳ] *n* rasoir *m* électrique.

shaving ['ʃeɪvɪŋ] *n* rasage *m*.

■ **shavings** *npl* **1.** copeaux *mpl* **2.** rognures *fpl*.

shaving brush *n* blaireau *m*.

shaving cream *n* crème *f* à raser.

shaving foam *n* mousse *f* à raser.

shawl [ʃɔl] *n* châle *m*.

she [ʃiː] ■ *pron pers* **1.** elle • **she's tall** elle est grande • **SHE can't do it** elle, elle ne peut pas le faire • **there she is** la voilà • **if I were** OU **was she** *sout* si j'étais elle, à sa place **2.** • **she's a fine ship** c'est un bateau magnifique. ■ *en apposition* • **she-elephant** éléphant *m* femelle • **she-wolf** louve *f*.

sheaf [ʃiːf] *(pl sheaves* [ʃiːvz]*)* *n* **1.** liasse *f* *(de papiers)* **2.** gerbe *f* *(de blé)*.

shear [ʃɪəʳ] *(prét -ed, pp -ed* OU **shorn**) *vt* tondre.

■ **shears** *npl* **1.** sécateur *m*, cisaille *f* **2.** ciseaux *mpl*.

■ **shear off** ■ *vt sép* **1.** couper *(une branche)* **2.** cisailler *(un morceau de métal)*. ■ *vi* se détacher.

sheath [ʃiːθ] *(pl sheaths* [ʃiːðz]*)* *n* **1.** gaine *f* **2.** *(UK)* vieilli préservatif *m*.

sheaves [ʃiːvz] *npl* ▷ **sheaf**.

shed [ʃed] ■ *n* **1.** remise *f*, cabane *f* **2.** hangar *m*. ■ *vt (prét & pp shed)* **1.** perdre *(ses cheveux, ses feuilles)* **2.** verser *(ses larmes)* **3.** se défaire de, congédier *(ses employés)*.

she'd *(forme non accentuée* [ʃɪd]*, forme accentuée* [ʃiːd]*)* = **she had, she would**.

sheen [ʃiːn] *n* lustre *m*, éclat *m*.

sheep [ʃiːp] *(pl inv)* *n* mouton *m*.

sheepdog [ʃiːpdɒg] *n* chien *m* de berger.

sheepish [ʃiːpɪʃ] *adj* penaud(e).

sheepskin [ʃiːpskɪn] *n* peau *f* de mouton.

sheer [ʃɪəʳ] *adj* **1.** pur(e) **2.** à pic, abrupte(e) **3.** *(tissu, bas)* fin(e).

sheet [ʃiːt] *n* **1.** drap *m* **2.** feuille *f* *(de papier, de bois)* **3.** plaque *f* *(de métal)*.

sheik(h) [ʃeɪk] *n* cheik *m*.

shelf [ʃelf] *(pl shelves* [ʃelvz]*)* *n* rayon *m*, étagère *f*.

shell [ʃel] ■ *n* **1.** coquille *f* **2.** carapace *f* **3.** coquillage *m* **4.** carcasse *f* **5.** obus *m*. ■ *vt* **1.** écosser **2.** décortiquer **3.** enlever la coquille de, écaler *(des œufs)* **4.** bombarder.

she'll [ʃiːl] = **she will, she shall**.

shellfish [ʃelfɪʃ] *(pl inv)* *n* **1.** crustacé *m*, coquillage *m* **2.** *(indén)* fruits *mpl* de mer.

shell suit *n (UK)* survêtement en Nylon® imperméabilisé.

shelter [ʃeltəʳ] ■ *n* abri *m*. ■ *vt* **1.** abriter, protéger **2.** offrir un asile à **3.** cacher. ■ *vi* s'abriter, se mettre à l'abri.

sheltered [ʃeltəd] *adj* **1.** abrité(e) **2.** protégé(e), sans soucis.

shelve [ʃelv] *vt fig* mettre au Frigidaire®, mettre en sommeil.

shelves [ʃelvz] *npl* ⊳ **shelf**.

shepherd ['ʃepəd] ▪ *n* berger *m*. ▪ *vt fig* conduire.

shepherd's pie ['ʃepədz-] *n* ≈ hachis *m* Parmentier.

sheriff ['ʃerif] *n (US)* shérif *m*.

sherry ['ʃeri] *n* xérès *m*, sherry *m*.

she's [ʃiːz] = **she is**, **she has**.

Shetland ['ʃetlənd] *n* ▪ **(the) Shetland (Islands)** les (îles *fpl*) Shetland *fpl*.

shh [ʃ] *interj* chut !

shield [ʃiːld] ▪ *n* 1. bouclier *m* 2. trophée *m*. ▪ *vt* ▪ **to shield sb (from)** protéger qqn (de *ou* contre).

shift [ʃift] ▪ *n* 1. changement *m*, modification *f* 2. poste *m* 3. équipe *f*. ▪ *vt* 1. déplacer 2. changer, modifier. ▪ *vi* 1. changer de place 2. *(vent)* tourner 3. *(US)* AUTO changer de vitesse.

shiftless ['ʃiftlis] *adj* fainéant(e), paresseux(euse).

shifty ['ʃifti] *adj fam* sournois(e), louche.

shilling ['ʃiliŋ] *n* shilling *m*.

shilly-shally ['ʃili,ʃæli] *vi* hésiter, être indécis(e).

shimmer ['ʃimər] ▪ *n* 1. chatoiement *m*, scintillement *m* 2. miroitement *m*. ▪ *vi* 1. chatoyer, scintiller 2. miroiter.

shin [ʃin] *n* tibia *m*.

shinbone ['ʃinbəun] *n* tibia *m*.

shine [ʃain] ▪ *n* brillant *m*. ▪ *vt* 1. *(prét & pp* shone*)* **to shine a torch on sthg** éclairer qqch 2. *(prét & pp* shined*)* faire briller, astiquer. ▪ *vi* *(prét & pp* shone*)* briller.

shingle ['ʃiŋgl] *n (indén)* galets *mpl*. ▪ **shingles** *n (indén)* zona *m*.

shiny ['ʃaini] *adj* brillant(e).

ship [ʃip] ▪ *n* 1. bateau *m* 2. navire *m*. ▪ *vt* 1. expédier 2. transporter.

shipbuilding ['ʃip,bildiŋ] *n* construction *f* navale.

shipment ['ʃipmənt] *n* cargaison *f*, chargement *m*.

shipper ['ʃipər] *n* affréteur *m*, chargeur *m*.

shipping ['ʃipiŋ] *n (indén)* 1. transport *m* maritime 2. navires *mpl*.

shipshape ['ʃipʃeip] *adj* en ordre.

shipwreck ['ʃiprek] ▪ *n* 1. naufrage *m* 2. épave *f*. ▪ *vt* ▪ **to be shipwrecked** faire naufrage.

shipyard ['ʃipjaːd] *n* chantier *m* naval.

shire [ʃaiər] *n* comté *m*.

shirk [ʃɜːk] *vt* se dérober à.

shirt [ʃɜːt] *n* chemise *f*.

shirtsleeves ['ʃɜːtsliːvz] *npl* ▪ **to be in (one's) shirtsleeves** être en manches *ou* en bras de chemise.

shit [ʃit] *vulg* ▪ *n* 1. merde *f* 2. *(indén)* conneries *fpl*. ▪ *vi* *(prét & pp* -ted *ou* shat*)* chier. ▪ *interj* merde !

shiver ['ʃivər] ▪ *n* frisson *m*. ▪ *vi* ▪ **to shiver (with)** trembler (de), frissonner (de).

shoal [ʃəul] *n* banc *m (de poissons)*.

shock [ʃɒk] ▪ *n* 1. choc *m*, coup *m* 2. *(indén)* ▪ **to be suffering from shock, to be in (a state of) shock** être en état de choc 3. décharge *f* électrique. ▪ *vt* 1. bouleverser 2. choquer, scandaliser.

shock absorber [-əb,zɔːbər] *n* amortisseur *m*.

shocking ['ʃɒkiŋ] *adj* 1. *(UK)* épouvantable, terrible 2. scandaleux(euse).

shod [ʃɒd] ▪ *passé & pp* ⊳ **shoe**. ▪ *adj* chaussé(e).

shoddy ['ʃɒdi] *adj* 1. de mauvaise qualité 2. indigne, méprisable.

shoe [ʃuː] ▪ *n* chaussure *f*, soulier *m*. ▪ *vt* *(prét & pp* -ed *ou* shod*)* ferrer.

shoebrush ['ʃuːbrʌʃ] *n* brosse *f* à chaussures.

shoehorn ['ʃuːhɔːn] *n* chausse-pied *m*.

shoelace ['ʃuːleis] *n* lacet *m* de soulier.

shoe polish *n* cirage *m*.

shoe shop *n* magasin *m* de chaussures.

shoestring ['ʃuːstriŋ] *n fig* ▪ **on a shoestring** à peu de frais.

shone [ʃɒn] *passé & pp* ⊳ **shine**.

shoo [ʃuː] ▪ *vt* chasser. ▪ *interj* ouste !

shook [ʃuk] *passé* ⊳ **shake**.

shoot [ʃuːt] ▪ *vt* *(prét & pp* shot*)* 1. tuer d'un coup de feu 2. blesser d'un coup de feu ▪ **to shoot o.s.** se tuer avec une arme à feu 3. *(UK)* chasser 4. tirer 5. CINÉ tourner. ▪ *vi* *(prét & pp* shot*)* 1. ▪ **to shoot (at)** tirer (sur) 2. *(UK)* chasser 3. ▪ **to shoot in/out/past** entrer/sortir/

passer en trombe **4.** CINÉ tourner **5.** SPORT tirer. ◼ *n* **1.** *(UK)* partie *f* de chasse **2.** BOT pousse *f*.

◼ **shoot down** *vt sép* abattre.

◼ **shoot up** *vi* **1.** *(enfant, plante)* pousser vite **2.** *(prix)* monter en flèche.

shooting ['ʃuːtɪŋ] *n* **1.** meurtre *m* **2.** *(indén) (UK)* chasse *f*.

shooting star *n* étoile *f* filante.

shop [ʃɒp] ◼ *n* **1.** magasin *m*, boutique *f* **2.** atelier *m*. ◼ *vi* faire ses courses • **to go shopping** aller faire les courses.

shop assistant *n* *(UK)* vendeur *m*, -euse *f*.

shop floor *n* • **the shop floor** *fig* les ouvriers *mpl*.

shopkeeper ['ʃɒp,kiːpər] *n* *(surtout UK)* commerçant *m*, -e *f*.

shoplifting ['ʃɒp,lɪftɪŋ] *n* *(indén)* vol *m* à l'étalage.

shopper ['ʃɒpər] *n* personne *f* qui fait ses courses.

shopping ['ʃɒpɪŋ] *n* *(indén) (UK)* achats *mpl*.

shopping bag *n* sac *m* à provisions.

shopping centre *(UK)*, **shopping mall** *(US)*, **shopping plaza** *(US)* [-,plaːzə] *n* centre *m* commercial.

shopsoiled *(UK)* ['ʃɒpsɔɪld], **shopworn** *(US)* ['ʃɒpwɔːn] *adj* qui a fait l'étalage, abîmé(e) (en magasin).

shop steward *n* délégué *m* syndical, déléguée *f* syndicale.

shopwindow [,ʃɒp'wɪndəʊ] *n* vitrine *f*.

shore [ʃɔːr] *n* rivage *m*, bord *m* • **on shore** à terre.

◼ **shore up** *vt sép* **1.** étayer, étançonner **2.** *fig* consolider.

shorn [ʃɔːn] ◼ *pp* ▷ **shear**. ◼ *adj* tondu(e).

short [ʃɔːt] ◼ *adj* **1.** *(dans le temps)* court(e), bref(brève) **2.** *(dans l'espace)* court **3.** petit(e) **4.** brusque, sec(sèche) **5.** • **time/money is short** nous manquons de temps/d'argent • **to be short of** manquer de **6.** • **to be short for** être le diminutif de. ◼ *adv* • **to be running short of** commencer à manquer de • **to cut sthg short** couper court à qqch • **to stop short** s'arrêter net. ◼ *n* **1.** *(UK)* alcool *m* fort **2.** CINÉ court métrage *m*.

◼ **shorts** *npl* **1.** short *m* **2.** *(US)* caleçon *m*.

◼ **for short** *adv* • **he's called Bob for short** Bob est son diminutif.

◼ **in short** *adv* (enfin) bref.

◼ **nothing short of** *prép* rien moins que, pratiquement.

◼ **short of** *prép* • **short of doing sthg** à moins de faire qqch, à part faire qqch.

shortage ['ʃɔːtɪdʒ] *n* manque *m*, insuffisance *f*.

shortbread ['ʃɔːtbred] *n* sablé *m*.

short-change *vt* **1.** • **to short-change sb** ne pas rendre assez à qqn **2.** *fig* tromper, rouler.

short circuit *n* court-circuit *m*.

shortcomings ['ʃɔːt,kʌmɪŋz] *npl* défauts *mpl*.

shortcrust pastry ['ʃɔːtkrʌst-] *n* pâte *f* brisée.

shortcut *n* **1.** raccourci *m* **2.** solution *f* miracle.

shorten ['ʃɔːtn] ◼ *vt* **1.** écourter **2.** raccourcir. ◼ *vi* raccourcir.

shortfall ['ʃɔːtfɔːl] *n* déficit *m*.

shorthand ['ʃɔːthænd] *n* *(indén)* sténographie *f*.

shorthand typist *n* *(UK)* *vieilli* sténodactylo *f*.

short list *n* liste *f* des candidats sélectionnés.

shortly ['ʃɔːtlɪ] *adv* bientôt.

shortsighted [,ʃɔːt'saɪtɪd] *adj* **1.** *(UK)* myope **2.** *fig* imprévoyant(e).

short-staffed [-'stɑːft] *adj* • **to be short-staffed** manquer de personnel.

short story *n* nouvelle *f*.

short-tempered [-'tempəd] *adj* emporté(e), irascible.

short-term *adj* **1.** à court terme **2.** de courte durée.

short wave *n* *(indén)* ondes *fpl* courtes.

shot [ʃɒt] ◼ *passé & pp* ▷ **shoot**. ◼ *n* **1.** coup *m* de feu • **like a shot** sans tarder **2.** tireur *m* **3.** coup *m* **4.** photo *f* **5.** plan *m* **6.** *fam* • **to have a shot at sthg** essayer de faire qqch **7.** piqûre *f*.

shotgun ['ʃɒtɡʌn] *n* fusil *m* de chasse.

should [ʃʊd] *aux modal*

1. POUR DONNER UN CONSEIL, EXPRIMER CE QUI SE-RAIT SOUHAITABLE
- **you should go** tu devrais y aller
- **should I go too?** est-ce que je devrais y aller aussi ?
- **we should leave now** il faudrait partir maintenant

2. EXPRIME UNE DÉDUCTION, UNE PROBABILITÉ
- **she should be home soon** elle devrait être de retour bientôt
- **that should be her at the door** ça doit être elle

3. SUIVI DE « HAVE » + PARTICIPE PASSÉ, EXPRIME UN REGRET, UN REPROCHE
- **they should have won the match** ils auraient dû gagner le match
- **you should have helped your sister** tu aurais dû aider ta sœur

4. AVEC UNE VALEUR CONDITIONNELLE
- **I should be very sorry if they couldn't come** je serais navré s'ils ne pouvaient pas venir
- **I should like to come with you** j'aimerais bien venir avec vous
- **I should deny everything** moi, je nierais tout

5. APRÈS « IF », POUR EXPRIMER UNE ÉVENTUALITÉ
- **if anyone should call, please let me know** si par hasard quelqu'un appelle, veuillez me prévenir

---

À PROPOS DE... **should**

Should have suivi d'un participe passé peut servir à exprimer un regret (*I should have phoned on her birthday*, « j'aurais dû l'appeler pour son anniversaire ») ou un reproche (*you should have been more careful*, « tu aurais dû faire plus attention »).
Voir aussi *shall*.

---

shoulder ['ʃəʊldər] ◼ *n* **1.** épaule *f* **2.** accotement *m*, bas côté *m* **3.** *(US)* bande *f* d'arrêt d'urgence. ◼ *vt* **1.** porter **2.** endosser.

shoulder blade *n* omoplate *f*.

shoulder strap *n* **1.** bretelle *f* **2.** bandoulière *f*.

shouldn't ['ʃʊdnt] = **should not**.

should've ['ʃʊdəv] = **should have**.

shout [ʃaʊt] ◼ *n* cri *m*. ◼ *vt* & *vi* crier.
◼ **shout down** *vt sép* huer, conspuer.

shouting ['ʃaʊtɪŋ] *n (indén)* cris *mpl*.

shove [ʃʌv] ◼ *n* • **to give sb/sthg a shove** pousser qqn/qqch. ◼ *vt* pousser • **to shove clothes into a bag** fourrer des vêtements dans un sac.
◼ **shove off** *vi* **1.** pousser au large **2.** *fam* ficher le camp, filer.

shovel ['ʃʌvl] ◼ *n* pelle *f*. ◼ *vt* *((UK) prét & pp* **-led**, *cont* **-ling**, *(US) prét & pp* **-ed**, *cont* **-ing**) enlever à la pelle.

show [ʃəʊ] ◼ *n* **1.** démonstration *f*, manifestation *f* **2.** spectacle *m* **3.** émission *f* **4.** séance *f* **5.** exposition *f*. ◼ *vt* (*prét* **-ed**, *pp* **shown** *ou* **-ed**) **1.** montrer **2.** indiquer **3.** témoigner de • **to show sb sthg, to show sthg to sb** montrer qqch à qqn **5.** • **to show sb to his seat/table** conduire qqn à sa place/sa table **6.** projeter, passer *(un film)*. ◼ *vi* (*prét* **-ed**, *pp* **shown** *ou* **-ed** *(un film)*) **1.** se voir, être visible **2.** • **what's showing tonight?** qu'est-ce qu'on joue comme film ce soir ?
◼ **show off** ◼ *vt sép* exhiber. ◼ *vi* faire l'intéressant(e), frimer.
◼ **show up** ◼ *vt sép* embarrasser. ◼ *vi* **1.** se voir, ressortir **2.** *fam* rappliquer.

show business *n (indén)* monde *m* du spectacle, show-business *m*.

showdown ['ʃəʊdaʊn] *n* • **to have a showdown with sb** s'expliquer avec qqn, mettre les choses au point avec qqn.

shower ['ʃaʊər] ◼ *n* **1.** douche *f* • **to have** *(UK) ou* **take a shower** prendre une douche, se doucher **2.** averse *f* **3.** *fig* avalanche *f*, déluge *m*. ◼ *vt* • **to shower sb with** couvrir qqn de. ◼ *vi* se doucher.

shower cap *n* bonnet *m* de douche.

shower room *n* salle *f* d'eau.

showing ['ʃəʊɪŋ] *n* projection *f*.

show jumping [-,dʒʌmpɪŋ] *n* jumping *m*.

shown [ʃəʊn] *pp* ▷ **show**.

show-off *n fam* m'as-tu-vu *m*, -e *f*.

showpiece ['ʃəʊpiːs] *n* joyau *m*, trésor *m*.

showroom ['ʃəʊrʊm] *n* **1.** salle *f ou* magasin *m* d'exposition **2.** salle de démonstration.

shrank [ʃræŋk] *passé* ▷ **shrink**.

shrapnel ['ʃræpnl] *n* (indén) éclats *mpl* d'obus.

shred [ʃred] ◼ *n* **1.** lambeau *m*, brin *m* **2.** *fig* parcelle *f*, once *f*, grain *m*. ◼ *vt* **1.** râper **2.** déchirer en lambeaux.

shredder ['ʃredər] *n* destructeur *m* de documents.

shrewd [ʃruːd] *adj* fin(e), astucieux(euse).

shriek [ʃriːk] ◼ *n* **1.** cri *m* perçant, hurlement *m* **2.** éclat *m*. ◼ *vi* pousser un cri perçant.

shrill [ʃrɪl] *adj* **1.** aigu(ë) **2.** strident(e).

shrimp [ʃrɪmp] *n* crevette *f*.

shrine [ʃraɪn] *n* lieu *m* saint.

shrink [ʃrɪŋk] ◼ *n* *fam hum* psy *mf*. ◼ *vt* (*prét* **shrank**, *pp* **shrunk**) rétrécir. ◼ *vi* (*prét* **shrank**, *pp* **shrunk**) **1.** rétrécir **2.** rapetisser **3.** *fig* baisser, diminuer **4.** • **to shrink away from sthg** reculer devant qqch • **to shrink from doing sthg** rechigner *ou* répugner à faire qqch.

shrinkage ['ʃrɪŋkɪdʒ] *n* **1.** rétrécissement *m* **2.** *fig* diminution *f*, baisse *f*.

shrink-wrap *vt* emballer sous film plastique.

shrivel ['ʃrɪvl] ((UK) *prét* & *pp* -led, *cont* -ling, (US) *prét* & *pp* -ed, *cont* -ing) ◼ *vt* • **to shrivel (up)** rider, flétrir. ◼ *vi* • **to shrivel (up)** se rider, se flétrir.

shroud [ʃraʊd] ◼ *n* linceul *m*. ◼ *vt* • **to be shrouded in** être enseveli(e) sous (l'obscurité, le brouillard) • être enveloppé(e) de (mystère).

Shrove Tuesday ['ʃrəʊv-] *n* Mardi *m* gras.

shrub [ʃrʌb] *n* arbuste *m*.

shrubbery ['ʃrʌbərɪ] *n* massif *m* d'arbustes.

shrug [ʃrʌg] ◼ *vt* • **to shrug one's shoulders** hausser les épaules. ◼ *vi* hausser les épaules.
◼ **shrug off** *vt sép* ignorer.

shrunk [ʃrʌŋk] *pp* ▷ **shrink**.

shudder ['ʃʌdər] (US) *vi* **1.** • **to shudder (with)** frémir (de), frissonner (de) **2.** vibrer, trembler.

shuffle ['ʃʌfl] *vt* **1.** • **to shuffle one's feet** traîner les pieds **2.** battre (les cartes).

shun [ʃʌn] *vt* fuir, éviter.

shunt [ʃʌnt] *vt* aiguiller.

shut [ʃʌt] ◼ *adj* fermé(e). ◼ *vt* (*prét* & *pp* **shut**) (*magasin*) fermer. ◼ *vi* (*prét* & *pp* **shut**) **1.** se fermer **2.** fermer.
◼ **shut away** *vt sép* mettre sous clef.
◼ **shut down** ◼ *vt sép* & *vi* **1.** (*magasin*) fermer **2.** éteindre. ◼ *vi* fermer.
◼ **shut out** *vt sép* **1.** supprimer (*un bruit*) **2.** ne pas laisser entrer (*la lumière*) • **to shut sb out** laisser qqn à la porte.
◼ **shut up** *fam* ◼ *vt sép* faire taire. ◼ *vi* se taire.

shutter ['ʃʌtər] *n* **1.** volet *m* **2.** PHOTO obturateur *m*.

shuttle ['ʃʌtl] ◼ *adj* • **shuttle service** (service *m* de) navette *f*. ◼ *n* navette *f*.

shuttlecock ['ʃʌtlkɒk] *n* volant *m*.

shy [ʃaɪ] ◼ *adj* timide. ◼ *vi* (*cheval*) s'effaroucher.

Siberia [saɪ'bɪərɪə] *n* Sibérie *f*.

sibling ['sɪblɪŋ] *n* **1.** frère *m* **2.** sœur *f*.

Sicily ['sɪsɪlɪ] *n* Sicile *f*.

sick [sɪk] *adj* **1.** malade **2.** • **to feel sick** avoir mal au cœur • **to be sick** (UK) vomir **3.** • **to be sick of** en avoir marre de **4.** (*blague, humour*) macabre.

sickbay ['sɪkbeɪ] *n* infirmerie *f*.

sicken ['sɪkn] *vt* écœurer, dégoûter.

sickening ['sɪknɪŋ] *adj* écœurant(e), dégoûtant(e).

sickle ['sɪkl] *n* faucille *f*.

sick leave *n* (indén) congé *m* de maladie.

sickly ['sɪklɪ] *adj* **1.** maladif(ive), souffreteux(euse) **2.** (*odeur, goût*) écœurant(e).

sickness ['sɪknɪs] *n* (UK) **1.** maladie *f* **2.** (indén) nausée *f*, nausées *fpl* **3.** vomissement *m*, vomissements *mpl*.

sick pay *n* (indén) indemnité *f* *ou* allocation *f* de maladie.

side [saɪd] ◼ *n* **1.** côté *m* • **at** *ou* **by my/her** *etc* **side** à mes/ses *etc* côtés • **on every side, on all sides** de tous côtés • **from side to side** d'un côté à l'autre • **side by side** côte à côte **2.** bord *m* **3.** versant *m*, flanc *m* **4.** camp *m*, côté *m* **5.** SPORT équipe *f*, camp **6.** point *m* de vue • **to take sb's side** prendre le parti de qqn **7.** aspect *m* **8.** facette *f* • **to be on the safe side** par précaution. ◼ *adj* latéral(e).
◼ **side with** *vt insép* prendre le parti de.

sideboard ['saɪdbɔd] *n* buffet *m*.

sideboards (UK) ['saɪdbɔdz], **sideburns** (surtout US) ['saɪdbɜːnz] npl favoris mpl.

side effect n 1. MÉD effet m secondaire ou indésirable 2. répercussion f.

sidelight ['saɪdlaɪt] n (UK) feu m de position.

sideline ['saɪdlaɪn] n 1. activité f secondaire 2. SPORT ligne f de touche.

sidelong ['saɪdlɒŋ] adj & adv de côté.

sidesaddle ['saɪd,sædl] adv • **to ride sidesaddle** monter en amazone.

sideshow ['saɪdʃəu] n spectacle m forain.

sidestep ['saɪdstep] vt 1. faire un pas de côté pour éviter ou esquiver 2. fig éviter.

side street n 1. petite rue f 2. rue transversale.

sidetrack ['saɪdtræk] vt • **to be sidetracked** se laisser distraire.

sidewalk ['saɪdwɔk] n (US) trottoir m.

sideways ['saɪdweɪz] adj & adv de côté.

siding ['saɪdɪŋ] n voie f de garage.

sidle ['saɪdl] ■ **sidle up** vi • **to sidle up to sb** se glisser vers qqn.

siege [siːdʒ] n siège m.

sieve [sɪv] ■ n 1. tamis m 2. passoire f. ■ vt 1. tamiser 2. passer.

sift [sɪft] ■ vt 1. tamiser 2. fig passer au crible. ■ vi • **to sift through** examiner, éplucher.

sigh [saɪ] ■ n soupir m. ■ vi soupirer.

sight [saɪt] ■ n 1. vue f • **in sight** en vue • **in/out of sight** en/hors de vue • **at first sight** à première vue 2. spectacle m 3. mire f (d'une arme). ■ vt apercevoir. ■ **sights** npl attractions fpl touristiques.

sightseeing ['saɪt,siːɪŋ] n tourisme m • **to go sightseeing** faire du tourisme.

sightseer ['saɪt,siːər] n touriste mf.

sign [saɪn] ■ n 1. signe m • **no sign of** aucune trace de 2. enseigne f 3. AUTO panneau m. ■ vt signer. ■ vi communiquer par signes.
■ **sign on** vi 1. MIL s'engager 2. s'inscrire 3. (UK) s'inscrire au chômage.
■ **sign up** ■ vt sép 1. embaucher 2. engager. ■ vi 1. MIL s'engager 2. s'inscrire (à un cours).

signal ['sɪgnl] ■ n signal m. ■ vt ((UK) prét & pp -**led**, cont -**ling**, (US)

prét & pp -**ed**, cont -**ing**) 1. indiquer 2. • **to signal sb (to do sthg)** faire signe à qqn (de faire qqch). ■ vi ((UK) prét & pp -**led**, cont -**ling**, (US) prét & pp -**ed**, cont -**ing**) 1. AUTO mettre son clignotant 2. • **to signal to sb (to do sthg)** faire signe à qqn (de faire qqch).

signalman ['sɪgnlmən] (pl -**men** [-mən]) n RAIL aiguilleur m.

signature ['sɪgnətʃər] n signature f.

signature tune n (UK) indicatif m.

signet ring ['sɪgnɪt-] n chevalière f.

significance [sɪg'nɪfɪkəns] n 1. importance f, portée f 2. signification f.

significant [sɪg'nɪfɪkənt] adj 1. considérable 2. important(e) 3. significatif(ive).

signify ['sɪgnɪfaɪ] vt signifier, indiquer.

signpost ['saɪnpəust] n poteau m indicateur.

Sikh [siːk] ■ adj sikh (inv). ■ n Sikh mf.

silence ['saɪləns] ■ n silence m. ■ vt réduire au silence, faire taire.

silencer ['saɪlənsər] n silencieux m.

silent ['saɪlənt] adj 1. silencieux(euse) 2. muet(ette).

silhouette [,sɪluː'et] n silhouette f.

silicon chip [,sɪlɪkən-] n puce f, pastille f de silicium.

silk [sɪlk] ■ n soie f. ■ en apposition en ou de soie.

silky ['sɪlkɪ] adj soyeux(euse).

sill [sɪl] n rebord m.

silly ['sɪlɪ] adj stupide, bête.

silo ['saɪləu] (pl -**s**) n silo m.

silt [sɪlt] n vase f, limon m.

silver ['sɪlvər] ■ adj argenté(e). ■ n (indén) 1. argent m 2. pièces fpl d'argent 3. argenterie f. ■ en apposition en argent, d'argent.

silver foil, silver paper n (indén) papier m d'argent ou d'étain.

silver-plated [-'pleɪtɪd] adj plaqué(e) argent.

silversmith ['sɪlvəsmɪθ] n orfèvre mf.

silverware ['sɪlvəweər] n (indén) 1. argenterie f 2. (US) couverts mpl.

similar ['sɪmɪlər] adj • **similar (to)** semblable (à), similaire (à).

similarly ['sımıləlı] *adv* de la même manière, pareillement.

simmer ['sımər] *vt* mijoter.

simpering ['sımpərıŋ] *adj* affecté(e).

simple ['sımpl] *adj* **1.** simple **2.** *vieilli* simplet(ette), simple d'esprit.

simple-minded [-'maındıd] *adj* simplet(ette), simple d'esprit.

simplicity [sım'plısətı] *n* simplicité *f*.

simplify ['sımplıfaı] *vt* simplifier.

simply ['sımplı] *adv* **1.** simplement **2.** absolument ▪ **quite simply** tout simplement.

simulate ['sımjuleıt] *vt* simuler.

simultaneous [*(UK)* ,sıməl'teınjəs, *(US)* ,saıməl'teınjəs] *adj* simultané(e).

sin [sın] ▪ *n* péché *m*. ▪ *vi* ▪ **to sin (against)** pécher (contre).

since [sıns] *adv*

POUR INDIQUER UN POINT DE DÉPART DANS LE TEMPS
depuis
▪ **he left home at 5.00 on Tuesday and we haven't heard from him since** il est parti de chez lui mardi à 5 heures et nous n'avons pas eu de ses nouvelles depuis.

since *prép*

POUR INDIQUER UN POINT DE DÉPART DANS LE TEMPS
depuis
▪ **I haven't seen her since Christmas** je ne l'ai pas vue depuis Noël.

since *conj*

1. POUR INDIQUER UN POINT DE DÉPART DANS LE TEMPS depuis que
▪ **she hasn't stopped crying since you left her** depuis que tu l'as quittée, elle n'a pas arrêté de pleurer
2. INTRODUIT LA CAUSE étant donné que
▪ **since you are ill, you should stay at home** étant donné que tu es malade, tu devrais rester à la maison.

sincere [sın'sıər] *adj* sincère.

sincerely [sın'sıəlı] *adv* sincèrement ▪ **Yours sincerely** veuillez agréer, Monsieur/Madame, l'expression de mes sentiments les meilleurs.

sincerity [sın'serətı] *n* sincérité *f*.

sinew ['sınju:] *n* tendon *m*.

À PROPOS DE... since

Remarquez les temps employés avec *since* lorsque ce dernier est une préposition : *we have been friends since school* (passé composé) ; *we had been working together since the summer* (plus-que-parfait à la forme progressive) ; *we had been in contact since 1985* (plus-que-parfait).
Remarquez les temps employés avec *since* lorsque ce dernier est une conjonction : *I haven't read much since I left school* (prétérit) ; *his books sell very well since he's become famous* (passé composé).

sinful ['sınful] *adj* **1.** *(pensée)* mauvais(e) **2.** *(désir, acte)* coupable ▪ **sinful person** pécheur *m*, -eresse *f*.

sing [sıŋ] *(prét* **sang**, *pp* **sung)** *vt & vi* chanter.

Singapore [,sıŋə'pɔr] *n* Singapour *m*.

singe [sındʒ] *vt* **1.** brûler légèrement **2.** roussir.

singer ['sıŋər] *n* chanteur *m*, -euse *f*.

singing ['sıŋıŋ] *n (indén)* chant *m*.

single ['sıŋgl] ▪ *adj* **1.** seul(e), unique ▪ **every single** chaque **2.** célibataire **3.** *(UK)* simple. ▪ *n* **1.** *(UK)* aller *m* (simple) **2.** *(CD)* single *m*.
▪ **singles** *(pl inv) n* TENNIS simple *m*.
▪ **single out** *vt sép* ▪ **to single sb out (for)** choisir qqn (pour).

single bed *n* lit *m* à une place.

single-breasted [-'brestıd] *adj* droit(e).

single cream *n (UK)* crème *f* liquide.

single currency *n* monnaie *f* unique.

single file *n* ▪ **in single file** en file indienne.

single-handed [-'hændıd] *adv* tout seul (toute seule).

single-minded [-'maındıd] *adj* résolu (e).

single parent *n* père *m*/mère *f* célibataire.

single-parent family *n* famille *f* monoparentale.

single room *n* chambre *f* pour une personne *ou* à un lit.

singlet ['sıŋglıt] *n (UK)* **1.** tricot *m* de peau **2.** SPORT maillot *m*.

singular ['sɪŋgjʊləʳ] ◼ *adj* singulier(ère). ◼ *n* singulier *m*.

sinister ['sɪnɪstəʳ] *adj* sinistre.

sink [sɪŋk] ◼ *n* 1. évier *m* 2. lavabo *m*. ◼ *vt* (*prét* sank, *pp* sunk) 1. couler 2. • to sink sthg into enfoncer qqch dans. ◼ *vi* (*prét* sank, *pp* sunk) 1. NAUT couler, sombrer 2. (*personne, objet*) couler 3. s'affaisser 4. (*soleil*) se coucher • to sink into poverty/despair sombrer dans la misère/le désespoir 5. (*somme, valeur*) baisser, diminuer 6. (*voix*) faiblir.
◼ sink in *vi* • it hasn't sunk in yet je n'ai pas encore réalisé.

sink unit *n* bloc-évier *m*.

sinner ['sɪnəʳ] *n* pécheur *m*, -eresse *f*.

sinus ['saɪnəs] (*pl* -es [-iːz]) *n* sinus *m inv*.

sip [sɪp] ◼ *n* petite gorgée *f*. ◼ *vt* siroter.

siphon ['saɪfn] ◼ *n* siphon *m*. ◼ *vt* 1. siphonner 2. *fig* canaliser 3. détourner (*des fonds*).
◼ siphon off *vt sép* 1. siphonner 2. *fig* canaliser 3. *fig* détourner (*des fonds*).

sir [sɜːʳ] *n* monsieur *m*.

siren ['saɪərən] *n* sirène *f*.

sirloin (steak) ['sɜːlɔɪn-] *n* bifteck *m* dans l'aloyau *ou* d'aloyau.

sissy ['sɪsɪ] *n fam injur* poule *f* mouillée.

sister ['sɪstəʳ] *n* 1. sœur *f* 2. RELIG sœur *f*, religieuse *f* 3. (*UK*) infirmière *f* chef.

sister-in-law (*pl* sisters-in-law) *n* belle-sœur *f*.

sit [sɪt] (*prét* & *pp* sat) ◼ *vt* (*UK*) passer. ◼ *vi* 1. s'asseoir • to be sitting être assis(e) • to sit on a committee faire partie d'un comité 2. siéger, être en séance.
◼ sit about (*UK*), sit around *vi* rester assis(e) à ne rien faire.
◼ sit down *vi* s'asseoir.
◼ sit in on *vt insép* assister à.
◼ sit through *vt insép* rester jusqu'à la fin de.
◼ sit up *vi* 1. se redresser, s'asseoir 2. veiller.

sitcom ['sɪtkɒm] *n fam* sitcom *f*.

site [saɪt] ◼ *n* 1. site *m* 2. emplacement *m* 3. chantier *m*. ◼ *vt* situer, placer.

sit-in *n* sit-in *m*, occupation *f* des locaux.

sitting ['sɪtɪŋ] *n* 1. (*pour un repas*) service *m* 2. séance *f* (*d'un comité, d'une assemblée*).

sitting room *n* salon *m*.

situated ['sɪtjʊeɪtɪd] *adj* • to be situated être situé(e), se trouver.

situation [,sɪtjʊ'eɪʃn] *n* 1. situation *f* 2. situation *f*, emploi *m* • 'situations vacant' (*UK*) 'offres d'emploi'.

six [sɪks] ◼ *adj num* six (*inv*) • she's six (years old) elle a six ans. ◼ *num* six *mf pl* • I want six j'en veux six • there were six of us nous étions six. ◼ *n num* 1. six *m inv* • two hundred and six deux cent six 2. • it's six il est six heures • we arrived at six nous sommes arrivés à six heures.

sixteen [sɪks'tiːn] *num* seize. • *voir aussi* six

sixteenth [sɪks'tiːnθ] *num* seizième. • *voir aussi* sixth

sixth [sɪksθ] ◼ *adj num* sixième. ◼ *adv num* 1. sixième, en sixième place 2. sixièmement. ◼ *num* sixième *mf*. ◼ *n* 1. sixième *m* 2. • the sixth (of September) le six (septembre).

sixth form *n* (*UK*) ≃ (*classe f*) terminale *f*.

sixth form college *n* (*UK*) établissement préparant aux A-levels.

sixty ['sɪkstɪ] *num* soixante. • *voir aussi* six
◼ sixties *npl* 1. • the sixties les années *fpl* soixante 2. • to be in one's sixties être sexagénaire.

size [saɪz] *n* 1. taille *f* 2. grandeur *f*, dimensions *fpl* 3. ampleur *f* (*d'un problème*) 4. pointure *f*.
◼ size up *vt sép* 1. jauger 2. apprécier, peser.

sizeable ['saɪzəbl] *adj* assez important (e).

sizzle ['sɪzl] *vi* grésiller.

skate [skeɪt] ◼ *n* 1. patin *m* 2. (*pl inv ou* -s) (*poisson*) raie *f*. ◼ *vi* 1. faire du patin à glace, patiner 2. faire du patin à roulettes.

skateboard ['skeɪtbɔd] *n* planche *f* à roulettes, skateboard *m*, skate *m*.

skater ['skeɪtəʳ] *n* 1. patineur *m*, -euse *f* 2. patineur à roulettes.

skating ['skeɪtɪŋ] *n* 1. patinage *m* 2. patinage à roulettes.

skating rink *n* patinoire *f*.

skeleton ['skelɪtn] *n* squelette *m*.

skeleton key *n* passe *m*, passe-partout *m inv*.

skeleton staff *n* personnel *m* réduit.

skeptic *(US)* = **sceptic**.

skeptical *(US)* = **sceptical**.

sketch [sketʃ] ■ *n* **1.** croquis *m*, esquisse *f* **2.** aperçu *m*, résumé *m* **3.** sketch *m* *(d'un comédien)*. ■ *vt* **1.** dessiner, faire un croquis de **2.** décrire à grands traits.

sketchbook ['sketʃbʊk] *n* carnet *m* à dessins.

sketchpad ['sketʃpæd] *n* bloc *m* à dessins.

sketchy ['sketʃɪ] *adj* incomplet(ète).

skewer ['skjʊər] ■ *n* brochette *f*, broche *f*. ■ *vt* embrocher.

ski [skiː] ■ *n* ski *m*. ■ *vi* *(prét & pp* **skied**, *cont* **skiing)** skier, faire du ski.

ski boots *npl* chaussures *fpl* de ski.

skid [skɪd] ■ *n* dérapage *m* • **to go into a skid** déraper. ■ *vi* déraper.

skier ['skiːər] *n* skieur *m*, -euse *f*.

skies [skaɪz] *npl* ▷ **sky**.

skiing ['skiːɪŋ] *n (indén)* ski *m* • **to go skiing** faire du ski.

ski jump *n* **1.** tremplin *m* **2.** saut *m* à ou en skis.

skilful *(UK)*, **skillful** *(US)* ['skɪlfʊl] *adj* habile, adroit(e).

ski lift *n* remonte-pente *m*.

skill [skɪl] *n* **1.** *(indén)* habileté *f*, adresse *f* **2.** technique *f*, art *m*.

skilled [skɪld] *adj* **1.** • **skilled (in** ou **at doing sthg)** habile ou adroit(e) (pour faire qqch) **2.** qualifié(e).

skillful *(US)* = **skilful**.

skillfully *(US)* = **skilfully**.

skim [skɪm] ■ *vt* **1.** écrémer **2.** écumer **3.** effleurer, raser. ■ *vi* • **to skim through sthg** parcourir qqch *(un livre, un magazine)*.

skim(med) milk [skɪm(d)-] *n* lait *m* écrémé.

skimp [skɪmp] ■ *vt* lésiner sur. ■ *vi* • **to skimp on** lésiner sur.

skimpy ['skɪmpɪ] *adj* **1.** *(repas)* maigre **2.** *(vêtements)* étriqué(e), trop juste.

skin [skɪn] ■ *n* peau *f*. ■ *vt* **1.** écorcher, dépouiller *(un animal mort)* **2.** éplucher, peler *(un fruit)* **3.** • **to skin one's knee** s'érafler ou s'écorcher le genou.

skin-deep *adj* superficiel(elle).

skin diving *n (indén)* plongée *f* sous-marine.

skinny ['skɪnɪ] *adj* maigre.

skin-tight *adj* moulant(e), collant(e).

skip [skɪp] ■ *n* **1.** petit saut *m* **2.** *(UK)* benne *f*. ■ *vt* **1.** sauter, sautiller **2.** *(UK)* sauter à la corde.

ski pants *npl* fuseau *m*.

ski pole *n* bâton *m* de ski.

skipper ['skɪpər] *n* **1.** NAUT capitaine *m* **2.** *(UK)* SPORT capitaine *m*.

skipping rope *n (UK)* corde *f* à sauter.

skirmish ['skɜːmɪʃ] *n* escarmouche *f*.

skirt [skɜːt] ■ *n* jupe *f*. ■ *vt* **1.** contourner **2.** éviter.

■ **skirt around** *vt insép* **1.** contourner **2.** éviter.

skit [skɪt] *n* sketch *m*.

skittle ['skɪtl] *n (UK)* quille *f*.
■ **skittles** *n (indén)* quilles *fpl*.

skive [skaɪv] *vi (UK) fam* • **to skive (off)** s'esquiver, tirer au flanc.

skulk [skʌlk] *vi* **1.** se cacher **2.** rôder.

skull [skʌl] *n* crâne *m*.

skunk [skʌŋk] *n* mouffette *f*.

sky [skaɪ] *n* ciel *m*.

skylight ['skaɪlaɪt] *n* lucarne *f*.

skyscraper ['skaɪˌskreɪpər] *n* gratte-ciel *m inv*.

slab [slæb] *n* **1.** dalle *f* **2.** bloc *m* **3.** grosse tranche *f (de gâteau)*.

slack [slæk] *adj* **1.** lâche **2.** calme **3.** négligent(e), pas sérieux(euse).

slacken ['slækn] ■ *vt* **1.** ralentir *(le pas, le rythme)* **2.** relâcher *(une corde)*. ■ *vi* ralentir.

slag [slæg] *n (indén)* scories *fpl*.

slagheap ['slæghiːp] *n* terril *m*.

slain [sleɪn] *pp* ▷ **slay**.

slam [slæm] ■ *vt* **1.** claquer **2.** • **to slam sthg on** ou **onto** jeter qqch brutalement sur, flanquer qqch sur. ■ *vi* claquer.

slander ['slɑːndər] ■ *n* **1.** calomnie *f* **2.** DR diffamation *f*. ■ *vt* **1.** calomnier **2.** DR diffamer.

slang [slæŋ] *n (indén)* argot *m*.

slant [slɑːnt] ■ *n* **1.** inclinaison *f* **2.** point *m* de vue. ■ *vt* présenter d'une manière tendancieuse. ■ *vi* pencher.

slanting ['slɑːntɪŋ] *adj* en pente.

slap [slæp] ◼ n **1.** claque f, tape f **2.** gifle f. ◼ vt **1.** gifler **2.** donner une claque à **3.** • **to slap sthg on** OU **onto** flanquer qqch sur. ◼ adv fam en plein.

slapdash ['slæpdæʃ] adj fam **1.** bâclé(e) **2.** négligent(e).

slapstick ['slæpstɪk] n (indén) grosse farce f.

slap-up adj (UK) fam fameux(euse).

slash [slæʃ] ◼ n **1.** entaille f **2.** barre f oblique. ◼ vt **1.** entailler **2.** fam casser (les prix) **3.** fam réduire considérablement.

slat [slæt] n **1.** lame f **2.** latte f.

slate [sleɪt] ◼ n ardoise f. ◼ vt fam descendre en flammes.

slaughter ['slɔːtər] ◼ n **1.** abattage m **2.** massacre m, carnage m. ◼ vt **1.** abattre **2.** massacrer.

slaughterhouse ['slɔːtəhaʊs] (pl [-haʊzɪz]) n abattoir m.

slave [sleɪv] ◼ n esclave mf. ◼ vi travailler comme un esclave OU un forçat • **to slave over sthg** peiner sur qqch.

slavery ['sleɪvərɪ] n esclavage m.

slay [sleɪ] (prét **slew**, pp **slain**) vt littéraire tuer.

sleazy ['sliːzɪ] adj mal famé(e).

sledge (UK) [sledʒ], **sled** (US) [sled] n **1.** luge f **2.** traîneau m.

sledgehammer ['sledʒˌhæmər] n masse f (outil).

sleek [sliːk] adj **1.** lisse, luisant(e) **2.** aux lignes pures.

sleep [sliːp] ◼ n sommeil m • **to go to sleep** s'endormir. ◼ vi (prét & pp **slept**) **1.** dormir **2.** coucher.
◼ **sleep in** vi (UK) faire la grasse matinée.
◼ **sleep with** vt insép coucher avec.

sleeper ['sliːpər] n **1.** • **to be a heavy/light sleeper** avoir le sommeil lourd/léger **2.** couchette f **3.** wagon-lit m **4.** train-couchettes m **5.** (UK) RAIL traverse f.

sleeping ['sliːpɪŋ] adj qui dort, endormi(e).

sleeping bag n sac m de couchage.

sleeping car n wagon-lit m.

sleeping pill n somnifère m.

sleepless ['sliːplɪs] adj • **to have a sleepless night** passer une nuit blanche.

sleepwalk ['sliːpwɔːk] vi être somnambule.

sleepy ['sliːpɪ] adj qui a envie de dormir.

sleet [sliːt] ◼ n neige f fondue. ◼ v impers • **it's sleeting** il tombe de la neige fondue.

sleeve [sliːv] n **1.** manche f **2.** pochette f (de disque).

sleigh [sleɪ] n traîneau m.

sleight of hand [ˌslaɪt-] n (indén) **1.** habileté f **2.** tour m de passe-passe.

slender ['slendər] adj **1.** mince **2.** (revenus) modeste, maigre **3.** (espoir) faible.

slept [slept] passé & pp ▷ **sleep**.

slew [sluː] ◼ passé ▷ **slay**. ◼ vi déraper.

slice [slaɪs] ◼ n **1.** tranche f **2.** fig part f **3.** SPORT slice m. ◼ vt **1.** couper en tranches **2.** trancher **3.** SPORT slicer.

slick [slɪk] ◼ adj **1.** bien mené(e), habile **2.** péj • facile • rusé(e). ◼ n nappe f de pétrole, marée f noire.

slide [slaɪd] ◼ n **1.** toboggan m **2.** diapositive f, diapo f **3.** (UK) barrette f (pour les cheveux) **4.** déclin m **5.** baisse f. ◼ vt (prét & pp **slid** [slɪd]) faire glisser. ◼ vi (prét & pp **slid** [slɪd]) glisser.

sliding door [ˌslaɪdɪŋ-] n porte f coulissante.

sliding scale [ˌslaɪdɪŋ-] n échelle f mobile.

slight [slaɪt] ◼ adj **1.** léger(ère) • **the slightest** le moindre(la moindre) • **not in the slightest** pas du tout **2.** mince. ◼ n affront m. ◼ vt offenser.

slightly ['slaɪtlɪ] adv légèrement.

slim [slɪm] ◼ adj **1.** mince **2.** faible. ◼ vi **1.** maigrir **2.** (UK) suivre un régime amaigrissant.

slime [slaɪm] n **1.** (indén) substance f visqueuse **2.** bave f.

slimming ['slɪmɪŋ] ◼ n (UK) amaigrissement m. ◼ adj amaigrissant(e).

sling [slɪŋ] ◼ n **1.** écharpe f **2.** NAUT élingue f. ◼ vt (prét & pp **slung**) **1.** suspendre **2.** fam lancer.

slip [slɪp] ◼ n **1.** erreur f • **a slip of the tongue** un lapsus **2.** morceau m **3.** bande f **4.** combinaison f • **to give sb the slip** fam fausser compagnie à qqn. ◼ vt

glisser ⚫ **to slip sthg on** enfiler qqch. ◼ *vi* **1.** glisser ⚫ **to slip into sthg** se glisser dans qqch **2.** décliner.
◼ **slip up** *vi fig* faire une erreur.

slipped disc *(UK)*, **slipped disk** *(US)* [ˌslɪpt-] *n* hernie *f* discale.

slipper [ˈslɪpəʳ] *n* pantoufle *f*, chausson *m*.

slippery [ˈslɪpərɪ] *adj* glissant(e).

slip road *n (UK)* bretelle *f*.

slipshod [ˈslɪpʃɒd] *adj* peu soigné(e).

slip-up *n fam* gaffe *f*.

slipway [ˈslɪpweɪ] *n* cale *f* de lancement.

slit [slɪt] ◼ *n* **1.** fente *f* **2.** incision *f*. ◼ *vt* (*prét & pp* **slit**) **1.** fendre **2.** inciser.

slither [ˈslɪðəʳ] *vi* **1.** *(personne)* glisser **2.** *(serpent)* onduler.

sliver [ˈslɪvəʳ] *n* **1.** éclat *m* **2.** lamelle *f*.

slob [slɒb] *n fam* **1.** saligaud *m* **2.** gros lard *m*.

slog [slɒg] *fam* ◼ *n* corvée *f*. ◼ *vi* travailler comme un bœuf.

slogan [ˈsləʊgən] *n* slogan *m*.

slop [slɒp] ◼ *vt* renverser. ◼ *vi* déborder.

slope [sləʊp] ◼ *n* pente *f*. ◼ *vi* **1.** être en pente **2.** pencher.

sloping [ˈsləʊpɪŋ] *adj* **1.** en pente **2.** penché(e).

sloppy [ˈslɒpɪ] *adj* peu soigné(e).

slot [slɒt] *n* **1.** fente *f* **2.** rainure *f* **3.** créneau *m (horaire)*.

slot machine *n* **1.** *(UK)* distributeur *m* automatique **2.** machine *f* à sous.

slouch [slaʊtʃ] *vi* être avachi(e).

Slovakia [sləˈvækɪə] *n* Slovaquie *f*.

slovenly [ˈslʌvnlɪ] *adj* négligé(e).

slow [sləʊ] ◼ *adj* **1.** lent(e) **2.** ⚫ **to be slow** retarder. ◼ *adv* lentement ⚫ **to go slow** aller lentement ⚫ faire la grève perlée. ◼ *vt & vi* ralentir.
◼ **slow down, slow up** *vt sép & vi* ralentir.

slowdown [ˈsləʊdaʊn] *n* ralentissement *m*.

slowly [ˈsləʊlɪ] *adv* lentement.

slow motion *n* ⚫ **in slow motion** au ralenti *m*.

sludge [slʌdʒ] *n* boue *f*.

slug [slʌg] *n* **1.** limace *f* **2.** *fam* rasade *f* **3.** *fam* balle *f*.

sluggish [ˈslʌgɪʃ] *adj* **1.** apathique **2.** lent(e) **3.** calme, stagnant(e).

sluice [sluːs] *n* écluse *f*.

slum [slʌm] *n* quartier *m* pauvre.

slumber [ˈslʌmbəʳ] *littéraire* ◼ *n* sommeil *m*. ◼ *vi* dormir paisiblement.

slump [slʌmp] ◼ *n* **1.** ⚫ **slump (in)** baisse *f* (de) **2.** crise *f* (économique). ◼ *vi litt & fig* s'effondrer.

slung [slʌŋ] *passé & pp* ▷ **sling**.

slur [slɜːʳ] ◼ *n* **1.** ⚫ **slur (on)** atteinte *f* (à) **2.** affront *m*, insulte *f*. ◼ *vt* mal articuler.

slush [slʌʃ] *n* neige *f* fondue.

slush fund, slush money *n* fonds *mpl* secrets, caisse *f* noire.

slut [slʌt] *n* **1.** *fam* souillon *f* **2.** *tfam* salope *f*.

sly [slaɪ] *adj* (*comp* **slyer** *ou* **slier**, *superl* **slyest** *ou* **sliest**) **1.** *(regard, sourire)* entendu(e) **2.** rusé(e), sournois(e).

smack [smæk] ◼ *n* **1.** claque *f* **2.** gifle *f* **3.** claquement *m*. ◼ *vt* **1.** donner une claque à **2.** gifler **3.** poser violemment.

small [smɔːl] *adj* **1.** petit(e) **2.** insignifiant(e).

small ads [-ædz] *npl (UK)* petites annonces *fpl*.

small change *n* petite monnaie *f*.

smallholder [ˈsmɔːlˌhəʊldəʳ] *n (UK)* petit cultivateur *m*.

small hours *npl* ⚫ **in the small hours** au petit jour *ou* matin.

smallpox [ˈsmɔːlpɒks] *n* variole *f*, petite vérole *f*.

small print *n* ⚫ **the small print** les clauses *fpl* écrites en petits caractères.

small talk *n (indén)* papotage *m*.

smarmy [ˈsmɑːmɪ] *adj fam* mielleux(euse).

smart [smɑːt] ◼ *adj* **1.** élégant(e) **2.** intelligent(e) **3.** à la mode, in *(inv)* **4.** vif(vive), rapide. ◼ *vi* **1.** *(yeux, peau)* brûler, piquer **2.** être blessé(e).

smarten [ˈsmɑːtn] ◼ **smarten up** *vt sép* arranger ⚫ **to smarten o.s. up** se faire beau(belle).

smash [smæʃ] ◼ n **1.** fracas m **2.** fam collision f **3.** SPORT smash m. ◼ vt **1.** briser **2.** fig détruire. ◼ vi **1.** se briser **2.** • to **smash into sthg** s'écraser contre qqch.

smashing ['smæʃɪŋ] adj (UK) fam vieilli super (inv).

smattering ['smætərɪŋ] n • to have a **smattering of German** savoir quelques mots d'allemand.

smear [smɪər] ◼ n **1.** tache f **2.** MÉD frottis m **3.** diffamation f. ◼ vt **1.** barbouiller, maculer **2.** • to **smear sthg onto sthg** étaler qqch sur qqch • to **smear sthg with sthg** enduire qqch de qqch **3.** calomnier.

smell [smel] ◼ n **1.** odeur f **2.** odorat m. ◼ vt (prét & pp **-ed** ou **smelt**) sentir. ◼ vi (prét & pp **-ed** ou **smelt**) **1.** sentir • to **smell of sthg** sentir qqch • to **smell good/bad** sentir bon/mauvais **2.** puer.

smelly ['smelɪ] adj qui sent mauvais.

smelt [smelt] ◼ passé & pp ⊳ **smell**. ◼ vt **1.** extraire par fusion **2.** fondre.

smile [smaɪl] ◼ n sourire m. ◼ vi sourire.

smirk [smɜːk] n sourire m narquois.

smock [smɒk] n blouse f.

smog [smɒg] n smog m.

smoke [sməʊk] ◼ n (indén) fumée f. ◼ vt & vi fumer.

smoked [sməʊkt] adj fumé(e).

smoker ['sməʊkər] n **1.** fumeur m, -euse f **2.** RAIL compartiment m fumeurs.

smokescreen ['sməʊkskriːn] n fig couverture f.

smoke shop n (US) bureau m de tabac.

smoking ['sməʊkɪŋ] n tabagisme m • 'no **smoking'** 'défense de fumer'.

smoky ['sməʊkɪ] adj **1.** enfumé(e) **2.** fumé(e).

smolder (US) = **smoulder**.

smooth [smuːð] ◼ adj **1.** (surface) lisse **2.** (sauce) homogène, onctueux(euse) **3.** (mouvement) régulier(ère) **4.** (goût) moelleux(euse) **5.** confortable **6.** (décollage, atterrissage) en douceur **7.** péj (ton, personne) doucereux(euse), mielleux(euse) **8.** sans problèmes. ◼ vt **1.** lisser (ses cheveux) **2.** défroisser (une nappe, des vêtements).

◼ **smooth out** vt sép défroisser.

smother ['smʌðər] vt **1.** • to **smother sb/ sthg with** couvrir qqn/qqch de **2.** étouffer **3.** fig cacher, étouffer.

smoulder, smolder ['sməʊldər] vi litt & fig couver.

SMS [,esem'es] (abr de short message system) n sms m, texto m.

smudge [smʌdʒ] ◼ n **1.** tache f **2.** bavure f. ◼ vt **1.** maculer **2.** faire une marque ou trace sur **3.** salir.

smug [smʌg] adj (content de soi) suffisant(e).

smuggle ['smʌgl] vt faire passer en contrebande.

smuggler ['smʌglər] n contrebandier m, -ère f.

smuggling ['smʌglɪŋ] n (indén) contrebande f.

smutty ['smʌtɪ] adj péj cochon(onne).

snack [snæk] n casse-croûte m inv.

snack bar n snack m, snack-bar m.

snag [snæg] ◼ n inconvénient m, écueil m. ◼ vi • to **snag (on)** s'accrocher (à).

snail [sneɪl] n escargot m.

snake [sneɪk] n serpent m.

snap [snæp] ◼ adj **1.** subit(e) **2.** irréfléchi(e). ◼ n **1.** craquement m (d'une branche) **2.** claquement m (de doigts) **3.** photo f **4.** (UK) (jeu de cartes) ≃ bataille f **5.** (US) fam • it's a **snap!** c'est simple comme bonjour ! ◼ vt **1.** casser net **2.** dire d'un ton sec. ◼ vi **1.** se casser net **2.** • to **snap at essayer de mordre **3.** • to **snap at sb)** parler (à qqn) d'un ton sec.

◼ **snap up** vt sép sauter sur.

snap fastener n (US) pression f, boutonpression m.

snappy ['snæpɪ] adj fam **1.** chic **2.** prompt(e) • make it **snappy!** dépêchetoi !

snapshot ['snæpʃɒt] n photo f.

snare [sneər] ◼ n piège m, collet m. ◼ vt prendre au piège, attraper.

snarl [snɑːl] ◼ n grondement m. ◼ vi gronder.

snatch [snætʃ] ◼ n **1.** bribe f (de conversation) **2.** extrait m (de chanson). ◼ vt saisir.

sneak [sniːk] ◼ n fam rapporteur m, -euse f. ◼ vt ((US) prét & pp **snuck**) • to **sneak a look at sb/sthg** regarder qqn/qqch à la dérobée. ◼ vi ((US) prét & pp **snuck**) se glisser.

sneakers ['sni:kəz] *npl (surtout US)* tennis *fpl*, baskets *fpl*.

sneaky ['sni:kɪ] *adj fam* sournois(e).

sneer [snɪər] ■ *n* 1. sourire *m* dédaigneux 2. ricanement *m*. ■ *vi* sourire dédaigneusement.

sneeze [sni:z] ■ *n* éternuement *m*. ■ *vi* éternuer.

snide [snaɪd] *adj* sournois(e).

sniff [snɪf] ■ *vt* renifler. ■ *vi* renifler.

snigger ['snɪgər] *(UK)* ■ *n* rire *m* en dessous. ■ *vi* ricaner.

snip [snɪp] ■ *n (UK) fam* bonne affaire *f*. ■ *vt* couper.

sniper ['snaɪpər] *n* tireur *m* isolé.

snippet ['snɪpɪt] *n* fragment *m*.

snivel ['snɪvl] ((UK) *prét & pp* **-led**, *cont* **-ling**, (US) *prét & pp* **-ed**, *cont* **-ing**) *vi* geindre.

snob [snɒb] *n* snob *mf*.

snobbish ['snɒbɪʃ], **snobby** ['snɒbɪ] *adj* snob *(inv)*.

snooker ['snu:kər] *n* ≃ jeu *m* de billard.

snoop [snu:p] *vi fam* fureter.

snooty ['snu:tɪ] *adj fam* prétentieux(euse).

snooze [snu:z] ■ *n* petit somme *m*. ■ *vi* faire un petit somme.

snore [snɔr] ■ *n* ronflement *m*. ■ *vi* ronfler.

snoring ['snɔrɪŋ] *n (indén)* ronflement *m*, ronflements *mpl*.

snorkel ['snɔkl] *n* tuba *m*.

snort [snɔt] ■ *n* 1. grognement *m* 2. *(cheval)* ébrouement *m*. ■ *vi* 1. grogner 2. *(cheval)* s'ébrouer.

snout [snaʊt] *n* groin *m*.

snow [snəʊ] ■ *n* neige *f*. ■ *v impers* neiger.

snowball ['snəʊbɔl] ■ *n* boule *f* de neige. ■ *vi fig* faire boule de neige.

snowbank ['snəʊbæŋk] *n* congère *f*, banc *m* de neige *(Québec)*.

snowboard ['snəʊ,bɔd] *n* surf *m* des neiges.

snowboarding ['snəʊ,bɔdɪŋ] *n* surf *m* (des neiges).

snowbound ['snəʊbaʊnd] *adj* bloqué(e) par la neige.

snowdrift ['snəʊdrɪft] *n* congère *f*.

snowdrop ['snəʊdrɒp] *n* perce-neige *m inv*.

snowfall ['snəʊfɔl] *n* chute *f* de neige.

snowflake ['snəʊfleɪk] *n* flocon *m* de neige.

snowman ['snəʊmæn] *(pl* **-men** [-men]*)* *n* bonhomme *m* de neige.

snowmobile ['snəʊməbi:l] *n* scooter *m* des neiges, motoneige *f (Québec)*.

snowplough (UK), **snowplow** (US) ['snəʊplaʊ] *n* chasse-neige *m inv*.

snowshoe ['snəʊʃu:] *n* raquette *f*.

snowstorm ['snəʊstɔm] *n* tempête *f* de neige.

SNP *(abr de Scottish National Party) n* parti nationaliste écossais.

Snr, snr *abrév de* **senior**.

snub [snʌb] ■ *n* rebuffade *f*. ■ *vt* snober.

snuck [snʌk] *(US) passé & pp* ▷ **sneak**.

snuff [snʌf] *n* tabac *m* à priser.

snug [snʌg] *adj* 1. à l'aise, confortable 2. bien au chaud 3. *(endroit)* douillet(te) 4. *(vêtement)* bien ajusté(e).

snuggle ['snʌgl] *vi* se blottir.

so [səʊ] ■ *adv* 1. si, tellement • **so difficult (that)...** si difficile que... • **don't be so stupid!** ne sois pas si bête ! • **we had so much work!** nous avions tant de travail ! • **I've never seen so much money** je n'ai jamais vu autant d'argent 2. • **so what's the point then?** alors à quoi bon ? • **I don't think so** je ne crois pas • **I'm afraid so** je crains bien que oui • **if so** si oui • **is that so?** vraiment ? • **so what have you been up to?** alors, qu'est-ce que vous devenez ? • **so what?** *fam* et alors ? • **so there!** *fam* là !, et voilà ! 3. aussi • **so can/do/would** *etc* **I** moi aussi • **she speaks French and so does her husband** elle parle français et son mari aussi 4. • **(like) so** comme cela *ou* ça 5. • **so there is** en effet, c'est vrai • **so I see** c'est ce que je vois 6. • **they pay us so much a week** ils nous payent tant par semaine • **or so** environ. ■ *conj* alors • **I'm away next week so I won't be there** je suis en voyage la semaine prochaine donc je ne serai pas là.

■ **so as** *conj* afin de, pour • **we didn't knock so as not to disturb them** nous n'avons pas frappé pour ne pas les déranger.

■ **so that** *conj* pour que *(+ subjonctif)*.

soak [səʊk] ◼ vt laisser ou faire tremper. ◼ vi 1. • **to leave sthg to soak, to let sthg soak** laisser ou faire tremper qqch 2. • **to soak into sthg** tremper dans qqch • **to soak through (sthg)** traverser (qqch).

◼ **soak up** vt sép absorber.

soaking ['səʊkɪŋ] adj trempé(e).

so-and-so n fam 1. • **Mr so-and-so** Monsieur Untel 2. enquiquineur m, -euse f.

soap [səʊp] n 1. (indén) savon m 2. TV soap opera m.

soap flakes npl savon m en paillettes.

soap opera n soap opera m.

soap powder n lessive f.

soapy ['səʊpɪ] adj 1. savonneux(euse) 2. de savon.

soar [sɔːʳ] vi 1. (oiseau) planer 2. (ballon, cerf-volant) monter 3. (prix, température) monter en flèche.

sob [sɒb] ◼ n sanglot m. ◼ vi sangloter.

sober ['səʊbəʳ] adj 1. qui n'est pas ivre 2. sérieux(euse) 3. sobre.

◼ **sober up** vi dessoûler.

sobering ['səʊbərɪŋ] adj qui donne à réfléchir.

so-called [-kɔːld] adj soi-disant (inv), prétendu(e).

soccer ['sɒkəʳ] n football m.

sociable ['səʊʃəbl] adj sociable.

social ['səʊʃl] adj social(e).

social club n club m.

socialism ['səʊʃəlɪzm] n socialisme m.

socialist ['səʊʃəlɪst] ◼ adj socialiste. ◼ n socialiste mf.

socialize, -ise ['səʊʃəlaɪz] vi fréquenter des gens • **to socialize with sb** fréquenter qqn, frayer avec qqn.

social security n aide f sociale.

social services npl services mpl sociaux.

social worker n assistant m social, assistante f sociale.

society [sə'saɪətɪ] n 1. société f 2. association f, club m.

sociology [ˌsəʊsɪ'ɒlədʒɪ] n sociologie f.

sock [sɒk] n chaussette f.

socket ['sɒkɪt] n 1. douille f 2. prise f de courant 3. orbite f 4. cavité f articulaire.

sod [sɒd] n 1. motte f de gazon 2. (UK) tfam con m.

soda ['səʊdə] n 1. soude f 2. eau f de Seltz 3. (US) soda m.

soda water n eau f de Seltz.

sodden ['sɒdn] adj trempé(e), détrempé(e).

sodium ['səʊdɪəm] n sodium m.

sofa ['səʊfə] n canapé m.

Sofia ['səʊfjə] n Sofia.

soft [sɒft] adj 1. doux (douce), mou (molle) 2. léger(ère) 3. tendre 4. faible, indulgent(e).

soft drink n boisson f non alcoolisée.

soften ['sɒfn] ◼ vt 1. assouplir (un tissu) 2. ramollir (une substance) 3. adoucir (la peau) 4. atténuer (un choc, un coup) 5. modérer (un comportement). ◼ vi 1. se ramollir 2. s'adoucir, se radoucir.

softhearted [ˌsɒft'hɑːtɪd] adj au cœur tendre.

softly ['sɒftlɪ] adv 1. doucement 2. faiblement 3. avec indulgence.

soft-spoken adj à la voix douce.

software ['sɒftweəʳ] n (indén) logiciel m.

soggy ['sɒgɪ] adj trempé(e), détrempé(e).

soil [sɔɪl] ◼ n (indén) 1. sol m, terre f 2. fig sol m, territoire m. ◼ vt souiller, salir.

soiled [sɔɪld] adj sale.

solace ['sɒləs] n littéraire consolation f, réconfort m.

solar ['səʊləʳ] adj solaire.

sold [səʊld] passé & pp ▷ sell.

solder ['səʊldəʳ] ◼ n (indén) soudure f. ◼ vt souder.

soldier ['səʊldʒəʳ] n soldat m.

sold-out adj 1. (billets) qui ont tous été vendus 2. (pièce de théâtre) qui se joue à guichets fermés.

sole [səʊl] ◼ adj 1. seul(e), unique 2. exclusif(ive). ◼ n 1. semelle f 2. (pl inv ou -s) sole f.

solemn ['sɒləm] adj 1. solennel(elle) 2. sérieux(euse).

solicit [sə'lɪsɪt] ◼ vt sout solliciter. ◼ vi racoler.

solicitor [sə'lɪsɪtəʳ] n (UK) notaire m.

solid ['sɒlɪd] ◼ *adj* **1.** solide **2.** plein(e) **3.** *(bois, or)* massif(ive) **4.** • **two hours solid** deux heures d'affilée. ◼ *n* CHIM & PHYS solide *m*.

solidarity [,sɒlɪ'dærətɪ] *n* solidarité *f*.

solitaire [,sɒlɪ'teəʳ] *n* **1.** *(diamant, jeu)* solitaire *m* **2.** *(US) (jeu de cartes)* réussite *f*.

solitary ['sɒlɪtrɪ] *adj* **1.** solitaire **2.** seul (e).

solitary confinement *n* isolement *m* cellulaire.

solitude ['sɒlɪtjuːd] *n* solitude *f*.

solo ['səʊləʊ] ◼ *adj* solo *(inv).* ◼ *n (pl* **-s)** solo *m*. ◼ *adv* en solo.

soloist ['səʊləʊɪst] *n* soliste *mf*.

soluble ['sɒljʊbl] *adj* soluble.

solution [sə'luːʃn] *n* **1.** • **solution (to)** solution *f* (de) **2.** solution *f*.

solve [sɒlv] *vt* résoudre.

solvent ['sɒlvənt] ◼ *adj* solvable. ◼ *n* dissolvant *m*, solvant *m*.

Somalia [sə'mɑːlɪə] *n* Somalie *f*.

sombre *(UK)*, **somber** *(US)* ['sɒmbəʳ] *adj* sombre.

---

some [sʌm] *adj*

1. AVEC DES INDÉNOMBRABLES AU SINGULIER OU DES DÉNOMBRABLES AU PLURIEL
• **there is some milk left** il reste du lait
• **I've brought you some sweets** je vous ai apporté des bonbons

2. DANS DES PHRASES INTERROGATIVES
• **will you have some more meat?** voulez-vous encore de la viande ?

3. INDIQUE UNE INTENSITÉ OU UNE QUANTITÉ RELATIVEMENT IMPORTANTE
• **I had some difficulty getting here** j'ai eu quelque mal à venir ici
• **I've known him for some years** je le connais depuis plusieurs années

4. EXPRIME UN CONTRASTE
• **some jobs are better paid than others** certains boulots sont mieux rémunérés que d'autres
• **some people like his music** il y en a qui aiment sa musique

5. POUR PARLER D'UNE PERSONNE NON CONNUE OU NON SPÉCIFIÉE
• **she married some writer or other** elle a épousé un écrivain quelconque

6. *fam* DANS DES PHRASES EXCLAMATIVES, POUR EXPRIMER L'ENTHOUSIASME OU L'ADMIRATION
• **that was some party!** c'était une soirée formidable !, quelle soirée !
• **she's some girl!** c'est une fille fantastique !

---

some *pron*

• **can I have some?** est-ce que je peux en prendre (quelques-uns) ?
• **some (of them) left early** quelques-uns d'entre eux sont partis tôt
• **some of it is mine** une partie est à moi.

---

some *adv*

INTRODUIT UNE APPROXIMATION
• **there were some 7,000 people there** il y avait quelque 7 000 personnes.

À PROPOS DE...

some

Lorsque *some* est un adjectif ou un pronom, il n'apparaît que dans des contextes affirmatifs (*there are some cookies left* ; *some of my old school friends are married*) ; dans les phrases négatives il est remplacé par *no* lorsqu'il est adjectif, et par *none* lorsqu'il est pronom (*there are no cookies left* ; *none of my school friends are married*). Lorsque le verbe est à la forme négative, *some* est remplacé par *any* (*I don't know if there are any cookies left* ; *there aren't any cookies left*).
Il est possible d'utiliser *some* dans les questions, si l'on s'attend à une réponse affirmative (*would you like some soup?*). Si ce n'est pas le cas, on remplace *some* par *any* (*are there any cookies left?*).
Voir aussi *no*, *none*.

---

somebody ['sʌmbədɪ] *pron* quelqu'un.

someday ['sʌmdeɪ] *adv* un jour, un de ces jours.

somehow ['sʌmhaʊ], **someway** ['sʌmweɪ] *adv* **1.** d'une manière ou d'une autre **2.** pour une raison ou pour une autre.

someone ['sʌmwʌn] *pron* quelqu'un.

someplace *(US)* = **somewhere**.

somersault ['sʌməsɔːlt] ◼ *n* cabriole *f*, culbute *f*. ◼ *vi* faire une cabriole.

something ['sʌmθɪŋ] ◼ *pron* quelque chose • **something odd/interesting** quelque chose de bizarre/d'intéressant • **or something** *fam* ou quelque chose comme ça. ◼ *adv* • **something like, something in the region of** environ, à peu près.

sometime ['sʌmtaɪm] ◼ *adj* ancien(enne). ◼ *adv* un de ces jours • **sometime last week** dans le courant de la semaine dernière.

sometimes ['sʌmtaɪmz] *adv* quelquefois, parfois.

someway *(US)* = **somehow**.

somewhat ['sʌmwɒt] *adv* quelque peu.

somewhere ['sʌmweər], **someplace** ['sʌmpleɪs] *adv* 1. quelque part • **somewhere else** ailleurs • **somewhere near here** près d'ici 2. environ, à peu près • **he must be somewhere in his forties** il doit avoir entre 40 et 50 ans.

son [sʌn] *n* fils *m*.

song [sɒŋ] *n* 1. chanson *f* 2. *(d'un oiseau)* chant *m*, ramage *m*.

sonic ['sɒnɪk] *adj* sonique.

son-in-law (*pl* **sons-in-law**) *n* gendre *m*, beau-fils *m*.

sonnet ['sɒnɪt] *n* sonnet *m*.

sonny ['sʌnɪ] *n fam* fiston *m*.

soon [suːn] *adv* 1. bientôt • **soon after** peu après 2. tôt • **write back soon** réponds-moi vite • **how soon will it be ready?** dans combien de temps est-ce que ce sera prêt ? • **as soon as** dès que, aussitôt que.

sooner ['suːnər] *adv* 1. plus tôt • **no sooner... than...** à peine... que... • **sooner or later** tôt ou tard • **the sooner the better** le plus tôt sera le mieux 2. • **I would sooner...** je préférerais..., j'aimerais mieux...

soot [sʊt] *n* suie *f*.

soothe [suːð] *vt* calmer, apaiser.

sophisticated [sə'fɪstɪkeɪtɪd] *adj* 1. *(personne, tenue)* raffiné(e), sophistiqué(e) 2. averti(e) 3. *(mécanisme, technique)* sophistiqué(e), très perfectionné(e).

sophomore ['sɒfəmɔːr] *n (US)* étudiant *m*, -e *f* de seconde année.

soporific [,sɒpə'rɪfɪk] *adj* soporifique.

sopping ['sɒpɪŋ] *adj fam* • **sopping (wet)** tout trempé(toute trempée).

soppy ['sɒpɪ] *adj fam* 1. à l'eau de rose 2. sentimental(e) 3. bêta(asse), bête.

soprano [sə'prɑːnəʊ] (*pl* **-s**) *n* 1. soprano *mf* 2. *(voix)* soprano *m*.

sorbet ['sɔːbeɪ] *n* sorbet *m*.

sorcerer ['sɔːsərər] *n* sorcier *m*.

sordid ['sɔːdɪd] *adj* sordide.

sore [sɔːr] ◼ *adj* 1. douloureux(euse) • **to have a sore throat** avoir mal à la gorge 2. *(US)* fâché(e), contrarié(e). ◼ *n* plaie *f*.

sorely ['sɔːlɪ] *adv littéraire* grandement.

sorrow ['sɒrəʊ] *n* peine *f*, chagrin *m*.

sorry ['sɒrɪ] ◼ *adj* 1. désolé(e) • **to be sorry about sthg** s'excuser pour qqch • **to be sorry to do sthg** être désolé *ou* regretter de faire qqch 2. • **in a sorry state** en piteux état, dans un triste état. ◼ *interj* 1. pardon !, excusez-moi ! 2. *(quand on n'a pas compris)* pardon ?, comment ? 3. *(pour se corriger)* non, pardon *ou* je veux dire.

sort [sɔːt] ◼ *n* genre *m*, sorte *f*, espèce *f* • **sort of** plutôt • **a sort of** une espèce *ou* sorte de. ◼ *vt* trier, classer.

■ **sort out** vt sép **1.** ranger, classer **2.** résoudre.

sorting office ['sɔtɪŋ-] n centre m de tri.

SOS (abr de save our souls) n SOS m.

so-so fam ■ adj quelconque. ■ adv comme ci comme ça.

sought [sɔt] passé & pp ⊳ **seek.**

soul [səʊl] n **1.** âme f **2.** MUS soul m.

soul-destroying [-dɪˌstrɔɪɪŋ] adj abrutissant(e).

soulful ['səʊlfʊl] adj **1.** expressif(ive) **2.** sentimental(e).

sound [saʊnd] ■ adj **1.** sain(e), en bonne santé **2.** solide **3.** judicieux(euse), sage **4.** (investissement) sûr(e). ■ adv • **to be sound asleep** dormir d'un sommeil profond. ■ n **1.** son m **2.** bruit m, son m • **by the sound of it...** d'après ce que j'ai compris... ■ vt sonner. ■ vi **1.** sonner, retentir **2.** sembler • **to sound like sthg** avoir l'air de qqch.
■ **sound out** vt sép • **to sound sb out (on** ou **about)** sonder qqn (sur).

sound barrier n mur m du son.

sound effects npl bruitage m, effets mpl sonores.

sounding ['saʊndɪŋ] n fig sondage m.

soundly ['saʊndlɪ] adv **1.** à plates coutures **2.** profondément.

soundproof ['saʊndpruːf] adj insonorisé(e).

soundtrack ['saʊndtræk] n bande-son f.

soup [suːp] n soupe f, potage m.

soup plate n assiette f creuse ou à soupe.

soup spoon n cuiller f à soupe.

sour ['saʊər] ■ adj **1.** (fruit, goût) acide, aigre **2.** (personne, caractère) aigre, acerbe. ■ vt fig faire tourner au vinaigre, faire mal tourner.

source [sɔs] n **1.** source f **2.** origine f, cause f.

sour grapes n (indén) fam • **what he said was just sour grapes** il a dit ça par dépit.

south [saʊθ] ■ n **1.** sud m **2.** • **the south** le sud • **the South of France** le Sud de la France. ■ adj **1.** sud (inv) **2.** du sud. ■ adv au sud, vers le sud • **south of** au sud de.

South Africa n Afrique f du Sud.

South African ■ adj sud-africain(e). ■ n Sud-Africain m, -e f.

South America n Amérique f du Sud.

South American ■ adj sud-américain(e). ■ n Sud-Américain m, -e f.

southeast [ˌsaʊθ'iːst] ■ n **1.** sud-est m **2.** • **the southeast** le sud-est. ■ adj au sud-est, du sud-est. ■ adv au sud-est, vers le sud-est • **southeast of** au sud-est de.

southerly ['sʌðəlɪ] adj au sud, du sud.

southern ['sʌðən] adj **1.** du sud **2.** du Midi.

South Korea n Corée f du Sud.

South Pole n • **the South Pole** le pôle Sud.

southward ['saʊθwəd] ■ adj au sud, du sud. ■ adv = **southwards.**

southwards ['saʊθwədz] adv vers le sud.

southwest [ˌsaʊθ'west] ■ n **1.** sud-ouest m **2.** • **the southwest** le sud-ouest. ■ adj au sud-ouest, du sud-ouest. ■ adv au sud-ouest, vers le sud-ouest • **southwest of** au sud-ouest de.

souvenir [ˌsuːvə'nɪər] n souvenir m (objet).

sovereign ['sɒvrɪn] ■ adj souverain(e). ■ n **1.** souverain m, -e f **2.** (pièce d'or) souverain m.

soviet ['səʊvɪət] n soviet m.
■ **Soviet** ■ adj soviétique. ■ n Soviétique mf.

Soviet Union n • **the (former) Soviet Union** l'(ex-)Union f soviétique.

sow[1] [səʊ] (prét **-ed**, pp **sown** ou **-ed**) vt litt & fig semer.

sow[2] [saʊ] n truie f.

sown [səʊn] pp ⊳ **sow**[1].

soya ['sɔɪə] n soja m.

soy(a) bean ['sɔɪ(ə)-] n graine f de soja.

spa [spɑː] n station f thermale.

space [speɪs] ■ n **1.** espace m **2.** blanc m **3.** place f **4.** • **within** ou **in the space of ten minutes** en l'espace de dix minutes. ■ en apposition spatial(e). ■ vt espacer.
■ **space out** vt sép espacer.

spacecraft ['speɪskrɑːft] (pl inv) n vaisseau m spatial.

spaceman ['speɪsmæn] (*pl* **-men** [-men]) *n* astronaute *m*, cosmonaute *m*.

spaceship ['speɪsʃɪp] *n* vaisseau *m* spatial.

space shuttle *n* navette *f* spatiale.

spacesuit ['speɪssuːt] *n* combinaison *f* spatiale.

spacing ['speɪsɪŋ] *n* espacement *m*.

spacious ['speɪʃəs] *adj* spacieux(euse).

spade [speɪd] *n* **1.** pelle *f* **2.** *(aux jeux de cartes)* pique *m*.

spaghetti [spə'getɪ] *n* *(indén)* spaghettis *mpl*.

Spain [speɪn] *n* Espagne *f*.

spam [spæm] *n* *fam* **1.** spam *m* **2.** *(Canada)* pourriel *m*.

spammer ['spæmər] *n* spammeur *m*.

spamming ['spæmɪŋ] *n* *(indén)* spam *m*, arrosage *m* recomm off.

span [spæn] *passé* ⊳ **spin**. *n* **1.** espace *m* de temps, durée *f* **2.** éventail *m*, gamme *f* **3.** envergure *f* **4.** travée *f* **5.** ouverture *f*. *vt* **1.** couvrir *(une période)* **2.** franchir.

Spaniard ['spænjəd] *n* Espagnol *m*, -e *f*.

spaniel ['spænjəl] *n* épagneul *m*.

Spanish ['spænɪʃ] *adj* espagnol(e). *n* espagnol *m*. *npl* • **the Spanish** les Espagnols.

spank [spæŋk] *vt* donner une fessée à.

spanner ['spænər] *n* *(UK)* clé *f* à écrous.

spar [spaːr] *n* NAUT espar *m*. *vi* s'entraîner à la boxe.

spare [speər] *adj* **1.** de trop **2.** de réserve, de rechange • **spare bed** lit *m* d'appoint **3.** disponible. *n* pièce *f* détachée *ou* de rechange. *vt* **1.** se passer de **2.** disposer de • **to have an hour to spare** avoir une heure de libre **3.** épargner, ménager • **to spare no expense** ne pas regarder à la dépense **4.** • **to spare sb sthg** épargner qqch à qqn.

spare part *n* pièce *f* détachée *ou* de rechange.

spare time *n* *(indén)* temps *m* libre, loisirs *mpl*.

spare wheel *n* roue *f* de secours.

sparing ['speərɪŋ] *adj* • **to be sparing with** *ou* **of sthg** être économe de qqch.

sparingly ['speərɪŋlɪ] *adv* **1.** avec modération **2.** avec parcimonie.

spark [spaːk] *n* *litt* & *fig* étincelle *f*.

sparking plug ['spaːkɪŋ-] *(UK)* = **spark plug**.

sparkle ['spaːkl] *n* **1.** *(indén)* éclat *m* **2.** scintillement *m*. *vi* étinceler, scintiller.

sparkling wine ['spaːklɪŋ-] *n* vin *m* mousseux.

spark plug *n* AUTO bougie *f*.

sparrow ['spærəʊ] *n* moineau *m*.

sparse [spaːs] *adj* clairsemé(e), épars (e).

spasm ['spæzm] *n* **1.** spasme *m* **2.** quinte *f* **3.** accès *m*.

spastic ['spæstɪk] *n* handicapé *m*, -e *f* moteur.

spat [spæt] *passé* & *pp* ⊳ **spit**.

spate [speɪt] *n* avalanche *f* *(de lettres, de visiteurs)*.

spatter ['spætər] *vt* éclabousser.

spawn [spɔn] *n* *(indén)* frai *m*, œufs *mpl*. *vt fig* donner naissance à, engendrer. *vi* frayer.

speak [spiːk] *(prét* **spoke**, *pp* **spoken)** *vt* **1.** dire **2.** parler. *vi* parler • **to speak to** *ou* **with sb** parler à qqn • **to speak to sb about sthg** parler de qqch à qqn • **to speak about sb/sthg** parler de qqn/qqch • **speak now or forever hold your peace** parlez maintenant ou gardez le silence pour toujours.

■ **speak for** *vt insép* parler au nom de • **she's already spoken for** elle est déjà prise.

■ **speak up** *vi* **1.** • **to speak up for sb/sthg** parler en faveur de qqn/qqch, soutenir qqn/qqch **2.** parler plus fort.

speaker ['spiːkər] *n* **1.** personne *f* qui parle **2.** orateur *m* **3.** • **a German speaker** un germanophone **4.** haut-parleur *m*.

speaking ['spiːkɪŋ] *adv* • **politically speaking** d'un point de vue politique.

spear [spɪər] *n* lance *f*. *vt* transpercer d'un coup de lance.

spearhead ['spɪəhed] *n* fer *m* de lance. *vt* **1.** mener **2.** être le fer de lance de.

spec [spek] *n* *(UK)* *fam* • **on spec** à tout hasard.

special ['speʃl] *adj* **1.** spécial(e) **2.** particulier(ère).

special delivery n *(indén)* exprès m, envoi m par exprès • **by special delivery** en exprès.

specialist ['speʃəlɪst] ◼ *adj* spécialisé(e). ◼ n spécialiste *mf*.

speciality *(UK)* [ˌspeʃɪ'ælətɪ], **specialty** *(US)* ['speʃltɪ] n spécialité f.

specialize, -ise ['speʃəlaɪz] vi • **to specialize (in)** se spécialiser (dans).

specially ['speʃəlɪ] adv **1.** spécialement **2.** exprès **3.** particulièrement.

specialty n *(US)* = **speciality**.

species ['spiːʃiːz] *(pl inv)* n espèce f.

specific [spə'sɪfɪk] adj **1.** particulier(ère) **2.** précis(e) **3.** • **specific to** propre à.

specifically [spə'sɪfɪklɪ] adv **1.** particulièrement, spécialement **2.** précisément.

specify ['spesɪfaɪ] vt préciser, spécifier.

specimen ['spesɪmən] n **1.** exemple m, spécimen m **2.** BIOL & MÉD prélèvement m, échantillon m.

speck [spek] n **1.** toute petite tache f **2.** grain m *(de poussière, de suie)*.

speckled ['spekld] adj • **speckled (with)** tacheté(e) de.

specs [speks] npl *fam* lunettes *fpl*.

spectacle ['spektəkl] n spectacle m. ◼ **spectacles** npl lunettes *fpl*.

spectacular [spek'tækjʊlər] adj spectaculaire.

spectator [spek'teɪtər] n spectateur m, -trice f.

spectre *(UK)*, **specter** *(US)* ['spektər] n spectre m.

spectrum ['spektrəm] *(pl* **-tra** [-trə]*)* n **1.** spectre m **2.** *fig* gamme f.

speculation [ˌspekjʊ'leɪʃn] n **1.** spéculation f **2.** conjectures *fpl*.

sped [sped] *passé & pp* ▷ **speed**.

speech [spiːtʃ] n **1.** *(indén)* parole f **2.** discours m **3.** THÉÂTRE texte m **4.** façon f de parler **5.** parler m.

speechless ['spiːtʃlɪs] adj • **speechless (with)** muet(ette) (de).

speed [spiːd] ◼ n **1.** vitesse f **2.** rapidité f. ◼ vi *(prét & pp* **-ed** *ou* **sped**) **1.** • **speed along** aller à toute vitesse • **to speed away** démarrer à toute allure **2.** rouler trop vite.

◼ **speed up** ◼ vt sép **1.** faire aller plus vite **2.** accélérer. ◼ vi **1.** aller plus vite **2.** accélérer.

speedboat ['spiːdbəʊt] n hors-bord m inv.

speed bump n dos-d'âne m inv.

speed dating n *rencontre organisée entre plusieurs partenaires potentiels ayant quelques minutes pour décider s'ils veulent se revoir.*

speed-dialling *(UK)*, **speed-dialing** *(US)* n *(indén)* numérotation f rapide.

speeding ['spiːdɪŋ] n *(indén)* excès m de vitesse.

speed limit n limitation f de vitesse.

speedometer [spɪ'dɒmɪtər] n compteur m *(de vitesse)*.

speedway ['spiːdweɪ] n **1.** *(indén)* course f de motos **2.** *(US)* voie f express.

speedy ['spiːdɪ] adj rapide.

spell [spel] ◼ n **1.** période f **2.** charme m **3.** formule f magique • **to cast** *ou* **put a spell on sb** jeter un sort à qqn. ◼ vt *((UK) prét & pp* **spelt** *ou* **-ed**, *(US) prét & pp* **-ed**) **1.** écrire *(son nom, un mot)* **2.** *fig* signifier. ◼ vi *((UK) prét & pp* **spelt** *ou* **-ed**, *(US) prét & pp* **-ed**) épeler.

◼ **spell out** vt sép **1.** épeler **2.** • **to spell sthg out (for** *ou* **to sb)** expliquer qqch clairement (à qqn).

spellbound ['spelbaʊnd] adj subjugué(e).

spell-check ◼ vt vérifier l'orthographe de. ◼ n vérification f orthographique.

spell-checker [-tʃekər] n correcteur m *ou* vérificateur m orthographique.

spelling ['spelɪŋ] n orthographe f.

spelt [spelt] *(UK) passé & pp* ▷ **spell**.

spelunking [spe'lʌnkɪŋ] n *(US)* spéléologie f.

spend [spend] *(prét & pp* **spent**) vt **1.** • **to spend money (on)** dépenser de l'argent (pour) **2.** passer *(du temps, sa vie)* **3.** consacrer *(du temps)*.

spendthrift ['spendθrɪft] n dépensier m, -ère f.

spent [spent] ◼ *passé & pp* ▷ **spend**. ◼ adj **1.** utilisé(e) **2.** épuisé(e).

sperm [spɜːm] *(pl inv ou* **-s**) n sperme m.

spew [spjuː] vt & vi vomir.

sphere [sfɪər] n sphère f.

spice [spaɪs] *n* **1.** épice *f* **2.** *(indén)* *fig* piment *m*.

spick-and-span [ˌspɪkən'spæn] *adj* impeccable, nickel *(inv)*.

spicy ['spaɪsɪ] *adj* **1.** épicé(e) **2.** *fig* pimenté(e), piquant(e).

spider ['spaɪdər] *n* araignée *f*.

spike [spaɪk] *n* pointe *f*, lance *f*.

spill [spɪl] ((*UK*) *prét & pp* **spilt** *ou* **-ed**, (*US*) *prét & pp* **-ed**) *vt* renverser. *vi* se répandre.

spilt [spɪlt] (*UK*) *passé & pp* ▷ **spill**.

spin [spɪn] *n* **1.** • **to give sthg a spin** faire tourner qqch **2.** AÉRON vrille *f* **3.** *fam* tour *m* (en voiture) **4.** SPORT effet *m*. *vt* (*prét* **span** *ou* **spun**, *pp* **spun**) **1.** faire tourner **2.** essorer **3.** filer *(de la laine, du coton)*. *vi* (*prét* **span** *ou* **spun**, *pp* **spun**) tourner, tournoyer.

spinach ['spɪnɪdʒ] *n (indén)* épinards *mpl*.

spinal column ['spaɪnl-] *n* colonne *f* vertébrale.

spinal cord ['spaɪnl-] *n* moelle *f* épinière.

spindly ['spɪndlɪ] *adj* grêle, chétif(ive).

spin-dryer *n (UK)* essoreuse *f*.

spine [spaɪn] *n* **1.** colonne *f* vertébrale **2.** dos *m* (d'un livre) **3.** piquant *m*, épine *f*.

spinning ['spɪnɪŋ] *n* filage *m*.

spinning top *n* toupie *f*.

spin-off *n* dérivé *m*.

spinster ['spɪnstər] *n* **1.** célibataire *f* **2.** *péj* vieille fille *f*.

spiral ['spaɪrəl] *adj* spiral(e). *n* spirale *f*. *vi* ((*UK*) *prét & pp* **-led**, *cont* **-ling**, (*US*) *prét & pp* **-ed**, *cont* **-ing**) monter en spirale.

spiral staircase *n* escalier *m* en colimaçon.

spire ['spaɪər] *n* flèche *f*.

spirit ['spɪrɪt] *n* **1.** esprit *m* **2.** *(indén)* caractère *m*, courage *m*. **spirits** *npl* **1.** humeur *f* • **to be in high spirits** être gai(e) • **to be in low spirits** être déprimé(e) **2.** spiritueux *mpl*.

spirited ['spɪrɪtɪd] *adj* **1.** fougueux(euse) **2.** interprété(e) avec brio.

spirit level *n* niveau *m* à bulle d'air.

spiritual ['spɪrɪtʃuəl] *adj* spirituel(elle).

spit [spɪt] *n* **1.** *(indén)* crachat *m* **2.** salive *f* **3.** CULIN broche *f*. *vi* ((*UK*) *prét & pp* **spat**, (*US*) *prét & pp* **spit**) cracher. *v impers* (*prét & pp* **spat**) (*UK*) • **it's spitting** il tombe quelques gouttes.

spite [spaɪt] *n* rancune *f*. *vt* contrarier.
in spite of *prép* en dépit de, malgré.

spiteful ['spaɪtful] *adj* malveillant(e).

spittle ['spɪtl] *n (indén)* crachat *m*.

splash [splæʃ] *n* **1.** plouf *m* **2.** tache *f* (de couleur, de lumière). *vt* éclabousser. *vi* **1.** • **to splash about** *ou* **around** barboter **2.** jaillir.
splash out *fam vi* • **to splash out (on)** dépenser une fortune (pour).

spleen [spliːn] *n* **1.** rate *f* **2.** *(indén)* *fig* mauvaise humeur *f*.

splendid ['splendɪd] *adj* **1.** splendide **2.** excellent(e).

splint [splɪnt] *n* attelle *f*.

splinter ['splɪntər] *n* éclat *m*. *vi* **1.** *(bois)* se fendre en éclats **2.** *(verre)* se briser en éclats.

split [splɪt] *n* **1.** fente *f* **2.** déchirure *f* **3.** échancrure *f* **4.** POLIT • **split (in)** division *f ou* scission *f* (au sein de) **5.** • **split between** écart *m* entre. *vt* (*prét & pp* **split**, *cont* **-ting**) **1.** fendre (du bois) **2.** déchirer (des vêtements) **3.** POLIT diviser **4.** partager • **to split the difference** *fig* couper la poire en deux. *vi* (*prét & pp* **split**, *cont* **-ting**) **1.** se fendre **2.** se déchirer **3.** POLIT (route, chemin) se diviser.
split up *vi* se séparer.

split second *n* fraction *f* de seconde.

splutter ['splʌtər] *vi* **1.** bredouiller, bafouiller **2.** tousser **3.** crépiter.

spoil [spɔɪl] (*prét & pp* **-ed**, (*UK*) *prét & pp* **spoilt**) *vt* gâcher, gâter, abîmer.
spoils *npl* butin *m*.

spoiled [spɔɪld] *adj* = **spoilt**.

spoilsport ['spɔɪlspɔːt] *n* trouble-fête *mf inv*.

spoilt [spɔɪlt] *passé* & *pp* (*UK*) ▷ **spoil**. *adj* gâté(e).

spoke [spəʊk] *passé* ▷ **speak**. *n* rayon *m*.

spoken ['spəʊkn] *pp* ▷ **speak**.

spokesman ['spəʊksmən] (*pl* **-men** [-mən]) *n* porte-parole *m inv*.

spokeswoman ['spəʊks,wʊmən] (*pl* **-women** [-,wɪmɪn]) *n* porte-parole *f inv.*

sponge [spʌndʒ] ◼ *n* **1.** éponge *f* **2.** gâteau *m ou* biscuit *m* de Savoie. ◼ *vt* (*(UK) cont* **spongeing**, *(US) cont* **sponging**) éponger. ◼ *vi* (*(UK) cont* **spongeing**, *(US) cont* **sponging**) *fam* ▪ **to sponge off sb** taper qqn.

sponge bag *n (UK)* trousse *f* de toilette.

sponge bath *n* toilette *f* d'un malade.

sponge cake *n* gâteau *m ou* biscuit *m* de Savoie.

sponsor ['spɒnsəʳ] ◼ *n* sponsor *m.* ◼ *vt* **1.** sponsoriser, parrainer **2.** soutenir.

sponsored walk [,spɒnsəd-] *n (UK)* marche organisée pour recueillir des fonds.

sponsorship ['spɒnsəʃɪp] *n* parrainage *m.*

spontaneous [spɒn'teɪnjəs] *adj* spontané(e).

spooky ['spuːkɪ] *adj fam* qui donne la chair de poule.

spool [spuːl] *n* bobine *f (de fil, de film).*

spoon [spuːn] *n* cuillère *f*, cuiller *f.*

spoon-feed *vt* nourrir à la cuillère ▪ **to spoon-feed sb** *fig* mâcher le travail à qqn.

spoonful ['spuːnfʊl] (*pl* **-s** *ou* **spoonsful** ['spuːnsfʊl]) *n* cuillerée *f.*

sporadic [spə'rædɪk] *adj* sporadique.

sport [spɔːt] *n* **1.** sport *m* **2.** *vieilli chic* type *m*, chic fille *f.*

sporting ['spɔːtɪŋ] *adj* **1.** sportif(ive) **2.** *chic (inv)* ▪ **to have a sporting chance of doing sthg** avoir des chances de faire qqch.

sports car ['spɔːts-] *n* voiture *f* de sport.

sports jacket *n* veste *f* sport.

sportsman ['spɔːtsmən] (*pl* **-men** [-mən]) *n* sportif *m.*

sportsmanship ['spɔːtsmənʃɪp] *n* sportivité *f*, esprit *m* sportif.

sportswear ['spɔːtsweəʳ] *n (indén)* vêtements *mpl* de sport.

sportswoman ['spɔːts,wʊmən] (*pl* **-women** [-,wɪmɪn]) *n* sportive *f.*

sporty ['spɔːtɪ] *adj fam* sportif(ive).

spot [spɒt] ◼ *n* **1.** tache *f* **2.** *(UK)* bouton *m* **3.** goutte *f* **4.** endroit *m* ▪ **on the spot** sur place ▪ **to do sthg on the spot** faire qqch immédiatement *ou* sur-le-champ **5.** numéro *m (d'artiste).* ◼ *vt* apercevoir.

spot check *n* contrôle *m* au hasard *ou* intermittent.

spotless ['spɒtlɪs] *adj* impeccable.

spotlight ['spɒtlaɪt] *n* projecteur *m*, spot *m* ▪ **to be in the spotlight** *fig* être en vedette.

spotted ['spɒtɪd] *adj* à pois.

spotty ['spɒtɪ] *adj (UK)* boutonneux(euse).

spouse [spaʊs] *n* époux *m*, épouse *f.*

spout [spaʊt] ◼ *n* bec *m (d'une théière, d'une carafe).* ◼ *vi* ▪ **to spout from** *ou* **out of** jaillir de.

sprain [spreɪn] ◼ *n* entorse *f.* ◼ *vt* ▪ **to sprain one's ankle/wrist** se faire une entorse à la cheville/au poignet.

sprang [spræŋ] *passé* ➪ **spring.**

sprawl [sprɔːl] *vi* **1.** être affalé(e) **2.** s'étaler.

spray [spreɪ] ◼ *n* **1.** *(indén)* gouttelettes *fpl* **2.** embruns *mpl* **3.** bombe *f*, pulvérisateur *m* **4.** gerbe *f (de fleurs).* ◼ *vt* **1.** pulvériser **2.** pulvériser de l'insecticide sur.

spread [spred] ◼ *n* **1.** *(indén)* pâte *f* à tartiner **2.** propagation *f* **3.** gamme *f (de prix, de marques).* ◼ *vt* (*prét* & *pp* **spread**) **1.** étaler, étendre **2.** écarter *(les doigts, les bras, les jambes)* **3.** ▪ **to spread sthg (on)** étaler qqch (sur) **4.** répandre, propager **5.** distribuer. ◼ *vi* (*prét* & *pp* **spread**) **1.** se propager **2.** s'étaler. ◼ **spread out** *vi* se disperser.

spread-eagled [-,iːgld] *adj* affalé(e).

spreadsheet ['spredʃiːt] *n* INFORM tableur *m.*

spree [spriː] *n* ▪ **to go on a spending** *ou* **shopping spree** faire des folies.

sprightly ['spraɪtlɪ] *adj* alerte, fringant(e).

spring [sprɪŋ] ◼ *n* **1.** printemps *m* ▪ **in spring** au printemps **2.** ressort *m* **3.** source *f.* ◼ *vi* (*prét* **sprang**, *pp* **sprung**) **1.** sauter, bondir **2.** ▪ **to spring from** provenir de. ◼ **spring up** *vi* **1.** *(problème)* surgir **2.** *(amitié)* naître **3.** *(vent)* se lever.

springboard ['sprɪŋbɔːd] *n litt* & *fig* tremplin *m.*

spring-clean *vt* nettoyer de fond en comble.

spring onion *n (UK)* ciboule *f*.

springtime ['sprɪŋtaɪm] *n* • **in (the) springtime** au printemps.

springy ['sprɪŋɪ] *adj* **1.** moelleux(euse) **2.** élastique.

sprinkle ['sprɪŋkl] *vt* • **to sprinkle sthg with water** asperger qqch d'eau • **to sprinkle sthg with salt** saupoudrer qqch de sel.

sprinkler ['sprɪŋklər] *n* arroseur *m*.

sprint [sprɪnt] ◼ *n* sprint *m*. ◼ *vi* sprinter.

sprout [spraʊt] ◼ *n* **1.** • **(Brussels) sprouts** choux *mpl* de Bruxelles **2.** pousse *f*. ◼ *vt* produire • **to sprout shoots** germer. ◼ *vi* pousser.

spruce [spruːs] ◼ *adj* net (nette), pimpant(e). ◼ *n* épicéa *m*.

sprung [sprʌŋ] *pp* ▷ **spring**.

spry [spraɪ] *adj* vif(vive).

spun [spʌn] *passé & pp* ▷ **spin**.

spur [spɜːr] ◼ *n* **1.** incitation *f* **2.** éperon *m*. ◼ *vt* • **to spur sb to do sthg** encourager *ou* inciter qqn à faire qqch. ■ **spur on** *vt sép* encourager.

spurious ['spʊərɪəs] *adj* **1.** feint(e) **2.** faux (fausse).

spurn [spɜːn] *vt* repousser.

spurt [spɜːt] ◼ *n* **1.** jaillissement *m* **2.** sursaut *m* **3.** accélération *f*. ◼ *vi* • **to spurt (out of *ou* from)** jaillir (de).

spy [spaɪ] ◼ *n* espion *m*. ◼ *vt fam* apercevoir. ◼ *vi* espionner, faire de l'espionnage • **to spy on sb** espionner qqn.

spying ['spaɪɪŋ] *n (indén)* espionnage *m*.

squabble ['skwɒbl] ◼ *n* querelle *f*. ◼ *vi* • **to squabble (about *ou* over)** se quereller (à propos de).

squad [skwɒd] *n* **1.** brigade *f (de police)* **2.** MIL peloton *m* **3.** SPORT équipe *f (parmi laquelle la sélection sera faite)*.

squadron ['skwɒdrən] *n* escadron *m*.

squalid ['skwɒlɪd] *adj* sordide, ignoble.

squall [skwɔːl] *n* bourrasque *f*.

squalor ['skwɒlər] *n (indén)* conditions *fpl* sordides.

squander ['skwɒndər] *vt* gaspiller.

square [skweər] ◼ *adj* carré(e) • **one square metre** *(UK)* un mètre carré • **three metres square** trois mètres sur trois. ◼ *n* **1.** carré *m* **2.** place *f* **3.** *fam* • **he's a square** il est vieux jeu. ◼ *vt* **1.** MATH élever au carré **2.** accorder. ■ **square up** *vi* • **to square up with sb** régler ses comptes avec qqn.

squarely ['skweəlɪ] *adv* **1.** carrément **2.** honnêtement.

square meal *n* bon repas *m*.

squash [skwɒʃ] ◼ *n* **1.** squash *m* **2.** *(UK)* • **orange squash** orangeade *f* **3.** courge *f*. ◼ *vt* écraser.

squat [skwɒt] ◼ *adj* courtaud(e), ramassé(e). ◼ *vi* • **to squat (down)** s'accroupir.

squatter ['skwɒtər] *n* squatter *m*.

squawk [skwɔːk] *n* cri *m* strident.

squeak [skwiːk] *n* **1.** petit cri *m* aigu **2.** grincement *m*.

squeal [skwiːl] *vi* pousser des cris aigus.

squeamish ['skwiːmɪʃ] *adj* facilement dégoûté(e).

squeeze [skwiːz] ◼ *n* pression *f*. ◼ *vt* **1.** presser **2.** *fig* soutirer *(de l'argent, des informations)* **3.** • **to squeeze sthg into sthg** entasser qqch dans qqch.

squelch [skweltʃ] *vi* • **to squelch through mud** patauger dans la boue.

squid [skwɪd] *(pl inv ou -s) n* calmar *m*.

squiggle ['skwɪgl] *n* gribouillis *m*.

squint [skwɪnt] ◼ *n* • **to have a squint** être atteint(e) de strabisme. ◼ *vi* • **to squint at sthg** regarder qqch en plissant les yeux.

squire ['skwaɪər] *n* propriétaire *m* terrien.

squirm [skwɜːm] *vi* se tortiller.

squirrel [*(UK)* 'skwɪrəl, *(US)* 'skwɜːrəl] *n* écureuil *m*.

squirt [skwɜːt] ◼ *vt* faire jaillir. ◼ *vi* • **to squirt (out of)** jaillir (de).

Sr *abrév de* **senior**, **sister**.

Sri Lanka [ˌsriː'læŋkə] *n* Sri Lanka *m*.

St 1. *(abr de* **saint**) St, Ste **2.** *abrév de* **Street**.

stab [stæb] ◼ *n* **1.** coup *m* de couteau **2.** *fam* • **to have a stab (at sthg)** essayer (qqch), tenter (qqch) **3.** • **stab of pain** élancement *m* • **stab of guilt** remords *m*. ◼ *vt* **1.** poignarder **2.** piquer *(avec sa fourchette)*.

stable ['steɪbl] ◼ *adj* stable. ◼ *n* écurie *f*.

stack [stæk] ◼ *n* pile *f*. ◼ *vt* empiler.

stadium ['steɪdjəm] (*pl* **-diums** *ou* **-dia** [-djə]) *n* stade *m*.

staff [stɑːf] ◼ *n* **1.** personnel *m* **2.** SCOL personnel enseignant, professeurs *mpl*. ◼ *vt* pourvoir en personnel.

stag [stæg] (*pl inv ou* **-s**) *n* cerf *m*.

stage [steɪdʒ] ◼ *n* **1.** étape *f*, phase *f*, stade *m* **2.** scène *f* **3.** • **the stage** le théâtre. ◼ *vt* **1.** THÉÂTRE monter, mettre en scène **2.** organiser.

stagecoach ['steɪdʒkəʊtʃ] *n* diligence *f*.

stage fright *n* trac *m*.

stage-manage *vt litt & fig* mettre en scène.

stagger ['stægər] ◼ *vt* **1.** stupéfier **2.** échelonner (*des heures de travail*) **3.** étaler (*des congés*). ◼ *vi* tituber.

stagnant ['stægnənt] *adj* stagnant(e).

stagnate [stæg'neɪt] *vi* stagner.

staid [steɪd] *adj* guindé(e), collet monté.

stain [steɪn] ◼ *n* tache *f*. ◼ *vt* tacher.

stained glass [,steɪnd-] *n* (*indén*) vitraux *mpl*.

stainless steel ['steɪnlɪs-] *n* acier *m* inoxydable, Inox® *m*.

stain remover [-,rɪmuːvər] *n* détachant *m*.

stair [steər] *n* marche *f*.
◼ **stairs** *npl* escalier *m*.

staircase ['steəkeɪs] *n* escalier *m*.

stairway ['steəweɪ] *n* escalier *m*.

stairwell ['steəwel] *n* cage *f* d'escalier.

stake [steɪk] ◼ *n* **1.** • **to have a stake in sthg** avoir des intérêts dans qqch **2.** poteau *m* **3.** enjeu *m*. ◼ *vt* • **to stake money (on** *ou* **upon)** jouer *ou* miser de l'argent (sur) • **to stake one's reputation (on)** jouer *ou* risquer sa réputation (sur).
◼ **at stake** *adv* en jeu.

stale [steɪl] *adj* **1.** (*nourriture, eau*) pas frais (fraîche) **2.** (*pain*) rassis(e) **3.** (*air*) confiné(e).

stalemate ['steɪlmeɪt] *n* **1.** impasse *f* **2.** ÉCHECS pat *m*.

stalk [stɔːk] ◼ *n* **1.** tige *f* **2.** queue *f* (*d'un fruit*). ◼ *vt* traquer. ◼ *vi* • **to stalk in/out** entrer/sortir d'un air hautain.

stall [stɔːl] ◼ *n* **1.** éventaire *m*, étal *m* **2.** stand *m* **3.** stalle *f*. ◼ *vt* AUTO caler. ◼ *vi* **1.** AUTO caler **2.** essayer de gagner du temps.
◼ **stalls** *npl* (*UK*) THÉÂTRE orchestre *m*.

stallion ['stæljən] *n* étalon *m*.

stalwart ['stɔːlwət] *n* pilier *m*.

stamina ['stæmɪnə] *n* (*indén*) résistance *f*.

stammer ['stæmər] ◼ *n* bégaiement *m*. ◼ *vi* bégayer.

stamp [stæmp] ◼ *n* **1.** timbre *m* **2.** tampon *m* **3.** *fig* marque *f*. ◼ *vt* **1.** tamponner **2.** • **to stamp one's foot** taper du pied. ◼ *vi* **1.** taper du pied **2.** • **to stamp on sthg** marcher sur qqch.

stamp album *n* album *m* de timbres.

stamp-collecting [-kə,lektɪŋ] *n* philatélie *f*.

stamped addressed envelope ['stæmptə,drest-] *n* enveloppe *f* timbrée à son adresse.

stampede [stæm'piːd] *n* débandade *f*.

stance [stæns] *n* litt & fig position *f*.

stand [stænd] ◼ *n* **1.** stand *m* **2.** kiosque *m* **3.** SPORT tribune *f* **4.** MIL résistance *f* • **to make a stand** résister **5.** position *f* **6.** (*US*) DR barre *f*. ◼ *vt* (*prét & pp* **stood**) **1.** mettre (debout), poser (debout) **2.** supporter. ◼ *vi* (*prét & pp* **stood**) **1.** être *ou* se tenir debout **2.** se trouver **3.** se dresser • **stand still!** ne bouge pas ! **4.** se lever **5.** reposer **6.** tenir toujours **7.** demeurer valable **8.** • **as things stand...** vu l'état actuel des choses... **9.** (*UK*) POLIT se présenter.
◼ **stand back** *vi* reculer.
◼ **stand by** ◼ *vt insép* **1.** soutenir **2.** s'en tenir à. ◼ *vi* rester là (sans rien faire).
◼ **stand down** *vi* (*UK*) démissionner.
◼ **stand for** *vt insép* **1.** représenter **2.** supporter, tolérer.
◼ **stand in** *vi* • **to stand in for sb** remplacer qqn.
◼ **stand out** *vi* ressortir.
◼ **stand up** ◼ *vt sép fam* poser un lapin à. ◼ *vi* se lever • **stand up!** debout !
◼ **stand up for** *vt insép* défendre.
◼ **stand up to** *vt insép* **1.** résister à **2.** tenir tête à.

standard ['stændəd] ◼ *adj* **1.** normal(e) **2.** standard (*inv*) **3.** correct(e). ◼ *n* **1.** niveau *m* **2.** critère *m* **3.** TECHNOL norme *f* **4.** étendard *m*.
◼ **standards** *npl* valeurs *fpl*.

standard lamp n *(UK)* lampadaire m.

standard of living *(pl* **standards of living)** n niveau m de vie.

standby ['stændbaɪ] ◼ n *(pl* **-s)** remplaçant m, -e f ◦ **on standby** prêt à intervenir. ◼ *en apposition* stand-by *(inv)*.

stand-in n remplaçant m, -e f.

standing ['stændɪŋ] ◼ *adj* **1.** permanent(e) **2.** continuel(elle). ◼ n **1.** importance f, réputation f **2.** ◦ **of long standing** de longue date.

standing order n *(UK)* prélèvement m automatique.

standing room n *(indén)* places fpl debout.

standoffish [ˌstænd'ɒfɪʃ] *adj* distant(e).

standpoint ['stændpɔɪnt] n point m de vue.

standstill ['stændstɪl] n ◦ **at a standstill** *(circulation, train)* à l'arrêt ◦ *(négociations, travail)* paralysé(e) ◦ **to come to a standstill** *(circulation, train)* s'immobiliser ◦ *(négociations, travail)* cesser.

stank [stæŋk] *passé* ▷ **stink**.

staple ['steɪpl] ◼ *adj* principal(e), de base. ◼ n **1.** agrafe f **2.** produit m de base. ◼ *vt* agrafer.

stapler ['steɪplər] n agrafeuse f.

star [stɑːr] ◼ n **1.** étoile f **2.** vedette f, star f. ◼ *en apposition* de star ◦ **star performer** vedette f. ◼ *vi* ◦ **to star (in)** être la vedette (de).
◼ **stars** npl horoscope m.

starboard ['stɑːbəd] ◼ *adj* de tribord. ◼ n ◦ **to starboard** à tribord.

starch [stɑːtʃ] n amidon m.

stardom ['stɑːdəm] n *(indén)* célébrité f.

stare [steər] ◼ n regard m fixe. ◼ *vi* ◦ **to stare at sb/sthg** fixer qqn/qqch du regard.

stark [stɑːk] ◼ *adj* **1.** austère **2.** *(paysage)* désolé(e) **3.** à l'état brut **4.** *(réalité)* dur(e). ◼ *adv* ◦ **stark naked** à poil.

starling ['stɑːlɪŋ] n étourneau m.

starry ['stɑːrɪ] *adj* étoilé(e).

starry-eyed [-'aɪd] *adj* innocent(e).

Stars and Stripes n ◦ **the Stars and Stripes** le drapeau des États-Unis, la bannière étoilée.

start [stɑːt] ◼ n **1.** début m **2.** sursaut m **3.** départ m **4.** avance f. ◼ *vt* **1.** com-

mencer ◦ **to start doing** OU **to do sthg** commencer à faire qqch **2.** démarrer **3.** créer. ◼ *vi* **1.** commencer ◦ **to start with** pour commencer, d'abord **2.** *(machine)* se mettre en marche **3.** *(voiture)* démarrer **4.** partir **5.** sursauter.
◼ **start off** ◼ *vt sép* **1.** ouvrir *(des débats)*, commencer *(une réunion)* **2.** faire naître *(une rumeur)* **3.** entamer. ◼ *vi* **1.** commencer **2.** débuter **3.** partir.
◼ **start out** *vi* **1.** débuter **2.** partir.
◼ **start up** ◼ *vt sép* **1.** créer **2.** ouvrir **3.** mettre en marche. ◼ *vi* **1.** commencer **2.** *(machine)* se mettre en route **3.** *(voiture)* démarrer.

starter ['stɑːtər] n **1.** *(UK)* hors-d'œuvre m inv **2.** démarreur m **3.** SPORT starter m.

starting point ['stɑːtɪŋ-] n point m de départ.

startle ['stɑːtl] *vt* faire sursauter.

startling ['stɑːtlɪŋ] *adj* surprenant(e).

start-up n *(indén)* création f (d'entreprise) ◦ **start-up costs** frais mpl de création d'une entreprise.

starvation [stɑː'veɪʃn] n faim f.

starve [stɑːv] ◼ *vt* affamer. ◼ *vi* **1.** être affamé(e) ◦ **to starve to death** mourir de faim **2.** *fam* avoir très faim.

state [steɪt] ◼ n état m ◦ **to be in a state** être dans tous ses états. ◼ *en apposition* d'État. ◼ *vt* **1.** donner *(une raison)* **2.** décliner *(son identité)* ◦ **to state that...** déclarer que… **3.** préciser.
◼ **State** n ◦ **the State** l'État m.
◼ **States** npl ◦ **the States** *fam* les États-Unis mpl.

State Department n *(US)* ≃ ministère m des Affaires étrangères.

stately ['steɪtlɪ] *adj* majestueux(euse).

statement ['steɪtmənt] *n* **1.** déclaration *f* **2.** DR déposition *f* **3.** relevé *m* de compte.

state of mind (*pl* **states of mind**) *n* humeur *f*.

statesman ['steɪtsmən] (*pl* **-men** [-mən]) *n* homme *m* d'État.

static ['stætɪk] ◼ *adj* statique. ◼ *n* (*indén*) parasites *mpl*.

static electricity *n* électricité *f* statique.

station ['steɪʃn] ◼ *n* **1.** gare *f* **2.** (*pour les cars*) gare routière **3.** RADIO station *f* **4.** MIL poste *m* **5.** *sout* rang *m*. ◼ *vt* poster.

stationary ['steɪʃnərɪ] *adj* immobile.

stationer ['steɪʃnər] *n* papetier *m*, -ère *f*.

stationery ['steɪʃnərɪ] *n* **1.** (*indén*) fournitures *fpl* de bureau **2.** papier *m* à lettres.

stationmaster ['steɪʃn,mɑːstər] *n* chef *m* de gare.

station wagon *n* (US) break *m*.

statistic [stə'tɪstɪk] *n* statistique *f*.

statistical [stə'tɪstɪkl] *adj* **1.** (*analyse*) statistique **2.** (*erreur*) de statistique.

statue ['stætʃuː] *n* statue *f*.

stature ['stætʃər] *n* **1.** stature *f*, taille *f* **2.** envergure *f*.

status ['steɪtəs] *n* (*indén*) **1.** statut *m* **2.** prestige *m*.

status bar *n* INFORM barre *f* d'état.

status symbol *n* signe *m* extérieur de richesse.

statute ['stætʃuːt] *n* loi *f*.

statutory ['stætʃʊtrɪ] *adj* statutaire.

staunch [stɔːntʃ] ◼ *adj* loyal(e). ◼ *vt* **1.** arrêter (*un flux*) **2.** étancher (*du sang*).

stave [steɪv] ◼ **stave off** (*prét & pp* **-d** OU **stove**) *vt sép* **1.** éviter (*le danger*) **2.** tromper (*la faim, la soif*).

stay [steɪ] ◼ *vi* **1.** rester, demeurer • **to stay out of sthg** ne pas se mêler de qqch **2.** passer quelques jours **3.** séjourner • **to stay in a hotel** descendre à l'hôtel. ◼ *n* séjour *m*.
◼ **stay in** *vi* rester chez soi, ne pas sortir.
◼ **stay on** *vi* rester (plus longtemps).
◼ **stay out** *vi* ne pas rentrer.
◼ **stay up** *vi* veiller • **to stay up late** se coucher tard.

staying power ['steɪɪŋ-] *n* endurance *f*.

stead [sted] *n* • **to stand sb in good stead** être utile à qqn.

steadfast ['stedfɑːst] *adj* **1.** ferme, résolu(e) **2.** loyal(e).

steadily ['stedɪlɪ] *adv* **1.** progressivement **2.** régulièrement **3.** sans arrêt **4.** de manière imperturbable.

steady ['stedɪ] ◼ *adj* **1.** progressif(ive) **2.** régulier(ère) **3.** ferme **4.** calme **5.** imperturbable **6.** stable **7.** sérieux(euse). ◼ *vt* **1.** empêcher de bouger • **to steady o.s.** se remettre d'aplomb **2.** calmer.

steak [steɪk] *n* **1.** steak *m*, bifteck *m* **2.** darne *f* (*de poisson*).

steal [stiːl] (*prét* **stole**, *pp* **stolen**) ◼ *vt* voler, dérober. ◼ *vi* se glisser.

stealthy ['stelθɪ] *adj* furtif(ive).

steam [stiːm] ◼ *n* (*indén*) vapeur *f*. ◼ *vt* cuire à la vapeur. ◼ *vi* (*soupe, bouilloire*) fumer.
◼ **steam up** *vt sép* embuer. ◼ *vi* se couvrir de buée.

steamboat ['stiːmbəʊt] *n* (bateau *m* à) vapeur *m*.

steam engine *n* locomotive *f* à vapeur.

steamer ['stiːmər] *n* (bateau *m* à) vapeur *m*.

steamroller ['stiːm,rəʊlər] *n* rouleau *m* compresseur.

steamy ['stiːmɪ] *adj* **1.** embué(e) **2.** *fam* érotique.

steel [stiːl] ◼ *n* (*indén*) acier *m*. ◼ *en apposition* en acier, d'acier.

steelworks ['stiːlwɜːks] (*pl inv*) *n* aciérie *f*.

steep [stiːp] *adj* **1.** (*colline, route*) raide, abrupt(e) **2.** (*augmentation, chute*) énorme **3.** *fam* excessif(ive).

steeple ['sti:pl] *n* clocher *m*, flèche *f*.

steeplechase ['sti:pltʃeɪs] *n* 1. steeple-chase *m* 2. (athlétisme) steeple *m*.

steer ['stɪər] ■ *n* bœuf *m*. ■ *vt* 1. gouverner 2. conduire, diriger. ■ *vi* • **to steer clear of sb/sthg** éviter qqn/qqch.

steering ['stɪərɪŋ] *n* (indén) direction *f*.

steering wheel *n* volant *m*.

stem [stem] ■ *n* 1. BOT tige *f* 2. pied *m* (d'un verre) 3. tuyau *m* (d'une pipe) 4. GRAMM radical *m*. ■ *vt* arrêter, endiguer.

■ **stem from** *vt insép* provenir de.

stem cell *n* cellule *f* souche.

stench [stentʃ] *n* puanteur *f*.

stencil ['stensl] ■ *n* pochoir *m*. ■ *vt* ((UK) prét & pp **-led**, cont **-ling**, (US) prét & pp **-ed**, cont **-ing**) faire au pochoir.

stenographer [stə'nɒɡrəfər] *n* (US) sténographe *mf*.

step [step] ■ *n* 1. pas *m* • **in/out of step with** fig en accord/désaccord avec 2. mesure *f* 3. étape *f* 4. marche *f* (d'escalier) 5. barreau *m* (d'une échelle), échelon *m*. ■ *vi* 1. • **to step forward** avancer • **to step off** ou **down from sthg** descendre de qqch 2. • **to step on/in sthg** marcher sur/dans qqch.

■ **steps** *npl* 1. marches *fpl* 2. (UK) escabeau *m*.

■ **step down** *vi* démissionner.

■ **step in** *vi* intervenir.

■ **step up** *vt sép* intensifier.

stepbrother ['step,brʌðər] *n* demi-frère *m*.

stepdaughter ['step,dɔːtər] *n* belle-fille *f*.

stepfather ['step,fɑːðər] *n* beau-père *m*.

stepladder ['step,lædər] *n* escabeau *m*.

stepmother ['step,mʌðər] *n* belle-mère *f*.

stepping-stone ['stepɪŋ-] *n* 1. pierre *f* de gué 2. fig tremplin *m*.

stepsister ['step,sɪstər] *n* demi-sœur *f*.

stepson ['stepsʌn] *n* beau-fils *m*.

stereo ['sterɪəʊ] ■ *adj* stéréo (inv). ■ *n* (pl **-s**) 1. chaîne *f* stéréo 2. • **in stereo** en stéréo.

stereotype ['sterɪətaɪp] *n* stéréotype *m*.

sterile ['steraɪl] *adj* stérile.

sterilize, -ise ['sterəlaɪz] *vt* stériliser.

sterling ['stɜːlɪŋ] ■ *adj* 1. sterling (inv) 2. exceptionnel(elle). ■ *n* (indén) livre *f* sterling.

sterling silver *n* argent *m* fin.

stern [stɜːn] ■ *adj* sévère. ■ *n* NAUT arrière *m*.

steroid ['stɪərɔɪd] *n* stéroïde *m*.

stethoscope ['steθəskəʊp] *n* stéthoscope *m*.

stew [stjuː] ■ *n* ragoût *m*. ■ *vt* 1. cuire en ragoût 2. faire cuire.

steward ['stjʊəd] *n* 1. steward *m* 2. (UK) membre *m* du service d'ordre.

stewardess ['stjʊədɪs] *n* vieilli hôtesse *f*.

stick [stɪk] ■ *n* 1. bâton *m* 2. canne *f* 3. SPORT crosse *f*. ■ *vt* (prét & pp **stuck**) 1. • **to stick sthg in** ou **into** planter qqch dans 2. • **to stick sthg (on** ou **to)** coller qqch (sur) 3. fam mettre. ■ *vi* (prét & pp **stuck**) 1. • **to stick (to)** coller (à) 2. se coincer.

■ **stick out** ■ *vt sép* 1. sortir (la tête) 2. lever (la main) 3. tirer (la langue) 4. fam • **to stick it out** tenir le coup. ■ *vi* 1. dépasser 2. fam se remarquer.

■ **stick to** *vt insép* 1. suivre 2. rester fidèle à (ses principes) 3. s'en tenir à (une décision) 4. tenir (une promesse).

■ **stick up for** *vt insép* défendre.

sticker ['stɪkər] *n* autocollant *m*.

sticking plaster ['stɪkɪŋ-] *n* (UK) sparadrap *m*.

stickler ['stɪklər] *n* • **to be a stickler for** être à cheval sur.

stick shift *n* (US) levier *m* de vitesses.

stick-up *n* fam vol *m* à main armée.

sticky ['stɪkɪ] *adj* 1. poisseux(euse) 2. adhésif(ive) 3. fam délicat(e).

stiff [stɪf] ■ *adj* 1. rigide 2. dur(e) 3. raide 4. dur(e) (à ouvrir/fermer) 5. ankylosé(e) • **to have a stiff back** avoir des courbatures dans le dos • **to have a stiff neck** avoir le torticolis 6. guindé(e) 7. sévère. ■ *adv* fam • **to be bored stiff** s'ennuyer à mourir • **to be frozen/ scared stiff** mourir de froid/peur.

stiffen ['stɪfn] ■ *vt* 1. raidir 2. empeser 3. renforcer. ■ *vi* 1. se raidir 2. s'ankyloser.

stifle ['staɪfl] *vt* & *vi* étouffer.

stifling ['staɪflɪŋ] *adj* étouffant(e).

stigma ['stɪgmə] n 1. honte f, stigmate m 2. ʙᴏᴛ stigmate m.

stile [staɪl] n échalier m.

stiletto heel [stɪ'letəʊ-] n talon m aiguille.

still [stɪl] n 1. photo f 2. alambic m.

still [stɪl] adv

1. ɪɴᴅɪǫᴜᴇ ǫᴜ'ᴜɴ ᴇ́ᴛᴀᴛ ᴘᴇʀᴅᴜʀᴇ, ᴄᴏɴᴛɪɴᴜᴇ
 • **he was still sleeping when I arrived** il dormait encore quand je suis arrivé(e)
 • **she still lives in New York** elle habite toujours à New York

2. ɪɴᴛʀᴏᴅᴜɪᴛ ʟ'ɪᴅᴇ́ᴇ ǫᴜ'ɪʟ ʀᴇsᴛᴇ ǫǫᴄʜ
 • **I've still got £5 left** il me reste encore 5 livres
 • **we still have got time** nous avons encore le temps
 • **there are many questions still to be answered** il reste encore beaucoup de questions sans réponse

3. ᴇxᴘʀɪᴍᴇ ᴜɴᴇ ᴏᴘᴘᴏsɪᴛɪᴏɴ
 • **you may not approve of what he did, still he is your brother** tu peux très bien ne pas cautionner ce qu'il a fait, mais c'est tout de même ton frère
 • **even though she didn't have much time, she still offered her help** même si elle n'avait pas beaucoup de temps, elle a quand même offert son aide

4. ᴀᴠᴇᴄ ᴅᴇs ᴄᴏᴍᴘᴀʀᴀᴛɪғs, ᴘᴏᴜʀ ᴍᴀʀǫᴜᴇʀ ʟ'ɪɴᴛᴇɴsɪᴛᴇ́
 • **he was angrier still after we talked** après notre discussion, il était encore plus énervé
 • **still more worrying is the problem of corruption** plus préoccupant encore est le problème de la corruption

still adj

1. ᴇxᴘʀɪᴍᴇ ʟ'ᴀʙsᴇɴᴄᴇ ᴅᴇ ᴍᴏᴜᴠᴇᴍᴇɴᴛ
 • **the lizard was perfectly still** le lézard était parfaitement immobile
 • **it's difficult to stand still** c'est difficile de rester sans bouger

2. ᴇxᴘʀɪᴍᴇ ʟ'ᴀʙsᴇɴᴄᴇ ᴅᴇ ʙʀᴜɪᴛ
 • **all was still** tout était calme

3. (UK) ɪɴᴅɪǫᴜᴇ ʟ'ᴀʙsᴇɴᴄᴇ ᴅᴇ ɢᴀᴢ ᴅᴀɴs ᴜɴᴇ ʙᴏɪssᴏɴ
 • **I usually drink still water** je bois généralement de l'eau plate

• **still drinks are getting more and more popular** les boissons non gazeuses deviennent de plus en plus populaires.

stillborn ['stɪlbɔːn] adj mort-né(e).

still life (pl -s) n nature f morte.

stilted ['stɪltɪd] adj emprunté(e), qui manque de naturel.

stilts ['stɪlts] npl 1. échasses fpl 2. pilotis mpl.

stimulate ['stɪmjʊleɪt] vt stimuler.

stimulating ['stɪmjʊleɪtɪŋ] adj stimulant(e).

stimulus ['stɪmjʊləs] (pl -li [-laɪ]) n 1. stimulant m 2. stimulus m.

sting [stɪŋ] ◙ n 1. piqûre f 2. dard m 3. brûlure f. ◙ vt (prét & pp stung) piquer. ◙ vi (prét & pp stung) piquer.

stingy ['stɪndʒɪ] adj fam radin(e).

stink [stɪŋk] ◙ n puanteur f. ◙ vi (prét stank ou stunk, pp stunk) puer, empester.

stinking ['stɪŋkɪŋ] fam adj 1. (froid) gros (grosse) 2. (temps) pourri(e) 3. (endroit) infect(e).

stint [stɪnt] ◙ n part f de travail. ◙ vi • **to stint on** lésiner sur.

stipulate ['stɪpjʊleɪt] vt stipuler.

stir [stɜːr] ◙ n sensation f. ◙ vt 1. remuer 2. agiter 3. émouvoir. ◙ vi bouger, remuer.
 ■ **stir up** vt sép 1. soulever 2. provoquer 3. susciter 4. faire naître (une rumeur).

stirrup ['stɪrəp] n étrier m.

stitch [stɪtʃ] ◙ n 1. ᴄᴏᴜᴛ point m, maille f 2. point m de suture 3. • **to have a stitch** avoir un point de côté. ◙ vt 1. coudre 2. ᴍᴇ́ᴅ suturer.

stoat [stəʊt] n hermine f.

stock [stɒk] ◙ n 1. réserve f 2. (inden) ᴄᴏᴍᴍ stock m, réserve f • **out of stock** épuisé(e) 3. ғɪɴ valeurs fpl (US), actions fpl (UK) • **stocks and shares** titres mpl 4. (ancêtres) souche f 5. ᴄᴜʟɪɴ bouillon m 6. cheptel m • **to take stock (of)** faire le point (de). ◙ adj classique. ◙ vt 1. vendre, avoir en stock 2. approvisionner.
 ■ **stock up** vi • **to stock up (with)** faire des provisions (de).

stockbroker ['stɒk,brəʊkə'] n agent m de change.

stock cube n (UK) bouillon-cube m.

stock exchange n Bourse f.

stockholder ['stɒk,həʊldə'] n (US) actionnaire mf.

Stockholm ['stɒkhəʊm] n Stockholm.

stocking ['stɒkɪŋ] n bas m (en nylon, en soie).

stockist ['stɒkɪst] n (UK) dépositaire m, stockiste m.

stock market n Bourse f.

stock phrase n cliché m.

stockpile ['stɒkpaɪl] ◼ n stock m. ◼ vt 1. amasser (des armes) 2. stocker (des provisions).

stocktaking ['stɒk,teɪkɪŋ] n (UK) (indén) inventaire m.

stocky ['stɒkɪ] adj trapu(e).

stodgy ['stɒdʒɪ] adj lourd(e) (à digérer).

stoical ['stəʊɪkl] adj stoïque.

stoke [stəʊk] vt entretenir (un feu).

stole [stəʊl] ◼ passé ⊳ **steal**. ◼ n étole f.

stolen ['stəʊln] pp ⊳ **steal**.

stolid ['stɒlɪd] adj impassible.

stomach ['stʌmək] ◼ n 1. estomac m 2. ventre m. ◼ vt encaisser, supporter.

stomachache ['stʌməkeɪk] n • **to have stomachache** (UK) ou **a stomachache** (US) avoir mal au ventre.

stomach upset n embarras m gastrique.

stone [stəʊn] ◼ n 1. pierre f 2. caillou m 3. (UK) noyau m (d'un fruit) 4. (pl inv ou -s) (UK) = 6.348 kg. ◼ en apposition de ou en pierre. ◼ vt jeter des pierres sur.

stone-cold adj complètement froid(e) ou glacé(e).

stonewashed ['stəʊnwɒʃt] adj délavé(e).

stonework ['stəʊnwɜːk] n maçonnerie f.

stood [stʊd] passé & pp ⊳ **stand**.

stool [stuːl] n tabouret m.

stoop [stuːp] ◼ n • **to walk with a stoop** marcher le dos voûté. ◼ vi 1. se pencher 2. être voûté(e).

stop [stɒp] ◼ n 1. arrêt m • **to put a stop to sthg** mettre un terme à qqch 2. (ponc-tuation) point m. ◼ vt 1. arrêter 2. mettre fin à • **to stop doing sthg** arrêter de faire qqch • **to stop work** arrêter de travailler 3. • **to stop sb/sthg (from doing sthg)** empêcher qqn/qqch (de faire qqch) 4. boucher. ◼ vi s'arrêter, cesser.
◼ **stop off** vi s'arrêter.
◼ **stop up** vt sép boucher.

stopgap ['stɒpgæp] n bouche-trou m.

stopover ['stɒp,əʊvə'] n halte f.

stoppage ['stɒpɪdʒ] n 1. grève f 2. (UK) FIN retenue f.

stopper ['stɒpə'] n bouchon m.

stop press n nouvelles fpl de dernière heure.

stopwatch ['stɒpwɒtʃ] n chronomètre m.

storage ['stɔːrɪdʒ] n 1. entreposage m, emmagasinage m 2. rangement m 3. INFORM stockage m, mémorisation f.

storage heater n (UK) radiateur m à accumulation.

store [stɔː'] ◼ n 1. (surtout US) magasin m 2. provision f 3. réserve f. ◼ vt 1. mettre en réserve 2. entreposer, emmagasiner 3. INFORM stocker, mémoriser.
◼ **store up** vt sép 1. mettre en réserve 2. emmagasiner 3. mettre en mémoire, noter.

storekeeper ['stɔː,kiːpə'] n (US) commerçant m, -e f.

storeroom ['stɔːrʊm] n magasin m.

storey (UK) (pl -s), **story** (US) (pl -ies) ['stɔːrɪ] n étage m.

stork [stɔːk] n cigogne f.

storm [stɔːm] ◼ n 1. tempête f 2. orage m 3. fig torrent m, tempête f. ◼ vt prendre d'assaut. ◼ vi 1. • **to storm in/out** entrer/sortir comme un ouragan 2. fulminer.

stormy ['stɔːmɪ] adj litt & fig orageux(euse).

story ['stɔːrɪ] n 1. histoire f 2. PRESSE article m 3. (US) = **storey**.

storybook ['stɔːrɪbʊk] adj de conte de fées.

storyteller ['stɔːrɪ,telə'] n 1. conteur m, -euse f 2. euphém menteur m, -euse f.

stout [staʊt] ◼ adj 1. corpulent(e) 2. solide 3. ferme, résolu(e). ◼ n (indén) stout m, bière f brune.

stove [stəʊv] ◼ *passé & pp* ⊳ **stave**. ◼ *n*
1. cuisinière *f* 2. poêle *m*.

stow [stəʊ] *vt* ● **to stow sthg (away)** ranger qqch.

stowaway ['stəʊəweɪ] *n* passager *m* clandestin.

straddle ['strædl] *vt* 1. enjamber 2. s'asseoir à califourchon sur.

straggle ['strægl] *vi* 1. *(bâtiments)* s'étendre, s'étaler 2. *(cheveux)* être en désordre 3. traîner, lambiner.

straggler ['stræglər] *n* traînard *m*, -e *f*.

straight [streɪt] ◼ *adj* 1. droit(e) 2. *(cheveux)* raide 3. franc(franche), honnête 4. en ordre 5. simple 6. *(boisson alcoolisée)* sans eau ● **let's get this straight** entendons-nous bien. ◼ *adv* 1. droit 2. tout de suite 3. franchement.
◼ **straight off** *adv* tout de suite, sur-le-champ.
◼ **straight out** *adv* sans mâcher ses mots.

straightaway [,streɪtə'weɪ] *adv* tout de suite, immédiatement.

straighten ['streɪtn] *vt* 1. arranger 2. mettre de l'ordre dans 3. redresser.
◼ **straighten out** *vt sép* résoudre.

straight face *n* ● **to keep a straight face** garder son sérieux.

straightforward [,streɪt'fɔːwəd] *adj* 1. simple 2. honnête, franc(franche).

strain [streɪn] ◼ *n* 1. tension *f*, stress *m* 2. foulure *f* 3. TECHNOL contrainte *f*, effort *m*. ◼ *vt* 1. plisser *ou* ● **to strain one's ears** tendre l'oreille 2. se froisser *(un muscle)* 3. se fatiguer *(les yeux)* ● **to strain one's back** se faire un tour de reins 4. mettre à rude épreuve *(sa patience)* 5. grever *(un budget)* 6. CULIN passer *(de la soupe)*. ◼ *vi* ● **to strain to do sthg** faire un gros effort pour faire qqch.
◼ **strains** *npl* accords *mpl*, airs *mpl*.

strained [streɪnd] *adj* 1. contracté(e), tendu(e) 2. forcé(e).

strainer ['streɪnər] *n* passoire *f*.

strait [streɪt] *n* détroit *m*.
◼ **straits** *npl* ● **in dire** *ou* **desperate straits** dans une situation désespérée.

straitjacket ['streɪt,dʒækɪt] *n* camisole *f* de force.

straitlaced [,streɪt'leɪst] *adj* collet monté *(inv)*.

strand [strænd] *n* 1. brin *m* 2. mèche *f (de cheveux)* 3. *fig* fil *m (conducteur)*.

stranded ['strændɪd] *adj* 1. *(bateau)* échoué(e) 2. abandonné(e), en rade.

strange [streɪndʒ] *adj* 1. étrange, bizarre 2. inconnu(e).

stranger ['streɪndʒər] *n* 1. inconnu *m*, -e *f* 2. étranger *m*, -ère *f*.

strangle ['stræŋgl] *vt* 1. étrangler 2. *fig* étouffer.

stranglehold ['stræŋglhəʊld] *n* 1. étranglement *m* 2. *fig* ● **stranglehold (on)** domination *f* (de).

strap [stræp] ◼ *n* 1. sangle *f*, courroie *f* 2. bandoulière *f* 3. bretelle *f* 4. bracelet *m (d'une montre)*. ◼ *vt* attacher.

strapping ['stræpɪŋ] *adj* bien bâti(e), robuste.

Strasbourg ['stræzbɜːg] *n* Strasbourg.

strategic [strə'tiːdʒɪk] *adj* stratégique.

strategy ['strætɪdʒɪ] *n* stratégie *f*.

straw [strɔː] *n* paille *f* ● **that's the last straw!** ça c'est le comble !

strawberry ['strɔːbərɪ] ◼ *n* fraise *f*. ◼ *en apposition* 1. aux fraises 2. de fraises.

stray [streɪ] ◼ *adj* 1. *(animal)* errant(e), perdu(e) 2. *(balle)* perdu(e) 3. *(exemple)* isolé(e). ◼ *vi* 1. *(personne, animal)* errer, s'égarer 2. *(pensées)* vagabonder, errer.

streak [striːk] *n* 1. bande *f*, marque *f* ● **streak of lightning** éclair *m*.

stream [striːm] ◼ *n* 1. ruisseau *m* 2. flot *m*, jet *m* 3. *fig* flot *m (de personnes, de voitures)* 4. *fig* torrent *m (de plaintes)*. ◼ *vi* 1. couler à flots, ruisseler 2. *(lumière)* entrer à flots 3. affluer ● **to stream past** passer à flots.

streamer ['striːmər] *n* serpentin *m*.

streamlined ['striːmlaɪnd] *adj* 1. au profil aérodynamique 2. rationalisé(e).

street [striːt] *n* rue *f*.

streetcar ['striːtkɑːr] *n* *(US)* tramway *m*.

street lamp, street light *n* réverbère *m*.

street plan *n* plan *m (de la ville)*.

streetwise ['striːtwaɪz] *adj* *fam* futé(e).

strength [streŋθ] *n* 1. force *f* 2. puissance *f* 3. solidité *f*.

strengthen ['streŋθn] *vt* 1. renforcer 2. consolider 3. fortifier 4. enhardir.

strenuous ['strenjʊəs] adj 1. (exercice, activité) fatigant(e), dur(e) 2. (effort) acharné(e).

stress [stres] ◼ n 1. ▪ **stress (on)** accent m (sur) 2. stress m, tension f 3. TECHNOL ▪ **stress (on)** contrainte f (sur), effort m (sur) 4. LING accent m. ◼ vt 1. souligner, insister sur 2. LING accentuer. ◼ vi fam stresser.
◼ **stress out** vt fam stresser.

stressful ['stresfʊl] adj stressant(e).

stretch [stretʃ] ◼ n 1. étendue f 2. partie f, section f 3. période f. ◼ vt 1. allonger (les bras) 2. se dégourdir (les jambes) 3. distendre (ses muscles) 4. étirer 5. surmener 6. grever (un budget) 7. ▪ **to stretch sb** pousser qqn à la limite de ses capacités. ◼ vi 1. ▪ **to stretch over** s'étendre sur ▪ **to stretch from... to** s'étendre de... à 2. (personne, animal) s'étirer 3. (matériau, élastique) se tendre.
◼ **stretch out** ◼ vt sép tendre (la main, le bras, la jambe). ◼ vi s'étendre.

stretcher ['stretʃər] n brancard m, civière f.

strew [struː] (prét **-ed**, pp **strewn** [struːn] ou **-ed**) vt ▪ **to be strewn with** être jonché(e) de.

stricken ['strɪkn] adj ▪ **to be stricken by** ou **with panic** être pris(e) de panique ▪ **to be stricken by an illness** souffrir ou être atteint(e) d'une maladie.

strict [strɪkt] adj strict(e).

strictly ['strɪktlɪ] adv 1. strictement ▪ **strictly speaking** à proprement parler 2. d'une manière stricte, sévèrement.

stride [straɪd] ◼ n grand pas m, enjambée f. ◼ vi (prét **strode**, pp **stridden** ['strɪdn]) marcher à grandes enjambées.

strident ['straɪdnt] adj 1. strident(e) 2. véhément(e), bruyant(e).

strife [straɪf] n (indén) conflit m, lutte f.

strike [straɪk] ◼ n 1. grève f ▪ **to be (out) on strike** être en grève ▪ **to go on strike** faire grève 2. MIL raid m 3. découverte f. ◼ vt (prét & pp **struck**) 1. frapper 2. heurter 3. venir à l'esprit de 4. conclure 5. frotter (une allumette). ◼ vi (prét & pp **struck**) 1. faire grève 2. frapper 3. attaquer 4. sonner.
◼ **strike down** vt sép terrasser.
◼ **strike out** vt sép rayer, barrer. ◼ vi se mettre en route, partir.

◼ **strike up** vt insép commencer, engager (une conversation) ▪ **to strike up a friendship (with)** se lier d'amitié (avec).

striker ['straɪkər] n 1. gréviste mf 2. FOOTBALL buteur m.

striking ['straɪkɪŋ] adj 1. frappant(e), saisissant(e) 2. d'une beauté frappante.

string [strɪŋ] n 1. (indén) ficelle f 2. bout m de ficelle ▪ **to pull strings** faire jouer le piston 3. rang m ▪ **a string of pearls** un collier de perles 4. série f, suite f 5. corde f (d'un instrument de musique).
◼ **strings** npl MUS ▪ **the strings** les cordes fpl.

string bean n haricot m vert.

stringed instrument [ˌstrɪŋd-] n MUS instrument m à cordes.

stringent ['strɪndʒənt] adj strict(e), rigoureux(euse).

strip [strɪp] ◼ n 1. bande f 2. (UK) tenue f. ◼ vt 1. déshabiller, dévêtir 2. enlever. ◼ vi se déshabiller, se dévêtir.
◼ **strip off** vi se déshabiller, se dévêtir.

strip cartoon n (UK) bande f dessinée.

stripe [straɪp] n 1. rayure f 2. MIL galon m.

striped [straɪpt] adj à rayures, rayé(e).

strip lighting n éclairage m au néon.

stripper ['strɪpər] n 1. strip-teaseuse f, effeuilleuse f 2. décapant m.

striptease ['striptiːz] n strip-tease m.

strive [straɪv] (prét **strove**, pp **striven** ['strɪvn]) vi ▪ **to strive for sthg** essayer d'obtenir qqch ▪ **to strive to do sthg** s'efforcer de faire qqch.

strode [strəʊd] passé ▷ **stride**.

stroke [strəʊk] ◼ n 1. attaque f cérébrale 2. coup m (de crayon, de pinceau) 3. mouvement m des bras 4. nage f 5. coup m d'aviron 6. GOLF & TENNIS coup m 7. (UK) TYPO barre f oblique 8. ▪ **a stroke of genius** un trait de génie ▪ **a stroke of luck** un coup de chance ou de veine ▪ **at a stroke** d'un seul coup. ◼ vt caresser.

stroll [strəʊl] ◼ n petite promenade f, petit tour m. ◼ vi se promener, flâner.

stroller ['strəʊlər] n (US) poussette f.

strong [strɒŋ] adj 1. fort(e) 2. solide 3. robuste, vigoureux(euse) 4. énergique 5. qui a des chances de gagner.

strongbox ['strɒŋbɒks] n coffre-fort m.

stronghold ['strɒŋhəʊld] n fig bastion m.

strongly ['strɒŋlɪ] adv **1.** fortement **2.** solidement.

strong room n chambre f forte.

strove [strəʊv] passé ⊳ **strive**.

struck [strʌk] passé & pp ⊳ **strike**.

structure ['strʌktʃər] n **1.** structure f **2.** construction f.

struggle ['strʌgl] ◼ n **1.** ◦ **struggle (for sthg/to do sthg)** lutte f (pour qqch/ pour faire qqch) **2.** bagarre f. ◼ vi **1.** ◦ **to struggle (for)** lutter (pour) ◦ **to struggle to do sthg** s'efforcer de faire qqch **2.** se débattre **3.** se battre.

strum [strʌm] vt **1.** MUS gratter de (la guitare) **2.** MUS jouer (un air).

strung [strʌŋ] passé & pp ⊳ **string**.

strut [strʌt] ◼ n CONSTR étai m, support m. ◼ vi se pavaner.

stub [stʌb] ◼ n **1.** mégot m **2.** morceau m (de crayon) **3.** talon m (de chèque, de billet). ◼ vt ◦ **to stub one's toe** se cogner le doigt de pied. ◼ **stub out** vt sép écraser.

stubble ['stʌbl] n (indén) **1.** chaume m **2.** barbe f de plusieurs jours.

stubborn ['stʌbən] adj **1.** têtu(e), obstiné(e) **2.** (tache) qui ne veut pas partir, rebelle.

stuck [stʌk] ◼ passé & pp ⊳ **stick**. ◼ adj **1.** coincé(e) **2.** bloqué(e), en rade.

stuck-up adj fam péj bêcheur(euse).

stud [stʌd] n **1.** clou m décoratif **2.** clou m d'oreille **3.** (UK) (sur des chaussures) clou m **4.** (UK) (sur des chaussures de sport) crampon m **5.** haras m.

studded ['stʌdɪd] adj ◦ **studded (with)** parsemé(e) (de), constellé(e) (de).

student ['stju:dnt] ◼ n étudiant m, -e f. ◼ en apposition **1.** estudiantin(e) **2.** des étudiants **3.** pour étudiants.

studio ['stju:dɪəʊ] (pl **-s**) n **1.** studio m **2.** atelier m.

studio flat (UK), **studio apartment** (US) n studio m.

studious ['stju:djəs] adj studieux(euse).

studiously ['stju:djəslɪ] adv studieusement.

study ['stʌdɪ] ◼ n **1.** étude f **2.** bureau m (pièce). ◼ vt **1.** étudier, faire des études de **2.** examiner, étudier.

stuff [stʌf] ◼ n (indén) **1.** fam choses fpl **2.** substance f **3.** fam affaires fpl. ◼ vt **1.** fourrer **2.** ◦ **to stuff sthg (with)** remplir ou bourrer qqch (de) **3.** CULIN farcir. ◼ **stuff up** vt sép boucher.

stuffed [stʌft] adj **1.** ◦ **stuffed with** bourré(e) de **2.** fam gavé(e) **3.** CULIN farci(e) **4.** en peluche ◦ **he loves stuffed animals** il adore les peluches **5.** empaillé(e).

stuffing ['stʌfɪŋ] n (indén) **1.** bourre f, rembourrage m **2.** CULIN farce f.

stuffy ['stʌfɪ] adj **1.** (pièce) mal aéré(e), qui manque d'air **2.** vieux jeu (inv).

stumble ['stʌmbl] vi trébucher. ◼ **stumble across, stumble on** vt insép tomber sur.

stumbling block ['stʌmblɪŋ-] n pierre f d'achoppement.

stump [stʌmp] ◼ n **1.** souche f (d'un arbre) **2.** moignon m. ◼ vt dérouter.

stun [stʌn] vt **1.** étourdir, assommer **2.** stupéfier, renverser.

stung [stʌŋ] passé & pp ⊳ **sting**.

stunk [stʌŋk] passé & pp ⊳ **stink**.

stunning ['stʌnɪŋ] adj **1.** ravissant(e) **2.** merveilleux(euse) **3.** stupéfiant(e).

stunt [stʌnt] ◼ n **1.** coup m **2.** CINÉ cascade f. ◼ vt retarder, arrêter.

stunted ['stʌntɪd] adj rabougri(e).

stunt man n cascadeur m.

stupefy ['stju:pɪfaɪ] vt **1.** abrutir **2.** stupéfier, abasourdir.

stupendous [stju:'pendəs] adj extraordinaire, prodigieux(euse).

stupid ['stju:pɪd] adj **1.** stupide, bête **2.** fam fichu(e).

stupidity [stju:'pɪdətɪ] n (indén) bêtise f, stupidité f.

sturdy ['stɜ:dɪ] adj **1.** robuste **2.** solide.

stutter ['stʌtər] vi bégayer.

sty [staɪ] n porcherie f.

stye [staɪ] n orgelet m, compère-loriot m.

style [staɪl] n **1.** style m **2.** (indén) chic m, élégance f **3.** genre m, modèle m.

stylish ['staɪlɪʃ] adj chic (inv), élégant(e).

stylist ['staɪlɪst] n coiffeur m, -euse f.

stylus ['staɪləs] (pl **-es**) n pointe f de lecture, saphir m.

suave [swɑ:v] adj doucereux(euse).

sub [sʌb] *n fam* **1.** sport (*abr de* **substitute**) remplaçant *m*, -e *f* **2.** (*abr de* **submarine**) sous-marin *m*.

subconscious [ˌsʌb'kɒnʃəs] ■ *adj* inconscient(e). ■ *n* ▸ **the subconscious** l'inconscient *m*.

subcontract [ˌsʌbkən'trækt] *vt* sous-traiter.

subdivide [ˌsʌbdɪ'vaɪd] *vt* subdiviser.

subdue [səb'djuː] *vt* **1.** soumettre, subjuguer **2.** maîtriser, réprimer.

subdued [səb'djuːd] *adj* **1.** abattu(e) **2.** (*émotion, colère*) contenu(e) **3.** (*couleur*) doux (douce) **4.** (*lumière*) tamisé(e).

subject ■ *adj* ['sʌbdʒekt] soumis(e) ▸ **to be subject to** être soumis à ▸ être sujet(sujette) à. ■ *n* ['sʌbdʒekt] **1.** sujet *m* **2.** scol & univ matière *f*. ■ *vt* [səb'dʒekt] **1.** soumettre, assujettir **2.** ▸ **to subject sb to sthg** exposer *ou* soumettre qqn à qqch.
■ **subject to** *prép* ['sʌbdʒekt] sous réserve de.

subjective [səb'dʒektɪv] *adj* subjectif (ive).

subject matter *n* (*indén*) sujet *m*.

subjunctive [səb'dʒʌŋktɪv] *n* ▸ **subjunctive (mood)** (mode *m*) subjonctif *m*.

sublet [ˌsʌb'let] (*prét & pp* **sublet**) *vt* sous-louer.

sublime [sə'blaɪm] *adj* sublime.

submachine gun [ˌsʌbmə'ʃiːn-] *n* mitraillette *f*.

submarine [ˌsʌbmə'riːn] *n* sous-marin *m*.

submerge [səb'mɜːdʒ] ■ *vt* immerger, plonger. ■ *vi* s'immerger, plonger.

submission [səb'mɪʃn] *n* **1.** soumission *f* **2.** présentation *f*, soumission *f*.

submissive [səb'mɪsɪv] *adj* soumis(e), docile.

submit [səb'mɪt] ■ *vt* soumettre. ■ *vi* ▸ **to submit (to)** se soumettre (à).

subnormal [ˌsʌb'nɔːml] *adj* arriéré(e), attardé(e).

subordinate ■ *adj* [sə'bɔːdɪnət] *sout* ▸ **subordinate (to)** subordonné(e) (à), moins important(e) (que). ■ *n* [sə'bɔːdɪnət] subordonné *m*, -e *f*.

subpoena [sə'piːnə] ■ *n* citation *f*, assignation *f*. ■ *vt* (*prét & pp* **-ed**) citer *ou* assigner à comparaître.

subscribe [səb'skraɪb] *vi* **1.** s'abonner, être abonné(e) **2.** ▸ **to subscribe to** souscrire à.

subscriber [səb'skraɪbər] *n* abonné *m*, -e *f*.

subscription [səb'skrɪpʃn] *n* **1.** abonnement *m* **2.** (*UK*) souscription *f* **3.** (*UK*) cotisation *f*.

subsequent ['sʌbsɪkwənt] *adj* ultérieur(e), suivant(e).

subsequently ['sʌbsɪkwəntlɪ] *adv* par la suite, plus tard.

subservient [səb'sɜːvjənt] *adj* servile, obséquieux(euse).

subside [səb'saɪd] *vi* **1.** se calmer, s'atténuer **2.** diminuer **3.** (*bâtiment*) s'affaisser **4.** (*fondations*) se tasser.

subsidence [səb'saɪdns *ou* 'sʌbsɪdns] *n* **1.** affaissement *m* **2.** tassement *m*.

subsidiary [səb'sɪdjərɪ] ■ *adj* subsidiaire. ■ *n* ▸ **subsidiary (company)** filiale *f*.

subsidize, -ise ['sʌbsɪdaɪz] *vt* subventionner.

subsidy ['sʌbsɪdɪ] *n* subvention *f*, subside *m*.

substance ['sʌbstəns] *n* **1.** substance *f* **2.** importance *f*.

substantial [səb'stænʃl] *adj* **1.** considérable, important(e) **2.** substantiel(elle) **3.** solide.

substantially [səb'stænʃəlɪ] *adv* **1.** considérablement **2.** en grande partie.

substantiate [səb'stænʃɪeɪt] *vt* *sout* prouver, établir.

substitute ['sʌbstɪtjuːt] ■ *n* remplaçant *m*, -e *f*. ■ *vt* substituer.

subtitle ['sʌbˌtaɪtl] *n* sous-titre *m*.

subtle ['sʌtl] *adj* subtil(e).

subtlety ['sʌtltɪ] *n* subtilité *f*.

subtract [səb'trækt] *vt* ▸ **to subtract sthg (from)** soustraire qqch (de).

subtraction [səb'trækʃn] *n* soustraction *f*.

suburb ['sʌbɜːb] *n* faubourg *m*.
■ **suburbs** *npl* ▸ **the suburbs** la banlieue.

suburban [sə'bɜːbn] *adj* de banlieue.

suburbia [sə'bɜːbɪə] *n* (*indén*) la banlieue.

subversive [səb'vɜːsɪv] ■ *adj* subversif(ive). ■ *n* personne *f* qui agit de façon subversive.

subway ['sʌbweɪ] *n* **1.** *(UK)* passage *m* souterrain **2.** *(US)* métro *m*.

succeed [sək'siːd] ◼ *vt* succéder à. ◼ *vi* réussir • **to succeed in doing sthg** réussir à faire qqch.

succeeding [sək'siːdɪŋ] *adj sout* **1.** à venir **2.** suivant(e).

success [sək'ses] *n* succès *m*, réussite *f*.

successful [sək'sesfʊl] *adj* **1.** couronné(e) de succès **2.** à succès **3.** qui a du succès.

succession [sək'seʃn] *n* succession *f*.

successive [sək'sesɪv] *adj* successif(ive).

succinct [sək'sɪŋkt] *adj* succinct(e).

succumb [sə'kʌm] *vi* • **to succumb (to)** succomber (à).

such [sʌtʃ] ◼ *adj* tel(telle), pareil(eille) • **such nonsense** de telles inepties • **do you have such a thing as a tin-opener?** est-ce que tu aurais un ouvre-boîtes par hasard ? • **such money/books as I have** le peu d'argent/de livres que j'ai • **such... that** tel... que. ◼ *adv* **1.** si, tellement • **it's such a horrible day!** quelle journée épouvantable ! • **such a lot of books** tellement de livres • **such a long time** si longtemps **2.** aussi • **such tall buildings** des immeubles aussi hauts. ◼ *pron* • **and such (like)** et autres choses de ce genre.
◼ **as such** *adv* en tant que tel(telle), en soi.
◼ **such and such** *adj* tel et tel(telle et telle).

suck [sʌk] *vt* **1.** sucer **2.** aspirer.

sucker ['sʌkər] *n* **1.** ventouse *f* **2.** *fam* poire *f*, gogo *m*.

suction ['sʌkʃn] *n* succion *f*.

Sudan [suːˈdɑːn] *n* Soudan *m*.

sudden ['sʌdn] *adj* soudain(e), brusque • **all of a sudden** tout d'un coup, soudain.

suddenly ['sʌdnlɪ] *adv* soudainement, tout d'un coup.

suds [sʌdz] *npl* mousse *f* de savon.

sue [suː] *vt* • **to sue sb (for)** poursuivre qqn en justice (pour).

suede [sweɪd] *n* daim *m*.

suet ['sʊɪt] *n* graisse *f* de rognon.

suffer ['sʌfər] ◼ *vt* **1.** souffrir de **2.** subir. ◼ *vi* souffrir • **to suffer from** souffrir de.

sufferer ['sʌfərər] *n* malade *mf*.

suffering ['sʌfrɪŋ] *n* souffrance *f*.

suffice [sə'faɪs] *vi sout* suffire.

sufficient [sə'fɪʃnt] *adj* suffisant(e).

sufficiently [sə'fɪʃntlɪ] *adv* suffisamment.

suffocate ['sʌfəkeɪt] *vt & vi* suffoquer.

suffrage ['sʌfrɪdʒ] *n* suffrage *m*.

suffuse [sə'fjuːz] *vt* baigner.

sugar ['ʃʊgər] ◼ *n* sucre *m*. ◼ *vt* sucrer.

sugar beet *n* betterave *f* à sucre.

sugarcane ['ʃʊgəkeɪn] *n (indén)* canne *f* à sucre.

sugary ['ʃʊgərɪ] *adj* sucré(e).

suggest [sə'dʒest] *vt* **1.** proposer, suggérer **2.** insinuer.

suggestion [sə'dʒestʃn] *n* proposition *f*, suggestion *f*.

suggestive [sə'dʒestɪv] *adj* suggestif(ive) • **to be suggestive of sthg** suggérer qqch.

suicide ['sʊɪsaɪd] *n* suicide *m* • **to commit suicide** se suicider.

suit [suːt] ◼ *n* **1.** costume *m*, complet *m* **2.** *(pour femmes)* tailleur *m* **3.** *(dans un jeu de cartes)* couleur *f* **4.** procès *m*, action *f*. ◼ *vt* **1.** aller à **2.** convenir à. ◼ *vi* convenir.

suitable ['suːtəbl] *adj* qui convient, qui va.

suitably ['suːtəblɪ] *adv* convenablement.

suitcase ['suːtkeɪs] *n* valise *f*.

suite [swiːt] *n* **1.** *(dans un hôtel & MUS)* suite *f* **2.** ensemble *m*.

suited ['suːtɪd] *adj* **1.** • **to be suited to/ for** convenir à/pour, aller à/pour **2.** • **well suited** très bien assortis.

suitor ['suːtər] n vieilli soupirant m.

sulfur (US) = **sulphur**.

sulk [sʌlk] vi bouder.

sulky ['sʌlkɪ] adj boudeur(euse).

sullen ['sʌlən] adj maussade.

sulphur (UK), **sulfur** (US) ['sʌlfər] n soufre m.

sultana [səl'tɑːnə] n (UK) raisin m sec.

sultry ['sʌltrɪ] adj 1. (temps) lourd(e) 2. sensuel(elle).

sum [sʌm] n 1. somme f 2. calcul m.
■ **sum up** ■ vt sép résumer. ■ vi récapituler.

summarize, -ise ['sʌməraɪz] ■ vt résumer. ■ vi récapituler.

summary ['sʌmərɪ] n résumé m.

summer ['sʌmər] ■ n été m • **in summer** en été. ■ en apposition d'été • **the summer holidays** (UK) OU **vacation** (US) les grandes vacances fpl.

summerhouse ['sʌməhaʊs] (pl [-haʊzɪz]) n pavillon m (de jardin).

summer school n université f d'été.

summertime ['sʌmətaɪm] n été m.

summit ['sʌmɪt] n sommet m.

summon ['sʌmən] vt appeler, convoquer.
■ **summon up** vt sép rassembler.

summons ['sʌmənz] ■ n (pl **-es** [-iːz]) DR assignation f. ■ vt DR assigner.

sump [sʌmp] n (UK) carter m.

sumptuous ['sʌmptʃʊəs] adj somptueux(euse).

sun [sʌn] n soleil m • **in the sun** au soleil.

sunbathe ['sʌnbeɪð] vi prendre un bain de soleil.

sunbed ['sʌnbed] n lit m à ultra-violets.

sunburn ['sʌnbɜːn] n (indén) coup m de soleil.

sunburned ['sʌnbɜːnd], **sunburnt** ['sʌnbɜːnt] adj brûlé(e) par le soleil, qui a attrapé un coup de soleil.

Sunday ['sʌndɪ] n dimanche m • **Sunday lunch** déjeuner m du dimanche ou dominical voir aussi **Saturday**.

Sunday school n catéchisme m.

sundial ['sʌndaɪəl] n cadran m solaire.

sundown ['sʌndaʊn] n coucher m du soleil.

sundries ['sʌndrɪz] npl sout articles mpl divers, objets mpl divers.

sundry ['sʌndrɪ] adj sout divers • **all and sundry** tout le monde, n'importe qui.

sunflower ['sʌn,flaʊər] n tournesol m.

sung [sʌŋ] pp ▷ **sing**.

sunglasses ['sʌn,glɑːsɪz] npl lunettes fpl de soleil.

sunk [sʌŋk] pp ▷ **sink**.

sunlight ['sʌnlaɪt] n lumière f du soleil.

sunny ['sʌnɪ] adj 1. ensoleillé(e) • **it's sunny** il y a du soleil 2. radieux(euse).

sunrise ['sʌnraɪz] n lever m du soleil.

sunroof ['sʌnruːf] n toit m ouvrant.

sunscreen ['sʌnskriːn] n écran m ou filtre m solaire.

sunset ['sʌnset] n coucher m du soleil.

sunshade ['sʌnʃeɪd] n parasol m.

sunshine ['sʌnʃaɪn] n lumière f du soleil.

sunstroke ['sʌnstrəʊk] n (indén) insolation f.

suntan ['sʌntæn] ■ n bronzage m. ■ en apposition solaire.

suntrap ['sʌntræp] n (UK) endroit très ensoleillé.

super ['suːpər] adj fam génial(e), super (inv).

the Super Bowl

Événement sportif parmi les plus importants aux États-Unis, le *Super Bowl* est un match de football américain qui oppose les vainqueurs des deux principaux championnats professionnels, ou *conferences*. Il a lieu chaque année à la clôture de la saison, fin janvier, et sa retransmission télévisée attire des millions de spectateurs.

superannuation ['suːpə,rænjʊ'eɪʃn] n (indén) pension f de retraite.

superb [suː'pɜːb] adj superbe.

supercilious [,suːpə'sɪlɪəs] adj hautain(e).

superficial [,suːpə'fɪʃl] adj superficiel(elle).

superfluous [suː'pɜːflʊəs] adj superflu(e).

superhighway ['su:pə,haɪweɪ] n 1. (US) autoroute f 2. = **information highway**.

superhuman [,su:pə'hju:mən] adj surhumain(e).

superimpose [,su:pərɪm'pəuz] vt ▪ to **superimpose sthg (on)** superposer qqch (à).

superintendent [,su:pərɪn'tendənt] n 1. (UK) ≃ commissaire m (de police) 2. directeur m, -trice f.

superior [su:'pɪərɪər] ◧ adj 1. ▪ superior **(to)** supérieur(e) (à) 2. de qualité supérieure. ◧ n supérieur m, -e f.

superlative [su:'pɜ:lətɪv] ◧ adj exceptionnel(elle), sans pareil(eille). ◧ n GRAMM superlatif m.

supermarket ['su:pə,mɑ:kɪt] n supermarché m.

supernatural [,su:pə'nætʃrəl] adj surnaturel(elle).

superpower ['su:pə,pauər] n superpuissance f.

supersede [,su:pə'si:d] vt remplacer.

supersonic [,su:pə'sɒnɪk] adj supersonique.

superstitious [,su:pə'stɪʃəs] adj superstitieux(euse).

superstore ['su:pəstɔ:r] n hypermarché m.

supertanker ['su:pə,tæŋkər] n supertanker m, pétrolier m géant.

supervise ['su:pəvaɪz] vt 1. surveiller 2. superviser.

supervisor ['su:pəvaɪzər] n surveillant m, -e f.

supper ['sʌpər] n dîner m.

supple ['sʌpl] adj souple.

supplement ◧ n ['sʌplɪmənt] supplément m. ◧ vt ['sʌplɪment] compléter.

supplementary [,sʌplɪ'mentərɪ] adj supplémentaire.

supplementary benefit n (UK) ancien nom des allocations supplémentaires accordées aux personnes ayant un faible revenu.

supplier [sə'plaɪər] n fournisseur m, -euse f.

supply [sə'plaɪ] ◧ n 1. réserve f, provision f 2. alimentation f 3. (indén) ÉCON offre f. ◧ vt 1. ▪ to **supply sthg (to sb)** fournir qqch (à qqn) 2. ▪ to **supply sb (with)** approvisionner qqn (en).

■ **supplies** npl 1. vivres mpl 2. MIL approvisionnements mpl ▪ **office supplies** fournitures fpl de bureau.

support [sə'pɔt] ◧ n 1. (indén) appui m 2. (indén) soutien m 3. (objet) support m 4. (indén) assistance f. ◧ vt 1. soutenir, supporter 2. soutenir (psychologiquement) 3. subvenir aux besoins de 4. être partisan de 5. appuyer (un candidat, un parti) 6. SPORT être un supporter de.

supporter [sə'pɔtər] n 1. partisan m, -e f 2. SPORT supporter m.

support group n groupe m d'entraide.

suppose [sə'pəuz] ◧ vt supposer. ◧ vi supposer ▪ **I suppose (so)** je suppose que oui ▪ **I suppose not** je suppose que non.

supposed [sə'pəuzd] adj 1. supposé(e) 2. ▪ to be **supposed to be** être censé(e) être.

supposedly [sə'pəuzɪdlɪ] adv soi-disant.

supposing [sə'pəuzɪŋ] conj et si, à supposer que (+ subjonctif).

suppress [sə'pres] vt 1. réprimer (une révolte) 2. interdire (un journal, une publication) 3. réprimer, étouffer (ses sentiments).

supreme [su'pri:m] adj suprême.

Supreme Court n ▪ the **Supreme Court** la Cour suprême.

surcharge ['sɜ:tʃɑ:dʒ] n 1. surcharge f 2. surtaxe f.

sure [ʃuər] ◧ adj 1. sûr(e) ▪ to be **sure of o.s.** être sûr de soi 2. ▪ to be **sure (of sthg/of doing sthg)** être sûr(e) (de qqch/de faire qqch) ▪ to **make sure (that)...** . we made sure that no one was listening nous nous sommes assurés ou nous avons vérifié que personne n'écoutait ▪ **I am** ou **I'm sure (that)...** je suis bien certain que..., je ne doute pas que... ◧ adv 1. fam bien sûr 2. (US) vraiment.

■ **for sure** adv sans aucun doute, sans faute.

■ **sure enough** adv en effet, effectivement.

surely ['ʃuəlɪ] adv sûrement.

surety ['ʃuərətɪ] n (indén) caution f.

surf [sɜ:f] ◧ n ressac m. ◧ vt surfer ▪ to **surf the Net** INFORM naviguer sur Internet.

surface ['sɜːfɪs] ◼ n surface f ◦ **on the surface** fig à première vue, vu de l'extérieur. ◼ vi 1. remonter à la surface 2. faire surface 3. (problème, rumeur) apparaître ou s'étaler au grand jour.

surface mail n courrier m par voie de terre/de mer.

surfboard ['sɜːfbɔːd] n planche f de surf.

surfeit ['sɜːfɪt] n sout excès m.

surfing ['sɜːfɪŋ] n surf m.

surge [sɜːdʒ] ◼ n 1. déferlement m 2. ÉLECTR surtension f 3. vague f (d'émotion, d'intérêt), montée f 4. bouffée f (de colère) 5. afflux m (de ventes). ◼ vi déferler.

surgeon ['sɜːdʒən] n chirurgien m, -enne f.

surgery ['sɜːdʒərɪ] n 1. (indén) chirurgie f 2. (UK) cabinet m de consultation.

surgical ['sɜːdʒɪkl] adj chirurgical(e) ◦ **surgical stocking** bas m orthopédique.

surgical spirit n (UK) alcool m à 90°.

surly ['sɜːlɪ] adj revêche, renfrogné(e).

surmount [sɜːˈmaʊnt] vt surmonter.

surname ['sɜːneɪm] n nom m de famille.

surpass [səˈpɑːs] vt sout dépasser.

surplus ['sɜːpləs] ◼ adj en surplus. ◼ n surplus m.

surprise [səˈpraɪz] ◼ n surprise f. ◼ vt surprendre.

surprised [səˈpraɪzd] adj surpris(e).

surprising [səˈpraɪzɪŋ] adj surprenant(e).

surprisingly [səˈpraɪzɪŋlɪ] adv étonnamment.

surrender [səˈrendər] ◼ n reddition f, capitulation f. ◼ vi 1. ◦ **to surrender (to)** se rendre (à) 2. fig ◦ **to surrender (to)** se laisser aller (à), se livrer (à).

surreptitious [ˌsʌrəpˈtɪʃəs] adj subreptice, clandestin(e).

surrogate ['sʌrəgeɪt] ◼ adj de substitution. ◼ n substitut m.

surrogate mother n mère f porteuse.

surround [səˈraʊnd] vt 1. entourer 2. (police, armée) cerner.

surrounding [səˈraʊndɪŋ] adj environnant(e).

surroundings [səˈraʊndɪŋz] npl environnement m.

surveillance [sɜːˈveɪləns] n surveillance f.

survey ◼ n ['sɜːveɪ] 1. étude f 2. sondage m 3. levé m (de terrain) 4. inspection f. ◼ vt [səˈveɪ] 1. passer en revue 2. faire une étude de, enquêter sur 3. faire le levé (d'un terrain) 4. inspecter.

surveyor [səˈveɪər] n 1. expert m, -e f 2. géomètre m.

survival [səˈvaɪvl] n survie f.

survive [səˈvaɪv] ◼ vt survivre à. ◼ vi survivre.

survivor [səˈvaɪvər] n 1. survivant m, -e f 2. fig battant m, -e f.

susceptible [səˈseptəbl] adj ◦ **susceptible (to)** sensible (à).

suspect ◼ adj ['sʌspekt] suspect(e). ◼ n ['sʌspekt] suspect m, -e f. ◼ vt [səˈspekt] 1. douter de 2. soupçonner.

suspend [səˈspend] vt 1. suspendre 2. SCOL renvoyer temporairement.

suspended sentence [səˈspendɪd-] n condamnation f avec sursis.

suspender belt [səˈspendər-] n (UK) porte-jarretelles m inv.

suspenders [səˈspendəz] npl 1. (UK) jarretelles fpl 2. (US) bretelles fpl.

suspense [səˈspens] n suspense m.

suspension [səˈspenʃn] n 1. suspension f 2. SCOL renvoi m temporaire.

suspension bridge n pont m suspendu.

suspicion [səˈspɪʃn] n soupçon m.

suspicious [səˈspɪʃəs] adj 1. soupçonneux(euse) 2. suspect(e), louche.

sustain [səˈsteɪn] vt 1. soutenir 2. sout ◦ subir (une attaque) ◦ recevoir (des coups).

sustenance ['sʌstɪnəns] n (indén) sout nourriture f.

SUV (abr de sport utility vehicle) n AUTO 4 x 4 m.

swab [swɒb] n MÉD tampon m.

swagger ['swægər] vi parader.

Swahili [swɑːˈhiːlɪ] n swahili m.

swallow ['swɒləʊ] ◼ n hirondelle f. ◼ vt 1. avaler 2. fig ravaler. ◼ vi avaler.

swam [swæm] passé ▷ **swim**.

swamp [swɒmp] ◼ n marais m. ◼ vt submerger, inonder.

swan [swɒn] n cygne m.

swap [swɒp] vt échanger.

swarm [swɔːm] ◼ n essaim m. ◼ vi * **to be swarming (with)** grouiller (de).

swarthy ['swɔːði] adj basané(e).

swastika ['swɒstɪkə] n croix f gammée.

swat [swɒt] vt écraser.

sway [sweɪ] ◼ vt influencer. ◼ vi se balancer.

swear [sweəʳ] (prét swore, pp sworn) ◼ vt jurer * **to swear to do sthg** jurer de faire qqch. ◼ vi jurer.

swearword ['sweəwɜːd] n gros mot m.

sweat [swet] ◼ n transpiration f, sueur f. ◼ vi **1.** transpirer, suer **2.** fam se faire du mouron.

sweater ['swetəʳ] n pullover m.

sweatshirt ['swetʃɜːt] n sweat-shirt m.

sweaty ['swetɪ] adj **1.** (personne) (tout) en sueur **2.** (vêtement) trempé(e) de sueur.

swede [swiːd] n (UK) rutabaga m.

Swede [swiːd] n Suédois m, -e f.

Sweden ['swiːdn] n Suède f.

Swedish ['swiːdɪʃ] ◼ adj suédois(e). ◼ n suédois m. ◼ npl * **the Swedish** les Suédois mpl.

sweep [swiːp] ◼ n **1.** grand geste m **2.** * **to give sthg a sweep** balayer qqch. ◼ vt (prét & pp swept) **1.** balayer **2.** parcourir des yeux.

◼ **sweep away** vt sép emporter, entraîner.

◼ **sweep up** vt sép & vi balayer.

sweeping ['swiːpɪŋ] adj **1.** radical(e) **2.** hâtif(ive).

sweet [swiːt] ◼ adj **1.** doux (douce) **2.** sucré(e) **3.** gentil(ille) **4.** adorable, mignon(onne). ◼ n (UK) **1.** bonbon m **2.** dessert m.

sweet corn n maïs m.

sweeten ['swiːtn] vt sucrer.

sweetheart ['swiːthɑːt] n **1.** chéri m, -e f **2.** petit ami, petite amie f.

sweetness ['swiːtnɪs] n **1.** douceur f **2.** goût m sucré, douceur **3.** charme m.

sweet pea n pois m de senteur.

swell [swel] ◼ vi (prét -ed, pp swollen ou -ed) **1.** enfler **2.** se gonfler * **to swell with pride** se gonfler d'orgueil **3.** grossir, augmenter **4.** s'enfler. ◼ vt (prét -ed, pp swollen ou -ed) grossir, augmenter. ◼ n houle f. ◼ adj (US) fam vieilli chouette.

swelling ['swelɪŋ] n enflure f.

sweltering ['sweltərɪŋ] adj étouffant(e).

swept [swept] passé & pp ▷ sweep.

swerve [swɜːv] vi faire une embardée.

swift [swɪft] ◼ adj **1.** rapide **2.** prompt(e). ◼ n martinet m.

swig [swɪg] fam n lampée f.

swill [swɪl] ◼ n (indén) pâtée f (pour les porcs). ◼ vt (UK) laver à grande eau.

swim [swɪm] ◼ n * **to have a swim** nager * **to go for a swim** aller se baigner, aller nager. ◼ vi (prét swam, pp swum) **1.** nager **2.** tourner * **my head was swimming** j'avais la tête qui tournait.

swimmer ['swɪməʳ] n nageur m, -euse f.

swimming ['swɪmɪŋ] n natation f * **to go swimming** aller nager.

swimming cap n bonnet m de bain.

swimming costume n (UK) maillot m de bain.

swimming pool n piscine f.

swimming trunks npl maillot m ou slip m de bain.

swimsuit ['swɪmsuːt] n maillot m de bain.

swindle ['swɪndl] ◼ n escroquerie f. ◼ vt escroquer, rouler * **to swindle sb out of sthg** escroquer qqch à qqn.

swine [swaɪn] n fam salaud m.

swing [swɪŋ] ◼ n **1.** balançoire f **2.** revirement m **3.** changement m, saute f (d'humeur) **4.** balancement m * **to be in full swing** battre son plein. ◼ vt (prét & pp swung) **1.** balancer **2.** faire virer. ◼ vi (prét & pp swung) **1.** se balancer **2.** (véhicule) virer, tourner * **to swing round** (UK) ou **around** (US) se retourner **3.** changer.

swing bridge n pont m tournant.

swing door (UK), **swinging door** (US) n porte f battante.

swingeing ['swɪndʒɪŋ] adj (UK) très sévère.

swipe [swaɪp] ◼ vt fam faucher, piquer. ◼ vi * **to swipe at** donner un coup à.

swirl [swɜːl] ◼ n tourbillon m. ◼ vi tourbillonner, tournoyer.

swish [swɪʃ] vt * **the horse swished its tail** le cheval donna un coup de queue.

Swiss [swɪs] ◼ adj suisse. ◼ n Suisse mf. ◼ npl * **the Swiss** les Suisses mpl.

Switch ® *n système de paiement non différé par carte bancaire.*

switch [switʃ] ■ *n* **1.** interrupteur *m*, commutateur *m* **2.** bouton *m* **3.** changement *m*. ■ *vt* **1.** échanger **2.** changer de ◦ **to switch places with sb** échanger sa place avec qqn.
■ **switch off** *vt sép* éteindre.
■ **switch on** *vt sép* allumer.

switchboard ['switʃbɔd] *n* TÉLÉCOM standard *m*.

Switzerland ['switsələnd] *n* Suisse *f* ◦ **in Switzerland** en Suisse.

swivel ['swivl] *((UK) prét & pp* **-led**, *cont* **-ling**, *(US) prét & pp* **-ed**, *cont* **-ing**) ■ *vt* faire pivoter, faire tourner. ■ *vi* pivoter, tourner.

swivel chair *n* fauteuil *m* pivotant *ou* tournant.

swollen ['swəʊln] ■ *pp* ▷ **swell**. ■ *adj* **1.** *(partie du corps)* enflé(e) **2.** *(fleuve)* en crue.

swoop [swu:p] ■ *n* descente *f*. ■ *vi* **1.** *(oiseau, avion)* piquer **2.** faire une descente.

swop [swɒp] = **swap**.

sword [sɔd] *n* épée *f*.

swordfish ['sɔdfiʃ] *(pl inv ou* **-es** [-i:z]*) n* espadon *m*.

swore [swɔr] *passé* ▷ **swear**.

sworn [swɔn] ■ *pp* ▷ **swear**. ■ *adj* sous serment.

swot [swɒt] *(UK) fam* ■ *n péj* bûcheur *m*, -euse *f*. ■ *vi* ◦ **to swot (for)** bûcher (pour).

swum [swʌm] *pp* ▷ **swim**.

swung [swʌŋ] *passé & pp* ▷ **swing**.

sycamore ['sikəmɔr] *n* sycomore *m*.

syllable ['siləbl] *n* syllabe *f*.

syllabus ['siləbəs] *(pl* **-buses** [-bəsi:z] *ou* **-bi** [-bai]*) n* SCOL & UNIV programme *m*.

symbol ['simbl] *n* symbole *m*.

symbolize, -ise ['simbəlaiz] *vt* symboliser.

symmetry ['simətri] *n* symétrie *f*.

sympathetic [,simpə'θetik] *adj* **1.** compatissant(e), compréhensif(ive) **2.** ◦ **sympathetic (to)** bien disposé(e) (à l'égard de).

sympathize, -ise ['simpəθaiz] *vi* compatir ◦ **to sympathize with sb** plaindre qqn.

sympathizer, -iser ['simpəθaizər] *n* sympathisant *m*, -e *f*.

sympathy ['simpəθi] *n (indén)* **1.** ◦ **sympathy (for)** compassion *f* (pour), sympathie *f* (pour) **2.** approbation *f*.
■ **sympathies** *npl* condoléances *fpl*.

symphony ['simfəni] *n* symphonie *f*.

symposium [sim'pəʊzjəm] *(pl* **-siums** *ou* **-sia** [-zjə]*) n* symposium *m*.

symptom ['simptəm] *n* symptôme *m*.

synagogue ['sinəgɒg] *n* synagogue *f*.

syndicate *n* ['sindikət] syndicat *m*, consortium *m*.

syndrome ['sindrəʊm] *n* syndrome *m*.

synonym ['sinənim] *n* ◦ **synonym (for** *ou* **of)** synonyme *m* (de).

synopsis [si'nɒpsis] *(pl* **-ses** [-si:z]*) n* **1.** résumé *m* **2.** synopsis *m*.

syntax ['sintæks] *n* syntaxe *f*.

synthesis ['sinθəsis] *(pl* **-ses** [-si:z]*) n* synthèse *f*.

synthetic [sin'θetik] *adj* **1.** synthétique **2.** *péj* artificiel(elle), forcé(e).

syphilis ['sifilis] *n* syphilis *f*.

syphon ['saifn] = **siphon**.

Syria ['siriə] *n* Syrie *f*.

syringe [si'rindʒ] *n* seringue *f*.

syrup ['sirəp] *n (indén)* **1.** sirop *m* **2.** *(UK)* mélasse *f* raffinée.

system ['sistəm] *n* **1.** système *m* ◦ **road/ railway system** réseau *m* routier/de chemins de fer **2.** installation *f* **3.** appareil *m* **4.** *(indén)* système *m*, méthode *f*.

systematic [,sistə'mætik] *adj* systématique.

system disk *n* INFORM disque *m* système.

systems analyst ['sistəmz-] *n* analyste fonctionnel *m*, analyste fonctionnelle *f*.

t [tiː] (*pl* **t's** *ou* **ts**), **T** (*pl* **T's** *ou* **Ts**) *n* t *m inv*, T *m inv*.

ta [tɑː] *interj* (*UK*) *fam* merci !

tab [tæb] *n* **1.** étiquette *f* (*sur des vêtements, des bagages*) **2.** languette *f* **3.** (*US*) addition *f* • **to keep tabs on sb** tenir *ou* avoir qqn à l'œil, surveiller qqn.

tabby ['tæbɪ] *n* • **tabby (cat)** chat tigré *m*, chatte tigrée *f*.

table ['teɪbl] *n* table *f*.

tablecloth ['teɪblklɒθ] *n* nappe *f*.

table lamp *n* lampe *f*.

tablemat ['teɪblmæt] *n* dessous-de-plat *m inv*.

tablespoon ['teɪblspuːn] *n* **1.** cuiller *f* de service **2.** cuillerée *f* à soupe.

tablet ['tæblɪt] *n* **1.** comprimé *m*, cachet *m* **2.** plaque *f* commémorative **3.** savonnette *f*, pain *m* de savon.

table tennis *n* ping-pong *m*.

table wine *n* vin *m* de table.

tabloid ['tæblɔɪd] *n* • **tabloid (newspaper)** tabloïd *m*, tabloïde *m* • **the tabloid press** la presse populaire.

tabulate ['tæbjʊleɪt] *vt* présenter sous forme de tableau.

tacit ['tæsɪt] *adj* tacite.

taciturn ['tæsɪtɜːn] *adj* taciturne.

tack [tæk] *n* **1.** clou *m* **2.** (*US*) punaise *f*. *vt* **1.** clouer **2.** punaiser **3.** cout faufiler.

tackle ['tækl] *n* **1.** football tacle *m* **2.** rugby plaquage *m* **3.** équipement *m*, matériel *m* **4.** naut palan *m*, appareil *m* de levage. *vt* **1.** s'attaquer à **2.** football tacler **3.** rugby plaquer.

tacky ['tækɪ] *adj* **1.** *fam* (*film, remarque*) d'un goût douteux **2.** *fam* (*bijoux*) de pacotille **3.** collant(e), pas encore sec(sèche).

tact [tækt] *n* (*indén*) tact *m*, délicatesse *f*.

tactful ['tæktfʊl] *adj* **1.** plein(e) de tact **2.** qui a du tact *ou* de la délicatesse.

tactic ['tæktɪk] *n* tactique *f*.

tactical ['tæktɪkl] *adj* tactique.

tactless ['tæktlɪs] *adj* qui manque de tact *ou* de délicatesse.

tadpole ['tædpəʊl] *n* têtard *m*.

tag [tæg] *n* **1.** marque *f* (*de vêtements*) **2.** étiquette *f*.
■ **tag along** *vi fam* suivre.

tail [teɪl] *n* **1.** queue *f* **2.** basque *f* (*d'un manteau*), pan *m* (*d'une chemise*). *vt* filer.
■ **tails** *n* (*monnaie*) pile *f*. *npl* queue-de-pie *f*, habit *m*.
■ **tail off** *vi* **1.** s'affaiblir **2.** diminuer.

tailback ['teɪlbæk] *n* (*UK*) bouchon *m*.

tailcoat [ˌteɪl'kəʊt] *n* habit *m*, queue-de-pie *f*.

tail end *n* fin *f*.

tailfin ['teɪlfɪn] *n* naut dérive *f*.

tailgate ['teɪlgeɪt] *n* auto hayon *m*.

tailor ['teɪlər] *n* tailleur *m*. *vt fig* adapter.

tailor-made *adj fig* sur mesure.

tailwind ['teɪlwɪnd] *n* vent *m* arrière.

tainted ['teɪntɪd] *adj* **1.** souillé(e), entaché(e) **2.** (*US*) avarié(e).

Taiwan [ˌtaɪ'wɑːn] *n* Taiwan.

take [teɪk] (*prét* **took**, *pp* **taken**) *vt* **1.** prendre • **to take a bath/photo** prendre un bain/une photo • **to take an exam** passer un examen • **to take a walk** se promener, faire une promenade • **to take offence** se vexer, s'offenser **2.** emmener **3.** accepter **4.** contenir **5.** supporter **6.** demander • **how long will it take?** combien de temps cela va-t-il prendre ? **7.** • **what size do you take?** quelle taille faites-vous ? • vous chaussez du combien ? **8.** • **I take it (that)...** je suppose que..., je pense que... **9.** prendre, louer. *n* ciné prise *f* de vues.
■ **take after** *vt insép* tenir de, ressembler à.
■ **take apart** *vt sép* démonter.

■ **take away** *vt sép* **1.** enlever **2.** retrancher, soustraire.

■ **take back** *vt sép* **1.** rendre, rapporter **2.** reprendre **3.** retirer.

■ **take down** *vt sép* **1.** démonter **2.** prendre **3.** baisser.

■ **take in** *vt sép* **1.** rouler, tromper **2.** comprendre **3.** englober **4.** recueillir.

■ **take off** ◼ *vt sép* **1.** enlever, ôter **2.** • **to take a day off** prendre un jour de congé. ◼ *vi* **1.** décoller *(avion)* **2.** partir.

■ **take on** *vt sép* **1.** accepter, prendre **2.** embaucher **3.** s'attaquer à **4.** faire concurrence à **5.** SPORT jouer contre.

■ **take out** *vt sép* emmener, sortir avec.

■ **take over** ◼ *vt sép* **1.** reprendre, prendre la direction de **2.** • **to take over sb's job** remplacer qqn • prendre la suite de qqn. ◼ *vi* **1.** prendre le pouvoir **2.** prendre la relève.

■ **take to** *vt insép* **1.** éprouver de la sympathie pour **2.** prendre goût à **3.** • **to take to doing sthg** se mettre à faire qqch.

■ **take up** *vt sép* **1.** prendre *(un emploi)* • **to take up singing** se mettre au chant **2.** occuper *(de la place)*.

■ **take up on** *vt sép* • **to take sb up on an offer** accepter l'offre de qqn.

takeaway (*UK*) ['teɪkə,weɪ], **takeout** (*US*) ['teɪkaʊt] *n* plat *m* à emporter.

taken ['teɪkn] *pp* ➡ **take**.

takeoff ['teɪkɒf] *n* décollage *m*.

takeout (*US*) = **takeaway**.

takeover ['teɪk,əʊvər] *n* **1.** FIN prise *f* de contrôle, rachat *m* **2.** prise *f* de pouvoir.

takings ['teɪkɪŋz] *npl* COMM recette *f*.

talc [tælk], **talcum (powder)** ['tælkəm-] *n* talc *m*.

tale [teɪl] *n* **1.** histoire *f*, conte *m* **2.** récit *m*.

talent ['tælənt] *n* • **talent (for)** talent *m* (pour).

talented ['tæləntɪd] *adj* talentueux(euse).

talk [tɔk] ◼ *n* **1.** discussion *f*, conversation *f* **2.** *(indén)* bavardages *mpl*, racontars *mpl* **3.** conférence *f*, causerie *f*. ◼ *vi* **1.** • **to talk (to sb)** parler (à qqn) **2.** bavarder, jaser **3.** faire un discours, parler. ◼ *vt* parler, dire.

■ **talk into** *vt sép* • **to talk sb into doing sthg** persuader qqn de faire qqch.

■ **talk out of** *vt sép* • **to talk sb out of doing sthg** dissuader qqn de faire qqch.

■ **talk over** *vt sép* discuter de.

■ **talks** *npl* entretiens *mpl*, pourparlers *mpl*.

talkative ['tɔkətɪv] *adj* bavard(e), loquace.

talk show *n* talk-show *m*, débat *m* télévisé.

tall [tɔl] *adj* grand(e) • **how tall are you?** combien mesurez-vous ? • **she's 5 feet tall** elle mesure 1,50 m.

tall story *n* histoire *f* à dormir debout.

tally ['tælɪ] ◼ *n* compte *m*. ◼ *vi* correspondre, concorder.

talon ['tælən] *n* serre *f*, griffe *f*.

tambourine [,tæmbə'riːn] *n* tambourin *m*.

tame [teɪm] ◼ *adj* **1.** apprivoisé(e) **2.** *péj* docile **3.** *péj* terne, morne. ◼ *vt* **1.** apprivoiser **2.** mater, dompter.

tamper ['tæmpər] ■ **tamper with** *vt insép* **1.** trafiquer *(une machine)* **2.** altérer, falsifier *(des dossiers, des fichiers)* **3.** essayer de crocheter *(une serrure)*.

tampon ['tæmpɒn] *n* tampon *m (périodique)*.

tan [tæn] ◼ *adj* brun clair *(inv)*. ◼ *n* bronzage *m*, hâle *m*. ◼ *vi* bronzer.

tang [tæŋ] *n* **1.** saveur *f* forte *ou* piquante **2.** odeur *f* forte *ou* piquante.

tangent ['tændʒənt] *n* GÉOM tangente *f* • **to go off at a tangent** *fig* changer de sujet, faire une digression.

tangerine [,tændʒə'riːn] *n* mandarine *f*.

tangible ['tændʒəbl] *adj* tangible.

Tangier [tæn'dʒɪər] *n* Tanger.

tangle ['tæŋgl] *n* **1.** enchevêtrement *m*, emmêlement *m* **2.** *fig* • **to get into a tangle** s'empêtrer, s'embrouiller.

tank [tæŋk] *n* **1.** réservoir *m* • **fish tank** aquarium *m* **2.** MIL tank *m*.

tanker ['tæŋkər] *n* **1.** pétrolier *m* **2.** camion-citerne *m* **3.** wagon-citerne *m*.

tanned [tænd] *adj* bronzé(e), hâlé(e).

Tannoy® ['tænɔɪ] *n* système *m* de haut-parleurs.

tantalizing ['tæntəlaɪzɪŋ] *adj* **1.** très appétissant(e) **2.** très tentant(e).

tantamount ['tæntəmaʊnt] *adj* • **tantamount to** équivalent(e) à.

tantrum ['tæntrəm] (pl **-s**) n crise f de colère • **to have** OU **throw a tantrum** faire OU piquer une colère.

Tanzania [,tænzə'nɪə] n Tanzanie f.

tap [tæp] ◼ n **1.** (UK) robinet m **2.** petite tape f, petit coup m. ◼ vt **1.** tapoter, taper **2.** exploiter, utiliser **3.** mettre sur écoute.

tapafication (US) [tæpæfɪkeɪʃn] n tendance à servir les plats en de nombreuses petites portions.

tap dance n (indén) claquettes fpl.

tape [teɪp] ◼ n **1.** bande f magnétique **2.** cassette f **3.** ruban m. ◼ vt **1.** enregistrer **2.** enregistrer au magnétoscope **3.** scotcher.

tape measure n centimètre m, mètre m.

taper ['teɪpər] vi **1.** s'effiler **2.** (pantalons) se terminer en fuseau.

tape recorder n magnétophone m.

tapestry ['tæpɪstrɪ] n tapisserie f.

tar [tɑːr] n (indén) goudron m.

target ['tɑːgɪt] ◼ n **1.** objectif m **2.** cible f. ◼ vt **1.** viser **2.** fig (police) s'adresser à, viser **3.** fig (publicité) cibler.

tariff ['tærɪf] n **1.** tarif m douanier **2.** tableau m ou liste f des prix.

Tarmac® ['tɑːmæk] n macadam m. ◼ **tarmac** n • **the tarmac** AÉRON la piste.

tarnish ['tɑːnɪʃ] vt litt & fig ternir.

tarpaulin [tɑː'pɔːlɪn] n **1.** toile f goudronnée **2.** bâche f.

tart [tɑːt] ◼ adj **1.** acide **2.** fig acide, acerbe. ◼ n **1.** CULIN tarte f **2.** tfam pute f.

tartan ['tɑːtn] ◼ n tartan m. ◼ en apposition écossais(e).

tartar(e) sauce ['tɑːtər-] n sauce f tartare.

task [tɑːsk] n tâche f, besogne f.

task force n MIL corps m expéditionnaire.

tassel ['tæsl] n pompon m, gland m.

taste [teɪst] ◼ n **1.** goût m • **have a taste!** goûte ! • **in good/bad taste** de bon/mauvais goût **2.** fig • **taste (for)** penchant m (pour), goût m (pour) **3.** fig aperçu m. ◼ vt **1.** sentir **2.** déguster, goûter **3.** fig tâter de, goûter de. ◼ vi • **to taste good** avoir bon goût • **to taste of/like** avoir le goût de.

tasteful ['teɪstfʊl] adj de bon goût.

tasteless ['teɪstlɪs] adj **1.** de mauvais goût **2.** qui n'a aucun goût, fade.

tasty ['teɪstɪ] adj délicieux(euse), succulent(e).

tatters ['tætəz] npl • **in tatters** en lambeaux • (confiance) brisé(e) • (réputation) ruiné(e).

tattoo [tə'tuː] ◼ n (pl **-s**) tatouage m. ◼ vt tatouer.

tatty ['tætɪ] adj (UK) fam péj **1.** défraîchi(e), usé(e) **2.** miteux(euse), minable.

taught [tɔt] passé & pp ▷ **teach**.

taunt [tɔnt] ◼ vt railler, se moquer de. ◼ n raillerie f, moquerie f.

Taurus ['tɔːrəs] n Taureau m.

taut [tɔt] adj (corde, personne, muscle) tendu(e).

tawdry ['tɔːdrɪ] adj péj **1.** clinquant(e) **2.** voyant(e), criard(e).

tax [tæks] ◼ n taxe f, impôt m. ◼ vt **1.** taxer **2.** imposer **3.** mettre à l'épreuve.

taxable ['tæksəbl] adj imposable.

tax allowance n (UK) abattement m fiscal.

taxation [tæk'seɪʃn] n (indén) **1.** imposition f **2.** impôts mpl.

tax avoidance [-ə'vɔɪdəns] n évasion f fiscale.

tax collector n percepteur m.

tax disc n (UK) vignette f automobile.

tax evasion n fraude f fiscale.

tax-free, tax-exempt adj exonéré(e) (d'impôt).

taxi ['tæksɪ] ◼ n taxi m. ◼ vi (avion) rouler au sol.

taxi driver n chauffeur m de taxi.

tax inspector n inspecteur m des impôts.

taxi rank (UK), **taxi stand** (US) n station f de taxis.

taxpayer ['tæks,peɪər] n contribuable mf.

tax relief n dégrèvement m fiscal.

tax return n déclaration f d'impôts.

TB n abrév de tuberculosis.

tea [tiː] n **1.** thé m **2.** (UK) goûter m **3.** (UK) dîner m.

teabag ['tiːbæg] n sachet m de thé.

tea break n (UK) pause pour prendre le thé, ≃ pause-café f.

teach [tiːtʃ] (prét & pp **taught**) vt **1.** apprendre • **to teach sb sthg, to teach sthg to sb** apprendre qqch à qqn **2.** enseigner.

teacher ['tiːtʃər] n **1.** instituteur m, -trice f, maître m, maîtresse f **2.** professeur m.

teacher training college (UK), **teacher's college** (US) n ≃ institut m universitaire de formation des maîtres, ≃ IUFM m.

teaching ['tiːtʃɪŋ] n enseignement m.

teaching aid n support m pédagogique.

tea cloth n (UK) **1.** nappe f **2.** torchon m.

tea cosy, tea cozy n couvre-théière m inv, cosy m.

teacup ['tiːkʌp] n tasse f à thé.

teak [tiːk] n teck m.

team [tiːm] n équipe f.

teammate ['tiːmmeɪt] n co-équipier m, -ère f.

teamwork ['tiːmwɜːk] n (indén) travail m d'équipe, collaboration f.

teapot ['tiːpɒt] n théière f.

tear[1] [tɪər] n larme f.

tear[2] [teər] ◼ vt (prét **tore**, pp **torn**) **1.** déchirer **2.** arracher. ◼ vi (prét **tore**, pp **torn**) **1.** se déchirer **2.** aller à toute allure. ◼ n déchirure f, accroc m.
■ **tear apart** vt sép **1.** déchirer **2.** fig diviser.
■ **tear down** vt sép démolir.
■ **tear out** vt sép **1.** arracher (une page) **2.** détacher (un chèque, un coupon).
■ **tear up** vt sép déchirer.

teardrop ['tɪədrɒp] n larme f.

tearful ['tɪəfʊl] adj en larmes.

tear gas [tɪər-] n (indén) gaz m lacrymogène.

tearoom ['tiːrʊm] n salon m de thé.

tease [tiːz] ◼ n taquin m, -e f. ◼ vt • **to tease sb (about sthg)** taquiner qqn (à propos de qqch).

tea service, tea set n service m à thé.

teaspoon ['tiːspuːn] n **1.** petite cuillère f, cuillère à café **2.** cuillerée f à café.

teat [tiːt] n tétine f.

teatime ['tiːtaɪm] n (UK) l'heure f du thé.

tea towel n (UK) torchon m.

technical ['teknɪkl] adj technique.

technical college n (UK) collège m technique.

technicality [ˌteknɪˈkælətɪ] n **1.** technicité f **2.** détail m technique.

technically ['teknɪklɪ] adv **1.** techniquement **2.** en théorie.

technician [tekˈnɪʃn] n technicien m, -enne f.

technique [tekˈniːk] n technique f.

technological [ˌteknəˈlɒdʒɪkl] adj technologique.

technology [tekˈnɒlədʒɪ] n technologie f.

teddy ['tedɪ] n • **teddy (bear)** ours m en peluche, nounours m.

tedious ['tiːdjəs] adj ennuyeux(euse).

tee [tiː] n GOLF tee m.

teem [tiːm] vi **1.** pleuvoir à verse **2.** • **to be teeming with** grouiller de.

teenage ['tiːneɪdʒ] adj adolescent(e).

teenager ['tiːnˌeɪdʒər] n adolescent m, -e f.

teens [tiːnz] npl adolescence f.

tee shirt n tee-shirt m.

teeter ['tiːtər] vi vaciller • **to teeter on the brink of** fig être au bord de.

teeth [tiːθ] npl ⊳ **tooth**.

teethe [tiːð] vi percer ses dents.

teething troubles ['tiːðɪŋ-] npl fig difficultés fpl initiales.

teetotaller (UK), **teetotaler** (US) [tiːˈtəʊtlər] n personne f qui ne boit jamais d'alcool.

TEFL ['tefl] (abr de teaching of English as a foreign language) n enseignement de l'anglais langue étrangère.

telecom ['telɪkɒm] n (indén) (UK) fam télécommunications fpl.

telecommunications ['telɪkəˌmjuːnɪˈkeɪʃnz] npl télécommunications fpl.

telegram ['telɪgræm] n télégramme m.

telegraph ['telɪgrɑːf] ◼ n télégraphe m. ◼ vt télégraphier.

telenovela [telenəʊˈvelæ] n soap opera produit et diffusé dans les pays d'Amérique latine.

telepathy [tɪˈlepəθɪ] n télépathie f.

telephone ['telɪfəʊn] ■ n téléphone m • **to be on the telephone** (UK) avoir le téléphone • être au téléphone. ■ vt téléphoner à. ■ vi téléphoner.

telephone book n annuaire m.

telephone booth n cabine f téléphonique.

telephone box n (UK) cabine f téléphonique.

telephone call n appel m téléphonique.

telephone directory n annuaire m.

telephone number n numéro m de téléphone.

telephonist [tɪ'lefənɪst] n (UK) standardiste mf.

telephoto lens [,telɪ'fəʊtəʊ-] n téléobjectif m.

telescope ['telɪskəʊp] n télescope m.

teletext ['telɪtekst] n télétexte m.

televise ['telɪvaɪz] vt téléviser.

television ['telɪ,vɪʒn] n 1. (indén) télévision f • **on television** à la télévision 2. (poste m de) télévision f, téléviseur m.

television set n (poste m de) télévision f, téléviseur m.

telex ['teleks] ■ n télex m. ■ vt 1. envoyer par télex 2. envoyer un télex à.

tell [tel] (prét & pp told) ■ vt 1. dire 2. raconter • **to tell sb sthg, to tell sthg to sb** dire qqch à qqn • **to tell sb to do sthg** dire ou ordonner à qqn de faire qqch 3. savoir, voir • **could you tell me the time?** tu peux me dire l'heure (qu'il est) ? ■ vi 1. parler 2. savoir 3. se faire sentir • **the strain is beginning to tell** la tension commence à se faire sentir. ■ **tell apart** vt sép distinguer. ■ **tell off** vt sép gronder.

telling ['telɪŋ] adj révélateur(trice).

telltale ['telteɪl] ■ adj révélateur(trice). ■ n rapporteur m, -euse f.

telly ['telɪ] (abr de **television**) n (UK) fam télé f • **on telly** à la télé.

temp [temp] fam ■ n (abr de **temporary** **(employee)**) intérimaire mf. ■ vi (UK) travailler comme intérimaire.

temper ['tempər] ■ n 1. • **to be in a temper** être en colère • **to lose one's temper** se mettre en colère 2. humeur f 3. tempérament m. ■ vt tempérer.

temperament ['temprəmənt] n tempérament m.

temperamental [,temprə'mentl] adj capricieux(euse).

temperate ['temprət] adj tempéré(e).

temperature ['temprətʃər] n température f.

tempestuous [tem'pestjʊəs] adj littéraire & fig orageux(euse).

template ['templɪt] n gabarit m.

temple ['templ] n 1. temple m 2. tempe f.

temporarily [,tempə'rerəlɪ] adv temporairement, provisoirement.

temporary ['tempərərɪ] adj temporaire.

tempt [tempt] vt tenter • **to tempt sb to do sthg** donner à qqn l'envie de faire qqch.

temptation [temp'teɪʃn] n tentation f.

tempting ['temptɪŋ] adj tentant(e).

ten [ten] num dix. • voir aussi **six**

tenable ['tenəbl] adj défendable.

tenacious [tɪ'neɪʃəs] adj tenace.

tenancy ['tenənsɪ] n location f.

tenant ['tenənt] n locataire mf.

tend [tend] vt 1. • **to tend to do sthg** avoir tendance à faire qqch 2. s'occuper de.

tendency ['tendənsɪ] n • **tendency (to do sthg)** tendance f (à faire qqch).

tender ['tendər] ■ adj 1. tendre 2. sensible, douloureux(euse). ■ n COMM soumission f (à un appel d'offres).

tendon ['tendən] n tendon m.

tenement ['tenəmənt] n immeuble m.

Tenerife [,tenə'riːf] n Tenerife.

tenet ['tenɪt] n sout principe m.

tennis ['tenɪs] n (indén) tennis m.

tennis ball n balle f de tennis.

tennis court n court m de tennis.

tennis racket n raquette f de tennis.

tenor ['tenər] n ténor m.

tense [tens] ■ adj tendu(e). ■ n temps m. ■ vt tendre.

tension ['tenʃn] n tension f.

tent [tent] n tente f.

tentacle ['tentəkl] n tentacule m.

tentative ['tentətɪv] adj 1. hésitant(e) 2. provisoire.

tenterhooks ['tentəhʊks] *npl* ▪ **to be on tenterhooks** être sur des charbons ardents.

tenth [tenθ] *num* dixième. ▪ *voir aussi* **sixth**

tent peg *n* piquet *m* de tente.

tent pole *n* mât *m* de tente.

tenuous ['tenjʊəs] *adj* ténu(e).

tenure ['tenjər] *n (indén) sout* **1.** bail *m* **2.** ▪ **to have tenure** être titulaire.

tepid ['tepɪd] *adj* tiède.

term [tɜːm] ◼ *n* **1.** terme *m* **2.** (UK) SCOL & UNIV trimestre *m* **3.** durée *f*, période *f* ▪ **in the long/short term** à long/court terme. ◼ *vt* qualifier de.
■ **terms** *npl* **1.** conditions *fpl* **2.** ▪ **in real terms** en termes réels ▪ **to be on good terms (with sb)** être en bons termes (avec qqn) ▪ **to come to terms with sthg** accepter qqch.

terminal ['tɜːmɪnl] ◼ *adj* MÉD en phase terminale. ◼ *n* **1.** AÉRON, INFORM & RAIL terminal *m* **2.** ÉLECTR borne *f*.

terminate ['tɜːmɪneɪt] ◼ *vt* **1.** *sout* ▪ terminer, mettre fin à ▪ résilier *(un contrat)* **2.** interrompre *(une grossesse)*. ◼ *vi* **1.** *(bus, train)* s'arrêter **2.** *(contrat)* se terminer.

terminus ['tɜːmɪnəs] *(pl* **-ni** [-naɪ] *ou* **-nuses** [-nəsiːz]) *n* terminus *m*.

terrace ['terəs] *n* **1.** terrasse *f* **2.** (UK) rangée *f* de maisons.
■ **terraces** *npl* ▪ **the terraces** FOOTBALL les gradins *mpl*.

terraced ['terəst] *adj* en terrasses.

terraced house *n* (UK) *maison attenante aux maisons voisines*.

terrain [te'reɪn] *n* terrain *m*.

terrible ['terəbl] *adj* **1.** terrible **2.** affreux(euse), épouvantable.

terribly ['terəblɪ] *adv* **1.** terriblement **2.** affreusement mal.

terrier ['terɪər] *n* terrier *m*.

terrific [tə'rɪfɪk] *adj* **1.** *fam* fantastique, formidable **2.** énorme.

terrified ['terɪfaɪd] *adj* terrifié(e) ▪ **to be terrified of** avoir une terreur folle *ou* peur folle de.

terrifying ['terɪfaɪɪŋ] *adj* terrifiant(e).

territory ['terətrɪ] *n* territoire *m*.

terror ['terər] *n* terreur *f*.

terrorism ['terərɪzm] *n* terrorisme *m*.

terrorist ['terərɪst] *n* terroriste *mf*.

terrorize, -ise ['terəraɪz] *vt* terroriser.

terse [tɜːs] *adj* brusque.

Terylene® ['terəliːn] *n* Térylène® *m*.

test [test] ◼ *n* **1.** essai *m* **2.** épreuve *f* **3.** test *m* **4.** SCOL interrogation *f* écrite/orale **5.** (examen *m* du) permis *m* de conduire **6.** MÉD ▪ analyse ▪ examen *m*. ◼ *vt* **1.** essayer **2.** mettre à l'épreuve **3.** SCOL faire faire une interrogation écrite/orale à **4.** MÉD ▪ analyser ▪ faire un examen de.

testament ['testəmənt] *n* testament *m*.

testicles ['testɪklz] *npl* testicules *mpl*.

testify ['testɪfaɪ] ◼ *vt* ▪ **to testify that...** témoigner que... ◼ *vi* **1.** témoigner **2.** ▪ **to testify to sthg** témoigner de qqch.

testimony [(UK) 'testɪmənɪ, (US) 'testəməʊnɪ] *n* témoignage *m*.

testing ['testɪŋ] *adj* éprouvant(e).

test match *n* (UK) match *m* international.

test pilot *n* pilote *m* d'essai.

test tube *n* éprouvette *f*.

test-tube baby *n* bébé-éprouvette *m*.

tetanus ['tetənəs] *n* tétanos *m*.

tether ['teðər] *vt* attacher.

text [tekst] ◼ *n* **1.** texte *m* **2.** TÉLÉCOM SMS *m*. ◼ *vi* TÉLÉCOM envoyer un SMS (à qqn).

textbook ['tekstbʊk] *n* livre *m ou* manuel *m* scolaire.

texter [tekstɜː] *n* TÉLÉCOM personne qui envoie des sms.

textile ['tekstaɪl] *n* textile *m*.

texting ['tekstɪŋ] *n (indén)* TÉLÉCOM service *m* de mini-messages.

text message *n* TÉLÉCOM SMS *m*.

texture ['tekstʃər] *n* **1.** texture *f* **2.** grain *m*.

Thai [taɪ] ◼ *adj* thaïlandais(e). ◼ *n* **1.** Thaïlandais *m*, -e *f* **2.** thaï *m*.

Thailand ['taɪlænd] *n* Thaïlande *f*.

Thames [temz] *n* ▪ **the Thames** la Tamise.

than *(forme non accentuée* [ðən]*, forme accentuée* [ðæn]*) conj (dans des comparaisons)* ▪ **Sarah is younger than her sister** Sarah est plus jeune que sa sœur ▪ **it lasted**

more than three days ça a duré plus de trois jours • **I had no other choice than to accept** je n'avais pas d'autre choix que d'accepter.

À PROPOS DE...

than

Lorsque l'on compare deux choses en anglais courant, on fait généralement suivre *than* d'un pronom objet tel que *me, him, them,* etc (*he's bigger than me* ; *Keith has a faster car than me*). Dans la langue plus soutenue, en revanche, c'est le pronom sujet (*I, he, they,* etc) qui suit *than*, même lorsque le verbe qui suit est omis (*he's bigger than I* ; *Keith has a faster car than I*).

Lorsque *than* introduit un pronom sujet (*I, he, they,* etc), celui-ci peut être suivi de la forme contractée de *be* ou de *have*, à condition que le verbe soit lui-même suivi d'au moins un autre mot. Comparez par exemple *she's quicker than she's ever been* et *she's quicker than you are* (et non pas *you're*).

thank [θæŋk] *vt* remercier • **to thank sb (for)** remercier qqn (pour *ou* de) • **thank God** *ou* **goodness** *ou* **heavens!** Dieu merci !
■ **thanks** ◼ *npl* remerciements *mpl*.
◼ *interj* merci !
■ **thanks to** *prép* grâce à.

thankful ['θæŋkfʊl] *adj* **1.** • **thankful (for)** reconnaissant(e) (de) **2.** soulagé(e).

thankless ['θæŋklɪs] *adj* ingrat(e).

thanksgiving ['θæŋks,gɪvɪŋ] *n* action *f* de grâce.
■ **Thanksgiving (Day)** *n* fête nationale américaine commémorant l'installation des premiers colons en Amérique.

CULTURE...

Thanksgiving

Le quatrième jeudi de novembre, jour férié, les Américains se retrouvent en famille pour fêter *Thanksgiving,* l'une des plus importantes fêtes du pays. On commémore l'action de grâce rendue par les colons britanniques après leur première récolte de maïs en 1621.

thank you *interj* • **thank you (for)** merci (pour *ou* de).

that [ðæt] *pron* (*pl* **those** [ðəʊz])

forme non accentuée [ðət], *forme accentuée* [ðæt]

1. EN OPPOSITION À « THIS », S'UTILISE POUR DÉSIGNER DES ÉLÉMENTS ÉLOIGNÉS DU LOCUTEUR
• **who's that?** qui est-ce ?
• **is that Maureen?** c'est Maureen ?
• **what's that?** qu'est-ce que c'est que ça ?
• **which shoes are you going to wear, these or those?** quelles chaussures vas-tu mettre, celles-ci ou celles-là ?

2. POUR EFFECTUER UNE REPRISE
• **we came to a path that led into the woods** nous arrivâmes à un sentier qui menait dans les bois
• **show me the book that you bought** montre-moi le livre que tu as acheté
• **it started raining on the day that we left** il s'est mis à pleuvoir le jour où nous sommes partis

3. DANS DES EXPRESSIONS
• **that's a shame** c'est dommage.

that *adj*

1. EN OPPOSITION À « THIS », S'UTILISE POUR DÉSIGNER DES ÉLÉMENTS ÉLOIGNÉS DU LOCUTEUR
• **those chocolates are delicious** ces chocolats sont délicieux
• **he arrived later that day** il arriva plus tard ce jour-là
• **I prefer that book** je préfère ce livre-là
• **I'll have that one** je prendrai celui-là

2. POUR EXPRIMER L'EXASPÉRATION
• **that man again! we're sick of him!** encore cet homme ! nous l'avons assez vu !

3. DANS DES EXPRESSIONS
• **it's just one of those things** ce sont des choses qui arrivent.

that *adv*

EXPRIME LE DEGRÉ ÉLEVÉ
• **I can't go that far** je ne peux pas aller aussi loin
• **I was that hungry I could have eaten a horse** (UK) *fam* j'avais tellement faim que j'aurais pu manger un cheval
• **it wasn't that bad/good** ce n'était pas si mal/bien que ça.

■ **that** [ðət] *conj*

• **tell him that I'm sick** dites-lui que je suis malade
• **he recommended that I phone you** il m'a conseillé de vous appeler.

■ **that is (to say)** *adv*

c'est-à-dire

• **approximately 50,000 people have visited the museum, that is to say an average of 500 people a day** environ 50 000 personnes ont visité le musée, c'est-à-dire 500 personnes par jour en moyenne.

À PROPOS DE...

that

On omet très souvent *that* à l'intérieur d'une phrase. Lorsque *that* est un pronom, il peut être omis (*are you the person (that) the teacher's looking for?*), du moment qu'il n'est pas le sujet de la proposition qui suit (*she's the girl that got the job*).

Lorsque *that* relie deux parties de la phrase, après des verbes tels que *believe, say, think* et *tell*, il est aussi très fréquemment omis (*he said (that) he liked her ; she told him (that) she was getting married*).

Voir aussi *this*.

thatched [θætʃt] *adj* de chaume.

that's [ðæts] = **that is**.

thaw [θɔ] ■ *vt* **1.** faire fondre *ou* dégeler **2.** décongeler. ■ *vi* **1.** dégeler, fondre **2.** décongeler **3.** *fig* se dégeler. ■ *n* dégel *m*.

the *art déf*

forme non accentuée [ðə], *devant une voyelle* [ðɪ], *forme accentuée* [ðiː]

1. INDIQUE UN ÉLÉMENT DÉFINI OU DÉJÀ MENTIONNÉ
• **the book you bought is very interesting** le livre que tu as acheté est très intéressant
• **we were getting fed up with the situation** nous commencions à en avoir assez de cette situation
• **the Joneses are coming to supper** les Jones viennent dîner

2. EN PARLANT D'UNE CHOSE UNIQUE
• **the world is not flat** la Terre n'est pas plate
• **the sun is shining** le soleil brille

3. POUR FORMULER UNE GÉNÉRALITÉ
• **the lion is a wild animal** le lion est un animal sauvage

4. POUR INDIQUER UNE OPPOSITION
• **the English drink a lot of tea, the French rather drink coffee** les Anglais boivent beaucoup de thé, les Français boivent plutôt du café

5. DEVANT DES ADJECTIFS SUBSTANTIVÉS
• **the old/young** les vieux/jeunes
• **the impossible** l'impossible

6. AVEC DES INSTRUMENTS DE MUSIQUE
• **he plays the piano very well** il joue très bien du piano

7. DANS DES EXPRESSIONS DE TEMPS
• **the fourth of July is the American celebration of independence** le 4 juillet est la fête de l'indépendance américaine
• **the forties were the golden age for movies** les années quarante étaient l'âge d'or du cinéma

8. DANS SA FORME ACCENTUÉE, INDIQUE LE CARACTÈRE UNIQUE OU EXCEPTIONNEL DE QQCH OU DE QQN
• **it's THE book just now** c'est le livre à lire en ce moment
• **are you talking about THE Professor Baxter?** êtes-vous en train de parler du célèbre professeur Baxter ?
• **he's THE specialist** c'est lui le grand spécialiste

9. DANS UNE CORRÉLATION
• **the more he talks, the more I feel like listening** plus il parle, plus j'ai envie d'écouter
• **the more I see him, the less I like him** plus je le vois, moins je l'aime
• **the sooner the better** le plus tôt sera le mieux

10. AVEC UN NOM DE ROI OU D'EMPEREUR
• **Alexander the Great** Alexandre le Grand
• **Attila the Hun** Attila le Hun.

theatre *(UK)*, **theater** *(US)* [ˈθɪətər] *n* **1.** théâtre *m* **2.** *(UK)* MÉD salle *f* d'opération **3.** *(US)* cinéma *m*.

theatregoer *(UK)*, **theatergoer** *(US)* [ˈθɪətəˌɡəʊər] *n* habitué *m*, -e *f* du théâtre.

theatrical [θɪˈætrɪkl] *adj* **1.** théâtral(e) **2.** de théâtre.

the

The n'apparaît pas devant les noms indénombrables (*work, beer, money*) et les noms dénombrables au pluriel (*children, cats, houses*), lorsque ceux-ci interviennent dans des phrases où l'on parle de choses ou d'idées de façon générale (*money isn't important to me ; I don't like modern houses*).

The est aussi parfois omis devant certains noms se rapportant à des lieux (*to go to school/church ; to be in bed/hospital/prison ; to come home*). En revanche, l'article est indispensable lorsque le nom se rapporte à un endroit précis (*we go to the school at the end of the road ; the church is very pretty*).

En règle générale, on n'emploie pas *the* lorsque l'on parle des repas (*to have breakfast ; to meet for lunch*). Il en va de même lorsque l'on parle d'une saison ou d'une époque (*in spring ; next year ; last term*).

On n'emploie pas *the* devant les titres de personnes (*President Kennedy ; Doctor Allen*).

theft [θeft] *n* vol *m*.

their [ðeəʳ] *adj poss* leur, leurs *(pl)* • **their house** leur maison • **their children** leurs enfants • **it wasn't their fault** ce n'était pas de leur faute.

their

Si vous parlez d'une partie du corps, n'oubliez pas d'utiliser l'adjectif possessif *their*, et non pas *the* (*they had their ears pierced*, « elles se sont fait percer les oreilles »).
Voir aussi *its*.

theirs [ðeəz] *pron poss* le leur(la leur), les leurs *(pl)* • **that house is theirs** cette maison est la leur • **it wasn't our fault, it was theirs** ce n'était pas de notre faute, c'était de la leur • **a friend of theirs** un de leurs amis, un ami à eux/elles.

them *(forme non accentuée* [ðəm]*, forme accentuée* [ðem]*) pron pers pl* **1.** *(complément d'objet direct)* les • **I know them** je les connais • **if I were** *ou* **was them** si j'étais

eux/elles *ou* à leur place **2.** *(complément d'objet indirect)* leur • **we spoke to them** nous leur avons parlé • **she sent them a letter** elle leur a envoyé une lettre • **I gave it to them** je le leur ai donné **3.** *(précédé d'une préposition)* eux(elles) • **with them** avec eux/elles • **without them** sans eux/elles • **we're not as wealthy as them** nous ne sommes pas aussi riches qu'eux/qu'elles.

theme [θi:m] *n* **1.** thème *m*, sujet *m* **2.** MUS thème *m* **3.** MUS indicatif *m*.

theme park *n* parc *m* à thème.

theme tune *n* chanson *f* principale.

themselves [ðem'selvz] *pron* **1.** *(réfléchi)* se **2.** *(précédé d'une préposition)* eux(elles) **3.** *(forme emphatique)* eux-mêmes *mpl*, elles-mêmes *f* • **they did it themselves** ils l'ont fait tout seuls.

then [ðen] *adv* **1.** alors, à cette époque **2.** puis, ensuite **3.** alors, dans ce cas **4.** donc **5.** d'ailleurs, et puis.

theology [θɪ'ɒlədʒɪ] *n* théologie *f*.

theoretical [θɪə'retɪkl] *adj* théorique.

theorize, -ise ['θɪəraɪz] *vi* • **to theorize (about)** théoriser (sur).

theory ['θɪərɪ] *n* théorie *f* • **in theory** en théorie.

therapist ['θerəpɪst] *n* thérapeute *mf*, psychothérapeute *mf*.

therapy ['θerəpɪ] *n (indén)* thérapie *f*.

there [ðeəʳ] *pron*

PRÉSENTATIF
• **there is/are** il y a
• **there's someone at the door** il y a quelqu'un à la porte
• **there are some nice flowers** il y a de belles fleurs
• **there was a good movie on TV yesterday evening** il y avait un bon film à la télévision hier
• **there must be some mistake** il doit y avoir erreur.

there *adv*

1. INDIQUE UN ENDROIT ÉLOIGNÉ DU LOCUTEUR
• **I'm going there next week** j'y vais la semaine prochaine
• **he lives over there** là-bas
• **is anybody there?** il y a quelqu'un ?
• **is John there, please?** est-ce que John est là, s'il vous plaît ?

2. POUR SIGNALER L'ARRIVÉE DE QQCH OU DE QQN
• **there it is** c'est là
• **there he is!** le voilà !

there *interj*

• **there, I knew he'd turn up!** tiens *ou* voilà, je savais bien qu'il s'amènerait !
• **there, there, stop crying now!** allons, allons, arrête de pleurer maintenant !

■ **there again** *adv*

après tout
• **but there again, no one really knows** mais après tout, personne ne sait vraiment.

■ **there and then, then and there** *adv*

immédiatement, sur-le-champ
• **I liked the bike so much when I saw it in the shop, that I bought it there and then** *ou* **then and there** j'ai tellement aimé le vélo quand je l'ai vu dans le magasin, que je l'ai acheté immédiatement *ou* sur-le-champ.

thereabouts [ðeərə'baʊts], **thereabout** [ðeərə'baʊt] *adv* • **or thereabouts** par là • environ.

thereafter [ˌðeər'ɑːftər] *adv sout* après cela, par la suite.

thereby [ˌðeər'baɪ] *adv sout* ainsi, de cette façon.

therefore ['ðeəfɔr] *adv* donc, par conséquent.

there's [ðeəz] = **there is**.

thermal ['θɜːml] *adj* thermique.

thermometer [θə'mɒmɪtər] *n* thermomètre *m*.

Thermos (flask)® ['θɜːməs-] *n* (bouteille *f*) Thermos® *m ou f*.

thermostat ['θɜːməstæt] *n* thermostat *m*.

thesaurus [θɪ'sɔːrəs] *(pl* **-es** [-iːz]) *n* dictionnaire *m* de synonymes.

these [ðiːz] *pron* ⊳ **this**.

thesis ['θiːsɪs] *(pl* **theses** ['θiːsiːz]) *n* thèse *f*.

they [ðeɪ] *pron pers pl* **1.** ils(elles), eux(elles) • **they're pleased** ils sont contents(elles sont contentes) • **they're pretty earrings** ce sont de jolies boucles d'oreille • **they can't do it** eux (elles),

ils(elles) ne peuvent pas le faire • **there they are** les voilà **2.** on, ils • **they say it's going to snow** on dit qu'il va neiger.

they'd [ðeɪd] = **they had**, **they would**.

they'll [ðeɪl] = **they shall**, **they will**.

they're [ðeər] = **they are**.

they've [ðeɪv] = **they have**.

thick [θɪk] *adj* **1.** épais (épaisse) **2.** *(forêt, brouillard)* dense **3.** *(voix)* indistinct(e) **4.** *fam (idiot)* bouché(e).

thicken ['θɪkn] ■ *vt* épaissir. ■ *vi* s'épaissir.

thicket ['θɪkɪt] *n* fourré *m*.

thickness ['θɪknɪs] *n* épaisseur *f*.

thickset [ˌθɪk'set] *adj* trapu(e).

thick-skinned [-'skɪnd] *adj* qui a la peau dure.

thief [θiːf] *(pl* **thieves**) *n* voleur *m*, -euse *f*.

thieve [θiːv] *vt & vi* voler.

thieves [θiːvz] *npl* ⊳ **thief**.

thigh [θaɪ] *n* cuisse *f*.

thimble ['θɪmbl] *n* dé *m* (à coudre).

thin [θɪn] *adj* **1.** mince **2.** léger(ère) **3.** maigre **4.** *(sauce)* clair(e) **5.** *(foule)* épars(e) **6.** *(végétation)* clairsemé(e).
■ **thin down** *vt sép* **1.** délayer, diluer **2.** éclaircir *(une sauce)*.

thing [θɪŋ] *n* **1.** chose *f* • **the (best) thing to do would be...** le mieux serait de... • **the thing is...** le problème, c'est que... • **this is just the thing** *(US) fam* c'est exactement *ou* tout à fait ce qu'il faut **2.** • **I don't know a thing** je n'y connais absolument rien **3.** chose *f*, objet *m* **4.** • **you poor thing!** mon pauvre !
■ **things** *npl* **1.** affaires *fpl* **2.** *fam* • **how are things?** comment ça va ?

think [θɪŋk] ■ *vt (prét & pp* **thought)** **1.** • **to think (that)** croire que, penser que • **I think so/not** je crois que oui/ non **2.** penser à **3.** s'imaginer. ■ *vi (prét & pp* **thought)** **1.** réfléchir, penser **2.** • **what do you think of** *ou* **about his new film?** que pensez-vous de son dernier film ? • **to think a lot of sb/sthg** penser beaucoup de bien de qqn/qqch • **to think twice** y réfléchir à deux fois.
■ **think about** *vt insép* • **to think about sb/sthg** songer à *ou* penser à qqn/qqch • **I'll think about it** je vais y réfléchir.

■ **think of** *vt insép* **1.** = think about **2.** se rappeler **3.** penser à • **to think of doing sthg** avoir l'idée de faire qqch.
■ **think over** *vt sép* réfléchir à.
■ **think up** *vt sép* imaginer.

think tank *n* comité *m* d'experts.

third [θɜːd] ◼ *num* troisième. ◼ *n* UNIV ≃ licence *f* mention passable. • *voir aussi* sixth

thirdly ['θɜːdlɪ] *adv* troisièmement, tertio.

third-party insurance *n* assurance *f* au tiers.

third-rate *adj péj* de dernier *ou* troisième ordre.

Third World *n* • **the Third World** le tiers-monde.

thirst [θɜːst] *n* soif *f* • **thirst for** *fig* soif de.

thirsty ['θɜːstɪ] *adj* **1.** • **to be** *ou* **feel thirsty** avoir soif **2.** qui donne soif.

thirteen [,θɜː'tiːn] *num* treize. • *voir aussi* six

thirty ['θɜːtɪ] *num* trente. • *voir aussi* sixty

this [ðɪs] ◼ *pron* (*pl* **these** [ðiːz]) **1.** (*démonstratif*) ce, ceci • **this is for you** c'est pour vous • **who's this?** qui est-ce ? • **what's this?** qu'est-ce que c'est ? • **this is Daphne Logan** je vous présente Daphne Logan, Daphne Logan à l'appareil **2.** (*par opposition à « that »*) celui-ci(celle-ci) • **which sweets does she prefer, these or those?** quels bonbons préfère-t-elle, ceux-ci ou ceux-là ? ◼ *adj* **1.** (*démonstratif*) ce(cette), cet, ces (*pl*) • **these chocolates are delicious** ces chocolats sont délicieux • **I prefer this book** je préfère ce livre-ci • **this afternoon** cet après-midi • **this morning** ce matin • **this week** cette semaine **2.** (*par opposition à « that »*) ce(cette) ...-ci, ces...-ci (*pl*) • **I'll have this one** je prendrai celui-ci. ◼ *adv* aussi • **it was this big** c'était aussi grand que ça • **you'll need about this much** il vous en faudra à peu près comme ceci.

thistle ['θɪsl] *n* chardon *m*.

thong [θɒŋ] *n* lanière *f*.

thorn [θɔːn] *n* épine *f*.

thorny ['θɔːnɪ] *adj litt* & *fig* épineux(euse).

A PROPOS DE : this

This et *these* désignent des choses qui sont perçues comme proches dans l'espace ou dans le temps (*is this your coat on the floor here?* ; *this music is excellent*). Ils sont associés à *here* et *now*. *That* et *those* désignent des choses qui sont perçues comme plus éloignées (*isn't that your father over there?* ; *he was born in 1915 – that's a long time ago*). Ils sont associés à *there* et *then*.
This/these et *that/those* sont parfois employés ensemble pour comparer deux choses (*which skirt should I wear? – this one or that one?*), mais si l'on veut faire ressortir le contraste entre deux possibilités, il est plus naturel d'utiliser *this/these* en conjonction avec *the other/the others* (*Agassi is serving from this end and Sampras receiving at the other*).
Seuls *this* et *these* servent à parler de quelque chose auquel il n'a pas encore été fait allusion (*listen to this – you'll never believe it!*).
En ce qui concerne les pronoms, seul *those* (et non *this/these* ou *that*) peut servir à désigner directement des personnes. *Those* est alors généralement suivi d'une expression qui apporte des précisions (*those of you who agree, please put up your hands*).

thorough ['θʌrə] *adj* **1.** minutieux(euse) **2.** approfondi(e) **3.** méticuleux(euse) **4.** complet(ète), absolu(e).

thoroughbred ['θʌrəbred] *n* pur-sang *m inv*.

thoroughfare ['θʌrəfeə'] *n sout* rue *f*, voie *f* publique.

thoroughly ['θʌrəlɪ] *adv* **1.** à fond **2.** absolument, complètement.

those [ðəʊz] *pron* ▷ **that**.

though [ðəʊ] ◼ *conj* bien que (+ *subjonctif*), quoique (+ *subjonctif*). ◼ *adv* pourtant, cependant.

thought [θɔːt] ◼ *passé* & *pp* ▷ **think**. ◼ *n* **1.** pensée *f* **2.** idée *f* • **after much thought** après avoir mûrement réfléchi **3.** intention *f*.

■ **thoughts** *npl* **1.** pensées *fpl*, réflexions *fpl* **2.** opinions *fpl*.

thoughtful ['θɔːtfʊl] *adj* **1.** pensif(ive) **2.** attentionné(e) **3.** plein(e) de gentillesse.

thoughtless ['θɔːtlɪs] *adj* **1.** qui manque d'égards (pour les autres) **2.** irréfléchi(e).

thousand ['θaʊznd] *num* mille • **a** *ou* **one thousand** mille • **thousands of** des milliers de. • *voir aussi* **six**

thousandth ['θaʊzntθ] *num* millième. • *voir aussi* **sixth**

thrash [θræʃ] *vt* **1.** battre, rosser **2.** *fam* écraser.
■ **thrash about, thrash around** *vi* s'agiter.
■ **thrash out** *vt sép* **1.** débrouiller, démêler **2.** débattre de, discuter de.

thread [θred] ◼ *n* **1.** fil *m* **2.** TECHNOL filet *m*, pas *m*. ◼ *vt* enfiler *(une aiguille, des perles)*.

threadbare ['θredbeəʳ] *adj* usé(e) jusqu'à la corde.

threat [θret] *n* • **threat (to)** menace *f* (pour).

threaten ['θretn] ◼ *vt* • **to threaten sb (with)** menacer qqn (de) • **to threaten to do sthg** menacer de faire qqch. ◼ *vi* menacer.

three [θriː] *num* trois. • *voir aussi* **six**

three-dimensional [-dɪ'menʃənl] *adj* **1.** en trois dimensions.

threefold ['θriːfəʊld] ◼ *adj* triple. ◼ *adv* • **to increase threefold** tripler.

three-piece *adj* • **three-piece suit** (costume *m*) trois pièces *m* • **three-piece suite** canapé *m* et deux fauteuils assortis.

three-ply *adj (laine)* à trois fils.

thresh [θreʃ] *vt* AGRIC battre.

threshold ['θreʃhəʊld] *n* seuil *m*.

threw [θruː] *passé* ➤ **throw**.

thrifty ['θrɪftɪ] *adj* économe.

thrill [θrɪl] ◼ *n* **1.** frisson *m*, sensation *f* **2.** plaisir *m*. ◼ *vt* transporter, exciter.

thrilled [θrɪld] *adj* • **thrilled (with sthg/ to do sthg)** ravi(e) (de qqch/de faire qqch).

thriller ['θrɪləʳ] *n (film, roman)* thriller *m*.

thrilling ['θrɪlɪŋ] *adj* saisissant(e), palpitant(e).

thrive [θraɪv] *(prét* **-d** *ou* throve, *pp* **-d)** *vi* **1.** bien se porter **2.** *(plante)* pousser bien **3.** *(économie, affaires)* prospérer.

thriving ['θraɪvɪŋ] *adj* **1.** bien portant(e) **2.** *(plante)* qui pousse bien **3.** *(économie, affaires)* prospère.

throat [θrəʊt] *n* gorge *f*.

throb [θrɒb] *vi* **1.** *(cœur)* palpiter, battre fort **2.** *(batterie)* battre *(en rythme)* • **my head is throbbing** j'ai des élancements dans la tête.

throes [θrəʊz] *npl* • **to be in the throes of** être en proie à • **to be in the throes of an argument** être en pleine dispute.

throne [θrəʊn] *n* trône *m*.

throng [θrɒŋ] ◼ *n* foule *f*, multitude *f*. ◼ *vt* remplir, encombrer.

throttle ['θrɒtl] ◼ *n* AUTO papillon *m* des gaz. ◼ *vt* étrangler.

through [θruː] ◼ *adj* • **are you through?** tu as fini ? • **to be through with sthg** avoir fini qqch. ◼ *prép* **1.** à travers • **to travel through sthg** traverser qqch • **to cut through sthg** couper qqch **2.** pendant **3.** à cause de **4.** par l'intermédiaire de **5.** *(US)* • **Monday through Friday** du lundi au vendredi.
■ **through and through** *adv* **1.** jusqu'au bout des ongles **2.** par cœur, à fond.

throughout [θruː'aʊt] ◼ *prép* **1.** pendant, durant • **throughout the meeting** pendant toute la réunion **2.** partout dans • **throughout the world** dans le monde entier. ◼ *adv* **1.** tout le temps **2.** partout.

throve [θrəʊv] *passé* ➤ **thrive**.

throw [θrəʊ] ◼ *vt (prét* threw, *pp* thrown) **1.** jeter **2.** lancer **3.** désarçonner **4.** *fig* déconcerter, décontenancer. ◼ *n* lancement *m*, jet *m*.
■ **throw away** *vt sép* **1.** jeter **2.** gaspiller *(de l'argent)* **3.** perdre *(une occasion)*.
■ **throw out** *vt sép* **1.** jeter **2.** *fig* rejeter **3.** mettre à la porte **4.** expulser, renvoyer.
■ **throw up** *vi fam* vomir.

throwaway ['θrəʊəˌweɪ] *adj* **1.** jetable, à jeter **2.** désinvolte.

throw-in *n (UK)* FOOTBALL rentrée *f* en touche.

thrown [θrəʊn] *pp* ➤ **throw**.

thru [θruː] *fam (US)* = **through**.

thrush [θrʌʃ] *n* **1.** grive *f* **2.** muguet *m*.

thrust [θrʌst] ◼ n **1.** poussée f **2.** coup m (de couteau) **3.** idée f principale, aspect m principal. ◼ vt enfoncer, fourrer.

thud [θʌd] ◼ n bruit m sourd. ◼ vi tomber en faisant un bruit sourd.

thug [θʌg] n brute f, voyou m.

thumb [θʌm] ◼ n pouce m. ◼ vt fam • **to thumb a lift** faire du stop ou de l'autostop.
◼ **thumb through** vt insép feuilleter.

thumbs down [,θʌmz-] n • **to get** ou **be given the thumbs down** être rejeté(e).

thumbs up [,θʌmz-] n • **to give sb the thumbs up** donner le feu vert à qqn.

thumbtack ['θʌmtæk] n (US) punaise f.

thump [θʌmp] ◼ n **1.** grand coup m **2.** bruit m sourd. ◼ vt cogner, taper sur. ◼ vi battre fort.

thunder ['θʌndər] ◼ n (indén) **1.** tonnerre m **2.** fig vacarme m **3.** fig tonnerre m. ◼ v impers tonner.

thunderbolt ['θʌndəbəʊlt] n coup m de foudre.

thunderclap ['θʌndəklæp] n coup m de tonnerre.

thunderstorm ['θʌndəstɔːm] n orage m.

thundery ['θʌndərɪ] adj orageux(euse).

Thursday ['θɜːzdɪ] n jeudi m. • voir aussi **Saturday**

thus [ðʌs] adv sout **1.** par conséquent, donc, ainsi **2.** ainsi, de cette façon.

thwart [θwɔːt] vt contrecarrer, contrarier.

thyme [taɪm] n thym m.

thyroid ['θaɪrɔɪd] n thyroïde f.

tiara [tɪ'ɑːrə] n diadème m.

Tibet [tɪ'bet] n Tibet m.

tic [tɪk] n tic m.

tick [tɪk] ◼ n **1.** (UK) coche f **2.** tic-tac m **3.** zool tique f. ◼ vt (UK) cocher. ◼ vi faire tic-tac.
◼ **tick off** vt sép **1.** (UK) cocher **2.** (UK) fam engueuler.
◼ **tick over** vi (UK) tourner au ralenti (moteur).

ticket ['tɪkɪt] n **1.** billet m **2.** ticket m (de métro, de bus) **3.** étiquette f (sur un produit) **4.** P.-V. m

ticket collector n (UK) contrôleur m, -euse f.

ticket inspector n (UK) contrôleur m, -euse f.

ticket machine n distributeur m de billets.

ticket office n bureau m de vente des billets.

tickle ['tɪkl] ◼ vt **1.** chatouiller **2.** fig amuser. ◼ vi chatouiller.

ticklish ['tɪklɪʃ] adj chatouilleux(euse).

tidal ['taɪdl] adj **1.** de la marée **2.** (fleuve, estuaire) à marées.

tidal wave n raz-de-marée m inv.

tidbit (US) = **titbit**.

tiddlywinks ['tɪdlɪwɪŋks], **tiddledywinks** ['tɪdldɪwɪŋks] n jeu m de puce.

tide [taɪd] n **1.** marée f **2.** fig courant m, tendance f **3.** fig vague f.

tidy ['taɪdɪ] ◼ adj **1.** en ordre, bien rangé(e) **2.** soigné(e) **3.** ordonné(e) **4.** soigné(e). ◼ vt ranger, mettre de l'ordre dans.
◼ **tidy up** vt sép ranger, mettre de l'ordre dans. ◼ vi ranger.

tie [taɪ] ◼ n **1.** cravate f **2.** (dans un jeu, une compétition sportive) égalité f de points. ◼ vt (prét & pp **tied**, cont **tying**) **1.** attacher **2.** nouer • **to tie a knot** faire un nœud **3.** fig • **to be tied to** être lié(e) à. ◼ vi (prét & pp **tied**, cont **tying**) être à égalité.
◼ **tie down** vt sép fig restreindre la liberté de.
◼ **tie in with** vt insép concorder avec, coïncider avec.
◼ **tie up** vt sép **1.** attacher **2.** nouer **3.** fig immobiliser **4.** fig • **to be tied up with** être lié(e) à.

tiebreak(er) ['taɪbreɪk(ər)] n **1.** TENNIS tiebreak m, jeu m décisif **2.** question f subsidiaire.

tiepin ['taɪpɪn] n épingle f de cravate.

tier [tɪər] n **1.** gradin m **2.** étage m (d'une pièce montée).

tiff [tɪf] n bisbille f, petite querelle f.

tiger ['taɪgər] n tigre m.

tight [taɪt] ◼ adj **1.** serré(e) **2.** tendu(e) **3.** (emploi du temps) serré(e), minuté(e) **4.** strict(e) **5.** raide **6.** fam soûl(e) **7.** fam radin(e). ◼ adv **1.** bien, fort • **to hold tight** tenir bien • **to shut** ou **close sthg tight** bien fermer qqch **2.** à fond.
◼ **tights** npl (UK) collants mpl.

tighten ['taɪtn] ◼ vt 1. resserrer • **to tighten one's hold** OU **grip on** resserrer sa prise sur 2. tendre 3. renforcer. ◼ vi 1. se tendre 2. se resserrer.

tightfisted [,taɪt'fɪstɪd] adj péj radin(e).

tightly ['taɪtlɪ] adv bien, fort.

tightrope ['taɪtrəʊp] n corde f raide.

tile [taɪl] n 1. tuile f 2. carreau m (d'un carrelage).

tiled [taɪld] adj 1. carrelé(e) 2. (toit) couvert(e) de tuiles.

till [tɪl] ◼ prép jusqu'à • **from six till ten o'clock** de six heures à dix heures. ◼ conj 1. jusqu'à ce que (+ subjonctif) • **wait till I come back** attends que je revienne 2. (après une négation) avant que (+ subjonctif) • **it won't be ready till tomorrow** ça ne sera pas prêt avant demain. ◼ n tiroir-caisse m.

tiller ['tɪlər] n barre f.

tilt [tɪlt] ◼ vt incliner, pencher. ◼ vi s'incliner, pencher.

timber ['tɪmbər] n (indén) bois m de charpente OU de construction.

time [taɪm] ◼ n 1. temps m • **a long time** longtemps • **in a short time** dans peu de temps, sous peu • **to be time for sthg** être l'heure de qqch • **to have a good time** s'amuser bien • **in good time** de bonne heure • **ahead of time** en avance • **on time** à l'heure • **to have no time for sb/sthg** ne pas supporter qqn/qqch • **to play for time** essayer de gagner du temps 2. heure f • **what time is it?, what's the time?** quelle heure est-il ? • **in a week's/year's time** dans une semaine/un an 3. époque f • **before my time** avant que j'arrive ici 4. fois f • **from time to time** de temps en temps • **time after time, time and again** à maintes reprises, maintes et maintes fois 5. MUS mesure f. ◼ vt 1. fixer, prévoir 2. chronométrer 3. choisir le moment de.
◼ **times** ◼ npl fois fpl • **four times as much as me** quatre fois plus que moi. ◼ prép MATH fois.
◼ **at a time** adv d'affilée • **one at a time** un par un • **months at a time** des mois et des mois.
◼ **at the same time** adv en même temps.
◼ **at times** adv quelquefois, parfois.

◼ **about time** adv • **it's about time (that)...** il est grand temps que... • **about time too!** ce n'est pas trop tôt !
◼ **for the time being** adv pour le moment.
◼ **in time** adv 1. • **in time (for)** à l'heure (pour) 2. à la fin, à la longue.

time bomb n litt & fig bombe f à retardement.

time lag n décalage m.

timeless ['taɪmlɪs] adj éternel(elle).

time limit n délai m.

timely ['taɪmlɪ] adj opportun(e).

time off n temps m libre.

time out n SPORT temps m mort.

timer ['taɪmər] n minuteur m.

time scale n 1. période f 2. délai m.

time-share n logement m en multipropriété.

time switch n minuterie f.

timetable ['taɪm,teɪbl] n 1. (UK) SCOL emploi m du temps 2. horaire m 3. (UK) calendrier m.

time zone n fuseau m horaire.

timid ['tɪmɪd] adj timide.

timing ['taɪmɪŋ] n (indén) 1. à-propos m inv 2. • **the timing of the election** le moment choisi pour l'élection 3. chronométrage m.

timpani ['tɪmpənɪ] npl timbales fpl.

tin [tɪn] n 1. (indén) étain m 2. fer-blanc m 3. (UK) boîte f de conserve 4. (UK) boîte f.

tin can n boîte f de conserve.

tinfoil ['tɪnfɔɪl] n (indén) papier m (d')aluminium.

tinge [tɪndʒ] n teinte f, nuance f.

tinged [tɪndʒd] adj • **tinged with** teinté(e) de.

tingle ['tɪŋgl] vi picoter.

tinker ['tɪŋkər] ◼ n (UK) péj romanichel m, -elle f. ◼ vi • **to tinker (with sthg)** bricoler (qqch).

tinkle ['tɪŋkl] vi tinter.

tinned [tɪnd] adj (UK) en boîte.

tin opener n (UK) ouvre-boîtes m inv.

tinsel ['tɪnsl] n (indén) guirlandes fpl de Noël.

tint [tɪnt] n 1. teinte f, nuance f 2. (pour les cheveux) rinçage m.

tinted ['tɪntɪd] adj teinté(e).

tiny ['taɪnɪ] *adj* minuscule.

tip [tɪp] ▪ *n* **1.** bout *m* **2.** *(UK)* décharge *f* **3.** pourboire *m* **4.** tuyau *m* *(conseil)*. ▪ *vt* **1.** faire basculer **2.** *(UK)* renverser **3.** donner un pourboire à.
▪ **tip over** ▪ *vt sép* renverser. ▪ *vi* se renverser.

tip-off *n* **1.** tuyau *m* **2.** dénonciation *f.*

tipped ['tɪpt] *adj* à bout filtre.

tipsy ['tɪpsɪ] *adj fam* gai(e).

tiptoe ['tɪptəʊ] ▪ *n* ▪ **on tiptoe** sur la pointe des pieds. ▪ *vi* marcher sur la pointe des pieds.

tip-top *adj fam vieilli* excellent(e).

tire ['taɪər] ▪ *n (US)* = **tyre.** ▪ *vt* fatiguer. ▪ *vi* **1.** se fatiguer **2.** ▪ **to tire of** se lasser de.

tired ['taɪəd] *adj* **1.** fatigué(e), las (lasse) **2.** ▪ **to be tired of sthg/of doing sthg** en avoir assez de qqch/de faire qqch.

tireless ['taɪəlɪs] *adj* infatigable.

tiresome ['taɪəsəm] *adj* ennuyeux(euse).

tiring ['taɪərɪŋ] *adj* fatigant(e).

tissue ['tɪʃuː] *n* **1.** mouchoir *m* en papier **2.** *(indén)* ʙɪᴏʟ tissu *m.*

tissue paper *n (indén)* papier *m* de soie.

tit [tɪt] *n* **1.** mésange *f* **2.** *vulg* nichon *m.*

titbit *(UK)* ['tɪtbɪt], **tidbit** *(US)* ['tɪdbɪt] *n* **1.** bon morceau *m* **2.** *fig* petite nouvelle *f.*

tit for tat [-'tæt] *n* un prêté pour un rendu.

titillate ['tɪtɪleɪt] *vt* titiller.

title ['taɪtl] *n* titre *m.*

title deed *n* titre *m* de propriété.

title role *n* rôle *m* principal.

titter ['tɪtər] *vi* rire bêtement.

to *prép*

forme accentuée [tuː], *forme non accentuée devant une consonne* [tə], *forme non accentuée devant une voyelle* [tʊ]

1. INDIQUE UNE DIRECTION
▪ **she went to Liverpool/to Spain/to school** elle est allée à Liverpool/en Espagne/à l'école
▪ **I'm going to the butcher's** je vais chez le boucher
▪ **turn to the left/right** tourner à gauche/droite

2. INDIQUE UN DESTINATAIRE
▪ **to give sthg to sb** donner qqch à qqn
▪ **I'm writing a letter to my daughter** j'écris une lettre à ma fille

3. POUR EXPRIMER UNE ÉMOTION
▪ **to my delight/surprise, my parcel arrived very quickly** à ma grande joie/surprise, mon colis est arrivé très vite

4. POUR EXPRIMER UNE OPINION
▪ **to me, it is a real miracle** d'après moi, c'est un vrai miracle
▪ **it seemed quite unnecessary to me/him** cela me/lui semblait tout à fait inutile

5. JUSQU'À
▪ **she can already count to 10** elle sait déjà compter jusqu'à 10
▪ **we work from 9 to 5** nous travaillons de 9 heures à 17 heures
▪ **I didn't stay to the end of the film** je ne suis pas resté jusqu'à la fin du film
▪ **she sang the baby to sleep** elle a endormi le bébé en chantant

6. EXPRIME UN CONTACT PHYSIQUE
▪ **they were dancing cheek to cheek** ils dansaient joue contre joue
▪ **stand back to back** mettez-vous dos à dos

7. POUR EXPRIMER L'HEURE
▪ **it's ten to three/quarter to one** il est trois heures moins dix/une heure moins le quart

8. INDIQUE UNE PROPORTION
▪ **this car does 40 miles to the gallon** ≃ cette voiture consomme 7 litres aux cent (km)
▪ **there are 200 people to the square kilometre** il y a 200 habitants au km^2
▪ **the odds against it happening are a million to one** il y a une chance sur un million que cela se produise

9. INDIQUE UNE RELATION ENTRE DEUX ÉLÉMENTS
▪ **he gave me the key to his car** il m'a donné la clé de sa voiture.

to + *infinitif*

1. APRÈS CERTAINS VERBES
▪ **I'd like to be on holiday** j'aimerais être en vacances
▪ **she tried to help her brother** elle a essayé d'aider son frère
▪ **she wants to go to the movies** elle veut aller au cinéma

2. APRÈS CERTAINS ADJECTIFS
- **it's difficult to do** c'est difficile à faire
- **we're ready to go** nous sommes prêts à partir

3. POUR EXPRIMER LE BUT
- **he worked hard to pass his exam** il a travaillé dur pour réussir son examen
- **they left early to catch the train** ils sont partis tôt pour ne pas rater leur train
- **to be honest,...** pour être honnête
- **to sum up,...** en résumé,...

4. REMPLACE UNE PROPOSITION SUBORDONNÉE CONJONCTIVE
- **he told me to leave** il m'a dit de partir

5. POUR FAIRE UNE REPRISE
- **I meant to call him but I forgot to** je voulais l'appeler, mais j'ai oublié.

À PROPOS DE... **to**

Notez que dans certaines expressions, *to* est suivi directement du nom, sans *the* (*he's gone to work/school/prison/hospital/bed/church*).
Avec le mot *home*, dans des phrases telles que *I'm going home*, *to* n'apparaît pas du tout.

toad [təʊd] n crapaud m.

toadstool ['təʊdstuːl] n champignon m vénéneux.

to and fro adv • **to go to and fro** aller et venir • **to walk to and fro** marcher de long en large.
■ **to-and-fro** adj (mouvement) de va-et-vient.

toast [təʊst] ■ n 1. (indén) pain m grillé, toast m 2. toast m (à la santé de). ■ vt 1. (faire) griller 2. porter un toast à.

toaster ['təʊstər] n grille-pain m inv.

tobacco [tə'bækəʊ] n (indén) tabac m.

tobacconist [tə'bækənɪst] n (UK) buraliste mf.

toboggan [tə'bɒgən] n luge f.

today [tə'deɪ] ■ n aujourd'hui m. ■ adv aujourd'hui.

toddler ['tɒdlər] n tout-petit m (enfant qui commence à marcher).

toddy ['tɒdɪ] n grog m.

to-do (pl -s) n fam vieilli histoire f.

toe [təʊ] ■ n 1. orteil m, doigt m de pied 2. bout m (de chaussure, de chaussette). ■ vt • **to toe the line** se plier.

TOEFL [tɒfl] (abr de **Test of English as a Foreign Language**) n test d'anglais passé par les étudiants étrangers désirant faire des études dans une université américaine.

toenail ['təʊneɪl] n ongle m d'orteil.

toffee ['tɒfɪ] n (UK) caramel m.

toga ['təʊgə] n toge f.

together [tə'geðər] adv 1. ensemble 2. en même temps.
■ **together with** prép ainsi que.

toil [tɔɪl] littéraire ■ n labeur m. ■ vi travailler dur.

toilet ['tɔɪlɪt] n toilettes fpl, cabinets mpl • **to go to the toilet** aller aux toilettes.

toilet bag n trousse f de toilette.

toilet paper n (indén) papier m hygiénique.

toiletries ['tɔɪlɪtrɪz] npl articles mpl de toilette.

toilet roll n rouleau m de papier hygiénique.

toilet water n eau f de toilette.

token ['təʊkn] ■ adj symbolique. ■ n 1. bon m (coupon) 2. marque f (témoignage).
■ **by the same token** adv de même.

told [təʊld] passé & pp ⊳ **tell**.

tolerable ['tɒlərəbl] adj passable.

tolerance ['tɒlərəns] n tolérance f.

tolerant ['tɒlərənt] adj tolérant(e).

tolerate ['tɒləreɪt] vt 1. supporter 2. tolérer.

toll [təʊl] ■ n 1. nombre m 2. péage m • **to take its toll** se faire sentir. ■ vt & vi sonner.

tollfree (US) adv • **to call tollfree** appeler un numéro vert.

tomato [(UK) tə'mɑːtəʊ, (US) tə'meɪtəʊ] (pl -es) n tomate f.

tomb [tuːm] n tombe f.

tomboy ['tɒmbɔɪ] n garçon m manqué.

tombstone ['tuːmstəʊn] n pierre f tombale.

tomcat ['tɒmkæt] n matou m.

tomorrow [tə'mɒrəʊ] ■ n demain m. ■ adv demain.

ton [tʌn] (pl inv ou -s) n 1. (UK) = 1016 kg 2. (US) ≃ tonne f (= 907,2 kg) 3. tonne f (= 1000 kg).
■ **tons** npl fam ◆ **tons (of)** des tas (de), plein (de).

tone [təʊn] n 1. ton m 2. tonalité f 3. bip m sonore.
■ **tone down** vt sép modérer.
■ **tone up** vt sép tonifier.

tone-deaf adj qui n'a aucune oreille.

tongs [tɒŋz] npl 1. pinces fpl 2. fer m à friser.

tongue [tʌŋ] n 1. langue f ◆ **to hold one's tongue** fig tenir sa langue 2. languette f (d'une chaussure).

tongue-in-cheek adj ironique.

tongue-tied [-,taɪd] adj muet(ette).

tongue twister [-,twɪstər] n phrase f difficile à dire.

> CULTURE...
> **tongue twisters**
> Les Anglo-saxons aussi ont parfois du mal à prononcer l'anglais... Ils s'entraînent donc avec des « vire-langues » (tongue twisters), ces locutions difficiles à articuler, comme she sells sea shells on the seashore, how can a clam cram in a clean cream can?, ou encore six thick thistle sticks.

tonic ['tɒnɪk] n 1. Schweppes® m 2. tonique m.

tonic water n Schweppes® m.

tonight [tə'naɪt] ■ n 1. ce soir m 2. cette nuit f. ■ adv 1. ce soir 2. cette nuit.

tonnage ['tʌnɪdʒ] n tonnage m.

tonne [tʌn] (pl inv ou -s) n tonne f.

tonsil ['tɒnsl] n amygdale f.

tonsil(l)itis [,tɒnsɪ'laɪtɪs] n (indén) amygdalite f.

too [tu:] adv 1. aussi 2. trop ◆ **too many people** trop de gens ◆ **it was over all too soon** ça s'était terminé bien trop tôt ◆ **I'd be only too happy to help** je serais trop heureux de vous aider ◆ **I wasn't too impressed** ça ne m'a pas impressionné outre mesure.

took [tʊk] passé ⟹ **take**.

tool [tu:l] n litt & fig outil m.

tool box n boîte f à outils.

tool kit n trousse f à outils.

toot [tu:t] ■ n coup m de Klaxon®. ■ vi klaxonner.

tooth [tu:θ] (pl **teeth** [ti:θ]) n dent f.

toothache ['tu:θeɪk] n mal m ou rage f de dents ◆ **to have toothache** (UK), **to have a toothache** (US) avoir mal aux dents.

toothbrush ['tu:θbrʌʃ] n brosse f à dents.

toothpaste ['tu:θpeɪst] n dentifrice m.

toothpick ['tu:θpɪk] n cure-dents m inv.

top [tɒp] ■ adj 1. du haut 2. important(e) 3. supérieur(e) 4. fameux(euse) 5. meilleur(e) 6. premier(ère) 7. maximum. ■ n 1. sommet m 2. haut m 3. cime f 4. début m, tête f ◆ **on top** dessus ◆ **at the top of one's voice** à tue-tête 5. bouchon m 6. capuchon m (de stylo) 7. couvercle m 8. dessus m 9. (vêtement) haut m 10. toupie f 11. tête f 12. haut m 13. scol premier m, -ère f. ■ vt 1. être en tête de 2. surpasser 3. dépasser.
■ **on top of** prép 1. sur 2. en plus de.
■ **top up** (UK), **top off** (US) vt sép remplir.

top floor n dernier étage m.

top hat n haut-de-forme m.

top-heavy adj mal équilibré(e).

topic ['tɒpɪk] n sujet m.

topical ['tɒpɪkl] adj d'actualité.

topless ['tɒplɪs] adj aux seins nus.

top-level adj au plus haut niveau.

topmost ['tɒpməʊst] adj le plus haut(la plus haute).

topping ['tɒpɪŋ] n CULIN garniture f.

topple ['tɒpl] ■ vt renverser. ■ vi basculer.

top-secret adj top secret(top secrète).

topspin ['tɒpspɪn] n lift m.

topsy-turvy [,tɒpsɪ'tɜːvɪ] adj 1. sens dessus dessous 2. ◆ **to be topsy-turvy** ne pas tourner rond.

top-up card n recharge f de téléphone mobile.

torch [tɔːtʃ] n 1. (UK) lampe f électrique 2. torche f.

tore [tɔːr] passé ⟹ **tear**².

torment ■ n ['tɔːment] tourment m. ■ vt [tɔː'ment] tourmenter.

torn [tɔːn] pp ⟹ **tear**².

tornado [tɔ'neɪdəʊ] (pl **-es** OU **-s**) n tornade f.

torpedo [tɔ'piːdəʊ] n (pl **-es**) torpille f.

torrent ['tɒrənt] n torrent m.

torrid ['tɒrɪd] adj 1. torride 2. fig ardent(e).

tortoise ['tɔːtəs] n tortue f.

tortoiseshell ['tɔːtəʃel] ◼ adj ∘ **tortoiseshell cat** chat m roux tigré. ◼ n (indén) écaille f.

torture ['tɔːtʃər] ◼ n torture f. ◼ vt torturer.

Tory ['tɔːrɪ] (UK) ◼ adj tory, conservateur(trice). ◼ n tory mf, conservateur m, -trice f.

toss [tɒs] ◼ vt 1. jeter ∘ **to toss a coin** jouer à pile ou face ∘ **to toss one's head** rejeter la tête en arrière 2. remuer (la salade) 3. faire sauter (des crêpes) 4. ballotter. ◼ vi ∘ **to toss and turn** se tourner et se retourner.
◼ **toss up** vi jouer à pile ou face.

tot [tɒt] n 1. fam tout-petit m 2. larme f, goutte f (d'une boisson alcoolisée).

total ['təʊtl] ◼ adj 1. total(e) 2. complet(ète). ◼ n total m. ◼ vt ((UK) prét & pp **-led**, cont **-ling**, (US) prét & pp **-ed**, cont **-ing**) 1. additionner 2. s'élever à.

totalitarian [ˌtəʊtælɪ'teərɪən] adj totalitaire.

totally ['təʊtəlɪ] adv totalement ∘ **I totally agree** je suis entièrement d'accord.

totter ['tɒtər] vi litt & fig chanceler.

touch [tʌtʃ] ◼ n 1. (indén) toucher m 2. touche f 3. (indén) marque f, note f 4. ∘ **to keep in touch (with sb)** rester en contact (avec qqn) ∘ **to get in touch with sb** entrer en contact avec qqn ∘ **to lose touch with sb** perdre qqn de vue ∘ **to be out of touch with** ne plus être au courant de 5. SPORT ∘ **in touch** en touche 6. ∘ **a touch** un petit peu. ◼ vt toucher. ◼ vi se toucher.
◼ **touch down** vi AÉRON atterrir.
◼ **touch on** vt insép effleurer.

touch-and-go adj incertain(e).

touchdown ['tʌtʃdaʊn] n 1. AÉRON atterrissage m 2. but m.

touched [tʌtʃt] adj 1. touché(e) 2. fam fêlé(e).

touching ['tʌtʃɪŋ] adj touchant(e).

touchline ['tʌtʃlaɪn] n SPORT ligne f de touche.

touchy ['tʌtʃɪ] adj 1. susceptible 2. délicat(e).

tough [tʌf] adj 1. solide 2. dur(e) 3. dur(e) 4. difficile 5. dangereux(euse) 6. sévère.

toughen ['tʌfn] vt 1. endurcir 2. renforcer.

toupee ['tuːpeɪ] n postiche m.

tour [tʊər] ◼ n 1. voyage m 2. tournée f 3. visite f, tour m. ◼ vt visiter.

touring ['tʊərɪŋ] n tourisme m.

tourism ['tʊərɪzm] n tourisme m.

tourist ['tʊərɪst] n touriste mf.

tourist (information) office n office m de tourisme.

tournament ['tɔːnəmənt] n tournoi m.

tour operator n voyagiste m.

tousle ['taʊzl] vt ébouriffer.

tout [taʊt] ◼ n revendeur m de billets. ◼ vt 1. revendre (au marché noir) 2. vendre (en vantant sa marchandise). ◼ vi ∘ **to tout for trade** racoler les clients.

tow [təʊ] vt remorquer.

towards [tə'wɔːdz], **toward** [tə'wɔːd] prép 1. vers 2. envers 3. pour.

towel ['taʊəl] n 1. serviette f 2. torchon m.

towelling (UK), **toweling** (US) ['taʊəlɪŋ] n (indén) tissu m éponge.

towel rail n porte-serviettes m inv.

tower ['taʊər] ◼ n tour f. ◼ vi s'élever ∘ **to tower over sb/sthg** dominer qqn/qqch.

tower block n (UK) tour f.

towering ['taʊərɪŋ] adj imposant(e).

town [taʊn] n ville f ∘ **to go out on the town** faire la tournée des grands ducs.

town centre n (UK) centre-ville m.

town council n (UK) conseil m municipal.

town hall n (UK) mairie f.

town plan n (UK) plan m de ville.

town planning n (UK) urbanisme m.

township ['taʊnʃɪp] n 1. (aux États-Unis) ≃ canton m 2. (en Afrique du Sud) township f.

towpath ['təʊpaːθ] (pl [-paːðz]) n chemin m de halage.

towrope ['təʊrəʊp] *n* câble *m* de remorquage.

tow truck *n (US)* dépanneuse *f*.

toxic ['tɒksɪk] *adj* toxique.

toy [tɔɪ] *n* jouet *m*.
■ **toy with** *vt insép* **1.** caresser *(une idée)* **2.** jouer avec • **to toy with one's food** manger du bout des dents.

toy shop *n* magasin *m* de jouets.

trace [treɪs] ■ *n* trace *f*. ■ *vt* **1.** retrouver **2.** suivre **3.** retracer **4.** tracer.

tracing paper ['treɪsɪŋ-] *n (indén)* papier-calque *m*.

track [træk] ■ *n* **1.** chemin *m* **2.** SPORT piste *f* **3.** voie *f* ferrée **4.** trace *f* **5.** piste *f* *(magnétique)* • **to keep track of sb** rester en contact avec qqn • **to lose track of sb** perdre contact avec qqn • **to be on the right track** être sur la bonne voie • **to be on the wrong track** être sur la mauvaise piste. ■ *vt* suivre la trace de.
■ **track down** *vt sép* **1.** dépister **2.** retrouver.

track and field *n (US)* athlétisme *m*.

track record *n* palmarès *m*.

tracksuit ['træksuːt] *n* survêtement *m*.

tract [trækt] *n* **1.** tract *m* **2.** étendue *f*.

traction ['trækʃn] *n (indén)* **1.** traction *f* **2.** MÉD • **in traction** en extension.

tractor ['træktər] *n* tracteur *m*.

trade [treɪd] ■ *n* **1.** *(indén)* commerce *m* **2.** métier *m* • **by trade** de son état. ■ *vt* • **to trade sthg (for)** échanger qqch (contre). ■ *vi* • **to trade (with sb)** commercer (avec qqn).
■ **trade in** *vt sép* échanger.

trade fair *n* exposition *f* commerciale.

trade-in *n* reprise *f*.

trademark ['treɪdmɑːk] *n* **1.** marque *f* de fabrique **2.** *fig* marque *f*.

trade name *n* nom *m* de marque.

trader ['treɪdər] *n* marchand *m*, -e *f*, commerçant *m*, -e *f*.

tradesman ['treɪdzmən] *(pl* -men [-mən]) *n* commerçant *m*.

trade(s) union *n (UK)* syndicat *m*.

Trades Union Congress *n (UK)* • **the Trades Union Congress** la Confédération des syndicats britanniques.

trade(s) unionist [-'juːnjənɪst] *n (UK)* syndicaliste *mf*.

trading ['treɪdɪŋ] *n (indén)* commerce *m*.

trading estate *n (UK)* zone *f* industrielle.

tradition [trə'dɪʃn] *n* tradition *f*.

traditional [trə'dɪʃənl] *adj* traditionnel (elle).

traffic ['træfɪk] ■ *n (indén)* **1.** circulation *f* **2.** • **traffic (in)** trafic *m* (de). ■ *vi* *(prét & pp* -ked, *cont* -king) • **to traffic in** faire le trafic de.

traffic circle *n (US)* rond-point *m*.

traffic jam *n* embouteillage *m*.

trafficker ['træfɪkər] *n* • **trafficker (in)** trafiquant *m*, -e *f* (de).

traffic lights *npl* feux *mpl* de signalisation.

traffic warden *n (UK)* contractuel *m*, -elle *f*.

tragedy ['trædʒədɪ] *n* tragédie *f*.

tragic ['trædʒɪk] *adj* tragique.

trail [treɪl] ■ *n* **1.** sentier *m* **2.** piste *f*. ■ *vt* **1.** traîner **2.** suivre. ■ *vi* **1.** traîner **2.** SPORT • **to be trailing** être mené(e).
■ **trail away, trail off** *vi* s'estomper.

trailer ['treɪlər] *n* **1.** remorque *f* **2.** caravane *f* **3.** CINÉ bande-annonce *f*.

train [treɪn] ■ *n* **1.** train *m* **2.** traîne *f*. ■ *vt* **1.** • **to train sb to do sthg** apprendre à qqn à faire qqch **2.** former • **to train sb as/in** former qqn comme/dans **3.** SPORT • **to train sb (for)** entraîner qqn (pour). ■ *vi* **1.** • **to train (as)** recevoir *ou* faire une formation (de) **2.** SPORT • **to train (for)** s'entraîner (pour).

trained [treɪnd] *adj* formé(e).

trainee [treɪ'niː] *n* stagiaire *mf*.

trainer ['treɪnər] *n* **1.** dresseur *m*, -euse *f* **2.** SPORT entraîneur *m*.
■ **trainers** *npl (UK)* chaussures *fpl* de sport.

training ['treɪnɪŋ] *n (indén)* **1.** • **training (in)** formation *f* (de) **2.** SPORT entraînement *m*.

training college *n (UK)* école *f* professionnelle.

training shoes *npl (UK)* chaussures *fpl* de sport.

train of thought *n* • **my/his train of thought** le fil de mes/ses pensées.

traipse [treɪps] *vi* traîner.

trait [treɪt] *n* trait *m*.

traitor ['treɪtər] n traître m.

trajectory [trə'dʒektərɪ] n trajectoire f.

tram [træm], **tramcar** ['træmkɑːr] n (UK) tram m, tramway m.

tramp [træmp] ■ n clochard m, -e f. ■ vi marcher d'un pas lourd.

trample ['træmpl] vt piétiner.

trampoline ['træmpəliːn] n trampoline m.

trance [trɑːns] n transe f.

tranquil ['træŋkwɪl] adj tranquille.

tranquillizer (UK), **tranquilizer** (US) ['træŋkwɪlaɪzər] n tranquillisant m.

transaction [træn'zækʃn] n transaction f.

transcend [træn'send] vt transcender.

transcript ['trænskrɪpt] n transcription f.

transfer ■ n ['trænsfɜːr] 1. transfert m 2. passation f (de pouvoir) 3. FIN virement m 4. (UK) décalcomanie f. ■ vt [træns'fɜːr] 1. transférer 2. virer (de l'argent) 3. transférer, muter (un employé). ■ vi [træns'fɜːr] être transféré.

transfix [træns'fɪks] vt ▪ **to be transfixed with fear** être paralysé(e) par la peur.

transform [træns'fɔːm] vt ▪ **to transform sb/sthg (into)** transformer qqn/ qqch (en).

transfusion [træns'fjuːʒn] n transfusion f.

transient ['trænzɪənt] adj passager(ère).

transistor [træn'zɪstər] n transistor m.

transistor radio n transistor m.

transit ['trænsɪt] n ▪ **in transit** en transit.

transition [træn'zɪʃn] n transition f.

transitive ['trænzɪtɪv] adj transitif(ive).

transitory ['trænzɪtrɪ] adj transitoire.

translate [træns'leɪt] vt traduire.

translation [træns'leɪʃn] n traduction f.

translator [træns'leɪtər] n traducteur m, -trice f.

transmission [trænz'mɪʃn] n 1. RADIO & TV transmission f 2. émission f 3. (US) AUTO boîte f de vitesses.

transmit [trænz'mɪt] vt transmettre.

transmitter [trænz'mɪtər] n émetteur m.

transparency [trans'pærənsɪ] n 1. diapositive f 2. transparent m.

transparent [træns'pærənt] adj transparent(e).

transpire [træn'spaɪər] sout ■ vt ▪ **it transpires that...** on a appris que... ■ vi se passer, arriver.

transplant ■ n ['trænsplɑːnt] greffe f, transplantation f. ■ vt [træns'plɑːnt] 1. greffer, transplanter 2. repiquer.

transport ■ n ['trænspɔːt] transport m. ■ vt [træn'spɔːt] transporter.

transportation [ˌtrænspɔː'teɪʃn] n (surtout US) transport m.

transport cafe n (UK) restaurant m de routiers, routier m.

transpose [træns'pəʊz] vt transposer.

trap [træp] ■ n piège m. ■ vt prendre au piège ▪ **to be trapped** être coincé.

trapdoor [ˌtræp'dɔːr] n trappe f.

trapeze [trə'piːz] n trapèze m.

trappings ['træpɪŋz] npl signes mpl extérieurs.

trash [træʃ] n (indén) 1. (US) ordures fpl 2. fam péj camelote f.

trashcan ['træʃkæn] n (US) poubelle f.

trash collector n (US) éboueur m, éboueuse f.

traumatic [trɔ'mætɪk] adj traumatisant(e).

travel ['trævl] ■ n (indén) voyage m, voyages mpl. ■ vt ((UK) prét & pp **-led**, cont **-ling**, (US) prét & pp **-ed**, cont **-ing**) parcourir. ■ vi ((UK) prét & pp **-led**, cont **-ling**, (US) prét & pp **-ed**, cont **-ing**) 1. voyager 2. (courant, signal) aller, passer 3. (nouvelle) se répandre, circuler.

travel agency n agence f de voyages.

travel agent n agent m de voyages ▪ **to/at the travel agent's** à l'agence f de voyages.

traveller (UK), **traveler** (US) ['trævlər] n 1. voyageur m, -euse f 2. représentant m.

traveller's cheque (UK), **traveler's check** (US) n chèque m de voyage.

travelling (UK), **traveling** (US) ['trævlɪŋ] adj 1. ambulant(e) 2. (sac) de voyage 3. (indemnité) de déplacement.

travelsick ['trævəlsɪk] adj ▪ **to be travelsick** avoir le mal de la route/de l'air/de mer.

travesty ['trævəstɪ] n parodie f.

travolator ['trævəleɪtər] n tapis m ou trottoir m roulant.

trawler ['trɔlər] n chalutier m.

tray [treɪ] n plateau m.

treacherous ['tretʃərəs] adj traître (traîtresse).

treachery ['tretʃərɪ] n traîtrise f.

treacle ['triːkl] n (UK) mélasse f.

tread [tred] ◼ n 1. AUTO bande f de roulement 2. pas m. ◼ vi (prét **trod**, pp **trodden**) • **to tread (on)** marcher (sur).

treason ['triːzn] n trahison f.

treasure ['treʒər] ◼ n trésor m. ◼ vt 1. garder précieusement 2. chérir.

treasurer ['treʒərər] n trésorier m, -ère f.

treasury ['treʒərɪ] n trésorerie f.
◼ **Treasury** n • **the Treasury** le ministère des Finances.

treat [triːt] ◼ vt 1. traiter 2. • **to treat sb to sthg** offrir ou payer qqch à qqn. ◼ n 1. cadeau m 2. plaisir m.

treatise ['triːtɪz] n • **treatise (on)** traité m (de).

treatment ['triːtmənt] n traitement m.

treaty ['triːtɪ] n traité m.

treble ['trebl] ◼ adj 1. (voix) de soprano 2. (son) aigu(ë) 3. triple. ◼ n (voix, chanteur) soprano m. ◼ vt & vi tripler.

treble clef n clef f de sol.

tree [triː] n 1. arbre m 2. INFORM arbre m, arborescence f.

tree-hugger n fam hum & péj écolo mf.

treetop ['triːtɒp] n cime f.

tree trunk n tronc m d'arbre.

trek [trek] n randonnée f.

trellis ['trelɪs] n treillis m.

tremble ['trembl] vi trembler.

tremendous [trɪ'mendəs] adj 1. énorme 2. terrible 3. fam formidable.

tremor ['tremər] n tremblement m.

trench [trentʃ] n tranchée f.

trench coat n trench-coat m.

trend [trend] n tendance f.

trendy [trendɪ] fam adj branché(e), à la mode.

trepidation [,trepɪ'deɪʃn] n sout • **in** ou **with trepidation** avec inquiétude.

trespass ['trespəs] vi entrer sans permission • **'no trespassing'** 'défense d'entrer'.

trespasser ['trespəsər] n intrus m, -e f.

trestle ['tresl] n tréteau m.

trestle table n table f à tréteaux.

trial ['traɪəl] n 1. procès m • **to be on trial (for)** passer en justice (pour) 2. essai m • **on trial** à l'essai • **by trial and error** en tâtonnant 3. (expérience pénible) épreuve f.

triangle ['traɪæŋgl] n triangle m.

tribe [traɪb] n tribu f.

tribunal [traɪ'bjuːnl] n tribunal m.

tributary ['trɪbjutrɪ] n affluent m.

tribute ['trɪbjuːt] n tribut m, hommage m • **to pay tribute to** payer tribut à, rendre hommage à.

trice [traɪs] n • **in a trice** en un clin d'œil.

trick [trɪk] ◼ n 1. tour m, farce f • **to play a trick on sb** jouer un tour à qqn 2. truc m • **that will do the trick** fam ça fera l'affaire. ◼ vt attraper, rouler • **to trick sb into doing sthg** amener qqn à faire qqch (par la ruse).

trickery ['trɪkərɪ] n (indén) ruse f.

trickle ['trɪkl] ◼ n filet m. ◼ vi dégouliner • **to trickle in/out** entrer/sortir par petits groupes.

tricky ['trɪkɪ] adj difficile.

tricycle ['traɪsɪkl] n tricycle m.

tried [traɪd] adj • **tried and tested** qui a fait ses preuves.

trifle ['traɪfl] n 1. (UK) CULIN ≃ diplomate m 2. bagatelle f.
◼ **a trifle** adv un peu, un tantinet.

trifling ['traɪflɪŋ] adj insignifiant(e).

trigger ['trɪgər] n détente f, gâchette f.
◼ **trigger off** vt sép déclencher, provoquer.

trill [trɪl] n trille m.

trim [trɪm] ◼ adj 1. net(nette) 2. svelte. ◼ n coupe f (de cheveux). ◼ vt 1. couper 2. tailler 3. • **to trim sthg (with)** garnir ou orner qqch (de).

trimming ['trɪmɪŋ] n 1. COUT parement m 2. CULIN garniture f.

trinket ['trɪŋkɪt] n bibelot m.

trio ['triːəʊ] (pl **-s**) n trio m.

trip [trɪp] ◼ n 1. voyage m 2. arg drogue trip m. ◼ vt faire un croche-pied à. ◼ vi • **to trip (over)** trébucher (sur).

■ **trip up** *vt sép* faire un croche-pied à.

tripe ['traɪp] *n (indén)* **1.** tripe *f* **2.** *fam* bêtises *fpl*, idioties *fpl*.

triple ['trɪpl] ■ *adj* triple. ■ *vt & vi* tripler.

triple jump *n* • **the triple jump** le triple saut.

triplets ['trɪplɪts] *npl* triplés *mpl*, triplées *fpl*.

triplicate ['trɪplɪkət] *n* • **in triplicate** en trois exemplaires.

tripod ['traɪpɒd] *n* trépied *m*.

trite [traɪt] *adj péj* banal(e).

triumph ['traɪəmf] ■ *n* triomphe *m*. ■ *vi* • **to triumph (over)** triompher (de).

trivia ['trɪvɪə] *n (indén)* vétilles *fpl*, riens *mpl*.

trivial ['trɪvɪəl] *adj* insignifiant(e).

trod [trɒd] *passé* ▷ **tread**.

trodden ['trɒdn] *pp* ▷ **tread**.

trolley ['trɒlɪ] *(pl -s)* *n* **1.** *(UK)* chariot *m*, Caddie® *m* **2.** *(UK)* table *f* roulante.

trolley case *n (UK)* valise *f* à roulettes.

trombone [trɒm'bəʊn] *n* MUS trombone *m*.

troop [tru:p] ■ *n* bande *f*, troupe *f*. ■ *vi* • **to troop in/out/off** entrer/sortir/partir en groupe.
■ **troops** *npl* troupes *fpl*.

trophy ['trəʊfɪ] *n* trophée *m*.

tropical ['trɒpɪkl] *adj* tropical(e).

tropics ['trɒpɪks] *npl* • **the tropics** les tropiques *mpl*.

trot [trɒt] ■ *n* trot *m*. ■ *vi* trotter.
■ **on the trot** *adv fam* de suite, d'affilée.

trouble ['trʌbl] ■ *n (indén)* **1.** problème *m*, difficulté *f* • **to be in trouble** avoir des ennuis **2.** peine *f*, mal *m* • **to take the trouble to do sthg** se donner la peine de faire qqch • **it's no trouble!** ça ne me dérange pas ! **3.** ennui *m* **4.** bagarre *f* **5.** troubles *mpl*, conflits *mpl*. ■ *vt* **1.** peiner, troubler **2.** déranger **3.** faire mal à.

troubled ['trʌbld] *adj* **1.** inquiet (ète) **2.** *(période)* de troubles, agité(e) **3.** *(pays)* qui connaît une période de troubles.

troublemaker ['trʌbl,meɪkər] *n* provocateur *m*, -trice *f*.

troubleshooter ['trʌbl,ʃu:tər] *n* expert *m*, spécialiste *mf*.

troublesome ['trʌbləsəm] *adj* **1.** pénible **2.** gênant(e) **3.** qui fait souffrir.

trough [trɒf] *n* **1.** abreuvoir *m* **2.** auge *f* **3.** creux *m (d'une vague)* **4.** fig point *m* bas.

troupe [tru:p] *n* troupe *f*.

trousers ['traʊzəz] *npl* pantalon *m*.

trout [traʊt] *(pl inv ou -s)* *n* truite *f*.

trowel ['traʊəl] *n* **1.** déplantoir *m* **2.** truelle *f*.

truant ['tru:ənt] *n* élève *mf* absentéiste.

truce [tru:s] *n* trêve *f*.

truck [trʌk] *n* **1.** *(surtout US)* camion *m* **2.** wagon *m* à plate-forme.

truck driver *n (surtout US)* routier *m*.

trucker ['trʌkər] *n (US)* routier *m*, -ère *f*.

truck farm *n (US)* jardin *m* maraîcher.

truculent ['trʌkjʊlənt] *adj* agressif(ive).

trudge [trʌdʒ] *vi* marcher péniblement.

true ['tru:] *adj* **1.** vrai(e) • **to come true** se réaliser **2.** vrai(e), authentique • **true love** le grand amour **3.** exact(e) **4.** fidèle, loyal(e).

truffle ['trʌfl] *n* truffe *f*.

truly ['tru:lɪ] *adv* **1.** vraiment **2.** *(pour accentuer)* vraiment, sincèrement • **yours truly** je vous prie de croire à l'expression de mes sentiments distingués.

trump [trʌmp] *n* atout *m*.

trumped-up ['trʌmpt-] *adj péj* inventé(e) de toutes pièces.

trumpet ['trʌmpɪt] *n* trompette *f*.

truncheon ['trʌntʃən] *n (UK)* matraque *f*.

trundle ['trʌndl] *vi* aller lentement.

trunk [trʌŋk] *n* **1.** tronc *m* **2.** trompe *f* *(d'éléphant)* **3.** malle *f* **4.** *(US)* coffre *m (de voiture)*.
■ **trunks** *npl* maillot *m* de bain.

trunk call *n (UK)* communication *f* interurbaine.

trunk road *n (UK)* (route *f*) nationale *f*.

truss [trʌs] *n* bandage *m* herniaire.

trust [trʌst] ■ *vt* **1.** avoir confiance en, se fier à • **to trust sb to do sthg** compter sur qqn pour faire qqch **2.** • **to trust sb with sthg** confier qqch à qqn **3.** *sout* • **to trust (that)...** espérer que... ■ *n* **1.** *(indén)* • **trust (in sb/sthg)** confiance *f* (en qqn/dans qqch) **2.** *(indén)* responsabilité *f* **3.** COMM trust *m*.

trusted ['trʌstɪd] *adj* **1.** *(personne)* de confiance **2.** *(méthode)* qui a fait ses preuves.

trustee [trʌs'tiː] *n* **1.** fidéicommissaire *mf* **2.** administrateur *m*, -trice *f*.

trust fund *n* fonds *m* en fidéicommis.

trusting ['trʌstɪŋ] *adj* confiant(e).

trustworthy ['trʌst,wɜːðɪ] *adj* digne de confiance.

truth [truːθ] *n* vérité *f* • **in (all) truth** à dire vrai, en vérité.

truther ['truːθər] *n* personne contestant la version officielle sur les attentats terroristes du 11 septembre 2001 aux Etats-Unis, et soutenant la thèse d'une conspiration.

truthful ['truːθful] *adj* **1.** honnête **2.** véridique.

try [traɪ] ◼ *vt* **1.** essayer **2.** goûter • **to try to do sthg** essayer de faire qqch **3.** DR juger **4.** éprouver, mettre à l'épreuve. ◼ *vi* essayer • **to try for sthg** essayer d'obtenir qqch. ◼ *n* **1.** essai *m*, tentative *f* • **to give sthg a try** essayer qqch **2.** RUGBY essai *m*.
◼ **try on** *vt sép* essayer *(un vêtement)*.
◼ **try out** *vt sép* essayer *(une machine, une méthode)*.

À PROPOS DE...

try

Dans la langue parlée, le verbe *try* est souvent suivi de *and* puis de la forme de base du verbe, au lieu de *to* et de la forme de base (*try and come tonight = try to come tonight*).

---

trying ['traɪɪŋ] *adj* pénible, éprouvant(e).

T-shirt *n* tee-shirt *m*.

T-square *n* té *m*.

tub [tʌb] *n* **1.** boîte *f* **2.** petit pot *m* **3.** barquette *f* **4.** baignoire *f*.

tubby ['tʌbɪ] *adj fam* boulot(otte).

tube [tjuːb] *n* **1.** tube *m* **2.** *(UK)* métro *m* • **the tube** le métro • **by tube** en métro.

tuberculosis [tjuː,bɜːkjʊ'ləʊsɪs] *n* tuberculose *f*.

tubing ['tjuːbɪŋ] *n (indén)* tubes *mpl*, tuyaux *mpl*.

tubular ['tjuːbjʊlər] *adj* tubulaire.

tuck [tʌk] *vt* ranger.

◼ **tuck away** *vt sép* mettre de côté *ou* en lieu sûr.
◼ **tuck in** ◼ *vt* **1.** border *(un enfant)* **2.** rentrer *(sa chemise dans son pantalon)*. ◼ *vi fam* bouffer.
◼ **tuck up** *vt sép* border.

tuck shop *n (UK)* petite boutique qui vend des bonbons et des gâteaux.

Tuesday ['tjuːzdeɪ] *n* mardi *m*. • *voir aussi* **Saturday**

tuft [tʌft] *n* touffe *f*.

tug [tʌg] ◼ *n* **1.** • **to give sthg a tug** tirer sur qqch **2.** remorqueur *m*. ◼ *vt* tirer. ◼ *vi* • **to tug (at)** tirer *(sur)*.

tug-of-war *n* **1.** lutte *f* de traction à la corde **2.** *fig* lutte acharnée.

tuition [tjuː'ɪʃn] *n (indén)* cours *mpl*.

tulip ['tjuːlɪp] *n* tulipe *f*.

tumble ['tʌmbl] ◼ *vi* **1.** tomber, faire une chute **2.** *(eau)* tomber en cascades **3.** *fig* tomber, chuter. ◼ *n* chute *f*, culbute *f*.
◼ **tumble to** *vt insép (UK) fam* piger.

tumbledown ['tʌmbldaʊn] *adj* délabré(e), qui tombe en ruines.

tumble-dryer [-,draɪər] *n* sèche-linge *m inv*.

tumbler ['tʌmblər] *n* verre *m* (droit).

tummy ['tʌmɪ] *n fam* ventre *m*.

tumour *(UK)*, **tumor** *(US)* ['tjuːmər] *n* tumeur *f*.

tuna [*(UK)* 'tjuːnə, *(US)* 'tuːnə] *(pl inv ou* -s*)* *n* thon *m*.

tune [tjuːn] ◼ *n* **1.** air *m* **2.** • **in tune** accordé(e), juste • **out of tune** mal accordé(e) • faux • **to be in/out of tune (with)** *fig* être en accord/désaccord (avec). ◼ *vt* **1.** MUS accorder **2.** AUTO, RADIO & TV régler.
◼ **tune in** *vi* être à l'écoute • **to tune in to** se mettre sur.
◼ **tune up** *vi* accorder son instrument.

tuneful ['tjuːnful] *adj* mélodieux(euse).

tuner ['tjuːnər] *n* **1.** RADIO & TV syntoniseur *m*, tuner *m* **2.** accordeur *m*.

tunic ['tjuːnɪk] *n* tunique *f*.

tuning fork ['tjuːnɪŋ-] *n* diapason *m*.

Tunisia [tjuː'nɪzɪə] *n* Tunisie *f*.

tunnel ['tʌnl] ◼ *n* tunnel *m*. ◼ *vi* (*(UK)* *prét* & *pp* -**led**, *cont* -**ling**, *(US)* *prét* & *pp* -**ed**, *cont* -**ing**) faire *ou* creuser un tunnel.

turban ['tɜːbən] *n* turban *m*.

turbine ['tɜːbaɪn] n turbine f.

turbocharged ['tɜːbəʊtʃɑːdʒd] adj turbo (inv).

turbulence ['tɜːbjʊləns] n (indén) 1. turbulence f 2. fig agitation f.

turbulent ['tɜːbjʊlənt] adj 1. agité(e) 2. fig tumultueux(euse), agité(e).

tureen [təˈriːn] n soupière f.

turf [tɜːf] n (pl -s, (UK) pl turves [tɜːvz]) 1. gazon m 2. (US) fam territoire m réservé 3. motte f de gazon.
■ **turf out** vt sép (UK) fam 1. virer 2. balancer, bazarder.

turgid ['tɜːdʒɪd] adj sout pompeux(euse), ampoulé(e).

Turk [tɜːk] n Turc m, Turque f.

turkey ['tɜːkɪ] n (pl -s) dinde f.

Turkey ['tɜːkɪ] n Turquie f.

Turkish ['tɜːkɪʃ] ■ adj turc(turque). ■ n turc m. ■ npl • **the Turkish** les Turcs mpl.

Turkish delight n loukoum m.

turmoil ['tɜːmɔɪl] n agitation f, trouble m.

turn ['tɜːn] ■ n 1. virage m, tournant m 2. méandre m 3. tour m 4. tournure f, tour m 5. (dans un jeu) tour m • **it's my turn** c'est (à) mon tour • **in turn** tour à tour, chacun (à) son tour 6. (UK) numéro m (dans un spectacle) 7. (UK) MÉD crise f, attaque f • **to do sb a good turn** rendre (un) service à qqn. ■ vt 1. tourner 2. retourner • **to turn sthg inside out** retourner qqch • **to turn one's attention to sthg** tourner son attention vers qqch 3. • **to turn sthg into** changer qqch en 4. • **to turn red** rougir. ■ vi 1. tourner 2. se retourner 3. • **to turn to a page** se reporter ou aller à une page 4. • **to turn to sb/sthg** se tourner vers qqn/qqch 5. • **to turn into** se transformer en.
■ **turn around** vt sép = **turn round**.
■ **turn away** ■ vt sép refuser. ■ vi se détourner.
■ **turn back** ■ vt sép 1. replier 2. refouler. ■ vi rebrousser chemin.
■ **turn down** vt sép 1. rejeter, refuser 2. baisser.
■ **turn in** vi fam se pieuter.
■ **turn off** ■ vt insép quitter. ■ vt sép 1. éteindre 2. fermer. ■ vi tourner.
■ **turn on** ■ vt sép 1. allumer 2. ouvrir • **to turn the light on** allumer la lumière 3. fam exciter. ■ vt insép attaquer.

■ **turn out** ■ vt sép 1. éteindre 2. retourner, vider. ■ vt insép • **to turn out to be** s'avérer • **it turns out that…** il s'avère ou se trouve que… ■ vi 1. finir 2. venir.
■ **turn over** ■ vt sép 1. retourner (une carte à jouer, une pierre) 2. retourner (une page) 3. retourner dans sa tête 4. rendre. ■ vi 1. se retourner 2. (UK) (TV) changer de chaîne.
■ **turn round** (UK), **turn around** (US) ■ vt sép 1. retourner (une carte à jouer, une pierre) 2. tourner (une page). ■ vi se retourner.
■ **turn up** ■ vt sép 1. mettre plus fort 2. monter. ■ vi 1. arriver 2. être retrouvé 3. (occasion) se présenter.

turning ['tɜːnɪŋ] n (UK) route f latérale.

turning point n tournant m, moment m décisif.

turnip ['tɜːnɪp] n navet m.

turnout ['tɜːnaʊt] n 1. taux m de participation 2. (à un concert, un meeting) assistance f.

turnover ['tɜːnˌəʊvə'] n (indén) 1. renouvellement m 2. chiffre m d'affaires.

turnpike ['tɜːnpaɪk] n (US) autoroute f à péage.

turnstile ['tɜːnstaɪl] n tourniquet m.

turntable ['tɜːnˌteɪbl] n platine f (d'un électrophone).

turn-up n (UK) revers m inv (de pantalon) • **a turn-up for the books** fam une sacrée surprise.

turpentine ['tɜːpəntaɪn] n térébenthine f.

turquoise ['tɜːkwɔɪz] ■ n 1. (pierre fine) turquoise f 2. (couleur) turquoise m.

turret ['tʌrɪt] n tourelle f.

turtle ['tɜːtl] n (pl inv ou -s) n tortue f de mer.

turtleneck ['tɜːtlnek] n 1. pull m à col montant 2. col m montant.

tusk [tʌsk] n défense f.

tussle ['tʌsl] ■ n lutte f. ■ vi se battre • **to tussle over sthg** se disputer qqch.

tutor ['tjuːtə'] n 1. professeur m particulier 2. (UK) UNIV directeur m, -trice f d'études.

tutorial [tjuːˈtɔːrɪəl] n travaux mpl dirigés.

tuxedo [tʌkˈsiːdəʊ] (pl -s) n smoking m.

TV (*abr de* **television**) *n* (*indén*) télé *f*.

twang [twæŋ] *n* **1.** bruit *m* de pincement **2.** nasillement *m*.

tweed [twi:d] *n* tweed *m*.

tweenager ['twi:neɪdʒəʳ] *n fam* préadolescent *m*, -e *f*.

tweezers ['twi:zəz] *npl* pince *f* à épiler.

twelfth [twelfθ] *num* douzième. • *voir aussi* **sixth**

twelve [twelv] *num* douze. • *voir aussi* **six**

twentieth ['twentɪəθ] *num* vingtième. • *voir aussi* **sixth**

twenty ['twentɪ] *num* vingt. • *voir aussi* **six**

twice [twaɪs] *adv* deux fois • **twice a day** deux fois par jour • **he earns twice as much as me** il gagne deux fois plus que moi • **twice as big** deux fois plus grand • **twice my age** le double de mon âge.

twiddle ['twɪdl] ◼ *vt* jouer avec. ◼ *vi* • **to twiddle with sthg** jouer avec qqch.

twig [twɪg] *n* brindille *f*, petite branche *f*.

twilight ['twaɪlaɪt] *n* crépuscule *m*.

twin [twɪn] ◼ *adj* **1.** jumeau (jumelle) **2.** (*UK*) jumelé(e) • **twin beds** lits *mpl* jumeaux. ◼ *n* jumeau *m*, jumelle *f*.

twin-bedded [-'bedɪd] *adj* à deux lits.

twine [twaɪn] ◼ *n* (*indén*) ficelle *f*. ◼ *vt* • **to twine sthg round** (*UK*) *ou* **around** (*US*) **sthg** enrouler qqch autour de qqch.

twinge [twɪndʒ] *n* élancement *m* • **a twinge of guilt** un remords.

twinkle ['twɪŋkl] *vi* **1.** (*étoiles, lumières*) scintiller **2.** (*yeux*) briller, pétiller.

twin room *n* chambre *f* à deux lits.

twin town *n* (*UK*) ville *f* jumelée.

twirl [twɜ:l] ◼ *vt* faire tourner. ◼ *vi* tournoyer.

twist [twɪst] ◼ *n* **1.** zigzag *m*, tournant *m* **2.** méandre *m*, coude *m* (*d'une rivière*) **3.** entortillement *m* **4.** *fig* rebondissement *m*. ◼ *vt* **1.** entortiller **2.** tordre **3.** tourner **4.** dévisser **5.** visser **6.** • **to twist one's ankle** se tordre *ou* se fouler la cheville **7.** déformer (*des paroles*). ◼ *vi* **1.** zigzaguer **2.** se tordre **3.** • **to twist round** (*UK*) *ou* **around** (*US*) se retourner.

twit [twɪt] *n* (*UK*) *fam* crétin *m*, -e *f*.

twitch [twɪtʃ] ◼ *n* tic *m*. ◼ *vi* (*muscle, visage*) se contracter.

two [tu:] *num* deux • **in two** en deux. • *voir aussi* **six**

two-door *adj* à deux portes.

twofaced [,tu:'feɪst] *adj péj* fourbe.

twofold ['tu:fəʊld] ◼ *adj* double. ◼ *adv* doublement • **to increase twofold** doubler.

two-piece *adj* • **two-piece swimsuit** deux-pièces *m inv* • **two-piece suit** costume *m* (deux-pièces).

twosome ['tu:səm] *n fam* couple *m*.

two-way *adj* dans les deux sens.

two-way street *n* rue *f* à circulation dans les deux sens.

tycoon [taɪ'ku:n] *n* magnat *m*.

type [taɪp] ◼ *n* **1.** genre *m*, sorte *f* **2.** modèle *m* **3.** type *m* **4.** (*indén*) TYPO caractères *mpl*. ◼ *vt* taper (à la machine). ◼ *vi* taper (à la machine).

typecast ['taɪpkɑ:st] (*prét & pp* **typecast**) *vt* • **to be typecast** être cantonné aux mêmes rôles • **to be typecast as** être cantonné dans le rôle de.

typeface ['taɪpfeɪs] *n* TYPO œil *m* de caractère.

typescript ['taɪpskrɪpt] *n* texte *m* dactylographié.

typeset ['taɪpset] (*prét & pp* **typeset**) *vt* (*chez l'imprimeur*) composer.

typewriter ['taɪp,raɪtəʳ] *n* machine *f* à écrire.

typhoid (fever) ['taɪfɔɪd-] *n* typhoïde *f*.

typhoon [taɪ'fu:n] *n* typhon *m*.

typical ['tɪpɪkl] *adj* • **typical (of)** typique (de), caractéristique (de) • **that's typical (of him/her)!** c'est bien de lui/d'elle !

typing ['taɪpɪŋ] *n* dactylo *f*, dactylographie *f*.

typist ['taɪpɪst] *n* dactylo *mf*, dactylographe *mf*.

typography [taɪ'pɒgrəfɪ] *n* typographie *f*.

tyranny ['tɪrənɪ] *n* tyrannie *f*.

tyrant ['taɪrənt] *n* tyran *m*.

tyre (*UK*), **tire** (*US*) ['taɪəʳ] *n* pneu *m*.

tyre pressure (*UK*), **tire pressure** (*US*) *n* pression *f* (de gonflage).

u [juː] (*pl* u's *ou* us), **U** (*pl* U's *ou* Us) *n* u *m inv*, U *m inv*.

U-bend *n* siphon *m*.

udder ['ʌdər] *n* mamelle *f*.

UFO (*abr de* **unidentified flying object**) *n* OVNI *m*, ovni *m*.

Uganda [juːˈɡændə] *n* Ouganda *m*.

ugh [ʌɡ] *interj* pouah !, beurk !

ugly ['ʌɡlɪ] *adj* **1.** laid(e) **2.** *fig* pénible, désagréable.

UHF (*abr de* **ultra-high frequency**) *n* UHF.

UK (*abr de* **United Kingdom**) *n* Royaume-Uni *m*, R.U. *m*.

Ukraine [juːˈkreɪn] *n* • **the Ukraine** l'Ukraine *f*.

ulcer ['ʌlsər] *n* ulcère *m*.

ulcerated ['ʌlsəreɪtɪd] *adj* ulcéré(e).

Ulster ['ʌlstər] *n* Ulster *m*.

ulterior [ʌlˈtɪərɪər] *adj* • **ulterior motive** arrière-pensée *f*.

ultimate ['ʌltɪmət] ■ *adj* **1.** final(e), ultime **2.** suprême. ■ *n* • **the ultimate in** le fin du fin dans.

ultimately ['ʌltɪmətlɪ] *adv* finalement.

ultimatum [ˌʌltɪˈmeɪtəm] (*pl* -tums *ou* -ta [-tə]) *n* ultimatum *m*.

ultrasound ['ʌltrəsaʊnd] *n* (*indén*) ultrasons *mpl*.

ultraviolet [ˌʌltrəˈvaɪələt] *adj* ultra-violet(ette).

umbilical cord [ʌmˈbɪlɪkl-] *n* cordon *m* ombilical.

umbrella [ʌmˈbrelə] ■ *n* **1.** parapluie *m* **2.** parasol *m*. ■ *adj* qui en regroupe plusieurs autres.

umpire ['ʌmpaɪər] ■ *n* arbitre *m*. ■ *vt* arbitrer.

umpteen [ˌʌmpˈtiːn] *adj num fam* je ne sais combien de.

umpteenth [ˌʌmpˈtiːnθ] *adj num fam* énième.

UN (*abr de* **United Nations**) *n* • **the UN** l'ONU *f*, l'Onu *f*.

unabated [ˌʌnəˈbeɪtɪd] *adj* • **the rain continued unabated** la pluie continua de tomber sans répit.

unable [ʌnˈeɪbl] *adj* • **to be unable to do sthg** ne pas pouvoir faire qqch.

unacceptable [ˌʌnəkˈseptəbl] *adj* inacceptable.

unaccompanied [ˌʌnəˈkʌmpənɪd] *adj* **1.** non accompagné(e) **2.** sans surveillance.

unaccountably [ˌʌnəˈkaʊntəblɪ] *adv* de façon inexplicable, inexplicablement.

unaccounted [ˌʌnəˈkaʊntɪd] *adj* • **to be unaccounted for** manquer, avoir disparu.

unaccustomed [ˌʌnəˈkʌstəmd] *adj* • **to be unaccustomed to sthg/to doing sthg** ne pas être habitué(e) à qqch/à faire qqch.

unadulterated [ˌʌnəˈdʌltəreɪtɪd] *adj* **1.** non frelaté(e) **2.** naturel(elle) **3.** (*joie*) sans mélange **4.** pur et simple(pure et simple).

unanimous [juːˈnænɪməs] *adj* unanime.

unanimously [juːˈnænɪməslɪ] *adv* à l'unanimité.

unanswered [ˌʌnˈɑːnsəd] *adj* sans réponse.

unappetizing, -ising [ˌʌnˈæpɪtaɪzɪŋ] *adj* peu appétissant(e).

unarmed [ˌʌnˈɑːmd] *adj* non armé(e).

unarmed combat *n* combat *m* sans armes.

unashamed [ˌʌnəˈʃeɪmd] *adj* **1.** insolent(e) **2.** effronté(e), éhonté(e).

unassuming [ˌʌnəˈsjuːmɪŋ] *adj* modeste, effacé(e).

unattached [ˌʌnəˈtætʃt] *adj* **1.** • **unattached (to)** indépendant(e) (de) **2.** libre, sans attaches.

unattended [ˌʌnə'tendɪd] adj 1. (bagages, magasin) sans surveillance 2. (enfant) seul(e).

unattractive [ˌʌnə'træktɪv] adj 1. peu attrayant(e) 2. déplaisant(e).

unauthorized, -ised [ˌʌn'ɔːθəraɪzd] adj non autorisé(e).

unavailable [ˌʌnə'veɪləbl] adj indisponible.

unavoidable [ˌʌnə'vɔɪdəbl] adj inévitable.

unaware [ˌʌnə'weəʳ] adj ignorant(e), inconscient(e) ◆ **to be unaware of sthg** ne pas avoir conscience de qqch, ignorer qqch.

unawares [ˌʌnə'weəz] adv ◆ **to catch** ou **take sb unawares** prendre qqn au dépourvu.

unbalanced [ˌʌn'bælənst] adj 1. tendancieux(euse), partial(e) 2. déséquilibré(e).

unbearable [ʌn'beərəbl] adj insupportable.

unbeatable [ˌʌn'biːtəbl] adj imbattable.

unbeknown(st) [ˌʌnbɪ'nəʊn(st)] adv ◆ **unbeknownst to** à l'insu de.

unbelievable [ˌʌnbɪ'liːvəbl] adj incroyable.

unbending [ˌʌn'bendɪŋ] adj inflexible, intransigeant(e).

unbia(s)sed [ˌʌn'baɪəst] adj impartial(e).

unborn [ˌʌn'bɔn] adj qui n'est pas encore né(e).

unbreakable [ˌʌn'breɪkəbl] adj incassable.

unbridled [ˌʌn'braɪdld] adj effréné(e).

unbutton [ˌʌn'bʌtn] vt déboutonner.

uncalled-for [ˌʌn'kɔːld-] adj 1. (remarque) déplacé(e) 2. (critique) injustifié(e).

uncanny [ʌn'kænɪ] adj 1. étrange, mystérieux(euse) 2. (ressemblance) troublant(e).

unceasing [ˌʌn'siːsɪŋ] adj sout incessant(e).

unceremonious ['ʌnˌserɪ'məʊnjəs] adj brusque.

uncertain [ʌn'sɜːtn] adj incertain(e) ◆ **in no uncertain terms** sans mâcher ses mots.

unchanged [ˌʌn'tʃeɪndʒd] adj inchangé(e).

unchecked [ˌʌn'tʃekt] adj non maîtrisé(e), sans frein.

uncivilized, -ised [ˌʌn'sɪvɪlaɪzd] adj non civilisé(e), barbare.

uncle ['ʌŋkl] n oncle m.

unclear [ˌʌn'klɪəʳ] adj 1. qui n'est pas clair(e) 2. incertain(e).

uncomfortable [ˌʌn'kʌmftəbl] adj 1. inconfortable 2. fig désagréable 3. mal à l'aise.

uncommon [ʌn'kɒmən] adj 1. rare 2. sout extraordinaire.

uncompromising [ˌʌn'kɒmprəmaɪzɪŋ] adj intransigeant(e).

unconcerned [ˌʌnkən'sɜːnd] adj qui ne s'inquiète pas.

unconditional [ˌʌnkən'dɪʃənl] adj inconditionnel(elle).

unconscious [ʌn'kɒnʃəs] ◼ adj 1. sans connaissance 2. fig ◆ **to be unconscious of** ne pas avoir conscience de 3. inconscient(e). ◼ n inconscient m.

unconsciously [ʌn'kɒnʃəslɪ] adv inconsciemment.

uncontrollable [ˌʌnkən'trəʊləbl] adj 1. irrépressible, irrésistible 2. qui ne peut être enrayé(e) 3. impossible, difficile.

unconventional [ˌʌnkən'venʃənl] adj peu conventionnel(elle), original(e).

unconvinced [ˌʌnkən'vɪnst] adj qui n'est pas convaincu(e), sceptique.

uncouth [ʌn'kuːθ] adj grossier(ère).

uncover [ʌn'kʌvəʳ] vt découvrir.

undecided [ˌʌndɪ'saɪdɪd] adj indécis(e).

undeniable [ˌʌndɪ'naɪəbl] adj indéniable.

under ['ʌndəʳ] ◼ prép 1. sous 2. moins de ◆ **children under five** les enfants de moins de cinq ans 3. sous ◆ **under the circumstances** étant donné les circonstances ◆ **to be under the impression that...** avoir l'impression que... 4. ◆ **under consideration** à l'étude ◆ **under discussion** en discussion 5. selon, conformément à. ◼ adv 1. dessous 2. sous l'eau ◆ **to go under** couler, faire faillite 3. au-dessous.

underage [ˌʌndəʳ'eɪdʒ] adj mineur(e).

undercarriage [ˈʌndəˌkærɪdʒ] *n* train *m* d'atterrissage.

undercharge [ˌʌndəˈtʃɑːdʒ] *vt* faire payer insuffisamment à.

underclothes [ˈʌndəkləʊðz] *npl* sousvêtements *mpl*.

undercoat [ˈʌndəkəʊt] *n (peinture)* couche *f* de fond.

undercover [ˌʌndəˈkʌvəʳ] *adj* secret (ète).

undercurrent [ˈʌndəˌkʌrənt] *n fig* courant *m* sous-jacent.

undercut [ˌʌndəˈkʌt] *(prét & pp* **undercut)** *vt* vendre moins cher que.

underdeveloped [ˌʌndədɪˈveləpt] *adj (pays)* sous-développé(e).

underdog [ˈʌndədɒg] *n* • **the underdog** l'opprimé *m* • sport celui(celle) que l'on donne perdant(e).

underdone [ˌʌndəˈdʌn] *adj* **1.** pas assez cuit(e) **2.** *(steak)* saignant(e).

underestimate *vt* [ˌʌndərˈestɪmeɪt] sous-estimer.

underexposed [ˌʌndərɪkˈspəʊzd] *adj* photo sous-exposé(e).

underfoot [ˌʌndəˈfʊt] *adv* sous les pieds.

undergo [ˌʌndəˈgəʊ] *(prét* **-went,** *pp* **-gone** [-ˈgɒn]) *vt* **1.** subir **2.** éprouver.

undergraduate [ˌʌndəˈgrædjʊət] *n* étudiant *m*, -e *f* qui prépare la licence.

underground ◼ *adj* [ˈʌndəgraʊnd] **1.** souterrain(e) **2.** *fig* clandestin(e). ◼ *adv* [ˌʌndəˈgraʊnd] • **to go/be forced underground** entrer dans la clandestinité. ◼ *n* [ˈʌndəgraʊnd] **1.** *(UK)* métro *m* **2.** résistance *f*.

undergrowth [ˈʌndəgrəʊθ] *n (indén)* sous-bois *m inv*.

underhand [ˌʌndəˈhænd] *adj* **1.** *(personne)* sournois(e) **2.** *(action)* en dessous.

underline [ˌʌndəˈlaɪn] *vt* souligner.

underlying [ˌʌndəˈlaɪɪŋ] *adj* sous-jacent(e).

undermine [ˌʌndəˈmaɪn] *vt fig* saper.

underneath [ˌʌndəˈniːθ] ◼ *prép* sous, au-dessous de. ◼ *adv* **1.** en dessous, dessous **2.** *fig* au fond. ◼ *adj fam* d'en dessous. ◼ *n* • **the underneath** le dessous.

underpaid *adj* [ˈʌndəpeɪd] sous-payé(e).

underpants [ˈʌndəpænts] *npl* slip *m*.

underpass [ˈʌndəpɑːs] *n* **1.** *(pour voitures)* passage *m* inférieur **2.** *(pour piétons)* passage *m* souterrain.

underprivileged [ˌʌndəˈprɪvɪlɪdʒd] *adj* défavorisé(e), déshérité(e).

underrated [ˌʌndəˈreɪtɪd] *adj* sous-estimé(e).

undershirt [ˈʌndəʃɜːt] *n (US)* maillot *m* de corps.

underside [ˈʌndəsaɪd] *n* • **the underside** le dessous.

underskirt [ˈʌndəskɜːt] *n* jupon *m*.

understand [ˌʌndəˈstænd] *(prét & pp* **-stood)** ◼ *vt* **1.** comprendre **2.** *sout* • **I understand (that)...** il paraît que... ◼ *vi* comprendre.

understandable [ˌʌndəˈstændəbl] *adj* compréhensible.

understanding [ˌʌndəˈstændɪŋ] ◼ *n* **1.** compréhension *f* **2.** accord *m*, arrangement *m*. ◼ *adj* compréhensif(ive).

understatement [ˌʌndəˈsteɪtmənt] *n* **1.** affirmation *f* en dessous de la vérité **2.** *(indén)* euphémisme *m*.

understood [ˌʌndəˈstʊd] *passé & pp* ▷ **understand**.

understudy [ˈʌndəˌstʌdɪ] *n* théâtre doublure *f*.

undertake [ˌʌndəˈteɪk] *(prét* **-took,** *pp* **-taken** [-ˈteɪkn]) *vt* **1.** entreprendre **2.** assumer *(la responsabilité de)*.

undertaker [ˈʌndəˌteɪkəʳ] *n* entrepreneur *m* des pompes funèbres.

undertaking [ˌʌndəˈteɪkɪŋ] *n* **1.** entreprise *f* **2.** engagement *m*.

undertone [ˈʌndətəʊn] *n* **1.** voix *f* basse **2.** nuance *f*.

undertook [ˌʌndəˈtʊk] *passé* ▷ **undertake**.

underwater [ˌʌndəˈwɔːtəʳ] ◼ *adj* sous-marin(e). ◼ *adv* sous l'eau.

underwear [ˈʌndəweəʳ] *n (indén)* sousvêtements *mpl*.

underwent [ˌʌndəˈwent] *passé* ▷ **undergo**.

underworld [ˈʌndəˌwɜːld] *n* • **the underworld** le milieu, la pègre.

underwriter [ˈʌndəˌraɪtəʳ] *n* assureur *m*.

undid [ˌʌnˈdɪd] *passé* ▷ **undo**.

undies ['ʌndɪz] *npl fam* dessous *mpl*.

undisputed [ˌʌndɪ'spjuːtɪd] *adj* incontesté(e).

undistinguished [ˌʌndɪ'stɪŋgwɪʃt] *adj* médiocre, quelconque.

undo [ˌʌn'duː] (*prét* **-did**, *pp* **-done**) *vt* **1.** défaire (*un nœud*) **2.** annuler, détruire.

undoing [ˌʌn'duːɪŋ] *n* (*indén*) *sout* perte *f*, ruine *f*.

undone [ˌʌn'dʌn] ■ *pp* ▷ **undo**. ■ *adj* **1.** (*bouton, cheveux*) défait(e) **2.** non accompli(e).

undoubted [ʌn'daʊtɪd] *adj* indubitable.

undoubtedly [ʌn'daʊtɪdlɪ] *adv* sans aucun doute.

undress [ˌʌn'dres] ■ *vt* déshabiller. ■ *vi* se déshabiller.

undue [ˌʌn'djuː] *adj sout* excessif(ive).

undulate ['ʌndjʊleɪt] *vi* onduler.

unduly [ˌʌn'djuːlɪ] *adv sout* trop, excessivement.

unearth [ˌʌn'ɜːθ] *vt* **1.** déterrer **2.** *fig* découvrir, dénicher.

unearthly [ʌn'ɜːθlɪ] *adj fam* (*heure*) indu(e), impossible.

unease [ʌn'iːz] *n* (*indén*) malaise *m*.

uneasy [ʌn'iːzɪ] *adj* **1.** mal à l'aise, gêné(e) **2.** troublé(e), incertain(e).

uneconomic ['ʌnˌiːkə'nɒmɪk] *adj* peu économique, peu rentable.

uneducated [ˌʌn'edjʊkeɪtɪd] *adj* sans instruction.

unemployed [ˌʌnɪm'plɔɪd] ■ *adj* au chômage, sans travail. ■ *npl* • **the unemployed** les chômeurs *mpl*.

unemployment [ˌʌnɪm'plɔɪmənt] *n* chômage *m*.

unemployment benefit *(UK)*, **unemployment compensation** *(US)* *n* allocation *f* de chômage.

unerring [ˌʌn'ɜːrɪŋ] *adj* sûr(e), infaillible.

uneven [ˌʌn'iːvn] *adj* **1.** (*surface*) inégal(e) **2.** (*sol*) accidenté(e) **3.** (*jeu d'un acteur, œuvre*) inégal(e) **4.** injuste.

unexpected [ˌʌnɪk'spektɪd] *adj* inattendu(e), imprévu(e).

unexpectedly [ˌʌnɪk'spektɪdlɪ] *adv* subitement, d'une manière imprévue.

unfailing [ʌn'feɪlɪŋ] *adj* constant(e).

unfair [ˌʌn'feəʳ] *adj* injuste.

unfaithful [ˌʌn'feɪθfʊl] *adj* infidèle.

unfamiliar [ˌʌnfə'mɪljəʳ] *adj* **1.** peu familier(ère), peu connu(e) **2.** • **to be unfamiliar with sb/sthg** mal connaître qqn/qqch, ne pas connaître qqn/qqch.

unfashionable [ˌʌn'fæʃnəbl] *adj* **1.** démodé(e), passé(e) de mode **2.** (*personne*) qui n'est plus à la mode.

unfasten [ˌʌn'fɑːsn] *vt* défaire.

unfavourable *(UK)*, **unfavorable** *(US)* [ˌʌn'feɪvrəbl] *adj* défavorable.

unfeeling [ʌn'fiːlɪŋ] *adj* impitoyable, insensible.

unfinished [ˌʌn'fɪnɪʃt] *adj* inachevé(e).

unfit [ˌʌn'fɪt] *adj* **1.** qui n'est pas en forme **2.** • **unfit (for)** impropre (à) • inapte (à).

unfold [ʌn'fəʊld] ■ *vt* déplier. ■ *vi* se dérouler.

unforeseen [ˌʌnfɔː'siːn] *adj* imprévu(e).

unforgettable [ˌʌnfə'getəbl] *adj* inoubliable.

unforgivable [ˌʌnfə'gɪvəbl] *adj* impardonnable.

unfortunate [ʌn'fɔːtʃnət] *adj* **1.** malheureux(euse), malchanceux(euse) **2.** regrettable.

unfortunately [ʌn'fɔːtʃnətlɪ] *adv* malheureusement.

unfounded [ˌʌn'faʊndɪd] *adj* sans fondement, dénué(e) de tout fondement.

unfriendly [ˌʌn'frendlɪ] *adj* hostile, malveillant(e).

unfurnished [ˌʌn'fɜːnɪʃt] *adj* non meublé(e).

ungainly [ʌn'geɪnlɪ] *adj* gauche.

ungodly [ˌʌn'gɒdlɪ] *adj fam* indu(e), impossible.

ungrateful [ʌn'greɪtfʊl] *adj* ingrat(e).

unhappy [ʌn'hæpɪ] *adj* **1.** triste, malheureux(euse) **2.** • **to be unhappy (with** *ou* **about)** être inquiet(ète) (au sujet de) **3.** (*événement, circonstances*) malheureux(euse).

unharmed [ˌʌn'hɑːmd] *adj* indemne, sain et sauf(saine et sauve).

unhealthy [ʌn'helθɪ] *adj* **1.** maladif(ive) **2.** insalubre, malsain(e) **3.** *fig* malsain(e).

unheard-of [ʌn'hɜːdɒv] *adj* **1.** inconnu(e) **2.** sans précédent, inouï(e).

unhook [ˌʌn'hʊk] vt **1.** dégrafer **2.** décrocher.

unhurt [ˌʌn'hɜːt] adj indemne, sain et sauf (saine et sauve).

unhygienic [ˌʌnhaɪ'dʒiːnɪk] adj non hygiénique.

unidentified flying object [ˌʌnaɪ'dentɪfaɪd-] n objet m volant non identifié.

unification [ˌjuːnɪfɪ'keɪʃn] n unification f.

uniform ['juːnɪfəm] ◼ adj **1.** uniforme **2.** même. ◼ n uniforme m.

unify ['juːnɪfaɪ] vt unifier.

unilateral [ˌjuːnɪ'lætərəl] adj unilatéral(e).

unimportant [ˌʌnɪm'pɔːtənt] adj sans importance, peu important(e).

uninhabited [ˌʌnɪn'hæbɪtɪd] adj inhabité(e).

uninjured [ˌʌn'ɪndʒəd] adj qui n'est pas blessé(e), indemne.

uninstall [ˌʌnɪn'stɔl] vt désinstaller.

unintelligent [ˌʌnɪn'telɪdʒənt] adj inintelligent(e).

unintentional [ˌʌnɪn'tenʃənl] adj involontaire, non intentionnel(elle).

union ['juːnjən] ◼ n **1.** syndicat m **2.** union f. ◼ en apposition syndical(e).

Union Jack n (UK) ◦ the Union Jack l'Union Jack m, le drapeau britannique.

unique [juː'niːk] adj **1.** unique, exceptionnel(elle) **2.** ◦ unique to propre à.

unison ['juːnɪzn] n unisson m ◦ in unison à l'unisson ◦ en chœur, en même temps.

unit ['juːnɪt] n **1.** unité f **2.** élément m, bloc m **3.** service m (dans une entreprise).

unite [juː'naɪt] ◼ vt unifier. ◼ vi s'unir.

united [juː'naɪtɪd] adj **1.** uni(e) **2.** unifié(e).

United Kingdom n ◦ the United Kingdom le Royaume-Uni.

United Nations n ◦ the United Nations les Nations fpl Unies.

United States n ◦ the United States (of America) les États-Unis mpl (d'Amérique) ◦ in the United States aux États-Unis.

unit trust n (UK) société f d'investissement à capital variable.

unity ['juːnəti] n (indén) unité f.

universal [ˌjuːnɪ'vɜːsl] adj universel(elle).

universe ['juːnɪvɜːs] n univers m.

university [ˌjuːnɪ'vɜːsəti] ◼ n université f. ◼ en apposition **1.** universitaire **2.** (professeur) d'université ◦ university student étudiant m, -e f à l'université.

unjust [ˌʌn'dʒʌst] adj injuste.

unkempt [ˌʌn'kempt] adj **1.** négligé(e), débraillé(e) **2.** mal peigné(e).

unkind [ʌn'kaɪnd] adj méchant(e), pas gentil(ille).

unknown [ˌʌn'nəʊn] adj inconnu(e).

unlawful [ˌʌn'lɔːfʊl] adj illégal(e).

unleaded [ˌʌn'ledɪd] ◼ adj sans plomb. ◼ n essence f sans plomb.

unleash [ˌʌn'liːʃ] vt littéraire déchaîner.

unless [ən'les] conj à moins que (+ subjonctif).

unlike [ˌʌn'laɪk] prép **1.** différent(e) de **2.** contrairement à, à la différence de **3.** ◦ it's unlike you to complain cela ne te ressemble pas de te plaindre.

unlikely [ʌn'laɪkli] adj **1.** peu probable, improbable **2.** (histoire) invraisemblable **3.** (situation, tenue) invraisemblable.

unlisted [ʌn'lɪstɪd] adj (US) TÉLÉCOM qui est sur la liste rouge.

unload [ˌʌn'ləʊd] vt décharger.

unlock [ˌʌn'lɒk] vt ouvrir.

unlucky [ʌn'lʌki] adj **1.** malchanceux(euse), qui n'a pas de chance **2.** (expérience, choix) malheureux(euse) **3.** qui porte malheur.

unmarried [ˌʌn'mærɪd] adj célibataire.

unmistakable [ˌʌnmɪ'steɪkəbl] *adj* facilement reconnaissable.

unmitigated [ʌn'mɪtɪgeɪtɪd] *adj* **1.** total(e) **2.** non mitigé(e).

unnatural [ʌn'nætʃrəl] *adj* **1.** anormal(e), qui n'est pas naturel(elle) **2.** *(comportement)* peu naturel(elle) **3.** *(rire)* forcé(e).

unnecessary [ʌn'nesəsərɪ] *adj* inutile.

unnerving [ˌʌn'nɜːvɪŋ] *adj* troublant(e).

unnoticed [ˌʌn'nəʊtɪst] *adj* inaperçu(e).

unobtainable [ˌʌnəb'teɪnəbl] *adj* impossible à obtenir.

unobtrusive [ˌʌnəb'truːsɪv] *adj* **1.** effacé(e) **2.** discret(ète) **3.** que l'on remarque à peine.

unofficial [ˌʌnə'fɪʃl] *adj* non officiel(elle).

unorthodox [ˌʌn'ɔːθədɒks] *adj* peu orthodoxe.

unpack [ˌʌn'pæk] ◙ *vt* **1.** défaire *(ses bagages)*, qui **2.** vider *(des cartons)* **3.** déballer *(des vêtements)*. ◙ *vi* défaire ses bagages.

unpalatable [ʌn'pælətəbl] *adj* **1.** d'un goût désagréable **2.** *fig* dur(e) à avaler.

unparalleled [ʌn'pærəleld] *adj* **1.** sans précédent **2.** sans égal.

unpleasant [ʌn'pleznt] *adj* désagréable.

unplug [ʌn'plʌg] *vt* débrancher.

unpopular [ʌn'pɒpjʊləʳ] *adj* impopulaire.

unprecedented [ʌn'presɪdəntɪd] *adj* sans précédent.

unpredictable [ˌʌnprɪ'dɪktəbl] *adj* imprévisible.

unprofessional [ˌʌnprə'feʃənl] *adj* **1.** peu professionnel(elle) **2.** *(attitude)* contraire à l'éthique de la profession.

unqualified [ˌʌn'kwɒlɪfaɪd] *adj* **1.** non qualifié(e) **2.** non diplômé(e) **3.** *(succès)* formidable **4.** *(soutien)* inconditionnel(elle).

unquestionable [ˌʌn'kwestʃənəbl] *adj* **1.** incontestable **2.** certain(e).

unquestioning [ˌʌn'kwestʃənɪŋ] *adj* aveugle, absolu(e).

unravel [ʌn'rævl] *((UK) prét & pp* **-led**, *cont* **-ling**, *(US) prét & pp* **-ed**, *cont* **-ing**) *vt* **1.** défaire *(un tricot)* **2.** effiler *(un tissu)* **3.** démêler *(des fils)* **4.** *fig* éclaircir.

unreal [ˌʌn'rɪəl] *adj* irréel(elle).

unrealistic [ˌʌnrɪə'lɪstɪk] *adj* irréaliste.

unreasonable [ʌn'riːznəbl] *adj* qui n'est pas raisonnable, déraisonnable.

unrelated [ˌʌnrɪ'leɪtɪd] *adj* ◦ **to be unrelated (to)** n'avoir aucun rapport (avec).

unrelenting [ˌʌnrɪ'lentɪŋ] *adj* implacable.

unreliable [ˌʌnrɪ'laɪəbl] *adj* peu fiable.

unremitting [ˌʌnrɪ'mɪtɪŋ] *adj* inlassable.

unrequited [ˌʌnrɪ'kwaɪtɪd] *adj* non partagé(e).

unreserved [ˌʌnrɪ'zɜːvd] *adj* sans réserve.

unresolved [ˌʌnrɪ'zɒlvd] *adj* non résolu(e).

unrest [ˌʌn'rest] *n (indén)* troubles *mpl*.

unrivalled *(UK)*, **unrivaled** *(US)* [ʌn'raɪvld] *adj* sans égal(e).

unroll [ˌʌn'rəʊl] *vt* dérouler.

unruly [ʌn'ruːlɪ] *adj* turbulent(e) ◦ **unruly hair** les cheveux indisciplinés.

unsafe [ˌʌn'seɪf] *adj* **1.** dangereux(euse) **2.** ◦ **to feel unsafe** ne pas se sentir en sécurité.

unsaid [ˌʌn'sed] *adj* ◦ **to leave sthg unsaid** passer qqch sous silence.

unsatisfactory ['ˌʌnˌsætɪs'fæktərɪ] *adj* qui laisse à désirer, peu satisfaisant(e).

unsavoury *(UK)*, **unsavory** *(US)* [ˌʌn-'seɪvərɪ] *adj* **1.** peu recommandable **2.** mal famée(e).

unscathed [ˌʌn'skeɪðd] *adj* indemne.

unscrew [ˌʌn'skruː] *vt* dévisser.

unscrupulous [ʌn'skruːpjʊləs] *adj* sans scrupules.

unseemly [ʌn'siːmlɪ] *adj* inconvenant(e).

unselfish [ˌʌn'selfɪʃ] *adj* désintéressé(e).

unsettled [ˌʌn'setld] *adj* **1.** *(personne)* perturbé(e), troublé(e) **2.** *(temps)* variable, incertain(e) **3.** *(conflit)* qui n'a pas été résolu(e) **4.** *(situation)* incertain(e).

unshak(e)able [ʌn'ʃeɪkəbl] *adj* inébranlable.

unshaven [ˌʌn'ʃeɪvn] *adj* non rasé(e).

unsightly [ʌn'saɪtlɪ] *adj* laid(e).

unskilled [ˌʌn'skɪld] *adj* non qualifié(e).

unsociable [ʌn'səʊʃəbl] *adj* sauvage.

unsocial [ˌʌn'səʊʃl] *adj* ◇ **to work unsocial hours** *(UK)* travailler en dehors des heures normales.

unsound [ˌʌn'saʊnd] *adj* **1.** mal fondé(e) **2.** peu judicieux(euse) **3.** en mauvais état.

unspeakable [ʌn'spiːkəbl] *adj* indescriptible.

unstable [ˌʌn'steɪbl] *adj* instable.

unsteady [ˌʌn'stedɪ] *adj* **1.** *(main)* tremblant(e) **2.** *(table, échelle)* instable.

unstoppable [ˌʌn'stɒpəbl] *adj* que l'on ne peut pas arrêter.

unstuck [ʌn'stʌk] *adj* ◇ **to come unstuck** se décoller ◇ *fig (projet)* s'effondrer.

unsubscribe [ˌʌnsəb'skraɪb] *vi* ◇ **to unsubscribe (from)** se désinscrire (de).

unsuccessful [ˌʌnsək'sesfʊl] *adj* **1.** vain(e) **2.** infructueux(euse) **3.** *(candidat)* refusé(e).

unsuccessfully [ˌʌnsək'sesfʊlɪ] *adv* en vain, sans succès.

unsuitable [ˌʌn'suːtəbl] *adj* **1.** qui ne convient pas **2.** peu approprié(e) ◇ **to be unsuitable for** ne pas convenir à.

unsure [ˌʌn'ʃɔr] *adj* **1.** ◇ **to be unsure (about/of)** ne pas être sûr(e) (de) **2.** ◇ **to be unsure (of o.s.)** ne pas être sûr(e) de soi.

unsuspecting [ˌʌnsə'spektɪŋ] *adj* qui ne se doute de rien.

unsympathetic ['ʌnˌsɪmpə'θetɪk] *adj* indifférent(e).

untangle [ˌʌn'tæŋgl] *vt* démêler.

untapped [ˌʌn'tæpt] *adj* inexploité(e).

untenable [ˌʌn'tenəbl] *adj* indéfendable.

unthinkable [ʌn'θɪŋkəbl] *adj* impensable.

untidy [ʌn'taɪdɪ] *adj* **1.** en désordre **2.** brouillon *(inv)* **3.** négligé(e).

untie [ˌʌn'taɪ] *(cont untying)* *vt* **1.** défaire **2.** détacher.

until [ən'tɪl] ◇ *prép* **1.** jusqu'à ◇ **until now** jusqu'ici **2.** *(après une négation)* avant ◇ **not until tomorrow** pas avant demain.

◇ *conj* **1.** jusqu'à ce que (+ subjonctif) **2.** *(après une négation)* avant que (+ subjonctif).

untimely [ʌn'taɪmlɪ] *adj* **1.** *(mort)* prématuré(e) **2.** *(arrivée)* intempestif(ive) **3.** *(remarque)* mal à propos **4.** *(moment)* mal choisi(e).

untold [ˌʌn'təʊld] *adj* **1.** incalculable **2.** indescriptible.

untoward [ˌʌntə'wɔːd] *adj* malencontreux(euse).

untrue [ˌʌn'truː] *adj* faux (fausse), erroné(e).

unused *adj* **1.** [ˌʌn'juːzd] neuf(neuve) **2.** [ˌʌn'juːzd] qui n'a jamais servi **3.** [ˌʌn'juːzd] *(terre)* qui n'est pas exploité **4.** [ˌʌn'juːst] ◇ **to be unused to sthg/to doing sthg** ne pas avoir l'habitude de qqch/de faire qqch.

unusual [ʌn'juːʒl] *adj* rare, inhabituel(elle).

unusually [ʌn'juːʒəlɪ] *adv* exceptionnellement.

unveil [ˌʌn'veɪl] *vt litt & fig* dévoiler.

unwanted [ˌʌn'wɒntɪd] *adj* **1.** dont on ne se sert pas **2.** non désiré(e) ◇ **to feel unwanted** se sentir mal-aimé(e).

unwavering [ʌn'weɪvərɪŋ] *adj* inébranlable.

unwelcome [ʌn'welkəm] *adj* **1.** fâcheux(euse) **2.** importun(e).

unwell [ˌʌn'wel] *adj* ◇ **to be/feel unwell** ne pas être/se sentir bien.

unwieldy [ʌn'wiːldɪ] *adj* **1.** peu maniable **2.** *fig* lourd(e) **3.** *fig* trop complexe.

unwilling [ˌʌn'wɪlɪŋ] *adj* ◇ **to be unwilling to do sthg** ne pas vouloir faire qqch.

unwind [ˌʌn'waɪnd] *(prét & pp -wound)* ◇ *vt* dérouler. ◇ *vi fig* se détendre.

unwise [ˌʌn'waɪz] *adj* imprudent(e), peu sage.

unwitting [ʌn'wɪtɪŋ] *adj sout* involontaire.

unworkable [ˌʌn'wɜːkəbl] *adj* impraticable.

unworthy [ʌn'wɜːðɪ] *adj* ◇ **unworthy (of)** indigne (de).

unwound [ˌʌn'waʊnd] *passé & pp* ▷ **unwind**.

unwrap [ˌʌn'ræp] *vt* défaire.

unwritten law [,ʌnrɪtn-] n droit m coutumier.

up [ʌp] adv

1. INDIQUE UN MOUVEMENT VERS LE HAUT, UN ENDROIT EN HAUTEUR
- **we walked up to the top** on est montés jusqu'en haut
- **she's up in her bedroom** elle est en haut dans sa chambre
- **up there** là-haut

2. INDIQUE UN MOUVEMENT DE REDRESSEMENT
- **stand up!** levez-vous !
- **what time did you get up?** à quelle heure t'es-tu levé ?

3. INDIQUE UN POINT SITUÉ AU NORD OU UN DÉPLACEMENT VERS UN POINT SITUÉ AU NORD
- **up north** dans le nord
- **I'm coming up to York next week** je viens à York la semaine prochaine

4. PLUS LOIN
- **their house is up the street from us** leur maison est un peu plus loin dans notre rue

5. EXPRIME UNE IDÉE D'ACHÈVEMENT
- **eat up your soup!** finis ta soupe !

6. INDIQUE UNE INTENSITÉ ACCRUE
- **speak up!** parlez plus fort !

up prép

1. INDIQUE UN LIEU ÉLEVÉ
- **he lives up a hill/mountain** il habite en haut d'une colline/d'une montagne
- **he was up a ladder picking cherries** il était sur une échelle et ramassait des cerises

2. PLUS LOIN
- **they live up the road from us** ils habitent un peu plus haut ou loin dans notre rue

3. INDIQUE UN MOUVEMENT VERS LA SOURCE D'UN FLEUVE OU D'UN COURS D'EAU
- **they sailed up the Amazon** ils ont remonté l'Amazone en bateau.

up adj

1. SE LEVER, ÊTRE DEBOUT
- **I was up at six today** je me suis levé à six heures aujourd'hui
- **he was up all night playing video games** il a passé toute la nuit à jouer à des jeux vidéo

2. EXPRIME UNE HAUSSE
- **petrol is up again** l'essence a encore augmenté

3. EXPRIME UNE IDÉE D'ACHÈVEMENT
- **his leave is up** sa permission est terminée
- **time's up** c'est l'heure

4. fam POUR DEMANDER DES NOUVELLES LORSQUE QQCH N'A PAS L'AIR D'ALLER
- **what's up?** qu'est-ce qu'il y a ?
- **is something up?** il y a quelque chose qui ne va pas ?

5. DANS DES EXPRESSIONS
- **the road is up** la route est en travaux
- **his blood is up** il est fou de colère.

up n

- **ups and downs** des hauts et des bas.

■ **up and down** adv

- **to jump up and down** sauter
- **to walk up and down** faire les cent pas.

■ **up and down** prép

- **we walked up and down the avenue** nous avons arpenté l'avenue.

■ **up to** prép

1. JUSQU'À
- **it could take up to six weeks** cela peut prendre jusqu'à six semaines

2. EXPRIME LA CAPACITÉ
- **to be up to doing sthg** être capable de faire qqch
- **my French isn't up to much** mon français n'est pas fameux

3. fam FAIRE, COMBINER
- **what are you up to?** qu'est-ce que tu fabriques ?
- **they're up to something** ils mijotent quelque chose, ils préparent un coup

4. POUR DÉSIGNER LA PERSONNE RESPONSABLE DE QQCH
- **it's not up to me to decide** ce n'est pas moi qui décide
- **it's up to you** c'est à vous de voir.

■ **up until** prép

jusqu'à
- **up until last year, I worked for myself** jusqu'à l'année dernière, j'ai travaillé à mon compte.

up-and-coming adj à l'avenir prometteur.

upbringing ['ʌp,brɪŋɪŋ] n éducation f.

update [,ʌp'deɪt] vt mettre à jour.

upheaval [ʌp'hiːvl] *n* bouleversement *m*.

upheld [ʌp'held] *passé & pp* ▷ **uphold**.

uphill [ˌʌp'hɪl] ◼ *adj* **1.** *(chemin)* qui monte **2.** *fig* ardu(e). ◼ *adv* ◦ **to go uphill** monter.

uphold [ʌp'həʊld] *(prét & pp* **-held)** *vt* **1.** maintenir **2.** soutenir.

upholstery [ʌp'həʊlstəri] *n* **1.** rembourrage *m* **2.** AUTO garniture *f* intérieure.

upkeep ['ʌpkiːp] *n* entretien *m* *(d'une voiture, d'une machine)*.

uplifting [ʌp'lɪftɪŋ] *adj* édifiant(e).

up-market *adj* haut de gamme *(inv)*.

upon [ə'pɒn] *prép sout* sur ◦ **upon hearing the news…** à ces nouvelles… ◦ **summer/ the weekend is upon us** l'été/le weekend approche.

upper ['ʌpə'] ◼ *adj* supérieur(e). ◼ *n* empeigne *f*.

upper class *n* ◦ **the upper class** la haute société.
◼ **upper-class** *adj* aristocratique.

upper hand *n* ◦ **to have the upper hand** avoir le dessus ◦ **to gain** OU **get the upper hand** prendre le dessus.

uppermost ['ʌpəməʊst] *adj* le plus haut(la plus haute) ◦ **it was uppermost in his mind** c'était sa préoccupation majeure.

upright ◼ *adj* **1.** [ˌʌp'raɪt] droit(e) **2.** [ˌʌp'raɪt] vertical(e) **3.** [ˌʌp'raɪt] *(fauteuil)* à dossier droit **4.** ['ʌpraɪt] *fig* droit(e). ◼ *adv* [ˌʌp'raɪt] droit.

uprising ['ʌpˌraɪzɪŋ] *n* soulèvement *m*.

uproar ['ʌprɔː'] *n* **1.** *(indén)* tumulte *m* **2.** protestations *fpl*.

uproot [ʌp'ruːt] *vt litt & fig* déraciner.

upset [ʌp'set] ◼ *adj* **1.** peiné(e), triste **2.** vexé(e) **3.** ◦ **to have an upset stomach** avoir l'estomac dérangé. ◼ *n* ◦ **to have a stomach upset** avoir l'estomac dérangé. ◼ *vt* *(prét & pp* **upset)** **1.** faire de la peine à **2.** déranger *(des projets, la routine)* **3.** renverser.

upshot ['ʌpʃɒt] *n* résultat *m*.

upside down [ˌʌpsaɪd-] ◼ *adj* à l'envers. ◼ *adv* à l'envers ◦ **to turn sthg upside down** *fig* mettre qqch sens dessus dessous.

upstairs [ˌʌp'steəz] ◼ *adj* d'en haut, du dessus. ◼ *adv* en haut. ◼ *n* étage *m*.

upstart ['ʌpstɑːt] *n* parvenu *m*, -e *f*.

upstream [ˌʌp'striːm] ◼ *adj* ◦ **to be upstream (from)** être en amont (de). ◼ *adv* **1.** vers l'amont **2.** contre le courant.

upsurge ['ʌpsɜːdʒ] *n* ◦ **upsurge (of/in)** recrudescence *f* (de).

uptake ['ʌpteɪk] *n* ◦ **to be quick on the uptake** saisir vite ◦ **to be slow on the uptake** être lent(e) à comprendre.

uptight [ʌp'taɪt] *adj fam* tendu(e).

up-to-date *adj* **1.** moderne **2.** tout dernier(toute dernière) **3.** ◦ **to keep up-to-date with** se tenir au courant de.

upturn ['ʌptɜːn] *n* ◦ **upturn (in)** reprise *f* *(de l'économie, de la production)*.

upward ['ʌpwəd] ◼ *adj* **1.** ascendant(e) **2.** vers le haut. ◼ *adv* *(US)* = **upwards**.

upwards ['ʌpwədz] *adv* vers le haut.
◼ **upwards of** *prép* plus de.

uranium [jʊ'reɪnjəm] *n* uranium *m*.

urban ['ɜːbən] *adj* urbain(e).

urbane [ɜː'beɪn] *adj* courtois(e).

urchin ['ɜːtʃɪn] *n* *vieilli* polisson *m*.

Urdu ['ʊəduː] *n* ourdou *m*.

urge [ɜːdʒ] ◼ *n* forte envie *f* ◦ **to have an urge to do sthg** avoir une forte envie de faire qqch. ◼ *vt* **1.** ◦ **to urge sb to do sthg** presser qqn de faire qqch **2.** conseiller.

urgency ['ɜːdʒənsɪ] *n* *(indén)* urgence *f*.

urgent ['ɜːdʒənt] *adj* **1.** urgent(e) **2.** *(besoin)* pressant(e).

urinal [ˌjʊə'raɪnl] *n* urinoir *m*.

urinate ['jʊərɪneɪt] *vi* uriner.

urine ['jʊərɪn] *n* urine *f*.

urn [ɜːn] *n* **1.** urne *f* **2.** ◦ **tea urn** fontaine *f* à thé.

Uruguay ['jʊərəgwaɪ] *n* Uruguay *m*.

us [ʌs] *pron pers* nous ◦ **can you see/hear us?** vous nous voyez/entendez ? ◦ **it's us** c'est nous ◦ **you can't expect us to do it** vous ne pouvez pas exiger que ce soit nous qui le fassions ◦ **she gave it to us** elle nous l'a donné ◦ **with/without us** avec/sans nous ◦ **they are more wealthy than us** ils sont plus riches que nous ◦ **some of us** quelques-uns d'entre nous.

US *n abrév de* **United States**.

USA *n abrév de* **United States of America**.

usage ['juːzɪdʒ] *n* **1.** LING usage *m* **2.** *(indén)* traitement *m*.

use n [juːs]

1. INDIQUE UNE UTILISATION
- **to make use of sthg** utiliser qqch
- **this machine is in use every day** on utilise cette machine tous les jours
- **this machine is out of use** cette machine est hors d'usage
- **nowadays this word is out of use** de nos jours, ce mot est obsolète

2. INDIQUE LA POSSIBILITÉ D'UTILISER QQCH
- **I have the use of his garage** j'ai accès à son garage
- **he gave me the use of his car** il a mis sa voiture à ma disposition
- **he's lost the use of his left arm** il a perdu l'usage de son bras gauche

3. EXPRIME L'UTILITÉ
- **to be of use** être utile
- **it's no use crying** ça ne sert à rien de pleurer
- **what's the use (of doing sthg)?** à quoi bon (faire qqch) ?

use v aux [juːs]

s'utilise uniquement au prétérit

INDIQUE UNE ACTION HABITUELLE DANS LE PASSÉ QUI N'A PLUS COURS DANS LE PRÉSENT
- **I used to live in London** avant, j'habitais à Londres
- **there used to be a tree here** (autrefois) il y avait un arbre ici.

use vt [juːz]

1. INDIQUE UNE UTILISATION
- **he used scissors to open the parcel** il s'est servi de ciseaux pour ouvrir le colis
- **we used the money to buy a new car** nous avons utilisé l'argent pour acheter une nouvelle voiture
- **someone is using the bathroom** il y a quelqu'un dans la salle de bains

2. péjINDIQUE UN ABUS
- **he used me** il s'est servi de moi.

used adj **1.** [juːzd] (usagé) • **throw your used tissue in the dustbin** jette ton mouchoir sale à la poubelle **2.** [juːzd] (d'occasion) • **over 40 million used cars are sold each year** plus de 40 millions de voitures d'occasion sont vendues chaque année **3.** [juːst] (exprime l'idée d'habitude) • **he's not used to getting up so early** il n'a pas l'habitude de se lever si tôt • **you'll soon get used to it** vous vous y ferez vite.

useful ['juːsful] adj utile.

use

Il est très important de ne pas confondre les trois usages différents de *used to*.
Premièrement, ***used to*** suivi de la forme de base du verbe peut servir à parler de quelque chose qui s'est produit dans le passé de façon répétée ou qui a duré pendant un certain temps (*they used to live next door but they've moved now*, « ils vivaient dans la maison à côté mais ils ont déménagé »).
Deuxièmement, pour indiquer que l'on a l'habitude de faire quelque chose, on peut utiliser *used to* suivi du participe présent (*I don't mind leaving at 6 o'clock tomorrow morning – I'm used to getting up early*).
Enfin, *used to* peut intervenir à l'intérieur d'une construction passive exprimant l'intention ou le but (*this part is used to increase the speed of the engine*). Dans ce cas, l'expression est précédée du verbe *be* et suivie de la forme de base du verbe principal.

useless ['juːslɪs] adj **1.** inutile **2.** fam incompétent(e), nul(nulle).

user ['juːzər] n **1.** utilisateur m, -trice f **2.** usager m.

user-friendly adj facile à utiliser.

use up vt sép **1.** épuiser **2.** finir **3.** dépenser.

usher ['ʌʃər] n placeur m, -euse f. vt • **to usher sb in/out** faire entrer/sortir qqn.

usherette [,ʌʃə'ret] n ouvreuse f.

USSR (abr de **Union of Soviet Socialist Republics**) n • **the (former) USSR** l'(ex-) URSS f.

usual ['juːʒəl] adj habituel(elle) » **as usual** comme d'habitude.

usually ['juːʒəlɪ] adv d'habitude.

usurp [juː'zɜːp] vt usurper.

utensil [juː'tensl] n ustensile m.

uterus ['juːtərəs] (pl -ri [-raɪ] ou -ruses [-rəsiːz]) n utérus m.

utility [juː'tɪlətɪ] n **1.** (indén) utilité f **2.** service m public **3.** INFORM utilitaire m.

utility room n buanderie f.

utilize, -ise ['juːtəlaɪz] *vt* utiliser.

utmost ['ʌtməʊst] ◼ *adj* le plus grand(la plus grande). ◼ *n* ◦ **to do one's utmost** faire tout son possible ◦ **to the utmost** au plus haut point.

utter ['ʌtər] ◼ *adj* total(e), complet(ète). ◼ *vt* 1. prononcer 2. pousser *(un cri)*.

utterly ['ʌtəlɪ] *adv* complètement.

U-turn *n* demi-tour *m*.

v¹ [viː] (pl **v's** ou **vs**), **V** (pl **V's** ou **Vs**) n v m inv, V m inv.

v² **1.** (abr de **verse**) v. **2.** (abr de **volt**) v.

vacancy ['veɪkənsɪ] n **1.** poste m vacant **2.** chambre f à louer • **'vacancies'** 'chambres à louer' • **'no vacancies'** 'complet'.

vacant ['veɪkənt] adj **1.** inoccupé(e) **2.** libre **3.** (poste) vacant(e) **4.** (regard) vide.

vacant lot n **1.** terrain m inoccupé **2.** (US) terrain m vague **3.** terrain m à vendre.

vacate [və'keɪt] vt quitter • **to vacate a post** démissionner.

vacation [və'keɪʃn] n (US) vacances fpl.

vacationer [və'keɪʃənər] n (US) vacancier m, -ère f.

vaccinate ['væksɪneɪt] vt vacciner.

vaccine [(UK) 'væksiːn, (US) væk'siːn] n vaccin m.

vacuum ['vækjʊəm] ■ n **1.** fig vide m **2.** aspirateur m. ■ vt **1.** passer l'aspirateur dans (une pièce) **2.** passer l'aspirateur sur (un tapis).

vacuum cleaner n aspirateur m.

vacuum-packed adj emballé(e) sous vide.

vagina [və'dʒaɪnə] n vagin m.

vagrant ['veɪgrənt] n vagabond m, -e f.

vague [veɪg] adj **1.** vague, imprécis(e) **2.** distrait(e).

vaguely ['veɪglɪ] adv vaguement.

vain [veɪn] adj **1.** vain(e) **2.** péj vaniteux(euse). ■ **in vain** adv en vain.

valentine card ['væləntaɪn-] n carte f de la Saint-Valentin.

Valentine's Day ['væləntaɪnz-] n • **(St) Valentine's Day** la Saint-Valentin.

valet ['væleɪ ou 'vælɪt] n valet m de chambre.

valiant ['væljənt] adj vaillant(e).

valid ['vælɪd] adj **1.** valable **2.** valide.

valley ['vælɪ] (pl **-s**) n vallée f.

valour (UK), **valor** (US) ['vælər] n (indén) sout & littéraire bravoure f.

valuable ['væljʊəbl] adj **1.** précieux(euse) **2.** de valeur. ■ **valuables** npl objets mpl de valeur.

valuation [,væljʊ'eɪʃn] n **1.** (indén) estimation f, expertise f **2.** valeur f estimée.

value ['væljuː] ■ n en valeur f • **to be good value** être d'un bon rapport qualité-prix • **to get value for money** en avoir pour son argent. ■ vt **1.** expertiser **2.** apprécier. ■ **values** npl valeurs fpl.

value-added tax [-ædɪd-] n taxe f sur la valeur ajoutée.

valued ['væljuːd] adj précieux(euse).

valve [vælv] n **1.** valve f **2.** soupape f.

van [væn] n **1.** camionnette f **2.** (UK) fourgon m.

vandal ['vændl] n vandale mf.

vandalism ['vændəlɪzm] n vandalisme m.

vandalize, -ise ['vændəlaɪz] vt saccager.

vanguard ['vængɑːd] n avant-garde f • **in the vanguard of** à l'avant-garde de.

vanilla [və'nɪlə] n vanille f.

vanish ['vænɪʃ] vi disparaître.

vanity ['vænətɪ] n (indén) péj vanité f.

vantagepoint ['vɑːntɪdʒ,pɔɪnt] n **1.** bon endroit m **2.** fig position f avantageuse.

vapour (UK), **vapor** (US) ['veɪpər] n **1.** (indén) vapeur f **2.** buée f.

variable ['veərɪəbl] adj **1.** variable **2.** changeant(e).

variance ['veərɪəns] n sout • **at variance (with)** en désaccord (avec).

variation [,veərɪ'eɪʃn] n • **variation (in)** variation f (de).

varicose veins ['værɪkəʊs-] *npl* varices *fpl*.

varied ['veərɪd] *adj* varié(e).

variety [vəˈraɪətɪ] *n* **1.** variété *f*, diversité *f* **2.** variété *f*, sorte *f*.

variety show *n* spectacle *m* de variétés.

various ['veərɪəs] *adj* **1.** plusieurs **2.** divers.

varnish ['vɑːnɪʃ] ◪ *n* vernis *m*. ◪ *vt* vernir.

vary ['veərɪ] ◪ *vt* varier. ◪ *vi* ‣ **to vary (in/with)** varier (en/selon), changer (en/selon).

vase [(*UK*) vɑːz, (*US*) veɪz] *n* vase *m*.

Vaseline® ['væsəliːn] *n* vaseline *f*.

vast [vɑːst] *adj* vaste, immense.

vat [væt] *n* cuve *f*.

VAT [væt *ou* viːeɪˈtiː] (*abr de* **value-added tax**) *n* TVA *f*.

Vatican ['vætɪkən] *n* ‣ **the Vatican** le Vatican.

vault [vɔlt] ◪ *n* **1.** chambre *f* forte **2.** voûte *f* **3.** caveau *m*. ◪ *vt* sauter. ◪ *vi* ‣ **to vault over sthg** sauter (par-dessus) qqch.

VCR (*abr de* **video cassette recorder**) *n* magnétoscope *m*.

VD (*abr de* **venereal disease**) *n* (*indén*) MST *f*.

VDU (*abr de* **visual display unit**) *n* INFORM moniteur *m*.

veal [viːl] *n* (*indén*) veau *m*.

veer [vɪər] *vi* virer.

vegan ['viːgən] ◪ *adj* végétalien(enne). ◪ *n* végétalien *m*, -enne *f*.

vegetable ['vedʒtəbl] ◪ *n* légume *m*. ◪ *adj* **1.** végétal(e) **2.** de *ou* aux légumes.

vegetarian [ˌvedʒɪˈteərɪən] ◪ *adj* végétarien(enne). ◪ *n* végétarien *m*, -enne *f*.

vegetation [ˌvedʒɪˈteɪʃn] *n* (*indén*) végétation *f*.

vehement ['viːɪmənt] *adj* véhément(e).

vehicle ['viːɪkl] *n* litt & fig véhicule *m*.

veil [veɪl] *n* litt & fig voile *m*.

vein [veɪn] *n* **1.** veine *f* **2.** nervure *f* **3.** filon *m* (*d'un minerai*).

velocity [vɪˈlɒsətɪ] *n* vélocité *f*. ·

velvet ['velvɪt] *n* velours *m*.

vendetta [venˈdetə] *n* vendetta *f*.

vending machine ['vendɪŋ-] *n* distributeur *m* automatique.

vendor ['vendər] *n* **1.** *sout* marchand *m*, -e *f* **2.** DR vendeur *m*, -euse *f*.

veneer [vəˈnɪər] *n* **1.** placage *m* **2.** *fig* apparence *f*.

venereal disease [vɪˈnɪərɪəl-] *n* maladie *f* vénérienne.

venetian blind [vɪˌniːʃn-] *n* store *m* vénitien.

Venezuela [ˌvenɪzˈweɪlə] *n* Venezuela *m*.

vengeance ['vendʒəns] *n* vengeance *f* ‣ **it began raining with a vengeance** il a commencé à pleuvoir très fort.

venison ['venɪzn] *n* venaison *f*.

venom ['venəm] *n* litt & fig venin *m*.

vent [vent] ◪ *n* **1.** tuyau *m* **2.** orifice *m* ‣ **to give vent to** donner libre cours à. ◪ *vt* donner libre cours à ‣ **to vent sthg on sb** décharger qqch sur qqn.

ventilate ['ventɪleɪt] *vt* ventiler.

ventilator ['ventɪleɪtər] *n* ventilateur *m*.

ventriloquist [venˈtrɪləkwɪst] *n* ventriloque *mf*.

venture ['ventʃər] ◪ *n* entreprise *f*. ◪ *vt* risquer ‣ **to venture to do sthg** se permettre de faire qqch. ◪ *vi* s'aventurer.

venue ['venjuː] *n* lieu *m*.

veranda(h) [vəˈrændə] *n* véranda *f*.

verb [vɜːb] *n* verbe *m*.

verbal ['vɜːbl] *adj* verbal(e).

verbatim [vɜːˈbeɪtɪm] *adj* & *adv* mot pour mot.

verbose [vɜːˈbəʊs] *adj* verbeux(euse).

verdict ['vɜːdɪkt] *n* **1.** DR verdict *m* **2.** ‣ **verdict (on)** avis *m* (sur).

verge [vɜːdʒ] *n* **1.** bordure *f* **2.** (*UK*) bas-côté *m*, accotement *m* **3.** ‣ **on the verge of sthg** au bord de qqch ‣ **on the verge of doing sthg** sur le point de faire qqch. ◪ **verge (up) on** *vt insép* approcher de.

verify ['verɪfaɪ] *vt* vérifier.

veritable ['verɪtəbl] *adj hum* & *sout* véritable.

vermin ['vɜːmɪn] *npl* vermine *f*.

vermouth ['vɜːməθ] *n* vermouth *m*.

versatile ['vɜːsətaɪl] *adj* **1.** aux talents multiples **2.** (*outil, logiciel*) à usages multiples.

verse [vɜːs] n 1. (indén) vers mpl 2. strophe f 3. (dans la Bible) verset m.

versed [vɜːst] adj ▪ to be well versed in sthg être versé(e) dans qqch.

version [ˈvɜːʃn] n version f.

versus [ˈvɜːsəs] prép 1. contre 2. par opposition à.

vertebra [ˈvɜːtɪbrə] (pl -brae [-briː]) n vertèbre f.

vertical [ˈvɜːtɪkl] adj vertical(e).

vertigo [ˈvɜːtɪgəʊ] n (indén) vertige m.

verve [vɜːv] n verve f.

very [ˈverɪ] ▪ adv 1. très ▪ very much beaucoup ▪ at the very least tout au moins ▪ very last/first tout dernier/ premier ▪ of one's very own bien à soi 2. ▪ not very pas très. ▪ adj ▪ the very room/book la pièce/le livre même ▪ the very man/thing I've been looking for juste l'homme/la chose que je cherchais.
▪ **very well** adv très bien ▪ I can't very well tell him... je ne peux tout de même pas lui dire que...

vessel [ˈvesl] n sout 1. NAUT & ANAT vaisseau m 2. récipient m.

vest [vest] n 1. (UK) maillot m de corps 2. (US) gilet m.

vested interest [ˈvestɪd-] n ▪ vested interest (in) intérêt m particulier (à).

vestibule [ˈvestɪbjuːl] n sout vestibule m.

vestige [ˈvestɪdʒ] n vestige m.

vestry [ˈvestrɪ] n sacristie f.

vet [vet] ▪ n (UK) (abr de veterinary surgeon) vétérinaire mf. ▪ vt (UK) examiner avec soin.

veteran [ˈvetrən] ▪ adj chevronné(e). ▪ n 1. vétéran mf 2. (personne expérimentée) vétéran m.

veterinarian [ˌvetərɪˈneərɪən] n (US) vétérinaire mf.

veterinary surgeon [ˈvetərɪnrɪ-] n (UK) sout vétérinaire mf.

veto [ˈviːtəʊ] ▪ n (pl -es) veto m. ▪ vt (prét & pp -ed, cont -ing) opposer son veto à.

vex [veks] vt contrarier.

vexed question [ˌvekst-] n question f controversée.

VHS (abr de video home system) n VHS m.

via [ˈvaɪə] prép 1. via, par 2. au moyen de.

viable [ˈvaɪəbl] adj viable.

vibrate [vaɪˈbreɪt] vi vibrer.

vicar [ˈvɪkər] n pasteur m.

vicarage [ˈvɪkərɪdʒ] n presbytère m.

vicarious [vɪˈkeərɪəs] adj ▪ to take a vicarious pleasure in sthg prendre plaisir à qqch par procuration.

vice [vaɪs] n 1. vice m 2. étau m.

vice-chairman n vice-président m, -e f.

vice-chancellor n (UK) président m, -e f.

vice-president n vice-président m, -e f.

vice versa [ˌvaɪsɪˈvɜːsə] adv vice versa.

vicinity [vɪˈsɪnətɪ] n ▪ in the vicinity (of) aux alentours (de), dans les environs (de).

vicious [ˈvɪʃəs] adj violent(e), brutal(e).

vicious circle n cercle m vicieux.

victim [ˈvɪktɪm] n victime f.

victimize, -ise [ˈvɪktɪmaɪz] vt faire une victime de.

victor [ˈvɪktər] n vainqueur m.

victorious [vɪkˈtɔːrɪəs] adj victorieux (euse).

victory [ˈvɪktərɪ] n ▪ victory (over) victoire f (sur).

video [ˈvɪdɪəʊ] ▪ n (pl -s) 1. vidéo f 2. (UK) magnétoscope m 3. vidéocassette f. ▪ en apposition vidéo (inv). ▪ vt (prét & pp -ed, cont -ing) 1. enregistrer sur magnétoscope 2. faire une vidéo de, filmer.

video camera n caméra f vidéo.

video cassette n vidéocassette f.

video game n jeu m vidéo.

videorecorder [ˈvɪdɪəʊrɪˌkɔːdər] n magnétoscope m.

video shop (UK), **video store** (US) n vidéoclub m.

videotape [ˈvɪdɪəʊteɪp] n 1. vidéocassette f 2. (indén) bande f vidéo.

vie [vaɪ] (prét & pp vied, cont vying) vi ▪ to vie for sthg lutter pour qqch ▪ to vie with sb (for sthg/to do sthg) rivaliser avec qqn (pour qqch/pour faire qqch).

Vienna [vɪˈenə] n Vienne.

Vietnam [(UK) ˌvjetˈnæm, (US) ˌvjetˈnɑːm] n Viêt-nam m.

Vietnamese [ˌvjetnəˈmiːz] ◼ *adj* vietnamien(enne). ◼ *n* vietnamien *m*. ◼ *npl* • the Vietnamese les Vietnamiens.

view [vjuː] ◼ *n* **1.** opinion *f*, avis *m* • in my view à mon avis **2.** vue *f* • to come into view apparaître. ◼ *vt* **1.** considérer **2.** examiner **3.** visiter *(une maison)*. ◼ in view of *prép* vu, étant donné. ◼ with a view to *conj* dans l'intention de, avec l'idée de.

viewer [ˈvjuːəʳ] *n* **1.** téléspectateur *m*, -trice *f* **2.** visionneuse *f*.

viewfinder [ˈvjuːˌfaɪndəʳ] *n* viseur *m*.

viewpoint [ˈvjuːpɔɪnt] *n* point *m* de vue.

vigil [ˈvɪdʒɪl] *n* **1.** veille *f* **2.** RELIG vigile *f*.

vigilante [ˌvɪdʒɪˈlæntɪ] *n* membre *m* d'un groupe d'autodéfense.

vigorous [ˈvɪgərəs] *adj* vigoureux(euse).

vile [vaɪl] *adj* **1.** *(humeur)* exécrable **2.** *(personne, acte)* vil(e), ignoble **3.** *(nourriture)* infect(e).

villa [ˈvɪlə] *n* **1.** villa *f* **2.** pavillon *m*.

village [ˈvɪlɪdʒ] *n* village *m*.

villager [ˈvɪlɪdʒəʳ] *n* villageois *m*, -e *f*.

villain [ˈvɪlən] *n* **1.** méchant *m*, -e *f* **2.** traître *m* **3.** bandit *m*.

vindicate [ˈvɪndɪkeɪt] *vt* justifier.

vindictive [vɪnˈdɪktɪv] *adj* vindicatif (ive).

vine [vaɪn] *n* vigne *f*.

vinegar [ˈvɪnɪgəʳ] *n* vinaigre *m*.

vineyard [ˈvɪnjəd] *n* vignoble *m*.

vintage [ˈvɪntɪdʒ] ◼ *adj* **1.** *(vin)* de grand cru **2.** typique. ◼ *n* année *f*, millésime *m*.

vintage wine *n* vin *m* de grand cru.

vinyl [ˈvaɪnɪl] *n* vinyle *m*.

viola [vɪˈəʊlə] *n* alto *m*.

violate [ˈvaɪəleɪt] *vt fig* violer *(une loi, un traité)*.

violence [ˈvaɪələns] *n* violence *f*.

violent [ˈvaɪələnt] *adj* violent(e).

violet [ˈvaɪələt] ◼ *adj* violet(ette). ◼ *n* **1.** violette *f* **2.** violet *m*.

violin [ˌvaɪəˈlɪn] *n* violon *m*.

violinist [ˌvaɪəˈlɪnɪst] *n* violoniste *mf*.

VIP *(abr de* very important person*)* *n* VIP *mf*.

viper [ˈvaɪpəʳ] *n* vipère *f*.

virgin [ˈvɜːdʒɪn] ◼ *adj littéraire* vierge. ◼ *n* **1.** *(femme)* vierge *f* **2.** *(homme)* puceau *m*.

Virgo [ˈvɜːgəʊ] *(pl -s)* *n* Vierge *f*.

virile [ˈvɪraɪl] *adj* viril(e).

virtually [ˈvɜːtʃʊəlɪ] *adv* virtuellement, pratiquement.

virtual reality *n* réalité *f* virtuelle.

virtue [ˈvɜːtjuː] *n* **1.** vertu *f* **2.** • virtue (in doing sthg) mérite *m* (à faire qqch). ◼ by virtue of *prép sout* en vertu de.

virtuous [ˈvɜːtʃʊəs] *adj* vertueux(euse).

virus [ˈvaɪrəs] *n* virus *m*.

visa [ˈviːzə] *n* visa *m*.

vis-à-vis [ˌviːzɑːˈviː] *prép sout* par rapport à.

viscose [ˈvɪskəʊs] *n* viscose *f*.

visibility [ˌvɪzɪˈbɪlətɪ] *n* visibilité *f*.

visible [ˈvɪzəbl] *adj* visible.

vision [ˈvɪʒn] *n* **1.** *(indén)* vue *f* **2.** vision *f*.

visit [ˈvɪzɪt] ◼ *n* visite *f* • on a visit en visite • visit of a website visite d'un site. ◼ *vt* **1.** rendre visite à **2.** visiter *(un site sur Internet)*.

visiting hours [ˈvɪzɪtɪŋ-] *npl* heures *fpl* de visite.

visitor [ˈvɪzɪtəʳ] *n* **1.** invité *m*, -e *f* **2.** visiteur *m*, -euse *f* **3.** client *m*, -e *f*.

visitors' book *n (UK)* **1.** livre *m* d'or **2.** *(à l'hôtel)* registre *m*.

visitor's passport *n (UK)* passeport *m* temporaire.

visor [ˈvaɪzəʳ] *n* visière *f*.

vista [ˈvɪstə] *n* vue *f*, perspective *f*.

visual [ˈvɪʒʊəl] *adj* visuel(elle).

visual aids *npl* supports *mpl* visuels.

visual display unit *n* écran *m* de visualisation.

visualize, -ise [ˈvɪʒʊəlaɪz] *vt* se représenter, s'imaginer.

vital [ˈvaɪtl] *adj* **1.** essentiel(elle) **2.** plein(e) d'entrain.

vitally [ˈvaɪtlɪ] *adv* absolument.

vital statistics *npl fam* mensurations *fpl*.

vitamin [*(UK)* ˈvɪtəmɪn, *(US)* ˈvaɪtəmɪn] *n* vitamine *f*.

vivacious [vɪˈveɪʃəs] *adj* enjoué(e).

vivid [ˈvɪvɪd] *adj* **1.** vif(vive) **2.** *(description)* vivant(e) **3.** *(souvenir)* net(nette), précis(e).

vividly ['vɪvɪdlɪ] *adv* **1.** d'une manière vivante **2.** clairement.

vixen ['vɪksn] *n* renarde *f*.

VLF (*abr de* **very low frequency**) *n* très basse fréquence.

V-neck *n* **1.** décolleté *m* en V **2.** pull *m* à décolleté en V.

vocabulary [və'kæbjʊlərɪ] *n* vocabulaire *m*.

vocal ['vəʊkl] *adj* **1.** qui se fait entendre **2.** vocal(e).

vocal cords *npl* cordes *fpl* vocales.

vocation [vəʊ'keɪʃn] *n* vocation *f*.

vocational [vəʊ'keɪʃənl] *adj* professionnel(elle).

vociferous [və'sɪfərəs] *adj* bruyant(e).

vodka ['vɒdkə] *n* vodka *f*.

vogue [vəʊg] *n* vogue *f*, mode *f* ◦ **in vogue** en vogue, à la mode.

voice [vɔɪs] ◼ *n* voix *f*. ◼ *vt* exprimer.

voice mail *n* messagerie *f* vocale ◦ **to send/receive voice mail** envoyer/recevoir un message sur une boîte vocale.

void [vɔɪd] ◼ *adj* **1.** nul(nulle) ◦ ▷ **null 2.** *sout* ◦ **void of** dépourvu(e) de, dénué(e) de. ◼ *n* vide *m*. ◼ *vt* annuler.

volatile [(*UK*) 'vɒlətaɪl, (*US*) 'vɒlətl] *adj* **1.** (*situation*) explosif(ive) **2.** (*personne*) lunatique, versatile **3.** (*marché*) instable.

volcano [vɒl'keɪnəʊ] (*pl* **-es** *ou* **-s**) *n* volcan *m*.

volition [və'lɪʃn] *n* sout ◦ **of one's own volition** de son propre gré.

volley ['vɒlɪ] ◼ *n* (*pl* **-s**) **1.** salve *f* **2.** fig torrent *m* **3.** fig volée *f*, pluie *f* (*de coups*) **4.** SPORT volée *f*. ◼ *vt* frapper à la volée, reprendre de volée.

volleyball ['vɒlɪbɔl] *n* volley-ball *m*.

volt [vəʊlt] *n* volt *m*.

voltage ['vəʊltɪdʒ] *n* voltage *m*, tension *f*.

voluble ['vɒljʊbl] *adj* volubile, loquace.

volume ['vɒljuːm] *n* **1.** volume *m* **2.** quantité *f* **3.** densité *f*.

voluntarily [(*UK*) 'vɒləntrɪlɪ, (*US*) ,vɒlən'terəlɪ] *adv* volontairement.

voluntary ['vɒləntrɪ] *adj* **1.** volontaire **2.** bénévole.

volunteer [,vɒlən'tɪər] ◼ *n* **1.** volontaire *mf* **2.** bénévole *mf*. ◼ *vt* **1.** ◦ **to volunteer to do sthg** se porter volontaire pour faire qqch **2.** donner spontanément. ◼ *vi* **1.** ◦ **to volunteer (for)** proposer ses services (pour) **2.** s'engager comme volontaire.

vomit ['vɒmɪt] ◼ *n* vomi *m*. ◼ *vi* vomir.

vote [vəʊt] ◼ *n* **1.** ◦ **vote (for/against)** vote *m* (pour/contre), voix *f* (pour/contre) **2.** vote *m* **3.** droit *m* de vote. ◼ *vt* **1.** élire **2.** ◦ **to vote to do sthg** voter *ou* se prononcer pour faire qqch ◦ **they voted to return to work** ils ont voté le retour au travail. ◼ *vi* ◦ **to vote (for/against)** voter (pour/contre).

vote of thanks (*pl* **votes of thanks**) *n* discours *m* de remerciement.

voter ['vəʊtər] *n* électeur *m*, -trice *f*.

voting ['vəʊtɪŋ] *n* scrutin *m*.

vouch [vaʊtʃ] ◼ **vouch for** *vt insép* répondre de, se porter garant de.

voucher ['vaʊtʃər] *n* bon *m*, coupon *m*.

vow [vaʊ] ◼ *n* vœu *m*, serment *m*. ◼ *vt* ◦ **to vow to do sthg** jurer de faire qqch ◦ **to vow (that)...** jurer que…

vowel ['vaʊəl] *n* voyelle *f*.

voyage ['vɔɪɪdʒ] *n* **1.** voyage *m* par mer, traversée *f* **2.** vol *m*.

VSO (*abr de* **Voluntary Service Overseas**) *n organisation britannique envoyant des travailleurs bénévoles dans des pays en voie de développement pour contribuer à leur développement technique.*

vulgar ['vʌlgər] *adj* **1.** vulgaire **2.** grossier(ère).

vulnerable ['vʌlnərəbl] *adj* vulnérable ◦ **vulnerable to** exposé(e) à ◦ sensible à.

vulture ['vʌltʃər] *n* litt & fig vautour *m*.

w[1] [ˈdʌblju:] (pl **w's** ou **ws**), **W** (pl **W's** ou **Ws**) n w m inv, W m inv.

W[2] **1.** (abr de **west**) O, W **2.** (abr de **watt**) w.

wad [wɒd] n **1.** tampon m (de tissu, de papier) **2.** liasse f **3.** chique f **4.** boulette f (de chewing-gum).

waddle [ˈwɒdl] vi se dandiner.

wade [weɪd] vi patauger.
■ **wade through** vt insép fig se taper, venir à bout de.

wading pool [ˈweɪdɪŋ-] n (US) pataugeoire f.

wafer [ˈweɪfər] n gaufrette f.

waffle [ˈwɒfl] ■ n **1.** gaufre f **2.** (UK) fam verbiage m. ■ vi parler pour ne rien dire.

waft [wɑːft ou wɒft] vi flotter.

wag [wæg] ■ vt remuer, agiter (la queue). ■ vi (queue) remuer.

wage [weɪdʒ] ■ n salaire m, paie f, paye f. ■ vt • **to wage war against** faire la guerre à.
■ **wages** npl salaire m.

wage earner [-ˌɜːnər] n salarié m, -e f.

wage packet n (UK) **1.** enveloppe f de paye **2.** fig paie f, paye f.

wager [ˈweɪdʒər] n pari m.

waggle [ˈwægl] fam vt **1.** agiter, remuer (la queue) **2.** remuer (les oreilles).

waggon [ˈwægən] (UK) = **wagon**.

wagon [ˈwægən] n **1.** chariot m, charrette f **2.** (UK) RAIL wagon m.

wail [weɪl] ■ n gémissement m. ■ vi gémir.

waist [weɪst] n taille f.

waistcoat [ˈweɪskəʊt] n (surtout UK) gilet m.

waistline [ˈweɪstlaɪn] n taille f.

wait [weɪt] ■ n attente f. ■ vi attendre • **I can't wait to see you** je brûle d'impatience de te voir • **wait and see!** tu vas bien voir !
■ **wait for** vt insép attendre • **to wait for sb to do sthg** attendre que qqn fasse qqch.
■ **wait on** vt insép servir.
■ **wait up** vi veiller, ne pas se coucher.

waiter [ˈweɪtər] n garçon m, serveur m.

waiting list [ˈweɪtɪŋ-] n liste f d'attente.

waiting room [ˈweɪtɪŋ-] n salle f d'attente.

waitress [ˈweɪtrɪs] n serveuse f.

waive [weɪv] vt **1.** renoncer à (un droit, une revendicaiton) **2.** déroger à (une règle).

wake [weɪk] ■ n sillage m. ■ vt (prét **woke** ou **-d**, pp **woken** ou **-d**) réveiller. ■ vi (prét **woke** ou **-d**, pp **woken** ou **-d**) se réveiller.
■ **wake up** ■ vt sép réveiller. ■ vi se réveiller.

waken [ˈweɪkən] sout ■ vt réveiller. ■ vi se réveiller.

Wales [weɪlz] n Pays m de Galles.

walk [wɔk] ■ n **1.** démarche f **2.** promenade f **3.** marche f • **it's a long walk** c'est loin à pied • **to go for a walk** aller se promener. ■ vt **1.** accompagner **2.** promener **3.** faire à pied. ■ vi **1.** marcher **2.** se promener.
■ **walk out** vi **1.** partir **2.** faire grève.
■ **walk out on** vt insép quitter.

walker [ˈwɔkər] n **1.** promeneur m, -euse f **2.** marcheur m, -euse f.

walkie-talkie [ˌwɔkɪˈtɔkɪ] n talkie-walkie m.

walking [ˈwɔkɪŋ] n (indén) promenade f.

walking shoes npl chaussures fpl de marche.

walking stick n canne f.

Walkman® [ˈwɔkmən] n baladeur m, Walkman® m.

walk of life (*pl* **walks of life**) *n* milieu *m*
■ **people from all walks of life** des gens
de tous les milieux.

walkout ['wɔkaʊt] *n* grève *f*, débrayage
m.

walkover ['wɔk,əʊvəʳ] *n* victoire *f* facile.

walkway ['wɔkweɪ] *n* **1.** passage *m*
2. passerelle *f*.

wall [wɔl] *n* **1.** mur *m* **2.** paroi *f* **3.** ANAT
paroi *f*.

wallchart ['wɔltʃɑːt] *n* planche *f* murale.

walled [wɔld] *adj* fortifié(e).

wallet ['wɒlɪt] *n* portefeuille *m*.

wallflower ['wɔl,flaʊəʳ] *n fam fig* ■ **to be
a wallflower** faire tapisserie.

wall hanging *n* tenture *f*.

wallop ['wɒləp] *fam vt* **1.** flanquer un
coup à **2.** taper fort dans.

wallow ['wɒləʊ] *vi* se vautrer.

wallpaper ['wɔl,peɪpəʳ] ■ *n* papier *m*
peint. ■ *vt* tapisser.

Wall Street *n* Wall Street *m* (*quartier financier de New York*).

wally ['wɒlɪ] *n* (*UK*) *fam* andouille *f*.

walnut ['wɔlnʌt] *n* **1.** noix *f* **2.** noyer *m*.

walrus ['wɔlrəs] (*pl inv ou* **-es** [-iːz]) *n*
morse *m*.

waltz [wɔls] ■ *n* valse *f*. ■ *vi* valser.

wan [wɒn] *adj* pâle, blême.

wand [wɒnd] *n* baguette *f*.

wander ['wɒndəʳ] *vi* **1.** errer **2.** divaguer
3. vagabonder.

wane [weɪn] *vi* **1.** faiblir **2.** décroître.

wangle ['wæŋgl] *vt fam* se débrouiller
pour obtenir.

wannabe ['wɒnə,biː] *n fam* se dit de quelqu'un qui veut être ce qu'il ne peut pas être
■ **a Britney Spears wannabe** un clone de
Britney Spears.

want [wɒnt] ■ *n* **1.** besoin *m* **2.** manque
m ■ **for want of** faute de, par manque
de **3.** pauvreté *f*, besoin *m*. ■ *vt* **1.** vouloir ■ **to want to do sthg** vouloir faire
qqch ■ **to want sb to do sthg** vouloir que
qqn fasse qqch **2.** *fam* avoir besoin de.

wanted ['wɒntɪd] *adj* ■ **to be wanted (by
the police)** être recherché(e) (par la police).

wanton ['wɒntən] *adj* (*acte, cruauté*) gra-
tuit(e).

war [wɔːʳ] *n* guerre *f*.

ward [wɔd] *n* **1.** salle *f* **2.** (*UK*) circonscription *f* électorale **3.** DR pupille *mf*.
■ **ward off** *vt insép* **1.** écarter **2.** éviter
3. éloigner.

warden ['wɔdn] *n* **1.** directeur *m*, -tri-
ce *f* (*d'une institution*) **2.** (*UK*) surveillant
m, -e *f* de prison **3.** (*US*) directeur *m*, -tri-
ce *f* de prison.

warder ['wɔdəʳ] *n* (*UK*) surveillant *m*, -e *f*
de prison.

wardrobe ['wɔdrəʊb] *n* garde-robe *f*.

wardrobe malfunction *n* incident *m*
vestimentaire.

warehouse ['weəhaʊs] (*pl* [-haʊzɪz]) *n*
entrepôt *m*, magasin *m*.

wares [weəz] *npl* marchandises *fpl*.

warfare ['wɔfeəʳ] *n* (*indén*) *litt* & *fig* guerre
f.

warhead ['wɔhed] *n* ogive *f*, tête *f*.

warily ['weərəlɪ] *adv* avec précaution *ou*
circonspection.

warm [wɔm] ■ *adj* **1.** chaud(e) ■ **it's warm
today** il fait chaud aujourd'hui **2.** cha-
leureux(euse). ■ *vt* réchauffer.
■ **warm to** *vt insép* **1.** se prendre de
sympathie pour **2.** se mettre à aimer.
■ **warm up** ■ *vt sép* réchauffer. ■ *vi*
1. se réchauffer **2.** (*un moteur, une machine*)
chauffer **3.** s'échauffer.

warm-hearted [-'hɑːtɪd] *adj* chaleu-
reux(euse), affectueux(euse).

warmly ['wɔmlɪ] *adv* **1.** ■ **to dress warmly**
s'habiller chaudement **2.** chaleureuse-
ment.

warmth [wɔmθ] *n* chaleur *f*.

warn [wɔn] *vt* avertir, prévenir ■ **to warn
sb of sthg** avertir qqn de qqch ■ **to warn
sb not to do sthg** conseiller à qqn de ne
pas faire qqch.

warning ['wɔnɪŋ] *n* avertissement *m*.

warning light *n* voyant *m*.

warning triangle *n* (*UK*) triangle *m* de
signalisation.

warp [wɔp] ■ *vt* **1.** gauchir, voiler **2.** fausser, pervertir. ■ *vi* gauchir, se voiler.

warrant ['wɒrənt] ■ *n* DR mandat *m*. ■ *vt*
1. justifier **2.** garantir.

warranty ['wɒrəntɪ] *n* garantie *f*.

warren ['wɒrən] *n* terrier *m*.

warrior ['wɒrɪəʳ] *n* guerrier *m*, -ère *f*.

Warsaw ['wɔːsɔ] n Varsovie ∘ **the Warsaw Pact** le pacte de Varsovie.

warship ['wɔːʃɪp] n navire m de guerre.

wart [wɔːt] n verrue f.

wartime ['wɔːtaɪm] n ∘ **in wartime** en temps de guerre.

war-torn adj déchiré(e) par la guerre.

wary ['weərɪ] adj prudent(e), circonspect(e) ∘ **to be wary of** se méfier de ∘ **to be wary of doing sthg** hésiter à faire qqch.

was (forme non accentuée [wəz], forme accentuée [wɒz]) passé ⊳ be.

wash [wɒʃ] ◼ n 1. lavage m ∘ **to have a wash** (UK) se laver ∘ **to give sthg a wash** laver qqch 2. lessive f 3. (sur un bateau) remous m. ◼ vt laver ∘ **to wash one's hands** se laver les mains. ◼ vi se laver.
◼ **wash away** vt sép emporter.
◼ **wash up** vt sép (UK) ∘ **to wash the dishes up** faire ou laver la vaisselle. ◼ vi 1. (UK) faire ou laver la vaisselle 2. (US) se laver.

washable ['wɒʃəbl] adj lavable.

washbasin (UK) ['wɒʃ,beɪsn], **washbowl** (US) ['wɒʃbəʊl] n lavabo m.

washcloth ['wɒʃ,klɒθ] n (US) gant m de toilette.

washer ['wɒʃər] n 1. constr rondelle f 2. machine f à laver.

washing ['wɒʃɪŋ] n (indén) 1. (action de laver) lessive f 2. linge m, lessive f.

washing line n corde f à linge.

washing machine n machine f à laver.

washing powder n (UK) lessive f, détergent m.

Washington ['wɒʃɪŋtən] n ∘ **Washington D.C.** Washington.

washing-up n (UK) vaisselle f.

washing-up liquid n (UK) liquide m pour la vaisselle.

washout ['wɒʃaʊt] n fam fiasco m.

washroom ['wɒʃrʊm] n (US) toilettes fpl.

wasn't [wɒznt] = was not.

wasp [wɒsp] n guêpe f.

wastage ['weɪstɪdʒ] n gaspillage m.

waste [weɪst] ◼ adj 1. (matériau) de rebut 2. (énergie) perdu(e) 3. (terres) en friche. ◼ n 1. gaspillage m ∘ **it's a waste of money** c'est du gaspillage ∘ **a waste of time** une perte de temps 2. (indén) déchets mpl, ordures fpl. ◼ vt 1. gaspiller 2. perdre (du temps).
◼ **wastes** npl littéraire étendues fpl désertes.

wastebasket (US) = wastepaper basket.

waste disposal unit n broyeur m d'ordures.

wasteful ['weɪstfʊl] adj 1. gaspilleur(euse) 2. (activité, méthode) peu économique.

waste ground n (indén) (UK) terrain m vague.

wastepaper basket, wastepaper bin (UK) [,weɪst'peɪpər-], **wastebasket** ['weɪst,bɑːskɪt] n corbeille f à papier.

watch [wɒtʃ] ◼ n 1. montre f 2. ∘ **to keep watch** faire le guet, monter la garde ∘ **to keep watch on sb/sthg** surveiller qqn/qqch 3. garde f 4. naut quart m. ◼ vt 1. regarder 2. surveiller 3. faire attention à. ◼ vi regarder.
◼ **watch out** vi faire attention, prendre garde.

watchdog ['wɒtʃdɒg] n 1. chien m de garde 2. fig organisation f de contrôle.

watchful ['wɒtʃfʊl] adj vigilant(e).

watchmaker ['wɒtʃ,meɪkər] n horloger m, -ère f.

watchman ['wɒtʃmən] (pl -men [-mən]) n gardien m.

water ['wɔːtər] ◼ n eau f. ◼ vt arroser. ◼ vi 1. pleurer, larmoyer 2. ∘ **my mouth was watering** j'en avais l'eau à la bouche.
◼ **waters** npl eaux fpl.
◼ **water down** vt sép 1. diluer 2. couper d'eau (de l'alcool) 3. péj atténuer, modérer.

waterboarding ['wɔːtər,bɔːrdɪŋ] n technique d'interrogatoire où la victime est ligotée et inondée d'eau.

water bottle n gourde f, bidon m (à eau).

water closet n vieilli toilettes fpl, waters mpl.

watercolour (UK), **watercolor** (US) ['wɔːtə,kʌlər] n 1. aquarelle f 2. peinture f à l'eau, couleur f pour aquarelle.

watercress ['wɔːtəkres] n cresson m.

waterfall ['wɔːtəfɔːl] n chute f d'eau, cascade f.

water heater n chauffe-eau m inv.

waterhole ['wɔːtəhəʊl] *n* mare *f*, point *m* d'eau.

watering can ['wɔːtərɪŋ-] *n* arrosoir *m*.

water level *n* niveau *m* de l'eau.

water lily *n* nénuphar *m*.

waterline ['wɔːtəlaɪn] *n* ligne *f* de flottaison.

waterlogged ['wɔːtəlɒgd] *adj* **1.** *(sol)* détrempé(e) **2.** *(bateau)* plein(e) d'eau.

water main *n* conduite *f* principale d'eau.

watermark ['wɔːtəmɑːk] *n* **1.** filigrane *m* **2.** laisse *f* de haute mer **3.** *(fleuve)* ligne *f* des hautes eaux.

watermelon ['wɔːtə,melən] *n* pastèque *f*.

water polo *n* water-polo *m*.

waterproof ['wɔːtəpruːf] ◼ *adj* imperméable. ◼ *n (UK)* imperméable *m*.

watershed ['wɔːtəʃed] *n fig* tournant *m*, moment *m* critique.

water skiing *n* ski *m* nautique.

water tank *n* réservoir *m* d'eau, citerne *f*.

watertight ['wɔːtətaɪt] *adj* **1.** étanche **2.** *(excuse, contrat)* parfait(e) **3.** *(argument)* irréfutable **4.** *(plan)* infaillible.

waterway ['wɔːtəweɪ] *n* voie *f* navigable.

waterworks ['wɔːtəwɜːks] *(pl inv)* *n* installation *f* hydraulique, usine *f* de distribution d'eau.

watery ['wɔːtərɪ] *adj* **1.** trop dilué(e) **2.** *(thé, café)* pas assez fort(e) **3.** pâle.

watt [wɒt] *n* watt *m*.

wave [weɪv] ◼ *n* **1.** geste *m*, signe *m* **2.** vague *f* **3.** onde *f* **4.** bouffée *f (de chaleur)* **5.** *(dans les cheveux)* cran *m*, ondulation *f*. ◼ *vt* **1.** agiter **2.** brandir. ◼ *vi* **1.** faire signe de la main ◦ **to wave at** *ou* **to sb** faire signe à qqn, saluer qqn de la main **2.** flotter.

wavelength ['weɪvleŋθ] *n* longueur *f* d'ondes ◦ **to be on the same wavelength** *fig* être sur la même longueur d'ondes.

waver ['weɪvər] *vi* **1.** vaciller, chanceler **2.** hésiter **3.** fluctuer, varier.

wavy ['weɪvɪ] *adj* **1.** *(cheveux)* ondulé(e) **2.** *(ligne)* qui ondule.

wax [wæks] ◼ *n (indén)* **1.** cire *f* **2.** *(pour le ski)* fart *m* **3.** *(dans les oreilles)* cérumen *m*. ◼ *vt* **1.** cirer **2.** farter *(des skis)*. ◼ *vi (lune)* croître.

wax paper *n (US)* papier *m* sulfurisé.

waxworks ['wækswɜːks] *(pl inv)* *n* musée *m* de cire.

way [weɪ] ◼ *n* **1.** *(moyen, méthode)* façon *f* ◦ **to get** *ou* **have one's way** obtenir ce qu'on veut **2.** façon *f*, manière *f* ◦ **in the same way** de la même manière *ou* façon ◦ **this/that way** comme ça, de cette façon ◦ **try to see it my way** mettez-vous à ma place **3.** chemin *m* ◦ **way in** entrée *f* ◦ **way out** sortie *f* ◦ **to be out of one's way** ne pas être sur sa route ◦ **on the** *ou* **one's way** sur le *ou* son chemin ◦ **to be under way** faire route ◦ *fig* être en cours ◦ **to get under way** se mettre en route ◦ *fig* démarrer ◦ **'give way'** *(UK)* 'vous n'avez pas la priorité' ◦ **to be in the way** gêner ◦ **to go out of one's way to do sthg** se donner du mal pour faire qqch ◦ **to keep out of sb's way** éviter qqn ◦ **keep out of the way!** restez à l'écart ! ◦ **to make way for** faire place à **4.** ◦ **to go/look/come this way** aller/regarder/venir par ici ◦ **the right/wrong way round** dans le bon/mauvais ordre ◦ **she had her hat on the wrong way round** elle avait mis son chapeau à l'envers ◦ **the right/wrong way up** dans le bon/mauvais sens **5.** ◦ **all the way** tout le trajet ◦ *fig* jusqu'au bout ◦ **a long way** loin ◦ **to give way** céder ◦ **no way!** pas question ! ◼ *adv fam* largement ◦ **way better** bien mieux.

◼ **ways** *npl* coutumes *fpl*.

◼ **by the way** *adv* au fait.

waylay [,weɪ'leɪ] *(prét & pp -laid* [-'leɪd]*)* *vt* arrêter (au passage), intercepter.

wayward ['weɪwəd] *adj* **1.** qui n'en fait qu'à sa tête **2.** capricieux(euse).

WC *(abr de* water closet*)* *n* W.-C. *mpl*

we [wiː] *pron pers* nous ◦ **we can't do it** nous, nous ne pouvons pas le faire ◦ **as we say in France** comme on dit en France ◦ **we British** nous autres Britanniques.

weak [wiːk] *adj* **1.** faible **2.** fragile **3.** peu convaincant(e) **4.** *(café, thé)* léger(ère).

weaken ['wiːkn] ◼ *vt* **1.** affaiblir, fragiliser **2.** diminuer. ◼ *vi* faiblir.

weakling ['wiːklɪŋ] *n péj* mauviette *f*.

weakness ['wi:knɪs] n 1. (indén) • faiblesse f • fragilité f 2. point m faible.

wealth [welθ] n 1. (indén) richesse f 2. • **a wealth of** une profusion de.

wealthy ['welθɪ] adj riche.

wean [wi:n] vt sevrer.

weapon ['wepən] n arme f.

weaponize ['wepənaɪz] vt militariser.

weaponry ['wepənrɪ] n (indén) armement m.

wear [weəʳ] ◼ n (indén) 1. tenue f 2. usure f • **wear and tear** usure 3. • **these shoes have had a lot of wear** ces chaussures ont fait beaucoup d'usage. ◼ vt (prét **wore**, pp **worn**) 1. porter (un vêtement, des lunettes, une barbe) 2. user. ◼ vi (prét **wore**, pp **worn**) 1. s'user 2. • **to wear well** durer longtemps • **to wear badly** ne pas durer longtemps.
◼ **wear away** ◼ vt sép 1. user 2. abîmer. ◼ vi 1. s'user 2. s'abîmer.
◼ **wear down** ◼ vt sép 1. user 2. épuiser.
◼ **wear off** vi disparaître.
◼ **wear out** ◼ vt sép 1. user 2. épuiser. ◼ vi s'user.

weary ['wɪərɪ] adj 1. las(lasse) 2. (soupir) de lassitude 3. • **to be weary of sthg/of doing sthg** être las de qqch/de faire qqch.

weasel ['wi:zl] n belette f.

weather ['weðəʳ] ◼ n temps m • **to be under the weather** être patraque. ◼ vt surmonter.

weather-beaten [-,bi:tn] adj tanné(e).

weathercock ['weðəkɒk] n girouette f.

weather forecast n météo f, prévisions fpl météorologiques.

weatherman ['weðəmæn] (pl **-men** [-men]) n météorologue m.

weather vane [-veɪn] n girouette f.

weave [wi:v] ◼ vt (prét **wove**, pp **woven**) tisser. ◼ vi (prét **wove**, pp **woven**) se faufiler.

weaver ['wi:vəʳ] n tisserand m, -e f.

web, Web [web] n 1. toile f (d'araignée) 2. • **the web** le web, la Toile 3. fig tissu m.

web browser n navigateur m.

web designer n concepteur m de site Web.

weblog ['weblɒg] n weblog m.

web page, Web page n page f Web.

website, Web site ['websaɪt] n site m Internet ou Web.

wed [wed] (prét & pp **wed** ou **-ded**) littéraire ◼ vt épouser. ◼ vi se marier.

we'd [wi:d] = **we had, we would**.

wedding ['wedɪŋ] n mariage m.

wedding anniversary n anniversaire m de mariage.

wedding cake n pièce f montée.

wedding dress n robe f de mariée.

wedding ring n alliance f.

wedge [wedʒ] ◼ n 1. cale f (sous le pied d'une table) 2. coin m (pour fendre des matériaux) 3. morceau m (de gâteau, de fromage). ◼ vt caler.

Wednesday ['wenzdɪ] n mercredi m. • voir aussi **Saturday**

wee [wi:] ◼ adj (Écosse) petit(e). ◼ n (UK) fam pipi m. ◼ vi (UK) fam faire pipi.

weed [wi:d] ◼ n 1. mauvaise herbe f 2. (UK) fam mauviette f. ◼ vt désherber.

weedkiller ['wi:d,kɪləʳ] n désherbant m.

weedy ['wi:dɪ] adj (UK) fam qui agit comme une mauviette.

week [wi:k] n semaine f.

weekday ['wi:kdeɪ] n jour m de semaine.

weekend [,wi:k'end] n week-end m • **on** ou **at the weekend** le week-end.

weekly ['wi:klɪ] ◼ adj hebdomadaire. ◼ adv chaque semaine. ◼ n hebdomadaire m.

weep [wi:p] vt & vi (prét & pp **wept**) pleurer.

weeping willow [,wi:pɪŋ-] n saule m pleureur.

weigh [weɪ] vt 1. peser 2. • **to weigh anchor** lever l'ancre.
◼ **weigh down** vt sép 1. • **to be weighed down with sthg** plier sous le poids de qqch 2. • **to be weighed down by** ou **with sthg** être accablé par qqch.
◼ **weigh up** vt sép 1. (UK) examiner 2. juger, évaluer.

weight [weɪt] n litt & fig poids m • **to put on** ou **gain weight** grossir • **to lose weight** maigrir • **to pull one's weight** faire sa part du travail.

weighted ['weɪtɪd] adj • **to be weighted in favour of/against** être favorable/défavorable à.

weighting ['weɪtɪŋ] n 1. indemnité f 2. scol coefficient m.

weightlifting ['weɪt,lɪftɪŋ] n haltéro-philie f.

weighty ['weɪtɪ] adj important(e), de poids.

weir [wɪəʳ] n (UK) barrage m.

weird [wɪəd] adj bizarre.

welcome ['welkəm] ◼ adj 1. bienve-nu(e) 2. • **you're welcome to...** n'hési-tez pas à... 3. • **you're welcome** il n'y a pas de quoi, de rien. ◼ n accueil m. ◼ vt 1. accueillir 2. se réjouir de. ◼ interj bienvenue !

weld [weld] ◼ n soudure f. ◼ vt souder.

welfare ['welfeəʳ] ◼ adj social(e). ◼ n 1. bien-être m 2. (US) assistance f publi-que.

welfare state n État-providence m.

well [wel] ◼ adj (comp **better**, su-perl **best**) bien • **I'm very well, thanks** je vais très bien, merci • **all is well** tout va bien • **just as well** aussi bien. ◼ adv bien • **the team was well beaten** l'équipe a été battue à plates coutures • **to go well** aller bien • **well done!** bravo ! • **well and truly** bel et bien. ◼ n puits m. ◼ interj 1. heu !, eh bien ! 2. bon !, enfin ! 3. • **oh well!** eh bien ! 4. tiens !

◼ **as well** adv 1. aussi, également 2. • **I/ you etc may** ou **might as well (do sthg)** je/ tu etc ferais aussi bien (de faire qqch).

◼ **as well as** conj en plus de, aussi bien que.

◼ **well up** vi • **tears welled up in her eyes** les larmes lui montaient aux yeux.

we'll [wiːl] = **we shall, we will**.

well-advised [-əd'vaɪzd] adj sage • **you would be well-advised to do sthg** tu fe-rais bien de faire qqch.

well-behaved [-bɪ'heɪvd] adj sage.

wellbeing [,wel'biːɪŋ] n bien-être m.

well-built adj bien bâti(e).

well-done adj bien cuit(e).

well-dressed [-'drest] adj bien habil-lé(e).

well-earned [-ɜːnd] adj bien mérité(e).

well-heeled [-'hiːld] adj fam nanti(e).

wellington boots ['welɪŋtən-], **wel-lingtons** ['welɪŋtənz] npl (UK) bottes fpl de caoutchouc.

well-kept adj 1. (maison) bien tenu(e) 2. (secret) bien gardé(e).

well-known adj bien connu(e).

well-mannered [-'mænəd] adj bien éle-vé(e).

well-meaning adj bien intentionné(e).

well-nigh [-naɪ] adv presque, pratique-ment.

well-off adj 1. riche 2. • **to be well-off for sthg** être bien pourvu(e) en qqch.

well-read [-'red] adj cultivé(e).

well-rounded [-'raʊndɪd] adj com-plet(ète).

well-timed [-'taɪmd] adj bien calcu-lé(e).

well-to-do adj riche.

wellwisher ['wel,wɪʃəʳ] n admirateur m, -trice f.

Welsh [welʃ] ◼ adj gallois(e). ◼ n gallois m. ◼ npl • **the Welsh** les Gallois mpl.

Welsh Assembly n Assemblée f galloi-se ou du pays de Galles.

Welshman ['welʃmən] (pl -men [-mən]) n Gallois m.

Welshwoman ['welʃ,wʊmən] (pl -women [-,wɪmɪn]) n Galloise f.

went [went] passé ⟶ **go**.

wept [wept] passé & pp ⟶ **weep**.

were [wɜːʳ] ⟶ **be**.

we're [wɪəʳ] = **we are**.

weren't [wɜːnt] = **were not**.

west [west] ⬛ n **1.** ouest m **2.** ⬩ **the west** l'ouest m. ⬛ adj **1.** ouest (inv) **2.** d'ouest. ⬛ adv de l'ouest, vers l'ouest ⬩ **west of** à l'ouest de.
⬛ **West** n ⬩ **the West** l'Occident m.

West Bank n ⬩ **the West Bank** la Cisjordanie.

West Country n (UK) ⬩ **the West Country** le sud-ouest de l'Angleterre.

West End n (UK) ⬩ **the West End** le West-End (quartier des grands magasins et des théâtres, à Londres).

westerly ['westəlɪ] adj **1.** à l'ouest **2.** de l'ouest ⬩ **in a westerly direction** vers l'ouest.

western ['westən] ⬛ adj **1.** de l'ouest **2.** occidental(e). ⬛ n western m.

West German ⬛ adj ouest-allemand(e). ⬛ n Allemand m, -e f de l'Ouest.

West Germany n ⬩ **(former) West Germany** (ex-)Allemagne f de l'Ouest.

West Indian ⬛ adj antillais(e). ⬛ n Antillais m, -e f.

West Indies [-'ɪndiːz] npl ⬩ **the West Indies** les Antilles fpl.

Westminster ['westmɪnstər] n quartier de Londres où se situe le Parlement britannique.

westward ['westwəd] adj & adv vers l'ouest.

westwards ['westwədz] adv vers l'ouest.

wet [wet] ⬛ adj **1.** mouillé(e) **2.** pluvieux(euse) **3.** (peinture) frais(fraîche) **4.** (UK) fam péj ramolli(e). ⬛ n (UK) fam POLIT modéré m, -e f. ⬛ vt (prét & pp wet ou -ted) mouiller.

wet blanket n fam péj rabat-joie m inv.

wet suit n combinaison f de plongée.

we've [wiːv] = **we have.**

whack [wæk] fam ⬛ n **1.** (UK) part f **2.** grand coup m. ⬛ vt donner un grand coup à, frapper fort.

whale [weɪl] n baleine f.

wharf [wɔːf] (pl **-s** ou **wharves** [wɔːvz]) n NAUF quai m.

what [wɒt] ⬛ adj **1.** (dans des questions) quel(quelle), quels(quelles) (pl) ⬩ **what colour is it?** c'est de quelle couleur ? ⬩ **he asked me what colour it was** il m'a demandé de quelle couleur c'était **2.** (dans des exclamations) quel(quelle), quels(quelles) (pl) ⬩ **what a surprise!** quelle surprise ! ⬩ **what an idiot I am!** ce que je peux être bête ! ⬛ pron **1.** qu'est-ce qui, qu'est-ce que, que, quoi ⬩ **what are they doing?** qu'est-ce qu'ils font ?, que font-ils? ⬩ **what is going on?** qu'est-ce qui se passe ? ⬩ **what are they talking about?** de quoi parlent-ils ? ⬩ **what about another drink/going out for a meal?** et si on prenait un autre verre/

allait manger au restaurant ? • **what about the rest of us?** et nous alors ? • **what if...?** et si... ? **2.** ce qui, ce que • **I saw what happened/fell** j'ai vu ce qui s'était passé/était tombé • **you can't have what you want** tu ne peux pas avoir ce que tu veux. ◼ *interj* comment !, quoi !

whatever [wɒt'evəʳ] ◼ *adj* quel(quelle) que soit • **any book whatever** n'importe quel livre • **no chance whatever** pas la moindre chance • **nothing whatever** rien du tout. ◼ *pron* quoi que (+ subjonctif) • **I'll do whatever I can** je ferai tout ce que je peux • **whatever can this be?** qu'est-ce que cela peut bien être ? • **whatever that may mean** quoi que cela puisse bien vouloir dire • **or whatever** ou n'importe quoi d'autre.

whatsoever [ˌwɒtsəʊ'evəʳ] *adj* • **I had no interest whatsoever** je n'éprouvais pas le moindre intérêt • **nothing whatsoever** rien du tout.

wheat [wiːt] *n* blé *m*.

wheedle ['wiːdl] *vt* enjôler.

wheel [wiːl] ◼ *n* **1.** roue *f* **2.** AUTO volant *m*. ◼ *vt* pousser. ◼ *vi* • **to wheel (round)** (UK) OU **around** (US) se retourner brusquement.

wheelbarrow ['wiːlˌbærəʊ] *n* brouette *f*.

wheelchair ['wiːlˌtʃeəʳ] *n* fauteuil *m* roulant.

wheelclamp ['wiːlˌklæmp] ◼ *n* sabot *m* de Denver. ◼ *vt* • **my car was wheelclamped** on m'a mis un sabot à ma voiture.

wheeze [wiːz] ◼ *n* respiration *f* sifflante. ◼ *vi* respirer avec un bruit sifflant.

whelk [welk] *n* bulot *m*, buccin *m*.

when [wen] ◼ *adv* (dans des questions) quand • **when does the plane arrive?** quand OU à quelle heure arrive l'avion ? • **he asked me when I would be in London** il m'a demandé quand je serais à Londres. ◼ *conj* **1.** quand, lorsque • **he came to see me when I was abroad** il est venu me voir quand j'étais à l'étranger • **one day when I was on my own** un jour que OU où j'étais tout seul • **on the day when it happened** le jour où cela s'est passé **2.** alors que.

whenever [wen'evəʳ] ◼ *conj* **1.** quand **2.** chaque fois que. ◼ *adv* n'importe quand.

where [weəʳ] ◼ *adv* (dans des questions) où • **where do you live?** où habitez-vous ? • **do you know where he lives?** est-ce que vous savez où il habite ? ◼ *conj* **1.** où • **this is where...** c'est là que... **2.** alors que • **she described him as being lax where in fact he's quite strict** elle l'a décrit comme étant négligent alors qu'en fait il est assez strict.

whereabouts ◼ *adv* [ˌweərə'baʊts] où. ◼ *npl* ['weərəbaʊts] • **their whereabouts are still unknown** on ne sait toujours pas où ils se trouvent.

whereas [weər'æz] *conj* alors que.

whereby [weə'baɪ] *conj* sout par lequel(laquelle), au moyen duquel(de laquelle).

whereupon [ˌweərə'pɒn] *conj* sout après quoi, sur quoi.

wherever [weər'evəʳ] ◼ *conj* où que (+ subjonctif). ◼ *adv* **1.** n'importe où **2.** où donc • **wherever did you hear that?** mais où donc as-tu entendu dire cela ?

wherewithal ['weəwɪðɔːl] *n* sout • **to have the wherewithal to do sthg** avoir les moyens de faire qqch.

whet [wet] *vt* • **to whet sb's appetite for sthg** donner à qqn envie de qqch.

whether ['weðəʳ] *conj* **1.** si **2.** • **whether I want to or not** que je le veuille ou non.

which [wɪtʃ] ◼ *adj* **1.** (dans des questions) quel(quelle), quels(quelles) (pl) • **which house is yours?** quelle maison est la tienne ? • **which one?** lequel(laquelle) ? **2.** • **in which case** auquel cas. ◼ *pron* **1.** (dans des questions) lequel(laquelle), lesquels(lesquelles) (pl) • **which do you prefer?** lequel préférez-vous ? • **I can't decide which to have** je ne sais vraiment pas lequel prendre **2.** (dans les propositions relatives) qui, que, lequel(laquelle), lesquels(lesquelles) (pl) • **take the slice which is nearer to you** prends la tranche qui est le plus près de toi • **the television which we bought** le téléviseur que nous avons acheté • **the settee on which I am sitting** le canapé sur lequel je suis assis • **the film of which you spoke** le film dont vous avez parlé **3.** ce qui, ce que • **why did you say you were ill, which nobody believed?** pourquoi as-tu dit que tu étais malade, ce que personne n'a cru ?

which

Lorsque le mot *which* est le sujet de la phrase, le verbe qui suit se met soit au singulier soit au pluriel selon le contexte, bien que *which* soit lui-même invariable (*which is the right answer?* ; *which are our presents?*).
Notez que dans les questions, *which* se place en début de phrase et, s'il est accompagné d'une préposition (*to, in, etc*), celle-ci reste à sa place habituelle, après le verbe, du moins dans la langue de tous les jours (*which movie are you going to tonight?* ; *which department do you work in?*).
Voir aussi *what*.

whichever [wɪtʃ'evər] ■ *adj* quel(quelle) que soit. ■ *pron* **1.** celui qui *m*, celle qui *f*, ceux qui *mpl*, celles qui *fpl* **2.** n'importe lequel(laquelle).

whiff [wɪf] *n* **1.** bouffée *f* **2.** odeur *f* (*de nourriture*).

while [waɪl] ■ *n* moment *m* • **let's stay here for a while** restons ici un moment • **for a long while** longtemps • **after a while** après quelque temps. ■ *conj* **1.** pendant que **2.** tant que **3.** alors que.
■ **while away** *vt sép* passer.

whilst [waɪlst] *conj* (*US*) = **while**.

whim [wɪm] *n* lubie *f*.

whimper ['wɪmpər] *vt & vi* gémir.

whimsical ['wɪmzɪkl] *adj* capricieux(euse).

whine [waɪn] *vi* gémir.

whinge [wɪndʒ] *vi* (*UK*) • **to whinge (about)** se plaindre (de).

whip [wɪp] ■ *n* **1.** fouet *m* **2.** POLIT chef *m* de file (*d'un groupe parlementaire*). ■ *vt* **1.** fouetter **2.** • **to whip sthg out** sortir qqch brusquement • **to whip sthg off** ôter *ou* enlever qqch brusquement.

whipped cream [wɪpt-] *n* crème *f* fouettée.

whip-round *n* (*UK*) *fam* • **to have a whip-round** faire une collecte.

whirl [wɜːl] ■ *n litt & fig* tourbillon *m*. ■ *vt* • **to whirl sb/sthg round** (*UK*) *ou* **around** (*US*) faire tourbillonner qqn/qqch. ■ *vi* **1.** tourbillonner **2.** *fig* tourner.

whirlpool ['wɜːlpuːl] *n litt & fig* tourbillon *m*.

whirlwind ['wɜːlwɪnd] *n* tornade *f*.

whirr [wɜːr] *vi* ronronner.

whisk [wɪsk] ■ *n* fouet *m*, batteur *m* (à œufs). ■ *vt* **1.** emmener *ou* emporter rapidement **2.** CULIN battre.

whisker ['wɪskər] *n* moustache *f*.
■ **whiskers** *npl* favoris *mpl*.

whisky (*UK*), **whiskey** (*US*) (*(Irlande)* *pl* **-s**) ['wɪskɪ] *n* whisky *m*.

whisper ['wɪspər] *vt & vi* chuchoter.

whistle ['wɪsl] ■ *n* **1.** sifflement *m* **2.** sifflet *m*. ■ *vt & vi* siffler.

white [waɪt] ■ *adj* **1.** blanc(blanche) **2.** (*UK*) (*café*) au lait. ■ *n* **1.** blanc *m* **2.** Blanc *m*, Blanche *f*.

white-collar *adj* de bureau.

white elephant *n fig* objet *m* coûteux et inutile.

Whitehall ['waɪthɔːl] *n* rue de Londres, centre administratif du gouvernement britannique.

white-hot *adj* chauffé(e) à blanc.

White House *n* • **the White House** la Maison-Blanche.

white lie *n* pieux mensonge *m*.

whiteness ['waɪtnɪs] *n* blancheur *f*.

white paper *n* POLIT livre *m* blanc.

white sauce *n* sauce *f* blanche.

white spirit *n* (*UK*) white-spirit *m*.

whitewash ['waɪtwɒʃ] ■ *n* **1.** (*indén*) chaux *f* **2.** *péj* • **a government whitewash** une combine du gouvernement pour étouffer une affaire. ■ *vt* blanchir à la chaux.

whiting ['waɪtɪŋ] (*pl inv ou* **-s**) *n* merlan *m*.

Whitsun ['wɪtsn] *n* Pentecôte *f*.

whittle ['wɪtl] *vt* • **to whittle sthg away** *ou* **down** *fig* réduire qqch.

whiz, whizz [wɪz] *vi* aller à toute allure.

whiz(z) kid *n fam* petit prodige *m*.

who [huː] *pron* **1.** (*dans des questions*) qui • **who are you?** qui êtes-vous ? • **I didn't know who she was** je ne savais pas qui c'était **2.** (*dans des propositions relatives*) qui • **he's the doctor who treated me** c'est le médecin qui m'a soigné • **I don't know**

the person who came to see you je ne connais pas la personne qui est venue vous voir.

who

Lorsque le mot *who* est le sujet de la phrase, le verbe qui suit se met soit au singulier soit au pluriel selon le contexte, bien que *who* soit lui-même invariable (*who is coming to the concert?* ; *who are they?*).

Notez que dans les questions, *who* se place en début de phrase et, s'il est accompagné d'une préposition (*at, from, etc*), celle-ci reste à sa place habituelle, après le verbe, du moins dans la langue de tous les jours (*who are you staring at?* ; *who did you get the money from?*).

On peut omettre *who* lorsqu'il n'est pas le sujet de la proposition qui suit (*I just met some friends (who) I know from university*). S'il est sujet, en revanche, il est impossible de l'omettre (*I have a brother who is a teacher*).

who'd [huːd] = who had, who would.

whodu(n)nit [ˌhuːˈdʌnɪt] *n fam* roman *m* policier à énigme.

whoever [huːˈevəʳ] *pron* **1.** quiconque **2.** qui veut dire **3.** qui qu'il *(+ subjonctif)* • **whoever you are** qui que vous soyez • **whoever wins** qui que ce soit qui gagne.

whole [həʊl] ◼ *adj* **1.** entier(ère) **2.** • **a whole lot bigger** bien plus gros • **a whole new idea** une idée tout à fait nouvelle. ◼ *n* **1.** • **the whole of the school** toute l'école • **the whole of the summer** tout l'été **2.** tout *m*.

◼ **as a whole** *adv* dans son ensemble.
◼ **on the whole** *adv* dans l'ensemble.

wholefood ['həʊlfuːd] *n (UK)* aliments *mpl* complets.

whole-hearted [-'hɑːtɪd] *adj* sans réserve, total(e).

wholemeal ['həʊlmiːl] *(UK)*, **whole wheat** *(US) adj* complet(ète).

wholesale ['həʊlseɪl] ◼ *adj* **1.** COMM en gros **2.** COMM *(prix)* de gros **3.** *péj* en masse. ◼ *adv* **1.** COMM en gros **2.** *péj* en masse.

wholesaler ['həʊlˌseɪləʳ] *n* marchand *m* de gros, grossiste *mf*.

wholesome ['həʊlsəm] *adj (alimentation, vie)* sain(e).

whole wheat *(US)* = wholemeal.

who'll [huːl] = who will.

wholly [huːlɪ] *adv* totalement.

whom [huːm] *pron sout* **1.** *(dans des questions)* qui • **whom did you phone?** qui avez-vous appelé au téléphone ? • **for/of/to whom** pour/de/à qui **2.** *(dans des propositions relatives)* que • **the girl whom he married** la jeune fille qu'il a épousée • **the man of whom you speak** l'homme dont vous parlez • **the man to whom you were speaking** l'homme à qui vous parliez.

whom

On peut omettre *whom* lorsqu'il introduit une proposition relative (*I just met some friends (whom) I know from university*). En revanche, s'il est accompagné d'une préposition telle que *to, with, etc*, il est impossible de l'omettre (*these are the friends with whom I went to the theatre*).

Voir aussi *qui* dans la partie français-anglais du dictionnaire.

whooping cough ['huːpɪŋ-] *n* MÉD coqueluche *f*.

whopping ['wɒpɪŋ] *fam* ◼ *adj* énorme. ◼ *adv* • **a whopping great lorry/lie** un camion/mensonge absolument énorme.

whore [hɔːʳ] *n injur* putain *f*.

who're ['huːəʳ] = who are.

whose [huːz] ◼ *pron (dans des questions)* à qui • **whose is this?** à qui est ceci ? ◼ *adj* **1.** à qui • **whose car is that?** à qui est cette voiture ? • **whose son is he?** de qui est-il le fils ? **2.** *(dans des propositions relatives)* dont • **that's the boy whose father's an MP** c'est le garçon dont le père est député • **the girl whose mother you phoned yesterday** la fille à la mère de qui tu as téléphoné hier.

who's who [huːz-] *n* Bottin® *m* mondain.

who've [huːv] = who have.

why [waɪ] ◼ adv *(dans des questions)* pourquoi • **why did you lie to me?** pourquoi m'as-tu menti ? • **why don't you all come?** pourquoi ne pas tous venir ? • **why not?** pourquoi pas ? ◼ *conj* pourquoi • **I don't know why he said that** je ne sais pas pourquoi il a dit cela. ◼ *pron* • **there are several reasons why he left** il est parti pour plusieurs raisons • **I don't know the reason why** je ne sais pas pourquoi. ◼ *interj* tiens ! ◼ **why ever** adv pourquoi donc.

À PROPOS DE...

why

Why, utilisé avec *not* ou *don't*, peut servir à émettre une suggestion (*why don't we try again?*) ou à donner un conseil (*why not take a little more exercise?*).

wick [wɪk] n mèche f *(d'une bougie)*.

wicked ['wɪkɪd] adj **1.** mauvais(e) **2.** malicieux(euse).

wicker ['wɪkə'] adj en osier.

wickerwork ['wɪkəwɜːk] n vannerie f.

wicket ['wɪkɪt] n **1.** CRICKET guichet m **2.** CRICKET terrain m entre les guichets.

wide [waɪd] ◼ adj **1.** large • **how wide is the room?** quelle est la largeur de la pièce ? • **to be six metres wide** faire six mètres de large *ou* de largeur **2.** grand(e) **3.** vaste. ◼ adv **1.** largement • **open wide!** ouvrez grand ! **2.** • **the shot went wide** le coup est passé loin du but *ou* à côté.

wide-angle lens n objectif m grand angle.

wide-awake adj tout à fait réveillé(e).

widely ['waɪdlɪ] adv **1.** largement **2.** beaucoup • **to be widely read** avoir beaucoup lu • **it is widely believed that...** beaucoup pensent que...

widen ['waɪdn] vt **1.** élargir **2.** agrandir.

wide open adj grand ouvert(grande ouverte).

wide-ranging [-'reɪndʒɪŋ] adj **1.** varié(e) **2.** *(rapport, étude)* de grande envergure.

widespread ['waɪdspred] adj très répandu(e).

widow ['wɪdəʊ] n veuve f.

widowed ['wɪdəʊd] adj veuf(veuve).

widower ['wɪdəʊə'] n veuf m.

width [wɪdθ] n largeur f • **in width** de large.

wield [wiːld] vt **1.** manier *(une arme)* **2.** exercer *(le pouvoir)*.

wife [waɪf] *(pl* **wives** [waɪvz]*)* n femme f, épouse f.

WiFi ['waɪfaɪ] *(abr de* **wireless fidelity***)* n INFORM WiFi m.

wig [wɪg] n perruque f.

wiggle ['wɪgl] fam vt remuer.

wild [waɪld] adj **1.** sauvage **2.** déchaîné(e) **3.** fou(folle) **4.** fantaisiste • **I made a wild guess** j'ai dit ça au hasard. ◼ **wilds** npl • **the wilds of** le fin fond de • **to live in the wilds** habiter en pleine nature.

wilderness ['wɪldənɪs] n étendue f sauvage.

wild-goose chase n fam • **it turned out to be a wild-goose chase** ça s'est révélé être totalement inutile.

wildlife ['waɪldlaɪf] n *(indén)* faune f et flore f.

wildly ['waɪldlɪ] adv **1.** frénétiquement **2.** au hasard **3.** *(tirer avec une arme)* dans tous les sens **4.** tout à fait.

wilful *(UK)*, **willful** *(US)* ['wɪlfʊl] adj **1.** obstiné(e) **2.** délibéré(e).

will [wɪl] ◼ n **1.** volonté f • **against one's will** contre son gré **2.** testament m • **she made a will last year** elle a fait son testament l'année dernière. ◼ vt *(indique une volonté forte de voir une action se produire)* • **you must will it really hard if you wish to succeed** tu dois le vouloir très fort si tu veux réussir • **he was willing her to accept** il souhaitait ardemment qu'elle accepte.

---

will [wɪl] *aux modal*

1. EXPRIME UNE IDÉE DE FUTUR
• **I will see you next week** je te verrai la semaine prochaine
• **when will you have finished it?** quand est-ce que vous l'aurez fini ?
• **will you be here next week? – yes I will/no I won't** est-ce que tu seras là la semaine prochaine ? – oui/non

2. EXPRIME UNE VOLONTÉ, UN CHOIX

• **will you have some more tea?** voulez-vous encore du thé ?

• **I won't do it** je refuse de le faire

3. POUR DONNER UN ORDRE

• **you will leave this house at once!** tu vas quitter cette maison tout de suite !

• **close that window, will you?** ferme cette fenêtre, veux-tu ?

• **will you be quiet!** veux-tu te taire !

4. EXPRIME UNE POSSIBILITÉ, UNE CAPACITÉ

• **the hall will hold up to 1000 people** la salle peut abriter jusqu'à 1 000 personnes

5. EXPRIME UNE DÉDUCTION, UNE QUASI-CERTITUDE

• **that'll be your father** cela doit être ton père

• **I can't tell you myself but he will know** je ne peux pas vous le dire moi-même, mais lui doit le savoir

6. EXPRIME UNE ACTION HABITUELLE, AVEC PARFOIS UNE POINTE D'OBSTINATION

• **he will ask silly questions!** il faut toujours qu'il pose ses questions stupides !

• **she will talk all the time** elle ne peut pas s'empêcher *ou* s'arrêter de parler !

7. DANS DES EXPRESSIONS

• **boys will be boys** il faut (bien) que jeunesse se passe.

À PROPOS DE... **will**

Il existe une utilisation particulière de *will*, qui permet de décrire une habitude ou une vérité permanente (*cats won't eat vegetables*, « les chats ne mangent pas de légumes »). Cette tournure indique souvent la désapprobation du locuteur (*he will call when we're in the middle of dinner*, « il faut toujours qu'il appelle au milieu du repas »). Dans les questions et en conjonction avec *you*, *will* peut servir à formuler une demande (*will you cook dinner this evening?*). *Would* s'utilise exactement de la même manière, mais donne un ton encore plus poli à la question (*would you cook dinner this evening?*).

willful *(US)* = **wilful**.

willing ['wɪlɪŋ] *adj* **1.** • **if you're willing** si vous voulez bien • **to be willing to do sthg** être prêt(e) à faire qqch **2.** enthousiaste.

willingly ['wɪlɪŋlɪ] *adv* volontiers.

willow (tree) ['wɪləʊ-] *n* saule *m*.

willpower ['wɪl,paʊəʳ] *n* volonté *f*.

willy-nilly [,wɪlɪ'nɪlɪ] *adv* **1.** n'importe comment **2.** bon gré mal gré.

wilt [wɪlt] *vi* **1.** se faner **2.** *fig* dépérir.

wily ['waɪlɪ] *adj* rusé(e).

Wimbledon ['wɪmbldn] *n* tournois annuel de tennis à Londres.

wimp [wɪmp] *n fam péj* mauviette *f*.

win [wɪn] ◼ *n* victoire *f*. ◼ *vt* (*prét & pp* won) **1.** gagner **2.** obtenir. ◼ *vi* gagner.

◼ **win over, win round** *(UK) vt sép* convaincre.

wince [wɪns] *vi* • **to wince (at/with)** tressaillir (à/de) • grimacer (à/de).

winch [wɪntʃ] *n* treuil *m*.

wind¹ [wɪnd] *n* **1.** vent *m* **2.** souffle *m* **3.** *(indén)* gaz *mpl*. ◼ *vt* couper le souffle à.

wind² [waɪnd] (*prét & pp* wound) ◼ *vt* **1.** enrouler **2.** remonter *(une pendule)*. ◼ *vi* serpenter.

◼ **wind down** ◼ *vt sép* **1.** *(UK)* baisser *(une vitre de voiture)* **2.** cesser graduellement. ◼ *vi* se détendre.

◼ **wind up** *vt sép* **1.** clôturer *(un compte)* **2.** liquider *(une entreprise)* **3.** *(UK)* remonter *(une montre, une vitre de voiture)* **4.** *(UK) fam* faire marcher **5.** *fam* • **to wind up doing sthg** finir par faire qqch.

windfall ['wɪndfɔl] *n* aubaine *f*.

winding ['waɪndɪŋ] *adj* sinueux(euse).

wind instrument [wɪnd-] *n* instrument *m* à vent.

windmill ['wɪndmɪl] *n* moulin *m* à vent.

window ['wɪndəʊ] *n* **1.** fenêtre *f* **2.** vitre *f* **3.** vitrine *f*.

window box *n* jardinière *f*.

window cleaner *n* laveur *m*, -euse *f* de carreaux.

window ledge *n* rebord *m* de fenêtre.

windowpane *n* vitre *f*.

windowsill ['wɪndəʊsɪl] *n* **1.** rebord *m* de fenêtre **2.** *(à l'intérieur)* appui *m* de fenêtre.

windpipe ['wɪndpaɪp] *n* trachée *f*.

windscreen *(UK)* ['wɪndskriːn], **windshield** *(US)* ['wɪndʃiːld] *n* pare-brise *m inv*.

windscreen washer *n (UK)* lave-glace *m*.

windscreen wiper [-,waɪpəʳ] *n (UK)* essuie-glace *m*.

windshield *(US)* = **windscreen**.

windsurfing ['wɪnd,sɜːfɪŋ] *n* • **to go windsurfing** faire de la planche à voile.

windswept ['wɪndswept] *adj* balayé(e) par les vents.

wind turbine *n* éolienne *f*.

windy ['wɪndɪ] *adj* venteux(euse) • **it's windy** il y a du vent.

wine [waɪn] *n* vin *m*.

wine bar *n (UK)* bar *m* à vin.

wine cellar *n* cave *f* (à vin).

wineglass ['waɪnglɑːs] *n* verre *m* à vin.

wine list *n* carte *f* des vins.

wine merchant *n (UK)* marchand *m*, -e *f* de vins.

wine tasting [-,teɪstɪŋ] *n* dégustation *f* (de vins).

wine waiter *n* sommelier *m*.

wing [wɪŋ] *n* aile *f*.
■ **wings** *npl* • **the wings** les coulisses *fpl*.

winger ['wɪŋəʳ] *n* ailier *m*.

wink [wɪŋk] ■ *n* clin *m* d'œil. ■ *vi* • **to wink (at sb)** faire un clin d'œil (à qqn).

winkle ['wɪŋkl] ■ **winkle out** *vt sép* extirper.

winner ['wɪnəʳ] *n* gagnant *m*, -e *f*.

winning ['wɪnɪŋ] *adj* gagnant(e).
■ **winnings** *npl* gains *mpl*.

winning post *n* poteau *m* d'arrivée.

winter ['wɪntəʳ] ■ *n* hiver *m* • **in winter** en hiver. ■ *en apposition* d'hiver.

winter sports *npl* sports *mpl* d'hiver.

wintertime ['wɪntətaɪm] *n (indén)* hiver *m*.

wint(e)ry ['wɪntrɪ] *adj* d'hiver.

wipe [waɪp] ■ *n* • **to give sthg a wipe** essuyer qqch **2.** lingette *f*. ■ *vt* essuyer.
■ **wipe out** *vt sép* **1.** effacer **2.** anéantir.
■ **wipe up** *vt sép & vi* essuyer.

wire ['waɪəʳ] ■ *n* **1.** *(indén)* fil *m* de fer **2.** ÉLECTR fil *m* **3.** *(surtout US)* télégramme *m*. ■ *vt* **1.** ÉLECTR • installer • faire l'installation électrique de **2.** *(surtout US)* télégraphier à.

wirefree ['waɪəfriː] *adj* sans fil.

wireless ['waɪəlɪs] *n vieilli* T.S.F. *f*

wiring ['waɪərɪŋ] *n (indén)* installation *f* électrique.

wiry ['waɪərɪ] *adj* **1.** crépu(e) **2.** noueux(euse).

wisdom ['wɪzdəm] *n* sagesse *f*.

wisdom tooth *n* dent *f* de sagesse.

wise [waɪz] *adj* sage.

wisecrack ['waɪzkræk] *n péj* vanne *f* *(plaisanterie)*.

wise guy *n fam* malin *m*.

wish [wɪʃ] ■ *n* **1.** souhait *m*, désir *m* • **wish for sthg/to do sthg** désir de qqch/de faire qqch **2.** vœu *m*. ■ *vt* **1.** • **to wish to do sthg** souhaiter faire qqch • **I wish (that) he'd come** j'aimerais bien qu'il vienne • **I wish I could** si seulement je pouvais **2.** • **to wish sb sthg** souhaiter qqch à qqn. ■ *vi* • **to wish for sthg** souhaiter qqch.
■ **wishes** *npl* • **best wishes** meilleurs vœux • **(with) best wishes** bien amicalement.

À PROPOS DE...

wish

Lorsque *wish* est suivi du verbe *be*, on peut employer le subjonctif du verbe *be (were)* au lieu de *was (I wish I was/were rich)*. Notez toutefois que dans ce cas, *were* est d'un registre plus soutenu que *was*.

wishful thinking [,wɪʃful-] *n* • **that's just wishful thinking** c'est prendre mes/ses *etc* désirs pour des réalités.

wishy-washy ['wɪʃɪ,wɒʃɪ] *adj fam péj* **1.** sans personnalité **2.** *(idées)* vague.

wisp [wɪsp] *n* **1.** mèche *f* **2.** mince filet *m ou* volute *f*.

wistful ['wɪstfʊl] *adj* nostalgique.

wit [wɪt] *n* **1.** esprit *m* **2.** • **to have the wit to do sthg** avoir l'intelligence de faire qqch.
■ **wits** *npl* • **to have *ou* keep one's wits about one** être attentif(ive).

witch [wɪtʃ] *n* sorcière *f*.

with [wɪð] *prép* **1.** *(en compagnie de)* avec ▪ **I play tennis with his wife** je joue au tennis avec sa femme ▪ **we stayed with them for a week** nous avons passé une semaine chez eux **2.** *(indique l'opposition)* avec ▪ **to argue with sb** discuter avec qqn ▪ **the war with Germany** la guerre avec *ou* contre l'Allemagne **3.** *(indique le moyen, la manière, introduit les sentiments)* avec ▪ **I washed it with detergent** je l'ai lavé avec un détergent ▪ **she was trembling with fright** elle tremblait de peur **4.** *(qui a, qui possède)* avec ▪ **a man with a beard** un homme à la barbe ▪ **the man with the moustache** l'homme à la moustache **5.** *(concernant)* ▪ **he's very mean with money** il est très avare ▪ **the trouble with her is that...** l'ennui avec elle c'est que... **6.** *(indique la simultanéité)* ▪ **I can't do it with you watching me** je ne peux pas le faire quand tu me regardes **7.** *(à cause de)* ▪ **with my luck, I'll probably lose** avec ma chance habituelle, je suis sûr de perdre ▪ **I'm with you** je vous suis ▪ je suis des vôtres ▪ je suis d'accord avec vous.

withdraw [wɪð'drɔː] *(prét* **-drew**, *pp* **-drawn)** ◪ *vt* **1.** *sout* ▪ **to withdraw sthg (from)** enlever qqch (de) **2.** retirer. ◪ *vi* **1.** *sout* ▪ **to withdraw (from)** se retirer (de) **2.** se replier ▪ **to withdraw from** évacuer **3.** ▪ **to withdraw (from)** se retirer (de).

withdrawal [wɪð'drɔːəl] *n* **1.** ▪ **withdrawal (from)** retrait *m* (de) **2.** MIL repli *m*.

withdrawal symptoms *npl* crise *f* de manque.

withdrawn [wɪð'drɔːn] ◪ *pp* ⊳ **withdraw.** ◪ *adj* renfermé(e).

withdrew [wɪð'druː] *passé* ⊳ **withdraw.**

wither [ˈwɪðər] *vi* **1.** se flétrir **2.** mourir.

withhold [wɪð'həʊld] *(prét & pp* **-held** [-'held]) *vt* **1.** refuser **2.** cacher **3.** retenir ▪ **they withhold 2% of the profits** ils retiennent 2 % des bénéfices.

within [wɪ'ðɪn] ◪ *prép* **1.** à l'intérieur de, dans ▪ **within her** en elle, à l'intérieur d'elle-même **2.** dans les limites de **3.** dans **4.** à moins de **5.** d'ici, en moins de ▪ **within the week** avant la fin de la semaine. ◪ *adv* à l'intérieur.

without [wɪð'aʊt] ◪ *prép* sans ▪ **without a coat** sans manteau ▪ **I left without seeing him** je suis parti sans l'avoir vu

▪ **I left without him seeing me** je suis parti sans qu'il m'ait vu ▪ **to go without sthg** se passer de qqch. ◪ *adv* ▪ **to go** *ou* **do without** s'en passer.

withstand [wɪð'stænd] *(prét & pp* **-stood** [-'stʊd]) *vt* résister à.

witness [ˈwɪtnɪs] ◪ *n* **1.** témoin *mf* ▪ **to be witness to sthg** être témoin de qqch **2.** ▪ **to bear witness to sthg** témoigner de qqch. ◪ *vt* **1.** être témoin de **2.** *fig* assister à **3.** contresigner.

witness box (UK), **witness stand** (US) *n* barre *f* des témoins.

witticism [ˈwɪtɪsɪzm] *n* mot *m* d'esprit.

witty [ˈwɪtɪ] *adj* plein(e) d'esprit, spirituel(elle).

wives [waɪvz] *npl* ⊳ **wife.**

wizard [ˈwɪzəd] *n* **1.** magicien *m* **2.** *fig* as *m*, champion *m*, -onne *f*.

WMD *(abr de* **weapons of mass destruction)** *npl* ADM *fpl.*

wobble [ˈwɒbl] *vi* **1.** trembler **2.** *(chaise, table)* branler.

woe [wəʊ] *n littéraire* malheur *m*.

woke [wəʊk] *passé* ⊳ **wake.**

woken [ˈwəʊkn] *pp* ⊳ **wake.**

wolf [wʊlf] *(pl* **wolves** [ˈwʊlvz]) *n* loup *m*.

woman [ˈwʊmən] *(pl* **women)** ◪ *n* femme *f*. ◪ *en apposition* ▪ **woman doctor** femme *f* médecin ▪ **woman teacher** professeur *m* femme.

womanly [ˈwʊmənlɪ] *adj* féminin(e).

womb [wuːm] *n* utérus *m*.

women [ˈwɪmɪn] *npl* ⊳ **woman.**

women's lib *n* libération *f* de la femme.

women's liberation *n* libération *f* de la femme.

won [wʌn] *passé & pp* ⊳ **win.**

wonder [ˈwʌndər] ◪ *n* **1.** *(indén)* étonnement *m* **2.** ▪ **it's a wonder (that)...** c'est un miracle que... ▪ **it's no** *ou* **little wonder (that)...** il n'est pas étonnant que... **3.** merveille *f*. ◪ *vt* **1.** ▪ **to wonder (if** *ou* **whether)** se demander (si) **2.** ▪ **I wonder whether you would mind shutting the window?** cela ne vous ennuierait pas de fermer la fenêtre ? ◪ *vi* se demander ▪ **to wonder about sthg** s'interroger sur qqch.

wonderful [ˈwʌndəfʊl] *adj* merveilleux(euse).

wonderfully [ˈwʌndəfʊlɪ] *adv* **1.** merveilleusement, à merveille **2.** extrêmement.

won't [wəʊnt] = **will not**.

woo [wuː] *vt littéraire* courtiser.

wood [wʊd] ◼ *n* bois *m*. ◼ *en apposition* en bois.
◼ **woods** *npl* bois *mpl*.

wooded [ˈwʊdɪd] *adj* boisé(e).

wooden [ˈwʊdn] *adj* **1.** en bois **2.** *péj* raide.

woodpecker [ˈwʊdˌpekər] *n* pivert *m*.

woodwind [ˈwʊdwɪnd] *n* • **the wood-wind** les bois *mpl*.

woodwork [ˈwʊdwɜːk] *n* menuiserie *f*.

woodworm [ˈwʊdwɜːm] *n* ver *m* du bois.

wool [wʊl] *n* laine *f* • **to pull the wool over sb's eyes** *fam* rouler qqn (dans la farine).

woollen *(UK)*, **woolen** *(US)* [ˈwʊlən] *adj* en laine, de laine.
◼ **woollens** *npl* lainages *mpl*.

woolly, wooly [ˈwʊlɪ] *adj* **1.** en laine, de laine **2.** *fam* confus(e).

word [wɜːd] ◼ *n* **1.** mot *m* • **too stupid for words** vraiment trop bête • **word for word** *(répéter)* mot pour mot • *(traduire)* mot à mot • **in other words** en d'autres mots • **in a word** en un mot • **to have a word (with sb)** parler (à qqn) • **she doesn't mince her words** elle ne mâche pas ses mots • **I couldn't get a word in edgeways** je n'ai pas réussi à placer un seul mot **2.** *(indén)* nouvelles *fpl* • **she brought them word of Tom** elle leur a apporté des nouvelles de Tom **3.** parole *f* • **to give sb one's word** donner sa parole à qqn. ◼ *vt* rédiger.

wording [ˈwɜːdɪŋ] *n (indén)* termes *mpl*.

word processing *n (indén)* traitement *m* de texte.

word processor [-ˌprəʊsesər] *n* machine *f* à traitement de texte.

wore [wɔːr] *passé* ▷ **wear**.

work [wɜːk] ◼ *n* **1.** *(indén)* travail *m*, emploi *m* • **out of work** sans emploi, au chômage • **at work** au travail **2.** *(activité)* travail *m* • **she put a lot of work into that book** elle a beaucoup travaillé sur ce livre **3.** ART & LITTÉR œuvre *f*. ◼ *vi* **1.** travailler • **to work on sthg** travailler à qqch **2.** fonctionner, marcher **3.** • **to work loose** se desserrer. ◼ *vt* **1.** faire travailler **2.** faire marcher **3.** *(bois, métal)* travailler.
◼ **works** ◼ *n* usine *f*. ◼ *npl* **1.** mécanisme *m* **2.** travaux *mpl*.
◼ **work on** *vt insép* **1.** travailler à **2.** se baser sur.
◼ **work out** ◼ *vt sép* **1.** mettre au point **2.** trouver. ◼ *vi* **1.** • **to work out at** *(UK)* ou **to** *(US)* s'élever **2.** se dérouler **3.** (bien) marcher **4.** s'entraîner.
◼ **work up** *vt sép* • • **to work o.s. up into a rage** se mettre en rage **2.** • **to work up an appetite** s'ouvrir l'appétit • **to work up enthusiasm** s'enthousiasmer.

workable [ˈwɜːkəbl] *adj* **1.** réalisable **2.** fonctionnel(elle).

workaholic [ˌwɜːkəˈhɒlɪk] *n* bourreau *m* de travail.

workday [ˈwɜːkdeɪ] *n* jour *m* ouvrable.

worked up [ˌwɜːkt-] *adj* dans tous ses états.

worker [ˈwɜːkər] *n* travailleur *m*, -euse *f*, ouvrier *m*, -ère *f*.

workforce [ˈwɜːkfɔːs] *n* main *f* d'œuvre.

working [ˈwɜːkɪŋ] *adj* **1.** qui marche **2.** qui travaille **3.** *(conditions, tenue, heures)* de travail.
◼ **workings** *npl* mécanisme *m*.

working class *n* • **the working class** la classe ouvrière.
◼ **working-class** *adj* ouvrier(ère).

working order *n* • **in working order** en état de marche.

workload [ˈwɜːkləʊd] *n* quantité *f* de travail.

workman [ˈwɜːkmən] *n* (*pl* **-men** [-mən]) *n* ouvrier *m*.

workmanship [ˈwɜːkmənʃɪp] *(indén) n* **1.** métier *m*, maîtrise *f* **2.** travail *m*, fabrication *f*.

workmate [ˈwɜːkmeɪt] *n* camarade *mf* ou collègue *mf* de travail.

work permit [-ˌpɜːmɪt] *n* permis *m* de travail.

workplace [ˈwɜːkpleɪs] *n* lieu *m* de travail.

workshop [ˈwɜːkʃɒp] *n* INDUST atelier *m*.

workspace [ˈwɜːkspeɪs] *n* INFORM bureau *m*.

workstation [ˈwɜːkˌsteɪʃn] *n* poste *m* de travail.

worktop ['wɜːktɒp] n (UK) plan m de travail.

work-to-rule n (UK) grève f du zèle.

world [wɜːld] ◆ n monde m ◆ **to think the world of sb** admirer qqn énormément ◆ **a world of difference** une énorme différence. ◆ en apposition 1. mondial(e) 2. universel(elle) 3. du monde.

world-class adj de niveau international.

world-famous adj de renommée mondiale.

worldly ['wɜːldlɪ] adj de ce monde, matériel(elle).

World War I n la Première Guerre mondiale.

World War II n la Deuxième Guerre mondiale.

worldwide ['wɜːldwaɪd] ◆ adj mondial(e). ◆ adv dans le monde entier.

worm [wɜːm] n ver m.

worn [wɔːn] ◆ pp ▷ **wear**. ◆ adj 1. usé(e) 2. las(lasse).

worn-out adj 1. usé(e) 2. épuisé(e).

worried ['wʌrɪd] adj inquiet(ète).

worry ['wʌrɪ] ◆ n 1. (inquiétude) souci m 2. souci m, ennui m. ◆ vt inquiéter, tracasser. ◆ vi s'inquiéter ◆ **to worry about** se faire du souci au sujet de ◆ **don't worry! ou not to worry!** ne vous en faites pas !

worrying ['wʌrɪɪŋ] adj inquiétant(e).

worse [wɜːs] ◆ adj 1. pire ◆ **to get worse** empirer 2. ◆ **he's worse today** il va plus mal aujourd'hui. ◆ adv plus mal ◆ **they're even worse off** c'est encore pire pour eux ◆ **worse off** plus pauvre. ◆ n pire m ◆ **for the worse** pour le pire.

worsen ['wɜːsn] vt & vi empirer.

worship ['wɜːʃɪp] ◆ vt (US & UK) RELIG adorer. ◆ n 1. (indén) culte m 2. adoration f. ◆ **Worship** n ◆ **Your/Her/His Worship** Votre/Son Honneur m.

worst [wɜːst] ◆ adj ◆ **the worst** le pire(la pire), le plus mauvais(la plus mauvaise). ◆ adv le plus mal ◆ **the worst affected area** la zone la plus touchée. ◆ n ◆ **the worst** le pire ◆ **if the worst comes to the worst** au pire. ◆ **at (the) worst** adv au pire.

worth [wɜːθ] ◆ prép 1. ◆ **to be worth sthg** valoir qqch ◆ **how much is it worth?**

combien cela vaut-il ? 2. ◆ **it's worth a visit** cela vaut une visite ◆ **to be worth doing sthg** valoir la peine de faire qqch. ◆ n valeur f ◆ **a week's/£20 worth of groceries** pour une semaine/20 livres d'épicerie.

worthless ['wɜːθlɪs] adj 1. sans valeur, qui ne vaut rien 2. qui n'est bon à rien.

worthwhile [,wɜːθ'waɪl] adj 1. qui en vaut la peine 2. (cause, projet) louable.

worthy ['wɜːðɪ] adj 1. digne 2. ◆ **to be worthy of sthg** mériter qqch 3. péj brave.

1. DANS UN DISCOURS RAPPORTÉ
◆ **she said she would come** elle a dit qu'elle viendrait

2. EXPRIME LE CONDITIONNEL
◆ **what would you do?** que ferais-tu ?
◆ **what would you have done?** qu'aurais-tu fait ?
◆ **he would do anything for her** il ferait n'importe quoi pour elle
◆ **I would be most grateful** je vous en serais très reconnaissant

3. AVEC « IF », POUR DONNER UN CONSEIL
◆ **I wouldn't worry if I were you** à ta place, je ne m'inquièterais pas
◆ **I would report it if I were you** si j'étais vous, je préviendrais les autorités

4. POUR EXPRIMER LA VOLONTÉ
◆ **she wouldn't go** elle ne voulait pas y aller
◆ **I tried to explain him the situation but he wouldn't listen to me** j'ai essayé de lui expliquer la situation, mais il n'a pas voulu m'écouter

5. DANS DES DEMANDES POLIES
◆ **would you like a drink?** voulez-vous ou voudriez-vous à boire ?
◆ **would you mind closing the window?** cela vous ennuierait de fermer la fenêtre ?

6. POUR INDIQUER UNE CARACTÉRISTIQUE, UNE HABITUDE
◆ **he would say that** j'étais sûr qu'il allait dire ça, ça ne m'étonne pas de lui
◆ **you would go and tell her!** il a fallu que tu ailles lui dire !

7. POUR EXPRIMER UNE ACTION QUI ÉTAIT HABITUELLE DANS LE PASSÉ
◆ **he would smoke a cigar after dinner** il fumait un cigare après le dîner

• **she would often complain about the neighbours** elle se plaignait souvent des voisins
• **the dinner would always be ready when they arrived home** le dîner était toujours prêt quand ils rentraient

8. POUR EXPRIMER UNE PROBABILITÉ
• **he'd be about 50 but he doesn't look it** il doit avoir 50 ans, mais il ne les fait pas.

would-be *adj* prétendu(e).

wouldn't ['wʊdnt] = **would not.**

would've ['wʊdəv] = **would have.**

wound[1] [wu:nd] ◼ *n* blessure *f.* ◼ *vt* blesser.

wound[2] [waʊnd] *passé & pp* ▷ **wind**[2].

wove [wəʊv] *passé* ▷ **weave.**

woven ['wəʊvn] *pp* ▷ **weave.**

WP *n* (*abr de* **word processing, word processor**) TTX *m.*

wrangle ['ræŋgl] ◼ *n* dispute *f.* ◼ *vi* • **to wrangle (with sb over sthg)** se disputer (avec qqn à propos de qqch).

wrap [ræp] ◼ *vt* • **to wrap sthg (in)** envelopper *ou* emballer qqch (dans) • **to wrap sthg around** *ou* **round** (*UK*) **sthg** enrouler qqch autour de qqch. ◼ *n* châle *m.*
  ◼ **wrap up** ◼ *vt sép* envelopper, emballer. ◼ *vi* • **wrap up well** *ou* **warmly!** couvrez-vous bien !

wrapper ['ræpər] *n* **1.** papier *m* **2.** (*UK*) jaquette *f*, couverture *f* (*d'un livre*).

wrapping ['ræpɪŋ] *n* emballage *m.*

wrapping paper *n* (*indén*) papier *m* d'emballage.

wrath [rɒθ] *n* (*indén*) *littéraire* courroux *m.*

wreak [ri:k] *vt* entraîner.

wreath [ri:θ] *n* couronne *f.*

wreck [rek] ◼ *n* **1.** épave *f* **2.** *fam* loque *f.* ◼ *vt* **1.** détruire **2.** provoquer le naufrage de • **to be wrecked** s'échouer **3.** gâcher **4.** ruiner.

wreckage ['rekɪdʒ] *n* (*indén*) débris *mpl.*

wren [ren] *n* roitelet *m.*

wrench [rentʃ] ◼ *n* clef *f* anglaise. ◼ *vt* **1.** tirer violemment • **to wrench sthg off** arracher qqch **2.** se tordre (*la cheville, le bras*).

wrestle ['resl] *vi* **1.** • **to wrestle (with sb)** lutter (contre qqn) **2.** *fig* • **to wrestle with sthg** se débattre *ou* lutter contre qqch.

wrestler ['reslər] *n* lutteur *m*, -euse *f.*

wrestling ['reslɪŋ] *n* SPORT lutte *f.*

wretch [retʃ] *n* pauvre diable *m.*

wretched ['retʃɪd] *adj* **1.** misérable **2.** *fam* fichu(e).

wriggle ['rɪgl] *vi* remuer, se tortiller.

wring [rɪŋ] (*prét & pp* **wrung**) *vt* essorer.

wringing ['rɪŋɪŋ] *adj* • **wringing (wet)** trempé(e).

wrinkle ['rɪŋkl] ◼ *n* **1.** ride *f* **2.** pli *m.* ◼ *vt* plisser. ◼ *vi* se plisser, faire des plis.

wrist [rɪst] *n* poignet *m.*

wristwatch ['rɪstwɒtʃ] *n* montrebracelet *f.*

writ [rɪt] *n* acte *m* judiciaire.

write [raɪt] (*prét* **wrote**, *pp* **written**) ◼ *vt* **1.** écrire **2.** (*US*) écrire à **3.** faire (*un chèque*). ◼ *vi* écrire • **to write to sb** écrire à qqn.
  ◼ **write back** *vi* répondre.
  ◼ **write down** *vt sép* écrire, noter.
  ◼ **write into** *vt sép* • **to write a clause into a contract** insérer une clause dans un contrat.
  ◼ **write off** *vt sép* **1.** considérer comme fichu **2.** passer aux pertes et profits **3.** considérer comme fini **4.** (*UK*) *fam* bousiller.
  ◼ **write up** *vt sép* mettre au propre.

write-off *n* *fam* • **to be a write-off** (*UK*) être complètement démoli(e).

writer ['raɪtər] *n* **1.** écrivain *m*, -e *f* **2.** auteur *m*, -e *f.*

writhe [raɪð] *vi* se tordre.

writing ['raɪtɪŋ] *n* (*indén*) **1.** écriture *f* • **in writing** par écrit **2.** écrit *m.*

writing paper *n* (*indén*) papier *m* à lettres.

written ['rɪtn] ◼ *pp* ▷ **write.** ◼ *adj* écrit(e).

wrong [rɒŋ] ◼ *adj* **1.** qui ne va pas • **is something wrong?** y a-t-il quelque chose qui ne va pas ? • **what's wrong?** qu'est-ce qui ne va pas ? • **there's something wrong with the switch** l'interrupteur ne marche pas bien **2.** qui ne convient pas **3.** faux(fausse) **4.** mauvais(e) • **to be wrong** avoir tort • **to be**

wrong to do sthg avoir tort de faire qqch **5.** ∎ **it's wrong to...** c'est mal de... ∎ *adv* mal ∎ **to get sthg wrong** se tromper à propos de qqch ∎ **to go wrong** se tromper, faire une erreur ∎ se détraquer. ∎ *n* mal *m* ∎ **to be in the wrong** être dans son tort. ∎ *vt* faire du tort à.

wrongful ['rɒŋfʊl] *adj* **1.** injuste **2.** injustifié(e).

wrongly ['rɒŋlı] *adv* **1.** mal **2.** à tort.

wrong number *n* faux numéro *m*.

wrote [rəʊt] *passé* ▷ **write**.

wrought iron [rɔt-] *n* fer *m* forgé.

wrung [rʌŋ] *passé* & *pp* ▷ **wring**.

wry [raı] *adj* **1.** amusé(e) **2.** ironique **3.** désabusé(e).

WWW (*abr de* **World Wide Web**) *n* WWW *m*.

x [eks] *(pl* **x's** *ou* **xs)**, **X** *(pl* **X's** *ou* **Xs)** *n* **1.** x *m inv*, X *m inv* **2.** x *m inv* **3.** croix *f* **4.** *(à la fin d'une lettre)* ▸ **XXX** grosses bises.

xenophobia [ˌzenə'fəʊbjə] *n* xénophobie *f*.

Xmas ['eksməs] *n* Noël *m*.

X-ray ◼ *n* **1.** rayon *m* X **2.** radiographie *f*, radio *f*. ◼ *vt* radiographier.

xylophone ['zaıləfəʊn] *n* xylophone *m*.

Y

y [waɪ] (*pl* **y's** *ou* **ys**), **Y** (*pl* **Y's** *ou* **Ys**) *n* y *m inv*, Y *m inv*.

yacht [jɒt] *n* yacht *m*.

yachting ['jɒtɪŋ] *n* yachting *m*.

yachtsman ['jɒtsmən] (*pl* **-men** [-mən]) *n* yachtman *m*.

yam [jæm] *n* igname *f*.

Yank [jæŋk] *n* (*UK*) *fam* Amerloque *mf* (*terme péjoratif désignant un Américain*).

Yankee ['jæŋkɪ] *n* (*UK*) *fam* Amerloque *mf* (*terme péjoratif désignant un Américain*).

yap [jæp] *vi* japper.

yard [jɑːd] *n* **1.** yard *m* (= 91,44 cm) **2.** cour *f* **3.** chantier *m* **4.** (*US*) jardin *m*.

yardstick ['jɑːdstɪk] *n* mesure *f*.

yarn [jɑːn] *n* fil *m*.

yawn [jɔːn] ◼ *n* bâillement *m*. ◼ *vi* bâiller.

yd *abrév de* **yard**.

yeah [jeə] *adv fam* ouais.

year [jɪəʳ] *n* année *f*, an *m* ▪ **to be 21 years old** avoir 21 ans ▪ **all (the) year round** toute l'année ▪ **the year 2002-03** l'exercice 2002-03.
◼ **years** *npl* années *fpl*.

yearly ['jɪəlɪ] ◼ *adj* annuel(elle). ◼ *adv* **1.** annuellement **2.** chaque année ▪ **twice yearly** deux fois par an.

yearn [jɜːn] *vi* ▪ **to yearn for sthg/to do sthg** aspirer à qqch/à faire qqch.

yearning ['jɜːnɪŋ] *n* ▪ **yearning (for sb/ sthg)** désir *m* ardent (pour qqn/de qqch).

yeast [jiːst] *n* levure *f*.

yell [jel] ◼ *n* hurlement *m*. ◼ *vi & vt* hurler.

yellow ['jeləʊ] ◼ *adj* jaune. ◼ *n* jaune *m*.

yellow card *n* FOOTBALL carton *m* jaune.

yelp [jelp] *vi* japper.

yeoman of the guard ['jəʊmən-] (*pl* **yeomen of the guard** ['jəʊmən-]) *n* (*UK*) hallebardier *m* de la garde royale.

yes [jes] ◼ *adv* **1.** oui ▪ **yes, please** oui, s'il te/vous plaît **2.** (*en réponse à une question négative*) si. ◼ *n* oui *m inv*.

yesterday ['jestədɪ] ◼ *n* hier *m* ▪ **the day before yesterday** avant-hier. ◼ *adv* hier.

---

yet [jet] *adv*

1. À LA FORME NÉGATIVE, INDIQUE QU'UNE ACTION N'A PAS ENCORE EU LIEU
▪ **he hasn't arrived yet** il n'est pas encore arrivé
▪ **I have had no response to my ad as yet** je n'ai pas reçu de réponse à mon annonce jusqu'à maintenant *ou* jusqu'ici

2. DANS DES QUESTIONS, POUR DEMANDER SI UNE ACTION A DÉJÀ EU LIEU
▪ **have they finished yet?** est-ce qu'ils ont déjà fini ?
▪ **are we there yet?** est-ce qu'on est arrivés ?

3. AVEC UN COMPARATIF, JOUE UN RÔLE D'INTENSIFICATEUR
▪ **she needs yet more time** elle a besoin d'encore plus de temps
▪ **yet more people arrived at the party** encore plus de personnes arrivèrent à la fête
▪ **she told us a yet sadder tale** elle nous raconta une histoire encore plus triste
▪ **yet again** encore une fois

4. AVEC UN SUPERLATIF
▪ **it's the best film we've seen yet** c'est le meilleur film que nous ayons vu jusqu'à présent
▪ **it's the greatest book yet written** c'est le meilleur livre jamais écrit.

---

yet *conj*

INTRODUIT UNE OPPOSITION
▪ **they can't sing or play their instruments yet everyone buys their records** ils ne savent ni chanter ni jouer, et pourtant tout le monde achète leurs disques.

yew [juː] *n* if *m*.

yield [ji:ld] ∎ *n* rendement *m*. ∎ *vt* **1.** produire **2.** céder. ∎ *vi* **1.** • **to yield (to)** céder (à) **2.** *(US)* AUTO • **'yield'** 'cédez le passage'.

YMCA (*abr de* **Young Men's Christian Association**) *n* union *chrétienne de jeunes gens (proposant notamment des services d'hébergement).*

yoga ['jəʊgə] *n* yoga *m*.

yoghourt, yoghurt, yogurt [*(UK)* 'jɒgət, *(US)* 'jəʊgərt] *n* yaourt *m*.

yoke [jəʊk] *n litt & fig* joug *m*.

yolk [jəʊk] *n* jaune *m* (d'œuf).

you [ju:] *pron pers* **1.** tu, vous • **you're a good cook** tu es/vous êtes bonne cuisinière • **are you French?** tu es/vous êtes français ? • **you French** vous autres Français • **you idiot!** espèce d'idiot ! • **if I were** *ou* **was you** si j'étais toi/vous, à ta/votre place • **there you are** tiens/vous voilà • voilà, tiens/tenez • **that jacket really isn't you** cette veste n'est pas vraiment ton/votre style **2.** te, vous • **I can see you** je te/vous vois • **I gave it to you** je te/vous l'ai donné **3.** toi, vous • **I don't expect you to do it** je n'exige pas que ce soit toi qui le fasses/vous qui le fassiez **4.** *(après une préposition, dans les comparaisons)* toi, vous • **we shall go without you** nous irons sans toi/vous • **I'm shorter than you** je suis plus petit que toi/vous **5.** on • **you have to be careful** on doit faire attention • **exercise is good for you** l'exercice est bon pour la santé.

À PROPOS DE... **you**

Notez que *you* peut être soit singulier soit pluriel, et qu'on l'utilise quel que soit le degré de familiarité avec l'interlocuteur/les interlocuteurs.
You sert à parler des gens en général, par exemple pour demander un renseignement, indiquer la route à prendre, etc (*how do you get to the station?*). Le style devient beaucoup plus soutenu si l'on utilise *one* à la place (*how does one get to the station?*).

you'd [ju:d] = **you had, you would.**

you'll [ju:l] = **you will.**

young [jʌŋ] ∎ *adj* jeune. ∎ *npl* **1.** • **the young** les jeunes *mpl* **2.** les petits *mpl* (des animaux).

younger ['jʌŋgə] *adj* plus jeune.

youngster ['jʌŋstə] *n* jeune *m*.

your [jɔːr] *adj poss* **1.** *(se référant à une personne)* ton, ta, tes *(pl)* **2.** *(forme de politesse, pl)* votre, vos *(pl)* • **your dog** ton/votre chien • **your house** ta/votre maison • **your children** tes/vos enfants • **what's your name?** comment t'appelles-tu/vous appelez-vous ? • **it wasn't your fault** ce n'était pas de ta faute à toi/de votre faute à vous **3.** *(impersonnel)* son(sa), ses *(pl)* • **your attitude changes as you get older** on change sa manière de voir en vieillissant • **it's good for your teeth/hair** c'est bon pour les dents/les cheveux • **your average Englishman** l'Anglais moyen.

À PROPOS DE... **your**

Notez que *your* peut être soit singulier soit pluriel, et qu'on l'utilise quel que soit le degré de familiarité avec l'interlocuteur/les interlocuteurs.
Si vous parlez d'une partie du corps, n'oubliez pas d'utiliser l'adjectif possessif *your*, et non pas *the* (*have you washed your hair?*, « est-ce que t'es lavé les cheveux ? »).

you're [jɔːr] = **you are.**

yours [jɔːz] *pron poss* **1.** *(se référant à une personne)* le tien(la tienne), les tiens(les tiennes) *(pl)* **2.** *(forme de politesse, pl)* le vôtre(la vôtre), les vôtres *(pl)* • **it wasn't her fault, it was yours** ce n'était pas de sa faute, c'était de ta faute à toi/de votre faute à vous • **a friend of yours** un ami à toi/vous, un de tes/vos amis.
∎ **Yours** *adv* ▷ **faithfully, sincerely** etc.

À PROPOS DE... **yours**

Notez que *yours* peut être soit singulier soit pluriel, et qu'on l'utilise quel que soit le degré de familiarité avec l'interlocuteur/les interlocuteurs. « *That desk is yours.* » *Ce bureau est à toi/à vous, ce bureau est le tien/le vôtre.*

yourself [jɔ'self] (pl **-selves** [-'selvz]) pron **1.** (réflexif) te, vous **2.** (après une préposition) toi, vous **3.** toi-même, vous-même • **did you do it yourself?** tu l'as/vous l'avez fait tout seul ?

youth [ju:θ] n **1.** (indén) (période de la vie) jeunesse f **2.** jeune homme m **3.** (indén) jeunesse f, jeunes mpl.

youth club n centre m de jeunes.

youthful ['ju:θful] adj **1.** de jeunesse, juvénile **2.** jeune.

youth hostel n auberge f de jeunesse.

YouTube ['ju:,tju:b] v INFORM aller sur le site internet YouTube, poster une vidéo.

you've [ju:v] = **you have.**

YTS (abr de **Youth Training Scheme**) n programme gouvernemental britannique d'insertion des jeunes dans la vie professionnelle.

Yugoslavia [,ju:gə'slɑ:vɪə] n Yougoslavie f • **the former Yugoslavia** l'ex-Yougoslavie.

Yugoslavian [,ju:gə'slɑ:vɪən], **Yugoslav** [,ju:gə'slɑ:v] ◼ adj yougoslave. ◼ n Yougoslave mf.

yuppie, yuppy ['jʌpɪ] n fam yuppie mf.

YWCA (abr de **Young Women's Christian Association**) n union chrétienne de jeunes filles (proposant notamment des services d'hébergement).

z [*(UK)* zed, *(US)* zi:] *(pl* **z's** *ou* **zs**), **Z** *(pl* **Z's** *ou* **Zs**) *n* z *m inv*, Z *m inv*.

Zambia ['zæmbɪə] *n* Zambie *f*.

zany ['zeɪnɪ] *adj fam* dingue.

zap [zæp] *vi* **1.** *fam* ◦ **to zap (off) somewhere** foncer quelque part **2.** zapper.

zeal [zi:l] *n* zèle *m*.

zealous ['zeləs] *adj* zélé(e).

zebra [*(UK)* 'zebrə, *(US)* 'zi:brə] *(pl inv ou* **-s**) *n* zèbre *m*.

zebra crossing *n (UK)* passage *m* pour piétons.

zenith [*(UK)* 'zenɪθ, *(US)* 'zi:nəθ] *n litt & fig* zénith *m*.

zero [*(UK)* 'zɪərəʊ, *(US)* 'zi:rəʊ] ◼ *adj* zéro, aucun(e). ◼ *n (pl inv ou* **-es**) zéro *m*.

zest [zest] *n (indén)* **1.** piquant *m* **2.** entrain *m* **3.** zeste *m (d'orange, de citron)*.

zigzag ['zɪgzæg] *vi (prét & pp* **-ged**, *cont* **-ging**) zigzaguer.

Zimbabwe [zɪm'bɑːbwɪ] *n* Zimbabwe *m*.

zinc [zɪŋk] *n* zinc *m*.

zip [zɪp] *n (UK)* fermeture *f* Éclair®.
◼ **zip up** *vt sép* **1.** remonter la fermeture Éclair® de **2.** fermer la fermeture Éclair® de.

zip code *n (US)* code *m* postal.

zip fastener *n (UK)* = **zip**.

zipper ['zɪpər] *n (US)* = **zip**.

zodiac ['zəʊdɪæk] *n* ◦ **the zodiac** le zodiaque.

zone [zəʊn] *n* zone *f*.

zoo [zu:] *n* zoo *m*.

zoology [zəʊ'ɒlədʒɪ] *n* zoologie *f*.

zoom [zu:m] ◼ *vi fam* ◦ **the car zoomed up/down the hill** la voiture a monté/descendu la côte à toute allure. ◼ *n* zoom *m*.

zoom lens *n* zoom *m*.

zucchini [zu:'ki:nɪ] *(pl inv) n (US)* courgette *f*.

Achevé d'imprimer en avril 2009
par Maury-Imprimeur (France)
N° d'imprimeur : 144378